L'ANNUEL DE L'AUTOMOBILE 2010

TOUJOURS PLUS
QU'UN SIMPLE
GUIDE D'AUTOS...

CRÉDITS

ÉQUIPES ÉDITORIALE ET DE PRODUCTION

Éditeurs
Benoit Charette et Michel Crépault

Rédacteur en chef
Benoit Charette

Auteurs
Jean-Pierre Bouchard, Francis Brière, Benoit Charette, Alexandre Crépault, Michel Crépault, Phillipe Laguë, Frédéric Masse, Carl Nadeau et Daniel Rufiange

Rédacteurs
Jason Cammisa et Mark Hacking

Photographes
Les membres de *L'Annuel de l'automobile*, les constructeurs et Brenda Priddy

Supplément des prix des voitures neuves
Patrice Rivest

Supplément des prix des voitures d'occasion
Société Trader (Michel Doyon et Patrice Rivest)

Fiches techniques
Jean-Pierre Laporte, Félix Deschênes, Huu-Long Nguyen et Benoit Charette

Correcteur
Richard Roch

Réviseurs
Jacques Gervais, Benoit Charette, Frédéric Laporte et Gilles Pilon

Conception graphique
Magma design inc. : Francis Auger, Éric Béland, Alexandre Dubois, Refka Ferchichi, Sarah Maude Forget, Christine Foulem, Eve-Marie Laliberté, Amélie Lalonde, Steve Paquette, Olivier Rielland Nadeau, et Kim Samson
magmadesign.ca

Imprimerie
Interglobe (Transcontinental)

Distribution
Prologue

Conseillers publicitaires
Stéphanie Masse et Vincent Noël

Coordonnatrice publicitaire
Mélissa Bissett

COORDONNÉES

L'ANNUEL DE L'AUTOMOBILE 2010
Commentaires
C.P. 930, Coteau-duLac, Québec J0P 1B0
Téléphone : 450.308.0741
Télécopieur: 450.308.0742
courriel : infos@annuelauto.com
Site web : annuelauto.com

REMERCIEMENTS

Cort Nielsen (Audi) · Joanne Bond et Joechen Frey (BMW) · Daniel Labre et Shelley Keenan (Chrysler) · Umberto Bonfa (Ferrari, Maserati Québec) · Christine Hollander (Ford) · Robert Pagé, Tony LaRocca et Natalie Nankil (General Motors) · Nadia Mereb et Richard Jacobs (Honda et Acura) · Barbara Pitblado (Hyundai) · Barbara Barrett et Alana Fontaine (Jaguar et Land Rover) · Shelley Tevener et Cathy Laroche (Kia) · Bernard Durand et Kelly Strong (Lamborghini et Lotus) · Mathieu Fournier, Alain Desrochers et Gregory Young (Mazda) · JoAnne Caza, Eva Chang et Rob Tackacs (Mercedes-Benz) · Sophie Desmarais et Susan Elliot (Mitsubishi) · Heather Meehan et Didier Marsaud (Nissan) · Laurance Yap (Porsche) · Elaine Griffin et Jen Geller (Subaru) · Nadine Barouche (Suzuki) · Melanie Testani (Toyota et Lexus) · Peter Viney (Volkswagen) · Chad Heard (Volvo)

Catalogage avant publication de Bibliothèque et Archives Canada
Vedette principale au titre:
L'Annuel de l'automobile
ISBN 978-2-9807312-4-2
Dépôt légal – 3e trimestre 2009
Bibliothèque nationale du Québec
Bibliothèque nationale du Canada

L'équipe de *L'Annuel de l'automobile* vous invite à lui faire part de vos commentaires. Il est plus que probable que vous, les propriétaires de voitures, remarquiez au quotidien des qualités ou des défauts qui nous auraient échappé. Merci à l'avance.

Noble M600

TABLE DES MATIÈRES

4 **INDEX DES ESSAIS**
Vous cherchez un véhicule en particulier? Commencez donc là!

6 **BIOGRAPHIES**
Les auteurs de *L'Annuel de l'automobile 2010* soignent leur timidité...

7 **ÉDITORIAL**
Ce n'est pas parce qu'on s'intéresse aux *chars* qu'on ne peut pas être profond.

8 **MANUEL DU PROPRIO**
Petit mode d'emploi qui vous indique la meilleure façon de tirer le maximum des zillions de détails que contient ce livre unique.

LE TOPO VERT

10 **LES VÉHICULES À HYDROGÈNE**
Pierre Langlois, physicien et conférencier de réputation internationale, se penche sur l'une des alternatives au pétrole les plus publicisées au cours des dernières années : l'hydrogène.

14 **HONDA FCX CLARITY vs TESLA ROADSTER**
Notre collaborateur Jason Cammisa a organisé un duel pas banal: la FCX Clarity de Honda contre le Roadster de Tesla. Deux voitures qui entendent révolutionner l'industrie automobile. Qui gagne?

18 **HYDRO... GÊNE**
Alors qu'une armée de réviseurs nocturnes inspectaient les dernières pages de votre *Annuel*, notre collègue Daniel Rufiange partait en Californie se farcir des tours du circuit de Laguna Seca à bord de RX-8 mues à l'hydrogène. On ne lui parle plus depuis...

20 **LE NOUVEL ÉCHIQUIER**
À moins d'avoir passé les derniers mois en orbite autour de Jupiter, vous n'ignorez pas qu'un tsunami a dévasté l'industrie automobile. De gros joueurs sont tout à coup devenus moins gros, tandis que de nouveaux ont fait leur apparition. Petit survol des constructeurs qui se disputeront votre portefeuille en 2010 et au-delà.

LES INCONTOURNABLES

26 **AUTOUR DU MONDE**
Que conduit le reste du monde? Francis Brière a survolé virtuellement la planète, s'arrêtant notamment près de la tour Eiffel et du Colisée pour débusquer les modèles les plus populaires, et parfois les plus étonnants.

41 **LES PROTOTYPES**
Quand les jeunes (et les moins jeunes) s'arrêtent au kiosque de *L'Annuel de l'automobile* dans les salons de l'auto, il faut les voir s'empresser d'ouvrir les pages du bouquin sur la section des Prototypes! Les « Hé! As-tu vu celle-là?! » et « Wow! C'es-tu assez flyé! » fusent de toutes parts. Et il y a de quoi : ces pages regroupent ce que les designers les plus brillants de l'industrie ont concocté dans des moments de délires contrôlés.

56 **BOULE DE CRISTAL**
Cette section rassemble les véhicules qui font partie de ces mises en marché certaines mais encore trop lointaines pour s'être transformées en essai routier. On met la table, quoi!

78 **LES ESSAIS**
Très exactement 268 véhicules 2010 passés au crible pour vous, amis lecteurs. Nouveauté cette année : nous avons détaillé sur une pleine page les versions les plus puissantes d'une famille. Par exemple, les livrées AMG, S ou M, respectivement chez Mercedes-Benz, Audi et BMW, se sont méritées une évaluation individuelle. À l'autre bout du spectre, nous avons raffiné notre Cote Verte, inaugurée dans l'édition 2009, pour vérifier les vertus écologiques de tous les modèles.

628 **LE PALMARÈS**
Les auteurs de *L'Annuel de l'automobile 2010* doivent bien être capables de répondre à la question qu'ils se font poser dans tout *party*: «Oui, mais c'est laquelle la meilleure?» Or donc, ils se mouillent en décernant les *Clés d'or* dans 24catégories, sans oublier de nommer la *Voiture de l'année*!

641 **LES PRIX DU NEUF**
Compilés avec beaucoup de minutie, vous trouverez ici les prix suggérés par le manufacturier pour tous les modèles 2010, version après version.

649 **LES PRIX D'OCCASION**
Grâce à la précieuse collaboration de Michel Doyon et de Patrice Rivest, de la Société Trader, nous vous livrons ici ce que vaut le véhicule que vous aimeriez troquer au concessionnaire en échange d'un autre flambant neuf.

INDEX DES ESSAIS

ACURA

CSX	78-79
MDX	80-81
RDX	82-83
RL	84-85
TL	86-87
TSX	88-89
ZDX	90-91

ASTON MARTIN

DB9	92-93
DBS	94-95
Rapide	96-97
Vantage	98-99

AUDI

A3	100-101
A4	102-103
S4	104
S5	105
A5	106-107
A6	108-109
S6	110
A8	112-113
Q5	114-115
Q7	116-117
TT	118-119
R8	120-121

BENTLEY

Mulsanne	122-123
GT	124-125
Flying Spur	126-127

BMW

Série 1	128-129
Série 3	130-131
M3	132
M5	133
Série 5	134-135
Série 6	136-137
M6	138
Série 7	140-141
X3	142-143
X5	144-145
X5 M	146
X6M	147
X6	148-149

BUICK

Allure	150-151
Enclave	152-153
Lucerne	154-155

CADILLAC

CTS	156-157
CTS-V	158
DTS	160-161
Escalade /EXT	162-163
SRX	164-165
STS	166-167

CHEVROLET

Avalanche	168-169
Aveo	170-171
Camaro	172 à 175
Cobalt	176-177
Colorado	178-179
Corvette	180-181
Corvette ZR1	182
Equinox	184 à 187
Express	188-189
HHR	190-191
Impala	192-193
Malibu	194-195
Silverado	196-197
Tahoe/Suburban	198-199
Traverse	200-201

CHRYSLER

300	202-203
PT Cruiser	204-205
Town&Country	206
Sebring	208-209

DODGE

Caliber	210-211
Challenger	212-213
Grand Caravan	214-215
Charger	216-217
Dakota	218-219
Journey	220-221
Nitro	222-223
Ram	224-225
Sprinter	226-227
Viper	228-229

FERRARI

F458 Italia	230-231
599	232-233
612 Scaglietti	234-235
California	236 à 239

FORD

Edge	240-241
Escape	242-243
Expedition	244-245
Explorer/Sport Trac	246-247
Flex	248-249
Fiesta	250-251
Focus	252-253
Fusion/hybride	254 à 257
Mustang/GT 500	258-259
Ranger	260-261
Série E	262-263
Série-F	264-265
Transit Connect	266-267
Taurus	268 à 271

GMC

Acadia	272
Canyon	273
Savana	274
Sierra	275
Terrain	276
Yukon	277

HONDA

Accord	278-279
Civic / Hybrid	280-281
CR-V	282-283
Element	284-285
Fit	286-287
Insight	288 à 291
Odyssey	292-293
Pilot	294-295
Ridgeline	296-297

HYUNDAI

Accent	298-299
Elantra	300-301
Genesis coupe	302 à 305
Genesis	306-307
Santa-Fe	308-309
Sonata	310-311
Tucson	312-313
Veracruz	314-315

INFINITI

EX35	316-317
FX	318-319
G37	320-321
M	322-323
QX56	324-325

JAGUAR

XJ	326-327
XK	328-329
XK-R	330
XF-R	331
XF	332-333

JEEP

Compass	334-335
Commander	336-337
Grand Cherokee	338-339
Liberty	340-341
Patriot	342-343
Wrangler	344-345

KIA

Amanti	346-347
Borrego	348-349
Forte	350 à 353

Koup	354 à 357
Magentis	358-359
Rio	360-361
Rondo	362-363
Sedona	364-365
Soul	366 à 369
Sorento	370-371
Sportage	372

LAMBORGHINI

Gallardo	374-375
LP 650 et LP 670	376-377

LAND ROVER

LR2	378-379
LR4	380-381
Range Rover	382-383

LEXUS

ES 350	384-385
GS	386-387
GX470	388-389
HS 250	390-391
IS/décapotable	392-393
IS-F	394
LS 460/600H	396-397
LX570	398-399
RX 350/450h	400 à 403
SC430	404-405

LINCOLN

MKS	406-407
MKT	408
MKX	409
MKZ	410
Navigator	411

LOTUS

Élise	412-413
Evora	414-415
Exige	416-417

MASERATI

Quattroporte	418-419
GT	420-421

MAYBACH

57 & 62	422-423

MAZDA

3	424 à 427
Speed3	428
5	430-431
6	432-433
CX7	434-435
CX9	436-437
MX-5	438-439
Série-B	440
Tribute	441
RX8	442-443

MERCEDES-BENZ

Classe B	444-445
Classe C	446-447
Classe CL	448-449
Classe CLS	450-451
Classe E	452 à 455
Classe E coupé	456-457
Classe G	458-459
Classe M	460-461
GL	462-463
GLK	464-465
Classe R	466-467
Classe S	468-469
Classe S AMG	470
Classe SL AMG	471
Classe SL	472-473
Classe SLK	474-475
Classe SLR	476-477

MINI

Cooper	478-479

MITSUBISHI

Eclipse/spyder	480-481
Endeavor	482-483
Galant	484-485
Lancer	486-487
Lancer Evo	488
Outlander	490-491

NISSAN

370Z	492-493
Altima/hybride	494-495
Armada	496-497
Cube	498 à 501
Frontier	502-503
GTR	504-505
Maxima	506-507
Murano	508-509
Pathfinder	510-511
Quest	512-513
Rogue	514-515
Sentra	516-517
Titan	518-519
Versa	520-521
Xterra	522-523

PONTIAC

Vibe	524-525

PORSCHE

911	526-527
Boxster	528-529
Cayman	530-531
Cayenne	532-533
Panamera	534 à 537

SMART

For Two	538-539

SUBARU

Forester	540-541
Impreza/WRX	542-543
Impreza STI	544
Legacy/Outback	546 à 549
Tribeca	550-551

SUZUKI

Grand Vitara	552-553
Swift+	554-555
SX4	556-557

TOYOTA

4Runner	558-559
Avalon	560-561
Corolla	562-563
Camry	564-565
FJ	566-567
Highlander	568-569
Matrix	570-571
Prius	572 à 575
RAV4	576-577
Sequoia	578-579
Sienna	580-581
Tacoma	582-583
Tundra	584-585
Venza	586-587
Yaris	588-589

VOLKSWAGEN

EOS	590-591
Golf	592 à 595
Golf et Jetta City	596-597
GTi	598-599
Jetta	600-601
New Beetle	602-603
Passat	604-605
Passat CC	606-607
Routan	608-609
Tiguan	610-611
Touareg	612-613

VOLVO

C30	614-615
C70	616-617
S40/V50	618-619
V70 & XC70	620-621
S80	622-623
XC60	624-625
XC90	626-627

QUI EST QUI ?

L'ÉQUIPE ÉDITORIALE

BENOIT CHARETTE COPROPRIÉTAIRE ET RÉDACTEUR EN CHEF
Fort d'une expérience de 17 ans dans la mise sur pied d'un livre automobile, Benoit est celui qui dirige les opérations. Au delà de son rôle de rédacteur en chef, on fait souvent appel à ses talents d'analyste du milieu automobile. Présent à la radio depuis 22 ans, Benoit présente encore cette année son émission « En Voiture » chaque semaine sur le réseau Corus en plus des hebdos du groupe Transcontinental, Hebdo.net et MSN sur l'Internet.

PHILIPPE LAGUË AUTEUR
Philippe partage son temps entre le service des nouvelles de Radio-Canada et sa chronique automobile dans le quotidien le Devoir. Soucieux du travail bien fait, il déteste par-dessus tout les demi-mesures. Actif depuis 18 ans dans le milieu de l'automobile, il est devenu l'un des vétérans du métier au Québec. Il apprécie de l'automobile ce qu'il apprécie chez les gens, l'honnêteté et le travail bien fait.

MICHEL CRÉPAULT COPROPRIÉTAIRE
Michel, à la fois éditeur et catalyseur, aime aussi écrire sur à peu près n'importe quoi. L'automobile le branche parce qu'il la considère comme un objet de design, un outil inestimable et une carte de visite qui en dit long sur son propriétaire. Il estime que l'industrie de l'automobile n'a pas fini de nous étonner parce que l'auto est désormais appelée à se réinventer : comment continuer à aider ses occupants à parcourir la planète sans la détruire ?

FRÉDÉRIC MASSE AUTEUR
Quand on travaille dans la publicité au quotidien, on voit beaucoup plus l'automobile comme un objet de consommation. Au-delà de ce concept, Frédéric, comme tous les membres de l'Annuel, vit une passion avec l'automobile qui l'a mené au métier de journaliste. Il y consacre assez de temps pour collaborer au magazine Prestige, à plusieurs émissions de radio à Québec et, chez nous, à l'Annuel.

CARL NADEAU AUTEUR
Si vous dites à Carl que votre prochaine voiture à l'essai possède plus de 500 chevaux, vous verrez un sourire apparaître sur son visage. Pour lui, le plaisir et le dépassement... de soi (et des autres) sont importants, il adore tout ce qui a un moteur et qui roule vite. Pour compléter ses horaires déjà chargés, Carl est de retour à la télévision pour la troisième saison de « Équipé pour rouler » à Z-Télé en plus d'une émission automobile à Québec, sa région natale.

ALEXANDRE CRÉPAULT AUTEUR
Vous connaissez le proverbe, il faut que jeunesse se passe. Alexandre, c'est notre essayeur extrême, celui qui doit produire un peu de « boucane » avant de terminer un essai routier. Si une voiture ne peut faire de dérapage contrôlé, il lui manque quelque chose. Amateur de Web et de toutes les nouvelles technologies, il regarde vers le futur de l'automobile.

JEAN-PIERRE BOUCHARD AUTEUR
Avant de devenir journaliste automobile, Jean-Pierre a travaillé durant plusieurs années à CAA-Québec. À titre d'agent d'information en consommation automobile, il a aidé des milliers de personnes à faire des choix éclairés en matière d'automobiles neuves et d'occasion. C'est donc en ne perdant jamais de vue que l'achat d'un véhicule constitue souvent, pour bon nombre, un véritable casse-tête qu'il analyse chaque véhicule. Jean-Pierre, c'est l'amour de l'automobile. Et la volonté d'aider.

DANIEL RUFIANGE AUTEUR
C'est beaucoup grâce à son père que Daniel est aussi passionné d'automobile. Jeune, il tournait autour des voitures que le paternel rafistolait et réparait. Une première passion était née : l'automobile. Puis, une deuxième a tranquillement fait son apparition : l'écriture. Le mariage des deux n'était qu'une question de temps. C'est donc avec un double plaisir que notre prof d'histoire vous livre ses impressions. ET surtout, si vous voulez parler de NASCAR, vous trouverez en Daniel un interlocuteur attentif.

FRANCIS BRIÈRE AUTEUR
Né à Montréal en 1968, Francis Brière a étudié quelques années avant de devenir auteur et journaliste. Comme son père changeait de voiture aux six mois, le goût de conduire de grosses bagnoles lui est venu très rapidement au cours de sa sixième année d'existence. Disponible et assidu, Daniel est curieux de connaître ce que recelle chaque voiture et n'est jamais avare de son temps.

ÉDITORIAL

PLUS RIEN NE SERA PLUS COMME AVANT !

Quelle année, mes amis, quelle année !

La toute-puissante industrie de l'automobile américaine qui vacille, GM et Chrysler qui déposent leur bilan et se placent sous la protection des tribunaux, les hybrides qui prolifèrent, l'auto électrique qui devient réalité... Que de bouleversements ! Qui aurait cru, il y a à peine cinq ans, que deux de ceux qu'on appelait, hier encore, les Trois Grands, s'effondreraient ainsi ? Que Toyota dépasserait GM au premier rang mondial, après un règne de plus de 70 ans ? Que les véhicules hybrides deviendraient quasi incontournables pour les constructeurs présents sur le marché nord-américain ? Que la voiture électrique deviendrait ENFIN réalité, et non plus le fantasme des environnementalistes ?

Cette édition 2010 de *L'Annuel de l'automobile* s'est intéressée aux « disparus », aux modèles qui, pris dans la tempête, ne reviendront plus dans les salles d'exposition. Pourtant, les cours de concessionnaires en contiennent encore. Devriez-vous vous précipiter sur ces véhicules dans l'espoir de conclure une bonne affaire ? Nos experts s'expriment sur les meilleurs achats du moment et sur les occasions à ne pas manquer. Nous vous offrons également un « remake » de notre planète automobile, le nouvel ordre mondial de l'auto.

MALGRÉ UN CONTEXTE PLUS DIFFICILE QUE JAMAIS, NOUS SOMMES TOUJOURS LÀ, ET C'EST GRÂCE À VOUS, À VOTRE SOUTIEN INDÉFECTIBLE. DE NOTRE CÔTÉ, NOUS NOUS ENGAGEONS À VOUS OFFRIR UN PRODUIT DE QUALITÉ, COMME NOUS L'AVONS TOUJOURS FAIT.

Nous avons également fait l'essai des récentes technologies à hydrogène et électrique et nous vous ferons connaître notre opinion sur le sujet. Avec fierté, *L'Annuel* vous ramène les rubriques qui ont bâti sa réputation au fil des ans : *Autour du monde* (que conduit-on sur les autres continents ?), *Les prototypes* (quand les ingénieurs se laissent aller !) et *Boule de cristal* (bientôt chez un concessionnaire près de chez vous...). La section des *Prix des modèles 2010* est aussi détaillée que par le passé, et celle des *Prix d'occasion* (combien vaut l'auto que vous aimeriez échanger ?), en partenariat avec Auto Trader, est toujours unique à *L'Annuel*.

Vous ne voulez pas manquer notre *Palmarès* qui décerne *24 Clefs d'or* dans autant de catégories !

Nous avons introduit l'an dernier la *Cote verte*, la fiche qui décrit tout ce que vous devez savoir sur l'aspect écologique de chaque modèle. Le papier lui-même sur lequel vous dévorez ces renseignements provient de forêts gérées scientifiquement.

Le cœur de l'ouvrage reste les 268 véhicules détaillés dans cet *Annuel de l'automobile 2010*. Même si des divisions entières comme Pontiac, Saturn, Hummer et Saab, ont disparu, *L'Annuel* a dû exécuter un tour de force pour tout entrer dans 672 pages.

En traversant cette crise, l'industrie de l'automobile en ressort plus que jamais convaincue qu'il ne faut pas mettre en vente ce que des penseurs hurluberlus ont imaginé dans leur tour d'ivoire, mais bien ce que les gens veulent conduire.

Nous tenons également à vous remercier. Nous savons que vous avez le choix parmi des publications du genre sur l'automobile au Québec. Nos concurrents sont soutenus par des empires médiatiques, alors que nous demeurons fièrement indépendants. Cela garantit une liberté d'esprit dont vous êtes les bénéficiaires.

Cette intégrité est la marque de commerce de *L'Annuel de l'automobile*, et cette façon de faire semble plaire à nos lecteurs et à nos lectrices qui nous ont réitéré leur appui. Malgré un contexte plus difficile que jamais, nous sommes toujours là, et c'est grâce à vous, à votre soutien indéfectible. De notre côté, nous nous engageons à vous offrir un produit de qualité, comme nous l'avons toujours fait.

Bonne lecture !

L'équipe de la rédaction

MANUEL DU PROPRIO

1 **MARQUE :** L'Annuel a compilé les essais de toutes les marques d'automobiles disponibles chez nous !

MODÈLE : L'Annuel a analysé pour vous exactement 268 modèles. C'est ce qu'on appelle avoir l'embarras du choix.

2 **NOUVEAUTÉ :** Il s'agit d'un modèle tout nouveau en 2010. Cette édition de *L'Annuel* en contient pas moins de 27, la majorité ayant mérité 4 pages parce que nous ne nous sommes pas contentés de les regarder, nous les avons conduits !

ÉVOLUTION : Ici, on parle d'un modèle déjà connu en 2009 qui a subi quelques retouches pour 2010.

JUMEAU : Modèle dérivé d'un autre, lui-même décrit plus en détail dans les pages précédentes ou suivantes (puisque les modèles sont classés par ordre alphabétique).

3 **LA COTE VERTE :** Une fiche dont nous sommes particulièrement fiers : à partir du moteur le plus économe du modèle, quelles en sont les qualités (ou défauts) écologiques. Outre des informations utiles comme la quantité d'émissions polluantes (CO_2), vous y apprendrez le nombre d'arbres à planter pour compenser l'empreinte écologique du dit véhicule.

4 **FICHE D'IDENTITÉ :** Données qui expliquent a priori à quel genre de véhicule on a affaire.

5 **AU QUOTIDIEN**

ASSURANCE : Pour obtenir les primes d'assurance, nous nous sommes basés sur un cas type : **Sexe** homme ou femme **Âge** 25 ans, 40 ans et 60 ans **Ville** Montréal ou sa banlieue immédiate. L'utilisateur prend son véhicule pour aller au travail et parcourt entre 20 et 30 kilomètres par jour. **Type de police** Aucun accident dans les 5 dernières années / Franchise de 250 $ / Responsabilité civile de 1 000 000 $ / Aucun avenant ajouté à la prime de base. Les prix donnés dans L'Annuel comprennent les taxes.

PROCÉDURES POUR LES RAPPELS : Les rappels sont basés sur le registre de Transports Canada et portent sur les cinq dernières années de production des véhicules (2004 à 2009).

ADRESSE POUR LES RAPPELS : www.tc.gc.ca/roadsafety/recalls/search_f.asp

DÉPRÉCIATION : Valeur résiduelle d'un véhicule calculée sur trois ans (entre 2004 et 2007). Le chiffre indiqué représente la pourcentage de dépréciation : par exemple, « 43 % » signifie que le véhicule aura perdu 43 % de sa valeur au terme des 3 ans.

FORD

FUSION 1

www.ford.ca

N NOUVEAUTÉ 2

J

21 499 $ à 35 299 $
transport et préparation: 1350 $

AVEC MOTEUR L4 DE 2,5 L HYBRIDE

- Consommation (100km): CVT 6,5 l
- Émissions polluantes CO_2 : 2928 kg/an
- Empreinte écologique (nombre d'arbres à planter par année): 18
- Indice d'octane: 87
- Autre motorisation: non
- Coût du carburant moyen par année: 1220$
- Nombre de litres par année: 1220 l

(SOURCE: EnerGuide)

3

254

1 FICHE D'IDENTITÉ 4

- **Versions** SE, SEL, Sport, Hybrid
- **Roues motrices** avant, 4 (SE V6 et SE
- **Portières** 4 **Nombre de passagers** 5
- **Première génération** 2006
- **Génération actuelle** 2010
- **Construction** Sonora, Mexique
- **Sacs gonflables** 6 (frontaux, latéraux avant, rideaux latéraux)
- **Concurrence** Chevrolet Malibu, Chrysler Sebring, Honda Accord, Hyundai Sonata, Kia Magentis, Mazda6, Mitsubishi Galant, Nissan Altima, Subaru

2 AU QUOTIDIEN 5

Legacy, Toyota Camry, Volkswagen

- **Prime d'assurance**
  25 ans: 2000 à 2200$
  40 ans: 1000 à 1200$
  60 ans: 800 à 1000$
- **Collision frontale** 4/5
- **Collision latérale** 4/5
- **Ventes du modèle de l'an dernier** **Au Québec** 2057 **Au Canada** 13 326
- **Dépréciation** 60,5%
- **Rappels** (2004 à 2009) aucun à ce jour

3 GARANTIES... ET PLUS

- **Cote de fiabilité** 4/5
- **Garantie générale** 3 ans/60 000 km
- **Garantie motopropulseur** 5 ans/100 000 km
- **Perforation** 5 ans/kilométrage illimité
- **Assistance routière** 5 ans/100 000 km
- **Nombre de concessionnaires**

4 NOUVEAUTÉS EN 2010

Au Québec 77 **Au Canada** 400

- Nouveau modèle

SANS FAUTE

PAR BENOIT CHARETTE

LA LOI DE LA MOYENNE VEUT QUE, APRÈS TROIS ANS, UN CONSTRUCTEUR PROCÈDE À QUELQUES CHANGEMENTS ESTHÉTIQUES DE DEMI-VIE SUR UN VÉHICULE, QUESTION DE LE RAFRAÎCHIR. Ford a plutôt investi 650 millions de dollars pour effectuer une refonte majeure de la Fusion qui touche les moteurs, les boîtes de vitesses, l'habitacle et le style de la voiture. Les acheteurs auront maintenant un choix de quatre mécaniques au lieu de deux, y compris un tout nouveau modèle hybride et une version sport. Ford prend le taureau par les cornes pour se positionner avantageusement face à la gamme de la Toyota Camry, la berline la plus populaire de ce segment de marché.

[CARROSSERIE] La Fusion redessinée offre un style plus contemporain, des lignes plus agressives et une silhouette plus actuelle. Le tout débute avec la calandre à trois barres transversales qui est devenue la signature des produits Ford. À partir de ce nouvel élément, Ford a refait les panneaux de manière plus sculpturale en insistant sur des angles plus prononcés. Les changements à l'arrière sont plus subtils et relèvent plus de la mise à jour des lignes pour s'harmoniser au reste du véhicule. La troisième lumière de frein, qui se trouvait dans la lunette, a migré sur le dessus du coffre, ce qui libère de l'espace pour une meilleure visibilité. En ce qui concerne la version hybride, seuls les logos apposés sur la voiture vous diront qu'il s'agit bien d'une hybride, car la voiture est, en matière d'esthétique, identique aux autres modèles. Enfin, seule la version sport arbore un petit déflecteur sur le coffre comme seule identification du modèle.

[HABITACLE] L'intérieur est dominé par un écran à cristaux liquides (ACL) de 8 pouces qui meuble tout le bloc d'instrumentation. Le tableau de bord adopte une imagerie en trois dimensions, et la version hybride possède sa propre configuration d'information très détaillée. Pour ne pas trop charger le contenu visuel face au conducteur, Ford offre des choix de menus. La base est l'affichage de l'indicateur de vitesse, de la jauge de carburant et de la charge de la batterie, mais il y a plus : compte-tours, énergie produite par le moteur, énergie sortant de la batterie, énergie transmise aux roues, consommation instantanée, consommation des accessoires. Le conducteur peut, par exemple, voir en direct combien consomme sa climatisation. Nous espérons que d'autres constructeurs suivront l'exemple de Ford. La console centrale prend la forme d'un écran ACL où sont affiché toutes les données sur la navigation, iPod, radio satellite, climatisation et tout le reste. Le système utilisé est convivial grâce à l'écran tactile, et l'approche est la même que celle du Ford Flex qui a été unanimement salué par la critique, un véritable modèle à suivre. En ce qui concerne l'environnement de conduite, il y a une amélioration dans le confort des sièges, plus moelleux; la visibilité est meilleure, et l'insonorisation, en hausse, pour une expérience plus positive derrière le volant. À l'arrière, l'espace est correct, mais les sièges sont un peu plus durs, et les dossiers ne sont pas rabattables dans la version hybride pour loger les batteries. L'équipement de base est complet, et quelques options comme le système SYNC sont à considérer.

SI VOUS VOULEZ LA PREUVRE QUE DETROIT, FORD PLUS PARTICULIÈREMENT, EST CAPABLE DE CONSTRUIRE UN VÉHICULE QUI OFFRE CONFORT, QUALITÉ ET PLAISIR DE CONDUITE ET QUI DEVANCE LA CONCURRENCE JAPONAISE, ALLER FAIRE UN TOUR

[MÉCANIQUE] Si l'on tient compte de la nouvelle version hybride, la Fusion offre pas moins de quatre moteurs pour 2010. L'offre débute avec une mécanique à 4 cylindres de 2,5 litres de 175 chevaux associée à une surprenante et très agréable boîte de vitesses manuelle à 6 rapports; une boîte automatique à 6 rapports est offerte en option. Vient ensuite un modèle V6 de 3 litres de 240 chevaux, et la version Sport avec un 3,5 litres de 263 chevaux. Ces deux derniers modèles sont offerts avec une boîte automatique à 6 rapports. Les modèles à 6 cylindres sont offerts en version à deux ou à quatre roues motrices, alors que le modèle à 4 cylindres et l'hybride n'offrent que la traction. Prenons quelques lignes pour parler de l'hybride. Le moteur à carburant est le 4-cylindres de 2,5 litres, mais il a adopté le cycle Atkinson et une distribution variable à l'admission. Le premier sert à améliorer le rendement, le second adoucit les arrêts et les redémarrages qui sont le lot quotidien des véhicules hybrides. La batterie est également plus performante que celle de l'Escape. Elle contient 20 % d'énergie en plus, elle est plus compacte et plus légère, et elle accepte aussi de fonctionner à une température plus élevée, ce qui a permis de simplifier son refroidissement. Le refroidissement de la batterie se fait grâce au système de climatisation. Toute l'architecture hybride est inchangée. L'auto est une traction, associant un moteur à carburant de 155 chevaux à un moteur électrique de 106 chevaux; la boîte de vitesses est une CVT (à variation continue).

[COMPORTEMENT] La Fusion hybride utilise un principe proche de celui de la Toyota Camry hybride, mais en mieux. Par exemple, la gestion électronique plus permissive permet à la Fusion de rouler jusqu'à 70 km/h uniquement en mode électricité. Il va sans dire qu'il faut avoir le pied ex-

FORCES · Communication boîte/moteur réussie · Châssis très sain · Excellente consommation de carburant

FAIBLESSES · Coffre un peu juste en raison des batteries · Prix pourrait être un peu plus concurrentiel dans le cas de l'hybride

6 FUSION

FORD

HISTORIQUE

La première Ford Fusion n'avait rien d'une berline intermédiaire. Il s'agissait plutôt d'un petit véhicule citadin pour l'europe présenté en 2002. IL faudra attendre 2006 pour la première cuvée de la Fusion Nord-Américaine qui devint aussitôt la nouvelle voiture de Ford en Nascar. Ily a eu des versions sports pour le grand rassemblement du SEMA show à Vegas et même un version hydrogène qui a atteint 207,279 milles à l'heure au *Bonneville Salt Flats*.

FUSION EUROPE 2002

FUSION DESSIN

FUSION 2006

FUSION NASCAR 2006

FUSION SEMA 2005

FUSION HYDROGÈNE

FUSION HYBRIDE 2010

255

Ferrari 599

FIABILITÉ : L'équipe de *L'Annuel* s'est basée sur des données du CAA, du périodique *Consumer Reports* et du mensuel *Protégez-Vous*, de même que sur le nombre de rappels de véhicules au cours des cinq dernières années.

5/5 Excellente. Pas ou très peu de défauts.
4/5 Bonne. Peu de défauts.
3/5 Moyenne.
2/5 Inférieure à la moyenne. Plusieurs faiblesses, souvent récurrentes.
1/5 Très faible. Nombreux problèmes, véhicule mal assemblé.
nm nouveau modèle
nd non disponible

6 HISTORIQUE :
Dès qu'il s'agit d'une nouveauté 2010 (étalée sur quatre pages), l'équipe relate l'historique du véhicule en images ou met en relief un point technique qui caractérise le modèle.

7 2e OPINION :
À l'aide de quelques mots bien sentis, un second chroniqueur appuie ou contredit ce que son collègue vient tout juste d'exposer.

8 FICHE TECHNIQUE :
Données sur à peu près tout ce qui est mesurable dans un véhicule ! La consommation indiquée dans la fiche est basée sur l'ÉnerGuide 2009. La puissance des moteurs repose sur une nouvelle charte de la SAE (*Society of Automotive Engineers*) et explique les différences à la baisse quant à la puissance de certains véhicules.

9 EN CONCLUSION
NOS MENTIONS :

La clé d'or de sa catégorie :
Les auteurs de *L'Annuel* ont choisi le modèle comme le meilleur de sa catégorie.

Le choix vert :
Ce modèle se distingue grâce à ses vertus écologiques.

Coup de cœur :
Au diable la raison, c'est l'émotion pure qui nous guide ici!

Le modèle recommandé :
Sans peut-être décrocher une palme spécifique, ce modèle représente un achat sûr.

NOTRE VERDICT
À l'aide d'un système d'étoiles éprouvé, nous résumons les aspects importants de n'importe quel véhicule.

... À VOS MARQUES, PRÊTS, LISEZ !

FORD FUSION

GALERIE

A B L'habitacle est dominé par un écran LCD qui meuble tout le bloc d'instrumentation. Et pour ne pas trop charger le contenu visuel pour le conducteur, Ford offre des choix de menus. Dans la version hybride (photo A), vous pouvez connaître tous les paramètres reliés à votre consommation. Pour la version Sport (photo B), vous avez une orientation plus sportive, cela va de soi.

C La version Sport a plusieurs items pour se démarquer des autres membres de la famille. Du becquet arrière sur le coffre aux roues uniques en passant par le moteur 3,5 litres. Dans l'habitacle, la version Sport a droit à un habillage deux tons en harmonie avec la couleur de la carrosserie, bleu dans ce cas-ci.

D Ford utilise dans la Fusion le même 4-cylindres DACT 16 soupapes de 2,5 L que l'on trouve sous le capot de l'Escape Hybrid depuis 2008. Ce moteur fonctionne selon le « cycle Atkinson », ce qui signifie que les soupapes d'admission restent ouvertes plus longtemps que dans un moteur à essence conventionnel (à cycle Otto) et, ainsi, que le piston repousse dans la tubulure d'admission une fraction du mélange lors de la remontée après le cycle d'admission. Cela a pour effet de favoriser l'économie de carburant puisqu'une quantité moindre d'essence est admise dans les cylindres. Il est associé à un moteur électrique qui produit l'équivalent de 106 chevaux. Les deux moteurs ont une puissance combinée de 191 chevaux.

E Pour ceux qui aiment une version plus musclée de la Fusion, le modèle Sport emprunte le V6 3,5 litres du Ford Edge avec ses 263 chevaux et le loge sous le capot. Avec un poids moindre et la disponibilité de 4 roues motrices, vous avez un véhicule performant et sûr.

256 |

concurrence japonaise, allez faire un tour du côté de la Fusion 2010.

trêmement léger pour que le moteur à carburant demeure silencieux, mais c'est faisable. Comme la Prius et la nouvelle Honda Insight, Ford ne manque pas d'encourager la conduite écolo. Vous pouvez faire pousser votre arbre. Si on roule en consommant trop, les feuilles tombent mais si on roule économiquement, il y en a qui poussent. Il y a un maximum de 23 feuilles. En prenant toutes les précautions du monde, nous avons réussi à en faire pousser 17. Il y a également la jauge qui permet de voir votre réserve d'énergie électrique, et il est possible de moduler l'accélérateur pour demeurer en mode électricité. Si vous décidez de la conduire de manière plus traditionnelle, la Fusion hybride met environ neuf secondes pour franchir le 0 à 100 km/h, et sa vitesse est limitée électroniquement à 170 km/h. Durant ma semaine d'essai, j'ai conduit la voiture sans ménagement et j'ai maintenu une moyenne de 6,6 litres aux 100 km/h sur une distance de plus de 500 kilomètres avec beaucoup d'autoroute. L'autre belle surprise réside dans sa tenue de route qui est surprenante d'agilité. Contrairement à une Toyota Camry qui a toujours l'air engourdie, la Fusion est à la fois confortable, silencieuse, docile et très agile sur la route. Je me suis surpris à attaquer des courbes serrées sans arrière-pensée, et les pneus Michelin « Energy », plus reconnus pour leur faible résistance que pour leurs performances, n'ont pas bronché.

[CONCLUSION] Si vous voulez la preuve que Detroit, Ford plus particulièrement, est capable de construire un véhicule qui offre confort, qualité et plaisir de conduire et qui devance la

7 2e OPINION

PHILIPPE LAGUË La question a été récurrente au cours de la dernière année : les Ford se sont-elles améliorées à ce point ? Réponse : oui. Si la marque à l'ovale a évité la faillite, contrairement aux deux autres constructeurs américains, c'est en raison d'une gestion plus avisée, certes, mais également parce que ses véhicules sont meilleurs. La Fusion en est le meilleur exemple : depuis sa sortie, il y a cinq ans, sa fiabilité est sans tache. La deuxième génération est encore plus réussie : plus confortable, plus silencieuse, plus raffinée... Mieux encore, une version hybride vient s'ajouter. Au chapitre de la consommation, la Fusion Hybrid frappe fort : moins de 6 litres aux 100 kilomètres sur l'autoroute pour une berline intermédiaire, c'est du jamais vu. Une chose est certaine : la Fusion « revue et corrigée » peut soutenir la comparaison avec les meilleures japonaises de sa catégorie.

5 FICHE TECHNIQUE

· **MOTEURS**
· **(SE, SEL)**
L4 2,5 l, 175 ch à 6000 tr/min
Couple 172 lb-pi à 6000 tr/min
Transmission manuelle à 6 rapports, automatique à 6 rapports (en option)
0-100 km/h 9,1 s
Vitesse maximale 205 km/h

8 FUSION FORD

· **(SE V6, SEL V6)**
V6 3,0 l Duratech 240 ch à 6550 tr/min
Couple 228 lb-pi à 4300 tr/min
Transmission automatique à 6 rapports
0-100 km/h 7,3 s
Vitesse maximale 225 km/h
Consommation (100 km) 2RM 9,7 l (octane 87) **4RM** 10,3 l
Émissions de CO_2 2RM 4752 kg/an **4RM** 5040 kg/an
Litres par année 2RM 1980 l **4RM** 2100 l
Coût par an 2RM 1980$ **4RM** 2100$
Empreinte écologique 29 arbres

· **(SPORT)**
V6 3,5 l Duratech 263 ch à 2550 tr/min
Couple 249 lb-pi à 4600 tr/min
Transmission automatique à 6 rapports
0-100 km/h 7,3 s
Vitesse maximale 225 km/h

· **HYBRIDE**
· L4 2,5 l Atkinson, 155 ch à 6000 tr/min (puissance nette de 191 ch)
Couple 136 lb-pi à 4250 tr/min (avec moteur électrique)
Transmission automatique à variation continue
0-100 km/h 9,3 s
Vitesse maximale 170 km/h
Consommation (100 km) 6,5 l (octane 87)
Émissions de CO_2 2928 kg/an
Litres par année 1220 l
Coût par an 1220$
Empreinte écologique 18 arbres

· **AUTRES COMPOSANTES**
Sécurité active freins ABS, antipatinage (V6)
Suspension avant/arrière indépendante
Freins avant/arrière disques
Direction à crémaillère, assistée
Pneus SE P205/60R16, **SEL** P225/50R17

· **DIMENSIONS**
Empattement 2728 mm
Longueur 4841 mm
Largeur 1834 mm
Hauteur 1445 mm
Poids L4 1429 kg, **V6** 1520 kg
Diamètre de braquage 11,36 m
Coffre 467 l
Réservoir de carburant 66 l 4RM 63 l

NOS MENTIONS 9
Le choix vert
Modèle recommandé
Voiture de l'année

NOTRE VERDICT
Plaisir au volant
Qualité de finition
Consommation
Rapport qualité/prix
Valeur de revente Nm

| 257

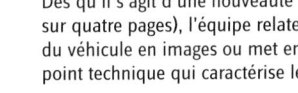

LES VÉHICULES À HYDROGÈNE : une filière très contestable

PAR PIERRE LANGLOIS

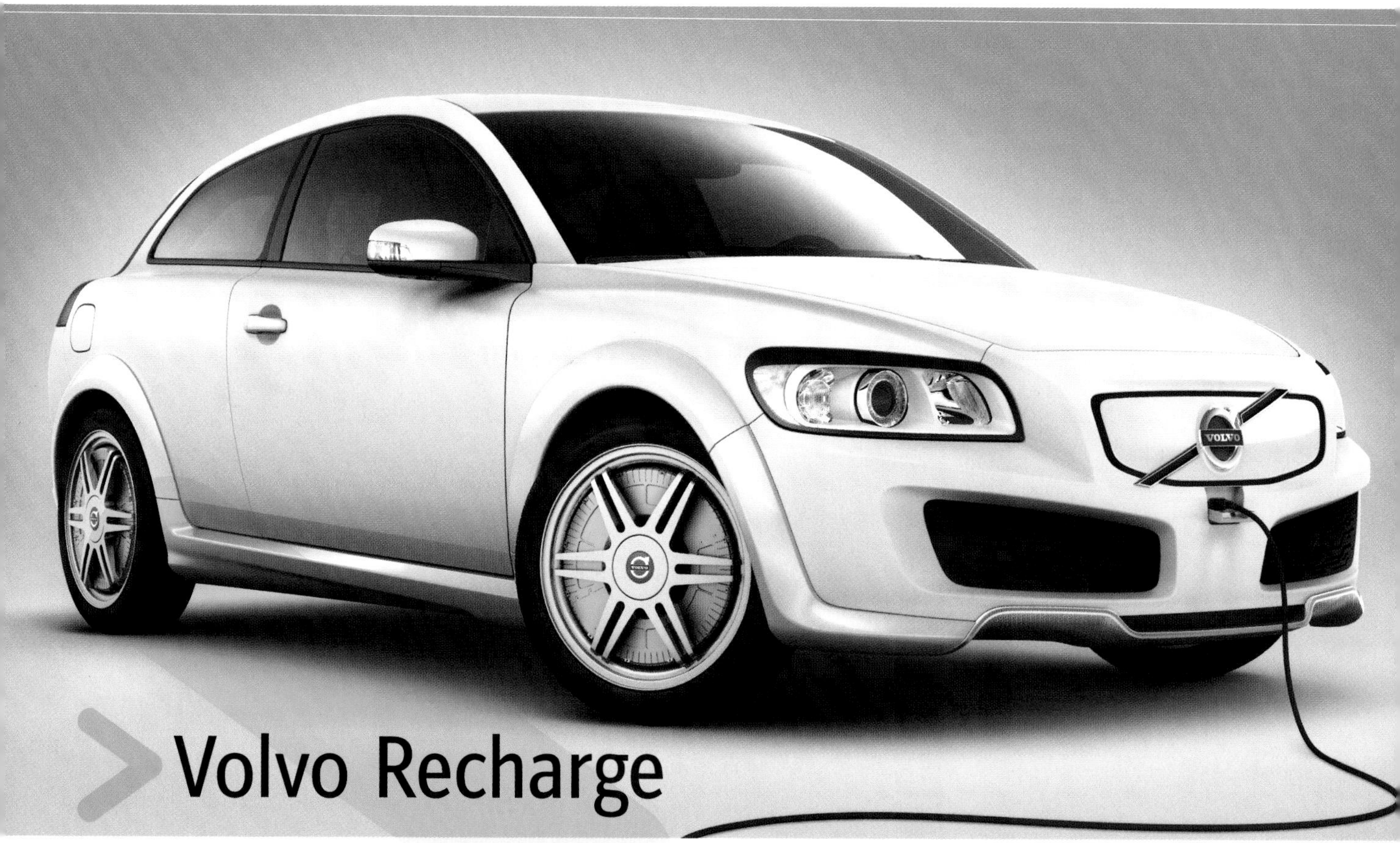

UN PEU D'HISTOIRE

La filière des véhicules à hydrogène a pris son véritable essor à la suite de l'abandon par les fabricants automobiles des véhicules électriques en Californie, en 2001 et en 2002, suivi de la destruction en 2004 et en2005 d'un bon nombre d'entre eux.

Rappelons que la Californie avait forcé les fabricants à introduire des véhicules électriques dans cet État à partir de 1998, afin de réduire le smog devenu extrêmement néfaste pour la santé de ses citoyens, surtout à Los Angeles. Mais les fabricants ont poursuivi l'État en justice, alléguant que la consommation de carburant des véhicules était de juridiction fédérale, et que les gens ne voulaient pas de véhicules électriques. Ils ont ainsi forcé la Californie à abandonner la réglementation qu'elle avait mise en place. Le film de Chris Paine « Who killed the electric car », sorti en 2006, explique bien cet épisode sombre de l'histoire de l'automobile.

Les fabricants ont alors fait miroiter aux autorités californiennes que les voitures à hydrogène seraient bien mieux que les voitures électriques, car on pouvait faire le plein en moins de 10 minutes et parcourir 500 kilomètres sur un plein d'hydrogène. En échange de l'abandon des véhicules électriques par la Californie, ils se sont engagés à développer la technologie des piles à combustible (PAC) qui transforment l'hydrogène en électricité à bord des véhicules et n'émettent que de la vapeur d'eau par les tuyaux d'échappement. Pour les aider, l'administration Bush a mis sur pied le programme « Freedom Car » en 2003, assorti d'un budget de 1,2 milliard de dollars. Plusieurs ont vu dans cette stratégie des fabricants d'automobiles une façon de reporter à plus tard la production de véhicules propres tout en continuant de vendre des véhicules utilitaires sport très payants pour eux, mais très énergivores et polluants.

ÉLECTRIQUE OU HYDROGÈNE?

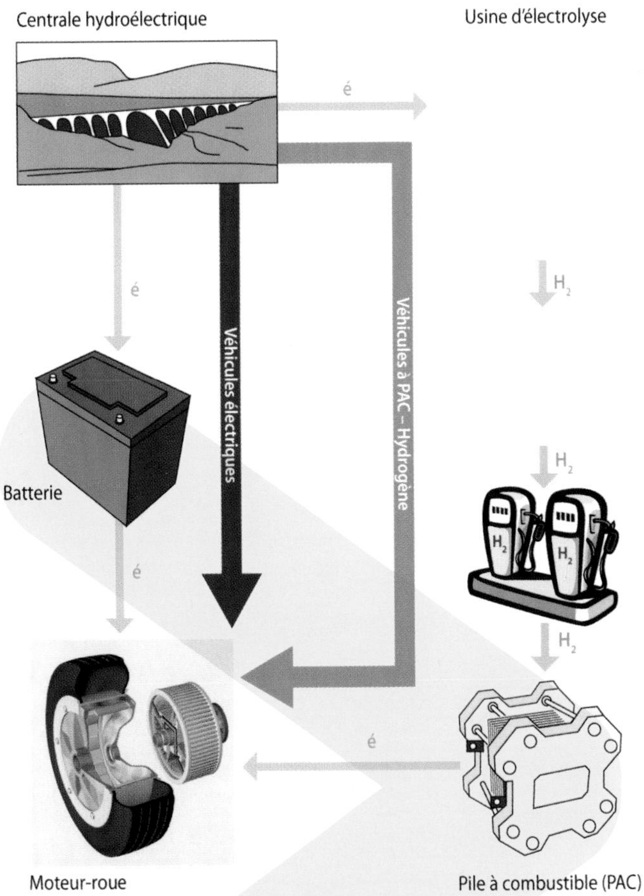

Comparaison entre la chaîne de transformation et de distribution de l'énergie lorsqu'on produit l'hydrogène par électrolyse en utilisant de l'énergie renouvelable (très peu d'émissions de co_2). La filière des voitures à pac-hydrogène, à droite, est beaucoup moins efficace que la filière des véhicules électriques ou hybrides enfichables, à gauche. On a beaucoup moins de pertes en envoyant directement l'électricité dans la batterie d'une voiture plutôt que de transformer l'électricité en hydrogène, comprimer l'hydrogène dans des réservoirs, le transporter par camion et retransformer l'hydrogène en électricité dans la pile à combustible d'une voiture. Dans l'illustration, l'énergie se retrouve sous forme d'électricité (é) ou d'hydrogène (h_2), aux différentes étapes.

AUTANT DE GAZ À EFFET DE SERRE

Le problème avec l'hydrogène c'est qu'il n'existe pas à l'état pur sur Terre. Il est toujours associé à d'autres atomes pour former diverses substances. Associé à l'oxygène, il forme de l'eau, et associé au carbone, il constitue les hydrocarbures (pétrole, gaz naturel). On le retrouve également dans le charbon et la matière vivante (végétale et animale). Pour en extraire l'hydrogène, il faut dépenser de l'énergie pour briser les molécules où il se trouve. L'hydrogène n'est donc pas une source d'énergie comme le pétrole, c'est un « transporteur d'énergie » comme l'électricité. En effet, pour produire de l'électricité et l'emmagasiner dans une batterie, on a besoin d'une source d'énergie (centrale électrique, éolienne...), comme on a besoin d'une source d'énergie pour produire l'hydrogène et l'emmagasiner dans un réservoir sous pression.

Là où ça se gâte, c'est quand on réalise que, actuellement, 96 % de l'hydrogène à l'échelle mondiale est fabriqué à partir de carburants fossiles (gaz naturel, pétrole et charbon) ! Or, plusieurs études ont démontré **qu'en fabriquant l'hydrogène avec des carburants fossiles, on émet autant de gaz à effet de serre (CO_2) à l'usine qui le fabrique qu'on en émettrait dans les rues avec de bonnes voitures hybrides à essence.**

TROIS FOIS PLUS D'ÉLECTRICITÉ ET BEAUCOUP PLUS CHER

Bien sûr, on peut produire de l'hydrogène sans émettre de CO_2, en faisant passer un courant électrique dans l'eau (électrolyse) et en utilisant des énergies renouvelables pour générer l'électricité. Toutefois, l'hydrogène produit par électrolyse est plus cher, et **pour faire parcourir 100 kilomètres à une voiture utilisant l'hydrogène, on doit utiliser trois fois plus d'électricité que n'en requiert une voiture électrique à batterie pour la même distance.** C'est beaucoup plus efficace d'envoyer directement l'électricité dans une batterie que de produire l'hydrogène, le comprimer, le distribuer par camions et le retransformer en électricité à l'aide d'une pile à combustible dans l'auto.

Le développement durable étant synonyme d'efficacité énergétique, force est donc de constater que **les véhicules à hydrogène NE CONSTITUENT PAS du développement durable. Sans compter que l'hydrogène produit par électrolyse coûterait au moins cinq fois plus cher que l'électricité.**

UN BEAU GRAND DUEL EN VUE

Lorsqu'on produit l'hydrogène en faisant passer un courant électrique dans de l'eau (électrolyse), les voitures à PAC-hydrogène consomment trois fois plus d'électricité qu'une voiture électrique ou hybride enfichable (en mode électrique), pour parcourir le même nombre de kilomètres. Consommer trois fois plus d'énergie pour faire la même chose nous éloigne de l'efficacité énergétique et donc du dévelop-pement durable. La voiture électrique est une Roadster de Tesla Motors et la voiture à PAC est une Honda FCX.

OBAMA S'ÉLOIGNE DE L'HYDROGÈNE POUR LES TRANSPORTS

Enfin, avec l'hydrogène, il faudrait implanter une nouvelle infrastructure de distribution pour ce carburant gazeux délicat à manipuler (explosif), alors que dans les périodes de fragilité économique, comme on vit actuellement, il sera toujours préférable d'utiliser au maximum les infrastructures déjà en place. À la lueur de ces faits, on constate donc que les utilisateurs ne bénéficieraient aucunement d'une économie d'hydrogène, seuls les producteurs et les distributeurs d'hydrogène pourraient en tirer profit, particulièrement les compagnies de gaz naturel. On comprend pourquoi l'administration Obama, qui semble moins sous l'emprise des lobbies, a mis un terme aux subventions pour le développement des technologies PAC-hydrogène dans les transports, à partir de 2010.

UNE SOLUTION BEAUCOUP PLUS RÉALISTE : LES HYBRIDES RECHARGEABLES

Maintenant, n'oublions pas que les lobbies ont mis de l'avant la technologie PAC-hydrogène en faisant valoir sa supériorité par rapport aux voitures électriques dont l'autonomie est limitée et la recharge des batteries nécessitait plusieurs heures.

La Honda FCX

La Tesla Roadster

Pourtant, ces problèmes peuvent être facilement solutionnés de façon durable sans passer par la filière hydrogène.

En fait, c'est Hydro-Québec, en 1994, qui avait présenté la solution, celle du docteur Pierre Couture : une voiture à motorisation électrique (moteurs-roues) dont on peut recharger la batterie sur le réseau, mais qui est équipée d'un groupe électrogène à essence pour les longs trajets. C'est ce qu'on appelle une voiture hybride enfichables, ou encore une voiture électrique à autonomie prolongée. Une telle voiture peut parcourir la grande majorité de son kilométrage en mode électricité pure. Il suffit de recharger la batterie tous les soirs chez soi, et quand la voiture a utilisé environ 80 % de l'électricité qui y est stockée, le groupe électrogène à essence entre en fonction automatiquement pour recharger la batterie en cours de route. Le moteur thermique est beaucoup plus petit puisqu'il fonctionne à la puissance moyenne requise par la voiture. Les appels de puissance pour les accélérations ou les côtes sont fournis par la batterie, qui débite alors plus de courant. Le moteur thermique, lui, tourne toujours à son régime optimal où il consomme le moins de carburant.

Avec une voiture hybride enfichable, on peut faire le plein d'essence dans toutes les stations-service existantes en moins de 5 minutes et avoir une autonomie aussi grande qu'une voiture traditionnelle. Puisque 75 % des gens font moins de 65 kilomètres par jour, une batterie permettant de parcourir cette distance en mode électricité est suffisante. **On pourra alors faire plus de 80 % de notre kilométrage à l'électricité.** Pour le 20 % des kilomètres parcourus avec du carburant, déjà les voitures hybrides enfichables qui vont sortir bientôt, comme la Chevrolet Volt, vont consommer la moitié du carburant utilisé par une voiture classique.

On pourra même, à terme, diminuer encore d'un facteur 2 la consommation de carburant (en mode carburant) et faire en sorte que **ces voitures hybrides avancées de demain consommeront 20 fois moins de carburant annuellement que les voitures classiques d'aujourd'hui**, tout en ayant des performances supérieures. On pourra même se passer de pétrole et n'utiliser que des biocarburants de 2e et de 3e génération, en petite quantité. Pour plus de détails, le lecteur est invité à consulter mon livre ***Rouler sans pétrole***, aux Éditions MultiMondes.

Par ailleurs, depuis 2007, on peut recharger les nouvelles batteries à base de titanate de lithium en moins de 10 minutes, avec des stations de recharge rapide dédiées. Ces nouvelles batteries se comportent très bien par temps froid puisqu'elles affichent une perte de capacité d'à peine 10 à 15 % à -30 °C. De plus, on peut les recharger à tous les jours pendant 15 ans, même après des décharges profondes.

Alors, dites-moi, qui va vouloir acheter une voiture à hydrogène et payer cinq fois plus cher pour faire le plein, dans des stations-service difficiles à trouver? Qui?

TECHNOLOGIE DE DEMAIN :

Honda FCX Clarity versus Tesla Roadster

PAR JASON CAMMISSA

Honda FCX Clarity

La plupart des experts s'entendent pour prédire qu'un jour, l'électricité remplacera les combustibles fossiles comme source d'énergie pour nos besoins en transport. C'est une évidence implacable - les ressources en pétrole ne sont pas éternelles. Avec la proposition de la technologie hybride, l'industrie de l'automobile n'en est qu'à ses premiers pas dans l'électrification de la voiture, puisque cette solution dépend toujours du moteur à explosion pour assurer la propulsion. L'avantage offert par ce système réside dans le fait qu'il récupère et emmagasine une partie de l'énergie autrement perdue au freinage, puis l'utilise, par l'entremise d'un dispositif électrique secondaire, pour contribuer à l'effort de mouvement.

La suite logique de ces balbutiements est l'avènement de l'hybride branchée (*plug-in*), qui permet de recharger les batteries de la voiture à partir d'une simple prise électrique domestique. La Chevrolet Volt, voiture-concept amplement médiatisée depuis un an par GM, fait partie de cette nouvelle catégorie. C'est un autre petit pas dans la bonne direction, qui pourrait hélas ne jamais voir le jour, compte tenu de la situation financière précaire de son constructeur.

Si la Volt évoque le futur de l'automobile, deux autres voitures effectivement commercialisées se conjuguent cette fois au présent. En pilotant la Tesla Roadster ou encore la Honda FCX Clarity, on ne fait plus de petits pas mais bien un véritable bond en avant.

Sportive biplace de 100 000 $, la Tesla Roadster serait tout autant à sa place dans une station d'essence qu'un chien dans un jeu de quilles, elle qui est dépourvue de moteur à combustion interne et, par le fait même, de réservoir. Elle fait plutôt appel à un moteur électrique de 248 chevaux et à une série de batteries au lithium-ion pesant 442 kilos. Avec un poids à vide de 1247 kilos, la Tesla abat le 0 à 100 km/h en quatre secondes - un niveau de performance qui la place aux côtés des Ferrari de ce monde .

Même en conduite de tous les jours, aucune autre voiture n'est véritablement en mesure de rivaliser avec la Tesla. Avec un seul braquet de transmission, pas de changements de rapports, pas de perte d'inertie ni de temps, tout en restant collé à la plage de puissance du moteur; la Tesla se contrôle – littéralement – au pied (droit) et à l'oeil.

UNE VOITURE ÉLECTRIQUE CONSOMME PLUS SUR LA ROUTE QU'EN ZONE URBAINE.

Et ses compétences ne se manifestent pas seulement qu'en ligne droite. Malgré son poids supérieur à celui de la Lotus Elise – la petite bombe à essence qui lui a servi de base d'élaboration –, la Tesla conserve l'agilité légendaire de sa soeur de sang anglaise. La direction non assistée est tactile et nerveuse à souhait, et le montage en position centrale du moteur et des accus procure un équilibre des masses idéal pour exploiter la puissance. Sur pavé sec, tout se déroule vite et sans chichis, et la Tesla n'a pas à solliciter l'aide de son antipatinage. En levant le pied de l'accélérateur, le frein moteur de la Tesla procure un ralentissement aux alentours de 0,2 G; dans des conditions de circulation ordinaires, il suffit à la tâche et se substitue plus souvent qu'autrement à la pédale de frein. Toute cette friction est le résultat du travail du système régénératif de la Tesla, qui transforme l'énergie cinétique en électricité à stocker dans les batteries. Tous les des véhicules hybrides font appel à ce type de dispositif, mais dans leur cas, il est activé par les freins aux roues et rend la modulation de la pédale approximative et peu agréable. Avec la Tesla – qui reste fidèle à sa vocation de sportive sans concessions –, seuls les freins à disque sont reliés à la pédale de freinage, et leurs gros étriers AP Racing remplissent leur mandat plus qu'honorablement.

Le manufacturier annonce une autonomie maximale de 385 kilomètres sur une charge complète, bien qu'une évaluation plus réaliste tournerait autour des 240 kilomètres, surtout si l'on a principalement affaire à des déplacements autoroutiers.

Incidemment, une voiture électrique consommera plus sur la route qu'en zone urbaine, à l'opposé d'une auto classique. La Tesla se branche dans une prise à 110 V, mais une recharge complète s'éternisera alors sur 37 heures; avec une prise à 220 V, on coupe ce temps des trois quarts. Le chargeur rapide offert en option a beau promettre de descendre ce temps d'arrêt à six heures, il demeure que cet aspect est un handicap si l'on souhaite effectuer de longs trajets.

Et c'est bien là le noeud du problème – sinon le talon d'Achille des voitures électriques qui dépendent de batteries. On a beau dire que le commun des automobilistes ne se paye pas un Montréal-Vancouver toutes les semaines, mais il reste que c'est possible. L'idée qu'une voiture normale puisse nous mener où nous voulons, quand nous le voulons et aussi loin que nous le désirons est solidement ancrée dans notre psyché.

Honda FCX Clarity

Tesla Roadter

La perspective de perdre cette « liberté » totale en angoisse probablement plus d'un, même si leur odomètre quotidien peine à engranger plus de 200 kilomètres.

La Honda FCX Clarity n'a pas à composer avec cette problématique. Elle aussi est une voiture électrique, mais plutôt que de stocker l'énergie dans une batterie, elle la produit de manière autonome et sur demande grâce à de l'hydrogène stocké dans son réservoir à haute pression. À la différence de la Tesla, elle peut donc se réapprovisionner rapidement à une station de remplissage; il s'agit seulement de savoir où la trouver...

Honda offrira à peu près 200 exemplaires de la FCX en location (plutôt qu'en vente), principalement aux Californiens du Sud qui bénéficient déjà d'un réseau sommaire de stations d'hydrogène. Faire le plein n'y prend pas plus de temps qu'à une station classique, et Honda précise que l'exercice ne comporte pas plus de danger que dans le cas d'un véhicule à essence.

L'HYDROGÈNE EMBARQUÉ EST TRANSFORMÉ EN ÉLECTRICITÉ GRÂCE À CE QUE L'ON NOMME UNE PILE À COMBUSTIBLE.

L'hydrogène embarqué est transformé en électricité grâce à ce que l'on nomme une pile à combustible. Ce dispositif permet la combinaison de l'hydrogène avec l'oxygène présent dans l'air ambiant, créant ainsi une réaction chimique qui génère deux choses : de l'électricité et de l'eau. La première est mise à contribution du côté du moteur, et la seconde est expulsée par le tuyau d'échappement. À plein régime, on remarque d'ailleurs un jet d'eau giclant de l'arrière d'une Clarity; à une allure plus modérée, la quantité d'eau est si mince qu'elle s'évapore à la sortie.

Compte tenu du temps de réponse à l'accélérateur capricieux des piles à combustible – le délai entre l'inaction et le démarrage du processus de génération peut atteindre plusieurs secondes –, la Honda est équipée, de manière complémentaire, d'un bloc-batterie lithium-ion semblable à celui de la Tesla pour pallier le problème. Celui-ci est par contre beaucoup plus petit, puisqu'il n'agit qu'à titre temporaire en attendant que la pile à combustible n'entre en action et pour récupérer de l'énergie au freinage.

Tesla Roadter

HYDRO...GÊNE

PAR DANIEL RUFIANGE

Mazda RX-8 Hydrogen RE

Un jour, notre planète n'aura plus de pétrole à nous offrir : c'est une certitude. Ce qui est moins certain, c'est l'échéance. Les experts sont parfois inconsciemment optimistes alors qu'à d'autres moments, leurs propos sont teintés d'un alarmisme dont il faut se méfier. La vérité se situe probablement à mi-chemin. Les constructeurs ne peuvent se permettre d'attendre. En fait, un peu comme à la loterie, ils doivent miser sur la bonne « nouvelle » technologie, celle qu'il sera possible d'exploiter au point d'en faire la principale solution de rechange ou d'appoint aux combustibles fossiles.

Chez Mazda, c'est sur l'hydrogène qu'on place une mise. Cette année, les premiers exemplaires d'une RX-8 à hydrogène roulent en sol norvégien dans le cadre du programme Hynor (Hydrogène Norvège). En août dernier, Mazda présentait cette technologie aux presses canadienne et américaine. L'événement a eu lieu en Californie. N'y voyez pas là un hasard; c'est un des endroits en Amérique du Nord ou il est possible de se procurer de l'hydrogène. Outre la RX-8 norvégienne, Mazda présentait aussi un prototype sur lequel elle travaille, la Mazda5 hydrogène hybride.

Mazda5 Hydrogen RE

L'HYDROGÈNE ET MAZDA, C'EST PRATIQUEMENT UN MATCH PARFAIT »

LA TECHNOLOGIE

« L'hydrogène et Mazda, c'est pratiquement un match parfait », affirme Seita Kanai, directeur du centre de recherche et développement de Mazda. « Le moteur rotatif est mieux adapté car sa configuration fait en sorte qu'il y a moins de pertes d'énergie lors de l'explosion que si on utilisait ce combustible avec un moteur traditionnel. » Le moteur rotatif de Mazda se veut donc le cobaye parfait.

Cependant, peut-on imaginer qu'un jour les voitures utiliseront massivement l'hydrogène ? Les coûts reliés à sa production sont élevés et, surtout, son stockage requiert beaucoup d'espace en raison de sa forte densité. La résolution de ce dernier problème représente un des plus grands défis technologiques auxquels sont confrontés les scientifiques. Conséquemment, pour qu'un véhicule fonctionnant à l'hydrogène soit efficace et offre une autonomie décente, il doit travailler de pair avec une autre forme d'énergie. C'est ce que Mazda propose avec ces deux véhicules ; la RX-8 peut aussi fonctionner à l'essence - on peut choisir le type de carburant sur simple pression d'un bouton au tableau de bord – pendant que le prototype Mazda5 utilise une batterie comme autre source d'énergie. Selon Tod M. Kaneko, directeur du département d'ingénierie et de technologie pour la MAZDASPEED, c'est cette dernière combinaison qui se veut la plus viable. « Et peut-être même dès 2020 », ajoute-t-il. « Il faudra être prêts lorsque le pétrole se fera plus rare. La technologie est encore perfectible. tAvec cette présentation, nous désirons conscientiser les gens et leur démontrer que Mazda possède le savoir-faire et travaille à rendre cette technologie viable au quotidien. »

Il y a deux ans, le gouverneur de la Californie, Arnold Schwarzenegger, annonçait que l'État serait doté d'une autoroute à hydrogène (avec stations d'approvisionnement) la traversant du Nord au Sud. Ce projet rencontre différentes embûches d'ordre politique. En attendant, ce sont plutôt des communautés à hydrogène qui voient le jour. Ainsi, les villes d'Irvine, de Torrence ainsi que la région de Santa Monica, entre autres, sont munies de stations capables de ravitailler les véhicules fonctionnant à l'hydrogène. Nous sommes cependant encore loin d'une production et d'une distribution massive comparables à celle du pétrole. Demain, 90 autres millions de barils de pétrole (159 litres chacun) seront extraits des entrailles de la terre. C'en est gênant ! Est-ce que l'hydrogène est la solution ?

Le programme de certification environnemental Clé verte ?

RECYCLER MÊME À L'ATELIER...

Il ne vous viendrait plus à l'idée de jeter à la poubelle papiers, cartons, conserves et bouteilles, mais est-ce que les techniciens entretenant votre véhicule en font autant avec tous les produits dangereux, pièces usagées et emballages transitant dans les milliers d'ateliers mécaniques québécois ? Un nouveau programme, celui de la Clé verte, vous permet dorénavant de vous en assurer. / PAR FRÉDÉRIC LAPORTE

« Avec la Clé verte, nous allons sensibiliser les 30 000 techniciens automobiles québécois à la protection de l'environnement », a lancé Pascal Bigras, le directeur général de Nature-Action Québec lors de l'inauguration du programme à l'automne 2008. L'organisme à but non lucratif, fondé en 1986, traite d'efficacité énergétique, de changements climatiques, de la gestion des matières résiduelles et de la protection des milieux naturels.

Parmi les produits récupérés, on retrouve les glycols, les aérosols, les produits absorbants, les plastiques, les filtres à huile, les papiers et cartons, les tubes fluorescents, les pièces usagées ainsi que les fluides contaminés. Les pneus, omis par la Clé verte, font déjà partie d'un précédent programme instauré par RECYC-Québec, de même que les huiles, sous la supervision de la Société de gestion des huiles usagées, la SOGHU.

La certification de la Clé verte s'obtient après la mise en place de procédures strictes et la visite d'un inspecteur. Celle-ci est valide pour un durée de deux ans, au coût de 400 dollars. Un tel montant, minime, ne devrait donc pas affecter la rentabilité des commerces participants.

Pour Jean Duchesneau, propriétaire du Centre auto Beaumont où s'est tenue la conférence de presse montréalaise, un tel programme environnemental se devait d'être créé parce que les opérations de recyclage sont semblables à celles que nous effectuons à la maison. « La plupart de nos techniciens sont âgés de moins de 30 ans. Le recyclage et l'environnement, c'est naturel pour eux ! », a-t-il souligné avec détermination.

Pascal Bigras, le directeur général de Nature-Action Québec, remercie tous les organismes et intervenants ayant cru à la Clé verte, sans lesquels ce projet n'aurait pu voir le jour.

Jean Duchesneau, propriétaire du Centre auto Beaumont

> VERTE SUPÉRIORITÉ

Au contraire, les avantages d'opérer un atelier mécanique respectueux de meilleures techniques environnementales seraient nombreux : diminution notable des déchets à enfouir, amélioration de la qualité de l'air, de l'eau et du sol, réduction du nombre d'accidents de travail et bonification de la réputation des commerces. En outre, la Clé verte favoriserait même la rétention et l'embauche de meilleurs employés, encore selon Pascal Bigras.

La Clé verte n'est pas un programme obligatoire, même s'il est fortement suggéré par le gouvernement québécois ainsi que par ses organismes collaborateurs. Par contre, le CAA-Québec imposera d'ici 2012 à tous ses ateliers recommandés d'en suivre scrupuleusement les recommandations, à défaut de quoi ceux-ci seront expulsés. Ce réseau compte plus de 400 garages et concessionnaires d'automobiles neuves et d'occasion, d'où ce délai pour mettre le tout en place.

Assuré de connaître le succès, ce programme de la Clé verte ? Pierre Beaudoin, directeur des services techniques du CAA-Québec, en est convaincu. Des sondages effectués auprès de ses membres - qui dépassent maintenant le million - lui ont prouvé que les automobilistes québécois tiennent à l'écologie et font de plus en plus leurs achats en considérant ce critère.

RENSEIGNEMENTS :
> www.cleverte.org
> www.nature-action.qc.ca/cleverte

Pascal Bigras, directeur général de Nature-Action Québec et à l'arrière du directeur apparaissent Véronique Jampierre, directrice du Fonds d'action québécois pour le développement durable, Ginette Bureau, pdg de RECYC-Québec, ainsi que Pierre Beaudoin, directeur des services techniques du CAA-Québec

Crédit photo : Frédéric Laporte

LE NOUVEL ÉCHIQUIER

PAR MICHEL CRÉPAULT

Il faudrait plusieurs volumes pour raconter tout ce qui s'est passé dans l'industrie automobile au cours des 12 derniers mois... Mais, au moment d'écrire ces lignes, nous pouvons nous poser au moins deux questions :

· QUI CONTRÔLE QUI? · QUI DOMINE LE MARCHÉ?

COMMENÇONS PAR LA PLUS FACILE, LES DOMINANTS. LA LISTE DES 10 PLUS IMPORTANTS CONSTRUCTEURS AU MONDE À LA FIN DE 2008 SE LISAIT AINSI :

2008

CONSTRUCTEUR	VENTES DE VÉHICULES
1. Toyota Motor Corp.	8 972 000
2. General Motors	7 790 245
3. Volkswagen AG	6 271 724
4. Ford Motor Co.	5 318 000
5. Hyundai-Kia Group	4 157 904
6. Honda Motor Co.	3 783 000
7. Nissan Motor Co.	3 708 074
8. PSA/Peugeot-Citroën SA	2 440 928
9. Fiat S.p.A.	2 440 928
10. Renault SA	2 382 230

SOURCE: *Automotive News*

D'emblée, que remarquez-vous? L'absence de Chrysler. Le troisième constructeur américain était 9e meilleur vendeur au monde en 2007 mais a chuté à la 13e place en 2008. On note aussi que des constructeurs pourtant bien connus du public, comme Mazda, Suzuki, BMW et Mercedes-Benz, ne figurent même pas parmi les 10 plus importants. À la fin de 2009, le portrait aura sans doute encore changé puisque durant le premier semestre de l'année, on a vu Chrysler et GM se placer sous la protection de la loi américaine sur les faillites. Les deux fabricants en sont ressortis rapidement mais très amaigris, particulièrement GM qui a dû se départir de plusieurs divisions. Puisque celles-ci ne figureront plus dans le total des ventes de l'actuel Numéro 2 au monde, on peut présumer que GM finira l'année derrière VW et Ford...
Par ailleurs, le jour où Fiat s'emparera de la majorité du « nouveau Chrysler », les statisticiens combineront les ventes des deux entités et Fiat fera alors beaucoup mieux que le 9e rang.

LA CHAISE MUSICALE

Justement, quand on tente de répondre à la question « Qui contrôle qui? », on comprend mieux pourquoi certains constructeurs dominent : parce qu'ils englobent plusieurs marques. Revoyons le tableau mais cette fois-ci en s'attardant sur ce qui se cache réellement derrière chaque groupe.

TOYOTA MOTOR CORP.

Le Toyota Group exerce ses activités dans un large éventail de domaines, incluant la finance, l'immobilier, les communications, les ressources naturelles et l'automobile. Toyota Motor Corp., la division automobile, comprend les marques Toyota, Lexus et Scion. Lexus a bousculé à partir de 1989 l'emprise des Européens sur le créneau des véhicules de luxe, tandis que Scion s'est rapidement bâti une immense popularité auprès des jeunes Américains grâce à des véhicules aux formes inusitées. Toyota s'apprête d'ailleurs à rendre disponible les Scion au Canada.

La compagnie contrôle à 51% et 50,5% les destins des firmes Daihatsu et Hino. Ce dernier fabrique des camions lourds et des autobus pour Toyota, de même que des utilitaires mieux connus comme le 4Runner et le FJ Cruiser. Daihatsu, le plus vieux constructeur nippon (1907), se spécialise de son côté dans les petites voitures et les véhicules tout-terrain. Toyota détient aussi une participation à hauteur de 8,7% dans Fuji Heavy Industries, qui assemble notamment les véhicules Subaru.

Toyota a délogé General Motors du premier rang des constructeurs en 2008 mais, la même année, annonçait sa première perte financière en 70 ans.

GENERAL MOTORS

L'ancien numéro un au monde (de 1931 à 2007) a quitté la protection de la loi américaine sur les faillites le 10 juillet dernier. Cette date marque les débuts du « GM nouveau », i.e. une compagnie ayant adopté une approche plus moderne vis-à-vis ses produits et ses clients. En même temps, la structure de l'actionnariat de GM a passablement changé :

- *60,8% : le Département du trésor américain (il a quand même investi 50 milliards de dollars des contribuables!)*
- *17,5% : le United Auto Workers (UAW) Retiree Medical Benefits Trust*
- *11,7%: les gouvernements du Canada et de l'Ontario*
- *10% : les actionnaires les mieux protégés du « vieux » GM*

Le nombre d'usines est passé de 47 à 34. Sur les 244 000 employés, 20% ont dû quitter. Le « GM nouveau » ne sera pas tout de suite une compagnie cotée en bourse mais entend le redevenir dès 2010. La nouvelle Cie se concentrera sur les divisions Cadillac (1902), Chevrolet (1911), Buick (1903) et GMC (1901).

LES AUTRES MARQUES?

- **PONTIAC (1926) :** *elle disparaît tout simplement du catalogue, comme l'a fait Oldsmobile en 2004;*
- **SATURN (1985)** *: voilà que Roger Penske, patron de Penske Automotive Group, a manifesté de l'intérêt pour acquérir Saturn. Il aurait approché Renault afin que les Français le fournissent en véhicules et en pièces (l'entente n'inclurait pas Nissan, le partenaire mondial de Renault);*
- **SAAB (1989) :** *GM a accepté de céder sa division suédoise à Koenigsegg Group AB, un fabricant compatriote de supercars très exclusifs;*
- **HUMMER (1992) :** *une entente de principe est intervenue avec Sichuan Tengzhong Heavy Industrial Machinery Co. En fait, il ne manque plus que la bénédiction du gouvernement chinois;*
- **OPEL (1929)/VAUXHALL (1925) :** *l'actionnariat majoritaire de GM dans ces deux compagnies (l'une est allemande, l'autre est britannique) est sur le point d'être vendu soit à la canadienne Magna International (le 4e plus gros équipementier au monde), soit au consortium belge RHJ International. La lutte s'éternise et la dernière rumeur veut même que GM conserverait Opel/Vauxhall...*

General Motors détient aussi 50,9% des parts dans Daewoo Auto & Technology Co. (1937). Les autos Daewoo portent souvent un badge Chevrolet en dehors de la Corée. Par exemple, la Chevrolet Aveo est en réalité une Daewoo Kalo. Enfin, GM conserve des intérêts en Chine (Wuling) et en Australie depuis 1931 via sa division Holden.

Après avoir forcé la fermeture de plusieurs concessionnaires (70 au Québec), GM a convaincu le légendaire Bob Lutz de quitter une très brève retraite pour s'occuper désormais du marketing, de la publicité et des relations avec les consommateurs. Attendez-vous à ce que ça bouge sous la férule de ce diable d'homme âgé de 77 ans. Par exemple, le destin de Cadillac vient d'être confié à Bryan Nesbitt, un « jeunot » de 40 ans!

VOLKSWAGEN AG

Le Groupe Volkswagen est constitué de neuf marques : Volkswagen (voitures de tourisme), Volkswagen (véhicules commerciaux), Audi, Skoda (le plus important fabricant tchèque), Seat (le plus important fabricant d'Espagne), Bentley, Bugatti, Lamborghini et Scania (camions lourds). Le géant allemand contrôle ses divisions à 100%, sauf Audi (0,45%) et Scania (VW détient 49,29% du capital mais 68,60% du vote). Au moment d'écrire ces lignes, VW manigance depuis plusieurs semaines pour acquérir Porsche AG. Si tout se déroule comme prévu, VW commencerait par acquérir 42% de Porsche d'ici la fin de 2009, tandis que les membres de la famille Porsche accepteraient de vendre leurs parts dans Porsche Holding Salzburg. Le plan final prévoit la fusion de Porsche avec VW dans le courant de 2011. Le fabricant de la merveilleuse 911 deviendrait la 10e marque du groupe. L'objectif ultime de VW : déloger Toyota du premier rang des constructeurs d'ici 2018.

FORD MOTOR CO.

Pendant que GM et Chrysler quêtaient des sous aux gouvernements, Ford se contentait d'accepter une marge de crédit qu'elle n'a même pas encore daigné utiliser. C'est que Ford a commencé à nager en eaux troubles bien avant les deux autres. En 2004, Toyota l'a dépassé en tant que 2e constructeur mondial. En 2006, aux USA seulement, la Cie a perdu près de 13 milliards de dollars (heureusement, Ford Europe engrangeait des profits). Ford emprunte 23,4 milliards et, sous le règne d'Alan Mulally (ex-Boeing), commence à se départir des divisions qui l'handicapent :

- *en 2007, Ford vend Aston Martin à un groupe d'investisseurs britanniques. La marque se porte mieux que jamais et est redevenue la voiture de James Bond (DB5 dans Casino Royale et DBS V12 dans Quantum of Solace);*
- *en 2008, Ford vend Jaguar (acquis en 1990) et Land Rover (acheté par BMW en 1994 puis par Ford en 2000) au constructeur indien Tata pour un montant rapporté de 2,3 milliards de dollars;*
- *Ford détenait une participation de 33,4% dans Mazda mais, à la fin de 2008, a accepté d'en revendre une bonne partie à Mazda afin d'amasser du capital. Ford possède aujourd'hui 13% de Mazda et les deux compagnies ont promis de continuer à s'entraider;*
- *ne reste plus que Volvo... Aux dernières nouvelles, Ford attendait de voir le dénouement de la saga entourant la vente d'Opel par GM. Ford offrirait alors Volvo au perdant. Ça s'est déjà vu : quand Ford rafla Jaguar sous le nez de GM, celle-ci se consola en achetant Saab.*

Pour les prochaines années, Ford appliquera une recette simple : davantage de petites autos, plus de kilomètres au litre et des améliorations à l'actuel catalogue. Pendant que GM et Chrysler essaieront de rattraper le temps perdu, Ford en profitera pour prendre ses distances.

La division Mercury, disparue du Canada, continuera aux États-Unis mais avec moins de modèles, lesquels utiliseront des plateformes existantes (la Milan, par exemple, s'inspirera de la Fusion). Lincoln continuera à s'intéresser au luxe mais dans des formats plus compacts. L'ère des énormes Navigator chromés est révolue. Chez Ford, le secret consistera à maximiser les plateformes à une échelle internationale. La Fiesta en sera le premier exemple dès 2010. D'ici 2013, au moins sept véhicules Ford se baladeront à travers le monde en utilisant le même châssis. Ford n'a pas fait de profit depuis 2005 mais entend renverser la vapeur en 2011.

HYUNDAI-KIA GROUP

Hyundai et Kia ont débuté leurs activités en Corée dans les années 1960. En 1998, Hyundai a acheté 51% des parts de Kia. Depuis ce temps, les deux fabricants travaillent de manière en apparence indépendante mais n'hésitent pas à jumeler leurs résultats. C'est ainsi qu'ils sont devenus le 5e constructeur automobile au monde et qu'ils n'entendent pas s'arrêter en si bon chemin.

Hyundai a marqué un grand coup avec la berline Genesis introduite l'an dernier. Couronnée Voiture de l'année par *L'Annuel de l'automobile 2009*, ce ne fut que le premier de plusieurs prix qui récompensèrent l'auto. On sent depuis lors que les dirigeants de Hyundai veulent jouer dans les platebandes des marques prestigieuses. Attendez-vous d'ailleurs à voir d'ici un an l'Equus, une berline nantie d'un V8. Mais tout en visant les BMW de ce monde, Hyundai tient aussi à rivaliser avec les Prius et Volt grâce à sa stratégie *Blue Drive*, soit en raffinant ses moteurs à essence, soit en développant des solutions alternatives (hybrides & cie).

La cousine Kia est présentement occupée à rehausser son image. Tout en restant une compagnie axée sur d'excellents rapports qualité/prix, elle vient de lancer coup sur coup de nouveaux modèles agréablement tournés. Les récentes Soul, Forte et Koup sont toutes sorties du cerveau de Peter Schreyer, ex-Volkwagen/Audi, à qui Kia a donné carte blanche (plus sans doute un pont d'or) pour revisiter le look du catalogue en entier d'ici 2012.

HONDA MOTOR CO

La compagnie fondée par Soichiro Honda est reconnue pour l'excellence de ses moteurs, qu'ils servent à propulser des motos (dont Honda est le manufacturier numéro un au monde), des génératrices, des moto-marines, des autos et même des jets. La division automobile se concentre sur deux marques, Honda et Acura, pas une de plus. Ce constructeur réussit bien tout en faisant preuve d'une grande indépendance, au propre et au figuré. Ainsi, contrairement à Toyota et Nissan, Honda n'a pas encore ouvert ses rangs supérieurs à des cadres qui ne sont pas d'origine japonaise.

Malgré la déconfiture généralisée au sein de l'industrie automobile, Honda est l'un des rares constructeurs à avoir prédit un profit à la fin de 2009. Les ventes en Amérique du Nord ont beau avoir été médiocres, Honda a su bénéficier d'importants programmes gouvernementaux en Europe et au Japon pour stimuler ses ventes.

NISSAN MOTOR CO.

Le nom Datsun datant de 1914 et celui de Nissan émergeant dans les années 30, les décennies ont permis au constructeur de contracté plusieurs alliances au fil des ans mais nulle ne fut plus déterminante que celle signée en mars 1999 avec Renault S.A.. C'était une première à plusieurs égards, entre autres quand Nissan tassa ses propres cadres nippons pour faire de la place à Carlos Ghosn, l'envoyé de Renault. À partir d'une compagnie dans la dèche, Ghosn a alors orchestré une spectaculaire remontée financière, à un point tel que les Japonais, en adoration, l'ont transformé en héros de manga (bandes dessinées populaires).

On dit que les deux compagnies ont conservé leur identité et leur culture mais d'aucuns n'hésitent pas à parler d'une mainmise française puisque Renault détient 44,3% de Nissan, tandis que ce dernier ne contrôle que 15% des actions de son partenaire.

Infiniti, la division de luxe de Nissan, après avoir connu un départ laborieux, entièrement dans l'ombre d'Acura (Honda) et de Lexus (Toyota), a repris du poil de la bête grâce à des véhicules où prime la technologie dernier cri.

PSA/PEUGEOT-CITROËN SA

Il n'y a pas plus français que cette compagnie. Et si nous parlions plus haut de l'indépendance de Honda, Peugeot-Citroën affiche très certainement une autre qualité rare. En effet, cette firme qui emploie plus de 200 000 personnes, qui détient 5% du marché mondial et qui a enregistré un chiffre d'affaires de plus de 54 milliards d'euros en 2008 est une compagnie privée! La famille Peugeot détient 30,27% des actions mais 45,40% des droits de vote, et elle ne cesse de racheter des parts quand elle le peut.

La fusion Peugeot avec Citroën est intervenue en 1976. Le duo achète ensuite Chrysler Europe, qu'il renomme Talbot, laquelle troisième marque disparaîtra en 1986. C'est à peu près la seule erreur de parcours d'une équipe qui a le bon sens, quand il le faut, de forger des alliances : mécanique avec Renault, utilitaires légers avec Fiat, moteurs Diesel avec Ford, etc. La force de ce constructeur semble au départ reposer sur une saine gérance.

FIAT S.P.A.

Ici, on tombe un peu dans l'équivalent italien du groupe Volkswagen quand on regarde le nombre de marques détenues par ce holding, lui-même contrôlé par la famille Agnelli (Giovanni Agnelli faisait partie des 30 hommes qui fondèrent la **F**abbrica **I**taliana **A**utomobili **T**orino en 1899). L'automobile n'est en fait que l'un des secteurs d'activités du groupe, autant actif dans l'agriculture, la métallurgie que l'édition :

> FIAT > Alfa Romeo > Lancia > Iveco (poids lourds)
> Maserati > Ferrari (85%) >Chrysler/Dodge/Jeep (20%)

Alfa Romeo parle de revenir en Amérique du Nord après l'avoir quittée en 1995. Si les concessionnaires Chrysler se mettent à vendre des Fiat 500, ils pourraient tout aussi bien vendre la nouvelle MiTo, une sous-compacte 3 portes craquante.

RENAULT SA

Fondée en 1898 par trois frères, la compagnie a connu une histoire riche en rebondissements (patron accusé de collaboration avec les Nazis, nationalisation puis privatisation, grèves historiques, etc.). Depuis son entente majeure avec Nissan, Renault a su tirer son épingle du jeu, bien que les dernières années ont vu ses parts de marché européennes être malmenées par des rivaux. Après avoir sauvé Nissan, Carlos Ghosn doit maintenant s'occuper de son employeur principal. Renault a des tentacules dans Dacia (filiale roumaine), Lada-AvtoVaz (Russie), Nissan/Infiniti, Mahindra et Samsung Motors.

LES AUTRES...

CHRYSLER GROUP LLC

Elle s'est désembourbée de la faillite le 10 juin dernier en vendant la majorité de ses actifs à une nouvelle entité dirigée par Fiat, laquelle fournira la technologie, les plateformes et les motorisations pour des automobiles de petits et moyens formats, sans oublier un réseau de distribution solidement implanté en Russie et en Amérique latine.
Les nouveaux propriétaires de Chrysler :

- *Fonds de retraite du syndicat Auto Workers Union (67,69%);*
- *Fiat (20%, qui pourra grossir à 35% si la compagnie atteint certains objectifs; Fiat pourra même espérer une participation majoritaire quand l'argent des contribuables - 22 milliards - aura été remboursé);*
- *Gouvernement américain (9,85%);*
- *Gouvernement canadien (2,46%)*

Arrivé en poste chez Fiat en 2004, Sergio Marchionne a ramené la compagnie italienne sur le chemin de la profitabilité et on attend de lui le même miracle avec Chrysler.

Le « Chrysler nouveau » (comme GM) a fermé pas moins de 789 concessionnaires américains en juin dernier. Elle avait planté une pancarte « à vendre » devant sa division Viper puis l'a enlevée. On peut penser que le changement de stratégie est survenu depuis que le conseil d'administration dirigé par Marchionne a repris les rennes

(SUITE DE L'ARTICLE À LA PAGE 489)

COSMOS AUTOMOBILE

LÉGENDE

- AMÉRICAIN
- BRITANNIQUE
- CHINE
- CORÉE DU SUD
- EUROPÉEN
- INDIEN
- JAPON

ANNÉE EN ROUGE = ACQUISITION
ANNÉE EN NOIR = FONDATION

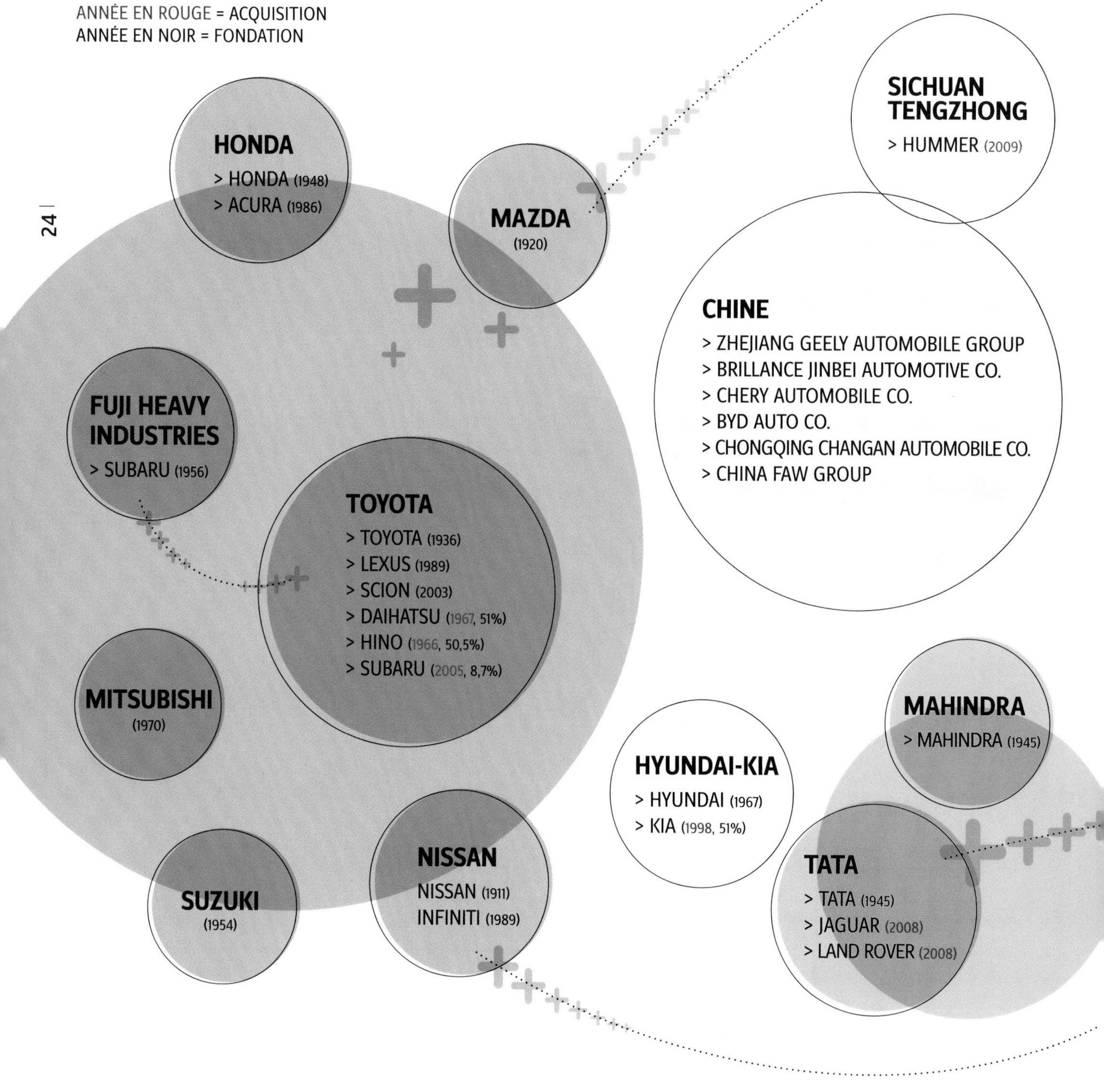

FORD
> FORD (1903)
> LINCOLN (1922)
> MERCURY (1939)
> VOLVO (1999... *à vendre*)
> MAZDA (1994, 13%)

GM
> BUICK (1903)
> CADILLAC (1902)
> CHEVROLET (1911)
> GMC (1901)
> HOLDEN (1931)
> GM DAEWOO (2002, 50,9%)

PENSKE AUTOMOTIVE
> SATURN (1984) *(en négociation)*

PRODRIVE
> ASTON MARTIN (2007)

CHRYSLER
> CHRYSLER (1924)
> DODGE (1914)
> JEEP (1941)

OPEL
(1899)

VAUXHALL
(1903) *(en négociation)*

PROTON
> LOTUS (1952)

KOENIGSEGG
> SAAB (2009)

VOLKSWAGEN
> AUDI (1969)
> BENTLEY (1998)
> BUGATTI (1998)
> LAMBORGHINI (1998)
> SEAT (1986)
> SKODA (1991)
> SCANIA (49%)
> VW (VÉHICULES COMMERCIAUX)
> VW (VÉHICULE DE TOURISME)

PORSCHE
(en négociation)

RENAULT
> RENAULT (1898)
> DACIA (1999)
> LADA-AVTOVAZ (2007, 25%)
> NISSAN (1999, 44%)

FIAT
> FIAT (1899)
> ALFA ROMEO (1910)
> LANCIA (1906)
> IVECO (1957)
> MASERATI (1914)
> FERRARI (1947, 85%)
>CHRYSLER (2009, 20%)

DAIMLER-BENZ
> MERCEDES-BENZ (1926)
> MAYBACH (1909)
> SMART (2006)

PEUGEOT-CITROËN
> PEUGEOT (1889)
> CITROËN (1919)

BMW
> BMW (1917)
> MINI (2001)
> ROLLS-ROYCE (1998)

AUTOUR DU MONDE

PAR FRANCIS BRIÈRE

Comme à chaque année, *L'Annuel de l'automobile* vous propose un petit tour du monde dans le confort de votre salon. Des modèles de véhicules que vous n'aurez pas la chance de voir près de chez vous, mais qui ont cours ailleurs sur la planète. Malgré une période plus difficile, l'imagination des carrossiers ne semble pas en panne et la rareté de plus en plus grande du pétrole n'a pas freiné l'ardeur des amateurs de grosses cylindrées, mais ces derniers opèrent dans de très petits marchés de niche. La crise a aussi forcé les concepteurs à faire plus avec moins et même si nous ne voyons pas le fruit de tous ces efforts dès cette année, celles qui suivront auront un menu automobile de plus en plus varié. Comme à l'habitude, l'Amérique sera la dernière à se mettre au pas, le Japon et l'Europe le marqueront et la Chine s'immisera entre tout le monde. Bon voyage!

1 ALLEMAGNE > **AUDI RS 6**

[1] Les modèles Audi, pour la plupart, franchissent l'Atlantique pour notre plus grand plaisir. Malheureusement, ce n'est pas le cas de la RS 6. Ce bolide est équipé d'un moteur V10 de 580 chevaux. Jumelé à une boîte de vitesses automatique Tiptronic à 6 rapports, il permet à la RS 6 d'éclipser le 0 à 100 km/h en 4,5 secondes. Avec toute cette puissance, on s'attendrait à une consommation de carburant démesurée. En revanche, Audi parle de 12 litres aux 100 kilomètres.

2 ALLEMAGNE > AUDI S3 SPORTBACK

3 ALLEMAGNE > BMW 116D

4 ALLEMAGNE > GUMPERT APOLLO

[2] On trouve une variante de l'Audi A3 en Europe : la S3. Cette version familiale de la petite sportive risquerait d'intéresser drôlement les acheteurs québécois. Le moteur TFSI amélioré produit 265 chevaux de pur plaisir. Avec un couple de 258 livres-pieds, la S3 Sportback accélère de 0 à 100 km/h en 5,8 secondes seulement. Étonnamment, elle ne consomme que 8,5 litres aux 100 kilomètres. Quel dommage ! [3] Malheureusement pour nous, le fabricant bavarois BMW a le don de produire des véhicules intéressants, mais dont nous ne pouvons profiter. La 116d est l'une de ces voitures qui allient luxe, confort, plaisir de conduire et basse consommation de carburant. Elle est capable d'une consommation de moins de 4 litres aux 100 kilomètres. [4] L'Apollo de la firme allemande Gumpert fait partie du club sélect des voitures exotiques. Évidemment, il est question de performances avec ce genre de bolide. Son V8 de 4 litres, fabriqué par Audi, génère 650 chevaux et produit un couple de 626 livres-pieds. Avec cette belle mécanique, on atteint les 100 km/h en 3,1 secondes. Le pilote qui a la chance de s'asseoir derrière le volant de cette merveille de technologies devra se contenter d'une boîte séquentielle à 6 rapports.

5 ALLEMAGNE > **OPEL MERIVA MPV**

6 ALLEMAGNE > **OPEL AMPERA**

7 ALLEMAGNE > **VERMOT VERITAS RS III**

8 ALLEMAGNE > **VOLKSWAGEN POLO**

9 ANGLETERRE > **ARIEL ATOM 500**

[5] L'Opel Meriva est une petite voiture à cinq portes, à mi-chemin entre la familiale et la fourgonnette. La filiale de GM en Allemagne prépare une Meriva 2010 dotée d'un moteur de 1,4 litre turbocompressé produisant entre 120 et 140 chevaux. **[6]** L'Ampera est la sœur de la Volt, la voiture hybride enfichable de General Motors. Et elle se fait attendre. Avec le composant électrique de l'Ampera, on promet une autonomie d'environ 60 à 70 kilomètres. Puis, une fois la batterie vide, un moteur à essence fait tourner une génératrice qui la recharge. Si tout va bien, le modèle sera offert en 2011. **[7]** L'histoire de l'automobile connaît bien la Veritas. Il s'agit d'une voiture de course qui, équipée de composants BMW, a remporté de nombreux championnats en Allemagne. Aujourd'hui, Vermot propose de faire revivre la Veritas, mais avec la dernière technologie à bord. De fait, le moteur V8 de la BMW M3 n'était pas suffisamment puissant au goût des ingénieurs. Ce sont plutôt 473 chevaux qu'il sera en mesure de produire. En option, vous pourriez opter pour un V10, celui de la M5, sauf qu'il produira 592 chevaux. Les performances à couper le souffle de la Veritas RS III proviennent également du fait qu'elle ne fait que 1170 kilos. Cela est possible grâce à un châssis en fibres aramides et en fibre de carbone. **[8]** En Europe, la Polo est l'une des voitures les mieux cotées dans sa catégorie. Elle offre l'économie de carburant et la solidité légendaire de Volkswagen. Quatre moteurs diesel sont offerts et produisent respectivement 60, 70, 100 et 130 chevaux. Une gamme de moteurs à essence est aussi offerte. Avec un peu de chance, nous pourrions voir la Polo aboutir en sol canadien. Volkswagen envisage actuellement la possibilité d'offrir sa petite urbaine sur le marché américain. Souhaitons-le ! **[9]** Ariel est un petit producteur de voitures artisanales. Un importateur privé permet d'acheter une Ariel Atom, mais elle n'est pas homologuée pour la route au Canada. La seule option consiste à l'acheter et à la transporter pour la conduire sur un circuit. L'Atom 3 est mue par un moteur à 4 cylindres Honda de 2 litres

10 ANGLETERRE > **ASCARI A10**

11 ANGLETERRE > **ASCARI ECOSSE**

12 ANGLETERRE > **NOBLE M600**

13 ANGLETERRE > **FORD MONDEO ECONETIC**

14 ANGLETERRE > **KTM X-BOW**

développant 245 chevaux. Du reste, Ariel prépare la sortie d'un nouveau modèle : la 500. Elle accueillera un moteur V8 de 3 litres faisant moins de 90 kilos. Comme son nom l'indique, cet engin développe pas moins de 500 chevaux, ce qui signifie que l'Atom 500 bénéficie d'un ratio puissance-poids de 1000 chevaux par tonne. **[10]** L'Angleterre est un terrain particulièrement fertile pour les voitures d'exception. Klass Swart, fondateur et propriétaire de la maison Ascari, poursuit une quête noble : créer la perfection en matière de performances automobiles. La A10 file grâce à un V8 emprunté à une vieille BMW M5, qui produit 625 chevaux. Sa légèreté en fait un bolide ultra rapide qui accélère de 0 à 100 km/h en 2,8 secondes. **[11]** L'Ecosse fut la première voiture de sport à voir le jour pour Ascari en 1998. À l'origine, sa conception prévoyait qu'elle sillonne les routes. Au départ, un V8 de 4 litres de 300 chevaux se retrouvait en position centrale. Plus tard, c'est un V8 de 4,7 litres de 400 chevaux qui a été choisi pour l'Ecosse.
[12] La M600 est mue par un moteur Volvo, un V8 de 4,1 litres à turbocompresseur double produisant 600 chevaux. On s'attend à une production de 50 exemplaires par année. **[13]** Ford connaît un succès retentissant en Europe, entre autres avec la Focus. Le constructeur américain a élargi sa gamme en offrant une version frugale de la Mondeo. Équipée d'un moteur de 2 litres turbodiesel, elle promet une consommation de carburant d'environ 6 litres aux 100 kilomètres. **[14]** Dans la même lignée que les Ariel Atom de ce monde, la X-Bow est une voiture de course qui est homologuée pour circuler sur les routes d'Europe. En version de base, elle est équipée d'un moteur Audi de 2 litres produisant 240 chevaux.
La voiture ne fait que 790 kilos, ce qui permet d'atteindre un niveau de performance hors du commun. Le châssis utilise la fibre de carbone comme matériau principal. L'expérience de conduite de la X-Bow se rapproche de celle d'une voiture monoplace ou, encore, de celle d'une motocyclette.

15 ANGLETERRE > TVR SAGARIS

16 ARGENTINE > PAGANI ZONDA F CINQUE

17 AUSTRALIE > VAUXHALL INSIGNIA ECOFLEX

18 AUSTRALIE > VAUXHALL VXR8

19 BRÉSIL > AMORITZ GT

[15] TVR est une firme qui produit des voitures exotiques de performance. La Sagaris ne fait pas exception, elle qui profite d'un moteur à 6 cylindres en ligne de 4 litres développant 380 chevaux et produisant un couple de 349 livres-pieds. Elle peut devenir véloce à souhait avec une accélération de 0 à 100 km/h en moins de 4 secondes. L'élaboration de la suspension est assurée de concert avec les experts de Bilstein. **[16]** Comme son nom l'indique, la super voiture Pagani Zonda fera l'objet d'un tirage assez limité : seulement cinq exemplaires de la bête seront vendus pour 1,2 million d'euros. Si vous cherchez l'exclusivité, vous l'aurez ! Mue par un V12 de 7,3 litres développant 750 chevaux, elle accélère de 0 à 200 km/h en seulement 9,8 secondes. Sa carcasse est composée essentiellement de fibre de carbone. **[17]** L'entreprise australienne offre l'Insignia, une berline équipée d'un petit moteur de 2 litres développant 160 chevaux. Vauxhall travaille à réduire les effets de l'air sur la voiture et à produire des moteurs qui consomment moins de carburant. **[18]** Vauxhall est reconnue pour offrir des voitures intéressantes à prix raisonnable. La VXR8 a de quoi intéresser avec son moteur V8 de 6 litres produisant 420 chevaux. Elle atteint les 100 km/h en seulement 4,9 secondes. **[19]** Il s'agit d'un prototype de voiture sport spécialement conçu pour le marché brésilien. La GT est mue par un V8 de 5,3 litres fonctionnant à l'éthanol et au gaz naturel. Le moteur est situé à l'avant, et la configuration des sièges est 2+1.

20 CORÉE > HYUNDAI I20

21 CORÉE > HYUNDAI ILOAD

22 CORÉE > SSANGYONG C200 AERO

[20] La i20 est une version modernisée de la Getz. Il s'agit d'une voiture urbaine qui ne battra aucun record de vitesse. Mue par une mécanique diesel de 1,4 litre, la i20 se déplace lentement de 0 à 100 km/h en 16 minutes... oh pardon, 16 secondes. Autrement, les acheteurs de i20 opteront pour un moteur à essence de 1,2 litre. **[21]** Hyundai a su proposer des produits bien adaptés au marché européen. L'iLoad en est un exemple; il est destiné aux petites entreprises qui cherchent un moyen efficace de transporter du matériel léger. L'iLoad se prête mieux à une carrière de transporteur d'objets, mais une version « Crew Van » est offerte avec une seconde banquette à l'arrière.

[22] Ssangyong est un fabricant coréen qui ne connaît guère de succès. Pour relancer ses activités du côté européen, la firme a décliné plusieurs versions de son C200, un véhicule utilitaire urbain. Une livrée hybride a été pensée, de même que le C200 Aero. C'est avec un moteur diesel de 2 litres qu'on le propose, en version à 2 ou à 4 roues motrices.

23 CORÉE > KIA PICANTO

24 CORÉE > KIA VENGA

25 CORÉE > SM3

26 ESPAGNE > IBIZA MK4

27 ESPAGNE > LEON CUPRA

[23] La Picanto est l'offrande du constructeur coréen dans le marché des voitures urbaines économiques. Elle est comparable à une Rio, mais elle a l'avantage de se montrer encore plus frugale : 4,9 litres aux 100 kilomètres. Elle est mue par un tout petit moteur de 1,1 litre de 85 chevaux. **[24]** La Kia Venga est une minivoiture destinée au marché européen. Dès janvier 2010, elle sera offerte chez les concessionnaires.
La Venga offre un espace de chargement surprenant pour la taille de la voiture. Sa banquette arrière se replie pour former un plancher plat. Elle est munie de la technologie ISG (idle stop and go) qui force le moteur à s'arrêter aux feux de circulation. Kia compte offrir un choix de motorisations à essence et diesel pour des puissances variant entre 75 et 115 chevaux.
[25] Le fabricant Samsung est associé à Renault, et les deux entreprises produisent des voitures de tourisme. La SM3 en est une, du type berline à quatre portières. Elle sert même à la police de Séoul. Il s'agit, en réalité, d'un clone de la Renault Mégane. **[26]** La gamme de Seat Ibiza comprend un choix de moteurs impressionnant. La puissance varie de 70 à 150 chevaux, selon le modèle. La version Cupra est sans doute la plus intéressante, avec un moteur turbodiesel de 1,9 litre qui ne consomme que 5 litres aux 100 kilomètres.
[27] La Seat Leon Cupra est un modèle comparable à une Audi S3 ou, encore, à une Volkswagen Golf R32. Elle profite justement d'un moteur de Volkswagen, un 4-cylindres turbocompressé produisant 240 chevaux. La Leon Cupra ne fait que 1300 kilos et consomme 8,5 litres aux 100 kilomètres.

28 ÉTATS-UNIS > **DEVON GTX**

29 FRANCE > **CITROËN BERLINGO**

30 FRANCE > **C3 PICASSO**

[28] Même si la production de la Devon GTX n'a pas encore débuté, cette voiture de grand sport mérite une présentation. L'entreprise peut se targuer d'avoir conçu une machine capable d'effectuer des prouesses hors du commun sur un circuit. La GTX a battu un record de piste, à Laguna Seca (propriété de Mazda) pour être précis, en réalisant un tour en 1 minute et 35 secondes, soit 4 secondes plus rapide qu'une Nissan GTR, la voiture de production qu'on disait la plus rapide du monde. [29] En France, on nomme ce genre de véhicule un « ludospace ». Il s'agit d'une petite fourgonnette munie d'un moteur très économique de 110 chevaux fonctionnant au diesel. La Berlingo ne consomme que 5,6 litres aux 100 kilomètres. [30] Chez Citroën, on célèbre un 90e anniversaire avec la C3 Picasso, une minifamiliale dotée d'un engin de 1,6 litre produisant 110 chevaux. Très frugale comme toujours, elle est colorée et joyeuse. Malgré son côté économique, elle est dotée des dernières technologies et de sièges en cuir.

31 FRANCE > PEUGEOT 308 RC Z COUPE

32 FRANCE > RENAULT KANGOO VAN

33 FRANCE > CLIO SPORT RENAULT

[31] Ce magnifique coupé sport sera bientôt offert par Peugeot. On affirme qu'elle se mesure à l'Audi TT, ce qui n'est pas peu dire. Elle recevra un 4-cylindres turbocompressé de 1,6 litre produisant 200 chevaux, ce qui lui permettra d'abattre le 0 à 100 km/h en 7 secondes environ. **[32]** La Kangoo est une fourgonnette en format réduit. Ce petit véhicule a l'avantage d'offrir de l'espace, passablement de confort et une consommation de carburant plus que raisonnable. Offerte avec un moteur diesel de 1,5 litre de 70, de 85 ou de 105 chevaux, la Kangoo consomme entre 5,2 et 5,5 litres aux 100 kilomètres. **[33]** La Clio est d'abord une petite voiture économique comme on en fabrique par dizaines en Europe. La version Sport Renault est équipée d'un moteur plus puissant, un 4-cylindres de 2 litres produisant 200 chevaux. Elle offre une expérience de conduite nerveuse et dynamique et possède une allure sportive. Le modèle de base de la Clio est capable d'abaisser sa consommation de carburant à 3,7 litres aux 100 kilomètres.

34 INDE > TATA NANO EUROPA

35 ITALIE > ALFA ROMEO 149

36 ITALIE > ALPHA 8C SPIDER

[34] Une version de la microvoiture arrive en Europe! La Nano Europa profite d'un nouveau moteur moderne à 3 cylindres à injection multipoint, entièrement en aluminium. Le fabricant indien a combiné la mécanique à une boîte de vitesses automatique à 5 rapports. On promet des émissions de l'ordre des 98 grammes par kilomètre, ce qui est vraiment négligeable. Sa consommation de carburant devrait se situer autour des 4 litres aux 100 kilomètres.
[35] La beauté et le style italiens s'affirment avec cette superbe Alpha Romeo 149. Ce nouveau modèle est basé sur la plateforme C-Evo de la Fiat Bravo. C'est une voiture de luxe, puisqu'elle vient s'attaquer aux BMW Série 1, Audi A3 et i30 de Hyundai.
[36] Voici un modèle qui mérite considération. La 8C Spider est le symbole de l'élégance et de la puissance à l'italienne. Elle est mue par un puissant V8 de 4,7 litres développant 450 chevaux. On passe de 0 à 100 km/h en 4,4 secondes.

37 ITALIE > **ALPHA ROMEO MITO**

38 ITALIE > **FIAT 500 CABRIOLET**

39 ITALIE > **FIAT GRANDE PUNTO**

[37] La Mito est une véritable œuvre d'art. Voiture sous-compacte abordable, la Mito est offerte, comme c'est presque toujours le cas en Europe, avec un choix de moteurs à essence et diesel. La puissance varie entre 78 et 155 chevaux. **[38]** La célèbre 500 arrive en version cabrio, au plus grand plaisir des amateurs de conduite à ciel ouvert. Les Français la qualifient de « pot de yogourt sans couvercle » ! Magnifique petite voiture tout à fait comparable à la MINI, la 500 cabrio est offerte avec un choix de moteurs à essence et diesel. **[39]** Voici une autre petite voiture intéressante : la Grande Punto. Sur un choix de six moteurs offerts, quatre fonctionnent au diesel. La puissance varie entre 75 et 130 chevaux.

40 ITALIE > BUGATTI GRAND SPORT SANG-BLEU

41 JAPON > DAIHATSU CUORE

42 JAPON > DAIHATSU MATERIA

43 JAPON > HONDA CIVIC À 5 PORTES

[40] La Grand Sport Sang-Bleu est une Veyron qui se distingue par son aluminium brossé et la fibre de carbone peinte en bleu. L'habitacle est composé de cuir « Gaucho » de couleur beige. En ce qui a trait à la mécanique, pas de changement : un moteur W16 de 1001 chevaux et un 0 à 100 km/h en 2,5 secondes ! [41] Les petites voitures citadines ont de plus en plus la cote. Le constructeur Daihatsu l'a bien compris : il a introduit sur le marché sa nouvelle Cuore (4 portes). Elle est équipée d'un moteur à 3 cylindres de 1 litre à 12 soupapes produisant 58,5 chevaux. Elle est confortable, son espace intérieur ayant été agrandi, mais elle ne fait que 765 kilos. Son aérodynamisme a été aussi amélioré avec un coefficient de traînée de 0,31. Sa consommation de carburant moyenne est de 4,8 litres aux 100 kilomètres. [42] La mode des véhicules cubiques envahit le monde entier. Ici, Daihatsu propose la Materia, une petite voiture frugale en forme de boîte. Il s'agit d'un véhicule urbain qui est offert avec un choix de deux moteurs : deux 4-cylindres, de 1,3 et de 1,5 litre produisant respectivement 91 et 105 chevaux. Son poids n'est que de 1030 kilos. [43] Oui, la Civic est offerte au Québec et bien appréciée depuis des années. En revanche, Honda propose aux Européens (eh oui, encore eux !) une version à cinq portières. La Civic familiale, ou Sportback, se déplace grâce à un choix impressionnant de moteurs, dont un moteur diesel de 2,2 litres qui ne consomme que 4 litres aux 100 kilomètres.

44 JAPON > MITSUBISHI FQ-400

45 JAPON > MAZDA BT-50

46 JAPON > NISSAN PIXO

[44] Celle-ci ressemble étrangement à une Lancer Evolution X. De fait, c'en est une. En revanche, il faudrait ajouter que la FQ 400 possède encore plus de puissance avec un engin qui développe 403 chevaux à 6500 tours par minute et produit un couple de 387 livres-pieds. On estime qu'elle accélère de 0 à 100 km/h en 3,8 secondes. Pour supporter toute cette puissance, on a ajouté des orifices de ventilation sur le capot. La FQ-400 profite d'une transmission à quatre roues motrices dont la gestion est assurée par le S-AWC (Super-All Wheel Control). **[45]** La BT-50 est une camionnette offerte aux Européens. Malgré sa petite motorisation, elle possède une capacité de remorquage étonnante. La BT-50 est mue par un moteur diesel de 2,5 litres de 143 chevaux. De fait, elle peut tirer jusqu'à trois tonnes en version 4 x 4. **[46]** La Pixo est la minivoiture de Nissan destinée au marché européen. Elle ne consomme que 4,4 litres aux 100 kilomètres et ne rejette que 103 grammes de CO_2 par kilomètre. Nissan propose une version à cinq portières de série.

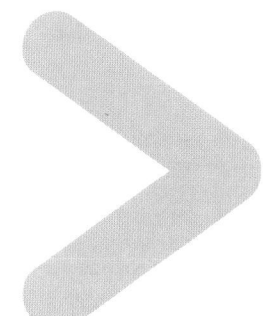

47 JAPON > NISSAN QASHQAI N-TEC

48 JAPON > TOYOTA ARTIC HILUX

49 JAPON > TOYOTA VERSO

50 RÉPUBLIQUE TCHÈQUE > SKODA SUPERB

51 RÉPUBLIQUE TCHÈQUE > SKODA YETI

[47] Le Qashqai est un véhicule utilitaire sport semblable à notre Murano. Il est offert en Europe avec un moteur de 1,6 ou de 2 litres diesel. Nissan propose des versions à deux et à quatre roues motrices. **[48]** Le Hilux est un camion ultra robuste popularisé par la célèbre émission anglaise Top Gear. Lors d'une expédition au Pôle Nord, les animateurs de Top Gear ont mis à rude épreuve le Hilux. Étonnamment, ce camion possède un engin de 3 litres de seulement 169 chevaux. En revanche, il est conçu pour affronter les pires conditions météo et les pires routes en hiver. **[49]** La Verso est une autre voiture japonaise destinée au marché européen. Elle rappelle la Matrix que nous connaissons. Toyota propose des moteurs relativement puissants pour la catégorie de voiture : deux moteurs à essence de 132 et de 147 chevaux respectivement de 1,6 et 1,8 litre. Une version à moteur turbodiesel de 150 chevaux est offerte. Mais la Verso n'est pas donnée : plus de 20 000 euros pour le modèle de base. **[50]** Les chauffeurs de taxi l'ont adoptée ! La Skoda Superb est une voiture qui offre un maximum d'espace à un prix intéressant. Skoda propose un moteur à essence à 4 cylindres de 1,4 litre pour la Superb en version berline. Il est question de trois moteurs à essence et de trois autres mécaniques diesel pour la livrée Estate qui verra le jour en modèle 2011. **[51]** La Skoda n'est normalement pas associée à la mode et à une allure très moderne. Le Yeti viendra peut-être changer la donne. Sa silhouette est plus jeune, plus dynamique. Véhicule familial par excellence, le Yeti s'inspire de Volkswagen en ce qui a trait à la conception. En version de base, on en demande 20 000 euros.

52 ROUMANIE > **DACIA SANDERO**

53 RUSSIE > **GM-AVTOVAZ CHEVROLET NIVA**

54 SUÈDE > **KOENIGSEGG CCX**

[52] La Sandero est une petite voiture très frugale vendue à prix mini. Deux petits moteurs à essence sont offerts, un de 1,2 litre, et l'autre, de 1,6 litre produisant 75 et 90 chevaux. Deux moteurs diesel équipent également la Sandero, un de 70 et l'autre de 85 chevaux.
[53] Le Niva est un minivéhicule utilitaire sport développé par General Motors en Russie avec la firme Avtovaz. Le Niva profite d'un petit moteur à essence de 1,7 litre de 80 chevaux. Le Niva a subi une refonte esthétique récente qui ne visait que la carcasse et l'habitacle du véhicule.. **[54]** Il n'est pas donné à tout le monde de prendre le volant d'une Koenigsegg. Le fabricant suédois en fabrique à peine une vingtaine d'exemplaires annuellement. La super voiture est propulsée par un V8 de 4,7 litres produisant pas moins de 806 chevaux. Le couple atteint 693 livres-pieds. Toute cette puissance pour seulement 1280 kilos...

LES PROTOTYPES

PAR FRANCIS BRIÈRE

À quoi servent les prototypes si, pour la plupart d'entre eux, ils ne se retrouveront jamais sur les chaînes de production ? L'automobile est un objet de haute technologie. La recherche et le développement jouent un rôle capital dans l'avancement de la science en matière de conception et de fabrication. Le prototype sert d'abord à étudier de nouvelles tendances, de nouveaux créneaux, de nouvelles technologies et de nouvelles motorisations. Les concepteurs s'attardent également à intégrer de nouvelles sources d'énergie pour affronter la crise qui nous guette.

UNE TENDANCE DÉFINITIVE

Comme vous le constaterez à la lecture de ces pages, l'industrie se tourne irrémédiablement vers l'électricité comme source d'énergie principale. De fait, les prototypes intégrant l'hydrogène ne font pratiquement plus partie des plans de développement des constructeurs. Cette source d'énergie pose un problème de taille : comment le fabriquer ? En réalité, produire de l'hydrogène n'est pas sorcier, mais pour ce faire, nous avons besoin d'une autre énergie car il n'existe pas à l'état pur. Pourquoi utiliser de l'électricité pour fabriquer de l'hydrogène ? De là, un véritable problème se pose. Ici, nous n'abordons pas la question de la distribution du produit, un véritable casse-tête.

Dés lors, le moteur électrique semble tout indiqué pour venir à la rescousse de l'humanité en péril. Son application est simple, peu de pièces sont en mouvement, et il est peu coûteux. En revanche, il ne faudrait pas croire que le développement de l'électricité ne pose aucun problème, et que l'industrie pétrolière, qui ne souhaite pas mourir de sa belle mort, fait pression sur le monde de l'automobile pour retarder les développements de nouvelles sources d'énergie. Nous devons relever de multiples défis pour en affronter un de taille : la survie de l'humanité.

NISSAN NUVU EV

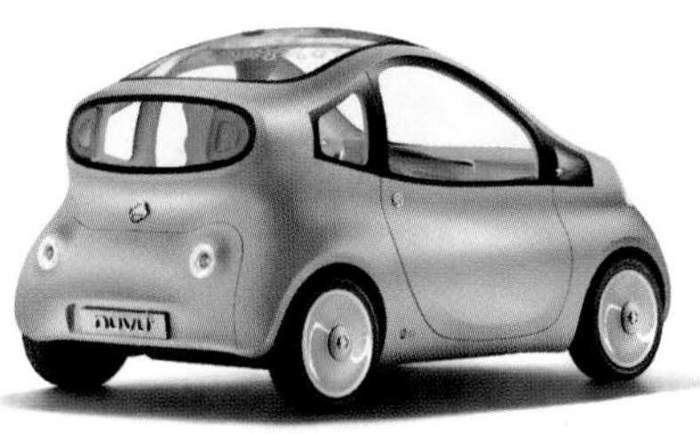

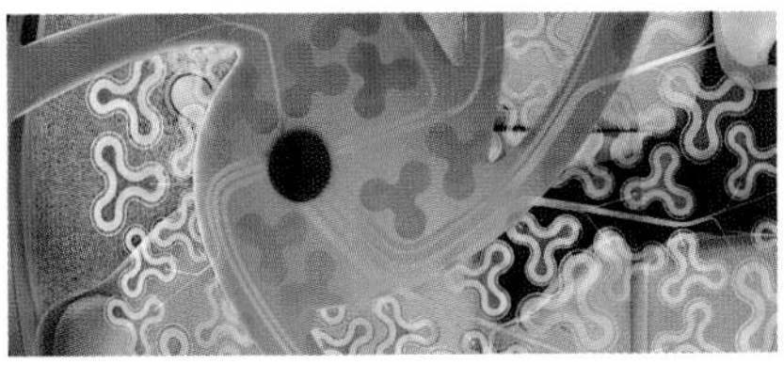

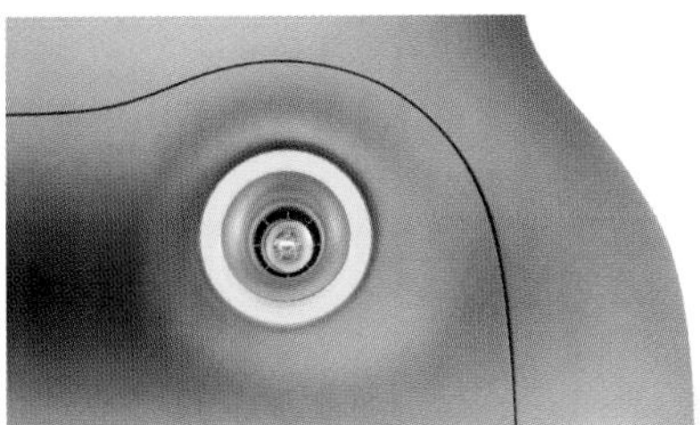

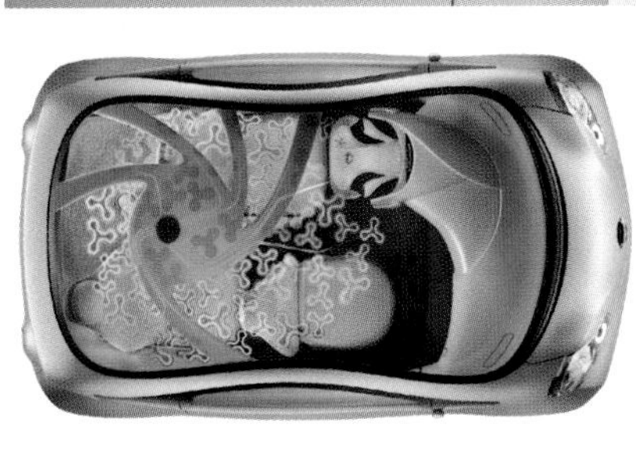

L'AVENIR DES PROTOTYPES

Vous le verrez, l'industrie s'est tournée vers l'électricité comme énergie de l'avenir. Cela ne se fait pas sans heurts, puisque d'autres problèmes surgissent. Par exemple, les constructeurs doivent trouver des façons d'emmagasiner une bonne quantité d'énergie électrique pour la rendre disponible sur une longue distance. Jusqu'à présent, le lithium donne de bons résultats. En revanche, il est encore coûteux et, si la demande s'accroît, ce qui risque fort de se produire, nous manquerons de cette ressource. Un autre problème se pose : l'approvisionnement en électricité. Au Québec, nous avons de la chance. Notre parc hydroélectrique est gigantesque, et la ressource est peu chère. Mais imaginez un peu si toutes les automobiles qui circulent à l'échelle de la province consommaient de l'électricité ! Hydro-Québec devrait augmenter considérablement sa production.

Quoi qu'il en soit, cette forme d'énergie comporte plus d'avantages que d'inconvénients. Voilà pourquoi les constructeurs et les concepteurs ont décidé d'en faire la promotion. Si les prototypes que vous verrez sont, pour la plupart, mus par un groupe motopropulseur hybride ou exclusivement électrique, nous savons en partie ce que l'avenir de l'automobile nous réserve.

Bonne lecture !

1 ACURA MUGEN NSX RR

2 ALPHA ROMEO MITO GTA

3 ASTON MARTIN LAGONDA

[1] La firme Mugen, une entreprise partenaire de Honda depuis de nombreuses années, a créé cette version de la super voiture du constructeur nippon. Plus longue et plus large que le modèle d'origine, la Mugen RR profite de panneaux en aluminium et en fibre de carbone. Le moteur V6 de 3 litres est dorénavant jumelé à une boîte de vitesses manuelle à 6 rapports, laquelle fournit les 380 chevaux de puissance aux roues arrière. **[2]** Montrée au Salon de Genève en 2009, la MiTo GTA emprunte le concept de la réduction de poids (Gran Turismo Alleggerito). Son rapport poids-puissance lui permet d'atteindre un niveau de performance plus qu'intéressant. La MiTo profite

4 AUDI A4 CONCEPT E

5 AUDI Q5 CUSTOM

6 BERTONE MANTIDE

7 BUGATTI STRATOS

d'un moteur turbocompressé produisant 240 chevaux pour seulement 1,7 litre de cylindrée. [3] Le prototype Lagonda marque le retour de l'un des plus vieux et des plus emblématiques modèles de voiture. Aston Martin combinera le luxe, la performance et la technologie à bord d'une berline à quatre roues motrices. Le constructeur considère même d'autres types de motorisations que les engins à essence comme les moteurs au diesel et les systèmes hybrides. [4] Considérons cette version de l'A4 comme un modèle technologique du futur dans la carcasse d'une voiture d'aujourd'hui. Audi assure que l'A4 Concept e ne consomme que 4 litres aux 100 kilomètres et n'émet que 105 grammes de CO2 par kilomètre. Il s'agit essentiellement d'un moteur TDI qui profite de modules électroniques visant à améliorer l'efficacité du moteur. [5] Préparé spécialement pour le Wörthersee Tour, le Q5 Custom demeure le véhicule utilitaire que nous connaissons, mais il est plus large de 90 millimètres et plus bas de 60 millimètres. Son moteur bénéficie d'un gain en puissance produisant 408 chevaux, ce qui lui permet d'effectuer un 0 à 100 km/h en 4,4 petites secondes. [6] La conception futuriste de la Mantide tire son inspiration du monde aérospatial et de celui de la Formule 1. Ses lignes imitent la morphologie d'une goutte d'eau tout en dégageant une sensualité hors du commun, ce qui caractérise la voiture sportive italienne. Les performances aérodynamiques de la Mantide ont été étudiées en soufflerie. Elle promet un comportement supérieur à celui d'une Corvette ZR1 : une accélération de 0 à 100 km/h en 3,2 secondes et une vitesse maximale de 351 km/h. [7] Le styliste industriel français Bruno Delussu a imaginé l'allure de la future génération de voitures exotiques Bugatti. Ce prototype a été dessiné sans la moindre restriction en ce qui a trait à une éventuelle production. Delussu affirme que la voiture sportive possède une allure agressive et nerveuse, mais il a souhaité inventer le contraire.

8 BUICK BUSINESS

9 CADILLAC CONVERJ

10 CHEVROLET CORVETTE STINGRAY

11 CHEVOLET GPIX CROSSOVER

12 CHEVROLET ORLANDO

[8] Dévoilé à Shangaï en 2009, le prototype Business a été développé en Chine. Conçu essentiellement pour le marché chinois, le Business répond aux besoins spécifiques des gens d'affaires de cette région du globe. Sa conception respecte la philosophie de Buick en ce qui a trait à l'élégance et le luxe. Le modèle conserve les lignes classiques tout en intégrant une touche de modernisme. [9] La Cadillac Converj est un prototype qui démontre les ambitions de General Motors de devenir chef de file en matière de propulsion à l'énergie électrique. Ce projet révolutionnaire s'appelle Voltec. Selon l'ancien vice-président du constructeur américain, Bob Lutz, la Converj pourrait voir le jour dans un proche avenir comme voiture de production. La partie avant agressive et le nez plongeant de la Converj témoignent de ses ambitions sportives. L'autonomie de cette Cadillac ressemble à celle de la Volt, soit environ 70 kilomètres. [10] Ce prototype a été conçu spécialement pour le film Transformers : revenge of the Fallen. Sa silhouette est inspirée de la voiture de course Stingray Race Car introduite en 1959, mais également de celle des Corvette des générations précédentes. Son allure futuriste provient à la fois de la voiture de course et du vaisseau spatial. [11] Dévoilée au Salon de l'auto de Sao Paulo au Brésil, la silhouette du GPiX a été développée par General Motors dans cette région du globe. Cette initiative pourrait mener à d'autres travaux pour servir les intérêts des Brésiliens. Ce véhicule accueille quatre occupants et prend la forme d'un coupé. L'acronyme GPiX symbolise l'« image globale ». [12] Le Chevrolet Orlando a été présenté pour la première fois à Paris en 2008. Il s'agit d'un véhicule à sept places aux applications multiples. Sa conception est basée sur la plateforme de la Chevrolet Cruze et intègre la polyvalence de la fourgonnette dans un utilitaire sport. Son empattement atteint les 2760 millimètres, mais General Motors nous a réservé la surprise sous le capot. En effet, un moteur diesel de 2 litres ne produisant que 150 chevaux propulse le

13 CHRYSLER 200C EV

14 CHRYSLER EV

15 CITROËN DS3 INSIDE

16 CITROËN GT BY CITROEN

17 CITROËN HYPNOS HYBRID

véhicule. [13] « Ce prototype évoque la beauté intemporelle »... Tels sont les mots employés par le fabricant pour décrire l'apparence de la Chrysler 200C EV, dont la conception est basée sur la plateforme de la 300. Il s'agit d'un véhicule à motorisation électrique dont l'autonomie atteint environ 70 kilomètres.

[14] La Town & Country sert de base pour l'élaboration du prototype EV. Trois véhicules de la marque subissent une transformation en ce qui a trait à la motorisation. Une centaine de ces prototypes sont mis à l'essai aux États-Unis en 2009.

[15] La Citroën DS3 inside demeure un prototype, mais elle se retrouve très près d'un modèle de production. De fait, elle devrait arriver comme année modèle 2010 chez les concessionnaires européens. Le concept de la DS inside intègre le luxe et le style à même une petite voiture à trois portières. [16] Voici un exemple de voiture prototype qui franchit la barrière du virtuel. Il s'agit, en réalité, d'une réplique d'un bolide qu'on retrouve en jouant au jeu vidéo Gran Turismo 5. Un partenariat entre Citroën et Polyphony a rendu possible cette aventure. La GTbyCitroën est propulsée par un moteur électrique alimenté grâce à une pile à hydrogène. [17] L'Hypnos a été dévoilé au Salon de Paris en 2008. Il s'agit d'un élégant véhicule multisegment dont le projet ambitieux consiste à allier luxe et écologie. Équipé du HYmotion4, une motorisation fonctionnant au diesel et à l'électricité, l'Hypnos réussit à fournir de la puissance à revendre tout en ne consommant que 4,5 litres aux 100 kilomètres. Ce modèle présente un habitacle au style audacieux ainsi que des lignes résolument futuristes.

18 DACIA DUSTER

19 DODGE CIRCUIT EV

20 DODGE EV

21 EDAG LIGHT CAR OPEN SOURCE

22 FIORAVANTI TRIS

[18] Voici le premier prototype de véhicule utilitaire pour Dacia. Conçu de concert avec Renault, cette voiture présente un concept novateur, en particulier en ce qui a trait à son habitacle. L'espace intérieur y est généreux, coloré et, surtout, original pour les occupants. Malgré son allure imposante, le Duster est équipé d'un petit engin de 1,5 litre développant seulement 105 chevaux, ce qui devrait limiter la consommation de carburant à environ 5,3 litres aux 100 kilomètres. [19] Imaginez une voiture de grand sport, mais entièrement propulsée à l'électricité. C'est ce que propose Chrysler avec ce prototype Circuit EV. Ce bolide promet d'effectuer une accélération de 0 à 100 km/h en moins de 5 secondes. Chrysler parle aussi d'une impressionnante autonomie qui pourrait aller jusqu'à 350 kilomètres. [20] Voici un autre prototype entièrement propulsé à l'électricité rempli de promesses. Il s'agit d'un bolide de performance, comme le propose actuellement la firme Tesla aux États-Unis. [21] Edag est une entreprise de génie-conseil qui se spécialise en conception de solutions environnementales. La légèreté est à l'honneur avec ce prototype qui est composé d'un matériau entièrement recyclable : la fibre de basalte. Non seulement est-elle moins chère et plus légère que l'aluminium ou la fibre de carbone, mais elle est plus écologique. [22] Cette firme travaille à fournir des solutions technologiques d'avant-garde dans le domaine de l'automobile, en particulier pour la Formule 1. Ce véhicule a été conçu en accord avec les règles européennes de 2012 en ce qui a trait aux émissions polluantes. Il s'agit d'un prototype qui emprunte une conception minimaliste, soit la réduction maximale du nombre de composants d'un véhicule afin d'en réduire les coûts de production. [23] Autre prototype présenté à Genève en 2009, l'Iosis intègre des technologies que le constructeur américain mettra en production dès 2010, comme la boîte de vitesses Powershift et un nouveau dispositif de démarrage et d'arrêt du moteur. Il s'agit d'une démonstration de nouvelles technologies,

23 FORD IOSIS MAX

24 FORD RANGER MAX

25 HENNESSEY VENOM

26 HYUNDAI BLUE-WILL

27 HYUNDAI HD-11 NUVIS

d'un nouveau système d'ouverture de portières, de matériaux légers et de vertus aérodynamiques. **[24]** Rien de bien futuriste en ce qui a trait à l'apparence de cette camionnette, sauf que, pour Ford, il s'agit d'explorer de nouvelles avenues d'un point de vue conceptuel. Avec une allure plus masculine et plus robuste, il montre du caractère et renforce son image de durabilité et de puissance. **[25]** D'après Hennessey Performance Engineering, la Venom GT établirait de nouvelles normes en matière de puissance et de sportivité. Un châssis ultra léger de moins de 2700 livres accueille un engin de 1000 chevaux ! La Venom GT accélère de 0 à 100 km/h en seulement 2,5 secondes. Le 0 à 300 km/h s'effectue en 14 secondes.

[26] Le Blue-Will est un nouveau prototype pour le constructeur coréen. Il s'agit d'un véhicule hybride à essence et à l'électricité. Un moteur de 1,6 litre à injection directe est jumelé à un composant électrique dont la batterie se recharge à même une prise de courant. Ce modèle comprend également un module solaire qui sert à alimenter la pile pour plus d'autonomie.

[27] Présenté au Salon de l'auto de New York en 2009, le Nuvis a été conçu par la firme California Design Center. De par son style, il intègre les caractéristiques d'une voiture urbaine et d'un véhicule utilitaire. Le Nuvis aidera Hyundai à devenir le chef de file en matière d'économie de carburant d'ici 2015. Il s'agit, bien sûr, d'un modèle hybride composé d'un moteur électrique et d'une pile au lithium polymère. Le moteur à essence est un Theta II de 2,4 litres, déjà très économe de carburant.

28 HYUNDAI VI

29 IDEA ERA BARCHETTA

30 ITALDESIGN FRAZER NASH NAMIR

31 JEEP EV

32 JEEP PATRIOT BACK COUNTRY

[28] Ainsi nommée VI, cette berline de luxe ne sera probablement jamais commercialisée en Occident. La voiture intègre des technologies d'avant-garde en matière de sécurité, comme un système de contrôle de la stabilité de deuxième génération et un système d'anticipation d'impact. La VI doit offrir une vive concurrence à BMW et à sa Série 7 ainsi qu'à Mercedes-Benz et à sa Classe S. [29] IDEA célèbre son 30e anniversaire en dévoilant son Era, un prototype de voiture à deux places décapotable. Ce studio de conception affirme que l'Era reflète l'essence du style italien classique en intégrant la beauté à l'état pur. La petite voiture décapotable est conçue avant tout pour le plaisir de conduire. [30] Issu d'une collaboration anglo-italienne, le Namir a été présenté au Salon de Genève. Le nom du prototype signifie « tigre », un mot qui résume bien l'essence de la voiture : élégance, puissance et agressivité. Il s'agit d'une voiture de grand sport avec des performances à couper le souffle. Namir est un projet accompli et non un simple exercice de style. Sa motorisation hybride lui permet de réduire ses émissions de CO_2 à seulement 60 grammes par kilomètre parcouru. [31] Le Jeep EV est un des véhicules que Chrysler souhaite offrir au grand public dans un avenir rapproché. Il s'agit d'un Wrangler doté d'une motorisation entièrement électrique. De concert avec General Electric, le constructeur américain poursuit son engagement à produire des véhicules qui permettent de parcourir la planète sans polluer. [32] Dévoilé au salon de Paris en 2008, le Jeep Patriot Back Country est un prototype conçu pour apprécier le grand air, la liberté et l'économie de carburant. Équipé de nombreux accessoires Mopar, le Back Country sera destiné aux gens actifs et prêts pour l'aventure. [33] En avril 2009, au salon de Séoul, Kia dévoilait cette berline de luxe. Elle intègre équilibre et dynamisme. Pour compléter sa gamme de voitures, le constructeur coréen souhaitait ajouter une berline aux lignes élégantes et à la conception raffinée. Elle possède des roues de

33 KIA KND-5

34 KIA NO3 CONCEPT MPV

35 LANCIA YPSILON VERSUS

36 LINCOLN C

37 LOTUS ELECTRIC CITY CAR

20 pouces qui lui confèrent une allure plus agressive. Sous le capot, on retrouve un V6 de 3,5 litres du type Lambda. [34] Le prototype MPV est un véhicule utilitaire agréable à conduire qui permet une économie de carburant appréciable. Sa conception prévoit un magnifique toit panoramique avec poutre diagonale de soutien. Kia a développé un système nommé ISG pour Idle Stop and Go qui permet une économie de carburant de l'ordre de 15 %. Ce dispositif éteint le moteur lors d'arrêts fréquents en conduite urbaine. Une motorisation hybride est également en développement, un tandem essence et électricité qui consomme environ 4,8 litres aux 100 kilomètres.

[35] La Lancia Ypsilon Versus a été conçue par le groupe Versace. Elle reflète le style italien, une alliance entre le monde de l'automobile et celui de la mode. Elle présente une tendance pour l'audace et le dynamisme. Ce prototype amorce une production limitée de 500 exemplaires. Il confirme également l'intérêt de Lancia pour la mode. [36] Le prototype Lincoln C présente l'avenir en matière de renseignements destinés au conducteur. Alimentée par une interface homme-machine sophistiquée, il réinvente l'automobile comme objet qui accompagne l'utilisateur sur la route. Muni de dispositifs électroniques de prochaine génération, le Lincoln C assure une connectivité intuitive pour tous les appareils à la mode. Ce prototype confirme l'engagement de Ford à développer des interfaces avancées qui permettent d'établir un lien entre la machine et l'homme. [37] Lotus considère sérieusement le marché de la petite voiture urbaine avec ce concept novateur. Plus petite qu'une Toyota IQ, elle ne mesure que 2600 millimètres de longueur et 1600 de largeur. Malgré sa petite taille, elle devrait recevoir quatre passagers.

38 MAGNA STEYR MILA EV

39 MAZDA MX-5 SUPERLIGHT

40 MERCEDES-BENZ BLUE ZERO

41 MERCEDES-BENZ CONCEPT FASCINATION

42 MERCEDES-BENZ F-CELL ROADSTER

[38] Magma a présenté, à Genève en 2009, un véhicule qualifié d'universel, utilisable tous les jours et à motorisation exclusivement électrique. Ce prototype ne présente pas de modifications majeures par rapport à une voiture ordinaire, mais bénéficie d'une plateforme revue et corrigée au plan de la sécurité, du poids et de la rigidité. Le groupe motopropulseur comprend un petit moteur de 67 chevaux fonctionnant sur une pile au lithium-ion. Une recharge ne prend que 2,5 heures et permet une autonomie de 150 kilomètres. **[39]** La petite voiture décapotable à deux places célèbre, en 2009, son vingtième anniversaire. Mazda a imaginé une version légère et complètement épurée de la voiture : la Superlight. Il s'agit d'un modèle réduit à sa plus simple expression, question de réduire le poids du véhicule. On suppose que cette MX-5 est destinée aux amateurs de piste puisqu'elle ne possède même pas de pare-brise. **[40]** Le Blue Zero est un prototype équipé d'une motorisation entièrement électrique. Polyvalent, ce véhicule profite d'un plancher en sandwich, ce qui permet de répondre à différents besoins et d'accroître l'espace dans l'habitacle. Cette architecture présente l'avantage d'abaisser le centre de gravité du véhicule. De fait, le moteur réside à l'avant et transmet la puissance aux roues avant. Le petit moteur de 100 chevaux utilise une batterie au lithium-ion pour s'alimenter en électricité. **[41]** Le prototype Fascination intègre des éléments d'élégance et de dynamisme. Ses lignes fluides sont complétées par une surface vitrée latérale sans cadre. L'habitacle est truffé de luxe et d'équipement de haute technologie. Mercedes-Benz emprunte au coupé Classe E une motorisation impressionnante avec un moteur diesel de 2,2 litres produisant 204 chevaux. Le prototype Fascination donne l'occasion aux concepteurs d'étudier diverses possibilités en utilisant des concepts qui sortent de l'ordinaire. **[42]** Cet étrange objet se contrôle au moyen d'une manette du genre jeu vidéo. Le F-Cell Roadster combine les plus récentes technologies tout

43 MITSUBISHI IMIEV SPORT AIR

44 NISSAN NUVU EV

45 NISSAN QAZANA

46 PININFARINA B0

47 PORSCHE RUF GREENSTER

en rendant hommage à l'histoire de l'automobile. Muni de roues immenses, de sièges en fibre de carbone couverts de cuir cousu à la main et d'une partie avant en fibre de verre, le F-Cell montre une allure hors du commun. Son engin produit seulement 1,2 kilowatt à partir d'une pile à hydrogène. Il peut atteindre une vitesse de pointe de seulement 25 km/h pour un total de 350 kilomètres d'autonomie. **[43]** Le iMiev Sport Air est à la fois une voiture sportive et, un véhicule entièrement électrique. Des batteries au lithium-ion alimentent l'engin électrique qui produit des accélérations foudroyantes. **[44]** Le prototype Nuvu est une petite voiture urbaine à trois places. Elle possède les caractéristiques suivantes : plateforme unique, motorisation entièrement électrique et conception à partir de matériaux recyclés. L'habitacle permet à deux passagers d'y prendre place confortablement. L'espace de chargement est suffisant pour y loger des sacs d'épicerie et quelques bagages. **[45]** Le est Qazana une solution de rechange à une petite familiale à cinq portes. Les portières arrière s'ouvrent en direction opposée, une fois les portières avant ouvertes. Le Qazana servira de base à la production de futures voitures en Angleterre, dès 2010. **[46]** Ce prototype (prononcé b-zéro) est dédié à Andrea Pininfarina décédé en 2009, l'un des personnes qui croyaient fermement au projet. Issu d'une collaboration entre Bolloré et Pininfarina, le B0 est un autre véhicule à propulsion électrique. Cette collaboration vise à produire une voiture de masse et non une simple étude de style. **[47]** Ruf Automobile a imaginé ce prototype de voiture de sport fonctionnant à l'électricité. Le prototype d'origine est équipé d'un engin central de 362 chevaux, mais une petite série de véhicules à deux moteurs sera produite. Le Greenster, semble-t-il, peut être entièrement rechargé en moins d'une heure avec une prise de 400 volts.

48 PININFARINA BO

49 RENAULT ONDELIOS

50 OPEL AMPERA

51 RENAULT SANDUP

[48] GM et Opel ont annoncé le nom d'Ampera pour désigner le véhicule électrique semblable à la Volt. Il s'agit d'une voiture à cinq portières qui bénéficiera de la technologie Voltec qui prévoit un moteur électrique alimenté par une pile au lithium-ion et secondé par un petit moteur à essence en cas de besoin.
On prévoit que l'Ampera pourra parcourir environ 60 kilomètres sans consommer une goutte d'essence.
[49] L'Ondelios est un véhicule destiné aux longs trajets. Il est logeable, élégant, luxueux et stylisé. Trois rangées de sièges composent l'habitacle qui accueille aisément six occupants. La carcasse de l'Ondelios se distingue par ses portes qui s'ouvrent comme des ailes de papillon. Son corps repose sur des roues de 23 pouces ! Malgré son gabarit imposant, cette voiture se meut grâce à un moteur de 2 litres dCi jumelé à un petit engin électrique alimenté par une pile au lithium-ion. Cet attirail lui permet de se mouvoir sans consommer plus de 4,5 litres aux 100 kilomètres. **[50]** Cet étrange véhicule multisegment offre le meilleur de deux mondes : le plaisir de la décapotable et le côté pratique de la fourgonnette. La division sud-américaine de Renault, basée au Brésil, a imaginé ce concept. Les quatre occupants peuvent, à leur guise, décider de transformer le véhicule en camionnette grâce au toit amovible qui s'étend du bout du toit jusqu'aux phares arrière.

[51] Renault poursuit ses recherches dans le but d'offrir une gamme de voitures fonctionnant à l'électricité. Ce prototype utilise un petit moteur électrique de 93 chevaux alimenté par une pile au lithium-ion. Son gabarit en fait une voiture agréable et maniable en conduite urbaine. Renault insiste sur le fait que les variations de température demeurent un problème d'un point de vue énergétique. En utilisant des matériaux isolants et une peinture qui réfléchit la lumière, il est possible de limiter cette fluctuation. Aussi, l'utilisation de multiples dispositifs dans les voitures d'aujourd'hui requiert une grande quantité d'énergie, un facteur déterminant en ce qui a trait à l'autonomie d'une voiture électrique. Le

52 RENAULT Z.E.

53 RINSPEED E2

54 RINSPEED ICHANGE

55 ROLLS-ROYCE 200EX

constructeur français a porté une attention particulière à la gestion de l'énergie. [52] Renault poursuit ses recherches dans le but d'offrir une gamme de voitures fonctionnant à l'électricité. Ce prototype utilise un petit moteur électrique de 93 chevaux alimenté par une pile au lithium-ion. Son gabarit en fait une voiture agréable et maniable en conduite urbaine. Renault insiste sur le fait que les variations de température demeurent un problème d'un point de vue énergétique. En utilisant des matériaux isolants et une peinture qui réfléchit la lumière, il est possible de limiter cette fluctuation. Aussi, l'utilisation de multiples dispositifs dans les voitures d'aujourd'hui requiert une grande quantité d'énergie, un facteur déterminant en ce qui a trait à l'autonomie d'une voiture électrique. [53] Le prototype E2 prévoit une utilisation intelligente des ressources de la planète. De fait, il a la possibilité d'engager deux modes différents : en ville et sur la route. Le système de gestion de l'énergie dispose soit de 60 chevaux (ville) ou de 160 chevaux (route). Une telle stratégie permet de réduire considérablement la consommation de carburant. Avec le maximum de puissance, le moteur augmente sa consommation à environ 7 litres aux 100 kilomètres. [54] Le prototype iChange a la possibilité de changer de peau à volonté ! D'une voiture de sport, il peut se transformer en fourgonnette. Propulsé par un moteur électrique de 174 chevaux, sa structure ultra légère (environ 1000 kilos) lui permet de consommer un minimum d'énergie. Le iChange est en mesure d'accélérer de 0 à 100 km/h en 4 secondes seulement. On lui a greffé une boîte de vitesses à 6 rapports empruntée à la Subaru WRX. [55] La 200EX pave la voie à la prochaine berline de grand luxe, la RR4 dont la production est prévue pour 2010. Le développement et la recherche ont joué un grand rôle dans l'histoire de Rolls-Royce. Dans ce contexte, la 200EX permet d'explorer de nouvelles possibilités. Les qualités recherchées sont les suivantes : performance, raffinement, qualité et exotisme.

56 SSANG YONG C200

57 STUDIO TORINO COUPE TORINO

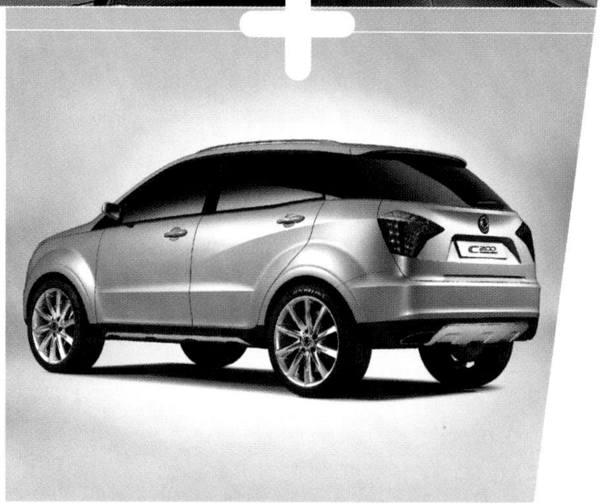

58 TESLA MODEL S

59 TOYOTA FT-EV

[56] C'est à Paris que le C200, un prototype de véhicule utilitaire compact, a été dévoilé. Sa motorisation comprend un moteur diesel de 2 litres développant 175 chevaux et une boîte de vitesses manuelle à 6 rapports. De plus, le C200 est muni d'une transmission à quatre roues motrices. Malgré son allure futuriste, Ssang Yong compte élargir sa gamme avec un tel véhicule. Cette expansion devrait débuter en 2010. **[57]** Le CoupeTorino est un projet d'étude basé sur la fameuse décapotable à deux places de Mercedes-Benz, la SL. Le but de l'entreprise consiste à produire une esquisse en relevant un défi technique et stylistique, sans changer l'identité de la voiture. Il s'agit avant tout d'une œuvre d'art présentée à l'échelle 1 : 4. **[58]** L'entreprise américaine poursuit son objectif de fournir des automobiles fonctionnant entièrement à l'électricité en maintenant un niveau élevé de performances. Le modèle S est une berline qui, selon Tesla, devrait se vendre environ 50 000 dollars US. Elle devrait bénéficier d'une autonomie d'environ 500 kilomètres. Avec une borne de 480 volts, la pile du modèle S se rechargera en moins de 45 minutes. En prenant un goûter sur la route entre Los Angeles et New York, une recharge permettra de parcourir la distance de la même façon qu'une voiture à essence traditionnelle. **[59]** Toyota prévoit l'arrivée du prototype FT-EV en 2012 pour une production limitée. Il s'agit d'un petit véhicule urbain fonctionnant entièrement à l'électricité. Même si le constructeur japonais nourrit des ambitions légitimes, le FT-EV demeure un prototype. **[60]** Le Venturi Volage est un prototype unique en son genre. Chaque roue est munie de deux moteurs électriques : un pour la motricité et l'autre pour la suspension. Cet attirail est géré par un système électronique à la fine pointe. Le châssis du Venturi Volage est fabriqué à partir de fibre de carbone et profite d'une distribution de poids idéale : 45 % à l'avant et 55 % à l'arrière. Le conducteur peut décider de prioriser le confort aux dépens de la performance s'il le désire. Quoi qu'il en soit, le prototype Volage promet

60 VENTURI VOLAGE

61 VW BLUESPORT

62 VW PICKUP

63 VW ABT SCIROCCO

des performances intéressantes grâce à un poids réduit à 1000 kilos. [61] Selon les dirigeants de Volkswagen, le prototype Bluesport représente la voiture moderne, celle qui allie performances et souci de l'environnement. Elle promet d'être une voiture rapide et confortable à un prix abordable. Avec des émissions de seulement 113 grammes par kilomètre, sa consommation de carburant se situe en moyenne à 4,3 litres aux 100 kilomètres. Sous le capot, on retrouve une motorisation très prisée par le constructeur, soit un engin de 2 litres TDI. [62] Le concepteur Walter de Silva est à l'origine de ce prototype voué à une carrière commerciale. Pour assurer une puissance adéquate, Volkswagen a prévu un moteur diesel de nouvelle génération. Cette camionnette sera équipée des dernières technologies comme la navigation par satellite, des fonctions dynamiques de réglage de châssis et de motricité, d'un compas, de lunettes d'approche et d'un défibrillateur. [63] La première génération de Scirocco a connu un immense succès. La version ABT est un prototype issu du monde du « tuning ». ABT abaisse la voiture de 30 millimètres, augmente la puissance du moteur à 200 chevaux, modifie les roues avec des jantes en alliage de 19 pouces et modifie la carcasse en y ajoutant des jupes sportives et deux tuyaux d'échappement doubles.

LA BOULE DE CRISTAL

PAR FRANCIS BRIÈRE

Avec la Boule de cristal, on s'efforce de jouer aux cartomanciens. Nous prédisons ce que l'avenir nous réserve, quels seront les nouveaux modèles à sillonner nos routes. Ce sont d'abord les paparazzis de l'automobile qui nous informent des derniers développements ou encore d'un nouveau modèle qui a été vu à l'essai au milieu de nulle part. Les irréductibles prendront plaisir à anticiper la venue de nouvelles voitures plus excitantes les unes que les autres.

1 AUDI A3 2012 HYBRIDE

+ La petite sportive A3 du fabricant Audi arrivera en Amérique en 2012 en version hybride. D'autres variantes seront aussi offertes, dont une version TDI. Le groupe motopropulseur sera composé d'un moteur à combustion et d'un moteur électrique fournissant une quarantaine de chevaux. La pile au lithium-ion fournira suffisamment d'énergie pour assurer une autonomie d'environ 60 kilomètres. Certaines sources avancent même que l'A3 pourrait prendre la forme d'une berline en raison de la forte demande pour ce type de voitures aux États-Unis.

2 AUDI A7 2011

+ Le nouveau modèle A7 d'Audi verra le jour en 2010 en sol américain. Il s'agit d'un coupé à quatre portières, comme la Mercedes-Benz CLS ou encore la Porsche Panamera. Les variantes habituellement proposées par Audi devraient contenter les amateurs de performances, soit la S7 et la RS7. Un choix impressionnant de moteurs sera offert, allant d'un système hybride à un V10 de 600 chevaux. Les modèles de base seront propulsés par deux V6 : un 2,8 litres de 204 chevaux, et l'autre, de 3 litres à compresseur volumétrique produisant 300 chevaux.

3 AUDI R2

+ Il semble que ce soit la R2, petite sœur de la R8, la super voiture du fabricant allemand, qui offrira une vive concurrence à la Porsche Boxster vers 2012. Une version actuellement à l'étude en Europe est équipée d'un moteur central. La petite sportive à deux places pourrait compter sur au moins deux choix d'engins : un 4-cylindres turbocompressé produisant 200 chevaux et un V8 de 4,2 litres FSI de 380 chevaux. La base qui servira à ce modèle est celle de la Volkswagen Bluesport.

1

2

3

4 AUDI RS5

4

+ La RS5 annonce la fin de la RS4 et le début d'une lutte à finir entre BMW et sa M3 et la marque Audi. Sous l'apparence d'une A5, la RS5 promet des performances à couper le souffle. C'est l'engin qui équipe la R8 4.2, un V8 FSI de 4,2 litres, mais dont la puissance sera augmentée à 450 chevaux, qu'on retrouvera sous le capot. Ce nouveau modèle devrait faire une première apparition nord-américaine au Salon de Detroit, en janvier 2010.

5 BMW Z2

5

La firme bavaroise prépare l'entrée en scène de la Z2, un nouveau modèle décapotable à deux places d'entrée de gamme. La Z2 sera vraisemblablement propulsée par un engin à 4 cylindres, comme l'a été la défunte Z3 lors de ses premières années de vie. Même si elle se vend moins chère qu'une Z4, l'acheteur sérieux devra tout de même débourser environ 40 000 dollars pour s'en procurer une.

6 BMW X3

6

Le petit utilitaire de luxe a subi quelques transformations, et il était temps. BMW a annoncé qu'une autre livrée s'ajouterait à la gamme dès l'automne 2009, soit un modèle muni d'un moteur à 6 cylindres de 2,8 litres. Le prix de départ pour ce X3 de base sera fixé à 39 999 dollars. En revanche, BMW pourrait également proposer une version équipée du 6-cylindres biturbo qu'on retrouve dans la 335i, un engin qui produit 330 chevaux et produit un couple de 300 livres-pieds.

7 BMW SÉRIE 5 GT

+ Le constructeur bavarois revient en force avec une version familiale de Série 5, de quoi faire concurrence à Mercedes-Benz avec sa Classe E, ou encore à Audi avec son A6. Il faut s'attendre à ce que BMW poursuivent sa quête avec les engins turbocompressés, entre autres le 4,4-litres biturbo qu'on retrouve dans le X6. La Série 5 familiale pourrait aussi profiter d'un moteur diesel, et ce, malgré la réticence de nos voisins du sud. Il semble que BMW redouble les efforts pour alléger la voiture en utilisant des matériaux comme la fibre de carbone et l'aluminium.

7

8 BMW SÉRIE 6 2011

+ Quelle bagnole ! La Série 6 2011 (coupé et décapotable) fera son apparition en 2010 comme année modèle 2011. On remarque des changements esthétiques importants, fortement inspirés par le prototype C6 dévoilé en 2007. La nouvelle Série 6 reposera sur ses quatre roues plus près du sol et bénéficiera d'un empattement plus long. Une nouvelle boîte de vitesses automatique à 8 rapports et palettes de sélection au volant sera offerte, mais il semble que l'engin sera le même que celui du présent modèle. La version M6, quant à elle, pourrait profiter d'un puissant V10 turbocompressé.

8

9 BMW X6 HYBRID

+ L'expression « Efficient Dynamics » est sur toutes les lèves, en particulier sur celles des gens de BMW. La version hybride du très masculin X6 s'inscrit dans le cadre de ce vaste programme. Le X6 hybride bimode devrait réduire la consommation de carburant jusqu'à 20 %. Deux moteurs électriques et un moteur à essence sont associés à une boîte de vitesses CVT, de sorte que le véhicule peut se déplacer en mode entièrement électrique. La puissance totale de la motorisation a été fixée à 478 chevaux.

9

10 INFINITI M 2011

+ Le concours d'élégance présenté à Pebble Beach a été choisi par Infiniti pour dévoiler « virtuellement » la nouvelle berline de luxe M. Le modèle haut de gamme de la firme japonaise devait subir une profonde refonte. Au moment d'écrire ces lignes, nous ignorons à quel événement la M sera réellement présentée, mais il semble que ce soit au Salon de Francfort.

11 LAMBORGHINI GALLARDO LP550-2

+ La firme italienne proposera une version à roues motrices arrière de sa belle Gallardo. Nommée LP550-2, ce nouveau modèle comptera sur un moteur de 550 chevaux. C'est le même V10 de 5,2 litres qui alimente les LP560-4 et LP560-4 Spyder. Deux petites différences distinguent le modèle à roues motrices arrière : un nouveau pare-chocs et un diffuseur plus performant à l'arrière qui devrait donner plus de stabilité. Une boîte manuelle servira à réduire le poids du véhicule et sera la seule boîte offerte. Seulement 250 exemplaires de la super voiture existeront dans le monde.

12 MAZDA2

+ Nous verrons enfin la petite sous-compacte arriver en sol américain. En Europe, cette voiture connaît actuellement un bon succès et elle fera un malheur chez nous. Pour l'instant, la Mazda2 ne sera offerte qu'au Canada. Nos voisins du sud devront patienter, car sa mise en marché n'est pas prévue avant 2011. Les concessionnaires l'attendent avec impatience, alors qu'elle devrait arriver au printemps 2010. Le choix de motorisations impressionne en Europe, mais il devrait être plus limité au Canada. On pense à un 4-cylindres de 1,5 litre. Les modèles à trois et à cinq portes seront offerts.

10

11

12

13 CAMARO DÉCAPOTABLE

+ Il semble que la Camaro en version décapotable verra le jour en 2011. Présentée comme un prototype en 2007, la production de la voiture américaine a été retardée pour les raisons qu'on connaît aujourd'hui. Il faut s'attendre à un prix légèrement supérieur à celui du coupé. General Motors accepterait déjà les commandes pour satisfaire les maniaques de la Camaro qui souhaitent se balader à ciel ouvert.

14 MERCEDES-BENZ CLASSE E FAMILIALE

+ La nouvelle Classe E de Mercedes-Benz a fait son entrée au pays en versions coupé et berline, alors que la livrée Estate Wagon se fait toujours attendre. L'E35 4Matic arrivera en juin 2010 comme modèle 2011. Avec une capacité de chargement qui frise les 2000 litres, la Classe E familiale sera la championne de la catégorie.

15 HYUNDAI EQUUS 2011

+ Le constructeur coréen n'a pas fini de nous étonner ! Après la Genesis, Hyundai prépare une autre grande berline de luxe pour l'Amérique. Il s'agit de l'Equus. Elle sera érigée à partir de la base de la Genesis et empruntera la plupart de ses composants mécaniques, dont le moteur V8 « Tau » et la boîte de vitesses à 6 rapports ZF. Hyundai ne vise rien de moins que le marché des grandes berlines allemandes comme BMW et sa Série 7 et Mercedes-Benz et sa Classe S. Le succès qu'a connu la Genesis en Amérique n'est pas étranger au fait que le constructeur ait décidé d'aller de l'avant avec l'Equus.

13

14

15

16 HYUNDAI TUCSON 2011

+ La production du nouveau Tucson devrait débuter vers la fin de l'année 2009. Dès lors, le petit véhicule utilitaire nous arrivera comme année modèle 2011. Il semble que Hyundai ait opté pour un moteur à 4 cylindres, dont une version à turbocompresseur qui pourrait suivre au cours de l'année. Même si les concepteurs ont présenté des propositions fort modernes du véhicule, les décideurs de Hyundai ont préféré choisir un dessin plus classique et rassurant.

16

17 JAGUAR XE ROADSTER

+ D'ici 2013, la firme Jaguar - dont l'heureux propriétaire est nul autre que Ratan Tata - travaillera à l'élaboration d'un nouveau modèle : la XE. Une version coupé et une autre décapotable seraient en chantier. La XE profitera d'un châssis tout en aluminium qui sert aux modèles XK et XF. La puissance des engins qui équiperont ce nouveau modèle variera entre 275 et 350 chevaux.

17

18 LEXUS LF-A

+ La super voiture LF-A de Lexus s'approche d'un début de production. Habitacle avec cuir Alcantara et volant en fibre de carbone. Un moteur V10 de 5 litres et 500 chevaux avait été annoncé, mais on parle désormais de 550 cv. Prix de vente: plus de 200 000 dollars. Production: 350 exemplaires.

18

19 MAZDA CX-5

+ Un nouveau modèle fera son entrée en Amérique pour le constructeur japonais Mazda. Le CX-5, un véhicule multisegment, offrira une expérience de conduite semblable à celle d'une voiture sportive tout en offrant espace, confort et une transmission à quatre roues motrices. Il devrait hériter de la plateforme de la Ford Kuga, un modèle vendu en Europe. Le CX-5 s'inspirera du prototype Hakaze présenté en 2007.

19

20 MERCEDES-BENZ CLS 2011

+ Une légère refonte est attendue pour le coupé à quatre portes de Classe CLS en 2011. Le principe audacieux a semé tout un émoi lors de son apparition en 2006. Il semble que les lignes de la CLS seront encore plus prononcées, en particulier vers l'avant. Les chances sont bonnes pour que la prochaine génération de CLS hérite de la technologie présentée avec la Classe S et sa motorisation hybride.

20

21 JAGUAR XJ 2011

+ Possiblement offert dès la fin de cette année, la berline XJ de Jaguar sera la première du genre à hériter de la structure en aluminium inspirée de l'aérospatial. La motorisation de la XJ pourrait inclure un V8 de 5 litres de 510 chevaux ainsi qu'un moteur diesel. Jaguar travaillerait actuellement à intégrer une version hybride rechargeable à même une prise de courant, une livrée qui pourrait voir le jour plus tard.

21

22 KIA VG AMANTI

+ Nous devrions connaître la véritable identité de la prochaine Kia Amanti dès cet automne. Faudra s'attendre à retrouver un V6 de 3,5 litres sous le capot, mais il s'agit d'abord d'une refonte esthétique majeure. Bien que la plateforme prévoie une traction comme mode de propulsion, nous aurons sans doute droit à une livrée à quatre roues motrices.

22

23 MERCEDES-BENZ CLASSE S COUPÉ

+ Nous avons récemment assisté à la mort de la Classe CLK avec l'arrivée de la Classe E en version coupé. La Classe CL devrait subir le même sort pour 2011 puisque son successeur sera une nouvelle Classe S coupé. Mercedes-Benz ne semble pas décidé à apporter de nombreux changements en ce qui concerne la motorisation. Nous devrions donc retrouver les mêmes V8 et V12 sous le capot du coupé de Classe S.

23

24 FORD FIESTA BERLINE

+ Une version berline de la Fiesta, dont le modèle à hayon fera son entrée en 2010 chez nous, sera offerte en 2011. Le moteur à 4 cylindres de 1,6 litre propulsera la petite voiture, mais aucune donnée n'a été dévoilée par Ford au sujet de sa puissance. Le modèle comprendra un habitacle équipé de technologies de pointe, comme le système SYNC, ainsi qu'un écran à ACL de quatre pouces. Ford investira trois milliards pour l'aménagement de l'usine de Cuautitlan, au Mexique, ce qui augmentera la production à 500 000 exemplaires annuellement et créera plus de 4500 emplois.

25 PORSCHE GT3RS

+ Un des modèles 911 à connaître une mise à jour est la GT3 RS. Nous savons que les changements d'ordre esthétique sont rarement drastiques chez Porsche, mais il faut s'attendre à ce qu'elle reçoive une version améliorée du fameux 6-cylindres de 3,8 litres. Un nouveau vilebrequin, des chambres de combustion plus imposantes, de même que de nouvelles pompes pour l'huile et le refroidissement. De plus, ce nouvel engin devrait également compter sur l'injection directe de carburant.

26 MINI CROSSMAN 2011

+ Le Crossman de MINI aura la plus grande carcasse jamais conçue par la marque. De plus, une livrée à quatre roues motrices sera offerte, une première pour MINI. En revanche, une version à traction se vendra en modèle de base. Quant à la motorisation, un engin à 4 cylindres atmosphérique de 118 chevaux servira pour la version de base, et un autre de 177 chevaux utilisera un turbocompresseur pour le modèle S. La production du MINI Crossman débute à l'automne 2009 et le petit utilitaire fera son entrée au cours de l'année 2010 comme année modèle 2011.

24

25

26

27 CHEVROLET VIVA 2011

+ La Chevrolet Viva (son nom pourrait changer !) arrivera vraisemblablement en 2011, de quoi offrir une vive concurrence à la nouvelle Ford Fiesta. La Viva sera la digne remplaçante de l'Aveo. Cette nouvelle sous-compacte promet une expérience de conduite plus excitante, une basse consommation de carburant ainsi qu'un habitacle au design inspiré.

27

28 SAAB 9-5 2011

+ Basée sur le prototype 9-4X BioPower, la future Saab 95 sera plus longue, plus large et plus haute que son prédécesseur. L'espace et le confort seront à l'honneur. Le marché des berlines de luxe intermédiaires accueillera la nouvelle 9-5 qui devra concurrencer les Mercedes-Benz de Classe E, Cadillac STS, Audi A6, Lexus GS, Infiniti M, Volvo S60 et BMW Série 5.

28

29 SUZUKI KIZASHI 2011

+ Prévue à l'hiver 2010, dotée d'un gabarit semblable à celui d'une Toyota Camry, soit une longueur de 4650 millimètres et un empattement de 2700 millimètres, cette nouvelle berline sera animée par un moteur à 4 cylindres de 2,4 litres. Des livrées à traction et intégrale seront offertes.

29

30 TOYOTA SIENNA 2011

+ Cette Sienna ressemble étrangement à celle qu'on connaît, à part quelques petites fioritures sur le capot et une ligne un peu plus profilée à l'arrière. Il faudra donc en faire l'essai pour sentir la différence qui réside essentiellement dans la plateforme utilisée. Il s'agit de la polyvalente MC, une base qui sert aux Camry, Venza, Highlander, Prius et RAV4. La production débutera en janvier 2010.

30

31 MERCEDES-BENZ ML 2012

+ Vers la mi-2011, nous verrons apparaître la nouvelle génération de véhicule utilitaire ML de Mercedes-Benz. Curieusement, les photographies espionnes du nouveau ML suggèrent une carcasse légèrement plus petite, mais il devrait bénéficier du même empattement. En ce qui a trait à la motorisation, plusieurs options seront offertes, y compris possiblement une version hybride enfichable.

31

32 MERCEDES-BENZ SLK 2011

+ Depuis sa naissance en 2004, le modèle a vieilli, malgré de légères retouches de mi-parcours. Il faut s'attendre à des lignes plus agressives, avec des angles de caisse plus affirmés. Pour l'Europe, le constructeur allemand prévoit un moteur diesel à 4 cylindres de 2,2 litres de 204 chevaux.

32

33 MERCEDES-BENZ SLS 2011

+ Nous savons enfin que la super voiture de Mercedes-Benz se nommera SLS. AMG a revu le fameux V8 de 6,2 litres pour augmenter sa puissance à 563 chevaux à 6800 tours par minute. Ce bolide sera en mesure d'accélérer de 0 à 100 km/h en 3,8 secondes pour une vitesse maximale de 315 km/h. Chez Mercedes-Benz, on affirme que la SLS sera plus légère que la SLR. La version décapotable suivra le modèle coupé, probablement une année plus tard.

33

34 MERCEDES-BENZ SLS ÉLECTRIQUE

+ La plupart des constructeurs d'automobiles s'entendent pour affirmer que l'électricité est la source d'énergie de l'avenir. En revanche, peu d'entre eux ont été en mesure d'élaborer une voiture capable de circuler sur l'autoroute en bénéficiant d'une autonomie appréciable. Voilà que le constructeur allemand travaille sur un projet plutôt ambitieux : une version électrique de sa super voiture SLS.

34

35 PORSCHE CAYENNE 2011

+ Le véhicule utilitaire Cayenne, celui qui a pratiquement sauvé Porsche d'une catastrophe, subira une refonte dès 2011. Le constructeur de Stuttgart offrira un choix de moteurs diesel, à essence et hybride. Le modèle Turbo héritera du moteur de la Panamera, un V8 de 4,8 litres biturbo produisant 500 chevaux.

35

36 PORSCHE PANAMERA CABRIO

+ Les constructeurs tirent avantage d'une réutilisation d'une plateforme qui connaît du succès. Ils bénéficient dès lors d'une saine gestion des coûts de production, partageant ainsi les frais de développement avec plusieurs modèles. C'est ce que compte faire Porsche avec sa Panamera. La firme de Stuttgart offrira plusieurs variantes, dont une version décapotable de la berline.

36

37 VOLKSWAGEN SHARAN

+ La Sharan remplacera vraisemblablement la Routan. La version américaine sera plus volumineuse que le modèle européen et offrira une troisième banquette rétractable. Volkswagen prévoit un choix de motorisations incluant un engin fonctionnant au diesel avec une puissance de 160 chevaux. Le modèle européen est montré ci-contre.

37

38 VOLKSWAGEN TOUAREG HYBRIDE

+ Le Touareg a connu un succès modeste depuis son apparition, mais Volkswagen travaille à améliorer le véhicule utilitaire. L'année modèle 2009 présentait une version TDI, et le constructeur allemand prépare une cuvée hybride. La prochaine génération de Touareg sera plus courte, mais permettra d'asseoir sept occupants en plus de proposer une gamme complète de moteurs.

38

CRISE AUTOMOBILE 101

COMMENT S'EN SORTIR ?

PAR JACQUES ARTEAU

La réalité frappe dure, avec ses fermetures d'usines, ses centaines de concessionnaires d'automobiles neuves sacrifiés, ses milliers d'emplois perdus et sa liquidation massive de modèles neufs. Dans un premier temps, *L'Annuel* a interviewé des intervenants de l'industrie pour vous aider à naviguer entre les questions soulevées par ces bouleversements. Ensuite, nous vérifierons la véracité de l'adage « à toute chose malheur est bon »...

De ces modèles qui vont disparaître de la circulation - rayés en majorité dès 2010 - les trois quarts proviennent des rangs de General Motors, et dépassent la vingtaine. Les marques affectées sont Buick, Cadillac, Chevrolet et GMC, sans oublier l'abandon complet de Pontiac. Au moins deux versions sont retirées dans chacune des gammes Cadillac (STS-V et XLR), ainsi que Chevrolet (TrailBlazer et Uplander), en plus des modèles Aspen et Durango de l'autre constructeur sortant de la faillite aux États-Unis, Chrysler. Auquel il faut ajouter les modèles asiatiques également sur la voie de service chez Honda (S2000), Hyundai (Azera et Entourage).

Dans le cas des modèles Pontiac à liquider, l'abandon de cette gamme d'ici la fin de 2010 s'inscrivait dans l'exercice de redressement qu'avait endossé General Motors. Faut-il rappeler que la bannière Oldsmobile, comptant pourtant plus de cent ans d'histoire, avait subi le même sort ? Tout comme General Motors, qui a dû procéder à un ménage complet de ses structures : fermetures d'usines et de concessionnaires des deux côtés de la frontière et couperet dans une multitude de pactes promotionnels incluant Tiger Woods, l'horloge Chevrolet de Times Square ainsi que le Festival international de jazz de Montréal, Chrysler devra également s'astreindre, si ce n'est déjà fait avec son nouveau partenaire Fiat SpA, à une régime minceur de sa gamme de produits et de son organisation pour garantir sa survie.

DES AUBAINES À SAISIR

Certains concessionnaires, qui ont dû se résigner à fermer boutique suite à l'émondage de General Motors, ont pu se payer une consolation à écouler des « modèles-à-liquider-pour-vider-la-cour ». Ainsi, la Vibe de Pontiac fut-elle l'« occasion en or ou en argent », au choix de chacun, d'une vente d'écoulement durant deux fins de semaine, en juin et en juillet 2009, chez un concessionnaire GM de Lévis. Il s'agissait d'un coup d'éclat - un record de ventes - pour cette concession rayée du réseau de General Motors.

Pourtant la Vibe, le multisegment jumeau de la Matrix de Toyota, va également disparaître à moyen terme avec le reste de la famille Pontiac ! Alors est-ce que c'est une bonne affaire ou pas d'opter pour un véhicule tel

que la Vibe, qui était parmi les « nommés des palmarès » de *Consumer Reports* et de l'Association pour la protection des automobilistes, l'an dernier ?

Certains experts de l'industrie n'ont pas tardé à faire connaître leurs réactions et recommandations : « Bien sûr qu'il y a plein d'offres sur plusieurs modèles de véhicules, par les temps qui courent et peut-être plus que jamais, mais qui ne sont pas vraiment aussi alléchantes que par le passé. Il faut bien analyser et calculer les rabais proposés, surtout les aubaines consenties pour des modèles qui ne seront bientôt plus sur le marché », avance Dennis DesRosiers, réputé analyste de l'industrie canadienne.

DES MODÈLES SUR LESQUELS IL FAUT PARTICULIÈREMENT RÉFLÉCHIR SONT CEUX QUI DISPARAÎTRONT DU MARCHÉ OU DE BANNIÈRES QUI SERONT VENDUES À D'AUTRES INTÉRÊTS

« Des modèles sur lesquels il faut particulièrement réfléchir sont ceux qui disparaîtront du marché ou de bannières qui seront vendues à d'autres intérêts », ajoute Dennis DesRosiers. Mais est-ce que les consommateurs seront plus prudents dans leurs choix d'achat et est-ce que l'aide du gouvernement fédéral peut les rassurer par rapport à GM et à Chrysler ? « Ma réponse est brève dans les deux cas : non ! Et sur ce dernier point, il y a de quoi s'interroger sur la décision des gouvernements fédéral et ontarien de se porter au secours d'entreprises de Detroit qui ont éliminé entre 50 000 et 70 000 emplois en Ontario, sans considérer que d'autres entreprises de l'industrie ont plutôt contribué à créer entre 30 000 et 40 000 emplois ». George Iny, analyste du secteur automobile pour l'APA, est également réservé et insiste sur certaines précautions à prendre par rapport à de telles offres. « Quand on sait qu'un véhicule neuf peut perdre plus de 50 % de sa valeur en l'espace de trois ans, il est facile de comprendre qu'il est particulièrement risqué d'acheter un modèle qui disparaîtra sous peu, par exemple les modèles Pontiac, compte tenu que leur valeur de revente sera d'autant diminuée. Il va sans dire que le risque est moins grand pour quiconque veut garder le véhicule durant plusieurs années, et l'acheteur peut se tourner vers des modèles de Chevrolet plus rassurants, ou vers un véhicule équivalent d'une autre marque », observe George Iny.

« Il faut se méfier de ce qui peut paraître d'exceptionnels rabais, dont ces offres à 0 % d'intérêt, car il vaut parfois mieux opter pour le rabais en argent. Et si les gouvernements s'engagent à ce que les garanties des constructeurs soient honorées advenant la faillite de l'un ou de l'autre, c'est seulement pour la période de restructuration, et encore faudra-t-il que l'engagement sur papier se transmette dans la réalité ! », souligne Iny.

Exprimant une certaine inquiétude sur le retour de Saab dans le marché nord-américain, l'an prochain, et sur la refonte d'un réseau de concessionnaires Saturn sous la coupole de Penske Automotive Group, George Iny précise : « GM est peut-être en meilleure posture que Chrysler, qui n'a pour ainsi dire pas de produits intéressants pour l'avenir, mais GM a eu tendance à oublier ses clients dans le passé et a vraiment mal agi envers ses concessionnaires, ce qui ne sera pas de nature à l'aider à remonter la pente. Pour tout dire, Ford a le vent dans les voiles avec la Fusion, notamment, et a possiblement deux ans d'avance sur les autres. »

GM et Chrysler sorties du bourbier, l'application des plans de redressement a donné lieu à des situations et à des répercussions rapidement ressenties. Sur le terrain, des clients dépassés par d'éventuelles fermetures de concessions ont pris d'assaut les services d'accueil des entreprises. Pour ces proprios abandonnés par leurs constructeurs, ce fut la confusion totale, et un sauve-qui-peut pour d'autres en cherchant une bannière concurrente ou un acheteur pour une place bientôt déserte.

Dans un cas particulier, un important concessionnaire de GM à Québec affichant cinq bannières (Pontiac, Buick, Cadillac, GMC et Hummer), s'est résigné à accepter une compensation de GM, puis a acheté une franchise existante japonaise : Mazda. Parmi les conséquences de la disparition de la concession Hummer de l'arrondissement de Sainte-Foy, la clientèle doit dorénavant s'en remettre à l'unique concession québécoise, installée sur le boulevard Henri-Bourassa, à Montréal !

Une autre répercussion particulièrement frappante, alors que des parcs complets de GM et de Chrysler se sont dégarnis en quelques semaines, des concessionnaires de marques concurrentes, dont celles de constructeurs sud-coréens, ont bénéficié d'arrivages en masse pour « davantage satisfaire les besoins des acheteurs ! »

Les consommateurs n'ont pas été aussi bien positionnés depuis longtemps pour marchander l'achat d'un véhicule. Néanmoins, des analystes d'institutions financières, notamment de TD Canada Trust, de la BMO Banque de Montréal, de la RBC Banque Royale, de la Banque Scotia et de la Fédération des caisses Desjardins, ont émis certains bémols sur le financement automobile lors d'un reportage publié dans *Auto Journal*. Le problème concerne le resserrement du crédit consenti aussi bien aux concessionnaires qu'aux acheteurs de véhicules.

Si les taux ont peu changé, selon les analystes, les critères d'admissibilité au financement sont cependant plus exigeants, et ce, pour une bonne raison : la recrudescence des faillites personnelles au Québec et ailleurs au pays. Par malheur, un resserrement des conditions de solvabilité par les institutions prêteuses arrive à un bien mauvais moment, risquant non seulement d'hypothéquer les chances de redressement de GM et de Chrysler, mais également la relance du marché de l'auto au Canada. Bien possible que GM et que Chrysler doivent recourir à des prestidigitateurs, virtuoses de l'illusion, pour finalement se sortir de tous leurs malheurs.

QUESTIONS & RÉPONSES

SI LE PLAN DE REDRESSEMENT DE GM OU DE CHRYSLER DEVAIT ÉCHOUER, QUI HONORERAIT LA GARANTIE DU VÉHICULE ACHETÉ ?

C'est habituellement au manufacturier que revient cette responsabilité de respecter le service après-vente. Si celui-ci est en défaut d'honorer ses responsabilités, les gouvernements américain et canadien, ayant consenti des milliards en aide financière, se sont engagés à prendre la relève concernant les produits *domestiques* achetés après le 7 avril 2009.

QU'ARRIVE-T-IL À MA GARANTIE PROLONGÉE SI LE CONSTRUCTEUR FERME LES LIVRES ?

Il importe de distinguer trois types de garanties, de même que les avantages et risques qu'elles peuvent comporter : celle du manufacturier, honorée par le manufacturier ou le gouvernement tel que précisé précédemment; celle exclusivement disponible et valide chez un détaillant ou un concessionnaire, devenant caduque si ce dernier met fin à ses activités; et enfin celle contractée avec une tierce partie, soit une entreprise indépendante spécialisée en assurances et régie par l'Autorité des marchés financiers. Dans le cas d'une garantie prolongée acquise d'un concessionnaire et cautionnée par le manufacturier, il importe de préciser que l'acheteur québécois peut ultimement recourir à des dispositions légales de l'Office de la protection du consommateur contre un marchand en défaut d'honorer la garantie prolongée, et ce, même si ce dernier déclare faillite.

QUI PEUT M'ACCOMMODER POUR CERTAINS SERVICES DÉFINIS DANS LA GARANTIE SI UN CONCESSIONNAIRE SOUS ENSEIGNE GM A DISPARU DE MON VOISINAGE PAR SUITE DU RÉAMÉNAGEMENT DU RÉSEAU ?

Seul le concessionnaire accrédité par le manufacturier est autorisé à assurer un service spécifique déterminé dans la garantie d'un véhicule, et il en va de même pour les rappels. Il est parfois possible de bénéficier de services d'entretien et de réparation auprès de concessionnaires identifiés à des mêmes familles de produits sous enseigne GM.

QU'EN EST-IL D'ÉQUIPEMENTS PARTICULIERS, DONT LE SYSTÈME ONSTAR, ET CERTAINS PROGRAMMES RELIÉS À LA VENTE DE PRODUITS GM, DONT CELUI DU FINANCEMENT ?

Dans le libellé d'un communiqué émis par GM du Canada, il est ainsi indiqué que « ...les garanties et les autres engagements en matière de service après-vente de la société, notamment OnStar, la radio XM et les programmes de financement, demeurent pleinement en vigueur. »

DOIT-ON PLEURER LES DISPARUS ?

Benoit Charette et Frédéric Masse vous aident à faire le meilleur choix parmi ces supposées « occasions » en vous dressant un portait global des éclopés ! Il est clair que certains de ces modèles pourraient ressusciter de leur belle mort ou tout simplement continuer à être offerts par une nouvelle compagnie mère. Mais, pour l'instant, oublions les valeurs de revente, les approvisionnements en pièces, critiquons uniquement le produit. Sa disparition doit-elle nous laisser triste, indifférent ou heureux ?

SELON BEN...

1 AUDI A8 W12 ET S8

+ Je l'ai dit par le passé, si je n'avais qu'une seule voiture à mettre devant la maison chez moi, ce serait une Audi S8. Cette voiture combine tout ce qu'il y a d'agréable dans une voiture, confort, luxe, performance, tenue de route, tout y est. La conjoncture économique et la poursuite de la voiture plus économique a eu raison de ce duo d'exception. >

2 CADILLAC STS-V

+ Comme pour bien des produits dans le passé, Cadillac avait promis mer et monde au moment de la mise en marché de la Cadillac STS-V. On visait à faire la concurrence aux BMW M5, Audi S6 et autres Classe E AMG de Mercedes-Benz, ben voyons donc. Honnêtement, la voiture n'était pas vilaine, mais elle n'évoluait pas dans la même ligue que les ténors allemands. C'est comme une équipe midget qui rencontre le Canadien, on sait déjà comment cela va se terminer. >

1

2

3 CADILLAC XLR

+ Comment demeurer poli avec la XLR. Lors de ma première semaine d'essai avec la voiture, le toit ouvrant rigide est resté bloqué à mi-chemin sous la pluie, le système électronique a connu des ratés, et le confort de cette voiture sur un châssis de Corvette était pour le moins aléatoire. Et pour ajouter l'insulte à l'injure, Cadillac visait à faire la lutte à la Mercedes-Benz Classe SL, le mythe de la marque à l'étoile.
Une voiture ratée sur toute la ligne. > ☺

3

+ SELON FRED...

4 CHEVROLET TRAILBLAZER/GMC ENVOY

+ On ne s'ennuiera certainement pas de ces deux-là. À l'image d'une vedette *has been* qui fait les sous-sols d'église et du pas très regretté Blazer (son prédécesseur), on a étiré la sauce. La mécanique était correcte, mais disons que, à l'image de la conduite et du comportement routier, la conception et la finition de l'habitacle dataient d'une autre époque. À moins d'un rabais colossal qui lui permettrait de se vendre moins cher qu'un Ford Explorer relativement récent ou de vouer un culte au confort et à la suspension molasse... on ira voir ailleurs. > ☺

4

5 CHEVROLET UPLANDER/PONTIAC SV6

+ Je n'ai jamais été un grand amateur de ces deux fourgonnettes pour tout avouer. Mais, lorsque je voyais le prix de vente affiché sous la barre des 17 000 $, j'avais de la difficulté à critiquer le choix. Par contre, déjà que la valeur de revente était médiocre alors qu'elles étaient encore offertes, imaginez le désastre maintenant qu'elles disparaissent. De toute manière, avec le prix de liquidation, il n'en reste pratiquement plus dans les concessions... vous aurez beau chercher. > ☺

5

6 CHRYSLER ASPEN/DODGE DURANGO

+ Le premier étant la version plus luxueuse du deuxième, disons que les deux géants ne méritaient pas un tel sort. Mais, dans le contexte de rationalisation, de la baisse fulgurante des ventes des gros VUS, Chrysler n'avait pas le choix. Aurait-elle relancé ces deux produits en utilisant la nouvelle et fantastique plate-forme de la Ram ? En proposant une finition semblable à cette dernière, les deux pachydermes auraient probablement été en plein dans le coup... mais qui en auraient voulus ? Dans l'offre actuelle, ce sont toutefois deux machines pas méchantes du tout, surtout l'Aspen. > ☺

6

7 HONDA S2000

+ En voilà une sur laquelle je jetterais volontiers mon dévolu. Compression oblige, Honda a décidé de ne pas renouveler sa S2000. C'est très dommage pour le paysage automobile. Il faut apprécier faire chanter le moteur haut et fort pour avoir du plaisir avec le petit roadster, mais une fois habitué, le plaisir est au rendez-vous. Elle réussissait à conjuguer une petite dose d'exotisme à la fiabilité d'une berline familiale. Aucun problème à vous la recommander (si vous parvenez à en trouver une neuve...), il y aura encore et toujours de la demande dans l'occasion pour les produits qui vénèrent le plaisir... encore plus quand ils ont un bon gros logo en forme de H sur le devant du capot ! >

7

8 HUMMER H2

+ Bon, bon, bon... que dire du H2 ? On l'a lapidé sur la place publique comme l'emblème ultime du réchauffement planétaire. Mais, est-il pire que les autres VUS grand format ? Hummer figure encore parmi les six marques présentant le plus de problèmes par 100 véhicules lors des sondages de qualités initiales selon JD Power. Au moins, il a le mérite d'être extrêmement confortable, bien insonorisé et capable de franchir quelques bosses sans trop de problèmes. Si vous êtes indifférent au fait qu'on écrive que votre véhicule est un « Déchet de la planète » le Hummer est pour vous.
>

8

9 HUMMER H3

+ Le H3 est une autre histoire. Plus raisonnable dans sa taille, il utilise la plateforme du GMC Canyon (Chevrolet Colorado) et se veut un produit tout de même intéressant. Il a certes quelques défauts, comme une surface vitrée qui nuit vraiment à la visibilité et certaines commandes placées à la sauvette, mais le 5-cylindres d'origine, bien que pas très puissant, consomme comme la concurrence. Le H3 a le mérite d'offrir un design qui sort de l'ordinaire (version VUS ou camionnette) et d'attirer les regards, pour les bonnes ou les mauvaises raisons. >

9

10 HYUNDAI AZERA

+ On parle souvent de la Genesis comme le premier véritable essai de la marque dans les eaux des voitures haut de gamme en Amérique. Pourtant, l'Azera, et avant elle la XG350, était déjà un pas dans cette direction (je n'ai pas poussé l'audace à inscrire « bonne » direction). Anonyme, molle et ennuyeuse comme pas une à conduire, elle s'adresse vraiment à ceux qui recherchent un habitacle luxueux sans se soucier du reste.
>

10

11 HYUNDAI ENTOURAGE

+ Les fabricants, pour la plupart, ont laissé tomber la serviette dans le segment des fourgonnettes (au grand plaisir de Chrysler !). L'Entourage a été tuée par le milieu, non pas parce qu'elle manquait de qualités. Un prix trop élevé, un produit méconnu et probablement une mauvaise mise en marché ont mis à mort ce produit qui était pourtant bien né. > 😐

12 PONTIAC G6

+ Elle était bien belle et se voulait un produit dans l'état de transition de la General Motors : ni trop bonne, ni trop mauvaise. L'idée et le design derrière le produit étaient pourtant excellents, mais l'exécution laissait carrément à désirer. Elle aurait pu être considérée à la hauteur des voitures comme la Mazda*6*, la Nissan Altima ou la Ford Fusion, mais il lui manquait encore trop de raffinement pour y prétendre. La Chevrolet Malibu et la Saturn Aura ont été de bien meilleures représentantes de la vision et de la nouvelle compagnie GM. > ☺

13 PONTIAC G5

+ Quoique certaines publicités aient bien voulu vous le faire croire, la G5 est à la catégorie des compactes, ce que la G6 est à celle des intermédiaires : un produit mi-amer. Son prix de base était certainement alléchant, mais quand on joue dans la cour des Honda Civic, Mazda*3* et, même, des Hyundai Elantra, on ne peut se permettre tant de largesse. Et, pour le large, la G5 savait bien faire... À ne consommer qu'à prix très réduit. > ☺

11

12

13

14 PONTIAC G8

+ Une véritable tragédie que la mort annoncée de cette australienne. C'est ce qu'on appelle se trouver à la mauvaise place, au mauvais moment. Belle, racée, puissante, sophistiquée, pratique, elle était tout ce que je souhaitais voir dans une voiture. La version GT, notamment, pouvait faire pâlir d'envie bien des concurrentes qui ne lui arrivaient même pas à la cheville en matière de sensation... la propulsion aidant. Ce modèle extrêmement populaire en Océanie devrait, je l'espère, recevoir une bouée de sauvetage à la dernière minute (même si GM a annoncé le contraire, souhaitons-le...). GM... êtes vous à l'écoute ? > 😮

14

15 PONTIAC SOLSTICE/SATURN SKY

+ Il était bien beau ce tandem. Bien qu'il n'arrivait pas à la cheville de la Mazda MX-5 en matière de plaisir de conduire (Outre les versions GXP et Red Line qui se tiraient vraiment bien d'affaire...), les deux roadsters égayaient tout de même le paysage automobile. Il y avait certainement quelques défauts comme un manque de communicabilité du volant, une finition très moyenne et l'espace plus que minuscule du coffre qui ne pouvait que contenir une mallette. Mais, à la défense de GM, on arrive rarement à créer une merveille du premier coup de baguette. Mazda et Porsche notamment ont mis bien des générations pour offrir des produits au raffinement si exquis. À l'image d'ados remplis de testostérone, les deux roadsters ont certainement commis certaines erreurs de parcours, mais j'aurais bien aimé voir leur digne remplaçante. Avec les derniers produits sortis des usines, je n'en doute pas vraiment. > 😐

15

16 PONTIAC TORRENT

+ Plouf... c'est le bruit d'une roche qui tombe à l'eau sans faire aucun bond. C'est ce à quoi me fait penser le Torrent. Je n'étais pas amateur de l'ancienne génération de l'Equinox (son jumeau de GM), alors le Torrent mérite le même sort. Pourquoi choisir ce véhicule alors qu'il est possible, à un prix semblable, d'obtenir un Suzuki Grand Vitara, un Ford Escape, un Nissan Rogue ou, pour quelques dollars de plus, un Subaru Forester, un Toyota RAV4 ou un Honda CR-V ? Je n'y comprends rien. > 🙂

16

17 SAAB 9-3

+ Tout est question de prix dans la vie, mais la 9-3 vieillit et elle ne le fait pas très bien. J'avais apprécié l'effort de la rendre moins marginale, nettement plus jolie et aussi... plus fiable. Mais, il fallait continuer le processus, et la marque suédoise n'avait visiblement pas les reins assez solides. Saab liquide ses 9-3 pour une bouchée de pain, ce qui les rend nettement plus intéressantes, alors qu'on peut se procurer cette belle scandinave au prix d'une Honda Civic ou d'une Mazda3 bien équipée. Dans ce contexte, il est difficile de critiquer ce choix. > 😐

17

18 SAAB 9-5

+ Évidemment, la plateforme de la Saab 9-5 date d'une toute autre époque, et ses performances aussi. Il y a certes un moteur turbo puissant et frugal intéressant sous le capot, mais à moins qu'on choisisse la version CombiSport, je ne vois pas pourquoi une Lexus ES350 ou une Volvo S80 ne ferait pas un meilleur travail pour vous mener à bon port tout en étant nettement plus fiable. Confortable à souhait, son tableau de bord rappelle néanmoins le temps où de simples petits boutons permettaient de gérer efficacement tous les systèmes. > 🙂

18

19 SAAB 9-7X

+ J'ai toujours trouvé le 9-7x paradoxal. Une des marques les plus marginales de l'industrie s'adressant à un public qui souhaite rouler dans quelque chose de différent n'accepterait jamais tel affront. D'un autre côté, le 9-7x est loin d'être mauvais, disons même qu'il est plutôt intéressant. En fait, il est ce que le GMC Envoy et le Chevrolet TrailBlazer auraient toujours dû être. S'il suffisait de demander à l'équipe de Saab de régler le freinage, la suspension et la direction pour obtenir ce genre de résultats, pourquoi ne l'a-t-on pas fait plus tôt et laissé le produit là où il devait être, soit chez GM et Chevrolet ? > 😐

19

20 SATURN AURA

+ En voilà une qui n'a pas eu droit à sa juste place au soleil. Élue meilleure voiture américaine de l'année lors du salon de Detroit de 2007 (ce qui était peut-être un peu exagéré !), elle est demeurée trop discrète avant d'être complètement engloutie par sa volubile sœur jumelle, la Malibu. Dommage, car l'Aura avait beaucoup à offrir : un confort de roulement enviable, un tandem moteur-boîte performant, une version hybride (quoique très sommaire) ainsi qu'un habitacle invitant. Que voulez-vous, le malheur des uns fait le bonheur des autres > 😮

20

21 SATURN ASTRA

+ Une Opel dans toute sa splendeur que cette Astra. Portant la même appellation sur le vieux continent, en voilà une qui était sur le mince fil la départageant des meilleures de l'industrie. Certaines commandes étranges, un manque chronique d'espace de rangement et une mécanique qui manquait parfois de souffle sont parmi les éléments qui ne lui permettaient pas de se hisser au-dessus de la mêlée. Je lui aurais sérieusement souhaité un meilleur sort à cette Astra, car elle était sur la bonne voie, notamment en ce qui concerne son confort de roulement, sa direction vive et son design plus exclusif. Il lui aurait fallu de pas grand-chose à cette pauvre Astra. >

21

22 SATURN OUTLOOK

+ Il fallait qu'un élément du quatuor y laisse sa peau, et l'Outlook serait le premier. Si vous doutez de la qualité du produit, allez lire mon essai routier sur le Buick Enclave et appliquez-le ici. L'ensemble des produits créés sur la base Lambda est impressionnante, et l'Outlook n'y échappe pas. >

22

23 SATURN VUE

+ Avec la G8, le VUE est le produit qui mériterait le plus d'être rescapé par GM. Version hybride ou pas, le VUE n'avait rien à envier à ses concurrents tant américains qu'asiatiques. Doux, agréable à conduire, bien fini et pas laid du tout à regarder, il répondait bien aux demandes de sa clientèle cible : la petite famille. Bâti sur la plateforme de l'Opel Antara, ce VUS compact bénéficiait en plus de moteurs et de prix intéressants. >

23

24 SUZUKI XL7

+ Comme l'Equinox est totalement renouvelé cette année, le XL7 voit sa production annulée. Dans le trio basé sur ce dernier, cette version allongée était pourtant celle qui se débrouillait le mieux. Habitacle luxueux et relativement bien fini, mécanique douce et beaucoup d'espace. Mais, en matière de tenue de route, le XL7 avait des croûtes à manger, même si on l'avait amélioré au cours de sa jeune carrière. D'un autre côté, il avait le mérite de se révéler très confortable... >

Bon magasinage !

24

CSX

www.acura.ca

N ÉVOLUTION É J

26 990 $ à 33 400 $
transport et préparation: 1395 $

LA COTE VERTE

MOTEUR
L4 de 2,0L

- **Consommation (100km):** **man.** 7,6 l **auto.** 8.0 l
- **Émissions polluantes CO_2 :** **man.** 3696 kg/an **auto.** 3888 kg/an
- **Empreinte écologique (nombre d'arbres à planter par année):** 22
- **Indice d'octane:** 87
- **Autre motorisation:** non
- **Coût du carburant moyen par année:** **man.** 1540 $ **auto.** 1620$
- **Nombre de litres par année:** **man.** 1540 l **auto.** 1620 l

(SOURCE: ÉnerGuide)

1 FICHE D'IDENTITÉ

- **Versions** Base, Tech, Type-S
- **Roues motrices** avant
- **Portières** 4 **Nombre de passagers** 5
- **Première génération** 1997 (EL)
- **Génération actuelle** 2006
- **Construction** Alliston, Ontario
- **Sacs gonflables** 6 (frontaux, latéraux avant, rideaux latéraux)
- **Concurrence** Chevrolet Cobalt, Ford Focus, Honda Civic, Hyundai Elantra, Kia Forte, Mazda3, Mitsubishi Lancer, Nissan Sentra,, Subaru Impreza, Toyota Corolla, Volkswagen Jetta

2 AU QUOTIDIEN

- **Prime d'assurance**
  25 ans: 1200 à 1400 $
  40 ans: 900 à 1100 $
  60 ans: 800 à 950 $
- **Collision frontale** 5/5
- **Collision latérale** 5/5
- **Ventes du modèle de l'an dernier**
  Au Québec 900 **Au Canada** 2998
- **Dépréciation** 48,1%
- **Rappels (2004 à 2009)** 1
- **Cote de fiabilité** 5/5

3 GARANTIES... ET PLUS

- **Garantie générale** 4 ans/80 000 km
- **Garantie motopropulseur** 5 ans/100 000 km
- **Perforation** 5 ans/kilométrage illimité
- **Assistance routière** 4 ans/ kilométrage illimité
- **Nombre de concessionnaires**
  Au Québec 13 **Au Canada** 48

4 NOUVEAUTÉS EN 2010

- Aucun changement majeur

POULE DE LUXE

PAR FRANCIS BRIÈRE

POURQUOI CHOISIR UNE ACURA CSX PLUTÔT QU'UNE HONDA CIVIC ? L'AVEZ-VOUS REMARQUÉ, IL S'AGIT DE LA MÊME VOITURE! BON, D'ACCORD, ELLE EST PLUS LUXUEUSE. Et puis après ? À titre de consommateur, vous avez le droit de payer pour des options supplémentaires. Après tout, c'est votre argent dont il s'agit. Il n'y a pas de mal à se gâter. Pour le reste, la CSX et la Civic partagent tous leurs éléments mécaniques ou presque. Dotée d'une motorisation à peine plus puissante que celle de la Civic, il faut considérer son poids plus important en raison de l'équipement. Heureusement que la qualité est au rendez-vous !

[CARROSSERIE] Pour la distinguer de sa jumelle, Acura propose un aileron insignifiant, des roues de 17 pouces et une jupe sportive. Même s'il s'agit d'un clone endimanché, la CSX a fière allure. La version Type S (Civic Si) ajoute quelques fioritures pour se distinguer des modèles de base et Tech. Du point de vue de la conception, Acura manque nettement de génie. La CSX, en revanche, outre sa calandre hideuse, domine la gamme avec sa séduisante silhouette. Heureusement que les concepteurs de Honda ont généreusement prêté l'idée !

[HABITACLE] L'élément le plus agaçant dans l'habitacle de la CSX est le frein à main, vraiment mal placé ! Autrement, il faut avouer que l'ergonomie comble les attentes. On retrouve, bien sûr, les tableaux indicateurs de la Civic, soit un odomètre numérique et un compte-tours analogique, mais également un système de navigation par satellite bien en vue, des commandes de climatisation simples et accessibles et des boutons en quantité raisonnable sur le volant. Les sièges de cuir offrent un bon maintien et un confort adéquat. On apprécie tout de même le luxe sans exagération qu'on retrouve à bord de la CSX. La petitesse de son intérieur n'empêche pas les occupants de se sentir à l'aise et confortablement assis, y compris à l'arrière.

[MÉCANIQUE] Sans affirmer que le moteur de base bat des records, avouons que ce petit 4-cylindres fait des merveilles. Raffiné à souhait, l'engin de 2 litres produit 155 chevaux, ce qui est

FORCES • Qualité de fabrication • Tenue de route incisive • Faible consommation

FAIBLESSES • Personnalité timide • Prix

suffisant compte tenu de la taille et du poids de la voiture. En revanche, il manque de couple, surtout à bas régime. Avec la livrée Type-S, on obtient un moteur de 197 chevaux et une sonorité ronflante. S'il est vrai qu'il n'y a pas de quoi se péter les bretelles avec cette puissance timide, on se surprend à enflammer la belle mécanique à plus de 7000 tours par minute pour faire monter l'adrénaline. En ce qui concerne la boîte de vitesses, on doit se contenter de 5 rapports pour les modèles de base et Tech, décevant pour une voiture comme la CSX.

[COMPORTEMENT] Pour une conduite sportive et inspirante, la Type-S s'impose. Moteur plus puissant, réponse plus vive et accélérations plus franches. En revanche, la traction limite les options, surtout le rêve d'aller s'éclater sur une piste. Bonjour le sous-virage et l'effet de couple au volant ! Restons calme et considérons plutôt la CSX comme une petite berline de luxe qui allie confort et conduite agréable. Telle est sa vocation. La direction, toujours aussi précise chez Acura, procure une bonne sensation de conduite et informe adéquatement le conducteur. La suspension un peu sèche assure tout de même du confort et une bonne stabilité en virage.

[CONCLUSION] La CSX n'est pas une mauvaise affaire, mais elle est trop chère pour ce qu'elle offre. Pour le prix d'une Type-S, on s'offre une BMW 128 de base équipée d'un moteur à 6 cylindres de 230 chevaux, d'une propulsion et d'un comportement ultra sportif. Et on roule en BMW. Les 15 chevaux de plus et l'équipement supplémentaire ne justifient pas, à mon avis, l'écart de prix avec la Civic. Reste qu'Acura en vend et en bonne quantité. La CSX, semble-t-il, rend son propriétaire heureux.

2e OPINION

BENOIT CHARETTE L'un des secrets bien cachés de l'industrie, la CSX, qui est toujours exclusive au marché canadien, offre de solides performances. Bien équilibré et offrant un équipement de série complet, cette petite berline haut de gamme propose un luxe qui la différencie de la Honda Civic avec qui elle partage le même châssis. Si les 155 chevaux de base ne sont pas suffisants pour vos appréhensions sportives, la Type-S et son moteur de 197 chevaux vous feront sourire à tous les coups. La CSX est une excellente porte d'entrée dans le monde d'Acura sans trop s'éloigner de la gamme de prix d'une Civic. Un modèle à ajouter sur votre liste d'épicerie quand viendra le moment de magasiner une petite voiture de luxe.

5 FICHE TECHNIQUE

- **MOTEURS**
- **(CSX)**

L4 2,0 l DACT, 155 ch à 6000 tr/min
Couple 139 lb-pi à 4500 tr/min
Transmission manuelle à 5 rapports, automatique à 5 rapports en option (avec mode manuel)
0-100 km/h 8,6 s
Vitesse maximale 205 km/h

- **(TYPE-S)**

L4 2,0 l DACT, 197 ch à 7800 tr/min
Couple 139 lb-pi à 6200 tr/min
Transmission manuelle à 6 rapports
0-100 km/h 7,0 s
Vitesse maximale 230 km/h
Consommation (100 km) 8,5 l (octane 91)
Émission de CO_2 4176 kg/an
Litres par année : 1740
Coût par an : 1914$
Autre motorisation : non
Empreinte écologique : 24 arbres

- **AUTRE COMPOSANTES**

Sécurité active freins ABS, répartition électronique de force de freinage
Suspension avant/arrière indépendante
Freins avant/arrière disques
Direction à crémaillère, assistée
Pneus P215/45R17

- **DIMENSIONS**

Empattement 2700 mm
Longueur 4544 mm
Largeur 1752 mm
Hauteur 1435 mm
Poids man. 1292 kg **autom.** 1322 kg
Diamètre de braquage 10,78 m
Coffre 341 l
Réservoir de carburant 50 l

NOS MENTIONS

Modèle recommandé

NOTRE VERDICT

Plaisir au volant
Qualité de finition
Consommation
Rapport qualité/prix
Valeur de revente

MDX

www.acura.ca

N ÉVOLUTION É J

52 900 $ à 62 500 $
transport et préparation: 1895 $

LA COTE VERTE

AVEC MOTEUR V6 DE 3,7 L

- **Consommation (100km):** 11,9 l
- **Émissions polluantes CO_2:** 5808 kg/an
- **Empreinte écologique (nombre d'arbres à planter par année):** 35
- **Indice d'octane:** 91
- **Autre motorisation:** non
- **Coût du carburant moyen par année:** 2662 $
- **Nombre de litres par année:** 2420 l

(SOURCE: ÉnerGuide)

1 FICHE D'IDENTITÉ

- **Versions** base, Tech, Elite
- **Roues motrices** 4
- **Portières** 4 **Nombre de passagers** 7
- **Première génération** 2001
- **Génération actuelle** 2007
- **Construction** Alliston, Ontario, Canada
- **Sacs gonflables** 6 (frontaux, latéraux, rideaux latéraux)
- **Concurrence** Audi Q7, BMW X5, Cadillac SRX, Infiniti FX, Land Rover LR3, Lexus RX, Mercedes-Benz Volkswagen Touareg, Volvo XC90

2 AU QUOTIDIEN

- **Prime d'assurance**
  25 ans: 1600 à 1800 $
  40 ans: 1100 à 1300 $
  60 ans: 1000 à 1200 $
- **Collision frontale** 5/5
- **Collision latérale** 5/5
- **Ventes du modèle de l'an dernier**
  Au Québec 921 **Au Canada** 5514
- **Dépréciation** (2 ans) 48,4%
- **Rappels** (2004 à 2009) Aucun à ce jour
- **Cote de fiabilité** 4/5

3 GARANTIES... ET PLUS

- **Garantie générale** 4 ans/80 000 km
- **Garantie motopropulseur** 5 ans/100 000 km
- **Perforation** 5 ans/kilométrage illimité
- **Assistance routière** 4 ans/kilométrage illimité
- **Nombre de concessionnaires**
  Au Québec 13 **Au Canada** 48

4 NOUVEAUTÉS EN 2010

- Transmission 6 vitesses.

PERFECTION ?

PAR ALEXANDRE CRÉPAULT

LE MDX POURSUIT SA MISSION À TITRE DE VÉHICULE MULTISEGMENT ET NE PROPOSE QUE LE MEILLEUR, ET CE, DANS UN ENSEMBLE BIEN PENSÉ.

[CARROSSERIE] Qu'on aime ou pas, les formes du MDX respectent avant tout le style de la marque. La calandre en pointe de flèche domine au milieu d'un museau également pointu. Les phares au xénon en crochet, qui s'élancent jusque sur les ailes avant, accentuent cette image de javelot. Quant à l'arche de roues élargie, elle donne du muscle au MDX. Pas particulièrement beau, le MDX, mais il réussit quand même à rassembler ses multiples talents dans un emballage moderne juste assez excitant.

[HABITACLE] La cabine est sans doute le principal argument de vente du MDX. Premièrement, l'espace : quatre adultes s'y sentiront véritablement confortables. Deux passagers supplémentaires apprécieront le confort relativement décent de la troisième rangée de sièges. Une fois les banquettes rabattues, le MDX s'ouvre sur 2364 litres de rangement, soit assez pour embarquer un réfrigérateur. Deuxièmement, la technologie : le MDX a tout d'une fusée de la NASA. Son système de climatisation à trois zones va jusqu'à superviser l'humidité relative dans le véhicule et évite ainsi la formation de buée sur les vitres. La chaîne audio de la version Premium est tout bonnement orgasmique... Probablement l'une des meilleures de l'industrie. Et la liste se prolonge... Enfin, le confort, la qualité des matériaux et la finition de l'assemblage sont phénoménaux. Le cuir, le bois et l'aluminium se disputent les milliers de formes du tableau de bord. On a presque l'impression de se retrouver dans une soucoupe volante. La multitude de boutons qui entourent le conducteur peuvent décourager au début, mais sont d'une utilisation intuitive.

[MÉCANIQUE] Au lieu d'utiliser un V8, comme le fait souvent la concurrence, le MDX concentre ses énergies sur un V6 de 3,7 litres à 24 soupapes, plus économique et plus propre que les grosses cylindrées. Pour en extirper le maximum, Acura

FORCES · Comportement sportif · Habitacle à tous points de vue · Technologie

FAIBLESSES · Pas laid... mais pas loin · Couple peu linéaire

se sert de son système VTEC qui travaille avec deux arbres à cames au profil bien différent. Un premier aide à fournir du couple à bas régime; le second favorise la puissance à haut régime. L'arrangement transversal de la mécanique (un peu comme sur une berline à traction) envoie 300 chevaux à un système à 4 roues motrices sophistiqué, qu'Acura nomme SH-AWD. Le MDX est aussi muni d'un radiateur à haut rendement et d'un refroidisseur d'huile de boîte de vitesses qui lui permettent de remorquer des charges de 5000 livres. Très respectable.

[COMPORTEMENT] La rigidité et la qualité de la construction du MDX, comme c'est le cas de tous les produits Acura, sont immédiatement palpables derrière le volant. Dès les premiers tours de roues, l'ensemble de la caisse se déplace avec grâce, malgré les plus de 2000 kilos du véhicule. Les accélérations s'effectuent en souplesse, et les passages de rapports sont pratiquement imperceptibles. Quoique le V6 produise de la puissance en masse, il ne met pas toujours l'énergie voulue dans les dépassements; il faut parfois attendre que les régimes montent avant de profiter vraiment des 300 chevaux du MDX. En revanche, la tenue de route est exemplaire. On doit remercier le système SH-AWD qui, dans la plus grande discrétion, transmet de la puissance aux roues qui en ont le plus besoin. Son système de transmission intégrale cède même un surplus de puissance aux roues intérieures lors des sorties de virage plus poussées. Le système actif des amortisseurs, offert sur l'ensemble Elite, augmente les capacités du véhicule en permettant à la suspension de s'adapter automatiquement aux conditions de la route et au tempérament du pilote.

[CONCLUSION] Sans être aussi performant qu'un Cayenne, un X5 ou un FX, le MDX recèle sans l'ombre d'un doute de l'ADN de sportif. Il rivalise avec les meilleures berlines en matière d'accessibilité et de confort. Sa technologie est celle d'un laboratoire roulant, et son aspect pratique est celui d'un utilitaire et d'une fourgonnette à la fois.

2e OPINION

DANIEL RUFIANGE Si la première génération du MDX a ouvert grand les yeux des amateurs d'utilitaires de luxe, la seconde a tout fait pour achever le processus de séduction. C'est bien simple, ce véhicule a très peu de défauts. Sa conduite est rassurante et rappelle plutôt celle d'une voiture sport. Son habitacle est à la fois de très bon goût mais aussi d'une grande qualité, un adage tout Acura. Le V6 de 300 chevaux permet non seulement de tirer des charges importantes mais également de s'amuser au volant. Et pour stopper cette masse qu'est le MDX, des étriers d'une efficacité à souligner. Mon seul bémol sur ce véhicule va au design de la calandre avant; dans quel espèce de direction farfelue est-ce qu'Acura s'en va ?

5 FICHE TECHNIQUE

· MOTEUR
· V6 3,7 l SACT, 300 ch à 6000 tr/min
Couple 275 lb-pi à 5000 tr/min
Transmission automatique à 6 rapports
0-100 km/h 8,5 s
Vitesse maximale 200 km/h

· AUTRES COMPOSANTES
Sécurité active freins ABS, distribution électronique de force de freinage, antipatinage, contrôle de stabilité électronique
Suspension avant/arrière indépendante
Freins avant/arrière disques
Direction à crémaillère, assistée
Pneus P255/55R18

· DIMENSIONS
Empattement 2750 mm
Longueur 4844 mm
Largeur 1994 mm
Hauteur 1733 mm **Elite** 1753 mm
Poids 2064 kg **Technology** 2069 kg **Elite** 2093 kg
Diamètre de braquage 11,44 m
Coffre 2364 l (sièges abaissés)
Réservoir de carburant 79,5 l
Capacité de remorquage 2273 kg

NOS MENTIONS

Modèle recommandé

Coup de coeur

NOTRE VERDICT

Plaisir au volant
Qualité de finition
Consommation
Rapport qualité/prix
Valeur de revente

RDX

www.acura.ca

N ÉVOLUTION É J

41 400 $ à 45 100 $
transport et préparation: 1825 $

LA COTE VERTE

MOTEUR
L4 DE 2,3 L

- **Consommation (100km):** 10,9 l
- **Émissions polluantes CO_2 :** 5280 kg/an
- **Empreinte écologique (nombre d'arbres à planter par année):** 32
- **Indice d'octane:** 91
- **Autre motorisation:** non
- **Coût du carburant moyen par année:** 2420 $
- **Nombre de litres par année:** 2200

(SOURCE: ÉnerGuide)

1 FICHE D'IDENTITÉ

- **Versions** base, ensemble technologie
- **Roues motrices** 4
- **Portières** 4 **Nombre de passagers** 5
- **Première génération** 2007
- **Génération actuelle** 2007
- **Construction** Marysville, Ohio, É.-U.
- **Sacs gonflables** 6, frontaux, latéraux avant et rideaux latéraux
- **Concurrence** Audi Q5, BMW X3, Hummer H3, Land Rover LR2

2 AU QUOTIDIEN

- **Prime d'assurance**
  25 ans: 1600 à 1800 $
  40 ans: 1000 à 1150 $
  60 ans: 900 à 1100 $
- **Collision frontale** 5/5
- **Collision latérale** 5/5
- **Ventes du modèle de l'an dernier**
  Au Québec 700 **Au Canada** 3573
- **Dépréciation (2 ans)** 39,1 %
- **Rappels (2004 à 2009)** 1
- **Cote de fiabilité** 4/5

3 GARANTIES... ET PLUS

- **Garantie générale** 4 ans/80 000 km
- **Garantie motopropulseur** 5 ans/100 000 km
- **Perforation** 5 ans/kilométrage illimité
- **Assistance routière** 4 ans/kilométrage illimité
- **Nombre de concessionnaires**
  Au Québec 13 Au **Canada** 48

4 NOUVEAUTÉS EN 2010

- Phares à haute intensité

TROP DE COMPROMIS

PAR FRANCIS BRIÈRE

HONDA SOUFFRE DE L'ABSENCE D'UN BON MOTEUR V8. EN EFFET, AVEC UN TEL ENGIN, LE CONSTRUCTEUR JAPONAIS RÉGLERAIT LE PROBLÈME DE SA LIGNÉE ACURA. La RL bénéficierait d'une motorisation adéquate, de même que le MDX. Le RDX, quant à lui, jouirait d'un V6 qui lui rendrait justice. Ce petit VUS souffre d'un complexe qui nous laisse sur notre appétit. À prix équivalent, l'acheteur se tourne volontiers vers le concurrent allemand, le BMW X3. Notre petit camion possède tout de même quelques qualités dont nous ferons mention ici.

[CARROSSERIE] Cette zone d'inconfort laisse place à l'interprétation et au jugement futile. Vous admettrez cependant que les concepteurs d'Acura manquent d'intuition artistique. Pensons à la TL, dont le découpage de carrosserie donne mal à la tête. La carcasse du RDX n'inspire guère mieux avec sa calandre de mauvais goût. En revanche, acclamons le choix des phares discrets et de l'arrière du véhicule qui affiche une meilleure mine. Sous le pare-chocs arrière, on se demande quelle était l'idée d'appliquer une bande de plastique sur les deux tiers de la largeur. Bravo pour le design asymétrique !

[HABITACLE] La planche de bord du type « Robocop » attire le regard dès qu'on grimpe sur le siège avant. La complexité du système multimédia donne du fil à retordre. Si vous souhaitez relier votre téléphone portable au dispositif à mains libres, armez-vous de patience. Même avec un diplôme universitaire, j'ai tenté de démystifier les secrets de cette haute voltige techno. Bonne lecture ! Autres mauvaises nouvelles : certaines commandes sont mal placées, la radio, notamment. Si vous préférez vous contenter d'être bien assis, vous serez servi. En effet, les sièges proposent une ergonomie appropriée en plus d'offrir un bon maintien. Les places arrière sont correctes, mais ne comptez pas sur un espace de chargement gigantesque pour les bagages ou pour transporter des matériaux.

[MÉCANIQUE] Malgré l'aspect sophistiqué de l'engin qui anime le RDX, on s'attendrait à mieux. Du côté de la concurrence, qu'elle soit japonaise

FORCES • Tenue de route incisive • Confort • Maniabilité

FAIBLESSES • Design discutable • Moteur turbo irritant • Soif de carburant

ou allemande, on vous propose au minimum un moteur à 6 cylindres de 3 litres. Acura a plutôt choisi d'équiper son VUS compact de luxe d'un 4-cylindres turbocompressé de seulement 2,3 litres. Le résultat ne surprend pas : vibrations, bruits excessifs et rugosité le distinguent de ses semblables. Un peu plus surprenant : la consommation de carburant dépasse les limites du raisonnable. Lors de mon essai, je n'ai pu obtenir mieux que 15 litres aux 100 kilomètres. Je veux bien croire que la masse d'inertie y est pour quelque chose, mais gardons quand même à l'esprit qu'on ne dispose que de 240 chevaux. Si vous souhaitez vous surpasser au volant en faisant un Jacques Villeneuve de vous, oubliez les leviers de vitesses au volant. Ils sont inutiles, et on a la nette impression de gaspiller encore plus de carburant.

[COMPORTEMENT] Si le lecteur trouve mon commentaire sévère, sachez que c'est ici que le RDX marque des points. Son propriétaire en a fait l'acquisition pour la fiabilité de la marque, certes, mais aussi pour son comportement remarquable. Il procure une tenue de route sûre. Comme les autres produits Acura, sa direction permet une conduite sportive qui rend l'expérience agréable. Même si la suspension semble un peu sèche, on passe un agréable moment à bord du RDX, sur une route nouvellement pavée ou non.

[CONCLUSION] Pour parvenir à prendre sa place dans ce marché, Acura devra améliorer son produit. La motorisation du RDX déçoit, de même que son esthétique douteuse. La concurrence allemande propose des modèles plus intéressants pour la même somme. Mercedes-Benz nous propose le GLK, un petit VUS de luxe qui mérite considération; Audi, pour sa part, réplique avec son Q5. Malgré tout, le RDX possède des qualités que nous ne devons ignorer. Il se distingue par son comportement qui offre au conducteur une expérience de conduite sportive.

2e OPINION

DANIEL RUFIANGE Difficile à classer que ce RDX ! Véhicule multisegment ? Pas vraiment. Véhicule familial ? Peut-être. Utilitaire sport pour jeunes branchés ? Probablement. On sent le RDX au coeur d'une crise identitaire. Remarquez qu'il a tout pour plaire à un vaste public. Son intérieur est des plus accueillants, fruit d'une finition exemplaire, une coutume chez Acura. Son espace de chargement le rend très pratique. Sa conduite, alimentée par un moteur turbo nerveux et performant, le transforme en petite bombe qui ne se fait pas prier pour exploser le moment venu. Pourtant, malgré ses qualités, on lui cherche une personnalité propre. Bizarre qu'on aperçoive plus de MDX sur la route, pourtant plus cher, non ? Un excellent produit, mais qui ne semble pas soulever les passions.

5 FICHE TECHNIQUE

· MOTEUR
L4 2,3 l turbo DACT 240 ch à 6000 tr/min
Couple 260 lb-pi à 4500 tr/min
Transmission automatique à 5 rapports avec mode manuel
0-100 km/h 7,7 s
Vitesse maximale 210 km/h
Litres par année 2200 l
Coût par an 2420$

· AUTRES COMPOSANTES
Sécurité active freins ABS, répartition électronique de force de freinage, assistance au freinage, antipatinage, contrôle de stabilité électronique
Suspension avant/arrière indépendante
Freins avant/arrière disques
Direction à crémaillère, assistée
Pneus P235/55R18

· DIMENSIONS
Empattement 2650 mm
Longueur 4590 mm
Largeur 1870 mm
Hauteur 1655 mm
Poids 1790 kg
Diamètre de braquage 11,94 m
Coffre 788 l, 1716 l (sièges abaissés)
Réservoir de carburant 68 l
Capacité de remorquage 680 kg

NOS MENTIONS

Modèle recommandé

NOTRE VERDICT

Plaisir au volant
Qualité de finition
Consommation
Rapport qualité/prix
Valeur de revente

RL

www.acura.ca

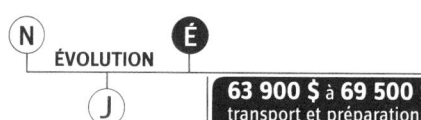

N ÉVOLUTION É J

63 900 $ à 69 500 $
transport et préparation: 1895 $

LA COTE VERTE

AVEC MOTEUR V6 DE 3,7 L

- **Consommation (100km):** 11,0 l
- **Émissions polluantes CO_2 :** 5376 kg/an
- **Empreinte écologique (nombre d'arbres à planter par année):** 32
- **Indice d'octane:** 91
- **Autre motorisation:** non
- **Coût du carburant moyen par année:** 2464 $
- **Nombre de litres par année:** 2240 l

(SOURCE: ÉnerGuide)

1 FICHE D'IDENTITÉ

- **Versions** RL, Elite
- **Roues motrices** 4
- **Portières** 4 **Nombre de passagers** 5
- **Première génération** 1987 (Legend)
- **Génération actuelle** 2009
- **Construction** Sayama, Japon
- **Sacs gonflables** 6, frontaux, latéraux avant et rideaux latéraux
- **Concurrence** Audi A6, BMW Série 5, Cadillac STS, Jaguar XF, Lexus GS, Mercedes-Benz Classe E, Volvo S80

2 AU QUOTIDIEN

- **Prime d'assurance**
  25 ans: 2800 à 3000 $
  40 ans: 1400 à 1600 $
  60 ans: 1200 à 1400 $
- **Collision frontale** 5/5
- **Collision latérale** 5/5
- **Ventes du modèle de l'an dernier**
  Au Québec 32 **Au Canada** 157
- **Dépréciation** 51,2%
- **Rappels** (2004 à 2009) 2
- **Cote de fiabilité** 4/5

3 GARANTIES... ET PLUS

- **Garantie générale** 4 ans/80 000 km
- **Garantie motopropulseur** 5 ans/100 000 km
- **Perforation** 5 ans/kilométrage illimité
- **Assistance routière** 4 ans/ kilométrage illimité
- **Nombre de concessionnaires**
  Au Québec 13 **Au Canada** 48

4 NOUVEAUTÉS EN 2010

- Aucun changement majeur.

NE FAIT PAS LE POIDS !

PAR BENOIT CHARETTE

AVEC LA BMW SÉRIE 5 ET LA MERCEDES-BENZ CLASSE E QUI DOMINENT CE SEGMENT EN INSCRIVANT DES VENTES ANNUELLES QUI DÉPASSENT LES 2 000 EXEMPLAIRES AU CANADA, Acura est loin, très loin derrière avec ses 157 modèles vendus. Est-ce l'absence d'un V8, la conduite trop aseptisée, le manque d'inspiration du design ou, encore, cette impression de conduire une grosse Honda Accord. Une chose est certaine, il manque à cette voiture un brin de folie de prestige que les gens d'Acura ont décidé de mettre dans la TL. Un vaisseau amiral se doit d'être un modèle dans son genre pour trouver une clientèle, et cette caractéristique n'est pas au rendez-vous du côté de la RL.

[CARROSSERIE] Ici, on semble faire face à une crise d'identité. On veut conserver la clientèle conservatrice de la marque mais en démontrant une allure d'avant-garde. Acura ajoute donc ici et là des touches de chrome pour ensuite y greffer cette drôle de grille futuriste au sourire maladroit qui se confond à une silhouette pleine de retenue. Le résultat est pour le moins étrange. C'est un peu comme habiller un politicien conservateur en chanteur de hip-hop, ça détonne.

[HABITACLE] Au moment de prendre place à bord, la première impression est excellente. Les sièges sont fermes, mais offrent un maintien sans reproche. La sellerie de cuir de belle qualité est complétée par des sièges chauffants et climatisés. La seule fausse note revient aux plastiques de qualité moyenne qui entourent la console centrale; ils font plutôt bon marché dans une voiture de ce prix. L'espace pour les passagers à l'avant et à l'arrière est généreux, et le silence de roulement vous donnera envie de faire de longues randonnées. Le système de navigation est à la hauteur, mais au final, l'atmosphère générale n'a pas le prestige et le chic des Audi, Mercedes et BMW.

[MÉCANIQUE] De nombreuses personnes ont décrié l'absence d'un moteur V8 au fils des ans. Il faut, au contraire, applaudir Honda qui a toujours été fidèle à ses principes de ne pas commercialiser de V8. Et ce n'est pas là le

FORCES • Suspension et transmission intégrale • Habitacle confortable et bien conçu • Tenue de route sans faille

FAIBLESSES • Lignes peu inspirées • Conception intérieure en retrait par rapport aux berlines allemandes • Requiert un brin d'audace pour se démarquer de la TL

véritable problème. Les 300 chevaux du moteur V6 de 3,7 litres suffisent à la tâche. Il faut également saluer la belle efficacité du système intégral SH-AWD qui contrôle électroniquement la distribution de la puissance à chaque roue et fait en sorte que la voiture, malgré son format, soit aussi facile à conduire qu'une sportive, particulièrement quand on met la gomme. La boîte de vitesses automatique à 5 rapports est efficace, mais traîne un peu de la patte face à la concurrence qui en offre 6, 7 et, même, 8.

[COMPORTEMENT] La RL se conduit sans effort et semble beaucoup plus petite derrière le volant qu'elle ne l'est en réalité. Son braquage compact en fait un véritable passe-partout. La suspension est parfaitement calibrée et offrant la fermeté voulue pour attaquer la route sans jamais être désagréable pour les occupants. Ajoutez à cela un moteur V-TEC qui chante merveilleusement bien à haut régime et des leviers de sélection au volant que vous utiliserez plus souvent qu'à votre tour, et vous avez une grande berline qui vous fera oublier son format. Il ne faut pas oublier le système de transmission intégrale SH-AWD qui donne tout son aplomb à la RL. Au final, la conduite est précise et amusante si vous avez envie d'explorer les limites d'adhérence où très silencieuse si vous voulez rouler dans une berline de luxe.

[CONCLUSION] L'équilibre entre la conduite sportive et le confort est toujours difficile à trouver dans une voiture de prestige. L'Acura RL a très bien réussi à ce chapitre car elle est à la fois très proactive dans sa conduite, sans sacrifier le confort et le bien-être des passagers. Mais la concurrence est très féroce, plus expérimentée et possède ce que les Japonais n'ont pas encore obtenu en presque 20 ans, le prestige de la marque. Acura doit maintenant répondre à la question suivante : Comment concevoir un vaisseau amiral qui a aussi bonne mine que sa conduite ?

2e OPINION

PHILIPPE LAGUË **De l'injustice, il y en a partout, et l'industrie de l'automobile n'y échappe pas. L'Acura RL n'a jamais été aussi réussie et, pourtant, les acheteurs la boudent. Elle n'est pas la première à qui c'est arrivé et elle ne sera pas la dernière; mais elle mérite assurément un meilleur sort. Les générations précédentes étaient aussi ennuyeuses à regarder qu'à conduire; à côté d'elles, le modèle actuel est électrisant ! Bon, ce n'est pas encore une BMW, mais c'est assurément moins soporifique qu'une Lexus. Son V6 est un modèle de raffinement technologique, son équipement de série est pléthorique, et le degré de confort proposé est celui auquel on s'attend d'une berline de prestige. Qui plus est, la RL est fiable, en bonne Acura qu'elle est. Chose certaine, c'est une bonne affaire en raison de son rapport qualité-prix; d'autant plus qu'elle vous assurera une certaine exclusivité...**

(5) FICHE TECHNIQUE

· MOTEUR
· V6 3,7 l SACT 300 ch à 6300 tr/min
Couple 271 lb-pi à 5000 tr/min
Transmission automatique à 5 rapports, séquentielle
0-100 km/h 7,1 s
Vitesse maximale 235 km/h

· AUTRE COMPOSANTES
Sécurité active freins ABS, répartition électronique de force de freinage, assistance au freinage, antipatinage, contrôle de stabilité électronique
Suspension avant/arrière indépendante
Freins avant/arrière disques ventilés
Direction à crémaillère, assistée
Pneus P245/45R18

· DIMENSIONS
Empattement 2800 mm
Longueur 4973 mm
Largeur 1847 mm
Hauteur 1455 mm
Poids RL 1860 kg **Elite** 1863 kg
Diamètre de braquage 12,1 m
Coffre 371 l
Réservoir de carburant 73 l

NOS MENTIONS

Modèle recommandé

NOTRE VERDICT

Plaisir au volant
Qualité de finition
Consommation
Rapport qualité/prix
Valeur de revente

TL

www.acura.ca

N ÉVOLUTION É J

39 990 $ à 47 990 $
transport et préparation: 1895 $

LA COTE VERTE

AVEC MOTEUR V6 DE 3,5 L

- **Consommation (100km):** 9,6 l
- **Émissions polluantes CO_2:** 4656 kg/an
- **Empreinte écologique (nombre d'arbres à planter par année):** 27
- **Indice d'octane:** 91
- **Autre motorisation:** non
- **Coût du carburant moyen par année:** 2134 $
- **Nombre de litres par année:** 1940 l

(SOURCE: ÉnerGuide)

1 FICHE D'IDENTITÉ

- **Versions** TL, SH-AWD
- **Roues motrices** avant 4
- **Portières** 4 **Nombre de passagers** 5
- **Première génération** 1992 (Vigor)
- **Génération actuelle** 2009
- **Construction** Marysville, Ohio, É.-U.
- **Sacs gonflables** 6, frontaux, latéraux avant et rideaux latéraux
- **Concurrence** Audi A4, BMW Série 3, Cadillac CTS, Hyundai Azera, Infiniti G35, Kia Amanti, Lexus IS/ES, Lincoln MKS, Mercedes-Benz Classe C, Nissan Maxima, Toyota Avalon, Volkswagen Passat

2 AU QUOTIDIEN

- **Prime d'assurance**
  25 ans: 1600 à 1800 $
  40 ans: 1100 à 1300 $
  60 ans: 900 à 1100 $
- Collision frontale 5/5
- **Collision latérale** 4/5
- **Ventes du modèle de l'an dernier**
  Au Québec 1011 **Au Canada** 4019
- **Dépréciation** (3 ans) 38%
- **Rappels** (2004 à 2009) 4
- **Cote de fiabilité** 4/5

3 GARANTIES... ET PLUS

- **Garantie générale** 4 ans/80 000 km
- **Garantie motopropulseur** 5 ans/100 000 km
- **Perforation** 5 ans/kilométrage illimité
- **Assistance routière** 4 ans/ kilométrage illimité
- **Nombre de concessionnaires**
  Au Québec 13 **Au Canada** 48

4 NOUVEAUTÉS EN 2010

- Aucun changement majeur

FER DE LANCE

PAR BENOIT CHARETTE

AVEC L'ARRIVÉE DE LA NOUVELLE TL, L'AN DERNIER, ACURA A DÉCIDÉ DE JETER TOUT SON DÉVOLU TECHNOLOGIQUE SUR SON NOUVEAU POULAIN, QUI ÉVOLUE DANS UN DES SEGMENTS LES PLUS CONCURRENTIELS ET LES PLUS LUCRATIFS DU MARCHÉ. Si rien n'est fait avec la RL, elle risque à très court terme de mourir de sa belle mort. Portrait du nouveau leader d'Acura.

[CARROSSERIE] La TL est fabriquée par et pour les États-Unis. Son style extra-terrestre est le fruit du centre de design Acura à Torrence, en Californie, premier établissement de design de Honda en Amérique du Nord. Acura, qui joue habituellement la carte conservatrice, présente une exception notable avec la TL. Sa calandre béante sourit à belles dents, et ses arêtes qui émergent de partout détonnent avec le style plutôt conservateur des berlines de luxe. Acura vise définitivement une autre clientèle. Elle est aussi plus grande que l'ancienne version. Sa voie a gagné 30 millimètres, et son empattement s'est allongé de 34 millimètres. Ces gains se reflètent directement dans le dégagement des sièges arrière.

[HABITACLE] Le futurisme se poursuit à l'intérieur. Tous les gadgets technos modernes s'y donnent rendez-vous. Toute l'information est concentrée autour d'une mollette centrale à la manière de la Honda Accord. Mais dans la TL, il y a plus. La liste d'équipements de série très complète comprend les sièges électriques réglables en 10 positions, une chaîne audio de 276 watts avec port USB, MP3 et radio satellite, la technologie Bluetooth et, en option, l'ensemble technologie qui ajoute un système de navigation à reconnaissance vocale, un ensemble audio ELS ambio-phonique de 440 watts avec disque dur pouvant contenir 2 500 pièces musicales et une sellerie de cuir haut de gamme. Il faut également mentionner une finition de luxe qui dépasse tout ce qu'Acura a présentée depuis son arrivée en Amérique du Nord.

[MÉCANIQUE] Vous avez droit, comme l'an dernier, à deux mécaniques. La version de base offre un V6 de 3,5 litres de 280 chevaux qui a trouvé son chemin sous le capot de la TSX cette année. En haut de l'échelle la TL SH-AWD est

FORCES • Finition et silence de roulement irréprochables • Tenue de route sans faute • Équipement de série complet

FAIBLESSES • Lignes controversées • Manque d'âme derrière le volant • Direction qui pourrait être plus communicative

coiffée d'un V6 de 3,7 litres qui pousse la puissance à 305 chevaux. Comme son nom l'indique, cette version profite du système toutes roues motrices super-maniabilité (Super Handling All-Wheel Drive ou SH-AWD) qui se retrouve également sur la RL. Ce surplus de puissance compense pour l'inertie plus grande d'un modèle à transmission intégrale. Une boîte de vitesses automatique à 5 rapports complète les deux mécaniques. On attend pour cette année une boîte manuelle dans la version SH-AWD, question de mieux faire la lutte à BMW et à Audi.

[COMPORTEMENT] La combinaison d'un châssis plus rigide, de voies élargies, de plus gros pneus et du calibrage très amélioré de la suspension hausse d'un cran la tenue de route et place la TL dans le haut du peloton. Il lui manque seulement un peu d'âme. Comme bien des japonaises, c'est un peu trop propre. Il n'y a pas cette petite folie débridée qui donne toute sa couleur aux modèles européens. Ajoutez-y une plus grande puissance et le système SH-AWD et vous obtenez une voiture qui a peu de rivales, surtout quand les conditions routières et l'adhérence se détériorent. L'effet de couple, qui a longtemps été un problème de la TL a pratiquement disparu, l'assistance électronique (au lieu d'hydraulique) à la conduite y est pour quelque chose. La direction est cependant moins communicative avec l'assistance électronique.

[CONCLUSION] La concurrence est féroce dans cette catégorie, et la barre est sans cesse rehaussée. Mais la nouvelle Acura TL a osé présenter quelque chose de différent; et simplement pour cela, elle mérite considération. Sa fiabilité légendaire est aussi un précieux atout. Elle devance à ce chapitre toutes les allemandes qui ont encore beaucoup de difficulté à offrir un produit réellement fiable. Il faut se faire à la silhouette, mais en matière de performances, de technologie, de tenue de route, cette TL n'a rien à envier à la concurrence.

2e OPINION

FRANCIS BRIÈRE Enfin, Acura nous arrive avec une transmission intégrale pour la TL ! Voilà qui est bien. Et puis, on se retrouve à bord d'un véhicule confortable au comportement routier appréciable. Loin de moi l'intention d'en faire une critique acerbe, mais je me demande vraiment à quoi ont pensé les concepteurs d'Acura. Le style vous donne des haut-le-cœur ! En revanche, on ne peut empêcher un cœur d'aimer. Si jamais l'envie vous prend de débourser 45 000 dollars pour une voiture, vous pouvez aller voir du côté de BMW et de Mercedes-Benz qui proposent des produits plus intéressants. Je pense à la 328i xDrive et à la C350 4matic, deux modèles plus palpitants. Seul point en faveur de la TL : la fiabilité.

(5) FICHE TECHNIQUE

· **MOTEURS**
(TL)
V6 3,5 l SACT 280 ch à 6200 tr/min
Couple 254 lb-pi à 5000 tr/min
Transmission automatique à 5 rapports avec mode manuel
0-100 km/h 6,3 s
Vitesse maximale 230 km/h

· **(SH-AWD)**
V6 3,7 l SACT 305 ch à 6200 tr/min
Couple 275 lb-pi à 5000 tr/min
Transmission automatique à 5 rapports avec mode manuel
0-100 km/h 6,1 s
Vitesse maximale 230 km/h
Consommation (100 km) 10,3 l (octane 91)
Émissions de CO_2 4992 kg/an
Litres par année 2080 l
Coût par an 2288 $
Empreinte écologique 30 arbres

· **AUTRES COMPOSANTES**
Sécurité active freins ABS, répartition électronique de force de freinage, assistance au freinage, antipatinage, contrôle de stabilité électronique
Suspension avant/arrière indépendante
Freins avant/arrière disques
Direction à crémaillère, assistée
Pneus TL P245/50R17 **SH-AWD** P245/45R18 P245/40R19(option)

· **DIMENSIONS**
Empattement 2775 mm
Longueur 4961 mm
Largeur 1880 mm (sans mirroirs)
Hauteur 1452 mm
Poids TL 1682 kg **SH-AWD** 1801 kg
Diamètre de braquage 11,7 m
Coffre 371 l
Réservoir de carburant 70 l

NOS MENTIONS

Modèle recommandé

NOTRE VERDICT

Plaisir au volant
Qualité de finition
Consommation
Rapport qualité/prix
Valeur de revente Nm

TSX

www.acura.ca

N ÉVOLUTION É J

32 900 $ à **40 300 $**
transport et préparation: 1895 $

LA COTE VERTE

AVEC MOTEUR L4 DE 2,4 L

- **Consommation (100km):** **man.** 8,8 l **auto.** 8,1 l
- **Émissions polluantes CO_2 :** **man.** 4272 kg/an **auto.** 3936 kg/an
- **Empreinte écologique (nombre d'arbres à planter par année):** 25
- **Indice d'octane:** 91
- **Autre motorisation:** non
- **Coût du carburant moyen par année:** **man.** 1958 $ **auto.** 1804 $
- **Nombre de litres par année:** **man.** 1780 l **auto.** 1640 l

(SOURCE: ÉnerGuide)

1 FICHE D'IDENTITÉ

- **Versions** Base, Premium, Tech
- **Roues motrices** avant
- **Portières** 4 **Nombre de passagers** 5
- **Première génération** 2004
- **Génération actuelle** 2009
- **Construction** Sayama, Japon
- **Sacs gonflables** 6, frontaux, latéraux avant et rideaux latéraux
- **Concurrence** Audi A4, BMW Série 3, Cadillac CTS, Infiniti G37, Lexus IS, Mercedes-Benz Classe C, Nissan Maxima, Saab 9-3, Volkswagen Passat, Volvo S40

2 AU QUOTIDIEN

- **Prime d'assurance**
  25 ans: 1600 à 1800 $
  40 ans: 1100 à 1300 $
  60 ans: 800 à 1000 $
- **Collision frontale** 5/5
- **Collision latérale** 5/5
- **Ventes du modèle de l'an dernier**
  Au Québec 711 **Au Canada** 3118
- **Dépréciation** (3 ans) 43,8%
- **Rappels** (2004 à 2009) 2
- **Cote de fiabilité** 5/5

3 GARANTIES... ET PLUS

- **Garantie générale** 4 ans/80 000 km
- **Garantie motopropulseur** 5 ans/100 000 km
- **Perforation** 5 ans/kilométrage illimité
- **Assistance routière** 4 ans/ kilométrage illimité
- **Nombre de concessionnaires**
  Au Québec 13 **Au Canada** 48

4 NOUVEAUTÉS EN 2010

- Modèle V6 en version Premium et Technology

CHANGEMENT DE CAP

PAR BENOIT CHARETTE

DEPUIS LE DÉBUT DE L'ANNÉE 2009, HONDA NOUS ANNONÇAIT L'ARRIVÉE IMMINENTE D'UNE MOTORISATION diesel de 2,2 litres i-DTEC qui fait les beaux jours de la Honda Accord en Europe. En lieu et place, Honda a dévoilé au salon de l'auto de Chicago une TSX V6 à moteur de 3,5 litres de 280 chevaux. Avec le prix du carburant qui demeure stable et relativement abordable, nos voisins américains pencheront plus pour un V6 qu'un diesel, particulièrement dans le cas de la TSX, qui n'offrait que peu d'attrait avec un 4-cylindres un peu faiblard.

[CARROSSERIE] La 2e génération de TSX a perdu de son air juvénile pour embrasser une silhouette plus mature. Pour plusieurs, un seul coup d'œil ne sera pas suffisant, car chez Acura comme du côté de Honda, on priorise la théorie des petits pas, une évolution sans secousse. Mais sous des dehors relativement semblables, la TSX est plus large de 76 millimètres; de plus, son empattement a été allongé de 33 millimètres, et elle a gagné 61 millimètres en longueur. Ensemble, ces nouvelles dimensions lui confèrent un habitacle plus spacieux. En termes visuels, la TSX-V6 arbore un bouclier légèrement modifié et un sceau distinctif (V6) sur le couvercle du coffre.

[HABITACLE] L'habitacle semble, comme c'est le cas de bien des berlines dans ce segment, s'inspirer de Lexus pour l'harmonie des matériaux et l'agencement du tableau de bord. La version de base offre la chaîne audio à 7 haut-parleurs et interface téléphonique à mains libres Bluetooth. Un système de télécommande HomeLink et un compas électronique monté au tableau de bord sont également de série. La version Premium ajoute des sièges en cuir, la radio XM, des phares automatiques, un système de mémorisation de deux positions pour le siège du conducteur et une prise d'entrée auxiliaire USB numérique avec compatibilité iPod. Enfin, la version Technologie ajoute une chaîne audio ambiophonique haut de gamme Acura/ELS à 10 haut-parleurs avec lecteur DVD-Audio et le système de navigation Acura à reconnaissance vocale bilingue et caméra de marche arrière.

+ −

FORCES • Lignes plus séduisantes • Silence de fonctionnement • Boîte manuelle précise et rapide • Excellents sièges

FAIBLESSES • Performances décevantes (4-cylindres) • Dynamique de conduite en légère baisse (4-cylindres)

[MÉCANIQUE] Acura a jugé, avec raison, que la clientèle américaine préférerait plus de puissance à une motorisation diesel plus sobre. Je dois admettre que c'était la bonne décision à prendre. Le 4-cylindres ne manque pas d'intérêt, mais, dans ce segment de marché, pratiquement toutes les concurrentes offrent un V6. Acura perdait constamment de la clientèle, qui recherchait un V6 et allait simplement voir ailleurs. Délivrant 280 chevaux, ce moteur est livré exclusivement avec une boîte de vitesses semi-automatique. Le moteur de base est toujours le 4-cylindres en ligne de 2,4, litres qui développe 201 chevaux. Il génère sa puissance utilisable sur une plage de régimes plus étendue, tandis que son couple, accru de 5 %, renforce sa capacité d'accélération à régimes moyens. Deux boîtes de vitesses sont offertes : une manuelle à 6 rapports et une automatique SportShift à 5 rapports avec mode séquentiel et nouveau convertisseur de couple verrouillable ainsi que le nouveau sélecteur de vitesses du type F1 monté sur le volant.

[COMPORTEMENT] Le conducteur sportif en moi a été un peu déçu du manque de puissance et de l'impression de lourdeur du 4-cylindres, qui a pris plus de 100 kilos sur la précédente génération. Cette prise de poids joue sur l'agilité de la berline. Si la boîte manuelle réussit un peu à faire oublier le moteur qui manque de « pep », la boîte automatique ne m'a pas convaincu. Toutefois, à l'usage, la rigidité accrue de la plateforme et l'utilisation de nouvelles suspensions (à double triangulation à l'avant et multibras à l'arrière) confèrent à la TSX un comportement stable et plus confortable que la première génération. Le V6 donne ce qui manque au 4-cylindres pour rendre la conduite plus sportive. Pour contenir cette puissance additionnelle, la TSX-V6 compte sur de nouveaux réglages de ses éléments suspenseurs et des pneus de 18 pouces plus collants.

[CONCLUSION] Il est vrai d'affirmer que la TSX a évolué, il faut simplement préciser dans quel sens. Sur la route, on apprécie d'abord les excellents sièges, dont le maintien latéral remonte jusqu'aux épaules. La version manuelle avec sa boîte de vitesses précise est définitivement le choix le plus intéressant, et l'insonorisation soignée ajoute au plaisir de conduire. Le V6 ajoute vraiment le « oumph » qui manquait au 4-cylindres.

2e OPINION

PHILIPPE LAGUË Avec la TSX et la TL, Acura comptait dans sa gamme deux des meilleurs achats de leur catégorie respective. Elles ont été redessinées, la première il y a deux ans et la TL, l'année dernière. Le résultat est pour le moins discutable : ces deux berlines ressemblent désormais à des Pontiac, ce qui est tout sauf un compliment. Mais la grande perdante, c'est la TSX ; non seulement est-elle maintenant affligée d'un physique ingrat, mais elle a perdu son âme. La plus européenne des Acura n'a plus ce tempérament bouillant, pointu, qui était le sien ; elle est devenue une berline de luxe inodore, incolore et sans saveur. Le pire, c'est que, commercialement, Acura risque d'y gagner, car cette TSX aseptisée plaira davantage aux Américains que sa devancière. Et le succès aux États-Unis, c'est ce qui compte pour un constructeur, quel qu'il soit. *Money talks.*

5 FICHE TECHNIQUE

· MOTEUR
L4 2,4 l DACT 16 s 201 ch à 7000 tr/min
Couple 172 lb-pi à 4300 tr/min (170 automatique)
Transmission manuelle à 6 rapports, automatique à 5 rapports avec mode manuel (option)
0-100 km/h 7,8 s
Vitesse maximale 215 km/h

· V6
V6 3,5 l SACT 280 ch à 6200 tr/min
Couple 254 lb-pi à 5000 tr/min
Transmission automatique à 5 rapports avec mode manuel
0-100 km/h 6,3 s
Vitesse maximale 230 km/h
Consommation (100km): 9,6 l (octane 91)
Émissions polluantes CO_2 : 4682 kg/an
Nombre de litres par année: 1951 l
Coût du carburant moyen par année: 2146 $
Empreinte écologique (nombre d'arbres à planter par année): 27

· AUTRES COMPOSANTES
Sécurité active freins ABS, antipatinage, contrôle de stabilité électronique, système de répartition de freinage électronique.
Suspension avant/arrière indépendante
Freins avant/arrière disques
Direction à crémaillère, assistée
Pneus P225/50R17 **V6 :** P245/45R18

· DIMENSIONS
Empattement 2705 mm
Longueur 4726 mm
Largeur 1840 mm
Hauteur 1439 mm
Poids base 1574 kg **Premium** 1581 kg **Tech** 1587 kg.
Diamètre de braquage 12,2 m
Coffre 357 l
Réservoir de carburant 70 l

NOS MENTIONS

Modèle recommandé

NOTRE VERDICT

Plaisir au volant
Qualité de finition
Consommation
Rapport qualité/prix
Valeur de revente

ZDX

www.acura.ca

N NOUVEAUTÉ É J

prix non diponible
transport et préparation: nd

LA COTE VERTE

AVEC MOTEUR V6 DE 3,7 L

- **Consommation (100km):** 11,9 l
- **Émissions polluantes CO_2 :** 5808 kg/an
- **Empreinte écologique (nombre d'arbres à planter par année):** 35
- **Indice d'octane:** 91
- **Autre motorisation:** non
- **Coût du carburant moyen par année:** 3630 $
- **Nombre de litres par année:** 2420 l

(SOURCE: ÉnerGuide)

1 FICHE D'IDENTITÉ

- **Versions** base, Tech, Elite,
- **Roues motrices** 4
- **Portières** 4 **Nombre de passagers** 5
- **Première génération** 2010
- **Génération actuelle** 2010
- **Construction** Alliston, Ontario, Canada
- **Sacs gonflables** 6 (frontaux, latéraux, rideaux latéraux)
- **Concurrence** Audi Q7, BMW X6, Infiniti FX, Lexus RX, Volvo XC90

2 AU QUOTIDIEN

- **Prime d'assurance**
  25 ans: 1600 à 1800 $
  40 ans: 1100 à 1300 $
  60 ans: 1000 à 1200 $
- **Collision frontale** 5/5
- **Collision latérale** 5/5
- **Ventes du modèle de l'an dernier**
  Au Québec nm **Au Canada** nm
- **Dépréciation** (3 ans) nm
- **Rappels** (2004 à 2009) nm
- **Cote de fiabilité** nm

3 GARANTIES... ET PLUS

- **Garantie générale** 4 ans/80 000 km
- **Garantie motopropulseur** 5 ans/100 000 km
- **Perforation** 5 ans/kilométrage illimité
- **Assistance routière** 4 ans/kilométrage illimité
- **Nombre de concessionnaires**
  Au Québec 13 **Au Canada** 48

4 NOUVEAUTÉS EN 2010

- Nouveau modèle

À LA RECHERCHE DU GRAAL

PAR BENOIT CHARETTE

DIFFICILE DE TROUVER DES NICHES DANS LE MONDE DE L'AUTOMOBILE MODERNE. Avec la croissance du nombre de véhicules sur les routes, trouver un créneau peu fréquenté devient de plus en plus difficile. Pour se démarquer, les constructeurs doivent jouer d'audace, tenter des combinaisons nouvelles. BMW avait été la première avec le X6 à marier un 4 x 4 avec un coupé, c'est maintenant Acura qui emprunte la même route avec le ZDX. Il n'y a pas beaucoup de joueurs, mais il faut également se demander s'il y a beaucoup d'acheteurs.

[CARROSSERIE] Un prototype un peu plus extraverti du ZDX avait été présenté au salon de l'auto de New York en mars 2009. De ce denier, le modèle de série a conservé le toit panoramique vitré, les poignées de portière arrière dissimulées et les élargisseurs d'ailes bien profilés. On remarque aussi la calandre type des produits Acura. L'avant est taillé à la manière d'une sportive en profil bas, alors que la partie arrière est résolument celle d'un camion. Tout comme le X6 chez BMW, ce mariage surprend le regard et donne ce style particulier qui détonne singulièrement face aux lignes habituelles des autres utilitaires.

[HABITACLE] Si la chose n'est pas très évidente de l'extérieure, il devient clair à l'intérieur que le ZDX s'inspire fortement du MDX. Acura a cependant voulu hausser l'élégance d'un cran. L'habitacle du ZDX est pourvu d'un tableau de bord, de panneaux et d'une console centrale recouverts de cuir piqué à la main. La richesse du cuir donne au ZDX une sensation chaleureuse et intime. Quatre adultes seront confortablement installés, une 5e personne pourra être du voyage s'il n'est pas trop long. L'espace de chargement peut s'agrandir grâce aux sièges rabattables. Et en prime, un autre espace de rangement est intégré sous le plancher. Le toit panoramique vitré, muni de pare-soleil rétractables, le revêtement intérieur en cuir piqué à la main, la connectivité à mains libres Bluetooth, le hayon électrique, une chaîne audio puissante avec lecteur de CD, une radio AM/FM/XM et une prise d'entrée audio USB avec iPod intégré figurent parmi les caractéristiques de série. Le ZDX technologie offre en plus un système de navigation avec

FORCES • Finition élégante • Mécanique et système d'entraînement éprouvés • Nouvelle boîte automatique à 6 rapports

FAIBLESSES • Silhouette singulière • Il faudra le conduire pour se prononcer.

reconnaissance de la voix bilingue, une chaîne audio de qualité supérieure Acura/ELS ambiophonique et une nouvelle caméra de recul grand angle.

[MÉCANIQUE] Le moteur provient directement des entrailles du MDX. Ce V-6 tout en aluminium de 3,7 litres développera une puissance de 300 chevaux et produira un couple de 270 livres-pieds. Ce qui est nouveau par rapport au MDX, c'est la boîte de vitesses automatique qui comptera 6 rapports au lieu de 5. Le sélecteur de vitesses sera, lui, monté au volant à la manière des allemandes, et le sixième rapport favorisera l'économie de carburant. Le système de transmission intégrale à super variabilité (SH-AWD), exclusif à Acura, fait partie des caractéristiques de série du ZDX.

[COMPORTEMENT] Avec un châssis, un système à 4 roues motrices et une mécanique empruntés au MDX, il est assez facile de prédire une tenue de route sans bavure pour le ZDX. Les roues de 19 pouces à 7 rayons ajouteront ce qu'il faut de mordant pour tenir la voiture bien plantée au sol en toutes circonstances. Acura a avoué vouloir donner une vocation plus sportive au ZDX. Alors, pour ceux qui trouvent que le MDX est un peu trop « familial » et qui veulent assouvir leur envie de conduire plus sport tout en étant dans l'obligation de transporter la famille, il semble que le ZDX sera le véhicule indiqué.

[CONCLUSION] Le ZDX fera ses premiers tours de roues sur nos routes au cours de l'hiver et tentera d'agrandir la clientèle d'Acura. Pour ceux qui ont la fibre patriotique, sachez que ce nouveau produit d'Acura sera fabriqué à l'usine d'assemblage Honda d'Alliston, en Ontario.

5 FICHE TECHNIQUE

· MOTEUR

- V6 3,7 l SACT, 300 ch à 6300 tr/min
Couple 270 lb-pi à 4500 tr/min
Transmission automatique à 6 rapports
0-100 km/h 8,2 s
Vitesse maximale 200 km/h

· AUTRES COMPOSANTES

Sécurité active freins ABS, distribution électronique de force de freinage, antipatinage, contrôle de stabilité électronique
Suspension avant/arrière indépendante
Freins avant/arrière disques
Direction à crémaillère, assistée
Pneus P255/55R18

· DIMENSIONS

Empattement 2748 mm
Longueur 4886 mm
Largeur 1994 mm
Hauteur 1596 mm
Poids 2064 kg **Technology** 2069 kg
Elite 2093 kg
Diamètre de braquage 11,7 m
Coffre 1580 l (sièges abaissés)
Réservoir de carburant 79,5 l
Capacité de remorquage 2273 kg

DB9

www.astonmartin.com

N ÉVOLUTION É J

194 900 $
transport et préparation: 2100 $

LA COTE VERTE

AVEC MOTEUR V12 DE 6,0 L

- **Consommation (100km):** **man.** 16,6 l **auto.** 15,3 l
- **Émissions polluantes CO_2:** **man.** 8160 kg/an **auto.** 7488 kg/an
- **Empreinte écologique (nombre d'arbres à planter par année):** 45
- **Indice d'octane:** 91
- **Autre motorisation** non
- **Coût du carburant moyen par année:** **man.** 3740 $ **auto.** 3775 $
- **Nombre de litres par année:** **man.** 3400 l **auto.** 3432 l

(SOURCE: ÉnerGuide)

1 FICHE D'IDENTITÉ

- **Versions** Coupe, Volante
- **Roues motrices** arrière
- **Portières** 2 **Nombre de passagers** 2+2
- **Première génération** 2004
- **Génération actuelle** 2004
- **Construction** Gaydon, Angleterre
- **Sacs gonflables** 4 (frontaux, latéraux)
- **Concurrence** Cadillac XLR, Chevrolet Corvette, Dodge Viper, Ferrari F458, Jaguar XK, Lamborghini Gallardo, Maserati GT, Mercedes-Benz Classe SL, Porsche 911

2 AU QUOTIDIEN

- **Prime d'assurance**
  25 ans: 7500 à 7800 $
  40 ans: 5000 à 5400 $
  60 ans: 4200 à 4400 $
- **Collision frontale** nd
- **Collision latérale** nd
- **Ventes du modèle de l'an dernier**
  Au Québec nd **Au Canada** nd
- **Dépréciation** (3 ans) nd
- **Rappels** (2004 à 2009) Aucun à ce jour
- **Cote de fiabilité** 3/5

3 GARANTIES... ET PLUS

- **Garantie générale** 3 ans/kilométrage illimité
- **Garantie motopropulseur** 3 ans/kilométrage ill.
- **Perforation** 10 ans/kilométrage illimité
- **Assistance routière** 3 ans/kilométrage illimité
- **Nombre de concessionnaires**
  Au Québec 1 **Au Canada** 3

4 NOUVEAUTÉS EN 2010

- Pas de changement majeur

ENTRE DEUX CHAISES

PAR BENOIT CHARETTE

SI FERRARI SERT DE RÉFÉRENCE QUAND VIENT LE MOMENT DE MESURER LA PERFORMANCE D'UNE VOITURE GT, ASTON MARTIN EST LA RÉFÉRENCE POUR LE STYLE. C'est bien pour cela que la DB9 a bien peu changé depuis son lancement en 2004. Il y a bien eu quelques subtiles retouches à la dynamique du véhicule l'an dernier, mais sans plus. Pourtant son avenir est incertain. Aston Martin amènera cette année une berline basée sur la DB9. Baptisée Rapide, cette voiture risque fort de faire de l'ombre à la DB9, et, dans un marché où l'air est aussi raréfié, cela n'augure rien de bon. Mais soyez sans crainte, la DB9 est bien en selle pour 2010.

[CARROSSERIE] La firme anglaise excelle dans l'art de créer des voitures d'une beauté à faire tomber la mâchoire. Quand on voit une DB9, on veut tout de suite prendre place à bord. La beauté de cette voiture est magnétique. Ses lignes fluides, douces ont un effet calmant, rien ne choque sur le plan visuel, et cette voiture ne semble pas vieillir. Tout semble dessiné en un seul bloc y compris les phares qui se fondent à la voiture, et les poignées de portes affleurantes qui se confondent à la carrosserie.

[HABITACLE] Il faut avoir visité l'usine de Gaydon, en Angleterre, pour comprendre un peu mieux pourquoi on demande un tel prix pour une Aston Martin. Le cuir provient d'un troupeau de vaches qui vit dans un endroit sans enclos pour éviter les blessures, ce qui se reflète dans la qualité du cuir. Ensuite, chaque peau (il en faut environ 15 pour une DB9) est scruté à la loupe (ce n'est pas une farce) avant de trouver sa place dans la voiture. Ainsi, chaque étape de l'assemblage est fait à la main par un petit groupe de travailleurs hautement spécialisés qui font, pour chaque voiture, un travail d'artisan. On sent cette richesse en grimpant à bord. Ainsi, le tableau de bord est tout simplement somptueux, avec ses placages en véritable bois laqué et ses panneaux en aluminium brossé. Et si vous doutez des capacités de la bête, un coup d'œil à l'instrumentation et au compteur de vitesse qui indique plus de 300 km/h, cela vous donne une bonne idée.

FORCES • Confort sans faille • Superbe symphonie mécanique • Grande autoroutière

FAIBLESSES • Freins qui se fatiguent vite • Poids élevé • Consommation très élevée

DB9

[MÉCANIQUE] C'est ici qu'on se rend compte que cette voiture possède les arguments pour appuyer ses lignes agressives. Un V12 de 6 litres qui crache 470 chevaux avec sa voix de baryton. L'expression filer à l'anglaise n'a jamais été aussi vraie qu'avec cette DB9. Ce V12 sera capable de vous amener à plus de 300 km/h si vous trouvez une route assez longue et déserte pour en faire l'essai. Les plus ardents défenseurs de la conduite sportive choisiront la boîte de vitesses manuelle à 6 rapports, mais la majorité de la clientèle cible de ce coupé dépasse largement la cinquantaine et préfère la boîte automatique à 6 rapports. Je dois admettre que la boîte automatique sied bien à la version Volante qui se conduit sans hâte.

[COMPORTEMENT] Bien calé à quelques centimètres du sol, la mécanique et son ronronnement caverneux dominent. Tant qu'on se contente de lécher l'accélérateur, tout va bien, et le V12 se laisse conduire presque comme un vélo. En appuyant sur l'accélérateur sur l'autoroute qui me mène à Oxford à quelques 80 kilomètres de l'usine de Gaydon, on sent la rage du V12 et on se sent reculé dans le siège. Cette propulsion peut heureusement compter sur la magie de la fée électronique (ABS, ESP, antipatinage...), pour vous garder dans le droit chemin. Chose remarquable, on ne sent pas le poids et le format respectable du véhicule derrière le volant. Une fois que le véhicule est lancé sur sa trajectoire, vous êtes sur des rails, rien ne bouge. C'est au freinage qu'on réalise que 1 760 kilos, c'est lourd; il faut se prendre tôt et ne pas brusquer les manœuvres au risque de compromettre ce fragile équilibre.

[CONCLUSION] Si vous avez plus de 200 000$ à mettre sur une voiture sport et si vous ne voulez pas compromettre votre confort, la DB9 est pour vous.

5 FICHE TECHNIQUE

· MOTEUR

- V12 6,0 l DACT, 470 ch à 6000 tr/min
  Couple 443 lb-pi à 5000 tr/min

Transmission manuelle à 6 rapports, automatique à 6 rapports avec mode manuel (en option)

0-100 km/h man. 4,6 s **autom.** 4,8 s

Vitesse maximale 306 km/h

· AUTRES COMPOSANTES

Sécurité active freins ABS, assistance au freinage, répartition électronique de force de freinage, antipatinage, contrôle de stabilité électronique

Suspension avant/arrière indépendante

Freins avant/arrière disques ventillés

Direction à crémaillère, assistée

Pneus P235/40ZR19 (av.), P275/35ZR19 (arr.)

· DIMENSIONS

Empattement 2745 mm

Longueur 4710 mm

Largeur 1875 mm

Hauteur 1270 mm

Poids 1760 kg

Diamètre de braquage 12,0 m

Coffre 186 l

Réservoir de carburant 80 l

NOTRE VERDICT

- Plaisir au volant
- Qualité de finition
- Consommation
- Rapport qualité/prix
- Valeur de revente

DBS

www.astonmartin.com

N ÉVOLUTION É J

289 400 $ à 323 195 $
transport et préparation: 1420 $

LA COTE VERTE

AVEC MOTEUR V12 DE 6,0 L

- **Consommation (100km):** **man.** 16,4 l
- **Émissions polluantes CO_2 :** auto 7340 kg/an
- **Empreinte écologique (nombre d'arbres à planter par année):** 45
- **Indice d'octane:** 91
- **Autre motorisation:** non
- **Coût du carburant moyen par année:** **auto.** 3740 $
- **Nombre de litres par année:** **auto.** 3400 l

(SOURCE: ÉnerGuide)

1 FICHE D'IDENTITÉ

- **Versions** coupé, Volante
- **Roues motrices** arrière
- **Portières** 2 **Nombre de passagers** 2+2
- **Première génération** 2004
- **Génération actuelle** 2004
- **Construction** Gaydon, Angleterre
- **Sacs gonflables** 4 (frontaux, latéraux)
- **Concurrence** Chevrolet Corvette ZR1, Dodge Viper, Ferrari 599 et 612, Jaguar XKR, Maserati GTS, Mercedes-Benz Classe SL AMG

2 AU QUOTIDIEN

- **Prime d'assurance**
  25 ans: 7500 à 7800 $
  40 ans: 5000 à 5400 $
  60 ans: 4200 à 4400 $
- **Collision frontale** nd
- **Collision latérale** nd
- **Ventes du modèle de l'an dernier**
  Au Québec nd **Au Canada** nd
- **Dépréciation** (3 ans) nd
- **Rappels** (2004 à 2009) Aucun à ce jour
- **Cote de fiabilité** 3/5

3 GARANTIES... ET PLUS

- **Garantie générale** 3 ans/kilométrage illimité
- **Garantie motopropulseur** 3 ans/kilométrage ill.
- **Perforation** 10 ans/kilométrage illimité
- **Assistance routière** 3 ans/kilométrage illimité
- **Nombre de concessionnaires**
  Au Québec 1 **Au Canada** 3

4 NOUVEAUTÉS EN 2010

- Retouche au modèle volante

LUCIFER EN ROBE DU DIMANCHE

PAR MARK HACKING

AVEC SON PHYSIQUE RÂBLÉ ET SON POTENTIEL BRUT (OU DE BRUTE), L'ASTON MARTIN DBS VOLANTE REQUIERT DE SON PROPRIÉTAIRE UNE SÉRIEUSE DOSE DE TESTOSTÉRONE. Avec des performances en tous points identiques à celles du coupé DBS, cette pièce d'orfèvrerie ne s'adresse qu'à des mains initiées au véritable pilotage.

[CARROSSERIE] Une partie de l'effort de guerre a été concentrée sur la conception du toit lui-même; plutôt que d'opter pour un toit rigide à panneaux rétractables – la solution en vogue chez un nombre croissant de constructeurs –, Aston s'est tournée vers l'approche plus traditionnelle (et légère) du toit souple en tissu. Il se replie en 14 secondes et peut être activée en roulant, jusqu'à une vitesse de 48 km/h.

[HABITACLE] Hormis ses performances élevées et le doigté qu'elle requiert pour contrôler toute cette puissance, la Volante partage bien d'autres caractéristiques somptueuses avec sa soeur à toit dur. Nommons, par exemple, la clé ECU en cristal, qui s'insère dans le tableau de bord pour se transformer en bouton de démarrage; il y a les cuirs parfaitement cousus de la sellerie et du pavillon, les poignées de porte en fibre de carbone, le massif pommeau de métal de la boîte manuelle ou, encore, la plume Lamy dans son étui assorti – une gracieuseté pour ceux qui auront opté pour la boîte automatique. Il n'y a pas de doute que l'opulence de la présentation esthétique fait jeu égal avec le degré de prestation mécanique.

[MÉCANIQUE] Jetons un coup d'oeil aux données chiffrées : l'Aston est motorisée par un monstrueux V12 de 6 litres, monté à l'avant mais reculé vers le centre de la voiture au profit d'une meilleure tenue de route. L'engin développe 510 chevaux et produit un couple de 420 livres-pieds, ce qui est amplement suffisant pour propulser la bête de 0 à 100 km/h en 4,3 petites secondes. La vitesse de pointe culmine à un faramineux 307

+ −

FORCES Ligne sublime • Présentation/finition • Equipement de série • V12 volubile

FAIBLESSES Prix exorbitant • Visibilité latérale et 3/4 arrière nulle • Poids

km/h. Il importe de le souligner à nouveau : ces chiffres sont égaux à ceux du coupé DBS, ce qui prouve qu'Aston Martin a accompli un tour de force avec les renforts de châssis de la décapotable en dosant adéquatement l'ajout de poids sans affecter le degré de performance. La clientèle aura le choix de deux boîtes : une manuelle à 6 rapports et une automatique, elle aussi à 6 rapports, nommée Touchtronic. On privilégiera la première pour deux raisons; d'une part, le tempérament assurément macho de l'Aston se conjugue logiquement avec une boîte manuelle, et, d'autre part, la Touchtronic n'est pas du type à double embrayage, comme on l'offre en option spéciale sur certaines BMW, Ferrari et Porsche. Ce n'est pas que la Touchtronic manque de verve – bien au contraire – mais elle n'atteint pas tout à fait le degré d'efficacité des meilleurs systèmes à double embrayage.

[COMPORTEMENT] Quelle soit coupé ou décapotable, on aurait tort de percevoir le cabrio comme étant une voiture pour dame. La DBS Volante est non seulement puissante à souhait, mais elle colle aussi à la route avec aplomb. En d'autres mots, on a affaire à un oiseau qui maintient sa haute vélocité sans qu'on s'en rende compte, en ligne droite comme en milieu de virage. À l'instar de la plupart des voitures exotiques récentes, l'Aston dispose de ce qu'on pourrait appeler un « gestionnaire de départ » – le fameux *launch control* –, épaulé par un système d'antipatinage à trois niveaux. Une manette, placée devant le levier de la boîte, permet de choisir entre les modes « on », « track » ou « off ». Mais seuls les plus braves oseront débrayer le système pour brasser la cage de la DBS dont le degré de performance aurait de quoi désarçonner bien des supposés pilotes. Un autre désagrément a été souligné au cours de l'essai : les larges flancs de la DBS peuvent parfois nuire à la visibilité du conducteur. Cet état de fait importe peu si vous roulez sur une autoroute déserte; il n'y a qu'à se caler dans le siège, appuyer sans gêne sur l'accélérateur et ressentir la poussée des forces G en s'enivrant du chant rauque du V12. Mais sur une étroite route secondaire, c'est une toute autre histoire, et on se doit d'être attentif pour juger correctement de la relation spatiale entre la Volante et les obstacles potentiels – comme le trafic en sens inverse.

[CONCLUSION] Pour faire une histoire courte, l'Aston Martin DBS Volante est le (quasi) nec plus ultra des sportives de luxe décapotées – follement aguichante, terriblement rapide et, même, un peu maléfique.

(5) FICHE TECHNIQUE

· MOTEUR

· V12 6,0 l DACT, 510 ch à 6000 tr/min
Couple 420 lb-pi à 5750 tr/min
Transmission manuelle à 6 rapports, automatique à 6 rapports avec mode manuel (en option)
0-100 km/h man. 4,3 s
Vitesse maximale 307 km/h

· AUTRES COMPOSANTES

Sécurité active freins ABS, assistance au freinage, répartition électronique de force de freinage, antipatinage, contrôle de stabilité électronique
Suspension avant/arrière indépendante
Freins avant/arrière disques ventilés
Direction à crémaillère, assistée
Pneus P245/35ZR20 (av.), P295/30ZR20 (arr.)

· DIMENSIONS

Empattement 2740 mm
Longueur 4721 mm
Largeur 1905 mm
Hauteur 1280 mm
Poids 1695 kg **cabrio** 1810 kg
Diamètre de braquage 12,0 m
Coffre 186 l
Réservoir de carburant 78 l

RAPIDE

www.astonmartin.com

N NOUVEAUTÉ É J

NON DISPONIBLE
transport et préparation: Nd

LA COTE VERTE

AVEC MOTEUR V12 DE 6,0 L

- **Consommation (100km):** **man.** 16,6 l **auto.** 15,3 l
- **Émissions polluantes CO2 :** **auto.** 7488 kg/an
- **Empreinte écologique (nombre d'arbres à planter par année):** 45
- **Indice d'octane:** 91
- **Autre motorisation:** non
- **Coût du carburant moyen par année:** **auto.** 4680 $
- **Nombre de litres par année:** 3400 l **auto.** 3120 l

(SOURCE: ÉnerGuide)

1 FICHE D'IDENTITÉ

- **Versions** unique
- **Roues motrices** arrière
- **Portières** 4 **Nombre de passagers** 4
- **Première génération** 2010
- **Génération actuelle** 2010
- **Construction** Graz, Autriche
- **Sacs gonflables** 8 (frontaux, latéraux)
- **Concurrence** Porsche Panamera, Maserati Quattroporte 4,7S,

2 AU QUOTIDIEN

Prime d'assurance
25 ans: 7500 à 7800 $
40 ans: 5000 à 5400 $
60 ans: 4200 à 4400 $

- **Collision frontale** nm
- **Collision latérale** nm
- **Ventes du modèle de l'an dernier** **Au Québec** nm **Au Canada** nm
- **Dépréciation** (3 ans) nm
- **Rappels** (2004 à 2009) nm
- **Cote de fiabilité** nm

3 GARANTIES... ET PLUS

- **Garantie générale** 3 ans/kilométrage illimité
- **Garantie motopropulseur** 3 ans/kilométrage ill.
- **Perforation** 10 ans/kilométrage illimité
- **Assistance routière** 3 ans/kilométrage illimité
- **Nombre de concessionnaires** **Au Québec** 1 **Au Canada** 3

4 NOUVEAUTÉS EN 2010

- nouveau modèle

LE CHIC BRITANNIQUE

PAR BENOIT CHARETTE

À DÉFAUT DE FAIRE DE BONNES VOITURES, LES ANGLAIS ONT LE CHIC DE FAIRE DE BELLES VOITURES. Si la technologie est l'apanage des Allemands, le chic et l'aristocratie reviennent immanquablement aux Britanniques. Je me souviens à quel point les journalistes au Salon de l'auto de Detroit en 2006 tournaient encore et encore autour du concept de la Rapide recherchant la moindre faille visuelle, sans succès. Et votre exclusivité sera garantie, seulement 1 000 Rapide sera fabriquée, c'est tout.

[CARROSSERIE] Le nom de Rapide est une référence au Lagonda Rapide, une berline produite par Lagonda, partie désormais d'Aston Martin. La Rapide sera dotée d'un châssis en aluminium issu de la plateforme VH du constructeur. Réduction des coûts oblige, le modèle-vedette d'Aston partage sa plateforme avec la DB9 tout en l'étirant de 30 centimètres en longueur et 6 centimètres en hauteur. La robe extérieure se montre également très à l'écoute de ses admirateurs, avec ses interminables ouïes latérales prolongées jusqu'aux portières arrière. Reprenant les codes stylistiques de la marque, le coupé à 4 places se pare néanmoins d'éléments distinctifs comme des portes s'ouvrant en ailes de cygne, ce qui facilite l'accès aux places arrière. Mention spéciale enfin aux sorties d'échappement tout en rondeurs (intégrées au pare-chocs), comme un clin d'œil à l'esthétique générale très circulaire du coupé. Le reste n'est que détails, même si tous les détails sont importants sur une telle œuvre d'art. Rétroviseurs, entrées d'air, passages de roues et boucliers sont partiellement retouchés par rapport au concept, tandis que les projecteurs à diodes électroluminescentes (DEL) font leur apparition. Mais les lignes générales de la Rapide, si particulière, font inexorablement songer à la DB9 sur laquelle le concept Rapide s'appuyait déjà fortement.

[HABITACLE] Amis des boutons et des commandes en tous genres, vous serez servis. Inutile de dire que le raffinement est au programme avec une planche de bord combinant cuir et surpiqures. Un bien bel environnement que le fabricant anglais n'a dévoilé qu'au compte-

FORCES • Silhouette envoûtante • Moteur • Aménagement intérieur invitant

FAIBLESSES • Prix • Peu d'espace à l'arrière

RAPIDE

gouttes. On trouve aussi des sièges réglables à gogo, des compteurs cerclés de chrome et quelques objets de luxe, considérant le prix demandé, c'est bien normal. Depuis 1929, l'horloger suisse Jaeger-Lecoultre est le partenaire exclusif d'Aston Martin et équipe l'intérieur des modèles. Il y a fort à parier qu'une autre réalisation de la firme trônera au centre de la console, comme c'était le cas sur le modèle concept. Tout près de l'horloge, on retrouvera également le superbe bouton en verre de démarrage du moteur. Les sièges baquets à l'arrière sont plutôt réservés à des enfants ou à des adultes sur de courts trajets.

[MÉCANIQUE] Sous le capot, on retrouvera comme prévu le moteur V12 de 6 litres développant 470 chevaux qui provient de la DB9. Il sera couplé à une boîte de vitesses automatique à 6 rapports Touchtronic. Si les derniers tests d'endurance sont concluants, la production finale débutera cet automne à Graz, en Autriche, en coordination avec l'usine d'assemblage de Gaydon, en Angleterre. A priori, ses caractéristiques permettront facilement de concurrencer la Porsche Panamera, sa principale rivale qui arrive aussi au cours de l'automne. Dans sa version S, le modèle allemand dispose, en effet, d'un bloc V8 de 4,8 litres de 400 chevaux. Performances : 0 à 100 km/h réalisé en 5,4 secondes et 283 km/h pour la vitesse maxi. En revanche, la Panamera Turbo avec ses 500 chevaux devrait conserver une légère avance.

[COMPORTEMENT] Sans avoir conduit cette Rapide, l'expérience au volant d'une Aston Martin est très spéciale. Vous avez un mélange de sport et d'élégance unique. Son V12 n'a rien d'écolo, mais avec un 0 à 100 km/h prévu sous la barre des 5 secondes, les sensations fortes seront au rendez-vous.

[CONCLUSION] La Rapide est belle, très belle même, mais plusieurs craignent que son prix soit un obstacle majeur à son succès. La plus proche rivale de la Rapide, la Porsche Panamera en version Turbo et de 500 chevaux se vendra 155 000 $. On prévoit près du double pour l'Aston Martin. La Rapide est certes plus raffinée, mais vaut-elle le double d'une Porsche, l'avenir nous le dira.

(5) FICHE TECHNIQUE

MOTEUR
- V12 6,0 l DACT, 470 ch à 6000 tr/min
Couple 443 lb-pi à 5000 tr/min
Transmission automatique à 6 rapports avec mode manuel
0-100 km/h auto. 4,6 s
Vitesse maximale 305 km/h

AUTRES COMPOSANTES
Sécurité active freins ABS, assistance au freinage, répartition électronique de force de freinage, antipatinage, contrôle de stabilité électronique
Suspension avant/arrière indépendante
Freins avant/arrière disques ventillés
Direction à crémaillère, assistée
Pneus P235/40ZR19 (av.), P275/35ZR19 (arr.)

DIMENSIONS
Empattement 2990 mm
Longueur 5000 mm
Largeur 1887 mm
Hauteur 1318 mm
Poids 1942 kg
Diamètre de braquage 12,0 m
Coffre nd
Réservoir de carburant 80 l

VANTAGE

www.astonmartin.com

N ÉVOLUTION É J

129 500 $ à 144 800 $
transport et préparation: 2100 $

LA COTE VERTE

AVEC MOTEUR V8 DE 4,7 L

- **Consommation (100km):** 14,0 l
- **Émissions polluantes CO_2 :** 6864 kg/an
- **Empreinte écologique (nombre d'arbres à planter par année):** 40
- **Indice d'octane:** 91
- **Autre motorisation:** non
- **Coût du carburant moyen par année:** 3146 $
- **Nombre de litres par année:** 2860 l

(SOURCE: ÉnerGuide)

1 FICHE D'IDENTITÉ

- **Version** coupé, roadster
- **Roues motrices** arrière
- **Portières** 2 **Nombre de passagers** 2
- **Première génération** 2006
- **Génération actuelle** 2006
- **Construction** Gaydon, Angleterre
- **Sacs gonflables** 4 (frontaux, latéraux)
- **Concurrence** Chevrolet Corvette, Dodge Viper, Ferrari F458, Jaguar XK, Lamborghini Gallardo, Maserati Coupé, Mercedes-Benz Classe SL, Porsche 911

2 AU QUOTIDIEN

- **Prime d'assurance**
  25 ans : 6000 à 6200 $
  40 ans : 4100 à 4300 $
  60 ans : 3500 à 4000 $
- **Collision frontale** nd
- **Collision latérale** nd
- **Ventes du modèle l'an dernier**
  Au Québec nd **Au Canada** nd
- **Dépréciation** (3 ans) nd
- **Rappels** (2004 à 2009) 1
- **Cote de fiabilité** nd

3 GARANTIES... ET PLUS

- **Garantie générale** 3 ans/kilométrage illimité
- **Garantie motopropulseur** 3 ans/kilométrage ill.
- **Perforation** 10 ans/kilométrage illimité
- **Assistance routière** 3 ans/kilométrage illimité
- **Nombre de concessionnaires**
  Au Québec 1 **Au Canada** 3

4 NOUVEAUTÉS EN 2010

- Aucun changement majeur

LA REINE DU BAL

PAR BENOIT CHARETTE

VOUS VOUS SOUVENEZ DE CES DANSES LE SAMEDI SOIR À VOTRE ÉCOLE SECONDAIRE. Vous aviez les mains moites, n'osiez pas demander à celle que votre cœur aimait de vous coller quelques minutes. L'Aston Martin Vantage, c'est la plus belle fille au bal; et en prendre le volant, c'est comme d'avoir dansé le plus beau « slow » de la soirée avec la reine du bal. Elle fait chavirer votre cœur.

[CARROSSERIE] Une histoire d'amour, ça commence toujours par une attirance physique et, à ce chapitre, la Vantage ne manque pas de charme. La petite firme de Gaydon a même ajouté cette année une version V12 de 6 litres qui développe 510 chevaux et qui repose sur la base du coupé V8 Vantage. À l'extérieur, l'Aston Martin V12 Vantage, qui ne devrait être proposé qu'en coupé, se voit agrémenter d'un nouveau bouclier avant modelé avec une prise d'air plus large et un becquet rabaissé. Également au programme, un capot ajouré avec pas moins de quatre ouïes — pour faire respirer le V12 — et des jupes latérales plus aérodynamiques. Tout laisse croire cependant que cette voiture produite à seulement 1 000 exemplaires ne viendra pas au Canada. Personne n'a osé toucher à cette beauté mobile depuis son lancement en 2006. Petite retouche aux styles des roues, sans plus

[HABITACLE] L'an dernier Aston a refait une partie de l'intérieur à l'image des modèles haut de gamme de la marque. La console centrale a été revue dans l'esprit DB9 et DBS. On apprécie tout autant que la position de conduite impeccable l'ambiance intérieure inimitable dont la finition et le montage à la main sont sans défaut et d'une richesse. À noter également la nouvelle clé (ECU) en verre et en inox poli, volée à la DBS, et le système de navigation à disque dur, plus moderne. On se sent plus riche à son volant.

[MÉCANIQUE] Le moteur V8 est passé à 4,7 litres l'an dernier et produit maintenant 420 chevaux. Le 0 à 100 km/h est envoyé en 4,8 secondes, et la vitesse de pointe atteint les 288 km/h, avec une poussée franche et linéaire du ralenti jusqu'à la zone rouge mêlée d'une sonorité

+ −

FORCES • Lignes sublimes • Moteur envoûtant • Comportement plus vif • Ensemble sport convaincant • Ambiance unique à bord

FAIBLESSES • Lourde, trop lourde • Un peu chère face aux allemandes

encore plus mordante qu'auparavant. Cerise sur le sundae, la consommation moyenne fait état d'un recul notable, tombant de 15 à 13,8 litres aux 100 kilomètres grâce à la gestion avancée de la nouvelle boîte de vitesses Sportshift, notamment. La traditionnelle boîte manuelle à 6 rapports reste au catalogue, mais la demande pour le système semi-automatique devrait se faire de plus en plus pressante étant donné qu'il démontre des aptitudes sportives en net progrès. Nous ne sommes malheureusement pas encore au niveau d'une séquentielle de Ferrari, c'est pourquoi je vous recommande la boîte manuelle.

[COMPORTEMENT] Depuis que l'entreprise est sous l'égide de Prodrive, on constate une orientation plus sportive au sein de la famille Aston Martin. Outre le surplus de puissance d'un V12, la Vantage a été l'hôte de nombreux changements dynamiques et d'une version sport. Les ancrages et les bras de suspension ont été revus, les amortisseurs Bilstein sont raffermis de 11 % à l'avant et de 5 % à l'arrière. La géométrie de la direction a également été améliorée de manière à offrir plus de sensations au volant et une meilleure réactivité. Au final, la Vantage est plus plaisante à conduire, se faufile mieux et peut mieux se mesurer à une 911. Un seul hic, et il est de taille, son poids à plus de 1 630 kilos est inexcusable. Concéder presque 300 kilos à la 911 est un handicap majeur. C'est sur ce point qu'il faudra travailler, car pour le reste, il y a peu à redire.

[CONCLUSION] Hormis le poids, Aston Martin a rectifié tous les petits défauts de la Vantage et lui offre les moyens de garder la tête haute face aux références du grand tourisme. La musicalité inédite de son V8 et le brio de son comportement font définitivement de cette anglaise autre chose que la reine du bal, elle sait danser aussi.

2e OPINION

MICHEL CRÉPAULT On m'avait dit qu'une V8 Vantage offre un agrément de conduite quotidien plus convivial qu'une 911. Mon verdict : sur mauvaise chaussée et à basse vitesse, l'Aston Martin ne réagit pas à ces agressions avec la tolérance de l'Allemande. Parfois c'est la colonne de direction qui encaisse, parfois ce sont les coins, mais je n'ai pas senti la solidarité dans l'adversité. Par contre, sur une meilleure route et à vive allure, l'AM retrouve l'aisance d'un poisson dans l'eau. Les montants avant et arrière étant épais, on redouble d'attention au moment des manœuvres délicates. La pédale d'embrayage est assez dure, même rétive. Le freinage aussi exige un mollet en forme. En revanche, la boîte de vitesse a la sèche brillance d'une transmission M de BMW. Enfin, le chant du moteur est à la fois métallique et strident. Au-delà de 4 000 tr/min, il s'enrichit encore.

VANTAGE

ASTON MARTIN

5 FICHE TECHNIQUE

· MOTEUR

V8 4,7 l DACT, 420 ch à 7300 tr/min
Couple 346 lb-pi à 5750 tr/min
Transmission manuelle à 6 rapports ou automatique à 6 rapports avec mode Sportshift
0-100 km/h 4,8 s
Vitesse maximale 288 km/h

· AUTRES COMPOSANTES

Sécurité active freins ABS, assistance au freinage, répartition électronique de force de freinage, antipatinage, contrôle de stabilité électronique
Suspension avant/arrière indépendante
Freins avant/arrière disques ventilés
Direction à crémaillère, assistée
Pneus P235/40ZR19 (av.), P275/35R19 (arr.)

· DIMENSIONS

Empattement 2600 mm
Longueur 4380 mm
Largeur 1865 mm
Hauteur 1255 mm **roadster** 1265 mm
Poids 1630 kg **roadster** 1710 kg
Diamètre de braquage 11,1 m
Coffre 300 l **roadster** 144l
Réservoir de carburant 80 l

NOS MENTIONS

Coup de coeur

NOTRE VERDICT

Plaisir au volant	5/5
Qualité de finition	3,5/5
Consommation	2,5/5
Rapport qualité/prix	2,5/5
Valeur de revente	3,5/5

A3

www.audi.ca

N ÉVOLUTION É J

32 300 $ à 39 950 $
transport et préparation: 1300 $

LA COTE VERTE

AVEC MOTEUR L4 DE 2,0 L TDI

- **Consommation (100km):** 5,9 l
- **Émissions polluantes CO_2 :** 3210 kg/an
- **Empreinte écologique (nombre d'arbres à planter par année):** 19
- **Indice d'octane:** diesel
- **Autre motorisation:** diesel
- **Coût du carburant moyen par année:** 1200 $
- **Nombre de litres par année:** 1200 l

(SOURCE: Énerguide)

1 FICHE D'IDENTITÉ

- **Versions** 2.0T, 2.0T quattro, 2.0 TDI
- **Roues motrices** avant, 4
- **Portières** 4 **Nombre de passagers** 4
- **Première génération** 2006
- **Génération actuelle** 2006
- **Construction** Ingolstadt, Allemagne
- **Sacs gonflables** 6, frontaux, latéraux avant et rideaux latéraux
- **Concurrence** Acura TSX, Mercedes-Benz Classe B, Subaru Impreza WRX, Volkswagen Jetta, Volvo S40 / V50

2 AU QUOTIDIEN

- **Prime d'assurance**
  25 ans: 1500 à 1700 $
  40 ans: 1300 à 1500 $
  60 ans: 900 à 1100 $
- **Collision frontale** 5/5
- **Collision latérale** 5/5
- **Ventes du modèle de l'an dernier**
  Au Québec 375 **Au Canada** 1351
- **Dépréciation** 43.8%
- **Rappels** (2004 à 2009) 1
- **Cote de fiabilité** 3,5/5

3 GARANTIES... ET PLUS

- **Garantie générale** 4 ans/80 000 km
- **Garantie motopropulseur** 4 ans/80 000 km
- **Perforation** 5 ans/kilométrage illimité
- **Assistance routière** 4 ans/kilométrage illimité
- **Nombre de concessionnaires**
  Au Québec 7 **Au Canada** 35

4 NOUVEAUTÉS EN 2010

- Modèle 3,2 litres retiré du marché
  Nouveau modèle Diesel (2010)

LA REBELLE APPRIVOISABLE

PAR DANIEL RUFIANGE

INTRODUITE EN 2006, L'A3 POURSUIT SA ROUTE SANS COUP FÉRIR CETTE ANNÉE ET CONSTITUE TOUJOURS LA VOITURE D'ENTRÉE DE GAMME D'AUDI. Mis à part son prix qui grimpe trop rapidement quand on décide de se prévaloir des ensembles d'options, on ne peut adresser beaucoup de reproches à cette voiture qui est bien construite, agréable à conduire et relativement économique à la pompe. Rivalisant dans une catégorie ou la concurrence est féroce, elle arrive à maturité. Est-elle devenue une incontournable ?

[CARROSSERIE] Les récentes retouches à l'avant ont harmonisé l'allure de l'A3 avec les autres produits de la marque, et c'est tout à son avantage. Un simple regard vers les phares à iode nous fait réaliser que cette voiture a du caractère. À l'avant-centre, la controversée calandre, qu'Audi a audacieusement introduite, réussit à produire l'effet souhaité; non seulement reconnaît-on maintenant une Audi d'un simple coup d'œil, mais les voitures qui nous précèdent se tassent littéralement pour nous céder le passage. Livrée en version à hayon seulement, l'A3 semble destinée au marché québécois qui, on le sait, est friand de ce type de voiture. Deux versions sont livrables pour l'instant : 2.0 TFSI, 2.0 TFSI Premium, la 2,0 TDI n'étant disponible qu'au début 2010 et en version traction uniquement. Vous avez le choix entre la traction et l'intégrale quattro, nettement plus intéressante mais aussi plus chère. Tristement, on ne peut jumeler une boîte de vitesses manuelle au dispositif quattro; seule la boîte S tronic distribue sa puissance aux quatre roues.

[HABITACLE] Pour un habitacle bien assemblé, il faut instinctivement penser Audi. L'A3 confirme cette règle. Bien entendu, on ne profite pas du raffinement et de l'exubérance d'un habitacle d'A8. Cependant, les matériaux sont de qualité, et la minutie accordée à l'assemblage, sans reproche. Quant à la présentation, elle est d'excellent goût. Sans dentelle, l'ensemble est fonctionnel. Un reproche néanmoins à l'ergonomie de la console centrale; les commandes au bas de la console ne sont pas toujours d'accès facile en

FORCES • Plaisir au volant • Moteurs intéressants • Aspect pratique • Qualité de finition

FAIBLESSES • On envie toujours l'Europe et ses interminables choix de motorisations • Fiabilité imprévisible • Coût des ensembles d'options • Espace un peu limité à l'arrière

raison de la position du levier de vitesses et du muret qui soutient latéralement notre jambe. Il y a peu à redire sur les baquets puisqu'ils nous maintiennent bien en selle. Seule l'assise bénéficierait de plus de réglages afin que chacun puisse trouver sa vraie zone de confort. À l'arrière, l'accès est plus limité, tout comme l'espace et le dégagement pour tous les membres.

[MÉCANIQUE] Audi nous sert du réchauffé, mais comme vous le savez tous, certains plats sont meilleurs ainsi. En version de base, on profite du superbe 4-cylindres de 2 litres turbo, un petit bijou qui figure au palmarès des meilleurs moteurs, selon le magazine automobile Ward's. Ce moteur performe bien et a l'avantage d'être économique quand on ne sollicite pas trop le turbo; chose plutôt difficile au volant d'une A3. Le moteur V6 de 3,2 litres qui n'a jamais eu la cote auprès des amateurs sera remplacé par une version Diesel de deux litres et 140 chevaux... l'heure est à l'économie.

[COMPORTEMENT] Regroupez tous les superlatifs pour caractériser le plaisir de conduire; chacun d'eux s'applique au comportement routier de l'A3. Cette voiture procure une réelle joie derrière le volant. Qu'on mette la clef dans la serrure pour aller faire les emplettes ou pour arpenter une route sinueuse, on apprécie chaque se conde aux commandes. Bien entendu, l'intégrale quattro colle le véhicule au bitume et se montre rassurante; on s'imagine mal profiter de la conduite d'une Audi sans elle. Les performances sont au rendez-vous, peu importe le moteur qu'on choisit de boulonner à l'avant. La direction est précise et nous transmet bien l'information de la route : une belle symbiose.

[CONCLUSION] Que manque-t-il donc à l'A3 pour devenir une incontournable ? Deux choses, à mon avis. D'abord, des options qui seront incluses dans le prix de base. Je pense ici à des éléments comme les commandes au volant et les sièges électriques, entre autres. Puis, l'incontournable fiabilité, trop souvent aléatoire du côté des allemandes. Ce jour-là, l'A3 sera... quasi incontournable.

2e OPINION

FRANCIS BRIÈRE On voit régulièrement une Audi A3 passer par chez nous. Cette voiture plaît bien aux Québécois. C'est une « Sportback » pour gens branchés, une allure masculine qui profite de la même partie avant que les autres modèles de la famille Audi. En plus d'être belle, elle est pratique avec son hayon. Le fabricant allemand offrait deux motorisations, mais a retiré la V6 de la route pour le remplacer par un modèle Diesel qui sera alimenté par le même moteur 2 litres que chez Volkswagen. Par-dessus tout, l'A3 est dorénavant offerte en version quattro avec le 2.0T. Bravo Audi ! Il ne me reste plus maintenant qu'à vous parler du prix... À moins que je laisse tomber.

5 FICHE TECHNIQUE

· MOTEURS

· (TDI)

L4 2,0 l turbo DACT 140 ch à 4000 tr/min
Couple 235 lb-pi à 1750 tr/min
Transmission manuelle à 6 rapports, automatique à 6 rapports avec mode manuel (option 2.0T, équipement standard sur version quattro)
0-100 km/h man 7,6 s **auto** 6,7 s
Vitesse maximale 209 km/h

L4 2,0 l turbo DACT 200 ch à 5100 tr/min
Couple 207 lb-pi à 1700 tr/min
Transmission manuelle à 6 rapports, automatique à 6 rapports avec mode manuel (option 2.0T, équipement standard sur version quattro)
0-100 km/h man 6,9 s **auto** 6,7 s
Vitesse maximale 209 km/h

· AUTRES COMPOSANTES

Sécurité active freins ABS, répartition électronique de force de freinage, assistance au freinage, antipatinage, contrôle de stabilité électronique
Suspension avant/arrière indépendante
Freins avant/arrière disques
Direction à crémaillère, assistée
Pneus P225/45R17 **3.2 quattro** P245/45R17

· DIMENSIONS

Empattement 2578 mm
Longueur 4292 mm
Largeur 1957 mm
Hauteur 1423 mm
Poids 2.0T man. 1480 kg **2.0T auto.** 1510 kg
Diamètre de braquage 10,7 m
Coffre 370 l, 1120 l (sièges abaissés)
Réservoir de carburant 55 l

NOS MENTIONS

Modèle recommandé

NOTRE VERDICT

Plaisir au volant	4/5
Qualité de finition	5/5
Consommation	4/5
Rapport qualité/prix	4/5
Valeur de revente	3,5/5

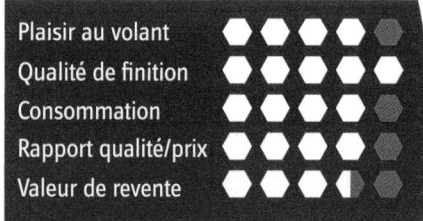

A4

www.audi.ca

N ÉVOLUTION É J

38 300 $ à **42 700 $**
transport et préparation: 1300 $

LA COTE VERTE

MOTEUR
L4 DE 2,0 L

- **Consommation (100km):**
 Sedan man. 8,3 l
 Sedan CVT 8,2 l
- **Émissions polluantes CO_2 :**
 Sedan man. 4080 kg/an
 Sedan CVT 4032 kg/an
- **Empreinte écologique (nombre d'arbres à planter par année):** 24
- **Indice d'octane:** 91
- **Autre motorisation:** non
- **Coût du carburant moyen par année:** 1826 $
- **Nombre de litres par année:** 1660l

(SOURCE: ÉnerGuide)

1 FICHE D'IDENTITÉ

- **Versions** 2.0T, 2.0T quattro, 2.0T quattro Avant
- **Roues motrices** avant, 4
- **Portières** 4 **Nombre de passagers** 5
- **Première génération** 1996
- **Génération actuelle** 2009
- **Construction** Ingolstat, Allemagne
- **Sacs gonflables** 6, frontaux, latéraux avant et rideaux latéraux
- **Concurrence** Acura TSX, BMW Série 3, Cadillac CTS, Infiniti G37, Jaguar X-Type, Lexus IS, Mercedes-Benz Classe C, Volkswagen Passat, Volvo S40/V50

2 AU QUOTIDIEN

- **Prime d'assurance**
 25 ans: 1500 à 1700 $
 40 ans: 1400 à 1600 $
 60 ans: 1000 à 1200 $
- **Collision frontale** 4/5
- **Collision latérale** 5/5
- **Ventes du modèle de l'an dernier**
 Au Québec 1308 **Au Canada** 4480
- **Dépréciation** 46,1%
- **Rappels** (2004 à 2009) 3
- **Cote de fiabilité** 3/5

3 GARANTIES... ET PLUS

- **Garantie générale** 4 ans/80 000 km
- **Garantie motopropulseur** 4 ans/80 000 km
- **Perforation** 5 ans/kilométrage illimité
- **Assistance routière** 4 ans/kilométrage illimité
- **Nombre de concessionnaires**
 Au Québec 7 **Au Canada** 35

4 NOUVEAUTÉS EN 2010

- A4 décapotable retirée du marché, 3.2 quattro retirée du marché

UN AUTRE GRAND CRU

PAR PHILIPPE LAGUË

DE CE CÔTÉ-CI DE L'ATLANTIQUE, CE MODÈLE EST LE PAIN ET LE BEURRE DE LA MARQUE ALLEMANDE, qui l'a sauvé après des décennies difficiles, marquées par un manque de fiabilité chronique. N'eût été de l'A4, la marque aux anneaux ne serait peut-être plus présente sur notre marché.

[CARROSSERIE] Naguère critiquée pour la petitesse de son habitacle, l'A4 n'a cessé de prendre du volume au fil des refontes, et la tendance se poursuit avec la quatrième génération, plus longue de 12 centimètres et plus large de 5 centimètres que sa devancière. Même si elle reprend les grandes lignes du modèle précédent, l'A4 actuelle a plus d'éclat avec ses lignes tendues, ses flancs creusés et son faciès plus agressif. Signalons la disparition du cabriolet A4, remplacé par l'A5 et la disparition du 3.2 quattro.

[HABITACLE] L'habitacle des Audi est devenu la référence en matière de finition et de construction. L'A4 porte le flambeau bien haut avec son assemblage irréprochable, ses matériaux de qualité et sa décoration de bon goût. L'ergonomie est une autre science que les ingénieurs d'Audi maîtrisent fort bien. Dans une A4, tout est à portée de la main. Quant aux espaces de rangement, ils sont logeables et bien placés. L'interface multimédia des A4 n'est pas aussi compliquée que celle des BMW et Mercedes-Benz, mais ce n'est pas simple pour autant. Les acheteurs qui ne sont pas des technophiles risquent de pester à l'occasion. Malgré ses dimensions accrues, l'A4 n'est pas beaucoup plus généreuse en espace que le modèle précédent. Le dégagement pour la tête et les jambes est correct, sans plus. C'est plutôt la familiale Avant qui profite de la croissance du nouveau modèle, avec son espace accru pour les bagages, à l'arrière.

[MÉCANIQUE] Le 4-cylindres de 2 litres bénéficie de l'injection directe, qui le rend plus puissant et moins gourmand. Ce 4-cylindres est ainsi l'un des rares moteurs suralimentés à ne pas pénaliser la consommation de carburant. Ce moteur, il faut bien le dire, est une réussite sur tous les plans : le couple et la puissance sont savamment répartis, et

FORCES • Finition et construction de haut calibre • Moteurs meilleurs que jamais • Comportement plus dynamique • Confort irréprochable • Fiabilité

FAIBLESSES • Ordinateur de bord complexe • Habitabilité décevante • Certains dispositifs électroniques discutables...

il ne souffre aucunement du jumelage avec une boîte de vitesses automatique. Le raffinement de cette boîte y est aussi pour quelque chose : dotée de 6 rapports, elle fonctionne avec rigueur mais aussi avec douceur. Une boîte manuelle, également à 6 rapports, est également offerte.

[COMPORTEMENT] Bien servie par une direction rapide et précise, l'A4 est maniable, freine vite et fort, et brille par son aplomb dans les virages; le roulis est à peine perceptible, et la caisse reste bien neutre. La motricité exceptionnelle du système de transmission intégrale quattro confère une grande assurance, qu' il neige ou qu'il pleut. Quant au confort, il est à la hauteur de ce qu'on attend d'une voiture de ce rang. L'A4 propose aussi une panoplie de dispositifs d'aide électronique à la conduite, notamment la direction active et le système Drive Select, qui permet, grosso modo, de régler la direction (et plusieurs autres paramètres) au style de conduite. Mentionnons également un régulateur de vitesse dit intelligent qui ralentit la voiture quand elle s'approche de celle qui la précède. Pour ma part, je déteste ce genre de dispositif qui veut conduire à ma place; de plus, cette ribambelle électronique est offerte en option, et la note peut devenir salée, très salée même.

[CONCLUSION] La quatrième génération a progressé à tous les chapitres : son comportement se rapproche de plus en plus de celui de la BMW, et elle n'a pas grand-chose à envier à Mercedes-Benz en matière de confort. Mieux encore, elle surpasse ses deux compatriotes au chapitre de la fiabilité; et, cerise sur le gâteau, les concessionnaires Audi donnent un meilleur service. Pour toutes ces raisons, l'Audi A4 s'est hissée parmi les meilleures voitures du monde, et cette nouvelle mouture est la plus accomplie. Bref, c'est un grand cru.

2e OPINION

FRÉDÉRIC MASSE Quelle voiture, cette Audi ! Il s'agit définitivement de la meilleure A4 jamais construite. Elle est certainement plus grosse que par le passé, mais elle a aussi gagné en agilité. D'ailleurs, les réglages qu'elle offre sont tout à fait géniaux et permettent de passer au mode confort, automatique ou sport. Ces réglages influent notamment de façon très perceptible sur la suspension et la direction. Elle peut donc passer de voiture ultra confortable à vive et agressive. Mon choix s'arrête sur le modèle 2.0T quattro, puisque son prix est fort raisonnable, sa transmission intégrale est parfaite, et sa mécanique génère suffisamment de couple, en plus d'être très frugale. J'ai toutefois détesté la sonorité du moteur au ralenti, qui rappelle celui d'un diesel pas très flatteur. Soulignons, pour terminer, la qualité de la présentation, le confort des sièges et la précision de l'assemblage dans l'habitacle. À ce chapitre, Audi offre vraiment le nec plus ultra.

5 FICHE TECHNIQUE

· MOTEURS

(2.0T)

L4 2,0 l turbo DACT 211 ch à 5300 tr/min
Couple 258 lb-pi à 1500 tr/min
Transmission manuelle à 6 rapports, automatique à 6 rapports (option), automatique à variation continue (berline)
0-100 km/h 2,0T 6,9 s quattro 7,3 s
Vitesse maximale 209 km/h (bridée)

· AUTRES COMPOSANTES

Sécurité active freins ABS, répartition électronique de force de freinage, assistance au freinage, antipatinage, contrôle de stabilité électronique
Suspension avant/arrière indépendante
Freins avant/arrière disques
Direction à crémaillère, assistée
Pneus 2.0T P225/50R17 **quattro :** P225/45R17
Option sport : P245/40
R18 Option S line : P255/35R19

· DIMENSIONS

Empattement 2808 mm
Longueur 4703 mm
Largeur 1826 mm
Hauteur 1427 mm
Poids 1555 à 1935 kg
Diamètre de braquage 11,4 m
Coffre ber. 480 l 962 l (sièges abaissés)
fam. 490 l, 1430 l (sièges abaissés)
Réservoir de carburant 64 l

NOS MENTIONS

Coup de coeur

Modèle recommandé

NOTRE VERDICT

Plaisir au volant
Qualité de finition
Consommation
Rapport qualité/prix
Valeur de revente

S4

www.audi.ca

N NOUVEAUTÉ É J

52 500 $ à 58 800 $
transport et préparation: 1300 $

LA COTE VERTE

AVEC MOTEUR V6 DE 3,0 L COMPRESSEUR MÉCANIQUE

- **Consommation (100km):** 9,7 l
- **Émissions polluantes CO_2 :** ND
- **Empreinte écologique (nombre d'arbres à planter par année):** ND
- **Indice d'octane:** 91
- **Autre motorisation:** non
- **Coût du carburant moyen par année:** ND $
- **Nombre de litres par année:** ND

(source: ÉnerGuide)

1 FICHE TECHNIQUE

· MOTEUR

· (S4)

V6 3,0 L DACT à compresseur
333 chevaux à 6000 tr/min
Couple : 325 lb-pi @ 1500 à 4200 tr/min
Transmission manuelle à 6 rapports, automatique à 7 rapports avec mode manuel
0-100 km/h : 5,4 s
Vitesse maximale : 250 km/h

· DIMENSIONS

Empattement 2808 mm
Longueur 4703 mm
Largeur 1826 mm
Hauteur 1427 mm
Poids 1555 à 1935 kg
Diamètre de braquage 11,5 m
Coffre berl. 480 l **fam** 962l (sièges abaissés)
Réservoir de carburant 64 l
Pneus P245/40R18

2 NOUVEAUTÉS EN 2010

- V6 à compresseur mécanique de 3.0 l remplace le V8 de 4.2 l.

NOTRE VERDICT

Plaisir au volant	●●●●○
Qualité de finition	●●●●○
Consommation	●●●○○
Rapport qualité/prix	●●●●○
Valeur de revente	Nm

ROULER LÉGER

PAR FRANCIS BRIÈRE

POUR 2010, AUDI PROPOSE UNE VERSION REVUE ET CORRIGÉE DE SA BERLINE S4. Depuis longtemps, une refonte dans l'industrie de l'automobile signifiait une carcasse plus imposante et un plus gros moteur. Le constructeur allemand propose ici l'inverse : on a remplacé le V8 pour un V6 à compresseur volumétrique. Résultat : une voiture plus légère et... plus rapide.

[CARROSSERIE] En matière d'esthétique, la S4 adopte la même philosophie que le reste de la gamme Audi. On propose une calandre imposante et les fameux sourcils sous les phares. Quant au reste, il s'agit de la même carcasse que l'A4, sauf pour l'échappement qui est composé de deux tuyaux doubles. On propose également une version Avant de la S4 qui plaira certainement aux personnes qui ont besoin de plus d'espace de chargement.

[HABITACLE] L'intérieur de la S4 respecte également la lignée. On y retrouve sensiblement la même présentation qu'à bord d'une A4. Les sièges offrent un excellent maintien sans sacrifier le confort. Le système MMI d'Audi peut iriter à l'occasion, en particulier avec ses boutons sur le côté de la mollette.

[MÉCANIQUE] Au lieu du V8 FSI de 4,2 litres, on a opté pour un V6 TFSI de 3 litres suralimenté qui génère une puissance de 333 chevaux et produit un couple de 325 livres-pieds. Une boîte de vitesses manuelle à 6 rapports est toujours offerte, mais une nouvelle boîte à double embrayage à 7 rapports accélère les changements. Un différentiel sport améliore le contrôle en virage.

[COMPORTEMENT] S'il est vrai que la S4 a perdu du poids, son moteur a également perdu du coffre. On s'ennuie de la belle sonorité du V8. La S4 offre une tenue de route inspirée, qui n'a rien à envier à celle d'une BMW 335i.

[CONCLUSION] Le nouveau moteur est brillant et plus pertinent par rapport à l'offre de la concurrence. En revanche, le V8 avait son charme et sa sonorité dont on ne se lasserait jamais.

+ −

FORCES · Confort · Châssis rigide · Performances intéressantes

FAIBLESSES · Prix · Silhouette terne · Moteur moins masculin

N ÉVOLUTION É J

65 900 $
transport et préparation: 1420 $

LA COTE VERTE

AVEC MOTEUR V6 DE 3,0 L

- **Consommation (100km):** 10,3 l
- **Émissions polluantes CO_2 :** 4944 kg/an
- **Empreinte écologique (nombre d'arbres à planter par année):** 29
- **Indice d'octane:** 91
- **Autre motorisation:** non
- **Coût du carburant moyen par année:** 2222 $
- **Nombre de litres par année:** 2020 l

(source: ÉnerGuide)

TANT QU'À FAIRE...

PAR MICHEL CRÉPAULT

POUR LE COUPÉ ET LE CABRIOLET A5, AUDI A PRIORISÉ UNE ALLURE CONTEMPORAINE SANS POUR AUTANT NÉGLIGER LES PERFORMANCES. Pour leurs cousines S, l'équation a été inversée : les vertus athlétiques sont au service de l'élégance.

[CARROSSERIE] Vous pouvez gréer votre A5 d'un ensemble S comprenant des roues de 19 pouces et des jupes latérales. Sur une véritable S5, les distinctions demeurent subtiles aux extrémités, aux prises d'air et à l'échappement, mais on perçoit l'énergie qui suinte de chaque angle.

[HABITACLE] Les options sont rares, mais on note le très sophistiqué système de navigation comprenant un lecteur de DVD, une caméra de recul et la reconnaissance vocale (dans les deux langues). Dans le cabrio, la sono Bang & Olufsen est facultative. Le toit souple offre l'avantage de préserver de précieux litres de rangement dans le coffre à bagages, sans parler de la banquette qui coopère avec son dossier 60/40.

[MÉCANIQUE] Le coupé S5 continue avec le V8 de 4,2 litres FSI de 354 chevaux couplé à une boîte de vitesses manuelle ou Tiptronic en option, les deux à 6 rapports. La décapotable a hérité du nouveau V6 de 3,0 litres dont le compresseur mécanique achemine 333 chevaux jusqu'à la boîte de vitesses à double embrayage S Tronic à 7 rapports. Des sources laissent entendre que ce V6 suralimenté passera sous le capot du coupé. Une RS5 serait alors dans les plans, justement avec l'ancien V8 gonflé à 450 chevaux.

[COMPORTEMENT] Le système quattro d'une S5 peut se greffer d'un différentiel sport. Contrôlé électroniquement, il répartit le couple entre les roues arrière. Les accélérations sont instantanées et la prise au sol est tout simplement phénoménale. Je ne connais pas beaucoup de décapotables capables de donner de telles sueurs froides !

[CONCLUSION] La différence en dollars pour une vaut-elle la peine ? Si vous voulez frôler la perfection, oui !

FORCES · Silhouette du tonnerre · Transmission quattro rassurante étant donné la puissance · Détails qui font la différence

FAIBLESSES · Options qui ne devraient pas l'être · Coupe-vent qui condamne la banquette

1 FICHE TECHNIQUE

- **MOTEURS**
- **(S5 CABRIOLET)**

V6 3,0 L DACT à compresseur 333 chevaux à 5500 tr/min
Couple : 315 lb-pi @ 3000 tr/min
Transmission automatique à 7 rapports avec mode manuel
0-100 km/h : 5,6 s
Vitesse maximale : 250 km/h

- **S5 COUPÉ**

V8 4,2 l DACT, 354 ch à 7000 tr/min
Couple 325 lb-pi à 3500 tr/min
Transmission manuelle à 6 rapports, automatique à 6 rapports (en option)
0-100 km/h 5,1 s
Vitesse maximale 250 km/h (limitée)
Consommation (100 km) 12,3 l (octane 91)
Émissions de CO_2 6048 kg/an
Litres par année : 2520 l.
Coût par an : 3780 $
Autre motorisation : non
Empreinte écologique (nombre d'arbres à planter par année) : 36

- **DIMENSIONS**

Empattement 2751 mm
Longueur cabrio 4625 mm **coupé** 4636 mm
Largeur 1854 mm
Hauteur cabrio 1384 mm **coupé** 1369 mm
Poids cabrio 1695 kg **S5** 1875 kg
Diamètre de braquage 11,4 m
Coffre cabrio 320 l **(avec toit)**, 380 l **(sans toit) coupé** 455 l
Réservoir de carburant cabrio 65 l **coupé** 64 l
Pneus cabrio P245/40R18 **coupé S5** P255/35R19

A5

www.audi.ca

N ÉVOLUTION É J

44 100 $ à 53 350 $
transport et préparation: 1300 $

LA COTE VERTE

AVEC MOTEUR L4 DE 2,0 L

- **Consommation (100km):** 10,2 l
- **Émissions polluantes CO_2 :** 4272 kg/an
- **Empreinte écologique (nombre d'arbres à planter par année):** 24
- **Indice d'octane:** 91
- **Autre motorisation:** non
- **Coût du carburant moyen par année:** 1958 $
- **Nombre de litres par année:** 1780

(SOURCE: ÉnerGuide)

1 FICHE D'IDENTITÉ

- **Versions** 2,0T, 3.2, coupé et décapotable
- **Roues motrices** 4
- **Portières** 2 **Nombre de passagers** 4
- **Première génération** 2008
- **Génération actuelle** 2008 (2010 décapotable)
- **Construction** Ingolstadt, Allemagne
- **Sacs gonflables** 6 (frontaux, latéraux avant, rideaux latéraux)
- **Concurrence** BMW Série 3 coupé, Infiniti G37, Mercedes-Benz Classe E coupé, Volvo C70

2 AU QUOTIDIEN

- **Prime d'assurance**
  25 ans: 3000 à 3200 $
  40 ans: 2100 à 2300 $
  60 ans: 1800 à 2000 $
- **Collision frontale** 5/5
- **Collision latérale** 5/5
- **Ventes du modèle de l'an dernier**
  Au Québec 100 **Au Canada** 400
- **Dépréciation** (1 an) 18,8%
- **Rappels** (2004 à 2009) aucun à ce jour
- **Cote de fiabilité** 3,5/5

3 GARANTIES... ET PLUS

- **Garantie générale** 4 ans/80 000 km
- **Garantie motopropulseur** 4 ans/80 000 km
- **Perforation** 12 ans/kilométrage illimité
- **Assistance routière** 4 ans/kilométrage illimité
- **Nombre de concessionnaires**
  Au Québec 7 **Au Canada** 35

4 NOUVEAUTÉS EN 2010

- Nouveau modèle 2,0T, transmission manuelle retiré du modèle 3,2 litres

ACCROCHEUSE

BENOIT CHARETTE

ELLE ME FAIT TOURNER LA TÊTE À CHAQUE FOIS QUE J'EN VOIS UNE. L'AUDI A5 EST SANS CONTREDIT L'UNE DES PLUS BELLES VOITURES DU MOMENT SUR LA ROUTE. Le coupé allie élégance et sportivité, tandis que le cabriolet garde l'étoffe classique d'une décapotable BCBG. Une chose est certaine, vous ne passerez pas inaperçu au volant.

[CARROSSERIE] Comme c'est le cas de tous les produits de la famille, la calandre surdimensionnée souligne la présence forte de la voiture. Il en est de même des phares de jour du type mitraillette et des diodes électroluminescentes. Des lignes horizontales, des feux larges, des embouts d'échappement droits et un diffuseur aérodynamique de couleur contrastante soulignent l'extrémité arrière du véhicule. Fidèle à sa tradition, Audi a choisi de conserver le toit souple pour ses cabriolets. Les ingénieurs invoquent des raisons d'harmonie dans les lignes, d'encombrement plus faible dans le coffre et de poids pour justifier cette décision. De plus, le consommateur a le choix de deux versions de toit souple à l'achat du véhicule. La capote de base se compose de trois couches, une membrane molletonnée et emprisonnée entre les deux autres. Avec la capote acoustique offerte en option (de série sur la S5), la membrane est remplacée par une mousse d'une épaisseur de 15 millimètres. Ce toit souple proposé en équipement facultatif est doté d'un éclairage par DEL aux places arrière : une caractéristique qu'on trouve habituellement dans le segment des cabriolets de prestige. Le toit s'ouvre en 15 secondes même en roulant jusqu'à 50 km/h et se referme en 17.

[HABITACLE] L'habitacle invite au rêve et à la détente. Véritable quatre places grâce à un empattement plus long, l'A5 offre de l'espace pour quatre adultes, chose plutôt rare dans le monde des décapotables et des coupés. Peu importe ou vous serez assis, les sièges offrent un maintien et un soutien exceptionnels. Si vous allez piger dans la liste d'options, vous pouvez profiter de sièges sport encore plus fermes à réglages électriques et chauffants à l'avant comme à l'arrière. Vous pouvez également obtenir des sièges climatisés et des gaines sur la face supérieure du dossier qui

+ / −

FORCES • Esthétique réussie • Excellent dosage confort/sport • Finition irréprochable • Véritable quatre places

FAIBLESSES • Poids qui handicape un peu l'agilité de la version décapotable • Longue liste d'options qui font grimper la facture

diffusent de l'air chaud à l'arrière de la tête et sur la nuque dans la version décapotable. Comble de luxe, vous pouvez même obtenir sur le cabriolet avec les habillages de cuir offerts en option un revêtement spécifique qui évite l'échauffement quand la voiture reste au soleil, capote ouverte. Cette protection antiéchauffement reflète les rayons infrarouges et peut abaisser ainsi la température superficielle de 20 degrés. Vous avez le choix des cuirs, et le tableau de bord va de l'aluminium à trois essences de bois différentes. Rien à envier aux cabrios de prestige.

[MÉCANIQUE] Le V6 de 3,2 litres développe 265 chevaux. La boîte de vitesses multitronic est livrée de base avec le modèle à traction. La version quattro, en option, vient avec la boîte S-Tronic à 7 rapports. Il est aussi à noter que le fameux moteur à 4 cylindres de 2 litres turbo de 211 chevaux viendra se joindre à la famille des modèles décapotables jumelé à une boîte manuelle ou S-Tronic pour la cuvée 2010. Un modèle d'entrée de gamme fort intéressant.

[COMPORTEMENT] L'A5 dispose d'une caisse à la rigidité exceptionnelle, gage d'un comportement routier précis, d'un confort élevé et d'une sécurité maximale. Le châssis du cabrio a reçu des éléments de renfort pour pallier l'absence de toit. Mais le surplus de poids handicape l'expérience de conduite et rend le coupé plus intéressant à ce chapitre. Mais on conduit d'abord une A5 pour son confort et sa grande maîtrise de la route, et, à ce chapitre, elle n'a de leçon à recevoir de personne. Pour ceux qui veulent se défouler, les S5 sont là.

[CONCLUSION] Cette voiture donne un sérieux coup de pied aux fesses de Mercedes-Benz et de BMW. Audi a réussi à faire un véhicule plus joli que le nouveau coupé Classe E, beaucoup plus spacieux que la BMW Série 3 et qui sera, à terme, moins cher grâce au moteur à 4 cylindres. Une voiture destinée au succès.

2e OPINION

FRANCIS BRIÈRE Une affiche ou une photo suffit parfois pour qu'une voiture fasse bonne impression. En revanche, certaines attirent davantage les regards sur la route. C'est le cas de l'Audi A5. Quelles lignes réussies ! Elle est époustouflante ! Et que dire de sa partie avant ? Soyez sans crainte, les acheteurs d'A5 ou de S5 ne se procurent pas seulement une belle carrosserie. La première offre confort, luxe, douceur de roulement et agrément de conduite. La seconde fournit davantage aux amateurs de volants sportifs. Les deux choix se justifient très bien, à telle enseigne que le fabricant allemand n'a guère à fournir d'efforts pour en vendre. Ce coupé à tout ce qu'il faut pour plaire. Surtout à ceux qui en ont les moyens...

5 FICHE TECHNIQUE

· MOTEURS

· 2,0T

L4 2,0 l turbo DACT 211 ch à 5300 tr/min
Couple 258 lb-pi à 1500 tr/min
Transmission manuelle à 6 rapports, automatique à 6 rapports (option),
0-100 km/h 7,3 s
Vitesse maximale 209 km/h (bridée)

· (3.2)

V6 3,2 l DACT 265 ch à 6500 tr/min
Couple 243 lb-pi à 3000 tr/min
automatique à 6 rapports
0-100 km/h 6,3 s
Vitesse maximale 209 km/h (bridée)
Consommation (100 km)
10,1 l (octane 91)
Émissions de CO_2 auto. 4848 kg/an
Litres par année 2020 l
Coût par an 2222 $
Autre motorisation: non
Empreinte écologique 30 arbres

· AUTRES COMPOSANTES

Sécurité active freins ABS, répartition électronique de force de freinage, assistance au freinage, antipatinage, contrôle de stabilité électronique
Suspension avant/arrière indépendante
Freins avant/arrière disques
Direction à crémaillère, assistée
Pneus P245/40R18

· DIMENSIONS

Empattement 2751 mm
Longueur 4625 mm
Largeur 1981 mm avec rétroviseur
Hauteur 1372 mm
Poids 3.2 1695 kg
Diamètre de braquage 11,4 m
Coffre 340 l **Cabrio** 320 l
Réservoir de carburant 64 l

NOS MENTIONS

Coup de coeur

NOTRE VERDICT

Plaisir au volant	4/5
Qualité de finition	5/5
Consommation	3/5
Rapport qualité/prix	4/5
Valeur de revente	nm

A6

www.audi.ca

N ÉVOLUTION É J

52 900 $ à 75 900 $
transport et préparation: 1300 $

LA COTE VERTE

MOTEUR
V6 DE 3,2 L

- **Consommation (100km):** 10,1 l
- **Émissions polluantes CO_2 :** 4944 kg/an
- **Empreinte écologique (nombre d'arbres à planter par année):** 30
- **Indice d'octane:** 91
- **Autre motorisation:** non
- **Coût du carburant moyen par année:** 2222 $
- **Nombre de litres par année:** 2020 l

(SOURCE: ÉnerGuide)

1 FICHE D'IDENTITÉ

- **Versions** 3.2, 3.0 TFSI, 4.2,
- **Roues motrices** avant, 4
- **Portières** 4 **Nombre de passagers** 5
- **Première génération** 1995
- **Génération actuelle** 2005
- **Construction** Neckarsulm, Allemagne
- Sacs gonflables 8 (frontaux, latéraux avant et arrière, rideaux latéraux)
- **Concurrence** Acura RL, BMW Série 5, Cadillac STS, Jaguar XF, Lexus GS, Lincoln MKS, Mercedes-Benz Classe E, Volvo S80

2 AU QUOTIDIEN

- **Prime d'assurance**
  25 ans: 3000 à 3200 $
  40 ans: 2100 à 2300 $
  60 ans: 1800 à 2000 $
- **Collision frontale** 5/5
- **Collision latérale** 5/5
- **Ventes du modèle de l'an dernier**
  Au Québec 173 **Au Canada** 795
- **Dépréciation** 51,7%
- **Rappels (2004 à 2009)** 4
- **Cote de fiabilité** 3/5

3 GARANTIES... ET PLUS

- **Garantie générale** 4 ans/80 000 km
- **Garantie motopropulseur** 4 ans/80 000 km
- **Perforation** 5 ans/kilométrage illimité
- **Assistance routière** 4 ans/kilométrage illimité
- **Nombre de concessionnaires**
  Au Québec 7 **Au Canada** 35

4 NOUVEAUTÉS EN 2010

- Version 3.0 TFSI de 300 ch., 10 chevaux de plus pour le 3.2 L. V6, nouveau système MMI 3G

UNE CLASSE À PART

PAR FRANCIS BRIÈRE

LE MARCHÉ DES BERLINES INTERMÉDIAIRES DE LUXE, BIEN QUE PEU ACCESSIBLE, DEMEURE CONCURRENTIEL. Les constructeurs, pour la plupart, offrent un modèle dans ce créneau, qu'on pense à l'Acura RL, à la Cadillac STS, à la BMW Série 5 ou à la Mercedes-Benz Classe E. Pour le fabricant allemand Audi, l'A6 nous est revenue en 2009 dotée d'une nouvelle motorisation et de quelques changements mineurs. Du reste, la berline conserve son allure classique, son luxe et sa sobriété.

[CARROSSERIE]Audi n'est pas le constructeur le plus audacieux quand vient le temps de redessiner un modèle. À preuve, la nouvelle A6 ressemble au modèle précédent à s'y méprendre. En revanche, nul ne peut ignorer sa prestance sur la route. Quel panache ! Sur une photographie, l'A6 ressemble à une autre Audi et n'impressionne guère. Sur la route, nos yeux s'écarquillent lors de son passage tant elle en impose avec son gabarit dominant. Le design de la calandre se distingue par son air très masculin, la partie de la carrosserie qui contribue le plus à son imposante stature. Du reste, cette voiture respecte la philosophie du constructeur en matière de design : une sobre distinction.

[HABITACLE] C'est surtout à l'intérieur et sous le capot qu'on note les changements les plus significatifs. L'habitacle revu propose un cadre qui permet un affichage plus lumineux, de nouvelles appliques et une interface multimédia améliorée. Les occupants bénéficient toujours du confort et du luxe qu'offrent les sièges dotés de multiples possibilités de réglage. Chez Audi, on nous promet des boutons et des fonctions dont l'activation ne nécessite pas un cours universitaire avancé. On a réduit au minimum le nombre de commandes, la roulette centrale permettant de naviguer dans le système. À vouloir tout simplifier, certaines commandes nous donnent du fil à retordre : un bouton aurait suffi pour activer les sièges chauffants !

[MÉCANIQUE] En plus du V6 de 3,2 litres et du V8 de 4,2 litres, Audi propose un nouvel engin pour son A6 : un V6 de 3 litres équipé d'un compresseur du type TFSI. Ce moteur développe 300

FORCES · Douceur de roulement · Rigidité de la caisse · Luxe et confort

FAIBLESSES · Coût des options · Direction peu précise · Consommation de carburant

chevaux, une puissance qui semble adéquate au premier abord. Il s'agit du même bloc qui équipe la nouvelle S4, mais dans une configuration qui lui permet de produire 333 chevaux. Bien que sa puissance soit suffisante, on s'ennuie du gros V8. Pour un véhicule de ce poids, le muscle et la sonorité ronflante du fameux 4,2-litres d'Audi lui rend davantage justice. Avec le moteur compressé de plus petite cylindrée, nous aurions apprécié une consommation de carburant plus raisonnable. Malheureusement, la différence n'est pas ce qu'elle devrait être. En dépit du fait que le 3-litres soit né d'une technologie plus avancée, nous devons admettre que le V8 demeure le meilleur choix pour l'A6.

[COMPORTEMENT] Sur la route, l'A6 se comporte de belle façon. Elle se distingue par sa douceur de roulement, son insonorisation et sa tenue de route. Dans sa catégorie, elle domine toujours. En effet, l'A6 est supérieure aux voitures japonaises ou américaines. À un prix de base sous la barre des 60 000 dollars, cette voiture n'a rien à craindre de la concurrence. Le confort et la quiétude que procure l'excellente transmission de l'A6 n'enlèvent rien à ses capacités athlétiques. Routière hors pair, elle se révèle aussi agile sur une route sinueuse.

[CONCLUSION] Un essai routier est rarement suffisant pour apprécier et, surtout, évaluer une voiture. En revanche, Audi a de quoi convaincre rapidement les plus sceptiques avec son A6. Le conducteur apprécie sa rigidité, son luxe, son confort et ses qualités de routière. Bien que cette voiture ne soit pas considérée comme une sportive, on prend plaisir à la conduire. Il lui manque un petit côté incisif et brutal qu'on retrouve volontiers à bord de la S6. L'amateur de conduite mordante la choisira pour ajouter du piquant dans son quotidien ! Pour portefeuille bien garni...

2e OPINION

DANIEL RUFIANGE L'A6 demeure une voiture discrète. Ne vous fiez pas aux apparences. Sous son allure désinvolte se cache l'une des meilleures routières de sa catégorie. Seule la BMW Série 5 a encore une longueur d'avance sur elle, mais si peu. Confort, agrément de conduite constant, puissance des moteurs, douceur de roulement, nommez les qualificatifs, ils s'appliquent presque tous à cette grande berline. J'ai dis presque ! Car, on se répète malheureusement, la fiabilité n'est pas toujours au rendez-vous, une triste réalité qui tarde à être corrigée du côté d'Audi.
Par contre, en termes de sensations, outre la M5 de BMW, Audi est la seule à offrir une bombe comme la S6. Passion et excitation au volant, un amalgame que les Japonais n'arrivent pas à reproduire aussi bien.

5 FICHE TECHNIQUE

· MOTEURS

· (3.2)
V6 3,2 l DACT, 265 ch à 6500 tr/min
Couple 243 lb-pi à 3250 tr/min
Transmission automatique CVT à 7 rapports
0-100 km/h 7,1 s
Vitesse maximale 210 km/h (limitée)

· (3.0T)
V6T 3,0 l DACT, 300 ch à 4850 tr/min
Couple 310 lb-pi à 2500 tr/min
Transmission automatique à 6 rapports avec mode manuel
0-100 km/h 6,3 s
Vitesse maximale 210 km/h (limitée)
Consommation (100 km) 10,1 l (octane 91)
Émissions de CO_2 4944 kg/an
Litres par année 2020 l
Coût par an 2222 $
Carburant alternatif non
Empreinte écologique 30 arbres

· (4.2)
V8 4,2 l DACT, 350 ch à 6800 tr/min
Couple 325 lb-pi à 3500 tr/min
Transmission automatique à 6 rapports avec mode manuel
0-100 km/h 6,1 s
Vitesse maximale 210 km/h (limitée)
Consommation (100 km) 11,0 l (octane 91)
Émissions de CO_2 5376 kg/an
Litres par année 2240 l
Coût par an 2464 $
Carburant alternatif non
Empreinte écologique 32 arbres

· AUTRES COMPOSANTES
Sécurité active freins ABS, répartition électronique de force de freinage, assistance au freinage, antipatinage, contrôle de stabilité électronique
Suspension avant/arrière indépendante
Freins avant/arrière disques
Direction à crémaillère, assistée
Pneus P245/45R17, P245/40R18

· DIMENSIONS
Empattement 2843 mm
Longueur ber. 4927 mm
Largeur 1855 mm
Hauteur 1459 mm **fam.** 1463 mm

NOS MENTIONS

Modèle recommandé

NOTRE VERDICT

Plaisir au volant
Qualité de finition
Consommation
Rapport qualité/prix
Valeur de revente

S6

www.audi.ca

N ÉVOLUTION É J

99 500 $
transport et préparation: 1300 $

LA COTE VERTE

AVEC MOTEUR V10 DE 5,2 L

- **Consommation (100km):** 12,8 l
- **Émissions polluantes CO_2 :** 6240 kg/an
- **Empreinte écologique (nombre d'arbres à planter par année):** 38
- **Indice d'octane:** 91
- **Autre motorisation:** non
- **Coût du carburant moyen par année:** 2860 $
- **Nombre de litres par année:** 2600 l

(SOURCE: ÉnerGuide)

1 FICHE TECHNIQUE

· MOTEUR
V10 5,2 l DACT, 435 ch à 6800 tr/min
Couple 398 lb-pi à 3000 tr/min
Transmission automatique à 6 rapports avec mode manuel
0-100 km/h 5,1 s
Vitesse maximale 250 km/h

· AUTRES COMPOSANTES
Sécurité active freins ABS, répartition électronique de force de freinage, assistance au freinage, antipatinage, contrôle de stabilité électronique
Suspension avant/arrière indépendante
Freins avant/arrière disques ventilés
Direction à crémaillère, assistée
Pneus P265/35R19

· DIMENSIONS
Empattement 2847 mm
Longueur 4938 mm
Largeur 1864 mm
Hauteur 1442 mm
Poids 2035 kg
Diamètre de braquage 11,9 m
Coffre 546 l
Réservoir de carburant 80 l

NE RÉVEILLEZ PAS LES EAUX QUI DORMENT !

PAR BENOIT CHARETTE

VOICI LA PARFAITE DÉFINITION D'UNE VOITURE QUE LES ANGLAIS APPELLENT AFFECTUEUSEMENT UN « SLEEPER ». Si vous n'avez pas l'œil averti, cette voiture ressemble en tous points à une A6 de base. Mais avec 10 cylindres sous le capot et 435 chevaux en réserve, cette tranquille berline est capable de belles prouesses.

[CARROSSERIE] Pour ceux qui s'y connaissent, vous remarquerez que la S6 profite d'une calandre chromée, de prises d'air ainsi que d'ailes élargies et de rétroviseurs à l'aspect aluminium. Il y a aussi des feux additionnels à diodes électroluminescentes (DEL) juste au-dessus des prises d'air. Plusieurs font enlever le logo V10 sur l'aile pour conserver l'anonymat.

[HABITACLE] C'est un mélange de carbone et d'aluminium qui vous attend à bord de la S6. Un intérieur chic mais sans abus. Les compteurs sport, les leviers de sélection en aluminium au volant vous laissent deviner que cette A6 a quelque chose de plus.

[MÉCANIQUE] Audi utilise à différentes sauces son V10 de 5,2 litres. Il produit 525 chevaux dans la nouvelle R8, il en produisait 450 dans la S8 qui a pris sa retraite cette année et il est bon pour 435 dans la S6. Le couple de 398 livres-pieds vous promet des accélérations qui vous laisseront un large sourire aux lèvres. D'une civilité surprenante à bas régime, ce moteur devient diabolique si vous lui donnez l'occasion de s'étirer les jambes. Même si certains critiquent la boîte de vitesses automatique à 6 rapports, elle accomplit un travail exemplaire, et le mode manuel ne manque pas de pimenter un peu la conduite au besoin.

[COMPORTEMENT] L'athlétique allemande se manie avec précision grâce à une direction rigoureuse réglée ferme, et se révèle imperturbable à haute vitesse. La transmission quattro vous assure de toujours garder la bonne trajectoire.

[CONCLUSION] Pour les épicuriens qui apprécient ce qu'il y a dans le ventre de la voiture et non à l'extérieur.

FORCES · Lignes discrètes · Puissance surprenante · Très docile à bas régime

FAIBLESSES · Très lourde · Très gourmande · Très chère

Gagnez du temps !
Des services simples, rapides, sécuritaires!
Par Internet, au
www.saaq.gouv.qc.ca
Paiement en ligne*
Changement d'adresse
Demande d'un certificat d'exemption de pneus d'hiver
Demande d'un permis de conduire Plus
Demande de copie de votre dossier de conduite
Prise de rendez-vous pour un examen de conduite
Remisage ou «déremisage» d'un véhicule
Mise au rancart d'un véhicule
Vérification de la validité d'un permis de conduire
Vérification du droit d'immatriculer un véhicule
SAAQ clic
SERVICES EN LIGNE
lundi au samedi, de 7 h 30 à 23 h
et le dimanche, de 12 h à 23 h
* si vous êtes membre des Caisses Desjardins
ou client de la Banque Nationale
Société de l'assurance automobile
Québec

A8

www.audi.ca

N ÉVOLUTION É J

95 000 $ à 100 000 $
transport et préparation: 1300 $

LA COTE VERTE

MOTEUR
V8 DE 4,2 L
- **Consommation (100km):** 13,4 l
- **Émissions polluantes CO_2 :** 5376 kg/an
- **Empreinte écologique (nombre d'arbres à planter par année):** 39
- **Indice d'octane:** 91
- **Autre motorisation:** non
- **Coût du carburant moyen par année:** 2464 $
- **Nombre de litres par année:** 2240 l

(source: ÉnerGuide)

1 FICHE D'IDENTITÉ

- **Versions** 4,2, L4,2
- **Roues motrices** 4
- **Portières** 4
- **Nombre de passagers** 5
- **Première génération** 1995
- **Génération actuelle** 2004
- **Construction** Ingolstadt, Allemagne
- **Sacs gonflables** 10, frontaux, latéraux avant et arrière, rideaux latéraux et aux genoux
- **Concurrence** Bentley Flying Spur, BMW Série 7, Jaguar XJ, Lexus LS, Mercedes-Benz Classe S

2 AU QUOTIDIEN

- **Prime d'assurance**
  25 ans: 4000 à 4200 $
  40 ans: 3100 à 3300 $
  60 ans: 2700 à 2900 $
- **Collision frontale** 5/5
- **Collision latérale** 5/5
- **Ventes du modèle de l'an dernier**
  Au Québec 48 **Au Canada** 161
- **Dépréciation** 56,2%
- **Rappels** (2004 à 2009) 4
- **Cote de fiabilité** 3/5

3 GARANTIES... ET PLUS

- **Garantie générale** 4 ans/80 000 km
- **Garantie motopropulseur** 4 ans/80 000 km
- **Perforation** 5 ans/kilométrage illimité
- **Assistance routière** 4 ans/kilométrage illimité
- **Nombre de concessionnaires**
  Au Québec 7 **Au Canada** 35

4 NOUVEAUTÉS EN 2010

- Aucun changement majeur

LENDEMAIN DE 6/49

DANIEL RUFIANGE

NOMMEZ-MOI UN PRODUIT AUDI QUI, À L'HEURE ACTUELLE, N'EST PAS À LA HAUTEUR ? ALLEZ, CHERCHEZ UN PEU ! La réponse ne vous vient pas ? C'est normal tout ce que touche ce constructeur par les temps qui courent se transforme en or. Et, parmi ces joyaux, l'A8 qui, comme le bon vin, ne cesse de s'améliorer avec le temps. Toutefois, les grands crus sont rarement abordables.

[CARROSSERIE] Je vais y aller d'un mea-culpa. J'étais de ceux qui étaient très sceptiques lorsque Audi a décidé de doter tous ses modèles de cette calandre assassine à l'avant. Ce sacrilège envers la tradition était, en réalité, d'un grand flair. Qu'on aime ou qu'on n'aime pas, force est d'avouer que ça donne un sacré caractère au véhicule et la trouille à tous ceux qui nous devancent sur la route quand on se pointe dans leurs rétroviseurs. Pour le reste, les lignes de l'A8 marient classicisme et élégance, une coutume que la firme d'Ingolstadt se garde bien de modifier dans le cas de sa grande berline. Seules les versions L – profil allongé détonnent un tantinet du modèle de base.

[HABITACLE] Les intérieurs d'Audi sont incontestablement au sommet des standards de qualité. Tant la présentation que la qualité des matériaux choisis plaisent à l'œil et au toucher. Les sièges sont enveloppants mais pas trop. C'est comme toutes les fioritures : il y en assez mais pas exagérément au point où ça sent la démence. Même les petits haut-parleurs qui surgissent du tableau de bord – en option avec la chaîne audio Bang & Olufsen – réussissent à se faire discrets. La sonorité qui en émane l'est moins, par contre; un véritable orgasme pour les oreilles. À l'arrière, les passagers baignent dans le luxe. Ils jouissent de sièges chauffants, d'espace pour étendre leurs jambes et, même, d'écrans pare-soleil dissimulés dans les portières et réglables en un tournemain. Vraiment, luxe, confort et classe s'harmonisent à merveille à bord.

[MÉCANIQUE] Sous l'immense capot, Audi a réduit l'offre à sa plus simple expression pour 2010. La firme d'Ingolstadt a subitement mis fin au règne de la S8 et de l'opulente W12. Finie les

FORCES • Niveau de confort et insonorisation • Moteurs jouissifs • Finition de qualité • Chaîne audio Bang & Olufsen

FAIBLESSES • Pas à la portée de toutes les bourses • Fiabilité très aléatoire

folies ! Les nouvelles normes de consommation qui entreront en vigueur, tant en Europe qu'en Amérique, sont en grande partie responsables de cette décision; ça et des ventes microscopiques ! Seul l'A8 et son V8 de 4,2 litres et 350 chevaux survit à l'hécatombe. Entre-nous, ce sont là de beaux restants. Cette belle mécanique est assise sur une suspension entièrement hydraulique à quatre réglages, pour aller avec l'humeur du moment. Sur simple pression d'une commande, on peut faire passer la suspension en mode dynamique, standard, surélevé ou automatique.

[COMPORTEMENT] Prendre le volant d'une A8 est une expérience en soi. Rares sont les voitures qui mélangent autant la sportivité et le grand confort; l'A8 est de celles-la. Autant son luxe est appréciable sur les longs trajets, merci aux amortisseurs et à une insonorisation divine, autant les routes enlacées permettent les excès les plus fous grâce à cette suspension adaptative. Malgré son poids imposant, l'A8 avale le 0 à 100 km/h sans le moindre effort en 6,3 secondes. Bien sûr, ce genre de performance s'accompagne d'une consommation en carburant qui freine les élans d'enthousiasme.

[CONCLUSION] La concurrence est limitée dans ce segment, mais elle demeure féroce. Si l'A8 est une voiture d'exception, les BMW Série 7, Lexus LS et Mercedes-Benz Classe S ont autant d'arguments en leur faveur. Il faut conduire les quatre avant même d'envisager de faire un choix, et encore. L'A8, dans le lot, a ce caractère sportif qui lui donne peut-être un petit avantage sur les autres; je dis bien peut-être. Car englouti dans tout ce luxe, bien malin celui qui peut déclarer une grande gagnante dans cette catégorie. Votre style et vos goûts personnels vous guideront mieux que quiconque pour faire un choix.

2e OPINION

ALEXANDRE CRÉPAULT **Elle ne court pas les rues. Vous ne la verrez pas aux mains du commun des mortels non plus. Pourquoi ? Son prix... Il frôle les 100 000 $ pour commencer et peut atteindre l'Olympe si les dieux (les riches propriétaires) le désirent ainsi. Dommage que l'Audi A8 soit si peu accessible car elle est parmi les berlines grand format les plus agréables qui soient, tant sur le plan de la conduite que sur celui du confort. Le moteur qui survit demeure intéressant, mais on pleure l'abandon du V10 et de l'ahurissant W12, souple et original. Le plus surprenant, toutefois, c'est la précision avec laquelle se conduit l'A8. Légère et bien assise, elle inspire confiance, est performante, et ce, sans brutaliser ses occupants. Même quand on la pousse. Quant à la S8, elle multiplie l'affection qu'on lui porte. Ne disait-on pas que l'amour n'a pas de prix ?**

5 FICHE TECHNIQUE

MOTEURS
(Base, L)
V8 4,2 l DACT 350 ch à 6800 tr/min
Couple 325 lb-pi à 3500 tr/min
Transmission automatique à 6 rapports avec mode manuel
0-100 km/h 6,3 s
Vitesse maximale 209 km/h
Litres par année 2240 l
Coût par an 2464 $

AUTRES COMPOSANTES
Sécurité active freins ABS, assistance au freinage, distribution électronique de force de freinage, antipatinage, contrôle de stabilité
Suspension avant/arrière indépendante
Freins avant/arrière disques
Direction à crémaillère, assistée
Pneus P245/45R18

DIMENSIONS
Empattement 2944 mm **L** 3074 mm
Longueur 5062 mm **L** 5192 mm
Largeur 1894 mm
Hauteur 1444 mm **L** 1455 mm
Poids 1945 kg **L** 2000 kg
Diamètre de braquage 12,5 m **L** 12,7 m
Coffre 413 l
Réservoir de carburant 90 l

NOS MENTIONS

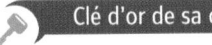

Clé d'or de sa catégorie
Modèle recommandé
Coup de coeur

NOTRE VERDICT

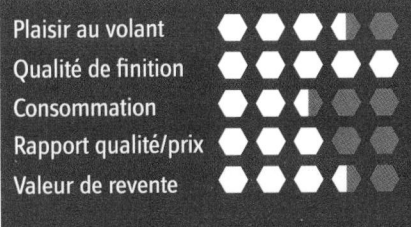

Plaisir au volant
Qualité de finition
Consommation
Rapport qualité/prix
Valeur de revente

Q5

www.audi.ca

N ÉVOLUTION É J

43 500 $ à 48 500 $
transport et préparation: 1300 $

LA COTE VERTE

AVEC MOTEUR V6 DE 3.2 L

- **Consommation (100km):** 12,61 l
- **Émissions polluantes CO_2 :** 6144 kg/an
- **Empreinte écologique (nombre d'arbres à planter par année):** 36
- **Indice d'octane:** 91
- **Autre motorisation:** non
- **Coût du carburant moyen par année:** 2816 $
- **Nombre de litres par année:** 2560 l

(SOURCE: ÉnerGuide)

1 FICHE D'IDENTITÉ

- **Versions** 3.2, 3.2 Premium,
- **Roues motrices** 4
- **Portières** 4 **Nombre de passagers** 5
- **Première génération** 2009
- **Génération actuelle** 2009
- **Construction** Bratislava, Slovaquie
- **Sacs gonflables** 6, frontaux, latéraux avant et rideaux latéraux (latéraux arrière en option)
- **Concurrence** Acura RDX, BMW X3, Mercedes-Benz GLK, Volkswagen Tiguan, Volvo XC60, Infiniti EX35, Infiniti EX37

2 AU QUOTIDIEN

- **Prime d'assurance**
  25 ans : 1700 $ à 1900 $
  40 ans : 1400 $ à 1600 $
  60 ans : 1100 $ à 1300 $
- **Collision frontale** nm
- **Collision latérale** nm
- **Ventes du modèle l'an dernier**
  Au Québec nm **Au Canada** nm
- **Dépréciation** (1 an) nm
- **Rappels** (2004 à 2009) nm
- **Cote de fiabilité** nm

3 GARANTIES... ET PLUS

- **Garantie générale** 4 ans/80 000 km
- **Garantie motopropulseur** 4 ans/80 000 km
- **Perforation** 12 ans/kilométrage illimité
- **Assistance routière** 4 ans/kilométrage illimité
- **Nombre de concessionnaires**
  Au Québec 7 **Au Canada** 35

4 NOUVEAUTÉS EN 2010

- Nouvelles couleurs, pneus d'été de performance 20po

OBJECTIF ATTEINT

PAR ALEXANDRE CRÉPAULT

AUTREFOIS, DU CÔTÉ DES ALLEMANDS, BMW AVAIT L'EXCLUSIVITÉ SUR LE MARCHÉ DES VÉHICULES MULTISEGMENTS COMPACTS DE LUXE. Aujourd'hui, ces véhicules sont en pleine expansion d'un bout à l'autre de la planète. Face à la demande croissante, Audi a répondu en donnant un petit frère au Q7, le Q5.

[CARROSSERIE] Le Q5 est ni plus ni moins une A4 qui a pris des vitamines. Basé sur la même plateforme, il nous surprend avec une longueur plus courte de trois pouces. En contrepartie, il se révèle plus large et plus haut sur pattes que sa sœur, la berline. Monté sur un podium de roues qui passent de 18 à 20 pouces selon le modèle et les options, le Q5 présente des dimensions extérieures semblables à celles de la concurrence (X3, GLK, RDX, XC60, EX37...). Sa ressemblance avec le Q7 est frappante, et sa grande calandre en forme de trapèze inversé l'étiquette comme un produit Audi au premier coup d'œil. Pour les mordues d'esthétique, l'ensemble S-Line transforme un déjà très beau Q5 en un véhicule qui a une gueule à tout casser. Vous ne passerez pas inaperçu. Ça c'est garantie !

[HABITACLE] De la berline A4 à la sportive R8, on reconnaît l'intérieur d'une cabine Audi à des lieues à la ronde. Au centre du tableau de bord trône un écran à haute résolution de 6,5 pouces qui affiche les diverses fonctions de l'habitacle ou du système de navigation. On aura le contrôle à partir d'une molette d'utilisation plus ou moins intuitive placée dans la console centrale. Quelles que soient les options choisies, la qualité des matériaux dans le Q5 (bois, aluminium et cuir) est irréprochable. Il y a un bon espace pour les passagers arrière, et le grand toit ouvrant panoramique, de série sur le modèle Premium, accentue l'impression d'espace à bord du Q5. Le volume du coffre, quant à lui, est légèrement supérieur à celui de l'A4 Avant – quoique plus petit que la moyenne dans le créneau.

[MÉCANIQUE] Cette insistance à intégrer une technologie hybride au Q5 m'échappe complètement. Pourquoi une telle obsession ? Avec des moteurs aussi bien conçus que le 2-litres TDI hyper efficace et l'imposant V6 de 3 litres, puissant, propre, économique et qui carbure

FORCES • Conduite relaxante • Chaîne audio Bang & Olufsen : un incontournable pour les amateurs de musique • Jolie taille et belle silhouette

FAIBLESSES • Facture une fois qu'on lui ajoute quelques options • Espace utilitaire moindre que celui de la concurrence

aussi au diesel, je ne vois pas l'intérêt de dépenser temps et énergie dans un tel système. Ç'en vaut-il vraiment la peine ? Malgré tout, Audi persiste : une version hybride sera offerte chez nous sous peu et bien avant le diesel. Actuellement, le seul moteur « normal » à essence offert au Canada est le V6 de 3,2 litres qu'on trouve un peu partout dans la gamme Audi. Quant au 2-litres turbo à essence que VW et Audi partagent depuis déjà belle lurette, il a été exclu du programme, malgré sa présence dans le Q5 ailleurs dans le monde. Tous les Q5 vendus au Canada sont munis de la transmission intégrale quattro d'Audi.

[COMPORTEMENT] Au son d'un duo entre la San Francisco Symphony et Metallica sortant de la célèbre chaîne audio Bang & Olufsen offerte en option sur la version Premium, le Q5 transporte ses occupants dans un autre monde. Malgré les décibels hurlants, probablement dangereux pour mes tympans, tout est calme. Tout est parfait. La suspension absorbe naturellement les défauts de la route. La direction est juste assez précise, sans venir fatiguer le pilote. Le passage des rapports s'exerce aussi souplement qu'une ballerine. D'accord, le Q5 n'est pas le véhicule le plus sportif du monde. Ni même de sa catégorie, en réalité. Mais voilà, on s'en fiche. On apprécie la route, peu importe les conditions, peu importe la destination.

[CONCLUSION] Le Q5 en soi est un excellent véhicule. Je n'hésite pas à le suggérer. Son plus gros problème est une concurrence qui, elle aussi, fait des offres réellement alléchantes. On peut aussi lui reprocher de ne pas contenter les Canadiens avec au moins une des deux motorisations diesel d'Audi.

2e OPINION

JEAN-PIERRE BOUCHARD J'aime beaucoup le Q5. D'abord pour son allure de petit Q7, ensuite pour son confort et son agrément de conduite qui n'a rien de celui d'un utilitaire mais d'une voiture. D'une A4, en réalité.
La finition d'Audi est impeccable, tout comme le choix des matériaux. Le V6 est un moteur dont les performances n'appellent aucune critique. Souple et rapide. Lors de la présentation européenne, j'ai toutefois eu la possibilité de l'essayer en version à moteur de 2 litres turbo, le même utilisé par d'autres produits de la marque dont l'A4. Dommage que ce moteur relié à une boîte de vitesses automatique à 7 rapports ne soit pas offert au Canada.
Car il conviendrait parfaitement. Dommage aussi qu'aucun diesel ne soit offert. Pour le moment. Audi en a pourtant de si bons.
Je serais toutefois un peu embêté : Audi Q5 ou Mercedes-Benz GLK ? Car le GLK est, lui aussi et pour un peu moins cher, fort intéressant. Une question de goût ? D'image ?

5 FICHE TECHNIQUE

· Moteur
V6 3,2 l DACT, 270 ch à 6500 tr/min
couple 243 lb-pi à 3000 tr/min
Transmission automatique à 6 rapports avec mode manuel
0-100 km/h 7,2 s
Vitesse maximale 209 km/h (bridée)

· AUTRES COMPOSANTES
Sécurité active freins ABS, répartition électronique de force de freinage, assistance au freinage, contrôle de stabilité électronique
Suspension avant/arrière indépendante
Freins avant/arrière disques ventilés
Direction à crémaillère, assisté
Pneus Base 3.2 : P235/60R18,
Option 3.2 Premium,: P235/55R19, 255/45 R20

· DIMENSIONS
Empattement 2807 mm
Longueur 4629 mm
Largeur 1880 mm
Hauteur 1653 mm
Poids 1895 kg
Diamètre de braquage 11,6 m
Coffre 540 l, 1560 l (sièges abaissés)
Réservoir de carburant 75 l
Capacité de remorquage 2000 kg

NOS MENTIONS

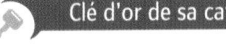

Clé d'or de sa catégorie
Modèle recommandé

NOTRE VERDICT

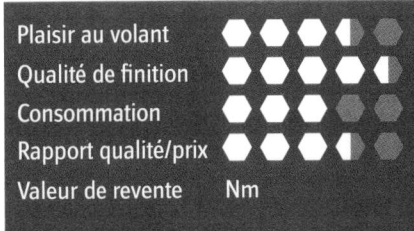

Plaisir au volant
Qualité de finition
Consommation
Rapport qualité/prix
Valeur de revente Nm

Q7

www.audi.ca

(N) ÉVOLUTION (É) (J)

54 200 $ à 75 200 $
transport et préparation: 1300 $

LA COTE VERTE

AVEC MOTEUR V6 DE 3.0 L DIESEL

- **Consommation (100km):** 10,6 l
- **Émissions polluantes CO_2 :** 5200 kg/an
- **Empreinte écologique (nombres d'arbres à planter par année):** 31
- **Indice d'octane:** Diesel
- **Autre motorisation:** Diesel
- **Coût du carburant moyen par année:** 2080 $
- **Nombre de litres par année:** 2080 l

(SOURCE: ÉnerGuide)

1 FICHE D'IDENTITÉ

- **Versions** 3.0 l Diesel premium, 3.6, 3.6 Premium, 4.2
- **Roues motrices** 4
- **Portières** 4 **Nombre de passagers** 7
- **Première génération** 2007
- **Génération actuelle** 2007
- **Construction** Bratislava, Slovaquie
- **Sacs gonflables** 6, frontaux, latéraux avant et rideaux latéraux (latéraux arrière en option)
- **Concurrence** Acura MDX, BMW X5, Cadillac SRX, Infiniti FX, Land Rover LR3, Lexus RX/GX, Mercedes-Benz ML, Porsche Cayenne,Volkswagen Touareg, Volvo XC90

2 AU QUOTIDIEN

- **Prime d'assurance**
  25 ans: 3000 à 3200 $
  40 ans: 2000 à 2200 $
  60 ans: 1400 à 1600 $
- **Collision frontale** 5/5
- **Collision latérale** 5/5
- **Ventes du modèle de l'an dernier**
  Au Québec 251 **Au Canada** 1269
- **Dépréciation** (2 ans) 32,9 %
- **Rappels** (2004 à 2009) 1
- **Cote de fiabilité** 3,5/5

3 GARANTIES... ET PLUS

- **Garantie générale** 4 ans/80 000 km
- **Garantie motopropulseur** 4 ans/80 000 km
- **Perforation** 12 ans/kilométrage illimité
- **Assistance routière** 4 ans/kilométrage illimité
- **Nombre de concessionnaires**
  Au Québec 7 **Au Canada** 35

4 NOUVEAUTÉS EN 2010

- Phares bixénon avec feux de jour et clignotants à DEL (en option sur les modèles 3.6 / TDI)
  Feux arrière à DEL

NOUVEAU SOURIRE

PAR BENOIT CHARETTE

DEPUIS SES DÉBUTS À L'AUTOMNE 2006, LE Q7 AVAIT TOUJOURS CONSERVÉ LE MÊME ASPECT. L'arrivée récente d'une version diesel a permis, selon les concessionnaires qui ont été consultés, de garder les ventes à flot au Canada, même en ces moments difficiles. Pour 2010, Audi a donc décidé de jouer d'un peu d'esthétique pour rajeunir le roi des utilitaires de la famille qui entame sa quatrième année sur le marché.

[CARROSSERIE] On pourrait utiliser les termes retouche, restylage, car l'essentiel du véhicule demeure intact. Les petits changements sont uniquement cosmétiques. Les évolutions sont minimes. On note l'apparition de nouveaux feux et de clignotants à diodes électroluminescentes (DEL) à l'avant et à l'arrière du véhicule. La face avant intègre désormais un bouclier légèrement retouché à l'image des plus récents produits Audi ainsi qu'une calandre « single frame » entièrement chromée. Et c'est à peu près tout. Ah si ! On allait oublier la nouvelle baguette chromée sur la ligne de caisse. Signalons au passage que, désormais chez Audi, le coloris haut de gamme est le marron. L'ensemble de ces changements visuels lui confère un air plus assuré, sa grande calandre ajoute une touche sportive, ce n'est pas grand-chose, mais juste ce qu'il faut pour le garder en selle encore deux ou trois ans.

[HABITACLE] À l'intérieur, c'est toujours la grande classe. Le Q7, qui reçoit cette année des compteurs cerclés de chrome, comporte plus de boiseries et, surtout, le système de navigation MMI de troisième génération. Un système qui fournira à l'utilisateur une navigation en 3D et la circulation en direct; on pourra le commander au moyen d'une petite manette ou par la voix. Il faut également noter la disparition des versions à cinq places. Désormais, le Q7 n'est plus proposé qu'en sept places. La console demeure très chargée, mais l'apprentissage se fait assez rapidement. La qualité des matériaux demeure la référence dans cette catégorie.

[MÉCANIQUE] Si les moteurs à essence ont fourni l'essentiel de la puissance à ces véhicules depuis quatre ans, c'est le nouveau moteur diesel

FORCES • Moteur diesel • Suspension pneumatique • Finition et matériaux Tenue de route

FAIBLESSES •Format pas toujours pratique • Accès difficile pour la 3e rangée

qui vole la vedette cette année. Le V6 diesel de 3 litres développe une puissance de 225 chevaux et consomme moins de 10 litres aux 100 kilomètres, en moyenne. Pour 2010, Audi offre la version « Clean » de ce moteur, équipée d'un convertisseur catalytique d'oxydation et d'un réservoir de liquide *AdBlue*, en plus du pot catalytique de série et du filtre à particules. De son côté, le moteur V8 de 4,2 litres a été révisé. Il livre toujours une puissance de 350 chevaux, mais offrira une consommation de carburant plus faible par rapport à l'an dernier. Le moteur V6 d'entrée de gamme demeure inchangé. Tous les moteurs sont équipés d'une boîte de vitesses automatique à 6 rapports et de la transmission intégrale Audi.

[COMPORTEMENT] Afin de devenir un véhicule plus respectueux de l'environnement, le Q7 dispose maintenant d'un système de récupération d'énergie au freinage. Pour réduire les consommations et les émissions, Audi a également fait subir un régime minceur à son Q7 en employant l'aluminium pour le capot, les ailes ainsi que le hayon. Pour avoir fait l'essai du moteur diesel, ce dernier n'a rien à envier aux autres moteurs pour ce qui est de l'agrément de conduite. Il est plus prompt que le V6 ordinaire et offre plus de couple que le V8. Vous aurez peine à entendre son ronronnement tellement il est raffiné et silencieux; et avec le nouveau diesel propre, Audi annonce une consommation encore plus faible que le diesel d'origine. Vous avez le meilleur de tous les mondes. Franchement, je ne vois pas pourquoi vous iriez faire l'achat d'un autre modèle. Et si vous avez une seule option à choisir, optez pour la suspension pneumatique qui permet non seulement d'affronter avec aisance tous les terrains, route et hors route, mais donne des airs de ballerine à ce rhinocéros. Le sentiment de conduire un véhicule plus petit qu'il ne l'est en réalité est encore augmenté avec cette suspension.

[CONCLUSION] Je l'ai souligné l'an dernier et je me répète cette année, c'est le modèle diesel maintenant offert en version propre qui est votre seul choix logique.

2e OPINION

FRÉDÉRIC MASSE Il est gros et puissant, mais son design parvient à le dissimuler, même parmi les plus écolos. C'est évidemment une force. Son autre force : sa versatilité. Il combine le chic d'une randonnée lors d'une soirée mondaine à la robustesse d'un coureur des bois. Transportant sept passagers, le Q7 vous permettra de trimbaler la moitié de l'équipe de soccer ou la gang au camp de chasse. Si on prend en compte l'offre du moteur TDI de 3 litres qui produit un couple de 406 livres-pieds dès 1750 tours par minute, on ajoute une qualité de plus au gros camion. Combinez le confort général de la machine, un habitacle impeccable et vous trouvez la recette pour un vrai camion qui réussira, même dans un marché en déconfiture, à tirer son épingle du jeu.

5 FICHE TECHNIQUE

· (TDI)
V6 3,0 l turbo, 225 ch à 4350 tr/min
Couple 406 lb-pi à 1750 tr/min
Transmission automatique à 6 rapports avec mode manuel
0-100 km/h 8,4 s **Vitesse maximale** 209 km/h

· (3.6)
V6 3,6 l DACT, 280 ch à 6200 tr/min
Couple 266 lb-pi à 2750 tr/min
Transmission automatique à 6 rapports avec mode manuel
0-100 km/h 9,1 s **Vitesse maximale** 209 km/h
Consommation (100 km) 12,6 l
Émissions de CO_2 6144 kg/an
Litres par année 2560 l **Coût par an** 3840 $
Autre motorisation non
Empreinte écologique 36 arbres

· (4.2)
V8 4,2 l DACT, 350 ch à 6800 tr/min
Couple 325 lb-pi à 3500 tr/min
Transmission automatique à 6 rapports avec mode manuel
0-100 km/h 7,0 s **Vitesse maximale** 209 km/h
Consommation (100 km) 14,6 l (octane 91)
Émissions de CO_2 7152 kg/an
Litres par année 2980 l **Coût par an** 4470 $
Autre motorisation non
Empreinte écologique 42 arbres

· AUTRES COMPOSANTES
Sécurité active freins ABS, répartition électronique de force de freinage, assistance au freinage, antipatinage, contrôle de stabilité électronique
Suspension avant/arrière indépendante
Freins avant/arrière disques ventilés
Direction à crémaillère, assistée
Pneus De série : P255/55R18
Base V8 option V6: P275/45R20
V8 option : P295/3521R

· DIMENSIONS
Empattement 3002 mm
Longueur 5086 mm
Largeur 1983 mm
Hauteur 1737 mm
Poids 3.6 2275 kg **3.6 Premium** 2290 kg
4.2 2390 kg 4.2 **Premium** 2480 kg
3.0 TDI 2500 kg
Diamètre de braquage 12 m
Coffre 309 l, 2052 l (sièges abaissés)
Réservoir de carburant 100 l
Capacité de remorquage 3500 kg

NOS MENTIONS

☺ Modèle recommandé

NOTRE VERDICT

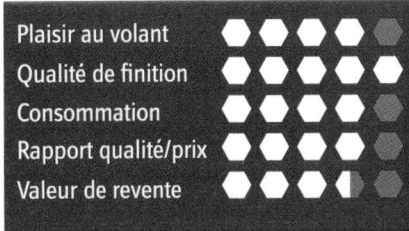

Plaisir au volant
Qualité de finition
Consommation
Rapport qualité/prix
Valeur de revente

TT

www.audi.ca

N ÉVOLUTION É J

49 350 $ à 61 900 $
transport et préparation: 1300 $

LA COTE VERTE

AVEC MOTEUR L4 DE 2.0 L

- Consommation (100km): 7,7 l cab. 8,1 l
- Émissions polluantes CO_2 : 3744 kg/an **cab.** 3936 kg/an
- Empreinte écologique (nombre d'arbres à planter par année): 22
- Indice d'octane: 91
- Autre motorisation: non
- Coût du carburant moyen par année: 1716 $ **cab.** 1804 $
- Nombre de litres par année: 1560 l **cab.** 1640 l

(source: ÉnerGuide)

1 FICHE D'IDENTITÉ

- **Versions** TT coupé, cabriolet, TTS coupé, cabriolet
- **Roues motrices** 4
- **Portières** 2 **Nombre de passagers** 2+2 (coupé) 2 cabrio
- **Première génération** 2000
- **Génération actuelle** 2007
- **Construction** Gyösr, Hongrie
- **Sacs gonflables** 6, frontaux, latéraux avant et rideaux latéraux
- **Concurrence** BMW Z4, Infiniti G37 Coupé, Mercedes-Benz SLK, Nissan 370Z, Porsche Cayman

2 AU QUOTIDIEN

Prime d'assurance
25 ans: 2800 à 3000 $
40 ans: 1400 à 1600 $
60 ans: 1100 à 1300 $

- **Collision frontale** 5/5
- **Collision latérale** 5/5
- **Ventes du modèle de l'an dernier** Au Québec 183 **Au Canada** 660
- **Dépréciation** (3 ans) 27%
- **Rappels** (2004 à 2009) 2
- **Cote de fiabilité** 3,5/5

3 GARANTIES... ET PLUS

- **Garantie générale** 4 ans/80 000 km
- **Garantie motopropulseur** 4 ans/80 000 km
- **Perforation** 12 ans/kilométrage illimité
- **Assistance routière** : 4 ans/kilométrage illimité
- **Nombre de concessionnaires** **Au Québec** 7 **Au Canada** 35

4 NOUVEAUTÉS EN 2010

- Modèle 3,2 quattro discontinué, 2,0T traction avant discontinué. Changement design intérieur, nouvelle roues optionnelles de 18 pouces

L'ICÔNE D'INGOLSTADT

PAR PHILIPPE LAGUË

UNE ICÔNE, C'EST CE QUI A LONGTEMPS MANQUÉ À LA MARQUE ALLEMANDE AUDI. La firme d'Ingolstadt avait beau posséder un bagage technique comparable, supérieur même, à celui de ses rivaux de Stuttgart (Mercedes-Benz) ou Munich (BMW), il lui manquait un modèle capable de passer à la légende. Jusqu'à ce qu'apparaisse, au tournant du XXIe siècle, un objet appelé TT.

[CARROSSERIE] Les rivales de la TT ont pour nom Porsche Boxster et Cayman, BMW Z4 et Nissan 370 Z. Comme elles, l'Audi se décline en deux configurations, coupé et décapotable. Le coupé est du type 2+2, avec deux minuscules places à l'arrière. L'espace pour les jambes a été accru, mais pour la tête, c'est toujours aussi restreint, en raison de la forte inclinaison du toit et de la lunette. La décapotable est une stricte deux-places, comme ses rivales.

[HABITACLE] Comme toujours, la finition est superbe, et l'assemblage, impeccable. L'ergonomie est, elle aussi, exemplaire, avec des commandes d'utilisation intuitive et d'accès facile. Malgré la vocation ludique de cette voiture, le côté pratique n'a pas été négligé; les espaces de rangement sont nombreux, et la capacité du coffre est surprenante. La présence d'un hayon arrière en facilite l'accès. À l'avant, les baquets méritent une note parfaite : moelleux et enveloppants, ils proposent un confort de première, en plus d'offrir un excellent maintien. Le volant avec la partie inférieure carrée plutôt que ronde, façon F1, ajoute une touche d'originalité, en plus d'augmenter le dégagement pour les cuisses. Bien pensé.

[MÉCANIQUE] Côté mécanique, le menu n'a jamais été aussi étoffé et avec l'élimination de la version V6 3,2 litres cette année, seules les moteurs 4-cylindres vont survivre. L'offre débute avec un 4-cylindres turbo de 2 litres à injection directe, avare de sensations. Cela ne remet nullement en cause sa grande compétence : ce moteur est généreux en couple, très souple et il consomme peu. Pour satisfaire les puristes, Audi a ajouté non pas une, mais deux versions plus sportives, la S et la RS. La première utilise

FORCES • Réussite esthétique • Habitacle réussi • Consommation toujours raisonnable • Technologie de pointe • Comportement rigoureux • Utilisation 4 saisons

FAIBLESSES • Moteurs qui manquent de tempérament • Plus sérieuse que joueuse • Encore trop d'options

le même 4-cylindres suralimenté que la version de base, mais un turbocompresseur plus gros fait grimper la puissance à 265 chevaux. Deux boîtes de vitesses à 6 rapports sont offertes, l'une manuelle, l'autre automatique avec mode manuel. Dans le genre, c'est ce qui se fait de mieux outre-Rhin : sur le mode manuel, cette boîte surclasse celles de BMW et de Porsche. Ce n'est pas rien, vous en conviendrez.

[COMPORTEMENT] Le système quattro répartit le couple aux quatre roues à 85 % à l'avant et 15 % à l'arrière, dans des conditions normales. Sachant cela, on s'étonne guère que la TT devienne sous-vireuse quand on la pousse à la limite, comme une traction. En virage, cependant, la motricité demeure exceptionnelle. La direction est bien dosée, et son court rayon de braquage permet d'optimiser l'agilité de ce coupé, bien servi par son court empattement. La TT de deuxième génération est aussi plus confortable que sa devancière. Mais sa conduite reste avant tout cartésienne : la TT est plus sérieuse, moins joueuse que ses rivales. Munie de bons pneus d'hiver, la TTS ne craint ni le froid ni la neige. En effet, la transmission intégrale quattro d'Audi vous permet de la conduire en toutes saisons. En virage, ce système éprouvé procure une stabilité à toute épreuve. En mode sport, la suspension se raffermit quelque peu sans devenir inconfortable.

[CONCLUSION] La TT demeure l'une des plus belles voitures de la planète automobile. La deuxième génération affiche une allure un poil plus agressive, qui se ressent aussi dans son comportement. Cela dit, il ne faut pas s'attendre au dynamisme d'une Porsche; la TT joue la carte du grand tourisme en proposant un amalgame de confort, de raffinement et de performances, avec une solide tenue de route à la clé. Autre avantage, et non le moindre, elle peut être utilisée été comme hiver, grâce à sa transmission intégrale. Et pour couronner le tout, elle est fiable, aucun problème majeur n'ayant été rapporté après trois ans.

2e OPINION

DANIEL RUFIANGE Ce qu'elle est belle cette TT. Quand on se glisse à l'intérieur, on se sent tellement enveloppé et bien en selle qu'on se cherche un casque de pilote. Cette voiture est amusante à conduire, et on ne s'en lasse pas. Ce qui la rend si attrayante, outre ses lignes sensuelles, c'est le nombre de configurations possibles. On peut opter pour le cabriolet ou le coupé, et chacun peut recevoir le moteur à 4 cylindres de 2 litres turbo en version de base ou TTS. Si la boîte de vitesses manuelle est agréable à l'usage, la boîte DSG à embrayage double est grisante à utiliser. De plus, la transmission quattro agit comme des griffes de lion qui se plantent dans le bitume à chaque virage. Dans le créneau, elle demeure toutefois inférieure à la Porsche Boxster.

5 FICHE TECHNIQUE

· MOTEURS
L4 2.0 l turbo DACT, 200 ch à 5100 tr/min
Couple 207 lb-pi à 1700 tr/min
Transmission automatique à 6 rapports avec mode manuel
0-100 km/h 6,1 s
Vitesse maximale 209 km/h (bridé)

· (TTS)
L4 2 l DACT 265 ch à 6000 tr/min
Couple 258 lb-pi à 2500 tr/min
Boîte de vitesses à six vitesses à embrayage double avec commande électrohydraulique
0-100 km/h coup. 5,2 s. cabriolet 5,3 s.
Vitesse maximale 250 km/h (bridé)
Consommation (100 km) 8,3 l (octane 91)
Émissions de CO_2 nd
Litres par année man. 1650 l
Coût par an 1815 $
Autre motorisation: non
Empreinte écologique 30 arbres

· AUTRES COMPOSANTES
Sécurité active freins ABS, répartition électronique de force de freinage, assistance au freinage, antipatinage, contrôle de stabilité électronique
Suspension avant/arrière indépendante
Freins avant/arrière disques ventillés (TTS)
Direction à crémaillère, assistée
Pneus TT P225/50 R17 **TTS** P245/40R18
option S-Line P255/35R19

· DIMENSIONS
Empattement coup. 2468 mm
Longueur 4178 mm, **TTS** 4198 mm
Largeur 1842 mm, **TTS** 1957 mm
Hauteur 1352 mm **TTS** 1345 mm, **cab.** 1358 mm
Poids 2.0T 1345 kg, **TTS cabrio** 1350 mm
cab. 1420 kg
Diamètre de braquage 10,96 m
Coffre 371 l **TTS** 290 l
Réservoir de carburant 55 l **TTS** 60l

NOS MENTIONS

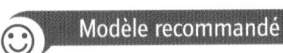

Modèle recommandé
Coup de coeur

NOTRE VERDICT

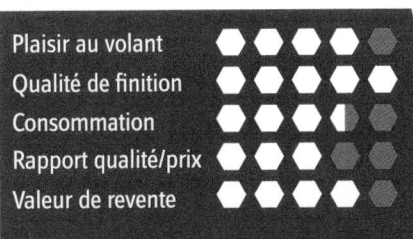

Plaisir au volant
Qualité de finition
Consommation
Rapport qualité/prix
Valeur de revente

R8

www.audi.ca

N ÉVOLUTION É J

141 000 $ à 184 500 $
transport et préparation: 1500 $

LA COTE VERTE

AVEC MOTEUR V8 DE 4.2 L

- **Consommation (100km):** 13,6 l
- **Émissions polluantes CO_2 :** 6720 kg/an
- **Empreinte écologique (nombre d'arbres à planter par année):** 39
- **Indice d'octane:** 91
- **Autre motorisation:** non
- **Coût du carburant moyen par année:** 3080 $
- **Nombre de litres par année:** 2800 l

(SOURCE: ÉnerGuide)

1 FICHE D'IDENTITÉ

- **Versions** V8 4,2 L et V10 5,2 L
- **Roues motrices** 4
- **Portières** 2 **Nombre de passagers** 2
- **Première génération** 2008
- **Génération actuelle** 2008
- **Construction** Neckarsulm, Allemagne
- **Sacs gonflables** 6 (frontaux, latéraux avant, rideaux latéraux; latéraux en option)
- **Concurrence** Aston Martin V8, BMW Série 6, Ferrari F458, Lamborghini Gallardo, Maserati GT, Mercedes-Benz SL, Porsche 911

2 AU QUOTIDIEN

- **Prime d'assurance**
  25 ans: 6900 $ à 7100 $
  40 ans: 4500 $ à 4700 $
  60 ans: 3900 $ à 4100 $
- **Collision frontale** 5/5
- **Collision latérale** 5/5
- **Ventes du modèle de l'an dernier**
  Au Québec 37 **Au Canada** 155
- **Dépréciation** (1 an) 7,8%
- **Rappels** (2004 à 2009) nm
- **Cote de fiabilité** nd

3 GARANTIES... ET PLUS

- **Garantie générale** 4 ans/80 000 km
- **Garantie motopropulseur** 5 ans/100 000 km
- **Perforation** 5 ans/kilométrage illimité
- **Assistance routière** : 4 ans/kilométrage illimité
- **Nombre de concessionnaires**
  Au Québec 7 **Au Canada** 35

4 NOUVEAUTÉS EN 2010

- Nouveau V10 5,2 l, nouveau matériel pour intérieur en fibre de carbone, Phares DEL (optionnel) pour version 4,2L et roues de 19po de couleur titane (optionel), nouvelles couleurs disponibles intérieur et extérieur

ENTRÉE RÉUSSIE

PAR PHILIPPE LAGUË

AUDI S'EST BÂTI UNE FORTE IMAGE EN COURSE AUTOMOBILE, D'ABORD EN RALLYE, AU DÉBUT DES ANNÉES 80, PUIS EN ENDURANCE, EN REMPORTANT LES 24 HEURES DU MANS HUIT FOIS AU COURS DES NEUF DERNIÈRES ANNÉES. Il ne restait plus qu'à transférer ce savoir-faire, cette expertise, dans une voiture de production. D'où la R8.

[CARROSSERIE] Moteur central, traction intégrale, carrosserie tout aluminium : Audi a fait les choses en grand. Visuellement, aussi : ce bolide pourrait très bien passer pour une création de Modène ou Maranello. L'impact visuel n'a rien à envier à celui de sa cousine italienne, la Lamborghini Gallardo. Un bémol, toutefois : la partie centrale, qui fait tant jaser. Ce panneau situé derrière les portes brise la pureté des lignes. En revanche, la vitre arrière qui offre une vue directe sur le moteur fait un effet bœuf.

[HABITACLE] L'impact visuel est aussi fort quand on examine l'habitacle : volant semi-circulaire, façon F1 ; grille de sélection en échelle, façon Ferrari ou Lamborghini ; pédalier aluminium ; tableau de bord en forme de nacelle... Belle ambiance ! Comme toujours chez Audi, l'instrumentation est plus que complète, l'ergonomie, irréprochable, et la finition, très soignée. Quoi de mieux qu'un essai-marathon pour évaluer la qualité des sièges ? Pour avoir roulé près de 3 000 kilomètres en R8, je confirme que ces baquets sont irréprochables, tant pour le support que pour le confort. Malgré la hauteur du véhicule, les « grands 6-pieds » seront heureux de savoir qu'il y a beaucoup de dégagement pour la tête.

[MÉCANIQUE] La première cible de la R8 est allemande, comme elle : une certaine Porsche 911... Aux 6-cylindres de Zuffenhausen, la firme d'Ingolstadt a choisi d'opposer le V8 4,2 litres maison. La R8 peut aussi recevoir le V10 de 5,2 litres de la Gallardo, d'où son surnom de « Lamborghaudi ». Le grondement du V8 ravit l'oreille sportive. Pour situer les amateurs, ça se situe entre le cri primal de la Corvette et la sonorité bien ronde et riche du V8 Ferrari. Pas mal... Le V10 émet un son assez similaire et il faudra une oreille experte

FORCES · Look d'enfer · Ambiance à l'intérieur · Superbes moteurs · Boîte manuelle parfaite · Direction parfaite · Tenue de route phénoménale

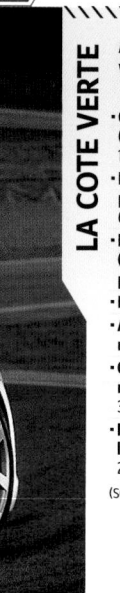

FAIBLESSES · Panneau central controversé · Grand rayon de braquage

pour différencier les deux. Très civilisé à vitesse de croisière, le V8 se déchaîne dès qu'on le titille. Généreux en couple, il ne raffole guère des envolées à haut régime. Tout le contraire du V10 qui, lui, s'en délecte ! Y a-t-il une si grosse différence entre le V8 et le V10 ? Au risque de choquer les puristes, la réponse est non. Écoutez, 420 chevaux ou 525, c'est comme avoir 20 ou 25 millions de dollars. La différence, elle compte sur une piste de course et pas ailleurs. Désolé pour les amateurs de boîtes séquentielles mais pour moi, c'est comme faire l'amour avec un condom. Si ce n'est pas nécessaire, je préfère sans. Question de sensations. Or, la boîte manuelle est un modèle d'étagement et de précision. Pourquoi s'en priver ?

[COMPORTEMENT] L'ennemi numéro 1 d'une sportive, c'est le poids, on ne le dira jamais assez. La R8 peut dire un gros merci à sa carrosserie tout aluminium, qui la rend plus légère que ses rivales à traction intégrale. L'agilité de la R8 impressionne, tout comme ses super-réflexes que lui confère sa direction. Celle-ci est parfaite : rapide, d'une précision chirurgicale d'une fermeté savamment dosée. La R8 est aussi très stable : même lorsqu'on effectue des changements de trajectoires brusques, elle reste imperturbable et dans les grandes courbes, son aplomb impressionne. La motricité exceptionnelle du système quattro y est pour beaucoup, en plus de contribuer à la tenue de route phénoménale de la R8. Si, si, phénoménale ! À l'extrême limite, elle devient survireuse mais si vous êtes rendu là, il est déjà trop tard...

[CONCLUSION] Audi a réussi de façon magistrale son entrée dans le très sélect créneau des voitures exotiques. D'entrée de jeu, la R8 rivalise sans complexe avec les meilleures sportives du moment, même les plus prestigieuses. Après s'être imposé aux 24 Heures du Mans, comme Porsche et Ferrari avant elle, la marque aux anneaux se permet maintenant de venir jouer dans leurs plates-bandes.

2e OPINION

FRÉDÉRIC MASSE J'apprécie les personnes qui embellissent notre vie, qui ajoutent quelque chose de spectaculaire et d'inattendu. Ce travail passe souvent par l'art, l'art de créer du beau et du nouveau. C'est ce à quoi me fait penser la R8, une super voiture qui m'a valu le plus grand nombre de pouces en l'air, de regards d'envie et de visages incrédules depuis fort longtemps. À mon avis, la R8 4.2 possède une qualité que bien peu de ses concurrentes peuvent se vanter d'avoir, un confort sans égal sans sacrifier la tenue de route. Aidée par des pneus gigantesques, un châssis tout en aluminium (qu'elle partage aussi avec la cousine Lamborghini de Sant'Agata Bolognese), une direction à la précision chirurgicale (dont le volant est admirable), une transmission intégrale qui envoie normalement 65 % de la puissance à l'arrière et une suspension magnétique à faire rêver (une option essentielle sur le V8, de série sur le V10), la R8 dispose d'un arsenal peu commun et, surtout, impressionnant pour le prix demandé.

5 FICHE TECHNIQUE

· MOTEUR
V8 4,2 l DACT, 420 ch à 7800 tr/min
Couple 317 lb-pi à 6000 tr/min
0-100 km/h 4,6 s
Vitesse maximale 300 km/h (bridée)

· V10 5,2 l DACT 525 ch à 8000 tr/min
Couple 390 lb-pi à 6500 tr/min
Transmission manuelle à 6 rapport, manuelle automatisée à 6 rapport (en option)
0-100 km/h 3,9 s. (estimé.)
Vitesse maximale 316 km/h (bridée)
Consommation (100 km) man. 15,4 l **man auto** 14,9 (octane 91)
Émissions de CO2 man. 7536 kg/an man **auto.** 6768 kg/an
Litres par année man. 7536 l **man auto.** 2820 l
Coût par an man. 3454 $ **man auto.** 3105 $
Carburant alternatif non
Empreinte écologique 37 arbres

· AUTRES COMPOSANTES
Sécurité active freins ABS, répartition électronique de force de freinage, assistance au freinage, antipatinage, contrôle de stabilité électronique
Suspension avant/arrière indépendante
Freins avant/arrière disques ventilés + perforés
Direction à crémaillère et pignon, assistée
Pneus P235/35ZR19 (av.) P295/30ZR19 (arr.)

· DIMENSIONS
Empattement 2650 mm
Longueur 4435 mm
Largeur 2029 mm
Hauteur 1252 mm
Poids 1560 kg
Diamètre de braquage 11,8 m
Coffre 100 l
Réservoir de carburant 90 l

NOS MENTIONS

Modèle recommandé
Coup de coeur

NOTRE VERDICT

Plaisir au volant
Qualité de finition
Consommation
Rapport qualité/prix
Valeur de revente Nm

MULSANNE

www.bentleymotors.com

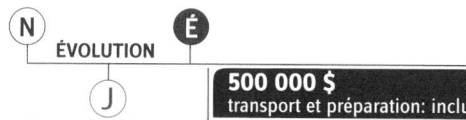

N ÉVOLUTION É J

500 000 $
transport et préparation: inclus

LA COTE VERTE

AVEC MOTEUR V8 DE 6,75 L

- **Consommation (100km):** 18,1 l
- **Émissions polluantes CO_2:** 8880 kg/an
- **Empreinte écologique (nombre d'arbres à planter par année):** 53
- **Indice d'octane:** 91
- **Autre motorisation:** non
- **Coût du carburant moyen par année:** 4070 $

Nombre de litres par année: 3700 l

(SOURCE: ÉnerGuide)

1 FICHE D'IDENTITÉ

- **Versions** unique
- **Roues motrices** quatre
- **Portières** 4 **Nombre de passagers** 4 ou 5
- **Première génération** 2011
- **Génération actuelle** 2011
- **Construction** Crewe, Angleterre
- **Sacs gonflables** 8 (frontaux, latéraux avant et arrière, rideaux latéraux)
- **Concurrence** Maybach 57/62, Rolls-Royce Phantom

2 AU QUOTIDIEN

- **Prime d'assurance**
  25 ans: 7700 à 8000 $
  40 ans: 5000 à 5400 $
  60 ans: 4000 à 4200 $
- **Collision frontale** nm
- **Collision latérale** nm
- **Ventes du modèle de l'an dernier**
  Au Québec nm **Au Canada** nm
- **Dépréciation** (3 ans) nm
- **Rappels** (2004 à 2009) nm
- **Cote de fiabilité** nm

3 GARANTIES... ET PLUS

- **Garantie générale** 3 ans/kilométrage illimité
- **Garantie motopropulseur** 3 ans/kilométrage ill.
- **Perforation** 3 ans/kilométrage illimité
- **Assistance routière** 3 ans/kilométrage illimité
- **Nombre de concessionnaires**
  Au Québec 1 **Au Canada** 3

4 NOUVEAUTÉS EN 2010

- Nouveau modèle

RETOUR AU SOMMET

PAR BENOIT CHARETTE

ELLE PORTE LE NOM D'UN CÉLÈBRE VIRAGE DU CIRCUIT DES 24 HEURES DU MANS, LIEU OÙ LA MARQUE S'EST RÉGULIÈREMENT ILLUSTRÉE AU DÉBUT DU 20^E SIÈCLE. La maison mère de Bentley, Volkswagen, a choisi le plus beau rassemblement de voitures classiques du monde pour présenter sa dernière-née, la célèbre exposition de Pebble Beach en Californie, le 16 août dernier. Bentley assure que ce modèle est nouveau, quasiment à part entière, et ce n'est ni une évolution ni une révision de l'Arnage, qu'elle remplace. Le premier modèle officiel présenté à Pebble Beach a d'ailleurs trouvé preneur pour 500 000 $ US, une somme qui est assez proche du tarif qui sera exigé pour la voiture.

[CARROSSERIE] La première Mulsanne a été produite en 1980 pour disparaître en 1992. Il s'agissait d'un véhicule dérivé des Continental T et Azure d'époque. Les lignes classiques sont donc les mêmes, les proportions également. Le style de la face avant subit tout de même quelques changements. Les optiques ronds sont revus et affichent de nouvelles positions. Deux petits optiques sont placés à l'extérieur pendant que les gros feux soutiennent le regard. Cette Mulsanne affiche un grand sourire en guise de calandre. Les concepteurs de l'unité de Bentley de Crewe ont concocté une limousine massive, plus encore que la Continental Fying Spur. La face avant relève un peu du camion, très sculptée, la calandre grillagée et chromée impose toujours, le bouclier amène un certain relief, tandis que les optiques à diodes en doubles paires rendent le regard de la Mulsanne étrange. On veut aller concurrencer directement son ancien partenaire Rolls-Royce, et la Flying n'était pas assez prestigieuse aux yeux de Bentley.

[HABITACLE] La voiture a été officiellement présentée aux médias lors du salon de l'auto de Francfort, avant d'aller sous presse. Nous avons donc peu d'information. Ce que nous avons pu apprendre de Bentley, c'est que la finition sera artisanale, on favorise le fait à la main et l'on aspire à fixer de nouveaux standards de confort. La barre est donc très haute. Bentley qui veut dépasser à ce chapitre Rolls-Royce au sommet du

+ −

FORCES • Image imposante • Luxe surréaliste • Exclusivité garantie

FAIBLESSES • Poids imposant • Facture surréaliste

MULSANNE

raffinement dans le secteur du luxe. Comme d'habitude, conducteur et passagers devraient prendre place dans un luxueux salon anglais. Facturée autour de 500 000 $, cette Bentley Mulsanne aura en effet à cœur de prendre ses distances avec la famille Continental, beaucoup plus abordable.

[MÉCANIQUE] L'un des éléments clés d'une Bentley est en effet sa réponse immédiate à l'accélérateur. Les moteurs W12 turbo de la GT qui développent jusqu'à 600 chevaux sont un exemple probant. Cette berline haut de gamme sera équipée d'une nouvelle version V8 de 6,75 litres biturbo de l'Arnage série L développant autour de 500 chevaux et produisant un couple de 738 livres-pieds (ce qui n'est pas de trop pour une dame si... distinguée). Bentley annonce cependant une consommation de carburant réduite de 20 % grâce à ce nouveau moteur.

[COMPORTEMENT] Côté technique, cette imousine risque de donner des boutons aux puristes. Elle pioche en effet allègrement dans la banque d'organes de Volkswagen. En y récupérant, notamment, la plateforme en aluminium de la future Audi A8, qui devrait permettre de perdre plusieurs kilos. Naturellement, le confort sera mis de l'avant, mais en riche héritière d'un passé glorieux sur les circuits routiers, il faudra tout de même lui administrer une bonne dose d'aides électroniques pour épauler ses quelque 500 chevaux.

[CONCLUSION] Près de 80 ans plus tard, tout en témoignant du respect pour son passé illustre, la nouvelle Mulsanne incarne de façon tout à fait moderne la conduite luxueuse et l'esprit grand tourisme. Entièrement pensée, dessinée et mise au point depuis le siège social de Bentley, à Crewe, en Angleterre, la Mulsanne, avec sa plateforme complètement nouvelle, passera à l'étape de la fabrication l'an prochain dans une nouvelle installation à la fine pointe de la technologie située à l'intérieur de l'usine de Crewe. Il faut croire qu'il reste encore assez de multimillionnaires sur la planète pour faire vivre un aussi petit marché.

(5) FICHE TECHNIQUE

· MOTEUR

V8 6,75 l biturbo, 500 ch à 4200 tr/min
Couple 738 lb-pi à 3200 tr/min
Transmission automatique à 6 rapports
0-100 km/h 5,5 s
Vitesse maximale 288 km/h

· AUTRES COMPOSANTES

Sécurité active freins ABS, assistance au freinage, distribution électronique de force de freinage, antipatinage, contrôle de stabilité électronique
Suspension avant/arrière indépendante
Freins avant/arrière disques ventilés
Direction à crémaillère, assistée
Pneus 21 pouces de série, 22 pouces en option

· DIMENSIONS

Empattement nd
Longueur nd
Largeur nd
Hauteur nd
Poids nd
Diamètre de braquage nd
Coffre nd
Réservoir de carburant nd

NOS MENTIONS

Coup de coeur

CONTINENTAL GT

www.bentleymotors.com

N ÉVOLUTION É J

199 100 $ à 226 100 $
transport et préparation: 3895 $

LA COTE VERTE

AVEC MOTEUR W12 DE 6,0 L

- **Consommation (100km):** 16 l
- **Émissions polluantes CO_2 :** **GT** 7920 kg/an **GTC** 8064 kg/an
- **Empreinte écologique (nombre d'arbres à planter par année):** 48
- **Indice d'octane:** 91
- **Autre motorisation:** non
- **Coût du carburant moyen par année:** **GT** 3630 $ **GTC** 3696 $
- **Nombre de litres par année:** **GT** 3300 l **GTC** 3360 l

(SOURCE: ÉnerGuide)

1 FICHE D'IDENTITÉ

- **Version** GT, GTC, GT Speed, GTC Speed
- **Roues motrices** 4
- **Portières** 2 **Nombre de passagers** 2+2
- **Première génération** 2004
- **Génération actuelle** 2004
- **Construction** Crewe, Angleterre
- **Sacs gonflables** 6 (frontaux, latéraux, rideaux latéraux)
- **Concurrence** Aston Martin DB9, Ferrari 612 Scaglietti, Mercedes-Benz CL600 / CL63 AMG / CL65 AMG

2 AU QUOTIDIEN

- **Prime d'assurance**
  25 ans : 7700 à 8000 $
  40 ans : 5000 à 5400 $
  60 ans : 4000 à 4200 $
- **Collision frontale** 5/5
- **Collision latérale** 5/5
- **Ventes du modèle l'an dernier**
  Au Québec nd **Au Canada** nd
- **Dépréciation** (3 ans) 41,5%
- **Rappels** (2004 à 2009) 4
- **Cote de fiabilité** 3/5

3 GARANTIES... ET PLUS

- **Garantie générale** 3 ans/kilométrage illimité
- **Garantie motopropulseur** 3 ans/kilométrage illimité
- **Perforation** 3 ans/kilométrage illimité
- **Assistance routière** 3 ans/kilométrage illimité
- **Nombre de concessionnaires**
  Au Québec 1 **Au Canada** 3

4 NOUVEAUTÉS EN 2010

- Aucun changement majeur

UN RÉGIME MINCEUR EN VUE

PAR BENOIT CHARETTE

SANS FAIRE DE BRUIT, LA CONTINENTAL EN EST À SA SEPTIÈME ANNÉE SUR LE MARCHÉ SANS CHANGEMENT IMPORTANT. Selon toute vraisemblance, les changements sont pour la cuvée 2011. Alors que l'actuelle génération reprend la base de la Volkswagen Phaeton, l'une des plus lourdes limousines que le marché ait connue. Le prochain modèle sera construit sur la plateforme de la future Audi A8, dévoilée cet automne à Francfort. On dit que la Continental maigrira ainsi de 400 kilos en troquant son châssis en acier pour un châssis en aluminium, beaucoup plus léger. La variante limousine Flying Spur et le cabriolet GTC profiteront évidemment de cette avancée, dès qu'ils seront renouvelés. Mais la révolution ne s'arrête pas là : la version berline devrait aussi se doter d'un moteur diesel, pour la première fois dans l'histoire de la marque. L'histoire ne dit toutefois pas si cette version passera de ce côté-ci de l'Atlantique; c'est peu probable.

[CARROSSERIE] Force est d'admettre que, même après sept ans, la Continental n'a pas pris une seule ride. Le coupé peut se vanter de figurer parmi les véhicules qui ont les plus belles lignes de la production automobile actuelle, lignes qu'il partage avec une autre marque d'origine anglaise, Aston Martin. Les concepteurs ont réussi un travail admirable, celui de camoufler les traits d'une voiture aussi grosse qu'un cheval de trait et de la transformer en un coureur de 100 mètres. Vous avez 2,4 tonnes d'acier qui ressemble presque à une gazelle, et cet effet de légèreté peut également s'appliquer à la version décapotable. Au jeu des différences, vous noterez que, pour reconnaître une version Speed sur la route, il faut regarder du côté des prises d'air avant, plus larges, et des grilles sombres sur la Speed. Les magnifiques jantes teintées « gunmetal » de 20 pouces et les sorties d'échappement plus imposantes et rainurées permettent de les différencier. Pour le reste, c'est bonnet blanc, blanc bonnet.

[HABITACLE] Rarement ai-je observé une telle débauche de luxe dans une voiture; mais attention, on ne verse jamais dans le « kitsch ». La

FORCES • Dieu qu'elle est belle ! • Orgie de puissance • Luxe surréaliste • Tenue de route impressionnante pour une si grosse bête

FAIBLESSES • Places arrière quasi décoratives • Moteurs gloutons

CONTINENTAL GT

belle anglaise a de la classe. L'odeur de cuir nous chatouille le nez dès qu'on prend place à bord. Toutes les parties non recouvertes de bois verni, de moquette épaisse ou de chrome s'habillent de cuir souple et soyeux de couleur chêne brûlé. Volkswagen, détentrice de la marque, ajoute sa rigueur habituelle, un écran de navigation empruntée à Audi, un sélecteur de vitesses Volks et les leviers de sélection au volant de Lamborghini, sans oublier l'horloge Breitling. Pour les places arrière, vos passagers devront être des enfants, de préférence en bas âge. On ne peut parler d'une quatre-places ici, mais bien d'une 2+2; la garde au toit très basse et l'espace pour les jambes très étriqué rendent la tâche de prendre place à l'arrière très difficile.

[MÉCANIQUE] Sous le capot, Volkswagen a placé le joyau technologique de la marques le 6-litres W12 (issu de deux VR6 de... Golf), qu'on retrouvait jusqu'à récemment dans l'Audi A8. Pour l'ennoblir, Bentley l'a gavé de deux turbos. En version « de base » ce bloc développe 552 chevaux. Mais ce n'est pas assez pour justifier l'appellation « Speed »... Ainsi, les ingénieurs redessinent les pistons, les bielles et le vilebrequin afin d'alléger l'ensemble et revoient la gestion électronique. Résultat des courses, la puissance augmente à 600 chevaux. Et attention, Bentley prépare pour l'an prochain une version Supersports verte et très rapide (présentée en mars 2009 à Genève) dont le moteur développera 620 chevaux et pourra fonctionner au bioéthanol.

[COMPORTEMENT] Pour absorber toute cette puissance, la Bentley utilise une version adaptée du système quattro d'Audi et une remarquable boîte de vitesses ZF à 6 rapports. Les rapports passent sans accroc, la GT tient la route avec acharnement grâce aux quatre roues motrices et à une gestion électronique très évoluée. Jamais on ne sent son poids, même en poussant. Les courbes serrées et le freinage sont les seuls indices de la masse imposante du bolide.

[CONCLUSION] Comme le disait un ami que vous connaissez sûrement aussi, si vous demandez le prix, c'est que vous n'avez pas les moyens de l'acheter. Tout est hors norme sur cette voiture. C'est le prix à payer pour l'exclusivité.

2e OPINION

PHILIPPE LAGUË La Bentley Continental est l'incarnation même de la démesure sur quatre roues. Son luxe est démesuré, sa puissance, ses performances, son prix, sa consommation... Mais il s'agit bel et bien d'une voiture d'exception. Évidemment, le confort est impérial. Là où ça se gâte, c'est à l'arrière. Comment une voiture aussi immense peut-elle offrir aussi peu de dégagement pour les jambes ? Vu ses dimensions titanesques, on se serait attendu à ce que la GTC se démarque des autres cabriolets en offrant quatre véritables places. La preuve que tout n'est pas parfait. Mais si vous avez la chance de voyager dans une GT un jour, même à l'arrière, vous vous en souviendrez longtemps.

5 FICHE TECHNIQUE

· MOTEURS

· (GT, GTC)

W12 6,0 l biturbo DACT, 552 ch à 6100 tr/min
Couple 479 lb-pi à 1600 tr/min
Transmission automatique à 6 rapports avec mode manuel
0-100 km/h 4,8 s
Vitesse maximale 318 km/h

· (GT SPEED/GTC Speed)

W12 6,0 l biturbo DACT, 600 ch à 6000 tr/min
Couple 553 lb-pi à 1700 tr/min
Transmission automatique à 6 rapports avec mode manuel
0-100 km/h 4,5 s
Vitesse maximale 326 km/h
Consommation (100 km) 18,5 l (octane 91)
Émissions de CO_2 9185 kg/an
Litres par année 3827 l
Coût par an 4210 $
Empreinte écologique 54 arbres

· AUTRES COMPOSANTES

Sécurité active freins ABS, antipatinage, contrôle de stabilité électronique
Suspension avant/arrière indépendante
Freins avant/arrière disques
Direction à crémaillère, assistée
Pneus GT/GTC P275/40ZR19 **(option GT)** P275/30ZR20 **GT Speed/GTC Speed** P275/35ZR20

· DIMENSIONS

Empattement 2745 mm
Longueur 4804 mm
Largeur 1965 mm
Hauteur 1390 mm **GT Speed** 1380 mm **GTC** 1398 mm
Poids GT/GT Speed 2350 kg **GTC** 2485 kg
Diamètre de braquage 11,2 m
Coffre cabriolet 260 l **coupé** 370 l
Réservoir de carburant 90 l

NOTRE VERDICT

Plaisir au volant
Qualité de finition
Consommation
Rapport qualité/prix
Valeur de revente Nd

FLYING SPUR

www.bentleymotors.com

N ÉVOLUTION É J

239 900 $ à 272 990 $
transport et préparation: inclus

LA COTE VERTE

AVEC MOTEUR W12 DE 6,0 L

- **Consommation (100km):** 16,4 l
- **Émissions polluantes CO_2 :** 8064 kg/an
- **Empreinte écologique (nombre d'arbres à planter par année):** 48
- **Indice d'octane:** 91
- **Autre motorisation:** non
- **Coût du carburant moyen par année:** 3696 $
- **Nombre de litres par année:** 3360 l

(SOURCE: ÉnerGuide)

1 FICHE D'IDENTITÉ

- **Version** Flying Spur, Flying Spur Speed
- **Roues motrices** 4
- **Portières** 4 **Nombre de passagers** 4 ou 5
- **Première génération** 2005
- **Génération actuelle** 2005
- **Construction** Crewe, Angleterre
- **Sacs gonflables** 6 (frontaux, latéraux, rideaux latéraux)
- **Concurrence** BMW 760Li, Mercedes-Benz S600, Maserati Quattroporte

2 AU QUOTIDIEN

- **Prime d'assurance**
  25 ans : 7700 à 8000 $
  40 ans : 5000 à 5400 $
  60 ans : 4000 à 4200 $
- **Collision frontale** 5/5
- **Collision latérale** 5/5
- **Ventes du modèle l'an dernier**
  Au Québec nd **Au Canada** nd
- **Dépréciation** (3 ans) nd
- **Rappels** (2004 à 2009) 3
- **Cote de fiabilité** 3/5

3 GARANTIES... ET PLUS

- **Garantie générale** 3 ans/kilométrage illimité
- **Garantie motopropulseur** 3 ans/kilométrage illi.
- **Perforation** 3 ans/kilométrage illimité
- **Assistance routière** 3 ans/kilométrage illimité
- **Nombre de concessionnaires**
  Au Québec 1 **Au Canada** 3

4 NOUVEAUTÉS EN 2010

- Aucun changement majeur

SALON SPORT

PAR BENOIT CHARETTE

AVEC L'ARRIVÉE, PLUS TARD EN 2010, DE LA NOUVELLE MULSANNE QUI REMPLACERA L'ARNAGE, VOUS ÊTES EN DROIT DE VOUS DEMANDER POURQUOI BENTLEY COMMERCIALISERA DEUX LIMOUSINES AU LUXE DÉMESURÉ DANS UN MÊME CRÉNEAU. La question est légitime, et la réponse est nuancée. La Flying Spur est une version à quatre portes de la très sportive Continental GT et joue la carte d'une grosse berline sport avec des capacités surprenantes pour un monstre de 2,5 tonnes. La Mulsanne, ce sera l'impérialisme roulant, la concurrente de la Rolls, qui placera le confort et la grande opulence en tête de liste, voilà pour la nuance.

[CARROSSERIE] Il est vrai que, à première vue, la Bentley Continental Flying Spur a tout d'un salon roulant. Mais derrière cette façade, « l'éperon volant » cache un tempérament sportif étonnant. Dérivée du coupé Continental GT, cette berline en reprend la face avant. Elle reprend logiquement la même apparence épurée et robuste que le coupé, symbolisée par son porte-à-faux avant court et son imposante calandre. En bonne garante de l'esprit anglais, Bentley préfère mettre l'accent sur une philosophie empreinte d'élégance et de discrétion. Sa taille en impose, mais sa silhouette demeure sobre, un principe cher à la philosophie Bentley.

[HABITACLE] Vous ne serez pas surpris d'apprendre que Bentley propose un confort optimal à tous ses occupants, avec un aménagement à la carte offrant deux choix de structures : quatre places avec la présence d'une console centrale entre les deux sièges arrière à réglage électrique, ou cinq places plus classiques sous la forme d'une banquette. Comme sur la Continental GT, aucune faute ne vient ternir l'intérieur de cette luxueuse berline. Le passage sous influence Volkswagen n'a aucunement altéré le séculaire esprit Bentley : on retrouve un univers spacieux et accueillant peuplé de boiseries et d'aérateurs chromés, et où l'expression « tendu de cuir » redécouvre tout son sens, avec pas moins de 11 textures de peaux différentes.

FORCES • Performances de super sportive • Efficacité du châssis • Confort et agrément de conduite

FAIBLESSES • Direction perfectible • Boîte paresseuse en rétrogradation • Poids

[MÉCANIQUE] Prenez deux moteurs VR6 de Volkswagen, ajoutez deux turbos et vous obtenez un W12 qui fait 552 chevaux dans sa version de base et qui permet d'atteindre 312 km/h, si vous trouvez un endroit pour tester les limites de la bête. Ce n'est pas suffisant ! Bentley a ajouté l'an dernier, comme dans la version Continental, une version Speed avec la même motorisation, mais une puissance portée à 600 chevaux. Pour ceux que cela intéresse, la vitesse de pointe est ainsi portée à 322 km/h, et vous mettez moins de 5 secondes pour franchir les 100 km/h départ arrêté. Pour un coffre-fort de 2,5 tonnes, c'est quelque chose. La puissance transige par l'entremise d'une boîte de vitesses automatique à 6 rapports, et la version Speed profite également de freins en carbo-céramique question d'avoir un freinage à la mesure des performances de la bête.

[COMPORTEMENT] Sur l'autoroute, bloqué à 120 km/h dans un silence complet, je me distrais un peu en testant les nombreux réglages des sièges qui, à la demande, chauffent, ventilent ou massent toutes les parties du corps qui s'ankylosent. Une fois sur les petites routes, je règle la voiture pour affronter les chemins sinueux. En proposant quatre réglages aux suspensions pneumatiques pilotées, la Flying Spur démontre un potentiel sportif surprenant. Il y a tout de même des lois de la physique qui sont immuables, comme l'inertie qui demande du doigté à l'entrée d'une courbe prononcée. Même le mode le plus sportif n'influe pas sur la direction, qui manque de prise directe avec la route. Reste que pour une limousine, elle fait très fort en matière de polyvalence.

[CONCLUSION] Si vous êtes parmi les rares personnes qui peuvent se permettre une Classe S 600 ou AMG ou une BMW 760, je voudrais ajouter la Flying Spur à votre liste. Si vous recherchez la rareté sans verser dans l'ostentatoire, vous avez une berline qui vous surprendra par son confort et ses performances.

2e OPINION

MICHEL CRÉPAULT L'habitacle se caractérise par la débauche de cuir, de bois, de moquette épaisse et d'aluminium que l'on est en droit d'attendre d'une Bentley. Dix-sept nuances de cuir sont offertes et l'on peut même choisir le type de points de couture. Ce cuir vient du Nord de l'Europe, là où il y moins d'insectes, afin d'obtenir une plus belle peau (11 sont nécessaires pour la voiture). Six essences de bois sont offertes (ronce de noyer de série). Et pour mettre la cerise sur le sundae, ce salon de grand luxe se déplace, sans limitateur à plus de 310 km/h. Et le pire dans tout cela est que ceux qui possèdent une Flying Spur possèdent en moyenne huit à dix autres véhicules tout aussi opulens. Il y a en a vraiment qui naviguent sur une autre planète.

5 FICHE TECHNIQUE

· MOTEURS
W12 6,0 l biturbo DACT, 552 ch à 6100 tr/min
Couple 479 lb-pi à 1600 tr/min
Transmission automatique à 6 rapports, séquentielle
0-100 km/h 5,2 s
Vitesse maximale 312 km/h

· (SPEED)
W12 6,0 l biturbo DACT, 600 ch à 6000 tr/min
Couple 553 lb-pi à 1700 tr/min
Transmission automatique à 6 rapports avec mode manuel
0-100 km/h 4,8 s
Vitesse maximale 322 km/h
Consommation (100 km) 18,5 l (octane 91)
Émissions de CO_2 9185 kg/an
Litres par année 3827 l
Coût par an 4210 $
Autre motorisation non
Empreinte écologique 54 arbres

· AUTRES COMPOSANTES
Sécurité active freins ABS, antipatinage, contrôle de stabilité électronique
Suspension avant/arrière indépendante
Freins avant/arrière disques
Direction à crémaillère, assistée
Pneus P275/40R19 **Speed** 275/35ZR20

· DIMENSIONS
Empattement 3065 mm
Longueur 5290 mm
Largeur 1976 mm
Hauteur 1475 mm **Speed** 1465 mm
Poids 2440 kg
Diamètre de braquage 11,4 m
Coffre 475 l
Réservoir de carburant 90 l

NOTRE VERDICT

Plaisir au volant
Qualité de finition
Consommation
Rapport qualité/prix
Valeur de revente

SÉRIE 1

www.bmw.ca

N ÉVOLUTION É J

33 900 $ à 47 200 $
transport et préparation: 1995 $

LA COTE VERTE

MOTEUR
L6 DE 3.0

- **Consommation (100km):** 9,1 l **cab. autom.** 9,3 l
- **Émissions polluantes CO_2 :** 4464 kg/an **cab. autom.** 4560 kg/an
- **Empreinte écologique (nombre d'arbres à planter par année):** 27
- **Indice d'octane:** 91
- **Autre motorisation:** non
- **Coût du carburant moyen par année:** 2040 $ **cab. auto.** 2090 $

Nombre de litres par année: 1860 l **cab. autom.** 1900 l

(SOURCE: ÉnerGuide)

1 FICHE D'IDENTITÉ

- **Versions** coupé 128i, 135i, cabriolet 128i, 135i
- **Roues motrices** arrière
- **Portières** 2 **Nombre de passagers** 4
- **Première génération** 2008
- **Génération actuelle** 2008
- **Construction** Dingofling, Allemagne
- **Sacs gonflables** 6 (frontaux, latéraux avant, rideaux latéraux)
- **Concurrence** Audi A3, MINI Cooper S, Volvo C30

2 AU QUOTIDIEN

- **Prime d'assurance**
  25 ans : 3200 à 3400 $
  40 ans : 2000 à 2200 $
  60 ans : 1600 à 1800 $
- **Collision frontale** nd
- **Collision latérale** nd
- **Ventes du modèle l'an dernier**
  Au Québec 517 **Au Canada** 2212
- **Dépréciation** (1 an) 17,4%
- **Rappels** (2004 à 2009) aucun à ce jour
- **Cote de fiabilité** nd

3 GARANTIES... ET PLUS

- **Garantie générale** 4 ans/80 000 km
- **Garantie motopropulseur** 4 ans/80 000 km
- **Perforation** 12 ans/kilométrage illimité
- **Assistance routière** 4 ans/kilométrage illimité
- **Nombre de concessionnaires**
  Au Québec 8 **Au Canada** 40

4 NOUVEAUTÉS EN 2010

- Aucun changement majeur.

DANS LES PETITS POTS...

DANIEL RUFIANGE

LES BMW SÉRIE 3 ACTUELLES ONT TELLEMENT GAGNÉ EN DIMENSIONS QU'ELLES SE MONTRENT AUSSI VOLUMINEUSES ET SPACIEUSES QUE LES SÉRIE 5 DES ANNÉES 80. Cette réalité a laissé la gamme des produits BMW sans véritable véhicule d'entrée de gamme. L'an dernier, l'arrivée de la Série 1 est venue combler ce vide. BMW a retrouvé sa petite voiture sportive et agile. Est-ce une béhème à part entière ?

[CARROSSERIE] Trapues, musclées et agressives. Voilà trois qualificatifs qui résument l'apparence des lignes de la Série 1. Ce coupé, offert avec ou sans toit, se décline en deux versions, soit la 128i et la 135i. Les deux font tourner les têtes. J'avoue que le cabriolet me séduit particulièrement, mais je stationnerais bien un coupé devant chez moi. Si l'on a reproché à ces voitures leur profil efféminé, on admire ce capot allongé qui semble prêt à fendre l'air et ces gros phares au regard... allumé! Les différences entres les deux versions sont subtiles. On remarque surtout des entrées d'air plus massives sur la 135i, question de bien aérer les deux turbos campés sous le capot. Notons également que la 128i hérite de jantes de 17 pouces, alors que la 135i voit son allure embellie grâce à des roues de 18 pouces.

[HABITACLE] Même si la Série 1 est, toutes proportions gardées, un modèle réduit des autres voitures de la marque, on a respecté l'esprit et le design tout BMW à l'intérieur. On comprendra que, malgré la présence de cuirs et de plastiques de qualité, on prend place dans une Série 1, pas une Série 3. Mais vous savez quoi ? On s'en balance éperdument ! Dans les faits, on se sent tellement bien dans les sièges, particulièrement ceux si moulants de la 135i, qu'on a juste envie de prendre la route, pas d'admirer l'intérieur. C'est une bonne chose car la présentation demeure très sobre, plate même. Les espaces de rangement sont plutôt nuls, et la présence mal foutue des porte-gobelet, surtout celui du passager, qui est fixé à la console centrale, nous donne envie de l'arracher et de le passer par-dessus bord. À l'arrière, c'est plutôt... restreint. En réalité, il est plus facile de monter à bord du cabriolet en sautant au-dessus de la portière qu'en tentant de

+ −

FORCES • Enivrante à conduire • Gueule d'enfer • Moteur de la 135i • Consommation raisonnable

FAIBLESSES • Places arrière exiguës • Chère, trop chère une 135i • Prix des options • Présentation intérieure fade

s'infiltrer derrière la banquette avant repliée. Pas conçue pour les passagers cette Série 1 !

[MÉCANIQUE] Il n'y a pas que la carrosserie de la Série 1 qui possède du charme. Le moteur installé à l'avant a tout pour séduire. Si le 6-cylindres en ligne de 3 litres de la 128i produit suffisamment de puissance pour satisfaire tout amateur de conduite, imaginez la réaction qu'on obtient avec la puissance de 300 chevaux et le couple aussi impressionnant du 6-cylindres en ligne de 3 litres à double turbo. On a l'impression d'être propulsé par un réacteur. Pourtant, le 0 à 100 km/h s'efface en 5,4 secondes; c'est bien mais pas exceptionnel; mais la sensation elle, l'est. Toute cette puissance peut s'exploiter par l'entremise d'une boîte de vitesses manuelle ou d'une automatique STEPTRONIC, leviers de sélection au volant en option, les deux à 6 rapports.

[COMPORTEMENT] Vous aurez deviné que la conduite de la Série 1 est plutôt agréable. Parfois, on retourne nos voitures de presse sans pincement au cœur. Quand on retourne une Série 1, on y pense encore pendant quelques jours; c'est vous dire l'attrait que sa conduite exerce sur nos sens. Outre la puissance disponible, on apprécie sa direction incisive, sa douceur de roulement et son freinage très efficace. De plus, son équilibre en virage, résultat d'une répartition quasi parfaite du poids – 48,4 % à l'avant et 51,6 % à l'arrière – permet de les attaquer avec beaucoup d'agressivité.

[CONCLUSION] L'endimanchement de la Série 3 avait laissé BMW sans une véritable petite voiture sportive, à condition d'oublier la Z4 qui ne cadre pas vraiment dans cette catégorie. La Série 1 est venue combler ce vide et de façon spectaculaire en plus. Allez en conduire une !

2e OPINION

ALEXANDRE CRÉPAULT Bien qu'elle soit populaire en Europe, la petite Série 1 de BMW n'a pas causé le même effet en Amérique du Nord. Il s'agit pourtant d'un très bon produit, extrêmement puissant dans la version 135i et amusant au possible en version cabriolet. Le dicton « dans les petits pots les meilleurs onguents » lui va à merveille. Par contre, le prix n'est pas aussi convaincant qu'on pourrait le croire : facture initiale à peine 1000 $ de moins que celle de sa grande sœur, la Série 3. L'ajout des versions à hayon et à moteur diesel, offerts en Europe, contribuerait probablement à augmenter la renommée du modèle. Une version réellement sportive de la Série 1, comme une M1, aurait aussi sa place, surtout que la 1 est plus balourde qu'agile.

5 FICHE TECHNIQUE

• MOTEURS

• (128i)
L6 3,0 l DACT, 230 ch à 6500 tr/min
Couple 200 lb-pi à 2750 tr/min
Transmission manuelle à 6 rapports, automatique à 6 rapports avec mode manuel (en option)
0-100 km/h man. 6,4 s **auto.** 7,0 s
cab. man. 6,7s **auto.** 7,3s.
Vitesse maximale 210 km/h (limitée)

• (135i)
L6 3,0 l biturbo DACT, 300 ch à 5800 tr/min
Couple 300 lb-pi à 1400 tr/min
Transmission manuelle à 6 rapports, automatique à 6 rapports avec mode manuel (en option)
0-100 km/h man. 5,4 s **auto.** 5,5 s **ca. man.**5,7s. **auto.** 5,8s.
Vitesse maximale 210 km/h (limitée)
Consommation (100 km) man. 9,9 l **autom.** 9,8 l. cab.man. 10,0 l. (octane 91)
Émissions de CO_2 man. 4848 kg/an **autom.** 4752 kg/an **cab.man.** 4944 kg/an
Litres par année man :2020 l. **auto :**2000 l. **cab. man.** 2040 l.
Coût par an man : 2222$ **auto :** 2040$ **cab. man.** 2244$
carburant alternatif non
Empreinte écologique 29 arbres

• AUTRES COMPOSANTES
Sécurité active freins ABS, répartition électronique de force de freinage, assistance au freinage, antipatinage, contrôle de stabilité électronique
Suspension avant/arrière indépendante
Freins avant/arrière disques ventilés
Direction à crémaillère, assistée
Pneus 128i P205/50R17 135i P215/40R18 (av.), P245/35R18 (arr.)

• DIMENSIONS
Empattement 2660 mm
Longueur 4373 mm
Largeur 1748 mm
Hauteur 128i 1423 mm **135i** 1408 mm **cab.** 1411 mm
Poids ber. 128i man. 1475 kg **auto.** 1510 kg **cab. man.** 1585 kg **auto.** 1620 **135i man.** 1530 kg **auto.** 1535 kg **cab. man.** 1660 kg, **auto.** 1665kg
Diamètre de braquage 10,7 m
Coffre 370 l **cab.** 260 à 305 l.(toit levé)
Réservoir de carburant 53 l

NOTRE VERDICT

Plaisir au volant
Qualité de finition
Consommation
Rapport qualité/prix
Valeur de revente

SÉRIE 3

www.bmw.ca

N ÉVOLUTION É J

34 900 $ à 65 600 $
transport et préparation: 1995 $

LA COTE VERTE

AVEC MOTEUR L6 DE 3,0 L TURBODIESEL

- **Consommation (100km):** 7,1 l
- **Émissions polluantes CO_2 :** 3812 kg/an
- **Empreinte écologique (nombre d'arbres à planter par année):** 23
- **Indice d'octane:** Diesel
- **Autre motorisation:** Diesel
- **Coût du carburant moyen par année:** 1412 $
- **Nombre de litres par année:** 1412 l

(SOURCE: ÉnerGuide))

1 FICHE D'IDENTITÉ

- **Versions** berl. 323i, 328i, 328ixDrive, 335i, 335ixDrive, 335d coupé 328i, 328ixDrive, 335i, 335ixDrive fam. 328ixDriveT cabrio 328i, 335i
- **Roues motrices** arrière, 4
- **Portières** 2, 4 **Nombre de passagers** 5
- **Première génération** 1981
- **Génération actuelle** 2006
- **Construction** Dingofling, Allemagne **Sacs gonflables** 6 (frontaux, latéraux avant, rideaux latéraux)
- **Concurrence** Acura TSX/TL, Audi A4, Cadillac CTS, Infiniti G37,Lexus IS, Lincoln MKZ, Mercedes-Benz Classe C, Volvo S40/V50/S60/V70

2 AU QUOTIDIEN

- **Prime d'assurance**
  25 ans : 1500 à 1700 $
  40 ans : 1400 à 1600 $
  60 ans : 1000 à 1200 $
- **Collision frontale** 4/5
- **Collision latérale** 5/5
- **Ventes du modèle l'an dernier**
  Au Québec 2552 **Au Canada** 11 754
- **Dépréciation** (3 ans) 44,4%
- **Rappels** (2004 à 2009) 2
- **Cote de fiabilité** 4/5

3 GARANTIES... ET PLUS

- **Garantie générale** 4 ans/80 000 km
- **Garantie motopropulseur** 4 ans/80 000 km
- **Perforation** 12 ans/kilométrage illimité
- **Assistance routière** 4 ans/kilométrage illimité
- **Nombre de concessionnaires**
  Au Québec 8 **Au Canada** 40

4 NOUVEAUTÉS EN 2010

- Aucun changement majeur

SIMPLEMENT LA MEILLEURE

PAR PHILIPPE LAGUË

DANS LE CRÉNEAU TRÈS CONCURRENTIEL DES BERLINES DE LUXE D'ENTRÉE DE GAMME, LA LUTTE EST FÉROCE, ET L'ON Y TROUVE DE GROS NOMS COMME AUDI, MERCEDES-BENZ, LEXUS, ACURA, VOLVO, SAAB... Tous des joueurs de premier plan et, pourtant, la BMW Série 3 demeure LA référence, la mesure-étalon. Celle que tous essaient de surpasser (ou à tout le moins égaler) depuis plus de 25 ans sans avoir réussi à y parvenir.

[CARROSSERIE] Dans ce segment, c'est la Série 3 qui compte le plus de versions et de configurations (coupé, berline, cabriolet et familiale) dans son catalogue. Un grand choix qui se traduit par une large échelle de prix, mais aussi une pléthore d'options, qui peuvent faire gonfler l'addition de façon indécente.

[HABITACLE] Comme toujours, la finition et l'assemblage sont irréprochables. Et c'est du solide : après quelques années, c'est toujours impeccable, pas de craquements ni de morceaux qui tombent (nous l'avons vérifié). La déco intérieure ne verse plus dans l'ascétisme comme dans les anciennes BMW. Les commandes demandent une période d'adaptation, mais elles sont bien placées et faciles à manipuler. Les sièges font partie des points forts de l'habitacle. Savamment rembourrés, ils se situent à mi-chemin entre un fauteuil et un siège orthopédique. La banquette arrière est du même calibre; bien sculptée, elle procure à ses occupants un bon maintien. Dans la berline, l'espace pour la tête et les jambes à l'arrière est compté, et c'est encore plus vrai dans les coupés et les cabriolets.

[MÉCANIQUE] Encore une fois, le menu est étoffé, avec pas moins de quatre motorisations, toutes à 6 cylindres. L'offre débute avec un 2,5-litres pour le modèle 323; un cran plus haut, la 328 a droit à un 3-litres et la 335 reçoit une version suralimentée de ce moteur. Une version diesel de ce 6-cylindres biturbo est aussi offerte. La 335d tient ses promesses, avec une moyenne de 7,4 litres aux 100 kilomètres. Mais là où ce moteur impressionne encore plus, c'est au chapitre du couple, dont le maximum (425 livres-pieds) est atteint à un régime aussi bas que 1 750 tours par minute. Le seul indice de la présence

+ −

FORCES • Variété de versions • Construction solide • Les meilleurs 6-cylindres du monde • Parfait équilibre confort-comportement • Agrément de conduite sans pareil • Fiabilité

FAIBLESSES • Options nombreuses et coûteuses • Commandes inutilement compliquées • Espace compté à l'arrière • Pas de transmission intégrale avec le moteur diesel

d'une motorisation diesel est le grognement qui se fait entendre quand on le met en marche; sinon, il est à la fois aussi véloce et aussi souple que les autres moteurs de la marque. La version essence du 3-litres turbo a cette onctuosité qui caractérise les moteurs de la marque, particulièrement les 6-cylindres, en plus d'être vif comme l'éclair : en accélération comme en reprise, la réponse est immédiate. La consommation, elle, demeure raisonnable pour un moteur de cette puissance. Les deux motorisations atmosphériques font encore mieux à ce chapitre. L'injection directe et l'ajout d'un sixième rapport, tant sur la boîte manuelle qu'automatique, contribuent à améliorer la consommation de ces moteurs.

2e OPINION

DANIEL RUFIANGE Même si elle frôle la trentaine et s'assagit avec les années, la Série 3 demeure une référence dans sa catégorie. L'espace manque ici pour énumérer toutes les livrées possibles. C'est vous dire à quel point chacun peut trouver SA Série 3. Du lot, j'ai trois coups de cœur. D'abord, la 328xi Touring; cette familiale est parfaite pour nos routes hivernales et ne donne qu'envie de se rendre à Tremblant faire du ski. Puis, la 335i, avec ou sans toit. Le moteur à 6 cylindres turbo de 3 litres qui l'équipe n'en finit plus de récolter des honneurs. Cet engin est performant et relativement économique à la pompe. Enfin, la 335d; on attendait tellement que BMW nous offre une motorisation diesel économe et performante; c'est fait !

[COMPORTEMENT] Aucune voiture de cette catégorie n'arrive à créer cette symbiose entre l'humain et la machine. Le plus beau dans tout cela, c'est qu'il n'est pas nécessaire de dépenser une fortune pour vivre pleinement « l'expérience BMW ». Les modèles de la Série 3 sont beaucoup moins chers que ceux des Séries 5 ou 7 et, pourtant, ce sont eux qui procurent le plus de plaisir. Outre la direction, rapide et ultra précise, un châssis très rigide ainsi qu'un poids raisonnable et judicieusement réparti sont les ingrédients qui composent cette combinaison imbattable, responsable de la maniabilité et de la tenue de route – exceptionnelle – de cette voiture. Et n'allez surtout pas croire que le confort a été sacrifié : la douceur de roulement se compare avantageusement à celle de rivales réputées comme Audi, Mercedes-Benz et Lexus.

[CONCLUSION] L'ajout de nouvelles versions et les améliorations apportées à chaque année ont fait en sorte que la Série 3 ne vieillisse pas. Son excellent bilan en matière de fiabilité lui vaut aussi d'être l'une des rares voitures allemandes à être recommandées par des publications qui font autorité dans ce domaine. Disons les choses clairement, sans détour : la BMW est l'une des meilleures voitures du monde. C'est aussi simple que ça.

5 FICHE TECHNIQUE

· MOTEURS

· (335d)
L6 3,0 l biturbo DACT, 265 ch à 4200 tr/min
Couple 425 lb-pi à 1750 tr/min
Transmission automatique à 6 rapports avec mode manuel
0-100 km/h 6,3 s
Vitesse maximale 210 km/h (bridée)

· (323i)
L6 2,5 l DACT, 200 ch à 6000 tr/min
Couple 180 lb-pi à 4000 tr/min
Transmission manuelle à 6 rapports, automatique à 6 rapports avec mode manuel (en option)
0-100 km/h 7,4 s
Vitesse maximale 210 km/h (bridée)
Consommation (100 km) man. 8,9 l **auto.** 9,0 l (octane 91)
Émissions de CO_2 man. 4416 kg/an
Litres par année man. 1840 l.
Coût par an man. 2024 $
Carburant alternatif non
Empreinte écologique 25 arbres

· (328i, 328xi)
L6 3,0 l DACT, 230 ch à 6500 tr/min
Couple 200 lb-pi à 2750 tr/min
Transmission manuelle à 6 rapports, automatique à 6 rapports avec mode manuel (en option)
0-100 km/h ber. 6,7 s **ber. xi** 7,2 s **coupé** 6,6 s **coupé xi** 7,1 s **fam.** 7,4 s
Vitesse maximale 210 km/h
Consommation (100 km) man. 10,0 l **auto.** 9,9 l (octane 91)
Émissions de CO_2 man. 4896 kg/an **auto.** 4848 kg/an
Litres par année man. 2040 l. **auto.** 2020 l.
Coût par an man. 2244 $ **autom.** 3333$
Carburant alternatif non
Empreinte écologique 29 arbres

· (335i, 335i xDrive)
L6 3,0 l biturbo DACT, 300 ch à 5800 tr/min
Couple 300 lb-pi à 1400 tr/min
Transmission manuelle à 6 rapports, automatique à 6 rapports avec mode manuel (en option)
0-100 km/h 5,7 s **Vitesse maximale** 210 km/h, 240 km/h (335i) (bridée)
Consommation (100 km) man. 10,0 l **auto.** 9,8 l.(octane 91)
Émissions de CO_2 man. 4944 kg/an **auto.** 4752 kg/an
Litres par année man.2060 l. **auto.** 1980 l.
Coût par an man. 2266$ **auto.** 2178$
Carburant alternatif non
Empreinte écologique 29 arbres

· AUTRES COMPOSANTES
Sécurité active freins ABS, répartition électronique de force de freinage, assistance au freinage, antipatinage, contrôle de stabilité électronique
Suspension avant/arrière indépendante
Freins avant/arrière disques ventilés
Direction à crémaillère, assistée
Pneus 323 P205/55R16 **328/335** P225/45R17 **335i** P225/40R18 (av) P255/35R18 (ar)

· DIMENSIONS
Empattement 2760 mm
Longueur 4541 mm **coupé** 4588 mm **fam.** 4537 mm
Largeur 1817 mm **coupé** 1782 mm
Hauteur 1421 mm **fam.** 1450 mm **coupé xi** 1395 mm **coupé** 1375 mm
Poids berl. **323i** 1530 kg **328i** 1555 kg **328ixDrive** 1655 kg **335i** 1635 kg **coupé 328i** 1550 kg **328ix Drive** 1655 kg **335i** 1635 kg **335d** 1735 kg. **fam.** 1730 kg
Diamètre de braquage 11,0 m xi 11,8 m
Coffre berl. 460 l **335i** 450 l **coupé** 440 l **335i** 430 l **fam.** 460 l 1385 l (sièges abaissés)
Réservoir de carburant 61 l

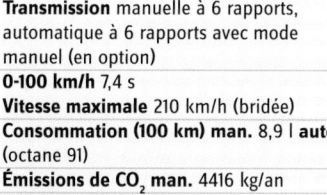

M3

www.bmw.ca

N ÉVOLUTION É
J

71 300 $
transport et préparation: 1995 $

LA COTE VERTE

AVEC MOTEUR V8 DE 4,0 L

- **Consommation (100km):** 12,5 l
- **Émissions polluantes CO_2 :** 6144 kg/an
- **Empreinte écologique (nombre d'arbres à planter par année):** 36
- **Indice d'octane:** 91
- **Autre motorisation:** non
- **Coût du carburant moyen par année:** 2816 $
- **Nombre de litres par année:** 2560 l

(source: ÉnerGuide)

1 FICHE TECHNIQUE

· (M3)
V8 4,0 l 414 ch à 8400 tr/min
Couple 295 lb-pi à 3900 tr/min
Transmission manuelle à 6 rapports, séquentielle à 7 rapports
0-100 km/h 4,8 s
Vitesse maximale 250 km/h (limitée)

· DIMENSIONS
Empattement 2760 mm
Longueur 4615 mm
Largeur 1304 mm
Hauteur 1418 mm
Poids 1655 kg
Diamètre de braquage 11,7 m
Coffre 430 l
Réservoir de carburant 63 l
Pneus P245/402R18 (av.), P265/402R18 (arr.)

LE PLAISIR COUPABLE... ET PARFAIT

PAR FRÉDÉRIC MASSE

BON, JE L'AVOUE D'EMBLÉE, LA M3 EST MA VOITURE FÉTICHE. Elle ne s'affiche pas en criant sur tous les toits, mais les badauds qui s'y connaissent un tant soit peu en automobile savent qu'ils lui doivent le respect.

[CARROSSERIE] Qu'est-ce qu'elle a de la gueule cette bagnole ! Coupé, cabrio à toit rigide, berline, elle est toujours aussi belle avec ses ailes élargies, son capot bombé appelé *powerdome*, le toit en fibre de carbone du coupé, les prises d'air latérales, ses superbes roues de 19 pouces offertes en option et ses pots d'échappement. Pour moi, c'est la perfection d'une puissance quasi camouflée.

[HABITACLE] À l'intérieur, c'est un univers à la fois sportif, riche et austère qui règne. Les quelques emblèmes Motorsport et le superbe, parfait et épais volant, parviennent à faire croire à l'illusion de la discrétion. Les sièges offrent le maintien idéal.

[MOTEUR] Ahhhhhhhhhhh... du chocolat cette mécanique ! On peut faire tourner ce V8 de 4 litres de 414 chevaux jusqu'à 8300 tours par minute pour pratiquement arriver à l'orgasme. Chaque changement de rapport, chaque accélération est une invitation à recommencer. Malgré un couple de 295 livres-pieds, elle sait envoûter, la dame, et sa mélodie est absolument divine.

[COMPORTEMENT] Le différentiel M autobloquant de la BMW est une véritable merveille, tout comme la suspension adaptative du M Drive. Cette dernière permet véritablement de choisir son type de conduite grâce aux réglages de la commande électronique d'amortissement. C'est absolument démentiel, et la bavaroise accepte et avale les courbes avec un aplomb digne des grandes voitures. Elle fait preuve d'une stabilité absolument déconcertante. de luxe de tous les grands fabricants.

[CONCLUSION] Pour avaler les courbes, rien ne vaut la M3, absolument rien, même si elle est devenue plus grand tourisme que la génération précédente.

NOTRE VERDICT

Plaisir au volant	5/5
Qualité de finition	4/5
Consommation	2,5/5
Rapport qualité/prix	3,5/5
Valeur de revente	3,5/5

FORCES · Tenue de route fantastique · Puissance du freinage · Chant du moteur · Efficacité du M Drive · Quelle gueule !

FAIBLESSES ·Sonorité du moteur étouffée dans l'habitacle · Place arrière limitée... euh...

LA COTE VERTE

AVEC MOTEUR V10 DE 5,0 L

- **Consommation (100km):** **man.** 15,9 l **seq.** 14,7 l
- **Émissions polluantes CO_2 :** **man.** 7824 kg/an **seq.** 7248 kg/an
- **Empreinte écologique (nombre d'arbres à planter par année):** 45
- **Indice d'octane:** 91
- **Autre motorisation:** non
- **Coût du carburant moyen par année:** 3982 $ seq. 3322 $
- **Nombre de litres par année:** **man.** 3260 l **seq.** 3020 l

(SOURCE: ÉnerGuide)

BERLINE GRANDE VITESSE

PAR PHILIPPE LAGUË

LORS DE SON LANCEMENT, IL Y A 25 ANS, LA M5 A CRÉÉ UN NOUVEAU CRÉNEAU : CELUI DES BERLINES SPORT. Il existe encore quelques terrains de jeux pour s'amuser avec ces bombes à quatre portes; pensons aux autoroutes allemandes où il n'y a pas de limite de vitesse. Plus près de chez nous, il y a le Montana. Avec une M5, je m'y rendrais volontiers !

[CARROSSERIE] Il faut un œil averti pour distinguer une M5 d'une Série 5. Voies plus larges, pneus taille basse, échappements, mais aussi le convoité logo M, qui certifie que vous appartenez à l'élite.

[HABITACLE] Le tableau de bord est celui d'une Série 5, mais une sellerie de cuir exclusive ainsi que le M au centre du volant et sur le levier de vitesses personnalisent le tout. La M5 a aussi droit à ses propres sièges, qui figurent parmi les meilleurs de l'industrie. Dans la colonne des moins, il y a les leviers de sélection de la boîte de vitesses SMG3, qui peuvent être confondus avec les leviers d'essuie-glaces et des clignotants. Autre irritant, et non le moindre, le système iDrive, une horreur unanimement décriée, qui complique la plus simple des opérations.

[MÉCANIQUE] Avec 500 chevaux qui dorment sous le capot, on se surprend de l'inertie du V10 à bas régime. À 3000 tours par minute, il se réveille pour ensuite se déchaîner dans les hautes sphères où il devient a) diabolique b) délirant c) orgasmique d) toutes ces réponses. Les montées en régime n'ont pas de fin, mais la consommation est directement proportionnelle : en conduite sportive, on dépasse la barre des 20 litres aux 100 kilomètres. Trop, c'est comme pas assez.

[COMPORTEMENT] Ultra précise, rapide et parfaitement dosée, la direction est un modèle du genre. La puissance de freinage pourrait probablement stopper un Boeing mais, étonnamment, ces mêmes freins résistent mal à l'effort. Très stable, toujours neutre en virage, la M5 tient la route comme une sportive de haut calibre et surprend par son agilité.

[CONCLUSION] Malgré ses cinq ans, un âge vénérable dans l'industrie de l'automobile, la M5 de quatrième génération demeure au sommet de son art.

FORCES • Toujours belle • Sièges exceptionnels V10 fabuleux • Direction parfaite Comportement très sportif

FAIBLESSES • Système iDrive • Boîte SMG brusque • Excès technologiques • Consommation gargantuesque Freinage peu endurant

1 FICHE TECHNIQUE

- **MOTEUR**
- **(M5)**
  V10 5,0 l DACT, 500 ch à 7750 tr/min
  Couple 383 lb-pi à 6100 tr/min
  Transmission manuelle à 6 rapports, séquentielle à 7 rapports(option)
  0-100 km/h 4,7 s
  Vitesse maximale 250 km/h

- **AUTRES COMPOSANTES**
  Sécurité active freins ABS, répartition électronique de force de freinage, assistance au freinage, antipatinage, contrôle de stabilité électronique
  Suspension avant/arrière indépendante
  Freins avant/arrière disques
  Direction à crémaillère, assistée
  Pneus P225/40R19 (av.), P285/35ZR19 (arr.)
  Empattement 2889 mm
  Longueur 4863 mm
  Largeur 1846 mm
  Hauteur 1469 mm
  Poids 1820 kg
  Diamètre de braquage 12,4 m
  Coffre 500 l
  Réservoir de carburant 70 l

NOTRE VERDICT

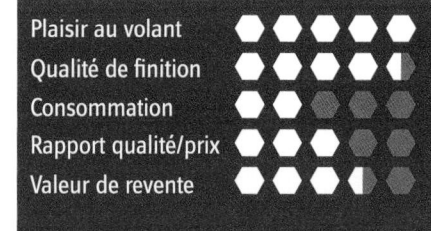

Plaisir au volant	5/5
Qualité de finition	4,5/5
Consommation	2/5
Rapport qualité/prix	3/5
Valeur de revente	3,5/5

SÉRIE 5

www.bmw.ca

N ÉVOLUTION É J

56 200 $ à 80 400 $
transport et préparation: 1995 $

LA COTE VERTE

AVEC MOTEUR 528I DE 3,0 L

- **Consommation (100km) : 528i man.** 9,1 l **auto.** 9,8 l
- **Émissions polluantes CO_2 : man.** 4464 kg/an **auto.** 4560 kg/an
- **Empreinte écologique (nombre d'arbres à planter par année):** 27
- **Indice d'octane:** 91
- **Autre motorisation:** non
- **Coût du carburant moyen par année: man.** 2046 $ **auto.** 2090 $
- **Nombre de litres par année: man.** 1860 l **auto.** 1900 l

(SOURCE: ÉnerGuide)

1 FICHE D'IDENTITÉ

- **Versions** berl. 528i, 528i xDrive, 535i xDrive, 550i, fam. 535i xDrive, 535i GT, 550i GT
- **Roues motrices** arrière, 4
- **Portières** 4 **nombre de passagers** 5
- **Première génération** 1972
- **Génération actuelle** 2004
- **Construction** Dingofling, Allemagne
- **Sacs gonflables** 6 (frontaux, latéraux avant, rideaux latéraux; latéraux arrière en option)
- **Concurrence** Acura RL, Audi A6, Cadillac STS, Infiniti M, Jaguar XF, Lexus GS, Mercedes-Benz Classe E, Volvo S80

2 AU QUOTIDIEN

- **Prime d'assurance**
  25 ans : 3000 à 3200 $
  40 ans : 2100 à 2300 $
  60 ans : 1800 à 2000 $
- **Collision frontale** 5/5
- **Collision latérale** 5/5
- **Ventes du modèle l'an dernier**
  Au Québec 453 **Au Canada** 2042
- **Dépréciation** (3 ans) 41,4%
- **Rappels** (2004 à 2009) 7
- **Cote de fiabilité** 3/5

3 GARANTIES... ET PLUS

- **Garantie générale** 4 ans/80 000 km
- **Garantie motopropulseur** 4 ans/80 000 km
- **Perforation** 12 ans/kilométrage illimité
- **Assistance routière** 4 ans/kilométrage illimité
- **Nombre de concessionnaires**
  Au Québec 8 **Au Canada** 40

4 NOUVEAUTÉS EN 2010

- 535i retiré du catalogue, nouvelles jantes
- nouveau modèle 550 GT

LE CŒUR A SES RAISONS

PAR BENOIT CHARETTE

EN ATTENDANT LA PROCHAINE GÉNÉRATION DE SÉRIE 5, PRÉVUE POUR L'AN PROCHAIN, BMW PRÉSENTE CETTE ANNÉE UNE NOUVELLE ADDITION À LA FAMILLE, LA SÉRIE 5 GT. Cette nouvelle venue mélange GT, berline et VUS pour créer un membre original de la famille Série 5 alliant confort et esprit pratique. Une formule risquée toutefois, qui a envoyé plusieurs constructeurs par le fond dans le passé, pensez à la Classe R de Mercedes-Benz ou à la Pacifica de Chrysler. Le mélange des genres a du bon seulement si on connaît précisément son public cible et, dans ce cas-ci, BMW ne semble pas convaincue.

[CARROSSERIE] Si la berline et la version Touring demeurent pratiquement inchangées pour 2010, et c'est tant mieux, la GT vient ajouter un peu d'énigme. Elle possède le style de la berline à l'avant, mais l'arrière est descendant, comme un coupé. Son coffre s'ouvre comme une malle ou comme un hayon selon votre humeur. BMW veut donc offrir trois choix de configurations et aller chercher le plus large public possible. Les plus traditionnels choisiront la berline, les amateurs de familiale ont toujours la version Touring, et l'on voudrait faire de la GT une sorte de multisegment à orientation familiale, cela reste à voir.

[HABITACLE] Peu importe la version, on cultive le haut de gamme avec la Série 5. L'accent est mis sur le confort et une meilleure habitabilité avec cette récente génération. La finition est bonne, mais pas à l'égal d'Audi qui demeure la référence ou de Mercedes-Benz qui offre plus de chaleur, c'est un peu austère chez BMW. La nouvelle GT mise pour sa part sur un espace modulable et spacieux. BMW annonce que les jambes ont autant d'aisance que dans la Série 7, alors que la garde au toit est plus élevée. La banquette ou les sièges individuels arrière (en option) se déplacent sur 100 millimètres. Le coffre passe alors de 440 litres à 590 litres et, même, sièges rabattus, à 1700 litres ! Vous profitez aussi de tout le confort d'une voiture haut de gamme et d'un système iDrive simplifié qui commence à mieux se faire comprendre.

[MÉCANIQUE] Les versions berline et Touring conservent le statu quo sous le capot avec les

FORCES · Référence au chapitre de la conduite · Famille de moteurs exemplaire · Tenue de route et confort au-dessus de la moyenne

FAIBLESSES · Ambiance un peu austère · Liste d'options à n'en plus finir · Fiabilité douteuse

modèles 528i et iX, 535i et iX et 550 pour la berline et la 535iX à 4 roues motrices pour la Touring. La nouvelle GT sera offerte en deux versions chez nous (trois en Europe). La 535i Gran Turismo récupère le 3-litres biturbo de 300 chevaux de la X6. La Série 7 prête le V8 de 4,4 litres biturbo à essence de 400 chevaux de la 750i pour la version GT 550. Une chose est certaine, peu importe le modèle que vous choisirez, BMW est passée maître dans l'art de marier moteur et boîte de vitesses. La panoplie d'aides électroniques en tous genres (comportement, sécurité, confort, multimédia) est évidemment pléthorique.

[COMPORTEMENT] Quand on recherche une grande berline au caractère sportif affirmé, la Série 5 est un morceau de choix. Jugée, à juste titre, comme la plus réussie des berlines BMW du moment, la 5 demeure la référence des intermédiaires de luxe quand vient le moment de prendre le volant. L'équilibre est parfait. Les boîtes manuelle ou automatique offrent une communion parfaite avec la mécanique. Le bataillon électronique intervient seulement au besoin et toujours de manière discrète. La conduite est la raison d'être des voitures BMW, et la 5 en est sa plus belle expression. L'envers de la médaille est cependant cruel, la fiabilité éprouve encore bien des ratés et vous devrez rendre visite à votre concessionnaire plus souvent qu'à votre tour, soyez averti; c'est dommage car, sans cette faille majeure, la Série 5 aurait vraiment tout pour elle.

[CONCLUSION] Vous avez donc un choix déchirant à faire. Devenir propriétaire de la berline sport la plus agréable à conduire sur le marché en sachant que la fiabilité est aléatoire ou opter pour des concurrentes moins excitantes (Acura, Infiniti et Lexus) mais avoir la fiabilité de votre côté.

2e OPINION

FRÉDÉRIC MASSE Il y a deux ans, je titrais l'essai principal de la Série 5 « Si je n'en avais qu'une ». Mon opinion n'a pas changé d'un iota, la Série 5, M5 ou pas, est l'une de mes voitures préférées toutes catégories confondues. De la bonne taille, avec des mécaniques sublimes, des boîtes de vitesses enviables et une direction quasi parfaite, la 5 est, selon mon expertise, la meilleure berline de luxe « abordable ». À moins de payer le double, vous n'arriverez pas à trouver une berline plus équilibrée qui combine le confort, la maniabilité et le plaisir au volant. En alignant plusieurs dollars supplémentaires, vous pouvez même vous asseoir le derrière dans une berline à quatre portes sauce bavaroise mue par un V10 de 500 chevaux. J'en ai des frissons. Qui dit mieux ? J'aime la 5 pour son ensemble, pour son homogénéité, pour la solidité de son châssis, pour ses sièges... Il ne manque qu'un habitacle à la présentation parfaite pour obtenir un 10 sur 10.

5 FICHE TECHNIQUE

· MOTEURS

· (528)
L6 3,0 l DACT, 230 ch à 6500 tr/min
Couple 200 lb-pi à 2750 tr/min
Transmission manuelle à 6 rapports, automatique à 6 rapports avec mode manuel (en option)
0-100 km/h 528i man. 6,9 s **auto.** 7,6 s
528x man. 7,6 s **auto.** 8,1 s
Vitesse maximale 240 km/h bridée

· (535x, GT)
L6 3,0 l biturbo DACT, 300 ch à 5800 tr/min
Couple 300 lb-pi à 1400 tr/min
Transmission manuelle à 6 rapports, automatique à 6 rapports avec mode manuel (en option)
0-100 km/h man. 5,8 s **auto.** 6,0 s
Vitesse maximale 240 km/h (bridée)
Consommation (100 km) 10,4 l (octane 91)
Émissions de CO2 man. 5040 kg/an
auto. 4944 kg/an
Litres par année man. 2100 l **auto.** 2060 l
Coût par an man. 3150 $ **auto.** 3090 $
Carburant alternatif non
Empreinte écologique 30 arbres

· (550)
V8 4,8 l DACT, 360 ch à 6300 tr/min
Couple 360 lb-pi à 3400 tr/min
Transmission manuelle à 6 rapports, automatique à 6 rapports avec mode manuel (en option)
0-100 km/h man. 5,6 s **auto.** 5,7 s
Vitesse maximale 240 km/h (bridée)
Consommation (100 km) man. 11,61 l
auto. 11,0 l (octane 91)
Émissions de CO2 man. 5664 kg/an
autom. 5376 kg/an
Litres par année man. 2360 l **auto.** 2240 l
Coût par an man. 3540 $ **auto.** 3360 $
Carburant alternatif non
Empreinte écologique 33 arbres

· 550 GT
V8 4,4 l Bi-Turbo DACT, 400 ch à 6300 tr/min
Couple 450 lb-pi à 3400 tr/min
Transmission automatique à 6 rapports avec mode manuel
0-100 km/h 5,3 s **Vitesse maximale** 250 km/h (bridée)
Consommation (100km): 11,2 l (octane 91)
Émissions de CO2: 5520 kg/an
litres par année: 2300 l
Coût par an: 2530 $ **Carburant alternatif**: non
Empreinte écologique 33 arbres

· AUTRES COMPOSANTES
Sécurité active freins ABS, répartition électronique de force de freinage, assistance au freinage, antipatinage, contrôle de stabilité électronique
Suspension avant/arrière indépendante
Freins avant/arrière disques ventilés
Direction à crémaillère, assistée
Pneus 528i/535x P225/50R17 **550** P245/35R19 (av.), P275/30R19 (arr.)

· DIMENSIONS
Empattement 2888 mm **fam.** 2886 mm
Longueur 4854 mm **fam.** 4871 mm
Largeur 1846 mm
Hauteur 1468 mm **x** 1482 mm **fam.** 1491 mm
Poids 528i 1590 kg **528x** 1710 kg **535x** 1770 kg
535xT 1880 kg **550i** 1790 kg **fam.** 1860 kg
Diamètre de braquage 11,4 m **x, fam.** 11,9 m
Coffre berl. 520 l **fam.** 500 l, 1650 l (sièges abaissés)
GT 440 l, 590 l, 1700 l
Réservoir de carburant 70 l

NOS MENTIONS

Coup de coeur

NOTRE VERDICT

Plaisir au volant	●●●●○
Qualité de finition	●●●●●
Consommation	●●●○○
Rapport qualité/prix	●●●○○
Valeur de revente	●●●●

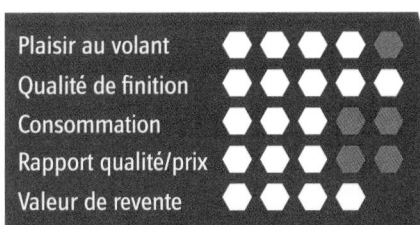

SÉRIE 6

www.bmw.ca

N ÉVOLUTION É J

95 500 $ à 105 500 $
transport et préparation: 1995 $

LA COTE VERTE

MOTEUR
V8 DE 4,8 L

- **Consommation (100km):** man. 11,6 l auto. 11,0 l
- **Émissions polluantes CO_2 :** **man.** 5664 kg/an **auto.** 5376 kg/an
- **Empreinte écologique (nombre d'arbres à planter par année):** 33
- **Indice d'octane:** 91
- **Autre motorisation:** non
- **Coût du carburant moyen par année:** **man.** 2552 $ **auto.** 2486 $
- **Nombre de litres par année:** **man.** 2340 l **auto.** 2240 l

(source: ÉnerGuide)

1 FICHE D'IDENTITÉ

- **Versions** 650i, M6 (coupé/cabriolet), 650i cabriolet
- **Roues motrices** arrière
- **Portières** 2
- **Première génération** 2004
- **Génération actuelle** 2004
- **Construction** Dingolfing, Allemagne
- **Sacs gonflables** 6, frontaux, latéraux avant et rideaux latéraux (rid. lat. non disp. sur cabriolet)
- **Concurrence** Aston Martin V8 Vantage, Chevrolet Corvette, Jaguar XK, Lexus SC, Maserati GT, Mercedes-Benz Classe SL, Porsche 911

2 AU QUOTIDIEN

- **Prime d'assurance**
  25 ans: 4000 à 4200 $
  40 ans: 2500 à 2700 $
  60 ans: 2000 à 2200 $
- **Collision frontale** 5/5
- **Collision latérale** 5/5
- **Ventes du modèle de l'an dernier**
  Au Québec 59 **Au Canada** 286
- **Dépréciation** 44,5%
- **Rappels** (2004 à 2009) 7
- **Cote de fiabilité** 2,5/5

3 GARANTIES... ET PLUS

- **Garantie générale** 4 ans/80 000 km
- **Garantie motopropulseur** 4 ans/80 000 km
- **Perforation** 12 ans/kilométrage illimité
- **Assistance routière** 4 ans/kilométrage illimité
- **Nombre de concessionnaires**
  Au Québec 8 **Au Canada** 40

4 NOUVEAUTÉS EN 2010

- Aucun changement majeur.

AVALEUSE DE BITUME

PAR ALEXANDRE CRÉPAULT

LANCÉE EN 2003 ET LÉGÈREMENT REVUE EN 2008, LA CUVÉE ACTUELLE DE LA SÉRIE 6 TIRE À SA FIN. Le porte-étendard de la marque bavaroise est dû pour une refonte complète quelque part en 2010. En attendant, la Série 6 propose tout ce que BMW fait de mieux dans une enveloppe grand tourisme.

[CARROSSERIE] La Série 6 est ni plus ni moins qu'un coupé construit sur la plateforme de la Série 5. Son long empattement fait de la place à un interminable capot découpé au ciseau. Elle est aussi très large. De plus, par la ligne de son toit, aussi basse que possible, et ses immenses pneus arrière, la 6 impose le respect. La ligne concave du coffre, par contre, continue de nourrir les débats. Les grandes bouches d'aération du baquet avant de la M6, ainsi que ses bas de caisse distinctifs et ses quatre pots d'échappement à l'arrière, font qu'elle se distingue du lot.

[HABITACLE] Comme le veut la tradition chez BMW, le mariage entre sobriété, qualité et confort s'épanouit à l'intérieur de la cabine. Les sièges en cuir Dakota à six points (et trois millions de réglages) sont moelleux et maintiennent les occupants bien en place. La position de conduite est idéale, aidée en cela par les réglages électroniques du volant. Le levier de la boîte de vitesses manuelle tombe si bien dans la paume de la main qu'il donne presque envie de changer les rapports sans raison. Dans la version automatique, on utilise le fameux levier électronique que BMW a popularisé il y a quelques années et qui donne l'impression de manœuvrer une soucoupe volante. Envie de lire ? Attelez-vous à la longue liste d'équipements de série, dont le système iDrive, compris dans les quatre modèles.

[MÉCANIQUE] L'offre de base (et seule mécanique possible pour le modèle 650i) fera vôtre un V8 de 4,8 litres développant une puissance de 360 chevaux et produisant autant de couple. C'est une proposition très honnête, satisfaisante même, si l'on tient compte de nos routes et du fait qu'une boîte manuelle à 6 rapports est incluse dans l'ensemble. Les plus gourmands en performances devront regarder du côté de la gamme M,

FORCES • Pilotage plaisant • Confort remarquable • Concept GT réussi

FAIBLESSES • Pas de V10 avec boîte manuelle • Design controversé • Presque... parfaite

qui joue la carte du V10. Les 500 chevaux à 7750 tours/minute et un régime maximal qui se situe quelque part dans la stratosphère nous propulsent au paradis de la puissance. Le 0 à 100 km/h se boucle en 4,7 secondes, et la vitesse de pointe a été limitée électroniquement à 250 km/h. Cette M6 profite également d'un différentiel arrière autobloquant qui l'aide à maximiser la motricité aux roues motrices arrière. Malheureusement, toute sa puissance se maîtrise uniquement par l'entremise d'une boîte séquentielle à 7 rapports. Les boîtes manuelles sont décidément en voie de disparition.

[COMPORTEMENT] La première chose qu'on remarque au volant de la Série 6, c'est l'aisance avec laquelle elle se déplace. Malgré son embonpoint et une direction qu'on sent lourde, la 6 est agile et athlétique. Un peu à l'image d'une gymnaste, elle transfère sa masse avec tant de maîtrise que l'expérience de pilotage devient un jeu d'enfant. Bien entendu, c'est grâce à la multitude d'aides électroniques qui agissent dans l'ombre. Le tempérament de la M6 se révèle plus agressif, et c'est ce qui fait son charme. Cependant, la boîte SMG vient gâcher une partie de l'expérience, surtout celle des puristes.

[CONCLUSION] Un journaliste anglais, au sujet de la moto BMW R1200GS, avait déclaré : « Je ne veux pas un appareil, je veux une machine. » Comme la GS, la Série 6 est si perfectionnée qu'elle aseptise tout. Il ne faut pas traduire cela par « mauvais ». Au contraire. La voiture est pratiquement parfaite et fera bien des heureux. Mais pour l'amateur de design et de sensations, des marques comme Aston Martin, Maserati ou Porsche possèdent plus de caractère... dont on doit payer pour les défauts, des défauts tout simplement inconnus de la Série 6.

2e OPINION

FRÉDÉRIC MASSE

Grand Tourisme par excellence, la 6 ne jouit pas de la notoriété qui lui est dû. Assit derrière son volant et roulant aux vitesses permises par la loi, elle est si confortable qu'on se met à penser qu'il s'agit « presque » d'une voiture ennuyante. Puis, on appuie sur l'accélérateur, volant bien en main, et on vibre au son de la mécanique et devant la stabilité du bolide en virage et à TRÈS haute vitesse. Dommage que la place qu'il y est si peu d'espace pour les pieds et les jambes de sa passagère (ou son passager), que ses contrôles soient compliqués avec le iDrive et qu'elle propose une drôle d'organe, que l'on pourrait qualifier de porte-verre. Excluant ces détails, j'ai très peu de défauts à lui trouver, cabriolet ou coupé. Avec un grand coffre, la 6 a, selon moi, pratiquement autant d'arguments que la Série 5 (avec qui elle partage la plateforme), ma voiture préférée, toutes catégories confondues. Mais, quand on a comme compétiteur la Mercedes CL et la Jaguar XK, on ne peut offrir moins. Pour ceux que ça intéresse, une toute nouvelle version est due pour l'an prochain.

5 FICHE TECHNIQUE

· MOTEURS

· (650i coupé, 650i cabriolet)
V8 4,8 l DACT 360 ch à 6300 tr/min
couple 360 lb-pi à 3400 tr/min
Transmission manuelle à 6 rapports, automatique à 6 rapports avec mode manuel (option)
0-100 km/h coupé: 5,5 s, **cabriolet:** 5,8 s
Vitesse maximale 240 km/h

· AUTRES COMPOSANTES
Sécurité active freins ABS, répartition électronique de force de freinage, assistance au freinage, antipatinage, contrôle de stabilité électronique
Suspension avant/arrière indépendante
Freins avant/arrière disques ventillés
Direction à crémaillère, assistée
Pneus 650i P245/40R19 (av.) P275/35R19 (arr.)

· DIMENSIONS
Empattement 2780 mm
Longueur 4831 mm
Largeur 1855 mm
Hauteur Coupé 1374 mm, **cabrio.** 1373 mm
Poids: 650i coupé 1730 kg,
650i cabriolet 1940 kg,
Diamètre de braquage 11,4 m **M6** 12,5 m
Coffre coupé 450 l, **cabriolet** 350 l, 300 l (toit abaissé)
Réservoir de carburant 70 l

NOTRE VERDICT

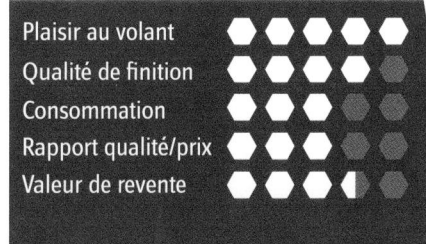

Plaisir au volant
Qualité de finition
Consommation
Rapport qualité/prix
Valeur de revente

M6

www.bmw.ca

N ÉVOLUTION É J

121 300 $ à 131 300 $
transport et préparation: 1995 $

LA COTE VERTE

AVEC MOTEUR V10 DE 5,0 L

- **Consommation (100km): coupé man.** 15,9 l **séq.** 14,7 l cabriolet **man.** 16,0 l **séq.** 14,4 l
- **Émissions polluantes CO_2 : man.** 7824 kg/an **séq.** 7248 kg/an **cabriolet man.** 7872 kg/an **séq.** 7104 kg/an
- **Empreinte écologique (nombre d'arbres à planter par année):** 43
- **Indice d'octane:** 91
- **Autre motorisation:** non
- **Coût du carburant moyen par année: man.** 3586$ **séq.** 3322$ **cabriolet man.** 3608$ **séq.** 3256$
- **Nombre de litres par année: man.** 3260 l. **séq.** 3020 l. **cabriolet man.** 3280 l. **séq.** 2960 l.

(SOURCE: ÉnerGuide)

5 FICHE TECHNIQUE

· (M6)
V10 5,0 l DACT 500 ch à 7750 tr/min
couple 383 lb-pi à 6100 tr/min
Transmission manuelle à 6 rapports, séquentielle à 7 rapports (option)
0-100 km/h coupé 4,6 s, **cabriolet** 4,8 s
Vitesse maximale 250 km/h (bridée)

· AUTRES COMPOSANTES
Sécurité active freins ABS, répartition électronique de force de freinage, assistance au freinage, antipatinage, contrôle de stabilité électronique
Suspension avant/arrière indépendante
Freins avant/arrière disques ventillés
Direction à crémaillère, assistée
Pneus M6 P255/40ZR19 (av.) P285/35ZR19 (arr.)

· DIMENSIONS
Empattement 2781 mm
Longueur 4871 mm
Largeur 1855 mm
Hauteur coupé 1372 mm, **cabriolet** 1373 mm
Poids: M6 coupé 1773 kg, **cabriolet** 1995 kg
Diamètre de braquage M6 12,5 m
Coffre coupé 450 l, **cabriolet** 350 l, 300 l (toit abaissé)
Réservoir de carburant 70 l

AUTOBAHN EXPRESS

PAR BENOIT CHARETTE

PRENEZ 500 CHEVAUX, AJOUTEZ UNE BOÎTE DE VITESSES SÉQUENTIELLE À 7 RAPPORTS, UN 0 À 100 KM/H DÉPART ARRÊTÉ EN 4,6 SECONDES, une électronique digne de la guerre des étoiles, des programmes de contrôle de trajectoire qui feraient rougir les responsables de la NASA, et vous avez la recette pour perdre votre permis en quelques mois ou pour aller profiter des autoroutes germaniques.

[CARROSSERIE] Plus bas, son bouclier avant présente de larges prises d'air destinées à alimenter le gros moteur en air frais. De petites lèvres aérodynamiques intégrées au bouclier avant réduisent le coefficient de portance sur l'essieu avant. Renflés et surbaissés, les bas de caisse sont plus musclés que ceux de la Série 6 de base. Avec son diffuseur arrière, le bouclier arrière rappelle celui de la M5 avec ses quatre embouts d'échappement ronds.

[HABITACLE] Le poste de conduite est un heureux mélange de bourgeoisie et de sport extrême. L'espace est généreux, la formule du 2+2 demeure et le coffre est grand pour un coupé, beaucoup plus petit dans le cabrio.

[MÉCANIQUE] À une époque où les constructeurs abandonnent l'idée des voitures sport extrême, BMW offre encore, du moins jusqu'en 2012, ses versions M non censurées. Un V10 de 500 chevaux qui vous conduit aux chemins de l'illégalité en moins de 5 secondes et peut vous mener en prison si vous appuyez à fond 5 secondes de plus. Un monstre sorti de l'enfer avec, au choix, une boîte manuelle à 6 rapports ou automatique séquentielle à 7 rapports.

[COMPORTEMENT] Capable de se comporter comme une tranquille citadine à basse vitesse, la M6 recèle assez d'électronique pour personnaliser vos sensations. Vous avez une conduite normale ou dynamique, une suspension confort ou sport et une kyrielle de réglages qui transforme cette voiture en bête de course.

[CONCLUSION] Séduisante, puissante, avant-gardiste, la M6 offre tout ce que la division M a acquis de connaissance.

FORCES · Pinacle technologique · V10 démentiel · Lignes classiques et sensuelles

FAIBLESSES · Fiabilité mécanique fragile · Frais d'entretien élevés · Quasi impossible d'exploiter son potentiel de performances

SÉRIE 7

www.bmw.ca

N ÉVOLUTION É J

104 900 $ à 112 900 $
transport et préparation: 1995 $

LA COTE VERTE

AVEC MOTEUR V8 DE 4,4 L

- **Consommation (100km):** 11,2 l
- **Émissions polluantes CO_2 :** 5520 kg/an
- **Empreinte écologique (nombre d'arbres à planter par année):** 33
- **Indice d'octane:** 91
- **Autre motorisation:** non
- **Coût du carburant moyen par année:** 2530 $
- **Nombre de litres par année:** 2300 l

(SOURCE: ÉnerGuide)

1 FICHE D'IDENTITÉ

- **Versions** 750i, 750 i xDrive, 750Li, 750 Li xDrive, 760Li
- **Roues motrices** arrière, 4
- **Portières** 4, **Nombres de passagers** 5
- **Première génération** 1977
- **Génération actuelle** 2009
- **Construction** Munich, Allemagne
- **Sacs gonflables** 10 (frontaux, latéraux avant et arrière, rideaux latéraux, genoux)
- **Concurrence** Audi A8, Jaguar XJ, Lexus LS, Mercedes-Benz Classe S

2 AU QUOTIDIEN

- **Prime d'assurance**
  25 ans: 4000 à 4200 $
  40 ans: 3100 à 3300 $
  60 ans: 2700 à 2900 $
- **Collision frontale** 5/5
- **Collision latérale** 5/5
- **Ventes du modèle de l'an dernier**
  Au Québec 73 **Au Canada** 424
- **Dépréciation** 56,5%
- **Rappels** (2004 à 2009) 7
- **Cote de fiabilité** 2,5/5

3 GARANTIES... ET PLUS

- **Garantie générale** 4 ans/80 000 km
- **Garantie motopropulseur** 4 ans/80 000 km
- **Perforation** 12 ans/kilométrage illimité
- **Assistance routière** 4 ans/kilométrage illimité
- **Nombre de concessionnaires**
  Au Québec 8 **Au Canada** 40

4 NOUVEAUTÉS EN 2010

- Version 750i xDrive, version 760 Li V12

SEPTIÈME CIEL

PAR BENOIT CHARETTE

CERTAINS DIRONT QUE BMW EST RENTRÉE DANS LES RANGS; D'AUTRES ONT AJOUTÉ QUE LA BAVAROISE REBELLE S'EST ASSAGIE. Une chose est certaine, la nouvelle Série 7, dessinée par le Québécois d'origine libanaise Karim Habib, qui est depuis lors passé chez Mercedes, a retrouvé le classique et l'opulence des belles années. En plus du V8, BMW ramène cette année le légendaire moteur V12, qui fera 6 litres et bénéficiera de la double suralimentation pour développer 540 chevaux en version régulière ou allongée. Ce n'est pas tout, une version intégrale de la 750 devrait faire son apparition pour l'hiver.

[CARROSSERIE] Plus discret, mais plus charismatique aussi, le nouveau vaisseau-amiral s'est donné comme mission de séduire tous les marchés de la planète. Offerte en version régulière ou allongée, la carrosserie, dans les deux cas, révèle des proportions harmonieuses. Il faudra un coup d'œil exercé pour distinguer la différence. Beau travail donc du styliste Karim Habib, avec un jeu de lignes tantôt courbes, tantôt convexes, tantôt concaves, qui donne un coup d'œil différent en fonction de l'angle de vue du véhicule. En bout de piste, des lignes plus classiques, plus conformes aux attentes des acheteurs de ce type de voitures.

[HABITACLE] Des correctifs majeurs ont été apportés à l'intérieur. Citons d'abord le système iDrive, complètement repensé pour cette 5e génération. Encadré de quelques boutons de raccourci, il permet une navigation plus intuitive et plus rapide, bien aidée par un écran de 1280 x 480 pixels. Il faut aussi noter un nouveau système d'affichage à tête haute. Il projette différents renseignements sur le pare-brise. D'autres détails ont également fait l'objet d'une révision. La commande de la boîte de vitesses automatique revient dans la console centrale; la commande de réglage des sièges, plus classique, se retrouve sur leur flanc extérieur, les boutons de mémoire des réglages prenant place sur les accoudoirs des portes. Pour ce qui est du confort, celui des sièges est toujours un peu plus ferme que la Classe S de Mercedes-Benz, mais épouse le dos sans problème; de plus, les nombreux réglages permettront de trouver la position de

FORCES · Moteur performant et sophistiqué · Tenue de route irréprochable · Assemblage et finition

FAIBLESSES · Prix · Options nombreuses et coûteuses · Quelques bruits de roulement

conduite idéale. Pour satisfaire les plus exigeants, il est possible d'opter pour les sièges arrière massants, chauffants et ventilés.

[MÉCANIQUE] L'offre débute avec un moteur V8 biturbo de 5 litres développant 400 chevaux. BMW ajoute cette année un moteur V12 de 6 litres à injection directe, lui aussi gavé de deux turbos, qui offrira 544 chevaux et la nouvelle boîte automatique à huit rapports (deux de plus que la 750) ,d'une efficacité et d'une douceur remarquable. Si vous avez uniquement besoin de 5,3 secondes pour franchir le 0 à 100 km/h au volant de la 750, il en faudra seulement 4,6 à bord de la 760. Avec Mercedes-Benz et ses AMG de la Classe S, BMW ne pouvait pas se permettre d'offrir une seule mécanique V8, le V12 plus propre et plus économe (12,9 litres aux 100 kilomètres) est donc revenu, au grand bonheur des amateurs.

[COMPORTEMENT] Difficile de demander meilleur comportement routier pour une limousine. La Série 7 se conduit pratiquement comme une sportive. Et cette année, BMW ajoute la transmission xDrive sur ses modèles 750. Le contrôle dynamique du châssis permet de choisir entre les niveaux Confort – Normal – Sport et Sport+. Outre le contrôle de l'amortissement hydraulique et le contrôle dynamique de la stabilité (DSC), le réglage influe également sur la commande de la boîte automatique à 6 rapports, de l'accélérateur et de la direction. Le mode Sport+ nous a permis d'emmener la 750Li sur les petites routes avec une vivacité digne d'une voiture sportive. Le V8 transcende les qualités du châssis. Sa puissance à la fois imposante et discrète vous cloue à votre siège. De plus, notre modèle d'essai bénéficiait de la direction active intégrale, qui permet de faire braquer les roues arrière. À basse vitesse dans le sens opposé, cette direction permet de réduire le diamètre de braquage; à grande vitesse, les roues arrière braquent dans le même sens. La voiture réagit alors avec une extrême précision aux impulsions du volant.

[CONCLUSION] La Série 7 revient à des valeurs plus traditionnelles dans sa présentation, mais continue d'offrir le nec plus ultra au chapitre de la conduite et de la technologie embarquée. Il vous faudra un sérieux budget pour en considérer l'achat, mais cette grande berline est fidèle aux valeurs de la marque, qui placent le conducteur au centre de l'action.

2e OPINION

FRÉDÉRIC MASSE La nouvelle BMW Série 7 a repris ses lettres de noblesse. D'abord, côté design, elle plaît naturellement à l'œil et ressemble maintenant... à une vraie BMW. Plus que ça, la nouvelle béhème prend également la pole dans la catégorie vaisseau amiral, surtout qu'elle sera maintenant offerte en transmission intégrale à la fin de l'année. Facile et amusante à conduire, ultra confortable, elle a tous les atouts. Quelle bagnole et quelle mécanique ! Son V8 à double turbo produit suffisamment de puissance (400 chevaux) et de couple (450 livres-pieds) pour la déplacer en un éclair et pour permettre à son conducteur d'éprouver bien du plaisir. Ajoutez à cela une consommation de carburant fort raisonnable

5 FICHE TECHNIQUE

· MOTEURS

· (750i, 750Li)

V8 4,4 l Bi-Turbo DACT, 400 ch à 5500 tr/min
Couple 450 lb-pi à 1800 tr/min
Transmission automatique à 6 rapports avec mode manuel
0-100 km/h 5,3 s
Vitesse maximale 250 km/h

· 760 Li

V12 6,0 l Bi-Turbo DACT, 544 ch à 5000 tr/min
Couple 553 lb-pi à 1 500 tr/min
Transmission automatique à 8 rapports
0-100 km/h 4,6 s
Vitesse maximale 250 km/h (limitée)
Consommation (100 km) 12,9 l (octane 91)
Émissions de CO_2 5980 kg/an
Litres par année 2500 l
Coût par an 2750 $
Empreinte écologique 33 arbres

· AUTRES COMPOSANTES

Sécurité active freins ABS, répartition électronique de force de freinage, assistance au freinage, antipatinage, contrôle de stabilité électronique
Suspension avant/arrière indépendante
Freins avant/arrière disques
Direction à crémaillère, assistée
Pneus P245/45R19 (av.), P275/40R19(arr.)

· DIMENSIONS

Empattement 750i 3070 mm **750Li** 3210 mm
Longueur 750i 5072 mm **750Li** 5210 mm
Largeur 1902 mm
Hauteur 750i 1479 mm **750Li** 1484 mm
Poids 750i 1945 kg **750Li** 2045 kg
760Li 2180 kg
Diamètre de braquage 750i 12,1 m
750/760Li 12,1 m
Coffre 500 l
Réservoir de carburant 88 l

NOS MENTIONS

Modèle recommandé

NOTRE VERDICT

Plaisir au volant
Qualité de finition
Consommation
Rapport qualité/prix
Valeur de revente

X3

www.bmw.ca

(N) ÉVOLUTION (É) (J)

39 900 à 45 900 $
transport et préparation: 1995 $

LA COTE VERTE

AVEC MOTEUR L6 DE 3,0 L

- **Consommation (100km):** 10,0 l
- **Émissions polluantes CO_2:** 4848 kg/an
- **Empreinte écologique (nombre d'arbres à planter par année):** 29
- **Indice d'octane:** 91
- **Autre motorisation:** non
- **Coût du carburant moyen par année:** 2222 $
- **Nombre de litres par année:** 2020 l

(SOURCE: ÉnerGuide)

1 FICHE D'IDENTITÉ

- **Versions** xDrive 28i et 30i
- **Roues motrices** 4
- **Portières** 4 **Nombre de passagers** 5
- **Première génération** 2004
- **Génération actuelle** 2004
- **Construction** Dingolfing, Allemagne
- **Sacs gonflables** 6 (frontaux, latéraux avant, rideaux latéraux; latéraux arrière en option)
- **Concurrence** Acura RDX, Infiniti EX35, Land Rover LR2

2 AU QUOTIDIEN

- **Prime d'assurance**
  25 ans: 2000 à 2200 $
  40 ans: 1600 à 1800 $
  60 ans: 1300 à 1500 $
- **Collision frontale** 4/5
- **Collision latérale** 4/5
- **Ventes du modèle de l'an dernier**
  Au Québec 481 **Au Canada** 2296
- **Dépréciation** (3 ans) 35,8%
- **Rappels** (2004 à 2009) 1
- **Cote de fiabilité** 3/5

3 GARANTIES... ET PLUS

- **Garantie générale** 4 ans/80 000 km
- **Garantie motopropulseur** 4 ans/80 000 km
- **Perforation** 12 ans/kilométrage illimité
- **Assistance routière** 4 ans/kilométrage illimité
- **Nombre de concessionnaires**
  Au Québec 8 **Au Canada** 40

4 NOUVEAUTÉS EN 2010

- Aucun changement majeur

LA FIN D'UNE GÉNÉRATION

PAR ALEXANDRE CRÉPAULT

LE X3 APPARTIENT À UN DES CONSTRUCTEURS AUTOMOBILES QUI, PEU NOMBREUX, ONT ANNONCÉ, VERS LE DÉBUT DU SIÈCLE, LA POPULARISATION IMMINENTE DES UTILITAIRES DE LUXE SPORT COMPACTS EN AMÉRIQUE DU NORD. Ayant intégré la famille BMW en 2004, le X3, compact, luxueux et sportif, a dominé dans son créneau, comme l'a fait Bell du temps de sa suprématie. À l'instar de Bell toutefois, BMW a perdu son exclusivité et a vu, quelques années plus tard, la concurrence rattraper le X3. Européens, Japonais et Américains sont maintenant dans la course. Pire, malgré son avance sur le marché, le X3 fait aujourd'hui un peu vieux jeu et commence à perdre du terrain. Heureusement, BMW travaille actuellement sur le remplaçant du X3, attendu quelque part en 2010. En attendant, voici ce que BMW propose...

[CARROSSERIE] En dépit de son âge, le X3 se porte plutôt bien côté apparence. C'est qu'il a été plus choyé que les autres membres du groupe en recevant de fréquentes mais légères retouches esthétiques (la plus importante en 2006). Certains apprécieront son allure classique; contrairement à plusieurs véhicules multisegments, le X3 ne donne pas l'impression de sortir tout droit d'un film de science-fiction. D'autres le trouveront drôlement proportionné. Quoi qu'il en soit, on peut se fier à BMW pour introduire un nouveau X3 bien plus attrayant d'ici peu.

[INTÉRIEUR] BMW est bien connue pour ses longues listes d'options particulièrement onéreuses. Devant trouver de nouveaux arguments de vente pour faire bouger les derniers X3 de génération E83, elle a « légèrement » rehaussé l'équipement des versions 28i et 30i afin de tirer la couverture vers elle. Le modèle 28i est ainsi devenu le X3 le moins cher jamais offert au Canada grâce à un prix de base un poil sous la barre des 40 000 $, prix qui inclut une cabine tapissée de cuir... et c'est à peu près tout. Pour un intérieur plus complet, il faut opter pour l'ensemble exécutif (toit panoramique et volant chauffant) à 1000 $. En choisissant la version 30i, qui débute à 45 900 $, vous obtiendrez le contenu d'un modèle 28i bien équipé

+ FORCES • Comportement sportif • Meilleur rapport prix/équipement • Allure traditionnelle

− FAIBLESSES • Absence de technologie • Prix • Nouveau X3 à l'horizon

(ce qui correspond à 3100 $ d'options gratuites selon BMW). Encore une fois, vous pourrez débourser un surplus pour l'ensemble exécutif, et certaines options, auparavant possibles à l'intérieur d'un groupe d'options seulement, maintenant proposées individuellement. Cependant, le X3 aura beau être équipé jusqu'aux dents, il necomprend pas les nombreuses technologies de pointe de ses rivaux.

[MÉCANIQUE] En attendant de recevoir de nouveaux moteurs, dont potentiellement, le fameux V6 biturbo de 300 chevaux de BMW, le X3 doit se contenter de deux V6 atmosphériques de 3 litres pratiquement identiques du point de vue des spécifications. Ces moteurs qui carburent au suprême livrent respectivement 215 chevaux et 260 chevaux, ce qui est un peu fade par rapport à la concurrence. Les deux modèles incluent la transmission intégrale xDrive popularisée par BMW et une boîte de vitesses automatique à 6 rapports. À mon grand désespoir, la boîte manuelle qui équipait jadis le X3 brille maintenant par son absence, ce qui enlève, à mon avis, un atout au véhicule.

[COMPORTEMENT] Le X3 est tout ce qu'il y a de plus BMW. Certains (je pense entre autres aux Américains) trouvent son comportement trop rude. Il est vrai que la rigidité des suspensions et de la caisse entraîne une balade assez raide, surtout sur nos routes. Néanmoins, même haut sur pattes, le X3 se conduit comme une berline sportive. Un véritable petit plaisir qui lui donne toute sa raison d'être.

[CONCLUSION] Il est temps que BMW remplace son X3. Même si le modèle actuel demeure aussi plaisant à conduire qu'il l'était au début du siècle, il se fait désuet face à ses concurrents, qui se multiplient comme des Walmart. Cela dit, si les rumeurs qui circulent sur le Web tiennent de la réalité, le prochain X3 devrait rendre la bataille des utilitaires/multisegments sport compacts de luxe pas mal excitante. On peut aussi espérer une version diesel, qui donnerait l'avantage ultime au X3.

2e OPINION

PHILIPPE LAGUË Voilà le parfait exemple d'un véhicule qui n'a pas vieilli. Même si son arrivée chez nous remonte à 2004, le petit X3 a bien résisté aux assauts des éternels rivaux d'Audi et de Mercedes-Benz, mais aussi de Land Rover, d'Acura et Cie. Vous l'aurez compris, ce créneau ultra spécialisé, celui des petits VUS de luxe, regorge de joueurs de qualité, et le X3 demeure l'un des meilleurs achats. Pour l'agrément de conduite, il se situe dans une classe à part - après tout, on est chez BMW - et son bilan fiabilité est plutôt reluisant, ce qui n'est pas toujours le cas du côté des allemands. Outre son côté ludique, qui le distingue de ses rivaux, le X3, comme eux, est polyvalent mais brille également par sa faible consommation, une caractéristique des 6-cylindres de la marque munichoise. Bref, que du bon !

5 FICHE TECHNIQUE

· MOTEUR

(28i)
L6 3,0 l DACT, 215ch à 6250 tr/min
Couple 185 lb-pi à 2750 tr/min
Transmission automatique à 6 rapports avec mode manuel
0-100 km/h 8,9 s
Vitesse maximale 210 km/h (limitée)

· (30i)
L6 3,0 l DACT, 260 ch à 6600 tr/min
Couple 225 lb-pi à 2750 tr/min
Transmission automatique à 6 rapports avec mode manuel
0-100 km/h 7,6 s
Vitesse maximale 210 km/h (limitée)
Consommation (100 km) 10,3 l (octane 91)
Émissions de CO_2 5040 kg/an
Litres par année 2100 l.
Coût par an 2310 $
Autre motorisatin non
Empreinte écologique 30 arbres

· AUTRES COMPOSANTES
Sécurité active freins ABS, répartition électronique de force de freinage, assistance au freinage, antipatinage, contrôle de stabilité électronique, contrôle de descente
Suspension avant/arrière indépendante
Freins avant/arrière disques ventilés
Direction à crémaillère, assistée
Pneus 28i P235/55R17 **30i** P235/50R18

· DIMENSIONS
Empattement 2795 mm
Longueur 4569 mm
Largeur 1853 mm
Hauteur 1674 mm
Poids 1845 kg
Diamètre de braquage 11,7 m
Coffre 480 l, 1560 l (sièges abaissés)
Réservoir de carburant 67 l
Capacité de remorquage 1700 kg

NOS MENTIONS

Modèle recommandé

NOTRE VERDICT

Plaisir au volant
Qualité de finition
Consommation
Rapport qualité/prix
Valeur de revente

X5

www.bmw.ca

N ÉVOLUTION É J

58 200 $ à 71 500 $
transport et préparation: 1995 $

LA COTE VERTE

MOTEUR L6 DE 3.0 L DIESEL

- **Consommation (100km):** 9,1 l
- **Émissions polluantes CO_2 :** 5022 kg/an
- **Empreinte écologique (nombre d'arbres à planter par année):** 30
- **Indice d'octane:** Diesel
- **Autre motorisation:** Diesel
- **Coût du carburant moyen par année:** 1860$
- **Nombre de litres par année:** 1860 l

(source: ÉnerGuide)

1 FICHE D'IDENTITÉ

- **Versions** xDrive 3.0si, xDrive 4.8i, xDrive 3.5d
- **Roues** motrices 4
- **Portières** 4 **Nombre de passagers** 5 ou 7
- **Première génération** 2000
- **Génération actuelle** 2007
- **Construction** Spartanburg, Caroline du Sud, É.-U.
- **Sacs gonflables** 8 (frontaux, latéraux avant et arrière, rideaux latéraux)
- **Concurrence** Acura MDX, Audi Q7, Cadillac SRX, Infiniti FX, Land Rover LR3, Lexus RX, Mercedes-Benz Classe M, Porsche Cayenne, Volkswagen Touareg, Volvo XC90

2 AU QUOTIDIEN

- **Prime d'assurance**
  25 ans : 3000 à 3200 $
  40 ans : 2000 à 2200 $
  60 ans : 1400 à 1600 $
- **Collision frontale** 4/5
- **Collision latérale** 5/5
- **Ventes du modèle l'an dernier**
  Au Québec 546 **Au Canada** 3255
- **Dépréciation** 39,0%
- **Rappels** (2004 à 2009) 8
- **Cote de fiabilité** 2,5/5

3 GARANTIES... ET PLUS

- **Garantie générale** 4 ans/80 000 km
- **Garantie motopropulseur** 4 ans/80 000 km
- **Perforation** 12 ans/kilométrage illimité
- **Assistance routière** 4 ans/kilométrage illimité
- **Nombre de concessionnaires**
  Au Québec 8 **Au Canada** 40

4 NOUVEAUTÉS EN 2010

- aucun changement majeur

DEUX TONNES D'ÉLÉGANCE

BENOIT CHARETTE

DEPUIS SON INTRODUCTION AU SALON DE L'AUTO DE DETROIT, EN 1999, BMW A VENDU PLUS DE 845 000 EXEMPLAIRES DE SON UTILITAIRE SPORT QUI A REDÉFINI LES CRITÈRES DE CETTE CATÉGORIE. Le X5 impressionnait par son agilité, sa ténacité à s'accrocher au bitume. C'est d'ailleurs le premier utilitaire que j'avais essayé sur un circuit routier, le Porsche Cayenne allait suivre dans la même voie. Pour 2010, BMW va dans les deux extrêmes avec un modèle diesel biturbo très économique et le X5 M pour ceux qui n'ont pas froid aux yeux et qui ont un portefeuille bien garni.

[CARROSSERIE] Avec ses légères retouches l'an dernier, l'avant du véhicule se fait un peu plus menaçant. Les phares s'étirent un peu plus loin sur les ailes, et le profil est un peu plus épuré, un peu de travail de raffinement. La silhouette prend de la maturité, mais demeure reconnaissable au premier coup d'œil.

[HABITACLE] À l'intérieur, on note la fermeté des sièges, toujours confortables, et de la suspension de base qui transmet sèchement les imperfections de la route. Ceux qui voudront un meilleur confort opteront pour la suspension adaptative qui, comme nom l'indique, s'adapte aux différentes conditions de la route. Pour le reste, on se situe en plein univers BMW, c'est-à-dire avec une insonorisation remarquable, une excellente ergonomie avec la nouvelle génération du système iDrive simplifiée et une finition exemplaire. L'habitabilité est bonne, et la troisième rangée de sièges (en option), comme chez bien d'autres concurrents, est plutôt décorative que réellement pratique, un bon dépanneur sans plus.

[MÉCANIQUE] Entre le L6 de 3 litres de 260 chevaux qui manque de souffle à l'occasion et le puissant, mais gourmand V8 de 350 chevaux, BMW a introduit le X5 Diesel. Il ne faut pas se fier à la puissance de 265 chevaux, à peine plus élevée que celle du 3-litres à essence. Il faut plutôt tenir compte du couple de 425 livres-pieds qui transforme cette masse de plus de deux tonnes en artiste de la route. Il est souple, nerveux et offre une réponse franche à l'accélérateur. Il n'hésite

FORCES • Excellents moteurs • Boîte vive • Insonorisation réussie • Finition de qualité • Comportement routier de référence

FAIBLESSES • Options nombreuses et coûteuses • Troisième rangée symbolique • Capacités hors route limitées • Suspension de base sèche

pas à pousser franchement même en altitude. La boîte de vitesses automatique est tout aussi réussie. La meilleure nouvelle vient sans doute à la pompe. Après plus de 300 kilomètres de chemins tortueux, d'épingles dignes d'un circuit de F1 et d'innombrables montées et descentes qui obligent à remettre les gaz à tous les 100 mètres, j'ai maintenu une moyenne de 11,3 litres aux 100 kilomètres.

[COMPORTEMENT] Le X5 est déjà considéré comme une référence en matière de tenue de route dans cette catégorie, et la cuvée 2010 ne fait pas mentir sa réputation. Il est encore possible de pousser le X5 presque aussi fort qu'une berline sport sur les chemins les plus exigeants sans arrière-pensée. C'est uniquement le poids de plus de deux tonnes qui exige qu'on lève le pied plus tôt à l'entrée d'une courbe et le centre de gravité plus élevé qui rend certaines manœuvres plus délicates. La direction, comme tous les autres produits BMW, est d'une grande précision, et le freinage, mordant et progressif. Toutefois, hors route, il vous sera impossible de suivre un Touareg, un Cayenne, un Range Rover ou, même, un Mercedes-Benz ML; BMW a clairement misé sur les aptitudes routières et laissé l'école buissonnière aux autres.

[CONCLUSION] Avec chaque génération qui se présente, le X5 est de moins en moins utilitaire et de plus en plus sportif, le X5 M est une preuve flagrante de cet énoncé, ses aptitudes hors route étant très limitées. C'est sur la route que le béhème fait bande à part avec l'un des meilleurs moteurs diesel du moment accouplé à une excellente boîte automatique; il danse littéralement sur la route, faisant oublier sa masse. Sans doute le plus agréable à conduire des gros VUS diesel actuellement commercialisés. Cela dit, si votre budget laisse une grande place au plaisir et au carburant, je vous invite à lire notre essai sur le X5 M. Décoiffant !

2e OPINION

FRANCIS BRIÈRE Même si, comme moi, vous ne cultivez un grand intérêt pour les véhicules utilitaires, une balade en X5 vous procure beaucoup d'agrément. De plus, votre fibre écolo sera moins agacée avec la version 3,5, une motorisation fonctionnant au diesel, question de réduire la consommation à un niveau fort acceptable pour ce genre de véhicule. En effet, considérant son poids, il est possible de consommer moins de 10 litres aux 100 kilomètres au volant du X5. Exceptionnel ! Pour le reste, vous bénéficiez de l'espace, du confort, du luxe et de la douceur de roulement. Évidemment, il faut y mettre le prix. Une fois que son portefeuille est dégarni, le nouveau propriétaire de X5 aura le sourire aux lèvres. Pourquoi se contenter de moins ?

5 FICHE TECHNIQUE

· MOTEURS

· (XDRIVE 3.0SI)
L6 3,0 l DACT, 260 ch à 6600 tr/min
Couple 225 lb-pi à 2750 tr/min
Transmission automatique à 6 rapports
0-100 km/h 8,4 s
Vitesse maximale 210 km/h
Consommation (100 km) 11,5 l
Émissions de CO_2 5616 kg/an
Litres par année 2340 l. **Coût par an** 2574$
Empreinte écologique 33 arbres

· (XDRIVE 4.8I)
V8 4,8 l DACT, 350 ch à 6300 tr/min
Couple 350 lb-pi à 3400 tr/min
Transmission automatique à 6 rapports avec mode manuel
0-100 km/h 6,5 s
Vitesse maximale 240 km/h
Consommation (100 km) 12,9 l (octane 91)
Émissions de CO_2 6336 kg/an
Litres par année 2640 l.
Coût par an 2904$
Empreinte écologique 38 arbres

· (XDRIVE 3.5D)
L6 3,0 l DACT biturbo, 265 ch à 4200 tr/min
Couple 425 lb-pi à 1750 tr/min
Transmission automatique à 6 rapports
0-100 km/h 7,4 s
Vitesse maximale 210 km/h

· AUTRES COMPOSANTES
Sécurité active freins ABS, répartition électronique de force de freinage, assistance au freinage, antipatinage, contrôle de stabilité électronique
Suspension avant/arrière indépendante
Freins avant/arrière disques
Direction à crémaillère, assistée
Pneus P255/55R18

· DIMENSIONS
Empattement 2933 mm
Longueur 4854 mm
Largeur 1933 mm
Hauteur 1776 mm
Poids xDrive 3.0si 2230 kg **xDrive 3.5d** 2370kg **xDrive 4.8i** 2380 kg
Diamètre de braquage 12,8 m
Coffre 620 l, 1750 l (sièges abaissés)
Réservoir de carburant 85 l
Capacité de remorquage 2700 kg

NOTRE VERDICT

Plaisir au volant
Qualité de finition
Consommation
Consommation (Diesel V6 3l)
Rapport qualité/prix
Valeur de revente

X5 M

www.bmw.ca

N NOUVEAUTÉ É J

97 900 $
transport et préparation: 1995 $

LA COTE VERTE

AVEC MOTEUR V8 DE 4,4 L

- **Consommation (100km):** 14,4 l
- **Émissions polluantes CO_2 :** 6500 kg/an
- **Empreinte écologique (nombre d'arbres à planter par année):** 40
- **Indice d'octane:** 91
- **Autre motorisation:** non
- **Coût du carburant moyen par année:** 3014$
- **Nombre de litres par année:** 2740l

(SOURCE: ÉnerGuide)

1 FICHE TECHNIQUE

· MOTEUR

V8 4,4 l biturbo DACT, 555 ch à 6000 tr/min
Couple 500 lb-pi à 5650 tr/min
Transmission automatique à 6 rapports
0-100 km/h 4,7 s
Vitesse maximale 250 km/h (bridée)
Consommation (100 km) nm

· AUTRES COMPOSANTES

Sécurité active freins ABS, répartition électronique de force de freinage, assistance au freinage, antipatinage, contrôle de stabilité électronique
Suspension avant/arrière indépendante
Freins avant/arrière disques
Direction à crémaillère, assistée
Pneus avant P275/40R20 arrière P 315/35R20

· DIMENSIONS

Empattement 2933 mm
Longueur 4851 mm
Largeur 1994 mm
Hauteur 1764 mm
Poids 2435 kg
Diamètre de braquage 12,8 m
Coffre 620 l, 1750 l (sièges abaissés)
Réservoir de carburant 85 l
Capacité de remorquage 2700 kg

C'EST TROP

PAR BENOIT CHARETTE

IL SEMBLE QUE LA COURSE À LA PUISSANCE NE SE TERMINERA JAMAIS. Après Mercedes-Benz qui présente un ML 63 AMG de 503 chevaux, et Porsche, son Cayenne Turbo S de 550 chevaux, les 350 chevaux du X5 V8 paraissaient bien maigres. Pas de problème, ajoutez deux turbos et vous voilà à 555 chevaux. C'est à nouveau BMW qui se retrouve en tête du peloton.

[CARROSSERIE] La signature M et les retouches esthétiques ne laissent planer aucun doute sur la vocation de ces deux modèles. Le X5 et le X6 (voir autre page) arborent des sorties d'air M spécifiques sur les ailes avant ainsi que des roues de 20 pouces M en alliage léger, ces deux éléments étant personnalisés pour chacun.

[HABITACLE] À bord, l'ambiance est luxueuse et technologique. Les X5 M et X6 M disposent de nombreuses aides à la conduite et de l'iDrive de dernière génération. Outre une finition soignée, les occupants de ces VUS profitent de sièges M. Le conducteur pilote le tout avec un volant M gainé de cuir. Les cadrans sont présentés sur fond blanc, et, pour rehausser l'expérience au volant, les deux modèles sont livrables avec une chaîne audio BMW à 16 haut-parleurs et amplificateur de 825 watts.

[MÉCANIQUE] Le X5 M et le X6 M disposent d'un V8 de 4,4 litres gavée de deux turbos, une première dans la famille des moteurs M. La boîte de vitesses automatique à 6 rapports, installée pour la première fois dans une BMW M, favorise le caractère hautes performances.

[COMPORTEMENT] Autre première pour une voiture M, BMW a adapté sa transmission X-Drive pour l'installer sur un véhicule de Série M. Le X-Drive a été calibré pour faire ressortir le caractère nerveux de ces voitures en focalisant sur le comportement sur route.Vous pourrez vous tapez un 0 à 100 km/h en 4,7 secondes et filer jusqu'à 275 km/h avec le groupe M Driver en gardant le sourire.

[CONCLUSION] Une sérieuse machine de guerre, vous aurez besoin de beaucoup de retenue et d'une carte platine pour le carburant.

FORCES · Puissance · Tenue de route · Finition

FAIBLESSES ·Consommation · Pertinence du modèle · Prix des options

LA COTE VERTE

AVEC MOTEUR V8 DE 4.4 L

- **Consommation (100km):** 15,8 l
- **Émissions polluantes CO_2 :** 6864 kg/an
- **Empreinte écologique (nombre d'arbres à planter par année):** 41
- **Indice d'octane:** 91
- **Autre motorisation:** non
- **Coût du carburant moyen par année:** 3146 $
- **Nombre de litres par année:** 2860 l

(SOURCE: ÉnerGuide)

C'EST TROP

BENOIT CHARETTE

SI VOUS PENSIEZ QUE LA HAUTE PERFORMANCE SE RETROUVAIT UNIQUEMENT DANS LES VOITURES SPORT, BMW VEUT PROUVER LE CONTRAIRE AVEC LE X6 M.

[CARROSSERIE] Comme tous les produits de la famille M, le X6 M démontre un caractère très extraverti. Il démontre clairement son caractère de pur-sang. Le capot, le bouclier et les phares des BMW X5 M et X6 M sont pratiquement identiques. Le diffuseur arrière de chaque modèle communique une présence fortement évocatrice de puissance, et les sorties doubles de l'échappement rappellent elles aussi le rattachement à la famille M.

[HABITACLE] L'intérieur profite mêmes avantages que le X5 M. Vous avez aussi droit à des systèmes d'aide à la conduite, notamment un régulateur de vitesse dynamique, un capteur de pluie, des rétroviseurs à antiéblouissement, le contrôle de la distance en stationnement et les phares adaptatifs au xénon de BMW. La liste d'options comprend un afficheur à tête haute et une caméra de recul avec la nouvelle fonction spectaculaire de vue de dessus. Celle-ci fournit au conducteur une « vue du ciel » de son véhicule sur l'écran de contrôle iDrive en utilisant les images de caméras latérales et de la caméra arrière classique.

[MÉCANIQUE] Le X6 M jouit du même V8 biturbo de 555 chevaux que le X5 M. La boîte de vitesses à 6 rapports se commande grâce à un sélecteur électronique ou bien, au choix, par l'entremise de leviers en aluminium de sélection au volant.

[COMPORTEMENT] En plus du premier système à 4 roues motrices sur des véhicules M, la X5 M et X6 M profitent de la suspension M spéciale qui comprend la fonction de conduite adaptative et la direction à assistance Servotronic M.

[CONCLUSION] X5 M ou X6 M, c'est une question de goût. Il reste à savoir si BMW gagnera son pari, celui de combler les attentes d'un amateur de voitures sport avec un camion.

1 FICHE TECHNIQUE

- **MOTEUR**
- **(XDRIVE 4.4l)**

V8 4,4 l biturbo DACT, 555 ch à 6000 tr/min
Couple 500 lb-pi à 5650 tr/min
Transmission automatique à 6 rapports avec mode manuel
0-100 km/h 4,7 s
Vitesse maximale 275 km/h (limité)
(groupe M driver)

- **DIMENSIONS**

Empattement 2933 mm
Longueur 4876 mm
Largeur 1983 mm
Hauteur 1690 mm
Poids 2435 kg
Diamètre de braquage 12,8 m
Coffre 570 l, 1450 l (sièges abaissés)
Réservoir de carburant 85 l
Capacité de remorquage 2700 kg
Pneus P275/40R20

+ −

FORCES · Une bête sur la route · Sonorité du moteur envoûtante · Forme unique

FAIBLESSES · Visibilité arrière très réduite · Seuil de coffre trop haut · Faut-il mentionner le prix ?

X6

www.bmw.ca

N ÉVOLUTION É J

63 900 $ à 78 100 $
transport et préparation: 1895 $

LA COTE VERTE

MOTEUR L6 DE 3,0 L
- **Consommation (100km):** 12,2 l
- **Émissions polluantes CO_2 :** 5952 kg/an
- **Empreinte écologique (nombre d'arbres à planter par année):** 36
- **Indice d'octane:** 91
- **Autre motorisation:** non
- **Coût du carburant moyen par année:** 2728 $
- **Nombre de litres par année:** 2480 l

(source: ÉnerGuide)

1 FICHE D'IDENTITÉ
- **Versions** xDrive 3.5i, xDrive 5.0i
- **Roues motrices** 4
- **Portières** 4 **Nombre de passagers** 5
- **Première génération** 2009
- **Génération actuelle** 2009
- **Construction** Spartanburg, Caroline du Sud, É.-U.
- **Sacs gonflables** 8 (frontaux, latéraux avant et arrière, rideaux latéraux)
- **Concurrence** Acura MDX, Audi Q7, Cadillac SRX, Infiniti FX, Land Rover LR3, Lexus RX, Mercedes-Benz Classe M, Porsche Cayenne, Volkswagen Touareg, Volvo XC90

2 AU QUOTIDIEN
- **Prime d'assurance**
  25 ans: 3000 à 3200 $
  40 ans: 2000 à 2200 $
  60 ans: 1400 à 1600 $
- **Collision frontale** 5/5
- **Collision latérale** 5/5
- **Ventes du modèle de l'an dernier**
  Au Québec 173 **Au Canada** 726
- **Dépréciation (1 an)** 14.0%
- **Rappels (2004 à 2009)** aucun à ce jour
- **Cote de fiabilité** nd

3 GARANTIES... ET PLUS
- **Garantie générale** 4 ans/80 000 km
- **Garantie motopropulseur** 4 ans/80 000 km
- **Perforation** 12 ans/kilométrage illimité
- **Assistance routière** 4 ans/kilométrage illimité
- **Nombre de concessionnaires**
  Au Québec 8 **Au Canada** 40

4 NOUVEAUTÉS EN 2010
- Aucun changement majeur

QUELLE CRISE ÉCONOMIQUE ?

DANIEL RUFIANGE

BMW A INTRODUIT PAS MOINS DE SIX NOUVEAUX VÉHICULES DEPUIS 10 ANS. Si les Z3/Z4, X3 et X5, Série 6 et Série 1 sont venus combler un vide, on peut sérieusement se demander si le dernier en liste, le X6, vient répondre à une demande criante des consommateurs ou à une excentricité des concepteurs. Le monde a-t-il besoin d'un X6 ? Encore plus, d'une version M ?

[CARROSSERIE] Une véritable bête féroce; voilà à quoi ressemble le X6. Les lignes de ce véhicule et l'impression qui s'en dégage respirent la brutalité et la virilité. Le tour de force du service de Design est d'avoir conféré cette allure « macho » au X6 en utilisant des lignes fluides et arrondies. Qu'on adore ou qu'on déteste sa gueule, force est d'admettre qu'il s'agit d'un véhicule impressionnant. Personnellement, j'aime son aspect arrogant et peu orthodoxe. Monté sur des roues de 19 ou de 20 pouces, sa garde au sol demeure relativement basse. La forme arrondie du toit lui confère un caractère sportif, impression qui se confirme derrière le volant. L'avant est à l'image de la marque tandis que le design arrière détonne. C'est massif, et encore !

[HABITACLE] Avec une facture qui peut aisément avoisiner les 80 000 dollars, il ne faut pas s'étonner de retrouver un environnement riche et de grande qualité. L'accès à bord demande des qualités athlétiques cependant; il faut enjamber le marchepied, le rebord et se rendre au siège. Facile en été, plus périlleux et plus salissant en hiver. À l'arrière, la coupe du véhicule donne la vive impression qu'on a sacrifié l'espace et le dégagement des places arrière. Ici, BMW fait preuve d'ingéniosité et d'un souci envers les occupants; les places arrière sont abaissées et légèrement inclinées vers l'arrière afin que le dégagement pour la tête soit suffisant. Dans les faits, le seul problème du X6, c'est qu'il s'agit d'un véhicule qui n'offre que quatre places. Ça, c'est moins pratique !

[MÉCANIQUE] BMW nous propose deux engins pour mouvoir ce monstre. D'abord, l'option « écologique » qui réside dans le fameux 6-cylindres en ligne biturbo de 3 litres. Avec sa

FORCES • Lignes uniques et racées • Impression d'être propulsé par un réacteur plutôt qu'un moteur (V8) • Confort des sièges et position de conduite • Tenue de route exemplaire

FAIBLESSES • Consommation troposphérique du V8 • Visibilité nulle qui rend les changements de voie dangereux • Fermeté de la suspension agaçante Près de 100 000 $ tout équipé

puissance de 300 chevaux et un couple équivalent, il fait le travail et garde la facture de carburant acceptable. Puis, il y a la démence même, un V8 biturbo de 4,4 litres. Ses 400 chevaux et son couple de 450 livres-pieds – vous avez bien lu – transforment la bête en guépard. Les accélérations sont ahurissantes, et le travail des suspensions permet à cet animal de gambader de gauche à droite sans crier gare.

[COMPORTEMENT] Avec toute la puissance disponible et le savoir-faire qu'on connaît à BMW, je me doutais bien que l'expérience au volant en serait une bonne. Cependant, jamais je ne me serais attendu à un comportement routier aussi solide, surtout en raison des dimensions et du poids du X6. Non seulement ce mastodonte accélère-t-il comme une fusée, mais il peut négocier les virages de façon très agressive sans crainte de la moindre dérobade. En réalité, ça tient tellement la route que ça fait peur ! N'oublions pas que rien n'échappe aux lois de la physique, et on a tendance à l'oublier au volant. Soyez averti que la consommation du V8 n'a d'égal que l'enthousiasme de notre pied droit. Et penser conduire un X6 comme grand-papa conduit sa Lincoln 1976, c'est carrément utopique.

[CONCLUSION] Alors, pourquoi un X6 ? Pour rien ! Ou pour le plaisir, tout simplement. Il est difficile de trouver une utilité à ce véhicule autre que l'euphorie qu'il procure au volant. Comme passager, on passe son temps agrippé à quelque chose; et si on se situe à l'arrière, on ne voit pas grand-chose. Joujou pour les plus fortunés, le X6 n'est pas plus utile à la planète que George W. Busch ne l'a été pour... tout le monde finalement. Il s'agit d'un autre exemple de la démesure humaine. Mais quelle démesure !

2e OPINION

FRANCIS BRIÈRE La mode du gros VUS bat son plein en Amérique et le X6 est une autre preuve que les manufacturiers arrivent à en vendre, peu importe le prix. Si au moins on pouvait bénéficier de plus d'espace... Mais non, les concepteurs ont même eu le front de couper une place ! Cela étant mentionné, le X6 n'est pas moins intéressant à conduire pour autant. Équipé du V8 de 4,4 litres biturbo, ce véhicule ne manque pas de muscle. L'arrière impressionne avec sa conception robuste et pleine d'allégresse. Si vous avez les moyens de sortir 80 000 dollars de vos poches pour ce siphon à quatre roues, votre relevé mensuel de cartes d'essence ne vous causera certainement pas de soucis. Et dire que vous pouvez vous procurer une version M...

5 FICHE TECHNIQUE

· MOTEURS

· (xDrive 3.5i)
L6 3,0 l double turbo DACT, 300 ch à 5800 tr/min Couple 300 lb-pi à 1400 tr/min
Transmission automatique à 6 rapports
0-100 km/h 6,9 s
Vitesse maximale 210 km/h

· (xDrive 5.0i)
V8 4,4 l double turbo DACT, 400 ch à 5500 tr/min Couple 450 lb-pi à 1800 tr/min
Transmission automatique à 6 rapports
0-100 km/h 5,6 s
Vitesse maximale 210 km/h
Consommation (100 km) 13,8 l (octane 91)
Émissions de CO_2 6864 kg/an
Litres par année 2860 l
Coût par an 3146 $
Carburant alternatif non
Empreinte écologique 40 arbres

· AUTRES COMPOSANTES
Sécurité active freins ABS, répartition électronique de force de freinage, assistance au freinage, antipatinage, contrôle de stabilité électronique
Suspension avant/arrière indépendante
Freins avant/arrière disques
Direction à crémaillère, assistée
Pneus P255/50R19

· DIMENSIONS
Empattement 2933 mm
Longueur 4877 mm
Largeur 1983 mm
Hauteur 1690 mm
Poids xDrive3.5 2220kg **xDrive5.0** 2390 kg
Diamètre de braquage 12,8 m
Coffre 570 l, 1450 l (sièges abaissés)
Réservoir de carburant 85 l
Capacité de remorquage 2700 kg

NOTRE VERDICT

Plaisir au volant	4,5/5
Qualité de finition	4/5
Consommation	2,5/5
Rapport qualité/prix	3/5
Valeur de revente	4/5

ALLURE

www.gm.ca

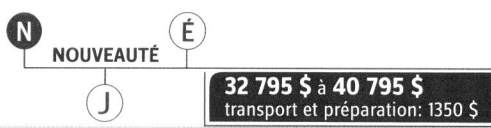

N NOUVEAUTÉ É J

32 795 $ à 40 795 $
transport et préparation: 1350 $

LA COTE VERTE

AVEC MOTEUR V6 DE 3,0 L

- **Consommation (100km): auto.** 9,8 l **4RM** 10,2 l
- **Émissions polluantes CO_2 : auto.** 4752 kg/an
- **Empreinte écologique (nombre d'arbres à planter par année):** 30
- **Indice d'octane:** 87
- **Autre motorisation:** non
- **Coût du carburant moyen par année: auto.** 1960$
- **Nombre de litres par année: auto.** 1960 l **4RM** 2060 l

(SOURCE: ÉnerGuide)

1 FICHE D'IDENTITÉ

- **Versions** CX, CXL, CXS
- **Roues motrices** avant, 4
- **Portières** 4 **Nombre de passagers** 5
- **Première génération** 2005
- **Génération actuelle** 2010
- **Construction** Kansas City, Kansas, États-Unis
- **Sacs gonflables** 6 (frontaux, latéraux, rideaux latéraux)
- **Concurrence** Chevrolet Malibu/Impala, Chrysler Sebring/300, Dodge Charger, Ford Fusion/Taurus, Honda Accord, Hyundai Sonata, Kia Magentis, Mazda6, Mitsubishi Galant, Nissan Altima/Maxima, Toyota Camry, Volkswagen Passat

2 AU QUOTIDIEN

- **Prime d'assurance**
  25 ans: 1900 à 2100 $
  40 ans: 1200 à 1400 $
- **60 ans:** 1000 à 1200 $
- **Collision frontale** 5/5
- **Collision latérale** 3/5
- **Ventes du modèle de l'an dernier**
  Au Québec 1678 **Au Canada** 9200
- **Dépréciation** (3 ans) 61,5 %
- **Rappels** (2004 à 2009) 4
- **Cote de fiabilité** 4/5

3 GARANTIES... ET PLUS

- **Garantie générale** 4 ans/80 000 km
- **Garantie motopropulseur** 5 ans/160 000 km
- **Perforation** 6 ans/kilométrage illimité
- **Assistance routière** 4 ans/80 000 km
- **Nombre de concessionnaires**
  Au Québec 90 **Au Canada** 400

4 NOUVEAUTÉS EN 2010

- Nouvelle version

RETOUR AU SOMMET

PAR BENOIT CHARETTE

LA SEULE RAISON POUR LAQUELLE GENERAL MOTORS NE S'EST PAS DÉBARRASSÉE DE BUICK DANS LE GRAND MÉNAGE QU'ELLE VIENT D'EFFECTUER, C'EST EN RAISON DE LA POPULARITÉ INCROYABLE DE LA MARQUE EN CHINE. Pourquoi la Chine ? Buick est devenue le symbole de l'amitié entre la Chine et les États-Unis quand le pays de l'Oncle Sam avait offert une Buick à Soong Mei Ling (madame Tchang Kaï-Chek). Depuis ce jour, Buick est le symbole de réussite en Chine, et GM profite d'une grande popularité là-bas. Ici, cela fait 20 ans qu'elle meurt à petit feu, mais la nouvelle Allure est prête à faire volte-face.

[CARROSSERIE] Présentées au salon de Detroit en janvier 2009, ses photos ont fait le tour de l'Internet trois fois. Sa silhouette est le fruit d'une collaboration entre les ingénieurs travaillant aux États-Unis et en Chine, en partenariat avec le PATAC (Pan Asia Technical Automotive Centre) et l'association européenne des ingénieurs en châssis et en carrosserie. Cette association a vu naître le premier véhicule de General Motors créé grâce à la participation d'entreprises sur trois continents. Sous des airs qui rappellent tantôt la Lexus GS et tantôt la Jaguar XF, on retrouve des lignes très bien proportionnées. Elle est élégante sans tomber dans l'excès comme le font trop souvent les berlines américaines. Un mélange d'Europe et de Japon.

[HABITACLE] Les septuagénaires qui constituent la grande majorité de la clientèle serontravis d'apprendre que GM n'a pas trop brusqué ses meilleurs clients. La voiture est aussi simple que toutes les Buick qui sont sorties d'une usine d'assemblage depuis 50 ans. Pas de complexités technologiques, peu de boutons, mais ceux qu'on retrouve sont gros et faciles à utiliser si vous faites de l'arthrite. Je blague un peu, mais le tapis est moelleux, l'insonorisation, de bon aloi, et le confort arrive toujours au premier rang des priorités. Disons simplement que GM a mieux enrobé la présentation pour la rendre moderne et assez attrayante, mais à la base, la recette qu'utilise Buick n'a pas foncièrement changé, c'est une Chevrolet en plus chic.

FORCES • Confort • Silhouette • Espace généreux

FAIBLESSES • Direction floue • Suspension de base encore un peu molle • Clientèle cible inconnue

[MÉCANIQUE] L'Allure 2010 est offerte en trois versions : la CX, la CXL et la CXS. Les deux premières versions arrivent avec un nouveau moteur V6 de 3 litres à injection directe qui développe 255 chevaux, jumelé à une boîte de vitesses automatique à 6 rapports. La CXL offre en plus une transmission intégrale jointe au différentiel à glissement limité électronique livrable en option. Le différentiel à glissement limité électronique transfère le couple d'une roue à l'autre sur un même essieu en fonction du pneu qui adhère le plus à la route afin d'augmenter la maîtrise du véhicule sur les chaussées glacées ou détrempées. Enfin, la version CXS arrive avec un moteur V6 de 3,6 litres à injection directe, une boîte automatique à 6 rapports et 280 chevaux. Les premières réactions sont unanimes : on salue le moteur de base plus souple et moins rugueux que le 3,6-litres.

[COMPORTEMENT] Nous le disions plus tôt, le confort arrive en première position des priorités. Buick a donc investi dans l'insonorisation. Des verres laminés à la profusion de matériaux isolants en passant par un berceau de moteur spécialement pensé pour éliminer les bruits parasites dans l'habitacle, vous serez littéralement coupé de la route, c'est aussi silencieux qu'un cercueil, sans faire de mauvais jeux de mots. La bonne nouvelle c'est que GM a tout de même réussi à donner une certaine réactivité à la suspension qui ne lancera pas un cri de douleur en attaquant une courbe un peu raide, chose plutôt rare chez Buick. La direction est encore un peu floue comme la mémoire de certains de ses conducteurs. La version CXL offre une suspension magnétique plus réactive et un système à quatre roues motrices d'origine Haldex.

[CONCLUSION] Il existe un nombre impressionnant de berlines de luxe dans cette catégorie, de la Hyundai Genesis à la Mercedes-Benz Classe E. La Buick Allure a certes du potentiel, mais on se demande à qui elle s'adresse. Elle n'offre rien de plus que la concurrence. Il y a une forte côte à remonter et il faudra du temps et beaucoup de courage, sinon la voiture va simplement errer, sans but, sans trouver sa place.

5 FICHE TECHNIQUE

· MOTEURS

· (CX, CXL)

V6 3,0l DACT, 255 ch 252 Tl à 6900 tr/min
Couple 217 lb-pi 215 Tl à 5100 tr/min
Transmission automatique à 6 rapports
0-100 km/h 8,4 s
Vitesse maximale 200 km/h

· (CXS)

V6 3,6 DACT , 280 ch à 6300 tr/min
Couple 259 lb-pi à 4800 tr/min
Transmission automatique à 6 rapports
0-100 km/h 7,4 s
Vitesse maximale 210 km/h
Consommation (100 km) 11,0 l (octane 87)
Émissions de CO_2 4848 kg/an
Litres par année 2020 l
Coût par an man. 2020 $
Carburant alternatif non
Empreinte écologique 30 arbres

· AUTRES COMPOSANTES

Sécurité active freins ABS, antipatinage, contrôle de stabilité électronique
Suspension avant/arrière indépendante
Freins avant/arrière disques
Direction à crémaillère, assistée
Pneus 17po P245/50R17 **18po** P245/45R18 **19po** P245/40R19

· DIMENSIONS

Empattement 2837 mm
Longueur 5001 mm
Largeur 1857 mm
Hauteur 1496 mm
Poids CX 1791 kg **CXL 2RM** 1822kg **4RM** 1904 kg **CXS** 1844 kg
Diamètre de braquage 11,75 m
Coffre CX, CXL 376 L **CXS** 362 L
Réservoir de carburant CX CXL 2RM CXS 69,6 L **CXL 4RM** 73,8 L

NOTRE VERDICT

Plaisir au volant
Qualité de finition
Consommation
Rapport qualité/prix
Valeur de revente Nm

ENCLAVE

www.gm.ca

N ÉVOLUTION É J

42 805 $ à 53 145 $
transport et préparation: 1300 $

LA COTE VERTE

MOTEUR
V6 DE 3,6 L
- **Consommation (100km):** **2RM** 10,8 l **4RM** 11,4 l
- **Émissions polluantes CO_2 :** **2RM** 5184 kg/an **4RM** 5472 kg/an
- **Empreinte écologique (nombre d'arbres à planter par année):** 31
- **Indice d'octane:** 87
- **Autre motorisation :** non
- **Coût du carburant moyen par année:** **2RM** 2160 $ **4RM** 2280 $
- **Nombre de litres par année:** **2RM** 2160 l **4RM** 2380 l

(source: ÉnerGuide)

1 FICHE D'IDENTITÉ

- **Versions** CX, CXL
- **Roues motrices** avant, 4
- **Portières** 4 **Nombre de passagers** 7
- **Première génération** 2008
- **Génération actuelle** 2008
- **Construction** Lansing, Michigan, É.-U.
- **Sacs gonflables** 6 (frontaux, latéraux avant, rideaux latéraux)
- **Concurrence** Acura MDX, Audi Q7, Ford Flex, Honda Pilot, Hyundai Veracruz, Lexus RX350, Mazda CX-9, Nissan Murano, Toyota Highlander, Volvo XC90

2 AU QUOTIDIEN

- **Prime d'assurance**
  25 ans: 2400 à 2600 $
  40 ans: 1400 à 1600 $
  60 ans: 1200 à 1400 $
- **Collision frontale** 5/5
- **Collision latérale** 5/5
- **Ventes du modèle de l'an dernier**
  Au Québec 770 **Au Canada** 4994
- **Dépréciation** (1 ans) 18%
- **Rappels** (2004 à 2009) 4
- **Cote de fiabilité** nd

3 GARANTIES... ET PLUS

- **Garantie générale** 4 ans/80 000 km
- **Garantie motopropulseur** 5 ans/160 000 km
- **Perforation** 6 ans/kilométrage illimité
- **Assistance routière** 4 ans/80 000 km
- **Nombre de concessionnaires**
  Au Québec 90 **Au Canada** 400

4 NOUVEAUTÉS EN 2010

- roues de 20po chromées en option, port USB, groupe de sécurité OnStar

TIENT SES PROMESSES

PAR FRÉDÉRIC MASSE

LORSQUE J'AI VU L'ENCLAVE DANS SA VERSION PROTOTYPE POUR LA PREMIÈRE FOIS, JE L'AI TROUVÉ JOLI. LORSQUE J'AI PU ACCÉDER À L'HABITACLE DU MULTISEGMENT, JE L'AI TROUVÉ BIEN FINI. Puis, lorsque j'ai essayé le véritable Enclave, j'ai compris. GM n'avait pas menti, le multisegment vaut son prix et j'en suis ravi.

[CARROSSERIE] Sincèrement, bien que je ne sois pas la clientèle cible, je le trouve attirant, cet Enclave. Il est sans aucun doute le plus joli dessin des cousins réalisés sur la plateforme Lambda. Avec ses roues de 19 pouces et son allure haut de gamme, l'Enclave n'a pas à être gêné devant ses compétiteurs.

[HABITACLE] L'Enclave marquait le début d'une nouvelle ère chez GM. À l'image des produits Cadillac, tout y est vraiment bien fini. De la qualité des matériaux, à l'ergonomie des contrôles, à l'assemblage, jusqu'à l'éclairage ambiant, vraiment j'ai été ravi. Dans ses versions plus équipées, on se retrouve dans un véhicule de luxe à part entière. Vraiment, c'est du solide et du sérieux. On le sent tout de suite en constatant la qualité de l'insonorisation. J'aurais toutefois aimé un peu plus de support des sièges avant, mais comme la clientèle cible risque d'être un peu plus large que moi, je ne m'en offusquerai guère. On pourra accueillir sept ou huit passagers. Il faut savoir que la dernière rangée (quoique facilement accessible) servira soit pour les courtes randonnées des grands, soit pour les courtes jambes des petits. L'espace cargo, les rangements et la place pour les autres occupants ne manqueront jamais et le confort des sièges est impressionnant. Petit défaut, malgré la bonne fenestration, la vision périphérique est restreinte par les gros piliers, notamment. C'est agaçant lors des manœuvres dans des endroits restreints ou en reculant. Compte tenu de la taille du véhicule, les aides au stationnement aideront, Dieu merci.

[MOTEUR] Aucun changement sous le capot, l'Enclave profite toujours du V6 de 3,6 litres développant 288 chevaux. Croyez-moi, ce n'est rien pour écrire à sa mère. Disons que les accélérations et les reprises, surtout avec l'option

FORCES • Qualité générale • Assemblage et choix des matériaux sérieux • Lignes séduisantes • L'ensemble de l'œuvre

FAIBLESSES • Transmission hésitante • Vision périphérique limitée

de l'intégrale, n'ont rien de très enivrantes. C'est tout de même suffisant. Autre point, la transmission à six rapports. Pendant mon essai, j'ai souvent senti des hésitations... comme si elle demeurait à trop haut régime et hésitait à changer de rapports. Ça n'a rien pour aider les prestations d'une mécanique ayant à déplacer une si grosse masse à partir de l'inertie.

[COMPORTEMENT] L'Enclave est gros et très lourd. Sa suspension indépendante est d'abord axée sur le confort... On se doute du résultat, mais ça n'a rien de catastrophique. On pourrait comparer sa conduite à celle d'un hippopotame en tutu. Flexible, mais pesant. Il demeure tout de même capable de bien réagir en manœuvre d'urgence et se conduire avec aplomb. Sa direction est d'ailleurs étonnement précise pour un véhicule de ce type. A-t-on besoin de plus que ça dans un multi de ce genre ? Pas moi... probablement encore moins les acheteurs type. C'est feutré, doux et manœuvrable, quoique sa très grande taille puisse en décourager certains. Il faut y penser avant de l'acheter, ce n'est pas parce qu'il ne porte pas l'étiquette de VUS que l'Enclave ne fait pas ses dimensions. Pour une bibitte de ce type et de cette taille, c'est tout de même beaucoup mieux que la plupart des minifourgonnettes et que bien d'autres compétiteurs.

[CONCLUSION] Vous savez ce qui m'a tant impressionné dans l'Enclave ? Autant il séduit une nouvelle clientèle qui ne repartira pas déçu après avoir visité les salles de montre, autant on le choisira malgré son prix élevé. Il ne s'avère ni une aubaine, ni un « deal » monstre. On choisira donc l'Enclave pour ce qu'il est et non pas parce qu'il permet de plus petits paiements que ses compétiteurs. D'ailleurs, le gros américain remporte la palme du sondage de la satisfaction à la clientèle de *Consumer Reports* devant des véhicules établis comme le Lexus LX, en plus d'obtenir des notes parfaites lors des tests de collisions. Impressionnant. Ce Buick fait, selon moi, partie des meilleurs produits de GM. Moi qui dit ça d'un Buick...

2e OPINION

DANIEL RUFIANGE Buick a survécu à l'hécatombe des produits GM en 2009. Bien qu'elle puisse remercier sa filiale chinoise - là-bas, rouler en Buick est signe de succès - c'est aussi parce qu'elle compte sur des produits de qualité que la bannière fait partie de la nouvelle GM, malgré un choix de modèles restreint. Parmi ses joyaux, on trouve l'Enclave, un multisegment à la facture salée, oui, mais qui vous en offre pour votre argent. En plus de proposer tous les avantages d'une fourgonnette, l'Enclave fournit un luxe princier digne des grandes berlines de luxe. Au volant, l'expérience demeure agréable en tout temps. Côté consommation, considérant des dimensions éléphantesques, les 13 litres aux 100 kilomètres que j'ai enregistrés m'ont semblé raisonnables.

5 FICHE TECHNIQUE

· MOTEURS

· (CX, CXL)

V6 3,6 l DACT, 288 ch à 6300 tr/min
Couple 270 lb-pi à 3400 tr/min
Transmission automatique à 6 rapports
0-100 km/h 8,2 s
Vitesse maximale 210 km/h

· AUTRES COMPOSANTES

Sécurité active freins ABS, répartition électronique de force de freinage, assistance au freinage, antipatinage, contrôle de stabilité électronique
Suspension avant/arrière indépendante
Freins avant/arrière disques
Direction à crémaillère, assistée
Pneus CX P255/65R18 **CXL** P255/60R19

· DIMENSIONS

Empattement 3023 mm
Longueur 5118 mm
Largeur 2006 mm
Hauteur 1842 mm (avec porte-bagage)
Poids 2RM 2168 kg **4RM** 2261 kg
Diamètre de braquage 12,3 m
Coffre 657 l, 3259 l (sièges abaissés)
Réservoir de carburant 83,3 l
Capacité de remorquage 2045 kg

NOS MENTIONS

Modèle recommandé

NOTRE VERDICT

Plaisir au volant
Qualité de finition
Consommation
Rapport qualité/prix
Valeur de revente

LUCERNE

www.gmcanda.com

N ÉVOLUTION É J

26 995 $ à 38 995 $
transport et préparation: 1250 $

LA COTE VERTE

AVEC MOTEUR V6 DE 3,9 L

- **Consommation (100km):** 9,7 l
- **Émissions polluantes CO2 :** 5120 kg/an
- **Empreinte écologique (nombre d'arbres à planter par année):** 31
- **Indice d'octane:** 87 >
- **Autre motorisation:** Ethanol E85
- **Coût du carburant moyen par année:** 2133 $
- **Nombre de litres par année:** 2133 l

(SOURCE: ÉnerGuide)

1 FICHE D'IDENTITÉ

- **Versions** CX, CXL, CXL édition spéciale, Super
- **Roues motrices** avant
- **Portières** 4 **Nombre de passagers** 5
- **Première génération** 2006
- **Génération actuelle** 2006
- **Construction** Detroit, Michigan, États-Unis
- **Sacs gonflables** 6 (frontaux, latéraux, rideaux latéraux)
- **Concurrence** Acura TL, Chevrolet Impala, Chrysler 300, Dodge Charger, Ford Taurus, Hyundai Genesis, Kia Amanti, Nissan Maxima, Pontiac G8, Toyota Avalon

2 AU QUOTIDIEN

- **Prime d'assurance**
  25 ans: 1900 à 2100 $
  40 ans: 1200 à 1400 $
  60 ans: 1000 à 1200 $
- **Collision frontale** 5/5 • **Collision latérale** 4/5
- **Ventes du modèle de l'an dernier**
  Au Québec 349 **Au Canada** 2872
- **Dépréciation (3 ans)** 55,6%
- **Rappels** (2004 à 2009) 3
- **Cote de fiabilité** 4/5
- **Garantie générale** 4 ans/80 000 km

3 GARANTIES... ET PLUS

- **Garantie motopropulseur** 5 ans/160 000 km
- **Perforation** 6 ans/kilométrage illimité
- **Assistance routière** 4 ans/80 000 km
- **Nombre de concessionnaires**
  Au Québec 90 **Au Canada** 400

4 NOUVEAUTÉS EN 2010

- Nouvelles roues de 18 po chromées pour modèle Super (option), nouvelle caroserie, phares antibrouillards pour la Super, nouvel option pour le modèle super, connexion Bluetooth livrable avec le modèle CX, nouvelles couleurs.

TROISIÈME ÂGE

PAR PHILIPPE LAGUË

LE « GROS CHAR », ÇA DEMEURE UNE SPÉCIALITÉ AMÉRICAINE. UN CONCEPT DÉSUET ? SURANNÉ ? Peut-être, mais c'est un segment de marché suffisamment important pour que des constructeurs asiatiques, tels Hyundai, Kia et Toyota, viennent s'y aventurer. Oubliez la récession et les vertus environnementales ; il s'en vend encore, de ces grosses berlines, surtout aux États-Unis. Et comme c'est le plus gros marché de la planète...

[CARROSSERIE] La Lucerne est venue remplacer, il y a quatre ans, la LeSabre. Esthétiquement, il n'était pas difficile de faire mieux... Néanmoins, c'est réussi : on peut même parler de la plus belle Buick depuis des lunes. La Lucerne dégage une impression de prestige ; elle pourrait même passer pour une Lexus. Bon, d'accord, l'allure est un peu vieillotte, mais il faut savoir que l'âge moyen de l'acheteur d'une Buick se situe autour de 65 ans.

[HABITACLE] Une grande berline, par définition, c'est spacieux, mais la Lucerne l'est vraiment ! Il y a beaucoup d'espace pour les jambes à l'arrière et une bonne garde au toit pour la tête. Une Buick doit rester une Buick : les occupants prennent place dans des sièges ultra-moelleux. L'habitacle est par ailleurs fort bien insonorisé. Tous les ingrédients essentiels pour combler un fidèle de la marque sont donc réunis. Mieux encore, les sièges procurent du support latéral, un concept naguère abstrait dans une Buick. Cette division de GM est aussi réputée pour sa qualité de construction et la Lucerne le confirme, avec une finition impeccable. Les commandes sont simples et bien disposées, ce que la clientèle visée appréciera. Et, signe que le XXIe siècle est arrivé chez Buick, le tableau de bord compte même un tachymètre !

[MÉCANIQUE] Mémo aux responsables des relations publiques du « Nouveau GM » au Canada : si vous voulez qu'on parle de vos produits dans les médias, mettez-les à la disposition des journalistes. La seule fois où les chroniqueurs québécois ont pu conduire une Lucerne, c'est en 2006, année de son introduction. À l'époque, le vieillissant V6 de 3,8 litres prenait place sous le capot. En cours

FORCES • Habitacle spacieux et confortable • Insonorisation • Qualité d'assemblage • Douceur de roulement • Fiabilité

FAIBLESSES • Boîte automatique à 4 rapports • Comportement nautique • Direction surassistée • L'image de GM à refaire

de route, un V8 a été ajouté – je n'ai jamais pu en conduire une malgré des demandes répétées à chaque année – et l'année dernière, le V6 3800 a finalement été remplacé par un V6 de 3,9 litres. Une vétuste – mais fiable - boîte automatique à quatre rapports leur est jumelée. J'aimerais vous en dire plus, mais je n'ai pu conduire une Lucerne avec un de ces deux moteurs.

[COMPORTEMENT] Chantez avec moi : « partons, la mer est bêêêlle-e... » Rouler à bord d'une Buick Lucerne est sans doute ce qui se rapproche le plus de la navigation. C'est une bonne façon de savoir si vous êtes un candidat(e) au mal de mer ; l'Institut maritime de Rimouski pourrait même se servir de cette berline comme simulateur. Roulis, tangage, tout y est, avec une direction surassistée, comme il se doit. On peut aussi voir ça comme un voyage dans le temps, une façon de revivre les années 60 et 70. Bon, OK, j'arrête. De toute façon, c'est très confortable, ça roule très doux et encore une fois, c'est que veut la clientèle-cible.

[CONCLUSION] Pertinente, la Lucerne ? Dans le contexte actuel, de moins en moins, d'autant plus que les ventes sont faméliques, au Québec comme au Canada. Mais les Américains, qui comptent une importante population âgée, l'aiment bien. Et puis, posons la question autrement : que peut-on reprocher à voiture confortable, silencieuse, bien construite et fiable ? Quant à ceux qui se demandent pourquoi GM a choisi d'éliminer la marque Pontiac et de garder Buick, voici deux éléments de réponse : 1) le vieillissement de la population en Amérique du Nord et 2) la popularité de la marque en Chine, un marché en pleine croissance.

2e OPINION

BENOIT CHARETTE Voici ce reste de l'âge d'or des grosses berlines Américaine. Et le mot âge d'or réfère tant à l'époque qu'à l'âge moyen des propriétaires. Je dis toujours à la blague que si vous avez moins de 70 ans, vous êtes trop jeune pour être au volant d'une Buick, spécialement la Lucerne. Cette voiture ceux qui ont apprécier l'époque de la grande routière aux suspensions qui semblent flotter sur un nuage de guimauve. Les Américains les appellent les «cloud-riders» comme si vous rouliez sur un nuage. Le confort est au-dessus de tout soupçon, l'espace très généreux et la mécanique quoique dépassée a fait ses preuves. Bref une interprétation moderne des paquebots d'autoroutes des années 70 pour la plus traditionnelle des clientèles de Buick.

5 FICHE TECHNIQUE

- **MOTEURS**
- **(CX, CXL)**

V6 3,9 l ACC, 227 ch à 5700 tr/min
Couple 237 lb-pi à 3200 tr/min
Transmission automatique à 4 rapports
0-100 km/h 9,6 s
Vitesse maximale 190 km/h

- **(SUPER)**

V8 4,6 l DACT, 292 ch à 6300 tr/min
Couple 288 lb-pi à 4500 tr/min
Transmission automatique à 4 rapports
0-100 km/h 7,4 s
Vitesse maximale 210 km/h
Consommation (100 km) 11,3 l (octane 87)
Émissions de CO2 5520 kg/an
Litres par année 2300 l
Coût par an 2300 $
Carburant alternatif non
Empreinte écologique 33 arbres

- **AUTRES COMPOSANTES**

Sécurité active freins ABS, assistance au freinage, antipatinage, contrôle de stabilité électronique
Suspension avant/arrière indépendante
Freins avant/arrière disques
Direction à crémaillère, assistée
Pneus CX/CXL P235/75R17 **Super** P245/50R18

- **DIMENSIONS**

Empattement 2936 mm
Longueur 5161 mm
Largeur 1874 mm
Hauteur 1473 mm
Poids CX 1707 kg **CXL** 1800 kg **Super** 1816 kg
Diamètre de braquage CX/CXL 12,9 m
Super 13,4 m
Coffre 481 l
Réservoir de carburant 70 l

NOTRE VERDICT

Plaisir au volant
Qualité de finition
Consommation
Rapport qualité/prix
Valeur de revente

CTS

www.gm.ca

N ÉVOLUTION É J

40 650 $ à 51 405 $
transport et préparation: 1420 $

LA COTE VERTE

AVEC MOTEUR V6 DE 3,0 L

- **Consommation (100km):** **auto.** 9,8 l **4RM** 10,2 l
- **Émissions polluantes CO_2 :** **auto.** 4752 kg/an
- **Empreinte écologique (nombre d'arbres à planter par année):** 30
- **Indice d'octane:** 87
- **Autre motorisation:** non
- **Coût du carburant moyen par année:** **auto.** 1960$
- **Nombre de litres par année:** **auto.** 1960 l **4RM** 2060 l

(SOURCE: ÉnerGuide)

1 FICHE D'IDENTITÉ

- **Versions** CTS, CTS wagon
- **Roues motrices** arrière, 4
- **Portières** 4 **Nombre de passagers** 5
- **Première génération** 2003
- **Génération actuelle** 2008
- **Construction** Lansing, Michigan, É.-U.
- **Sacs gonflables** 6 (frontaux, latéraux, rideaux latéraux)
- **Concurrence** Acura TL, Audi A4, BMW Série 3, Infiniti G37, Lexus IS/ES, Lincoln LS, Mercedes-Benz Classe C,

2 AU QUOTIDIEN

- **Prime d'assurance**
  25 ans: 2200 à 2400 $
  40 ans: 1500 à 1700 $
  60 ans: 1100 à 1300 $
- **Collision frontale** 4/5
- **Collision latérale** 4/5
- **Ventes du modèle de l'an dernier**
  Au Québec 949 **Au Canada** 4223
- **Dépréciation** 50,5%
- **Rappels** (2004 à 2009) 7
- **Cote de fiabilité** 4/5

3 GARANTIES... ET PLUS

- **Garantie générale** 4 ans/80 000 km
- **Garantie motopropulseur** 4 ans/80 000 km
- **Perforation** 6 ans/kilométrage illimité
- **Assistance routière** 4 ans/80 000 km
- **Nombre de concessionnaires**
  Au Québec 37 **Au Canada** 158

4 NOUVEAUTÉS EN 2010

- La familiale sport CTS s'ajoute à la gamme

MANGEUSE D'ALLEMANDES

PAR FRÉDÉRIC MASSE

ON AURA TOUT VU ! CADILLAC NOUS OFFRIRA CETTE ANNÉE UNE VERSION FAMILIALE DE LA CTS. La seule familiale que j'associe au fabricant américain, c'est celle qui figurait dans le film *Ghostbusters* ! Mais, trêve de plaisanterie, car la CTS est loin d'être une farce. Depuis sa dernière génération, elle n'a plus aucun complexe à avoir face à ses concurrentes allemandes ou japonaises. Dans les faits, c'est une véritable mangeuse d'allemandes.

[CARROSSERIE] C'est simple avec la CTS, on aime ou on n'aime pas. La partie avant et les côtés du véhicule confèrent un air résolument agressif à la voiture. Elle poursuit donc dans la continuité de la précédente génération qui, rappelons-le, était très novatrice pour une Caddy. La partie arrière, comme un vestige d'un passé pas si lointain, me rappelle toutefois que, il n'y a pas si longtemps, la Cadillac était destinée aux personnes d'un certain âge. On oublie le superbe coupé pour cette année, lui qui devrait plutôt être offert l'an prochain, faute de moyens oblige. Cadillac offre tout de même une version familiale pour compenser. Au menu, pas moins de 736 litres seront proposés derrière la banquette pour y mettre le bataclan. Une fois, rabattue, c'est à 1642 litres qu'on aura accès. La Cadillac s'approche donc encore un peu plus des allemandes qui offrent une telle version, toutefois plus populaire en Europe que sur notre continent.

[HABITACLE] De la place, il y en a dans la berline CTS. C'est encore plus marquant si on prend place, tour à tour, dans une BMW Série 3, une Classe C ou une Lexus IS. Mais, les qualités ne s'arrêtent pas là. En plus d'être spacieuse, elle est bien dessinée, propose une ergonomie plus que décente, un système de navigation efficace et une insonorisation remarquable. Le volant est particulièrement réussi, les sièges, confortables, et l'aménagement de l'habitacle, de toute beauté. En réalité, c'est très « bon chic, bon genre ». De plus, la CTS jouit d'un coffre d'un très grand format; j'adore. Trois choses que j'apprécie moins, par contre, ce sont la taille du pilier C, qui nuit à la visibilité aux trois quarts arrière, le manque d'espace pour la tête pour les passagers arrière

FORCES • Rapport qualité-prix • Spacieuse • Suspension équilibrée • Douceur du moteur • Insonorisation • Freinage puissant et endurant • Version familiale

FAIBLESSES • Valeur de revente • Absence d'un bouton pour ouvrir le coffre arrière • Boîte à gants minuscule • Certaines commandes mal pensées

de grande taille et la petite ouverture du coffre, pourtant si grand...

[MÉCANIQUE] À l'image de la plupart des fabricants de voitures de luxe, Cadillac offre du choix : un V6 de 3 litres de 270 chevaux à injection directe qui consommerait, selon les estimations de GM, 7.5 litres aux 100 kilomètres sur la route. L'autre mécanique consiste en un V6 de 3,6 litres, aussi à injection directe, qui génère 304 chevaux. Toutes les versions sont jumelées à la très douce et efficace boîte de vitesses automatique à 6 rapports, dans la version familiale, alors que la berline propose aussi la manuelle à 6 rapports. J'ai particulièrement adoré le rendement du 3,6-litres qui produit passablement de couple tout en offrant une douceur peu commune.

[COMPORTEMENT] Le comportement routier de la CTS est réussi, surtout quand on choisit l'option de la suspension sport (vous aurez le choix de trois modes). Équilibrée, cette dernière livre un savant mélange entre sport et confort. Ma voiture d'essai collait bien à la route et me permettait de la pousser sans trop de survirage (aides à la conduite désengagées). Même si elle est relativement lourde, le tangage et le roulis sont très bien contrôlés. Une révélation étonnante m'est apparue : La CTS ne peut pas prétendre être aussi agile qu'une BMW Série 3 ou une Infiniti G37, mais elle est plus raffinée. Ajoutez en plus le freinage puissant et résistant, une direction bien dosée et les bonnes reprises. J'aurais toutefois aimé compter sur des accélérations plus franches (0 à 100 km/h en un peu moins de 8 secondes). N'oubliez pas que la CTS offre aussi l'option de la transmission intégrale, et que, en nouveauté cette année, vous pouvez vous procurer les ensembles de roues et de pneus de 19 pouces.

[CONCLUSION] La CTS continue de marquer des points. Difficile de faire mieux pour le prix demandé. Toutefois, il est difficile pour elle d'avoir sa place au soleil quand le fabricant n'offre plus la location et que sa situation est instable. Par contre, si on oublie ces facteurs incontrôlables, on se rend compte que bien des gens devraient se tourner vers cette berline de luxe équilibrée !

2e OPINION

FRANCIS BRIÈRE La division Cadillac de la General Motors, espérons-le, remonte le moral des troupes. Son modèle vedette, la Cadillac CTS, se vend comme des p'tits pains chauds ! Il y a de bonnes raisons à cela : son allure très masculine et musclée, le confort exceptionnel qu'elle procure à ses occupants, son intérieur somptueux, et j'en passe. Quand on pense qu'une CTS de base s'acquiert pour moins de 40 000 dollars. Son moteur V6 de 3,6 litres fait des merveilles. 263 chevaux, c'est bien, mais celui à injection directe est encore mieux : il augmente la puissance à plus de 300 chevaux ! La CTS n'est pas une voiture sportive, mais quelle routière ! Bref, un rapport qualité-prix alléchant. En revanche, la valeur de revente pourrait en décevoir quelques-uns.

5 FICHE TECHNIQUE

· MOTEURS

· 3,0

V6 3 l DACT, 270 ch à 7000 tr/min
Couple 223 lb-pi à 5700 tr/min
Transmission automatique à 6 rapports
0-100 km/h 7,1 s
Vitesse maximale 230 km/h

· V6 3,6 l DACT, 304 ch à 6400 tr/min
Couple 273 lb-pi à 5200 tr/min
Transmission manuelle à 6 rapports, automatique à 6 rapports avec mode manuel (en option)
0-100 km/h 6,2 s
Vitesse maximale 250 km/h
Consommation (100 km) man. 11,0 l **auto.** 9,9 l **4RM** 10,0 l (octane 87)
Émissions de CO_2 man. 5424 kg/an **auto.** 4848 kg/an **4RM** 4944 kg/an
Litres par année man. 2180 l **auto.** 2020 l **4RM** 2060 l
Coût par an man. 2180 $ **auto.** 2020 $ **4RM** 2060 $
Carburant alternatif non
Empreinte écologique 30 arbres

· AUTRES COMPOSANTES

Sécurité active freins ABS, antipatinage, contrôle de stabilité électronique
Suspension avant/arrière indépendante
Freins avant/arrière disques
Direction à crémaillère, assistée
Pneus P235/55R17, P235/50R18 (en option) P245/45ZR19 (option)

· DIMENSIONS

Empattement 2880 mm
Longueur 4866 mm **fam :** 4859 mm
Largeur 1842 mm
Hauteur 1472 mm **fam :** 1502 mm
Poids CTS 1744 kg à 1868 kg
Diamètre de braquage 10,4 m **4RM.** 11,0 m
Coffre 385 l, 736 litres (familiale), 1 642 (sièges abaissés)
Réservoir de carburant 68 l

NOS MENTIONS

Modèle recommandé

NOTRE VERDICT

Plaisir au volant	4/5
Qualité de finition	4/5
Consommation	3/5
Rapport qualité/prix	3,5/5
Valeur de revente	4/5

CTS-V

www.gmcanada.com

N ÉVOLUTION É J

68 995 $
transport et préparation: 1420 $

LA COTE VERTE

AVEC MOTEUR V8 DE 6,2 L

- **Consommation (100km):** **man.** 14,2 **auto.** 14,5
- **Émissions polluantes CO2 :** 5600 kg/an
- **Empreinte écologique (nombre d'arbres à planter par année):** 34
- **Indice d'octane:** 87
- **Autre motorisation:** non
- **Coût du carburant moyen par année:** **man.** 3212 $ **auto.** 2882 $
- **Nombre de litres par année:** **man.** 2920 l **auto.** 2620 l

(SOURCE: ÉnerGuide)

1 FICHE TECHNIQUE

- **MOTEUR**
- **(CTS-V)**

V8 6,2 l suralimenté DACT 556 ch à 6100 tr/min
Couple 551 lb-pi à 3800 tr/min
Transmission manuelle à 6 vitesses, automatique à 6 rapports avec mode manuel
0-100 km/h 4,3 s
Vitesse maximale 307 km/h

- **AUTRES COMPOSANTES**

Sécurité active freins ABS, antipatinage, contrôle de stabilité électronique
Suspension avant/arrière indépendante
Freins avant/arrière disques
Direction à crémaillère, assistée
Pneus CTS-V 255/40R19 (av.) 285/35R19 (arr.)

- **DIMENSIONS**

Empattement 2880 mm
Longueur 4866 mm
Largeur 1842 mm
Hauteur 1472 mm
Poids CTS-V man. 1905 kg **auto.** 1950 kg
Diamètre de braquage 10,9 m
Coffre 385 l
Réservoir de carburant 68 l

2 NOUVEAUTÉS EN 2010

- Système de filtration de l'air avec système de filtration automatique des odeurs de l'habitacle
Volant et pommeau de levier de vitesses garnis de suède; nouveau groupe de garniture en bois

À L'ÉTAT BRUTE

PAR BENOIT CHARETTE

EN METTANT AU POINT LA CADILLAC CTS-V, GM assomme tout le monde avec une mécanique produisant 556 chevaux.

[CARROSSERIE] L'extérieur amplifie la position autoritaire du modèle de base et laisse transpirer les capacités remarquables de la voiture. La calandre, plus grande, permet une entrée d'air plus importante; elle reçoit un fini satiné. Le capot surélevé englobe le moteur suralimenté.

[HABITACLE] Comme dans les grandes berlines allemandes, une douce lumière ambiante inonde l'habitacle. De grands compteurs analogiques informent le pilote. Les sièges sport très moulants et, en option, des sièges Recaro réglables en quatorze directions comprenant des commandes pneumatiques de maintien dans le coussin et le dossier vous mettent dans l'ambiance.

[MÉCANIQUE] C'est équipée du moteur de la Corvette ZR1 gonflé par un compresseur Eaton que Cadillac se présente à la fête, musclée jusqu'aux dents. On enveloppe cette puissance dans un vêtement de velours dont la commande magnétique de la suspension, un programme de gestion de la motricité à haute performance et une nouvelle boîte de vitesses automatique à 6 rapports avec leviers de sélection au volant. Soyez rassuré, les amateurs peuvent également choisir la boîte manuelle à 6 rapports.

[COMPORTEMENT] À vitesse de croisière, avant que le compresseur ne se mette en marche, vous avez une voiture tout à fait civilisée, équilibrée, confortable et, ma foi, plutôt agréable. Au moment de mettre la pédale au plancher, c'est comme si vous mettiez votre main sur un rond de poêle brûlant : le moteur hurle. Quatre secondes pour atteindre les 100 km/h et une vitesse de pointe qui dépasse les 300 km/h. Sur circuit, elle est surprenante d'agilité. De plus, des freins Brembo et des pneus Michelin de 19 pouces ont été développés spécialement pour la voiture. La boîte de vitesses manuelle plaira aux puristes, mais l'automatique avec mode sport est surprenante, quoique un peu lente.

[CONCLUSION] La CTS-V ; un monstre charmant de 556 chevaux qui sait se faire discret au besoin.

FORCES • Monstre de puissance très civilisé • Habitacle invitant • Conduite confortable

FAIBLESSES • Il manque encore un brin de raffinement pour rejoindre les Européens.• Un meilleur synchronisme de la boîte manuelle serait un atout.

Avez-vous à cœur votre environnement ?

Saviez-vous qu'au Québec, toute entreprise qui met sur le marché des huiles et des filtres sous une marque de commerce dont elle est la propriétaire ou l'utilisatrice, est tenue de récupérer ou de faire récupérer, au moyen d'un système de récupération.

Ce programme des huiles usagées a été adopté au Québec le 24 mars 2004. Une société de gestion, la SOGHU (Société de gestion des huiles usagées), a déjà été mise sur pied par l'industrie.

La SOGHU est un organisme privé à but non lucratif administrée par un conseil d'administration formé de quinze personnes, provenant d'entreprises détentrices de marque, élues en assemblée générale des membres. Sa permanence est assurée par le directeur général, Gilles Goddard. Au Québec seulement, plus de 229 compagnies participent au programme de recyclage des huiles, filtres et contenants usés. Il est aussi important de souligner que c'est chez nous que ce programme connaît le plus grand succès à travers le Canada. Les dernières statistiques révèlent qu'en un peu moins de quatre ans le taux de récupération pour les huiles, les filtres et les contenants d'huiles est de 90 %.

C'est maintenant à vous de faire votre part

L'une des priorités de la SOGHU consiste en la création d'un réseau de points de collecte à la grandeur du Québec. Ce segment du marché comprend les entrepreneurs, les petits propriétaires de machineries lourdes, agricoles, forestières ou de transport, ou simplement les individus qui font leurs propres vidanges d'huile pour leur auto, tondeuse, souffleuse à neige ou autre et qui n'ont pas de volume suffisant pour être desservi par un récupérateur commercial. Il existe présentement au Québec 880 points de collecte publique où la population peut aller déposer ses huiles, filtres et contenant usagés. Parmi celles-ci mentionnons les concessionnaires General Motors et Toyota ainsi que les centres Monsieur Muffler et Octo. La SOGHU travaille chaque jour à étendre ce réseau afin de faire en sorte que chaque citoyen au Québec soit à seulement quelques kilomètres d'un point de collecte.

Gilles Goddard, directeur général de la Société de gestion des huiles usagées

Le point de collecte le plus près de chez-vous

Tous les points de collecte du Québec sont enregistrés sur le site de la SOGHU : **www.soghu.com**. Vous avez simplement à vous rendre sur le site, section point de collecte, vous inscrivez votre adresse et les points de collectes sont tous énumérés par ordre de proximité. Pour ceux qui n'ont pas accès à internet, vous avez simplement à composer le numéro sans frais de la SOGHU, le **1-877-987-6448.**

Au Québec seulement, plus de 229 compagnies participent au programme de recyclage des huiles, filtres et contenants usés.

Votre part est importante

Quand nous savons qu'un litre d'huile usagée peut contaminer un million de litres d'eau, il est facile de comprendre le leitmotiv de la SOGHU :

« Parce que chaque goutte compte. »

SOGHU
Société de gestion des huiles usagées

DTS

www.gm.ca

N ÉVOLUTION É J

56 535 $
transport et préparation: 1420 $

LA COTE VERTE

AVEC MOTEUR V8 DE 4,6 L

- **Consommation (100km):** 11,3 l
- **Émissions polluantes CO_2 :** 5520 kg/an
- **Empreinte écologique (nombre d'arbres à planter par année):** 33
- **Indice d'octane:** 91
- **Autre motorisation:** non
- **Coût du carburant moyen par année:** 2300 $
- **Nombre de litres par année:** 2300 l

(SOURCE: ÉnerGuide)

1 FICHE D'IDENTITÉ

- **Versions** DTS, DTS Performance/Platinum, DTS-L
- **Roues motrices** avant
- **Portières** 4 **Nombre de passagers** 5 ou 6
- **Première génération** 1949 (DeVille)
- **Génération actuelle** 2006
- **Construction** Detroit, Michigan, É.-U.
- **Sacs gonflables** 6 (frontaux, latéraux avant, rideaux latéraux)
- **Concurrence** Lexus LS460

2 AU QUOTIDIEN

- **Prime d'assurance**
  25 ans: 2600 à 2800 $
  40 ans: 1700 à 1900 $
  60 ans: 1300 à 1500 $
- **Collision frontale** 5/5
- **Collision latérale** 4/5
- **Ventes du modèle de l'an dernier**
  Au Québec 94 **Au Canada** 704
- **Dépréciation** (3 ans) 62%
- **Rappels** (2004 à 2009) 2
- **Cote de fiabilité** 3/5

3 GARANTIES... ET PLUS

- **Garantie générale** 4 ans/80 000 km
- **Garantie motopropulseur** 5 ans/160 000 km
- **Perforation** 6 ans/kilométrage illimité
- **Assistance routière** 4 ans/80 000 km
- **Nombre de concessionnaires**
  Au Québec 90 **Au Canada** 400

4 NOUVEAUTÉS EN 2010

- Deux couleurs extérieures : café au lait vanille et bronze Toscane Chroma Flair

CLASSÉE MONUMENT HISTORIQUE

PAR DANIEL RUFIANGE

L'IMAGE DE CADILLAC SE RAJEUNIT DEPUIS QUELQUES ANNÉES MAIS N'EN PARLEZ PAS À LA DTS ! Cette descendante de la première DTS, une Cadillac de Ville 1949, nage dans la tradition et le conservatisme. C'est encore jouable pour Cadillac car toute une nation de Snowbird regarde encore cette voiture, écume à la bouche. Cependant, lorsque ceux-ci se verront retirer leurs permis de conduire, qu'adviendra-t-il de la DTS ? Seule sa refonte, prévue quelque part en 2011-2012, pourra la sauver. En attendant, elle est toujours là et ma foi, bourrés de qualités insoupçonnées.

[CARROSSERIE] Difficile de trouver des lignes plus classiques et épurées dans l'industrie que celles de la DTS. Ne cherchez pas trop de motif dans le profil, ni sur le capot, il n'y en a pas ! En fait, rien pour attirer l'attention. Et c'est cette absence de style qui séduit les plus âgés. L'acheteur d'une DTS est généralement sexagénaire ou septuagénaire; les octogénaires conduisent encore leur De Ville 1949 ! Il existe 5 variantes de la DTS, toutes différenciées par des groupes d'options distincts. Au sommet de la hiérarchie se trouve la DTS Performance, dotée d'une suspension sport et de roues de 18 pouces haute performance, question d'aller faire la barbe aux jeunes freluquets qui s'excitent à Sanair. Cette version, à plus de 68 000 $ me paraît un peu chère, ne trouvez-vous pas ?

[HABITACLE] De la première De Ville de 1949 à la DTS, en passant par une certaine De Ville 1976 que j'ai eu le plaisir de posséder, Cadillac a toujours su recevoir en grande. Dès qu'on s'installe à bord, l'impression de confort prime sur le reste. Oui, les baquets pourraient bénéficier de plus de maintien mais pour papy qui se cherche une bagnole confortable pour les aller et retour Montréal-West Palm Beach, c'est la grande séduction. Des sièges chauffants et massants, tant à l'avant qu'à l'arrière, un volant chauffant gainé de cuir et ceinturé de bois ainsi que des soutiens lombaires contrôlés électriquement promettent

FORCES • Confort inégalé • Moteurs compétents • Places arrière divines • Il est possible de cacher une smart dans le coffre arrière !

FAIBLESSES • Très, très faible valeur de revente • Allure désuète • Présentation intérieure triste • Boîte automatique à 4 rapports (que voulez-vous, elle ne me revient pas) • Consommation

de guérir tout rhumatisme. Bien sûr, pour bénéficier d'un maximum de gâteries possible, il faut sélectionner les versions plus garnies mais aussi plus chères. Cela ne devrait pas représenter un problème pour l'acheteur moyen, à condition que ce dernier m'ait investi ses économies chez certains des financiers crapuleux ayant tristement fait la manchette.

[MÉCANIQUE] GM reconduit les mêmes moteurs pour le millésime 2010. C'est donc dire que la DTS compte sur deux moulins pour ses déplacements. Mis à part la version DTS Performance, toutes les autres comptent sur un V8 de 4,6 litres, bon pour 275 chevaux. Le même bloc équipe la DTS Performance, mais la puissance est supérieure de 17 chevaux. Dans les deux cas, une ancestrale boîte à 4 rapports assure le passage de la puissance aux roues. Quand on pense que la concurrence offre des boîtes à 7 et même à 8 rapports, on comprend pourquoi la DTS est perçue comme une antiquité; est-ce qu'un compromis, disons une boîte à 6 rapports, ne serait-il pas la bienvenue ?

[COMPORTEMENT] Le charme d'une Cadillac, c'est sur la route qu'il opère, et la DTS respecte totalement cet adage. Autant le design de la voiture est moribond, la présentation intérieure plutôt simpliste, et la boîte à 4 rapports, désuète – vous l'avais-je mentionné ? –, autant l'expérience de conduite est vraiment appréciable. Bien sûr, la DTS ne peut pas attaquer les virages avec le même mordant qu'une BMW de Série 5 ou une Audi A6, par exemple, mais elle se débrouille néanmoins bien, et son niveau de confort n'a rien à envier à quiconque. Et les moteurs s'acquittent bien de leur tâche, spécialement celui bénéficiant de 295 étalons; sa sonorité étonne !

[CONCLUSION] Attendez toutefois un peu avant de courir vous procurer une DTS. La prochaine génération, possiblement nommé XTS, promet d'être plus intéressante. Pour l'instant, il se fait mieux ailleurs.

2e OPINION

PHILIPPE LAGUË La DTS, c'est la dernière grosse Caddy, celle qu'on associe à Las Vegas, au monde interlope et aux aînés... Exactement le genre d'image dont veut se défaire cette marque jadis glorieuse. Au-delà des clichés, et malgré une allure un peu ringarde, la DTS est en phase avec le renouveau de Cadillac : son V8 Northstar est l'un des meilleurs moteurs de l'histoire de l'automobile américaine; dommage, cependant, qu'il soit jumelé à une boîte de vitesses automatique à 4 rapports, certes fiable, mais dépassée par celles de la concurrence. Mais une Cadillac, ça reste une Cadillac, et la DTS n'a rien à envier aux meilleures berlines de luxe en matière de confort et d'insonorisation. Et contrairement aux Cadillac d'antan, sa direction et ses trains roulants ont un certain tonus. Pour moins de 60 000 dollars, la DTS offre aussi l'un des meilleurs rapports qualité-prix dans le segment des berlines de luxe.

DTS

5 FICHE TECHNIQUE

· MOTEURS

· (DTS)

V8 4,6 l DACT, 275 ch à 6000 tr/min
Couple 295 lb-pi à 4400 tr/min
Transmission automatique à 4 rapports
0-100 km/h 8,1 s
Vitesse maximale 190 km/h

· (DTS Platinum, DTS-L)

V8 4,6 l DACT, 292 ch à 6300 tr/min
Couple 288 lb-pi à 4500 tr/min
Transmission automatique à 4 rapports
0-100 km/h 7,8 s
Vitesse maximale 210 km/h
Consommation (100 km) 11,3 l (octane 91)
Émissions de CO_2 5520 kg/an
Litres par année 2300 l
Coût par an 2530 $
Autre motorisation non
Empreinte écologique 33 arbres

· AUTRES COMPOSANTES

Sécurité active freins ABS, antipatinage, contrôle de stabilité électronique, répartition électronique de force de freinage, assistance au freinage
Suspension avant/arrière indépendante
Freins avant/arrière disques
Direction à crémaillère, assistée
Pneus DTS P235/55R17 **DTS-L** P245/55R18
Performance et Platinum P245/50R18

· DIMENSIONS

Empattement 2936 mm **DTS-L** 3139 mm
Longueur 5274 mm **DTS-L** 5476 mm
Largeur 1901 mm
Hauteur 1464 mm
Poids 1818 kg
Diamètre de braquage 12,8 m, 13,4 m (roues 18 pouces)
Coffre 532 l
Réservoir de carburant 70 l
Capacité de remorquage 454 kg

NOTRE VERDICT

Plaisir au volant
Qualité de finition
Consommation
Rapport qualité/prix
Valeur de revente

ESCALADE / EXT

www.gm.ca

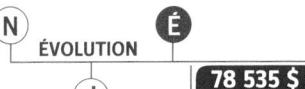

N ÉVOLUTION É J

78 535 $ à 94 295 $
transport et préparation: 1420 $

LA COTE VERTE

AVEC MOTEUR V8 DE 6,0 L HYBRIDE

- **Consommation (100km):** **2RM** 9,5 l **4RM** 10,2
- **Émissions polluantes CO_2 :** **2RM** 4560 kg/an **4RM** 4896 kg/an
- **Empreinte écologique (nombre d'arbres à planter par année):** 30
- **Indice d'octane:** 87
- **Autre Motorisation:** Ethanol E85 et hybride
- **Coût du carburant moyen par année:** **2RM** 2090 $ **4RM** 2244 $
- **Nombre de litres par année:** **2RM** 1900 l **4RM** 2040 l

(SOURCE: ÉnerGuide)

1 FICHE D'IDENTITÉ

- **Versions** base, EXT, ESV, Hybride
- **Roues motrices** 4
- **Portières** 4 **Nombre de passagers** 5 (EXT), 7
- **Première génération** 1999
- **Génération actuelle** 2007
- **Construction** base/ESV/Hybride Arlington, Texas, É.-U.; EXT Silao, Mexique
- **Sacs gonflables** 6 (frontaux, latéraux avant, rideaux latéraux)
- **Concurrence** Infiniti QX56, Land Rover Range Rover, Lexus GX/LX, Lincoln Navigator, Mercedes-Benz Classe G/Classe GL

2 AU QUOTIDIEN

- **Prime d'assurance** **25 ans:** 3200 à 3400 $ **40 ans:** 1700 à 1900 $ **60 ans:** 1300 à 1500 $
- **Collision frontale** 5/5
- **Collision latérale** 5/5
- **Ventes du modèle de l'an dernier** **Au Québec** 175 **Au Canada** 1326
- **Dépréciation** (3 ans) 68,3%
- **Rappels** (2004 à 2009) 19
- **Cote de fiabilité** 2/5

3 GARANTIES... ET PLUS

- **Garantie générale** 4 ans/80 000 km
- **Garantie motopropulseur** 5 ans/160 000 km
- **Perforation** 6 ans/kilométrage illimité
- **Assistance routière** 4 ans/80 000 km
- **Nombre de concessionnaires** **Au Québec** 90 **Au Canada** 400

4 NOUVEAUTÉS EN 2010

- Moteur de 6,2 L maintenant avec la technologie de gestion active du carburant, colonne de direction verrouillable, montre édition Platine de série partout, connecteur USB, sacs gonflables latéraux, frein de stationnement révisé. • Hybrid : V8 de 6,0 L compatible avec E85 (éthanol).

YO !

PAR DANIEL RUFIANGE

ELLE EST INCROYABLE LA FORCE DE L'IMAGE DANS LE DOMAINE DE L'AUTOMOBILE. Par exemple, j'ai de la difficulté à visualiser certains types d'individus aux commandes d'un Escalade; ce sont plutôt des images de roues de 24 pouces chromées, de bijoux, de « rappeurs » se trémoussant autour du véhicule et de vedettes sportives notoires au volant de leur jouet qui me trottent dans la tête en entendant les mots Cadillac Escalade. GM peut remercier la colonie artistique et le merveilleux monde du sport car, sans eux, je demeure convaincu que l'Escalade n'aurait jamais connu un tel succès. Car, au demeurant, il ne s'agit que d'un gros utilitaire qui a l'appétit aussi grand que la panse.

[CARROSSERIE] L'Escalade n'est pas laid. Son faciès, le premier à arborer la nouvelle signature Cadillac, est imposant au possible, comme le sont les dimensions du véhicule. Les immenses jantes de 18 pouces de série ont piètre allure devant les colossales roues de 22 pouces, offertes en option et incluses de série sur la version hybride. Cette dernière s'ajoute à trois autres livrées qu'on se doit ici de distinguer. La version de base, celle qu'on aperçoit le plus fréquemment sur nos routes. La variante ESV, plus longue de 356 millimètres est un véritable bus capable d'accueillir 8 occupants... et leurs bagages ! Quant à elle, la mouture EXT est conçue pour recevoir 5 occupants et se transforme en camionnette en un tournemain.

[HABITACLE] À bord, la tradition Cadillac est respectée mur à mur ! Luxuriance et petites attentions dorlotent tous les occupants. L'espace et le dégagement sont irréels ! À l'arrière, il est possible de se croiser les jambes, de se coucher à l'horizontale et, sur la version ESV, la troisième banquette est située dans un autre fuseau horaire; j'exagère à peine, mais vous avez certainement saisi l'essence des mes propos; l'habitacle est incommensurable ! Les matériaux sont de bonne facture, et l'assemblage, de bonne qualité, malgré quelques anicroches ici et là. Ce qui est intéressant avec l'Escalade, c'est qu'un modèle répondra assurément à vos besoins, à conditions qu'ils soient démesurés.

+ −

FORCES • Grande douceur de roulement • Aspect m'as-tu vu ? • De l'espace pour tous vos amis Facebook • 4 moutures totalement différentes • Vous donnerez l'impression d'être riche !

FAIBLESSES • Vous pouvez aussi donner l'impression d'être un parvenu ! • La consommation ! • Son prix, aussi démesuré que son format. • Utilitaire ?

ESCALADE / EXT

[MÉCANIQUE] À moins d'opter pour la version hybride qui dulcifie la conscience, le joyau mécanique de l'Escalade réside dans le puissant V8 de 6,2 litres qui produit 403 chevaux et un tout aussi impressionnant couple de 417 livres-pieds. Avec cet engin, les déplacements se font sans heurt. Toutefois, et vous l'aurez deviné, les arrêts à la pompe sont fréquents et ruineux. Et, malheureusement, ce n'est pas la version hybride, plus chère, qui permettra des économies menant à la rentabilisation de l'achat. De toute manière, y a-t-il quelque chose de rentable dans l'action de débourser 100 000 $ – taxes et options incluses – pour un monstre de la sorte ?

[COMPORTEMENT] L'Escalade a beau être joli, prestigieux et prisé, tout cela n'aide en rien son comportement routier. Sur l'autoroute, le confort prime. C'est d'ailleurs le charme de tout véhicule Cadillac. Cependant, la tenue de route est moins charmante. Les quelque 2700 kilos de l'Escalade le rendent capricieux en virage et exigent prudence et retenue dans l'exécution de toutes les manœuvres. Toutefois, si vous devez visiter les terrains de golf de la Virginie avec trois de vos meilleurs amis, vous serez comblé ! Pour ce qui est des stationnements au centre-ville, armez-vous de patience !

[CONCLUSION] L'Escalade a beau plaire et en faire rêver plusieurs, il me laisse indifférent. Oui, il est confortable, spacieux et peut remorquer jusqu'à 3674 kilos. Mais il existe sur le marché, pour la moitié du prix, des véhicules tout aussi confortables et logeables sans mentionner l'appétit beaucoup moins vorace pour l'or noir. Et dites-moi : avez-vous vraiment besoin d'une telle capacité de remorquage ? Tant qu'il y aura des athlètes professionnels et des vedettes du cinéma et de la musique pleins à craquer, il y aura des Escalade pour sustenter leurs folies de grandeur; pauvre planète !

2e OPINION

FRANCIS BRIÈRE **On achète l'Escalade pour son style et pour ce qu'il symbolise. Ce n'est pas un mauvais véhicule, loin de là. On apprécie son confort, son luxe et son côté ultra masculin. En revanche, on doit se contenter d'une tenue de route lourde et imprécise, d'une consommation de carburant honteuse et d'un encombrement assuré. Les rappeurs américains raffolent de l'Escalade. Ici, General Motors en vend moins. Sans doute parce qu'il est possible de trouver aussi confortable, aussi bien équipé, aussi luxueux, plus économique et moins cher ailleurs. Même s'il s'agit d'un véhicule utilitaire, je me questionne quant à son utilité. Un jour, la mode Escalade passera, et sans doute qu'un autre modèle gagnera l'estime des chanteurs de rap. Entre-temps, GM tente de se faire pardonner avec un modèle hybride.**

5 FICHE TECHNIQUE

· MOTEUR

· V8 6,2 l ACC, 403 ch à 5700 tr/min
Couple 417 lb-pi à 4300 tr/min
Transmission automatique à 6 rapports
0-100 km/h 7,3 s
Vitesse maximale 185 km/h
Consommation (100 km) 14,6 l (octane 91)
Émissions de CO_2 7008 kg/an
Litres par année 2920 l
Coût par an 3212 $
Carburant alternatif Ethanol E85 et hybride
Empreinte écologique 42 arbres

· (HYBRID)

V8 6,0 l ACC, 332 ch à 5100 tr/min
Couple 367 lb-pi à 4100 tr/min
Transmission hybride à rapport électrique continu avec 4 engrenages fixe
0-100 km/h 8,8 s
Vitesse maximale 185 km/h

· AUTRES COMPOSANTES

Sécurité active freins ABS, antipatinage, contrôle de stabilité électronique
Suspension avant/arrière indépendante, essieu rigide
Freins avant/arrière disques ventilés/disques
Direction à crémaillère, assistée
Pneus P265/65R18, P285/45R22 (en option)
Hybride P285/45R22

· DIMENSIONS

Empattement base/hybride 2946 mm
ESV/EXT 3302 mm
Longueur base/hybride 5143 mm **EXT** 5639 mm
ESV 5660 mm
Largeur base/hybride 2007 mm
ESV/EXT 2010 mm
Hauteur base/hybride 1887 mm **EXT** 1892 mm
ESV 1916 mm
Poids base 2581 kg **Hybride** 2729 kg **EXT** 2717 kg
ESV 2695 kg
Diamètre de braquage base 11,9 m
EXT/ESV 13,1 m
Coffre base/hybride 479 l, 3084 l (sièges abaissés) **EXT** 1289 l **ESV** 1298 l, 3891 l (sièges abaissés)
Réservoir de carburant base/Hybride 98,4 l
ESV/EXT 117 l
Capacité de remorquage base 3674 kg
Hybride 2540 kg **EXT** 3402 kg **ESV** 3538 kg

NOS MENTIONS

Le choix vert (Hybride)

NOTRE VERDICT

Plaisir au volant
Qualité de finition
Consommation
Rapport qualité/prix
Valeur de revente

SRX

www.gm.ca

N ÉVOLUTION É J

41 575 $ à 57 775 $
transport et préparation: 1420 $

LA COTE VERTE

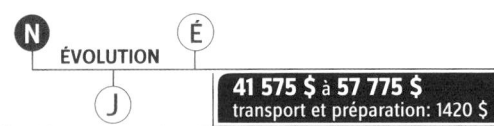

AVEC MOTEUR V6 DE 3,0 L

- **Consommation (100km):** **2RM** 9,9 l **4RM** 10,7 l
- **Émissions polluantes CO_2:** 4800 kg/an
- **Empreinte écologique (nombre d'arbres à planter par année):** 34
- **Indice d'octane:** 91
- **Autre motorisation:** non
- **Coût du carburant moyen par année:** **2RM** 1980 $ **4RM** 2440 $
- **Nombre de litres par année:** **2RM** 1980 l **4RM** 2440 l

(SOURCE: ÉnerGuide)

1 FICHE D'IDENTITÉ

- **Versions** unique
- **Roues motrices** avant, 4
- **Portières** 5 **Nombre de passagers** 5
- **Première génération** 2004
- **Génération actuelle** 2010
- **Construction** Ramos Arizpe, Mexique
- **Sacs gonflables** 6 (frontaux, latéraux avant, rideaux latéraux)
- **Concurrence** Acura MDX, Audi Q7, BMW X5, Infiniti FX, Land Rover LR3, Lexus RX, Mercedes-Benz Classe M, Porsche Cayenne, Volkswagen Touareg, Volvo XC90

2 AU QUOTIDIEN

- **Prime d'assurance**
  25 ans: 2400 à 2600 $
  40 ans: 1300 à 1500 $
  60 ans: 1100 à 1300 $
- **Collision frontale** 4/5
- **Collision latérale** 5/5
- **Ventes du modèle de l'an dernier**
  Au Québec 242 **Au Canada** 1045
- **Dépréciation** (3 ans) 59,1%
- **Rappels** (2004 à 2009) 9
- **Cote de fiabilité** 2/5

3 GARANTIES... ET PLUS

- **Garantie générale** 4 ans/80 000 km
- **Garantie motopropulseur** 5 ans/160 000 km
- **Perforation** 6 ans/kilométrage illimité
- **Assistance routière** 4 ans/80 000 km
- **Nombre de concessionnaires**
  Au Québec 90 **Au Canada** 400

4 NOUVEAUTÉS EN 2010

- Nouveau modèle

PEUT-ÊTRE...

PAR DANIEL RUFIANGE

LE SRX FAIT PEAU NEUVE POUR 2010. C'est une excellente idée car ce véhicule traîne de la patte dans son créneau. En attendant d'en faire l'essai, voici ce que Cadillac propose pour lui redonner un second souffle.

[CARROSSERIE] La renaissance de Cadillac s'est amorcée avec l'Escalade en 1999 et s'est poursuivie avec la CTS en 2003. Des designs tranchés, distincts et agressifs ont renversé une tradition empreinte de classicisme. Si les lignes de l'ancien SRX n'ont jamais fait l'unanimité, celles de cette deuxième génération risquent de rallier les plus critiques. Sans éliminer ses angles taillés au sabre, on a arrondi le design de sorte que l'ensemble devient plus harmonieux, plus kitsch. Le profil profite de lignes beaucoup plus élancées. Le dessin pointu des phares nous donne l'impression qu'ils réagissent à l'effet du vent sur le capot à haute vitesse. Bref, l'image du SRX est nettement plus sportive et racée. Sur le plan structurel, on a repoussé les roues encore plus aux extrémités afin d'améliorer la stabilité du véhicule. Des jantes de 18 pouces sont offertes de série, alors que d'immenses roues de 20 pouces, offertes en option, vous permettent de « pimper » votre SRX. Notons aussi la position abaissée du pare-chocs avant, signe que le design du nouveau SRX respecte les normes européennes pour la protection des piétons.

[HABITACLE] L'habitacle de la première génération du SRX se voulait des plus luxueux. La nouvelle mouture en rajoute avec un design qui s'inspire de la CTS. Si la qualité de l'ensemble est la même, ça promet. Et, côté équipement, Cadillac sustente tous les désirs de sa clientèle: écran navigation avec images en trois dimensions, disque dur pour le stockage de votre musique préférée, deux écrans de divertissement à l'arrière, compatibilité Bluetooth de série ainsi que le système de guidage OnStar pour ceux qui n'optent pas pour le système de navigation. La sécurité n'est pas en reste non plus: rideaux gonflables latéraux de même que des cousins à la hauteur du thorax protègent en cas d'impact latéral. Le SRX offre de la place pour cinq et un généreux espace de chargement à l'arrière.

+ −

FORCES • Très belles lignes • Confort assurément au rendez-vous • Finition intérieure prometteuse • Nouveaux moteurs prometteurs

FAIBLESSES • Prix

[MÉCANIQUE] Le SRX ne fait pas seulement changer de cocon. Ses entrailles se trouvent également modifiées alors que deux nouveaux moteurs font leurs débuts. D'abord, un V6 de 3 litres qui emploie l'injection directe de carburant est offert de série. Puis, en option, un autre V6, de 2,8 litres celui-là, reçoit l'aide d'un turbo. Les deux engins offrent la puissance de moteurs plus gros tout en réduisant les émissions de dioxyde de carbone. On estime aussi que ces engins seront moins gourmands à la pompe; ça reste à confirmer. Également au menu, le système à quatre roues motrices eLSD (Electronic Limited Slip Differential) qui promet d'optimiser la tenue de route et la stabilité, et ce, peu importe les conditions routières. Ce système inclut un différentiel à glissement limité qui peut distribuer jusqu'à 100 % du couple aux roues arrière.

[COMPORTEMENT] Il nous a été impossible d'essayer le tout nouveau SRX, le véhicule n'étant pas disponible au moment d'aller sous presse. Il est à souhaiter que les améliorations apportées se reflètent sur sa conduite. L'ancienne génération offrait un confort princier, certes, mais plus d'agilité serait appréciée. Souhaitons que le système eLSD soit aussi prometteur qu'on nous l'annonce. Ce dernier devrait dynamiser la conduite du SRX, spécialement lors de manœuvres plus brusques. Enfin, mentionnons que l'arrivée de nouveaux engins n'handicape pas les capacités de remorquage du véhicule, toujours évaluées à 3500 livres.

[CONCLUSION] Le nouveau SRX a belle mine et devrait permettre à Cadillac de se repositionner dans le segment. Toutefois, on sait la concurrence très forte dans le créneau; le SRX pourrait être relégué aux oubliettes rapidement s'il devait se révéler décevant. La nouvelle GM ne peut se permettre d'anicroche si elle désire renouer avec ses lettres de noblesse.

(5) FICHE TECHNIQUE

· **MOTEURS**

· **(V6)**
V6 3,0 l DACT, 265 ch à 6950 tr/min
Couple 223 lb-pi à 5100 tr/min
Transmission automatique à 6 rapports
0-100 km/h 8,4 s
Vitesse maximale 200 km/h

· **(V6)**
V6 2,8 l Turbo DACT, 300 ch à 5500 tr/min
Couple 295lb-pi à 2000 tr/min
Transmission automatique à 6 rapports
0-100 km/h 6,9 s
Vitesse maximale 230 km/h
Consommation (100 km) nd
Émissions de CO_2 nm
Litres par année nm
Coût par an nm
Empreinte écologique nm

· **AUTRES COMPOSANTES**
Sécurité active freins ABS, répartition électronique de force de freinage, assistance au freinage, antipatinage, contrôle de stabilité électronique
Suspension avant/arrière indépendante
Freins avant/arrière disques ventilés
Direction à crémaillère, assistée
Pneus P235/65R18 **Option** : P235/55R20

· **DIMENSIONS**
Empattement 2807 mm
Longueur 4833 mm
Largeur 1910mm
Hauteur 1668 mm
Poids 1916 kg
Diamètre de braquage 12,2 m
Coffre 826,8 l, 1732 l (sièges abaissés)
Réservoir de carburant 79,5 l
Capacité de remorquage 1136 kg, 1590 kg (option)

NOTRE VERDICT

Plaisir au volant
Qualité de finition
Consommation
Rapport qualité/prix
Valeur de revente

STS

www.gmcanada.com

N ÉVOLUTION É J

61 085 $ à 72 535 $
transport et préparation: 1420 $

LA COTE VERTE

AVEC MOTEUR V6 DE 3,6 L

- **Consommation (100km):** **2RM** 9,9 l **4RM** 10,0 l
- **Émissions polluantes CO_2 :** **2RM** 4848 kg/an **4RM** 4944 kg/an
- **Empreinte écologique (nombre d'arbres à planter par année):** 30
- **Indice d'octane:** 87
- **Autre motorisation:** non
- **Coût du carburant moyen par année:** **2RM** 2020 $ **4RM** 2060 $
- **Nombre de litres par année:** **2RM** 2020 l **4RM** 2060 l

(SOURCE: ÉnerGuide)

1 FICHE D'IDENTITÉ

- **Versions** V6, V8
- **Roues motrices** arrière, 4
- **Portières** 4 **Nombre de passagers** 5
- **Première génération** 1976 (Seville)
- **Génération actuelle** 2005
- **Construction** Lansing, Michigan, É.-U.
- **Sacs gonflables** 6 (frontaux, latéraux avant, rideaux latéraux)
- **Concurrence** Acura RL, Audi A6, BMW Série 5, Infiniti M, Jaguar XF, Lexus GS, Lincoln MKS, Mercedes-Benz Classe E, Volvo S80

2 AU QUOTIDIEN

- **Prime d'assurance**
  25 ans: 2600 à 2800 $
  40 ans: 2400 à 2600 $
  60 ans: 2000 à 2200 $
- **Collision frontale** 5/5
- **Collision latérale** 4/5
- **Ventes du modèle de l'an dernier**
  Au Québec 47 **Au Canada** 279
- **Dépréciation** (3 ans) 59,4 %
- **Rappels** (2004 à 2009) 5
- **Cote de fiabilité** 3/5

3 GARANTIES... ET PLUS

- **Garantie générale** 4 ans/80 000 km
- **Garantie motopropulseur** 5 ans/160 000 km
- **Perforation** 6 ans/kilométrage illimité
- **Assistance routière** 4 ans/80 000 km
- **Nombre de concessionnaires**
  Au Québec 90 **Au Canada** 400

4 NOUVEAUTÉS EN 2010

- Édition STS-V retiré du marché
  Deux couleurs extérieures : café au lait vanille et bronze Toscane Chroma Flair

UN AUTRE CONSTAT D'ÉCHEC

PAR BENOIT CHARETTE

CADILLAC ESSAIE DE NOUS CONVAINCRE DEPUIS DES ANNÉES QUE LEURS VOITURES ONT CHANGÉ. Le style, la conception, la conduite s'éloignent de ces paquebots d'autoroute des années 70, nombre qui représente l'âge moyen d'un propriétaire de la marque. Honnêtement, Cadillac avait réussi à me convaincre lors de mon premier essai de la STS en 2005. Cette voiture correspondait à l'idée qu'on se faisait d'une berline sport. Mais voilà, la clientèle de cette voiture est vendue aux belles allemandes, et vous ne prendriez aucun de ses propriétaires vivants au volant d'une Cadillac. Même avec tous les changements qu'elle a traversés, Cadillac est encore et toujours une voiture de « mononcle », et cela a fini par détruire la STS. Le modèle STS-V disparaît cette année, et ce n'est qu'une question de temps avant que les modèles restants ne suivent le même chemin. Dommage car Cadillac a fait du bon boulot avec ce véhicule.

[CARROSSERIE] La voiture roule sur le châssis Sigma qui s'est déjà distingué comme plateforme de la SRX et de la CTS. La STS, qui est redevenue une propulsion (question de mieux concurrencer les allemandes), offrira même une version intégrale. Contrairement à la CTS, qui joue un peu plus du tape-à-l'œil, la STS se fait discrète et montre une certaine noblesse dans son approche. Au chapitre des chiffres de ventes toutefois, cette stratégie n'a pas très bien fonctionné.

[HABITACLE] À l'intérieur, on retrouve l'influence générale de la CTS en plus réussi. Au programme, bois d'eucalyptus, insérés d'aluminium et beaucoup de cuir. La première chose qu'on remarque à bord, c'est l'absence de démarreur. Votre module de commande à distance est muni d'un émetteur qui communique avec la voiture. Vous pouvez le garder dans vos poches (ou votre bourse) et tout ce que vous avez à faire c'est d'appuyer sur le frein, presser le bouton de départ et voilà; pesez à nouveau sur le bouton, et le moteur s'éteint. Vous pouvez même démarrer à distance. Les sièges, tous en cuir, sont chauffants

FORCES • Mécaniques performantes • Finition minutieuse • Rigidité sans faille • Tenue de route exemplaire

FAIBLESSES • Manque un peu d'espace aux places arrière • Direction qui pourrait être plus communicative • Faible valeur de revente

et offrent en option la meilleure climatisation de l'industrie à ce jour. L'insonorisation est très poussée, et les sièges avant, dignes d'une BMW, fermes mais confortables avec un excellent maintien; que de chemin de parcouru. Rien à envier à BMW et à Mercedes-Benz ici. Il manque quelques espaces de rangement et un coffre plus généreux.

[MÉCANIQUE] La STS est maintenant offerte en deux arômes. L'offre de base prend la forme d'un V6 de 3,6 litres de 302 chevaux issu de la CTS. Vient ensuite un V8 Northstar de 4,6 litres de 320 chevaux en mode propulsion ou intégral. Eh oui ! la STS a même emprunté la transmission intégrale de la SRX pour aller jouer dans la cour d'Audi. Toutes ces mécaniques utilisent une boîte de vitesses automatique à 6 rapports. Comme pour les européennes, le moteur à 6 cylindres répond à tous vos besoins, mais pour avoir toute la noblesse due au rang d'une telle voiture, certains se doivent d'avoir un V8.

[COMPORTEMENT] Si je devais résumer l'expérience au volant, je dirais que la STS offre un confort proche de la Lexus LS 460 et des performances dignes d'une BMW Série 5. Où se situe la différence ? D'abord, le confort est plus dynamique que dans la Lexus qui offre une insonorisation mortuaire laissant croire que vous êtes dans un cercueil tellement la voiture est silencieuse. La STS laisse filtrer les bruits intéressants comme les accélérations du moteur qui chante très bien à haut régime. Au chapitre de la performance, tant le V6 que le V8 font aussi bien que BMW ou Mercedes-Benz. Il manque à la direction une certaine communion avec la route que BMW maîtrise si bien.

[CONCLUSION] Pour être honnête, je ne pensais pas voir un jour un aussi bon produit issu de la marque Cadillac. Toutefois, il faudra que le consommateur s'habitue à payer aussi le même prix qu'une allemande avec un équipement comparable. C'est précisément à ce chapitre que Cadillac n'a pas réussi à convaincre, Dommage !

2e OPINION

PHILIPPE LAGUË GM a la fâcheuse habitude de promettre mer et monde à chaque lancement d'un nouveau modèle. Trop souvent, le chroniqueur que je suis a été déçu. Mais force est d'admettre que chez Cadillac, on tient parole : comme ses sœurs, la STS possède les outils pour se mesurer aux voitures de luxe importées. Et comme la Seville qui l'a précédée, elle reprend le flambeau de la meilleure voiture de luxe construite en Amérique. Elle se rapproche, dans l'esprit comme dans la dynamique, d'une Mercedes-Benz. Le même équilibre, la même prestance, le même raffinement... Mais Cadillac n'a jamais réussi à convaincre les acheteurs de Mercedes-Benz de faire le saut.

5 FICHE TECHNIQUE

· MOTEURS

· (V6)

V6 3,6 l DACT, 302 ch à 6300 tr/min
Couple 272 lb-pi à 5200 tr/min
Transmission automatique à 6 rapports avec mode manuel
0-100 km/h 7,6 s
Vitesse maximale 220 km/h

· (V8)

V8 4,6 l DACT, 320 ch à 6400 tr/min
Couple 315 lb-pi à 4400 tr/min
Transmission automatique à 6 rapports avec mode manuel
0-100 km/h 6,2 s
Vitesse maximale 250 km/h
Consommation (100 km) 2RM 11,1 l **4RM** 12,4 l (octane 87)
Émissions de CO_2 2RM 5472 kg/an **4RM** 6096 kg/an
Litres par année 2RM 2280 l **4RM** 2540 l
Coût par an 2RM 3420 $ **4RM** 3810$
Autre motorisation non
Empreinte écologique 33 arbres

· AUTRES COMPOSANTES

Sécurité active freins ABS, répartition électronique de force de freinage, assistance au freinage, antipatinage, contrôle de stabilité électronique
Suspension avant/arrière indépendante
Freins avant/arrière disques ventilés
Direction à crémaillère, assistée
Pneus P235/50R17 (av.), P255/45R17 (arr.),

· DIMENSIONS

Empattement 2956 mm
Longueur 4986 mm
Largeur 1844 mm
Hauteur 1463 mm
Poids V6 1750 kg **V6 4RM** 1795 kg **V8** 1779 kg **V8 4RM** 1919 kg
Diamètre de braquage 11,5 m
Coffre 391 l
Réservoir de carburant 66,2 l
Capacité remorquage 454 kg

NOS MENTIONS

Modèle recommandé

NOTRE VERDICT

Plaisir au volant
Qualité de finition
Consommation
Rapport qualité/prix
Valeur de revente

AVALANCHE

www.gm.ca

N ÉVOLUTION É J

41 183 $ à 55 440 $
transport et préparation: 1350 $

LA COTE VERTE

AVEC MOTEUR V8 DE 5,3 L

- **Consommation (100km):** **2RM** 12,3 l
- **Émissions polluantes CO_2 :** **2RM** 6096 kg/an
- **Empreinte écologique (nombre d'arbres à planter par année):** 36
- **Indice d'octane:** 87
- **Autre motorisation:** Ethanol E85
- **Coût du carburant moyen par année:** **2RM** 2540 $
- **Nombre de litres par année:** **2RM** 2540 l

(source: ÉnerGuide)

1 FICHE D'IDENTITÉ

- **Versions** LS, LT, LTZ
- **Roues motrices** arrière, 4
- **Portières** 4 **Nombre de passagers** 5/6
- **Première génération** 2002
- **Génération actuelle** 2007
- **Construction** Silao, Mexique
- **Sacs gonflables** 4 (frontaux, rideaux latéraux)
- **Concurrence** Chevrolet Silverado, Dodge Ram, Ford F-150, GMC Sierra, Nissan Titan, Toyota Tundra

2 AU QUOTIDIEN

- **Prime d'assurance** **25 ans:** 1700 à 1900 $ **40 ans:** 1000 à 1100 $ **60 ans:** 700 à 900 $
- **Collision frontale** 5/5
- **Collision latérale** 5/5
- **Ventes du modèle de l'an dernier** **Au Québec** 459 **Au Canada** 3875
- **Dépréciation** (2 ans) 47,6%
- **Rappels** (2004 à 2009) 9
- **Cote de fiabilité** 2,5/5

3 GARANTIES... ET PLUS

- **Garantie générale** 3 ans/60 000 km
- **Garantie motopropulseur** 5 ans/160 000 km
- **Perforation** 6 ans/160 000 km
- **Assistance routière** 3 ans/60 000 km
- **Nombre de concessionnaires** **Au Québec** 90 **Au Canada** 400

4 NOUVEAUTÉS EN 2010

- Connecteur USB dans la console centrale
La version LT comprend désormais la commande automatique de la température, à deux zones, le démarreur à distance et le différentiel arrière blocable ultra-robuste. La boîte de transfert à une vitesse est maintenant de série avec les modèles à 4RM; la boîte de transfert à deux vitesses est livrable en option

VICTIME DE L'ÉCONOMIE

PAR ALEXANDRE CRÉPAULT

LES TEMPS SONT DURS POUR LE CHEVROLET AVALANCHE. Glouton de nature et non conçu pour les chantiers de construction, il pourrait bien voir sa place en péril sur le marché. C'est dommage, car l'Avalanche est l'un des bons, pardon, très bons produits de GM.

[CARROSSERIE] L'Avalanche n'a pas beaucoup changé depuis la sortie de la deuxième génération en 2007. Basé sur la plateforme du Suburban (un autre véhicule dont le sort ne laisse pas beaucoup de doute), il se veut un croisement entre une camionnette et un VUS. Sa particularité est de posséder un hayon central qui s'ouvre sur la boîte, portant ainsi la superficie de rangement utilisable de 5 pieds 3 pouces à 8 pieds 2 pouces. Cette boîte, on peut l'isoler complètement des éléments extérieurs grâce à un système de trois panneaux rigides et étanches. Chevrolet offre trois versions de l'Avalanche : LS, LT et LTZ. La version LT comprend trois ensembles d'options.

[HABITACLE] GM aurait gros à gagner en installant des cabines aussi réussies que celle de l'Avalanche sur l'ensemble de ses modèles. Même de base, l'Avalanche tire son épingle du jeu de façon impressionnante. Les tissus sont très corrects, le tableau de bord se distingue par sa simplicité et ses agréables matériaux de finition. Plusieurs options pratiques, comme le pédalier réglable, une chaîne audio haut de gamme, l'assistance au stationnement et la climatisation à deux zones sont offerts individuellement ou à l'intérieur d'un ensemble d'options. Selon le modèle choisi, l'Avalanche peut être équipé d'une banquette avant à trois places ou de deux fauteuils. Dans les deux cas, on y trouve du rangement à profusion, et le sélecteur de vitesses demeure sur la colonne de direction.

[MOTEUR] Un V8 de 5,3 litres déplace l'Avalanche de série. La version Flex-Fuel, qui carbure au E85 (mélange d'éthanol et d'essence) vous intéressera peut-être également. Pour les plus grosses besognes, vous seriez avisé de choisir, en option, le V8 de 6 litres équipé de série d'un refroidisseur d'huile et de boîte de vitesses. Les deux moteurs sont issus de la technologie Active Fuel

FORCES • Confort • Côté pratique • Performances globales

FAIBLESSES • Consommation de carburant • Mauvaise visibilité arrière • Pas de diesel

AVALANCHE

Management qui désactive la moitié des cylindres en vitesse de croisière. Depuis l'an dernier, une boîte de vitesses à 6 rapports remplace la désuète boîte à 4 rapports et se fait aimer pour son économie de carburant, car ses régimes moteur sont moins élevés. Selon l'usage que l'on entend faire de l'Avalanche, diverses suspensions et trains arrière sont offerts. Tous les modèles peuvent être dotés de deux ou de quatre roues motrices.

[COMPORTEMENT] Un véritable charme à conduire, cet Avalanche. Bien sûr, il demeure un éléphant dans un magasin de porcelaine. Les marches arrière ne sont pas faciles non plus, entre autres en raison de la mauvaise visibilité arrière. Sur la route, cependant, le confort de roulement et le silence dans l'habitacle ravissent les occupants à la façon d'une berline de luxe. La tenue de route est saine et posée, même sur les revêtements décomposés qu'on doit subir chaque jour. Loin d'être agile, l'Avalanche lance et ralentit ses 5700 livres quand même aisément. Même le rayon de braquage est bon. Par contre, dès qu'on commence à maltraiter l'accélérateur ou qu'on charge l'Avalanche, on voit d'un très mauvais œil la consommation augmenter.

[CONCLUSION] L'Avalanche a toujours été un coup de cœur de votre noble serviteur. Cela dit, pour justifier son prix de 40 000 $ ou plus ainsi que le versement annuel de milliers de dollars aux pétrolières (malgré les efforts de GM pour limiter la consommation de l'Avalanche), il va falloir me trouver une sacrée bonne excuse.

2e OPINION

DANIEL RUFIANGE Surprenante est certes le qualificatif qui résume le mieux l'expérience au volant d'un Avalanche. Alors qu'on s'attend à un comportement typiquement camion, on découvre un véhicule au confort étonnant, résultat du bon travail des suspensions. À l'intérieur, la surprise se poursuit alors qu'on distingue un habitacle accueillant, vaste et bien aménagée. Avec sa configuration pratique et sa boîte multifonction, l'Avalanche séduira plus les amateurs de randonnées de chasse que l'entrepreneur en construction. Pourtant les ventes demeurent décevantes. Pour comprendre, il faut regarder du côté du prix. GM aurait peut-être avantage à se garder une petite gêne; à ceux qui ont la mauvaise habitude de cocher oui aux options, la facture grimpe pour atteindre plus de 68 000 $; il y a de quoi tempêter.

5 FICHE TECHNIQUE

· MOTEURS

V8 5,3 l ACC, 310 ch à 5200 tr/min
Couple 335 lb-pi à 4400 tr/min
Transmission automatique à 6 rapports
0-100 km/h 11,6 s
Vitesse maximale 180 km/h
Consommation (100 km) 4RM (octane 89) 16,5 l
2RM (octane 89) 13,1 l **4RM** (éthanol) 16,9 l
Émissions de CO_2 4RM (octane 89) 6288 kg/an
2RM (éthanol) 3380 kg/an
4RM (éthanol) 3440 kg/an
Litres par année 4RM (octane 89) 3380 l
2RM (octane 89) 2620 l **4RM** (éthanol) 3440 l
Coût par an 4RM (octane 89) 2751 $
Autre motorisation: non
Empreinte écologique 36 arbres, (éthanol) 20 arbres

· AUTRES COMPOSANTES

Sécurité active Freins ABS, antipatinage, contrôle de stabilité électronique
Suspension avant/arrière Indépendante, essieu rigide
Freins avant/arrière disques
Direction à crémaillère, assistée
Pneus LS, LT P265/70R17, P265/65R18
LTZ P275/55R20

· DIMENSIONS

Empattement 3302 mm
Longueur 5621 mm
Largeur 2009 mm
Hauteur 1946 mm
Poids 2RM 2485 kg **4RM** 2560 kg
Diamètre de braquage 13,1 m
Coffre 1537 l, 2859 l (sièges rabattus)
Réservoir de carburant 117 l
Capacité de remorquage 2RM 3674 kg
4RM 3583 kg

NOTRE VERDICT

Plaisir au volant
Qualité de finition
Consommation
Rapport qualité/prix
Valeur de revente

AVEO / AVEO5

www.gm.ca

N
ÉVOLUTION
É
J

13 970 $ à 16 570 $
transport et préparation: 1325 $

LA COTE VERTE

AVEC MOTEUR L4 DE 1,6 L

- **Consommation (100km):** **man.** 6,9 l **auto.** 7,1 l
- **Émissions polluantes CO_2 :** **man.** 3312 kg/an **auto.** 3408 kg/an
- **Empreinte écologique (nombre d'arbres à planter par année):** 20
- **Indice d'octane:** 87
- **Autre motorisation:** non
- **Coût du carburant moyen par année:** **man.** 1380 $ **autom.** 1420 $
- **Nombre de litres par année:** **man.** 1380 l **auto.** 1420 l

(SOURCE: ÉnerGuide)

1 FICHE D'IDENTITÉ

- **Versions** LS, LT
- **Roues motrices** avant
- **Portières** 4 **Nombre de passagers** 5
- **Première génération** 2004
- **Génération actuelle** 2007 (berline)
- **Construction** Bupyong, Corée du Sud
- **Sacs gonflables** 4, frontaux, latéraux
- **Concurrence** Honda Fit, Hyundai Accent, Kia Rio, Nissan Versa, Suzuki Swift+, Toyota Yaris

2 AU QUOTIDIEN

- **Prime d'assurance**
  25 ans: 1600 à 1800 $
  40 ans: 1100 à 1300 $
  60 ans: 800 à 1000 $
- **Collision frontale** 5/5
- **Collision latérale** 4/5
- **Ventes du modèle de l'an dernier**
  Au Québec 4280 **Au Canada** 10 653
- **Dépréciation** (2 ans) 45%
- **Rappels** (2004 à 2009) 6
- **Cote de fiabilité** 2,5/5

3 GARANTIES... ET PLUS

- **Garantie générale** 3 ans/60 000 km
- **Garantie motopropulseur** 5 ans/160 000 km
- **Perforation** 6 ans/160 000 km
- **Assistance routière** 3 ans/60 000 km
- **Nombre de concessionnaires**
  Au Québec 90 **Au Canada** 400

4 NOUVEAUTÉS EN 2010

- La puissance du moteur passe à 108 ch, sacs gonflables latéraux montés aux sièges de série, témoin de changement de vitesses avec la boîte manuelle

À CHAQUE JOUR SUFFIT SA PEINE

PAR FRANCIS BRIÈRE

QUELS SONT LES ASPECTS QU'UN CONSTRUCTEUR AUTOMOBILE NE DEVRAIT JAMAIS METTRE DE CÔTÉ ? Considérons cette interrogation dans un contexte où la petite voiture est reine, en occurrence la sous-compacte. J'avancerais qu'il s'agit de la sécurité et du confort. Bien entendu, on ne peut s'attendre à retrouver le même niveau de confort dans une Aveo qu'à bord d'une grande berline : respectons les proportions. Quoi qu'il en soit, General Motors a négligé un des deux aspects, le plus important à mes yeux : la sécurité. Dommage, puisque cette petite voiture possède de belles qualités qui en font un objet agréable à regarder et même à conduire.

[CARROSSERIE] La Chevrolet Aveo, au plan esthétique, est une réussite. Son allure extérieure donne envie de la posséder. La conception de l'arrière de la voiture est particulièrement inspirée, entre autres avec ses feux bien ronds. La devanture emprunte le concept Chevrolet, qui lui va à ravir. Des roues en alliage viennent dynamiser encore davantage sa mine. Les occupants bénéficient d'une visibilité remarquable grâce à une surface vitrée généreuse. Malheureusement, la qualité de l'assemblage est à l'image de celle que l'on retrouve dans l'habitacle. Il en résulte des irrégularités déplorables. Autre élément à déplorer : les pneus. Si vous prévoyez l'achat d'une Aveo, prévoyez également l'achat de quatre bons pneus. On comprend que la voiture se vend peu cher, mais s'il y a un aspect qu'on ne doit jamais négliger, c'est bien la sécurité, encore une fois.

[HABITACLE] Soyons honnête : l'intérieur de l'Aveo est bien conçu. La présentation n'est ni chargée ni dénudée. GM a réussi à intégrer des éléments esthétiques de bon goût, comme les cadrans, les commandes et les orifices de ventilation. L'ergonomie respecte l'anatomie humaine : tout devient accessible rapidement. En revanche, on ne peut en dire autant des sièges. Si vous roulez beaucoup en voiture, votre

+ / −

FORCES • Belle caisse • Conduite agréable • Prix alléchant

FAIBLESSES • Suspension paresseuse • Boîte automatique mal synchronisée • Assemblage désastreux

AVEO / AVEO5

chiropraticien ou votre ostéopathe risque de vous voir plus souvent. Non seulement sont-ils durs, mais ils sont maladroitement conçus et épousent mal la silhouette. La pire sono que j'ai retrouvée dans une voiture est celle de la Hyundai Accent. Celle de l'Aveo est pire encore. Sons parasites en conserve au rendez-vous ! À moins d'être malentendant ou indifférent, prévoyez une autre dépense pour la radio.

[MÉCANIQUE] Bien qu'il ne développe que 106 chevaux, le petit 4-cylindres qui anime l'Aveo se débrouille fort bien. Il se compare avantageusement aux moteurs développés par les constructeurs coréens. Ce qui fait défaut avec cette petite GM, c'est la boîte de vitesses automatique. Les quatre rapports manquent de synchronisme et fournissent une accélération saccadée. Mais la composante mécanique la plus inquiétante de l'Aveo est la suspension (voir section comportement). Les freins ralentissent la voiture comme il se doit, mais il ne faut pas abuser de la pédale, le conducteur pourrait s'en vouloir.

[COMPORTEMENT] Nous savons que l'Aveo est une voiture essentiellement destinée à la circulation urbaine. Cela ne signifie pas pour autant qu'aucune manœuvre d'urgence ne soit jamais exécutée derrière le volant. Pourtant, une réaction trop vive de la part du conducteur, soit pour un freinage rapide ou pour un évitement d'obstacle, peut se terminer en catastrophe. La suspension n'arrive pas à contenir le transfert de poids de la voiture. Elle devient imprévisible et dangereuse. De plus, les freins produisent un effet spongieux dont il faut se méfier. En revanche, avec l'Aveo, les occupants bénéficient d'un confort appréciable malgré les sièges atroces. Il s'agit là d'un mauvais compromis.

[CONCLUSION] GM annonce l'Aveo à un prix qui défie toute concurrence. Cette guerre de prix se joue essentiellement entre le géant américain et Hyundai, qui offre son Accent pour environ la même somme. Si l'acheteur hésite entre les deux, il faudra le sensibiliser au fait que la petite coréenne représente une meilleure affaire, surtout en ce qui a trait à la sécurité. Malheureusement pour GM, on ne badine pas avec la vie des gens.

2e OPINION

PHILIPPE LAGUË À l'heure où les sous-compactes redeviennent populaires en raison de la flambée du prix du carburant, le *timing*, comme on dit à Paris, est parfait pour l'Aveo. Mais il y a un hic : face à ses rivales, elle ne fait pas le poids, et, surtout, son principal défaut, c'est justement sa forte consommation ! Bon, d'accord, ce n'est pas gargantuesque; mais pour une sous-compacte, l'Aveo boit beaucoup, et plus que ses rivales. De plus, la finition et la qualité de construction n'impressionnent guère; coréenne pour coréenne - l'Aveo est une Daewoo, ne l'oublions pas - je préfère la Hyundai Accent ou sa jumelle, la Kia Rio. Non seulement sont-elles plus jolies, mais elles sont également peu chères, consomment moins, et leur décoration intérieure est moins triste. Chose certaine, si GM veut s'imposer dans le segment des petites voitures, il lui faudra quelque chose de mieux que l'Aveo.

5 FICHE TECHNIQUE

· MOTEUR
L4 1,6 l DACT 108 ch à 6400 tr/min
Couple 105 lb-pi à 4000 tr/min
Transmission manuelle à 5 rapports, automatique à 4 rapports en option
0-100 km/h 12,2 s
Vitesse maximale 170 km/h

· AUTRES COMPOSANTES
Sécurité active freins ABS (option)
Suspension avant/arrière indépendante/essieu rigide
Freins avant/arrière disques/tambours
Direction à crémaillère, assistée
Pneus LS P185/60R14 **LT** P185/55R15

· DIMENSIONS
Empattement 2480 mm
Longueur ber. 4310 mm **Aveo5** 3920 mm
Largeur ber. 1710 mm **Aveo5** 1680 mm
Hauteur ber./Aveo5 1505 mm
Poids ber. 1170 kg **Aveo5** 1160 kg
Diamètre de braquage 10,06 m
Coffre ber. 351 l **Aveo5** 201 l, 1189 l (sièges abaissés)
Réservoir de carburant 45 l

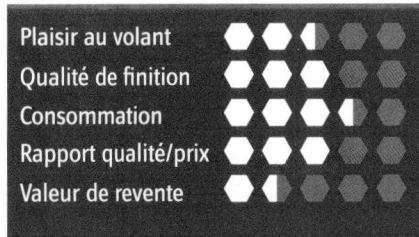

NOS MENTIONS

Le choix vert

NOTRE VERDICT

Plaisir au volant
Qualité de finition
Consommation
Rapport qualité/prix
Valeur de revente

CAMARO

www.gmcanada.com

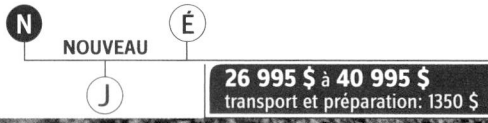

N NOUVEAU É J

26 995 $ à 40 995 $
transport et préparation: 1350 $

LA COTE VERTE

AVEC MOTEUR V6 DE 3,6 L

- **Consommation (100km):** **man.** 9,8 l **auto.** 9,4 l
- **Émissions polluantes CO_2 :** **auto** 4704 kg/an **man** 5088 kg/an
- **Empreinte écologique (nombre d'arbres à planter par année):** 22
- **Indice d'octane:** 87
- **Autre motorisation:** non
- **Coût du carburant moyen par année:** **man.** 2120 $ **auto.** 1960 $
- **Nombre de litres par année:** **man.** 2120 l **auto.** 1960 l

(SOURCE: ÉnerGuide)

1 FICHE D'IDENTITÉ

- **Versions** LS, LT, SS
- **Roues motrices** arrière
- **Portières** 4 **Nombre de passagers** 4
- **Première génération** 1967
- **Génération actuelle** 2010
- **Construction** Oshawa, Ontario, Canada
- **Sacs gonflables** 6 frontaux, latéraux avant et arrière
- **Concurrence** Dodge Challenger, Ford Mustang, Nissan 370Z

2 AU QUOTIDIEN

- **Prime d'assurance**
  25 ans: 3300 à 3500 $
  40 ans: 1700 à 1900 $
  60 ans: 1200 à 1400 $
- **Collision frontale** 5/5
- **Collision latérale** 4/5
- **Ventes du modèle de l'an dernier**
  Au Québec nm **Au Canada** nm
- **Dépréciation (3 ans)** nm
- **Rappels (2004 à 2009)** nm
- **Cote de fiabilité** nm

3 GARANTIES... ET PLUS

- **Garantie générale** 3 ans/60 000 km
- **Garantie motopropulseur** 5 ans/160 000 km
- **Perforation** 6 ans/160 000 km
- **Assistance routière** 3 ans/60 000 km
- **Nombre de concessionnaires**
  Au Québec 90 **Au Canada** 400

4 NOUVEAUTÉS EN 2010

- Nouveau modèle

IL AURA FALLU 43 ANS!

PAR BENOIT CHARETTE

CONSTRUITE ENTRE 1967 ET 2002, LA CAMARO, QUI AVAIT VU LE JOUR POUR FAIRE LA LUTTE À LA FORD MUSTANG, A TOUJOURS SOUFFERT D'UNE CONSTRUCTION APPROXIMATIVE, D'UNE FINITION BÂCLÉE, D'UNE TENUE DE ROUTE ALÉATOIRE ET D'UNE FIABILITÉ PROBLÉMATIQUE. Bref, au-delà des apparences, il n'y avait vraiment pas de quoi écrire à sa mère. Il aura fallu attendre une crise de l'automobile et la faillite technique du fabricant pour que Chevrolet accouche enfin d'une voiture sport digne de ce nom. On dit qu'il n'est jamais trop tard pour bien faire. La seule consolation de GM aura été de voir ce produit sur la route avant de mourir.

[CARROSSERIE] Même si la Camaro représente ce qu'il y a de plus américain sur le marché, GM a fait appel à ses filiales pour les parties non visuelles de la voiture. Par exemple, la plateforme est la même qui se trouve sous le châssis de la défunte Pontiac G8 et provient de Holden, en Australie; pour ce qui est de la construction, elle se fait du côté d'Oshawa, en Ontario. Naturellement, le style est 100 % américain. Les stylistes de Detroit ont repris les éléments les plus populaires de la fin des années 60 et les ont judicieusement mélangés avec des contours modernes. Résultat, des lignes uniques et inédites. La Camaro avait d'ailleurs remporté le prix du meilleur concept au salon de l'auto de Detroit en 2006. En bout de piste, les lignes sont suffisamment agressives pour honorer son côté « muscle car » et assez moderne pour en faire une voiture du XXIe siècle, sans nostalgie inutile.

[HABITACLE] On retrouve à l'intérieur la même approche qu'à l'extérieur. Il y a d'abord un respect de l'histoire. On retrouve de grands cadrans creusés dans la console centrale qui indiquent la température et la pression d'huile, la charge de la batterie et la température de l'huile de la boîte de vitesses, un retour aux années 60. Mais le tout est habillé dans des matériaux de facture moderne. Cela dit, on retrouve également les mêmes défauts qu'à l'époque. Le dégagement au plafond est limité à l'avant, et les places arrière sont toujours aussi étriquées; elles serviront plutôt d'espace supplémentaire pour un

FORCES • Silhouette inspirée • Confort surprenant • Performances à la hauteur même avec le V6 • Prix concurrentiel

FAIBLESSES • Visibilité réduite • Places arrière symboliques • Coffre de petite taille

surplus de bagages, car le volume du coffre est plutôt restreint. La ceinture de caisse, très haute, contribue certainement à son air menaçant, mais, au volant, vous avez l'impression d'être à bord d'un sous-marin. La visibilité est limitée, et l'épaisseur des piliers A de chaque côté du pare-brise nuit davantage à la cause. Voilà pour le côté moins réussi. Pour le côté positif, il faut mentionner que la combinaison de réglages offerts par le siège (huit réglages électriques) et le volant inclinable et télescopique de série permet à chacun de trouver une position confortable. L'esthétique, à l'image des voitures sport qui se respectent, demeure spartiate, mais les principaux éléments de confort sont là : la climatisation, la connectivité Bluetooth et la prise USB pour votre iPod.

POUR LES NOSTALGIQUES, LE V8 EST LE SEUL À OFFRIR LA SONORITÉ REQUISE POUR ALLER DE PAIR AVEC LES LIGNES AGRESSIVES. VOUS DEVREZ PAR CONTRE JOUER FORTEMENT DE L'ACCÉLÉRATEUR POUR EXTIRPER TOUS LES CHEVAUX DE LA BÊTE.

[MÉCANIQUE] Les versions LS et LT sont offertes équipées d'un V6 de 3,6 litres qui développe 304 chevaux et qui provient directement de la Cadillac CTS. De série, il vient avec une boîte manuelle à 6 rapports ou une automatique à 6 rapports, y compris une commande manuelle en option. Grâce à cela, les Camaro V6 peuvent revendiquer, selon GM, une consommation de seulement 9 litres aux 100 kilomètres sur l'autoroute. Notre journée d'essai nous a permis de constater que ce n'est pas très loin de la vérité. La version SS reçoit, quant à elle, un V8 de 6,2 litres, mais avec des différences selon que la boîte de vitesses est manuelle ou automatique. Sur la SS manuelle, on retrouve le bloc LS3 qui provient de la Corvette. Il développe 422 chevaux. La boîte de vitesses est une Tremec TR6060 à 6 rapports. La SS automatique présente une différente configuration du même moteur et produit 400 chevaux. Ce dernier intègre un système de désactivation des cylindres qui permet, dans certaines conditions, de rouler uniquement sur 4 cylindres au lieu de 8. Grâce à ce système de désactivation des cylindres et à la boîte automatique à 6 rapports, vous obtiendrez une consommation avoisinant les 10,2 litres au 100 kilomètres sur l'autoroute.

[COMPORTEMENT] Notre premier essai du modèle V6 a été concluant. D'un strict point de vue de la conduite, cette Camaro est aussi agréable que la Cadillac CTS. Le châssis trouve un équilibre heureux entre confort et maîtrise. Notre essai entre Montréal et Saint-Sauveur nous offrait des conditions réelles de conduite chez nous; même les conditions de routes dégradées par endroit n'ont pas réussi à perturber l'aplomb de la suspension ou la rigidité structurale de la caisse. Notre RS gardait les roues bien au sol, même en virage rapide. Il est facile de pointer la voiture. Certains vont même lui reprocher sa direction trop précise. On peut simplement reprocher une petite inertie dans le volant, mais très peu. Il faut à peine plus de 6 secondes pour boucler le 0 à 100 km/h avec le V6 et environ 5 secondes avec le V8. Pour les vrais nostalgiques, le V8 est le seul à offrir la sonorité requise pour aller de pair avec les lignes agressives. Mais attention, vous devrez jouer fortement de l'accélérateur

HISTORIQUE

Les quatre premières générations de Camaro se sont succédées de 1967 à 2002. La Camaro fut construite pour concurrencer la Ford Mustang, qui connaissait un énorme succès depuis 1964. Le modèle initial, au nom de projet XP836 surnommé "Panther", offrait des lignes très pures exemptes de toute fioriture et combinait harmonieusement volumes et rondeurs avec des éléments plus anguleux, un peu à l'image des plus prestigieuses productions italiennes. C'est un peu de ses lignes que la nouvelle cuvée 2009 a tiré son inspiration.

CAMARO RALLYE SS 1968

CAMARO SS WHILLY

CAMARO Z28 1972

CAMARO Z28 1977

CAMARO Z28 1982

CAMARO DÉCAPOTABLE 2000

CAMARO CONCEPT 2007

CAMARO

B

C

D

GALERIE

A Le groupe habillage RS est proposé avec les LT et SS. Il comprend des phares à décharge à haute intensité avec effet halo, un aileron arrière avec la LT, des feux arrière distincts et des roues de 20 po au fini gris nocturne.

B Deux moteurs V8 de 6,2 L sont proposés avec la Camaro SS : le nouveau L99 avec la boîte automatique et le LS3 avec la boîte manuelle. Les deux moteurs sont issus du moteur LS3 qui avait été lancé dans la Corvette 2008. La puissance du moteur L99 est de 400 ch (298 kW) à 5 900 tr/min et son couple est de 410 lb-pi. (556 N.m) à 4 300 tr/min. Le LS3 développe 426 ch (318 kW) et un couple de 420 lb-pi. (569 N.m). La puissance de sortie du L99 est inférieure à celle du LS3 en raison d'un taux de compression légèrement moins élevé (10,4:1 plutôt que 10,7:1) et de caractéristiques de conception du système de gestion active du carburant. Le L99 est couplé exclusivement à une boîte à six vitesses.

D Les LS, LT et SS comprennent de série une radio, un lecteur de CD et six haut-parleurs. Un système Boston Acoustics haut de gamme de 245 watts à neuf haut-parleurs est proposé en option avec les modèles LT et SS. Radio par satellite XM de série dans toutes les versions Tous les modèles sont également équipés d'interrupteurs de verrouillage électrique et d'une fonction de descente et de montée rapides du côté du conducteur et du passager avant.

E Les suspensions avant et arrière, entièrement indépendantes, constituent la base de la Camaro 2010. C'est la première fois qu'une Camaro se voit pourvue d'une suspension arrière indépendante de série. Deux suspensions sont proposées : la FE2 sport pour les modèles à moteur V6 et la FE3 de performance pour ceux à moteur V8. À l'arrière, le sous-châssis est doublement isolé pour réduire le mouvement de la carrosserie et amortir les chocs de la route.

CAMARO

pour extirper tous les chevaux de la bête. En voulant économiser du carburant, GM a conçu des boîtes à étagement long. La boîte manuelle, en particulier, est pratiquement capable d'atteindre 130 km/h sur le second rapport. Sur le sixième, à 120 km/h, le moteur tourne à peine à 1700 tr/min. Il faut donc cravacher pour lui tirer les vers du nez. Mais le son rauque est au rendez-vous. Pour extirper le même genre de satisfaction très « mâle » de la boîte automatique, il faut utiliser les leviers de sélection au volant et travailler haut dans les régimes. La qualité de la suspension est aussi bonne dans les deux modèles et, si vous voulez jouer au matamore ou pratiquer vos talents dans le dérapage contrôlé dans un endroit sûr, il faudra opter pour une version SS. Elle est non seulement plus puissante, ce qui permet de la faire décrocher plus facilement, mais surtout, la SS est la seule qui dispose d'un mode sport qui permet de désactiver les aides à la conduite électronique. Vous obtenez une conduite, disons, plus expressive. Dans la même veine, la boîte manuelle est également équipée d'une fonction de « démarrage contrôlé » pour faire patiner les roues à la perfection, chaque fois. Vous aurez l'air d'un pro, mais vous n'êtes pas obligé de dévoiler votre secret.

[CONCLUSION] Je suis à la fois heureux et déçu de cette nouvelle Camaro. Je suis heureux de voir que GM a repris un concept qui a fait école et a été capable de le moderniser, de lui procurer une conduite confortable dans une robe agréable avec un prix et une consommation adéquates. Je suis déçu toutefois que GM ait attendu aussi longtemps pour pondre ce modèle. Cette Camaro aurait dû voir le jour il y a six ans comme remplaçante de l'ancienne génération. Dans le contexte actuel, cette voiture n'aura jamais le succès qu'elle mérite, même la version décapotable prévue pour l'an prochain est sérieusement remise en question. Le dernier de sa race, je le crains.

2e OPINION

DANIEL RUFIANGE Après Ford et Chrysler – Mustang et Challenger – c'est au tour de GM de faire revivre une icône avec la Camaro. Sans dire que c'est trop peu trop tard, mentionnons que, malgré l'engouement, l'introduction d'un modèle rétro n'a plus ce caractère innovant. Ceci étant dit, une balade à bord suffit pour réaliser qu'elle plaît; les regards sont très approbateurs. Toutefois, si l'allure extérieure est réussie, c'est au détriment de la visibilité intérieure, exécrable. Peut-on parler d'une sportive racée ? La réponse est non. Équipé du V6 de 325 chevaux, la sensation au volant est bonne mais pas convaincante. Parlons plutôt d'une belle routière. Pour s'approcher de l'esprit d'antan, il faut opter pour le V8 et la boîte de vitesses manuelle. Là c'est plus probant !

(5) FICHE TECHNIQUE

· MOTEUR

·(LS,LT)

V6 3,6 l DACT, 304 ch à 6400 tr/min
Couple 273 lb-pi à 5200 tr/min
Transmission manuelle à 6 rapports, transmission automatique à 6 rapports
0-100 km/h 6,4 s
Vitesse maximale 225 km/h

· (SS)

V8 6,2 l ACC, 426 ch à 5000 tr/min
V8 6,2 l ACC, 400 ch à 5000 tr/min (automatique)
Couple 420 lb-pi à 4600 tr/min
410 lb-pi à 4300 tr/min (automatique)
Transmission manuelle à 6 rapports, automatique à 6 rapports avec mode manuel au volant
0-100 km/h 5,0s
Vitesse maximale 250 km/h
Consommation (100 km) 11,2 l (octane 91)
Émissions de CO^2 man : 5088 kg/an
auto 5520 kg/an
Litres par année man. 2120 l **auto.** 2300 l
Coût par an man. 2332 $ **auto.** 2530 $

· AUTRES COMPOSANTES

Suspension avant/arrière indépendante/
Freins avant/arrière disques/
Direction à crémaillère, assistée
Pneus LS P245/55R18 **LT** P245/55R18, P245/50R19
SS P245/45ZR20, P275/40ZR20

· DIMENSIONS

Empattement 2852 mm
Longueur 4836 mm
Largeur 1918 mm
Hauteur 1376 mm
Poids 1740 kg
Diamètre de braquage 12,5 m
Coffre 320 l
Réservoir de carburant 71,9 l

NOTRE VERDICT

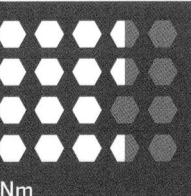

Plaisir au volant
Qualité de finition
Consommation
Rapport qualité/prix
Valeur de revente Nm

COBALT

www.gm.ca

N ÉVOLUTION É J

15 495 $ à 27 995 $
transport et préparation: 1350 $

LA COTE VERTE

AVEC MOTEUR L4 DE 2,2 L

- **Consommation (100km):** **man.** 7,1 l **auto. XFE** 6,7 l **auto.** 7,3 l (octane 87)
- **Émissions polluantes CO_2 :** **man.** 3470 kg/an **man. XFE** 3278kg/an **auto.** 3571 kg/an
- **Empreinte écologique (nombre d'arbres à planter par année):** 21
- **Indice d'octane:** 87
- **Autre motorisation:** non
- **Coût du carburant moyen par année :** **man.** 1446 $ **man. XFE** 1366 $ **auto.** 1488 $
- **Nombre de litres par année:** **man.** 1446 l **man. XFE** 1366 l **auto.** 1488 l

(SOURCE: ÉnerGuide)

1 FICHE D'IDENTITÉ

- **Versions** LS, LT, SS, XFE
- **Roues motrices** avant
- **Portières** 2, 4 **Nombre de passagers** 5
- **Première génération** 2005
- **Génération actuelle** 2005
- **Construction** Lordstown, Ohio, É.-U.
- **Sacs gonflables** 2 (frontaux; rideaux latéraux en option)
- **Concurrence**, Dodge Caliber, Ford Focus, Honda Civic, Hyundai Elantra, Kia Spectra, Mazda*3*, Mitsubishi Lancer, Nissan Sentra, Subaru Impreza, Suzuki SX4, Toyota Corolla, Volkswagen Golf

2 AU QUOTIDIEN

- **Prime d'assurance** **25 ans:** 1600 à 1800 $ **40 ans:** 1100 à 1300 $ **60 ans:** 900 à 1100 $
- **Collision frontale** 4/5 • **Collision latérale** 2/5
- **Ventes du modèle de l'an dernier** **Au Québec** 9095 **Au Canada** 33 754
- **Dépréciation** (3 ans) 69,2%
- **Rappels** (2004 à 2009) 2 • **Cote de fiabilité** 3/5

3 GARANTIES... ET PLUS

- **Garantie générale** 3 ans/60 000 km
- **Garantie motopropulseur** 5 ans/160 000 km
- **Perforation** 6 ans/160 000 km
- **Assistance routière** 3 ans/60 000 km
- **Nombre de concessionnaires** **Au Québec** 90 **Au Canada** 400

4 NOUVEAUTÉS EN 2010

- Rideaux gonflables latéraux au pavillon maintenant de série dans tous les modèles. Radio avec port USB et radio par satellite XM maintenant de série dans tous les modèles SS. Toit ouvrant, écran d'affichage de performance, différentiel antipatinage maintenant de série avec le coupé SS. Garnitures nickel satiné avec radio et système CVC noirs de série dans tous les modèles.

BEAU, BON, PAS CHER

PAR PHILIPPE LAGUË

LA COBALT EST VENUE REMPLACER, IL Y A SIX ANS, LA TRISTEMENT CÉLÈBRE CAVALIER. Ce qui, au fond, lui facilitait la tâche, car la barre n'était vraiment pas haute...

[CARROSSERIE] La Cobalt constituait une nette amélioration à tous les points de vue, à commencer par le design, d'inspiration européenne. La berline résiste bien aux outrages du temps; mieux que le coupé qui, lui, ressemble un peu trop à une Cavalier à deux portes. Cela dit, les consommateurs ont le dernier mot, et des coupés Cobalt, il s'en est vendu à la tonne.

[HABITACLE] On constate un réel progrès en matière de finition et de construction. Ce n'est pas encore du même calibre que Toyota, Honda ou Mazda; disons qu'elle se situe à la hauteur des concurrentes coréennes. La simplicité a dicté la conception des commandes, bien placées et d'utilisation intuitive. Pas de lacunes ergonomiques, donc, mais elle s'est cependant montrée chiche pour les espaces de rangement. Même dans une Cobalt de base, la chaîne stéréo sonne plutôt bien – une constante chez GM. Les sièges se placent à l'abri des critiques, si ce n'est qu'ils manquent un peu de maintien latéral. La banquette arrière est plus ferme, le dossier surtout; et cette fois, le maintien latéral est carrément inexistant. Côté dégagement, c'est correct pour les jambes, mais un peu juste pour la tête. Le dossier de la banquette peut s'incliner, ce qui augmente le volume de chargement d'un coffre généreux en espace. Dommage que son ouverture soit si étroite, et son seuil, trop élevé.

[MÉCANIQUE] La gamme Cobalt demeure inchangée et se compose toujours de quatre versions, deux configurations et deux motorisations. Les versions LS, LT et LT XFE reçoivent le 4-cylindres de 2,2 litres Ecotec, bon pour 155 chevaux. Sur le papier, c'est comparable aux autres modèles concurrents, mais à l'usage, j'ai été un peu déçu par son manque de « oumph », et ce, même jumelé à une boîte de vitesses manuelle. La boîte automatique n'a que 4 rapports, ce qui désavantage la Cobalt par comparaison avec certaines de ses rivales. À sa décharge, cette boîte est solide, fiable, et son rendement est ir-

FORCES • Finition en progrès • Rapport prix-performances (SS) • Agrément de conduite (SS) • Confort général • Prix concurrentiels

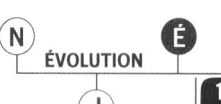

FAIBLESSES • Ouverture étroite du coffre • Moteur qui manque encore de raffinement • Boîte auto à 4 rapports • Faible valeur de revente

réprochable. La boîte manuelle est bien étagée, et la course du levier est courte; cependant, le levier est récalcitrant, ce qui vient un peu gâter la sauce. Toutefois, la version plus sportive (SS) a droit à une autre boîte manuelle, plus fluide. Vocation oblige, la SS hérite d'une motorisation plus puissante, soit un 4-cylindres de 2 litres suralimenté par un turbocompresseur. Avec ses 260 chevaux, la Cobalt SS offre l'un des meilleurs rapports puissance-prix qui soient – bang for the buck –, comme disent les Américains. Si les coupés de la gamme Cobalt sont aussi populaires, c'est en partie à cause de la SS.

[COMPORTEMENT] Évidemment, la vocation d'une Cobalt ne la prédispose pas aux sensations fortes. N'empêche, le châssis n'est pas vilain, et son potentiel est mieux exploité par la SS, une petite sportive capable de distiller une bonne dose d'agrément de conduite. Les berlines sont beaucoup plus sages, et l'accent est plutôt mis sur le confort. Les trains roulants de la Cobalt font le travail : la suspension absorbe bien les trous, les fissures et les bosses de notre réseau routier digne de l'Afghanistan, en plus de procurer une douceur de roulement appréciable. La version de base est, par ailleurs, étonnamment bien chaussée, ce qui contribue au confort. J'aime bien la direction dans les voitures de GM, moins légère que celle des Honda, moins surassistée que celle des Toyota. Celle de la Cobalt est un peu trop démultipliée, mais son assistance est bien dosée, de sorte qu'il n'est pas nécessaire de corriger constamment.

[CONCLUSION] La Cobalt est une voiture honnête, qui se situe dans le milieu de peloton de la catégorie des compactes. Une voiture qui se compare aux Hyundai et Kia coréennes, mais qui n'a pas encore le raffinement mécanique des japonaises les plus réputées. Elle est cependant beaucoup plus abordable que ces dernières et épouse parfaitement la philosophie du « beau, bon, pas cher ». Considérez néanmoins une protection supplémentaire en optant pour une garantie prolongée, car la fiabilité des Cobalt n'est pas celle des japonaises non plus.

2e OPINION

JEAN-PIERRE BOUCHARD La Cobalt fait partie de ces petites voitures « bon marché » qui, exception faite de son prix, n'offre aucun véritable avantage concurrentiel par rapport à des voitures comme la Mazda*3*, la Honda Civic ou, encore, la Mitsubishi Lancer, offertes dans une gamme de prix comparable. Elle est tout simplement sans éclat. D'accord, le moteur de 2,2 litres autorise de bonnes performances malgré la rugosité de son fonctionnement. Et force est de l'admettre, le constructeur a réalisé d'importants progrès en ce qui concerne la qualité des matériaux et de leur assemblage. Mais l'ensemble manque de rigueur quand on la compare, par exemple, à une Hyundai Elantra, dont le degré de raffinement est nettement supérieur. À défaut d'être inspirante à conduire, elle offre tout de même un comportement honnête. Avant de sauter sur « l'occasion », prenez toutefois le temps d'essayer d'autres voitures de la même catégorie, juste pour voir...

5 FICHE TECHNIQUE

· MOTEURS

· (LS, LT, XFE)

L4 2,2 l DACT, 155 ch à 6100 tr/min
Couple 150 lb-pi à 4900 tr/min
Transmission manuelle à 5 rapports, automatique à 4 rapports (en option)
0-100 km/h 9,4 s
Vitesse maximale 180 km/h

· (SS)

L4 2,0 l turbo DACT, 260 ch à 5300 tr/min
Couple 260 lb-pi à 2000 tr/min
Transmission manuelle à 5 rapports
0-100 km/h 5,8 s
Vitesse maximale 225 km/h
Consommation (100km): 8,1 l (octane 87)
Émissions polluantes CO_2 : 3929 kg/an
litres par année: 1637 l
Coût du carburant moyen par année: 1637 $
Empreinte écologique 21 arbres

· AUTRES COMPOSANTES

Sécurité active freins ABS (option sur LS), antipatinage (option sur modèles à boîte automatique)
Suspension avant/arrière Indépendante / semi-indépendante
Freins avant/arrière disques/tambours (disques ventilés aux 4 roues sur SS)
Direction à crémaillère, assistée
Pneus LS P195/60R15 **LT** P205/55R16 **SS** P225/40ZR18

· DIMENSIONS

Empattement 2624 mm
Longueur berl. 4584 mm **coupé** 4580 mm
Largeur 1725 mm
Hauteur berl. 1450 mm **coupé** 1415 mm
Poids coupé LS 1239 kg **LT** 1244 kg **SS** 1349 kg
Diamètre de braquage 11,4 m **SS** 12,0 m
Coffre berl. 394 l **coupé** 397 l
Réservoir de carburant 49 l

NOTRE VERDICT

Plaisir au volant
Qualité de finition
Consommation
Rapport qualité/prix
Valeur de revente

COLORADO

www.gm.ca

N ÉVOLUTION É J

22 665 $ à 35 035 $
transport et préparation: 1200 $

LA COTE VERTE

AVEC MOTEUR L4 DE 2,9 L

- **Consommation (100km): auto.** 10,0 l
- **Émissions polluantes CO_2 : auto.** 4848 kg/an
- **Empreinte écologique (nombre d'arbres à planter par année):** 30
- **Indice d'octane:** 87
- **Autre motorisation:** non
- **Coût du carburant moyen par année: auto.** 2020 $
- **Nombre de litres par année: auto.** 2020 l

(SOURCE: ÉnerGuide)

1 FICHE D'IDENTITÉ

- **Versions** LS, LT
- **Roues motrices** arrière, 4
- **Portières** 2, 4 **Nombre de passagers** 3 à 6
- **Première génération** 2004
- **Génération actuelle** 2004
- **Construction** Shreveport, Louisiane, É.-U.
- **Sacs gonflables** 4(frontaux, latéraux)
- **Concurrence** Dodge Dakota, Ford Ranger, GMC Canyon, Mazda Série B, Nissan Frontier, Toyota Tacoma

2 AU QUOTIDIEN

- **Prime d'assurance**
  25 ans: 1400 à 1600 $
  40 ans: 1000 à 1100 $
  60 ans: 700 à 900 $
- **Collision frontale** 4/5
- **Collision latérale** 5/5
- **Ventes du modèle de l'an dernier**
  Au Québec 1593 **Au Canada** 4586
- **Dépréciation** (3 ans) 69,9 %
- **Rappels** (2004 à 2009) 4
- **Cote de fiabilité** 2/5

3 GARANTIES... ET PLUS

- **Garantie générale** 3 ans/60 000 km
- **Garantie motopropulseur** 5 ans/160 000 km
- **Perforation** 6 ans/160 000 km
- **Assistance routière** 3 ans/60 000 km
- **Nombre de concessionnaires**
  Au Québec 90 **Au Canada** 400

4 NOUVEAUTÉS EN 2010

- Moteur V8 de 5,3 L à DACT, rideaux gonflables latéraux de série dans tous les modèles, nouvelles couleurs extérieures.

NÉE POUR UN P'TIT PAIN

PAR FRANCIS BRIÈRE

GENERAL MOTORS FAIT DES EFFORTS, NOUS DEVONS LE RECONNAÎTRE. Mais malheureusement pour les ventes du géant américain, la Colorado souffre d'un complexe d'infériorité pleinement justifié. En revanche, cette camionnette offre de multiples configurations qui devraient intéresser des acheteurs qui ne veulent pas s'embourber d'une camionnette pleine grandeur. Par exemple, GM offre dorénavant un moteur V8 qui contraste drôlement avec les 4-cylindres et 5-cylindres anémiques qui, il y a à peine un an, étaient les seuls disponibles. C'est bien dommage, car il semble que ce ne soit pas suffisant...

[CARROSSERIE] La carcasse de la Colorado n'inspire guère confiance pour celui qui recherche la masculinité. Elle affiche plutôt un air frêle et timide. Trois choix de cabines s'offrent à vous, en version à deux ou à quatre roues motrices : cabine classique, allongée et multiplace. Outre la calandre Chevrolet qui a de la gueule, la silhouette de la Colorado est franchement triste à mourir. Elle ne se distingue guère de la concurrence. Regardez un modèle à cabine classique et essayez de l'imaginer au boulot ! La cabine multiplace lui donne un peu de panache, mais elle exige la caisse courte.

[HABITACLE] La Colorado possède un intérieur bien conçu avec une planche de bord solide et bien intégrée. Les sièges sont durs, et le confort pourrait être mieux. La cabine multiplace procure un espace plus que respectable pour des occupants éventuels à l'arrière. Si vous souhaitez y loger votre petite famille pour des excursions, cette option se révèle indispensable. En revanche, il faudra mettre la main dans votre poche. Un modèle à grande cabine, équipé convenablement, se vend 40 000 dollars, environ. C'est beaucoup demandé pour une camionnette de ce gabarit, d'autant plus qu'à ce prix, elle joue dans les platebandes de la camionnette pleine grandeur ! Si l'intérieur des portes a été fabriqué à la sauvette et avec des matériaux de piètre qualité, le reste de l'habitacle se révèle de conception acceptable.

FORCES · Cabine multiplace invitante · Intérieur bien conçu · V8 offert

FAIBLESSES · Prix non concurrentiel · Moteurs à 4 et à 5 cylindres sans vie · Tenue de route ordinaire

COLORADO

[MÉCANIQUE] Afin de ne pas perdre la face devant la concurrence, GM a décidé d'offrir le V8 Vortec de 5,3 litres qui développe 320 chevaux. À la bonne heure ! Bien entendu, vous visiterez plus souvent votre ami pompiste si votre Colorado est muni de cet engin, mais il fournit une puissance nettement adéquate pour les capacités de la camionnette. En revanche, les moteurs à 4 et à 5 cylindres sont creux et manquent de souffle. À défaut d'offrir un gros V8 assoiffé, un bon V6 aurait pu faire l'affaire. Vous avez également le choix de la suspension, selon vos goûts et besoins. La suspension sport ou tout-terrain offrira plus de stabilité et plus de rigidité si vous visitez des endroits peu hospitaliers, mais elle vous en fera voir de toutes les couleurs sur la route.

[COMPORTEMENT] A priori, la Colorado n'est pas la camionnette intermédiaire la plus confortable. Si vous optez pour la configuration minimale, cabine classique et moteur à 4 cylindres, vous filerez à vive allure, mais seulement si la Colorado a le ventre vide. En revanche, la tenue de route de la petite camionnette vous donnera des sueurs froides et vous brassera l'anatomie. Ce n'est pas aussi terrifiant qu'à bord de la Ford Ranger, un minichar allégorique archaïque avec petite caisse, mais il faut bien le mentionner. La cabine multiplace procure une douceur de roulement qui fait du bien quand on compare les deux modèles. Il faut s'attendre à un important roulis en virage, surtout si la Colorado est munie de la suspension ordinaire.

[CONCLUSION] Inchangée depuis 2004, la Colorado aurait besoin d'être revue et corrigée pour relancer le processus de vente. Des moteurs inadéquats, une suspension peu convaincante, un prix plus ou moins concurrentiel, voilà autant d'arguments négatifs qui forcent l'acheteur à regarder ailleurs. Du côté de Toyota, on offre une camionnette mieux conçue, moderne, avec un moteur robuste et bien adapté. Le choix n'est pas difficile à faire.

2e OPINION

DANIEL RUFIANGE La situation vécue par GM cette année n'a rien fait pour aider les ventes du Colorado. Déjà que cette camionnette traîne de la patte dans son créneau, voilà que les acheteurs se sont montrés plus frileux à faire l'acquisition d'un véhicule décoré du nœud papillon. Le Colorado est devenu intéressant l'an dernier au moment où on a greffé un V8 sous le capot. Mais encore une fois, GM réagissait plutôt que d'agir en premier. Résultat : les gens ont développé le réflexe d'aller voir ailleurs. Cependant, pour le consommateur, le temps est propice aux bonnes affaires. Si vous achetez un Colorado, n'hésitez pas un instant à le doter du moteur V8, surtout si vous compter tracter des charges; les deux autres engins ne font pas le poids.

5 FICHE TECHNIQUE

- **Moteurs**
- **(de série)**

L4 2,9 l DACT, 185 ch à 5600 tr/min
Couple 190 lb-pi à 2800 tr/min
Transmission manuelle à 5 rapports, automatique à 4 rapports (option)
0-100 km/h nd **Vitesse maximale** 180 km/h

- **(option)**

L5 3,7 l DACT, 242 ch à 5600 tr/min
Couple 242 lb-pi à 4600 tr/min
Transmission manuelle à 5 rapports, automatique à 4 rapports (option)
0-100 km/h 8,5 s **Vitesse maximale** 185 km/h
Consommation (100 km) 2RM 10,8 l
4RM 11,1 l (octane 87)
Émissions de CO2 2RM 5184 kg/an
4RM 5280 kg/an
Litres par année 2RM 2160 l **4RM** 2200 l
Coût par an 2RM 2160 $ **4RM** 2200 $
Carburant alternatif non
Empreinte écologique 34 arbres

- V8 5,3 l ACC, 300 ch à 5200 tr/min

Couple 320 lb-pi à 4000 tr/min
Transmission automatique à 4 rapports
0-100 km/h 8,0 s Vitesse maximale 190 km/h
Consommation (100 km) 2RM 11,6 l (octane 87) 12,7 l (éthanol) **4RM** 12,7 l (octane 87) 11,6 l (éthanol)
Émissions de CO2 2RM 5664 kg/an, 2582 kg/an (éthanol) **4RM** 6197 kg/an (octane 87), 2360 kg/an (éthanol)
Litres par année 2RM 2360 l, 2582 l (éthanol) **4RM** 2582 l (octane 87), 2360 l (ethanol)
Coût par an 2RM 2360 $ 4RM 2582 $ (octane 87)
Carburant alternatif Éthanol E85
Empreinte écologique 34 arbres

- **Autres composantes**

Sécurité active freins ABS, antipatinage (uniquement en option sur modèles 2RM)
Suspension avant/arrière indépendante/ essieu rigide
Freins avant/arrière disques/tambours
Direction à crémaillère, assistée
Pneus P235/75R16 V8 P235/65R18 **4RM** P265/70R17

- **Dimensions**

Empattement emp. court 2826 mm **emp. long** 3200 mm
Longueur emp. court 4886 mm **emp. long** 5260 mm
Largeur 1717 mm
Hauteur 1649 mm à 1656 mm
Poids 1527 à 1820 kg
Diamètre de braquage emp. court 12 m **emp. long** 13,5 m
Coffre cab. rég. et all. 1245 l **cab. double** 1040 l
Réservoir de carburant 74,2 l
Capacité de remorquage 862 kg à 2721 kg

NOTRE VERDICT

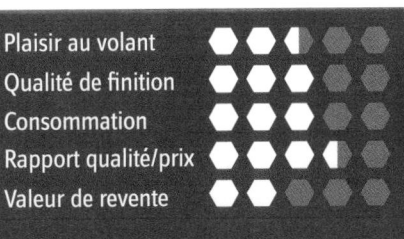

Plaisir au volant
Qualité de finition
Consommation
Rapport qualité/prix
Valeur de revente

CORVETTE

www.gm.ca

N ÉVOLUTION É J

67 050 $ à 95 620 $
transport et préparation: 1420 $

LA COTE VERTE

AVEC MOTEUR V8 DE 6,2 L

- **Consommation (100km):** **man.** 10,3 l **auto.** 11,2 l
- **Émissions polluantes CO_2 :** **man.** 5088 kg/an **auto.** 5520 kg/an
- **Empreinte écologique (nombres d'arbres à planter par année):** 30
- **Indice d'octane:** 91
- **Autre motorisation:** non
- **Coût du carburant moyen par année:** **man.** 2332 $ **auto.** 2530 $
- **Nombre de litres par année: man.** 2120 l **auto.** 2300 l

(SOURCE: ÉnerGuide)

1 FICHE D'IDENTITÉ

- **Versions** coupé, cabriolet, Grand Sport, Z06
- **Roues motrices** arrière
- **Portières** 2 **Nombre de passagers** 2
- **Première génération** 1953
- **Génération actuelle** 2005, 2010 (Grand Sport)
- **Construction** Bowling Green, Kentucky, É.-U.
- **Sacs gonflables** 4 (frontaux, latéraux)
- **Concurrence** BMW Série 6,Dodge Viper, Jaguar XK, Porsche 911

2 AU QUOTIDIEN

- **Prime d'assurance**
  25 ans: 4000 à 4200 $
  40 ans: 2300 à 2500 $
  60 ans: 1800 à 2000 $
- **Collision frontale** nd
- **Collision latérale** nd
- **Ventes du modèle de l'an dernier**
  Au Québec 60 **Au Canada** 596
- **Dépréciation** (3 ans) 43,6%
- **Rappels** (2004 à 2009) 5
- **Cote de fiabilité** 3,5/5

3 GARANTIES... ET PLUS

- **Garantie générale** 3 ans/60 000 km
- **Garantie motopropulseur** 5 ans/160 000 km
- **Perforation** 6 ans/160 000 km
- **Assistance routière** 3 ans/60 000 km
- **Nombre de concessionnaires**
  Au Québec 90 **Au Canada** 400

4 NOUVEAUTÉS EN 2010

- Version Grand Sport, boîte automatique à six vitesses à palettes au volant révisée, sacs gonflables latéraux dans tous les modèles, nouvelles garnitures de console, motifs brodés à deux drapeaux sur les sièges (option), modèles cabriolets comportent le grand aileron arrière de la Z06

MARCHANDE DE RÊVE

PAR BENOIT CHARETTE

MÊME EN PLEINE CRISE FINANCIÈRE, GM TROUVE LE MOYEN DE VENDRE DU RÊVE. Certains diront que les vieilles habitudes ont la vie dure, d'autres se réjouiront de la chose. Donc après le retour de la Camaro SS, une autre légende refait surface au sein de la famille Corvette, la version Grand Sport qui revient sur la route pour 2010.

[CARROSSERIE] La version Grand Sport est apparue dans la gamme pour la première fois à la fin de 1962 comme année modèle 1963. En 1996, la Corvette Grand Sport refait son apparition, et, pour 2010, la Grand Sport fait un retour en s'intercalant entre le modèle de base et la version Z06; elle remplace la finition Z51. En termes d'esthétique, on retrouve ainsi les deux bandes, toujours placées sur l'aile avant gauche. Les ailes avant et arrière sont plus larges, et les boucliers avant et arrière sont empruntés à la Z06, de même que les jantes, de 18 pouces à l'avant et de 19 à l'arrière. Proposée en versions coupé et cabriolet, la Corvette Grand Sport adopte également une suspension adaptée à la course. Ailleurs, les versions cabriolets comportent le grand aileron arrière de la Z06, et cette même Z06 est maintenant proposée dans les huit couleurs extérieures de série.

[HABITACLE] Un véhicule de tradition se doit d'exhaler un certain parfum. Et malgré les énormes avancées techniques au fil des générations, la Corvette conserve ce cachet de cockpit de course. Le cuir souple, les sièges moulants et confortables, la radio AM/FM/XM avec lecteur de CD et prise audio sont offerts de série. Une chaîne audio Bose et un chargeur de six CD dans le tableau de bord sont livrables en option. GM ajoute cette année des coussins de sécurité gonflables latéraux de série dans tous les modèles, de nouvelles garnitures de console et des motifs brodés à deux drapeaux sur les sièges, en option. Vous pouvez même avoir un intérieur cachemire dans la version Z06 et des sièges électriques pour le conducteur et le passager.

[MÉCANIQUE] Sur le plan technique, le V8 LS3 qui équipe la Corvette Grand Sport est le même

FORCES • De la puissance à tous les régimes • Châssis très rigide • Facile à conduire • Tenue de route de classe mondiale

FAIBLESSES • Un cours de conduite avancé serait une bonne idée • Direction un peu trop assistée • Certains détails de finition qui laissent encore à désirer

que la version de base. Il offre 430 chevaux et jusqu'à 436 avec l'échappement bimode en option. Les rapports de boîte ont été modifiés, et le rapport de pont de la version à boîte automatique a également été revu. Les freins sont ceux de la Z06. La barre stabilisatrice et les ressorts sont aussi retouchés. Pour sa part, la Z06 se pointe toujours à 505 chevaux. La nouveauté cette année, un nouveau berceau avant en magnésium, qui sert de support de fixation au moteur et à certains éléments de la suspension avant. Il permet d'améliorer la répartition des masses tout en rigidifiant la caisse et en réduisant le poids, au même titre que les boucliers avant et les passages de roues en fibre de carbone. Les ingénieurs ont déplacé la batterie qui est passée du compartiment au coffre. Chevrolet a même ajouté une commande de lancement de série avec tous les modèles à boîte manuelle. Sinon la boîte automatique à 6 rapports est toujours offerte.

[COMPORTEMENT] L'habitacle de la Corvette est comparable à un poste de pilotage. Il y a des boutons partout, et je cherche encore après toutes ces années à quoi servent certains d'entre eux. Ce mimétisme avec l'aéronautique est renforcé par le fameux affichage à tête haute. Une commande permet de régler l'interface de son choix, projetée sur le pare-brise. Les tours par minute et les km/h flottent devant les yeux du conducteur. Il y a même la possibilité de lire le nombre de G qu'on encaisse dans chaque virage ! Peu importe la version, il y a toujours amplement de puissance. Le châssis ne bronche pas, même sous la torture. La cavalerie déboule sur le train arrière, mais sans déséquilibrer la voiture pour autant ! Solide sur toute la ligne.

[CONCLUSION] Voilà un exemple de philosophie que GM aurait dû appliquer à tous ses modèles, la situation financière ne serait peut-être pas la même.

2e OPINION

DANIEL RUFIANGE La Corvette, c'est Détroit à son meilleur. Le son guttural de sa mécanique est aussi caractéristique que le chant haut perché des belles Italiennes. Cette voiture vient vous chercher dans les tripes. Nous sommes très loin du raffinement de la conception européenne, son moteur à tiges poussoir est aussi vieux que l'automobile, mais comme le disent si bien les américains «there is no replacement for displacement ». Peu importe la finition bâclée et le manque de noblesse dans l'architecture moteur, la Corvette procure un immense plaisir de conduite pour un prix défiant réellement toute concurrence. Pas de sophistication à outrance ici, seulement une excellente voiture de sport, simple, logique et efficace. On n'a encore rien trouvé de mieux pour procurer autant de plaisir à un tel prix...

CORVETTE

5 FICHE TECHNIQUE

· MOTEURS

· (COUPÉ, CABRIOLET, GRAND SPORT)

V8 6,2 l ACC, 430 ch à 5900 tr/min (option 436 ch)
Couple 424 lb-pi à 4600 tr/min (option 428 lb-pi)
Transmission manuelle à 6 rapports automatique à 6 rapports à palettes au volant
0-100 km/h 4,3 s
Vitesse maximale 305 km/h

· (Z06)

V8 7,0 l ACC, 505 ch à 6300 tr/min
Couple 470 lb-pi à 4800 tr/min
Transmission manuelle à 6 rapports
0-100 km/h 3,7 s
Vitesse maximale 319 km/h
Consommation (100 km) 11,2 l (octane 91)
Émissions de CO_2 5520 kg/an
Litres par année 2300 l
Coût par an 2530 $
Empreinte écologique 33 arbres

· AUTRES COMPOSANTES

Sécurité active freins ABS, antipatinage
Suspension avant/arrière indépendante
Freins avant/arrière disques
Direction à crémaillère, assistée
Pneus P245/40R18 (av.), P285/35R19 (arr.), **Z06/GS** P275/35R18 (av.), P325/30R19 (arr.)

· DIMENSIONS

Empattement 2685 mm
Longueur 4435 mm **Z06/GS** 4460 mm
Largeur 1844 mm **Z06/ GS** 1928 mm
Hauteur 1244 mm **Z06/GS** 1236 mm
Poids 1455 kg **cabriolet** 1461 kg **Z06** 1440 kg **GS coupé.** 1502 kg
Diamètre de braquage 12,0 m
Coffre coupé, Z06 634 l, **cabriolet** 295 l, 212 l (toit abaissé)
Réservoir de carburant 68,1 l

NOS MENTIONS

Coup de coeur

NOTRE VERDICT

Plaisir au volant
Qualité de finition
Consommation
Rapport qualité/prix
Valeur de revente

CORVETTE ZR1

www.gmcanada.com

N ÉVOLUTION É J

128 515 $
transport et préparation: 1420 $

LA COTE VERTE

AVEC MOTEUR V8 DE 6,2 L

- **Consommation (100km):** 12,9 l
- **Émissions polluantes CO_2 :** 6322 kg/an
- **Empreinte écologique (nombre d'arbres à planter par année):** 37
- **Indice d'octane:** 91
- **Autre motorisation:** non
- **Coût du carburant moyen par année:** 2897 $
- **Nombre de litres par année:** 2634 l

(SOURCE: Constructeur, ÉnerGuide et ou zeroco2.ca)

1 FICHE TECHNIQUE

- **MOTEURS**
- **(ZR1)**

V8 6,2 l suralimenté ACC, 638 ch à 6500 tr/min
Couple 604 lb-pi à 3800 tr/min
Transmission manuelle à 6 rapports
0-100 km/h 3,7 s
Vitesse maximale 330 km/h

- **AUTRES COMPOSANTES**

Sécurité active freins ABS, antipatinage
Suspension avant/arrière indépendante
Freins avant/arrière disques perforés céramique
Direction à crémaillère, assistée
Pneus P285/30R19(av.), P335/25R20 (arr.)

- **DIMENSIONS**

Empattement 2685 mm
Longueur 4476 mm
Largeur 1929 mm
Hauteur 1236 mm
Poids 1512 kg
Diamètre de braquage 12,0 m
Coffre 634 l,
Réservoir de carburant 68,1 l

2 NOUVEAUTÉS EN 2010

- Système de gestion de la traction haute performance, commande de lancement, sacs gonflables latéraux de série, couleur intérieure cachemire livrable, couleur extérieure rouge flambeau livrable, roues gris compétition livrables.

TOUR DE MAGIE AMÉRICAIN

PAR CARL NADEAU

PRENEZ UN V8 GONFLÉ À BLOC PAR UN COMPRESSEUR EATON ET GLISSEZ-LE DANS LA VOITURE LA PLUS EMBLÉMATIQUE DE LA QUÊTE DE PUISSANCE AMÉRICAINE ET VOUS OBTENEZ L'ULTIME CORVETTE.

[CARROSSERIE] Il faut un œil averti pour reconnaître une ZR1. Il y a l'ouverture dans le capot en fibre de carbone qui laisse entrevoir le compresseur grâce à une fenêtre en polycarbonate.

[HABITACLE] Les baquets offrent plus de maintien qu'à bord d'une Z06, et le volant, réduit, est plus agréable à empoigner. L'effet cocon est préservé, et vous avez toujours besoin d'une grue pour vous extraire du siège.

[MÉCANIQUE] Le V8 LS9 de 6,2 litres est assemblé à la main et fournit une puissance de 638 chevaux et un couple de 604 livres-pieds. On s'entend sur une chose : le pilote qui tient à la vie suivra un cours pour apprendre à dompter cette phénoménale puissance ! Les formidables freins sont à la hauteur.

[COMPORTEMENT] Vous allez rigoler, mais j'ai d'abord noté le confort à bord de la ZR1. Outre l'excellente insonorisation, les amortisseurs à réglage magnétique entraînent l'utilisation de ressorts assez souples pour garantir de belles balades. Cela dit, dès que vous ressentez le besoin de libérer la bête, vous n'avez qu'à enfoncer un bouton pour raffermir tout le bataclan. La direction contribue au comportement routier grâce à sa résistance et à son ratio variables en fonction de la vitesse. Sachez-le, le rapport puissance-poids de cette Corvette excède celui de la Porsche 911 GT2, de la Ferrari 599 et de la Lamborghini LP640. Les immenses Michelin (largeur de 335 millimètres à l'arrière) spécifiquement dessinés travaillent de concert avec tout ce muscle.

[CONCLUSION] L'objectif avoué des constructeurs américains de supervoitures : prouver qu'ils peuvent rivaliser avec les exotiques européennes mais à une fraction du prix. La ZR1 en bouche un coin. À ses côtés, la R8 a l'air d'une calèche et la 911 peut trembler. Oncle Sam a de quoi être fier !

FORCES • Usage au quotidien très facile • Usage « sérieux » qui réclame du doigté • Utilisation des meilleurs ingrédients offerts pour créer un supercar extraordinaire

FAIBLESSES • Consommation qui peut être excessive • Espace pour le rangement limité • On n'offre pas une ZR1 à un finissant du CÉGEP...

EQUINOX

www.gmcanada.com

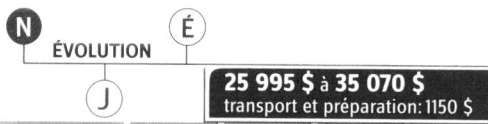

N ÉVOLUTION É J

25 995 $ à 35 070 $
transport et préparation: 1150 $

AVEC MOTEUR L4 DE 2,4 L

- **Consommation (100km):** **2RM** 7,8 l **4RM** 8,7 l
- **Émissions polluantes CO_2 :** **2RM** 3744 kg/an **4RM** 4176 kg/an
- **Empreinte écologique (nombre d'arbres à planter par année):** nm
- **Indice d'octane:** 87
- **Autre motorisation:** non
- **Coût du carburant moyen par année:** **2RM** 1560 $ **4RM** 1740 $
- **Nombre de litres par année:** **2RM** 1560 l **4RM** 1740 l

(SOURCE: ÉnerGuide)

1 FICHE D'IDENTITÉ

- **Versions** LS, LT, LTZ
- **Roues motrices** avant, 4
- **Portières** 4 **Nombre de passagers** 5
- **Première génération** 2005
- **Génération actuelle** 2010
- **Construction** Ingersoll, Ontario, Canada
- **Sacs gonflables** 6 (frontaux, rideaux latéraux)
- **Concurrence** Ford Escape, Honda CR-V, Hyundai Tucson, Kia Sportage, Mazda CX-7, Mitsubishi Outlander, Subaru Forester, Suzuki Grand Vitara, Toyota RAV4

2 AU QUOTIDIEN

- **Prime d'assurance**
  25 ans: 2000 à 2200 $
  40 ans: 1300 à 1500 $
  60 ans: 1000 à 1200 $
- **Collision frontale** 5/5
- **Collision latérale** 5/5
- **Ventes du modèle de l'an dernier**
  Au Québec 2327 **Au Canada** 11 946
- **Dépréciation** (3 ans) 59 %
- **Rappels** (2004 à 2009) 3
- **Cote de fiabilité** 2/5

3 GARANTIES... ET PLUS

- **Garantie générale** 3 ans/60 000 km
- **Garantie motopropulseur** 5 ans/160 000 km
- **Perforation** 6 ans/160 000 km
- **Assistance routière** 3 ans/60 000 km
- **Nombre de concessionnaires**
  Au Québec 90 **Au Canada** 400

4 NOUVEAUTÉS EN 2010

- Nouveau modèle

GM PRISE 2

PAR BENOIT CHARETTE

L'ANCIEN GÉANT AMÉRICAIN N'A PLUS DE MARGE DE MANŒUVRE. Sauvée de la faillite à coup de milliards, l'entreprise doit maintenant faire la preuve qu'elle peut se remettre sur pied et offrir des produits qui peuvent exciter les automobilistes. En deux mots, GM DOIT changer sa façon de faire et entraîner avec elle les automobilistes américains à changer eux aussi leur mentalité face à l'automobile. Inutile de vous dire que le défi est titanesque. Sans ces deux éléments fondamentaux, l'espérance de vie de la nouvelle GM est de très courte durée. Il faut donc regarder tous les nouveaux produits des quatre divisions toujours vivantes de GM avec cette approche. L'Equinox est un des premiers produits à avoir droit à une refonte.

[CARROSSERIE] En termes visuels, l'Equinox 2010 est plus musclé que la version 2009. La calandre a adopté le faciès plus agressif mis de l'avant par GM depuis deux ans et ressemble beaucoup à son grand frère, le Traverse. En termes de format, il y a peu de différences avec l'actuel Equinox. Les panneaux de bas de caisse de sont intégrés aux portes pour qu'il soit plus facile d'entrer et de sortir du véhicule. Le pare-brise au rebord exposé avec garniture chromée et la glace arrière ajoutent à la qualité de fabrication perçue et réduisent le bruit du vent. GM démontre un réel souci d'économie de carburant. En plus d'un nouveau 4-cylindres, l'aérodynamisme amélioré par de nombreuses touches apportées à l'extérieur, comme la base du pare-brise avancée de 75 millimètres, permet de créer un profil plus effilé, un meilleur taux de pénétration dans l'air qui permet d'économiser sur le carburant. Le coefficient de traînée (Cx) du véhicule a été étudié en soufflerie et est passé de 0,42 à 0,36 pour lui permettre de mieux fendre l'air.

[HABITACLE] L'espace pour les passagers est un peu plus généreux que celui des ténors de la catégorie comme le RAV4 et le CR-V. Par contre, l'espace de chargement est sérieusement taxé par des tours de suspension encombrantes et une banquette rabattable qui ne se dépose pas à plat. Il est clair que GM ne peut plus faire dans la demi-mesure. Pour reprendre le

FORCES • Habitacle silencieux • Bonne consommation de carburant (4-cylindres) • Sièges confortables

FAIBLESSES • Faible largeur du coffre • Manque encore un peu de raffinement (moteur à 4 cylindres)

chemin de la rentabilité, elle devra frapper un coup de circuit à chaque fois qu'elle se présentera au bâton. Les ingénieurs ont donc fait des efforts supplémentaires sur plusieurs points. Commençons par le bruit et la vibration. En plus de la quantité habituelle de mousse isolante, l'Equinox profite d'une triple isolation aux portes, des tapis insonorisants plus épais et un mur de feu dessiné pour limiter les intrusions de bruits de moteur dans l'habitacle. GM a même mis au point un système actif d'annulation de bruits pour les modèles à 4 cylindres. Grâce à des micros placés au-dessus de la console centrale et à l'arrière du véhicule, le système détecte les bruits parasites et émet des ondes pour les annuler à l'aide d'un haut-parleur placé à l'arrière, un peu comme les écouteurs que vous portez en avion pour annuler les bruits en vol. Le résultat est probant, l'Equinox est plus silencieux que ses concurrents. Si vous y mettez le prix, vous pouvez obtenir une foule d'équipements comme le système de navigation à écran tactile de 7 pouces, la téléphonie à mains libres Bluetooth, un système de divertissement DVD arrière avec deux écrans indépendants. Il y a aussi la caméra de recul qui peut être affichée dans le rétroviseur ou à l'écran du système de navigation. Il y a même un hayon à commande électrique programmable.

« L'EQUINOX SE PRÉSENTE DANS L'UNE DES ARÈNES LES PLUS CONCURRENTIELLES DU MARCHÉ. LES VUS COMPACTS REPRÉSENTENT 27 % DES VENTES ANNUELLES D'UTILITAIRES AU CANADA. »

[MÉCANIQUE] Le mot d'ordre pour l'Equinox 2010 est : économie. Les moteurs V6 de 3,4 et de 3,6 litres font place à une mécanique à 4 cylindres de 2,4 litres et à un V6 de 3 litres. GM n'a pas lésiné sur la technologie pour tirer le maximum de ces moteurs. Le 4-cylindres offre l'injection directe, le calage variable des soupapes et une boîte de vitesses automatique à 6 rapports. Vous avez donc un véhicule produisant 182 chevaux (184 pour l'ancien V6 de 3,4 litres) capable de boucler le 0 à 100 km/h en 8,7 secondes et qui offre, selon les chiffres de GM, une consommation de 9,2 litres aux 100 kilomètres en ville et de 6,1 sur l'autoroute. Pour ceux qui veulent un peu plus de puissance, le V6 de 3 litres offre 264 chevaux, soit la même puissance que le V6 de 3,6 litres de l'ancienne version. Ce 3-litres offre aussi l'injection directe, le calage variable et la boîte à 6 rapports. Le 0 à 100 km/h est bouclé en 7,8 secondes, et les cotes de consommation sont annoncées à 12,1 en ville et à 8 sur l'autoroute. Tous les modèles sont munis d'une boîte automatique à 6 rapports. GM annonce même une autonomie qui peut atteindre 1 166 kilomètres sur la route dans le cas du 4-cylindres de 2,4 litres, à la condition d'avoir le pied droit très, très léger.

[COMPORTEMENT] Notre journée d'essai a débuté au volant d'une version LTZ à 4 cylindres à un prix de 41 615 $. Je sais, vous allez me dire que c'est un sérieux montant d'argent pour un VUS à 4 cylindres. Il faut cependant ajouter que le véhicule était complètement équipé. Du système de navigation à la sellerie de cuir, des

HISTORIQUE

C'est le 7 janvier 2003 au salon de l'auto de Détroit que GM a officiellement présenté la Chevrolet Equinox au monde entier (première photo). Premier véhicule multisegment à plateforme d'utilitaire de Chevrolet, les modèles Equinox à traction avant et à transmission intégrale ont ensuite pris la route au printemps 2004 comme modèle 2005. Le modèle a peu changé entre 2005 et 2010. GM s'est lancé dans une version Extreme comme véhicule démonstrateur dans les expositions d'après-marché et en 2007 a fabriqué une version avec pile à combustible fonctionnant à l'hydrogène. Vint ensuite un version sport en 2009 avant de voir une 2e génération cette année.

EQUINOX 2003

EQUINOX 2005

EQUINOX EXTREME 2005

EQUINOX HYDROGÈNE 2007

EQUINOX SPORT 2009

EQUINOX 2010

EQUINOX

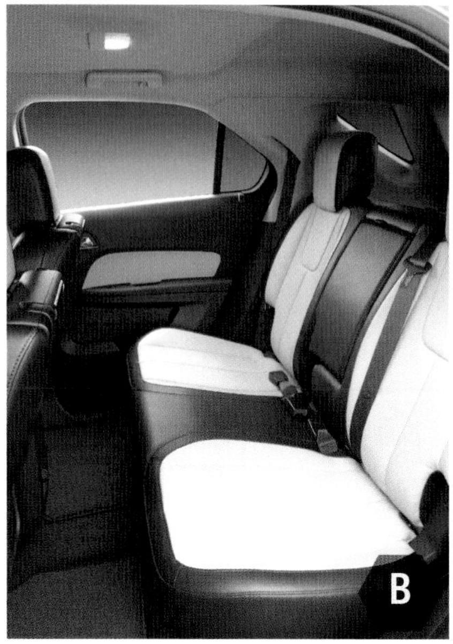

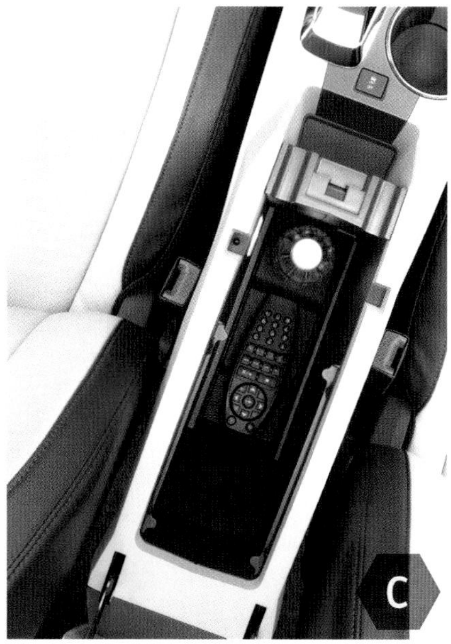

GALERIE

A Vous pouvez obtenir en option un Système de divertissement DVD arrière avec deux écrans indépendants permettant de regarder un film et de jouer à un jeu vidéo en même temps.

B L'Equinox est toujours muni de sa banquette arrière MultiFlex, qui peut être déplacée vers l'avant ou l'arrière sur 20 cm et qui permet le plus grand dégagement aux jambes dans la catégorie. Quand la banquette 60/40 est avancée au maximum, l'espace de chargement atteint 889 litres.

C L'équinox compte de nombreux espaces de rangement dont une très grande boîte à gants et des compartiments fermés dans le tableau de bord au-dessus de la console centrale et sous l'accoudoir central, ce dernier étant assez grand pour contenir un ordinateur portatif.

D GM n'a pas oublié le côté sécuritaire avec six coussins gonflables: deux sacs gonflables à l'avant; rideaux gonflables latéraux et sacs gonflables thoraciques/pelviens montés sur les sièges.

EQUINOX

quatre roues motrices au toit ouvrant, il ne manquait rien. Outre le silence de roulement qui n'est brisé que par la sonorité plus métallique du 4-cylindres à l'accélération, le confort des sièges est la seconde grande qualité de ce nouvel Equinox. L'espace est généreux, et la banquette arrière se recule de 200 millimètres pour laisser un espace supplémentaire aux passagers. Il faut garder à l'esprit que l'économie est le mot d'ordre du 4-cylindres. Les pneus à plus faible résistance contribuent à faire diminuer la consommation. Dans la version à 4 cylindres, il y a même un bouton éco qui permet de faire fonctionner le véhicule sur des paramètres plus économiques en carburant. Il n'est donc pas surprenant que le 4-cylindres, malgré ses 182 chevaux, manque de « pep ». La sonorité du moteur n'a pas encore le raffinement des concurrents japonais, mais la puissance est comparable. C'est le poids du véhicule qui donne le plus de fil à retordre. Le V6 vous donnera plus de satisfaction si vous recherchez un moteur plus dynamique avec une meilleure capacité de remorquage. Dans tous les cas, la boîte automatique fonctionne bien, et, si vous n'abusez pas du 4-cylindres, il vous donnera un rendement en tous points comparable aux meilleurs 4-cylindres de la catégorie. Grâce à la rigidité de la structure, les ingénieurs ont pu régler la suspension à 4 roues indépendantes de manière plus souple pour optimiser le confort, mais sans perdre sur la tenue de route.

[CONCLUSION] L'Equinox se présente dans l'une des arènes les plus concurrentielles du marché. Les VUS compacts représentent 27 % des ventes annuelles d'utilitaires au Canada. Le produit a passé le premier test, celui de la qualité. Il faut maintenant convaincre les gens qui possèdent des CR-V, Rogue, Tucson et RAV4 de venir voir chez GM, c'est le second grand défi. Mais une chose est certaine, le nouvel Equinox possède l'arsenal nécessaire pour tenir son bout face à la concurrence, tant au chapitre de la performance que du confort.

2e OPINION

FRANCIS BRIÈRE Franchement, General Motors prend la chose au sérieux. Dans ce petit segment de marché, l'hégémonie des constructeurs japonais risque de tirer à sa fin. Certains diront que c'est une chimère, mais je peux vous assurer que la conception du Chevrolet Equinox a demandé un travail considérable pour réussir à produire un véhicule comparable à ce qui se fait de mieux. Heureusement pour les gens de GM, leurs efforts ne sont pas vains. Voilà enfin un produit qui se démarque de la concurrence, qui offre beaucoup pour le prix demandé. Personne ne pleurera sur le sort de la General Motors, encore moins les constructeurs japonais. Quand on décide de prendre les choses en main, on réalise parfois de grandes ambitions. Sans affirmer que l'Equinox est un chef-d'œuvre, disons qu'il s'agit d'une belle réussite.

5 FICHE TECHNIQUE

· MOTEURS

· (LS, LT)

L4 2,4 l DACT, 182 ch à 6700 tr/min
Couple 172 lb-pi à 4900 tr/min
Transmission automatique à 6 rapports
0-100 km/h 8,7 s
Vitesse maximale 185 km/h

· (LTZ)

V6 3 l DACT, 264 ch à 6950 tr/min
Couple 222 lb-pi à 5100 tr/min
Transmission automatique à 6 rapports
0-100 km/h 8,1 s
Vitesse maximale 200 km/h
Consommation (100 km) 2RM 10,2
4RM 10,5 l (octane 87)
Émissions de CO_2 2RM 4896 kg/an
4RM 5040 kg/an
Litres par année 2RM 2040 l **4RM** 2100 l.
Coût par an 2RM 2040$ **4RM** 2100$
Carburant alternatif non
Empreinte écologique nm

· AUTRES COMPOSANTES

Sécurité active freins ABS (en option sur LS), Antipatinage (2RM, en option sur LS)
Suspension avant/arrière indépendante
Freins avant/arrière disques
Direction à crémaillère, assistée
Pneus 17po P225/65R17 **18 po** P235/55R18
19po P235/55R19

· DIMENSIONS

Empattement 2857 mm
Longueur 4771 mm
Largeur 1842 mm
Hauteur 1684 mm
Poids 1710 kg
Diamètre de braquage 12,2m (roues de 17, 18 po) 13m (roues de 19po)
Coffre 889 l 1803 l (sièges abaissés)
Réservoir de carburant 71,1 l (2,4 L) 79,1 l (3,0 L)
Capacité de remorquage 680 kg (2,4 L) 1 588 kg (3,0 L)

NOS MENTIONS

Modèle recommandé

NOTRE VERDICT

Plaisir au volant	3,5/5
Qualité de finition	4/5
Consommation	3,5/5
Rapport qualité/prix	4/5
Valeur de revente	Nm

EXPRESS

www.gm.ca

N ÉVOLUTION É J

31 125 $ à 45 050 $
transport et préparation: 1250 $

LA COTE VERTE

AVEC MOTEUR V6 DE 4,3 L

- **Consommation (100km):** 12,1 l
- **Émissions polluantes CO_2 :** 5904 kg/an
- **Empreinte écologique (nombre d'arbres à planter par année):** 36
- **Indice d'octane:** 87
- **Autre motorisation:** non
- **Coût du carburant moyen par année:** 2460 $
- **Nombre de litres par année:** 2460 l

(SOURCE: ÉnerGuide)

1 FICHE D'IDENTITÉ

- **Versions** base, LS, LT
- **Roues motrices** arrière, 4
- **Portières** 4 **Nombre de passagers** 8 à 15
- **Première génération** 1971
- **Génération actuelle** 1996
- **Construction** Wentzville, Missouri, É.-U.
- **Sacs gonflables** 2 (frontaux) version passager 4 (frontaux, rideaux latéraux)
- **Concurrence** Dodge Sprinter, Ford Série E, GMC Savana

2 AU QUOTIDIEN

- **Prime d'assurance**
  25 ans: 1600 à 1800 $
  40 ans: 900 à 1100 $
  60 ans: 700 à 900 $
- **Collision frontale** 5/5
- **Collision latérale** 4/5
- **Ventes du modèle de l'an dernier**
  Au Québec 1138 **Au Canada** 5271
- **Dépréciation** (3 ans) 59,4%
- **Rappels** (2004 à 2009) 11
- **Cote de fiabilité** 3/5

3 GARANTIES... ET PLUS

- **Garantie générale** 3 ans/60 000 km
- **Garantie motopropulseur** 5 ans/160 000 km
- **Perforation** 6 ans/160 000 km
- **Assistance routière** 3 ans/60 000 km
- **Nombre de concessionnaires**
  Au Québec 90 **Au Canada** 400

4 NOUVEAUTÉS EN 2010

- Démarreur à distance, possibilité d'utiliser du carburant mixte E85 pour les moteurs de 4,8 L, de 5,3 L et de 6,0 L (éthanol), les modèles 2500 et 3500 équipés de la boîte automatique à six vitesses Hydra-Matic 6L90 et d'essieux arrière redessinés.

FAIRE DE SON MIEUX

PAR FRANCIS BRIÈRE

IL Y A PEU DE JOUEURS ACTIFS DANS CE SEGMENT DE MARCHÉ. LES CONSTRUCTEURS AMÉRICAINS RÈGNENT DANS L'ABSOLU ET CONTINUERONT À LE FAIRE ENCORE CETTE ANNÉE. Ford arrive bientôt avec son Transit, un véhicule plus petit et plus économe de carburant. Pour les tâches plus costaudes, il y a l'Express (le GMC Savana est un clone), le Dodge Sprinter et la Série E de Ford. Celui qui nous intéresse a quelques atouts dans son jeu, ce qui le place en bonne position.

[CARROSSERIE] Deux livrées vous sont proposées pour l'Express : le modèle cargo et la version Tourisme. Dans les deux cas, il n'y a rien de bien extraordinaire à noter en ce qui concerne l'esthétique du véhicule : une boîte carrée avec des portes et des vitres. Rien que pour vous dire, la dernière refonte remonte à 1996. Avec le modèle Tourisme, vous avez droit à des portes coulissantes en option. En revanche, la version cargo est munie de portes opposées sur un côté. Le choix de couleurs, n'en déplaise aux artistes, est assez limité.

[HABITACLE] Prenons le modèle cargo. Un fait à considérer : on ne s'assied pas dans l'Express de la même façon qu'on le fait dans l'Escalade. En d'autres termes, il ne faut pas s'attendre au luxe et au confort princiers. Quoi qu'il en soit, GM aurait pu considérer un peu plus d'espace pour les jambes et des sièges qui ne sont pas destinés à la torture. De fait, ce véhicule n'a pas été conçu pour les longs trajets : plus il est court, mieux on s'en porte. Pour les entrepreneurs, le véhicule se prépare selon les goûts et les besoins du futur propriétaire. En tant que véhicule utilitaire, la polyvalence devient un atout indéniable. Le modèle Tourisme peut accueillir jusqu'à 15 passagers. Si vous aimez l'air climatisé et les ordinateurs de bord, tant mieux. Ce sont à peu de choses près les seules options que vous pourrez choisir pour votre Express.

[MÉCANIQUE] Un bon choix de moteurs vous attend avec l'Express. Un V6, trois V8 et un V8 turbodiesel pour le modèle utilitaire. En revanche, pour la version Tourisme, seuls les V8 de 5,3 litres et de 6 litres sont offerts. Vous pou-

FORCES • Points forts • Choix de moteurs • 4 roues motrices • Prix

FAIBLESSES • Présentation triste à mourir • Tenue de route délirante (à vide) • Confort relatif

vez choisir le V6 avec l'utilitaire 1500, mais vous risquez de le détester. Une charge trop lourde lui donnera du fil à retordre. Les utilitaires 2500 et 3500 peuvent accueillir le moteur au diesel Duramax turbocompressé produisant 250 chevaux et un couple de 460 lb livres-pieds. En ce qui a trait à la consommation d'essence et à la puissance de remorquage, il s'agit de la combinaison gagnante. La transmission intégrale est offerte uniquement avec les modèles utilitaire et Tourisme 1500.

[COMPORTEMENT] Au volant de l'Express, on évite les prouesses en virage et l'excès de vitesse, en particulier lorsque la caisse est vide. La suspension fait un travail convenable malgré la présence d'un essieu rigide à l'arrière. En hiver ou sur une chaussée cahoteuse, vaut mieux demeurer prudent. Le confort prend une signification différente à bord de l'Express. Même si le véhicule n'a pas été conçu pour les longues randonnées, de meilleurs sièges et plus d'espace pour les jambes auraient été appréciés. Si vous devez effectuer un virage en U, votre cercle de braquage prendra des dimensions insoupçonnées, surtout si vous conduisez un modèle 3500 à empattement long dont le diamètre atteint 16,6 mètres !

[CONCLUSION] Comparer des véhicules entre eux demeure la façon la plus objective d'en faire l'évaluation. L'Express constitue un bon choix dans sa catégorie puisqu'il offre une meilleure tenue de route que la Série E de Ford, un choix de modèles impressionnant et un engin au diesel. De plus, on se le procure à prix raisonnable. En revanche, le moteur diesel de même que la motricité intégrale ne sont pas offerts sur tous les modèles. Si vous avez les moyens, il reste le Dodge Sprinter qui, ne l'oublions pas, est érigé sur une base de Mercedes-Benz.

2e OPINION

DANIEL RUFIANGE Pour survivre dans le marché de l'automobile actuel, il faut innover. Un simple regard à l'Express suffit pour comprendre que GM manque carrément d'inspiration pour réinventer son gros cube. Oui, sa transmission intégrale, son choix intéressant de motorisations, ses configurations multiples - chargement ou jusqu'à 15 passagers - et son prix concurrentiel en font un choix accrocheur. Cependant, si l'arrivée d'un Sprinter trop onéreux du côté de Dodge n'a pas ébranlé GM, l'arrivée du Ford Transit, plus petit, abordable et carrément plus moderne, risque fort de cannibaliser les ventes de l'Express. Et, entre vous et moi, est-ce que GM peut se permettre de perdre des ventes dans un autre créneau ? L'Express a fait son temps. Vivement, une alternative novatrice pour les fidèles consommateurs de la marque.

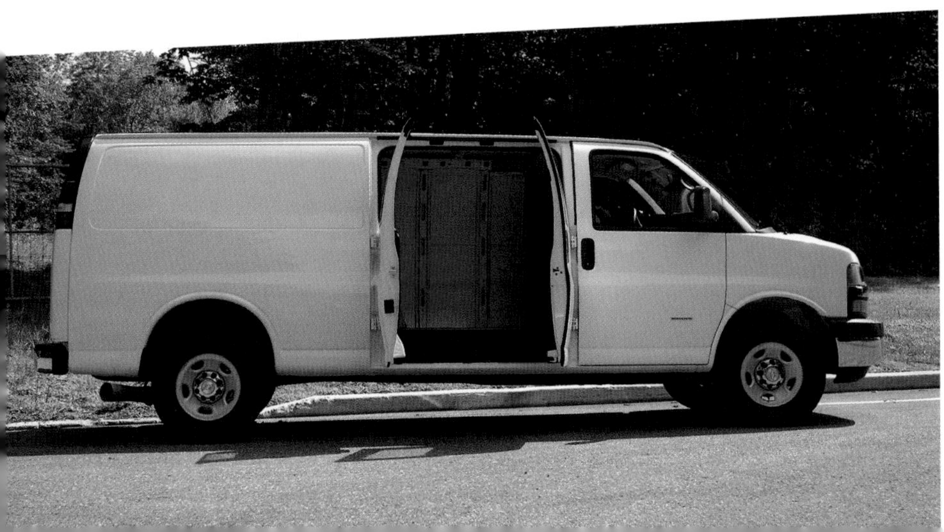

5 FICHE TECHNIQUE

- **MOTEURS**
- V6 4,3 l ACC, 195 ch à 4600 tr/min
  Couple 260 lb-pi à 2800 tr/min
  Transmission automatique à 4 rapports
  0-100 km/h 12,5 s **Vitesse maximale** 180 km/h

- V8 4,8 l ACC, 280 ch à 5200 tr/min
  Couple 296 lb-pi à 4600 tr/min
  Transmission automatique à 4 rapports
  0-100 km/h 10,3 s **Vitesse maximale** 200 km/h
  Consommation (100 km) 12,8 l (octane 87)
  Émissions de CO_2 6288 kg/an
  Litres par année 2620 l **Coût par an** 2620 $
  Carburant alternatif éthanol E85
  Empreinte écologique 37 arbres

- V8 5,3 l ACC, 310 ch à 5200 tr/min
  Couple 334 lb-pi à 4500 tr/min
  Transmission automatique à 4 rapports
  0-100 km/h 9,1 s **Vitesse maximale** 220 km/h
  Consommation (100 km) 2RM 13,5 l **4RM** 13,8 l (octane 87) **2RM** 18,5 l (éthanol) **4RM** 18,9 l (éthanol)
  Émissions de CO_2 2RM 6528 kg/an **4RM** 6720 kg/an **2RM** 3740 (éthanol) kg/an **4RM** 3840 kg/an (éthanol)
  Litres par année 2RM 2720 l **4RM** 2800 l **2RM** (éthanol) 3740 l **4RM** 3840 l (éthanol)
  Coût par an 2RM 2720 $ **4RM** 2800 $
  Carburant alternatif éthanol E 85
  Empreinte écologique 39 arbres

- V8 6,0 l ACC, 323 ch à 4600 tr/min
  Couple 373 lb-pi à 4400 tr/min
  Transmission automatique à 4 rapports
  0-100 km/h 8,5 s **Vitesse maximale** 220 km/h
  Consommation (100 km) 16,0 l (octane 87)
  Émissions de CO_2 7680 kg/an
  Litres par année 3200 l **Coût par an** 3200 $
  Carburant alternatif éthanol E85
  Empreinte écologique 45 arbres

- V8 6,6 l turbo diesel, ACC, 250 ch à 3200 tr/min
  Couple 460 lb-pi à 1600 tr/min
  Transmission automatique à 4 rapports
  0-100 km/h 9,0 s **Vitesse maximale** 185 km/h
  Consommation (100 km) 11,4 l (diesel)
  Émissions de CO_2 6156 kg/an
  Litres par année 2280 l **Coût par an** 2280 $
  Carburant alternatif Diesel
  Empreinte écologique 36 arbres

- **AUTRES COMPOSANTES**
  Sécurité active freins ABS, antipatinage et contrôle de stabilité (12 et 15 passagers)
  Suspension avant/arrière indépendante / essieu rigide
  Freins avant/arrière disques
  Direction à crémaillère, assistée
  Pneus 1500 P235/75R16 **2500** LT225/75R16 **3500** LT245/75R16

- **DIMENSIONS**
  Empattement 3429 mm **emp. long** 3937 mm
  Longueur 5691 mm **emp. long** 6199 mm
  Largeur 2007 mm
  Hauteur 2072 mm **emp. long** 2100 mm
  Poids 2198 à 2873 kg
  Diamètre de braquage 1500 13,2 m **2500 et 3500** 15,0 m **emp. long** 16,6 m
  Coffre 7569 l **emp. long** 8971 l
  Réservoir de carburant 117 l
  Capacité de remorquage 2707 à 4538 kg

HHR

www.gm.ca

N ÉVOLUTION É J

20 395 $ à 30 955 $
transport et préparation: 1225 $

LA COTE VERTE

AVEC MOTEUR L4 DE 2,2 L

- **Consommation (100km):** **man.** 7,8 l **auto** 8,2 l (E85) **man.** 10,8 l **auto** 11,3 l
- **Émissions polluantes CO_2 :** **man.** 3744 kg/an **aut.** 3936 kg/an (E85) **man.** 2160 kg/an **auto** 2260 kg/an
- **Empreinte écologique (nombre d'arbres à planter par année):** 24
- **Indice d'octane:** 87
- **Autre motorisation:** Éthanol E85
- **Coût du carburant moyen par année:** **man.** 1560 $ **auto** 1640 $
- **Nombre de litres par année:** **man.** 1560 l **auto** 1640 l (éthanol) **man.** 2160 l **auto.** 2260 l

(SOURCE: ÉnerGuide)

1 FICHE D'IDENTITÉ

- **Versions** LS, 1LT, 2LT , SS, Cargo
- **Roues motrices** avant
- **Portières** 4 **Nombre de passagers** 5, 2 (Cargo)
- **Première génération** 2006
- **Génération actuelle** 2006
- **Construction** Ramos Arizpe, Mexique
- **Sacs gonflables** 4, frontaux et rideaux latéraux
- **Concurrence** Chrysler PT Cruiser, Jeep Compass, Mazda5, Pontiac Vibe, Suzuki SX4, Toyota Matrix

2 AU QUOTIDIEN

- **Prime d'assurance** **25 ans:** 1500 à 1700 $ **40 ans:** 1000 à 1150 $ **60 ans:** 800 à 1000 $
- **Collision frontale** 5/5
- **Collision latérale** 5/5
- **Ventes du modèle de l'an dernier** **Au Québec** 1081 **Au Canada** 4916
- **Dépréciation** (3 ans) 52,7%
- **Rappels** (2004 à 2009) 3
- **Cote de fiabilité** 3/5

3 GARANTIES... ET PLUS

- **Garantie générale** 3 ans/60 000 km
- **Garantie motopropulseur** 5 ans/160 000 km
- **Perforation** 6 ans/160 000 km
- **Assistance routière** 3 ans/60 000 km
- **Nombre de concessionnaires** **Au Québec** 90 **Au Canada** 400

4 NOUVEAUTÉS EN 2010

- Rideaux gonflables latéraux de série, radio avec port USB de série avec les versions LT 1SB et SS, 7 haut-parleurs pioneer série dans les modèles LT 1SB et SS, toit ouvrant de série avec le modèle SS, trois nouvelles couleurs extérieures, nouvelle couleur de garniture intérieure cachemire, caméra arrière

NE LAISSE PAS PASSER LA CHANCE D'ÊTRE AIMÉ !

PAR FRANCIS BRIÈRE

L'AVENIR DU HHR, IL Y A À PEINE QUELQUES MOIS, NE TENAIT QU'À UN FIL. Nous savions que Chevrolet allait survivre au raz-de-marée GM, mais le véhicule faisait partie des modèles dont la carrière aurait pu être écourtée. Il reste, et c'est tant mieux, surtout pour la version SS qui a de quoi plaire aux amateurs de singularité et de performances. Quoiqu'il en soit, malgré son bas âge, le HHR aurait besoin d'un rafraîchissement, ne serait-ce que pour lui donner un second souffle. Il faut bien l'avouer, il y a de ces modes qui ne font que passer...

[CARROSSERIE] Lorsque le HHR a vu le jour en 2006, on sentait bien la réponse de General Motors à Chrysler qui a connu un certain succès avec la PT Cruiser. Cette mode néo-rétro battait son plein, une allure inspirée du hot rod. En 2010, la mode perd de son charme et commence à sérieusement ennuyer tout le monde. En considérant le HHR pour ce qu'il est, un véhicule pratique qui peut remplacer la familiale ou le petit utilitaire sport, nul ne peut l'ignorer. Le modèle SS possède du panache, avec ses roues de 18 pouces et sa calandre agressive à souhait. Reste le véhicule à vocation commerciale, le modèle cargo, qui présente une silhouette anonyme et timide, parfaite pour le courrier.

[HABITACLE] L'intérieur du HHR se compose de matériaux bon marché dont l'assemblage fait piètre figure. Malheureusement pour GM, il y a du chemin à faire en ce qui a trait à la conception des habitacles. Je n'ai rien contre la sobriété et le style épuré, mais il faudrait davantage s'attarder à la qualité des matériaux. Ce plastique « Pif Gadget » risque de craquer en quelques mois à peine. Les sièges ne fournissent pratiquement aucun maintien, chose déplorable pour la livrée SS qui en aurait besoin. Pour le reste, c'est confortable, l'espace est adéquat et convivial.

[MÉCANIQUE] General Motors offre trois choix de moteurs pour le HHR. Il s'agit de trois engins

FORCES · Comportement routier adéquat · Performances intéressantes (SS) · Prix intéressant

FAIBLESSES · Mode passagère · Modèle de base anémique · Visibilité atroce

à 4 cylindres de 155, de 172 et de 260 chevaux. Dans le cas des deux premiers, vaut mieux ne pas se presser. Les accélérations sont laborieuses, et la conduite devient ennuyeuse comme la pluie. Si vous n'êtes pas amateur de boîtes de vitesses manuelles, alors là, c'est le désastre. La boîte automatique à 4 rapports nous ramène quinze ans en arrière et… pas très loin devant. En revanche, la bonne vieille pédale d'embrayage aide à ressentir davantage que nous sommes au volant d'un véhicule, en particulier avec la livrée SS qui est dotée d'un moteur pétant de santé et d'une suspension sport qui rend le véhicule plus dynamique. Déplorons l'absence d'un sixième rapport avec la boîte mécanique, un détail qui améliorerait la consommation de carburant sur la route.

[COMPORTEMENT] La mollesse caractérise le comportement routier des versions de base. Le freinage rend le comportement du HHR digne des grands plongeurs olympiques. La suspension Jello nous invite à la prudence en virage pour éviter les nausées. En revanche, le modèle SS s'affirme davantage et nous laisse une meilleure impression. La conduite se révèle plus sûre et, surtout, plus heureuse. Malgré le fait qu'elle ne fournit que cinq rapports, la boîte de vitesses est bien calibrée et agréable. Le HHR SS révèle encore une légère tendance au roulis en virage, mais on l'accepte sans broncher.

[CONCLUSION] Dans ce créneau, le choix se révèle assez limité. La Pontiac Vibe n'est plus, tandis que la PT cruiser est reléguée aux oubliettes. Il ne reste que la Toyota Matrix qui représente un bon choix. Autrement, il faudra regarder du côté de Jeep qui offre le Patriot et ses quatre roues motrices à bon prix. Celui qui aime les lignes et la conduite du HHR ne devrait pas hésiter. Il s'agit d'un véhicule très honnête pour le prix demandé. En revanche, GM devrait envisager une refonte si elle souhaite prolonger la carrière du véhicule.

2e OPINION

PHILIPPE LAGUË Il serait injuste de réduire la Chevrolet HHR à une pâle copie de la PT Cruiser. Bon, d'accord, elles se ressemblent drôlement et pour cause : non seulement reprennent-elles le même concept néo-rétro (inspiré des camionnettes des années 40 et 50), mais elles ont été dessinées par la même personne (Brian Nesbitt, passé chez GM). Mais sous ses dehors de simili-camionnette, la HHR est bel et bien une automobile; en réalité, c'est une Chevrolet Cobalt avec un nom différent et une carrosserie rétro. Elle reprend donc la plateforme et les organes mécaniques de la Cobalt, qui commencent à trahir leur âge, mais garantissent aussi une certaine fiabilité. La grande force de ce véhicule, c'est son côté pratique, car il est logeable et spacieux, tout en procurant le confort d'une automobile. La version sportive (SS) est cependant d'une criante inutilité et n'a de sportif que son habillement.

5 FICHE TECHNIQUE

· MOTEURS · (LS, 1LT)
L4 2,2 l DACT 155 ch à 6100 tr/min (161 ch à 6000 tr/min) E85
Couple 150 lb-pi à 4800 tr/min(158 lb-pi à 4600 tr/min) E85
Transmission manuelle à 5 rapports, automatique à 4 rapports en option
0-100 km/h 9,7 s **Vitesse maximale** 180 km/h

· (2LT) OPTIONNEL 1LT
L4 2,4 l DACT 172 ch à 5800 tr/min (176 ch à 5800 tr/min) E85
Couple 167 lb-pi à 4500 tr/min (170 lb-pi à 5000 tr/min) E85
Transmission manuelle à 5 rapports, automatique à 4 rapports en option
0-100 km/h 9,2 s **Vitesse maximale** 180 km/h
Consommation (100 km) man. 8,2l (octane 81) **auto** 8,2 l (octane 91) **man.** 10,9l **auto.** 11,9 l (E85)
Émissions de CO_2 man. 3936 kg/an **auto.** 3984 kg/an (E85) **man.** 2180 kg/an **auto.** 2360 kg/an
Litres par année man. 1640 l **autom.** 1660 l E85 **man.** 2180 l **auto.** 2360 l
Coût par an man. 1640 $ **auto.** 1826 $
Carburant alternatif éthanol E85
Empreinte écologique 24 arbres

· (SS)
L4 2,0 l turbo DACT 260 ch à 5300 tr/min
Couple 260 lb-pi à 2000 tr/min
Transmission manuelle à 5 rapports, automatique à 4 rapports en option
0-100 km/h 6,6 s **Vitesse maximale** 180 km/h
Consommation (100 km) man. 8,5 l **auto.** 9,0 l (octane 91)
Émissions de CO_2 man. 4080 kg/an **auto.** 4320 kg/an
Litres par année man. 1700 l **autom.** 1800 l
Coût par an man. 1870 $ **auto.** 1980 $
Carburant alternatif non
Empreinte écologique 26 arbres

· AUTRES COMPOSANTES
Sécurité active freins ABS, antipatinage, contrôle de stabilité
Suspension avant/arrière indépendante/semi-indépendante
Freins avant/arrière disques/tambours-disques (SS)
Direction à crémaillère, assistée
Pneus LS/LT P215/55R16 **opt. LT** P215/50R17 **SS** P225/45R18

· DIMENSIONS
Empattement 2631 mm
Longueur 4475 mm **SS** 4483 mm
Largeur 1755 mm **Hauteur** 1588 mm
Poids LS 1431 kg **LT** 1455 kg **SS** 1488 kg (man.) 1524 kg (auto.)
Diamètre de braquage LS 11 m **LT** 11,5 m **SS** 12,0 m
Coffre (LS/LT) 638 l 1787 l (sièges retirés)
Réservoir de carburant 49 l
Capacité de remorquage 453 kg

NOTRE VERDICT

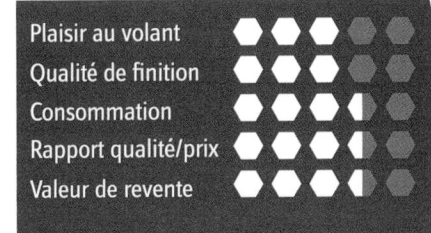

Plaisir au volant
Qualité de finition
Consommation
Rapport qualité/prix
Valeur de revente

IMPALA

www.gm.ca

N ÉVOLUTION É J

26 945 $ à 30 565 $
transport et préparation: 1375 $

LA COTE VERTE

MOTEUR
V6 DE 3,5 L

- **Consommation (100km):** octane 9,2 l éthanol 12,0 l
- **Émissions polluantes CO2 :** octane 87 4320 kg/an éthanol 2460 kg/an
- **Empreinte écologique (nombre d'arbres à planter par année):** 14 à 27
- **Indice d'octane:** 87
- **Autre motorisation:** Ethanol E85
- **Coût du carburant moyen par année:** (octane 87) 1800 $
- **Nombre de litres par année:** 1800 l (octane 87) 2460 l (ethanol)

(source: ÉnerGuide)

1 FICHE D'IDENTITÉ

- **Versions** LS, LT, LTZ
- **Roues** motrices avant
- **Portières** 4 **Nombre de passagers** 5 ou 6
- **Première génération** 1958
- **Génération actuelle** 2006
- **Construction** Oshawa, Ontario, Canada
- **Sacs gonflables** 6 (frontaux, latéraux, rideaux latéraux)
- **Concurrence** Buick Allure, Chrysler Sebring/300, Dodge Charger, Ford Fusion/Taurus, Honda Accord, Hyundai Sonata, Kia Magentis, Mazda6, Mitsubishi Galant, Nissan Altima/Maxima,Toyota Camry, Volkswagen Passat

2 AU QUOTIDIEN

- **Prime d'assurance**
  25 ans: 1800 à 2000 $ **40 ans:** 800 à 1000 $
  60 ans: 600 à 800 $
- **Collision frontale** 5/5 • **Collision latérale** 4/5
- **Ventes du modèle de l'an dernier**
  Au Québec 2233 **Au Canada** 14 913
- **Dépréciation** 58,1%
- **Rappels** (2004 à 2009) 4
- **Cote de fiabilité** 3/5

3 GARANTIES... ET PLUS

- **Garantie générale** 3 ans/60 000 km
- **Garantie motopropulseur** 5 ans/160 000 km
- **Perforation** 6 ans/160 000 km
- **Assistance routière** 3 ans/60 000 km
- **Nombre de concessionnaires**
  Au Québec 90 **Au Canada** 400

4 NOUVEAUTÉS EN 2010

- Rétroviseur intérieur à dispositif anti-éblouissement, 3 nouvelles couleurs extérieures
  Version SS retirée

VOITURE CHERCHE CLIENT

DANIEL RUFIANGE

À L'EXCEPTION DE QUELQUES ANNÉES DE RÉCLUSION, L'IMPALA SILLONNE LES ROUTES DEPUIS 1958. Toutes les rumeurs concernant GM et la disparition de certains de ses modèles ont semé un doute sur la poursuite de sa carrière. Mais cette super vedette des entreprises de location, des municipalités, des chauffeurs de taxi et de quelques retraités nostalgiques poursuivra sa carrière. Non, tout n'est pas mort à GM, et l'Impala en est la preuve... jusqu'à nouvel ordre !

[CARROSSERIE] Comment qualifier les lignes de l'Impala sans se livrer à un exercice gazant. Disons que l'allure de la voiture n'a rien d'excitant. On comprend la stratégie de GM puisque cette bagnole vise un large public auquel on ne peut proposer un produit provocant à la Nissan Cube, par exemple. Par conséquent, pas de flafla à l'avant, encore moins à l'arrière, et un profil insipide. Bon, la voiture n'est pas répugnante comme peut l'être la Chrysler Sebring, mais il en faudra plus pour séduire. Des quatre moutures que Chevrolet propose depuis quelques années, trois seulement survivent au couperet, soit les versions LS, LT et LTZ. C'est donc dire que la SS, la plus belle du lot, quitte le navire.

[HABITACLE] On applique à l'intérieur la même recette qu'à l'extérieur, c'est-à-dire l'austérité. L'ensemble ne déplaît pas à l'œil, mais ne l'éblouit certainement pas. On pense d'abord à satisfaire les besoins d'une majorité d'individus, et c'est bien fait en ce sens. On profite de beaucoup d'espace dans cette bonne vieille américaine, ce qui est une bonne chose pour les personnes qui monteront à bord. Ceci dit, les baquets sont confortables et correspondent à ce que GM veut offrir : du confort. Oubliez le maintien latéral, cependant, ce qui devient agaçant en virage. Ça rappelle les sofas qui servaient de banquettes dans les années 50, 60 et 70. À l'arrière, on apprécie davantage car on jouit de beaucoup d'espace de dégagement. C'est la vocation de cette voiture. Quant à l'assemblage et à la qualité des matériaux, le tout correspond au caractère générique de cette voiture; rien de trop beau, rien de trop laid.

FORCES • Confort sur l'autoroute • Investissement intéressant pour une entreprise de location • Mécaniques éprouvées

FAIBLESSES • Boîte automatique à 4 rapports • Ennuyeuse à conduire • Présentation intérieure moche • Valeur de revente pratiquement nulle

IMPALA

[MÉCANIQUE] La disparition de la version SS élimine un moteur au catalogue ce qui nous laisse avec deux V6, soit le 3,5-litres des versions LS et LT et le 3,9-litres qu'on retrouve dans la LTZ. Dans chaque cas, il s'agit de moteurs éprouvés – y compris la boîte de vitesses automatique à 4 rapports, une rareté dans l'industrie aujourd'hui – un élément apprécié des acheteurs. La puissance est adéquate, tout comme la consommation de carburant. Encore là, rien pour choquer ni étonner, mais il me semble qu'une version hybride ou, à tout le moins, beaucoup plus frugale à la pompe offrirait quelques arguments de vente supplémentaires.

[COMPORTEMENT] Si vous aimez la conduite, vous vous ennuierez à mort au volant de l'Impala. Cette voiture offre un bon confort, mais c'est à condition de rouler en ligne droite sur une route qui ne présente pas d'imperfections. Autrement, la suspension finira par vous flanquer un mal de cœur, et ce sera encore pire si vous essayez d'éviter les trous. La direction nous permet de tourner les roues avant dans la direction souhaitée, et c'est là l'unique sensation qu'elle nous transmet; on a l'impression qu'elle trempe dans le beurre. Comme je le mentionnais précédemment, les meilleures places sont à l'arrière; on se laisse conduire sans ressentir les mauvaises sensations derrière le volant.

[CONCLUSION] L'avenir de l'Impala est, bien entendu, lié à la direction que se donnera GM au cours des prochains mois. Cependant, tant et aussi longtemps que des entreprises de parcs d'automobiles n'auront mieux à se mettre sous la dent, elle trouvera preneur. Cependant, si GM veut assurer sa survie, elle devra lui donner du tonus, un peu comme elle l'a fait avec la Malibu. Pour l'instant, outre son prix intéressant en version de base, elle a peu d'arguments pour convaincre des acheteurs sérieux.

2e OPINION

BENOIT CHARETTE L'impala est une adaptation moderne des grandes berlines américaines des années 60 et 70. Les modèles de base équipés des roues de 16 pouces offrent ce flottement caractéristique des anciennes grandes routières américaines, et que dire du roulis prononcé si vous poussez un peu la mécanique. Il vous faudra opter pour un modèle LTZ avec le moteur de 3,9 litres et les roues de 18 pouces pour espérer laisser vos comprimés de Gravol à la maison. Dans l'ensemble, la voiture est assez fiable, mais avec les parcs de location, les corps policiers et les services de taxi qui l'ont massivement adoptée, vous ne posséderez pas une Impala pour vous démarquer du lot. Une berline dans la bonne moyenne pour la classe moyenne.

5 FICHE TECHNIQUE

· MOTEURS

· (LS, LT)
V6 3,5 l ACC, 207 ch à 5800 tr/min
Couple 215 lb-pi à 4000 tr/min
Transmission automatique à 4 rapports
0-100 km/h 8,8 s
Vitesse maximale 195 km/h

· (LTZ)
V6 3,9 l ACC, 230 ch à 5700 tr/min
Couple 238 lb-pi à 3200 tr/min
Transmission automatique à 4 rapports
0-100 km/h 8,4 s
Vitesse maximale 200 km/h
Consommation (100 km) 9,4 l (octane 87) 12,7 l ethanol
Émissions de CO_2 4560 kg/an (octane 87) 2700 kg/an (ethanol)
Litres par année 2000 l (octane 87) 2700 l (ethanol)
Coût par an 2850 $ (octane 87)
Carburant alternatif Ethanol E85
Empreinte écologique 27 arbres

· AUTRES COMPOSANTES
Sécurité active freins ABS, antipatinage, contrôle de stabilité électronique (LT, LTZ)
Suspension avant/arrière indépendante
Freins avant/arrière disques
Direction à crémaillère, assistée
Pneus LS/LT P225/60R16 **LTZ** P235/55R18

· DIMENSIONS
Empattement 2807 mm
Longueur 5090 mm
Largeur 1851 mm
Hauteur 1491 mm
Poids LS/LT 1613 kg **LTZ** 1655 kg
Diamètre de braquage 11,6 m
Roue de 18 po. 12,2 m
Coffre 527 l
Réservoir de carburant 64 l

NOTRE VERDICT

Plaisir au volant
Qualité de finition
Consommation
Rapport qualité/prix
Valeur de revente

MALIBU

www.gm.ca

N — ÉVOLUTION — É — J

23 395 $ à 33 655 $
transport et préparation: 1375 $

LA COTE VERTE

AVEC MOTEUR L4 DE 2,4 L

- **Consommation (100km):** 8,2 l
- **Émissions polluantes CO_2 :** 3936 kg/an
- **Empreinte écologique (nombre d'arbres à planter par année):** 24 (source: zeroco2.com)
- **Indice d'octane:** 87
- **Autre motorisation:** éthanol
- **Coût du carburant moyen par année:** 1640 $
- **Nombre de litres par année:** 1640 l

(SOURCE: ÉnerGuide)

1 FICHE D'IDENTITÉ

- **Versions** LS, 1LT, 2LT, LTZ
- **Roues motrices** avant
- **Portières** 4 **Nombre de passagers** 5
- **Première génération** 1997
- **Génération actuelle** 2008
- **Construction** Kansas City, Kansas, É.-U. et Orion, Township, Michigan
- **Sacs gonflables** 6 (frontaux, rideaux latéraux)
- **Concurrence** Buick Allure, Chrysler Sebring, Ford Fusion, Honda Accord, Hyundai Sonata, Kia Magentis, Mazda6, Mitsubishi Galant, Nissan Altima, Subaru Legacy, Toyota Camry, Volkswagen Jetta/Passat

2 AU QUOTIDIEN

- **Prime d'assurance**
  25 ans: 1500 à 1700 $ **40 ans:** 800 à 1000 $
  60 ans: 600 à 800 $
- **Collision frontale** 5/5 **Collision latérale** 5/5
- **Ventes du modèle de l'an dernier**
  Au Québec 4352 **Au Canada** 17 596
- **Dépréciation** (3 ans) 66,2%
- **Rappels** (2004 à 2009) 4 **Cote de fiabilité** 3,5/5
- **Garantie générale** 3 ans/60 000 km
- **Garantie motopropulseur** 5 ans/160 000 km, 8 ans pour l'hybride

3 GARANTIES... ET PLUS

- **Perforation** 6 ans/160 000 km
- **Assistance routière** 3 ans/60 000 km
- **Nombre de concessionnaires**
  Au Québec 90 **Au Canada** 400

4 NOUVEAUTÉS EN 2010

- Arrêt de production du modèle hybride pour 2010 Moteur compatible avec essence à 15% éthanol.

L'ÉGALE DES JAPONAISES

PAR PHILIPPE LAGUË

LA CHEVROLET MALIBU A DEUX ÉNORMES DÉFIS À RELEVER : MONTRER QU'ELLE EST L'ÉGALE DES CAMRY, ACCORD ET AUTRES JAPONAISES QUI DOMINENT LE SEGMENT DES BERLINES INTERMÉDIAIRES ET ATTIRER LES ACHETEURS APRÈS LA FAILLITE RETENTISSANTE DE GENERAL MOTORS. Pas une mince affaire...

[CARROSSERIE] L'élégance de cette berline, qui semble plaire à la majorité, lui confère une prestance qui pourrait très bien être celle d'une voiture de luxe. Elle possède une élégance qui fait cruellement défaut à ses rivales asiatiques. Les artifices de plastique et autres excroissances qui boursouflaient les carrosseries des modèles GM ont enfin disparu : alléluia ! Comme la plupart des modèles de cette catégorie, la Malibu ne se décline qu'en une seule configuration. La version à 5 portes de la génération précédente n'a pas été reconduite lors de la refonte, il y a deux ans. Cette berline dispose toutefois d'un très grand coffre.

[HABITACLE] La piètre réputation de GM repose en bonne partie sur l'assemblage bâclé, la piètre qualité des matériaux à l'intérieur et une décoration d'un goût discutable. Oubliez tout cela : l'habitacle de la Malibu n'a plus rien à envier à celui de n'importe quelle berline japonaise. Pour sa finition et sa construction, cette voiture se place dans le peloton de tête, aux côtés de la Honda Accord et de la Mazda6. Et devant la Camry. Qui l'eût cru? Regroupées dans une console centrale bien aérée, les commandes sont simples, bien placées et faciles à manipuler. Dans la version de base, les sièges sont moelleux et maintiennent bien le corps. Les versions plus cossues proposent des baquets un peu plus fermes mais tout aussi confortables. La banquette arrière est cependant plus rigide, et le maintien latéral est déficient. Par contre, ceux qui y prennent place apprécieront l'espace dont ils disposent pour la tête et les jambes. Côté habitabilité, la Malibu est encore une fois une première de classe; idem pour l'insonorisation.

[MÉCANIQUE] Comme c'est la norme dans ce créneau, des motorisations à 4 et à 6 cylindres sont offertes. Une version hybride est aussi offerte :

FORCES • Réussite esthétique • Finition et qualité d'assemblage • Habitabilité • • Solide paire de moteurs (4 et 6 cyl.) • Consommation • Conduite inspirée

FAIBLESSES • Une seule configuration • Banquette arrière quelconque • Version hybride sans intérêt • Réputation à refaire (GM)

il s'agit toutefois d'un système de première génération, ou hybride léger (*mild hybrid*). Traduction : un système beaucoup moins sophistiqué que ceux des Ford Fusion ou les Toyota Camry et Prius. Grosso modo, il s'agit d'un alterno-démarreur qui éteint le moteur quand le véhicule est à l'arrêt et réduit légèrement la consommation à l'accélération. Pour ce qui est de la version hybride, cette consommation est à peine inférieure à celle du 4-cylindres classique : lors d'un périple Montréal-Boston-Montréal, nous avons obtenu une moyenne de 8 litres aux 100 kilomètres avec le régulateur de vitesse à 120 km/h. (À 100, je m'endors, surtout sur une longue distance...) Il est vrai, par ailleurs, que la consommation du 4-cylindres ordinaire est impressionnante: sur l'autoroute, nous avons obtenu 6,8 litres aux 100 kilomètres ! Les qualités de ce moteur ne s'arrêtent pas là : il est souple, silencieux, et ses performances sont tout à fait correctes. Il est vrai que notre véhicule d'essai disposait d'une boîte de vitesses automatique à 6 rapports (en option) et non de celle à 4 rapports offerte de série. Ça fait une différence, surtout au chapitre de la consommation.

[COMPORTEMENT] L'acheteur type d'une berline intermédiaire privilégie le confort et l'habitabilité. Aussi trouve-t-on peu de voitures amusantes à conduire dans ce segment (la Mazda*6* étant l'exception qui confirme la règle). La Malibu montre cependant plus d'aplomb, de fermeté que ses rivales japonaises ou coréennes. Le dosage de la direction assistée est moins excessif que celui de l'Accord et, surtout, de la Camry. La base de cette voiture est, par ailleurs, très saine, comme le confirme une tenue de route sûre et une bonne tenue de cap. Quant au confort et à la douceur de roulement, ils sont encore une fois à la hauteur des meilleures japonaises.

[CONCLUSION] Hier encore, la Malibu faisait partie de ces voitures génériques qui grossissent les rangs des parcs de taxis ou des entreprises de location. Un honnête moyen de transport; inodore, incolore et sans saveur. Cette époque est révolue : la Malibu est l'une des voitures les plus intéressantes de ce créneau, un exploit d'autant plus remarquable que les bons joueurs y sont nombreux. C'est également la preuve que GM est enfin capable de rivaliser avec les meilleures marques japonaises. Reste maintenant à convaincre les acheteurs de renouer avec la « nouvelle GM ».

2e OPINION

FRANCIS BRIÈRE J'ai fait l'essai de la Malibu pour la première fois lors d'un match comparatif. À ma grande surprise, elle a remporté l'épreuve ! Nous avons apprécié l'amélioration de la qualité des matériaux qui composent l'habitacle, la puissance et la souplesse du moteur V6 et l'excellente tenue de route de la Malibu. Quel bonheur de voir enfin une voiture GM se démarquer ! La partie n'est pas gagnée pour le fabricant, nous le savons. En revanche, la Malibu représente une excellente affaire pour un acheteur qui recherche un véhicule de cette catégorie. Elle est plus plaisante à conduire qu'une Toyota Camry et possède un habitacle plus intéressant que celui d'une Honda Accord. La seule qui pourrait menacer son succès est la Mazda*6*. Tout de même, deux excellents choix !

5 FICHE TECHNIQUE

MOTEURS

(LS, 1LT, 2LT, LTZ)
L4 2,4 l DACT, 169 ch à 6200 tr/min
Couple 158 lb/-pi à 5200 tr/min
Transmission automatique à 4 rapports, automatique à 6 rapports (en option)
0-100 km/h 9,4 s
Vitesse maximale 180 km/h

(Option 2LT, LTZ)
V6 3,6 l DACT, 252 ch à 6300 tr/min
Couple 251 lb-pi à 3200 tr/min
Transmission automatique à 6 rapports avec mode manuel
0-100 km/h 7,7 s
Vitesse maximale 180 km/h
Consommation (100 km) 10,2 l (octane 87)
Émissions de CO_2 4896 kg/an
Litres par année 2040 l
Coût par an 2040$
Empreinte écologique 30

AUTRES COMPOSANTES
Sécurité active freins ABS et antipatinage, répartition électronique de force de freinage (LT et LTZ)
Suspensions avant/arrière indépendantes
Freins avant/arrière disques
Direction à crémaillère, assistée
Pneus LS, LT P225/50R17 **LTZ** P225/50R18

DIMENSIONS
Empattement 2852 mm
Longueur 4872 mm
Largeur 1785 mm
Hauteur 1450 mm
Poids LS 1549 kg, **LT** 1561 kg, **LTZ** 1655 kg,
Diamètre de braquage 12,3 m
Coffre 427 l
Réservoir de carburant 61 l

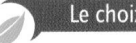

NOS MENTIONS

Le choix vert

NOTRE VERDICT

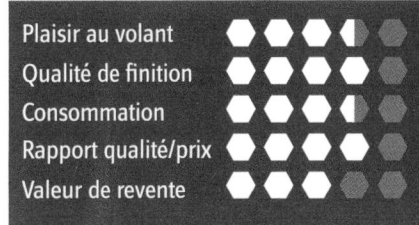

Plaisir au volant
Qualité de finition
Consommation
Rapport qualité/prix
Valeur de revente

SILVERADO

www.gmcanada.com

N ÉVOLUTION É J

22 940 $ à 53 190 $
transport et préparation: 1270 $

LA COTE VERTE

AVEC MOTEUR V8 DE 6,0 L HYBRIDE

- **Consommation (100km):** **2RM** 9,5 l **4RM** 10,2 l
- **Émissions polluantes CO_2 :** **2RM** 4560 kg/an **4RM** 4896 kg/an
- **Empreinte écologique (nombre d'arbres à planter par année):** 28
- **Indice d'octane:** 87
- **Autre motorisation:** hybride
- **Coût du carburant moyen par année:** **2RM** 1900 $ **4RM** 2040 $
- **Nombre de litres par année:** **2RM** 1900 l **4RM** 2040 l

(SOURCE: ÉnerGuide)

1 FICHE D'IDENTITÉ

- **Versions** WT,LS, LT, LTZ, XFE
- **Roues motrices** arrière, 4
- **Portières** 2, 4 **Nombre de passagers** 3 ou 6
- **Première génération** 1936
- **Génération actuelle** 2007
- **Construction** Pontiac, Michigan, É.-U.; Fort Wayne, Indiana, É.-U.
- **Sacs gonflables** 6 (frontaux; rideaux latéraux, sacs latéraux)
- **Concurrence** Dodge Ram, Ford F-150, GMC Sierra, Nissan Titan, Toyota Tundra

2 AU QUOTIDIEN

- **Prime d'assurance** **25 ans:** 1700 à 1900 $ **40 ans:** 1100 à 1300 $ **60 ans:** 800 à 1000 $
- **Collision frontale** 5/5 • **Collision latérale** 4/5
- **Ventes du modèle de l'an dernier** **Au Québec** 4292 **Au Canada** 34 685
- **Dépréciation** (3 ans) 63,1%
- **Rappels** (2004 à 2009) 14
- **Cote de fiabilité** 2,5/5

3 GARANTIES... ET PLUS

- **Garantie générale** 3 ans/60 000 km
- **Garantie motopropulseur** 5 ans/160 000 km
- **Perforation** 6 ans/160 000 km
- **Assistance routière** 3 ans/60 000 km
- **Nombre de concessionnaires** **Au Québec** 90 **Au Canada** 400

4 NOUVEAUTÉS EN 2010

- Moteur 4,8, 5,3, et 6,2 l compatibles avec E85
- Moteur 4,8 et 5,3 l à distribution à calage variable, permet de réduire la consommation
- Boîte automatique 6 vitesses sur modèles munnis du V8 5,3 l
- Rideaux gonflables et sacs latéraux de série
- Système de contrôle électronique de la stabiliTrak de série

LES TEMPS SONT DURS !

PAR BENOIT CHARETTE

EN TENANT COMPTE DE LA CRISE DANS LE SECTEUR DE L'AUTOMOBILE QUI A LAISSÉ DES CICATRICES AUX PLUS GROS VÉHICULES SUR LA ROUTE, COMBINÉE AU RENOUVELLEMENT DE LA FORD F-150 ET DE LA DODGE RAM l'an dernier, la Silverado tire de la patte cette année avec des ventes en baisse de 30 % par rapport à une année dernière déjà ordinaire. Ce n'est pas la qualité qui n'est plus au rendez-vous, mais l'attrait du nouveau est grand, et GM n'a pas les moyens de faire quelques retouches à ses modèles courants en ce moment.

[CARROSSERIE] Il y a toujours trois types de cabines au menu qui peuvent se combiner à trois longueurs de caisse. C'est là la grande force des camionnettes américaines, vous pouvez pratiquement personnaliser le modèle qui vous intéresse. La Silverado affiche une silhouette plus sportive et plus exubérante que celle de la GMC Sierra pour ainsi mieux les départager. Depuis son renouvellement en 2007, Chevrolet propose des rails de fixation pour des accessoires coulissants, comme cela se fait déjà chez Nissan et chez Toyota. Les versions Heavy Duty arboreront un faciès spécifique, facilement identifiable à leur capot proéminent et à leur calandre plus massive.

[HABITACLE] Nous sommes loin des vieux « pick-up » de ma jeunesse où le vinyle du tableau de bord côtoyait les tapis de plastique; GM aura été la dernière à faire le ménage. Les matériaux sont maintenant triés avec soin et bien assemblés. Pour ceux qui préfèrent encore les banquettes, les versions WT et LT proposent une planche de bord linéaire qui dégage bien le plancher. Ainsi, un troisième adulte peut s'asseoir au centre, à l'avant. La version LTZ, quant à elle, opte pour une configuration directement adaptée de celle des Yukon et Tahoe, soit deux sièges baquets et une console centrale qui comporte de nombreux espaces de rangement. Les sièges arrière se relèvent contre la paroi de la cabine pour créer un espace de rangement polyvalent, et les portes inversées de la cabine allongée de la Silverado pivotent de près de 180 degrés pour faciliter l'accès à bord.

FORCES • Châssis rigide • Choix infini de moteurs • Finition de qualité • Comportement routier

FAIBLESSES • Seulement deux coussins gonflables de série • Un moteur diesel dans la version 1500 serait un atout

SILVERADO

[CONCLUSION] Dommage pour la Silverado qui, dès sa troisième année sur le marché, voit déjà ses ventes diminuer. Il semble que la constance stylistique qui a toujours été un atout par le passé ait joué un mauvais tour à GM cette fois-ci. Ford et GM présentent des camionnettes qui ont plus fière allure, qui s'expriment davantage, et c'est ce que le public veut. La camionnette aussi est devenue un prolongement de soi-même et non seulement un instrument de travail.

[MÉCANIQUE] Voici une fiche technique qui nous donne, à chaque année, de nombreux maux de tête. Je n'ai jamais trop compris pourquoi GM offre autant de moteurs avec si peu de différences au chapitre des performances et de la capacité de remorquage. Pas moins de cinq moteurs allant du V6 de 4,3 litres à un V8 de 6 litres, deux boîtes de vitesses HydraMatic, avec deux ou quatre roues motrices et quatre rapports de différentiel. Bref, les combinaisons sont quasi infinies, et ce, sans tenir compte des versions Heavy Duty qui ajoutent des moteurs diesel à l'équation. Les amateurs de camionnettes, pour la plupart, s'accordent à dire que le V8 de 5,3 litres Vortec est le plus polyvalent du lot. Il peut aussi disposer d'un système de désactivation des cylindres pour une meilleure économie de carburant.

[COMPORTEMENT] Pour faire une analogie avec les intérieurs d'autrefois, la conduite est aussi beaucoup plus moderne. Naturellement, avec un essieu rigide à l'arrière et un centre de gravité élevé, difficile de se permettre de réels moments d'égarement au volant. La mauvaise chaussée fait encore sursauter la caisse, et le roulis est important. Toutefois, la douceur de roulement est appréciable lors de longs trajets. Le véhicule prend tout son sens quand on lui demande de tirer une charge ou de transporter des matériaux. Il faut tout de même saluer au passage la très bonne rigidité de la caisse qui n'émet plus de « rossignols » comme les anciennes générations qui donnaient parfois l'impression que les soudures allaient lâcher en chemin.

5 FICHE TECHNIQUE

· MOTEURS

· V6 4,3 l ACC, 195 ch à 4600 tr/min
Couple 260 lb-pi à 2800 tr/min
Transmission automatique à 4 rapports
0-100 km/h 10,5 s **Vitesse maximale** 180 km/h
Consommation (100 km) 2RM 12,1 l
4RM 13,1 l (octane 87)
Émissions de CO_2 2RM 5856 kg/an
4RM 6384 kg/an
Litres par année 2RM 2440 l **4RM** 2660 l
Coût par an 2RM 2440 $ **4RM** 2660 $
Autre motorisation : non
Empreinte écologique 37 arbres

· V8 4,8 l ACC, 302 ch à 5600 tr/min
Couple 305 lb-pi à 4800 tr/min
Transmission auto. à 4 rapports (6 rap. - option)
0-100 km/h 9,5 s **Vitesse maximale** 180 km/h
Consommation (100 km) 2RM 12,7 l
4RM 13,2 l (octane 87)
Émissions de CO_2 2RM 6192 kg/an
4RM 6480 kg/an
Litres par année 2RM 2580 l **4RM** 2700 l
Coût par an 2RM 2580 $ **4RM** 2700 $
Autre motorisation E85
Empreinte écologique 40 arbres

· V8 5,3 l ACC, 315 ch à 5200 tr/min
Couple 335 lb-pi à 4400 tr/min
Transmission automatique à 6 rapports
0-100 km/h 9,2 s **Vitesse maximale** 185 km/h
Consommation (100 km) 2RM 12,2 l (octane 87) 16,1 l (E85) **4RM** 12,5 l (octane 87) 17 l (E85)
Émissions de CO_2 2RM 5952 kg/an (octane 87) 3280 kg/an (E85) **4RM** 6096 kg/an (octane 87) 3460 kg/an (E85)
Litres par année 2RM 2480 l (octane 87) 3400 l (E85) **4RM** 2540 l (octane 87) 3460 l (E85)
Coût par an 2RM 2480 $ **4RM** 2540 $ (octane 87)
Autre motorisation Éthanol E85
Empreinte écologique 28 arbres

· (OPTION CABINE MULTIPLACE)
V8 6,2 l ACC, 403 ch à 5700 tr/min
Couple 417 lb-pi à 4300 tr/min
Transmission auto. à 6 rapports
0-100 km/h 9,5 s **Vitesse maximale** 200 km/h
Consommation (100 km) 2RM 13,2 l
4RM 14,3 l (octane 87)
Émissions de CO_2 2RM 6768 kg/an
4RM 7008 kg/an
Litres par année 2RM 2824 l **4RM** 2919 l
Coût par an 2RM 2824 $ **4RM** 2919 $
Autre motorisation E85
Empreinte écologique 38 arbres

· (HYBRIDE)
V8 6,0 l ACC, 332 ch à 5100 tr/min
Couple 367 lb-pi à 4100 tr/min
Transmission hybribe bimode automatique à 4 rapports
0-100 km/h 8,8 s **Vitesse maximale** 185 km/h

· AUTRES COMPOSANTES
Sécurité active antipatinage et contrôle de stabilité électronique (en option avec cabine allongé de série avec cabine double), freins ABS
Suspension avant/arrière indépendante, essieu rigide
Freins avant/arrière disques/tambours ou disques aux 4 roues
Direction à crémaillère, assistée
Pneus P245/70R17, P265/70R17, P265/65R18, P275/55R20

· DIMENSIONS
Empattement 3023 à 4001 mm
Longueur 5222 à 6325 mm
Largeur 2031 mm
Hauteur 1868 à 1876 mm
Poids 2095 à 2499 kg
Diamètre de braquage 12,1 à 15,6 m
Coffre boîte courte 1718 l **boîte longue** 2138 l
Réservoir de carburant boîte courte 98 l **boîte longue** 128 l
Capacité de remorquage 3402 à 4853 kg

NOTRE VERDICT

Plaisir au volant
Qualité de finition
Consommation
Rapport qualité/prix
Valeur de revente

TAHOE / SUBURBAN

www.gm.ca

N ÉVOLUTION É J

50 795 $ à 70 515 $
transport et préparation: 1300 $

LA COTE VERTE

AVEC MOTEUR V8 DE 5,3 L

- **Consommation (100km):** **2RM** 12,5 l **(E85)** 17,3 l
- **Émissions polluantes CO_2 :** **2RM** 6096 kg/an **(E85)** 3460 kg/an
- **Empreinte écologique (nombre d'arbres à planter par année):** 36
- **Indice d'octane:** 87
- **Autre motorisation:** Ethanol E85
- **Coût du carburant moyen par année:** **2RM** 2540 $
- **Nombre de litres par année:** **2RM** 2540 l **(E85)**3460 l

(SOURCE: ÉnerGuide)

1 FICHE D'IDENTITÉ

- **Versions** LS, LT, LTZ, XFE, Hybride
- **Roues motrices** arrière, 4
- **Portières** 4 **Nombre de passagers** 5, 7, 9
- **Première génération** 1970
- **Génération actuelle** 2007
- **Construction** Janesville, Wisconsin, É.-U.; Arlington, Texas, É.-U. et Silao, Mexique
- **Sacs gonflables** 6 (frontaux, latéraux avant et arrière)
- **Concurrence** Ford Expedition, GMC Yukon / Yukon XL, Nissan Armada, Toyota Sequoia

2 AU QUOTIDIEN

- **Prime d'assurance** **25 ans:** 2200 à 2400 $ **40 ans:** 1200 à 1400 $ **60 ans:** 1000 à 1200 $
- **Collision frontale** 5/5 • **Collision latérale** 5/5
- **Ventes du modèle de l'an dernier** **Au Québec** Tahoe 104 **Suburban** 190 **Au Canada** Tahoe 1874 **Suburban** 1118
- **Dépréciation** (3 ans) 58,9%
- **Rappels** (2004 à 2009) **Tahoe** 8 **Suburban** 8
- **Cote de fiabilité** 2/5

3 GARANTIES... ET PLUS

- **Garantie générale** 3 ans/60 000 km
- **Garantie motopropulseur** 5 ans/160 000 km
- **Perforation** 6 ans/160 000 km
- **Assistance routière** 3 ans/60 000 km
- **Nombre de concessionnaires** **Au Québec** 90 **Au Canada** 400

4 NOUVEAUTÉS EN 2010

- Tahoe : connecteur USB, ouvre-porte de garage universel de série avec LTZ, suspension tout terrain Z71 livrable avec 1LT, Suburban : V8 Vortec de 6,0 L avec distribution à calage variable et compatibilité avec le carburant mixte E85 (modèle 2500), suspension tout terrain Z71 maintenant livrable avec LT.

VIVE LA VARIÉTÉ !

PAR FRANCIS BRIÈRE

CETTE CATÉGORIE DE VÉHICULES A BIEN MAUVAISE RÉPUTATION. Les environnementalistes et les pseudo-écolos pourchassent les propriétaires de Tahoe en les injuriants et en les traitant de pollueurs impénitents. Personnellement, je ne m'achèterais pas un tel véhicule pour me promener au centre-ville de Montréal sous prétexte qu'il offre beaucoup d'espace. Le Tahoe a une utilité et il répond aux besoins de son propriétaire. Pour en faire taire quelques-uns, le modèle hybride bi-mode propose une consommation d'essence plus raisonnable. Du reste, il s'agit d'un camion intéressant, bien construit et confortable.

[CARROSSERIE] Pour le Tahoe, deux nouvelles couleurs extérieures sont disponibles : gris taupe et argent transparent métallisé. Ce véhicule possède une allure musclée avec sa devanture agressive et un choix de roues de 16, 17, 18 et 20 pouces. Le Tahoe est énorme, le Suburban est gigantesque avec une longueur de 5648 millimètres ! Vous personnalisez votre véhicule à votre guise avec un choix de calandres, de marchepieds, de poignées, etc... La surface vitrée est digne des plus grands aquariums, mais la visibilité arrière manque un peu. Vive la caméra de recul !

[HABITACLE] GM n'a pas lésiné sur la qualité de l'intérieur du Tahoe. Chaîne audio Bose, sièges en cuir souple (en option), toute la technologie possible dont la caméra de recul, la radio satellite, système de détection des angles morts, la connectivité Bluetooth, sièges chauffants et ventilés, tout cela est offert en option ou de série, selon le modèle. Le choix des matériaux pour l'habitacle contribue à créer un environnement confortable et luxueux. Prendre place dans un salon ou à bord du Tahoe revient à peu près au même et ce, peu importe votre taille. Est-il nécessaire d'ajouter que l'espace est généreux, y compris à l'arrière pour y loger des bagages ou des objets. En abaissant les sièges, vous bénéficiez de plus de 3000 litres d'espace de chargement !

[MÉCANIQUE] Le V8 de 6,0 litres du Suburban LTZ vous promet des heures et des heures d'heureux remplissage d'essence. La version hybride mérite considération, puisque GM promet

FORCES • Variété et choix de motorisation • Modèle hybride intéressant • Confort

FAIBLESSES • Gargantua réincarné • Encombrement définitif • Poids inquiétant (2500)

équiper son Sequoia de la même technologie. Quoi qu'il en soit, le Tahoe et le Suburban demeurent d'excellents choix pour les personnes qui recherchent de la robustesse, de l'espace et du confort. Face à la compétition, GM a sorti un lapin de son chapeau en proposant le modèle hybride. Dorénavant, on ne peut plus hésiter avant de faire son choix.

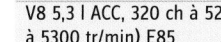

une réduction de la consommation d'essence de l'ordre de 25 pour cent. En revanche, j'ai eu l'occasion de tester le modèle hybride (tahoe) en hiver. Inévitablement, la consommation augmente et de beaucoup. En été vous réussirez à obtenir environ 11 litres aux 100 kilomètres, ce qui est fort respectable compte tenu de la grosseur et du poids du véhicule. La suspension *Autoride* (avec réglage électronique des amortisseurs et d'assiette) vous promet une conduite tout en douceur même sur route cahoteuse. Autrement, il y a la suspension Z71 tout terrain qui, avec un différentiel autobloquant, transforme le Tahoe en véritable bête de sentiers.

[COMPORTEMENT] La conduite du Tahoe procure douceur de roulement et confort. Sans affirmer qu'il s'agit d'un véhicule maniable, je dois avouer avoir été surpris par la sensation de conduite. On prend plaisir à se balader même s'il s'agit d'un véhicule balourd. La suspension travaille à merveille pour offrir tout le confort que les occupants méritent. Ce genre de véhicule se voit souvent confier la tâche de remorquage. Sachez que la capacité de tirer une charge peut aller jusqu'à 4354 kilos avec le modèle Suburban 2500.

[CONCLUSION] Dans cette catégorie de véhicules, la consommation d'essence devient un enjeu crucial. Du côté de GM, on a pressé le pas en commercialisant une version hybride qui, espérons-le, connaîtra du succès. Aussi surprenant que cela puisse paraître, une firme comme Toyota, qui ne jure que par l'hybride, tarde à

2e OPINION

PHILIPPE LAGUË GM a eu la bonne idée d'ajouter une version hybride au Tahoe et à son jumeau, le GMC Yukon. Le résultat est étonnant : quand on s'en tient aux vitesses légales, la consommation devient raisonnable. Évidemment, pour remorquer, ce n'est pas la solution idéale... C'est le sacrifice qu'il faut faire pour rouler vert. Ce n'est donc pas parfait, mais c'est un pas dans la bonne direction, indiscutablement. Sinon, le Tahoe est une démonstration du savoir-faire de GM dans le domaine des camionnettes : un véhicule solide, très confortable et bien assemblé. Si le géant américain avait toujours construit ses voitures avec la même rigueur que ses camions, il aurait peut-être évité de se retrouver en faillite...

5 FICHE TECHNIQUE

· MOTEURS

· (Tahoe, Suburban 1500)
V8 5,3 l ACC, 320 ch à 5200 tr/min (326 ch à 5300 tr/min) E85
Couple 335 lb-pi à 4400 tr/min (350 lb-pi à 4200 tr/min) E85
Transmission automatique à 6 rapports
0-100 km/h 9,7 s **Vitesse maximale** 175 km/h

· (Tahoe,Suburban 1500 4RM)
V8 5,3 l ACC, 320 ch à 5200 tr/min (326 ch à 5300 tr/min) E85
Couple 335 lb-pi à 4400 tr/min (350 lb-pi à 4400 tr/min) E85
Transmission auto. à 6 rapports
0-100 km/h 9,9 s **Vitesse maximale** 175 km/h
Consommation (100 km) 12,3 l (octane 87) 17,3 l (éthanol)
Émissions de CO_2 6069 kg/an (E85) 3460 kg/an
Litres par année 2540 l (E85) 3460 l
Coût par an 3540 $
Carburant alternatif E85
Empreinte écologique 36 arbres

· (SUBURBAN 2500)
V8 6,0 l ACC, 352 ch à 5400 tr/min
Couple 382 lb-pi à 4200 tr/min
Transmission auto. à 6 rapports
0-100 km/h 9,2 s **Vitesse maximale** 180 km/h
Consommation (100 km) 13,1 l (octane 87)
Émissions de CO_2 6288 kg/an
Litres par année 2620 l **Coût par an** 2620 $
Carburant alternatif non
Empreinte écologique 43 arbres

· (TAHOE HYBRIDE)
V8 6,0 l ACC, 332 ch à 5100 tr/min
Couple 367 lb-pi à 4100 tr/min **Transmission** CVT
0-100 km/h 8,8 s **Vitesse maximale** 185 km/h
Consommation (100 km) 2RM 9,5 l **4RM** 10,2 l (octane 87)
Émissions de CO_2 2RM 4560 kg/an **4RM** 4896 kg/an
Litres par année 2RM 1900 l **4RM** 2040 l
Coût par an 2RM 1900 $ **4RM** 2040 $
Carburant alternatif non
Empreinte écologique 28 arbres

· AUTRES COMPOSANTES
Sécurité active freins ABS, antipatinage, contrôle de stabilité électronique
Suspension avant/arrière ind. / essieu rigide
Freins avant/arrière disques
Direction à crémaillère, assistée
Pneus LS/LT P265/70R17 **LTZ** P275/55R20 **Hybride** P265/65R18 **Suburban 2500** LT245/75R16, P265/70R17 (en option), P275/55R20 (en option LTZ)

· DIMENSIONS
Empattement Tahoe 2946 mm **Suburban** 3302 mm
Longueur Tahoe 5131 mm **Suburban** 5648 mm
Largeur Tahoe 2007 mm **Suburban** 2009 mm
Hauteur Tahoe 2RM 1953 mm **Suburban** 1950 mm
Poids Tahoe 2RM 2388 kg **4RM** 2505 kg **Hybride 2RM** 2548 kg **Hybride 4RM** 2647 kg **Suburban** 1500 **2RM** 2579 kg, **1500 4RM** 2647 kg **2500 2RM** 2803 kg, **2500 4RM** 2924 kg
Diamètre de braquage Tahoe 11,9 m **Suburban** 13,1 et 13,8 m
Coffre Tahoe 479 l, 3084 l (sièges abaissés) **Suburban** 1298 l, 3891 l (sièges abaissés)
Réservoir de carburant Tahoe 98 l **Suburban** 1500 119l, 2500 148 l
Capacité de remorquage Tahoe 2RM 3810 kg **4RM** 3720 kg **Hybride 2RM** 2812 kg **Hybride 4RM** 2721 kg Suburban **1500 2RM** 3674 kg, **1500 4RM** 3583 kg, **2500 2RM** 4354 kg, **2500 4RM** 4218 kg

NOS MENTIONS

Clé d'or de sa catégorie

TRAVERSE

www.gm.ca

N ÉVOLUTION É J

35 700 $ à 50 525 $
transport et préparation: 1300 $

LA COTE VERTE

MOTEUR V6 DE 3,6 L
- **Consommation (100km):** **2RM** 11,6 l **4RM** 12,3 l
- **Émissions polluantes CO_2 :** **2RM** 5666 kg/an **4RM** 6000 kg/an
- **Empreinte écologique (nombre d'arbres à planter par année):** 34
- **Indice d'octane:** 87
- **Autre motorisation:** non
- **Coût du carburant moyen par année:** **2RM** 2160 $ **4RM** 2220 $
- **Nombre de litres par année:** **2RM** 2160 l **4RM** 2220 l

(source: ÉnerGuide)

1 FICHE D'IDENTITÉ
- **Versions** LS, LT, LTZ
- **Roues motrices** avant, 4
- **Portières** 4 **Nombre de passagers** 7 ou 8
- **Première génération** 2009
- **Génération actuelle** 2009
- **Construction** Spring Hill, Tennessee, États-Unis
- **Sacs gonflables** 6 frontaux, latéraux, rideaux latéraux
- **Concurrence** Acura MDX, Ford Flex, Honda Pilot, Hyundai Vera Cruz, Lexus RX350 Mazda CX-9, Nissan Murano, Subaru Tribeca, Toyota Highlander, Volvo XC90

2 AU QUOTIDIEN
- **Prime d'assurance**
  25 ans: 2000 à 2200 $
  40 ans: 1300 à 1500 $
  60 ans: 1000 à 1200 $
- **Collision frontale** 5/5
- **Collision latérale** 5/5
- **Ventes du modèle de l'an dernier**
  Au Québec 37 **Au Canada** 263
- **Dépréciation** nm
- **Rappels (2009)** 3
- **Cote de fiabilité** nm

3 GARANTIES... ET PLUS
- **Garantie générale** 3 ans/60 000 km
- **Garantie motopropulseur** 5 ans/160 000 km
- **Perforation** 6 ans/160 000 km
- **Assistance routière** 3 ans/60 000 km
- **Nombre de concessionnaires**
  Au Québec 90 **Au Canada** 400

4 NOUVEAUTÉS EN 2010
- Port USB inclus avec les radios haut de gamme
- Bluetooth de série avec 1LT, 2LT et LTZ

JAMAIS QUATRE SANS UN

PAR FRANCIS BRIÈRE

POURQUOI AVOIR CONÇU LE TRAVERSE ? SI GENERAL MOTORS METTAIT AUTANT D'ÉNERGIE À CRÉER DE BONS VÉHICULES QU'À MULTIPLIER LES DOUBLONS, SA SITUATION FINANCIÈRE S'EN PORTERAIT CERTAINEMENT MIEUX. Quoi qu'il en soit, voyons ce que le Traverse peut nous offrir comme utilitaire unique, même s'il s'agit d'un parmi tant d'autres. Il plaira certainement à l'acheteur qui a besoin d'espace pour transporter des personnes ou des objets et qui bénéficie d'un budget plus limité. En revanche, pour la qualité de fabrication qu'offre ce véhicule, on en demande encore bien cher...

[CARROSSERIE] Que vous preniez un Saturn Outlook, un GMC Acadia, un Buick Enclave ou, encore, un Chevrolet Traverse, la carcasse se ressemble étrangement d'un modèle à l'autre, à quelques exceptions près. L'Enclave possède une finition et une touche plus luxueuses. Le Traverse propose plutôt une devanture typiquement Chevrolet, ce modèle étant fortement inspiré de la Malibu. Si l'encombrement de ce véhicule peut causer quelques désagréments, sa silhouette est tout de même intéressante et adéquate pour assurer un espace de chargement maximal. Ses lignes sont agréables, sa surface vitrée, généreuse, sauf pour la lunette qui offre une vision réduite. Vive la caméra de recul !

[HABITACLE] Malgré les quelque 40 000 dollars que vous demandera votre concessionnaire GM pour faire l'acquisition d'un Traverse, une surprise vous attend à l'intérieur : des matériaux bon marché, une présentation ordinaire, des sièges trop mous et j'en passe. Quelques mois seulement après l'achat de ce véhicule, vous entendrez une belle symphonie de craquements et de cliquetis des plastiques. D'un point de vue moins sombre, on apprécie l'espace pour transporter des passagers ou des objets. On se sent plus haut, plus libre, plus confortable, bien au-dessus de ses affaires à bord d'un Traverse ! Il s'agit d'un véhicule encombrant mais très généreux en espace. À preuve, on peut facilement y asseoir huit occupants adultes et bénéficier d'un espace de chargement à l'arrière pour des bagages.

+ −

FORCES • Belles lignes • Espace de chargement • Espace pour les passagers

FAIBLESSES • Finition triste • Encombrement assuré • Consommation de carburant

[MÉCANIQUE] Un seul engin est offert peu importe la livrée choisie : un V6 de 3,6 litres développant 288 chevaux (281 chevaux pour les modèles LT et LS à échappement simple). Jumelé à une boîte de vitesses à 6 rapports, ce moteur fait son boulot. Notons que GM y a intégré un certain raffinement technologique puisque le moteur fonctionne à injection directe. La suspension, bien calibrée, procure une tenue de route adéquate et un bon confort aux occupants. Pas moins de quatre versions vous sont offertes (LS, 1LT, 2LT et LTZ) pour lesquelles vous pouvez choisir la traction ou la transmission intégrale.

[COMPORTEMENT] Malgré l'ennui profond que l'on peut ressentir au volant de ce genre de véhicule, le Traverse est agréable à conduire. Son gabarit imposant cache une maniabilité surprenante. Le confort prime, et la position de conduite facilite la tâche. Un tel format de carcasse sur quatre roues cause souvent des désagréments lors de dépassements sur route sinueuse ou de conduite sur chaussée minée. Mais le Traverse se tire bien d'affaire dans ces conditions.

[CONCLUSION] Beau véhicule, le Traverse vient compléter la famille GM comme modèle « d'entrée de gamme » dans cette catégorie. En ce qui concerne la concurrence, le choix s'étale sous vos yeux, à commencer par le Mazda CX-9. Une fois à bord, vous appréciez la finition plus juste du véhicule japonais. En revanche, vous perdrez un espace de chargement appréciable. Pour le conserver, vous pouvez considérer le Ford Flex, un concept original qui offre un centre de gravité plus bas, une meilleure qualité de matériaux, mais une consommation de carburant plus gênante. Enfin, Mitsubishi vous propose son Endeavor, gourmand à souhait, mais qui offre plein de possibilités. Malgré les défauts du Traverse, vous pouvez en faire l'achat sans craintes. Cependant, gardons à l'esprit que la concurrence veille à satisfaire vos besoins, souvent de meilleure façon, à prix comparable.

2e OPINION

FRÉDÉRIC MASSE Le Chevrolet Traverse est l'un des produits les plus intéressants offerts par la General Motors. Cousin des Buick Enclave, GMC Acadia et Saturn Outlook, le gros Chevrolet est directement voué à séduire une clientèle en manque de fourgonnette. Évidemment, il place le confort au sommet des priorités et le fait au détriment du plaisir au volant. Mais, c'est tout de même mieux qu'une... fourgonnette. Ne vous trompez pas, par contre; la banquette de troisième rangée n'est pas très confortable et servira aux enfants ou de dépannage. Beaucoup de mes confrères se sont plaints de l'absence d'un V8 sous le capot, chose que je jugeais futile. Certainement, avec sept passagers (ou huit) à bord et une tente roulotte à remorquer, le 6-cylindres de 3,6 litres sera juste... mais combien de fois par année les propriétaires lui feront-ils subir un tel sort ? Les dépassements et les reprises n'ont rien d'impressionnant, mais c'est fonctionnel, pratique, en plus d'afficher une consommation de carburant décente... comme une bonne fourgonnette !

5 FICHE TECHNIQUE

- **Moteur**
- V6 3,6 l DACT, 281 ch à 6300 tr/min
  288 ch (échappement double)
  Couple 266 lb-pi à 3600 tr/min
  270 lb-pi à 3400 tr/min (échappement double)
  Transmission automatique à 6 rapports
  0-100 km/h 8,2 s
  Vitesse maximale 210 km/h

- **AUTRES COMPOSANTES**
  Sécurité active freins ABS, antipatinage, contrôle de stabilité
  Suspension avant/arrière indépendante
  Freins avant/arrière disques
  Direction à crémaillère, assistée
  Pneus LS P245/70R17 **LT** P255/65R18 **LTZ** P255/55R20

- **DIMENSIONS**
  Empattement 3019 mm
  Longueur 5206 mm
  Largeur 1991 mm
  Hauteur 1846 mm
  Poids 2RM 2141 kg **4RM** 2234 kg
  Diamètre de braquage 12,3 m
  Coffre 691 l 3296 l (sièges abaissés)
  Réservoir de carburant 83,3 l
  Capacité de remorquage 2380 kg

NOS MENTIONS

Modèle recommandé

NOTRE VERDICT

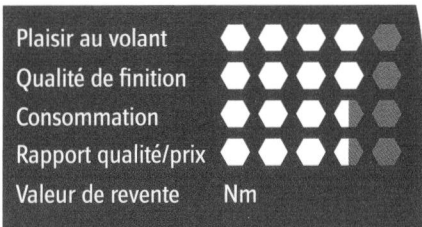

Plaisir au volant
Qualité de finition
Consommation
Rapport qualité/prix
Valeur de revente Nm

300

www.chrysler.ca

N ÉVOLUTION É
J

32 645 $ à 54 245 $
transport et préparation: 1400 $

LA COTE VERTE

AVEC MOTEUR V6 DE 3,5 L

- **Consommation (100km):**
  2RM 10,2 l
  4RM 11,5 l
- **Émissions polluantes CO_2 :**
  2RM 4944 kg/an
  4RM 5184 kg/an
- **Empreinte écologique (nombre d'arbres à planter par année):** 33
- **Indice d'octane:** 89
- **Autre motorisation:** non
- **Coût du carburant moyen par année:**
  2RM 2060 $
  4RM 2160 $
- **Nombre de litres par année:**
  2060 l
  4RM 2160 l

(source: ÉnerGuide)

(1) FICHE D'IDENTITÉ

- **Versions** Touring, Limited, C, SRT8
- **Roues motrices** arrière, 4
- **Portières** 4 **Nombre de passagers** 5
- **Première génération** 2005
- **Génération actuelle** 2005
- **Construction** Brampton, Ontario, Canada
- **Sacs gonflables** 6 (frontaux; latéraux avant et rideaux latéraux en option)
- **Concurrence** Acura TL, Buick Allure/Lucerne, Chevrolet Impala, Dodge Charger, Ford Taurus, Hyundai Genesis, Kia Amanti, Nissan Maxima, Toyota Avalon

(2) AU QUOTIDIEN

- **Prime d'assurance**
  25 ans: 1800 à 2000 $
  40 ans: 1100 à 1300 $
  60 ans: 800 à 1000 $
- **Collision frontale** 5/5
- **Collision latérale** 4/5
- **Ventes du modèle de l'an dernier**
  Au Québec 1658 **Au Canada** 7 443
- **Dépréciation** (3 ans) 59,3%
- **Rappels** (2004 à 2009) 8
- **Cote de fiabilité** 3/5

(3) GARANTIES... ET PLUS

- **Garantie générale** 3 ans/60 000 km
- **Garantie motopropulseur** 5 ans/100 000 km
- **Perforation** 5 ans/160 000 km
- **Assistance routière** 5 ans/100 000 km
- **Nombre de concessionnaires**
  Au Québec 94 **Au Canada** 439

(4) NOUVEAUTÉS EN 2010

- Rideaux latéraux avant et arrière, poignées en chrome, rétroviseurs en chrome chauffés, indicateur d'économie essence, clé intelligente (300C), stationnement assisté (300C)

FAIRE DU NEUF AVEC DU VIEUX

PAR FRANCIS BRIÈRE

LES CONSTRUCTEURS D'AUTOMOBILES AMÉRICAINS EN ARRACHENT, MAIS CELA NE VEUT PAS DIRE QUE TOUS LEURS PRODUITS N'INTÉRESSENT PERSONNE. Il y a quelques secrets bien gardés qui méritent considération. À titre d'exemple, la Chrysler 300 a déjà séduit le regard des amateurs lors de son apparition en 2005. Un peu passée de mode en 2010, elle possède des qualités insoupçonnées qui en font un objet valable. Il suffit de les reconnaître et de profiter de sa baisse de popularité. Avis aux intéressés : il y a certainement quelques bonnes affaires à saisir en ce moment.

[CARROSSERIE] Certains aiment, d'autres détestent. La silhouette de la 300 surprend, elle séduit parfois. Elle possède une allure résolument masculine typique des films de gangsters avec sa calandre incisive et ses roues chromées de 17, de 18 ou de 20 pouces. Il s'agit d'une carcasse imposante, mais dont la surface vitrée ne permet pas de profiter d'une visibilité adéquate, surtout sur les côtés. Si Chrysler décidait de conserver le modèle malgré une baisse des ventes, une refonte esthétique ne lui ferait certainement pas de tort.

[HABITACLE] Confort et style caractérisent l'intérieur de la 300. Un style proprement américain qui manque de raffinement. En revanche, pour une voiture de ce prix, le client en a pour son argent. Vous bénéficiez de toute la technologie moderne dont sont équipées les voitures de grand luxe : radio satellite, navigation, connectivité Bluetooth, etc. Mais ce manque de raffinement se fait sentir une fois assis sur les sièges mollasses. Paresseux à souhait, ils nous invitent au confort mais ne daignent offrir le moindre maintien pour notre frêle anatomie. Les conducteurs de grande et de grosse taille s'en réjouiront ! L'habitacle de la 300 dispose de matériaux de qualité et d'une fabrication remarquable : il en résulte un intérieur silencieux et exempt de bruits de caisse. Le volant est trop gros

FORCES • Douceur de roulement • Confort • Caisse solide

FAIBLESSES • Modèle démodé • Sièges pour les Américains • Consommation

et trop mince. De fait, on gagnerait à réduire sa circonférence et à en augmenter l'épaisseur.

[MÉCANIQUE] Chez Chrysler, on offre un choix de motorisations qui convient à tous les goûts et à toutes les bourses. Profitant d'une plateforme solide, la 300, en configuration de base, est propulsée par un V6 de 3,5 litres développant 250 chevaux. Cette livrée possède amplement de puissance mais souffre du jumelage à une boîte de vitesses à 4 rapports. En version Touring, on dispose d'une boîte à 5 rapports. Dans cette catégorie de voitures, les concurrentes proposent une traction. Chrysler a opté pour la propulsion, pour notre plus grand plaisir. Si l'hiver vous effraie, le modèle C offre un système à quatre roues motrices en option. Pour les amateurs de caoutchouc brûlé, la version SRT8 dispose d'un V8 de 6,1 litres de 425 chevaux ! Prenez bien garde aux contraventions...

[COMPORTEMENT] Encore une fois, douceur et confort sont au rendez-vous. En raison de son empattement, de la rigidité de sa caisse et de la qualité indéniable de sa fabrication, la 300 est une routière hors pair. Malgré son gabarit imposant, la voiture se montre maniable et agréable à conduire en toutes circonstances. Derrière le volant, le conducteur note les gènes allemands de la 300. La rigidité de sa caisse ne ment pas. Le conducteur plus audacieux ne détesterait pas des sièges plus sportifs, question d'apprécier encore davantage les qualités de la 300 sur la route.

[CONCLUSION] Je vous l'accorde, la qualité de fabrication des produits Chrysler varie considérablement selon le modèle. Considérons certaines œuvres comme des erreurs (le Nitro), d'autres comme de vraies réussites. La 300 en est une. Issue d'une plateforme de qualité et bien construite, cette voiture présente l'avantage de ne pas coûter une fortune. Si l'idée de vous procurer une berline allemande vous donne des boutons – surtout quand vient le moment de faire son premier paiement – pensez à la 300 comme une solution intéressante. En tout cas, personnellement, j'y songerais.

2e OPINION

PHILIPPE LAGUË La berline 300 incarne ce que Chrysler fait de mieux - ou plutôt, faisait de mieux, car cette voiture a été conçue pendant la période DaimlerChrysler. C'est aussi la preuve que cette difficile cohabitation a quand même eu de bons moments. La 300 utilise une plateforme de Mercedes-Benz ainsi que certains organes mécaniques de cette prestigieuse marque. Cette collaboration a permis de corriger des défauts chroniques des voitures du groupe Chrysler, comme une boîte automatique déficiente et une pédale de freins spongieuse. Il reste cependant du travail à faire au chapitre de la finition, qui ne se situe pas encore à la hauteur de la concurrence japonaise, tout comme la fiabilité. N'empêche, la 300 aura été la meilleure voiture construite par Chrysler depuis longtemps. Souhaitons que le parrainage de Fiat puisse produire d'aussi bons véhicules.

(5) FICHE TECHNIQUE

• MOTEURS

• (Limited, Touring, Touring AWD)

V6 3,5 l SACT, 250 ch à 6400 tr/min
Couple 250 lb-pi à 3800 tr/min
Transmission base automatique à 4 rapports, Touring automatique à 5 rapports avec mode manuel
0-100 km/h 8,9 s AWD 9,5 s
Vitesse maximale 210 km/h

• (C, C AWD)

V8 5,7 l ACC, 359 ch à 5150 tr/min
Couple 389 lb-pi à 4250 tr/min
Transmission automatique à 5 rapports avec mode manuel
0-100 km/h 6,3 s AWD 6,8 s
Vitesse maximale 240 km/h
Consommation (100 km) 11,3 l (octane 89)
Émissions de CO_2 5424 kg/an
Litres par année 2260 l **Coût par an** 2260 $
Empreinte écologique 33 arbres

• (SRT8)

V8 6,1 l ACC 425 ch à 6000 tr/min
Couple 420 lb-pi à 4800 tr/min
Transmission automatique à 5 rapports avec mode manuel
0-100 km/h 5,3 s **Vitesse maximale** 250 km/h
Consommation (100 km) 13,6l (octane 91)
Émissions de CO_2 6528 kg/an
Litres par année 2720 l **Coût par an** 2992 $
Empreinte écologique 40 arbres

• AUTRES COMPOSANTES

Sécurité active freins ABS, répartition électronique de force de freinage, assistance au freinage, antipatinage, contrôle de stabilité électronique
Suspension avant/arrière indépendante
Freins avant/arrière disques
Direction à crémaillère, assistée
Pneus 300/Touring P215/65R17 **Limited/300C** P225/60R18 **SRT8** P245/40R20 (av.), P255/45R20 (ar.)

• DIMENSIONS

Empattement 3048 mm emp. long 3200 mm
Longueur 4999 mm emp. long 5151 mm
Largeur 1881 mm
Hauteur 1483 mm **SRT8** 1471 mm
Poids 300 1683 kg **Touring** 1708 kg **Touring AWD** 1829 kg **Touring emp.** long 1754 kg **300C** 1844 kg **300C AWD** 1938 kg **300C emp. long** 1890 kg **SRT8** 1888 kg
Diamètre de braquage 11,8 m
Coffre 441 l
Réservoir de carburant 68 l **AWD** 72 l

NOTRE VERDICT

Plaisir au volant
Qualité de finition
Consommation
Rapport qualité/prix
Valeur de revente

PT CRUISER

www.chrysler.ca

N — ÉVOLUTION — É — J

22 195 $
transport et préparation: 1400 $

LA COTE VERTE

AVEC MOTEUR L4 DE 2.4 L

- **Consommation (100km):** **man.** 8,7 l **auto** 9,6 l
- **Émissions polluantes CO_2 :** **man.** 4224 kg/an **auto.** 4656 kg/an
- **Empreinte écologique (nombre d'arbres à planter par année):** 25
- **Indice d'octane:** 87
- **Autre motorisation:** non
- **Coût du carburant moyen par année:** **man.** 1760 $ **auto.** 1940 $
- **Nombre de litres par année:** **man.** 1760 l **auto.** 1940 l

(source: ÉnerGuide)

1 FICHE D'IDENTITÉ

- **Versions** LX
- **Roues motrices** avant
- **Portières** 4 **Nombres de passagers** 5
- **Première génération** 2001
- **Génération actuelle** 2001
- **Construction** Toluca, Mexique
- **Sacs gonflables** 4 (frontaux, latéraux)
- **Concurrence** Chevrolet HHR, Ford Focus, Mazda3 Sport, Pontiac Vibe, Subaru Impreza familiale, Suzuki SX4, Toyota Matrix, Volkswagen Jetta familiale

2 AU QUOTIDIEN

- **Prime d'assurance**
  25 ans: 1500 à 1700 $
  40 ans: 1000 à 1100 $
  60 ans: 800 à 1000 $
- **Collision frontale** 3/5
- **Collision latérale** 4/5
- **Ventes du modèle de l'an dernier**
  Au Québec 539 **Au Canada** 2634
- **Dépréciation** (3 ans) 72,3 %
- **Rappels** (2004 à 2009) 4
- **Cote de fiabilité** 3/5

3 GARANTIES... ET PLUS

- **Garantie générale** 3 ans/60 000 km
- **Garantie motopropulseur** 5 ans/100 000 km
- **Perforation** 5 ans/160 000 km
- **Assistance routière** 5 ans/100 000 km
- **Nombre de concessionnaires**
  Au Québec 94 **Au Canada** 439

4 NOUVEAUTÉS EN 2010

- aucun changement majeur

EMPORTE-MOI !

PAR BENOIT CHARETTE

AU MILIEU DE L'ANNÉE 2009, CHRYSLER ANNONCE QU'ELLE ÉLIMINE LA PT CRUISER DE SON PARC DE VÉHICULE POUR FINALEMENT SE RAVISER QUELQUES SEMAINES PLUS TARD. Beaucoup de gens m'ont demandé si Chrysler n'était pas tombée sur la tête parce qu'elle gardait cette voiture vieillissante sur la route. Il est vrai que les dirigeants de Fiat avaient d'abord pris la décision d'éliminer le modèle qui avait besoin d'une refonte; et Fiat n'avait tout simplement pas d'argent pour redessiner un nouveau modèle. Ensuite, ils ont considéré la chose d'un point de vue commercial. Bon an, mal an, Chrysler vend plus de 50 000 PT Cruiser aux États-Unis et environ 3000 au Canada. Les coûts de production de la voiture sont très bas en raison de la main-d'œuvre mexicaine. De plus, cette voiture n'a pas véritablement changé depuis son introduction sur le marché en 2001; donc, les coûts pour l'outillage sont payés depuis belle lurette. Au chapitre de la publicité, il y a bien longtemps que j'ai vu ou lu une réclame sur la voiture. En résumé, cette voiture ne coûte pratiquement plus rien à produire, et l'entreprise a vendu près de 50 910 exemplaires l'an dernier; alors ce modèle est profitable, un mot assez rare chez les constructeurs américains depuis un an. Fiat a donc décidé de conserver le véhicule sur la route, et ce, tant et aussi longtemps qu'il y aura des acheteurs.

[CARROSSERIE] Grâce à son format et à son moteur peu gourmand, la PT Cruiser répond à un besoin en ce moment, celui de fournir une petite voiture au marché. Ce n'est pas avant 2011 que Fiat pourra amener ses propres modèles en sol américain. Il faut donc travailler avec les modèles existants d'ici là. Pour ce qui est du produit, vous faites simplement un copier-coller avec l'an dernier. La même bouille rétro qui est arrivée à l'automne 2000 revient pour 2010.

[HABITACLE] La PT Cruiser, qui n'a pas changé depuis son lancement en 2001, offre un certain nombre d'avantages, dont la fiabilité. Je sais, les mots fiabilité et Chrysler se retrouvent rarement dans la même phrase, mais après neuf ans, Chrysler a appris comment fabriquer une PT

+ FORCES • Fiabilité en hausse • Format pratique et généreux • Espace de chargement bien pensé

− FAIBLESSES • Conduite peu inspirée • Assise un peu droite

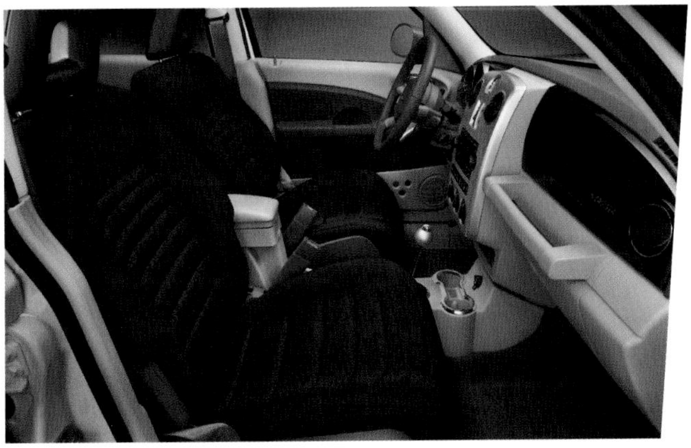

PT CRUISER

Cruiser fiable; et la dernière étude de J.D Power sur la qualité initiale du produit place la PT Cruiser ex-æquo avec la Honda CR-V dans la catégorie des petits véhicules multisegments. À défaut d'être cossu, l'habitacle offre une finition de bonne qualité et des matériaux qui vous donneront une bonne espérance de vie.

[MÉCANIQUE] Un seul moteur toujours au programme, le 4-cylindres de 2,4 litres de 150 chevaux jumelé à une boîte de vitesses manuelle à 5 rapports ou à une automatique à 4 rapports. Votre consommation moyenne se situera entre 8,5 et 9,5 litres aux 100 kilomètres; pas mal, mais rien d'exceptionnel. J'ai une préférence pour la boîte manuelle qui offre une meilleure communion avec le moteur.

[COMPORTEMENT] Au fil des ans, le fabricant a été capable de resserrer les boulons et de faire de la PT un véhicule plus agréable à utiliser. L'apparition de joints renforcés autour des portes et des vitres de même que la présence accrue de matériaux isolants depuis quelques années permet une réduction des nuisances sonores de près de cinq décibels dans l'habitacle. L'environnement de conduite est plus silencieux. Il est clair que vous n'êtes pas au volant d'une sous-compacte japonaise, mais les problèmes de fiabilité sont à toute fins utiles une histoire du passé. Ma dernière randonnée sous le ciel azure de la Californie s'est révélée tout à fait agréable. Une conduite un peu terne, mais cette voiture fait bien son boulot.

[CONCLUSION] Depuis plusieurs mois, il est possible de se procurer une PT Cruiser qui vaut habituellement plus de 22 000$ pour environ 17 000 $. Vous pourrez même obtenir un taux de financement à 0 % pour cinq ans, et la voiture est devenue fiable au fil des ans. Si vous êtes un fin négociateur, vous arriverez peut-être à faire mieux. À ce prix-là, c'est une occasion à ne pas rater.

2e OPINION

PHILIPPE LAGUË La PT Cruiser est issue du courant néo-rétro qui a aussi engendré les New Beetle, MINI Cooper ainsi que les défuntes Thunderbird et Prowler, pour ne nommer qu'elles. Malgré son âge vénérable (9 ans !), la PT Cruiser demeure pertinente, et ses lignes rétro lui ont justement évité de se démoder. Véhicule de niche, elle n'a qu'une seule véritable concurrente, la Chevrolet HHR; et encore, il s'agit d'une copie quasi conforme, réalisée par le même styliste (Brian Nesbitt), débauché par GM. Fiable, pratique et atypique, la PT Cruiser reste l'un des modèles les plus intéressants de la gamme Chrysler; beaucoup plus que la Caliber, même si cette dernière est de conception beaucoup plus récente. Chrysler devrait y penser deux fois avant de la mettre au rancart.

5 FICHE TECHNIQUE

- **MOTEUR**
- **(LX)**

L4 2,4 l DACT, 150 ch à 5100 tr/min
Couple 165 lb-pi à 4000 tr/min
Transmission manuelle à 5 rapports, automatique à 4 rapports (option)
0-100 km/h 10,5 s
Vitesse maximale 175 km/h

- **AUTRES COMPOSANTES**

Sécurité active freins ABS (option)
Suspension avant/arrière indépendante
Freins avant/arrière disques/tambours
Direction à crémaillère, assistée
Pneus P195/65R15, P205/55R16 (option)

- **DIMENSIONS**

Empattement 2616 mm
Longueur 4920 mm
Largeur 1705 mm
Hauteur 1600 mm
Poids 1392 kg
Diamètre de braquage 11,2 m
Coffre 612 l, 1775 l (sièges abaissés)
Réservoir de carburant 57 l

NOS MENTIONS

Modèle recommandé

NOTRE VERDICT

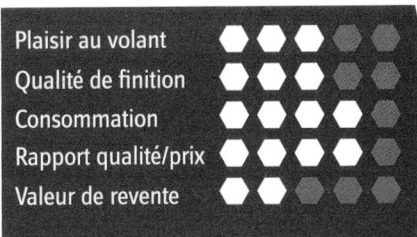

Plaisir au volant
Qualité de finition
Consommation
Rapport qualité/prix
Valeur de revente

TOWN & COUNTRY

www.chrysler.ca

N ÉVOLUTION É J

37 645 $ à 43 745 $
transport et préparation: 1400 $

LA COTE VERTE

AVEC MOTEUR V6 DE 4,0 L

- **Consommation** (100km): octane 10,5 l
- **Émissions polluantes CO_2** : essence 4944 kg/an
- **Empreinte écologique (nombre d'arbres à planter par année):** 29
- **Indice d'octane:** 87
- **Autre motorisation:** non
- **Coût du carburant moyen par année:** 2060 $
- **Nombre de litres par année:** essence 2060 l

(source: ÉnerGuide)

1 FICHE D'IDENTITÉ

- **Versions** LX, Touring, Limited
- **Roues motrices** avant
- **Portières** 4 **Nombre de passagers** 7
- **Première génération** 1989
- **Génération actuelle** 2008
- **Construction** St. Louis, Missouri, É.-U.; Windsor, Ontario, Canada
- **Sacs gonflables** 4 (frontaux, rideaux latéraux)
- **Concurrence** Honda Odyssey, Hyundai Entourage, Kia Sedona, Nissan Quest, Toyota Sienna

2 AU QUOTIDIEN

- **Prime d'assurance**
  25 ans: 1600 à 1800 $
  40 ans: 1100 à 1300 $
  60 ans: 800 à 1000 $
- **Collision frontale** 5/5
- **Collision latérale** 5/5
- **Ventes du modèle de l'an dernier**
  Au Québec 828 **Au Canada** 4865
- **Dépréciation** (3 ans) 53,3 %
- **Rappels** (2004 à 2009) aucun
- **Cote de fiabilité** 3,5/5

3 GARANTIES... ET PLUS

- **Garantie générale** 3 ans/60 000 km
- **Garantie motopropulseur** 5 ans/100 000 km
- **Perforation** 5 ans/160 000 km
- **Assistance routière** 5 ans/100 000 km
- **Nombre de concessionnaires**
  Au Québec 94 **Au Canada** 439

4 NOUVEAUTÉS EN 2010

- Appuie-tête actif à l'avant
- Indicateur d'économie de carburant de série

PRIX AU PIÈGE

PAR DANIEL RUFIANGE

EN VOILÀ UNE QUI AURA FORT À FAIRE POUR JUSTIFIER SA PRÉSENCE DANS CE MARCHÉ D'APRÈS-CRISE. La Town & Country n'est pas dénuée de qualités, mais tant qu'à offrir aux gens fortunés un clone de la Grand Caravan, faudrait y mettre toute la gomme; c'est à peine plus que du bonbon.

[CARROSSERIE] Les airs de famille sont frappants, mais le faciès de la Town & Country se veut plus élégant que celui de sa cousine. Cependant, rien pour sentir son souffle coupé; c'est une familiale au sens le plus pur du terme. Trois versions sont offertes soit la LX, la Touring et la Limited. Seule la dernière peut se targuer d'en offrir vraiment plus. Sa facture aussi en offre malheureusement plus !

[HABITACLE] À bord, confort et petites attentions font loi. Les baquets de cuir de la version Limited sont confortables même si les passagers de la deuxième banquette apprécieraient de meilleurs sièges. L'espace est généreux partout. Par contre, la belle présentation jette de la poudre aux yeux; la qualité des matériaux et de leur assemblage est très inégale. Et que dire de la console centrale; Fisher Price fabrique des jouets plus résistants.

[MÉCANIQUE] Chaque version profite de son propre moteur. La version Limited est mue par un moteur V6 de 4 litres bon pour 251 chevaux. Ce dernier offre un rendement adéquat, mais manque nettement de souplesse. La version de base hérite d'un V6 de 3,3 litres de 175 chevaux, engin moins performant qui ne devrait même pas figurer au catalogue. Pire encore, il s'accompagne d'une boîte automatique à 4 rapports. La version Touring profite d'un engin unique au modèle, un V6 de 3,8 litres de 197 chevaux; un compromis de moindre mal !

[COMPORTEMENT] La douceur de roulement est certes la grande qualité de la Town & Country. La suspension gagnerait à être un brin plus ferme. L'insonorisation demeure perfectible, mais, dans l'ensemble, on apprécie les randonnées.

[CONCLUSION] Pleine de qualités, la Town & Country a un défaut de taille; son prix. Plus de 45 000 $ pour une version Limited, c'est une insulte.

FORCES • Confort et douceur de roulement • Glaces des portières coulissantes qui s'ouvrent électriquement • Espace généreux

FAIBLESSES • Qualité de finition qui laisse à désirer • Moteurs qui manquent de souplesse • Prix indécent une fois équipé

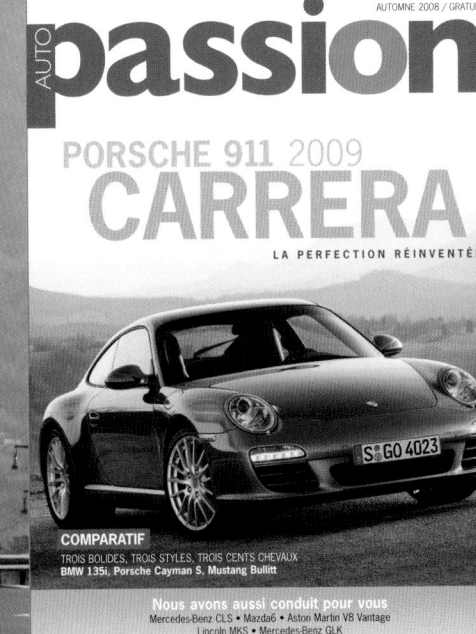

SEBRING

www.chrysler.ca

N ÉVOLUTION É J

23 695 $ à 44 070 $
transport et préparation: 1400 $

LA COTE VERTE

AVEC MOTEUR L4 DE 2,4 L

- **Consommation (100km):** 8,2
- **Émissions polluantes CO_2 :** 3984 kg/an
- **Empreinte écologique (nombre d'arbres à planter par année):** 24
- **Indice d'octane:** 87
- **Autre motorisation:** non
- **Coût du carburant moyen par année:** 1660 $
- **Nombre de litres par année:** 1660 l

(SOURCE: ÉnerGuide)

1 FICHE D'IDENTITÉ

- **Versions** berline, LX,Touring, Limited; cabriolet LX, Touring, Limited
- **Roues motrices** avant
- **Portières** 2, 4 **Nombre de Passagers** 4 ou 5
- **Première génération** 1995
- **Génération actuelle** 2007
- **Construction** Sterling Heights, Michigan, É.-U.
- **Sacs gonflables** 6 (frontaux, latéraux avant, rideaux latéraux)
- **Concurrence** Chevrolet Malibu, Ford Fusion, Honda Accord, Hyundai Sonata, Kia Magentis, Mazda6, Mitsubishi Galant, Nissan Altima, Subaru Legacy, Toyota Camry

2 AU QUOTIDIEN

- **Prime d'assurance**
  25 ans: 1400 à 1600 $
  40 ans: 1000 à 1100 $
  60 ans: 800 à 1000 $
- **Collision frontale** 5/5
- **Collision latérale** 4/5
- **Ventes du modèle de l'an dernier**
  Au Québec 2490 **Au Canada** 10 004
- **Dépréciation (2 ans)** 54,8%
- **Rappels** (2004 à 2009) 10
- **Cote de fiabilité** 2,5/5

3 GARANTIES... ET PLUS

- **Garantie générale** 3 ans/60 000 km
- **Garantie motopropulseur** 5 ans/100 000 km
- **Perforation** 5 ans/160 000 km
- **Assistance routière** 5 ans/100 000 km
- **Nombre de concessionnaires**
  Au Québec 90 **Au Canada** 400

4 NOUVEAUTÉS EN 2010

- Aucun changement majeur

DISPARU DES RADARS

PAR JEAN-PIERRE BOUCHARD

LA SEBRING NE CROULE PAS SOUS LES ÉLOGES DEPUIS SON ARRIVÉE SUR LE MARCHÉ. Et la plus récente génération lancée en 2007 non plus. La voiture fait surtout partie de celles qui prennent le chemin des entreprises de location. Car elle n'a pas ce qu'il faut pour tirer véritablement son épingle du jeu dans une catégorie qui réunit des voitures franchement plus intéressantes.

[CARROSSERIE] Il est de bon ton pour certains critiques en matière d'automobiles de trouver la voiture plus ou moins jolie, sinon laide. Quand on regarde ce que fait la concurrence américaine, la Chevrolet Malibu et la Ford Fusion, par exemple, ou la concurrence japonaise, la Mazda6, par exemple, il est en effet difficile de voir la valeur ajoutée d'un tel produit. Même la Toyota Camry suscite plus d'enthousiasme. Le cabriolet fait toutefois meilleure figure et, pour le prix demandé, présente un certain intérêt pour les consommateurs qui aiment rouler à ciel ouvert.

[HABITACLE] La présentation intérieure est de belle facture. Par contre, les plastiques de mauvaise qualité sont omniprésents, et leur assemblage peut varier d'une voiture à l'autre. Force est toutefois d'admettre que Chrysler a grandement amélioré la rigueur de construction de ses véhicules au cours des dernières années. Selon une récente étude menée par la firme JD Power, il fera même mieux que Mazda, Nissan ou Volvo, notamment. Mais, quand on compare l'ensemble au souci du détail de la finition d'une Hyundai Sonata, par exemple, on perçoit rapidement la différence. Les sièges avant sont trop fermes pour être vraiment confortables. En réalité, certains conducteurs les trouveront tout simplement inconfortables, en particulier en raison de la protubérance qui presse sur les lombaires. Le dégagement pour les jambes et la tête est toutefois bon. L'instrumentation est facile à consulter, et les commandes sont à portée de la main. De plus, le volant inclinable et télescopique sur toutes les versions facilite la recherche d'une bonne position de conduite. Le dessin de la carrosserie fait en sorte de réduire la visibilité latérale arrière. La banquette procure un confort moyen pour deux personnes. L'étroitesse

FORCES • Choix de motorisations • Rendement du V6 de 3,5 L • Douceur de roulement

FAIBLESSES • Bruits de route • Comportement routier ordinaire • Confort des sièges

SEBRING

de l'ouverture du coffre complique par ailleurs le chargement de certains objets comme une grosse boîte. Les dossiers sont toutefois rabattables dans une proportion de 60/40 et, sur les versions Touring et Limited, le dossier du siège du passager avant se replie à plat pour faciliter le transport d'objets plus longs.

[MÉCANIQUE] D'entrée de jeu, la voiture est équipée d'un 4-cylindres de 2,4 litres qui n'est pas dépourvu d'entrain. Mais la plupart des concurrentes font un peu mieux au moment d'accélérer et de dépasser. Il est également bruyant quand on le sollicite plus vigoureusement. De plus, il n'est associé qu'à une boîte de vitesses automatique à 4 rapports, alors que la concurrence offre presque toute des boîtes à 5 ou à 6 rapports. Le V6 de 2,7 litres est un peu plus puissant, sans véritablement offrir davantage que les 4-cylindres de la concurrence. En revanche, il est associé à une boîte automatique à 6 rapports. Le V6 de 3,5 litres et la boîte automatique à 6 rapports forment enfin un tandem plus moderne qui permet à la Sebring d'assurer des performances beaucoup plus vives, tout en affichant une consommation de carburant raisonnable.

[COMPORTEMENT] L'intermédiaire mise surtout sur la douceur de roulement, sur les beaux pavés. La fermeté de la suspension entraîne toutefois des secousses beaucoup plus senties que la fermeté des sièges amplifie. L'habitacle gomme également mal les bruits de roulement. La Sebring n'est pas particulièrement agile. Elle apprécie davantage une conduite plus tranquille. Lacune importante, la version LX n'est pas dotée du contrôle de la stabilité du véhicule.

[CONCLUSION] Malgré quelques qualités, dont un prix de base avantageux une fois les rabais inclus, la Sebring n'est pas l'intermédiaire qui en offre le plus pour son prix. Car pour livrer bataille à des berlines établies, le constructeur n'a d'autres choix que d'offrir une voiture dont l'ensemble suscite davantage d'enthousiasme. Ce qui n'est pas le cas de sa voiture.

2e OPINION

DANIEL RUFIANGE Outre un prix concurrentiel et une douceur de roulement fort appréciable, j'ai de la difficulté à doter la Sebring de qualificatifs flatteurs. Mon aversion pour ce modèle commence avec son design qui manque nettement d'harmonie. Cette voiture est laide, point à la ligne. À l'intérieur, on jouit de beaucoup d'espace, un argument qui a charmé de nombreuses entreprises de location.
La présentation intérieure fait dans la simplicité, et la qualité de l'ensemble laisse à désirer. Que souhaiter pour son avenir ? Disparaître ? Non car un simple regard du côté des ventes nous fait réaliser que ce modèle est rentable. La vraie solution passe par une refonte efficace qui donnera à la Sebring les outils nécessaires pour se mesurer à ses rivales.

(5) FICHE TECHNIQUE

- **MOTEURS**
- **(LX)**

L4 2,4 l DACT, 173 ch à 6000 tr/min
Couple 166 lb-pi à 4400 tr/min
Transmission automatique à 6 rapports
0-100 km/h 9,8 s **Vitesse maximale** 180 km/h

- **(TOURING ET LIMITED)**

V6 2,7 l DACT, 186 ch à 5500 tr/min
Couple 191 lb-pi à 4000 tr/min
Transmission automatique à 4 rapports
0-100 km/h 9,2 s **Vitesse maximale** 180 km/h
Consommation (100 km) 9,0 l (octane 87) 12,4 l (éthanol)
Émissions de CO_2 4416 kg/an (octane 87) 2540 kg/an (éthanol)
Litres par année 1840 l (octane 87) 2540 l (éthanol)
Coût par an 1840 $
Carburant alternatif Éthanol E85
Empreinte écologique 26 arbres

- **(LIMITED)**

V6 3,5 l SACT, 235 ch à 6400 tr/min
Couple 232 lb-pi à 4000 tr/min
Transmission automatique à 6 rapports avec mode manuel
0-100 km/h 7,7 s **Vitesse maximale** 210 km/h
Consommation (100 km) 10,2 l (octane 87)
Émissions de CO_2 4992 kg/an
Litres par année 2080 l
Coût par an 2080$
Carburant alternatif non
Empreinte écologique 30 arbres

- **AUTRES COMPOSANTES**

Sécurité active freins ABS, assistance au freinage, antipatinage, contrôle de stabilité électronique
Suspension avant/arrière indépendante
Freins avant/arrière disques, tambours (disques en option)
Direction à crémaillère, assistée
Pneus LX P215/65R16 **Touring** P215/60R17 **Limited** P215/55R18

- **DIMENSIONS**

Empattement 2765 mm
Longueur 4842 mm **cabrio.** 4922 mm
Largeur 1808 mm **cabrio.** 1816 mm
Hauteur 1498 mm **cabrio.** 1485 mm
Poids berl. LX 1501 kg **Touring** 1552 kg **Limited** 1599 kg **Limited AWD** 1677 kg **cabrio. LX** 1697 kg **Touring** 1745 kg **Limited** 1796kg
Diamètre de braquage 11,1 m
Coffre 390 l **cabrio.** 370 l, 186 l (toit replié)
Réservoir de carburant 64 l

NOS MENTIONS

Modèle recommandé
Coup de coeur

NOTRE VERDICT

Plaisir au volant	●●●●○
Qualité de finition	●●●●●
Consommation	●●●●○
Rapport qualité/prix	●●●●○
Valeur de revente	Nm

CALIBER

www.dodge.ca

N ÉVOLUTION É J

16 495 $ à 18 795 $
transport et préparation: 1400 $

LA COTE VERTE

AVEC MOTEUR L4 DE 1,8 L

- **Consommation (100km):** 7,5 l
- **Émissions polluantes CO_2:** 3648 kg/an
- **Empreinte écologique (nombre d'arbres à planter par année):** 21
- **Indice d'octane:** 87
- **Autre motorisation:** non
- **Coût du carburant moyen par année:** 1520 l
- **Nombre de litres par année:** 1520 l

(SOURCE: ÉnerGuide)

1 FICHE D'IDENTITÉ

- **Versions** SE, SXT
- **Roues motrices** avant, 4
- **Portières** 4 **Nombre de passagers** 5
- **Première génération** 2007
- **Génération actuelle** 2007
- **Construction** Belvidere, Illinois, É.-U.
- **Sacs gonflables** 4 (frontaux et rideaux latéraux, latéraux avant en option)
- **Concurrence** Chrysler PT Cruiser, Ford Focus, Mazda3 Sport, Nissan Versa, Pontiac Vibe, Subaru Impreza familiale, Suzuki SX4, Toyota Matrix, Volkswagen Golf

2 AU QUOTIDIEN

- **Prime d'assurance**
  25 ans: 1900 à 2100 $
  40 ans: 900 à 1100 $
  60 ans: 600 à 800 $
- **Collision frontale** 5/5
- **Collision latérale** 5/5
- **Ventes du modèle de l'an dernier**
  Au Québec 4801 **Au Canada** 19 544
- **Dépréciation** (2 an) 51,9%
- **Rappels** (2004 à 2009) 3
- **Cote de fiabilité** 4/5

3 GARANTIES... ET PLUS

- **Garantie générale** 3 ans/60 000 km
- **Garantie motopropulseur** 5 ans/100 000 km
- **Perforation** 5 ans/160 000 km
- **Assistance routière** 5 ans/100 000 km
- **Nombre de concessionnaires**
  Au Québec 94 **Au Canada** 439

4 NOUVEAUTÉS EN 2010

- Modèle SRT4 retiré
- Rétroviseurs extérieur chauffant (SXT)

PAS DE CALIBRE

PAR DANIEL RUFIANGE

DANS UN CRÉNEAU QUI COMPTE DES TÉNORS TELS LA MAZDA3, LA NISSAN VERSA ET LA TOYOTA MATRIX, UN CONSTRUCTEUR DOIT PROPOSER UN PRODUIT DE QUALITÉ POUR ESPÉRER GRIGNOTER DES PARTS DE MARCHÉ ET ÉBRANLER LA SOUVERAINETÉ DE SES CONCURRENTS. Malheureusement, Dodge fait chou blanc avec sa Caliber. Cette voiture présente beaucoup trop de défauts pour effrayer personne. J'ajouterais même qu'il faut être solidement culotté pour exiger tant pour un produit qui devrait se vendre quelques milliers de dollars de moins. Vivement une prochaine génération de meilleure qualité.

[CARROSSERIE] Les lignes de la Caliber respectent la philosophie derrière celles d'un Honda Element ou d'un Ford Flex; leur unicité plait ou déplaît. Remarquez que ce n'est pas mauvais en soi. D'aucun ne critiqueront l'effort stylistique déployé par Dodge. Malheureusement, le départ de la version SRT4 et ses protubérances – passages de roues, capot avec prise d'air, roues de 19 pouces – élimine le seul modèle qui suscitait une émotion en moi. Les trois autres versions – SE, SXT et SXT Sport Plus – présentent des mines plus discrètes. Seul l'ajout de moulures chromées sur la variante SXT constitue une modification d'ordre esthétique pour 2010. On remarquera aussi les formes élevées de la Caliber. Les avantages en découlant sont un espace de chargement accru ainsi qu'une assise de conduite plus élevée. En contrepartie, la tenue de route en souffre car le centre de gravité n'est pas où nous le souhaiterions.

[HABITACLE] Sans espérer être ébloui par l'habitacle d'un véhicule de ce prix, on s'attend à un minimum respectant les standards de qualité d'aujourd'hui. La Caliber échoue le test. L'habitacle fait très bon marché et l'assemblage laisse à désirer. Sur la route, les craquements réussissent à se faire entendre malgré une insonorisation couci-couça. Côté confort, il fallait opter pour une version SRT4 pour profiter de baquets plus confortables car ceux des versions de base sont certains de vous mener directement chez l'ostéopathe. On nous promet un intérieur rafraîchi pour 2010;

+ −

FORCES • Fiabilité à la hausse • Espace de chargement

FAIBLESSES • Qualité générale de l'habitacle • Tenue de route capricieuse • Mauvais rapport qualité/prix • Motorisations décevantes

CALIBER

soyons prudent ! L'attrait principal du Caliber demeure l'espace de chargement arrière. Dodge nous avait bien vanté les mérites du Music Gate Power et du Chill Zone – système de son intégré au hayon arrière et compartiment réfrigéré dans le coffre à gants – mais vous achèteriez sérieusement une Caliber pour embêter le voisinage en écoutant un système de son qui sonne la canne tout en buvant quelques bouteilles d'eau à peine refroidies par une journée de canicule. Allons...

[MÉCANIQUE] Dodge offre deux motorisations. Le problème, c'est qu'aucune ne se montre vraiment satisfaisante. Les versions SE, SXT et SXT Sport Plus héritent d'un anémique moteur 4 cylindres de 1,8 litre qui souffre en terme de puissance et de couple. Il a la vertu de s'accompagner d'une boîte manuelle à cinq vitesses correcte. Le deuxième engin, en option sur les modèles mentionnés, est aussi un 4-cylindres, de 2,0 litres celui-là, proposant 158 chevaux pour 142 livres-pieds de couple. S'il se montre plus intéressant que le premier, il a le défaut d'être guidé par une horrible boîte CVT. Le moteur le plus intéressant disparaît. L'engin qui animait la version SRT4, avec ses 285 chevaux et 265 livres-pieds de couple, donnait du tonus à cette bagnole mais était beaucoup trop puissant pour les capacités du châssis de cette voiture.

[COMPORTEMENT] La conduite d'une Caliber n'est pas une expérience sensorielle intéressante. D'abord, la visibilité n'est pas très bonne; on voit mieux dans un sous-marin ! Toutes les versions s'avèrent ennuyeuses à piloter. Suffit d'emprunter une route cahoteuse pour comprendre les limites de cette voiture; la concurrence offre mieux. C'est dommage car la voiture demeure pratique et polyvalente

[CONCLUSION] En toute conscience, je ne recommande pas l'achat de cette voiture. Oui, elle vous mènera du point A au point B mais puisque la concurrence offre mieux et souvent à meilleur prix, l'équation est simple à faire. Heureusement. Dodge peut toujours corriger le tir lors de la prochaine refonte.

2e OPINION

PHILIPPE LAGUË Pour comprendre les déboires de Chrysler des dernières années, il n'existe pas de meilleure illustration que la Dodge Caliber. Si les dirigeants du troisième constructeur américain ont vraiment cru pouvoir concurrencer les marques japonaises et coréennes avec une atrocité pareille, ils méritaient de faire faillite. Pire, la Caliber ne constitue même pas une menace pour ses rivales américaines (Cobalt et Focus). Pourtant, on partait d'une bonne idée : faire quelque chose de différent dans la catégorie des compactes en jouant la carte de la polyvalence (hayon, transmission intégrale en option). Mais c'est dans l'exécution que ça s'est gâté : handicapée par ses moteurs rugueux, lents et bruyants ainsi que par une finition des années 80, la Caliber n'a jamais été dans le coup. Et Chrysler a continué à s'enfoncer...

5 FICHE TECHNIQUE

• MOTEURS

• (SE, SXT)

L4 1,8 l DACT, 148 ch à 6500 tr/min
Couple 125 lb-pi à 5200 tr/min
Transmission manuelle à 5 rapports
0-100 km/h 10,7 s **Vitesse maximale** 185 km/h

• (option, SE et SXT)

L4 2,0 l DACT, 158 ch à 6400 tr/min
Couple 141 lb-pi à 5000 tr/min
Transmission automatique à variation continue
0-100 km/h 10,8 s **Vitesse maximale** 185 km/h
Consommation (100 km) 8,2 l (octane 87)
Émissions de CO_2 3984 kg/an
Litres par année 1660 l **Coût par an** 1660 $
Empreinte écologique 24 arbres
Direction à crémaillère, assistée
Pneus SE P205/70R15 **SXT** P215/60R17

• DIMENSIONS

Empattement 2635 mm
Longueur 4414 mm **Largeur** 1747 mm
Hauteur 1533 mm
Poids SE 1345 kg **SXT** 1378 kg
Diamètre de braquage SE/SXT 10,8 m
Coffre 524 l, 1360 l (sièges abaissés)
Réservoir de carburant SE/SXT 4RM 51,1 l

NOTRE VERDICT

Plaisir au volant
Qualité de finition
Consommation
Rapport qualité/prix
Valeur de revente

CHALLENGER

www.dodge.ca

N · ÉVOLUTION · É · J

25 995 $ à 46 295 $
transport et préparation: 1400 $

LA COTE VERTE

AVEC MOTEUR V6 DE 3,5 L

- **Consommation (100km):** 10,3 l
- **Émissions polluantes CO_2 :** 4944 kg/an
- **Empreinte écologique (nombre d'arbres à planter par année):** 30
- **Indice d'octane:** 89
- **Autre motorisation:** non
- **Coût du carburant moyen par année:** 2060 $
- **Nombre de litres par année:** 2060 l

(SOURCE: ÉnerGuide)

1 FICHE D'IDENTITÉ

- **Versions** SE, SXT, R/T, SRT8
- **Roues motrices** arrière
- **Portières** 4 **Nombre de passagers** 4
- **Première génération** 2009
- **Génération actuelle** 2009
- **Construction** Brampton, Ontario, Canada
- **Sacs gonflables** 2 (frontaux; latéraux avant et rideaux latéraux en option)
- **Concurrence** Chevrolet Camaro, Ford Mustang, Nissan 370 Z, Infiniti G37 coupé

2 AU QUOTIDIEN

- **Prime d'assurance**
  25 ans: 1900 à 2100 $
  40 ans: 1100 à 1300 $
  60 ans: 900 à 1100 $
- **Collision frontale** 5/5
- **Collision latérale** 5/5
- **Ventes du modèle de l'an dernier**
  Au Québec 286 **Au Canada** 1631
- **Dépréciation** (1 an) 17,4%
- **Rappels** (2004 à 2009) 2
- **Cote de fiabilité** 3/5

3 GARANTIES... ET PLUS

- **Garantie générale** 3 ans/60 000 km
- **Garantie motopropulseur** 5 ans/100 000 km
- **Perforation** 5 ans/160 000 km
- **Assistance routière** 5 ans/100 000 km
- **Nombre de concessionnaires**
  Au Québec 94 **Au Canada** 439

4 NOUVEAUTÉS EN 2010

- Transmission automatique à 5 rapports
- Programme ESP
- Indicateur d'économie d'essence

L'ENFANT PRODIGE

PAR FRANCIS BRIÈRE

LES NOSTALGIQUES DE VOITURES MUSCLÉES DES ANNÉES 1970 SONT COMBLÉS. En effet, Dodge a mis sur le marché sa Challenger, Ford a revu sa Mustang pour la cuvée 2010, et GM revient avec une nouvelle Camaro. Les amateurs du genre ont le choix. Pour avoir comparé la version 2009 avec une Challenger d'origine complètement remise à neuf, je peux affirmer que la mise à jour a valu la peine. Bien entendu, on a recréé une légende avec la technologie et les matériaux d'aujourd'hui. Une bagnole d'antan au goût du jour !

[CARROSSERIE] La Challenger 2010 a conservé l'essentiel de la carcasse d'origine. La devanture et l'arrière du véhicule ont été redessinés, mais on en reconnaît les origines. Son allure rétro conserve tout le charme de cette voiture qui a marqué l'histoire de l'automobile en Amérique. Dodge a fait exprès d'offrir une livrée de couleur orange. Quelle allure menaçante, arrogante !

[HABITACLE] Évidemment, il diffère de l'habitacle du modèle d'origine. En version SRT8, la Challenger propose des sièges de qualité, enveloppants à souhait et confortables du même coup. La conception de l'habitacle demeure relativement terne. Le résultat fait contraste avec les lignes de la carrosserie. Les commandes de la planche de bord sont simples et efficaces. En revanche, la taille du volant agace un peu : il pourrait être réduit du quart au moins. Si les occupants prennent place à l'avant dans le plus grand confort, c'est une autre histoire à l'arrière.

[MÉCANIQUE] Pour faire avancer cette lourde carcasse, Chrysler a prévu un V6 de 3,5 litres pour les modèles SE et SXT, un V8 de 5,7 litres pour le R/T et un V8 de 6,1 litres pour le SRT8. On passe ainsi de 250 à 425 chevaux, selon de la livrée. Autre bonne idée : la boîte de vitesses manuelle à 6 rapports est offerte pour les modèles R/T et SRT8. Quant à apprécier le genre, aussi bien opter pour un V8 qui ne peut que rendre justice à ce bolide masculin au possible. De plus, je choisis la boîte manuelle, puisque la boîte automatique est un anachronisme en soi. Le freinage convient, mais il pourrait être amélioré, surtout si l'on

FORCES • Gueule musclée • Confort • Puissance (SRT8)

FAIBLESSES • Consommation de carburant • Intérieur ennuyeux

considère le poids important du véhicule (plus de 1700 kilos !).

[COMPORTEMENT] Je l'ai souvent répété, il ne faut pas croire que la Challenger est une voiture sportive. Son comportement rappelle celui des grandes berlines sous-vireuses. Il s'agit plutôt d'une routière hors pair et d'un « muscle car » capable d'arracher l'asphalte aux intersections. Vous avez tout le loisir d'inscrire de beaux cercles noirs dans les cours d'école, de courser sur les boulevards aux petites heures du matin ou de défier un conducteur de Honda Civic Si aux feux de circulation. Je ne recommande pas ces pratiques, elles sont d'une autre époque, mais reste que le petit enfant encore enfoui en nous peut ressurgir rapidement au volant de ce genre de voiture. Freud en aurait pour son argent. En revanche, confortablement enlisée à 110 km/h sur l'autoroute, la Challenger devient un endroit où règne un silence mortuaire. Si vous bousculez le gros V8 et le faites sortir de ses gonds, vous avez droit à du grand Pavarotti ne serait-ce qu'un instant. La carcasse de la Challenger est suffisamment rigide pour assurer une tenue de route plus qu'adéquate. En revanche, son poids important et son centre de gravité élevé nous rappellent qu'il est préférable de négocier poliment les virages.

[CONCLUSION] Même si je ne fais pas partie de la génération des « boomers », je me paierais volontiers ce joujou. Évidemment, je ne pourrais me permettre de conduire cette seule voiture, il me faudrait posséder une voiture de tous les jours. En définitive, la Challenger correspond au fantasme de l'amateur de bolides musclés, le genre avec lequel on se fait plaisir en enfonçant l'accélérateur au plancher, question de faire monter l'adrénaline un peu. Elle a des défauts, certes, mais elle procure un plaisir intense, celui d'une convoitise dont les secrets se cachent sous un immense capot fluo !

2e OPINION

PHILIPPE LAGUË Le *timing*, comme disent les Français, n'aurait pu être plus mauvais : lancer une copie presque conforme d'un *muscle car* des années 70 alors que l'heure est aux préoccupations environnementales et que le prix du baril de pétrole joue au yo-yo... Avant même sa sortie, la Challenger faisait déjà figure d'anachronisme et la crise économique est venue enfoncer le dernier clou dans le cercueil. Cela dit, crise ou pas, cette voiture est une relique qui n'aurait jamais dû sortir du musée : grosse, lourde et pataude, elle est tout ce qu'une sportive ne devrait pas être. Pensez à un boxeur qu'on sort de la retraite et qui arrive dans le ring vieilli, avec un surplus de poids, devant un adversaire plus jeune, plus fringant et au sommet de sa forme. Le nom Challenger évoquait de beaux souvenirs ; en la ressuscitant, il aurait fallu l'adapter au XXIe siècle, comme Ford a su si bien le faire avec sa Mustang.

5 FICHE TECHNIQUE

· MOTEURS

· (SE/SXT)
V6 de 3,5 L SACT 250 ch. à 6400 tr/min
Couple 250 lb-pi à 3800 tr/min
Transmission automatique à 5 rapports
0-100 km/h 8,7 s
Vitesse maximale 210 km/h

· (R/T)
V8 5,7 l ACC, 372 ch (auto.) / 376 ch (man.) à 5150 tr/min Couple 410 lb-pi à 4300 tr/min
Transmission automatique à 5 rapports avec mode manuel, manuelle à 6 rapports (option)
0-100 km/h 5,9 s
Vitesse maximale 210 km/h
Consommation (100 km) 11,4 l (octane 89)
Émissions de CO_2 5328 kg/an
Litres par année 2200 l
Coût par an 2200 $
Autre motorisation: non
Empreinte écologique 34 arbres

· (SRT8)
V8 6,1 l ACC, 425 ch à 6000 tr/min
Couple 420 lb-pi à 4800 tr/min
Transmission automatique à 5 rapports avec mode manuel, manuelle à 6 rapports (option)
0-100 km/h 5,4 s
Vitesse maximale 250 km/h
Consommation (100 km) 13,7 l (octane 89)
Émissions de CO_2 6096 kg/an
Litres par année 2540 l
Coût par an 2794 $
Autre motorisation: non
Empreinte écologique 38 arbres

· AUTRES COMPOSANTES
Sécurité active freins ABS, répartition électronique de force de freinage, assistance au freinage, antipatinage, contrôle de stabilité électronique
Suspension avant/arrière indépendante
Freins avant/arrière disques
Direction à crémaillère, assistée
Pneus SE P215/65R17 **SXT** P225/60R18
R/T P235/55R18 **SRT8** P245/45ZR20 **(av.)**, P255/45ZR20 **(arr.)**

· DIMENSIONS
Empattement 2946 mm
Longueur 5021 mm
Largeur 1923 mm
Hauteur 1447 mm
Poids 1732 kg (SE)
Diamètre de braquage 11,9 m
Coffre 458 l
Réservoir de carburant SE/SXT 70 l **SRT8** 72 l

NOTRE VERDICT

Plaisir au volant
Qualité de finition
Consommation
Rapport qualité/prix
Valeur de revente

GRAND CARAVAN

www.dodge.ca

N ÉVOLUTION É J

27 595 $ à 32 045 $
transport et préparation: 1350 $

LA COTE VERTE

AVEC MOTEUR V6 DE 3,3 L

- **Consommation (100km):** **octane** 10,5 l **éthanol** 14,8 l
- **Émissions polluantes CO_2 :** **essence** 5136 kg/an **éthanol** 3020 kg/an
- **Empreinte écologique (nombre d'arbres à planter par année):** **essence** 30 **éthanol** 18
- **Indice d'octane:** 87
- **Autre: motorisation:** E85
- **Coût du carburant moyen par année:** 2140 $
- **Nombre de litres par année:** **essence** 2140 l **éthanol** 3020 l

(source: ÉnerGuide)

1 FICHE D'IDENTITÉ

- **Versions** Ensemble Valeur, SE, SXT
- **Roues motrices** avant
- **Portières** 4 **Nombre de passagers** 7/8
- **Première génération** 1984
- **Génération actuelle** 2008
- **Construction** St. Louis, Missouri, É.-U.; Windsor, Ontario, Canada
- **Sacs gonflables** 4 (frontaux, rideaux latéraux)
- **Concurrence** Honda Odyssey, Kia Sedona, Nissan Quest, Toyota Sienna

2 AU QUOTIDIEN

- **Prime d'assurance**
  25 ans: 1400 à 1600 $
  40 ans: 900 à 1100 $
  60 ans: 700 à 900 $
- **Collision frontale** 5/5
- **Collision latérale** 5/5
- **Ventes du modèle de l'an dernier**
  Au Québec 9427 **Au Canada** 39 780
- **Dépréciation** (1 ans) 40,7%
- **Rappels** (2004 à 2009) 5
- **Cote de fiabilité** 3/5

3 GARANTIES... ET PLUS

- **Garantie générale** 3 ans/60 000 km
- **Garantie motopropulseur** 5 ans/100 000 km
- **Perforation** 5 ans/160 000 km
- **Assistance routière** 5 ans/100 000 km
- **Nombre de concessionnaires**
  Au Québec 94 **Au Canada** 439

4 NOUVEAUTÉS EN 2010

- appuie-tête actif à l'avant
- nouveau tissu pour les sièges
- ajustement lombaire manuel pour le siège du conducteur
- indicateur d'économie de carburant de série

GESTION DE DÉCROISSANCE

PAR JEAN-PIERRE BOUCHARD

LE MARCHÉ DE LA FOURGONNETTE DÉCLINE, LAISSANT DE PLUS EN PLUS LA PLACE AUX UTILITAIRES ET AUX VÉHICULES APPELÉS MULTISEGMENTS. Malgré cela, Dodge vend encore chaque mois des milliers de Grand Caravan. Résultat de généreux rabais au comptant offerts par Chrysler, de la fibre patriotique canadienne des consommateurs ou, encore, d'une demande pour les véhicules de location.

[CARROSSERIE] La plus récente révision de la fourgonnette date de l'année modèle 2008. Le constructeur en avait alors profité pour lui apporter bon nombre d'améliorations et de bonifier ce qu'elle offrait déjà. Le véhicule n'est offert qu'en configuration à empattement long.

[HABITACLE] La Grand Caravan propose un environnement intérieur bien organisé. Les occupants des places avant profitent de sièges confortables et qui fournissent un bon maintien. Le dégagement pour les jambes et la tête ne fait en aucun cas défaut. Le conducteur trouve aisément une bonne position de conduite. Le volant n'est malheureusement pas télescopique. La console centrale forme un bloc plutôt utilitaire. Autrement, la présentation de la planche de bord est efficace. L'instrumentation est claire, et les commandes tombent dans la main du conducteur. Malheureusement, la commande des essuie-glaces loge sur le levier des clignotants, ce qui ne respecte pas les règles d'ergonomie. Cet emplacement n'est pas naturel et oblige la main gauche à quitter le volant pour les activer. Les espaces de rangement sont généreux en nombre et en capacité. Pour les matériaux, Chrysler fait largement usage de plastique qui ne respirent pas toujours la solidité et qui ne sont pas toujours bien assemblés d'un véhicule à l'autre. L'accès aux places de la deuxième rangée est facile. Optez toutefois pour la version dotée du système Stow'N Go. Vous obtenez alors deux baquets qui disparaissent sous le plancher au lieu d'une inconfortable banquette dont vous devrez enlever et ranger quelque part chaque section. Si vous avez de jeunes enfants, vérifiez avec eux leur capacité à ouvrir et à fermer aisément les larges portes coulissantes. La banquette de troisième

FORCES • Système Stow'N Go • Espace • Confort • Moteur V6 de 4 litres

FAIBLESSES • Consommation de carburant • Finition aléatoire • Moteur V6 de 3,3 litres

rangée est d'accès plus difficile en plus d'être inconfortable. Chacune des deux sections peut aisément loger sous le plancher, y compris sur la version d'entrée de gamme.

[MÉCANIQUE] Chrysler offre un choix de deux moteurs. Le vétuste V6 de 3,3 litres relié à une boîte de vitesses automatique à 4 rapports fournit un rendement trop juste étant donné le poids du véhicule. Le surcroît d'effort induit une consommation de carburant plus élevée. Le V6 de 4 litres, plus moderne, et la boîte automatique à 6 rapports offrent des performances mieux adaptées au moment d'accélérer et de dépasser. Cet ensemble fonctionne également avec plus de douceur. La consommation moyenne atteint facilement, en conduite modérée, 13 litres aux 100 kilomètres. Ce moteur n'est toutefois offert qu'en commandant la version SXT, ce qui nécessite un déboursé de plusieurs milliers de dollars additionnels. Volkswagen l'offre de série sur la Routan qui partage la plupart des composants mécaniques de la Grand Caravan.

[COMPORTEMENT] Les ingénieurs de la marque ont conçu un véhicule qui offre une belle douceur de roulement. La robustesse de la plateforme se traduit par une belle impression de solidité. La suspension absorbe adéquatement la plupart des imperfections de la chaussée. La tenue de route est équilibrée pour un véhicule de cette catégorie. À ce chapitre, la Routan fait toutefois un peu mieux. Du reste, la Grand Caravan est dotée de freins à disque aux quatre roues avec antiblocage et d'un dispositif de contrôle de la stabilité.

[CONCLUSION] La Grand Caravan a évolué de façon positive depuis la plus récente refonte, en particulier en ce qui concerne la plateforme. Pour un prix de base, la polyvalence et le confort sont au rendez-vous. Toutefois, le moteur de base manque de puissance, la consommation de carburant est élevée, et la finition est aléatoire. Elle n'offre pas non plus le raffinement de la concurrence japonaise ou, encore, sud-coréenne. Et quand on fait les calculs appropriés, onréalise que le prix de certaines livrées s'en rapproche dangereusement.

2e OPINION

DANIEL RUFIANGE En cette année de transformation pour Chrysler, il faut se concentrer sur les éléments positifs et éviter de sombrer dans le négativisme. Parmi les bonnes nouvelles, il y a cette Grand Caravan qui, année après année, présente des chiffres de ventes qui rendent jalouses certaines concurrentes. Non seulement Chrysler a-t-elle inventé le style en 1984, mais elle a créé un segment de l'industrie à l'intérieur duquel elle fait encore très bonne figure. La recette : de la place pour sept, une conduite axée sur le confort et un prix qui permet aux familles de souffler - à condition de tourner le dos au catalogue d'options -. La Grand Caravan a été imitée, avec succès parfois, mais a su se moderniser et s'adapter pour demeurer dans le coup.

GRAND CARAVAN

5 FICHE TECHNIQUE

- **MOTEURS**
- **(SE)**

V6 3,3 l ACC, 175 ch à 5000 tr/min
Couple 205 lb-pi à 4000 tr/min
Transmission automatique à 4 rapports
0-100 km/h 12,4 s
Vitesse maximale 175 km/h

- **(SXT)**

V6 4,0 l SACT, 251 ch à 6000 tr/min
Couple 259 lb-pi à 4200 tr/min
Transmission automatique à 6 rapports
0-100 km/h 9,3 s
Vitesse maximale 185 km/h
Consommation (100 km) 10,8 l (octane 87)
Émissions de CO_2 4944 kg/an
Litres par année 2060 l
Coût par an 2060 $
Autre motorisation: non
Empreinte écologique 32

- **AUTRES COMPOSANTES**

Sécurité active freins ABS, contrôle de stabilité électronique, répartition de freinage électronique, antipatinage
Suspension avant/arrière indépendante/essieu rigide
Freins avant/arrière disques
Direction à crémaillère, assistée
Pneus P225/65R16, P225/65R17 (en option)

- **DIMENSIONS**

Empattement 3078 mm
Longueur 5144 mm
Largeur 1953 mm
Hauteur 1750 mm
Poids 1960 kg
Diamètre de braquage 11,6 m
Coffre 915 l, 4072 l (sièges abaissés)
Réservoir de carburant 76 l
Capacité de remorquage 1633 kg

NOS MENTIONS

Clé d'or de sa catégorie
Modèle recommandé

NOTRE VERDICT

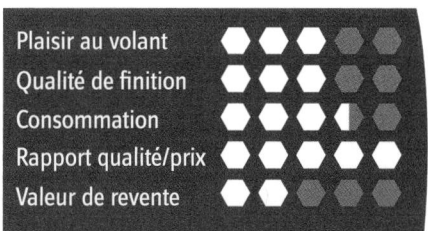

Plaisir au volant
Qualité de finition
Consommation
Rapport qualité/prix
Valeur de revente

CHARGER

www.dodge.ca

N ÉVOLUTION É J

29 645 $ à 47 145 $
transport et préparation: 1400 $

LA COTE VERTE

AVEC MOTEUR V6 DE 2,7 L

- **Consommation (100km):** 9,5 l
- **Émissions polluantes CO_2:** 4656 kg/an
- **Empreinte écologique (nombre d'arbres à planter par année):** 28
- **Indice d'octane:** 87
- **Autre motorisation:** non
- **Coût du carburant moyen par année:** 1940 $
- **Nombre de litres par année:** 1940 l

(SOURCE: ÉnerGuide)

1 FICHE D'IDENTITÉ

- **Versions** SE, SXT, R/T, SRT8, SXT AWD, R/T AWD
- **Roues motrices** arrière, 4
- **Portières** 4 **Nombre de passagers** 5
- **Première génération** 2006
- **Génération actuelle** 2006
- **Construction** Brampton, Ontario, Canada
- **Sacs gonflables** 2 (frontaux; latéraux avant et rideaux latéraux en option)
- **Concurrence** Buick Allure, Chevrolet Impala, Chrysler 300, Ford Taurus

2 AU QUOTIDIEN

- **Prime d'assurance**
  25 ans: 1900 à 2100 $
  40 ans: 1100 à 1300 $
  60 ans: 900 à 1100 $
- **Collision frontale** 5/5
- **Collision latérale** 4/5
- **Ventes du modèle de l'an dernier**
  Au Québec 1727 **Au Canada** 6675
- **Dépréciation** (3 ans) 63,2%
- **Rappels** (2004 à 2009) 6
- **Cote de fiabilité** 4/5

3 GARANTIES... ET PLUS

- **Garantie générale** 3 ans/60 000 km
- **Garantie motopropulseur** 5 ans/100 000 km
- **Perforation** 5 ans/160 000 km
- **Assistance routière** 5 ans/100 000 km
- **Nombre de concessionnaires**
  Au Québec 94 **Au Canada** 439

4 NOUVEAUTÉS EN 2010

- Rideaux gonflables avant et arrière de série sur tous les modèles, rétroviseurs extérieurs aux couleurs de la carrosserie sur tous les modèles.
- Indicateur d'économie de carburant.

DÉFI À RELEVER

PAR DANIEL RUFIANGE

LA CHARGER ENTAME DÉJÀ SA CINQUIÈME ANNÉE SUR LE MARCHÉ, ET, BIEN QUE L'OFFRE SOIT TOUJOURS INTÉRESSANTE, CETTE VOITURE OCCUPE MAINTENANT L'ARRIÈRE-SCÈNE DERRIÈRE LES DODGE CHALLENGER, FORD MUSTANG ET CHEVROLET CAMARO EN TERMES DE MUSCLE CAR. Cependant, Dodge n'aura pas à faire table rase pour lui redonner du tonus; les bases de cette voiture sont excellentes et de petits réglages suffiront à la repositionner adéquatement.

[CARROSSERIE] La Charger possède certes l'un des faciès les plus intimidants de l'industrie. Qu'on aime ou pas la signature des calandres Dodge, utilisée tous azimuts, force est d'admettre qu'elle renforce l'image de la marque. Quant au profil, mon œil accroche où se situe le rehaussement des lignes au seuil du pilier C; sans mentionner la visibilité aux trois quarts arrière qui en prend pour son rhume au volant. Ce qui demeure intéressant du côté de la Charger, c'est le choix de configurations; pas moins de quatre livrées sont offertes dont deux en version intégrale, soit les SXT et R/T. Toutes s'accompagnent de caractéristiques esthétiques et mécaniques qui les distinguent – quatre moteurs, trois dimensions de jantes, déflecteur arrière, etc.

[HABITACLE] En ce qui me concerne, trois éléments sont à retenir. Primo, la Charger ne discrimine pas les petites personnes ni les personnes fortes; l'espace à bord est très généreux. Secundo, la qualité des matériaux est toujours, chez Chrysler, à la limite de l'acceptable; certains sont à la hauteur, d'autres non; on sent des efforts, mais il faudra donner un sérieux coup de barre pour se mettre à niveau. Tertio, le degré de confort est franchement surprenant. Cela se sent sur la route, de toute évidence, mais également dans les petites attentions comme le confort des baquets, l'insonorisation et l'équipement offert.

[MÉCANIQUE] Pas moins de quatre moteurs peuvent être vissés sur le châssis de la Charger. Si la poussée du V8 de 6,1 litres de la version SRT8 agit sur votre pilosité, il faut comprendre que cette mécanique est inutile au quotidien. Le même

FORCES • Douceur de roulement • Version SRT8 enivrante • Faciès imposant • Versions à quatre roues motrices offertes

FAIBLESSES • Consommation de l'ensemble des moteurs • Assemblage et finition intérieure perfectibles • Manque de panache face à la Challenger

commentaire s'applique au moteur qui équipe la version de base. Le V6 de 2,7 litres, qui développe 178 chevaux, serait intéressant dans une Caliber, mais il est nettement insuffisant pour déplacer la masse de la Charger; c'est lui en demander un peu trop, trop souvent. Reste donc les moteurs des versions SXT et R/T, un V6 de 3,5 litres de 250 chevaux ainsi qu'un V8 de 5,7 litres de 370 chevaux; entre les deux, et considérant l'avenir incertain du prix du carburant, le V6 demeure le choix logique, surtout qu'il se montre très compétent. Des boîtes de vitesses automatiques à 5 rapports avec mode manuel et à 4 rapports assurent la transmission de la puissance aux roues. De grâce, optez pour une version offrant une boîte à 5 rapports.

[COMPORTEMENT] Peu importe le moteur choisi, une constance demeure; la douceur de roulement de cette berline est surprenante et appréciable. On s'en étonne d'ailleurs, jusqu'à ce qu'on se rappelle qu'on profite du châssis de l'ancienne Classe E de Mercedes-Benz, élégant rappel d'une récente mais déjà lointaine alliance Detroit-Stuttgart. La tenue de cap a donc un petit je-ne-sais-quoi qui nous colle un sourire aux lèvres. Bien sûr, l'expérience au volant varie selon l'engin qui répond aux sollicitations de notre pied droit. Si les V8 nous font sourire en accélération, particulièrement celui de la version SRT8, on pleure en réalisant le rapprochement des visites à la pompe; difficile de tenir la consommation moyenne sous les 14 litres aux 100 kilomètres. Reste le V6 de 3,5 litres, offert de série sur les versions SXT et en option sur la variante SE.

[CONCLUSION] Quel est l'avenir de la Charger avec la Challenger dans le décor ? Pourquoi payer pour une version SRT8 de la Charger alors que la cousine, bien plus seyante, se détaille au même prix ? Dodge doit repositionner sa Charger et modifier l'offre afin de combler des trous. Pour l'instant, difficile pour la Charger de se démarquer.

2e OPINION

PHILIPPE LAGUË **Accueillie avec enthousiasme lors de sa résurrection, en 2006, la Charger a pris un sérieux coup de vieux. Il y a quatre ans, c'était encore acceptable de lancer une grosse berline dont le non moins gros V8 évoquait la grande époque des « *muscle cars* » américains. D'autant plus que le seul nom Charger touchait une corde sensible chez les acheteurs : la nostalgie. Elle incarnait également la réussite du mariage DaimlerChrysler, car elle reposait sur une excellente plateforme... d'origine Mercedes-Benz. Puis, le prix du pétrole s'est mis à jouer aux montagnes russes; la crise économique est ensuite venue enfoncer le dernier clou dans le cercueil, ces grosses berlines trouvant de moins en moins d'acheteurs. L'allure pour le moins audacieuse de la Charger est aussi un couteau à deux tranchants, car cette berline tout en muscles n'a pas très bien vieilli. Bref, ça sent la fin...**

5 FICHE TECHNIQUE

- **MOTEURS**
- **(SE)**

V6 2,7 l DACT, 178 ch à 5500 tr/min
Couple 190 lb-pi à 4000 tr/min
Transmission automatique à 4 rapports
0-100 km/h 9,8 s **Vitesse maximale** 210 km/h

- **(SXT)**

V6 3,5 l DACT, 250 ch à 6400 tr/min
Couple 250 lb-pi à 3800 tr/min
Transmission automatique à 4 rapports, automatique à 5 rapports avec mode manuel (AWD)
0-100 km/h 8,7 s AWD 9,2 s
Vitesse maximale 210 km/h
Consommation (100 km) 10,3 l AWD 11,5 l (octane 89)
Émissions de CO_2 4944 kg/an AWD 5184 kg/an
Litres par année 2060 l AWD 2160 l
Coût par an 2060 $ AWD 2160 $
Autre motorisation non
Empreinte écologique 30 arbres

- **(R/T)**

V8 5,7 l ACC, 370 ch à 5200 tr/min
Couple 398 lb-pi à 4150 tr/min
Transmission automatique à 5 rapports avec mode manuel
0-100 km/h 5,9 s **Vitesse maximale** 250 km/h
Consommation (100 km) 11,4 l **AWD** 11,3 l (octane 89)
Émissions de CO_2 5328 kg/an **AWD** 5424 kg/an
Litres par année 2220 l **AWD** 2260 l
Coût par an 2220 $ **AWD** 2260 $
Autre motorisation non
Empreinte écologique 33 arbres

- **(SRT8)**

V8 6,1 l ACC, 425 ch à 6000 tr/min
Couple 420 lb-pi à 4800 tr/min
Transmission automatique à 5 rapports avec mode manuel)
0-100 km/h 5,3 s **Vitesse maximale** 250 km/h
Consommation (100 km) 13,7 l (octane 89)
Émissions de CO_2 6528 kg/an
Litres par année 2720 l **Coût par an** 2992 $
Autre motorisation non
Empreinte écologique 40 arbres

- **AUTRES COMPOSANTES**

Sécurité active freins ABS, EBD, BAS, antipatinage, contrôle de stabilité électronique
Suspension avant/arrière indépendante
Freins avant/arrière disques
Direction à crémaillère, assistée
Pneus SE/SXT P215/65R17 **R/T** P225/60R18 SRT8 P245/45R20 (av.), P255/45R20 (ar.)

- **DIMENSIONS**

Empattement 3048 mm
Longueur 5082 mm **Largeur** 1891 mm
Hauteur 1479 mm **SRT8** 1466 mm
Poids SE 1694 kg **SXT** 1719 kg **R/T** 1857 kg **SRT8** 1887 kg **SXT AWD** 1846 kg **R/T AWD** 1940kg
Diamètre de braquage 11,8 m **Coffre** 459 l
Réservoir de carburant SE/SXT 68 l **R/T / SXT AWD / R/T AWD** 76 l **SRT8** 72 l

NOTRE VERDICT

Plaisir au volant
Qualité de finition
Consommation
Rapport qualité/prix
Valeur de revente

DAKOTA

www.dodge.ca

N ÉVOLUTION É J

27 795 $ à 37 795 $
transport et préparation: 1400 $

LA COTE VERTE

AVEC MOTEUR V6 DE 3,7 L

- **Consommation (100km):** **2RM man.** 11,6 l
- **Émissions polluantes CO_2:** **2RM man.** 5664 kg/an auto 5952 kg/an
- **Empreinte écologique (nombre d'arbres à planter par année):** 34
- **Indice d'octane:** 87
- **Autre motorisation:** non
- **Coût du carburant moyen par année:** **2RM man.** 2360 $
- **Nombre de litres par année:** **2RM man.** 2360 l

(SOURCE: ÉnerGuide)

1 FICHE D'IDENTITÉ

- **Versions** ST, SXT, SLT
- **Roues motrices** arrière, 4
- **Portières** 4 **Nombre de passagers** 4, 5 ou 6
- **Première génération** 1987
- **Génération actuelle** 2005
- **Construction** Warren, Michigan, É.-U.
- **Sacs gonflables** 2 (frontaux; latéraux en option)
- **Concurrence** Chevrolet Colorado, Ford Ranger, GMC Canyon, Mazda Série B, Nissan Frontier, Toyota Tacoma

2 AU QUOTIDIEN

- **Prime d'assurance**
  25 ans: 1400 à 1600 $
  40 ans: 1000 à 1100 $
  60 ans: 800 à 1000 $
- **Collision frontale** 5/5
- **Collision latérale** 5/5
- **Ventes du modèle de l'an dernier**
  Au Québec 795 **Au Canada** 4982
- **Dépréciation** (3 ans) 63,7%
- **Rappels** (2004 à 2009) 6
- **Cote de fiabilité** 3/5

3 GARANTIES... ET PLUS

- **Garantie générale** 3 ans/60 000 km
- **Garantie motopropulseur** 5 ans/100 000 km
- **Perforation** 5 ans/160 000 km
- **Assistance routière** 5 ans/100 000 km
- **Nombre de concessionnaires**
  Au Québec 94 **Au Canada** 439

4 NOUVEAUTÉS EN 2010

- Nouveau tissu anti-taches
- Siège arrière de série sur tous les modèles à cabine allongée
- Console de plancher de série sur tous les modèles

L'ÉTAU SE RESSERRE !

PAR FRANCIS BRIÈRE

CHRYSLER TENTE DÉSESPÉRÉMENT DE REMONTER À LA SURFACE ET DE SE SORTIR DU MARASME DANS LEQUEL ELLE S'EST PLONGÉE, EN PRÉSENTANT DES PRODUITS ALLÉCHANTS. Le Dakota est une camionnette intéressante, mais il se fait mieux. La concurrence japonaise offre aujourd'hui des produits nettement supérieurs. Si j'étais un acheteur de camionnette du type intermédiaire, mon choix ne s'arrêterait pas sur le Dakota. Le tableau n'est pas sombre en entier, mais Chrysler devra faire des efforts pour améliorer son produit.

[CARROSSERIE] La mode des calandres ultra masculinisées est devenue ridicule. Quand j'aperçois une F-150, j'éclate de rire chaque fois, c'est plus fort que moi. La partie avant du Dakota n'est pas aussi exagérée même si elle suit la tendance. La cabine double et la cabine allongée sont les deux options offertes par Dodge. La première propose des portières opposées qui s'ouvrent à 90 degrés pour un maximum d'accès. La caisse de chargement atteint deux mètres, mais seulement pour les modèles à cabine allongée. La configuration des roues se limite à 16 ou à 18 pouces, selon la version choisie.

[HABITACLE] L'intérieur du Dakota, par comparaison avec ce qu'on retrouve du côté de la concurrence, ne paie pas de mine. Non seulement il est terne, mais la qualité des matériaux, de l'assemblage et de l'ergonomie laisse à désirer. Les boutons et les commandes font bon marché, et le volant est triste à mourir. Notons cependant que l'espace de chargement ne fait pas défaut, notamment sous les sièges. Parlant de sièges, même si la camionnette est synonyme de robustesse et de muscle, un peu de confort fait du bien. Chrysler aurait pu choisir des sièges offrant un bon maintien et une assise moins dure. Avec la version à cabine double, le Dakota offre de l'espace pour asseoir aisément six personnes à bord. On retrouve également en option les dernières technologies offertes, comme la radio satellite, la navigation par satellite, une chaîne audio de qualité, les sièges de cuir en surface et les sièges chauffants.

FORCES • Moteur V8 • Espace de chargement • Modèle à cabine double intéressant

FAIBLESSES • Présentation intérieure • Confort moyen • Qualité des matériaux

[MÉCANIQUE] Si Chrysler se targue d'offrir à ses clients un moteur V8 dans le Dakota, l'engin de base, un V6, supporte mal la pression. Rugosité et gourmandise sont à l'honneur. Pour la différence de prix, optez pour un V8. Sa capacité de remorquage s'en trouvera grandement améliorée. On offre également la transmission à quatre roues motrices. De grâce, choisissez-la. Pensons à nos hivers québécois : cette option pourrait vous éviter de graves ennuis. La suspension et le châssis du Dakota témoignent d'une rigidité et d'une robustesse qui en font une camionnette capable de s'occuper de durs travaux. En revanche, le confort en souffre sur la route.

[COMPORTEMENT] Un paradoxe demeure avec le Dakota : sa constitution robuste en fait une camionnette idéale pour les travaux costauds ou pour les excursions aventurières hors des sentiers battus. En revanche, il s'agit d'un véhicule essentiellement destiné aux travaux légers et à la conduite en milieu civilisé, comme devrait se dessiner la carrière de la camionnette intermédiaire. Comme si le Dakota, trop grande pour être petite et trop petite pour être grande, se cherchait une identité. Outre ces constats philosophiques, vous avez l'impression de prendre place à bord d'une vraie camionnette, ce qui risque deplaire à certains.

[CONCLUSION] Le Dakota se cherche une identité. À trop vouloir surpasser la concurrence, on en oublie parfois l'essentiel. Cette camionnette possède des qualités indéniables : un moteur V8, une cabine double spacieuse, de la robustesse et du panache. En revanche, les acheteurs pourraient bénéficier de plus de confort et d'unemeilleure qualité de finition. Chez Toyota, on propose un Tacoma qui représente le meilleur achat de la catégorie. Le Dakota mérite tout de même considération, mais à prix égal, le constructeur japonais possède une bonne longueur d'avance.

2e OPINION

DANIEL RUFIANGE Autrefois intouchable dans sa catégorie, le Dakota doit maintenant composer avec une concurrence non seulement féroce mais également d'excellente qualité. Terminé le temps ou seuls les Américains savaient satisfaire les acheteurs de camionnettes; les Japonais se sont sérieusement ajustés ! Avec son Dakota, Dodge offre un V8 que seul le diminutif combo Chevrolet Colorado/GMC Canyon peut proposer; un point pour l'américaine. Cependant, l'avantage s'arrête là. Si les capacités de remorquage et de chargement se comparent à l'offre japonaise, le confort et la douceur de roulement ne sont plus des caractéristiques uniquement proposées par l'américaine. Les Toyota Tacoma et Nissan Frontier ont tout pour ébranler l'hégémonie affaiblie de l'ex-numéro 1 de la catégorie. L'annonce d'une tout nouveau Dakota ne presse pas; elle urge !

(5) FICHE TECHNIQUE

· MOTEURS

· V6 3,7 l SACT, 210 ch à 5200 tr/min
Couple 235 lb-pi à 4000 tr/min
Transmission automatique à 4 rapports, automatique à 5 rapports (en option)
0-100 km/h 9,7 s
Vitesse maximale 175 km/h

· V8 4,7 l SACT, 302 ch à 5650 tr/min
Couple 329 lb-pi à 3950 tr/min
Transmission automatique à 5 rapports
0-100 km/h 8,2 s
Vitesse maximale 180 km/h
Consommation (100 km) 2RM 13,1 l (octane 87) 18,0 l (E85) **4RM** 13,2 l (octane 87) 18,9 l (E85)
Émissions de CO_2 2RM 6384 kg/an (octane 87) 3660 kg/an (éthanol) **4RM** 6480 kg/an (octane 87) 3660 kg/an (E85)
Litres par année 2RM 2700 l (octane 87) 3660 l (E85) **4RM** 2700 l (octane 87) 3660 l (E85)
Coût par an 2RM 2660 $ **4RM** 2700 $ (octane 87)
Carburant alternatif Éthanol E85
Empreinte écologique 21 à 38 arbres

· AUTRES COMPOSANTES

Sécurité active freins ABS arrière
Suspension avant/arrière indépendante/essieu rigide
Freins avant/arrière disques/tambours
Direction à crémaillère, assistée
Pneus P245/70R16 P265/60R18 (SLT)

· DIMENSIONS

Empattement 3335 mm
Longueur 5550 mm
Largeur 1822 mm
Hauteur 1741 à 1745 mm
Poids 1894 à 2091 kg
Diamètre de braquage 13,4 m
Coffre 850 l - 1051 l (Crew Cab)
Réservoir de carburant 83 l
Capacité de remorquage 2041 à 3266 kg

NOTRE VERDICT

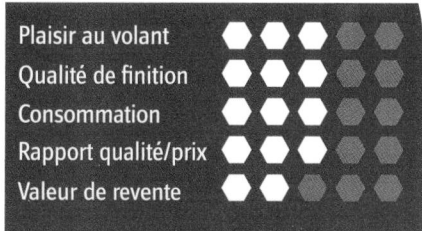

Plaisir au volant
Qualité de finition
Consommation
Rapport qualité/prix
Valeur de revente

JOURNEY

www.dodge.ca

N ÉVOLUTION É J

19 995 $ à 30 195 $
transport et préparation: 1400 $

LA COTE VERTE

MOTEUR
L4 DE 2,4 L

- **Consommation (100km):** 9,5 l
- **Émissions polluantes CO_2 :** 4608 kg/an
- **Empreinte écologique (nombre d'arbres à planter par année):** 27
- **Indice d'octane:** 87
- **Autre motorisation:** non
- **Coût du carburant moyen par année:** 1920 $
- **Nombre de litres par année:** 1920 l

(source: ÉnerGuide)

1 FICHE D'IDENTITÉ

- **Versions** SE, SE plus, SXT (2RM), R/T (4RM)
- **Roues** motrices avant, 4
- **Portières** 4 **Nombre de passagers** 7
- **Première génération** 2009
- **Génération actuelle** 2009
- **Construction** Belvidere, Illinois, É.-U.
- **Sacs gonflables** 6 (frontaux, sièges et rideaux latéraux)
- **Concurrence** Kia Rondo, Mazda 5

2 AU QUOTIDIEN

- **Prime d'assurance**
  25 ans: 1900 à 2100 $
  40 ans: 900 à 1100 $
  60 ans: 600 à 800 $
- **Collision frontale** 5/5
- **Collision latérale** 5/5
- **Ventes du modèle de l'an dernier**
  Au Québec 3062 **Au Canada** 11 817
- **Dépréciation** (3 ans) nm
- **Rappels** (2004 à 2009) 4
- **Cote de fiabilité** nd

3 GARANTIES... ET PLUS

- **Garantie générale** 3 ans/60 000 km
- **Garantie motopropulseur** 5 ans/100 000 km
- **Perforation** 5 ans/160 000 km
- **Assistance routière** 5 ans/100 000 km
- **Nombre de concessionnaires**
  Au Québec 94 **Au Canada** 439

4 NOUVEAUTÉS EN 2010

- Aucun changement majeur

POUR SON PRIX, D'ABORD

DANIEL RUFIANGE

LE DODGE JOURNEY EST REPRÉSENTATIF DE PLUSIEURS DES PRODUITS OFFERTS PAR CE FABRICANT : INTÉRESSANT MAIS PAS EXCITANT. Introduit en 2007, il en est à sa troisième année et devrait survivre à la fusion avec Fiat en raison de son côté pratique et de son prix qui demeure respectueux des budgets des jeunes familles. Pour en faire un incontournable, Dodge devra toutefois apporter quelques correctifs. Voyons voir...

[CARROSSERIE] Pour certains, le Journey n'est qu'une version miniaturisée du Grand Caravan. Ils n'ont pas tort. Cependant, il s'agit d'un véhicule complètement différent, à commencer par la base sur laquelle il sied. En éliminant la version de base de la Grand Caravan, Dodge s'est donné l'occasion d'introduire une solution de rechange. Plus petit, il affiche des lignes plus jeunes et dynamiques que celles de son grand frère. En réalité, le Journey a de la gueule et du style, qu'on le regarde de l'avant, de l'arrière ou des trois quarts. On comprendra que la clientèle visée est plus jeune. Offert en quatre livrées – SE, SE plus, SXT et RT – je demeure déchiré quant à celle que je devrais recommander. Si la version de base se veut intéressante en raison de son prix, elle s'accompagne d'un horrible engin qui va vous faire tempêter encore et encore. Par conséquent, il faut opter pour les versions offrant l'autre moteur, le V6, mais on perd alors l'avantage du prix, l'argument de vente principal du Journey.

[HABITACLE] Deux mots pour qualifier le Journey; fort pratique ! Avec de la place pour sept et un aménagement possible des banquettes qui permet d'entasser jusqu'à 1901 litres de matériel, tous y trouveront leur compte. La présentation demeure des plus simples, et la qualité des matériaux utilisés va de pair avec la facture; il faut bien faire des économies quelque part ! Toutefois, une sérieuse tape sur les doigts aux concepteurs du tableau de bord qui se révèle l'un des plus laids qu'il m'ait été donné de voir depuis longtemps. Si vous le trouvez joli, grand bien vous fasse !

[MÉCANIQUE] Ça va ici du pathétique au raisonnable. Commençons par l'horreur, c'est-à-dire le moteur à 4 cylindres de 2,4 litres de Chrysler. Dire

+ −

FORCES • Rapport polyvalence/prix de la version de base • Douceur de roulement • Espace intérieur

FAIBLESSES • Moteur à 4 cylindres dépassé • Boîte de vitesses automatique à 4 rapports encore plus dépassée • Tableau de bord affreux • Mollesse du jeu des suspensions

JOURNEY

que cet engin est désuet, c'est comme affirmer que la dernière saison du Canadien de Montréal s'est terminée en dents de scie : une évidence. Non seulement cherche-t-on les 173 chevaux annoncés, mais ces derniers donnent l'impression d'être sérieusement grippés quand on les sollicite. Le résultat : un grognement désagréable du compartiment moteur et l'impression qu'on traîne une remorque de quarante-cinq pieds. C'est franchement dommage car ça gâche tout l'attrait d'une version de base sous les 20 000 $. Ça force l'acheteur à prioriser le moteur à 6 cylindres sous le capot. Il faut alors opter pour une version R/T ou cocher oui à option V6 sur la variante SXT.

[COMPORTEMENT] Ici, on demeure sur son appétit. D'abord, il faut reconnaître le degré de confort plutôt étonnant qu'offre le Journey. Le travail de la suspension feutre nos déplacements et jamais a-t-on l'impression de se faire brasser inutilement. Par contre, cette douceur vient pénaliser la tenue de route, très approximative. Quelques coups de volant successifs nous transmettent une sensation de mollesse qui n'a rien de rassurant, surtout si l'on a un obstacle à contourner. Même commentaire en ce qui a trait au freinage, qui se révèle plus spongieux que ferme. De petits défauts ici et là qui commandent prudence au volant. La conduite du Journey n'a rien de sportif, tenez-vous-le pour dit.

[CONCLUSION] Si le Journey a réussi à bien s'implanter dans son segment, c'est surtout en raison de son prix alléchant, des incitatifs à l'achat du constructeur mais également en raison de son côté pratique et polyvalent. Cependant, si Chrysler veut continuer à en vendre en bonne quantité, de petites améliorations – notamment sous le capot et du côté des suspensions – devront être apportées. Et de grâce, redessinez la planche de bord quelqu'un !

2e OPINION

JEAN-PIERRE BOUCHARD Le Journey est un véhicule qui offre, à un prix de base raisonnable, un habitacle spacieux pour une petite famille qui ne veut pas de fourgonnette, bon nombre d'espaces de rangement, la possibilité d'obtenir une banquette de troisième rangée et une belle polyvalence. Le moteur de base est inapproprié pour un véhicule de ce gabarit. Du moins celui que propose Chrysler. Il convient néanmoins pour effectuer son travail mais, une fois le véhicule chargé, manque rapidement de souffle.
À ce titre, le V6 constitue un choix beaucoup plus intéressant. Sur la route, la conduite mise sur la douceur de roulement.
En conduite urbaine, sur les voies de circulation endommagées, le véhicule manque par contre de raffinement. À un prix de base sous la barre des 20 000 $, ce Dodge peut attirer l'attention des acheteurs. À plus long terme, je crois néanmoins qu'une Kia Rondo ou qu'une Mazda5 sont des choix beaucoup plus intéressants pour l'ensemble de leurs qualités.

5 FICHE TECHNIQUE

MOTEURS

(SE, SXT)
L4 2,4 l DACT, 173 ch à 6000 tr/min
Couple 166 lb-pi à 4400 tr/min
Transmission automatique à 4 rapports
0-100 km/h 10,1 s
Vitesse maximale 190 km/h

(R/T)
V6 3,5 l DACT, 235 ch à 6400 tr/min
Couple 232 lb-pi à 4000 tr/min
Transmission automatique à 6 rapports
0-100 km/h 7,7 s
Vitesse maximale 210 km/h
Consommation (100 km) 11,0 l (octane 87) **AWD** 11,6 l
Émissions de CO_2 5422 kg/an **AWD** 5664 kg/an
Litres par année 2260 l **AWD** 2360 l
Coût par an 2260 $ **AWD** 2360 $
Empreinte écologique 32 arbres

Autres composantes
Sécurité active freins ABS répartition électronique de force de freinage, antipatinage et contrôle de stabilité électronique
Suspension avant/arrière indépendante
Freins avant/arrière disques
Direction à crémaillère, assistée
Pneus SE P225/70R16 **SXT** P225/65R17 **R/T** 225/55R19 (option SXT)

DIMENSIONS
Empattement 2890 mm
Longueur 4887 mm
Largeur 1832 mm
Hauteur 1692 mm
Poids SE 1715 kg
Diamètre de braquage 11,9 m
Coffre 303 l, 1048 l, 1901 l (sièges abaissés)
Réservoir de carburant 2RM 78 l **4RM** 81 l
Capacité de remorquage L4 455 kg **V6** 1587 kg

NOS MENTIONS

Modèle recommandé

NOTRE VERDICT

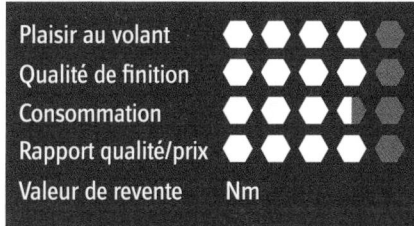

Plaisir au volant	●●●●
Qualité de finition	●●●●
Consommation	●●●½
Rapport qualité/prix	●●●●
Valeur de revente	Nm

NITRO

www.dodge.ca

N ÉVOLUTION É J

28 445 $ à **32 090 $**
transport et préparation: 1400 $

LA COTE VERTE

AVEC MOTEUR V6 DE 3,7 L

- **Consommation (100km):** **man.** 10,9 l **auto.** 11,2 l
- **Émissions polluantes CO_2 :** **man.** 5280 kg/an **auto.** 5424 kg/an
- **Empreinte écologique (nombre d'arbres à planter par année):** 32
- **Indice d'octane:** 87
- **Autre motorisation:** non
- **Coût du carburant moyen par année** **man.** 2200 $ **auto.** 2260 $
- **Nombre de litres par année:** **man.** 2200 l **auto.** 2260 l

(source: ÉnerGuide)

1 FICHE D'IDENTITÉ

- **Versions** SXT
- **Roues motrices** 4 x 4
- **Portières** 4 **Nombre de passagers** 5
- **Première génération** 2007
- **Génération actuelle** 2007
- **Construction** Toledo, Ohio, É.-U.
- **Sacs gonflables** 6 (frontaux, latéraux avant, rideaux latéraux)
- **Concurrence** Chevrolet Equinox, Ford Escape, Honda CR-V, Hyundai Tucson et Santa Fe, Kia Sportage, Jeep Liberty, Mitsubishi Outlander, Nissan Rogue, Subaru Forester, Suzuki Grand Vitara, Toyota RAV4

2 AU QUOTIDIEN

- **Prime d'assurance** **25 ans:** 1500 à 1700 $ **40 ans:** 900 à 1100 $ **60 ans:** 800 à 1000 $
- **Collision frontale** 5/5
- **Collision latérale** 5/5
- **Ventes du modèle de l'an dernier** **Au Québec** 900 **Au Canada** 5831
- **Dépréciation** (2 ans) 58,8%
- **Rappels** (2004 à 2009) 5
- **Cote de fiabilité** 2/5

3 GARANTIES... ET PLUS

- **Garantie générale** 3 ans/60 000 km
- **Garantie motopropulseur** 5 ans/100 000 km
- **Perforation** 5 ans/160 000 km
- **Assistance routière** 5 ans/100 000 km
- **Nombre de concessionnaires** **Au Québec** 94 **Au Canada** 439

4 NOUVEAUTÉS EN 2010

- un seul modèle SXT 4x4 avec cuir appuie-têtes actifs, indicateur d'économie de carburant, protecteur de compartiment à bagages réversible et imperméable

POUR KAMIKAZES AVERTIS

PAR DANIEL RUFIANGE

LA FUSION ENTRE CHRYSLER ET FIAT CONDUIRA INDUBITABLEMENT LE FABRICANT VERS UNE REVITALISATION DE SA GAMME DE PRODUITS. Déjà, certains modèles sont disparus et d'autres pourraient suivre. Je vous avoue faire des neuvaines pour que le Nitro saute – permettez le mauvais jeu de mot –, pour la sécurité et le bien être de tous. Un mauvais produit que le Nitro? Jugez-en par vous-même.

[CARROSSERIE] À mes yeux, il s'agit du point fort de ce véhicule, ce qui n'est pas peu dire. Sans être une œuvre d'art en soi, on ne peut pas affirmer que le design Nitro est raté, loin de là. Je vous avoue même que je le trouve joli avec ses ailes bombés, sa calandre très macho et ses fenêtres tronquées; Al Capone aurait apprécié. Dommage que le modèle R/T qui jouissait de roues de 20 pouces prenne le chemin des oubliettes cette année Assemblé sur les bases du Liberty, le Nitro se veut une alternative musclée au populaire utilitaire de Jeep. L'acheteur n'a plus qu'un seul choix cette année, la version SXT 4x4. Budget minceur oblige chez Chrysler, les autres versions ont disparu

[HABITACLE] Je n'oublierai jamais l'horrifiante sensation qui s'est emparée de moi lorsque j'ai pour la première fois installé mon postérieur dans un Nitro. Malgré des dimensions en apparence généreuses, j'ai eu l'impression de prendre place dans un cercueil. L'habitacle ne convient pas aux claustrophobes. L'ajustement des sièges est déficient. L'assise est trop haute au point où, en cas de collision latérale, la tête des occupants ira irréversiblement se fracasser contre le montant de la porte, un non sens – sans compter le nombre de fois qu'on se cogne la tête en s'extirpant de cette carcasse –. À l'arrière, les passagers n'aimeront pas les balades. Les banquettes sont inconfortables et la visibilité est pratiquement nulle. Un bon mot pour l'espace arrière qui comprend un plateau amovible qui facilite le chargement de matériel. C'est toujours ça de gagné ! Pour ce qui est de la qualité des matériaux, on repassera. Dodge est capable de mieux et on s'attend à beaucoup plus aussi. Une version bien équipée à plus de 35 000 $ avec un habitacle de cette qualité, c'est manquer de respect envers sa clientèle.

FORCES • Allure distinctive • Prix de base intéressant • Capacités de remorquage

FAIBLESSES • Comportement routier atroce • Qualité d'assemblage douteuse • Visibilité nulle • Consommation élevée

[MÉCANIQUE] Deux moteurs qui se transforment en un seul pour 2010. Le survivant est le moteur de base, un V6 de 3,7 litres et 210 chevaux qui équipe le SXT . La variante R/T profitait du V6 de 4,0 litres pour une puissance de 255 chevaux, mais plus maintenant. Dans les deux cas, on reste et l'on restait sur notre appétit. La poussée semble laborieuse à chaque fois qu'on enfonce l'accélérateur et s'accompagne d'un hurlement peu séduisant du compartiment moteur. Si seulement l'économie de carburant était au rendez-vous...

[COMPORTEMENT] Avis, warning, vorwarnung, aviso, varsel, kennisgeving. Que ce soit en français, en anglais, en allemand, en espagnol, en suédois ou en néerlandais, le conseil est universel : le comportement routier du Nitro est DANGEREUX. Malgré une allure sportive, la conduite d'un Nitro n'est pas une expérience agréable et assurément pas sportive. La direction manque de précision, l'effet de roulis est déplaisant, la tenue de route est épouvantable et le freinage nous porte à croire que quatre tambours agissent à la place de quatre disques. Je suis sérieux ; si une manœuvre d'urgence s'avère nécessaire au volant du Nitro, bonne chance ! Son poids et la gravité le garde au sol, point à la ligne.

[CONCLUSION] Que dire de plus. Vous vous êtes procuré un Nitro et vous le regrettez déjà ? Vendez-le au plus offrant. Vous songiez à en acheter un ? De grâce, considérez une autre alternative. Vous aimez celui que vous avez achetez ? Grand bien vous fasse ! En toute conscience, je ne peux recommander un véhicule aussi mal conçu. Je serai le premier à saluer une prochaine génération qui aura corrigé les flagrantes lacunes de la mouture actuelle. Mais en attendant, c'est non et encore non !

2e OPINION

BENOIT CHARETTE Les gens nous demandent souvent de leur parler des plus mauvais véhicules que nous avons essayés récemment. Il n'y a plus à proprement parler de mauvais véhicules, mais certains n'ont vraiment pas leur place sur le marché, et le Nitro est un excellent exemple. Construit sur un châssis allongé du Jeep Liberty, ce camion porte comme un cercueil en brique en raison de son essieu arrière rigide, la finition est pathétique, les matériaux, bon marché, et le moteur ronchonne constamment. Seule la gueule est sympathique, et l'aménagement, bien pensé avec beaucoup d'espace pour les bagages et les passagers. Mais même si Chrysler m'en donnait un, je n'en voudrais pas. Si vous cherchez ce genre de véhicule chez Chrysler, optez plutôt pour un Journey, beaucoup plus intéressant.

5 FICHE TECHNIQUE

· MOTEUR

· (SXT)

V6 3,7 l SACT, 210 ch à 5200 tr/min
Couple 235 lb-pi à 4000 tr/min
Transmission manuelle à 6 rapports, automatique à 4 rapports (en option)
0-100 km/h 10,3 s
Vitesse maximale 185 km/h

· AUTRES COMPOSANTES

Sécurité active freins ABS, antipatinage, contrôle de stabilité électronique
Suspension avant/arrière indépendante, essieu rigide
Freins avant/arrière disques
Direction à crémaillère, assistée
Pneus SXT P225/75R16

· DIMENSIONS

Empattement 2763 mm
Longueur 4544 mm
Largeur 1857 mm
Hauteur 1776 mm
Poids SXT 1862 kg
R/T 1883 kg
Diamètre de braquage 11,1 m
Coffre 909 l, 2141 l (sièges abaissés)
Réservoir de carburant 74 l
Capacité de remorquage 2268 kg

NOTRE VERDICT

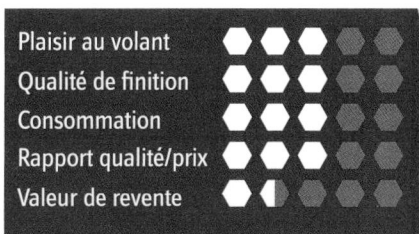

Plaisir au volant
Qualité de finition
Consommation
Rapport qualité/prix
Valeur de revente

RAM

www.dodge.ca

N ÉVOLUTION É J

26 495 $ à 46 490 $
transport et préparation: 1450 $

LA COTE VERTE

AVEC MOTEUR V6 DE 3,7 L

- **Consommation (100km): 2RM man.** 11,9 l **auto.** 12,6 l
- **Émissions polluantes CO_2 : 2RM man.** 5808 kg/an **auto.** 6096 kg/an
- **Empreinte écologique (nombre d'arbres à planter par année):** 36
- **Indice d'octane:** 87
- **Autre motorisation:** non
- **Coût du carburant moyen par année: 2RM man.** 2520 $ **auto.** 2540 $
- **Nombre de litres par année: 2RM man.** 2520 l **auto** 2540 l

(source: ÉnerGuide)

1 FICHE D'IDENTITÉ

- **Versions** ST, SLT, Sport, Laramie, RT, SXT, TRX
- **Roues motrices** arrière, 4
- **Portières** 2, 4 **Nombre de passagers** 2 à 5
- **Première génération** 1981
- **Génération actuelle** 2009
- **Construction** Warren, Michigan, É.-U.; Fenton, Missouri, É.-U.
- **Sacs gonflables** 2 (frontaux; latéraux en option)
- **Concurrence** Chevrolet Silverado, Ford F-150, GMC Sierra, Nissan Titan, Toyota Tundra

2 AU QUOTIDIEN

- **Prime d'assurance**
  25 ans: 1700 à 1900 $
  40 ans: 1100 à 1300 $
  60 ans: 900 à 1100 $
- **Collision frontale** 5/5
- **Collision latérale** 5/5
- **Ventes du modèle de l'an dernier**
  Au Québec 5837 **Au Canada** 41 320
- **Dépréciation** 62,3%
- **Rappels** (2004 à 2009) 7
- **Cote de fiabilité** 3/5

3 GARANTIES... ET PLUS

- **Garantie générale** 3 ans/60 000 km
- **Garantie motopropulseur** 5 ans/100 000 km
- **Perforation** 5 ans/160 000 km
- **Assistance routière** 5 ans/100 000 km
- **Nombre de concessionnaires**
  Au Québec 94 **Au Canada** 439

4 NOUVEAUTÉS EN 2010

- Nouveaux modèles SXT et TRX.
- Indicateur d'économie d'essence de série.

MUSCLES EN SPANDEX

PAR ALEXANDRE CRÉPAULT

CELLE QUE L'AJAC A COURONNÉ MEILLEURE CAMIONNETTE PLEINE GRANDEUR EN 2009 REVIENT CETTE ANNÉE AVEC DEUX NOUVELLES VERSIONS.

[CARROSSERIE] La Ram présente une silhouette d'un degré de sophistication rare pour le segment. Par exemple, les phares et le pare-chocs intégrés à la calandre forment une partie avant plus homogène que jamais. La Ram peut également se targuer de posséder le meilleur coefficient aérodynamique sur le marché; cela tient à la forme bien pensée de ses rétroviseurs et de son capot, notamment. Outre sa sveltesse, de petits détails la rendent réellement pratique. Je pense notamment aux deux coffres étanches incorporés sur les côtés de la caisse ou au séparateur de caisse qu'on utilise aussi comme rallonge. Avec ses deux pots d'échappement à l'arrière qui ressortent de chaque côté et ses roues de 20 pouces en option, la Ram a de la gueule et de la classe.

[HABITACLE] Ici, il faut choisir parmi trois cabines : ordinaire, Quad et Crew. Quelle que soit leur préférence, les occupants de la Ram siègent dans un environnement sain grâce à l'étanchéité des portes qui bloque tout bruit parasite. Les versions de la Ram équipées de fauteuils à l'avant nous font profiter d'un sélecteur de vitesses ancré au plancher et d'un massif accoudoir central. Demandez le menu complet concernant la finition intérieure et vous pourrez commander du vinyle ou du tissu antitache et, même, des garnitures de cuir pour recouvrir l'habitacle au complet.

[MOTEUR] Chrysler comptait introduire une version diesel de sa camionnette Dodge Ram 1500 le plus tôt possible. Les premières rumeurs parlait de 2010, ensuite ce fût 2011. Finalement, les plans ont tout simplement été annulés. Il vous reste donc trois choix pour le 1500, les mêmes que l'an dernier. À l'exception des constructeurs allemands qui maîtrisent bien cette technologie, rares sont ceux qui ont mis de l'avant des technologies diesel pour l'Amérique du Nord. GM a coupé court à sa technologie diesel avant de passer sous la protection de la loi sur les

FORCES • Confort • Tenue de route • Style • Nouveau moteur diesel

FAIBLESSES • Consommation de carburant

faillittes, Ford a opté pour la turbocompression avec sa technologie EcoBoost, Nissan a laissé tomber, Honda également, il semble que l'électricité ait pris le dessus en ce moment, d'autant plus que Chrysler n'a pas un sous de côté pour la recherche et le développement, on s'en tient donc au status quo en offrant les mêmes moteur que l'an dernier. Le V6 de 3,7 litres ouvre le bal avec une puissance annoncée de 215 chevaux et un couple de 235 livres-pieds, le tout capable de remorquer 8500 livres de façon respectable. Maintenant, passons aux choses sérieuses. Deux V8, un 4,7-litres et un 5,7-litres de 310 et de 390 chevaux respectivement qui pourraient tirer un éléphant et son petit. Si vous effectuez de gros travaux, les nouvelles Ram HD 2500 et 3500 sont les camions de l'heure : couple de 650 livres-pieds extrait d'un moteur turbodiesel Cummins de 6,7 litres, capacité de remorquage de 18 500 livres sur la version 3500 à roues arrière doubles équipée de la boîte de vitesses automatique avec rapport de pont de 4,1. Sur cette même version, une boîte manuelle à 6 rapports est offerte de série.

[COMPORTEMENT] Grâce à sa suspension arrière multibras, la Ram 1500 offre un degré de confort quasi impensable pour une camionnette. La tenue de route en profite; le véhicule conserve une bonne adhérence dans les courbes et ne sautille pas d'un bord à l'autre sur les routes dégradées. Quant au moteur HEMI, sa puissance se révèle aussi impressionnante que sa consommation de carburant.

[CONCLUSION] La Ram s'est transformée très avantageusement lors de sa refonte en 2009. En ajoutant un moteur diesel dans la classe d'une demi-tonne, elle demeure concurrentielle face à ses rivales américaines et japonaises qui, elles aussi à leur façon, sont en train de changer le monde des grosses camionnettes.

2e OPINION

FRÉDÉRIC MASSE L'ancienne Ram était correcte, point. Le nouveau prend tout ce qui était correct et le fait passer dans une autre dimension. Exit les lames au profit d'une suspension arrière multibras à ressorts hélicoïdaux, une première dans l'industrie. Dodge a probablement compris que les gros travailleurs choisissent Ford, et qu'il valait mieux séduire les autres acheteurs potentiels. La finition, la qualité des matériaux, la précision de la direction, le comportement routier, tout est réglé au poil dans cette bête. Maniable comme pas une, la grosse camionnette en impose en plus avec sa gueule de macho. Ajoutez à cela la possibilité de choisir le Hemi et vous obtenez une machine qui trouve sa place sur la plus haute marche, juste à côté de la F-150, dans un marché ultra concurrentiel. Dodge a donc l'arme pour prétendre aux grands honneurs.

5 FICHE TECHNIQUE

· MOTEURS

· V6 3,7 L SACT, 215 ch à 5200 tr/min
Couple 235 lb-pi à 4000 tr/min
Transmission automatique à 4 rapports
0-100 km/h 12,0 s
Vitesse maximale 170 km/h

· V8 4,7 l SACT, 310 ch à 5650 tr/min
Couple 330 lb-pi à 3950 tr/min
Transmission automatique à 5 rapports
0-100 km/h 9,8 s
Vitesse maximale 180 km/h
Consommation (100 km) **2RM man.** 14,3 l **autom.** 13,6 l **4RM man.** 14,8 l **auto.** 14,1 l (octane 87)
Émissions de CO_2 2RM man. 6960 kg/an **autom.** 6624 kg/an **4RM man.** 7200 kg/an **autom.** 6864 kg/an
Litres par année 2RM auto. 2700 l
4RM autom. 2860 l
Coût par an 2RM auto. 2700 $
4RM autom. 2860 $
Autre motorisation non
Empreinte écologique 42 arbres

· V8 5,7 l ACC, 390 ch à 5600 tr/min
Couple 407 lb-pi à 4000 tr/min
Transmission automatique à 5 rapports
0-100 km/h 9,9 s
Vitesse maximale 190 km/h
Consommation (100 km) 2RM 13,5 l **4RM** 14,4 l (octane 87)
Émissions de CO_2 2RM 6624 kg/an
4RM 7008 kg/an
Litres par année 2RM auto. 2620 l
4RM autom. 2760 l
Coût par an 2RM auto. 2620 $
4RM auto. 2760 $
Autre motorisation non
Empreinte écologique 41 arbres

· AUTRES COMPOSANTES
Sécurité active freins ABS, antipatinage et contrôle de stabilité électronique (en option)
Suspension avant/arrière indépendante/essieu rigide
Freins avant/arrière disques
Direction à crémaillère, assistée
Pneus ST/ SLT P265/70R17 **Sport/Laramie** P275/60R20

· DIMENSIONS
Empattement 3048 à 3556 mm
Longueur 5308 à 5764 mm
Largeur 2017 mm
Hauteur 1864 à 1887 mm
Poids 2239 kg à 2568 kg
Diamètre de braquage 13,8 à 15,9 m
Réservoir de carburant boîte courte 98 l
Boîte longue 121 l **Mega Cab** 128 l
Capacité de remorquage 1480 kg à 3992 kg

NOTRE VERDICT

Plaisir au volant
Qualité de finition
Consommation
Rapport qualité/prix
Valeur de revente

SPRINTER

www.dodge.ca

(N) ÉVOLUTION (É) (J)

45 600 $ à 55 300 $
transport et préparation: 1990 $

LA COTE VERTE

AVEC MOTEUR V6 DE 3,0 L

- **Consommation (100km):** 9,2 l (diesel)
- **Émissions polluantes** CO_2 : 5062 kg/an
- **Empreinte écologique (nombre d'arbres à planter par année):** 30
- **Autre motorisation:** Diesel
- **Coût du carburant moyen par année:** 2813 $
- **Nombre de litres par année:** 1875 l

(SOURCE: ÉnerGuide)

1 FICHE D'IDENTITÉ

- **Versions** 2500, 3500
- **Roues motrices** arrière
- **Portières** 4 **Nombre de passagers** 7 à 12
- **Première génération** 2004
- **Génération actuelle** 2004
- **Construction** Düsseldorf, Allemagne
- **Sacs gonflables** 2 (frontaux)
- **Concurrence** Chevrolet Express, Ford Série E, GMC Savana

2 AU QUOTIDIEN

- **Prime d'assurance**
  25 ans: 1600 à 1800 $
  40 ans: 1200 à 1400 $
  60 ans: 900 à 1100 $
- **Collision frontale** 5/5
- **Collision latérale** 5/5
- **Ventes du modèle de l'an dernier**
  Au Québec 597 **Au Canada** 2486
- **Dépréciation** 60%
- **Rappels** (2004 à 2009) 6
- **Cote de fiabilité** 4/5

3 GARANTIES... ET PLUS

- **Garantie générale** 3 ans/60 000 km
- **Garantie motopropulseur** 5 ans/100 000 km
- **Perforation** 5 ans/160 000 km
- **Assistance routière** 5 ans/100 000 km
- **Nombre de concessionnaires**
- **Québec** 94 **Au Canada** 439

4 NOUVEAUTÉS EN 2010

- Aucun changement majeur

SEUL AU SOMMET

PAR BENOIT CHARETTE

ON DIT QUE LA QUALITÉ A UN PRIX; DANS LE CAS DU SPRINTER, C'EST VRAI. Il est plus cher que la concurrence, mais évolue dans une autre ligue. Ce Mercedes-Benz déguisé laisse loin derrière les fourgons vieillots et mal adaptés de la concurrence. Ford est la première qui a compris et nous amène cette année, en format beaucoup plus petit, le Transit Connect, issu de la technologie moderne.

[CARROSSERIE] Ses lignes carrées et ses flancs en chute libre laissent transpirer un style typiquement européen. Dans les faits, on dirait une Volkswagen Eurovan en plus gros. Et quand je dis gros, je n'exagère pas ! Vous avez le choix de trois empattements différents et d'autant de longueurs, dans les configurations cargo (sans vitres latérales) ou passager. Vous pouvez même choisir un modèle avec toit surélevé qui vous donne la possibilité de vous tenir debout à l'intérieur du véhicule. On est plus proche, ici, du minibus que de la fourgonnette... Ajoutez les énormes portes à battants à l'arrière et vous avez un véhicule d'une polyvalence hors de l'ordinaire.

[HABITACLE] Si l'extérieur trahit rapidement ses origines, il en va de même pour l'intérieur. Ça respire la solidité et le travail bien fait, deux caractéristiques des produits Mercedes-Benz. L'ergonomie et les commandes sont aussi placées à l'européenne. Il y a de l'écho dans la version cargo tellement l'habitacle est vaste, et vous aurez besoin d'un intercom pour bavarder avec les passagers complètement à l'arrière... Avec une telle surface vitrée, la visibilité me pose pas de problème. La position de conduite est celle d'un autobus, avec un volant qui pointe vers le plafond et un siège aussi droit qu'une chaise de jardin. Après quelques minutes, on se fait à cette position de conduite très élevée et on tire rapidement avantage de cette position dominante au-dessus de la circulation.

[MÉCANIQUE] Ici, le choix est simple. Tous les modèles sont propulsés par un moteur Mercedes-Benz à 6 cylindres en V turbodiesel de 3 litres accompagné d'une boîte de vitesses automatique à 5 rapports. Malgré son poids et une puissance de 154 chevaux qui peut sembler insuf-

FORCES • Moteur turbodiesel peu gourmand • Assemblage solide • De l'espace à revendre • Conception moderne

FAIBLESSES • Prix élevé • N'apprécie pas les vents latéraux • Capacité de remorquage un peu sous la moyenne • Fiabilité ? • Après tout, c'est du Mercedes-Benz...

SPRINTER

fisante, inquiétante même, le moteur est prompt; il ne manque jamais de souffle et laisse à peine savoir qu'il fait partie de la famille des motorisations diesel. Et que dire de la consommation de carburant qui, lors de ma semaine d'essai, s'est limitée à 9,2 litres aux 100 kilomètres. Aucun véhicule de cette taille ne peut faire mieux. Le seul bémol que j'apporterais à cette petite mécanique réside dans la capacité de remorquage, plus modeste que la moyenne pour cette catégorie de véhicules.

[COMPORTEMENT] L'un des points forts du Sprinter tient à sa conduite. Sa boîte de vitesses très douce offre, en plus, une sélection manuelle qui permet de tirer le maximum de la puissance du moteur. Je dois cependant admettre que la position de conduite est carrément farfelue : le volant fixe qui regarde le plafond risque de rendre les grandes randonnées pénibles sur le bas du dos. Je me demande pourquoi Mercedes-Benz – pardon Dodge – tient à punir les conducteurs. Un volant inclinable, c'est simple, peu coûteux et ça donne le choix au conducteur de placer le volant à sa guise. Heureusement, les sièges sont confortables. Par ailleurs, la tenue de route est tout à fait correcte (pour un fourgon). Naturellement, avec un toit à plus de 2,5 mètres du sol, la conduite sportive est hors de question, et les pneus Michelin LTX très résistants (mais pas très performants) ont peine à contenir le roulis si vous décidez de mettre un peu la sauce.

[CONCLUSION] Dans un segment de marché où l'immobilisme est de rigueur, le Sprinter est une bouffée d'air frais. Il est vrai que son prix est sensiblement plus élevé que celui de ses concurrents directs, mais sa conception moderne, son incomparable polyvalence et son moteur très frugal compensent largement le surplus demandé. Comme dit l'adage, l'essayer c'est l'adopter.

2e OPINION

MICHEL CRÉPAULT Ce véhicule-là est une révélation. De la même façon qu'IKEA a débarqué en Amérique du Nord pour démontrer aux détaillants ce qu'elle faisait mal depuis un siècle, le Sprinter a montré au segment du fourgon commercial ce qu'il n'avait pas compris. Le Sprinter est tellement agréable à conduire (agile, doux, confortable et manoeuvrable) que je brûle d'envie de m'en procurer un même si je ne suis pas un entrepreneur. En Californie, le Sprinter est devenu la nouvelle coqueluche des planchistes. Si vous devez vous en procurer un réellement par affaires, vous aurez le choix entre un millier de combinaisons intérieures. Le récent divorce entre Chrysler et Mercedes-Benz ne devrait pas nous priver de ce bijou parce que les deux parties ont trop à gagner à combler ainsi le consommateur.

5 FICHE TECHNIQUE

· MOTEUR

· V6 3,0 l turbo diesel DACT, 154 ch à 3400 tr/min
Couple 280 lb-pi à 1200 tr/min
Transmission automatique à 5 rapports avec mode manuel
0-100 km/h 14,0 s
Vitesse maximale 119 km/h

· AUTRES COMPOSANTES

Sécurité active freins ABS, répartition électronique de force de freinage, antipatinage, contrôle de stabilité électronique
Suspension avant/arrière indépendante/essieu rigide
Freins avant/arrière disques
Direction à crémaillère, assistée
Pneus 2500 LT245/75R16 **3500** LT215/85R16

· DIMENSIONS

Empattement 3665 à 4325 mm
Longueur 5910 à 6945 mm
Largeur 2024 mm
Hauteur 2446 à 2731 mm
Poids 2484 à 2698 kg
Diamètre de braquage 14,5 à 16,6 m
Coffre 4000 à 5300 l (passager)
Réservoir de carburant 98 l
Capacité de remorquage 2268 kg

NOS MENTIONS

Clé d'or de sa catégorie

Coup de coeur

NOTRE VERDICT

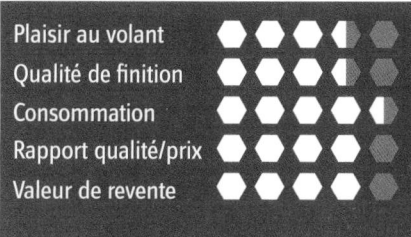

Plaisir au volant
Qualité de finition
Consommation
Rapport qualité/prix
Valeur de revente

VIPER

www.dodge.ca

N ÉVOLUTION É J

98 895 $ à 99 895 $
transport et préparation: 1420 $

LA COTE VERTE

AVEC MOTEUR V10 DE 8,4 L

- **Consommation (100km):** 13,0 l
- **Émissions polluantes CO2 :** 6432 kg/an
- **Empreinte écologique (nombre d'arbres à planter par année):** 38
- **Indice d'octane:** 91
- **Autre motorisation:** non
- **Coût du carburant moyen par année:** 2948 $
- **Nombre de litres par année:** 2680 l

(SOURCE: ÉnerGuide)

1 FICHE D'IDENTITÉ

- **Versions** SRT10 coupé, décapotable
- **Roues motrices** arrière
- **Portières** 2 **Nombre de passagers** 2
- **Première génération** 1992
- **Génération actuelle** 2003
- **Construction** Detroit, Michigan, É.-U.
- **Sacs gonflables** 2 (frontaux)
- **Concurrence** Aston Martin DB9, BMW Série 6, Chevrolet Corvette, Ferrari 458, Jaguar XKR, Lamborghini Gallardo, Maserati GT, Mercedes-Benz Classe SL, Porsche 911

2 AU QUOTIDIEN

- **Prime d'assurance**
  25 ans: 8000 à 8200 $
  40 ans: 5200 à 5700 $
  60 ans: 4400 à 4700 $
- **Collision frontale** 5/5
- **Collision latérale** 4/5
- **Ventes du modèle de l'an dernier**
  Au Québec 25 **Au Canada** 157
- **Dépréciation** 27,3%
- **Rappels** (2004 à 2009) 1
- **Cote de fiabilité** 3/5

3 GARANTIES... ET PLUS

- **Garantie générale** 3 ans/60 000 km
- **Garantie motopropulseur** 5 ans/100 000 km
- **Perforation** 5 ans/160 000 km
- **Assistance routière** 5 ans/100 000 km
- **Nombre de concessionnaires**
  Au Québec 116 **Au Canada** 509

4 NOUVEAUTÉS EN 2010

- Aucun changement majeur

EN SURSIS

PAR BENOIT CHARETTE

LA NOUVELLE EST TOMBÉE À PIC QUAND FIAT S'EST PORTÉE ACQUÉREUR DE CHRYSLER. Nous n'aurons pas de problèmes à transformer les chaînes de montage sauf pour un modèle, la Viper. Dès lors, le modèle était condamné. Chrysler a tenté de le vendre, sans succès. Entre 500 millions et 1 milliard de dollars, c'est le coût possible d'une adaptation des usines Fiat pour la fabrication de la Viper. Pas étonnant que la marque italienne n'ait pas de projet pour le reptile. Enfin, Fiat décide de garder le monstre en résidence pour encore un an. Et depuis que cette décision a été prise, les rumeurs les plus folles circulent à propos d'une possible refonte du modèle. Nous avons même entendu dire que Ferrari pourrait adapter un V10 pour la Viper. Laissez-moi en douter, mais bon, on peut toujours rêver.

[CARROSSERIE] C'est en 1992 que la Viper est née de l'imagination de Bob Lutz (alors chez Chrysler) et de Carroll Shelby. Elle est produite pour la première fois sous le sigle RT/10. Pour ce V10 de 8 litres, le succès arrive très vite, faisant de ce coupé une référence parmi les muscle cars américains. Le moteur développe 400 chevaux à 4600 tours par minute. La version GTS apparaît en 1993 sous forme de concept et sera produite dès 1996. Cette dernière est équipée du même bloc-moteur, mais elle gagne 50 chevaux par rapport à son aînée. La version équipée du pack ACR (American Club Racer), produite en 2000, connaîtra à son tour un énorme succès. La dernière refonte, qui date de 2008, fait maintenant 600 chevaux; le bloc est passé à 8,4 litres, et les lignes, quoique moins crues qu'à leur début, n'ont rien perdu de leur hargne.

[HABITACLE] C'est sans équivoque, vous prenez place dans du sport extrême, façon far west. C'est cru et droit au but. Le volant et la boîte de vitesses du genre camion tombent dans la main. La climatisation est loin de répondre à la demande, et la chaleur dégagée par l'échappement de chaque côté des portières vous fait cuire après quelques heures au volant. La télécommande, les interrup teurs de la climatisation, des glaces et des miroirs, le levier des clignotants et j'en passe semblent

FORCES • Moteur sauvage • Boîte efficace et robuste • Allure d'enfer • Sièges au maintien et au confort améliorés • Tenue de route enfin civilisée !

FAIBLESSES • Chaleur de sauna dans l'habitacle et climatisation déficiente • Absence d'espace de rangement et décor digne d'une fourgonnette • Incitation à la débauche sur nos routes...

sortir d'une Dodge Caravan. Où est le prestige ? La position de conduite est basse mais confortable. Les baquets proposent un excellent maintien mais ne respirent pas : il leur faudrait un cuir perforé vu la chaleur qui règne dans l'habitacle. Le levier de vitesses est tout simplement idéal : excellente prise, course courte et engagements très précis.

[MÉCANIQUE] Ma dernière expérience au volant de la Viper s'est déroulée à l'aéroport de la Macaza, près de Mont-Tremblant. Près de deux kilomètres d'accélération. Les 600 chevaux m'ont mené sans problème de 0 à 65 km/h sur le 1er rapport, le 2e à 85, le 3e à 105, le 4e à 140, le 5e à plus de 170 et le 6e... 245 avant d'avoir à lever le pied, faute de piste. Quand on réveille le moteur, les frissons suivent. En ville, la voiture décide elle-même (comme la Corvette) de passer du 1er au 4e rapport, et le couple reste suffisant.

[COMPORTEMENT] La direction est lourde, heureusement, elle tient tout de même la route. L'angle de braquage, toutefois, n'est pas fameux. Avec ce nez-là, pas faciles les demi-tours. La suspension penche vers le très ferme. On finit par s'habituer, mais ce n'est jamais confortable. Le toit abaissé, le vent n'envahit pas tellement l'habitacle, mais le niveau sonore est élevé. Une bonne raison de laisser son cellulaire tranquille...

[CONCLUSION] Il faut être un conducteur un brin « maso »pour vivre au quotidien avec une Viper. Le bolide procure des sensations que peu d'autres voitures peuvent offrir, surtout si l'on tient compte de la facture finale. Il y a, bien sûr, un autre prix à payer, soit un certain inconfort et une perte totale d'intimité.

2e OPINION

CARL NADEAU La nouvelle tenue de route m'a jeté à terre. C'est le jour et la nuit par rapport à l'ancienne Viper... que je détestais passionnément. Fini la banane trop mûre qui se tortille dans le chemin sur ses quatre mags chromés, bienvenue au 21e siècle !
Le train arrière est vissé au sol. La voiture cherche toujours la motricité. Le châssis est maintenant très rigide, sans flexion au centre. Le dangereux sautillement du train arrière est une chose du passé. Nul besoin d'antipatinage pour doser les fortes accélérations sur nos chemins
bosselés, alors que la Corvette et la Mustang Shelby GT-500 nécessitent cette aide électronique pour éviter la dérobade. Pour la première fois de sa carrière, la Viper donne enfin confiance au pilote. Nous ne sommes pas encore sur le territoire d'une 911, mais on s'en rapproche drôlement.

5 FICHE TECHNIQUE

· MOTEUR
· V10 8,4 l ACC, 600 ch à 6100 tr/min
Couple 560 lb-pi à 5000 tr/min
Transmission manuelle à 6 rapports
0-100 km/h 3,9 s
Vitesse maximale 305 km/h

· AUTRES COMPOSANTES
Sécurité active freins ABS
Suspension avant/arrière indépendante
Freins avant/arrière disques ventilés
Direction à crémaillère, assistée
Pneus P275/35R18 (av.), P345/30R19 (arr.)

· DIMENSIONS
Empattement 2510 mm
Longueur 4459 mm
Largeur 1911 mm
Hauteur 1210 mm
Poids 1565 kg **cabrio.** 1560 kg
Diamètre de braquage 12,3 m
Coffre cabrio. 240 l **coupé** 667 l
Réservoir de carburant 70 l

NOTRE VERDICT

Plaisir au volant
Qualité de finition
Consommation
Rapport qualité/prix
Valeur de revente

458 ITALIA

www.ferrariquebec.com

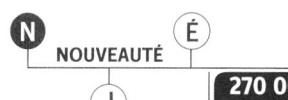

NOUVEAUTÉ

270 000 $ (est.)
transport et préparation: 3500 $

LA COTE VERTE

AVEC MOTEUR V8 DE 4,5 L

- **Consommation (100km):** 13,7 l
- **Émissions polluantes CO_2 :** 6400 kg/an
- **Empreinte écologique (nombre d'arbres à planter par année):** 36
- **Indice d'octane:** 94
- **Autre motorisation:** non
- **Coût du carburant moyen par année:** 3080 $
- **Nombre de litres par année:** 2800 l

(SOURCE: ÉnerGuide)

1 FICHE D'IDENTITÉ

- **Version** unique
- **Roues motrices** arrière
- **Portières** 2 **Nombre de passagers** 2
- **Première génération** 2010
- **Génération actuelle** 2010
- **Construction** Maranello, Italie
- **Sacs gonflables** 4 (frontaux et Latéraux)
- **Concurrence** Aston Martin V8, Chevrolet Corvette Z06/ZR1, Dodge Viper, Lamborghini Gallardo, Porsche 911 Turbo

2 AU QUOTIDIEN

- **Prime d'assurance**
  25 ans: 8000 à 8200 $
  40 ans: 5300 à 5500 $
  60 ans: 4000 à 4200 $
- **Collision frontale** nm
- **Collision latérale** nm
- **Ventes du modèle de l'an dernier**
  Au Québec nm **Au Canada** nm
- **Dépréciation** nm
- **Rappels** (2004 à 2009) nm
- **Cote de fiabilité** nm

3 GARANTIES... ET PLUS

- **Garantie générale** 3 ans/kilométrage illimité
- **Garantie motopropulseur** 3 ans/kilométrage ill.
- **Perforation** 3 ans/kilométrage illimité
- **Assistance routière** 3 ans/kilométrage illimité
- **Nombre de concessionnaires**
  Au Québec 1 **Au Canada** 3

4 NOUVEAUTÉS EN 2010

- Nouveau modèle

VIAGRA AUTOMOBILE

PAR FRÉDÉRIC MASSE

C'EST PRESQUE SOLENNEL. LA F430 N'EST PLUS. N'ESSAYEZ MÊME PLUS D'EN COMMANDER UNE NEUVE, VOUS NE POURREZ PLUS. Ne vous trompez toutefois pas, après des mois d'attente, voilà que la firme de Maranello nous annonce que nous devrons écrire un texte sur une voiture sans l'avoir essayée, pire, sans avoir mis le nez dedans. Ainsi, vous aurez droit à un texte de surface sur la 458 Italia qu'on surnomme ainsi pour son moteur de 4,5 litres et ses 8 cylindres. Cette merveille sera officiellement dévoilée au salon de Francfort 2009, tout juste après la sortie de L'Annuel.

[CARROSSERIE] La première chose qui frappe quand on voit la nouvelle 458 Italia, ce sont ses lignes. À l'image de la 360 Modena et de la F430, elle a su se renouveler en poussant un peu plus loin la recherche de la beauté absolue. Le souffle un peu coupé, on regarde ses courbes aguichantes, son allure compacte et athlétique, ses arches de roues (qui feront 20 pouces) prononcées, ses phares avant à DEL qui semblent sans fin, son petit derrière bien taillé et rebondi qui accueille trois sorties d'échappement et son nez fin. Dans ses narines se trouvent d'ailleurs des ailerons aéro-élastiques qui se déforment en fonction de la vitesse atteinte pour, entre autres choses, améliorer l'aérodynamisme. On doit encore à Pininfarina ce coup de crayon emballant. Je me dois d'aduler ces orfèvres. Ils embellissent mon paysage et ma vie. En la regardant, j'ai le cœur qui bat la chamade.

[HABITACLE] Fidèle à la tradition, il n'y a encore que deux places. Les photos dévoilées par Ferrari nous laissent deviner un intérieur sophistiqué et flamboyant, tout à fait à l'image de la carrosserie. Connaissant les produits récents du fabricant, on peut s'attendre au paroxysme : des sièges au maintien idéal, au volant à la prise en main parfaite et, surtout, la nouvelle boîte de vitesses à double embrayage à sept rapports, qui sera évidemment repositionnée, de la California.

[MOTEUR] Au moment de livrer mon texte, les seuls renseignements sous la main sont un communiqué de presse officiel, quelques pho-

FORCES · Une ligne qui va plaire · Des performances toujours plus relevées · Une consommation presque raisonnable

FAIBLESSES · Bien sûr, le prix · Une puissance inutilisable sur nos routes

458 ITALIA

tos et... une vidéo officielle de Ferrari où l'on peut entendre la sonorité du tout nouveau V8 de 4,5 litres de la 458. En écrivant ces lignes, je l'écoute en boucle et j'en ai la chair de poule. Inspirant vous dites... du vrai Viagra automobile. C'est la toute première fois que Ferrari utilise l'injection directe pour sa voiture à moteur central. Ferrari estime d'ailleurs que les nouvelles modifications à la mécanique lui permettent de rouler à 13,7 litres aux 100 kilomètres. Wow ! Quel détail important... Mais, concentrons-nous sur l'essentiel : 562 chevaux, soit 127 par litre. Imaginez en plus que la ligne rouge se trouvera à 9000 tours par minute ! Et, on ne parle pas encore de la version Scuderia qui suivra inévitablement. Mais, le caractère spectaculaire de la machine ne s'arrête pas là si l'on considère que son poids à sec est de 1380 kilos (c'est encore 70 de moins que la F430... remercions la fibre de carbone et le magnésium) et son rapport puissance-poids de 2,45 chevaux par kilo. Ferrari annonce le 0 à 100 km/h en 3,4 secondes et une vitesse de pointe de plus de 325 km/h. Dément, incroyable et terriblement aguicheur.

[COMPORTEMENT] On change tout par rapport à la F430 : nouveau châssis en aluminium, nouvelle technologie de suspension, en plus de la nouvelle mécanique. Conçue avec l'aide de Michael Schumacher qui vieille à valider le comportement des voitures (Ferrari sait utiliser ses outils marketing à bon escient), la berlinetta propose une répartition de poids de 42 % sur l'avant et de 58 % à l'arrière. On dit d'ailleurs que Michael, pour les intimes, aurait apporté sa magie en créant un poste de pilotage tout à fait F1 où le volant devient encore davantage le poste de commande. Ferrari demeure pour l'instant discrète sur une future version hybride à 6 cylindres.

[CONCLUSION] La flamme patriotique italienne transpire de tous les pores de la 458 Italia. Elle crie haut et fort qu'elle ne se laissera pas impressionner par les récents efforts des concurrentes comme l'Audi R8 V10 5.2, la Porsche 911 GT2 ou la Lamborghini LP 560-4. Elle fait peur.

2e OPINION

BENOIT CHARETTE Avec ses performances hors normes et 510 chevaux en attente, on pourrait croire que la 430 Scuderia avait tout ce qu'il faut. Mais quand la concurrence du village voisin offre 560 chevaux dans sa Gallardo, et qu'Audi amène une R8 à 525 chevaux, la firme de Maranello n'a pas eu le choix. Exit, la 430 et bonjour la 458. Présentée en première mondiale au salon de l'auto de Francfort, cette voiture montre tout le savoir-faire de Pininfarina. Elle est belle à en perdre haleine. Le moteur se bonifie et passe de 4,3 à 4,5 litres, toujours en configuration V8 et de 510 à 562 chevaux, question de remettre les pendules à l'heure.
Cette sportive clame haut et fort sa latinité. Au contraire de la California, elle loge toujours son V8 en position centrale arrière et l'expose fièrement au regard des passants. Quant à la ligne, elle se montre plus agressive que jamais. Un fauve qui reprend sa place sur la seule marche du podium digne d'une Ferrari, la première.

5 FICHE TECHNIQUE

- **MOTEUR**
- **(F458)**

V8 4,5 l DACT, 562 ch à 9000 tr/min
Couple 398 lb-pi à 6000 tr/min
Transmission séquentielle à 7 rapports
0-100 km/h 3,4 s
Vitesse maximale 325 km/h

- **AUTRES COMPOSANTES**

Sécurité active freins ABS, antipatinage
Suspension avant/arrière indépendante
Freins avant/arrière disques ventilés
Direction à crémaillère, assistée
Pneus P235/35ZR20 (av.), P295/35ZR20 (arr.)

- **DIMENSIONS**

Empattement 2650 mm
Longueur 4527 mm
Largeur 1937 mm
Hauteur 1213 mm
Poids 1380 kg
Diamètre de braquage 10,8 m
Coffre 220 l
Réservoir de carburant 95 l

NOS MENTIONS

Coup de coeur

NOTRE VERDICT

Plaisir au volant
Qualité de finition
Consommation
Rapport qualité/prix
Valeur de revente Nm

599 GTB

www.ferrariquebec.com

N ÉVOLUTION É J

336 500 $ à 400 000$
transport et préparation: 3 500 $

LA COTE VERTE

AVEC MOTEUR V12 DE 6,0 L

- **Consommation (100km):** 16,5 l
- **Émissions polluantes CO_2 :** 8064 kg/an
- **Empreinte écologique (nombre d'arbres à planter par année):** 48
- **Indice d'octane:** 94
- **Autre motorisation** non
- **Coût du carburant moyen par année:** 3696 $
- **Nombre de litres par année:** 3360 l

(SOURCE: ÉnerGuide)

1 FICHE D'IDENTITÉ

- **Version GTB** Fiorano
- **Roues motrices** arrière
- **Portières** 4 **Nombre de passagers** 2+2
- **Première génération** 2007
- **Génération actuelle** 2007
- **Construction** Maranello, Italie
- **Sacs gonflables** 4 (frontaux, latéraux)
- **Concurrence** Aston Martin DBS, Bentley Continental GT/Speed, Lamborghini Murcielago, Mercedes-Benz McLaren SLR

2 AU QUOTIDIEN

- **Prime d'assurance**
  25 ans: 15 000 à 15 300 $
  40 ans: 9500 à 9800 $
  60 ans: 8000 à 8500 $
- **Collision frontale** nd
- **Collision latérale** nd
- **Ventes du modèle de l'an dernier**
  Au Québec nd **Au Canada** nd
- **Dépréciation** (2 ans) 17,4%
- **Rappels** (2004 à 2009) nd
- **Cote de fiabilité** nd

3 GARANTIES... ET PLUS

- **Garantie générale** 3 ans/kilométrage illimité
- **Garantie motopropulseur** 3 ans/kilométrage ill.
- **Perforation** 3 ans/kilométrage illimité
- **Assistance routière** 3 ans/kilométrage illimité
- **Nombre de concessionnaires**
  Au Québec 1 **Au Canada** 3

4 NOUVEAUTÉS EN 2010

- Remplaçante de la 575 M Maranello en 2007

LA MESURE ÉTALON

PAR BENOIT CHARETTE

CHAQUE CATÉGORIE DE VÉHICULE POSSÈDE SON ICÔNE, UN VÉHICULE AVEC LEQUEL LES AUTRES MESURENT LEUR PROGRESSION ET ÉVALUENT LE CHEMIN QUI RESTE À PARCOURIR. La BMW Série 3 joue ce rôle chez les petites berlines sport, la Toyota Camry du côté des berlines intermédiaires. Quand vient le moment de parler de voiture de grand tourisme, Ferrari a toujours servi de mesure étalon; et celle qui transcende cette catégorie en ce moment, c'est la 599.

[CARROSSERIE] Capot très long et sculpté, jantes de 20 pouces à l'arrière, de 19 pouces à l'avant. L'arrière s'élargit grâce à des ailes proéminentes... prises d'air avant, latérales... la 599 respire la performance. Dans la définition même d'une voiture GT, il faut incorporer un V12 à la recette, c'est pour cela que pratiquement toutes les GT dignes de ce nom ont le museau étiré. Même à l'arrêt, la 599 est menaçante. Pas aussi jolie que les Aston Martin, mais elle impose le respect.

[HABITACLE] L'intérieur respire le luxe et la qualité artisanale. Pour 400 000 $, je m'attendais à rien de moins. Si j'avais à faire une critique, je dirais que les tolérances ne sont pas aussi sévères que dans une Audi R8 V10 qui se vend la moitié du prix, mais on sent la voiture de course. Le bouton START pour démarrer et le fameux « manettino » qui contrôle le système F1-Trac, soit l'antipatinage inspiré directement de la Formule Un. Sans oublier les leviers de sélection au volant et les sièges de cuir fin qui embaume tout l'habitacle.

[MÉCANIQUE] Voici le moment qui justifie presque le prix de la voiture. Rien ne chante comme un V12. Le V10 d'Audi ou de Lamborghini ne manque pas de charme, mais son bruit métallique n'a rien d'envoûtant. Le V12 de la 599 vous dresse les poils sur les bras. Fort de 612 chevaux, la puissance va vous chercher dans les tripes. Difficile à décrire, c'est une expérience qu'il faut vivre. Pour ajouter un peu d'émotion, Ferrari propose cette année avec la 599 l'ensemble HGTE pour « Handling Gran Turismo Evoluzione »

FORCES • Musique incomparable • Comportement sans reproche • Facile à conduite

FAIBLESSES • Prix et consommation • Finition très bonne, mais pas exceptionnelle • Volant un peu lourd à bas régime

qui peut se traduire par quelque chose comme « Grand Tourisme à comportement routier optimisé ». Équipée de cet ensemble sport, la 599 ajoute un cran à sa tenue de route. Même le plus néophyte des conducteurs pourra, l'espace d'un instant, se prétendre un émule de Michael Schumacher.

[COMPORTEMENT] Les mots me manquent pour décrire l'agrément de conduite que procure la 599. La première chose qui surprend est sa docilité. Cette voiture est aussi facile à conduire qu'une Honda Civic. Les leviers de sélection au volant se commandent du bout des doigts et, comme ailleurs chez Ferrari, vous avez au volant le programme à la carte. Une petite manette permet de choisir parmi cinq programmes de conduite depuis le volant, du plus prudent (neige !) au plus... inconscient (toutes « béquilles » électroniques déconnectées). Si, comme moi, vous n'êtes pas un pilote professionnel, il faut être très humble au volant. Le potentiel du moteur dépasse de loin la capacité de conduire de 99 % des automobilistes. Quand le régime moteur approche de la ligne rouge à 8 400 tours par minute, la musique qui émane du capot vous arrachera une larme, c'est érotique, il n'y a pas d'autres mot. Le passage des rapports au volant se fait en 100 millisecondes, et les freins en carbo-céramique vous arrêteront encore plus rapidement que vous avez accéléré sans jamais montrer d'essoufflement. Ferrari annonce un 0 à 100 km/h en 3,7 secondes; j'ai fait tout juste sous la barre du 4. Le 0 à 200 km/h se boucle en 11 secondes, et la vitesse maxi dépasse les 330 kilomètres. Une bête d'exception.

[CONCLUSION] C'est l'écrivain et dramaturge britannique Oscar Wilde qui a dit un jour : « J'ai les goûts les plus simples du monde. Je me contente du meilleur. » Voilà une philosophie qui résume très bien la 599. Vous pouvez avoir le beurre et l'argent du beurre si votre portefeuille est assez profond.

2e OPINION

CARL NADEAU Biblique, animal, les mots me manquent pour dire à quel point cette voiture pousse et pousse encore lorsqu'on la sollicite. Et tout cela se fait de manière progressive avec une boîte séquentielle qui fait claquer chaque rapport avec une rapidité qui déclasse bien des compétiteurs allemands. Si on doit comparer le chant du moteur à votre œuvre préférée, il faut dans les deux cas faire la même chose, mettre le volume à 11. La sensation de vitesse est proche d'une moto, au détail près qu'on a les côtes écrasées contre les flancs des baquets, et entre les mains 20 fois le prix d'une moto sport. Il y a tout de même certains avantages à être riche.

5 FICHE TECHNIQUE

· MOTEUR

· V12 6,0 l DACT, 612 ch à 7600 tr/min
Couple 448 lb-pi à 5600 tr/min
Transmission manuelle à 6 rapports, séquentielle à 6 rapports (en option)
0-100 km/h 3,7 s
Vitesse maximale 330 km/h

· AUTRES COMPOSANTES

Sécurité active freins ABS, antipatinage, contrôle de stabilité électronique
Suspension avant/arrière indépendante
Freins avant/arrière disques ventilés
Direction à crémaillère, assistée
Pneus P245/40R19 (av.), P305/35R20 (arr.)

· DIMENSIONS

Empattement 2751 mm
Longueur 4666 mm
Largeur 1961 mm
Hauteur 1335 mm
Poids 1688 kg
Diamètre de braquage nd
Coffre 326 l
Réservoir de carburant 127 l

NOTRE VERDICT

Plaisir au volant
Qualité de finition
Consommation
Rapport qualité/prix
Valeur de revente

612 SCAGLIETTI

www.ferrariquebec.com

N ÉVOLUTION É J

364 860 $
transport et préparation: 3500 $

LA COTE VERTE

AVEC MOTEUR V12 DE 5,7 L

- **Consommation (100km):** **man.** 17,7 l **auto** 17,8 l
- **Émissions polluantes CO_2 :** **man.** 8688 kg/an **auto.** 8784 kg/an
- **Empreinte écologique (nombre d'arbres à planter par année):** 52
- **Indice d'octane:** 94
- **Carburant alternatif:** non
- **Coût du carburant moyen par année:** **man.** 3982 $ **auto.** 4026 $
- **Nombre de litres par année: man.** 3620 l **auto.** 3660 l

(SOURCE: ÉnerGuide)

1 FICHE D'IDENTITÉ

- **Versions** base, Sessanta
- **Roues motrices** arrière
- **Portières** 2 **Nombre de passagers** 4
- **Première génération** 2004
- **Génération actuelle** 2004
- **Construction** Maranello, Italie
- **Sacs gonflables** 4 (frontaux, latéraux)
- **Concurrence** Bentley Continental GT, Jaguar XKR, Mercedes-Benz CL600

2 AU QUOTIDIEN

- **Prime d'assurance**
  25 ans: 15 000 à 15 300 $
  40 ans: 9500 à 9800 $
  60 ans: 8000 à 8500 $
- **Collision frontale** nd
- **Collision latérale** nd
- **Ventes du modèle de l'an dernier**
  Au Québec nd **Au Canada** nd
- **Dépréciation** (3 ans) 30,9%
- **Rappels** (2004 à 2009) 2
- **Cote de fiabilité** 3,5/5

3 GARANTIES... ET PLUS

- **Garantie générale** 3 ans/kilométrage illimité
- **Garantie motopropulseur** 3 ans/kilométrage ill.
- **Perforation** 3 ans/kilométrage illimité
- **Assistance routière** 3 ans/kilométrage illimité
- **Nombre de concessionnaires**
  Au Québec 1 **Au Canada** 3

4 NOUVEAUTÉS EN 2010

- Aucun changement majeur

LA GRANDE DAME DE FERRARI

PAR BENOIT CHARETTE

LA 612 ENTAME SA SIXIÈME ANNÉE SUR LA ROUTE SANS CHANGEMENT VISUEL IMPORTANT. Sa beauté, qui n'a pourtant jamais été son plus grand atout, est devenue intemporelle. Comme Sophia Loren ou Catherine Deneuve, elle se bonifie avec l'âge et traverse l'épreuve du temps avec brio. La 612 n'est pas la plus passionnante des Ferrari à conduire. Mais son agrément mécanique et sa facilité déconcertante d'utilisation en font, déjà, une grande dame du grand tourisme.

[CARROSSERIE] Au premier coup d'œil, les lignes ne sont pas harmonieuses. L'empattement très long et un interminable capot brisent l'équilibre. Il est vrai que Ferrari voulait faire de l'espace pour deux personnes (je n'ai pas dit deux adultes) à l'arrière, il a donc fallu allonger le tout en proportion. Si vous l'observez assez longtemps sous tous ses angles, vous lui trouverez certaines qualités esthétiques. Par exemple, les deux arêtes qui parcourent le dessus des ailes trouvent un prolongement jusque dans la calandre qui s'ouvre sur la route à l'avant. L'arrière respecte la tradition Ferrari avec ses quatre feux ronds et ses quatre sorties d'échappement chromées. Original et moderne dans un habile mélange de sportivité et d'élégance.

[HABITABLE] J'oserais presque dire que l'intérieur est spacieux, pour une Ferrari. Les places avant sont généreuses et, chose rare, il y a même de l'espace à l'arrière. Entendons-nous c'est une 2+2, mais une 2+2 généreuse, j'ai été capable de prendre place à l'arrière, sans trop me plaindre. Vous avez un coffre d'un format honnête pour une voiture de cette catégorie. Et pour maximiser son utilisation, Ferrari offre, contre supplément, un jeu de bagages à cinq éléments pour vos week-ends à la campagne. Un bel ordinateur de bord domine le tableau de bord. Les commandes comprennent le réglage de la climatisation séparée (bizone) et de la chaîne audio signée Bose et conçue spécifiquement pour l'intérieur de la 612 Scaglietti. Côté déco, aluminium et cuir occupent une grande partie de l'espace.

FORCES · Mécanique V12 · Réel confort · Deux places arrière décentes · Tenue de route et performance à la hauteur de la marque

FAIBLESSES · Silhouette qui demande un temps d'adaptation · Quelques lacunes de finition · Poids et consommation, sans parler du prix

612 SCAGLIETTI

de concilier un amortissement confortable en conduite calme et un amortissement efficace en conduite sportive. Le programme Ferrari propose d'ailleurs les deux modes préréglés au pilote, Normal (calibration douce) et Sport (calibration dure). Avec un peu de musique classique au volant, on peut facilement associer Mozart à cette voiture.

[CONCLUSION] Moins radicale et plus technologique que ses consoeurs, la Scaglietti n'en est pas moins performante, efficace et plus facile à conduire. Ce n'est pas la voiture des puristes de Ferrari mais celle qui vous donnera sans doute le meilleur confort.

[MÉCANIQUE] Le V12 représente bien évidemment une part indissociable de la légende Ferrari. La 612 Scaglietti est motorisée par une évolution du V12 à 65° de la 575M. Les circuits d'admission d'air et d'échappement ont notamment été revus en profondeur. Il développe 540 chevaux au régime peu commun de 7 250 tours par minute. Et que dire de la sonorité ? Aussi superbe à contempler avec sa culasse rouge que délicieux à écouter, le V12 Ferrari évolue dans un spectre musical très élitiste, rien ne chante comme une Ferrari. Pour terminer, les ingénieurs ont couplé le V12 à une boîte de vitesses séquentielle semi-automatique, du type F1, à 6 rapports ou à la traditionnelle boîte manuelle à 6 rapports. J'avoue, dans ce style de voiture, avoir préférée la boîte séquentielle qui colle mieux au tempérament moins nerveux de la voiture. Il faut toutefois ajouter plus de 12 000 $ à la facture si l'on veut se procurer cette boîte séquentielle.

[COMPORTEMENT] C'est sur invitation de Ferrari que j'ai traversé les Laurentides pour me rendre au château de Montebello en 612 en passant le long de la rivière des Outaouais. Une journée doucereuse qui prêtait à la relaxation. La symphonie du V12 se fait tranquille sur la route 148. J'ai poussé un peu la musique quelques kilomètres avant Carillon pour voir un peu ce qu'elle a dans le ventre, et la voiture porte très bien ses 1840 kilos. On sent le poids, mais la puissance du V12 et le couple très élastique effacent toute l'inertie instantanément. Pour assurer une conduite confortable, Ferrari a installé une suspension active qui est devenue le meilleur moyen

(5) FICHE TECHNIQUE

· MOTEUR

· V12 5,7 l DACT, 540 ch à 7250 tr/min
Couple 434 lb-pi à 5250 tr/min
Transmission manuelle à 6 rapports, séquentielle à 6 rapports (en option)
0-100 km/h 4,2 s
Vitesse maximale 320 km/h

· AUTRES COMPOSANTES

Sécurité active freins ABS, antipatinage, contrôle de stabilité électronique
Suspension avant/arrière indépendante
Freins avant/arrière disques ventilés
Direction à crémaillère, assistée
Pneus P245/45RZ18 (av.), P285/40RZ19 (arr.)

· DIMENSIONS

Empattement 2950 mm
Longueur 4902 mm
Largeur 1957 mm
Hauteur 1344 mm
Poids 1840 kg
Diamètre de braquage nd
Coffre 240 l
Réservoir de carburant 108 l

NOTRE VERDICT

Plaisir au volant
Qualité de finition
Consommation
Rapport qualité/prix
Valeur de revente

CALIFORNIA

www.ferrariquebec.com

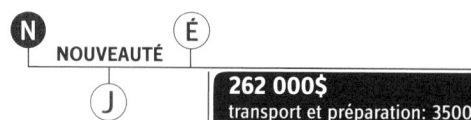

N NOUVEAUTÉ É J

262 000$
transport et préparation: 3500 $

LA COTE VERTE

AVEC MOTEUR V8 DE 4,3 L

- **Consommation (100km):** 13,1 l
- **Émissions polluantes CO_2:** 6112 kg/an
- **Empreinte écologique (nombre d'arbres à planter par année):** 36
- **Indice d'octane:** 94
- **Autre motorisation:** non
- **Coût du carburant moyen par année:** 3520 $
- **Nombre de litres par année:** 3200 l

(source: ÉnerGuide)

1 FICHE D'IDENTITÉ

- **Version** California
- **Roues motrices** arrière
- **Portières** 2 **Nombre de passagers** 2+2
- **Première génération** 2010
- **Génération actuelle** 2010
- **Construction** Maranello, Italie
- **Sacs gonflables** 4 (frontaux et latéraux)
- **Concurrence** Aston Martin V8 Vantage, Chevrolet Corvette Z06/ZR1, Dodge Viper, Lamborghini Gallardo, Porsche 911 Turbo

2 AU QUOTIDIEN

- **Prime d'assurance**
  25 ans: 8000 à 8200 $
  40 ans: 5300 à 5500 $
  60 ans: 4000 à 4200 $
- **Collision frontale** 5/5
- **Collision latérale** 5/5
- **Ventes du modèle de l'an dernier**
  Au Québec nm **Au Canada** nm
- **Dépréciation** nm
- **Rappels** (2004 à 2009) nm
- **Cote de fiabilité** nm

3 GARANTIES... ET PLUS

- **Garantie générale** 3 ans/kilométrage illimité
- **Garantie motopropulseur** 3 ans/kilométrage ill.
- **Perforation** 3 ans/kilométrage illimité
- **Assistance routière** 3 ans/kilométrage illimité
- **Nombre de concessionnaires**
  Au Québec 1 **Au Canada** 6

4 NOUVEAUTÉS EN 2010

- nouveau modèle

C'EST LE DÉBUT D'UN TEMPS NOUVEAU !

PAR BENOIT CHARETTE

LA CALIFORNIA EST LE PREMIER COUPÉ-CABRIOLET DE LA MARQUE ÉQUIPÉE D'UN TOIT RIGIDE ESCAMOTABLE QUI SE REPLIE OU SE DÉPLIE EN 14 SECONDES. C'est aussi la première voiture de production de la marque (depuis la Dino en 1968) qui n'a pas de devancière sur le marché et le premier modèle à moteur V8 frontal de l'histoire. Selon le grand patron de la firme, Luca di Montezemolo, la California boucle la boucle chez Ferrari : avec la 612 et la 599, qui sont des GT haut de gamme à moteur V12, et la 430, qui est la sportive de la famille. La California est plus élégante, moins agressive que la F430. On l'identifie immédiatement comme une Ferrari, mais plus discrète. Les deux premières années de production, soit 5 000 voitures, sont déjà vendues, et 60 % de la clientèle ne provient pas de chez Ferrari. C'est la voiture idéale pour flâner à Beverly Hills, mais comme tous les pur-sang de la marque, elle ne demande pas mieux que de démontrer tout son potentiel.

[CARROSSERIE] Ferrari décrit sa California comme une décapotable à toit rigide et non comme un coupé-cabriolet. Question de sémantique ou simplement de rapprocher cette deux portes de l'original qui était une authentique décapotable. Une chose est certaine, il s'agit de la dernière œuvre d'Andrea Pininfarina, qui est décédé peu après avoir complété le design. Chose certaine, il avait beaucoup de pain sur la planche. La robe n'en fait pas la plus jolie des Ferrari. Le museau effilé avec sa protubérance sur le capot rappelle la California d'origine de 1957. À cela s'oppose un postérieur massif qui engendre un certain déséquilibre esthétique expliqué par l'adoption d'un toit rigide escamotable. Ce couvre-chef nécessite toujours plus d'espace sous le coffre arrière qu'une simple toile. Quant au choix décrié par les puristes de superposition des échappements, il faut savoir que cette solution est autant technique qu'esthétique puisqu'elle permet l'élargissement de l'extracteur arrière pour favoriser l'effet de sol à haute vitesse.

FORCES • Belle avec et sans toit • Boîte séquentielle démentielle • Confort inégalé chez Ferrari • Côté pratique au chapitre du rangement

FAIBLESSES • Arrière-train léger • Faut-il mentionner le prix ? • Il faut absolument arrêter la voiture pour baisser ou monter le toit • Poids élevé

[HABITACLE] Même si l'on associe la modularité aux fourgonnettes, Ferrari a voulu sa California plus conviviale grâce à un format 2+. Vous me demanderez 2+ quoi. Voilà la beauté de la chose, vous pouvez opter pour des strapontins arrière pouvant servir à initier de jeunes enfants aux plaisirs des voitures GT. Vous pouvez également choisir de laisser cet espace sans siège pour augmenter l'espace de chargement ou encore un seul siège. Il y a même une trappe dans le coffre qui se prolonge aux places arrière pour les sacs de golf ou deux paires de skis, quand même. À l'avant, la planche de bord est sportive, mais plus raffinée que celle de la 430. On retrouve les trois modes de conduite au volant qui offrent plusieurs possibilités de réglages combinés de la boîte de vitesses, de l'amortissement et du différentiel actif. Chose unique chez Ferrari, le volant et les sièges sont réglables électriquement, et l'écran de navigation tactile ajoute une touche de luxe. Sans parvenir à égaler une Mercedes-Benz, la California offre un degré de confort jusqu'alors inconnu à bord d'une Ferrari. Si votre budget vous permet une dépense supplémentaire, la suspension pilotée magnétique, reprise de la F599 GTB, parvient à lisser la plupart des faux plis de la route.

[MÉCANIQUE] Si le bloc-moteur est similaire à celui de la 430, la California profite d'un alésage plus gros (pour le couple) et de la première injection directe (développée par Bosch) dans l'histoire de Ferrari. Au chapitre des performances, vous obtenez 460 chevaux et un couple de 357 livres-pieds avec des chants haut perchés capables de vous arracher une larme à 7 750 tours par minute. L'alésage différent du moteur fait en sorte que le couple est disponible plus tôt, et la nouvelle boîte de vitesses à sept rapports à double embrayage développé avec Getrag fait des miracles. Il faut uniquement 65 millisecondes pour changer de rapport, et cette boîte fera partie à court terme de l'équipement de série de toutes les Ferrari. Contrairement à Porsche qui a conçu sa boîte PDK avec un septième rapport pour l'économie de carburant, celle de Ferrari est toute en puissance.

« RIEN QUE PAR SES ABOIEMENTS, LE V8 DE 4,3 LITRES À INJECTION DIRECTE DÉRIVÉ DE CELUI DE LA F430 VOUS INFORME QU'IL N'A RIEN PERDU DE SA SANTÉ LÉGENDAIRE. »

Pas de compromis sur la vocation sportive de la voiture. Pour les purs et durs, Ferrari offre aussi une boîte manuelle à 6 rapports qui ne dépassera pas 10 % des ventes. Il faut souligner que cette mécanique moderne réussit à obtenir des cotes de consommation presque décente avec une moyenne combinée de 13,3 litres au 100 kilomètres lors de notre voyage d'essai.

[COMPORTEMENT] C'est le décor légendaire des routes du Targa Florio qui a servi de toile de fond pour cet essai routier particulier. Entre petites routes sinueuses et long droit d'autoroute, il nous a été possible de voir ce que cette Ferrari avait dans le ventre. En regardant la fiche technique, nous avons été un peu sceptiques. Avec « seulement » 460 chevaux, c'est la moins puissante des Ferrari et à 1735 kilos, elle est aussi l'une des plus lourdes. Sauf que, comme pour la F430 Scuderia, c'est

HISTORIQUE

La California marque une rupture dans la riche histoire de Ferrari en accumulant les premières. Premier cabriolet à toit rigide escamotable, première GT à moteur V8 en position centrale avant inaugurant l'injection directe et une boîte à vitesses 7 rapports à double embrayage. Et lorsque pour nommer l'engin abritant tant d'innovations techniques et idéologiques Ferrari utilise un des noms les plus mythiques de l'histoire de la marque, il est normal que la petite dernière suscite tant de réactions. Mais prenez le temps de jeter un coup d'oeil sur des modèles qui ont servi d'inspiration et vous verrez que Ferrari a fait un travail remarquable pour allier modernisme et tradition sans tomber dans le cliché.

250 TR 1958

F400 SUPERAMERICA 1961

CALIFORNIA 1961

GTO 1962

SPIDER CALIFORNIA 1961

250 GT 1961

CALIFORNIA 2010

CALIFORNIA

A

B

C

D

GALERIE

A La partie avant réinterprète elle aussi à sa façon la partition de la California de 1957 avec la calandre munie de ses traditionnelles barrettes, les ailes bombées intégrant les projecteurs, la prise d'air sur le capot et les ouïes sur les flancs.

B Autrefois offerte en modèle coupé cabriolet, cette California moderne offre du deux en un. L'arrière est massif et manque un peu d'homogénéité en raison des nombreuses contraintes techniques engendrées par le logement du toit une fois replié ; mais nous retrouvons sur l'aile arrière le galbe caractéristique de la 250 GT California.

C Annoncée comme 2+2, la California s'avère plutôt être une « 2+sac de golf ». Les strapontins arrière sont d'une utilité très relative, accueillant plus volontiers les éléments de bagages qui n'auront trouvé place dans le coffre une fois le toit replié.

D Le coffre d'une capacité de 340 litres en version coupé et 240 litres en configuration « topless » est généreux pour une voiture super sport. Notez aussi que les dossiers des strapontins sont rabattables, laissant apparaître une... trappe à skis !

E Un son clair et puissant traverse les échappements pour se caler sur une note grave de baryton, vous savez que vous êtes au volant d'une Ferrari, il y a 460 chevaux pour vous le rappeler.

F Les freins carbone-céramique de série répondent progressivement et se placent au-dessus de tout soupçon en termes d'endurance et d'efficacité.

CALIFORNIA

Michael Schumacher qui a participé à la mise au point de la California. Une simple pression sur le bouton rouge « Engine Start » suffit d'ailleurs à faire oublier toutes les statistiques. Rien que par ses aboiements, le V8 de 4,3 litres à injection directe dérivé de celui de la F430 vous informe qu'il n'a rien perdu de sa santé légendaire. Pour la route qui mène au bureau ou la conduite plus relaxe d'un dimanche matin, vous appuyez simplement sur le bouton auto et vous allez progresser lentement, en douceur, avec une suspension dessinée pour un meilleur confort grâce à sa configuration multibras. En utilisant les leviers de sélection au volant en mode manuel, vous réveillerez la cavalerie qui bondira sous le capot. Sur quelques droits de l'Autostrada, mon collègue Paul Dean (Robb Report) et moi avons pu monter en régime à près de 250 km/h sans jamais sentir d'essoufflement. Les freins en carbo-céramique de série sont capables d'endurer les pires abus. Une déception cependant au chapitre du train arrière multibras (une première pour Ferrari) qui est certes plus confortable, mais aussi plus survireur. Dans les petits villages et les routes de montagne, nous nous sommes surpris à remettre les gaz un peu tôt en sortant d'une courbe pour constater que le train arrière s'esquivait facilement. L'électronique en mode sport laisse beaucoup de liberté au pilote, et il faudra être certain que les roues sont bien parallèles au bitume avant de remettre la sauce. C'est contrôlable, mais simplement un peu désagréable.

[CONCLUSION] Si vous avez le bonheur d'avoir un portefeuille assez profond pour en posséder une, je vous dirais de ne pas hésiter. Quand je repense à mon expérience de conduite et aux concurrentes les plus proches de cette California, je ne vois rien qui arrive à son niveau de plaisir. En réalité, je choisirais même une California devant la plus rapide et plus agile F430, simplement pour le plus grand plaisir et le confort que j'en ai retiré. Il est difficile d'imaginer meilleur produit qui réunit les qualités d'une décapotable, d'une GT et d'une voiture sport dans un même véhicule.

5 FICHE TECHNIQUE

· MOTEUR
V8 4,3 l DACT, 460 ch à 7750 tr/min
Couple 357 lb-pi à 5000 tr/min
Transmission manuelle à 6 rapports, séquentielle à 7 rapports (en option)
0-100 km/h 4,0 s
Vitesse maximale 310 km/h

· AUTRES COMPOSANTES
Sécurité active freins ABS, antipatinage
Suspension avant/arrière indépendante
Freins avant/arrière disques ventilés
Direction à crémaillère, assistée
Pneus P245/40ZR19 (av.), P285/40ZR19 (arr.)
Option : P245/35ZR20 (av.), P285/35ZR20 (arr.)

· DIMENSIONS
Empattement 2670 mm
Longueur 4563 mm
Largeur 1902 mm
Hauteur 1308 mm
Poids 1735 kg
Diamètre de braquage 10,8 m
Coffre 340 l (240 l toit abaissé)
Réservoir de carburant 78 l

NOS MENTIONS

Coup de coeur

Clé d'or de sa catégorie

NOTRE VERDICT

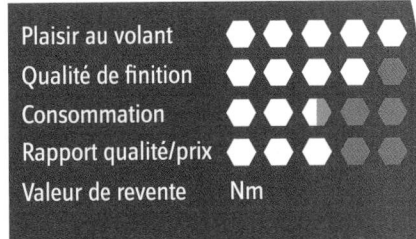

Plaisir au volant
Qualité de finition
Consommation
Rapport qualité/prix
Valeur de revente Nm

EDGE

www.ford.ca

N ÉVOLUTION É J

30 499 $ à 40 699 $
transport et préparation: 1350 $

LA COTE VERTE

AVEC MOTEUR V6 DE 3,5 L
- **Consommation (100km):** **2RM** 10,6 l **4RM** 11,4 l
- **Émissions polluantes CO_2 :** **2RM** 5184 kg/an **4RM** 5568 kg/an
- **Empreinte écologique (nombre d'arbres à planter par année):** 32
- **Indice d'octane:** 87
- **Autre motorisation:** non
- **Coût du carburant moyen par année:** **2RM** 2160 $ **4RM** 2320 $
- **Nombre de litres par année:** **2RM** 2160 l **4RM** 2320 l

(source: ÉnerGuide)

1 FICHE D'IDENTITÉ
- **Versions** SE, SEL, SPORT, Limited
- **Roues motrices** avant, 4
- **Portières** 4 **Nombre de passagers** 5
- **Première génération** 2007
- **Génération actuelle** 2007
- **Construction** Oakville, Ontario, Canada
- **Sacs gonflables** 6 (frontaux, latéraux avant, rideaux latéraux)
- **Concurrence** Buick Enclave, Honda Pilot, GMC Acadia, Hyundai Santa Fe, Mazda CX-7 et CX-9, Nissan Murano, Subaru Tribeca, Suzuki XL7, Toyota Highlander

2 AU QUOTIDIEN
- **Prime d'assurance**
  25 ans: 2000 à 2200 $
  40 ans: 1000 à 1200 $
  60 ans: 800 à 1000 $
- **Collision frontale** 5/5
- **Collision latérale** 5/5
- **Ventes du modèle de l'an dernier**
  Au Québec 1626 **Au Canada** 11 834
- **Dépréciation** (2 ans) 47,7%
- **Rappels** (2004 à 2009) 2
- **Cote de fiabilité** 4/5

3 GARANTIES... ET PLUS
- **Garantie générale** 3 ans/60 000 km
- **Garantie motopropulseur** 5 ans/100 000 km
- **Perforation** 5 ans/kilométrage illimité
- **Assistance routière** 5 ans/100 000 km
- **Nombre de concessionnaires**
  Au Québec 77 **Au Canada** 400

4 NOUVEAUTÉS EN 2010
- Nouvelles couleurs extérieures, nouveau système de son (modèle SPORT), nouveaux ensembles d'équipements

LA MESURE ÉTALON DE FORD

PAR JEAN-PIERRE BOUCHARD

FORD A FONDÉ DE GRANDS ESPOIRS DANS L'EDGE, QU'ELLE A VOULU PLUS MODERNE AU CHAPITRE DE LA QUALITÉ DE LA CONCEPTION QUE CE QU'ELLE AVAIT RÉALISÉ JUSQU'À PRÉSENT. Ce véhicule, dont l'allure robuste plaît, ne peut toutefois suffire à remettre le constructeur sur le chemin de la profitabilité. Toutefois, les efforts qu'il a déployés pour en faire un utilitaire attrayant porte néanmoins leurs fruits.

[CARROSSERIE] L'utilitaire utilise une plateforme adaptée de la berline Fusion et il partage la plupart des composants mécaniques avec le Lincoln MKX, la version Edge haut de gamme. Au chapitre des dimensions, l'Edge se situe a mi-chemin entre les Mazda CX-7 et CX-9. Mais il n'offre pas, comme le font d'autres, la possibilité d'obtenir une banquette de troisième rangée. Ford offre également une version Sport dont la particularité principale est d'être équipée de jantes de 22 pouces chaussées de pneus de hautes performances Pirelli Scorpion Zero Asimmetrico.

[HABITACLE] Ford a fait appel à des matériaux de belle qualité qui sont, dans l'ensemble, bien assemblés. Par contre, placez-le toutefois côte à côte avec un Veracruz, et vous verrez qu'un brin de raffinement additionnel ne ferait que rehausser la présentation générale de l'ensemble. À l'avant, le conducteur et le passager profitent de sièges confortables ainsi que d'un dégagement pour les jambes et la tête suffisant pour des occupants de plus grande taille. L'aménagement intérieur est contemporain. Ford a réalisé de nets progrès en la matière au cours des dernières années. Le conducteur peut facilement trouver une bonne position de conduite en comptant, notamment, sur un volant inclinable et télescopique. Les commandes sont placées dans son environnement immédiat, et les instruments de bord, de consultation facile. Petit bémol à la commande des essuie-glaces qui est montée sur le levier des clignotants, à gauche, alors que les règles ergonomiques la voudraient à droite, pour que la main du conducteur n'ait pas à quitter le volant. La

FORCES • Performances • Design • Confort

FAIBLESSES • Consommation de carburant

banquette arrière fournit un confort adéquat pour deux personnes de grande taille. Le coussin pourrait toutefois être un peu plus haut. En revanche, les passagers peuvent régler l'angle du dossier de leur siège. Le dégagement pour les jambes n'appelle aucune critique. Le toit ouvrant panoramique, en option, s'ouvre sur une large portion du toit pour assurer une belle luminosité par temps ensoleillé. La large ouverture du hayon permet par ailleurs de placer à l'intérieur de l'espace de chargement des objets volumineux.

[MÉCANIQUE] L'Edge utilise un V6 de 3,5 litres de 265 chevaux et une boîte de vitesses automatique à 6 rapports. Cet ensemble moderne permet au véhicule d'accélérer avec efficacité et d'autoriser des dépassements énergiques. La boîte automatique fonctionne en douceur. Dotée de la transmission intégrale, dont le mécanisme permet d'acheminer jusqu'à 100 % de la puissance aux roues arrière, l'utilitaire consomme environ 13 litres aux 100 kilomètres.

[COMPORTEMENT] La suspension à quatre roues indépendantes assure une bonne douceur de roulement et donne l'impression d'être en contact avec la route et de conduire un véhicule solide. Ce que n'offre pas le Veracruz et encore moins le Highlander. À ce titre, l'Edge est plus près du Mazda CX-9. En virages, dans les limites qu'imposent les lois de la physique pour un tel véhicule, l'utilitaire affiche une bonne stabilité et, dans l'ensemble, un bel équilibre de conduite. Ford l'a, comme il se doit, équipé d'un dispositif de contrôle de la stabilité.

[CONCLUSION] Le constructeur américain n'a pas révolutionné l'industrie de l'automobile ni la catégorie des utilitaires intermédiaires en présentant l'Edge. Au sein de la famille, son véhicule a toutefois apporté un vent modernisme, particulièrement en ce qui concerne le groupe motopropulseur, la qualité de la conception et du comportement routier. Pour le prix, cet utilitaire constitue un choix intelligent.

2e OPINION

BENOIT CHARETTE Dans une catégorie de véhicule où la silhouette n'est pas la priorité de bien des constructeurs, Ford se démarque de la foule avec le Edge qui donne vraiment la marche à suivre. Si vous n'avez pas besoin d'une 3e banquette, c'est le véhicule idéal pour la famille qui veut être à la mode. Parmi la compétition immédiate, il faut compter sur le Toyota Venza et le Nissan Murano qui vise la même clientèle. Le Edge est confortable, la finition est sans reproche, le système Sync est merveilleux et vous avez même droit en option à un toit panoramique. Sur la route, le moteur 3,5 litres est doux, silencieux, pas trop gourmand (un peu quand même) et contrairement à ses compétiteurs, vous pouvez rouler à l'essence ordinaire. À tous les points, le Edge demeure une bonne affaire.

5 FICHE TECHNIQUE

· MOTEUR
V6 3,5 l DACT, 265 ch à 6250 tr/min
Couple 250 lb-pi à 4500 tr/min
Transmission automatique à 6 rapports
0-100 km/h 9,8 s
Vitesse maximale 180 km/h

· AUTRES COMPOSANTES
Sécurité active freins ABS, antipatinage, contrôle de stabilité électronique
Suspension avant/arrière indépendante
Freins avant/arrière disques
Direction à crémaillère, assistée
Pneus P245/60R18, P245/50R20 (en option)

· DIMENSIONS
Empattement 2824 mm
Longueur 4717 mm
Largeur 1925 mm
Hauteur 1702 mm
Poids 2RM 1853 kg **4RM** 1939 kg
Diamètre de braquage 11,4 m
Coffre 909 l, 1971 l (sièges abaissés)
Réservoir de carburant 2RM 72 l **4RM** 76 l
Capacité de remorquage 1587 kg

NOTRE VERDICT

Plaisir au volant
Qualité de finition
Consommation
Rapport qualité/prix
Valeur de revente Nm

ESCAPE

www.ford.ca

ÉVOLUTION N É J

24 499 $ à 27 199 $
transport et préparation: 1350 $

LA COTE VERTE

AVEC MOTEUR L4 DE 2,5 L (HYBRIDE)

- **Consommation (100km):** **2RM** 7,3 l **4RM** 8,4 l
- **Émissions polluantes CO_2 :** **2RM** 2928 kg/an **4RM** 3456 kg/an
- **Empreinte écologique (nombre d'arbres à planter par année):** 20
- **Indice d'octane:** 87
- **Autre motorisation:** hybride
- **Coût du carburant moyen par année:** **2RM** 1220 $ **4RM** 1440 $
- **Nombre de litres par année:** **2RM** 1220 l **4RM** 1440 l

(SOURCE: ÉnerGuide)

1 FICHE D'IDENTITÉ

- **Versions** Hybride, XLT, Limited
- **Roues motrices** avant, 4
- **Portières** 4 **Nombre de passagers** 5
- **Première génération** 2001
- **Génération actuelle** 2007
- **Construction** Kansas City, Missouri ; Hybride Claymoco, Missouri.
- **Sacs gonflables** 6 (frontaux, lat. av., rideaux lat.)
- **Concurrence** Chevrolet Equinox, Honda CR-V, Hyundai Tucson, Jeep Compass/Patriot, Mitsubishi Outlander, Nissan Rogue, Subaru Forester, Suzuki Grand Vitara, Toyota RAV4

2 AU QUOTIDIEN

- **Prime d'assurance**
  25 ans: 2000 à 2200 $ **40 ans:** 1300 à 1500 $
  60 ans: 1100 à 1300 $
- **Collision frontale** 5/5
- **Collision latérale** 5/5
- **Ventes du modèle de l'an dernier**
  Au Québec 5366 **Au Canada** 32 898
- **Dépréciation** 54,2%
- **Rappels** (2004 à 2009) 4
- **Cote de fiabilité** 3/5

3 GARANTIES... ET PLUS

- **Garantie générale** 3 ans/60 000 km
- **Garantie motopropulseur** 5 ans/100 000 km
- **Perforation** 5 ans/kilométrage illimité
- **Assistance routière** 5 ans/100 000 km
- **Nombre de concessionnaires**
  Au Québec 77 **Au Canada** 400

4 NOUVEAUTÉS EN 2010

- Nouvelle version (Hybride Limited), Nouveau moteur, caméra de recul disponible, système «Auto Park» disponible, système «My Key» de série dans certaines versions, détecteur d'angles morts de série

UN PAS EN ARRIÈRE

PAR PHILIPPE LAGUË

DÈS SON INTRODUCTION, AU TOURNANT DU 21e SIÈCLE, L'ESCAPE A FAIT L'UNANIMITÉ, TANT AUPRÈS DE LA PRESSE SPÉCIALISÉE QUE DES CONSOMMATEURS, AU POINT DE DEVENIR LE CHAMPION DES VENTES DE SA CATÉGORIE. La deuxième génération a été introduite à l'automne 2007 et elle devait accomplir quelque chose de plus difficile encore que d'accéder au sommet : y rester.

[CARROSSERIE] Ce type de véhicule ne permet guère de fantaisie en matière de design : dans les grandes lignes, ils finissent par tous se ressembler. Comme c'était le cas avec son prédécesseur, l'Escape 2.0 n'est offert qu'en une seule configuration, à quatre portes, les modèles à deux portes ayant disparu de ce créneau. Comme le veut la tendance, les dimensions ont été accrues afin d'augmenter l'habitabilité et le confort.

[HABITACLE] D'abord les fleurs : le tableau de bord est réussi. L'instrumentation est facile à consulter, et le tout est non seulement bien agencé mais agréable à l'œil. L'ergonomie est, dans l'ensemble, irréprochable : les commandes sont simples, accessibles et faciles à manipuler, de grosses mollettes pour le chauffage, la climatisation et la chaîne stéréo, notamment. Comme toujours chez Ford, cette dernière brille par son rendement, par sa puissance et par sa qualité sonore. Si la qualité d'assemblage ne montre aucune faille, l'abondance de plastique bon marché à l'intérieur déçoit. Des bruits éoliens se font également entendre à partir de 110 km/h. Et il y a ces sièges, recouverts d'un horrible tissu, aussi désagréable à l'œil qu'au toucher. Cette facture bas de gamme détonne des standards habituels de Ford. Quant aux sièges eux-mêmes, ils ont tout de la banquette de taxi, même les baquets à l'avant ne procurent aucun maintien latéral et assurent un confort minimal. Terminons sur une bonne note : l'Escape est un véhicule spacieux, que ce soit pour la tête, les épaules ou les jambes.

[MÉCANIQUE] Comme son prédécesseur, l'Escape 2.0 propose trois motorisations, à 4 et à 6 cylindres, ainsi qu'une motorisation hybride.

FORCES • Habitabilité • Choix de moteurs • Version hybride • Véhicule confortable • Fiabilité

FAIBLESSES • Abondance de plastique à l'intérieur • Sièges médiocres • Moteur de 2,5 L décevant • Direction engourdie • Agrément de conduite disparu

ESCAPE

La direction est imprécise, de sorte qu'il faut constamment corriger en virage, et en plus, elle est lente.

[CONCLUSION] Qui aime bien châtie bien, dit le proverbe. Or, l'Escape était l'un de mes préférés dans cette catégorie. Je dis bien « était », car son 4-cylindres bruyant et sa conduite peu inspirée (pour ne pas dire ennuyeuse) m'ont quelque peu éteint, sans parler de la finition très plastique à l'intérieur. Non, ce n'est plus l'Escape que j'aimais. Cela dit, soyons bon joueur et reconnaissons qu'il a toujours quelques solides arguments en sa faveur, à commencer par sa fiabilité et par son prix, très concurrentiel.

Ces moteurs peuvent être jumelés à une boîte de vitesses automatique à 6 rapports ainsi qu'à une boîte manuelle à 5 rapports dans le cas du 4-cylindres. L'Escape Hybrid dispose en exclusivité d'une boîte à variation continue. Le 4-cylindres de 2,5 litres souffre terriblement de la comparaison avec ceux de ses concurrents asiatiques. Il n'a ni leur douceur ni leur discrétion; il est bruyant, surtout à l'accélération, et sa sonorité peu inspirante évoque les 4-cylindres américains des années 70 et 80. Sa consommation est raisonnable, mais, en version hybride, c'est franchement impressionnant : avec une consommation de 7 litres aux 100 kilomètres, c'est le plus économique des petits VUS. Le V6 est nettement plus inspirant : cette fois, son rendement global n'a pas à rougir devant la concurrence asiatique. Plus puissant (240 chevaux), c'est aussi celui qui offre la meilleure capacité de remorquage de cette catégorie. Évidemment, la consommation grimpe d'un cran, mais ça demeure acceptable.

[COMPORTEMENT] Ce petit VUS a complètement perdu son côté pétillant et ludique qui le démarquait du reste du peloton. Ses concepteurs ont voulu le rendre plus confortable, mais à quel prix ? L'amortissement a été ramolli au point d'occasionner un roulis beaucoup plus prononcé qu'avant ainsi qu'une sensation constante de flottement. Oui, c'est vrai, l'Escape 2.0 est plus confortable, ce qui devrait réjouir la majorité des acheteurs; mais l'agrément de conduite n'est plus. Qu'il repose en paix ! La version Sport est une imposture : elle n'a de sportif que le nom (et l'allure, un peu, avec ses jantes noires).

2e OPINION

BENOIT CHARETTE Voilà un utilitaire aux formes réalistes. On peut voir le devant du véhicule du poste de pilotage, ce qui est bon signe. L'espace ne souffre pas non plus de ce flou dans la direction qui handicape nombre d'utilitaires. La conduite est prévisible et sans surprise, bref c'est un véhicule qui a conservé son air un peu carré et pas très sympathique, mais qui se révèle l'un des meilleurs achats de sa catégorie. Il y a bien quelques bémols comme la tenue de route dans la neige qui n'est pas à la hauteur de nos attentes ou la difficulté de trouver un modèle à 4 cylindres automatique chez les concessionnaires. Mais dans l'ensemble, le 4-cylindres vous mènera à bon port avec dignité, et Ford est presque la seule à offrir un V6 en option. Ce dernier est surprenant de puissance et vous permettra de remorquer jusqu'à 1588 kilos.

5 FICHE TECHNIQUE

· MOTEURS

· (XLT)

L4 2,5 l DACT, 171 ch à 6000 tr/min
Couple 171 lb-pi à 4500 tr/min
Transmission man. à 5 rap., **auto.** à 6 rap.
0-100 km/h 10,0 s **Vitesse maximale** 175 km/h
Consommation (100 km) 2RM man. 9,6 l **auto.** 10,1 l **4RM auto.** 10,9 l (octane 87)
Émissions de CO_2 2RM man. 3984 kg/an **auto.** 4224 kg/an **4RM auto.** 4608 kg/an
Litres par année 2RM man. 1660 l **auto.** 1760 l **4RM auto.** 1920 l
Coût par an 2RM man. 1660 $ **auto.** 1760 $ **4RM auto.** 1920 $
Empreinte écologique 30 arbres

· (HYBRIDE)

L4 2,5 l DACT, 155 ch à 6000 tr/min
Couple 136 lb-pi à 4500 tr/min
Moteur électrique de 94 ch à 5000 tr/min
Transmission automatique CVT
0-100 km/h 8,7 s Vitesse maximale 175 km/h

· (LIMITED)

V6 3,0 l DACT, 240 ch à 6550 tr/min
Couple 223 lb-pi à 4300 tr/min
Transmission automatique à 6 rapports
0-100 km/h 8,5 s **Vitesse maximale** 190 km/h
Consommation (100 km) 2RM 11,0 l **4RM** 11,9 l
Émissions de CO_2 2RM 4704 kg/an **4RM** 4992 kg/an
Litres par année 2RM 1960 l **4RM** 2080 l
Coût par an 2RM 1960 $ **4RM** 2080 $
Empreinte écologique 32 arbres

· AUTRES COMPOSANTES

Sécurité active freins ABS, antipatinage, contrôle de stabilité électronique
Suspension indépendante/tambours (disques 4RM)
Freins avant/arrière disques
Direction à crémaillère, assistée
Pneus XLT235/70R16, **Hyb.** et **Ltd** P235/70R16

· DIMENSIONS

Empattement 2619 mm **Longueur** 4437 mm
Largeur 2065 mm **Hauteur** 1727 mm
Poids Hybride 2RM 1650 kg 4RM 1721 kg
XLT 2RM 1536 kg **4RM** 1609 kg
Diamètre de braquage 11,2 m
Coffre 827 l, 1877 l (sièges abaissés)
Hybride 787 l, 1869 l (sièges abaissés)
Réservoir de carburant 62,5 l
Capacité de remorquage Hybride 454 kg
XLT/Limited 1588 kg

NOS MENTIONS

Le choix vert (hybride)

NOTRE VERDICT

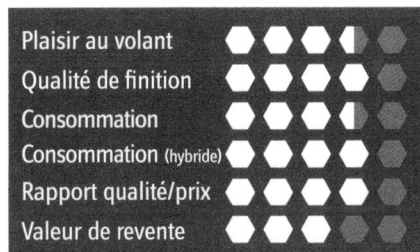

Plaisir au volant
Qualité de finition
Consommation
Consommation (hybride)
Rapport qualité/prix
Valeur de revente

EXPEDITION

www.ford.ca

N ÉVOLUTION É J

38 379 $ à 57 899 $
transport et préparation: 1250 $

LA COTE VERTE

AVEC MOTEUR V8 DE 5,4 L

- **Consommation (100km):** 14,6 l
- **Émissions polluantes CO_2 :** 7104 kg/an
- **Empreinte écologique (nombre d'arbres à planter par année):** 42
- **Indice d'octane:** 87
- **Autre motorisation:** Éthanol 85
- **Coût du carburant moyen par année:** 2960 $
- **Nombre de litres par année:** 2960 l

(SOURCE: ÉnerGuide)

1 FICHE D'IDENTITÉ

- **Versions** XLT, Eddie Bauer, Limited, King Ranch, Eddie Bauer Max, Limited Max, King Ranch Max
- **Roues motrices** 4
- **Portières** 4 **Nombre de passagers** 7
- **Première génération** 1997
- **Génération actuelle** 2007
- **Construction** Wayne, Michigan, É.-U.
- **Sacs gonflables** 6 (frontaux, latéraux avant, rideaux latéraux)
- **Concurrence** Chevrolet Tahoe, GMC Yukon, Nissan Armada, Toyota Sequoia

2 AU QUOTIDIEN

- **Prime d'assurance**
  25 ans: 2200 à 2400 $
  40 ans: 1300 à 1500 $
  60 ans: 1200 à 1400 $
- **Collision frontale** 5/5
- **Collision latérale** 5/5
- **Ventes du modèle de l'an dernier**
  Au Québec 103 **Au Canada** 1557
- **Dépréciation** 56,6%
- **Rappels** (2004 à 2009) 5
- **Cote de fiabilité** 4/5

3 GARANTIES... ET PLUS

- **Garantie générale** 3 ans/60 000 km
- **Garantie motopropulseur** 5 ans/100 000 km
- **Perforation** 5 ans/kilométrage illimité
- **Assistance routière** 5 ans/100 000 km
- **Nombre de concessionnaires**
  Au Québec 77 **Au Canada** 400

4 NOUVEAUTÉS EN 2010

- Système «MyKey» de série

BESOIN D'UN « BOOST » !

PAR DANIEL RUFIANGE

L'AN DERNIER, LES ARAIGNÉES SE TISSAIENT DES TOILES SUR ET AUTOUR DES EXPEDITION QUI REPOSAIENT DANS LES COURS DE CONCESSIONNAIRES. La flambée des prix du pétrole a grandement touché ce qui a déjà été un des meilleurs vendeurs de Ford. Aujourd'hui, même si les prix du carburant sont un tantinet plus stables, on n'observe pas de reprise significative des ventes. Peut-être que le moteur EcoBoost pourrait venir à la rescousse de l'Expedition car, au demeurant, il s'agit d'un camion des plus compétents.

[CARROSSERIE] L'Expedition revient tel quel pour 2010. Outre le retrait de trois couleurs et l'ajout d'une autre, on a cloné l'édition 2009. Au menu, plusieurs versions, question de contenter les goûts variés des acheteurs d'Expedition – enfin, ceux qui restent – : le modèle de base, XLT, une version Eddie Bauer et l'incontournable mouture King Ranch viennent compléter l'offre. À noter qu'une variante Max est offerte. Cette dernière fournit encore plus d'espace intérieur grâce à une carcasse allongée; comme si les dimensions de l'Expedition n'étaient pas déjà assez titanesques. Remarquez que, pour l'excursion de pêche ou le voyage sur tout le continent, c'est très pratique. Les lignes de l'Expedition demeurent simples, mais le véhicule ne passe pas inaperçu. C'est un beau tour de force des stylistes car, souvent, simplicité rime avec morosité en matière de design. Heureusement, il y a des exceptions !

[HABITACLE] À l'intérieur, Ford nous démontre tout son savoir-faire. La présentation de la planche de bord est très réussie. Tout est bien placé, et, malgré tout le dégagement, l'ergonomie demeure très bonne. Il y a plus d'espaces de rangement à bord de l'Expedition qu'on ne peut en imaginer. Le confort est princier, merci aux fauteuils qui accueillent les passagers des deux premières rangées. Une fois rendu à la troisième banquette, le confort est moins royal, mais l'espace, sans reproche. Assis aux confins du véhicule, on a l'impression d'être à l'arrière d'un bus tellement le pilote nous semble loin. Immense que je vous dis ! Pour 2010, outre des changements de couleur qui viennent modifier la présentation intérieure, il est maintenant possible de profiter

+ −

FORCES • Produit intéressant et très compétent • Capacité de remorquage démente • Immensité de l'habitacle et espaces de rangement • Conduite surprenante

FAIBLESSES • Consommation de carburant • Qualité de certains des matériaux utilisés • Prix une fois bien équipé

du système *MyKey* que Ford offre sur un nombre grandissant de modèles. Ce système permet aux parents de contrôler certaines fonctions du véhicule – dont limiter la vitesse maximale à plus ou moins 125 km/h, entre autres.

[MÉCANIQUE] Pour mouvoir quelque 2700 kilos, ça prend tout un attirail. L'Expedition compte sur un V8 de 5,4 litres qui repose aussi sur les supports de moteur de la F-150. Grâce à ses 300 chevaux et à un couple de 365 livres-pieds, les déplacements se font sans crier gare. Malheureusement, ils s'accompagnent d'une gargantuesque consommation de carburant qu'on a peine à garder sous les 16 litres aux 100 kilomètres – ville et autoroute combinées. C'est pourquoi, comme je le mentionnais en introduction, l'avenir à court terme de l'Expedition passe par le moteur EcoBoost.

[COMPORTEMENT] Contrairement à d'autres utilitaires tout aussi patauds, la conduite de l'Expedition surprend. Un châssis très rigide combiné à une direction précise et à une excellente géométrie des suspensions permet de garder ce mastodonte sur le bitume en toute confiance. Les accélérations sont franches, mais n'espérez pas établir un record au 0 à 100 km/h; ça prendrait un réacteur d'avion pour nous coller au siège tellement le véhicule est lourd. D'ailleurs, les lois de la physique sont là pour nous rappeler qu'il faut déplacer ce genre de masse avec prudence, y compris en situation de freinage. Malgré une puissance bien perceptible des freins, l'effet de plongée est inévitable. Gardez vos distances !

[CONCLUSION] Pour redonner une seconde vie à son Expedition, Ford doit le doter du moteur EcoBoost et le plus rapidement possible. Et pourquoi pas d'autres motorisations, soit hybride ou, encore mieux, diesel. Peu importe, depuis que les prix du pétrole sont devenus aussi imprévisibles, les gros V8 à essence éternellement utilisés pour déplacer ce genre de véhicule n'ont plus la cote. Ils doivent céder leur place; tout le monde y gagnera.

2e OPINION

FRANCIS BRIÈRE Si je vous dis que les ventes de l'Expedition sont en chute libre, je ne vous apprends probablement rien. Depuis la flambée des prix du pétrole de l'été dernier, certains véhicules ont été laissés pour compte par les acheteurs. L'Expedition est de ceux-là. C'est vraiment dommage car, si on prend le temps de le regarder pour ce qu'il est, il s'agit d'un excellent véhicule. Rares sont les camions qui offrent une conduite aussi rassurante.
De plus, son habitabilité n'a pratiquement pas d'égale. Quant à sa qualité de finition, elle convient parfaitement. D'ailleurs, Ford n'a plus rien à prouver en termes de conception de camion. Il est seulement triste qu'on n'arrive pas à descendre la consommation sous les 16 litres aux 100 kilomètres. Autrement, il se vendrait !

5 FICHE TECHNIQUE

· MOTEUR
· V8 5,4 l SACT, 300 ch à 5000 tr/min
Couple 365 lb-pi à 3750 tr/min
Transmission automatique à 6 rapports
0-100 km/h 8,8 s **Max** 9,3 s
Vitesse maximale 200 km/h

· AUTRES COMPOSANTES
Sécurité active freins ABS, antipatinage, contrôle de stabilité électronique
Suspension avant/arrière indépendante
Freins avant/arrière disques
Direction à crémaillère, assistée
Pneus XLT P265/70R17 **E.B./KR** P255/70R18 **Limited/Limited Max** P275/55R20

· DIMENSIONS
Empattement 3018 mm **Max** 3327 mm
Longueur 5271 mm **Max** 5672 mm
Largeur 2024 mm
Hauteur 1984 mm
Poids 2633 kg **Max** 2792 kg
Diamètre de braquage 12,4 m **Max** 13,3 m
Coffre 518 l, 2968 l (sièges abaissés)
Max 1455 l, 3630 l (sièges abaissés)
Réservoir de carburant 106 l Max 129 l
Capacité de remorquage 3969 kg

NOS MENTIONS

☺ Modèle recommandé

NOTRE VERDICT

Plaisir au volant	3/5
Qualité de finition	3,5/5
Consommation	2,5/5
Rapport qualité/prix	3,5/5
Valeur de revente	2/5

EXPLORER

www.ford.ca

N ÉVOLUTION É J

32 599 $ à 49 299 $
transport et préparation: 1350 $

LA COTE VERTE

AVEC MOTEUR V6 DE 4,0 L

- **Consommation (100km):** 4x4 13,4 l
- **Émissions polluantes CO_2 :** 6528 kg/an
- **Empreinte écologique (nombre d'arbres à planter par année):** 39
- **Indice d'octane:** 87
- **Autre motorisation:** non
- **Coût du carburant moyen par année:** 2720 $
- **Nombre de litres par année:** 2720 l

(SOURCE: ÉnerGuide)

1 FICHE D'IDENTITÉ

- **Versions** XLT, Eddie Bauer, Limited, Sport Trac XLT, Sport Trac Limited, Sport Trac Adrenaline
- **Roues motrices** arrière, 4
- **Portières** 4 **Nombre de passagers** 5
- **Première génération** 1991
- **Génération actuelle** 2006
- **Construction** Louisville, Kentucky, É.-U.
- **Sacs gonflables** 6, frontaux, lat. av. et rideaux lat.
- **Concurrence** Jeep Grand Cherokee/Commander, Kia Sorento, Nissan Pathfinder, Toyota 4Runner

2 AU QUOTIDIEN

- **Prime d'assurance**
  25 ans: 2000 à 2200 $
  40 ans: 1200 à 1400 $
  60 ans: 1000 à 1200 $
- **Collision frontale** 5/5
- **Collision latérale** 5/5
- **Ventes du modèle de l'an dernier**
  Au Québec 425 **Au Canada** 4486
- **Dépréciation** (3 ans) 46,7%
- **Rappels** (2004 à 2009) 4
- **Cote de fiabilité** 3/5

3 GARANTIES... ET PLUS

- **Garantie générale** 3 ans/60 000 km
- **Garantie motopropulseur** 5 ans/100 000 km
- **Perforation** 5 ans/kilométrage illimité
- **Assistance routière** 5 ans/100 000 km
- **Nombre de concessionnaires**
  Au Québec 77 **Au Canada** 400

4 NOUVEAUTÉS EN 2010

- Modèle XLT Sport (Explorer)

DEUX TÊTES VALENT MIEUX QU'UNE.

PAR FRANCIS BRIÈRE

UNE QUESTION S'IMPOSE QUAND IL S'AGIT DU FORD EXPLORER : A-T-IL ENCORE SA PLACE SUR LE MARCHÉ ? Présenté en deux versions qui diffèrent considérablement l'une de l'autre et qui visent vraisemblablement une clientèle différente, l'Explorer est victime de son image et de sa consommation de carburant. L'Explorer devrait subir une refonte en profondeur sous peu, question de se refaire une beauté et de redéfinir sa vocation.

[CARROSSERIE] Si la version utilitaire nous laisse indifférents, le Sport Trac, quant à lui, se présente sous forme de camionnette ultra sportive et musclée. Trois livrées sont offertes avec l'utilitaire : XLT, Eddie Bauer et Limited. Pour le Sport Trac, trois autres modèles vous sont offerts : XLT, Limited et Adrenalin. Ce dernier possède une allure plus urbaine et plus agressive à la fois, des roues de 20 pouces, une transmission intégrale et un intérieur plus luxueux. La calandre du Sport Trac a du chien, tandis que celle du modèle utilitaire est plutôt anonyme.

[HABITACLE] Si l'habitacle de l'Explorer est bien conçu et offre tout ce qu'on peut désirer, le choix des matériaux, quant à lui, laisse à désirer. De fait, la présentation demeure inégale, peu importe la livrée. La position de conduite de l'Explorer prendrait avantage d'un volant télescopique, mais elle est quand même très bonne. En ce qui a trait aux technologies, le système Sync de Ford vous permet de brancher gadgets électroniques et bidules diaboliques où et quand vous le souhaitez. Si vous aimez la radio satellite, on vous offre le système Sirius en option. La navigation par satellite vous permet d'explorer la planète sans vous égarer et de stocker jusqu'à 10 gigaoctets de musique sur un disque dur. Pour le reste, l'habitacle de l'Explorer procure du confort à ses occupants et un espace de chargement appréciable.

[MÉCANIQUE] Deux moteurs sont offerts : un V6 de 4 litres et un V8 de 4,6 litres produisant 292 chevaux. Ces deux engins sont respectivement jumelés à une boîte de vitesses automatique à 5

FORCES • Confort • Tenue de route étonnante • Version Sport Trac sportive

FAIBLESSES • Consommation • Qualité de la finition • Identité remise en cause

EXPLORER

et à 6 rapports. À près de 2200 kilos, l'Explorer a besoin de muscles pour se mouvoir. Bien entendu, le V8 et la transmission intégrale représentent un meilleur choix, mais cela dépend de votre budget. Il faut aussi prévoir des arrêts plus fréquents à la pompe. La direction peut paraître trop assistée pour certains, mais elle procure une belle sensation de conduite tout en douceur. La transmission intégrale, offerte en option, vous procurera la tranquillité d'esprit nécessaire, surtout en hiver.

[COMPORTEMENT] La rigidité de la caisse est probablement la première impression qui nous vient à l'esprit au volant de l'Explorer. Cela lui procure une stabilité à toute épreuve. Malgré tout, le confort et la douceur de roulement étonnent. Au volant, on bénéficie d'une maniabilité hors du commun pour un véhicule de ce gabarit, sans aucun doute la meilleure de la catégorie. Prendre un virage serré avec l'Explorer ne suscite aucune crainte : la suspension fait un travail exemplaire en limitant le roulis. On apprécie la puissance des moteurs qui équipent l'Explorer, en particulier le V8 qui procure des accélérations et une sonorité grisantes. Quant à ses capacités hors route, elles ne font aucun doute. Vous pouvez emprunter les sentiers les plus cahoteux avec assurance. La capacité de remorquage peut atteindre 3300 kilos, ce qui n'est pas négligeable pour un véhicule de cette catégorie.

[CONCLUSION] Ford propose ici un produit vraiment intéressant. En revanche, qui peut-il intéresser ? L'entrepreneur aura sans doute besoin d'un véhicule plus costaud et plus polyvalent; la famille arrêtera son choix sur une fourgonnette ou un véhicule moins gourmand. Pourtant, en regardant ce que l'Explorer offre, autant pour la livrée Sport Trac que pour le modèle utilitaire, nous pouvons affirmer que Ford a réussi à produire un véhicule de qualité. Sans doute que la prochaine génération d'Explorer sera en mesure d'affirmer son identité de meilleure façon.

2e OPINION

DANIEL RUFIANGE Comme son grand frère, l'Expedition, l'Explorer est boudé par les amateurs. Les gros camions utilitaires américains sont la cible non seulement des environnementalistes mais des consommateurs en colère. Le contexte économique n'aide en rien. Il faut alors se demander ce qui adviendra de ce combo Explorer/Sport Trac. Je me répète ici, mais ces véhicules sont de très bons camions. Peut-être que Ford pourra profiter d'une réduction des effectifs chez ses deux concurrentes américaines pour conserver ses modèles sur le marché. Mais si les ventes continuent de péricliter, le Ford Explorer pourrait sombrer dans l'oubli, tout comme le Sport Trac. Advenant cette éventualité et en attendant, surveillez les aubaines car les chances sont que, quelque part, un concessionnaire est prêt à vous offrir ces véhicules à prix d'ami.

5 FICHE TECHNIQUE

· MOTEURS

· (XLT, Eddie Bauer)

V6 4,0 l SACT 210 ch à 5100 tr/min
Couple 254 lb-pi à 3700 tr/min
Transmission automatique à 5 rapports
0-100 km/h 9,8 s
Vitesse maximale 180 km/h

· (Limited, Adrenaline, opt. sur XLT et Eddie Bauer)

V8 4,6 l SACT 292 ch à 5750 tr/min
Couple 315 lb-pi à 3950 tr/min
Transmission automatique à 6 rapports
0-100 km/h 8,4 s
Vitesse maximale 200 km/h
Consommation (100 km) 4x4 13,7 l (octane 87)
Émissions de CO_2 6672 kg/an
Litres par année 2780 l
Coût par an 2780 $
Carburant alternatif non
Empreinte écologique 39 arbres

· AUTRES COMPOSANTES

Sécurité active freins ABS, antipatinage, contrôle de stabilité électronique
Suspension avant/arrière indépendante
Freins avant/arrière disques
Direction à crémaillère, assistée
Pneus XLT/E.B. P245/65R17
Limited: P235/65R18, P255/50R20 (option)

· DIMENSIONS

Empattement 2888 mm, **Sport Trac** 3315 mm
Longueur 4915 mm **Sport Trac** 5339 mm
Largeur 1867 mm **Sport Trac** 1872 mm
Hauteur 1849 mm **Sport Trac** 1826 mm
Poids V6 2020 kg **V8** 2053 **kg Sport Trac V6 2RM** 2078 kg **V6 4RM** 2156 kg **V8 2RM** 2120 kg **V8 4RM** 2195 kg
Diamètre de braquage 11,2 m
Coffre 5 places 1271 l 2398 l (sièges abaissés)
7 places 385 l 2344 l (sièges abaissés)
Sport Trac 1061 l
Réservoir de carburant 85 l
Capacité de remorquage 2304 kg à 3304 kg

NOTRE VERDICT

Plaisir au volant
Qualité de finition
Consommation
Rapport qualité/prix
Valeur de revente

FLEX

www.ford.ca

N ÉVOLUTION É J

35 449 $ à 46 599 $
transport et préparation: 1350 $

LA COTE VERTE

AVEC MOTEUR V6 DE 3,5 L

- **Consommation (100km):** **2RM** 10,6 l **4RM** 11,4 l
- **Émissions polluantes CO_2 :** **2RM** 5184 kg/an **4RM** 5568 kg/an
- **Empreinte écologique (nombre d'arbres à planter par année):** 31
- **Indice d'octane:** 87
- **Autre motorisation:** non
- **Coût du carburant moyen par année:** **2RM** 2160 $ **4RM** 2320 $
- **Nombre de litres par année:** **2RM** 2160 l **4RM** 2320 l

(SOURCE: ÉnerGuide)

1 FICHE D'IDENTITÉ

- **Versions** SE, SEL, Limited
- **Roues motrices** avant, 4
- **Portières** 4 **Nombre de passagers** 7
- **Première génération** 2009
- **Génération actuelle** 2009
- **Construction** Oakville, Ontario, Canada
- **Sacs gonflables** 6 (frontaux, latéraux avant, rideaux latéraux)
- **Concurrence** GMC Acadia, Honda Pilot, Hyundai Santa Fe, Mazda CX-9, Nissan Murano, Subaru Tribeca, Toyota Highlander

2 AU QUOTIDIEN

- **Prime d'assurance** **25 ans:** 1800 à 2000 $ **40 ans:** 1100 à 1300 $ **60 ans:** 900 à 1100 $
- **Collision frontale** 5/5
- **Collision latérale** 5/5
- **Ventes du modèle de l'an dernier** **Au Québec** 249 **Au Canada** 2134
- **Dépréciation** nd
- **Rappels (2004 à 2009)** aucun
- **Cote de fiabilité** 3/5

3 GARANTIES... ET PLUS

- **Garantie générale** 3 ans/60 000 km
- **Garantie motopropulseur** 5 ans/100 000 km
- **Perforation** 5 ans/kilométrage illimité
- **Assistance routière** 5 ans/100 000 km
- **Nombre de concessionnaires** **Au Québec** 77 **Au Canada** 400

4 NOUVEAUTÉS EN 2010

- Nouveau moteur EcoBoost V6 3,5 l (4RM)
- Assistance au stationnement
- 2e banquette rabattable électrique
- Système de navigation de série sur le modèle Limited
- volant ajustable et télescopique

ENCORE PLUS POLYVALENT

PAR MICHEL CRÉPAULT

INTRODUIT L'AN DERNIER, LE FLEX S'INSCRIT DANS CETTE GAMME DE VÉHICULES SYMBOLISANT LA NOUVELLE FORD, FORTE EN TECHNO, ÉCOLO SANS ÊTRE ENNUYEUSE POUR AUTANT.

[CARROSSERIE] Pour 2010 s'amène une version de base SE, tandis que les acheteurs du Limited AWD, le top niveau, pourront ajouter la touche EcoBoost. Cette 6e déclinaison du Flex vient avec des embouts d'échappement chromés et de brillantes roues de 19 pouces (et même de 20 en option). Sinon, le client peut continuer de choisir entre une traction (SE) et une transmission intégrale livrable sur les deux autres versions (SEL et Limited). En termes d'allure, on ne peut accuser Ford d'avoir dessiné une voiture banale. Pour certains, c'est le multisegment le plus original à se promener sur nos routes; pour d'autres, le Flex a l'allure d'un corbillard.

[HABITACLE] Si la caverne d'Ali Baba contenait 1001 trésors, le Flex est l'équivalent automobile. À mesure que vous progressez dans la liste options, vous obtenez un véhicule qui a tout pour tous : 52 % des acheteurs ne résistent pas à la glacière qui s'insère dans l'accoudoir central de la banquette médiane; plus de la moitié opte pour le toit Vista panoramique; une majorité choisit le système de navigation très convivial et le dispositif Sync développé avec Microsoft. J'ai un faible pour le siège du milieu qui se déplace électriquement pour libérer le passage jusqu'à la banquette du fond. Et si nous avons été nombreux l'an dernier à déplorer que la colonne de direction soit fixe, Ford nous a écoutés et l'a rendue télescopique. Avec le pédalier à réglage électrique, position de conduite idéale garantie ! J'oubliais : Ford offre désormais un système de guidage automatique pour le stationnement en parallèle. Lexus l'a offert la première dans sa LS460. J'ai testé le dispositif du Flex, et il est trois fois plus rapide. Le véhicule s'insère tout seul dans un espace qui fait 1,2 fois sa grandeur.

[MÉCANIQUE] Le principe EcoBoost est simple : offrir la performance d'un gros engin sans les désavantages. Ainsi, un 4-cylindres performera comme un V6, et le V6 équivaudra à un V8.

FORCES • Richesse de l'équipement de série et facultatif • Originalité et polyvalence du véhicule

FAIBLESSES • Comme pour n'importe quoi qui est beau et bon, il faut être prêt à payer davantage pour équiper le Flex de manière à le rendre irrésistible. L'EcoBoost est un bon exemple.

Outre le muscle en prime, la trouvaille réduit la consommation et la pollution. Le secret réside dans la combinaison de deux turbos extrêmement rapides avec l'injection directe de carburant. Le délai habituellement associé au turbo n'existe pour ainsi dire plus, et le pilote bénéficie d'une plage de puissance très stable dès 1 200 tours par minute. Alors que le V6 de 3,5 litres Duratec régulier des autres Flex développe 262 chevaux, celui nanti de l'EcoBoost passe à 355 chevaux ! Ce qui n'empêche pas ce Flex plus féroce de boire jusqu'à 20 % de moins à la pompe que ses concurrents équipés d'un V8 et d'émettre jusqu'à 15 % moins de CO_2. Ford utilise la même boîte de vitesses automatique à 6 rapports mais fortifiée pour résister au couple supplémentaire et dotée de leviers de sélection au volant pour prolonger la sensation sportive. La stratégie EcoBoost se retrouvera dans 90 % de ses modèles d'ici 2013.

[COMPORTEMENT] Non seulement l'EcoBoost peut-il tirer jusqu'à 2 041 kilos (4 500 livres), mais il le fait au moyen d'un ensemble de remorquage qui, sur demande, peut inclure une technologie capable de contrôler l'effet de tangage d'une remorque. Le système *Trailer Sway Control* utilise le dispositif *Advance Trac* avec RSC (Roll Stability Control) pour faire en sorte que la remorque rebelle redevienne sage comme une image en un temps record. J'ai constaté de plus que la puissance accrue du Flex EcoBoost tire sa charge comme si de rien n'était. Je pourrais m'étendre sur la nouvelle direction assistée électriquement qui compense les écarts de conduite dus, par exemple aux vents violents, ou sur le système *MyKey* qui permet au parent qui prête l'auto à son ado de programmer à bord certaines restrictions (comme l'obligation de boucler sa ceinture s'il souhaite utiliser la radio), mais l'espace est déjà en train de me manquer.

[CONCLUSION] Si j'avais une tribu à transporter, je me sentirais privilégié de pouvoir le faire en Flex. Ce véhicule, qui remplace les fourgonnettes Ford, marie la technologie, l'allure et le confort avec un génie novateur. L'addition de l'EcoBoost assure une puissance supplémentaire sans nuire à la santé de la planète.

2e OPINION

DANIEL RUFIANGE Avouez-le donc ! Vous le trouvez beau, le Flex. Non ? Alors avouez au moins qu'il ne vous laisse pas indifférent. En proposant un produit si peu orthodoxe, Ford reprend une recette qui a fonctionné pour le Honda Element et qui risque de fonctionner pour le Nissan Cube et le Kia Soul. Alors qu'on retrouve une multitude de produits qui se contentent de calquer ce que la concurrence propose, le Flex innove au sens propre; il est spacieux au possible, confortable comme un salon et se conduit comme un charme, malgré ses dimensions imposantes. En offrant une expérience distincte des autres, il invite tous ceux qui, justement, cherchent à se démarquer, à le faire. Et on vous remarquera au volant du Flex.

5 FICHE TECHNIQUE

· MOTEURS

· (FLEX)

V6 3,5 l DACT, 262 ch à 6250 tr/min
Couple 248 lb-pi à 4500 tr/min
Transmission automatique à 6 rapports
0-100 km/h 8,8 s
Vitesse maximale 200 km/h

· (OPTION 4RM)

V6 3,5 l DACT, 355 ch à 5700 tr/min
Couple 350 lb-pi à 3500 tr/min
Transmission automatique à 6 rapports
0-100 km/h 8,2 s
Vitesse maximale 215 km/h
Consommation (100 km) 4RM 11,4 l (octane 91)
Émissions de CO_2 5568 kg/an
Litres par année 2320 l
Coût par an 2320$
Autre motorisation non
Empreinte écologique 31 arbres

· AUTRES COMPOSANTES

Sécurité active freins ABS, antipatinage, contrôle de stabilité électronique
Suspension avant/arrière indépendante
Freins avant/arrière disques
Direction à crémaillère, assistée
Pneus SE, SEL P235/60R18 **Limited** P235/55R19, P255/45R20 (option)

· DIMENSIONS

Empattement 2994 mm
Longueur 5125 mm
Largeur 1927 mm
Hauteur 1726 mm
Poids 2RM 2027 kg **4RM** 2105 kg
Diamètre de braquage 12,4 m
Coffre 415 l, 1224 l, 2355 l (sièges abaissés)
Réservoir de carburant 72,7 l
Capacité de remorquage 2041 kg

NOS MENTIONS

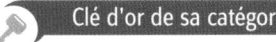

Clé d'or de sa catégorie

Modèle recommandé

NOTRE VERDICT

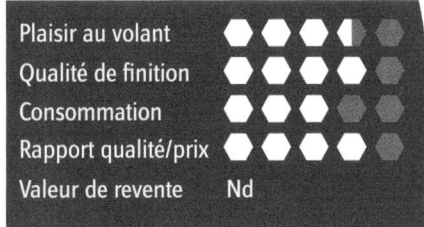

Plaisir au volant	3,5/5
Qualité de finition	4/5
Consommation	3/5
Rapport qualité/prix	4/5
Valeur de revente	Nd

FIESTA

www.ford.ca

N NOUVEAUTÉ É J

NON DISPONIBLE

LA COTE VERTE

AVEC MOTEUR L4 DE 1,6 L

- **Consommation (100km): man.** 6,5 l
- **Émissions polluantes CO_2 : man :** 3080 kg/an
- **Empreinte écologique (nombre d'arbres à planter par année):** 18
- **Indice d'octane:** 87
- **Autre motorisation:** non
- **Coût du carburant moyen par année: man** 1280$
- **Nombre de litres par année: man :** 1280 l

(SOURCE: ÉnerGuide)

1 FICHE D'IDENTITÉ

- **Versions** (à venir)
- **Roues motrices** avant
- **Portières** 4 **Nombre de passagers** 4
- **Première génération** 2011
- **Génération actuelle** 2011
- **Construction** Cologne, Allemagne
- **Sacs gonflables** 6 (frontaux, latéraux, rideaux latéraux)
- **Concurrence** Chevrolet Aveo, Hyundai Accent, Kia Rio, Nissan Versa, Suzuki Swift+, Toyota Yaris

2 AU QUOTIDIEN

- **Prime d'assurance**
  25 ans: 1400 à 1600 $
  40 ans: 900 à 1100 $
  60 ans: 700 à 900 $
- **Collision frontale** 5/5 (Europe)
- **Collision latérale** 5/5 (Europe)
- **Ventes du modèle de l'an dernier**
  Au Québec nm **Au Canada** nm
- **Dépréciation** (3 ans) nm
- **Rappels** (2004 à 2009) nm
- **Cote de fiabilité** nd

3 GARANTIES... ET PLUS

- **Garantie générale** 3 ans/60 000 km
- **Garantie motopropulseur** 5 ans/100 000 km
- **Perforation** 5 ans/kilométrage illimité
- **Assistance routière** 5 ans/100 000 km
- **Nombre de concessionnaires**
  Au Québec 77 **Au Canada** 400

4 NOUVEAUTÉS EN 2010

- Modèle 2011 qui arrivera à l'été 2010

LA FUTURE RECRUE ?

PAR BENOIT CHARETTE

SI VOUS ÊTES DE MA GÉNÉRATION, VOUS VOUS SOUVENEZ PROBABLEMENT DE LA PETITE FIESTA QUI TRAÎNAIT LE PLUS SOUVENT DANS LA COUR DU CONCESSIONNAIRE FORD. Disons simplement que la mode n'était pas aux sous-compactes à l'époque. La Festiva lui a succédé avec encore moins de succès, et je n'ose parler de l'Aspire qui tenait plus du suppositoire que de la voiture. Mais à compter de l'été prochain, Ford ramène la Fiesta, et l'*Annuel* a eu la chance d'en faire l'essai en avant-première l'été dernier.

[CARROSSERIE] En adoptant la plateforme de la Mazda2, la Fiesta bénéficie d'une assise solide qui sert bien la vivacité de son comportement. À en juger par la réaction de mes voisins, cette voiture plaira. Au Québec, les modèles à hayon sont populaires et tellement pratiques, mais nos voisins au Sud de la frontière ne verront pas la chose du même œil. Ford est donc à développer une version berline. Mais on nous a assurés que la version à 5 portes mise à notre disposition fera partie de l'offre, ce qui ne sera pas le cas de la 3-portes offerte en Europe. Une chose est certaine, le modèle à 5 portes a tout pour lui. Belle gueule, amplement d'espace, très modulable, de la classe en format de poche.

[HABITACLE] La voiture trahit son format de l'intérieur, elle semble plus grande qu'en réalité. Il sera facile de trouver une position de conduite car tout est réglable en hauteur et en profondeur, sièges et volant. Je n'ai pas aimé la mollette à la Volkswagen pour régler la banquette, mais c'était un modèle européen; je suggère à Ford de la faire disparaître. Impossible de savoir où se situait notre modèle d'essai dans la hiérarchie de la famille, mais il y avait la connectivité Bluetooth, un démarrage sans clé, un centre d'information très pratique et une excellente chaîne audio. Les sièges sont moelleux, mais suffisamment fermes pour vous tenir en place, et notre modèle à l'essai profitait d'une boîte de vitesses manuelle à 5 rapports.

[MÉCANIQUE] Notre voiture d'essai était équipée d'un petit 4-cylindres de 1,6 litre de 120 chevaux. Il s'agit de l'un des trois moteurs offerts

FORCES • Plaisir de conduire • Structure solide • Habitacle bien dessiné • Excellent confort

FAIBLESSES • Il Régime moteur élevé à haute vitesse • Un sixième rapport serait apprécié • Puissance un peu juste

en Europe. Il est associé à une boîte manuelle à 5 rapports. Les changements de rapports étaient précis, mais un sixième rapport aurait été souhaitable car, à 120 km/h sur l'autoroute, le moulin tournait un peu trop vite, comme dans la chanson du meunier (meunier tu dors, ton moulin va trop vite). Selon le peu d'information qui a pu filtrer pour le modèle canadien, il y a aura probablement un moteur de 2 litres chez nous, mais rien n'est confirmé à ce sujet.

[COMPORTEMENT] C'est ici la plus belle surprise. Sans être sportive ni spectaculaire, la Fiesta est drôle, enjouée et démontre une belle nervosité derrière le volant. Les 120 chevaux sont, à mon avis, un peu juste, et une quinzaine de plus donnerait juste ce qu'il manque de « pep » à la voiture. Le comportement est définitivement l'élément le plus vendeur de la voiture, nous sommes très loin de la grisaille des Yaris, Versa et autres Aveo. On prend plaisir à conduire la Fiesta, et elle est loin devant les autres à ce chapitre. La seule concurrente en vue est peut-être la Fit, mais il faudra aussi attendre Mazda, qui va construire la Mazda2 sur le même châssis que la Fiesta et nous présentera ce modèle l'été prochain.

[CONCLUSION] Si la Fiesta version canadienne garde les mêmes caractéristiques que la version européenne mise à notre disposition (et il semble que oui), elle a toutes les chances de réussir. Belle, moderne, équipée comme des voitures intermédiaires et très agréable à conduire, les ingrédients sont là.

2e OPINION

PHILIPPE LAGUË S'il y a une voiture capable de mettre fin à la domination asiatique dans le créneau des sous-compactes, c'est bien la Fiesta. D'abord, parce que, chose rare dans ce créneau, c'est une réussite esthétique, ce qui aide toujours à vendre un véhicule, il faut bien l'admettre. Mais il n'y a pas que ça : cette petite Ford d'origine européenne égale les meilleures japonaises au chapitre de la finition, de l'ergonomie et de l'habitabilité; et elle les surpasse en matière d'agrément de conduite. Si la fiabilité est au rendez-vous, ce qui semble être le cas chez Ford depuis quelques années, la Fiesta fera un tabac. Au Québec, assurément, et probablement dans le ROC (Rest of Canada). Espérons que les Américains, peu friands de sous-compactes, se convertiront eux aussi...

5 FICHE TECHNIQUE

- **MOTEUR** (modèle Européen)
- L4 1,6 l DACT, 120 ch à 5 750 tr/min
  Couple 96 lb-pi à 4500 tr/min
  Transmission manuelle à 5 rapports, automatique à 4 rapports (en option)
  0-100 km/h 12,2 s
  Vitesse maximale 175 km/h

- **AUTRES COMPOSANTES**
  Sécurité active freins ABS et antipatinage (en option)
  Suspension avant/arrière indépendante
  Freins avant/arrière disques, tambours
  Direction à crémaillère, assistée
  Pneus P195/50R15

- **DIMENSIONS**
  Empattement 2489 mm
  Longueur 3950 mm
  Largeur 1973 mm
  Hauteur 1481 mm
  Poids 1102 kg
  Diamètre de braquage 9,8 m
  Coffre coupé 295 l 979 (sièges abaissés)
  Réservoir de carburant 42 l

NOS MENTIONS

Le choix vert

Coup de coeur

NOTRE VERDICT

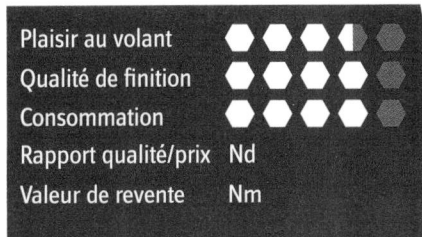

Plaisir au volant	
Qualité de finition	
Consommation	
Rapport qualité/prix	Nd
Valeur de revente	Nm

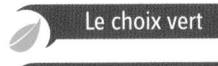

FOCUS

www.ford.ca

N ÉVOLUTION É J

15 699 $ à 19 999 $
transport et préparation: 1300 $

LA COTE VERTE

AVEC MOTEUR L4 DE 2,0 L

- **Consommation (100km):** **man.** 7,1 l **auto.** 7,2 l
- **Émissions polluantes CO_2 :** **man :** 3456 kg/an 3601 kg/an
- **Empreinte écologique (nombre d'arbres à planter par année):** 20
- **Indice d'octane:** 87
- **Autre motorisation:** non
- **Coût du carburant moyen par année:** **man** 1440 $ **Auto** 1460 $
- **Nombre de litres par année:** **man** : 1440 l **auto** 1460 l

(source: ÉnerGuide)

1 FICHE D'IDENTITÉ

- **Versions** S, SE, SES, SEL
- **Roues motrices** avant
- **Portières** 4 **Nombre de passagers** 5
- **Première génération** 2000
- **Génération actuelle** 2008
- **Construction** Wayne, Michigan, É.-U.; Hermosillo, Mexique
- **Sacs gonflables** 6 (frontaux, latéraux, rideaux latéraux)
- **Concurrence** Chevrolet Cobalt, Honda Civic, Hyundai Elantra, Kia Spectra, Mazda*3*, Mitsublshi Lancer, Nissan Sentra, Pontiac Vibe, Subaru Impreza, Suzuki SX4, Toyota Corolla/ Matrix, Volkswagen Rabbit

2 AU QUOTIDIEN

- **Prime d'assurance 25 ans:** 1400 à 1600 $ **40 ans:** 900 à 1100 $ **60 ans:** 700 à 900 $
- **Collision frontale** 5/5
- **Collision latérale** 3/5
- **Ventes du modèle de l'an dernier** **Au Québec** 4544 **Au Canada** 23 654
- **Dépréciation** (3 ans) 56,2 %
- **Rappels** (2003 à 2008) 2
- **Cote de fiabilité** 4/5

3 GARANTIES... ET PLUS

- **Garantie générale** 3 ans/60 000 km
- **Garantie motopropulseur** 5 ans/100 000 km
- **Perforation** 5 ans/kilométrage illimité
- **Assistance routière** 5 ans/100 000 km
- **Nombre de concessionnaires** **Au Québec** 77 **Au Canada** 400

4 NOUVEAUTÉS EN 2010

- Retouches avant et arrière pour la berline SES freins ABS avec système de contrôle de stabilité de série sur tous les modèles, système MyKey de série sur tous les modèles. Groupe SE Sport

UN DERNIER DROIT ?

PAR JEAN-PIERRE BOUCHARD

LA NOUVELLE GÉNÉRATION DE FOCUS DEVRAIT ARRIVER EN 2011. Entre-temps, Ford a investi des millions de dollars pour remodeler l'ancienne génération, qu'on ne peut qualifier de nouvelle. Les modifications apportées lui ont néanmoins permis de gagner en raffinement. Mais les ventes de Focus sont toutefois loin derrière celles du trio infernal Honda Civic, Toyota Corolla ou Mazda3. Et même de la Chevrolet Cobalt. C'est peu dire.

[CARROSSERIE] La Focus est proposée en deux configurations, berline et coupé. Pour le coupé, je ne comprends pas. Surtout quand on apprend qu'il succède à la familiale qui, jadis, attirait nombre d'acheteurs. D'abord, pour séduire les plus jeunes, il faut probablement plus qu'un éclairage ambiant modifiable et, aussi intéressant soit-il, le dispositif technologique Sync. Il faut un design jeune, moderne, branché, que la nouvelle génération devrait pouvoir leur offrir.

[HABITACLE] L'accès aux places avant est facile. Une fois en place, les occupants bénéficient de sièges dont la fermeté assure maintien et confort ainsi que d'un dégagement satisfaisant pour les jambes et la tête, y compris celles des occupants de grande taille. Le conducteur ne peut compter sur un volant télescopique, ce qui permettrait d'obtenir une position de conduite plus intéressante pour certains conducteurs. Les commandes, pour la plupart, sont bien placées et faciles à utiliser. La présentation de la planche de bord et de l'instrumentation est moderne. La commande des essuie-glaces ne respecte toutefois pas les règles en matière d'ergonomie. Car elle est installée sur le levier des clignotants, à gauche, obligeant la main du conducteur à quitter le volant pour l'actionner. De plus, les boutons de la radio et de la climatisation sont de dimensions comparables. La symétrie obtenue, aussi jolie soit-elle, peut entraîner de la confusion. Les matériaux utilisés sont de qualité correcte. L'ensemble mériterait toutefois d'être peaufiné. La banquette arrière procure un bon confort pour au moins deux personnes de taille moyenne. Le dégagement pour la tête est juste pour les plus grandes. Pire encore, la ban-

\+ **FORCES** · Confort · Espace intérieur · Douceur de roulement

− **FAIBLESSES** · Prête pour la refonte

d'entrée de gamme. Et les freins à disque aux quatre roues ne sont offerts sur aucune version. Ceux qui équipaient mes véhicules d'essai démontraient néanmoins une bonne puissance.

quette n'est pas dotée d'appuie-tête. Ce qui est inacceptable quand il est question de protection des occupants. Le coffre fournit par ailleurs un bon volume de chargement. C'est d'ailleurs l'un des plus généreux de la catégorie. Les dossiers peuvent également être rabattus pour augmenter la capacité de chargement.

[MÉCANIQUE] La compacte est équipée d'un moteur de 2 litres dont les 140 chevaux conviennent pour déplacer la voiture avec aisance. C'est surtout au moment des reprises, pour dépasser par exemple, que le manque d'entrain se fait sentir. L'ajout du calage variable des soupapes ajouterait assurément un peu plus de souplesse. Le 4-cylindres ronchonne un peu au moment d'accélérer plus fortement. La boîte de vitesses automatique à 4 rapports fonctionne en douceur. La consommation moyenne atteint les 9 litres aux 100 kilomètres, soit un plus qu'une Toyota Corolla ou une Honda Civic. Aucune boîte automatique à 5 rapports n'est offerte.

[COMPORTEMENT] La voiture mise sur le confort de roulement. La suspension à quatre roues indépendantes permet d'absorber la plupart des inégalités de la route avec souplesse, sans trop perturber l'agrément de conduite. La voiture est agile et elle demeure stable en virages. Certaines versions, berline et coupé, reçoivent, en plus des barres stabilisatrices avant de série dans toutes les versions, des barres stabilisatrices à l'arrière pour assurer un meilleur contrôle des mouvements de la carrosserie. Les freins ABS et le dispositif d'antipatinage n'équipent pas de série les Focus

[CONCLUSION] La Focus est mûre pour une refonte en règle. L'actuelle génération manque de conviction. Loin d'être une mauvaise voiture, elle donne davantage l'impression d'avoir été conçue pour des entreprises de location. Mais, quand on la compare avec la concurrence, dont la nouvelle Kia Forte, on ne peut faire autrement que de la placer à la queue de peloton. Pour modifier la donne, le constructeur doit activer la cadence pour amener ici la nouvelle génération.

2e OPINION

PHILIPPE LAGUË La Ford Focus fait partie des raisons pour lesquelles Ford a traversé la tempête qui a secoué l'industrie de l'automobile américaine de façon plus honorable que GM ou Chrysler. Des trois constructeurs américains, Ford a été le premier (et le seul) à proposer une véritable solution aux japonaises de cette catégorie. Les compactes de GM et de Chrysler n'ont jamais fait le poids face aux Corolla, Civic, Mazda3, Sentra et Cie. La Focus a certes connu des problèmes de fiabilité à ses débuts, mais ils ont rapidement été corrigés. Son 4-cylindres de 2 litres soutient la comparaison avec n'importe quel petit moulin japonais, tout comme le confort et la douceur de roulement. De plus, Ford se distingue des autres marques américaines par le soin apporté à la finition et à la qualité d'assemblage. La Focus est-elle la meilleure compacte de Detroit ? Assurément.

5 FICHE TECHNIQUE

· MOTEUR
- L4 2,0 l DACT, 140 ch à 6000 tr/min

Couple 136 lb-pi à 4250 tr/min
Transmission manuelle à 5 rapports, automatique à 4 rapports (en option)
0-100 km/h 9,4 s
Vitesse maximale 180 km/h

· AUTRES COMPOSANTES
Sécurité active freins ABS et antipatinage (en option)
Suspension avant/arrière indépendante
Freins avant/arrière disques, tambours
Direction à crémaillère, assistée
Pneus P195/60R15, P205/50R16, P215/45VR17

· DIMENSIONS
Empattement 2614 mm
Longueur 4445 mm
Largeur coupé 1724 mm **berline** 1722 mm
Hauteur 1488 mm
Poids coupé 1190 kg **berline** 1225 kg
Diamètre de braquage 11,0 m
Coffre coupé 498 l **berline** 419 l
Réservoir de carburant 51 l

NOTRE VERDICT

Plaisir au volant
Qualité de finition
Consommation
Rapport qualité/prix
Valeur de revente

FUSION

www.ford.ca

N NOUVEAUTÉ É J

21 499 $ à 35 299 $
transport et préparation: 1350 $

AVEC MOTEUR L4 DE 2,5 L HYBRIDE

- **Consommation (100km):** CVT 6,5 l
- **Émissions polluantes CO_2 :** 2928 kg/an
- **Empreinte écologique (nombre d'arbres à planter par année):** 18
- **Indice d'octane:** 87
- **Autre motorisation:** non
- **Coût du carburant moyen par année:** 1220$
- **Nombre de litres par année:** 1220 l

(SOURCE: ÉnerGuide)

1 FICHE D'IDENTITÉ

- **Versions** SE, SEL, Sport, Hybrid
- **Roues motrices** avant, 4 (SE V6 et SEL V6)
- **Portières** 4 **Nombre de passagers** 5
- **Première génération** 2006
- **Génération actuelle** 2010
- **Construction** Sonora, Mexique
- **Sacs gonflables** 6 (frontaux, latéraux avant, rideaux latéraux)
- **Concurrence** Chevrolet Malibu, Chrysler Sebring, Honda Accord, Hyundai Sonata, Kia Magentis, Mazda6, Mitsubishi Galant, Nissan Altima, Subaru Legacy, Toyota Camry, Volkswagen Jetta/Passat

2 AU QUOTIDIEN

- **Prime d'assurance**
  25 ans: 2000 à 2200$
  40 ans: 1000 à 1200$
  60 ans: 800 à 1000$
- **Collision frontale** 4/5
- **Collision latérale** 4/5
- **Ventes du modèle de l'an dernier**
  Au Québec 2057 **Au Canada** 13 326
- **Dépréciation** 60,5%
- **Rappels** (2004 à 2009) aucun à ce jour
- **Cote de fiabilité** 4/5

3 GARANTIES... ET PLUS

- **Garantie générale** 3 ans/60 000 km
- **Garantie motopropulseur** 5 ans/100 000 km
- **Perforation** 5 ans/kilométrage illimité
- **Assistance routière** 5 ans/100 000 km
- **Nombre de concessionnaires**
  Au Québec 77 **Au Canada** 400

4 NOUVEAUTÉS EN 2010

- Nouveau modèle

SANS FAUTE

PAR BENOIT CHARETTE

LA LOI DE LA MOYENNE VEUT QUE, APRÈS TROIS ANS, UN CONSTRUCTEUR PROCÈDE À QUELQUES CHANGEMENTS ESTHÉTIQUES DE DEMI-VIE SUR UN VÉHICULE, QUESTION DE LE RAFRAÎCHIR. Ford a plutôt investi 650 millions de dollars pour effectuer une refonte majeure de la Fusion qui touche les moteurs, les boîtes de vitesses, l'habitacle et le style de la voiture. Les acheteurs auront maintenant un choix de quatre mécaniques au lieu de deux, y compris un tout nouveau modèle hybride et une version sport. Ford prend le taureau par les cornes pour se positionner avantageusement face à la gamme de la Toyota Camry, la berline la plus populaire de ce segment de marché.

[CARROSSERIE] La Fusion redessinée offre un style plus contemporain, des lignes plus agressives et une silhouette plus actuelle. Le tout débute avec la calandre à trois barres transversales qui est devenue la signature des produits Ford. À partir de ce nouvel élément, Ford a refait les panneaux de manière plus sculpturale en insistant sur des angles plus prononcés. Les changements à l'arrière sont plus subtils et relèvent plus de la mise à jour des lignes pour s'harmoniser au reste du véhicule. La troisième lumière de frein, qui se trouvait dans la lunette, a migré sur le dessus du coffre, ce qui libère de l'espace pour une meilleure visibilité. En ce qui concerne la version hybride, seuls les logos apposés sur la voiture vous diront qu'il s'agit bien d'une hybride, car la voiture est, en matière d'esthétique, identique aux autres modèles. Enfin, seule la version sport arbore un petit déflecteur sur le coffre comme seule identification du modèle.

[HABITACLE] L'intérieur est dominé par un écran à cristaux liquides (ACL) de 8 pouces qui meuble tout le bloc d'instrumentation. Le tableau de bord adopte une imagerie en trois dimensions, et la version hybride possède sa propre configuration d'information très détaillée. Pour ne pas trop charger le contenu visuel face au conducteur, Ford offre des choix de menus. La base est l'affichage de l'indicateur de vitesse, de la jauge de carburant et de la charge de la batterie, mais il y a plus : compte-tours, énergie produite par le

FORCES • Communication boîte/moteur réussie • Châssis très sain • Excellente consommation de carburant

FAIBLESSES • Coffre un peu juste en raison des batteries • Prix pourrait être un peu plus concurrentiel dans le cas de l'hybride

moteur, énergie sortant de la batterie, énergie transmise aux roues, consommation instantanée, consommation des accessoires. Le conducteur peut, par exemple, voir en direct combien consomme sa climatisation. Nous espérons que d'autres constructeurs suivront l'exemple de Ford. La console centrale prend la forme d'un écran ACL où sont affiché toutes les données sur la navigation, iPod, radio satellite, climatisation et tout le reste. Le système utilisé est convivial grâce à l'écran tactile, et l'approche est la même que celle du Ford Flex qui a été unanimement salué par la critique, un véritable modèle à suivre. En ce qui concerne l'environnement de conduite, il y a une amélioration dans le confort des sièges, plus moelleux; la visibilité est meilleure, et l'insonorisation, en hausse, pour une expéri ence plus positive derrière le volant. À l'arrière, l'espace est correct, mais les sièges sont un peu plus durs, et les dossiers ne sont pas rabattables dans la version hybride pour loger les batteries. L'équipement de base est complet, et quelques options comme le système SYNC sont à considérer.

SI VOUS VOULEZ LA PREUVE QUE DETROIT, FORD PLUS PARTICULIÈREMENT, EST CAPABLE DE CONSTRUIRE UN VÉHICULE QUI OFFRE CONFORT, QUALITÉ ET PLAISIR DE CONDUITE ET QUI DEVANCE LA CONCURRENCE JAPONAISE, ALLER FAIRE UN TOUR

[MÉCANIQUE] Si l'on tient compte de la nouvelle version hybride, la Fusion offre pas moins de quatre moteurs pour 2010. L'offre débute avec une mécanique à 4 cylindres de 2,5 litres de 175 chevaux associée à une surprenante et très agréable boîte de vitesses manuelle à 6 rapports; une boîte automatique à 6 rapports est offerte en option. Vient ensuite un modèle V6 de 3 litres de 240 chevaux, et la version Sport avec un 3,5 litres de 263 chevaux. Ces deux derniers modèles sont offerts avec une boîte automatique à 6 rapports. Les modèles à 6 cylindres sont offerts en version à deux ou à quatre roues motrices, alors que le modèle à 4 cylindres et l'hybride n'offrent que la traction. Prenons quelques lignes pour parler de l'hybride. Le moteur à carburant est le 4-cylindres de 2,5 litres, mais il a adopté le cycle Atkinson et une distribution variable à l'admission. Le premier sert à améliorer le rendement, le second adoucit les arrêts et les redémarrages qui sont le lot quotidien des véhicules hybrides. La batterie est également plus performante que celle de l'Escape. Elle contient 20 % d'énergie en plus, elle est plus compacte et plus légère, et elle accepte aussi de fonctionner à une température plus élevée, ce qui a permis de simplifier son refroidissement. Le refroidissement de la batterie se fait grâce au système de climatisation. Toute l'architecture hybride est inchangée. L'auto est une traction, associant un moteur à carburant de 155 chevaux à un moteur électrique de 106 chevaux; la boîte de vitesses est une CVT (à variation continue).

[COMPORTEMENT] La Fusion hybride utilise un principe proche de celui de la Toyota Camry hybride, mais en mieux. Par exemple, la gestion électronique plus permissive permet à la Fusion de rouler jusqu'à 70 km/h uniquement en mode électricité. Il va sans dire qu'il faut avoir le pied ex-

HISTORIQUE

La première Ford Fusion n'avait rien d'une berline intermédiaire. Il s'agissait plutôt d'un petit véhicule citadin pour l'europe présenté en 2002. IL faudra attendre 2006 pour la première cuvée de la Fusion Nord-Américaine qui devint aussitôt la nouvelle voiture de Ford en Nascar. Ily a eu des versions sports pour le grand rassemblement du SEMA show à Vegas et même un version hydrogène qui a atteint 207,279 milles à l'heure au *Bonneville Salt Flats*.

FUSION EUROPE 2002

FUSION DESSIN

FUSION 2006

FUSION NASCAR 2006

FUSION SEMA 2005

FUSION HYDROGÈNE

FUSION HYBRIDE 2010

FUSION

A

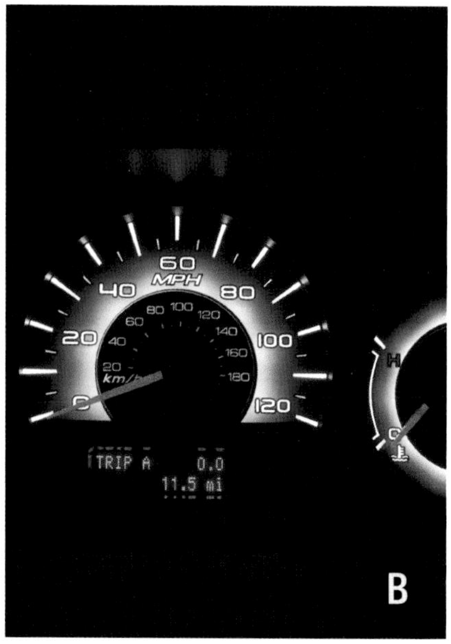

B

C

D

GALERIE

A B L'habitacle est dominé par un écran LCD qui meuble tout le bloc d'instrumentation. Et pour ne pas trop charger le contenu visuel pour le conducteur, Ford offre des choix de menus. Dans la version hybride (photo A), vous pouvez connaître tous les paramètres reliés à votre consommation. Pour la version Sport (photo B), vous avez une orientation plus sportive, cela va de soi.

C La version Sport a plusieurs items pour se démarquer des autres membres de la famille. Du becquet arrière sur le coffre aux roues uniques en passant par le moteur 3,5 litres. Dans l'habitacle, la version Sport a droit à un habillage deux tons en harmonie avec la couleur de la carrosserie, bleu dans ce cas-ci.

D Ford utilise dans la Fusion le même 4-cylindres DACT 16 soupapes de 2,5 L que l'on trouve sous le capot de l'Escape Hybrid depuis 2008. Ce moteur fonctionne selon le « cycle Atkinson », ce qui signifie que les soupapes d'admission restent ouvertes plus longtemps que dans un moteur à essence conventionnel (à cycle Otto) et, ainsi, que le piston repousse dans la tubulure d'admission une fraction du mélange lors de la remontée après le cycle d'admission. Cela a pour effet de favoriser l'économie de carburant puisqu'une quantité moindre d'essence est admise dans les cylindres. Il est associé à un moteur électrique qui produit l'équivalent de 106 chevaux. Les deux moteurs ont une puissance combinée de 191 chevaux.

E Pour ceux qui aiment une version plus musclée de la Fusion, le modèle Sport emprunte le V6 3,5 litres du Ford Edge avec ses 263 chevaux et le loge sous le capot. Avec un poids moindre et la disponibilité de 4 roues motrices, vous avez un véhicule performant et sûr.

FUSION

trêmement léger pour que le moteur à carburant demeure silencieux, mais c'est faisable. Comme la Prius et la nouvelle Honda Insight, Ford ne manque pas d'encourager la conduite écolo. Vous pouvez faire pousser votre arbre. Si on roule en consommant trop, les feuilles tombent mais si on roule économiquement, il y en a qui poussent. Il y a un maximum de 23 feuilles. En prenant toutes les précautions du monde, nous avons réussi à en faire pousser 17. Il y a également la jauge qui permet de voir votre réserve d'énergie électrique, et il est possible de moduler l'accélérateur pour demeurer en mode électricité. Si vous décidez de la conduire de manière plus traditionnelle, la Fusion hybride met environ neuf secondes pour franchir le 0 à 100 km/h, et sa vitesse est limitée électroniquement à 170 km/h. Durant ma semaine d'essai, j'ai conduit la voiture sans ménagement et j'ai maintenu une moyenne de 6,6 litres aux 100 km/h sur une distance de plus de 500 kilomètres avec beaucoup d'autoroute. L'autre belle surprise réside dans sa tenue de route qui est surprenante d'agilité. Contrairement à une Toyota Camry qui a toujours l'air engourdie, la Fusion est à la fois confortable, silencieuse, docile et très agile sur la route. Je me suis surpris à attaquer des courbes serrées sans arrière-pensée, et les pneus Michelin « Energy », plus reconnus pour leur faible résistance que pour leurs performances, n'ont pas bronché.

[CONCLUSION] Si vous voulez la preuve que Detroit, Ford plus particulièrement, est capable de construire un véhicule qui offre confort, qualité et plaisir de conduire et qui devance la concurrence japonaise, allez faire un tour du côté de la Fusion 2010.

2e OPINION

PHILIPPE LAGUË La question a été récurrente au cours de la dernière année : les Ford se sont-elles améliorées à ce point ? Réponse : oui. Si la marque à l'ovale a évité la faillite, contrairement aux deux autres constructeurs américains, c'est en raison d'une gestion plus avisée, certes, mais également parce que ses véhicules sont meilleurs. La Fusion en est le meilleur exemple : depuis sa sortie, il y a cinq ans, sa fiabilité est sans tache. La deuxième génération est encore plus réussie : plus confortable, plus silencieuse, plus raffinée... Mieux encore, une version hybride vient s'ajouter. Au chapitre de la consommation, la Fusion Hybrid frappe fort : moins de 6 litres aux 100 kilomètres sur l'autoroute pour une berline intermédiaire, c'est du jamais vu. Une chose est certaine : la Fusion « revue et corrigée » peut soutenir la comparaison avec les meilleures japonaises de sa catégorie.

5 FICHE TECHNIQUE

· MOTEURS

· (SE, SEL)
L4 2,5 l, 175 ch à 6000 tr/min
Couple 172 lb-pi à 6000 tr/min
Transmission manuelle à 6 rapports, automatique à 6 rapports (en option)
0-100 km/h 9,1 s
Vitesse maximale 205 km/h

· (SE V6, SEL V6)
V6 3,0 l Duratech 240 ch à 6550 tr/min
Couple 228 lb-pi à 4300 tr/min
Transmission automatique à 6 rapports
0-100 km/h 7,3 s
Vitesse maximale 225 km/h
Consommation (100 km) 2RM 9,7 l (octane 87) **4RM** 10,3 l
Émissions de CO_2 2RM 4752 kg/an **4RM** 5040 kg/an
Litres par année 2RM 1980 l **4RM** 2100 l
Coût par an 2RM 1980$ **4RM** 2100$
Empreinte écologique 29 arbres

· (SPORT)
V6 3,5 l Duratech 263 ch à 2550 tr/min
Couple 249 lb-pi à 4600 tr/min
Transmission automatique à 6 rapports
0-100 km/h 7,3 s
Vitesse maximale 225 km/h

· HYBRIDE
· L4 2,5 l Atkinson, 155 ch à 6000 tr/min (puissance nette de 191 ch)
Couple 136 lb-pi à 4250 tr/min (avec moteur électrique)
Transmission automatique à variation continue
0-100 km/h 9,3 s
Vitesse maximale 170 km/h
Consommation (100 km) 6,5 l (octane 87)
Émissions de CO_2 2928 kg/an
Litres par année 1220 l
Coût par an 1220$
Empreinte écologique 18 arbres

· AUTRES COMPOSANTES
Sécurité active freins ABS, antipatinage (V6)
Suspension avant/arrière indépendante
Freins avant/arrière disques
Direction à crémaillère, assistée
Pneus SE P205/60R16, **SEL** P225/50R17

· DIMENSIONS
Empattement 2728 mm
Longueur 4841 mm
Largeur 1834 mm
Hauteur 1445 mm
Poids L4 1429 kg, **V6** 1520 kg
Diamètre de braquage 11,36 m
Coffre 467 l
Réservoir de carburant 66 l 4RM 63 l

NOS MENTIONS

Le choix vert

Modèle recommandé

Voiture de l'année

NOTRE VERDICT

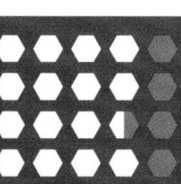

Plaisir au volant
Qualité de finition
Consommation
Rapport qualité/prix
Valeur de revente Nm

MUSTANG

www.ford.ca

N ÉVOLUTION É J

24 499 $ à 58 399 $
transport et préparation: 1400 $

LA COTE VERTE

AVEC MOTEUR V6 DE 4.0 L

- **Consommation (100km):** **man.** 10,0 l **auto.** 10,7 l
- **Émissions polluantes CO_2 :** **man.** 4944 kg/an **auto.** 5232 kg/an
- **Empreinte écologique (nombre d'arbres à planter par année):** 30
- **Indice d'octane:** 87
- **Autre motorisation:** non
- **Coût du carburant moyen par année:** **man.** 2060 $ **auto.** 2180 $
- **Nombre de litres par année:** **man.** 2060 l **auto.** 2180 l

(SOURCE: ÉnerGuide)

1 FICHE D'IDENTITÉ

- **Versions** V6, GT, Shelby GT500
- **Roues motrices** arrière
- **Portières** 2 **Nombre de passagers** 5
- **Première génération** 1964 1/2
- **Génération actuelle** 2005
- **Construction** Flat Rock, Michigan, É.-U.
- **Sacs gonflables** 4 (frontaux, latéraux)
- **Concurrence** Dodge Challenger, Mini Cooper S, Mitsubishi Eclipse, Nissan 370Z

2 AU QUOTIDIEN

- **Prime d'assurance**
  25 ans: 3300 à 3500 $
  40 ans: 1700 à 1900 $
  60 ans: 1200 à 1400 $
- **Collision frontale** 5/5
- **Collision latérale** 4/5
- **Ventes du modèle de l'an dernier**
  Au Québec 1044 **Au Canada** 6261
- **Dépréciation** 46,8 %
- **Rappels** (2004 à 2009) Aucun
- **Cote de fiabilité** 3/5

3 GARANTIES... ET PLUS

- **Garantie générale** 3 ans/60 000 km
- **Garantie motopropulseur** 5 ans/100 000 km
- **Perforation** 5 ans/kilométrage illimité
- **Assistance routière** 5 ans/100 000 km
- **Nombre de concessionnaires**
  Au Québec 77 **Au Canada** 400

4 NOUVEAUTÉS EN 2010

- Retouches esthétiques, V8 plus puissant, freins ABS et système Advance Trac de série sur tous les modèles

LÉGENDE VIVANTE

PAR PHILIPPE LAGUË

LA MUSTANG APPARTIENT À UN CLUB TRÈS RESTREINT, CELUI DES LÉGENDES VIVANTES DE L'INDUSTRIE DE L'AUTOMOBILE AMÉRICAINE, AUX CÔTÉS DE LA CORVETTE ET DU JEEP (WRANGLER, LE VRAI DE VRAI). Celle qui fêtera ses 46 ans le printemps prochain est la benjamine du trio et comme bien des quadragénaires du XXIe siècle, elle ne paraît pas son âge.

[CARROSSSERIE] La Mustang subit ses premières retouches esthétiques depuis la refonte de 2005, celle où la sportive de Ford a renoué avec ses origines en optant pour un design néo-rétro, fortement inspiré du premier modèle (circa 1964... et demi). Essentiellement, on lui a ajouté du muscle : calandre plus agressive, ailes élargies, formes plus sculptées, vous voyez le genre... Les deux configurations (coupé et cabriolet) sont toujours au catalogue, mais une nouveauté s'ajoute, soit un toit en verre, offert en option sur le coupé.

[HABITACLE] Très peu de changements à l'intérieur par rapport au modèle précédent. À peu de choses près, c'est le même tableau de bord et la même décoration rétro; les gros chiffres des cadrans et le grand volant mince à trois branches nous ramènent 40 ans en arrière. Même les sièges ont une allure rétro ! Ces gros baquets bien rembourrés sont confortables, mais le maintien latéral pourrait être plus prononcé; quant au soutien lombaire, il est inexistant, de sorte qu'on a tendance à s'affaisser. À l'arrière, les sièges sont bien sculptés, mais l'espace pour la tête et les jambes est limité. On ne lui en tient pas trop rigueur, car c'est une sportive, après tout. Comme c'est la norme chez Ford, la finition est irréprochable. Pas de lacunes ergonomiques non plus : les commandes sont simples et bien placées. Le seul bémol concerne les espaces de rangement, qui contiennent peu. À l'inverse, le coffre est sûrement ce qui se fait de mieux du côté des sportives, côté espace.

[MÉCANIQUE] Les deux motorisations reprennent elle aussi du service. La puissance du V6 reste la même, mais celle du V8 passe à 315 chevaux, soit un gain de 15 chevaux. On nous

+ FORCES • Légende vivante • Allure encore plus musclée • Bon triplé de moteurs • Agrément de conduite • Confort surprenant • Fiabilité

− FAIBLESSES • Sièges qui manquent de maintien • Espace restreint à l'arrière • Boîte manuelle à 5 rapports • Pas la voiture idéale pour l'hiver...

promet aussi le retour de la surpuissante Shelby GT500. Les motoristes de Ford ont bien travaillé la musicalité des deux moteurs, qui émettent tous deux un ronronnement qui plaira aux aficionados. Évidemment, le grondement du V8 est plus grisant, surtout quand on le titille avec l'accélérateur, mais ça reste civilisé. Rien à voir avec l'agression sonore d'une Harley-Davidson, par exemple. Ce V8 livre par ailleurs la marchandise : les accélérations procurent la montée d'adrénaline et de testostérone voulue. La puissance de freinage est directement proportionnelle, ce qui est rassurant. Le charme rétro de la Mustang, c'est bien beau, mais la boîte de vitesses manuelle à 5 rapports commence à faire figure d'anachronisme. Dans le créneau des sportives, la norme est désormais de six.

[COMPORTEMENT] Comme le cheval sauvage qui lui a donné son nom, il faut d'abord apprivoiser la Mustang, surtout la puissante GT. La tâche est toutefois assez aisée, car ses réactions sont prévisibles. Elle prévient avant de décrocher et on la récupère facilement, en bonne propulsion qu'elle est. Pas pour rien qu'on l'utilise autant dans les écoles de pilotage : parce qu'elle tient la route comme une vraie sportive, d'une part; mais aussi parce qu'elle pardonne. La Mustang procure une bonne dose d'agrément de conduite et de sensations, même avec le V6. Mais elle étonne aussi par son confort : pour avoir passé des journées entières à la conduire, je peux en témoigner.

[CONCLUSION] Si la Mustang a duré tout ce temps, c'est parce qu'elle a toujours su rester fidèle à sa vocation d'origine (si l'on fait exception de quelques égarements à la fin des années 70). Elle respecte en tous points la longue tradition de ce modèle, qui repose sur un rapport prix-performances défiant toute concurrence. En plus, elle affiche une fiabilité exemplaire, et ça devrait se poursuivre avec cette génération, qui reprend essentiellement les mêmes organes mécaniques.

2e OPINION

DANIEL RUFIANGE En 2005, Ford faisait revivre sa Mustang en lui donnant une allure rétro très réussie. L'arrivée d'une nouvelle génération pour 2010 laissait une question en suspens : comment moderniser les lignes d'un modèle... rétro ? L'exercice exigeait beaucoup de retenue, et c'est exactement ce que Ford a fait. Le design reste donc sensiblement le même, alors que l'avant et l'arrière ont été rafraîchis. Même constat à l'intérieur alors que les changements sont plus subtils qu'importants. L'essentiel, c'est qu'on n'ait pas dénaturé la Mustang. La conduite est encore brutale, et l'essieu arrière rigide fait toujours sautiller la voiture au moindre cahot. On critiquerait autrement mais c'est ça, une Mustang ! Et puis il y a cette sonorité qui émane de la tuyauterie rivetée sous l'habitacle; orgiaque !

(5) FICHE TECHNIQUE

· MOTEURS

· (V6)

V6 4,0 l SACT, 210 ch à 5300 tr/min
Couple 240 lb-pi à 3500 tr/min
Transmission manuelle à 5 rapports, automatique à 5 rapports (en option)
0-100 km/h 7,8 s **Vitesse maximale** 190 km/h

· (GT)

V8 4,6 l SACT, 315 ch à 6000 tr/min
Couple 320 lb-pi à 4250 tr/min
Transmission manuelle à 5 rapports, automatique à 5 rapports (en option)
0-100 km/h 5,3 s Vitesse maximale 240 km/h
Consommation (100 km) man. 11,3 l **auto.** 11,4 l (octane 87)
Émissions de CO_2 man. 5520 kg/an **auto.** 5712 kg/an
Litres par année man. 2300 l **auto** 2380 l
Coût par an man. 2300 $ **auto.** 2860 $
Autre motorisation non
Empreinte écologique 33 arbres

· (SHELBY GT500)

V8 5,4 l suralimenté SACT, 540ch à 6200 tr/min
Couple 510 lb-pi à 4500 tr/min
Transmission manuelle à 6 rapports
0-100 km/h 4,4 s **Vitesse maximale** 260 km/h
Consommation (100 km) 12,8 l (octane 91)
Émissions de CO_2 6240 kg/an
Litres par année 2600 l **Coût par an** 2860 $
Autre motorisation non
Empreinte écologique 37 arbres

· AUTRES COMPOSANTES

Sécurité active freins ABS, antipatinage (GT)
Suspension avant/arrière indépendante, essieu rigide
Freins avant/arrière disques ventillés
Direction à crémaillère, assistée
Pneus V6 P215/55R17 **GT** P235/50R18 **GT500** P255/45ZR18 (av.), P285/40ZR18 (arr.)

· DIMENSIONS

Empattement 2720 mm
Longueur 4778 mm **GT 500** 4765 mm
Largeur 1877 mm
Hauteur 1412 mm **GT500** 1438 mm **cabrio.** 1425 mm
Poids coupé V6 1520 kg **GT** 1522 kg **GT500** 1778 kg **cabrio. V6** 1577 kg **GT** 1638 kg **GT500** 1832 kg
Diamètre de braquage V6 10,2 m **V8** 11,5 m
Coffre coupé 379 l **cabrio.** 272 l
Réservoir de carburant 61 l

NOS MENTIONS

Coup de coeur

NOTRE VERDICT

Plaisir au volant
Qualité de finition
Consommation
Rapport qualité/prix
Valeur de revente

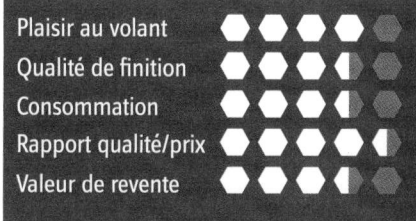

RANGER

www.ford.ca

N ÉVOLUTION É J

17 799 $ à 26 699 $
transport et préparation: 1300 $

LA COTE VERTE

AVEC MOTEUR L4 DE 2,3 L

- **Consommation (100km): man.** 8,7 l **auto.** 9,8 l
- **Émissions polluantes CO_2 : man.** 4224 kg/an **auto.** 4752 kg/an
- **Empreinte écologique (nombre d'arbres à planter par année):** 25
- **Indice d'octane:** 87
- **Autre motorisation**: non
- **Coût du carburant moyen par année: man.** 1760 $ **auto.** 1980$
- **Nombre de litres par année: man.** 1760 l **auto.** 1980 l

(SOURCE: ÉnerGuide)

1 FICHE D'IDENTITÉ

- **Versions** XL, XLT, Sport
- **Roues motrices** arrière, 4
- **Portières** 2, 4 **Nombre de passagers** 2+2
- **Première génération** 1983
- **Génération actuelle** 1993
- **Construction** Edison, New Jersey, É.-U.; St.Paul, Minnesota, É.-U.
- **Sacs gonflables** 2 (frontaux)
- **Concurrence** Chevrolet Colorado, Dodge Dakota, GMC Canyon, Nissan Frontier, Toyota Tacoma

2 AU QUOTIDIEN

- **Prime d'assurance**
  25 ans: 1400 à 1600 $
  40 ans: 900 à 1100 $
  60 ans: 600 à 800 $
- **Collision frontale** 4/5
- **Collision latérale** 4/5
- **Ventes du modèle de l'an dernier**
  Au Québec 4941 **Au Canada** 24 211
- **Dépréciation** (3 ans) 57,2%
- **Rappels** (2004 à 2009) 3
- **Cote de fiabilité** 3/5

3 GARANTIES... ET PLUS

- **Garantie générale** 3 ans/60 000 km
- **Garantie motopropulseur** 5 ans/100 000 km
- **Perforation** 5 ans/kilométrage illimité
- **Assistance routière** 5 ans/100 000 km
- **Nombre de concessionnaires**
  Au Québec 77 **Au Canada** 400

4 NOUVEAUTÉS EN 2010

- Pas de changement majeur

SIMPLICITÉ VOLONTAIRE

PAR JEAN-PIERRE BOUCHARD

BON AN MAL AN, LA RANGER ATTIRE PLUSIEURS MILLIERS D'ACHETEURS. ET CE N'EST CERTAINEMENT PAS PARCE QU'ELLE EST ÉVOLUÉE SUR LE PLAN DE LA TECHNOLOGIE. Car le véhicule n'a pratiquement pas évolué depuis la disparition de la Ford Courrier. Non, c'est en grande partie à cause de son faible prix et de son allure robuste qui la rend populaire. Pourquoi donc Ford changerait-elle une recette gagnante ?

[CARROSSERIE] La Ranger est l'un des derniers vestiges de la catégorie des camionnettes compactes, les autres ayant gagné en volume au cours des dernières années pour devenir, pour la plupart, des camionnettes intermédiaires. Pour 2010, le constructeur la commercialise toujours en configurations à cabine régulière ou à cabine allongée, à propulsion ou à quatre roues motrices. La version de base peut également être dotée d'une caisse de 7 pieds, un atout pour le transport de marchandise.

[HABITACLE] Le format compact entraîne comme principal désagrément un volume intérieur compté. Pour un conducteur de grande taille, le dégagement pour les jambes est limité. Et quand il est question de « confort », la Ranger ne peut être citée en exemple. Les sièges manquent de tonus ainsi que de toutes ces qualités propres à éviter maux de dos et courbatures sur les longs trajets. D'ailleurs, une récente étude menée par Consumer Reports place le confort sur la liste des principales insatisfactions des propriétaires. La présentation intérieure prêche par sobriété. Les commandes sont simplement placées, et la consultation de l'instrumentation ne pose aucune difficulté. Aucune fioriture. De toute façon, l'acheteur qui l'utilise pour se rendre à son camp de chasse ou de pêche ou encore pour y tirer une remorque s'en moque probablement. En ce qui a trait au choix des matériaux et à la qualité de finition, quiconque passe son temps derrière le volant d'une BMW criera à l'infamie. Une fois de plus, pour le prix, c'est tout à fait décent. Demande-t-on à une pince achetée chez Dollorama de durer plus longtemps que son comparable Fuller ? Certains diront oui. Mais ça, c'est une autre histoire ! Du côté de la configu-

FORCES • Échelle de prix • Solidité de la construction

FAIBLESSES • Comportement routier • Confort, Technologie dépassée

ration à cabine allongée, inutile de penser y faire voyager des passagers. Ce sera surtout pratique pour y loger une boîte à lunch et quelques contenants d'huile.

[MÉCANIQUE] Le moteur de base de 2,3 litres convient pour la conduite normale. Il fournit des prestations honnêtes, en plus d'afficher une consommation de carburant raisonnable. Pour tracter des charges plus lourdes, le V6 de 4 litres constitue un meilleur allié. Plus performant, certes, mais aussi plus glouton. Ces deux moteurs peuvent être jumelés à une boîte de vitesses automatique à 5 rapports qui fonctionne en douceur.

[COMPORTEMENT] Un camion reste un camion. Et un vieux camion, un vieux camion. La Ranger s'agite considérablement sur les beaux pavés comme sur les moins beaux. Elle réagit en sautillant aussitôt une imperfection détectée. Mais, une fois de plus, l'acheteur ne s'y intéresse pas pour son tempérament nerveux et son agrément de conduite des qualités absentes de la Ranger. Il s'y intéresse surtout pour son côté pratique et la robustesse de sa construction. Pour obtenir un peu plus de civilité, il vaut mieux jeter un coup d'œil du côté de la Tacoma, par exemple.

[CONCLUSION] Tous les qualificatifs ont déjà été utilisés pour décrier la Ranger. Mais elle dure et perdure. Aux États-Unis, l'une d'elle a parcouru 750 000 kilomètres ! Et si je me fie à celle que mon frère a eue durant plus de dix ans, même s'il ne lui a prodigué qu'un minimum de soins, elle est solide. Il est vrai que le prix ne justifie pas tout. Parfois, il vaut mieux payer un peu plus cher pour s'offrir un véhicule de meilleure qualité, plus évolué sur le plan technologique. Reste que cette Ford est difficile à battre au moment de passer à la caisse : au moment d'écrire ces lignes, on pouvait se procurer un modèle 4 x 4 bien équipé pour environ 20 000 $. Qui dit mieux ?

2e OPINION

DANIEL RUFIANGE Ford n'aura pas besoin de débourser des sommes astronomiques pour développer une camionnette style rétro; elle en a déjà une ! La Ford Ranger demeure pratiquement inchangée depuis des lunes. Encore quelques années et votre assureur réduira votre prime, croyant que vous pilotez un véhicule d'époque. Blague à part, qui aime bien châtie bien. La Ranger demeure une option intéressante pour tout jeune désireux de s'acheter une petite camionnette sans nécessairement hypothéquer son avenir financier. Pour une fraction du prix d'une camionnette pleine grandeur, la Ranger vous permettra de tracter des charges, de transporter du matériel et d'aller vous amuser hors route. Soyez cependant averti; c'est rudimentaire et ça brasse de partout ! Lueur d'espoir : la prochaine génération est actuellement testée.

(5) FICHE TECHNIQUE

· MOTEURS

· (XL/2RM)

L4 2,3 l DACT, 143 ch à 5250 tr/min
Couple 154 lb-pi à 3750 tr/min
Transmission manuelle à 5 rapports, automatique à 5 rapports (en option)
0-100 km/h 12,0 s
Vitesse maximale 160 km/h

· (4RM, FX4 Off-Road)

V6 4,0 l SACT 1, 207 ch à 5250 tr/min
Couple 238 lb-pi à 3000 tr/min
Transmission manuelle à 5 rapports, automatique à 5 rapports (en option)
0-100 km/h 10,7 s
Vitesse maximale 175 km/h
Consommation (100 km) 2RM man. 12,1 l **autom.** 12,0 l **4RM man.** 12,7 l **autom.** 13,7 l (octane 87)
Émissions de CO_2 2RM man. 5760 kg/an **autom.** 5664 kg/an **4RM man.** 6096 kg/an **autom.** 6432 kg/an
Litres par année 2RM man. 2400 l **autom.** 2360 l **4RM man.** 2540 l **autom.** 2680 l
Coût par an 2RM man. 2400 $ **autom.** 2360 $ **4RM man.** 2540 $ **autom.** 2680 $
Empreinte écologique 36 arbres

· AUTRES COMPOSANTES

Sécurité active freins ABS
Suspension avant/arrière indépendante/essieu rigide
Freins avant/arrière disques/tambours,
Direction à crémaillère, assistée
Pneus XL P225/70R15 **XTL** P235/75R15 **Sport** P235/70R16 **FX4** P255/70R16

· DIMENSIONS

Empattement 2844 à 3200 mm
Longueur 4762 à 5123 mm
Largeur 1763 mm
Hauteur 1648 à 1722 mm
Poids 1365 à 1633 kg
Diamètre de braquage 11,5 à 13,0 m
Réservoir de carburant cab. ord. 64 l **cab. allong.** 76 l, **XL 4RM** 74 l
Capacité de remorquage 717 à 2721 kg

NOS MENTIONS

Clé d'or de sa catégorie

NOTRE VERDICT

Plaisir au volant	●●●○○
Qualité de finition	●●●○○
Consommation	●●●○○
Rapport qualité/prix	●●●●○
Valeur de revente	●●●○○

SÉRIE E

www.ford.ca

N ÉVOLUTION É J

31 299 $ à 41 399 $
transport et préparation: 1350 $

LA COTE VERTE

AVEC MOTEUR V8 DE 4,6 L

- **Consommation (100km):** 13,4 l
- **Émissions polluantes CO_2:** 6576 kg/an
- **Empreinte écologique (nombre d'arbres à planter par année):** 39
- **Indice d'octane:** 87
- **Autre motorisation:** non
- **Coût du carburant moyen par année:** 4110 $
- **Nombre de litres par année:** 2740 l

(SOURCE: ÉnerGuide)

1 FICHE D'IDENTITÉ

- **Versions** XL, XLT
- **Roues motrices** arrière
- **Portières** 4 **Nombre de passagers** 15 (maximum)
- **Première génération** 1962
- **Génération actuelle** 1992
- **Construction** Lorian, Ohio, É.-U.
- **Sacs gonflables** 2 (frontaux)
- **Concurrence** Chevrolet Express, Dodge Sprinter, GMC Savana

2 AU QUOTIDIEN

- **Prime d'assurance**
  25 ans: 1600 à 1800 $
  40 ans: 900 à 1100 $
  60 ans: 700 à 900 $
- **Collision frontale** 4/5
- **Collision latérale** 4/5
- **Ventes du modèle de l'an dernier**
  Au Québec 2393 **Au Canada** 8383
- **Dépréciation** 63,8%
- **Rappels** (2004 à 2009) 4
- **Cote de fiabilité** 3/5

3 GARANTIES... ET PLUS

- **Garantie générale** 3 ans/60 000 km
- **Garantie motopropulseur** 5 ans/100 000 km
- **Perforation** 5 ans/kilométrage illimité
- **Assistance routière** 5 ans/100 000 km
- **Nombre de concessionnaires**
  Au Québec 77 **Au Canada** 400

4 NOUVEAUTÉS EN 2010

- Système de navigation, tableau de bord redessiné, afficheur multimessage électronique en option

JOINDRE L'UTILE À LA NOSTALGIE

PAR FRANCIS BRIÈRE

QUI NE SE SOUVIENT PAS DES ECONOLINE DES ANNÉES 1970, HABILLÉES D'UNE ŒUVRE D'ART EXPOSANT LES COURBES FÉMININES SUR SES FLANCS, DONT L'HABITACLE ÉQUIPÉ TEL UN CONDO INVITAIT À LA LUXURE ET AU VICE ? Même si les temps ont changé, la Série E demeure : on lui confie des tâches plus utilitaires, sans doute. Il y a toujours le bon vieux Club Wagon qui fournit de l'espace à une équipe de football, que l'on peut configurer de mille et une façons. Voilà le principal intérêt de considérer la Série E : sa polyvalence.

[CARROSSERIE] Plutôt anonyme, la silhouette de la Série E ne change pratiquement pas avec le temps, si ce n'est sa calandre. Elle a tellement pris des airs masculins qu'on pourrait crier à l'exagération. La partie avant imposante rappelle celle de la F-150. Autrement, il s'agit du même véhicule, semblable à ses rivaux, le GMC Savana et le Chevrolet Express. Le Dodge Sprinter propose probablement la carcasse la plus européenne et avant-gardiste du lot.

[HABITACLE] Le design intérieur de la Série E ne remportera pas de prix ni de mentions honorifiques. Prenez un bonne vieille planche de contreplaqué, percez-y deux trous en forme de cercle pour les cadrans, un autre pour la radio et deux de plus pour la ventilation, le tour est joué. Les sièges sont mauvais et plutôt inconfortables. En fait, on se demande pourquoi avoir négligé cet aspect si important pour les conducteurs. Passer des heures au volant de ce véhicule serait bien plus agréable si les sièges offraient davantage de confort. Autre point négatif : impossible de trouver de l'espace pour les jambes. Avec un empattement aussi imposant, difficile de croire que l'espace manquait... Évidemment, le modèle Club Wagon offre un confort plus intéressant, heureusement ! L'Econoline cargo peut quand même être équipé de technologies pratiques comme la *Ford Work Solutions* (ordinateur de bord avec accès Internet haute vitesse intégré, navigation par satellite, télémétrie pour gestion de parc de véhicules, etc...), la caméra de recul (un luxe, mais pas tant que cela !) et le *Sirius Travel Link*.

+ **FORCES** • Choix de modèles et de motorisations • Simple et pratique • Utilisation peu coûteuse

− **FAIBLESSES** • Confort quelconque • Tenue de route terrifiante • Freinage style Jello

[MÉCANIQUE] Le caractère utilitaire du modèle demande une certaine polyvalence en ce qui a trait à la motorisation. Les V8 offerts avec la Série E ne sont pas les plus puissants ni les plus économiques, mais ils font le boulot. La boîte automatique à quatre rapports date un peu, mais Ford propose, en option, un moteur turbo diesel de 6 litres pour les grosses besognes. Couplé à une boîte à cinq rapports, il offre 440 livres-pieds de couple : la combinaison gagnante ! Autrement, on peut opter pour un V10, mais il faudra s'attendre à une consommation de carburant gargantuesque. Pour tirer des charges, le petit V8 ne suffit pas à la tâche. Attention également au freinage, il est spongieux et insuffisant !

[COMPORTEMENT] À moins que vous ne nourrissiez des pulsions autodestructrices, la prudence est de mise au volant d'une Série E. La distance entre la route et le fossé prend une autre dimension. Ce véhicule devient carrément dangereux en hiver, en particulier s'il n'est pas chargé. Des trois modèles concurrents dans ce marché, la Série E est celle qui offre la moins bonne tenue de route, la direction la plus floue et la suspension la plus inquiétante.

[CONCLUSION] Quand on pense que la première génération de la Série E remonte à 1962, ce véhicule supporte l'épreuve du temps à merveille. Il a bonne réputation, sans doute un peu trop. La concurrence offre davantage, surtout Dodge avec son Sprinter, mais le prix est annoncé en conséquence. Pour transporter du matériel, la Série E devient pratique, simple d'utilisation et peu coûteuse. Il faudra toutefois se montrer optimiste et prudent derrière le volant, surtout en hiver lorsque la caisse est vide. Du reste, ce véhicule constitue un rapport qualité/prix honnête.

2e OPINION

BENOIT CHARETTE **Tous les membres de l'Annuel croyaient que Ford déciderait de retirer le Série E de la route une fois le Transit Connect arrivé. Eh non, les deux véhicules ne répondent pas au même marché, alors il faut encore vous parler de la Série E. Que vous voulez que je vous dise, ce véhicule est immuable, arrêté dans le temps. Il est désuet, rétrograde, gourmand, laid et dépassé. Mais aucun de ses critères ne fait partie de la liste des priorités des acheteurs. Il est abordable et pratique, voilà, ce que les propriétaires recherchent, et Ford a depuis longtemps fait ses frais avec ce véhicule qui va probablement conserver cette silhouette pour les 35 prochaines années. On s'en reparlera dans l'Annuel 2045.**

5 FICHE TECHNIQUE

· MOTEURS

· (E-150)
V8 4,6 l SACT, 225 ch à 4800 tr/min
Couple 286 lb-pi à 3500 tr/min
Transmission automatique à 4 rapports
0-100 km/h 15 s **Vitesse maximale** 160 km/h

· (E-150 ALLONGÉ, E-350, EN OPTION SUR E-150)
V8 5,4 l SACT, 255 ch à 4500 tr/min
Couple 350 lb-pi à 2500 tr/min
Transmission automatique à 4 rapports
0-100 km/h 13,4 s **Vitesse maximale** 160 km/h
Consommation (100 km) 14,2 l (octane 87)
Émissions de CO_2 2RM 6912 kg/an
Litres par année 2880 l **Coût par an** 4320 $
Autre motorisation non
Empreinte écologique 42 arbres

· (EN OPTION)
V8 6,0 l turbo diesel ACC, 235 ch à 3300 tr/min
Couple 440 lb-pi à 2000 tr/min
Transmission automatique à 5 rapports
0-100 km/h 13,5 s **Vitesse maximale** 155 km/h
Consommation (100 km) 16,6 l (diesel)
Émissions de CO_2 2RM 9098 kg/an
Litres par année 3370 l **Coût par an** 5055 $
Autre motorisation non
Empreinte écologique 54 arbres

· (EN OPTION)
V10 6,8 l ACC, 305 ch à 4250 tr/min
Couple 420 lb-pi à 3250 tr/min
Transmission automatique à 5 rapports
0-100 km/h 11,3 s **Vitesse maximale** 180 km/h
Consommation (100 km) 16,6 l (diesel)
Émissions de CO_2 8240 kg/an
Litres par année 3150 l **Coût par an** 4725 $
Autre motorisation non
Empreinte écologique 49 arbres

· AUTRES COMPOSANTES
Sécurité active freins ABS, antipatinage avec contrôle de stabilité électronique (15 passagers)
Suspension avant/arrière indépendante/essieu rigide
Freins avant/arrière disques
Direction à crémaillère, assistée
Pneus E-150 P235/75R16 **E-250/E-350** LT225/75R16 **E-350 allongée** LT245/75R16

· DIMENSIONS
Empattement 3505 mm
Longueur 5385 mm **allongé** 5892 mm
Largeur 2014 mm
Hauteur 2062 mm à 2148 mm
Poids 2192 kg à 2498 kg
Diamètre de braquage 14,2 m
Coffre 6697 l **allongé** 7872 l
Réservoir de carburant 132,5 l
Capacité de remorquage 1469 kg à 3965 kg

NOTRE VERDICT

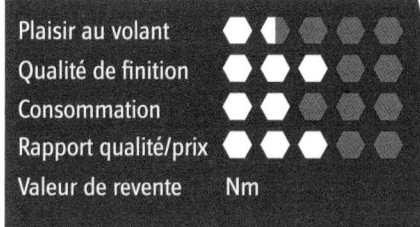

Plaisir au volant
Qualité de finition
Consommation
Rapport qualité/prix
Valeur de revente Nm

F-150

www.ford.ca

N ÉVOLUTION É J

25 199 $ à 50 799 $
transport et préparation: 1400 $

LA COTE VERTE

AVEC MOTEUR V8 DE 4.6 L

- **Consommation (100km):** **2RM** 13,1 l **4RM** 14,0 l
- **Émissions polluantes CO_2 :** **2RM** 6432 kg/an **4RM** 6864 kg/an
- **Empreinte écologique (nombre d'arbres à planter par année):** 39
- **Indice d'octane:** 87
- **Autre motorisation:** non
- **Coût du carburant moyen par année:** **2RM** 2680 $ **4RM** 2860 $
- **Nombre de litres par année:** **2RM** 2680 l **4RM** 2860 l

(SOURCE: ÉnerGuide)

1 FICHE D'IDENTITÉ

- **Versions** XL, STX, XLT, FX4, Lariat
- **Roues motrices** arrière, 4
- **Portières** 2, 4 **Nombre de passagers** 2, 5
- **Première génération** 1948
- **Génération** actuelle 2009
- **Construction** Kansas City, Missouri, É.-U.; Norfolk, Virginie, É.-U.; Louisville, Kentucky, É.-U.; Oakville, Ontario, Canada
- **Sacs gonflables** 2 (frontaux; rideaux latéraux en option)
- **Concurrence** Chevrolet Silverado, Dodge Ram, GMC Sierra, Honda Ridgeline, Nissan Titan, Toyota Tundra

2 AU QUOTIDIEN

- **Prime d'assurance**
  25 ans: 1900 à 2100 $
  40 ans: 1100 à 1300 $
  60 ans: 900 à 1100 $
- **Collision frontale** 5/5
- **Collision latérale** 5/5
- **Ventes du modèle de l'an dernier**
  Au Québec 10 254 **Au Canada** 67 749
- **Dépréciation** 59,5%
- **Rappels** (2004 à 2009) 7
- **Cote de fiabilité** 3/5

3 GARANTIES... ET PLUS

- **Garantie générale** 3 ans/60 000 km
- **Garantie motopropulseur** 5 ans/100 000 km
- **Perforation** 5 ans/kilométrage illimité
- **Assistance routière** 5 ans/100 000 km
- **Nombre de concessionnaires**
  Au Québec 77 **Au Canada** 400

4 NOUVEAUTÉS EN 2010

- Groupes d'options révisés, nouvelles couleurs de carrosserie.

TOUJOURS EN TÊTE, MAIS...

PAR FRÉDÉRIC MASSE

CEUX QUI AIMENT CUISINER LE SAVENT. IL N'Y A RIEN DE PIRE QUE D'ESSAYER DE MODIFIER UN CLASSIQUE. Vous savez, ce PLAT qui remporte un succès à coup sûr. Puis, un jour, on a l'idée farfelue de le changer pour l'améliorer, se dit-on. On met une épice qu'on croyait pourtant parfaite et hop... le goût change. Pour le meilleur ou pour le pire ? Ça, ça dépend de la personne qui le mange.

[CARROSSERIE] Avouons-le, Ford joue de prudence avec ses camions. Le fascia est devenu plus massif, mais les autres éléments de design demeurent discrets, à l'exception de la version Harley-Davidson, de retour cette année, et de la Raptor SVT, un modèle débridé conçu pour aller hors route. Les ingénieurs se sont donc plutôt attardés aux détails. On peut ainsi se procurer, en option, certains équipements intéressants, comme une échelle rétractable qui permet de monter et de descendre du camion facilement. Ou encore, des marches latérales qui permettent d'accéder aisément au contenu de la caisse par le côté, même si elle est très profonde. Quoique cet hiver, avec la glace, j'ai eu bien des difficultés à les refermer. La F offre toujours le choix de trois cabines : régulière, double et Super Crew, ainsi que trois longueurs de plateau : 5,5, 6,5 et 8 pieds.

[HABITACLE] C'était l'une des grandes forces de la F, et ça l'est encore. C'est solide, bien ficelé, superbement insonorisé, et il y amplement d'espace de rangement. Les sièges offrent un merveilleux maintien. La place pour les passagers arrière dans la Super Crew est gargantuesque, et le plancher complètement plat est un atout de taille. Vraiment, je ne trouve pas de grands défauts à l'intérieur de cette camionnette... quand elle est bien équipée. Il faut aussi souligner les résultats impressionnants en matière de tests de collision. Que voulez-vous de plus ? Ah oui, un volant télescopique s.v.p.

[MÉCANIQUE] On trouve un V8 Triton de 5,4 litres sous le capot. On compte sur 310 chevaux (71 chevaux de moins que le 5,7-litres de la Tundra, 80 de moins que le Hemi de la Ram et 93 de moins que le 6,2-litres de la Sierra) et un couple de 365 livres-pieds sous le pied droit. On y a ajouté une boîte

+ −

FORCES • Espace dans la Super Crew • Charge utile et capacité de remorquage • Confort général • Présentation de l'habitacle dans les modèles bien équipés • Boîte de vitesses automatique à 6 rapports • Options intéressantes

FAIBLESSES • Diamètre de braquage • Absence d'un système à quatre roues en prise permanente • Accélérations et reprises face à la concurrence

de vitesses automatique à 6 rapports. Le résultat ? Un fonctionnement plus doux et, selon Ford, une économie de carburant accrue. Dans la réalité, je n'y ai pas vu beaucoup de différence. Toutefois, ce changement donne l'impression que la F a besoin d'un coup de pied où vous savez quand on sollicite le moteur. Les accélérations et les reprises ne sont donc pas impressionnantes. Il faut aussi savoir que Ford offre deux autres mécaniques, soit deux V8 de 4,6 litres.

[COMPORTEMENT] La F n'est pas aussi agile que la nouvelle Ram, mais fait bonne figure sur la route. Il faut dire que la construction solide de la machine (comprendre utilisation de lames plutôt que de ressorts comme la Ram) résulte en quelques sauts sur une chaussée dégradée. Mais, somme toute, la F demeure stable et confortable. Pour une camionnette, la direction est assez précise. Quand on peut offrir la meilleure charge utile de la catégorie avec 1374 kilos et une capacité de remorquage de 5216 kilos, disons qu'il serait difficile de critiquer les limites de la camionnette en virage. On s'en tape... elle n'est pas conçue pour cela. Sachez qu'il n'y a toujours pas de système à quatre roues motrices à prise permanente. Aussi, le diamètre de braquage épouvantable de la F en fait l'ennemi public numéro un des centres commerciaux.

[CONCLUSION] J'aime toujours autant la F. Mais, je ne suis plus aussi tranchant que par le passé. Elle demeure, à mon avis et malgré ses petits défauts, la référence dans la catégorie, si on cherche un vrai travailleur. Mais, la nouvelle Dodge Ram parviendra certainement à lui voler plus de parts de marché. Mais, encore aucun de ces concurrentes ne parvient encore à concocter un si savoureux et solide mélange... même en y mettant plus d'épices.

2e OPINION

JEAN-PIERRE BOUCHARD Le nouveau F-150 est arrivé dans un bien mauvais moment pour Ford. L'Amérique allait bientôt entrer en récession, ce qui remettrait bien des choses en question. Et avant de la mettre sur le marché, le constructeur avait un autre défi : essayer d'écouler les véhicules de la précédente génération. Et pour compliquer les choses, la grande camionnette allait devoir rivaliser non plus seulement avec la dernière génération de Chevrolet Silverado/ GMC Sierra, mais également avec celle du Dodge Ram. Dure, dure, la vie de camionnette ! Il n'en demeure pas moins que le F-150 possède de nombreux attributs pour plaire aux acheteurs qui ont vraiment besoin de ce type de véhicule imposant. Elle leur offre, en plus d'une allure robuste, un habitacle confortable, spacieux et fort bien insonorisé ainsi qu'une conduite équilibrée pour ce type de véhicule, des groupes motopropulseurs adaptés - mais pas frugaux du tout - et des capacités indéniables.

5 FICHE TECHNIQUE

· Moteurs

· (XL, XLT, STX 4RM, option 2RM)
V8 4,6 l SACT 248 ch à 4750 tr/min
Couple 294 lb-pi à 3500 tr/min
Transmission automatique à 4 rapports
0-100 km/h 11,5 s
Vitesse maximale 165 km/h

· (XL, XLT, STX 2RM)
V8 4,6 l SACT. 292 ch à 4350 tr/min
Couple 320 lb-pi à 3750 tr/min
Transmission automatique à 6 rapports
0-100 km/h 9,9 s Vitesse maximale 180 km/h
Consommation (100 km) man. 13,8 l
autom. 14,9 l (octane 87)
Émissions de CO_2 man. 6740 kg/an
autom. 6988 kg/an
Litres par année 2RM 2880 l **4RM** 2960 l
Coût par an 2RM 4032 $ **4RM** 4144 $
Autre motorisation non
Empreinte écologique 40 arbres

· (FX4, Lariat)
V8 5,4 l SACT, 310 ch à 5000 tr/min
Couple 365 lb-pi à 3750 tr/min
Transmission automatique à 6 rapports
0-100 km/h 9,5 s **Vitesse maximale** 185 km/h
Consommation (100 km) man. 13,9 l
autom. 14,9 l (octane 87) **2RM** 18,6 l
4RM 19,7 l (éthanol)
Émissions de CO_2 man. 6768 kg/an
4RM 7152 kg/an (éthanol) **2RM** 3780 kg/an
4RM 4000 kg/an
Litres par année 2RM 2400 l **4RM** 2520 l
(éthanol) **2RM** 2440 l **4RM** 2580 l
Coût par an 2RM 2400 $ **4RM** 2520 $ (éthanol)
2RM 2440 $ **4RM** 2580 $
Autre motorisation éthanol E85
Empreinte écologique 23 arbres (éthanol)
40 arbres (essence)

· Autres composantes
Sécurité active freins ABS, antipatinage
(en option sur 2RM, de série sur Lariat)
Suspension avant/arrière indépendante/
essieu rigide
Freins avant/arrière disques
Direction à crémaillère, assistée
Pneus XL/XLT P235/70R17 **STX** P255/65R17
XL/STX/XLT P255/70R17 **XLT** (cabine double et
SuperCrew) P275/60R18, P265/60R18 **XL/XLT
(4 x 4)** LT245/70R17 FX4/Lariat LT275/65R18

· Dimensions
Empattement 3200 à 4140 mm
Longueur 5364 à 6311 mm **Largeur** 2004 mm
Hauteur 1867 à 1910 mm **Poids** 2158 à 2667 kg
Diamètre de braquage 12,7 m à 15,9 m
Réservoir de carburant 98 l, 113 l, 132 l
Capacité de remorquage 3919 à 5216 kg

NOS MENTIONS

Clé d'or de sa catégorie

Modèle recommandé

NOTRE VERDICT

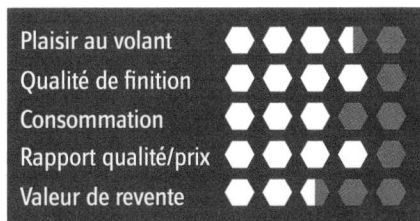

Plaisir au volant
Qualité de finition
Consommation
Rapport qualité/prix
Valeur de revente

TRANSIT CONNECT

www.ford.ca

N NOUVEAUTÉ É J

26 799 $ à 28 299 $
transport et préparation: 1400 $

LA COTE VERTE

AVEC MOTEUR L4 DE 2,0 L

- **Consommation** (100km): auto. 8,7 l
- **Émissions polluantes CO_2 : man :** 3456 kg/an 3601 kg/an
- **Empreinte écologique (nombre d'arbres à planter par année):** 20
- **Indice d'octane:** 87
- **Autre motorisation:** non
- **Coût du carburant moyen par année: man** 1440$ **auto** 1460$
- **Nombre de litres par année: man** 1440 l **auto** 1460 l

(SOURCE: ÉnerGuide)

1 FICHE D'IDENTITÉ

- **Versions** XLT wagon et Cargo
- **Roues motrices** avant
- **Portières** 4 **Nombre de passagers** 2, 5
- **Première génération** 2010
- **Génération actuelle** 2010
- **Construction** Craiova, Roumanie
- **Sacs gonflables** 6 (frontaux, latéraux, rideaux latéraux)
- **Concurrence** Chevrolet HHR, Dodge Journey, Honda Element

2 AU QUOTIDIEN

- **Prime d'assurance**
  25 ans: 1400 à 1600 $
  40 ans: 900 à 1100 $
  60 ans: 700 à 900 $
- **Collision frontale** 5/5 (Europe)
- **Collision latérale** 5/5 (Europe)
- **Ventes du modèle de l'an dernier**
  Au Québec nm **Au Canada** nm
- **Dépréciation** (3 ans) nm
- **Rappels** (2004 à 2009) nm
- **Cote de fiabilité** nm

3 GARANTIES... ET PLUS

- **Garantie générale** 3 ans/60 000 km
- **Garantie motopropulseur** 5 ans/100 000 km
- **Perforation** 5 ans/kilométrage illimité
- **Assistance routière** 5 ans/100 000 km
- **Nombre de concessionnaires**
  Au Québec 77 **Au Canada** 400

4 NOUVEAUTÉS EN 2010

- Nouveau Modèle

BRANCHÉ !

PAR DANIEL RUFIANGE

EN VOILÀ UN QUI S'EST FAIT ATTENDRE. DANS LE MONDE DES FOURGONS COMMERCIAUX, LA LUTTE S'EST TOUJOURS LIVRÉE À TROIS ENTRE FORD, GM ET CHRYSLER : L'ECONOLINE, L'EXPRESS ET LE FOURGON RAM. Lorsque Dodge a importé son Sprinter européen, elle est venue donner un dur coup aux deux autres. C'est au tour de Ford de rappliquer en proposant son Transit Connect, une approche différente reliée au format compact du véhicule; il permet à Ford de bonifier son offre sans nuire à l'Econoline... sur le papier.

[CARROSSERIE] Le Transit Connect détonne en termes de style. Sa bouille à l'européenne n'arrive pas à cacher ses origines. Présent sur le vieux continent depuis 2002 – 600 000 exemplaires ont déjà trouvé preneur - il ne faut pas le confondre avec le Transit, aussi implantée en Europe, mais depuis 1965. Le Transit Connect se veut une version compacte du Transit. Et puisqu'il s'agit d'un fourgon, il respecte un certain code en matière de style; il se veut carré et doté d'un toit surélevé, le tout permettant le chargement d'un maximum de matériel. Le Transit Connect repose sur une plateforme bien connue, la C170, qui sert également d'assise à la Focus américaine. En conséquence, son comportement routier est moins rustre, un détail que livreurs et petits entrepreneurs apprécieront sûrement.

[HABITACLE] Deux configurations sont possibles : la première munie d'une banquette supplémentaire pouvant accueillir trois passagers, et la seconde, forte de son espace de chargement de 3823 litres et d'une capacité de charge de 726 kilos. Notons la présence de porte cargo s'ouvrant à 180 degrés, question de faciliter le chargement, aspect pratique pour les entrepreneurs. À l'avant, la présentation est simple et, surtout, axée sur la fonctionnalité. Des outils comme Tool Link et Crew Chief permettent aux propriétaires de gérer chaque camion et sa marchandise de façon rigoureuse et efficace. Pendant que Tool Link permet de conserver un inventaire en temps réel de la marchandise présente dans le camion – grâce à un système de radio fréquence – le système Crew Chief donne l'occasion au gestionnaire de parc de

FORCES • Prix intéressant • Parfait pour les petites entreprises • Systèmes Crew Chief et Tool link • Économie de carburant à réaliser

FAIBLESSES • Absence d'une motorisation diesel • Sonar d'aide au stationnement arrière en option

TRANSIT CONNECT

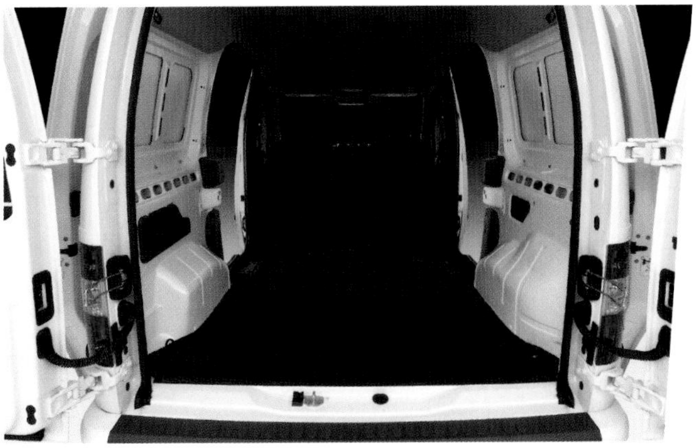

suivre les allées et venues de ses camions, recueillir des données sur leur kilométrage et leur consommation de carburant, entre autres.

[MÉCANIQUE] Sous le capot, un moteur à 4 cylindres Duratec de 2 litres qui livre 136 chevaux et produit un couple de 128 livres-pieds. S'il est surprenant de retrouver un si petit engin, il faut comprendre que le Transit Connect ne convoite pas la clientèle des acheteurs d'Econoline. Ainsi, sa petite cylindrée, combinée à la relative petitesse du véhicule, vise l'économie de carburant, ce qui devrait permettre aux petites entreprises de respirer financièrement. Une boîte de vitesses automatique à 4 rapports assure le transfert de la puissance aux roues; elle permet d'optimiser la puissance à bas régime, mais un cinquième rapport aurait favorisé une meilleure consommation de carburant, surtout que le rapport de pont de 4,20 : 1 assure une motricité efficace lors des départs.

[COMPORTEMENT] On s'entend, rien de bien excitant au volant du Transit Connect. Cependant, pour tout ceux s'étant déjà permis le luxe d'une balade en Econoline, la conduite d'un Transit Connect équivaut à piloter une voiture de course. Ne l'ayant conduit qu'à vide, je ne peux malheureusement pas commenter son comportement une fois chargé, mais, faut-il le rappeler, le Transit Connect s'adresse aux petites entreprises; le transport d'outils et de matériel divers ne devrait pas présenter un problème. Pour le reste, on profite d'une direction relativement précise, d'un freinage efficace et d'une tenue de route bien supérieure aux vieux fourgons qui meublent le marché depuis des lunes.

[CONCLUSION] Avec le Transit Connect, Ford comble un vide dans sa gamme de produits, un objectif avoué du constructeur; l'arrivée de la Fiesta l'an prochain s'inscrit d'ailleurs dans cette stratégie. À tous ceux qui se sont déjà procuré un fourgon même si ce dernier était trop gros pour leurs besoins, le Transit Connect promet de vous séduire. Seulement triste qu'on ne puisse profiter de la motorisation diesel offerte en Europe.

5 FICHE TECHNIQUE

· MOTEUR
- L4 2,0 l DACT, 136 ch à 6300 tr/min
  Couple 128 lb-pi à 4750 tr/min

Transmission automatique à 4 rapports
0-100 km/h 9,4 s
Vitesse maximale 180 km/h

· AUTRES COMPOSANTES
Sécurité active freins ABS et antipatinage (en option)
Suspension avant/arrière indépendante
Freins avant/arrière disques, tambours
Direction à crémaillère, assistée
Pneus P205/65R15

· DIMENSIONS
Empattement 2911 mm
Longueur 4590 mm
Largeur 1796 mm
Hauteur 2014 mm
Poids coupé 1524 kg
Diamètre de braquage 5,9 m
Coffre 3831 l (cargo)
Réservoir de carburant 56 l

NOS MENTIONS

Modèle recommandé

NOTRE VERDICT

Plaisir au volant	●●●○○
Qualité de finition	●●●○○
Consommation	●●●●○
Rapport qualité/prix	Nd
Valeur de revente	Nm

TAURUS

www.ford.ca

N NOUVEAUTÉ É J

29 999 $ à 48 199 $
transport et préparation: 1350 $

AVEC MOTEUR V6 DE 3,5 L
- **Consommation (100km):** **2RM** 10,6 **4RM** 11,4 l
- **Émissions polluantes CO_2 :** **2RM** 4560 kg/an **4RM** 5136 kg/an
- **Empreinte écologique (nombre d'arbres à planter par année):** 28
- **Indice d'octane:** 87
- **Autre motorisation:** non
- **Coût du carburant moyen par année:** **2RM** 2850 $ **4RM** 3210 $
- **Nombre de litres par année:** **2RM** 1900 l **4RM** 2140 l

(SOURCE: ÉnerGuide)

1 FICHE D'IDENTITÉ
- **Versions** SE FWD, SEL FWD, SEL AWD, Limited AWD, SHO AWD
- **Roues motrices** avant, 4
- **Portières** 4 **Nombre de passagers** 5
- **Première génération** 1985
- **Génération actuelle** 2010
- **Construction** Chicago, Illinois, É.-U.
- **Sacs gonflables** 10 (frontaux, latéraux avant, rideaux latéraux)
- **Concurrence** Buick Allure/Lucerne, Chevrolet Impala, Chrysler 300, Dodge Charger, Hyundai Genesis, Kia Amanti, Nissan Maxima,Toyota Avalon

2 AU QUOTIDIEN
- **Prime d'assurance**
  25 ans: 1500 à 1700 $
  40 ans: 1100 à 1300 $
  60 ans: 900 à 1100 $
- **Collision frontale** 5/5
- **Collision latérale** 5/5
- **Ventes du modèle de l'an dernier**
  Au Québec 221 **Au Canada** 2 064
- **Dépréciation** 75,9%
- **Rappels** (2004 à 2009) 2
- **Cote de fiabilité** 3/5

3 GARANTIES... ET PLUS
- **Garantie générale** 3 ans/60 000 km
- **Garantie motopropulseur** 5 ans/100 000 km
- **Perforation** 5 ans/kilométrage illimité
- **Assistance routière** 5 ans/100 000 km
- **Nombre de concessionnaires**
  Au Québec 77 **Au Canada** 400

4 NOUVEAUTÉS EN 2010
- Nouveau modèle
- Nouvelle version SHO

SCÈNE UN, PRISE DEUX

PAR BENOIT CHARETTE

LAISSÉE POUR COMPTE, REMPLACÉE, RÉHABILITÉE, REVAMPÉE ET RÉINVENTÉE. La Ford Taurus est passée par toute la gamme des émotions depuis quatre ans. Laissée à elle-même au moment où Ford a introduit la 500, la Taurus a connu quelques années de vacillement. Devant l'insuccès flagrant de la 500, le patron de Ford, Allan Mullaly, a décidé de ramener la Taurus en raison son passé glorieux. Avec cette toute nouvelle formule en 2010 qui place le véhicule au rang de vaisseau amiral, on peut même parler d'une consécration pour ce modèle qui a marqué l'histoire de la berline de masse chez Ford. Cette nouvelle Taurus incarne ce qu'aurait du être la 500. Disons simplement que le second essai était le bon.

[CARROSSERIE] Avant de jeter un coup d'œil à la voiture, il est important de savoir que cette Taurus devait, à l'origine, être un modèle 2011. Mais devant un marché en déconfiture et un urgent besoin d'un modèle à haut volume, Allan Mullaly a pressé le pas, et la démarche a porté ses fruits. Jamais dans le passé, Ford n'a autant mis à contribution les simulations par ordinateur et la modélisation électronique. Un seul modèle en argile a été produit, tout le reste s'est fait par ordinateur. Le châssis porte le nom de code D3 et a servi de base aux Volvo S80 et XC90 ainsi qu'à la Lincoln MKS. Physiquement, la Taurus 2010 fait preuve d'une recherche esthétique plus poussée, avec en particulier une poupe autrement moins traditionnelle que par le passé. On remarque aussi une ceinture de caisse haute et des optiques avant qui ressemblent à ceux d'une Honda Accord. Les lignes sont brisées par des arêtes dans la carrosserie pour donner un effet à la fois contemporain et trompe-l'œil pour gommer son format imposant. Vous pouvez également choisir des roues de 17 à 20 pouces. La version SHO, qui refait surface après 10 ans d'absence, conserve un profil bas qui la distance peu de la version de base à l'exception du becquet sur le coffre et de la calandre plus agressive.

[HABITACLE] L'intérieur de la Taurus se situe là où Lincoln était il y a peu de temps encore. Même si les matériaux sont produits à grand volume,

FORCES • Avancées technologiques • Confort • Silence de roulement • Coffre généreux • Moteur de la SHO

FAIBLESSES • Moteur de base qui manque un peu de vie • Direction peu communicative • Limite des pneus de base vite atteinte • Appuie-tête gênant

ils démontrent une qualité indéniable. Ford a réussi à utiliser un matériau en plastique souple qui imite à merveille le cuir. Ce matériau est coulé sur de véritables matrices en cuir et imite jusqu'à la couture du cuir dans les contre-portes, même approche pour les appliques de bois. La seule différence entre l'intérieur d'une Lincoln et celui d'une Taurus réside dans l'authenticité des matériaux. Chez Lincoln, vous avez du vrai bois et du vrai cuir de recouvrement, alors que chez Ford vous avez ce polyuréthane; mais je vous mets au défi de trouver la différence. Il faut également mentionner toute la technologie embarquée. Ford peut remercier les années de recherche de Volvo en matière de sécurité. Les ingénieurs ont simplement pigé chez Volvo et transférer cette technologie dans la Taurus. Avec les coûts de recherche absorbés, on peut offrir du haut de gamme technologique à moindre prix. Prenons, par exemple, le régulateur de vitesse adaptatif. Il permet au conducteur de choisir sa vitesse de croisière tout en utilisant un système de radar qui surveille la circulation jusqu'à une distance d'environ 200 mètres tout en ajustant la vitesse aux distances de sécurité. Ce système peut également intervenir sur les freins et l'assistance électronique au freinage, une technologie Volvo. Il y aussi le système BLIS pour *Blind Spot Information System* qui détecte les véhicules dans les angles morts, une technologie développée pour la Volvo S80. On emprunte aussi à Lincoln. La nouvelle Taurus est dotée de l'accès à bord et du démarrage sans clef. Vous pouvez également accéder au véhicule en déverrouillant la porte du conducteur au moyen d'un clavier numérique placé dans le montant de la porte. Le système MyKey™ permet aux parents d'activer un mode de conduite restreint en limitant, par exemple, la vitesse maximale si l'ado de la famille prend le volant. Il y a enfin la dernière génération du système Ford SYNC, un système entièrement intégré de communication vocale et de divertissement qui comporte l'assistance du 911, un rapport sur le bon état du véhicule et un système de recherche de numéros et d'appels fonctionnant avec le GPS. SYNC permet la connexion aux lecteurs MP3, iPod, cartes de mémoire et PDA.

L'INTÉRIEUR DE LA TAURUS SE SITUE LÀ OÙ LINCOLN ÉTAIT IL Y A PEU DE TEMPS ENCORE. MÊME SI LES MATÉRIAUX SONT PRODUITS À GRAND VOLUME, ILS DÉMONTRE UNE QUALITÉ INDÉNIABLE

[MÉCANIQUE] Sous le capot, les modèles SE, SEL et Limited offrent un V6 de 3,5 litres de 263 chevaux. Une mécanique qui a déjà fait ses preuves ailleurs chez Ford. Dix ans après sa disparition, Ford ramène pour cette nouvelle génération de Taurus la belle et puissante SHO. La même mécanique de base trône sous le capot, mais Ford lui a greffé deux petits turbocompresseurs Garrett et porté la puissance à 365 chevaux. Ford a baptisé cette technologie Eco-

HISTORIQUE

La Ford Taurus a été introduite avec grand succès en 1985. Véritable icône de la berline intermédiaire, elle a perdu de son lustre aux fils des générations. Ford a finalement retiré le nom de Taurus pour introduire la Five-Hundred en 2006, sans succès. Le nom Taurus est revenu sur la route avec l'arrivée du nouveau président de Ford Alan Mullaly en 2007. La Taurus 2010 est donc la sixième génération, la septième si on compte le bref passage de la 500.

TAURUS 1986

TAURUS 1986

TAURUS 1992

TAURUS 1997

TAURUS 2000

TAURUS 2006

TAURUS 2008

TAURUS

GALERIE

A Beaucoup d'attention a été porté aux détails, comme l'intérieur des portes en polyuréthane qui imite à la perfection les coutures d'un fil dans le cuir.

B Ford offre maintenant sur presque tous ses modèles un remplissage sans bouchon facile à utiliser

C Pour 2010, Ford remet sur la route la Taurus SHO avec la technologie EcoBoost, un moteur turbocompressé qui produit 365 chevaux. La puissance d'un V8 et l'économie d'un V6

D Ford propose donc à compter de cette année le système de contrôle parental MyKey sur plusieurs modèles qui limite les facteurs susceptibles de causer les accidents mortels chez les jeunes :

- La vitesse est limitée à 80 miles par heure (l'équivalent de 128Km/h).
- Le volume audio est limité à 44% du volume maximum afin de faciliter la concentration sur la conduite.
- En cas d'oublie du port de la ceinture de sécurité, une alarme sonne durant 6 secondes toutes les minutes et le son de la radio est coupé jusqu'à ce que le conducteur attache sa ceinture.
- Le voyant de réserve prévient le conducteur non pas 80 mais 120 km avant la pénurie de carburant.
- Une alarme de survitesse paramétrable se déclenche lorsque le véhicule dépasse 72, 88 ou 104 km/h.
- Le contrôle dynamique de stabilité et l'antipatinage ne sont plus déconnectables.
- Les parents peuvent ou non activés le système.

Boost pour signifier que les moteurs turbo vont, à l'avenir, remplacer des cylindrées de plus grandes dimensions pour une meilleure consommation de carburant. Ainsi, l'ancien V8 d'origine Yamaha qui équipait la dernière génération de Taurus est remplacé par ce V6 biturbo. Cette façon de faire s'appliquera également aux moteurs à 4-cylindres très bientôt. La version SE est offerte en traction à 29 999 $ (soit 1 000 $ de moins que l'an dernier). La version SEL est offerte en traction (32 999 $) ou en intégrale (34 799 $), et la version Limited (40 699 $) et SHO (48 199 $) sont livrées en intégrale seulement. Tous les modèles sont jumelés à une boîte de vitesses automatique à 6 rapports avec leviers de sélection au volant (sauf la SE).

[COMPORTEMENT] La première bonne nouvelle réside dans le confort des sièges, même si l'appuie-tête, comme bien d'autres produits Ford, vous chatouille constamment la nuque. On remarque ensuite le silence de roulement. Le moteur se fait discret (un peu trop même), l'espace est généreux, et la visibilité, excellente (sauf à l'arrière). La boîte de vitesses a été pensée pour l'économie; donc quand vous roulez lentement, la voiture peut sembler paresseuse, mais c'est la configuration de la boîte automatique qui agit ainsi pour économiser le carburant; si vous appuyez franchement, la réserve de puissance est bonne. Naturellement, à bord de la SHO, les deux turbos font sentir leur présence en procurant un surplus d'énergie appréciable. La suspension déjà très bonne sur la Taurus devient sportive sur la SHO, et les pneus de 20 pouces GoodYear F1 offrent ce qu'il faut d'adhérence pour suivre la cadence. Donc malgré son format, la Taurus se fait plus petite si vous êtes derrière le volant. Si la caisse est rigide, et la suspension, bien calibrée, la direction est sans vie, quoique précise. La seule limite, si vous poussez la voiture, se trouve dans les pneus d'origine qui limiteront votre élan sur des chemins très tortueux. Le Michelin Energy à faible résistance de roulement ne faisait pas le poids; il faut choisir le Goodyear F1.

[CONCLUSION] Est-ce que cette Taurus va conquérir le cœur des Américains ? Elle a tout ce qu'il faut. Au Québec, les gens attendent plutôt la prochaine génération de Focus et la nouvelle Fiesta, promise pour l'an prochain. Mais la Taurus n'a rien à envier aux grandes berlines.

(5) FICHE TECHNIQUE

- **TAURUS V6**
- V6 3,5 l Duratech 263 ch à 6250 tr/min
  Couple 249 lb-pi à 4500 tr/min
  Transmission automatique à 6 rapports
  0-100 km/h 7,9 s
  Vitesse maximale 220 km/h

- **TAURUS SHO**
- V6 3,5 l EcoBoost, 365 ch à 5700 tr/min
  Couple 350 lb-pi à 3500 tr/min
  Transmission automatique à 6 rapports
  0-100 km/h 6,2 s
  Vitesse maximale 240 km/h
  Consommation (100km): 2RM 10,5 l **4RM** 11,4 l (octane 91)
  Émissions CO_2 : nd
  Empreinte écologique (nombre d'arbres à planter par année): 27
  Carburant alternatif: non
  Coût par an: 2RM 2090 $ **4RM** 2354 $
  Nombre de litres par année: 2RM 1900 l **4RM** 2140 l

- **AUTRES COMPOSANTES**
  Sécurité active freins ABS, antipatinage, contrôle de stabilité électronique
  Suspension avant/arrière indépendante
  Freins avant/arrière disques
  Direction à crémaillère, assistée
  Pneus SE P235/60R17 **SEL ,** P235/55R18 **Limited** P255/45R19 **Ecoboost** P245/45R19 P245/45R20 (option)

- **DIMENSIONS**
  Empattement 2868 mm
  Longueur 5154 mm
  Largeur 1936 mm
  Hauteur 1542 mm
  Poids V6 2RM : 1822 kg **V6 4RM :** 1917 kg
  Diamètre de braquage 12,2 m
  Coffre 569 l
  Réservoir de carburant 72 l

NOS MENTIONS

Modèle recommandé

NOTRE VERDICT

Plaisir au volant
Qualité de finition
Consommation
Rapport qualité/prix
Valeur de revente Nm

ACADIA

www.gm.ca

ÉVOLUTION N J É

37 300 $ à 50 835 $
transport et préparation: 1300 $

LA COTE VERTE

AVEC MOTEUR V6 DE 3,6 L
- **Consommation** (100km): 2RM 10,7 l 4RM 11,2 l
- **Émissions polluantes** CO_2 : 2RM 5184 kg/an 4RM 5328 kg/an
- **Empreinte écologique (nombre d'arbres à planter par année)**: 31
- **Indice d'octane**: 87
- **Autre motorisation**: non
- **Coût du carburant moyen par année:** 2RM 2160 $ 4RM 2220 $
- **Nombre de litres par année:** 2RM 2160 l 4RM 2220 l

(SOURCE: ÉnerGuide)

1 FICHE D'IDENTITÉ
- **Versions** SLE, SLT
- **Roues motrices** avant, 4
- **Portières** 4 **Nombre de passagers** 7 ou 8
- **Première génération** 2007
- **Génération actuelle** 2007
- **Construction** Lansing, Michigan, É.-U.
- **Sacs gonflables** 6 (frontaux, latéraux avant, rideaux latéraux)
- **Concurrence** Acura MDX, Ford Taurus X, Honda Pilot, Hyundai Santa Fe, Lexus RX 350, Mazda CX-9, Mitsubishi Endeavor, Nissan Murano, Subaru Tribeca, Toyota Highlander, Volvo XC90

2 AU QUOTIDIEN
- **Prime d'assurance**
  25 ans: 2400 à 2600 $
  40 ans: 1400 à 1600 $
  60 ans: 1200 à 1400 $
- **Collision frontale** 5/5
- **Collision latérale** 5/5
- **Ventes du modèle de l'an dernier**
  Au Québec 757 **Au Canada** 5844
- **Dépréciation** (2 ans) 34,3%
- **Rappels** (2004 à 2009) 1
- **Cote de fiabilité** 3/5

3 GARANTIES... ET PLUS
- **Garantie générale** 3 ans/60 000 km
- **Garantie motopropulseur** 5 ans/160 000 km
- **Perforation** 6 ans/160 000 km
- **Assistance routière** 3 ans/60 000 km
- **Nombre de concessionnaires**
  Au Québec 90 **Au Canada** 400

4 NOUVEAUTÉS EN 2010
- Connecteur USB dans la console centrale, phares DHI, radio par satellie XM de série.

MEILLEUR DEUXIÈME

PAR DANIEL RUFIANGE

GM NE COMPTE PLUS QUE QUATRE MARQUES, CE QUI NE L'EMPÊCHE PAS DE JOUER À SON JEU PRÉFÉRÉ: CELUI D'OFFRIR DES DOUBLONS. Pardon, des triplés - quadruplés avec le défunt Saturn Outlook – dans le cas qui nous intéresse. L'Acadia est à GMC ce que le Traverse est à Chevrolet et l'Enclave à Buick.

[CARROSSERIE] C'est immense un Acadia. Pourtant, son design fluide et ses lignes très réussies camouflent bien la monumentalité de l'enveloppe. Trois versions sont offertes soit les SLE, SLT1 et SLT2. Attention au prix de la dernière qui approche celui de l'Enclave, plus intéressant.

[HABITACLE] L'Acadia offre sept vraies places; c'est vous dire à quel point l'habitacle est spacieux. Déception cependant au chapitre de la deuxième banquette qui propose un confort couci-couça. À la troisième, les enfants s'y sentiront à l'aise, les adultes, moins. Je suis demeuré mi-figue mi-raisin quant à la qualité générale des matériaux et de l'assemblage. La nouvelle GM ne peut plus se permettre ce genre d'écart; à corriger rapidement.

[MÉCANIQUE] Pour déplacer les 2234 kilos de l'Acadia, GM fait confiance à l'un de ses joyaux, un V6 de 3,6 litres qui produit 288 chevaux. Les accélérations sont franches et convenables, mais on apprécierait plus de pep; le poids est l'handicap principal de l'Acadia. D'ailleurs, cela se reflète sur la consommation. Elle demeure décente sur l'autoroute, mais en ville, vous fouillerez souvent dans vos poches.

[COMPORTEMENT] Alors qu'on anticipe un comportement routier mollasson et pataud, l'Acadia nous étonne car il se révèle aussi agile que maniable, un tour de force considérant le poids de ce mastodonte. En prime, une douceur de roulement digne d'une grande berline, et vous avez là l'explication première du succès de ce véhicule et de ses jumeaux.

[CONCLUSION] L'Acadia demeure plus intéressant que le Chevrolet Traverse, mais sa finition et son degré de confort demeure à court au Buick Enclave. Évaluez bien votre budget car, à 50 000 $, pour une version bien garnie, c'est cher payé pour ce qu'on reçoit. Surveillez les offres alléchantes et jetez un œil du côté de l'Enclave de Buick.

FORCES • Douceur de roulement. • Espace pour la famille et les amis. • Belle silhouette

FAIBLESSES • Qualité douteuse de certains matériaux. • Finition inégale. • Consommation en ville

N J É

39 365 $ à 43 690 $
transport et préparation: 1420 $

CANYON

www.gmcanada.ca

LA COTE VERTE

AVEC MOTEUR L4 DE 2,9 L

- **Consommation (100km): autom.** 10,0 l
- **Émissions polluantes CO2 : autom.** 4848 kg/an
- **Empreinte écologique (nombre d'arbres à planter par année):** 30
- **Indice d'octane:** 87
- **Carburant alternatif:** non
- **Coût du carburant moyen par année: auto.** 2020 $
- **Nombre de litres par année: auto.** 2020 l

(source: ÉnerGuide)

C'EST AU COLORADO...

PAR DANIEL RUFIANGE

LE GRAND CANYON SE TROUVE EN PARTIE DANS L'ÉTAT DU COLORADO. La petite Cayon, se retrouvera sous peu dans la cour... des concessionnaires Chevrolet. C'est donc dire que les petites jumelles pourront être comparées sur place par les consommateurs qui devront faire un choix de vie déchirant; une Canyon ou une Colorado ?

[CARROSSERIE] Au menu, la configuration à cabine simple, allongée ou à quatre portes, plus fonctionnelle. Le choix de cette variante implique la présence d'une boîte de 5 pieds, alors que les deux autres versions profitent d'une boîte plus pratique de 6 pieds. Le consommateur a également le choix entre la motricité aux quatre roues ou la propulsion. Advenant ce choix, assurez-vous de profiter d'un différentiel à glissement limité, idéal pour l'hiver.

[HABITACLE] À l'intérieur, c'est correct ! La présentation, la qualité des matériaux, l'espace offert, tout est correct ! Mais voilà, si c'est simplement correct, à quoi bon ! Dans un marché aussi concurrentiel où il faut oser, choquer et provoquer, GM joue la carte du conservatisme.

[MÉCANIQUE] Heureusement que GM a bonifié l'offre l'an dernier en ajoutant un V8 à sa gamme de moteurs car, franchement, ce n'est pas avec les engins à 4 et à 5-cylindres que l'ex-numéro 1 mondial fera trembler la planète. Ces deux moteurs sont trop justes pour l'utilisation qu'on fait habituellement d'une camionnette; reste le V8.

[COMPORTEMENT] C'est correct ! Blague à part, on n'est ni ébloui ni déçu du comportement de la Canyon. À la limite, on apprécie son côté robuste et rustique, et la conduite de la version tout-terrain possède un certain charme.

[CONCLUSION] Pas un mauvais produit que la Cayon, mais elle devient caduque quand on la mesure à la concurrence. Les Nissan Frontier, Dodge Dakota et Toyota Tacoma, surtout, lui sont supérieures. La prochaine génération devra provoquer.

FORCES • Choix de modèles • Belle gueule

FAIBLESSES • Un seul moteur vraiment intéressant, le V8 • Une version bien équipée : plus de 40 000 $, voyons ! • Qualité d'assemblage à peaufiner

1 FICHE D'IDENTITÉ

- **Versions** SL, SLE, SLT
- **Roues motrices** arrière, 4
- **Portières** 2, 4 **Nombre de passagers** 5
- **Première génération** 2004
- **Génération actuelle** 2004
- **Construction** Shreveport, Louisiane, É.-U.
- **Sacs gonflables** 4 (frontaux, latéraux)
- **Concurrence** Chevrolet Colorado, Dodge Dakota, Ford Ranger, Mazda Série B, Nissan Frontier, Toyota Tacoma

2 AU QUOTIDIEN

- **Prime d'assurance** **25 ans:** 1400 à 1600 $ **40 ans:** 1000 à 1200 $ **60 ans:** 800 à 1000 $
- **Collision frontale** 4/5 • **Collision latérale** 4/5
- **Ventes du modèle de l'an dernier** **Au Québec** 753 **Au Canada** 3602
- **Dépréciation** (3 ans) 71,0%
- **Rappels** (2004 à 2009) 3
- **Cote de fiabilité** 3/5
- **Garantie générale** 3 ans/60 000 km
- **Garantie motopropulseur** 5 ans/160 000 km
- **Perforation** 6 ans/160 000 km

3 GARANTIES... ET PLUS

- **Assistance routière** 3 ans/60 000 km
- **Nombre de concessionnaires** **Au Québec** 90 **Au Canada** 400

4 NOUVEAUTÉS EN 2010

- Rideaux gonflables latéraux au pavillon, maintenant de série dans tous les modèles. Groupe suspension sport ZQ8 maintenant livrable avec les modèles 2RM à cabine allongée et multiplace. Trois nouvelles couleurs extérieures : joyau Merlot métallisé, gris-vert métallisé et argent pur métallisé, V8 de 5,3 L à distribution à calage variable

GMC

SAVANA

www.gm.ca

N JUMEAU É

J

33 145 $ à 46 180 $
transport et préparation: 1250 $

LA COTE VERTE

AVEC MOTEUR V6 DE 4,3 L

- **Consommation (100km):** 12,1 l
- **Émissions polluantes CO_2 :** 5904 kg/an
- **Empreinte écologique (nombre d'arbres à planter par année):** 36
- **Indice d'octane:** 87
- **Autre motorisation:** non
- **Coût du carburant moyen par année:** 2460 $
- **Nombre de litres par année:** 2460 l

(SOURCE: ÉnerGuide)

1 FICHE D'IDENTITÉ

- **Versions** base, SL, SLE
- **Roues motrices** arrière, 4RM
- **Portières** 4
- **Nombre de passagers** 2 à 15
- **Première génération** 1971
- **Génération actuelle** 1996
- **Construction** Wentzville, Missouri, É.-U.
- **Sacs gonflables** 4 (frontaux et rideaux latéraux)
- **Concurrence** Chevrolet Express, Dodge Sprinter, Ford Série E

2 AU QUOTIDIEN

- **Prime d'assurance**
  25 ans: 1600 à 1800 $
  40 ans: 900 à 1100 $
  60 ans: 700 à 900 $
- **Collision frontale** 5/5
- **Collision latérale** 4/5
- **Ventes du modèle de l'an dernier**
  Au Québec 1544 **Au Canada** 4640
- **Dépréciation** 55,8%
- **Rappels** (2004 à 2009) 11
- **Cote de fiabilité** 3/5

3 GARANTIES... ET PLUS

- **Garantie générale** 3 ans/60 000 km
- **Garantie motopropulseur** 5 ans/160 000 km
- **Perforation** 6 ans/160 000 km
- **Assistance routière** 3 ans/60 000 km
- **Nombre de concessionnaires**
  Au Québec 90 **Au Canada** 400

4 NOUVEAUTÉS EN 2010

- Démarreur à distance
  Possibilité d'utiliser du carburant mixte E85 pour les moteurs de 4,8 L, de 5,3 L et de 6,0 L
  Les modèles 2500 et 3500 sont équipés de la boîte automatique à six vitesses Hydra-Matic

D'UNE ÉTERNELLE UTILITÉ

PAR DANIEL RUFIANGE

CLONE DU CHEVROLET EXPRESS, LE SAVANA EST LÀ POUR SATISFAIRE LES BESOINS DES ENTREPRISES ET TRANSPORTEURS.

[CARROSSERIE] Il existe deux versions du Savana; une de type fourgon, pour ceux qui ont besoin de beaucoup d'espace. Préféré des entreprises de location, il se révèle utile pour les petits déménagements. L'autre version, du type fourgonnette, se veut plus civilisée; équipée de banquettes, elle accueille jusqu'à 15 passagers. La version de base correspond au fourgon, alors que les variantes SL et SLE collent aux modèles tourisme.

[HABITACLE] L'intérieur varie considérablement selon le modèle. Alors qu'un cocon métallique agit comme caisse de résonance dans le fourgon, des banquettes et un tapis atténuent les bruits et améliorent l'insonorisation des versions tourisme. Le seul fil conducteur, c'est l'espace avant. Bien franchement, l'aménagement est préhistorique ! L'espace est restreint et le tableau de bord ne risque pas de remporter un concours de design.

[MÉCANIQUE] GM se démarque de la concurrence avec l'offre de moteurs la plus variée qui soit dans la catégorie. Vous avez besoin d'un V6, d'un petit V8, d'un gros V8 turbodiesel, GM peut répondre à vos besoins. À bien y penser, c'est l'un des deux arguments de vente principaux du Savana car, il faut le rappeler, le Sprinter de Dodge se veut plus intéressant.

[COMPORTEMENT] L'autre argument de vente massue du Savana, c'est la transmission intégrale, disponible sur les deux versions. Et c'est une excellente chose; imaginez un déplacement à vide en pleine tempête de neige; de quoi vous rappeler les « minounes » des années 70. Songez aux économies de remorqueuses.

[CONCLUSION] Un Chevrolet Express ou un Savana ? Encore mieux : un Dodge Sprinter ou le tout nouveau Transit Connect de Ford. Tout demeure une question de besoin mais si vous hésitez entre un Savana et un Econoline, permettez-moi d'intervenir pour vous suggérer le Savana dont la conduite est plus agréable et rassurante.

FORCES • Espace de chargement • Transmission intégrale offerte • Moteur diesel offert en option • Peut transporter jusqu'à 15 personnes

FAIBLESSES • Position de conduite et présentation intérieure • Conduite peu rassurante • Version à transmission intégrale chère

N ÉVOLUTION É J

39 365 $ à 43 690 $
transport et préparation: 1420 $

SIERRA

www.gmcanada.ca

LA COTE VERTE

AVEC MOTEUR V6 DE 4,3 L

- **Consommation (100km):** **2RM** 12,1 l **4RM** 13,1 l
- **Émissions polluantes CO2 :** **2RM** 5856 kg/an **4RM** 6384 kg/an
- **Empreinte écologique (nombre d'arbres à planter par année):** 37
- **Indice d'octane:** 87
- **Carburant alternatif:** non
- **Coût du carburant moyen par année:** **2RM** 2440 $ **4RM** 2660$
- **Nombre de litres par année:** **2RM** 2440 l **4RM** 2660 l

(source: EnerGuide)

RIVALITÉ FRATERNELLE

PAR DANIEL RUFIANGE

LA DISPARITION DE CERTAINS MODÈLES ET BANNIÈRES DE GENERAL MOTORS ÉPARGNE LE MARCHÉ DE QUELQUES SEMPITERNELS DOUBLONS, TRADITION À LAQUELLE GM NOUS A HABITUÉS. Eh bien, la tradition n'est pas morte car GMC n'offre que cela, des doublons. La Sierra, c'est un calque de la Chevrolet Silverado.

[CARROSSERIE] Outre la calandre et la disponibilité d'une version haut de gamme Denali offerte uniquement chez GMC, l'offre est identique à celle de Chevrolet. Je déplore seulement une certaine rigidité quant aux configurations de modèles; par exemple, on ne peut profiter d'une boîte longue avec une version à cabine multiplace, ni d'une transmission intégrale sans opter pour l'onéreuse Denali; un peu plus de souplesse serait souhaitable.

[HABITACLE] Le degré de confort est excellent à bord d'une Sierra. La présentation intérieure demeure rustique face aux F-150 et à la nouvelle Dodge Ram, mais la fonctionnalité n'est en aucun point sacrifiée. À l'arrière, vos passagers ou vos employés trouveront leur aise grâce à un espace de dégagement qui permet à tous les membres de respirer.

[MÉCANIQUE] L'acheteur a l'impression de se trouver dans un Toy's « R » Us au moment de choisir un moteur. Une des mécaniques offertes sera certaine de combler ses besoins. N'oubliez cependant pas que la plus petite des cylindrées travaillera fort pour mouvoir la Sierra et ne sera peut-être pas la plus économique.

[COMPORTEMENT] Ford domine le segment des camionnettes. Cependant, une balade à bord de la Sierra n'a rien de banal. Le confort est au rendez-vous, et, quand vient le temps d'atteler la remorque, la Sierra peut se mesurer aux autres en toute confiance. En prime, l'excellent degré d'insonorisation ajoute une corde à l'arc de la Sierra.

[CONCLUSION] Entre vous et moi, ça change votre vie de vous savoir au volant d'une GMC plutôt que d'une Chevrolet. Moi, non !

FORCES • Choix de moteurs • Capacités de remorquage • Confort et insonorisation

FAIBLESSES • Consommation • Plus de 67 000 $ pour une version Denali bien garnie • Manque de souplesse dans l'aménagement et dans le choix des options

1 FICHE D'IDENTITÉ

- **Versions** W/T, SLE, SLT, Denali
- **Roues motrices** arrière, 4
- **Portières** 4 **Nombre de passagers** 5
- **Première génération** 1936
- **Génération actuelle** 2007
- **Construction** Pontiac, Michigan, É.-U.; Fort Wayne, Indiana, É.-U.
- **Sacs gonflables** 2 (frontaux; rideaux latéraux en option)
- **Concurrence** Chevrolet Silverado, Dodge Ram, Ford F-150, Nissan Titan, Toyota Tundra

2 AU QUOTIDIEN

- **Prime d'assurance**
  25 ans: 1600 à 1800 $
  40 ans: 900 à 1100 $
  60 ans: 700 à 900 $
- **Collision frontale** 5/5
- **Collision latérale** 4/5
- **Ventes du modèle de l'an dernier**
  Au Québec 4658 **Au Canada** 34 555
- **Dépréciation** 44,4%
- **Rappels** (2004 à 2009) 12
- **Cote de fiabilité** 2,5/5

3 GARANTIES... ET PLUS

- **Garantie générale** 3 ans/60 000 km
- **Garantie motopropulseur** 5 ans/160 000 km
- **Perforation** 6 ans/160 000 km
- **Assistance routière** 3 ans/60 000 km
- **Nombre de concessionnaires**
  Au Québec 71 **Au Canada** 259

4 NOUVEAUTÉS EN 2010

- Moteurs 4,8L, 5,3L et 6,2L à carburant mixte (E85), moteurs 4,8L et 5,3L à distribution à calage variable, boite automatique à 6 rapports avec les modèles munis d'un V* 5,3L, rideaux gonflables latéraux et sacs latéraux de série dans la série 1500

TERRAIN (CHEVROLET EQUINOX)

www.gm.ca

N — JUMEAU — É
J

27 465 $ à 37 805 $
transport et préparation: 1250 $

LA COTE VERTE

AVEC MOTEUR L4 DE 2,4 L

- **Consommation (100km) :** **2RM** 7,8 l **4RM** 8,7 l
- **Émissions polluantes CO_2 :** **2RM** 3744 kg/an **4RM** 4176 kg/an
- **Empreinte écologique (nombre d'arbres à planter par année) :** 22 arbres
- **Indice d'octane :** 87
- **Autre motorisation :** non
- **Coût du carburant moyen par année :** **2RM** 1560 $ **4RM** 1740 $
- **Nombre de litres par année :** **2RM** 1560 l **4RM** 1740 l

(SOURCE : ÉnerGuide)

1 FICHE D'IDENTITÉ

- **Versions** SLE et SLT
- **Roues motrices** avant, 4
- **Portières** 4 **Nombre de passagers** 5
- **Première génération** 2010
- **Génération actuelle** 2010
- **Construction** Ingersoll, Ontario, Canada
- **Sacs gonflables** 2 (frontaux; rideaux latéraux en option)
- **Concurrence** Ford Escape, Honda CR-V, Hyundai Tucson, Kia Sportage, Mazda CX-7, Mitsubishi Outlander, Subaru Forester, Suzuki Grand Vitara, Toyota RAV4

2 AU QUOTIDIEN

- **Prime d'assurance** **25 ans:** 2000 à 2200 $ **40 ans:** 1300 à 1500 $ **60 ans:** 1000 à 1200 $
- **Collision frontale** 5/5
- **Collision latérale** 5/5
- **Ventes du modèle de l'an dernier** **Au Québec** nm **Au Canada** nm
- **Dépréciation** (3 ans) nm
- **Rappels** (2004 à 2009) nm
- **Cote de fiabilité** nm

3 GARANTIES... ET PLUS

- **Garantie générale** 3 ans/60 000 km
- **Garantie motopropulseur** 5 ans/160 000 km
- **Perforation** 6 ans/160 000 km
- **Assistance routière** 3 ans/60 000 km
- **Nombre de concessionnaires** **Au Québec** 90 **Au Canada** 400

4 NOUVEAUTÉ

- Nouveau modèle

JUMEAU DIZYGOTE BIEN NÉ

PAR FRANCIS BRIÈRE

DANS CE PETIT SEGMENT DE MARCHÉ, L'HÉGÉMONIE DES CONSTRUCTEURS JAPONAIS RISQUE DE TIRER À SA FIN. Certains diront que c'est une chimère, mais je peux vous assurer que la conception du GMC Terrain, jumeau du Chevrolet Equinox, a demandé un travail considérable pour réussir à produire un véhicule comparable à ce qui se fait de mieux.

[CARROSSERIE] General Motors a bien réussi le Terrain au plan esthétique. Vu de l'extérieur, le véhicule possède des lignes modernes. La partie avant fait penser au GMC Acadia, alors que l'arrière rappelle même la Classe ML de Mercedes-Benz. La visibilité arrière et latérale manque en raison de la surface vitrée peu généreuse.

[HABITACLE] Le Terrain présente un intérieur plus intéressant que celui des modèles concurrents. Les sièges en tissu ont été conçus grâce à une étude ergonomique sérieuse. Ils offrent un grand confort et un maintien idéal. La présentation de la planche de bord, mieux que celles du Toyota RAV4 et du Honda CR-V, propose une belle disposition des commandes et une conception recherchée.

[MÉCANIQUE] GM met beaucoup d'énergie à produire des moteurs plus performants et moins gourmands. Deux choix s'offrent à vous : un 4-cylindres de 2,4 litres et un V6 de 3 litres, tous deux couplés à une boîte de vitesses automatique à 6 rapports. Les 182 chevaux du 4-cylindres devraient, en principe, suffire à la tâche. Quand on le sollicite fortement, cet engin émet un grondement inquiétant. Quant au V6 de 3,0 litres et de 264 chevaux ses performances déçoivent.

[COMPORTEMENT] Au volant du Terrain, vous obtenez la douceur, le confort et le silence. Son comportement routier est honnête et se compare à celui des modèles concurrents. La direction n'est pas aussi précise que celle d'un Honda CR-V. La sensation de conduite inspire plus de lourdeur, moins de maniabilité qu'au volant d'un RAV4.

[CONCLUSION] Personne ne pleurera sur le sort de la General Motors, encore moins les constructeurs japonais. Quand on décide de prendre les choses en main, on réalise parfois de grandes ambitions. Sans affirmer que le Terrain est un chef-d'œuvre, disons qu'il s'agit d'une belle réussite.

FORCES • Présentation très réussie • Confort supérieur • Prix et équipement

FAIBLESSES • Moteur V6 décevant • Banquette arrière peu pratique • Motorisation qui manque de raffinement

YUKON

www.gmcanada.ca

N — JUMEAU — É
J

45 895 $ à 68 795 $
transport et préparation: 1250 $

LA COTE VERTE

AVEC MOTEUR V8 DE 5,3 L

- **Consommation (100km):** **2RM** 12,5 l
- **Émissions polluantes CO_2 :** **2RM** 6096 kg/an
- **Empreinte écologique (nombre d'arbres à planter par année):** 36
- **Indice d'octane:** 87
- **Autre motoration:** Ethanol E85
- **Coût du carburant moyen par année:** **2RM** 2540 $
- **Nombre de litres par année:** **2RM** 2540 l

(SOURCE: ÉnerGuide)

ALLEZ-Y, C'EST VERT !

PAR FRANCIS BRIÈRE

EST-IL NÉCESSAIRE DE RAPPELER QUE CES VÉHICULES UTILITAIRES PLEINE GRANDEUR ONT EFFECTIVEMENT UNE UTILITÉ ? J'imagine un entrepreneur en construction ayant besoin d'espace pour son équipe et pour sa famille les week-ends ! Soit, il sera bien servi avec le Yukon.

[CARROSSERIE] À mon avis, la version Tahoe de Chevrolet possède une allure plus dynamique que le Yukon. Les deux ont un gabarit imposant, mais le Yukon paraît plus sobre et certainement moins gadget que l'Escalade.

[HABITACLE] On s'assied sur un élégant pouf ultra confort pour prendre le volant du Yukon. Aucun souci pour les joueurs de basketball ou les lutteurs Sumo, il y a plus d'espace qu'on en désire. La configuration des sièges, peu polyvalente, empêche d'obtenir un plancher plat pour le transport d'objets imposants. De plus, l'accès à la banquette arrière ne se fait pas sans heurts.

[MÉCANIQUE] La version hybride, à mon avis, demeure la plus intéressante. D'une douceur incomparable, cette motorisation, jumelée à un moteur électrique, permet de réduire de 25 % la consommation de carburant. Remarquable ! En revanche, ce pourcentage baisse considérablement en hiver. Le moteur V8 Vortec de 6,1 litres est particulièrement impressionnant, mais très gourmand. La suspension Autoride promet des heures de confort tandis que la suspension tout-terrain Z71 offre plus de stabilité et un meilleur appui sur les routes escarpées.

[COMPORTEMENT] La conduite du Yukon s'effectue sous le signe de la douceur de roulement et du confort, comme il se doit. La suspension en mode guimauve absorbe les impuretés de la route comme si on roulait sur un coussin d'air. Avec la version hybride, le conducteur doit changer ses habitudes de conduite.

[CONCLUSION] Le Yukon demeure un excellent choix dans cette catégorie qui, nous devons l'avouer, a bien mauvaise réputation ces jours-ci. Soyons indulgents envers leurs propriétaires, son utilité justifie son obésité.

FORCES • Confort • Choix de modèles • Motorisation hybride intéressante • Presque trop spacieux

FAIBLESSES • À proscrire en ville • Consommation (hybride en hiver)

1 FICHE D'IDENTITÉ

- **Versions** SLE, SLT, Denali, Hybride
- **Roues motrices** arrière, 4
- **Portières** 4 **Nombre de passagers** 7
- **Première génération** 1970
- **Génération actuelle** 2007
- **Construction** Janesville, Wisconsin, É.-U.; Arlington, Texas, É.-U.
- **Sacs gonflables** 6 (frontaux, latéraux avant et arrière)
- **Concurrence** Chevrolet Tahoe/Suburban, Ford Expedition, Nissan Armada, Toyota Sequoia

2 AU QUOTIDIEN

- **Prime d'assurance** **25 ans:** 2300 à 2500 $ **40 ans:** 1200 à 1400 $ **60 ans:** 1000 à 1200 $
- **Collision frontale** 5/5
- **Collision latérale** 5/5
- **Ventes du modèle de l'an dernier** **Au Québec** Yukon 156 Yukon XL 78 **Au Canada** Yukon 1585 Yukon XL 842
- **Dépréciation** 65,1%
- **Rappels** (2004 à 2009) 7
- **Cote de fiabilité** 2/5
- **Garantie générale** 3 ans/60 000 km
- **Garantie motopropulseur** 5 ans/160 000 km

3 GARANTIES... ET PLUS

- **Perforation** 6 ans/160 000 km
- **Assistance routière** 3 ans/60 000 km
- **Nombre de concessionnaires** **Au Québec** 71 **Au Canada** 259

4 NOUVEAUTÉS EN 2010

- Connection USB dans la console, moteurs de 5,3L compatibles avec le carburant E85, V8 de 6,2L comportant désormais la technologie de désactivation des cylindres, Yukon Denali Hybrid maintenant disponible.

ACCORD

www.honda.ca

(N) ÉVOLUTION (É) (J)

25 090 $ à 37 490 $
transport et préparation: 1550 $

LA COTE VERTE

MOTEUR
L4 DE 2,4 L

- **Consommation (100km):** **man.** 7,9 l **auto.** 8,2 l
- **Émissions polluantes CO_2 :** **man.** 3840 kg/an **autom.** 4032 kg/an
- **Empreinte écologique (nombre d'arbres à planter par année):** 23
- **Indice d'octane:** 87
- **Autre motorisation:** non
- **Coût du carburant moyen par année:** **man.** 1600 $ **auto.** 1660 $
- **Nombre de litres par année:** **man.** 1600 l **autom.** 1660 l

(source: ÉnerGuide)

1 FICHE D'IDENTITÉ

- **Versions** berl. LX, EX, EX-L, EX V6, EX-L V6 coupé EX, EX-L, EX-L V6
- **Roues motrices** avant
- **Portières** 2, 4 **Nombre de passagers** 5
- **Première génération** 1976
- **Génération actuelle** 2008
- **Construction** Marysville, Ohio, É.-U.
- **Sacs gonflables** 6 (frontaux, latéraux avant, rideaux latéraux)
- **Concurrence** Chevrolet Malibu, Chrysler Sebring, Ford Fusion, Hyundai Sonata, Kia Magentis, Mazda6, Mitsubishi Galant, Nissan Altima, Subaru Legacy, Toyota Camry, VW Jetta/Passat

2 AU QUOTIDIEN

- **Prime d'assurance**
  25 ans: 1600 à 1800 $
  40 ans: 1000 à 1200 $
  60 ans: 900 à 1100 $
- **Collision frontale** 5/5
- **Collision latérale** 5/5
- **Ventes du modèle de l'an dernier**
  Au Québec 5282 **Au Canada** 22 623
- **Dépréciation** (1 an) 29,1%
- **Rappels** (2004 à 2009) 8
- **Cote de fiabilité** 4/5

3 GARANTIES... ET PLUS

- **Garantie générale** 3 ans/60 000 km
- **Garantie motopropulseur** 5 ans/100 000 km
- **Perforation** 5 ans/kilométrage illimité
- **Assistance routière** 3 ans/kilométrage illimité
- **Nombre de concessionnaires**
  Au Québec 63 **Au Canada** 226

4 NOUVEAUTÉS EN 2010

- Aucun changement majeur

CONDAMNÉE À L'EXCELLENCE

PAR PHILIPPE LAGUË

L'ACCORD EST À HONDA CE QUE LA CAMRY EST À TOYOTA : UNE VALEUR SÛRE D'ENTRE LES VALEURS SÛRES. Pas pour rien que ces deux éternelles rivales sont la référence dans la catégorie des berlines intermédiaires. Sur le lucratif marché nord-américain, l'Accord et la Civic sont le pain et le beurre de ce constructeur.

[CARROSSERIE] En matière d'esthétique, l'Accord de huitième génération constitue, à mes yeux, un net progrès. Ce qui n'est cependant pas l'avis de tout le monde. Pour ma part, j'aime l'allure sobre de la berline, discrète mais chic. Le coupé, lui, compte plus d'admirateurs que de détracteurs. À mon avis, c'est la plus belle Honda depuis longtemps. Le coupé et la berline sont les deux configurations offertes. À quand le retour de la familiale ? Avec la disgrâce des VUS et l'augmentation du prix du carburant, le *timing* serait parfait.

[HABITACLE] Plus longue que sa devancière, l'Accord n'a jamais été aussi spacieuse. Pour le reste, le contenu est conforme à l'emballage : la présentation intérieure est sobre, cossue même, mais encore une fois, rien d'éclatant. À l'œil comme au toucher, les matériaux utilisés respirent la qualité. S'il y a des failles, c'est du côté de l'ergonomie. Rien de majeur, mais le regroupement, dans un seul bloc, des commandes de la climatisation, du chauffage, de la radio et de l'écran multifonction peut engendrer une certaine confusion. Par contre, les commandes sont simples et d'accès facile. Les espaces de rangement, eux, sont fonctionnels et bien placés. Très confortables dans le modèle précédent, les sièges sont bizarrement rembourrés dans certaines versions et comportent une protubérance dans le bas du dossier. Le soutien lombaire, c'est bien, mais pas trop. Le maintien latéral, en revanche, est sans reproche.

[MÉCANIQUE] Honda jouit d'une solide réputation technique, et on comprend pourquoi, dès les premiers tours de roues. Qu'il s'agisse des versions à 4 ou à 6 cylindres, ces moteurs sont d'un raffinement qui n'a rien à envier – ou si peu – à ce que proposent des voitures beaucoup plus chères, japonaises ou européennes. La douceur des

FORCES • Physique agréable (coupé) • Finition de qualité • Excellents moteurs • Confort • Comportement plus dynamique (coupé) • Fiabilité toujours exemplaire

FAIBLESSES • Sièges moins confortables qu'avant • Direction trop assistée (berline) • Agrément de conduite mitigé (berline) • Prix de moins en moins concurrentiels

ACCORD

4-cylindres est telle qu'on peut presque les confondre avec le V6. Ce dernier demeure cependant un poil plus souple. Ces moteurs ont aussi une qualité grandement appréciée par les temps qui courent : ils consomment peu. Autre qualité appréciable : ils sont propres, obtenant la norme PZEV (Partially Zero Emission Vehicle). Comme toujours chez Honda, on a droit à une excellente boîte de vitesses manuelle, mais elle a cependant perdu un peu de sa fermeté et de sa précision. Notez que les coupés ont droit à une boîte à 6 rapports, contre 5 pour la berline. La boîte automatique a cependant gagné en rapidité lors des changements, en plus d'être toujours aussi fluide.

[COMPORTEMENT] Le comportement sans surprise de la berline est tout sauf électrisant. La faute d'abord à une direction trop assistée qui lui enlève précision et rapidité d'exécution. L'accent a clairement été mis sur le confort, ce qui plaira à la clientèle cible. On retrouve la douceur de roulement qui a fait la réputation des japonaises. Passer de la berline au coupé a un effet tonique. Le coupé a un empattement plus court, ce qui le rend plus agile. Les trains roulants ont également été revus et proposent un calibrage différent des suspensions. Les coupés sont également chaussés de pneus plus sportifs, et leur direction est plus incisive. Qu'on se le dise : le coupé Accord est plus qu'une version à deux portes de ce modèle. Elle a sa personnalité propre, qui lui permet d'aller chercher des acheteurs qui ne seront pas intéressés par la berline.

[CONCLUSION] Alors, toujours aussi bonne, l'Accord ? Sans aucun doute. Mais attention : il faut maintenant compter avec les coréennes, presque aussi fiables et confortables, tout en étant moins chères; et les américaines, Ford et GM en tête, avec leurs Fusion et Malibu. L'Accord évolue dans un segment plus concurrentiel que jamais et elle ne l'aura plus aussi facile qu'avant. C'est son karma : elle est condamnée à l'excellence.

2e OPINION

DANIEL RUFIANGE Je me fais lentement aux lignes de l'Accord. Certains de mes proches la trouvent belle à mourir, preuve que tous les goûts sont dans la nature, et c'est très bien ainsi. Ce sur quoi tous s'entendent, cependant, c'est sur ses qualités intrinsèques. Cette voiture n'a pratiquement aucun défaut. Son habitacle est d'une très grande qualité, tant au chapitre de la fonctionnalité, de l'ergonomie ou de la qualité des matériaux et de l'assemblage. Son comportement routier est sain et rassurant. A-t-on besoin en plus de faire l'éloge de ses moteurs dont rêve la concurrence. La seule ombre au tableau a trait à son format. À force de prendre du volume, elle se dénature; ce qu'on ne ferait pas pour plaire aux Américains...

5 FICHE TECHNIQUE

· MOTEURS
(BERLINE LX)
L4 2,4 l DACT, 177 ch à 6500 tr/min
Couple 161 lb-pi à 4300 tr/min
Transmission manuelle à 5 rapports, automatique à 5 rapports (en option)
0-100 km/h 8,0 s
Vitesse maximale 210 km/h

· (BERLINE ET COUPÉ EX, EX-L)
L4 2,4 l DACT, 190 ch à 7000 tr/min
Couple 162 lb-pi à 4400 tr/min
Transmission manuelle à 5 rapports, automatique à 5 rapports (en option)
0-100 km/h 8,0 s
Vitesse maximale 210 km/h
Consommation (100 km) man. 7,9 l **autom.** 8,2 l (octane 87)
Émissions de CO_2 man. 3840 kg/an **autom.** 4032 kg/an
Litres par année man. 1600 l **autom.** 1680 l
Coût par an man. 1600 $ **autom.** 1680 $
Empreinte écologique 28 arbres

· (BERLINE EX V6, EX-L V6, COUPÉ EX-L V6)
V6 3,5 l, 271 ch à 6200 tr/min
Couple 254 lb-pi à 5000 tr/min, 251 lb-pi, man.
Transmission automatique à 5 rapports (de série pour berline, en option pour coupé), manuelle à 6 rapports (de série pour coupé)
0-100 km/h 6,9 s
Vitesse maximale 230 km/h
Consommation (100 km) man. 10,2 l **autom.** 9,0 l (octane 87)
Émissions de CO_2 man. 5040 kg/an **autom.** 4416 kg/an
Litres par année man. 2100 l **autom.** 1840 l
Coût par an man. 2100 $ **autom.** 1840 $
Empreinte écologique 28 arbres

· AUTRES COMPOSANTES
Sécurité active freins ABS, distribution électronique de force de freinage, antipatinage, contrôle de stabilité électronique
Suspension avant/arrière indépendante
Freins avant/arrière disques
Direction à crémaillère, assistée
Pneus LX P215/60R16 **EX V6/EX-L V6** P225/50R17 **EX-L V6** P235/45R18

· DIMENSIONS
Empattement berl. 2800 mm **coupé** 2740 mm
Longueur berl. 4930 mm **coupé** 4849 mm **V6** 4935 mm
Largeur berl. 1846 mm **coupé** 1848 mm
Hauteur berl. 1476 mm **coupé** 1432 mm
Poids LX 1468 kg **EX** 1523 kg **EX-L** 1533 kg **EX V6** 1621 kg **EX-L V6** 1637 kg **coupé EX** 1491 kg **EX-L** 1504 kg **EX-L V6** 1566 kg
Diamètre de braquage berl. 11,5 m
Coffre berl. 397 l **coupé** 338 l
Réservoir de carburant 70 l

NOS MENTIONS

Modèle recommandé

NOTRE VERDICT

Plaisir au volant	4/5
Qualité de finition	4,5/5
Consommation	4/5
Rapport qualité/prix	4/5
Valeur de revente	4,5/5

Honda Crosstour

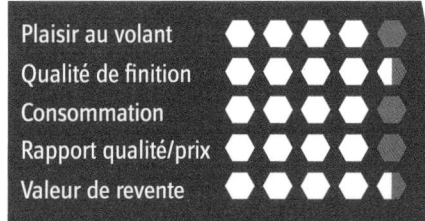

CIVIC / HYBRIDE

www.honda.ca

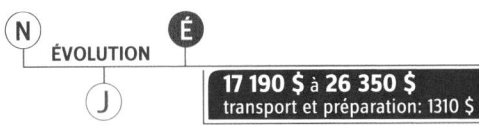

N ÉVOLUTION É J

17 190 $ à 26 350 $
transport et préparation: 1310 $

LA COTE VERTE

MOTEUR
L4 DE 1,3 L HYBRIDE

- **Consommation (100km):** 4,5 l
- **Émissions polluantes CO_2:** 2160 kg/an
- **Empreinte écologique (nombre d'arbres à planter par année):** 12
- **Indice d'octane:** 87
- **Autre motorisation:** modèle hybride
- **Coût du carburant moyen par année:** 900$
- **Nombre de litres par année:** 900 l

(source: ÉnerGuide)

1 FICHE D'IDENTITÉ

- **Versions** DX, DX-G, Sport, LX, EX-L, Si, Hybrid
- **Roues motrices** avant
- **Portières** 2, 4 **Nombre de passagers** 4
- **Première génération** 1973
- **Génération actuelle** 2006
- **Construction** Alliston, Ontario, Canada; East Liberty, Ohio, É.-U.
- **Sacs gonflables** 6 (frontaux, latéraux avant, rideaux latéraux)
- **Concurrence** Acura CSX, Chevrolet Cobalt, Ford Focus, Hyundai Elantra, Kia Forte, Mazda3, Mitsubishi Lancer, Nissan Sentra, Subaru Impreza, Suzuki SX4, Toyota Corolla, Volkswagen Rabbit

2 AU QUOTIDIEN

- **Prime d'assurance**
  25 ans: 1600 à 1800 $
  40 ans: 1000 à 1150 $
  60 ans: 800 à 1000 $
- **Collision frontale** 5/5
- **Collision latérale ber.** 4/5 **coupé** 3/5
- **Ventes du modèle de l'an dernier**
  Au Québec 25 309 **Au Canada** 72 463
- **Dépréciation** (3 ans) 38,4 %
- **Rappels** (2004 à 2009) 12
- **Cote de fiabilité** 5/5

3 GARANTIES... ET PLUS

- **Garantie générale** 3 ans/60 000 km
- **Garantie motopropulseur** 5 ans/100 000 km
- **Perforation** 5 ans/kilométrage illimité
- **Assistance routière** 3 ans/60 000 km
- **Nombre de concessionnaires**
  Au Québec 60 **Au Canada** 203

4 NOUVEAUTÉS EN 2010

- Aucun changement majeur

BEAU, TRÈS BON, MAIS UN PEU CHER

PAR FRÉDÉRIC MASSE

JE RÉPONDS À ÉNORMÉMENT DE QUESTIONS D'AMIS, D'AMIS DES AMIS (ET DE BIEN PLUS LOIN ENCORE) SUR L'AUTOMOBILE. Quand il est question de voiture compacte, j'ai souvent tendance à recommander la Honda Civic. « Elle est bien belle la Civic, mais elle est un peu trop chère pour mon budget ». J'entends ça des dizaines de fois chaque année. J'ai bien beau leur expliquer que la valeur de revente sera supérieure dans cinq ans, qu'ils pourront la conserver plus longtemps grâce à sa fiabilité, etc., souvent, rien n'y fait.

[CARROSSERIE] Elle n'a pas le charisme d'une Mazda3, on en convient, mais ses lignes imposent tout de même une prestance. Dans sa version coupé, elle est nettement plus aguichante, plus sportive, et les badauds pour la plupart s'entendent pour complimenter son design. En version SI, coupé ou berline, elle franchit un pas de plus vers la petite délinquance avec son ensemble de carrosserie plus sportif et ses roues de 17 pouces. À l'autre extrême, on trouve la version hybride qui déploie tous les efforts pour attirer un peu d'attention.

[HABITACLE] Commençons par le pot. L'accès : plusieurs se plaignent qu'il faille courber l'échine pour prendre place à bord de la Civic. Les sièges bas et l'arc de porte n'aident en rien à l'accessibilité. Le tableau de bord : le mélange entre l'analogique et le numérique des tableaux superposés (l'un compte les tours, l'autre indique la vitesse) ne passe toujours pas. Le frein à main : mais, qui est l'hurluberlu qui a positionné la poignée du frein à main dans cette position ? Depuis le premier essai, mon genou droit le hait. Poursuivons par les fleurs, soit pour l'ensemble de l'œuvre. J'aime le souci de l'ergonomie. J'adore le confort des sièges et l'espace. J'aime le coffre de bonnes dimensions, la qualité des matériaux et la précision de l'assemblage. C'est bien fait.

FORCES • Fiabilité • Économie de carburant • Modèle Si vif • • Confort de roulement • Version hybride

FAIBLESSES • Frein à main mal positionné • Accès à bord • Tableau de bord

CIVIC / HYBRIDE

[MÉCANIQUE] C'est là que l'essence de la voiture prend tout son sens. Les motoristes de Honda sont de purs génies. Tout le contraire en fait des concepteurs de frein à main. Quelle que soit la version, les 4-cylindres possèdent toutes les qualités : économe, doux, agréable à faire tourner. Un moteur d'une puissance de 140 chevaux n'est certainement pas l'apogée, mais c'est assez pour la réalité, surtout qu'il est accompagné d'une bonne boîte de vitesses à 5 rapports, manuelle ou automatique. La mécanique de 2 litres de la SI produit 197 chevaux. On se prend souvent à la faire chanter jusqu'à sa limite de régime et à utiliser ardemment le levier de vitesses de la boîte à 6 rapports pour lui donner vie. Pour l'hybride, il s'agit davantage d'économiser que de performer, et on le sent rapidement avec sa boîte CVT et sa puissance combinée de moteurs (électrique et carburant) de 110 chevaux. Mais, lorsque j'ai entendu : « Ça vous fera 18,12 $ » chez le pompiste pour une semaine complète d'essai, j'ai compris que l'hybride avait rempli sa fonction. N'eût été de la sonorité de machine à coudre du moteur électrique, j'aurais été comblé.

[COMPORTEMENT] Plus grande, plus lourde, la Civic s'est endimanchée, mais elle demeure agréable à conduire. Une suspension bien pensée, un freinage efficace et un comportement routier sain font partie de ses qualités. Si on tombe dans la version Si, le plaisir passe à un autre niveau avec une conduite franche et directe. D'ailleurs, même en version de base, la petite japonaise offre l'une des directions les plus précises et les mieux dosées de sa catégorie. Elle fait donc très bien ce à quoi elle est destinée : la balade tranquille pour papa et des performances plus relevées pour fiston.

[CONCLUSION] Je n'en démords pas. Avec la Mazda3, la Civic est l'une des deux voitures dominantes dans cette catégorie. Si l'on tient compte de ses forces (fiabilité, durabilité, sécurité, économie de carburant, version Si et hybride) il est à se demander pourquoi j'entends autant souvent parler de budget. Ça doit être la récession...

2e OPINION

PHILIPPE LAGUË Le succès de la Honda Civic ne se dément pas, et pour cause : depuis sa dernière refonte, il y a quatre ans, la voiture la plus vendue au Canada a retrouvé ce petit quelque chose qui faisait cruellement défaut à la génération précédente. Celle-ci n'était guère plus excitante qu'une Corolla – c'est tout dire – et ce manque de caractère a permis à des rivales comme la Mazda *3* de réussir une percée. Honda n'avait pas dit son dernier mot, et la Civic est redevenue... une Civic ! Plus spacieuse, plus confortable, mais toujours fiable, elle a retrouvé son petit côté pétillant. En ces temps de crise économique et de variations des prix du carburant, elle a un solide argument en sa faveur : elle consomme moins que la plupart de ses rivales. De plus, elle continue d'offrir la gamme la plus complète parmi les compactes, avec une berline, un coupé, une sportive (Si) et une écolo (Civic Hybrid).

5 FICHE TECHNIQUE

· MOTEURS
(DX, DX-G, Sport, LX, EX-L)
L4 1,8 l SACT, 140 ch à 6300 tr/min
Couple 128 lb-pi à 4300 tr/min
Transmission manuelle à 5 rapports,
0-100 km/h 9,3 s
Vitesse maximale 205 km/h
Consommation (100 km) man. 6,4 l
auto. 7,0 l (octane 87)
Émissions de CO_2 man. 3120 kg/an
auto. 3408 kg/an
Litres par année man. 1300 l **auto.** 1420 l
Coût par an man. 1300 $ **auto.** 1420 $
Empreinte écologique 19 arbres

· (Si)
L4 2,0 l DACT, 197 ch à 7800 tr/min
Couple 139 lb-pi à 6100 tr/min
Transmission manuelle à 6 rapports
0-100 km/h 6,9 s Vitesse maximale 230 km/h
Consommation (100 km) 8,5 l (octane 91)
Émissions de CO_2 4176 kg/an
Litres par année 1740 l **Coût par an** 1914 $
Empreinte écologique 25 arbres

· (HYBRID)
L4 1,3 l SACT + IMA (moteur électrique), 110 ch (puissance maximale combinée)
Couple 123 lb-pi (couple maximal combiné)
Transmission automatique à variation continue
0-100 km/h 12,7 s Vitesse maximale 175 km/h

· AUTRES COMPOSANTES
Sécurité active freins ABS, répartition électronique de force de freinage, assistance au freinage (Hybrid seulement). Système de contrôle de la stabilité (EX-L, Si, Hybrid).
Suspension avant/arrière indépendante
Freins avant/arrière disques/tambours (DX, DX-G, Hybrid) disques (Sport, EX-L, Si)
Direction à crémaillère, assistée
Pneus DX/DX-G/Hybrid P195/65R15
LX/Sport/EX-L P205/55R16 **Si** P215/45R17

· DIMENSIONS
Empattement berl. 2700 mm, **coupé** 2650 mm
Longueur berl. 4489 mm, **coupé** 4440 mm
Largeur berl. 1752 mm, **coupé** 1751 mm
Hauteur berl. 1435 mm, **Hybrid** 1430 mm, **coupé** 1358 mm
Poids berl. DX 1199 kg, **DX-G** 1210 kg, **LX** 1224 kg, **EX-L** 1227 kg, **Hybrid** 1304 kg, **coupé DX** 1178 kg, **LX** 1206 kg, **EX-L** 1227 kg, **Si** 1307 kg
Diamètre de braquage nd
Coffre berl. 340 l, **coupé** 327 l, **Hybrid** 294 l
Réservoir de carburant 50 l, **Hybrid** 46,6

NOS MENTIONS

Le choix vert

Coup de coeur

NOTRE VERDICT

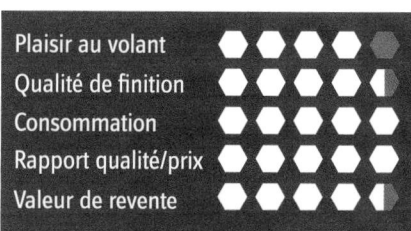

Plaisir au volant
Qualité de finition
Consommation
Rapport qualité/prix
Valeur de revente

CR-V

www.honda.ca

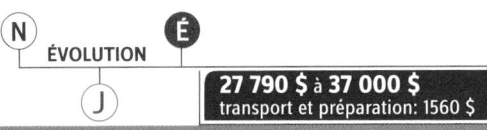

N ÉVOLUTION É J

27 790 $ à 37 000 $
transport et préparation: 1560 $

LA COTE VERTE

MOTEUR
L4 DE 2,4 L

- **Consommation (100km):** **2RM** 8,8 l **4RM** 9,3 l
- **Émissions polluantes CO_2 :** **2RM** 4320 kg/an **4RM** 4512 kg/an
- **Empreinte écologique (nombre d'arbres à planter par année):** 26
- **Indice d'octane:** 87
- **Autre motorisation:** non
- **Coût du carburant moyen par année:** **2RM** 1800$ **4RM** 1880 $
- **Nombre de litres par année:** **2RM** 1800 l **4RM** 1880 l

(source: ÉnerGuide)

1 FICHE D'IDENTITÉ

- **Versions** LX, 2 et 4RM, EX 2 et 4RM, EX-L 4RM
- **Roues motrices** avant
- **Portières** 4 **Nombre de passagers** 5
- **Première génération** 1997
- **Génération actuelle** 2007
- **Construction** East Liberty, Ohio, É.-U.
- **Sacs gonflables** 6, frontaux, latéraux avant et rideaux latéraux
- **Concurrence** Chevrolet Equinox, Ford Escape, Hyundai Tucson, Jeep Compass/Patriot, Kia Sportage, Mitsubishi Outlander, Nissan Rogue, Suzuki Grand Vitara, Toyota RAV4

2 AU QUOTIDIEN

- **Prime d'assurance**
  25 ans: 1400 à 1600 $
  40 ans: 1000 à 1200 $
  60 ans: 900 à 1100 $
- **Collision frontale** 5/5
- **Collision latérale** 5/5
- **Ventes du modèle de l'an dernier**
  Au Québec 4785 **Au Canada** 20 500
- **Dépréciation** 26,8%
- **Rappels** (2004 à 2009) Aucun
- **Cote de fiabilité** 5/5

3 GARANTIES... ET PLUS

- **Garantie générale** 3 ans/60 000 km
- **Garantie motopropulseur** 5 ans/100 000 km
- **Perforation** 5 ans/kilométrage illimité
- **Assistance routière** 3 ans/illimité
- **Nombre de concessionnaires**
  Au Québec 63 **Au Canada** 226

4 NOUVEAUTÉS EN 2010

- Aucun changement majeur

COÛTEUSE RÉPUTATION

DANIEL RUFIANGE

EN VOILÀ UN QUI N'A PAS BESOIN DE GRANDES OPÉRATIONS CHARME POUR TROUVER PRENEUR. Le CR-V est de loin l'une des grandes vedettes de Honda, et ce, depuis que la firme nippone a eu la bonne idée de l'introduire en 1997. Et, plus que jamais, avec l'incertitude qui plane sur les prix du carburant, ce genre de petit utilitaire continuera d'exercer un attrait chez les consommateurs. Toutefois, permettez-moi une petite gêne. La concurrence offre des solutions de rechange au CR-V, susceptibles de vous faire économiser quelques milliers de dollars. Sans rien lui enlever, il navigue sur une réputation, justifiée mais surfaite, qui lui permet d'exiger beaucoup trop de billets verts pour son acquisition !

[CARROSSERIE] La refonte de 2007 a ajouté quelques traits de caractère au CR-V. Cependant, je trouve ses lignes un peu quelconques. Pour passer inaperçu, rien de mieux. Ce qui plaît, par contre, ce sont ses dimensions; pas trop grosses ni trop petites. De fait, c'est exactement ce qu'on souhaite d'un utilitaire... compact ! Trois configurations sont offertes soit les LX, EX et EX-L. Pour les deux premières, le consommateur a le choix de deux versions : à traction ou intégrale. L'EX-L s'accompagne automatiquement d'une motricité aux quatre roues.

[HABITACLE] S'il y a un domaine où l'on ne peut rien reprocher à Honda, c'est dans la confection de ses habitacles. Le CR-V répond en tous points aux standards du fabricant. Tant la qualité des matériaux que la minutie apportée à leur assemblage sont à souligner. Une présentation visuelle plus joyeuse serait à considérer toutefois, l'actuelle frisant l'ennui. En prenant place à bord, on trouve rapidement une excellente position de conduire, merci aux nombreux réglages des sièges qui nous permettent d'atteindre le niveau de confort recherché. À l'arrière, l'espace demeure adéquat, et le confort de la banquette, correct. Les 2064 litres d'espace de chargement fournis lors du rabat des sièges arrière joignent l'utile à l'agréable quand vient le temps de trimballer quelques babioles. Un bémol pour la visibilité aux trois quarts arrière, sérieusement handicapée par la forme arrondie de la lunette

FORCES • Qualité de finition et de l'assemblage • Faible dépréciation • Fiabilité légendaire

FAIBLESSES • Absence d'un V6 • Insonorisation déficiente • Prix élevé

latérale; certains changements de voie demandent une dose d'improvisation. Enfin, une tape sur les doigts pour l'insonorisation, carrément déficiente. Quand on paie plus de 35 000 $ pour un véhicule, on veut s'entendre parler sans avoir à lever le ton.

[MÉCANIQUE] Les choses demeurent très simples ici alors que le sempiternel même engin trouve sa niche à l'intérieur du CR-V, soit le 4-cylindres de 2,4 litres qui offre 166 chevaux à son opérateur. Si certains reprochent l'absence d'un V6 – que Toyota offre sur le rival RAV4 – la puissance demeure très suffisante pour l'utilisation qu'on fait de ce véhicule. Après tout, qui a besoin de 250 chevaux pour mouvoir un véhicule qui n'est pas conçu pour rouler à tombeau ouvert ? Par contre, si vous avez besoin de tirer une roulotte...

[COMPORTEMENT] Le CR-V offre un comportement routier neutre. Accélérations respectables, freinage efficace, tenue de route précise, bref, rien de déplaisant. En contrepartie, rien de très passionnant non plus. Amateurs de sensations fortes, abstenez-vous ! Par contre, si la quiétude au volant est plus votre affaire, vous serez à l'aise au volant du CR-V. Toutefois, un Nissan Rogue ou un Hyundai Tucson effectueront le même boulot à moindre prix. Et c'est là que le bât blesse en ce qui concerne le CR-V; on paie cher sa fiabilité et sa réputation.

[CONCLUSION] Si vous hésitez entre un CR-V et un RAV4, je n'ai qu'un conseil pour vous; essayez les deux : un correspondra à votre personnalité. Par contre, si vos visées sont plus larges et comprennent les produits Nissan et Hyundai mentionnés précédemment, considérez l'économie de quelques milliers de dollars qui vous seront certainement utiles ailleurs, à condition de prévoir conserver votre véhicule longtemps. Car, il faut le mentionner et ne pas l'oublier, le CR-V possède une excellente valeur de revente.

2e OPINION

JEAN-PIERRE BOUCHARD **Le segment des utilitaires compacts est devenu l'un des plus importants pour les constructeurs d'automobiles. Le CR-V et le Toyota RAV4 en témoignent : ce sont assurément les favoris des consommateurs et fort probablement les meilleurs en termes de fiabilité et de valeur de revente. Pour la qualité de la conduite et l'agilité, mon cœur balance du côté du CR-V. Mais pour le prix, mon cœur balance du côté du RAV4. Car au moment d'écrire ces lignes, le Honda coûtait 2 800 $ de plus que le Toyota. Quoi qu'il en soit, Honda propose un véhicule bien conçu, moderne, spacieux. Un bémol : ils ont toutefois beau être compacts, ces véhicules consomment rarement en moyenne moins de 11 litres aux 100 kilomètres, selon les conditions. Ce qui fait qu'il serait propice pour un constructeur comme Honda de donner le ton en implantant, pourquoi pas, une technologie hybride. Ford l'a bien fait du côté de l'Escape, elle.**

5 FICHE TECHNIQUE

· MOTEUR
L4 2,4 l DACT 166 ch à 5800 tr/min
Couple 161 lb-pi à 4200 tr/min
Transmission automatique à 5 rapports avec mode manuel
0-100 km/h 10,5 s
Vitesse maximale 185 km/h

· AUTRES COMPOSANTES
Sécurité active freins ABS, répartition électronique de force de freinage, antipatinage, contrôle de stabilité électronique
Suspension avant/arrière indépendante
Freins avant/arrière disques
Direction à crémaillère, assistée
Pneus P225/65R17

· DIMENSIONS
Empattement 2620 mm
Longueur 4518 mm
Largeur 1820 mm
Hauteur 1680 mm
Poids LX 1597 kg **EX 4RM** 1604 kg **EX-L** 1613 kg
Diamètre de braquage nd
Coffre 1011 l, 2064 l (sièges abaissés)
Réservoir de carburant 58 l
Capacité de remorquage 680 kg

NOS MENTIONS

Modèle recommandé

Coup de coeur

NOTRE VERDICT

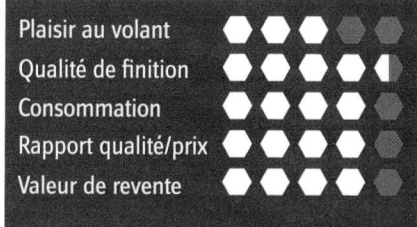

Plaisir au volant
Qualité de finition
Consommation
Rapport qualité/prix
Valeur de revente

ELEMENT

www.honda.ca

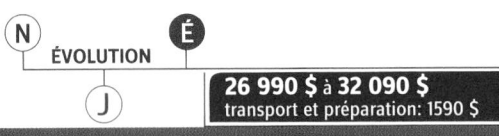

N ÉVOLUTION É J

26 990 $ à 32 090 $
transport et préparation: 1590 $

LA COTE VERTE

AVEC MOTEUR L4 DE 2,4 L

- **Consommation (100km):** **2RM auto.** 9,3 l **4RM auto.** 9,7 l
- **Émissions polluantes CO_2 :** **2RM autom.** 4512 kg/an. **4RM autom.** 4704 kg/an
- **Empreinte écologique (nombre d'arbres à planter par année):** 27
- **Indice d'octane:** 87
- **Autre motorisation:** non
- **Coût du carburant moyen par année:** **2RM auto.** 1880 $ **4RM auto.** 1960 $
- **Nombre de litres par année:** **2RM auto.** 1880 l **4RM auto.** 1960 l

(source: ÉnerGuide)

1 FICHE D'IDENTITÉ

- **Versions** LX 2RM, EX 4RM, SC 2RM
- **Roues motrices** avant, 4
- **Portières** 4 **Nombre de passagers** 5
- **Première génération** 2003
- **Génération actuelle** 2003
- **Construction** East Liberty, Ohio, É.-U.
- **Sacs gonflables** 6, frontaux, latéraux avant et rideaux latéraux
- **Concurrence** Chevrolet Equinox, Ford Escape, Honda CR-V, Hyundai Tucson, Jeep Compass/ Patriot, Kia Sportage, Mitsubishi Outlander, Nissan Rogue, Subaru Forester, Suzuki Grand Vitara, Toyota RAV4

2 AU QUOTIDIEN

- **Prime d'assurance**
  25 ans: 1400 à 1600 $
  40 ans: 1000 à 1200 $
  60 ans: 900 à 1100 $
- **Collision frontale** 5/5
- **Collision latérale** 5/5
- **Ventes du modèle de l'an dernier**
  Au Québec 377 **Au Canada** 1810
- **Dépréciation** (3 ans) 49,8 %
- **Rappels** (2004 à 2009) 1
- **Cote de fiabilité** 5/5

3 GARANTIES... ET PLUS

- **Garantie générale** 3 ans/60 000 km
- **Garantie motopropulseur** 5 ans/100 000 km
- **Perforation** 5 ans/kilométrage illimité
- **Assistance routière** 3 ans/illimité
- **Nombre de concessionnaires**
  Au Québec 63 **Au Canada** 226

4 NOUVEAUTÉS EN 2010

- Nouveaux accessoires pour chiens

LA BOÎTE ORIGINALE

PAR MICHEL CRÉPAULT

L'ELEMENT N'A PLUS LE MONOPOLE DU CUBISME SUR ROUES. KIA A INTRODUIT SON SOUL, NISSAN A EU LE CULOT D'APPELER LE SIEN LE CUBE, et, d'ici quelques mois, Toyota proposera officiellement aux Canadiens le Scion xB, un autre grille-pain mobile. Alors, le véhicule Honda a-t-il encore ce qu'il faut pour se maintenir à la hauteur de cette concurrence jeune et arrogante ?

[CARROSSERIE] Une comparaison des dimensions s'impose. Elle nous apprend que l'Element est le plus volumineux et le plus lourd du quatuor. Seule le Scion l'emporte au chapitre de l'empattement (par 2,5 centimètres). Au Canada, l'Elément se décline en versions LX, EX et SC. Seule la livrée médiane reçoit la transmission intégrale, tandis que la SC propose une allure et une tenue de route relativement plus sportives. Côté visuel, justement, tout dépend comment vous aimez votre brique. L'Element a, dès le départ, misé sur une gueule sans artifices. Le Scion explore également ce filon, tandis que les Nissan et Kia ont donné dans un design cartoonesque. À côté, l'Element a l'air de Rambo. Les portières arrière de l'Element sont les seules à s'ouvrir dans le sens inverse. Ce sont, en réalité, des demi-portes inversées partielles dont la poignée s'attrape dans le cadre de la porte. Le hayon est composé de deux sections horizontales. Si vous n'avez qu'une babiole à piger à l'arrière, l'ouverture du haut suffira. Si vous voulez remplir la soute, la section inférieure devient une plateforme utile, tout en compliquant l'accès au fond.

[HABITACLE] L'Element a été conçu pour être un mulet, que ce soit pour transporter des jardinières ou une planche de surf. Le revêtement des sièges ressemble à une housse qu'on pourrait enlever et laver. La banquette arrière offre un bon dégagement, mais son confort est spartiate en raison de sa vraie nature de strapontin. Ces deux places, en effet, ne demandent qu'à s'ôter du chemin si vous réclamez de l'espace... mais il y a un prix à payer. L'objectif consiste à soulever chaque siège contre la paroi latérale et de les fixer là à l'aide d'un mousqueton qu'on agrippe au plafond. Il faut d'abord aplatir le dossier, ce qui

FORCES • Planchers caoutchoutés pour la rude besogne • • Design qui a bien vieilli • Construction robuste

FAIBLESSES • Banquette pas vraiment conçue pour trois passagers • • Capacité de remorquage limitée à 1500 livres • Lent comme une tortue

ELEMENT

5 FICHE TECHNIQUE

· MOTEUR
L4 2,4 l DACT 166 ch à 5800 tr/min
Couple 161 lb-pi à 4000 tr/min
Transmission automatique à 5 rapports
0-100 km/h 2RM 9,5 s **4RM** 10,3 s
Vitesse maximale 180 km/h

· AUTRES COMPOSANTES
Sécurité active freins ABS, répartition électronique de force de freinage, antipatinage, contrôle de stabilité électronique
Suspension avant/arrière indépendante
Freins avant/arrière disques
Direction à crémaillère, assistée
Pneus LX, EX P215/70R16 **SC** P225/55R18

· DIMENSIONS
Empattement 2575 mm
Longueur LX 4298 mm **EX** 4323 mm **SC** 4326 mm
Largeur 1815 mm
Hauteur 1788 mm **SC** 1762 mm
Poids LX 1558 kg **EX** 1562 kg **EX 4RM** 1623 kg **SC** 1595 kg
Diamètre de braquage 10,4 m
Coffre 710 l, 2212 l (sièges abaissés)
Réservoir de carburant 60 l
Capacité de remorquage 907 kg

se fait rapidement. Note : les sièges forment alors deux lits que plusieurs campeurs m'ont dit avoir appréciés. Par contre, pour rabattre le siège contre le mur, vous devez vous agenouiller dans la soute et forcer des deux bras. C'est loin d'être jojo ! Le levier de vitesses, planté dans la partie inférieure du tableau de bord, libère du coup l'espace entre les deux baquets pour le frein à main et une console centrale, bien sûr, conçue pour le rangement, comme d'ailleurs plusieurs recoins de l'habitacle. Le SC remplace les planchers d'uréthane très résistants et très lavables par de vrais tapis et, quant à moi, ça contredit la vocation naturelle de l'Element.

[MÉCANIQUE] En étendant la comparaison sous le capot, on s'aperçoit que les quatre blocs font appel à un 4-cylindres et que celui de l'Element est le plus musclé. Il le faut bien, me direz-vous, pour bouger ces kilos supplémentaires. Les Canadiens doivent se contenter de la boîte de vitesses automatique à 5 rapports, alors que les Américains peuvent cocher une manuelle. L'ABS et l'antipatinage sont au menu et même la transmission intégrale dans le cas de l'EX.

[COMPORTEMENT] Le Honda est le plus puissant sur papier mais, sur la route, il est le plus poussif. En version à quatre roues motrices, il n'arrive même pas à descendre sous les 10 secondes au 0 à 100 km/h. C'est un percheron, fiable et pas nerveux. La silhouette lutte continuellement contre le vent mais, au moins, la robuste construction monocoque absorbe les bruits parasites. Si vous y tenez, la version SC adopte une suspension raffermie et abaissée de 18 millimètres, de même que des roues de 18 pouces (au lieu de 16), mais ne transforme pas pour autant l'Element en voiture alerte. Le gros volant se prend en main comme celui d'un autobus. L'impression est nette : nous sommes au volant d'un utilitaire, alors que les rivales prennent la vie moins sérieusement.

[CONCLUSION] L'Element est un Jeep asiatique. Son intérieur truffé de vide-poches est aussi amusant qu'un uniforme militaire obligatoire. Il est encore original, il rend d'indéniables services, et Honda ne le donne pas.

2e OPINION

DANIEL RUFIANGE Les véhicules aux formes hors norme sont de plus en plus nombreux. Les Kia Soul et Nissan Cube, entre autres, présentent des bouilles uniques et non conformistes. La stratégie derrière est simple; provoquer une majorité, mais séduire une minorité importante. Honda le fait depuis déjà sept ans déjà avec son Element. On aime ou on n'aime pas ! Personnellement, j'adore son allure et sa conduite amusante. Il faut toutefois éviter les excès; l'Element se comporte comme un cerf-volant quand Éole se lève. Par contre, son aspect pratique et son espace de chargement aménageable au gré de l'imagination, sans oublier de mentionner lavable au boyau d'arrosage, le rend très attrayant pour quiconque en a marre des véhicules ordinaires. De plus, il s'accompagne d'une fiabilité Honda. Qui dit mieux ?

NOS MENTIONS

☺ Modèle recommandé

NOTRE VERDICT

Plaisir au volant	3/5
Qualité de finition	4/5
Consommation	3,5/5
Rapport qualité/prix	4/5
Valeur de revente	4/5

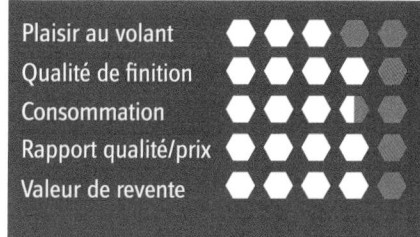

FIT

www.honda.ca

N ÉVOLUTION É J

14 980 $ à 19 280 $
transport et préparation: 1395 $

LA COTE VERTE

AVEC MOTEUR L4 DE 1,5 L

- **Consommation (100km):** **man.** 6,5 l **auto.** 6,4 l
- **Émissions polluantes CO_2 :** **man.** 3120 kg/an **auto.** 3072 kg/an
- **Empreinte écologique (nombre d'arbres à planter par année):** 18
- **Indice d'octane:** 91
- **Autre motorisation:** non
- **Coût du carburant moyen par année:** **man.** 1300 $ **auto.** 1280 $
- **Nombre de litres par année:** **man.** 1300 l **auto.** 1280 l

(source: ÉnerGuide)

1 FICHE D'IDENTITÉ

- **Versions** DX, LX, Sport
- **Roues motrices** avant
- **Portières** 4 **Nombre de passagers** 4
- **Première génération** 2007
- **Génération actuelle** 2009
- **Construction** Tochigi, Japon
- **Sacs gonflables** 6, frontaux, latéraux avant et rideaux latéraux
- **Concurrence** Chevrolet Aveo, Hyundai Accent, Rio, Nissan Versa, Suzuki Swift+, Toyota Yaris

2 AU QUOTIDIEN

- **Prime d'assurance**
  25 ans: 1400 à 1600 $
  40 ans: 1100 à 1300 $
  60 ans: 800 à 1000 $
- **Collision frontale** 5/5
- **Collision latérale** 5/5
- **Ventes du modèle de l'an dernier**
  Au Québec 4495 **Au Canada** 14 836
- **Dépréciation** (2 ans) 27,2%
- **Rappels** (2004 à 2009) 1
- **Cote de fiabilité** 5/5

3 GARANTIES... ET PLUS

- **Garantie générale** 3 ans/60 000 km
- **Garantie motopropulseur** 5 ans/100 000 km
- **Perforation** 5 ans/kilométrage illimité
- **Assistance routière** 3 ans/illimité
- **Nombre de concessionnaires**
  Au Québec 63 **Au Canada** 226

4 NOUVEAUTÉS EN 2010

- Aucun changement majeur

CONÇUE POUR LA VILLE

DANIEL RUFIANGE

L'AVENIR APPARTIENT AUX PETITS VÉHICULES ET, À CONSTATER LES RÉCENTS DÉBOIRES DE L'INDUSTRIE, SANS PARLER DE L'ÉTAT DE LA PLANÈTE, TOUT CELA SEMBLE UNE ÉVIDENCE. Honda l'a compris depuis longtemps, notamment avec un produit comme la Civic, qui a toujours été un exemple en termes d'efficacité et d'économie de carburant. La Fit est pratique et polyvalente, ce qui plaît à une clientèle jeune et dynamique; à preuve son rendement au chapitre des ventes.

[CARROSSERIE] Il est plutôt rare de voir un retraité au volant d'une Fit, et pour cause. Cette voiture s'adresse à un jeune public, tant en raison de sa conception que de son allure très kitch. Au menu, trois livrées, DX, LX et Sport. Attention toutefois; une version Sport à boîte de vitesses automatique frise les 21 000 $, sans option. Le but derrière l'achat d'une petite voiture n'est-il pas d'économiser aussi à l'achat ? À ce titre, la version de base, couplée à la boîte manuelle, me semble la meilleure option à moins de 15 000 $. Côté style, il faut aimer les dimensions lilliputiennes de la Fit, ses phares immenses et son nez plongeant qui se moule au pare-brise. Remarquez aussi la hauteur du véhicule. L'avantage se traduit par un espace de chargement plus qu'intéressant pour ce type de voiture, mais en contrepartie, la conduite sur autoroute en souffre, surtout par grands vents.

[HABITACLE] On profite de beaucoup d'espace de dégagement, surtout pour la tête, un élément toujours apprécié à bord d'une petite voiture. Le point fort de la Fit est sans contredit son espace de chargement. Son plancher arrière situé plus bas, merci à l'emplacement avancée du réservoir de carburant qui est placé sous les sièges arrière, permet la réception de marchandises qu'on peine à introduire à bord d'utilitaires plus spacieux. La Fit a vu son espace intérieur accru l'an dernier à la suite de quelques retouches bénéfiques apportées au modèle. Le tableau de bord a été rafraîchi sans que sa fonctionnalité n'ait été sacrifiée. Côté confort, il faut ici faire preuve de tolérance. La Fit n'est pas idéale pour les allers et retours entre Montréal et Québec, mais devient idéale pour les transits urbains.

FORCES • Fiabilité Honda • Facile à stationner partout • Consommation appréciée • Espace

FAIBLESSES • Moteur grognon • Insonorité perfectible • Prix élevé une fois équipée • Conduite peu convaincante sur l'autoroute (bruyante et sensible au vent)

[MÉCANIQUE] On trouve sous le capot un petit engin à 4 cylindres de 1,5 litre compétent. Soyez averti qu'il aime se faire entendre en accélération, un peu trop au goût des occupants qui doivent du coup lever le ton. De fait, au-delà des 100 km/h, c'est carrément désagréable. La boîte de vitesses manuelle à 5 rapports permet d'exploiter au mieux les 117 chevaux annoncés. En revanche, la consommation de carburant demeure excellente, élément qu'on apprécie en réalisant l'espacement des visites à la pompe. Même si le freinage demeure efficace, notons la présence de tambours aux roues arrière. D'accord, la Fit est moins lourde qu'un Ford Expedition, par exemple, mais quatre disques ne seraient pas un luxe. Remarquez que la concurrence n'offre pas mieux.

[COMPORTEMENT] La Fit demeure une voiture urbaine. Il ne faut pas envisager des heures d'extases au volant. La voiture a beau être facile à manier en raison de sa petitesse, elle se montre capricieuse sur les revêtements truffés de trous et de bosses, autrement dit, partout! Et par journées venteuses, elle tente parfois de changer de voie toute seule ! On prend goût cependant à son caractère maniable dans la circulation lourde et dans les rues des métropoles bondées. La boîte manuelle est plaisante à manipuler, et l'embrayage pardonne les erreurs de débutant; du vrai Honda !

[CONCLUSION] Le choix est vaste dans cette catégorie qui représente un pourcentage important des ventes de véhicules au Canada. C'est malheureusement une toute autre histoire chez nos amis Américains. Le choix d'une Fit demeure, pour celui qui magazine une sous-compacte, une question de goûts et, eu moindre mesure, de besoins. Chose certaine, l'achat d'une Fit s'accompagne d'une fiabilité qui assure une tranquillité d'esprit.

2e OPINION

JEAN-PIERRE BOUCHARD La Fit est une voiture polyvalente et intelligente. La première mouture importée au Canada avait du bon, même si, au Japon, le constructeur venait de mettre sur le marché une génération plus moderne, dont nous n'allions pouvoir profiter qu'un peu plus tard. C'est fait ! La Fit est une voiture qui offre beaucoup d'espace, des sièges modulables qui autorisent de nombreuses possibilités pour le transport d'objets, un bon confort et un moteur plein de vitalité. Et, ce qui ne gâche rien, la consommation de carburant n'a rien pour enrichir les magnas du pétrole. La nipponne est en plus maniable. Vraiment, les ingénieurs de Honda ont réuni tous les ingrédients pour en faire un produit intéressant. Reste peut-être l'insonorisation à améliorer. Bref, elle bat la Toyota Yaris à plates coutures. Mais elle joue dans le même carré de sable que la Nissan Versa qui, elle aussi, pour un prix comparable, en offre beaucoup pour chaque dollar dépensé.

(5) FICHE TECHNIQUE

· MOTEUR
(DX, LX, Sport)
L4 1,5 l SACT 16 s, 117 ch à 6600 tr/min
Couple 106 lb-pi à 4800 tr/min
Transmission manuelle à 5 rapports, automatique à 5 rapports en option
0-100 km/h 9,2 s
Vitesse maximale 180 km/h

· AUTRES COMPOSANTES
Sécurité active freins ABS, répartition électronique de force de freinage
Suspension avant/arrière indépendante / essieu rigide
Freins avant/arrière disques / tambours
Direction à crémaillère, assistée
Pneus DX, LX P175/65R15 **Sport** P185/55R16

· DIMENSIONS
Empattement 2500 mm
Longueur 4105 mm
Largeur 1695 mm
Hauteur 1525 mm
Poids DX 1119 kg **LX** 1131 kg **Sport** 1147 kg
Diamètre de braquage 10,5 m
Coffre 585 l, 1622 l (sièges abaissés)
Réservoir de carburant 40 l

NOS MENTIONS

Le choix vert
Clé d'or de sa catégorie
Modèle recommandé

NOTRE VERDICT

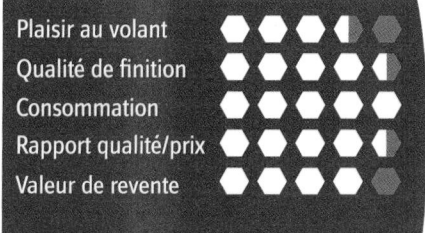

Plaisir au volant
Qualité de finition
Consommation
Rapport qualité/prix
Valeur de revente

INSIGHT

www.honda.ca

N NOUVEAUTÉ É J

23 900 $ à 27 500 $
transport et préparation: 1395 $

LA COTE VERTE

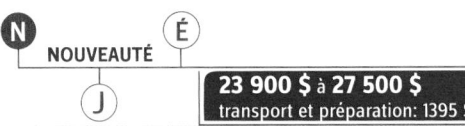

AVEC MOTEUR L4 DE 1,3 L

- **Consommation (100km):** 4,7 l
- **Émissions polluantes CO_2:** 2160 kg/an
- **Empreinte écologique (nombre d'arbres à planter par année):** 12
- **Indice d'octane:** 87
- **Autre motorisation:** modèle hybride
- **Coût du carburant moyen par année:** 900$
- **Nombre de litres par année:** 900

(SOURCE: ÉnerGuide)

1 FICHE D'IDENTITÉ

- **Versions** LX, EX
- **Roues motrices** avant
- **Portières** 4 **Nombre de passagers** 5
- **Première génération** 1999
- **Génération actuelle** 2010
- **Construction** Suzuka, Mie, Japon
- **Sacs gonflables** 6 (frontaux, latéraux avant, rideaux latéraux)
- **Concurrence** Ford Fusion hybride, Nissan Altima hybride, Toyota Prius

2 AU QUOTIDIEN

- **Prime d'assurance**
  25 ans: 1600 à 1800 $
  40 ans: 1000 à 1150 $
  60 ans: 800 à 1000 $
- **Collision frontale** nm
- **Collision latérale** nm
- **Ventes du modèle de l'an dernier**
  Au Québec nm **Au Canada** 1
- **Dépréciation** nm
- **Rappels** (2004 à 2009) nm

3 GARANTIES... ET PLUS

- **Garantie générale** 3 ans/60 000 km
- **Garantie motopropulseur** 5 ans/100 000 km
- **Perforation** 5 ans/kilométrage illimité
- **Assistance routière** 3 ans/kilométrage illimité
- **Nombre de concessionnaires**
  Au Québec 63 **Au Canada** 226

4 NOUVEAUTÉS EN 2010

- Nouveau modèle

SECOND DÉBUT

PAR BENOIT CHARETTE

SOICHIRO HONDA ÉTAIT UN ENVIRONNEMENTALISTE AVANT L'HEURE. EN CONSTRUISANT LE CIRCUIT DE SUZUKA (AU JAPON) EN 1962, IL AVAIT PRIS BIEN SOIN DE PRÉSERVER LES ÉCOSYSTÈMES FRAGILES (DES MARAIS) EN DESSINANT LA PISTE TOUT AUTOUR. Honda a aussi toujours refusé de construire des V8 trop gourmands. Et Monsieur Honda, qui est demeuré à la tête de l'entreprise jusqu'à la fin des années 80, a inculqué cette philosophie verte à tous ses descendants. Il serait très fier de voir l'Insight. Pourtant, quand vous demandez aux gens de vous nommer LA voiture verte, on vous répond la Toyota Prius. Toyota a su exploiter le modèle pour en faire un icône. Honda a choisi d'incorporer sa technologie verte dans des modèles existants comme l'Accord hybride ou la Civic hybride. Cette approche n'a pas porté ses fruits, et Honda a donc décidé de prendre une approche comme celle de Toyota pour la nouvelle Insight : dessiner un modèle dédié pour faire montre de son savoir-faire. La nouvelle Insight n'a rien de bien différent de la Civic hybride, c'est dans l'approche que le fabricant nippon espère faire des gains.

[CARROSSERIE] Par rapport à la Civic, l'Insight est plus originale, même si certains ne manqueront pas de remarquer une ressemblance très forte avec la Toyota Prius. C'est parce que ses lignes sont dictées par les lois de l'aérodynamique. De plus, avec une longueur de 4,4 mètres, l'Insight affiche des proportions très similaires à celles de la Prius. De son côté, Honda mentionne une inspiration qui vient de la FCX Clarity avec son avant un peu plus plongeant et ses ailes élargies. Si l'Insight est construite au même endroit que la Civic hybride à l'usine de Suzuka, elle profite tout de même d'une plateforme unique qui n'est partagée avec aucun autre modèle (pour le moment), à l'image de la Prius.

[HABITACLE] Pour ce qui est de l'intérieur, le mot futuriste est celui qui colle le mieux au tableau de bord multiétage. La version EX qui, composera 25 % des ventes, selon les gens de Honda, vient de série avec un écran de navigation multifonction et des leviers de sélection au volant. Le reste de la cabine, orienté vers le conducteur, offre tout le confort désiré. Du volant réglable et téle-

FORCES • Excellente finition • Prix qui s'annonce très concurrentiel • Rendement économique • Technologie poussée

FAIBLESSES • Comportement routier peu séduisant • Lignes un peu trop proches de la Prius • Technologie déjà existante dans la Civic hybride

scopique à la climatisation automatique en passant par les sièges réglables en hauteur, le confort est très satisfaisant. La chaîne audio de 160 watts avec fonction MP3 et prise USB complète bien la panoplie d'incitatifs visuels. Pour favoriser une conduite écologique, l'Insight utilise une nouvelle technologie interactive d'amélioration des consommations de carburant centrée sur le conducteur, appelée *Ecological Drive Assist System* ou Système d'aide à la conduite écologique. Ce nouveau système d'information donne au conducteur une évaluation en temps réel de ses performances de conduite afin de vous aider à réduire votre consommation de carburant et les émissions de dioxyde de carbone. Il vous accorde même un nombre d'arbres (un maximum de 5) pour vos qualités de conducteur écologique. De plus, si votre conduite est écologique, le tableau de bord affiche en vert. Si vous êtes plus agressif au volant, la couleur passe du vert chlorophylle au vert pâle et au bleu. Je dois admettre que cette approche a du bon. On se fait prendre au jeu à vouloir conduire de manière plus respectueuse. Il y a même un bouton ECON (pour économie) à la gauche de la partie inférieure du volant. En poussant le bouton, vous améliorez d'un cran l'économie de carburant et les fonctions de l'assistance électrique. À titre d'exemple, le moteur s'éteint plus rapidement quand la voiture est à l'arrêt. Le climatiseur utilise plus le mode de recirculation et réduit sa vitesse de fonctionnement. Le mode ECON diminue également la puissance et le couple du moteur de 4 % et optimise les fonctions de la boîte CVT. Tout cela dans le but d'économiser un maximum de carburant. Bref, c'est un peu comme un mode sport à l'envers, et cela semble fonctionner, il nous a fallu 4/10 de seconde de plus pour un 0 à 100 km/h en mode ECON, et la voiture semble un peu plus engourdie. À force de respecter l'environnement, vous gagnerez des feuilles, puis des plantes et à force d'accumuler les bons points, vous remportez la récompense ultime : un trophée qui s'affichera à l'écran de l'ordinateur de bord à chaque démarrage du véhicule ! Un pur gadget... qui a toute sa place dans ce type d'auto.

« IL EST IMPOSSIBLE DE PRENDRE UNE APPROCHE HABITUELLE AU VOLANT DE L'INSIGHT. AVEC UN 0 À 100 KM/H QUI SE BOUCLE EN PLUS DE 13 SECONDES, IL FAUT TOUT DE SUITE ÉLIMINER LES MOTS SPORT ET PLAISIR DE CONDUIRE DU VOCABULAIRE. »

[MÉCANIQUE] Honda continue de faire confiance à son système IMA (Integrated Motor Assist). À l'inverse de la Prius, n'espérez pas rouler à 100 % électricité avec l'Insight. Même quand ce sera le cas, vous ne vous en apercevrez pas puisque le moteur continue de tourner dans le vide (il ne s'arrête que quand la voiture est à l'arrêt). Dans les faits, la Prius et l'Insight utilisent deux technologies bien différentes. Celle de la Toyota, dite en « parallèle/série » permet de rouler au tout à l'électricité dans certaines conditions de roulage (à très bas

HISTORIQUE

En 1999, la minuscule Honda Insight première du nom était vendue l'équivalent du prix d'une grosse berline. Ses 3,4 l/100 km de moyenne se payaient au prix d'une carrosserie basse et étriquée, conçue pour deux personnes seulement. Dix ans plus tard, sa descendante à cinq places s'affiche de l'espace pour cinq et un coffre généreux. Elle ne consomme que 4,8 l/100 km et se vend pratiquement au même prix que son ancêtre.

PROTOTYPE 2000

INSIGHT 2001

INSIGHT 2001

INSIGHT 2001

PROTOTYPE 2005

PROTOTYPE 2005

PROTOTYPE SALON DE PARIS 2008

INSIGHT

GALERIE

A En appuyant sur le bouton ECON monté sur le tableau de bord, le conducteur peut améliorer encore plus l'efficacité de plusieurs systèmes du véhicule : la commande de puissance, l'exploitation de la transmission CVT, la durée du ralenti à l'arrêt, la climatisation et l'opération du régulateur de vitesse. La couleur de l'arrière-plan passe du bleu au vert afin d'indiquer le niveau d'efficacité ou d'inefficacité de l'accélération ou du freinage. Le système conserve en mémoire les résultats obtenus par le conducteur et affiche les cotes d'économie de carburant par cycle de conduite et sur toute la durée de vie du véhicule, sous forme de "feuilles d'arbre" qui apparaissent à l'écran multifonctions. Le conducteur peut ainsi accumuler jusqu'à cinq "feuilles" en appliquant un style de conduite éconergétique. Une note en temps réel s'affiche dans l'écran multifonctions du système.

B L'intérieur offre aux passagers un environnement spacieux, une banquette arrière configurable et un espace de rangement optimisé par les sièges divisés 60/40 pliables horizontalement.

C Le système IMA(MC) de la Insight peut fonctionner exclusivement à l'électricité dans certaines conditions de conduite à vitesse faible ou moyenne. Il peut aussi désactiver les cylindres au cours de la décélération et couper le moteur lorsque le véhicule est immobile.

D Le système plus compacte pour les batteries a permis de libérer de l'espace supplémentaire pour les passagers et les bagages. La carrosserie avant est conçue pour atténuer les blessures en cas d'impact avec un piéton. La Insight est également équipée de la structure de carrosserie à compatibilité avancée (ACE(MC)) de Honda, qui offre une compatibilité améliorée en cas d'impact frontal entre véhicules de tailles et d'assiettes différentes.

E La Insight EX offre le système de navigation Honda relié par satellite avec reconnaissance bilingue de la voix; l'assistance à la stabilité du véhicule, le système mains libres HandsFreeLink pour Bluetooth.

D

régime), alors que celle retenue par Honda en « parallèle » est toujours dépendante du moteur thermique. Le moteur électrique sert juste d'appoint. C'est, certes, moins sophistiqué, mais c'est aussi moins coûteux à produire. Le moteur est le même que celui de la Civic hybride, soit le 4-cylindres de 1,3 litre qui produit 98 chevaux et un couple de 123 livres-pieds avec l'aide du moteur électrique. L'Insight offre toutefois une batterie en sept compartiments qui offre 30 % plus de puissance que le système de batteries de la Civic hybride. Cette puissance passe par une boîte CVT qui maximise la consommation de carburant. Il est impossible de prendre une approche habituelle au volant de l'Insight. Avec un 0 à 100 km/h qui se boucle en plus de 13 secondes, il faut tout de suite éliminer les mots sport et plaisir de conduire du vocabulaire. À son volant, il faut prendre une attitude « zen » et tenter de tirer le meilleur parti du potentiel de la voiture. Lors d'un défi d'économie au volant, je me suis situé dans la bonne moyenne avec un résultat de 4,25 litres aux 100 kilomètres ou un peu plus de 66 milles au gallon. Mais pour ce faire, il faut anticiper à l'extrême pour conserver son énergie cinétique : freinages ultra progressifs pour maximiser la recharge des batteries, utilisation frénétique du mode ECON qui améliore le rendement. En deux mots pour apprécier ce véhicule, il faut mettre sa conduite en mode économie. Si le confort est bon, la tenue de route est tout juste correcte même avec des pneus à faible résistance qui n'invite pas à la conduite sportive.

[CONCLUSION] L'Insight est l'hybride la moins coûteuse du marché. L'usine de Suzuka prévoit construire 200 000 exemplaires par année. De ce nombre 5 000 devraient trouvés preneurs au Canada. Honda prépare également un autre modèle hybride à orientation sport, la CR-Z, qui ressemble plus à la première Insight, qui profitera de la même technologie hybride que l'Insight pour l'année modèle 2012. Il y aura même une Fit hybride d'ici 2015.

2e OPINION

MICHEL CRÉPAULT Honda a compris que le consommateur prêt à investir dans la technologie hybride veut aussi afficher son intention de sauver la planète. D'où la silhouette en balle de fusil encore plus prononcée que d'habitude. L'allure futuriste est indéniable, mais il y a un prix à payer: l'accès aux places arrière est rendu ardu à cause de l'embrasure en angle et du pavillon qui chute. Parlez-en à mon crâne ! À l'intérieur, c'est un carnaval Nintendo de cadrans et d'infos écolos. Et pourquoi pas, sauf que, en plein soleil et avec des lunettes fumées, on ne distingue plus rien. La conduite est adéquate pour qui ne s'offusque pas de la voie de droite. Les dépassements sont sûrs, rassurez-vous, mais ce n'est tout simplement pas dans l'ADN de cette voiture, bien que cette génération soit plus alerte que la précédente.

5 FICHE TECHNIQUE

· Moteur
(LX, EX)
L4 1,3 l SACT, i-VTEC+ IMA (moteur électrique), 98 ch à 5800 tr/min
Couple 123 lb-pi à 1000-1500 tr/min
Transmission automatique à variation continue,
0-100 km/h 13,0 s
Vitesse maximale 170 km/h
Consommation (100 km) LX 4,8 l (octane 87)

· AUTRES COMPOSANTES
freins ABS, répartition électronique de force de freinage, assistance au freinage, système de contrôle de la stabilité
Suspension avant/arrière indépendante
Freins avant/arrière assistés à disques ventilés/ à tambours
Direction à crémaillère, assistée électrique
Pneus toutes saisons : P175/65 R15

· DIMENSIONS
Empattement 2550mm
Longueur 4376 mm
Largeur 1694 mm
Hauteur 1427 mm
Poids 1300 kg
Diamètre de braquage 11,0 m
Coffre 450 litres, 891 litres (sièges abaissés)
Réservoir de carburant 40 l

NOS MENTIONS

Le choix vert

Modèle recommandé

NOTRE VERDICT

Plaisir au volant
Qualité de finition
Consommation
Rapport qualité/prix
Valeur de revente Nm

ODYSSEY

www.honda.ca

N ÉVOLUTION É J

31 490 $ à 48 890 $
transport et préparation: 1560 $

LA COTE VERTE

MOTEUR V6 DE 3,5 L
- **Consommation (100km):** DX, LX, EX 10,9 l
- **Émissions polluantes CO_2 :** DX, LX, EX 5328 kg/an
- **Empreinte écologique (nombre d'arbres à planter par année):** 32
- **Indice d'octane:** 87
- **Autre motorisation:** non
- **Coût du carburant moyen par année:** 2220 $
- **Nombre de litres par année:** 2220 l

(source: ÉnerGuide)

1 FICHE D'IDENTITÉ
- **Versions** DX, LX, EX, EX-L, Touring
- **Roues motrices** avant
- **Portières** 4 **Nombres de passagers** 8
- **Première génération** 1995
- **Génération actuelle** 2005
- **Construction** Alliston, Ontario, Canada
- **Sacs gonflables** 6 (frontaux, latéraux avant, rideaux latéraux)
- **Concurrence**, Chrysler Town & Country, Dodge Grand Caravan, Kia Sedona, Nissan Quest, Toyota Sienna, Volkswagen Routan

2 AU QUOTIDIEN
- **Prime d'assurance**
  25 ans: 1300 à 1500 $
  40 ans: 1000 à 1200 $
  60 ans: 800 à 1000 $
- **Collision frontale** 5/5
- **Collision latérale** 5/5
- **Ventes du modèle de l'an dernier**
  Au Québec 1771 **Au Canada** 10 125
- **Dépréciation** (3 ans) 38,8%
- **Rappels** (2004 à 2009) 6
- **Cote de fiabilité** 4/5

3 GARANTIES... ET PLUS
- **Garantie générale** 3 ans/60 000 km
- **Garantie motopropulseur** 5 ans/100 000 km
- **Perforation** 5 ans/kilométrage illimité
- **Assistance routière** 3 ans/kilométrage illimité
- **Nombre de concessionnaires**
  Au Québec 63 **Au Canada** 226

4 NOUVEAUTÉS EN 2010
- Aucun changement majeur

SEULE AU SOMMET

PAR FRANCIS BRIÈRE

LE MARCHÉ DE LA FOURGONNETTE EST ÉBRANLÉ. DEPUIS L'AVÈNEMENT DES VÉHICULES UTILITAIRES SPORT, ELLE A PERDU EN POPULARITÉ. Reste que les constructeurs offrent toujours un modèle aux inconditionnels, et Honda ne fait pas exception. Heureusement pour nous, car son Odyssey demeure la championne de la catégorie. Quand son prix devient son seul défaut, cela signifie que la qualité est au rendez-vous.

[CARROSSERIE] Alors qu'une refonte avait été annoncée pour 2009, on ne constate que bien peu de changements en matière d'esthétique. Même si la fourgonnette n'est pas le genre de véhicule à faire tourner les têtes, l'Odyssey affiche une allure sympathique. Sa carcasse de forme carrée permet de conserver un maximum d'espace de chargement tout en affichant un profil plus dynamique que ses rivales. Les portes coulissantes et la généreuse surface vitrée constituent l'essentiel d'une carrosserie de fourgonnette. Aucun compromis n'est possible pour l'Odyssey.

[HABITACLE] La fourgonnette de Honda propose un habitacle exceptionnel. Les occupants bénéficient d'un confort douillet grâce aux sièges et à l'ergonomie. La console et la planche de bord offrent un accès pratique à toutes les commandes, que ce soit pour la navigation, la climatisation, les commandes de portières ou la chaîne audio. En revanche, certains boutons se retrouvent un peu bas. Pour encore plus de confort, des zones multiples de climatisation ont été prévues. Fait étonnant, la troisième banquette peut facilement loger trois adultes qui jouiront d'autant de confort qu'à l'avant. Que dire de l'espace de rangement, sinon que de nombreux compartiments servent à dissimuler des objets, de même que le coffre qui prévoit suffisamment de dégagement pour y loger de nombreux bagages, même avec les trois banquettes relevées. Le système de reconnaissance vocal *Hands Free link* peut donner des boutons à l'occasion. Si vous tentez de relier un téléphone portable au dispositif Bluetooth, vous n'aurez d'autres choix que de l'utiliser. On a réussi mieux en matière de technologie. Soit mon accent est

FORCES · Qualité de finition · Conduite en douceur · · Consommation de carburant raisonnable · Moteur sophistiqué

FAIBLESSES · Coût des options · Freinage moyen

incompréhensible, soit le système mériterait une bonne mise à jour...

[MÉCANIQUE] L'Odyssey profite toujours de l'excellent V6 de 3,5 litres qui développe 244 chevaux. Pour les modèles EX-L et Touring, un moteur i-VTEC désactive trois cylindres au besoin pour une meilleure consommation de carburant. La boîte de vitesses à 5 rapports suffit à la tâche et effectue les passages en douceur. Par rapport à la concurrence, l'Odyssey possède un moteur dont le raffinement technologique lui donne une longueur d'avance. Chez Honda, c'est le freinage qui mériterait une révision à la hausse. Le poids important du véhicule exige des freins plus puissants.

[COMPORTEMENT] La tenue de route de l'Odyssey est irréprochable. Pour un véhicule de ce genre, la direction est précise, les accélérations sont douces. Cette fourgonnette étonne par sa maniabilité. Le conducteur profite d'une grande douceur de roulement, mais il obtient toute l'information nécessaire pour prendre des décisions judicieuses. On l'apprécie sur l'autoroute mais également en ville. Le fameux système de désactivation des cylindres fait des merveilles. Sans à-coups, quand le conducteur décélère ou roule à vitesse constante, le dispositif désactive trois des six cylindres. Un témoin s'allume pour indiquer que le véhicule économise du carburant. Sur la route, il est possible d'obtenir une consommation de l'ordre des 8 litres aux 100 kilomètres. En ville, il faut s'attendre à 11,5 litres aux 100 kilomètres, ce qui est plus que raisonnable.

[CONCLUSION] La seule fourgonnette qui se rapproche de la Honda Odyssey en ce qui concerne le confort, la tenue de route, l'équipement, l'espace de chargement et l'agrément de conduite est la Hyundai Entourage. Cependant, l'Odyssey demeure au sommet. Son prix est plus élevé, certes, mais vous obtenez ce qu'il y a de mieux. On choisit un véhicule utilitaire sport pour son allure plus masculine. En revanche, à valeur égale, l'Odyssey vous en donne plus. Pour la famille, pour transporter des objets ou des passagers, elle demeure la meilleure option sur le marché à l'heure actuelle.

2e OPINION

DANIEL RUFIANGE Dans le segment des fourgonnettes, l'Odyssey trône comme César sur Rome, et un changement de dictateur n'est pas pour demain. Malgré de beaux efforts du côté de Toyota (Sienna) et de Hyundai (Entourage), l'Odyssey demeure dans une classe à part. Sa conduite est douce au possible, son habitacle, d'un confort étonnant, peu importe le fauteuil choisi, et sa consommation de carburant, fabuleuse. Chrysler a inventé le style avec l'Autobeaucoup en 1984. Vingt-cinq ans plus tard, on se demande comment on pourrait améliorer un produit si complet. Malheureusement pour Honda, l'Odyssey s'accompagne d'un « défaut » qui la prive d'une popularité plus représentative, et j'ai nommé son prix. Seuls les patriciens peuvent se la payer. Heureusement, la concurrence offre de bonnes solutions de rechange à la plèbe.

5 FICHE TECHNIQUE

· MOTEURS
V6 3,5 l SACT, 244 ch à 5750 tr/min
Couple 240 lb-pi à 5000 tr/min
Transmission automatique à 5 rapports
0-100 km/h 11,2 s
Vitesse maximale 195 km/h

· AUTRES COMPOSANTES
Sécurité active freins ABS, assistance au freinage, distribution électronique de force de freinage, antipatinage, contrôle de stabilité électronique
Suspension avant/arrière indépendante
Freins avant/arrière disques
Direction à crémaillère, assistée
Pneus P235/65R16 Touring P235/60R17

· DIMENSIONS
Empattement 3000 mm
Longueur 5132 mm
Largeur 1958 mm
Hauteur 1778 mm
Poids DX 1992 kg **LX** 2009 kg **EX** 2031 kg **EX-L** 2066 kg **Touring** 2106 kg
Diamètre de braquage 11,2 m
Coffre 1934 l, 4173 l (sièges abaissés)
Réservoir de carburant 80 l
Capacité de remorquage 1518 kg

NOS MENTIONS

Clé d'or de sa catégorie

Modèle recommandé

NOTRE VERDICT

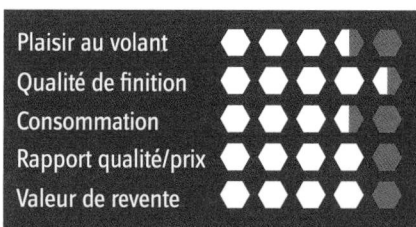

Plaisir au volant
Qualité de finition
Consommation
Rapport qualité/prix
Valeur de revente

PILOT

www.honda.ca

N ÉVOLUTION É J

36 820 $ à 50 420 $
transport et préparation: 1560 $

LA COTE VERTE

MOTEUR V6 DE 3,5 L
- **Consommation (100km):** **2RM** 10,7 l **4RM** 11,1 l
- **Émissions polluantes CO_2 :** **2RM** 5232 kg/an **4RM** 5424 kg/an
- **Empreinte écologique (nombre d'arbres à planter par année):** 32
- **Indice d'octane:** 87
- **Autre motorisation:** non
- **Coût du carburant moyen par année:** **2RM** 2180 $ **4RM** 2260 $
- **Nombre de litres par année:** **2RM** 2180 l **4RM** 2260 l

(SOURCE: ÉnerGuide)

1 FICHE D'IDENTITÉ
- **Versions** LX 2RM, LX, EX, EX-L, Touring
- **Roues motrices** 2, 4
- **Portières** 4 **Nombre de passagers** 8
- **Première génération** 2003
- **Génération actuelle** 2009
- **Construction** Alliston, Ontario, Canada
- **Sacs gonflables** 6 (frontaux, latéraux, rideaux latéraux)
- **Concurrence** Buick Enclave, Ford Edge/Flex, GMC Acadia, Hyundai Veracruz, Kia Sorento, Nissan Murano, Suzuki XL7, Toyota Highlander

2 AU QUOTIDIEN
- **Prime d'assurance**
  25 ans: 2000 à 2200 $
  40 ans: 1300 à 1500 $
  60 ans:1000 à 1200 $
- **Collision frontale** 5/5
- **Collision latérale** 5/5
- **Ventes du modèle de l'an dernier**
  Au Québec 840 **Au Canada** 5564
- **Dépréciation** 41,5%
- **Rappels** (2004 à 2009) 1
- **Cote de fiabilité** 5/5

3 GARANTIES... ET PLUS
- **Garantie générale** 3 ans/60 000 km
- **Garantie motopropulseur** 5 ans/100 000 km
- **Perforation** 5 ans/kilométrage illimité
- **Assistance routière** 3 ans/kilométrage illimité
- **Nombre de concessionnaires**
  Au Québec 63 **Au Canada** 226

4 NOUVEAUTÉS EN 2010
- Aucun changement majeur

AU-DELÀ DES APPARENCES

PAR BENOIT CHARETTE

SOUS UNE ROBE MAL DÉGROSSIE SE CACHE SANS DOUTE LE MEILLEUR UTILITAIRE DE SA CATÉGORIE ET LE PLUS ÉCONOME EN CARBURANT. Le Pilot n'a certes pas très fière allure, mais il faut aller au-delà de cette première impression visuelle pour vraiment apprécier ce véhicule.

[CARROSSERIE] Les gens de Honda n'ont pas caché leurs intentions avec le nouveau Pilot. Les lignes plus carrées sont celles d'un utilitaire. Les Américains ont inventé l'allure de cowboy, mais de voir un lutteur de Sumo avec un Stetson de 10 gallons et une ceinture Harley-Davidson manque d'authenticité. Il faut parler de la calandre qui est aussi visible que le nez de Cyrano de Bergerac. Contrairement à la calandre du Buick Enclave, qui est massive mais en harmonie avec le reste du véhicule, celle du Pilot jure avec le véhicule et ressemble à une verrue au bout du doigt; elle est trop éclatée face au reste du véhicule beaucoup plus discret. À l'exception de l'avant, la silhouette du nouveau Pilot est tout en courbes et plus harmonieuse que la présente version qui avait plutôt l'air d'une boîte à lunch.

[HABITACLE] L'instrumentation analogique en 3D semble flotter sur une surface transparente. Les commandes sont faciles à consulter, et l'éclairage orange de nuit ajoute une touche de style. Cela se complique un peu pour la console centrale, qui comporte beaucoup de boutons, spécialement dans la version Touring équipée du système de navigation. Il m'a fallu prendre quelques minutes avant le départ pour bien comprendre toutes les commandes. Le confort des sièges est en progression face à la première génération, et il y a de l'espace pour deux adultes à la troisième rangée. L'augmentation de sa longueur et de sa largeur extérieures, respectivement de 74 et de 25 millimètres, a permis d'accroître le volume d'espace intérieur de 116 litres (EX-L), entraînant ainsi une amélioration de l'aspect pratique des 2e et 3e rangées ainsi que de l'aire de chargement. On peut rabattre à plat les sièges au moyen d'un simple levier dans le coffre.

[MÉCANIQUE] C'est la consommation de carburant qui est le plus gros handicap de ces véhicules, et Honda l'a compris. Les 250 chevaux

FORCES · Aménagement pratique 3e banquette utilisable · Consommation plus que raisonnable

FAIBLESSES ·Lignes qui ne font pas l'unanimité · Prix élevé

4 500 livres pour le 4RM, idéal pour les propriétaires de roulotte ou de bateau.

[CONCLUSION] Pour ceux qui grimacent à l'idée de se voir au volant d'une fourgonnette, le Pilot devient le meilleur choix du moment. Il offre la conduite toujours appréciée des produits Honda et une consommation sous la moyenne pour ce type de véhicule.

du moteur V6 sont couplés à une technologie « intelligente » à contrôle électronique du calage et du degré d'ouverture variable des soupapes (i-VTEC) avec gestion des cylindres variable (VCMMC). Elle permet au moteur de fonctionner en mode à 6 cylindres pour la puissance et en modes à 4 et à 3 cylindres pour l'efficacité. Le système de fonctionnement 4 x 4, totalement automatique à contrôle variable du couple (VTM-4), est livrable sur tous les modèles. Un voyant vert affichant l'inscription ECO s'allume quand le moteur fonctionne en mode à 3 ou à 4 cylindres, et l'économie de carburant est appréciable. Lors de notre semaine d'essai, nous avons maintenu une moyenne sous la barre des 11 litres aux 100 kilomètres, ce qui est excellent.

[COMPORTEMENT] Comme tous les produits Honda, la conduite est précise, sans à-coups et toujours à la hauteur. Certains pointent du doigt la boîte de vitesses automatique à 5 rapports. Les ingénieurs de Honda m'ont répondu qu'il était très difficile techniquement d'associer une boîte à rapports avec le système de désactivation des cylindres. De toute manière, je n'ai rien à reprocher à la boîte, qui offre une belle chimie avec la mécanique. Sur la route et dans les chemins de gravier, le Pilot ne perd jamais ses moyens. Sans être sportive, la direction est précise, et le véhicule ne semble pas faire son poids. Il faut également souligner l'excellent diamètre de braquage, ce camion tourne littéralement sur une pièce de 10 cents, plutôt rare dans cette catégorie. La visibilité demeure un point fort, et la capacité de remorquage passe de 3 500 à

2e OPINION

JEAN-PIERRE BOUCHARD Le Pilot a pris du coffre depuis la refonte de l'an dernier. C'est la tendance « lourde » du côté des constructeurs. J'aimais pourtant bien le précédent que j'avais notamment eu l'occasion d'utiliser pour un voyage de pêche en famille : cinq personnes, une quantité de bagages et tout l'attirail de pêche. Bien entendu, le nouveau est plus gros, plus spacieux. Mes passagers auraient peut-être apprécié. Mais il est plus encombrant aussi. Le moteur V6 fournit un bon rendement non seulement en termes de performances et de douceur de fonctionnement mais également en matière de consommation de carburant. Car étonnamment, certains utilitaires plus compacts ne font pas aussi bien à ce chapitre. Ne vous méprenez toutefois pas : c'est quand même 13 litres aux 100 kilomètres, en moyenne ! Le nouveau Pilot présente bien de nombreux raffinements sur le plan technologique. Mais je garde de la précédente génération un meilleur souvenir. Et pourtant, la pêche avait été mauvaise !

(5) FICHE TECHNIQUE

· MOTEUR
V6 3,5 l SACT, 250 ch à 5700 tr/min
Couple 253 lb-pi à 4800 tr/min
Transmission automatique à 5 rapports
0-100 km/h 9,1 s
Vitesse maximale 175 km/h

· AUTRES COMPOSANTES
Sécurité active Freins ABS, distribution électronique de force de freinage, antipatinage, contrôle de stabilité électronique
Suspension avant/arrière indépendante
Freins avant/arrière disques
Direction à crémaillère, assistée
Pneus P245/65R17

· DIMENSIONS
Empattement 2775 mm
Longueur 4850 mm
Largeur 1995 mm
Hauteur 1846 mm
Poids LX 2RM 1963 kg **LX 4RM** 2047 kg
EX 2042 kg **EX-L** 2058 kg **Touring** 2090 kg
Diamètre de braquage 11,8 m
Coffre 589 l
Réservoir de carburant 79,5 l
Capacité de remorquage 2RM 1590 kg
4RM 2045 kg

NOS MENTIONS

Modèle recommandé

NOTRE VERDICT

Plaisir au volant	3,5/5
Qualité de finition	4/5
Consommation	3,5/5
Rapport qualité/prix	4/5
Valeur de revente	4/5

RIDGELINE

www.honda.ca

N ÉVOLUTION É J

34 490 $ à 42 990 $
transport et préparation: 1590 $

LA COTE VERTE

AVEC MOTEUR V6 DE 3,5 L

- **Consommation (100km):** 12,3 l
- **Émissions polluantes CO_2 :** 5808 kg/an
- **Empreinte écologique (nombre d'arbres à planter par année):** 36
- **Indice d'octane:** 87
- **Autre motorisation:** non
- **Coût du carburant moyen par année:** 2420 $
- **Nombre de litres par année:** 2420 l

(SOURCE: ÉnerGuide)

1 FICHE D'IDENTITÉ

- **Versions** DX, VP, EX-L, EX-L Navi
- **Roues motrices** 4
- **Portières** 4 **Nombre de passagers** 5
- **Première génération** 2006
- **Génération actuelle** 2006
- **Construction** Alliston, Ontario, Canada
- **Sacs gonflables** 6 (frontaux, latéraux avant, rideaux latéraux)
- **Concurrence** Dodge Dakota, Ford Explorer Sport Trac, Mitsubishi Endeavor, Nissan Frontier, Toyota Tacoma

2 AU QUOTIDIEN

- **Prime d'assurance**
  25 ans: 1600 à 1800 $
  40 ans: 1100 à 1300 $
  60 ans: 900 à 1100 $
- **Collision frontale** 5/5
- **Collision latérale** 5/5
- **Ventes du modèle de l'an dernier**
  Au Québec 711 **Au Canada** 3987
- **Dépréciation** 49,2%
- **Rappels** (2004 à 2009) 3
- **Cote de fiabilité** 4/5

3 GARANTIES... ET PLUS

- **Garantie générale** 3 ans/60 000 km
- **Garantie motopropulseur** 5 ans/100 000 km
- **Perforation 5 ans**/kilométrage illimité
- **Assistance routière** 3 ans illimité
- **Nombre de concessionnaires**
  Au Québec 63 **Au Canada** 226

4 NOUVEAUTÉS EN 2010

- trois nouvelles couleurs de carrosserie (Argent, noir et métal)

POURQUOI ?

PAR FRÉDÉRIC MASSE

IL Y A DE CES MYSTÈRES DANS LA VIE. LES VENTES DE LA RIDGELINE EN SONT UN. ÉVIDEMMENT, ELLE N'EST PAS DONNÉE, ET SON DESIGN LAISSE DE GLACE NOMBRE D'AMATEURS DE CAMIONS. Cependant, avec les qualités dont elle dispose, elle devrait figurer en tête des ventes des véhicules de ce type, ce qui n'est vraiment pas le cas. J'ai une fois de plus profité de mes vacances estivales pour tester les aptitudes de la Honda et parcouru plus de 2200 kilomètres à son volant. Je suis arrivé à la même conclusion : quelle camionnette fantastique ! Portrait d'une incomprise.

[CARROSSERIE] Oui, son style est peu orthodoxe, et, dans le monde traditionnel des camionnettes, il dérange... encore. Quand je réfère ce véhicule aux personnes qui me demandent mon avis sur une camionnette intermédiaire, j'entends souvent parler de son design... et c'est rarement en bien. Pourtant, si on n'a pas besoin d'une longue caisse ni d'une véritable quatre roues motrices, la Ridgeline se révèle un choix rationnel. Elle propose notamment des innovations intéressantes, comme un coffre étanche situé dans la caisse arrière, qui peut facilement recevoir deux valises. De plus, son hayon, qui s'ouvre horizontalement et verticalement. En plus, sa caisse de cinq pieds en composite vous évite d'érafler la carrosserie quand vous y mettez des objets qui pourraient l'abîmer.

[HABITACLE] Très austère lors de sa sortie, l'habitacle est maintenant plus vivant. Des cadrans plus stylisés, des boutons pratiques et bien pensés, des espaces de rangement quasi illimités, voilà ce que vous trouverez dans la camionnette. Au chapitre des sièges, vous ne serez pas en reste puisqu'ils proposent une assise confortable tant à l'avant qu'à l'arrière, où il y a immensément d'espace. Parlant de cette banquette arrière, elle se replie sur elle-même en un tournemain pour vous permettre d'y mettre vos pénates directement sur le plancher. Si l'on doit parler de la qualité de finition, retenez que c'est impeccable. Même son de cloche pour le système de navigation et l'ergonomie des commandes qui demeurent simples à utiliser. C'est tout à fait impeccable dans l'ensemble.

FORCES • Rangements nombreux • Confort de roulement • Finition de l'habitacle • Consommation de carburant raisonnable • Valeur de revente et fiabilité • Format intelligent

FAIBLESSES • Design discutable • Moteur juste avec remorque lourde • Caisse un peu courte

[MÉCANIQUE] Pour une première fois, j'ai trouvé le V6 de 3,5 litres de 250 chevaux et 247 livres-pieds à 4 300 tours par minute un peu juste dans certaines circonstances. À l'accélération et sur la route, il n'y avait aucun problème; à preuve, la Ridgeline fait notamment le 0 à 100 km/h en moins de huit secondes. Mais, une fois bien chargée et avec une remorque, disons qu'on s'ennuie d'un V8 quand vient le temps de dépasser sur les routes secondaires. Par contre, à sa défense, ma lecture de consommation de carburant, qui se situait en deçà des 12 litres aux 100 kilomètres, avait tout pour me réconforter. Il faut également dire que l'ensemble moteur et boîte automatique à 5 rapports accomplit un travail tout en douceur.

[CONDUITE] Grâce à sa suspension à 4 roues indépendantes, une configuration peu commune dans le monde des camionnettes, et à son châssis hybride, la Ridgeline se conduit à merveille. Elle conserve son aplomb dans les tests de slalom et d'évitement d'obstacles. C'est même plutôt impressionnant. Grâce à une direction bien dosée, elle est la camionnette urbaine idéale, pas trop longue ni trop difficile à garer. Grâce à un système à quatre roues motrices VTM-4 très efficace (qui n'a toutefois pas de basse gamme), elle est capable de vous mener à bon port et n'a pas peur de sortir des sentiers battus. De plus, la merveille dans cette histoire, c'est que la Ridgeline le fera confortablement. C'est évident que la camionnette n'est pas conçue pour les immenses travaux et pour tracter de très lourdes charges, mais elle s'en sort tout de même fort bien en offrant une capacité de remorquage de 2268 kilos et une charge utile de 705 kilos.

[CONCLUSION] La Honda se révèle certainement l'une des meilleures offres du marché si l'on cherche une camionnette fiable, polyvalente, capable d'en donner et d'en prendre. C'est intelligent, raisonnable, bien conçu et efficace. J'adorais la Ridgeline et je l'aime un peu plus à chaque fois que je l'essaie. Si j'étais aux camions, je commencerais même presque à la trouver belle !

2e OPINION

JEAN-PIERRE BOUCHARD La Ridgeline constitue un excellent compromis entre la robustesse d'une grande camionnette et le confort d'une voiture de tourisme. Ce véhicule réunit nombre de caractéristiques ingénieuses en plus d'être doté d'un habitacle spacieux et bien aménagé qui permet d'offrir un grand confort pour au moins quatre personnes. Derrière le volant, le conducteur a le sentiment d'être à bord d'un utilitaire sport. Le V6 de 3,5 litres et la boîte de vitesses automatique fournissent un excellent rendement non seulement en termes de performances mais également de consommation de carburant. Sur la route, cette Honda fait preuve d'une grande civilité, tant par son confort que par sa douceur de roulement. Et en plus, elle autorise une capacité de remorquage capable de satisfaire la plupart des besoins de ces citadins qui doivent tracter une remorque, par exemple. La Ridgeline fait partie de ces choix logiques, moins encombrants qu'une vraie camionnette montée sur un châssis en échelle.

5 FICHE TECHNIQUE

· MOTEUR
V6 3,5 l SACT, 250 ch à 5700 tr/min
Couple 247 lb-pi à 4300 tr/min
Transmission automatique à 5 rapports
0-100 km/h 8,9 s
Vitesse maximale 200 km/h

· AUTRES COMPOSANTES
Sécurité active Freins ABS, assistance au freinage, répartition électronique de force de freinage, antipatinage, contrôle de stabilité électronique
Suspension avant/arrière indépendante
Freins avant/arrière disques
Direction à crémaillère, assistée
Pneus DX, VP P245/65R17,
EXL, EXL Navi P245/60R18

· DIMENSIONS
Empattement 3100 mm
Longueur 5255 mm
Largeur 1976 mm
Hauteur 1786 mm, 1808 mm (avec toit ouvrant)
Poids DX 2047 kg **VP** 2033 k **EX-L** 2065 kg
EX-L Navi 2070 kg
Diamètre de braquage 13,0 m
Coffre 240,7 l, 1172 l (sièges abaissés)
Réservoir de carburant 83 l
Capacité de remorquage 2268 kg

NOS MENTIONS

Modèle recommandé
Clé d'or de sa catégorie

NOTRE VERDICT

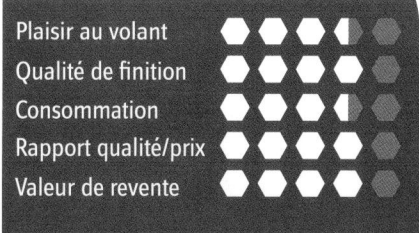

Plaisir au volant
Qualité de finition
Consommation
Rapport qualité/prix
Valeur de revente

ACCENT

www.hyundaicanada.ca

N ÉVOLUTION É J

14 299 $ à 18 999 $
transport et préparation: 1495 $

LA COTE VERTE

AVEC MOTEUR L4 DE 1,6 L

- **Consommation (100km):** **man.** 6,8 l **autom.** 7,2 l
- **Émissions polluantes CO_2 :** **man.** 3264 kg/an **auto.** 3312 kg/an
- **Empreinte écologique (nombre d'arbres à planter par année):** 20
- **Indice d'octane:** 87
- **Autre motorisation:** non
- **Coût du carburant moyen par année:** **man.** 1360$ **auto.** 1380 $
- **Nombre de litres par année:** **man.** 1360 l **auto.** 1380 l

(SOURCE: ÉnerGuide)

1 FICHE D'IDENTITÉ

- **Versions** L, GL (berline et hayon), GLS (berline), GL Sport (hayon)
- **Roues** motrices avant
- **Portières** 3, 4 **nombre de passagers** 4
- **Première génération** 1995
- **Génération actuelle** 2006
- **Construction** Ulsan, Corée du Sud
- **Sacs gonflables** 6 (frontaux, latéraux avant, rideaux latéraux sur GLS)
- **Concurrence** Chevrolet Aveo, Honda Fit, Kia Rio, Nissan Versa, Suzuki Swift+, Toyota Yaris

2 AU QUOTIDIEN

- **Prime d'assurance**
  25 ans: 1200 à 1400 $
  40 ans: 1000 à 1100 $
  60 ans: 800 à 1000 $
- **Collision frontale** 5/5
- **Collision latérale** 4/5
- **Ventes du modèle de l'an dernier**
  Au Québec 15 777 **Au Canada** 29 751
- **Dépréciation** 57,4%
- **Rappels** (2004 à 2009) 1
- **Cote de fiabilité** 4/5

3 GARANTIES... ET PLUS

- **Garantie générale** 5 ans/100 000 km
- **Garantie motopropulseur** 5 ans/100 000 km
- **Perforation** 5 ans/kilométrage illimité
- **Assistance routière** 3 ans/kilométrage illimité
- **Nombre de concessionnaires**
  Au Québec 56 **Au Canada** 144

4 NOUVEAUTÉS EN 2010

- Aucun changement majeur

QUI DIT MIEUX ?

PAR FRANCIS BRIÈRE

LES CONSTRUCTEURS JUMEAUX HYUNDAI ET KIA VEULENT QU'ON LES PRENNE AU SÉRIEUX. Nous l'avons vu avec la Genesis l'an dernier, cette année avec le Soul et d'autres nouveautés. Les Coréens sont décidés à conquérir le marché de la voiture abordable et misent toujours sur des modèles comme l'Accent pour le faire. À un prix aussi concurrentiel, un acheteur de sous-compacte doit sérieusement réfléchir avant d'arrêter son choix sur une concurrente. Il faut retenir que le bas prix ne cache pas nécessairement une mauvaise affaire...

[CARROSSERIE] Avec une première génération en 1995, Hyundai a tenu bon en nous présentant une dernière cuvée en 2006. Le modèle à hayon présente la mine la plus chouette avec ses formes arrondies. On la préfère à son clone, la Kia Rio. Dans cette catégorie, il s'agit de l'un des modèles les plus attrayants en termes d'esthétique. Il n'y a rien de grossier dans cette présentation : phares discrètement intégrés à l'avant et à l'arrière, calandre joliment dessinée, devanture bien profilée.

[HABITACLE] En se procurant une Accent de base à moins de 10 000 dollars, il ne faut pas s'attendre à monter à bord d'une voiture de grand luxe à la finition épatante. On bénéficie d'un habitacle honnête, construit à partir de matériaux dont la qualité se compare à celle de la majorité des voitures de cette catégorie. Les sièges sont un peu durs, mais pas désagréables. La planche de bord simpliste offre l'essentiel : commandes de la ventilation, de la radio, etc. En comparant la présentation de l'Accent avec celle de la concurrence, on constate son efficacité. Bien que la liste d'équipements soit relativement courte, l'Accent en version de base possède un lecteur de CD compatible avec les MP3, un essuie-glace arrière et un volant inclinable. Que demander de plus !

[MÉCANIQUE] Hyundai ne propose qu'un seul moteur pour l'Accent. Il s'agit d'un 4-cylindres de 1,6 litre développant 110 chevaux. Le raffinement technologique en ce qui concerne les éléments mécaniques n'est pas l'affaire des Coréens. Il faut se rendre à l'évidence, les moteurs japonais sont plus sophistiqués : roulement plus doux,

FORCES • Prix concurrentiel • Allure sympathique • Confort et douceur

FAIBLESSES • Espace un peu juste • Moteur peu sophistiqué • Boîtes de vitesses

ACCENT

plus silencieux, meilleures boîtes de vitesses. Justement, voici un autre élément qui nous fait suer. Si vous optez pour la boîte manuelle, elle vous donnera du fil à retordre, surtout avec cette pédale d'embrayage aussi molle que du Jello. La boîte automatique n'offre que 4 rapports, un élément fort vétuste en 2010 ! Le moteur devient bruyant en accélération, et les changements de rapports sont laborieux. Un de plus améliorerait la consommation de carburant sur l'autoroute. Le freinage mériterait une mise à jour. On devrait compter sur le système ABS même pour les versions de base, mais à ce prix, il ne faut pas trop en demander.

[COMPORTEMENT] Très honnête, la tenue de route de l'Accent n'a rien à envier à celles de la Honda Fit et de la Chevrolet Aveo. Une fois engagée sur la route à bonne vitesse (cela prend un certain temps), elle tient le cap comme une grande ! La direction rassure le conducteur malgré une légère imprécision. Si le plaisir de conduire est rarement l'élément le plus recherché de ces voitures, on ne peut dire que l'Accent n'en procure aucunement. Les occupants seront davantage surpris par sa douceur de roulement et le confort qu'elle procure.

[CONCLUSION] L'un des éléments qui justifient le bas prix de l'Accent est probablement la qualité médiocre de ses pneus. Des caoutchoucs de bonne qualité lui rendraient davantage justice. À moins de 10 000 dollars, comment ne pas recommander une petite voiture aussi sympathique ? L'utilité du véhicule automobile, soit de transporter des passagers ou des objets du point A au point B prend tout son sens avec l'Accent. Elle sert son propriétaire et le fait très bien. Il est vrai que la concurrence complique les choses. En revanche, on ne trouve pas mieux à prix égal.

2e OPINION

BENOIT CHARETTE En ces temps de crise, Hyundai met les bouchées doubles pour attirer la clientèle dans les concessions, et la stratégie fonctionne plutôt bien. L'une des vedettes de cette aventure est la petite Accent. Tenue de route saine et facile, habitabilité correcte, prix bien étudiés, équipement complet; l'Accent est difficile à critiquer ! On peut juste lui reprocher des sièges un peu fermes, une suspension parfois sautillante, une direction un peu floue et des boîtes de vitesses qui font montre d'un certain retard technologique. Quant à la garantie de cinq ans, elle permet au constructeur coréen de donner des sueurs froides à la concurrence ! Question rapport qualité-prix, c'est un modèle dur à battre. Et si vous l'achetez neuve, de grâce changez immédiatement les horribles pneus d'origine qui ne valent pas plus que du papier mâché.

5 FICHE TECHNIQUE

- **MOTEUR**
- L4 1,6 l DACT, 110 ch à 6000 tr/min
  Couple 106 lb-pi à 4500 tr/min

Transmission manuelle à 5 rapports, automatique à 4 rapports sur GLS (en option sur L, GL, GL Sport)
0-100 km/h 10,6 s

- **AUTRES COMPOSANTES**

Sécurité active freins ABS et répartition électronique de force de freinage (sur GLS)
Suspension avant/arrière indépendante/ essieu rigide
Freins avant/arrière disques/tambours
Direction à crémaillère, assistée
Pneus P185/65R14 **GLS** P195/55R15
GL Sport P205/45R16

- **DIMENSIONS**

Empattement 2500 mm
Longueur hayon 4045 mm **berl.** 4280 mm
Largeur 1695 mm
Hauteur 1470 mm
Poids hayon 1058 kg **berl.**1080 kg
Diamètre de braquage 10,2 m
Coffre hayon 450 l **ber.** 351 l
Réservoir de carburant 45 l

NOS MENTIONS

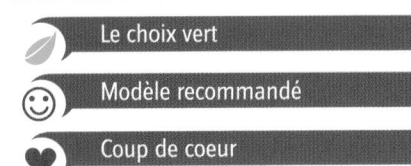

Le choix vert
Modèle recommandé
Coup de coeur

NOTRE VERDICT

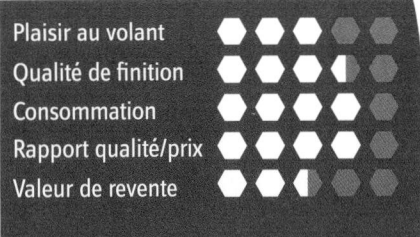

Plaisir au volant
Qualité de finition
Consommation
Rapport qualité/prix
Valeur de revente

ELANTRA

www.hyundaicanada.ca

N · ÉVOLUTION · É · J

15 845 $ à 23 795 $
transport et préparation: 1495 $

LA COTE VERTE

MOTEUR
L4 DE 2,0 L

- **Consommation (100km):** **man.** 7,2 l **auto.** 7,1 l
- **Émissions polluantes CO_2 :** **man.** 3504 kg/an **auto.** 3456 kg/an
- **Empreinte écologique (nombre d'arbres à planter par année):** 21
- **Indice d'octane:** 87
- **Autre motorisation:** non
- **Coût du carburant moyen par année:** **man.** 1460 $ **auto.** 1440 $
- **Nombre de litres par année:** **man.** 1460 l **auto.** 1440 l

(SOURCE: ÉnerGuide)

1 FICHE D'IDENTITÉ

- **Versions** Berline: L, GL, GL Sport, GLS, Limited Touring : L, GL, GL Sport, GLS
- **Roues motrices** avant
- **Portières** 4 **Nombre de passagers** 5
- **Première génération** 1992
- **Génération actuelle** 2007
- **Construction** Ulsan, Corée du Sud
- **Sacs gonflables** 6 (frontaux, latéraux avant, rideaux latéraux)
- **Concurrence** Chevrolet Cobalt, Ford Focus, Honda Civic, Kia Spectra, Mazda3, Mitsubishi Lancer, Nissan Sentra, Subaru Impreza, Suzuki SX4, Toyota Corolla, Volkswagen Rabbit / Jetta City

2 AU QUOTIDIEN

- **Prime d'assurance**
  25 ans: 1800 à 2000 $
  40 ans: 900 à 1100 $
  60 ans: 700 à 900 $
- **Collision frontale** 5/5
- **Collision latérale** 4/5
- **Ventes du modèle de l'an dernier**
  Au Québec 4954 **Au Canada** 11 814
- **Dépréciation** (3 ans) 54,6%
- **Rappels** (2004 à 2009) 4
- **Cote de fiabilité** 5/5

3 GARANTIES... ET PLUS

- **Garantie générale** 5 ans/100 000 km
- **Garantie motopropulseur** 5 ans/100 000 km
- **Perforation** 5 ans/kilométrage illimité
- **Assistance routière** 3 ans/kilométrage illimité
- **Nombre de concessionnaires**
  Au Québec 57 **Au Canada** 175

4 NOUVEAUTÉS EN 2010

- Nouveau modèle GLS Touring,

PRATIQUE ET SYMPATHIQUE

PAR JEAN-PIERRE BOUCHARD

QUAND VIENT LE TEMPS DE CHOISIR UNE VOITURE COMPACTE, LES CONSOMMATEURS ONT L'EMBARRAS DU CHOIX. LA CATÉGORIE REGROUPE D'IMPORTANTS JOUEURS QUI OFFRENT TOUS DES QUALITÉS INDÉNIABLES. Et comme ce n'était pas suffisant, elle doit désormais concurrencer la Kia Forte, propriété du constructeur sud-coréen. L'Elantra rassemble néanmoins des éléments qui en font une voiture qui mérite considération.

[CARROSSERIE] L'Elantra n'a pas le caractère d'une Mazda3 ni d'une Honda Civic sur le plan du design. La voiture affiche plutôt une élégante discrétion, et sa carrosserie est de loin plus originale que celle de la Toyota Corolla ou encore de la Ford Focus. Pour l'année de construction 2009, Hyundai la propose dans une pratique configuration à cinq portes, l'Elantra Touring. Celle ci repose sur une plateforme typiquement européenne. Ce qui en fait une voiture à part entière. Par comparaison à la berline, elle plus longue de 3 centimètres, et son empattement fait 5 centimètres de plus. Cette configuration remplace ainsi la familiale, disparue lors de la refonte de l'Elantra.

[HABITACLE] La berline et la cinq portes proposent un habitacle spacieux pour des voitures de cette catégorie. Les véhicules Hyundai démontrent un souci du détail et une rigueur dans l'assemblage des matériaux qui sont, pour la plupart, de qualité. L'Elantra n'a pas à rougir devant des compactes dont la notoriété est établie depuis des lustres, la Toyota Corolla ou la Honda Civic, par exemple. De plus, et ce qui ne gâche rien, la qualité de l'insonorisation est sans reproche. Je dirais même que c'est l'une des plus efficaces de la catégorie. À l'avant, les occupants profitent de sièges bien rembourrés ainsi que d'un généreux dégagement pour les jambes et la tête. Le conducteur est assis haut et peut trouver facilement une bonne position de conduite que la présence d'un volant télescopique sur les versions d'entrée de gamme rendrait toutefois plus facile. Toutes les Touring en sont, par contre, dotées de série. La présentation de la planche de bord et de l'instrumentation est moderne. Les commandes

FORCES · Style · Place dans l'habitacle · Modularité · Prix

FAIBLESSES · Sièges un peu durs · Puissance moteur un peu juste · Boîte automatique dépassée

ELANTRA

sont bien placées en plus d'être faciles à utiliser. À l'arrière, les passagers prennent place sur une banquette confortable et d'un bon dégagement pour la tête et les jambes.Un peu juste toutefois pour trois adultes. Le coffre de la berline et de la Touring figure sur la liste des plus spacieux de leur catégorie. On peut augmenter l'espace en rabattant les dossiers de la banquette.

[MÉCANIQUE] Pour la berline, le constructeur fait appel à un 4-cylindres de 2 litres muni de la distribution à programme variable, dont les 138 chevaux procurent des performances décentes au moment d'accélérer ou de dépasser. Ce moteur n'est pas aussi vigoureux que le 1,8-litre de la Corolla ou le 2,2 litres de la Chevrolet Cobalt, mais il s'acquitte honorablement de la tâche qui lui est confiée. La boîte de vitesses automatique à 4 rapports offerte en option fonctionne en douceur.

[COMPORTEMENT] La berline et la Touring offrent deux comportements routiers distincts, les deux toutefois caractérisés par une belle douceur de roulement. Étant donné la rigidité supérieure de sa plateforme et la fermeté accrue de sa suspension, la Touring assure une conduite qui donne davantage le sentiment d'être accroché au bitume. La berline mise surtout sur une portée confortable et l'absence de communication entre la direction et la route. À ce chapitre, la nouvelle Kia Forte fait toutefois un peu mieux.

[CONCLUSION] La proposition de Hyundai est honnête et mérite attention. La compacte rivalise avantageusement avec la concurrence américaine et japonaise sur le plan de la qualité de conception. Reste que la valeur de revente demeure toujours un peu plus faible. La Touring apporte un vent de fraîcheur et lui permet d'offrir une valeur ajoutée au sein d'une catégorie de voitures populaires.

2e OPINION

DANIEL RUFIANGE En voilà une qui a réussi à bien s'implanter dans son segment, notamment grâce à l'espace généreux de son habitacle et à sa facture très abordable. Personnellement, j'ai toujours trouvé cette voiture insipide et aussi excitante à conduire qu'une voiturette de golf électrique. N'en demeure pas moins qu'elle trouve preneur auprès de bon nombre d'amateurs qui apprécient son excellent rapport qualité-prix. L'arrivée de la version Touring cette année - l'I30 européenne du constructeur, une toute autre voiture - ajoute un atout de taille à la bannière. Plus pratique et bien plus intéressante que la berline en tous points de vue, je n'hésiterais pas un seul instant entre les deux. Souhaitons que l'Elantra berline se serve de la génétique de sa nouvelle sœurette lors de sa prochaine refonte.

5 FICHE TECHNIQUE

MOTEUR

L4 2,0 l DACT, 138 ch à 6000 tr/min
Couple 136 lb-pi à 4600 tr/min
Transmission manuelle à 5 rapports, automatique à 4 rapports (GLS, limited, option L, GL, GL Sport)
0-100 km/h 10,2 s
Vitesse maximale 190 km/h

AUTRES COMPOSANTES

Sécurité active freins ABS et répartition électronique de force de freinage (GL Sport, GLS)
Suspension avant/arrière indépendante
Freins avant/arrière L, GL disques / tambours, **GL Sport, GLS, Limited** disques aux 4 roues
Direction à crémaillère, assistée
Pneus GL, GL Confort, GL Plus P195/65R15, **GL Sport, GLS** P205/55R16 **Touring** P195/65R15, P215/45R17

DIMENSIONS

Empattement berl. 2650 mm **tour.** 2700 mm
Longueur berl. 4505 mm **tour.** 4485mm
Largeur berl. 1775 mm **tour.** 1765mm
Hauteur berl. 1480 mm **tour.** 1520 mm
Poids 1235 à 1313 kg
Capacité de remorquage: 340 kg, 680 kg (avec freins remorque)
Diamètre de braquage 10,3 m
Coffre berl. 402 l **tour.** 689
Réservoir de carburant 53 l

NOS MENTIONS

Modèle recommandé

NOTRE VERDICT

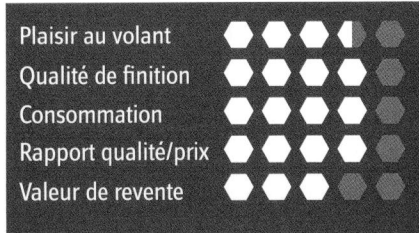

Plaisir au volant
Qualité de finition
Consommation
Rapport qualité/prix
Valeur de revente

GENESIS COUPE

www.hyundaicanada.com

N NOUVEAUTÉ É J

24 495 $ à 34 995 $
transport et préparation: 1565 $

LA COTE VERTE

AVEC MOTEUR V4 DE 2,0 L

- **Consommation (100km): man.**8,2 l, **auto.** 8,4 l (octane 87)
- **Émissions polluantes CO_2 :** 3504 kg/an
- **Empreinte écologique (nombre d'arbres à planter par année):** 21
- **Indice d'octane:** 87
- **Autre motorisation:** non
- **Coût du carburant moyen par année:** 1 500$
- **Nombre de litres par année:** 1 500 l

(SOURCE: ÉnerGuide)

1 FICHE D'IDENTITÉ

- **Versions** 2.0T, 3.8
- **Roues motrices** arrière
- **Portières** 2 **Nombre de passagers** 2+2
- **Première génération** 2010
- **Génération actuelle** 2010
- **Construction** Ulsan, Corée du Sud
- **Sacs gonflables** 6 (frontaux, latéraux avant , rideaux latéraux)
- **Concurrence** BMW 335i, Nissan Altima Coupe, Ford Mustang, Honda Accord Coupe, Mitsubishi Eclipse, Honda Civic Si, Chevrolet Cobalt SS, Infiniti G37, Mazda RX-8

2 AU QUOTIDIEN

- **Prime d'assurance**
  25 ans: 2500 à 2800 $
  40 ans: 1600 à 1800 $
  60 ans: 1000 à 1200 $
- **Collision frontale** nd
- **Collision latérale** nd
- **Ventes du modèle de l'an dernier (berline)**
  Au Québec 72 **Au Canada** 342
- **Dépréciation** nm
- **Rappels** (2004 à 2009) 510
- **Cote de fiabilité** nm

3 GARANTIES... ET PLUS

- **Garantie générale** 5 ans/100 000 km
- **Garantie motopropulseur** 5 ans/100 000 km
- **Perforation** 5 ans/kilométrage illimité
- **Assistance routière** 3 ans/kilométrage illimité
- **Nombre de concessionnaires**
  Au Québec 57 **Au Canada** 175

4 NOUVEAUTÉS EN 2010

- Nouveau modèle

SENSUELLE

PAR BENOIT CHARETTE

LA TRADITION VEUT QUE LES CONSTRUCTEURS D'AUTOMOBILES, QUI PRÉSENTENT DES VOITURES SPORT SUR LE MARCHÉ, POSSÈDENT, EN GÉNÉRAL, UN MUSÉE OÙ SE SONT ACCUMULÉS AU FIL DES DÉCENNIES LES TROPHÉES UN PEU POUSSIÉREUX DES GRANDES CONQUÊTES DANS LE SPORT AUTOMOBILE. Les Porsche, Audi, BMW, Mercedes-Benz, Ford, GM et, même, Chrysler font partie de ce club. Avec des couleurs aux noms évocateurs comme vert Lime Rock, jaune Interlagos ou gris Nordschleife, nous pourrions croire que Hyundai abrite une longue tradition de course. Pourtant la Corée a construit son premier circuit de course en 1993 et nous a plutôt habitués à de petites voitures économiques sans fantaisie. Mais voilà que, depuis quelques années, le prestige des voitures ne cesse de grimper. Hyundai est devenue une spécialiste de la voiture de luxe abordable et vise la concurrence sous la ceinture en réussissant chaque fois à marquer des points. Le nouveau coupé Genesis démontre encore une fois que le constructeur coréen apprend vite et bien. Exit la Tiburon, Hyundai a maintenant une véritable sportive pour les amateurs.

[CARROSSERIE] Basé sur la berline Genesis, le coupé Genesis est la première véritable voiture sport du constructeur coréen. Même si, dans la hiérarchie des modèles de la famille, elle remplace la Tiburon, ces deux voitures n'ont rien en commun, sauf un prix abordable. La Tiburon était une pseudo sportive timide à traction, le coupé Genesis est une sportive exubérante à propulsion. Ses lignes sont tendues, musclées et respirent la performance. Son regard hargneux nous donne l'impression qu'elle est prête à dévorer la route ! Un point caractéristique du modèle : le long empattement, doublé de courts porte-à-faux, lui confère un cachet tout à fait particulier. Les concepteurs ont même volontairement sacrifié de l'espace pour la tête à l'arrière au profit de la ligne et ils ont eu raison. La silhouette est définitivement l'élément le plus vendeur de cette voiture. Le traitement de la vitre de custode et les lignes de caisse qui s'entrecroisent lui donnent une personnalité affirmée. Quand il s'agit d'une sportive, ce n'est pas le rationnel qui domine, on vend de l'émotion, et le coupé

+ −

FORCES • Excellente répartition des masses • Direction précise • Prix plus que concurrentiel

FAIBLESSES • Boîte manuelle qui manque de synchronisme • Pédale d'embrayage un peu dure • Seuil de coffre très petit

GENESIS COUPE

Genesis transpire l'émotion. Une note parfaite à ce chapitre.

[HABITACLE] L'intérieur comporte des plus et des moins. Tous les modèles sont tapissés de plastiques durs offrant une qualité correcte, mais sans plus. Les sièges confortables sont réglables manuellement dans les modèles plus bas de gamme, et celui du conducteur est électrique dans les versions GT. Toutefois, le volant réglable en hauteur n'est pas télescopique et, comme à chaque nouveau modèle plus haut de gamme qui fait son apparition chez Hyundai, le système de navigation n'est pas offert, il le sera pour la deuxième année modèle. Une prise pour iPod est bien située dans la console centrale, et la chaîne audio haut de gamme vaut l'investissement. Les places arrière sont un peu plus généreuses que la majorité des 2+2 grâce à un empattement qui fait 10,6 pouces de plus qu'une 370Z, mais seul les enfants seront à peu près à l'aise. Enfin, le coffre assez profond offre malheureusement un seuil de chargement très étroit qui limite sérieusement la taille des objets qui y trouveront leur place. En résumé, il ne faut pas s'attendre à un intérieur de coupé allemand, mais considérant le prix, Hyundai a fait du bon boulot. Durant toute ma semaine de conduite, j'ai eu la sensation de me retrouver à bord des anciennes Honda Prélude que j'aimais bien.

« VOUS N'AVEZ PAS LA CONDUITE AVANCÉE DES BMW OU DES AUDI, MAIS AUCUNE VOITURE À CE PRIX, MÊME UNE MUSTANG NE PEUT PRÉTENDRE À UNE TENUE DE ROUTE AUSSI SAINE ET UN RAPPORT PRIX-PERFORMANCES AUSSI BON. »

[MÉCANIQUE] Deux moteurs sont prévus dans un premier temps. Le plus petit des deux est un 4-cylindres turbocompressé de 2 litres qui développe 210 chevaux. Il propulse le coupé de 0 à 100 km/h en 8,3 secondes avec la boîte de vitesses manuelle à 6 rapports. Pour les amateurs de performances plus viriles, Hyundai offre un V6 de 3.8 litres. Ce moteur, déjà introduit en 2004, a subi ici quelques modifications pour le rendre plus puissant. Entièrement en aluminium et doté d'une distribution variable tant à l'admission qu'à l'échappement, il développe 306 chevaux. Accouplé à une boîte manuelle ou automatique à 6 rapports, il ne demande que 8,2 secondes pour atteindre les 100 km/h. Pour ceux qui recherchent une performance encore plus pointue, le coupé Genesis offre le modèle GT habillé de freins Brembo, d'une suspension sport et de pneus de 19 pouces Bridgestone Potenza. Hyundai n'a pas exclu l'ajout du moteur V8 qui se trouve déjà sous le capot de la berline, mais ce ne sera pas dans un avenir immédiat.

[COMPORTEMENT] La première chose qu'on réalise au volant de cette voiture, c'est la rigidité exemplaire du châssis suivi de l'excellente répartition des masses 55/45. Sur le circuit de Spring Mountain, dans le Nevada, la voiture a démontré un fort potentiel à s'accrocher au bitume, même sous la torture. Il y a toutefois quelques bémols. La boîte manuelle est solide, mais son synchronisme est imparfait. Le poids est également un handicap, on sent le véhicule lourd lors des changements de rapports; et le V6

HISTORIQUE

On peut dire que Hyundai revient de loin. La première voiture à vocation sportive (et il faut le dire vite) de la famille fut la Scoupe qui offrit même une version GT turbo avec un effet de couple à arracher les poignets. La Tiburon a suivi, il s'agissait déjà d'un grand pas en avant. Les premières lignes de la Genesis Scoupe ont vu le jour avec le concept HCD8. Ce fit ensuite les premiers véritables dessins de la coupe et maintenant, Hyundai peut affirmer qu'il y a maintenant une voiture sport au sein de la famille.

HYUNDAI COUPE 90-92

TIBURON 2000

TIBURON 2005

HYUNDAI HCD8 CONCEPT

CONCEPT GENESIS

GENESIS COUPE

GENESIS RED BULL

GENESIS COUPE

GALERIE

A Comme il repose sur la même plateforme que la berline Genesis, le coupe offre un espace généreux au places avant. Toutefois en raison de la forme du toit et des courbes du véhicule, les places arrière sont surtout destinés aux enfants. La version Premium est offertes avec un toit ouvrant électrique, des baquets avant chauffants en cuir et une chaîne audio InfinityAM/FM/XM/Changeur de 6 CD/MP3 et 10 haut-parleurs.

B La Genesis Coupe 2.0T est dotée d'un moteur 4 cylindres turbocompressé de 2,0 litres avec refroidisseur d'air d'admission pour une efficacité et une puissance accrues. Une boîte manuelle à 6 rapports est offerte de série. Toutes les versions de la 2.0T peuvent être dotées en option d'une boîte automatique séquentielle à 5 rapports avec leviers de changement des rapports au volant, sauf la version GT, uniquement offerte avec une boîte manuelle.

C Malgré un prix très abordable pour une sportive, la Genesis coupe est dotée, selon la version, de nombreuses caractéristiques de luxe et de performance telles que des phares à décharge haute intensité (DHI).

D La version 2,0T est dotée de série de jantes 18 pouces en alliage d'aluminium. Les versions GT offrent pour leur part un équipement supplémentaire axé sur la performance et qui comblera le conducteur privilégiant une conduite sportive. Ces versions sont dotées de roues de 19 pouces, de freins Brembo et d'un différentiel à glissement limité de type Torsen.

E Avec 306 chevaux et un équipement digne d'une sportive beaucoup plus dispendieuse, vous pourrez vous permettre de jouer de l'accélérateur pour voir ce que la voiture a sous le ventre.

GENESIS COUPE

est creux. L'embrayage est un peu dur, mais la direction, précise. Le dynamisme monte d'un cran avec la version GT qui se montre plus sportive, plus nerveuse, sans perdre son confort sur l'autoroute. Si vous devez conduire de manière un peu plus agressive, mieux vaut enlever l'antipatinage électronique qui est un peu trop sensible et intervient trop tôt si vous avez l'intention de tester les limites d'adhérence de votre coupé Genesis. Hyundai a tout de même eu la bonne idée de pouvoir le désactiver totalement. Mais c'est tout ou rien. En deux mots, vous n'avez pas la conduite technologiquement avancée des BMW ou des Audi, mais aucune voiture à ce prix, même les Mustang ou Challenger V6 à rabais ne peuvent prétendre à une tenue de route aussi saine et un rapport prix-performances aussi bon.

[CONCLUSION] Dans un segment de marché qui représente 2 à 3 % des ventes totales de ses véhicules, Hyundai a l'intention de vendre 2 000 exemplaires par année au Canada. Ce n'est pas ces chiffres qui vont redorer les coffres de l'entreprise. Mais avec chaque nouveau produit qui arrive sur le marché, la perception des produits Hyundai va toujours vers le haut. Hyundai est en train de démontrer à tous qu'on peut faire de la qualité à prix abordable sans faire de sacrifices ou très peu. Cette version coupé de la Genesis est aussi bien née que la berline et représentera un sérieux défi aux coupés Nissan Altima ou Honda Accord. Car contrairement à ces voitures qui sont plus ou moins des versions à deux portes des berlines, le coupé Genesis est aussi sexy que bien des allemandes et débute à 24 495 $. À ce prix, le succès suivra. Hyundai prendra un peu de repos bien mérité pour le reste de l'année 2009 et nous prépare un nouveau Tucson pour 2010.

2e OPINION

FRANCIS BRIÈRE Élaborée à partir de la base de la berline Genesis, la version coupé s'annonce comme une vraie sportive, une voiture à roues motrices arrière équipée de composants lui permettant de dévorer la piste. Malheureusement pour les amateurs de bolides, le coupé ne répond pas aux attentes. Les deux moteurs manquent de souffle, la boîte de vitesses manuelle est accrocheuse et mal synchronisée, le châssis manque de rigidité, et la finition intérieure n'a guère à voir avec celle de la berline. Soyons indulgent puisque Hyundai en demande un prix raisonnable. S'il est vrai que, pour environ 30 000 dollars, on ne trouve rien qui vaille pour s'amuser sur une piste, faudra oublier le coupé Genesis pour exprimer vos talents de pilote automobile !

(5) FICHE TECHNIQUE

· MOTEURS
· V_4 2,0 l avec turbocompresseur, 210 ch à 6000 tr/min
Couple 223 lb-pi à 2000 tr/min
Transmission manuelle 6 rapports, automatique électronique à 5 rapports en option
0-100 km/h 8,2 s
Vitesse maximale 223 km/h

· **V6** 3,8 l
306 ch à 6300 tr/min
Couple 266 lb-pi à 4700 tr/min (octane 87)
Transmission manuelle à 6 rapports, ZF automatique électronique à 6 rapports en option
0-100 km/h 6,3 s
Vitesse maximale 240 km/h
Consommation (100 km) man.10,0 l
auto. 9,7 l (octane 87)
Émissions de CO_2 4560 kg/an
Litres par année 1620 l
Coût par an 1620$
Autre motorisation non
Empreinte écologique 30 arbres

· AUTRES COMPOSANTES
freins ABS, contrôle de stabilité électronique, antidérapage à l'accélération, assistance électronique au freinage d'urgence, distribution électronique de la force de freinage
Suspension avant/arrière indépendante
Freins avant/arrière disques ventilés (GT)
Direction à pignon et crémaillère
Pneus Premium Avant : P225/45VR18
Arrière : P245/45VR18
GT : P225/40R19 (avant) : P245/40R19 (arrière)

· DIMENSIONS
Empattement 2820 mm
Longueur 4630 mm
Largeur 1865 mm
Hauteur 1385 mm
Poids 2.0T 1498 à 1529 kg 3.8 1543 à 1595 kg
Diamètre de braquage 11,4 m
Coffre 332 l
Réservoir de carburant 65 l

NOS MENTIONS

Modèle recommandé

NOTRE VERDICT

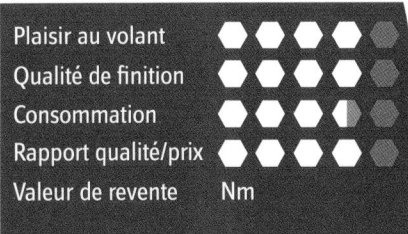

Plaisir au volant
Qualité de finition
Consommation
Rapport qualité/prix
Valeur de revente Nm

GENESIS

www.hyundaicanada.ca

N ÉVOLUTION É J

37 995 $ à 43 995 $
transport et préparation: 1760 $

LA COTE VERTE

AVEC MOTEUR V6 DE 3,8 L
- Consommation (100km): 10,7 l
- Émissions polluantes CO_2 : 4560 kg/an
- Empreinte écologique (nombre d'arbres à planter par année): 30
- Indice d'octane: 87
- Autre motorisation: non
- Coût du carburant moyen par année: 1900 $
- Nombre de litres par année: 1900 l

(SOURCE: ÉnerGuide)

1 FICHE D'IDENTITÉ

- **Versions** 3.8, 4.6
- **Roues motrices** propulsion
- **Portières** 4 **Nombre de passagers** 5
- **Première génération** 2009
- **Génération actuelle** 2009
- **Construction** Ulsan, Corée du Sud
- **Sacs gonflables** 8 (frontaux, latéraux avant et arrière, rideaux latéraux)
- **Concurrence** Acura TL, Buick Lucerne, BMW Série 5, Infiniti G37, Lexus ES 350, Mercedes-Benz Classe E, Nissan Maxima, Toyota Avalon

2 AU QUOTIDIEN

- **Prime d'assurance**
  25 ans: 1600 à 1800 $
  40 ans: 1200 à 1400 $
  60 ans: 1000 à 1200 $
- **Collision frontale** 5/5
- **Collision latérale** 5/5
- **Ventes du modèle de l'an dernier**
  Au Québec 72 **Au Canada** 342
- **Dépréciation** nd
- **Rappels** (2004 à 2009) aucun à ce jour
- **Cote de fiabilité** nd

3 GARANTIES... ET PLUS

- **Garantie générale** 5 ans/100 000 km
- **Garantie motopropulseur** 5 ans/100 000 km
- **Perforation** 5 ans/kilométrage illimité
- **Assistance routière** 3 ans/kilométrage illimité
- **Nombre de concessionnaires**
  Au Québec 57 **Au Canada** 175

4 NOUVEAUTÉS EN 2010

- Aucun changement majeur
- Régulateur de vitesse adaptatif
- Écran tactile du système de navigation
- Bluetooth

CONQUÉRANT

PAR FRÉDÉRIC MASSE

BON, J'EN ENTENDS DÉJÀ ME DIRE: COMMENT HYUNDAI PEUT-ELLE PRODUIRE UN VÉHICULE HAUT DE GAMME, ALORS QU'ELLE S'EST PRESQUE EXCLUSIVEMENT CONCENTRÉE SUR LA PRODUCTION DE PRODUITS BON MARCHÉ DEPUIS SON ARRIVÉE EN SOL NORD-AMÉRICAIN? Vous connaissez la théorie de Darwin sur la sélection naturelle. Hyundai a fait de même en évoluant et en s'adaptant lentement (dans l'histoire de l'automobile… on s'entend) selon le milieu. Je ne dirai pas encore que la Genesis est un véhicule de luxe, car cela implique inévitablement un bagage et une image de marque forte, mais disons que Hyundai émerge maintenant comme un fabricant capable de proposer une solide offre haut de gamme en sol nord-américain.

[CARROSSERIE] Ça devient quasi ennuyeux, Hyundai s'amuse à copier les lignes des concurrentes. Mais, au moins, elle le fait bien. La berline Genesis n'apporte rien de neuf au monde du design, mais elle est tout de même fort bien réussie, rassemblant les dessins de nombreuses berlines de luxe affirmées, notamment la calandre d'une Mercedes-Benz. Une chose me chicote encore, toutefois, l'absence de l'écusson Hyundai à l'avant. Je sais que la clientèle est plus encline à s'acheter la voiture quand il est absent, mais quel tour de force tout de même. Si Hyundai n'est pas prête à montrer son logo par gêne, pourquoi ne pas avoir choisi de créer une nouvelle marque, à l'image de Lexus et d'Acura ? Mais, Hyundai n'aurait pas profité de l'effet de halo tant souhaité… je le sais bien.

[HABITACLE] Même si la Genesis affiche des dimensions extérieures qui s'apparentent à celles de l'Acura RL et qu'elle est notamment plus longue que l'Audi A6 et la BMW Série 5, elle se distingue encore davantage dans son habitacle. De l'espace pour tout le monde, il y en presque autant que dans les grandes berlines de luxe de ce monde. D'ailleurs, la qualité de la finition et de la présentation de l'habitacle n'a également rien à envier à quiconque. En oubliant le logo situé au centre du volant (celui-là, on l'a laissé…), on se met à penser qu'on roule dans une Lexus ou une Acura sans problème tellement l'ergonomie,

FORCES • Rapport qualité-prix • Très spacieuse • Confort de roulement • Freinage et tenue de route surprenants • Puissance du V8 • Habitacle drôlement bien ficelé

FAIBLESSES • Manque de prestige • Lignes plagiées • Réactions parfois sèches de la suspension

l'insonorisation et l'assemblage sont impressionnants. Même note pour la chaîne stéréo Lexicon et les sièges confortables et enveloppants. Plus j'y pense, plus je trouve que ça ressemble à Lexus dans la façon de faire.

[MÉCANIQUE] Bien humblement, je ne m'attendais pas à tant lorsque j'ai pris place, pour la première fois, dans la coréenne. Mais, la mécanique de la Genesis, c'est du sérieux: V6 de 3,8 litres de 290 chevaux ou V8 de 4,6 litres de 375 chevaux généreux de ses 333 livres-pieds de couple. Les tandems moteur-boîte de vitesses à 6 rapports se veulent d'une douceur enviable. Le 4,6-litres, notamment, m'a particulièrement jeté par terre.

[CONDUITE] Dans l'ensemble, c'est également très impressionnant : le freinage est puissant, la suspension, conciliante, et la direction, bien dosée. Il y a certainement quelques réactions étranges et un peu sèches des ressorts sur chaussée dégradée (qui se montrent un peu trop rigides), mais dans l'ensemble, c'est flatteur. Dans les courbes, quand on la pousse fort sans y mettre trop de vitesse, la Genesis impressionne par sa communicabilité et son aplomb. Tout se passe bien tant qu'on ne dépasse pas trop ses limites et qu'on n'atteint pas des vitesses où tout se met à rebondir de bon train. Mais, gageons qu'environ 1 % des acheteurs se rendront jusque-là. Alors, quand on sait que, dans les limites de l'acceptable, le châssis est capable d'en donner, pardonnons le reste qui est plus le dada des BMW et Mercedes-Benz de ce monde.

[CONCLUSION] Comment conclure sur la Genesis? Franchement, elle m'impressionne. Oui, je ne ferais pas la file pour m'en acheter une, alors que je le ferais pour une BMW ou une Audi, mais ça c'est mon côté hautain... Par contre, rationnellement, la Genesis offre, à un prix intéressant, de l'espace, des prestations étonnantes, un habitacle invitant et un équipement de série très complet. Mais, comme le luxe et la rationalité ne font pas bon ménage, à quand une nouvelle marque dans les concessions Hyundai pour que je puisse, moi aussi, aller faire la file ?

2e OPINION

FRANCIS BRIÈRE Pour le constructeur coréen, la Genesis est un coup de génie. À mon avis, cette voiture est la preuve que Hyundai crée des produits de qualité à bon prix. La douceur du gros moteur V8 ne l'empêche pas de produire une puissance digne des grandes berlines allemandes. À un prix raisonnable, vous obtenez une voiture luxueuse, bien équipée, construite avec minutie. Les 50 000 dollars ou presque que vous débourserez ne seront pas suffisants pour vous offrir l'ultime aspect qu'on retrouve dans cette catégorie : le prestige ! Mais l'acheteur d'une Genesis en aura pour son argent. Cette routière vous procurera tout le confort désiré, de la puissance au masculin et de l'équipement plus qu'il n'en demandera.

5 FICHE TECHNIQUE

- **MOTEURS**
- V6 3,8 l DACT 290 ch à 6200 tr/min
  Couple 264 lb-pi à 4500 tr/min
  Transmission automatique à 6 rapports avec mode manuel
  0-100 km/h 6,6 s
  Vitesse maximale 215 km/h

- V8 4,6 l DACT 375 ch à 6500 tr/min (avec essence super sans plomb)
  Couple 333 lb-pi à 3500 tr/min (avec essence super sans plomb)
  Transmission automatique à 6 rapports avec mode manuel
  0-100 km/h 6,0 s
  Vitesse maximale 250 km/h
  Consommation (100 km) 10,4 l (octane 91)
  Émissions de CO_2 5088 kg/an
  Litres par année 2120 l
  Coût par an 2332 $
  Carburant alternatif non
  Empreinte écologique 30

- **AUTRES COMPOSANTES**
  Sécurité active freins ABS, antipatinage, contrôle de stabilité électronique, distribution de freinage électronique
  Suspension avant/arrière indépendante
  Freins avant/arrière disques
  Direction à crémaillère, assistée
  Pneus 3.8 P225/55R17 **4.6** P235/50R18

- **DIMENSIONS**
  Empattement 2935 mm
  Longueur 4975 mm
  Largeur 1890 mm
  Hauteur 1475 mm
  Poids 3.8 1739 à 1837kg **4.6** 1817 kg
  Diamètre de braquage 11,0 m
  Coffre 450 l
  Réservoir de carburant 3.8 73 l 4.6 77 l

NOS MENTIONS

- Clé d'or de sa catégorie
- Modèle recommandé
- Coup de coeur

NOTRE VERDICT

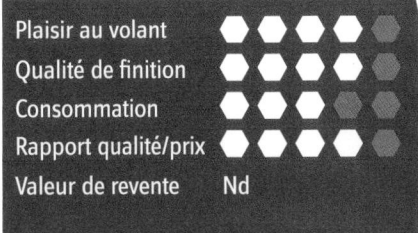

Plaisir au volant	4/5
Qualité de finition	4/5
Consommation	3/5
Rapport qualité/prix	4/5
Valeur de revente	Nd

SANTA FE

www.hyundaicanada.com

N ÉVOLUTION É J

25 995 $ à 36 945 $
transport et préparation: 1760 $

LA COTE VERTE

AVEC MOTEUR V6 DE 2,7 L

- **Consommation (100km):** **man.** 10,2 l **auto.** 9,9 l
- **Émissions polluantes CO_2 :** **man.** 4992 kg/an **auto.** 4800 kg/an
- **Empreinte écologique (nombre d'arbres à planter par année):** 30
- **Indice d'octane:** 87
- **Autre motorisation:** non
- **Coût du carburant moyen par année:** **man.** 2080 $ **auto.** 2000 $
- **Nombre de litres par année:** **man.** 2080 l **auto.** 2000 l

(SOURCE: ÉnerGuide)

1 FICHE D'IDENTITÉ

- **Versions** 2.7 GL, 3.3 L GL, 3.3 L GLS, Limited
- **Roues motrices** avant, 4
- **Portières** 4
- **Première génération** 2001
- **Génération actuelle** 2007
- **Construction** Ulsan, Corée du Sud
- **Sacs gonflables** 6 (frontaux, latéraux avant, rideaux latéraux)
- **Concurrence** Chevrolet Equinox, Ford Edge, Honda Pilot, Kia Sorento, Mazda CX-7, Mitsubishi Outlander, Nissan Murano, Toyota Rav4/ Highlander

2 AU QUOTIDIEN

- **Prime d'assurance**
  25 ans: 2200 à 2400 $
  40 ans: 1700 à 1900 $
  60 ans: 1500 à 1700 $
- **Collision frontale** 5/5
- **Collision latérale** 5/5
- **Ventes du modèle de l'an dernier**
  Au Québec 3806 **Au Canada** 14 401
- **Dépréciation (2 ans)** 42,7%
- **Rappels (2002 à 2007)** 5
- **Cote de fiabilité** 3/5

3 GARANTIES... ET PLUS

- **Garantie générale** 5 ans/100 000 km
- **Garantie motopropulseur** 5 ans/100 000 km
- **Perforation** 5 ans/kilométrage illimité
- **Assistance routière** 3 ans/kilométrage illimité
- **Nombre de concessionnaires**
  Au Québec 57 **Au Canada** 175

4 NOUVEAUTÉS EN 2010

- Remodelage de la calandre, dessin de jante, nouvelle partie arrière, Version Limited 4 roues motrices avec système de navigation disponible

DANS LE COUP !

JEAN-PIERRE BOUCHARD

QUELLE AGRÉABLE SURPRISE, CE SANTA FE ! L'UTILITAIRE DU CONSTRUCTEUR DE SÉOUL RÉUNIT TOUS LES ATOUTS POUR SÉDUIRE. Quand on analyse le rapport entre son prix et son équipement, qu'on ajoute dans la balance la qualité de l'exécution de l'ensemble, on obtient un véhicule attrayant.

[CARROSSERIE] Le Santa Fe a droit à un petit rafraîchissement en 2010. Le remodelage du bouclier avant, des optiques et de la calandre rapproche sa ligne du concept ix-onic présenté à Genève l'an dernier. Cette version 2010 adopte également des rétroviseurs avec répétiteurs intégrés, de nouvelles roues, de nouveaux feux arrière et un bouclier arrière lui aussi remodelé avec des anti-brouillards intégrés. Toujours construit sur la plateforme de la berline Sonata, il est plus volumineux qu'un Honda CR-V ou un Toyota RAV4, mais un peu moins qu'un Ford Edge. Il flirte davantage avec le Mazda CX-7.

[HABITACLE] L'exercice pour accéder aux places avant ne pose aucune difficulté. Une fois derrière le volant, on constate la qualité de l'ensemble, le confort et la solidité que dégage l'amalgame des matériaux dont les textures peuvent faire rougir certains rivaux. Le conducteur profite d'une bonne position de conduite, de commandes bien placées et d'une instrumentation de bord facile à consulter. Le dégagement pour les jambes est généreux. Les conducteurs de plus grande taille trouveront peut-être le dégagement pour la tête un peu juste si le véhicule est doté du toit ouvrant. Le volant inclinable et télescopique fait partie des caractéristiques de série qui, du reste, sont nombreuses, y compris sur la version de base. L'habitacle filtre efficacement les bruits de roulement et de vent. D'accès facile, la banquette offre l'espace et le confort nécessaires pour recevoir au moins deux personnes de taille moyenne ou plus. L'espace de chargement est, par ailleurs, de bonnes dimensions.

[MÉCANIQUE] Dans le contexte actuel, la présence d'un moteur à 4 cylindres pourrait constituer une valeur ajoutée. Les roues avant du Santa Fe peuvent être activées par un V6 de 2,7 litres ou de

+ / −

FORCES • Confort • Finition soignée • Comportement routier équilibré • Douceur de roulement

FAIBLESSES • Consommation de carburant • Absence de moteur à 4 cylindres

3,3 litres, deux moteurs dont la consommation de carburant est élevée : au moins 13 litres aux 100 kilomètres, en moyenne, pour le 3,3-litres. Ce moteur de 242 chevaux est également le plus intéressant sur le plan des performances. Dans les côtes de Charlevoix, il s'active avec conviction. D'office, il est relié à une boîte de vitesses automatique à 5 rapports qui lui permet de fonctionner en douceur et en souplesse, tout en consommant un peu moins de carburant. La puissance du 2,7 litres est plus modeste, bien qu'elle soit suffisante dans la vie de tous les jours. Ce moteur est toutefois à peine plus puissant que le 4 cylindres d'un RAV4, alors que le véhicule pèse plusieurs kilogrammes de plus. Ce n'est pas un secret de polichinelle : un moteur qui met les bouchées doubles pour effectuer son travail consomme davantage. Le V6 de 3,3 litres permet également d'obtenir la transmission intégrale dont on peut verrouiller le différentiel central.

[COMPORTEMENT] Le Santa Fe marque des points en ce qui concerne le confort et la douceur de roulement. En virage, il montre une bonne stabilité. Hyundai l'équipe de série du contrôle de la stabilité du véhicule. Le véhicule est agréable à conduire et il affiche une belle agilité, en plus de démontrer un bel équilibre. Les freins à disque aux quatre roues avec antiblocage font partie de l'équipement de série. Ces derniers effectuent leur tâche avec compétence. Au quotidien, l'utilitaire est maniable et agréable à conduire.

[CONCLUSION] Le constructeur commercialise un véhicule intéressant sur plusieurs aspects. Spacieux, confortable, performant (moteur de 3,3 litres), le Santa Fe possède la plupart des attributs pour plaire. J'ai la conviction que, s'il portait l'écusson Toyota ou Honda, on en verrait davantage sur la route. Car pour le prix demandé, l'affaire a du bon. Ne manque que la présence d'un moteur à 4 cylindres pour répondre au contexte actuel.

2e OPINION

BENOIT CHARETTE **Le moins que l'on puisse dire c'est qu'il a bien muri, le Santa Fe. Nous avions presque oublié les formes tout en rondeurs, et le style « biodesign » bien particulier de la première version. Avec cette nouvelle image on monte en grade et on bataille à armes égales avec des adversaires qui semblaient intouchables comme le VW Touareg ou le Volvo XC60. Il y a bien encore un peu de travail à faire en ce qui concerne la qualité de certains plastiques, mais le Santa-Fe suit le chemin du VeraCruz et on promet à court terme une version 4 cylindres, un hybride et peut-être même un Diesel. Le Santa-Fe deviendra l'utilitaire le plus polyvalent de la famille Hyundai.**

SANTA FE

5 FICHE TECHNIQUE

· MOTEURS

· (2.7)
V6 2,7 l DACT, 185 ch à 6000 tr/min
Couple 183 lb-pi à 4000 tr/min
Transmission manuelle à 5 rapports, automatique à 4 rapports (en option)
0-100 km/h 10,2 s (man.), 10,9 s (autom.)
Vitesse maximale 180 km/h

· (3.3)
V6 3,3 l DACT, 242 ch à 6000 tr/min
Couple 226 lb-pi à 4500 tr/min
Transmission automatique à 5 rapports avec mode manuel
0-100 km/h 2RM 8,1 s 4RM 8,5 s
Vitesse maximale 200 km/h
Consommation (100 km) 2RM 10,3 l **4RM** 10,5 l
Émissions de CO_2 2RM 5040 kg/an **4RM** 5136 kg/an
Litres par année 2RM 2100 l **4RM** 2140 l
Coût par an 2RM 2100 $ **4RM** 2140 $
Autre motorisation non
Empreinte écologique 30 arbres

· AUTRES COMPOSANTES
Sécurité active Freins ABS, répartition électronique de force de freinage, antipatinage, contrôle de stabilité électronique
Suspension avant/arrière Indépendante
Freins avant/arrière Disques ventilés/disques
Direction À crémaillère, assistée
Pneus GL/GLS P235/70R16 **Limited** P235/60R18

· DIMENSIONS
Empattement 2700 mm
Longueur 4675 mm
Largeur 1890 mm
Hauteur 1795 mm
Poids 2.7 GL 1691 kg **3.3 GL/GLS/Limited** 1775 kg
Diamètre de braquage 10,9 m
Coffre 969 l, (sièges abaissés 2213 l)
Réservoir de carburant 75 l
Capacité de remorquage 2.7 1225 kg **3.3** 1588 kg

NOS MENTIONS

Modèle recommandé

NOTRE VERDICT

Plaisir au volant	3,5/5
Qualité de finition	4/5
Consommation	3,5/5
Rapport qualité/prix	4/5
Valeur de revente	3,5/5

SONATA

www.hyundaicanada.ca

N ÉVOLUTION É J

21 995 $ à 31 495 $
transport et préparation: 1565 $

LA COTE VERTE

MOTEUR
L4 DE 2,4 L

- **Consommation (100km):** man. 8,0 l autom. 7,8 l
- **Émissions polluantes CO_2 :** man. 3888 kg/an autom. 3840 kg/an
- **Empreinte écologique (nombre d'arbres planter par année):** 24
- **Indice d'octane:** 87
- **Autre motorisation:** non
- **Coût du carburant moyen par année:** man. 1620 $ autom. 1600 $
- **Nombre de litres par année:** man. 1620 l autom. 1600 l

(SOURCE: ÉnerGuide)

1 FICHE D'IDENTITÉ

- **Versions** GL, GL Sport, Limited, GL V6, GL V6 Sport, Limited V6
- **Roues motrices** avant
- **Portières** 4 **Nombre de passagers** 5
- **Première génération** 1989
- **Génération actuelle** 2009
- **Construction** Asan, Corée du Sud
- **Sacs gonflables** 6 (front., lat. avant, rideaux lat.)
- **Concurrence** Buick Allure, Chevrolet Malibu, Chrysler Sebring, Ford Fusion, Honda Accord, Kia Magentis, Mazda6, Mitsubishi Galant, Nissan Altima, Subaru Legacy, Toyota Camry, Volkswagen Passat

2 AU QUOTIDIEN

- **Prime d'assurance**
  25 ans: 1500 à 1700 $
  40 ans: 1000 à 1200 $
  60 ans: 800 à 1000 $
- **Collision frontale** 5/5
- **Collision latérale** 5/5
- **Ventes du modèle de l'an dernier**
  Au Québec 3018 **Au Canada** 10 298
- **Dépréciation** 54,6%
- **Rappels** (2004 à 2009) 6
- **Cote de fiabilité** 3,5/5

3 GARANTIES... ET PLUS

- **Garantie générale** 5 ans/100 000 km
- **Garantie motopropulseur** 5 ans/100 000 km
- **Perforation** 5 ans/kilométrage illimité
- **Assistance routière** 3 ans/kilométrage illimité
- **Nombre de concessionnaires**
  Au Québec 57 **Au Canada** 175

4 NOUVEAUTÉS EN 2010

- Phares arrières redessinés

DANS LES LIGUES MAJEURES

PAR PHILIPPE LAGUË

HYUNDAI A RÉUSSI, BIEN AVANT LES CONSTRUCTEURS AMÉRICAINS, À CONCEVOIR UNE BERLINE INTERMÉDIAIRE CAPABLE DE RIVALISER AVEC LES JAPONAISES. Introduite en 1989, la Sonata a contribué à rebâtir la crédibilité de la marque, écorchée par les médiocres Pony et Stellar, de triste mémoire... Cinq générations plus tard, la Sonata se maintient dans le peloton de tête des ventes au Québec, derrière la Toyota Camry et la Honda Accord.

[CARROSSERIE] La Sonata a subi quelques retouches esthétiques l'année dernière, mais il faut un œil averti pour voir la différence. Le résultat, de fait, laisse songeur : la Sonata actuelle affiche un air plus cossu, plus raffiné que ses devancières, mais elle ressemble à n'importe quelle autre berline japonaise de ce segment. Une certaine classe, donc, mais zéro audace. Une berline générique.

[HABITACLE] Ce manque d'audace se reflète aussi à l'intérieur. Ceci dit, à défaut d'originalité, la présentation intérieure est agréable, et la qualité des matériaux, tout comme l'assemblage, confirment les progrès de Hyundai. Cela dit, ce n'est pas encore à la hauteur des japonaises, comme me l'ont rappelé quelques défauts de finition et autres craquements. L'habitabilité compte indéniablement parmi les points forts de la Sonata. Les passagers assis à l'arrière bénéficient d'un bon dégagement pour la tête et les jambes en plus de prendre place sur une banquette confortable. Les sièges avant le sont moins : ils offrent un piètre maintien latéral et ils sont mous. Trop, c'est comme pas assez. L'ergonomie ne montre pas de lacune majeure, avec des commandes simples, bien placées et d'accès facile. Et comme toujours chez Hyundai, l'équipement de série est bien garni, et les options, rares.

[MÉCANIQUE] Le 4-cylindres brille par son rendement. Il a la souplesse et la douceur des moteurs nippons ainsi que du couple à bas régime; de plus, il souffre peu du jumelage avec la boîte de vitesses automatique. L'étalage de ses qualités ne s'arrête pas là : il est silencieux, consomme peu et affiche un très bon bilan en matière de fiabilité. Le V6 de 3,3 litres fait encore mieux : non

+ −

FORCES • Habitabilité • Équipement de série • Deux très bons moteurs • Douceur de roulement • Fiabilité • Excellente garantie

FAIBLESSES • Lignes génériques • Finition moyenne • Sièges médiocres • Direction surassistée • Comportement nautique

seulement possède-t-il les même qualités que le 4-cylindres, mais ses performances impressionnent. Il est véloce et répond instantanément à la moindre sollicitation de l'accélérateur. Du couple, il en a à revendre, et ce, à tous les régimes. De plus, sa consommation est tout à fait raisonnable. La boîte automatique se place à l'abri des reproches, mais pas la direction, beaucoup trop assistée, lente et peu communicative.

[COMPORTEMENT] Cette fois, on est plongé dans une autre époque : direction, suspension, tout est mou. Cela se traduit par du roulis et du tangage, comme dans les gros chars américains de mon enfance. Remarquez, si le confort est votre priorité, ça peut aller : la douceur de roulement est remarquable. À ce chapitre, la Sonata n'a rien à envier, encore une fois, à ses rivales. Mais le comportement plaira aux adeptes de la navigation de plaisance.

[CONCLUSION] Depuis son introduction, la Sonata s'est bonifiée de génération en génération, au point de devenir une véritable solution de rechange aux berlines japonaises. Les Honda Accord, Toyota Camry, Mazda6 et Subaru Legacy sont certes plus raffinées, mais elles sont aussi plus chères. De plus, la Sonata n'a plus rien à leur envier côté fiabilité. Dans les faits, la Sonata est la rivale numéro 1 des berlines améri-caines qui misent elles aussi sur leur prix pour attirer les acheteurs. Ce n'est pas la plus excitante à conduire, mais elle propose, en contrepartie, un équipement de série complet, un habitacle spacieux ainsi qu'une douceur de roulement appréciable. Autrement dit, tout ce que recherche la clientèle visée. Avec, de surcroît, un rapport qualité-prix difficile à battre et l'une des meilleures garanties de l'industrie.

2e OPINION

DANIEL RUFIANGE La Sonata accumule les succès et, ce faisant, fait mentir ses détracteurs. La voiture que Hyundai compare ouvertement à la Honda Accord fait très bonne figure dans un créneau très prisé par les acheteurs. Aussi bonne que l'Accord, la Sonata ? Non, quand même ! Par contre, et c'est encore la grande force de Hyundai, il est possible d'obtenir une Sonata aussi bien équipée qu'une Accord pour plusieurs milliers de dollars de moins. Cette voiture offre une conduite douce et axée sur le confort. Elle est spacieuse à souhait, comme le sont ses concurrentes. Ses moteurs ne sont plus anémiques et se comparent en tous points à ceux de ses rivales. En prime, une excellente garantie et une fiabilité en progression.

5 FICHE TECHNIQUE

· MOTEURS

· (L4)

L4 2,4 l DACT, 175 ch à 6000 tr/min
Couple 168 lb-pi à 4000 tr/min
Transmission manuelle à 5 rapports, automatique à 5 rapports avec mode manuel (option)
0-100 km/h 9,0 s
Vitesse maximale 190 km/h

· (V6)

V6 3,3 l DACT, 249 ch à 6000 tr/min
Couple 229 lb-pi à 4500 tr/min
Transmission automatique à 5 rapports avec mode manuel
0-100 km/h 7,3 s
Vitesse maximale 225 km/h
Consommation (100 km) 8,9 l (octane 87)
Émissions de CO_2 4320 kg/an
Litres par année 1800 l
Coût par an 1800 $
Empreinte écologique 26 arbres

· AUTRES COMPOSANTES

Sécurité active freins ABS et répartition électronique de force de freinage, antipatinage et contrôle de stabilité électronique (V6)
Suspension avant/arrière indépendante
Freins avant/arrière disques
Direction à crémaillère, assistée
Pneus GL P215/60R16 **Sport/Limited** P215/55R17

· DIMENSIONS

Empattement 2730 mm
Longueur 4800 mm
Largeur 1832 mm
Hauteur 1475 mm
Poids L4 man. 1493 kg **L4 auto.** 1509 kg **V6** 1585 kg
Diamètre de braquage 10,9 m
Coffre 462 l
Réservoir de carburant 67 l
Capacité de remorquage 454 kg

NOS MENTIONS

Modèle recommandé

NOTRE VERDICT

Plaisir au volant
Qualité de finition
Consommation
Rapport qualité/prix
Valeur de revente

TUCSON

www.hyundaicanada.com

N ÉVOLUTION É J

21 195 $ à 30 995 $
transport et préparation: 1760 $

LA COTE VERTE

AVEC MOTEUR L4 DE 2,0 L

- Consommation (100km): man. 9,1 l auto 9,4 l
- Émissions polluantes CO_2 : man. 4416 kg/an auto 4416 kg/an
- Empreinte écologique (nombre d'arbres à planter par année): 27
- Indice d'octane: 87
- Autre motorisation: non
- Coût du carburant moyen par année: man. 1840 $ auto 1840 $
- Nombre de litres par année: man. 1840 l auto 1840 l

(SOURCE: ÉnerGuide)

1 FICHE D'IDENTITÉ

- **Versions** L, GL, GL V6, Limited
- **Roues motrices** avant, 4RM (GL V6, Limited)
- **Portières** 4 **Nombre de passagers** 5
- **Première génération** 2005
- **Génération actuelle** 2005
- **Construction** Ulsan, Corée du Sud
- **Sacs gonflables** 2 (frontaux)
- **Concurrence** Chevrolet Equinox, Ford Escape, Honda CR-V, Jeep Liberty, Kia Sportage, Mitsubishi Outlander, Subaru Forester, Suzuki Grand Vitara, Toyota RAV4

2 AU QUOTIDIEN

- **Prime d'assurance**
  25 ans: 1400 à 1600 $
  40 ans: 1000 à 1200 $
  60 ans: 900 à 1100 $
- **Collision frontale** 5/5
- **Collision latérale** 5/5
- **Ventes du modèle de l'an dernier**
  Au Québec 2353 **Au Canada** 8 711
- **Dépréciation** 44,1 %
- **Rappels** (2004 à 2009) 5
- **Cote de fiabilité** 4/5

3 GARANTIES... ET PLUS

- **Garantie générale** 5 ans/100 000 km
- **Garantie motopropulseur** 5 ans/100 000 km
- **Perforation** 5 ans/kilométrage illimité
- **Assistance routière** 3 ans/kilométrage illimité
- **Nombre de concessionnaires**
  Au Québec 57 **Au Canada** 175

4 NOUVEAUTÉS EN 2010

- Nouveau modèle à venir fin 2009

DÉPASSÉ

PAR JEAN-PIERRE BOUCHARD

AU MOMENT D'ÉCRIRE CES LIGNES, HYUNDAI NOUS FAISAIT PARVENIR UNE PHOTO DU CONCEPT IX35 PRÉSENTÉ AU SALON DE L'AUTO DE FRANCFORT. Seules quelques bribes d'information avaient circulé dans Internet, le constructeur ne dévoilant au compte-gouttes que quelques détails à la fois.

[CARROSSERIE] Ce concept donne un avant-goût du prochain Tuscon que l'équipe de design allemande a voulu plus inspirée. Et à en juger par le modèle de production croqué sur le vif par le photographe d'un magazine australien durant le tournage d'une publicité, la transposition réelle poursuit sur cette lancée. L'utilitaire compact affiche des lignes plus fluides, plus contemporaines et plus européennes. La calandre, par exemple, rappelle certaines Peugeot. C'est le premier utilitaire de la marque en Europe conçu par le centre de design du constructeur, en Allemagne. Par comparaison, l'actuelle mouture fait figure d'enfant pauvre.

[HABITACLE] Au fil des ans, Hyundai a amélioré de façon importante la qualité de construction de ses produits. Fini l'allure bon marché. L'habitacle du modèle actuel rassemble des matériaux de bonne qualité et bien assemblés. L'aménagement n'a rien d'extraordinaire. Celui de la nouvelle mouture devrait innover à ce chapitre. Le conducteur trouve aisément une bonne position de conduite. Le volant n'est par contre pas télescopique. Les indicateurs sont faciles à consulter, et les commandes, bien placées. La visibilité est bonne dans la plupart des directions. La banquette arrière assure un confort surprenant pour deux occupants de grande taille. Les dossiers peuvent être inclinés pour améliorer leur confort. On peut augmenter l'espace utilitaire, déjà de bonnes dimensions, en rabattant les sièges dans une proportion 60/40. De plus, la lunette s'ouvre séparément du hayon pour faciliter le transport de certains objets.

[MÉCANIQUE] Hyundai promet de nouveaux groupes motopropulseurs pour activer le prochain Tucson. Diesel ? Hybride ? Le concept présenté à Genève était doté d'un moteur à essence de

FORCES • Format • Rapport qualité-prix

FAIBLESSES • Groupes motopropulseurs • Dépassé sur le plan technologique

TUCSON

1,6 litre de 175 chevaux. Reste à voir ce que l'avenir nous réserve pour l'Amérique du Nord. Pour l'heure, l'acheteur peut opter pour un 4-cylindres de 2 litres ou un V6 de 2,7 litres. Le premier est jumelé à une boîte de vitesses manuelle à 5 rapports ou, en option, à une boîte automatique à 4 rapports avec mode manuel. Ce moteur convient surtout pour des déplacements urbains : il manque de souffle, surtout dans les cotes et au moment de dépasser. Les rivaux, pour la plupart, offrent au moins 20 chevaux de plus, Le dispositif de calage variable des soupapes lui permet néanmoins de fonctionner avec une certaine souplesse. Le V6 assure des prestations un peu plus vives. Mais il n'a pas la verve de celui du Toyota RAV4. La boîte de vitesses fonctionne en douceur.

[COMPORTEMENT] Sur la route, le Tucson rappelle un peu l'Elantra. Le véhicule est d'abord confortable à défaut d'être sportif. La direction pénalise l'agilité du véhicule, alors que les mouvements de la carrosserie sont plutôt prononcés en courbes. Au volant, il s'en dégage néanmoins une bonne impression de solidité. La nouvelle génération, conçue en Europe, pourrait offrir un agrément de conduite plus dynamique. Toutes les versions actuellement commercialisées reçoivent des dispositifs de contrôle de la stabilité et d'antipatinage ainsi que des freins à disque aux quatre roues avec antiblocage. La transmission intégrale est dotée d'un mode permettant de verrouiller le couple et d'obtenir une répartition égale entre les roues avant et arrière.

[CONCLUSION] Le Tucson répond aux acheteurs attirés par un véhicule qui propose un rapport qualité-prix honnête. Ce véhicule ne s'est jamais véritablement imposé comme une référence, mais il a tout de même séduit nombre d'acheteurs. L'arrivée prochaine de la nouvelle mouture pourrait changer les règles du jeu. À suivre...

2e OPINION

FRANCIS BRIÈRE On attendait avec impatience le nouveau Tucson de Hyundai pour 2010. Nommé ix35 en Europe, il s'agit pratiquement du même modèle. Malheureusement pour nous, seuls les Européens auront un choix de moteurs diesel. En revanche, le nouveau Tucson présente une allure plus moderne et dynamique que l'ancien modèle. Il était temps, puisque le petit véhicule utilitaire sport n'avait pratiquement pas changé depuis son apparition en 2004. Mais le constructeur coréen en a vendu, des Tucson. Reste que le véhicule est peu cher à l'achat, consomme raisonnablement, offre un bon confort et se révèle fort pratique pour la famille. L'ancien moteur à 4 cylindres était à proscrire. Hyundai a travaillé fort à redorer l'image du véhicule qui commençait à dater un peu.

5 FICHE TECHNIQUE

· MOTEURS

· (L, GL)
L4 2,0 l DACT, 140 ch à 6000 tr/min
Couple 136 lb-pi à 4500 tr/min
Transmission manuelle à 5 rapports, automatique à 4 rapports en option
0-100 km/h man. 2RM 12,2 s
Vitesse maximale 170 km/h

· (GL V6, LIMITED)
V6 2,7 l DACT, 173 ch à 6000 tr/min
Couple 178 lb-pi à 4000 tr/min
Transmission automatique à 4 rapports avec mode manuel
0-100 km/h 10,8 s
Vitesse maximale 180 km/h
Consommation (100 km) 4RM 10,6 l (octane 87)
Émissions de CO_2 4RM 4800 kg/an
Litres par année 4RM 2060 l
Coût par an 4RM 2060 $
Carburant alternatif non
Empreinte écologique 30 arbres

· AUTRES COMPOSANTES
Sécurité active freins ABS, antipatinage, contrôle de stabilité électronique
Suspension avant/arrière indépendante
Freins avant/arrière disques
Direction à crémaillère, assistée
Pneus L/GL P215/65R16
GL V6/ Limited P235/60R16

· DIMENSIONS
Empattement 2630 mm
Longueur 4325 mm
Largeur L4 1795 mm **V6** 1830 mm
Hauteur 1730 mm
Poids L 2RM 1470 kg **GL V6 2RM** 1529 kg **Limited** 1609 kg
Diamètre de braquage 10,8 m
Coffre 644 l, 1856 l (sièges abaissés)
Réservoir de carburant 58 l **V6** 65 l
Capacité de remorquage 680 kg **V6** 907 kg

NOS MENTIONS

Modèle recommandé

NOTRE VERDICT

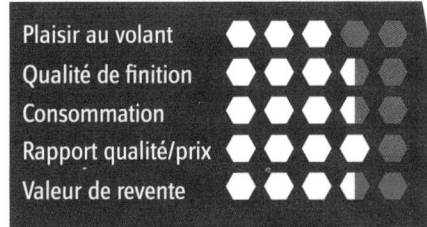

Plaisir au volant
Qualité de finition
Consommation
Rapport qualité/prix
Valeur de revente

VERACRUZ

www.hyundaicanada.com

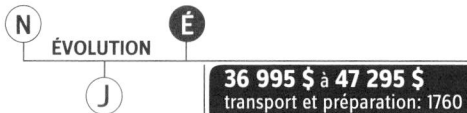

N ÉVOLUTION É J

36 995 $ à 47 295 $
transport et préparation: 1760 $

LA COTE VERTE

MOTEUR V6 DE 3,8 L

- **Consommation (100km):** **2RM** 11,1 l **4RM** 11,5 l
- **Émissions polluantes CO_2 :** **2RM** 5417 kg/an **4RM** 5616 kg/an
- **Empreinte écologique (nombre d'arbres à planter par année):** 33
- **Indice d'octane:** 87
- **Autre motorisation:** non
- **Coût du carburant moyen par année:** **2RM** 2260 $ **4RM** 2340 $
- **Nombre de litres par année:** **2RM** 2260 l **4RM** 2340 l

(SOURCE: ÉnerGuide)

1 FICHE D'IDENTITÉ

- **Versions** GL, GLS, Limited
- **Roues motrices** 2, 4
- **Portières** 4 **Nombre de passagers** 4
- **Première génération** 2008
- **Génération actuelle** 2008
- **Construction** Ulsan, Corée du Sud
- **Sacs gonflables** 6 (frontaux, latéraux, rideaux latéraux)
- **Concurrence** Acura MDX, BMW X5, Honda Pilot, Mazda CX-9, Mercedes-Benz ML, Suzuki XL7, Toyota Highlander, Volkswagen Touareg, Volvo XC90

2 AU QUOTIDIEN

- **Prime d'assurance**
  25 ans: 1700 à 1900 $
  40 ans: 1100 à 1300 $
  60 ans: 1000 à 1200 $
- **Collision frontale** 5/5
- **Collision latérale** 5/5
- **Ventes du modèle de l'an dernier**
  Au Québec 298 **Au Canada** 1550
- **Dépréciation** (2 ans) 46,2 %
- **Rappels** (2004 à 2009) 1
- **Cote de fiabilité** 4/5

3 GARANTIES... ET PLUS

- **Garantie générale** 5 ans/100 000 km
- **Garantie motopropulseur** 5 ans/100 000 km
- **Perforation** 5 ans/kilométrage illimité
- **Assistance routière** 3 ans/kilométrage illimité
- **Nombre de concessionnaires**
  Au Québec 57 **Au Canada** 175

4 NOUVEAUTÉS EN 2010

- Aucun changement majeur

LES PRÉJUGÉS ONT LA VIE DURE !

JEAN-PIERRE BOUCHARD

HYUNDAI PRENAIT UN DRÔLE DE RISQUE EN INTRODUISANT SUR LE MARCHÉ UNE VERSION GRAND FORMAT DU SANTA FE. Le constructeur voulait toutefois montrer, comme il le fait encore une fois avec la berline Genesis, qu'il pouvait jouer dans la cour des plus grands et faire oublier qu'il n'était plus un vendeur de véhicules bon marché.

[CARROSSERIE] Le Veracruz repose sur une plateforme empruntée au Santa Fe, mais allongée et renforcée pour la circonstance. L'utilitaire affiche des dimensions qui le placent pratiquement sur le même pied d'égalité que le Honda Pilot. Il est toutefois un tout petit peu plus petit que le Mazda CX-9. La carrosserie n'a rien de novateur. Mais l'ensemble est élégant et bien tourné. Hyundai l'offre en versions GL, GLS et Limited, chacune pouvant accueillir jusqu'à sept occupants. La transmission intégrale équipe de série les versions intermédiaire et haut de gamme.

[HABITACLE] Les concepteurs de Hyundai ont vraiment déployé tous les efforts pour soigner l'habitacle de leur véhicule. L'amalgame des éléments respirent la qualité et le raffinement : du choix des matériaux en passant par le souci de leur assemblage. Dans les faits, ce véhicule pourrait fort bien porter l'écusson Lexus à maints égards. Les occupants des places avant profitent de sièges qui fournissent un bon confort. Le conducteur bénéficie d'une bonne position de conduite, mais certains se sentiront assis un peu trop haut, pénalisant du coup le dégagement pour la tête. Pour ce qui est du dégagement pour les jambes, il est autrement généreux. Petit détail intéressant, les versions plus cossues sont munies d'une console centrale qui permet de garder au frais des boissons ou des aliments pour la route. Les commandes, pour la plupart, sont bien placées, et les instruments de bord, faciles à consulter. L'éclairage bleuté lui donne un petit côté chic et reposant. Et, ce qui ne gâche rien, le cocon filtre bien la plupart

FORCES • Performances • Aménagement intérieur • • Petits détails qui font la différence

FAIBLESSES • Raffinement de la suspension • Consommation de carburant

VERACRUZ

que les concurrents. Si, en revanche, vous cherchez une conduite plus coulée, le Veracruz risque davantage de vous plaire. La suspension émet, par contre, des bruits qui laissent plutôt perplexe et réagit moins gracieusement sur certaines imperfections de la chaussée.

des bruits environnants. La visibilité est bonne dans toutes les directions sauf du côté arrière, que le large pilier obstrue. La banquette arrière procure un bon confort pour deux passagers de grande taille, qui disposeront d'un bon dégagement pour la tête et les jambes. Chaque section de la banquette glisse pour faciliter l'accès aux places de la troisième rangée ou donner aux passagers qui l'occupent un peu plus d'espace. Ces places n'offrent pas, comme c'est le cas dans la plupart des véhicules de cette catégorie, le confort nécessaire pour les longs trajets. De plus, une fois en place, elles rognent considérablement l'espace utilitaire qui, autrement, est généreux.

[MÉCANIQUE] Hyundai fait appel au V6 de 3,8 litres de 260 chevaux et à la boîte de vitesses automatique à 6 rapports pour animer son utilitaire. Une motorisation qu'on trouvait sous le capot de l'Azera et qu'on trouve aujourd'hui dans la Genesis. L'ensemble permet d'obtenir d'excellentes performances au moment d'accélérer et de dépasser. À ce titre, le véhicule n'a pas à rougir devant la concurrence. Le moteur et la boîte de vitesses fonctionnent avec une grande douceur. Bien entendu, le prix à payer reste celui d'une consommation de carburant moyenne avoisinant les 14 litres aux 100 kilomètres. Ce qui est un peu mieux que le Mazda CX-9, mais un peu moins que le Honda Pilot.

[COMPORTEMENT] Si vous cherchez un véhicule au tempérament sportif, toutes proportions gardées pour un véhicule de cette catégorie, rayez de votre liste le Veracruz et courez chez Mazda vous procurer le CX-9. Car le Hyundai n'est pas particulièrement agile. Et en virages, le véhicule s'incline de façon plus prononcée

[CONCLUSION] Le Veracruz possède plusieurs attributs pour plaire. Mais, il doit affronter des véhicules plus modernes sur le plan technologique, à débuter par le Honda Pilot, le Mazda CX-9 ou encore le Toyota Highlander. Quoi qu'il en soit, le constructeur de la Corée du Sud prouve qu'il peut faire aussi bien que d'autres. Et que bon marché ne rime pas nécessairement avec Hyundai.

2e OPINION

BENOIT CHARETTE **Voici un véhicule qui n'a pas le mérite qui lui revient. Hyundai ne s'est pas caché d'avoir utilisé Lexus comme mesure étalon dans l'élaboration du Veracruz, et le résultat final est probant. Le mot d'ordre à bord est silence. Tous les composants principaux du Veracruz ont été conçus afin de réduire le bruit de l'habitacle. Hyundai a appliqué une mousse plastique dans les portières et le châssis ainsi qu'une plaque d'acier sous le moteur et un sous-tapis à quatre couches au plancher. Les bruits du compartiment moteur ont été réduits également grâce à des supports de moteur contrôlés électroniquement. Le châssis est d'une belle rigidité, et la géométrie de la suspension favorise une conduite coulée, sans pour autant être molle. Ajoutez à cela un système de transmission intégrale (4 roues motrices) du type « couple à la demande » et tout le nécessaire électronique d'aides à la conduite présenté dans un emballage de luxe, et vous êtes réellement en voiture.**

(5) FICHE TECHNIQUE

· MOTEUR
· V6 3,8 l DACT, 260 ch à 6000 tr/min
Couple 257 lb-pi à 4500 tr/min
Transmission automatique à 6 rapports
0-100 km/h 10,8 s
Vitesse maximale 180 km/h

· AUTRES COMPOSANTES
Sécurité active freins ABS, antipatinage, contrôle de stabilité électronique
Suspension avant/arrière indépendante
Freins avant/arrière disques
Direction à crémaillère, assistée
Pneus GL P245/65R17 **GLS/Limited** P245/60R18

· DIMENSIONS
Empattement 2805 mm
Longueur 4840 mm
Largeur 1945 mm
Hauteur 1807 mm
Poids 1935 kg **4RM** 2010 kg
Diamètre de braquage 11,2 m
Coffre 184 l, 2458 l (sièges abaissés)
Réservoir de carburant 78 l
Capacité de remorquage 1588 kg

NOS MENTIONS

Modèle recommandé

NOTRE VERDICT

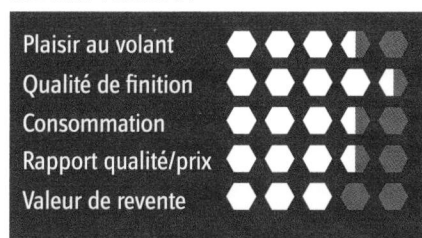

Plaisir au volant
Qualité de finition
Consommation
Rapport qualité/prix
Valeur de revente

EX 35

www.infiniti.ca

N ÉVOLUTION É J

40 900 $ à 45 900 $
transport et préparation: 1825 $

LA COTE VERTE

AVEC MOTEUR V6 DE 3,5 L

- **Consommation (100km): man.** 10,7 l
- **Émissions polluantes CO_2 : man.** 5280 kg/an
- **Empreinte écologique (nombre d'arbres à planter par année):** 30
- **Indice d'octane:** 91
- **Autre motorisation:** non
- **Coût du carburant moyen par année: man.** 2420 $
- **Nombre de litres par année: man.** 2200 l

(SOURCE: ÉnerGuide)

1 FICHE D'IDENTITÉ

- **Versions** Premium, Sport
- **Roues motrices** 4
- **Portières** 4 **Nombre de passagers** 5
- **Première génération** 2008
- **Génération actuelle** 2008
- **Construction** Tochigi, Japon
- **Sacs gonflables** 6 (frontaux, latéraux avant, rideaux latéraux)
- **Concurrence** Acura RDX, BMW X3, Hummer H3, Land Rover LR2

2 AU QUOTIDIEN

- **Prime d'assurance**
  25 ans: 2800 à 3000 $
  40 ans: 1500 à 1700 $
  60 ans: 1200 à 1400 $
- **Collision frontale** nm
- **Collision latérale** nm
- **Ventes du modèle de l'an dernier**
  Au Québec 575 **Au Canada** 2300
- **Dépréciation** (1 ans) 23,5%
- **Rappels** (2004 à 2009) 2
- **Cote de fiabilité** nm

3 GARANTIES... ET PLUS

- **Garantie générale** 4 ans/100 000 km
- **Garantie motopropulseur** 6 ans/110 000 km
- **Perforation** 7 ans/kilométrage illimité
- **Assistance routière** 4 ans/kilométrage illimité
- **Nombre de concessionnaires**
  Au Québec 6 **Au Canada** 29

4 NOUVEAUTÉS EN 2010

- Contenu de l'ensemble option revu : Bluetooth de série, système de contrôle du climat, port USB, disque dur de 2Go intégré, guide de restaurant Zagat intégré ...

LE TERME MULTISEGMENT À SON MEILLEUR

PAR ALEXANDRE CRÉPAULT

POUR DÉFINIR LE TERME MULTISEGMENT, RIEN DE MIEUX QUE L'INFINITI EX35. Basé sur une berline, dessiné à partir d'un coupé, pratique comme une familiale et équipé comme un utilitaire, l'EX prend le meilleur de tous ces mondes et réunit le tout dans une luxueuse enveloppe compacte.

[CARROSSERIE] Infiniti mise beaucoup sur le style de l'EX pour conclure des ventes. L'arche du toit fait beaucoup penser à celle d'un coupé. Le long capot, les phares en forme de L et la coupe du pilier C rappellent la petite sœur, la G37. La partie arrière, elle, évoque le FX. Cela dit, tout bien considéré, l'EX a belle allure et représente fièrement la famille Infiniti.

[HABITACLE] À l'intérieur de l'EX, le luxe et la technologie se partagent la vedette. Une agréable sélection de cuir et de bois sert à tapisser la cabine. La finition est irréprochable, et le confort des sièges donne simplement le goût d'y passer du temps. Le design de l'EX a cependant eu raison de l'espace de chargement, un peu petit une fois la banquette arrière relevée. Au chapitre des gadgets, l'EX déploie un véritable arsenal : écran de visualisation du périmètre donnant une vue à 360 degrés de l'extérieur du véhicule, système de détection et de prévention de sortie de voie, chaîne audio BOSE de haute qualité... L'EX appartient bel et bien au 21e siècle. Mais attention ! Pour bénéficier de tous ces beaux joujoux, il faudra cocher des ensembles d'options qui n'ont de cesse d'ajouter aux 40 900 $ demandés pour un EX de base.

[MÉCANIQUE] Pour l'instant c'est le bon vieux V6 de 3,5 litres de Nissan/Infiniti qui bat au cœur de l'EX. D'ici peu, Infiniti devrait remplacer le VQ35 par le nouveau VQ37 (V6 de 3,7 litres) déjà offert sur les modèles EX37 en Europe et au Japon, ainsi que dans bien d'autres véhicules de la gamme Nissan/Infiniti en Amérique du Nord. Car, quoique les quelque 297 chevaux du

FORCES • Comportement sportif • Puissance • Luxe à volonté • Allure distinctive

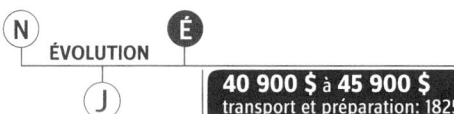

FAIBLESSES • EX37 à l'horizon • Consommation de carburant • Espace de chargement • Options coûteuses

moteur actuel fassent un bon travail, une fois qu'on a goûté au surplus de puissance et, surtout, au couple offert par le 3,7-litres, il est difficile de revenir en arrière. Le prochain EX37 utilise également une boîte de vitesses à 7 rapports, contrairement au modèle actuel qui doit se contenter de 5 rapports. En tout cas, l'architecture du véhicule positionne le moteur le plus possible vers l'arrière, question de favoriser la distribution des masses quasi parfaite de l'EX. En temps normal, toute cette puissance est envoyée aux roues arrière. À la moindre perte de motricité sur une roue, l'excellent système de transmission intégrale ATTESA E-TS, popularisé par Nissan il y a plus de 20 ans sur divers modèles japonais dont la Nissan Skyline GT-R, s'organise pour redistribuer de la puissance aux autres roues.

[COMPORTEMENT] Puisqu'il ne sera jamais question de gravir des montagnes ou de franchir des rivières au volant d'un Infiniti, l'EX mise sur ses aspirations sportives pour séduire. Dès la mise à feu, le petit grondement du VQ nous rappelle qu'il sert également à mouvoir des sportives comme la Z. En contrepartie, en partant d'un arrêt complet, l'EX fait du bruit... mais n'avance pas aussi vite qu'on aurait tendance à le croire. Le 0 à 100 km/h est bouclé en 7,5 secondes, contre 6 secondes et des poussières pour le futur EX37. De quoi faire réfléchir... Par contre, sur les petites routes du Québec, l'EX35 brille par son agilité. Solidement planté au sol et pratiquement insensible au sous-virage (une vilaine tendance dans le segment), quand il passe de la puissance aux roues, il le fait dans la plus grande discrétion. Même quand les aides électroniques sont désactivées, l'EX trouve toujours de la motricité. Seule la suspension un peu sèche sur les routes abîmées fait un peu trop sautiller le véhicule.

[CONCLUSION] Je dois avouer que j'ai un faible pour l'EX. Il s'intègre dans notre quotidien d'une façon remarquable : ni trop gros ni trop petit, très luxueux et bardé de technologie, assez puissant et confortable sur nos routes. Seulement, je suggérerais d'attendre la sortie de l'EX37, question d'en avoir un maximum pour son argent.

2e OPINION

DANIEL RUFIANGE Dites, vous apercevez beaucoup d'EX35 sur la route ? Si Infiniti souhaitait vraiment introduire un véhicule se situant entre le FX et la G, ce dernier aurait dû se démarquer en tous points. Au mieux, cette version familiale de la G vous offre un petit espace de chargement mais jamais celui du FX. Au pire, l'espace pour les passagers arrière est pratiquement une farce, sans mentionner qu'y accéder et s'en extirper exige une dose de souplesse. Au volant par contre, rien à reprocher à ce véhicule qui s'inscrit dans une tradition bien implantée chez le constructeur: moteurs puissants, tenue de route précise et confort divin. Malgré ces qualités, l'EX végète car on choisit soit une G37 ou un FX. Meilleure chance la prochaine fois.

5 FICHE TECHNIQUE

· MOTEUR
V6 3,5 l DACT, 297 ch à 6800 tr/min
Couple 253 lb-pi à 4800 tr/min
Transmission automatique à 5 rapports avec mode manuel
0-100 km/h 6,2 s auto. 6,8 s
Vitesse maximale 235 km/h

· AUTRES COMPOSANTES
Sécurité active freins ABS, répartition électronique de force de freinage, assistance au freinage, antipatinage, contrôle de stabilité électronique
Suspension avant/arrière indépendante
Freins avant/arrière disques
Direction à crémaillère, assistée
Pneus P225/60R17, P225/55R18 (en option)

· DIMENSIONS
Empattement 2800 mm
Longueur 4630 mm
Largeur 1800 mm
Hauteur 1589 mm
Poids 1703 kg
Diamètre de braquage 11 m
Coffre 527 l
Réservoir de carburant 75,6 l

NOS MENTIONS

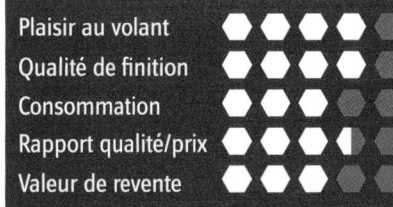

Modèle recommandé

NOTRE VERDICT

Plaisir au volant
Qualité de finition
Consommation
Rapport qualité/prix
Valeur de revente

FX 35/50

www.infiniti.ca

N ÉVOLUTION É J

51 800 $ à 59 900$
transport et préparation: 1825 $

LA COTE VERTE

MOTEUR V6 DE 3,5 L

- **Consommation (100km):** 12,0 l
- **Émissions polluantes CO_2 :** 5520 kg/an
- **Empreinte écologique (nombre d'arbres à planter par année):** 30
- **Indice d'octane:** 91
- **Autre motorisation:** non
- **Coût du carburant moyen par année:** 2530 $
- **Nombre de litres par année:** 2300 l

(SOURCE: ÉnerGuide)

1 FICHE D'IDENTITÉ

- **Versions** 35, 50
- **Roues motrices** 4
- **Portières** 4 **Nombre de passagers** 5
- **Première génération** 2003
- **Génération actuelle** 2009
- **Construction** Tochigi, Japon
- **Sacs gonflables** 6 (frontaux, latéraux, rideaux latéraux)
- **Concurrence** Acura MDX, Audi Q7, BMW X5, Cadillac SRX, Jeep Grand Cherokee, Land Rover LR3, Lexus RX, Mercedes-Benz Classe M, Porsche Cayenne, Volkswagen Touareg, Volvo XC90

2 AU QUOTIDIEN

- **Prime d'assurance**
  25 ans: 2400 à 2600 $
  40 ans: 1300 à 1500 $
  60 ans: 1100 à 1300 $
- **Collision frontale** 5/5
- **Collision latérale** 5/5
- **Ventes du modèle de l'an dernier**
  Au Québec 235 **Au Canada** 1003
- **Dépréciation** nd
- **Rappels** (2004 à 2009) 6
- **Cote de fiabilité** 3,5/5

3 GARANTIES... ET PLUS

- **Garantie générale** 4 ans/100 000 km
- **Garantie motopropulseur** 6 ans/110 000 km
- **Perforation** 7 ans/kilométrage illimité
- **Assistance routière** 4 ans/kilométrage illimité
- **Nombre de concessionnaires**
  Au Québec 6 **Au Canada** 29

4 NOUVEAUTÉS EN 2010

- Aucun changement majeur

MANQUE D'ACHETEURS, PAS D'AMBITION

PAR BENOIT CHARETTE

AVEC DES VENTES ANNUELLES QUI DÉPASSENT À PEINE LES 200 EXEMPLAIRES AU QUÉBEC, ON NE PEUT PAS DIRE QUE LE FX SOIT UN SUCCÈS COMMERCIAL. Ce VUS introduit en 2003 a tout de même fait sa niche. Avec sa première remise à niveau l'an dernier, le FX s'attaque sérieusement à ses adversaires allemands. Les moteurs puissants, la boîte de vitesses à 7 rapports et une suspension active le placent à armes égales avec les meilleurs de sa catégorie. C'est la réputation qui reste encore à faire.

[CARROSSERIE] Le FX est l'un des rares véhicules dans cette catégorie capable de conjuguer les mots « camion » et « élégance » dans la même phrase, un mélange de subtilité et d'agressivité. Les roues de 21 pouces du FX50 et sa silhouette ramassée et basse lui confèrent une allure de berline « haute sur pattes ». S'il ne plaît pas à tous, le FX a le mérite d'être différent.

[HABITACLE] L'ambiance à bord conserve la même saveur contemporaine des autres membres de la famille. Les sièges offrent un style «capitonné». La console et le tableau de bord sont garnis d'appliques de bois. On retrouve la même chaîne audio de qualité avec écran central et mollette multifonction. Comme tout véhicule de luxe, on retrouve certaines caractéristiques propres à cette catégorie. Le FX profite d'une peinture spéciale avec une couche de polymère souple qui absorbe et répare les éraflures de surface. Vous profiterez également d'un climatiseur qui élimine 96 % des poussières dans l'air, d'un toit ouvrant, du système sans clé, de la connectivité Bluetooth et de bien d'autres. Sur la liste des options, vous pouvez ajouter le moniteur panoramique qui offre une vue périphérique du véhicule unique à Infiniti et un système de précollision pour les ceintures de sécurité qui resserre la ceinture quand le système détecte l'imminence d'un accident. Il y a également un régulateur de vitesse intelligent

FORCES • Lignes à couper le souffle • V8 très performant • Comportement routier

FAIBLESSES • Suspension sèche • Rapport habitabilité/coffre/encombrement défavorable • Confort spartiate (V8)

qui garde une distance fixe entre les véhicules en ralentissant le véhicule au besoin.

[MÉCANIQUE] Le FX35 offre toujours le très fiable et très apprécié V6 de 3,5 litres de 303 chevaux. Des performances qui le rapprochent de l'ancien FX45. Le FX50 offre maintenant un V8 de 390 chevaux. Ajoutez à cela un couple de 369 livres-pieds et vous avez un camion qui se prend pour une sportive. Les deux modèles sont associés à une nouvelle boîte de vitesses automatique à 7 rapports avec leviers de sélection en magnésium au volant pour une conduite en mode manuel qui tient les rapports à haut régime plus longtemps et modifie le ratio des rapports pour une réponse plus sportive. Naturellement, avec une telle réserve de puissance, Infiniti a construit un châssis capable d'apprivoiser le tout. La suspension avant à double triangulation et une suspension arrière multibras ajoutent beaucoup à la sensation de voiture sport du FX. Ajoutez les roues de 21 pouces de série sur le FX50 (en option sur le FX35) et vous avez un véhicule qui offre une tenue de route digne d'une BMW. Pour ceux qui en veulent plus, le FX50 offre en option des roues arrière directrices, un contrôle de l'amortissement et des sièges sport.

[COMPORTEMENT] Pour la conduite au quotidien, le FX35 a tout ce qu'il faut pour plaire. La conduite est aussi plus dynamique. Les 125 kilos de moins du FX35 en font un véhicule plus agile que le FX50 qui, en revanche, offre des accélérations dignes d'un véhicule d'accélération. L'utilisation en mode manuel n'est pas aussi sportive que je l'aurais souhaité, et le changement des rapports en mode automatique n'est pas aussi souple que celui de BMW ou de Mercedes-Benz. Toutefois, dans l'ensemble, la rigidité de la caisse, la précision de la direction et la calibration de la suspension sont de classe mondiale. Sur surface sèche, le FX est très difficile à prendre en défaut. Dans la neige, la puissance du FX50 demande beaucoup de retenue quand vient le moment de remettre les gaz. Heureusement, l'excellente transmission intégrale se charge de garder tout cela sur la route.

[CONCLUSION] Pour réellement refléter la nature sportive du FX, Infiniti devrait repenser la présentation vieille Angleterre de son intérieur qui ne colle pas avec le reste du véhicule. Pour le reste, il n'y a pas grand-chose à redire. Infiniti peut avoir la tête haute face aux concurrents allemands.

2e OPINION

ALEXANDRE CRÉPAULT Si la facture qui l'accompagne ne rebute pas trop, le FX est pratiquement certain de conquérir le cœur de quiconque veut l'acquérir. Aussi élégant que viril, ce véhicule multisegment se distingue d'une sportive de grand tourisme uniquement par ses proportions. En termes de puissance, les deux versions sont bien nanties. Bien sûr, le caractère du V8 est l'expression ultime du FX. Cela dit, mises à part vos préférences en mécanique, le FX accueille pilote et occupants dans un environnement qui marie admirablement confort et essence sportive. Un impressionnant assortiment d'aides électroniques à la conduite en fait une perle à piloter, tant lors des manœuvres de stationnement que dans les tracés sinueux à haute vitesse. Difficile de ne pas aimer...

(5) FICHE TECHNIQUE

· MOTEURS
V6 3,5 l DACT, 303 ch à 6800 tr/min
Couple 262 lb-pi à 4800 tr/min
Transmission automatique à 7 rapports avec mode manuel
0-100 km/h 7,0 s
Vitesse maximale 235 km/h

· V8 5,0 l DACT, 390 ch à 6500 tr/min
Couple 369 lb-pi à 4400 tr/min
Transmission automatique à 7 rapports avec mode manuel
0-100 km/h 5,9 s
Vitesse maximale 250 km/h
Consommation (100 km) 14,1 l (octane 91)
Émissions de CO_2 6048 kg/an
Litres par année 2520 l
Coût par an 2772 $
Carburant alternatif non
Empreinte écologique 37 arbres

· AUTRES COMPOSANTES
Sécurité active freins ABS, répartition électronique de force de freinage, assistance au freinage, contrôle de stabilité électronique, antipatinage
Suspension avant/arrière indépendante
Freins avant/arrière disques ventillés
Direction à crémaillère, assistée
Pneus FX35 P265/60R18 **FX50** P265/45R21

· DIMENSIONS
Empattement 2885 mm
Longueur 4859 mm
Largeur 1928 mm
Hauteur 1680 mm
Poids FX35 1950 kg **FX50** 2075 kg
Diamètre de braquage 11,2 m
Coffre 702 l, 1756 l (sièges abaissés)
Réservoir de carburant 90 l
Capacité de remorquage 1588 kg

NOS MENTIONS

Modèle recommandé

NOTRE VERDICT

Plaisir au volant
Qualité de finition
Consommation
Rapport qualité/prix
Valeur de revente

G37

www.infiniti.ca

N ÉVOLUTION É J

39 900 $ à 57 000 $
transport et préparation: 1825 $

LA COTE VERTE

AVEC MOTEUR V6 DE 3,7 L

- **Consommation (100km):** **man.** 10,1 l **autom.** 10,2 l
- **Émissions polluantes CO2 :** **man.** 4704 kg/an
- **Empreinte écologique (nombre d'arbres à planter par année):** 29
- **Indice d'octane:** 91
- **Autre motorisation:** non
- **Coût du carburant moyen par année:** 2156 $
- **Nombre de litres par année:** **man.** 1960 l

(SOURCE: ÉnerGuide)

1 FICHE D'IDENTITÉ

- **Versions** G37,G37X, Sport, coupé, cabriolet, AWD
- **Roues motrices** arrière, 4
- **Portières** 2, 4 **Nombre de passagers** 5
- **Première génération** 2003
- **Génération actuelle** 2007
- **Construction** Tochigi, Japon
- **Sacs gonflables** 6 (frontaux, latéraux avant, rideaux latéraux)
- **Concurrence** berline Acura TL, Audi A4, BMW Série 3, Cadillac CTS, Lexus IS, Mercedes-Benz Classe C, Volvo S60, Coupé Audi A5, BMW Série 3 Coupé, Lexus IS, Mercedes-Benz Classe E coupé

2 AU QUOTIDIEN

- **Prime d'assurance** **25 ans:** 2500 à 2700 $ **40 ans:** 1400 à 1600 $ **60 ans:** 1000 à 1200 $
- **Collision frontale** 4/5
- **Collision latérale** 5/5
- **Ventes du modèle de l'an dernier** **Au Québec** 815 **Au Canada** 4286
- **Dépréciation** nd
- **Rappels** (2004 à 2009) 2
- **Cote de fiabilité** 4/5

3 GARANTIES... ET PLUS

- **Garantie générale** 4 ans/100 000 km
- **Garantie motopropulseur** 6 ans/110 000 km
- **Perforation** 7 ans/kilométrage illimité
- **Assistance routière** 4 ans/kilométrage illimité
- **Nombre de concessionnaires** **Au Québec** 6 **Au Canada** 25

4 NOUVEAUTÉS EN 2010

- Modèle coupé cabriolet G37x coupé 4 roues motrices. Nouveau design pour la berline (janvier 2010)

LA COURSE À L'ÉTALON

PAR PHILIPPE LAGUË

LA DIVISION DE PRESTIGE DE NISSAN VIVAIT DANS L'OMBRE D'ACURA ET DE LEXUS, JUSQU'À L'ARRIVÉE, IL Y A SEPT ANS, DE LA G35, première berline de luxe japonaise d'entrée de gamme à s'approcher d'aussi près des Audi A4, BMW Série 3 et Mercedes Classe C en matière de prestations routières. C'est ce qu'il fallait pour mettre Infiniti sur la carte.

[CARROSSERIE] Sur le plan esthétique, la deuxième génération reprend les grandes lignes de la première, avec des angles arrondis et des formes plus sculptées – les ailes, notamment. Une troisième configuration s'ajoute cette année, aux côtés de la berline et du coupé : un cabriolet à toit rigide. Sachez cependant qu'une fois baissé, il se loge dans le coffre et monopolise la presque-totalité de l'espace.

[HABITACLE] La finition demeure un cran en-dessous de la concurrence. On retrouve encore la trace, ça et là, de plastique bon marché, qui n'a pas sa place dans une voiture de luxe. En revanche, la construction est solide, on le sent en fermant les portes, notamment. La présentation intérieure est aussi gâchée par un tableau de bord banal, qui pourrait être celui de n'importe quelle berline générique. Il manque une petite touche de luxe, de pizzazz, à la G37. L'incontournable sellerie cuir recouvre des sièges très confortables, conformément, cette fois, à ce qu'on attend d'une telle voiture. La grande ouverture des portes facilite l'accès aux places arrière, où le dégagement pour la tête et les jambes est correct, sans plus ; mais dans le coupé et le cabriolet, les places arrière ne peuvent convenir qu'à des enfants. Ce sont des 2+2, pas des quatre places. L'ergonomie est irréprochable : les commandes sont à portée de la main et elles sont beaucoup moins complexes que dans les berlines de luxe allemandes. On retrouve des espaces de rangement là où on s'y attend (portières, console), mais ils contiennent peu.

[MÉCANIQUE] La G35 a été rebaptisée G37 en raison d'une augmentation de la cylindrée de son moteur, qui passe de 3,5 à 3,7 litres. Ceci dit, le V6 VQ est une vieille connaissance qu'on

+ −

FORCES • Performances • Tenue de route • Rigidité du cabriolet • Confort • Fiabilité

FAIBLESSES • Coffre étroit (berline et coupé) • Coffre quasi-inexistant (cabriolet) • Places arrière limitées (coupé et cabriolet) • Finition décevante • Boîte automatique brusque

retrouve avec bonheur car il s'agit, je le dis à chaque fois, d'un des meilleurs moteurs de l'industrie automobile. Malgré sa grande facilité d'adaptation, ce moteur a du caractère. Il est puissant, véloce et la réponse est instantanée à tous les régimes. S'il n'a pas l'extrême onctuosité des 6-cylindres en ligne de BMW, il soutient la comparaison avec ceux des autres marques rivales. Les versions Sport peuvent recevoir une boîte manuelle à 6 rapports ; sinon, c'est une nouvelle boîte automatique à 7 rapports qui est accouplée au V6. Celle-ci ne m'a pas convaincu, en raison de sa lenteur à passer les rapports et son manque de fluidité, en mode automatique comme séquentiel.

[COMPORTEMENT] À ce chapitre, la BMW Série 3 est la mesure-étalon de sa catégorie et Infiniti a réussi un exploit : la G37 est la seule voiture non-germanique capable de rivaliser avec elle. Elle n'a pas l'agilité de la « Béhème », mais son aplomb dans les virages et sa tenue de route, franchement sportive, sont autant d'indicateurs que cette voiture repose sur une base saine. Le cabriolet ne perd rien de sa rigidité, ce qui est un exploit; c'est le plus pointu des cabriolets de cette catégorie... après la BMW Série 3, encore elle. Malgré son comportement rigoureux, la G37 propose aussi un confort de premier ordre, comme il est de mise dans une berline de luxe.

[CONCLUSION]S'ap-procher de la BMW Série 3 est une sorte de Saint-Graal pour les constructeurs qui désirent s'imposer dans le segment des berlines de luxe d'entrée de gamme. Avec la G37, Infiniti y est presque parvenu ; à défaut d'avoir réussi, c'est la marque japonaise qui s'en approche le plus. Sinon, elle peut compter sur les qualités qui ont fait la réputation des voitures de ce pays, soit le confort, la qualité de construction et la fiabilité. Infiniti n'a peut-être pas le prestige des marques allemandes mais elle est dans la bonne voie. Le temps fera le reste.

2e OPINION

FRANCIS BRIÈRE Encore un marché concurrentiel ! En effet, les constructeurs allemands, japonais, américains et, même, coréens se disputent leur part du gâteau. La G37 d'Infiniti se démarque principalement par sa silhouette et par sa formidable tenue de route. J'affirmerais même qu'elle surpasse celle d'une BMW 335i. Elle possède également le net avantage de prouver sa fiabilité année après année. Il s'agit d'une voiture performante et élégante, fougueuse et docile, sportive et confortable. À mon avis, son seul défaut se trouve dans l'habitacle. Infiniti conçoit des planches de bord abominables. Un million de boutons et de commandes vous attendent, à vous de démystifier le tout. D'accord, c'est un bien petit défaut. Une fois à bord, les sièges extraordinaires vous font vite oublier ces petits désagréments.

(5) FICHE TECHNIQUE

· MOTEURS
· (G37, G37X)
V6 3,7 l DACT, 328 ch à 7000 tr/min
Couple 269 lb-pi à 5200 tr/min
Transmission automatique à 7 rapports
Sport : manuelle à 6 rapports
0-100 km/h man. 6,2 s **autom.** 6,8 s
Vitesse maximale 250 km/h

· AUTRES COMPOSANTES
Sécurité active freins ABS, répartition électronique de force de freinage, assistance au freinage, antipatinage, contrôle de stabilité électronique
Suspension avant/arrière indépendante
Freins avant/arrière disques ventilés
Direction à crémaillère, assistée
Pneus G37berl. P225/55R17 **G37 Premium** 225/50WR18 (av.) P245/45WR18 (ar.) **coupé** P225/50R18 **Sport** 225/45WR19 (av.), 245/40WR19 (arr.) **Coupé/cabrio :** 225/45WR19 (av.), 245/40WR19 (arr.)

· DIMENSIONS
Empattement 2850 mm
Longueur G37 4750 mm **G37 Coupé** 4650 mm **cabrio** 4655 mm
Largeur G37 1773 mm **G37 Coupé** 1824 mm **cabrio** 1852 mm
Hauteur 1453 mm **cabrio** 1399 mm
Poids G37 berl. 1643 kg **AWD** 1748 kg **Sport** 1647 kg **G37 Premium** 1677 kg **Sport** 1645 kg **G37S Sport 6MT** 1667 kg **Coupé : Sport** 1647 kg **Premium** 1667 kg
Diamètre de braquage Berline : Propulsion 10,8 m **AWD** 11,0 m **Coupé :** 11,0 m
Coffre G37 382 l **G37 Coupé** 209 l (sans le toit)
Réservoir de carburant 76 l

NOS MENTIONS

Modèle recommandé

NOTRE VERDICT

Plaisir au volant
Qualité de finition
Consommation
Rapport qualité/prix
Valeur de revente

M

www.infiniti.ca

N ÉVOLUTION É J

49 400 $ à 67 150 $
transport et préparation: 1850 $

LA COTE VERTE

AVEC MOTEUR V6 DE 3,5 L

- **Consommation (100km): M35x** 11,3 l
- **Émissions polluantes CO_2 : M35x** 5472 kg/an
- **Empreinte écologique (nombre d'arbres à planter par année):** 32
- **Indice d'octane:** 91
- **Autre motorisation:** non
- **Coût du carburant moyen par année: M35x** 2508 $
- **Nombre de litres par année: M35x** 2280 l

(SOURCE: ÉnerGuide)

1 FICHE D'IDENTITÉ

- **Versions** 35x, 45x, 45 Sport
- **Roues motrices** arrière, 4
- **Portières** 4 **Nombre de passagers** 5
- **Première génération** 2003
- **Génération actuelle** 2006
- **Construction** Tochigi, Japon
- **Sacs gonflables** 6 (frontaux, latéraux avant, rideaux latéraux)
- **Concurrence** Acura TL, Audi A6, BMW Série 5, Cadillac STS, Jaguar XF, Lexus GS, Lincoln MKS, Mercedes-Benz Classe E, Volvo S80

2 AU QUOTIDIEN

- **Prime d'assurance**
  25 ans: 2700 à 2900 $
  40 ans: 1500 à 1700 $
  60 ans: 1300 à 1500 $
- **Collision frontale** nd
- **Collision latérale** nd
- **Ventes du modèle de l'an dernier**
  Au Québec 86 **Au Canada** 410
- **Dépréciation** 36,1%
- **Rappels** (2004 à 2009) Aucun
- **Cote de fiabilité** 5/5

3 GARANTIES... ET PLUS

- **Garantie générale** 4 ans/100 000 km
- **Garantie motopropulseur** 6 ans/110 000 km
- **Perforation** 7 ans/kilométrage illimité
- **Assistance routière** 4 ans/kilométrage illimité
- **Nombre de concessionnaires**
  Au Québec 6 **Au Canada** 29

4 NOUVEAUTÉS EN 2010

- Aucun changement majeur

MMMMMM...

PAR ALEXANDRE CRÉPAULT

ON A SOUVENT SOUS-ESTIMÉ L'INFINITI M. DANS UN CRÉNEAU DOMINÉ POUR LA PLUPART PAR DES MARQUES ALLEMANDES, ELLE A VÉCU DANS L'OMBRE DE CES DERNIÈRES. Sans dire que sa carrière tire à sa fin, du moins sous sa forme actuelle. En effet, Infiniti devrait présenter une toute nouvelle version de la M, comme modèle 2011.

[CARROSSERIE] L'Infiniti M n'essaie pas d'épater la galerie. Elle ne crie pas « Regardez-moi! » Mais observez-la bien; vous ne pourrez que remarquer à quel point elle est belle. De profil, sa ligne est élégante; de l'avant, sous un angle de trois quarts, ses hanches et son faciès musclés mettent de l'avant ses capacités d'athlète. Ses roues de 18 ou 19 pouces (selon le modèle) et ses quatre pots d'échappement à l'arrière ne font que confirmer son tempérament sportif.

[HABITACLE] À l'intérieur, on reconnaît la façon de faire d'Infiniti. Le cuir tapisse les sièges et les portières de toutes les versions. Une multitude d'accessoires sont offerts de série, comme la clé intelligente, les sièges avant à 10 réglages électriques, le volant inclinable et télescopique, aussi à commande électrique, et ainsi de suite. Au centre de la console centrale trône un écran de 7 pouces affichant les différentes commandes de l'habitacle. L'ensemble Technologie de la M35, à vous pour 7250 $, comprend des articles comme la sonorisation Studio Surround de Bose, un disque dur de 9,3 Go avec Music Box, le système de navigation, le système de reconnaissance de la voix, la caméra de marche arrière et le système de prévention de sortie de voie.

[MÉCANIQUE] Une rumeur persistante circule à propos d'une GT-R à quatre portes version Infiniti... qui pourrait reprendre, par exemple, l'écusson de la M. Vous imaginez? Une berline mangeant des M5 pour déjeuner et des AMG pour dîner. Infiniti insiste toutefois : une M « GT-R » n'exsite que dans nos rêves les plus fous. Tant pis. En attendant la prochaine génération de M, qui en toute logique devrait réutiliser le nouveau VQ37 de la G37/370Z et le V8 de 5 litres du FX50, nous devrons faire avec le bon vieux V6 VQ35HR

FORCES • Comportement sportif • Deux bons moteurs • Un prix raisonnable pour la catégorie

FAIBLESSES • Nouveau modèle à l'horizon • Consommation gourmande • Prix de l'ensemble technologique

de Nissan/Infiniti ou le V8 de 4,5 litres. Les deux moteurs sont jumelés au système de transmission intégrale, bien connu, que Nissan a baptisé ATTESA-ETS. Ayant vu le jour à la fin des années 80, sur la Nissan Skyline entre autres, ce système envoie toute la puissance aux roues arrière jusqu'à ce qu'un glissement soit détecté. À ce moment, une partie de cette puissance (un maximum de 50 %) est transférée aux roues avant. Pour les plus téméraires, Infiniti propose une version M45 Sport, qui troque les quatre roues motrices pour un bon vieux mode à propulsion, et qui comprend également une direction arrière active et une suspension plus ferme.

[COMPORTEMENT] La mission de la M35, ressemble plus à celle d'un mode de transport qu'à un véhicule de course. Fidèle à son poste, le VQ35HR suffit amplement dans des circonstances normales. Cela dit, malgré son régime moteur maximal de 7500 tours/minute, la M35 n'est pas particulièrement à l'aise à haut régime : elle semble travailler trop dur pour les résultats obtenus. Cette voiture préfère donc une conduite souple (et qui respecte la loi...), mais un châssis rigide qui, combiné avec la transmission intégrale, en fait une voiture saine et polyvalente. Au volant de la M45, c'est une tout autre histoire. Le V8 gronde comme peu de moteurs savent encore le faire. La transmission intégrale est une des meilleures de l'industrie et la connexion qui s'établit entre le pilote et la voiture ne nous fait pas regretter les allemandes. Un charme, surtout dans la version sport, parce que le châssis rigide nous donne toujours l'envie de pousser un peu plus.

[CONCLUSION] La M actuelle est une très bonne voiture; l'acheteur de berline de luxe devrait la considérer. Mais une nouvelle M pointe à l'horizon. Si l'on se base sur les nouvelles G37 et FX50, ça promet. Une bonne raison d'attendre une année de plus ? Sans doute...

2e OPINION

PHILIPPE LAGUË Depuis des décennies, les allemandes font la pluie et le beau temps dans ce segment. On attendait toujours la berline de luxe japonaise qui pourrait s'en approcher, s'en montrer l'égale même : cet honneur, car c'en est bien un, revient à l'Infiniti M35/M45. Elle n'a pas encore l'aplomb d'une BMW Série 5, référence absolue de sa catégorie à ce chapitre, mais c'est elle qui s'en approche le plus. Mais elle est non seulement moins chère, mais plus fiable ! Mieux encore : chez un concessionnaire Infiniti, vous serez traité avec respect, ce qui n'est pas toujours le cas du côté de BMW et de Mercedes-Benz, où la condescendance semble faire partie de la culture d'entreprise. L'arrivée de la prochaine génération est prévue pour le printemps prochain; le modèle actuel a néanmoins de beaux restes et peut constituer une sacrée bonne affaire.

(5) FICHE TECHNIQUE

· MOTEURS

· (M35x)
V6 3,5 l DACT 303 ch à 6800 tr/min
Couple 262 lb-pi à 4800 tr/min
Transmission automatique à 7 rapports avec mode manuel
0-100 km/h 7,2 s
Vitesse maximale 235 km/h

· (M45, M45X)
V8 4,5 l DACT 32s, 325 ch à 6400 tr/min
Couple 336 lb-pi à 4000 tr/min
Transmission automatique à 5 rapports avec mode manuel
0-100 km/h 6,0 s
Vitesse maximale 250 km/h
Consommation (100 km) 11,5 l (octane 91)
Émissions de CO_2 5568 kg/an
Litres par année 2320 l
Coût par an 2552 $
Carburant alternatif non
Empreinte écologique 33 arbres

· AUTRES COMPOSANTES
Sécurité active Freins ABS, répartition électronique de force de freinage, assistance au freinage, antipatinage, contrôle de stabilité électronique
Suspension avant/arrière indépendante
Freins avant/arrière disques
Direction à crémaillère, assistée
Pneus P245/45R18 **M45 Sport** P245/40R19

· DIMENSIONS
Empattement 2901 mm
Longueur 4892 mm
Largeur 1798 mm
Hauteur 1509 mm
Poids M35x 1816 kg **M45** 1874 kg
M45 Sport 1799 kg
Diamètre de braquage M35x 11,0 m
Coffre 422 l
Réservoir de carburant 76 l

NOS MENTIONS

Modèle recommandé

NOTRE VERDICT

Plaisir au volant	4/5
Qualité de finition	4,5/5
Consommation	3,5/5
Rapport qualité/prix	3,5/5
Valeur de revente	3,5/5

QX56

www.infiniti.ca

N ÉVOLUTION É J

71 900 $
transport et préparation: 1870 $

LA COTE VERTE

AVEC MOTEUR V8 DE 5,6 L

- **Consommation (100km):** 15,0 l
- **Émissions polluantes CO_2 :** 7104 kg/an
- **Empreinte écologique (nombre d'arbres à planter par année):** 45
- **Indice d'octane:** 87
- **Autre motorisation:** non
- **Coût du carburant moyen par année:** 2772 $
- **Nombre de litres par année:** 2520 l

(SOURCE: ÉnerGuide)

1 FICHE D'IDENTITÉ

- **Versions** 7 pass., 8 pass.
- **Roues motrices** 4
- **Portières** 4 **Nombre de passagers** 7 ou 8
- **Première génération** 2004
- **Génération actuelle** 2004
- **Construction** Canton, Mississippi, É.-U.
- **Sacs gonflables** 6 (frontaux, latéraux avant, rideaux latéraux)
- **Concurrence** Cadillac Escalade, Land Rover Range Rover, Lexus LX 570, Lincoln Navigator, Mercedes-Benz Classe GL

2 AU QUOTIDIEN

- **Prime d'assurance**
  25 ans: 3700 à 3900 $
  40 ans: 2300 à 2500 $
  60 ans: 2000 à 2200 $
- **Collision frontale** 4/5
- **Collision latérale** 4/5
- **Ventes du modèle de l'an dernier**
  Au Québec 30 **Au Canada** 160
- **Dépréciation** 60%
- **Rappels** (2004 à 2009) 1
- **Cote de fiabilité** 4/5

3 GARANTIES... ET PLUS

- **Garantie générale** 4 ans/100 000 km
- **Garantie motopropulseur** 6 ans/110 000 km
- **Perforation** 7 ans/kilométrage illimité
- **Assistance routière** 4 ans/kilométrage illimité
- **Nombre de concessionnaires**
  Au Québec 6 **Au Canada** 29

4 NOUVEAUTÉS EN 2010

- Aucun changement majeur

DINOSAURE

PAR BENOIT CHARETTE

ON SE DEMANDAIT SI INFINITI ALLAIT CONSERVER SON PACHYDERME SUR LA ROUTE, MÊME APRÈS AVOIR VENDU SEULEMENT 160 EXEMPLAIRES AU CANADA L'AN DERNIER (30 AU QUÉBEC). Il semble bien que oui. Ce véhicule est la preuve de l'appétit sans limite des consommateurs américains pour les véhicules qui cultivent le gigantisme. Dans quel autre pays Nissan aura-t-elle fabriqué pareille bête.

[CARROSSERIE] Physiquement, Sa calandre intimidante, sa taille de mammouth et ses portes surdimensionnées laissent un message très clair sur sa vocation. Tout comme à son lancement en 2004, le QX reprend les éléments de base de l'Armada de Nissan, et les deux véhicules empruntent le même châssis à échelle de la camionnette Titan. Malgré la taille impossible à dissimuler du QX, Infiniti a fait un bon travail pour donner une certaine élégance à l'ensemble.

[HABITACLE] On peut jouer au football dans le QX56 tellement l'intérieur est grand. Il s'agit d'un des rares véhicules sur la route à pouvoir accueillir en tout confort 7 ou 8 occupants, selon la configuration. Même un adulte au gabarit imposant sera très à l'aise sur la troisième banquette. De plus, il reste encore assez d'espace pour une bonne quantité de bagages à l'arrière. Ou vous pouvez au choix vous transformer en déménageur d'occasion. Lors d'un petit congé, l'an dernier, j'avais réussi à engouffrer dans les 2750 litres d'espace à l'arrière deux sacs de golf avec chariot, deux vélos, de l'équipement de camping et tous les bagages pour le séjour avec un peu d'espace en prime. La conduite se fait également dans une atmosphère sereine. Les 32 kilos supplémentaires de matériau insonorisant en comparaison de l'Armada offrent une meilleure protection contre les bruits extérieurs; et le tableau de bord, d'une laideur peu commune chez Nissan, est de loin plus joli chez Infiniti.

[MÉCANIQUE] Détenteurs de carte AIR MILES, Pétro-Points ou autres, vous serez heureux d'apprendre que le QX56 fera rapidement de vous un membre platine. Les 320 chevaux du

FORCES • Puissance moteur • Capacité de remorquage • Habitacle spacieux • Silence de roulement

FAIBLESSES • Consommation élevée • Encombrement • Poids

QX56

moteur V8 de 5,6 litres ne battent pas de record de puissance, mais les 2 682 kilos de cette masse à quatre roues motrices le font travailler très fort, et la boîte de vitesses automatique à 5 rapports donnerait de meilleur résultat au chapitre de la consommation avec un ou deux rapports de plus. Bref, même si le ministère des Ressources naturelles et de la faune annonce une consommation moyenne de 15 litres aux 100 kilomètres, sachez que la réalité est beaucoup plus près de 18 et dépasse facilement les 20 litres aux 100 kilomètres si vous êtes plusieurs à bord. Ai-je besoin de vous souligner les pronostics pour ceux qui font du remorquage.

[COMPORTEMENT] Vous connaissez le proverbe : « Chassez le naturel et il revient au galop. » Il s'applique très bien au QX. Malgré de nombreux efforts pour rendre la conduite plus coulée, les gènes du camion demeurent prédominants. L'énorme masse demande au conducteur d'être prévoyant quand vient le moment de freiner car, en plus d'être spongieuse, la pédale de frein demande du muscle et une longue distance pour stopper le véhicule. Il n'est pas recommandé d'attaquer un virage, le roulis vous rendra malade, vous et vos passagers. Il faut donc pratiquer la modération à tous les chapitres. Le QX ne manque pourtant pas de puissance et est capable de franchir un 0 à 100 km/h en 7,7 secondes pour environ 20 $ de carburant.

[CONCLUSION] Véhicule d'une autre époque, ce dinosaure mobile trouvera encore çà et là quelques adeptes. Ses qualités intrinsèques ne sont pas remises en cause, mais dans un mode automobile qui se réinvente, on doit se poser la question : « Est-ce que quelqu'un a encore besoin d'un tel véhicule pour une utilisation au quotidien ? » Ils se font de plus en plus rares, il faudrait en faire une version hybride rechargeable, ce qui donnerait peut-être une seconde vie à ce style de véhicule.

2e OPINION

DANIEL RUFIANGE Physiquement, Infiniti ne fait pas dans la dentelle. Sa calandre intimidante, sa taille de mammouth et ses portes surdimensionnées laisse un message très clair sur les intentions de la compagnie. Ce segment de véhicules si populaire aux États-Unis lorsque Nissan a lancé le véhicule en 2004 est rapidement devenu dépassé. Que vous ayez une famille de six enfants ou soyez simplement amateur de grand espace, il y a peu à redire sur le QX56, si ce n'est sa morphologie peu invitante au premier coup d'œil et sa consommation à donner mal à la tête.

5 FICHE TECHNIQUE

· MOTEUR

V8 5,6 l DACT, 320 ch à 5200 tr/min
Couple 393 lb-pi à 3400 tr/min
Transmission automatique à 5 rapports
0-100 km/h 7,7 s
Vitesse maximale 180 km/h

· AUTRES COMPOSANTES

Sécurité active freins ABS, répartition électronique de force de freinage, assistance au freinage, antipatinage, contrôle de stabilité électronique
Suspension avant/arrière indépendante
Freins avant/arrière disques ventilés
Direction à crémaillère, assistée
Pneus P275/60R20

· DIMENSIONS

Empattement 3130 mm
Longueur 5255 mm
Largeur 2002 mm
Hauteur 1998 mm
Poids 2682 kg
Diamètre de braquage 12,5 m
Coffre 1733 l, 2750 l (sièges abaissés)
Réservoir de carburant 105 l
Capacité de remorquage 4037 kg

NOTRE VERDICT

Plaisir au volant
Qualité de finition
Consommation
Rapport qualité/prix
Valeur de revente

XJ

www.jaguar.ca

NOUVEAUTÉ

80 500 $ à 110 000 $
transport et préparation: 1195 $

LA COTE VERTE

AVEC MOTEUR V8 DE 5,0 L

- **Consommation (100km) :** 12,3 l
- **Émissions polluantes CO_2 :** 5280 kg/an
- **Empreinte écologique (nombre d'arbres à planter par année) :** 32
- **Indice d'octane :** 91
- **Autre motorisation :** non
- **Coût du carburant moyen par année :** 2420 $
- **Nombre de litres par année :** 2200 l

(SOURCE : ÉnerGuide)

1 FICHE D'IDENTITÉ

- **Versions** XJ , XJ L, XJ L Supercharged, XJ Supersport
- **Roues motrices** arrière
- **Portières** 4 **Nombre de passagers** 5
- **Première génération** 1968
- **Génération actuelle** 2010
- **Construction** Coventry, Angleterre
- **Sacs gonflables** 6 (frontaux, latéraux avant, rideaux latéraux)
- **Concurrence** Audi A8, BMW Série 7, Lexus LS460, Maserati Quattroporte, Mercedes-Benz Classe S

2 AU QUOTIDIEN

- **Prime d'assurance**
  25 ans: 3700 à 3900 $
  40 ans: 2400 à 2600 $
  60 ans: 1600 à 1800 $
- **Collision frontale** nm
- **Collision latérale** nm
- **Ventes du modèle de l'an dernier**
  Au Québec 25 **Au Canada** 134
- **Dépréciation** (3 ans) 56,1%
- **Rappels** (2004 à 2009)
- **Cote de fiabilité** nm

3 GARANTIES... ET PLUS

- **Garantie générale** 4 ans/80 000 km
- **Garantie motopropulseur** 4 ans/80 000 km
- **Perforation** 4 ans/80 000 km
- **Assistance routière** 4 ans/80 000 km
- **Nombre de concessionnaires**
  Au Québec 4 **Au Canada** 29

4 NOUVEAUTÉS EN 2010

- Nouveau modèle

CHANGER SON FUSIL D'ÉPAULE

PAR BENOIT CHARETTE

LA JAGUAR XJ PERSONNIFIAIT TOUT DE LA VIEILLE ÉCOLE DE DESIGN ANGLAISE. Le style un peu d'une autre époque trouvait toujours preneur, mais le grand patron de l'image chez Jaguar et Aston Martin a décidé de briser le moule et d'amener la XJ au 21e siècle, au soulagement de plusieurs. Jaguar tire donc définitivement un trait sur le passé à l'image du style de la nouvelle XJ, vaisseau-amiral de la marque. La grande berline de luxe joue la carte de la fluidité et de la modernité.

[CARROSSERIE] On voit que les concepteurs se sont inspirés des plus récents modèles de la famille, la XF et la XK. En termes d'esthétique, la nouvelle XJ joue d'audace et se dote d'un toit vitré panoramique, ce qui lui confère une ligne de pavillon plus basse et plus étirée tout en rehaussant considérablement l'impression de lumière et d'espace à son bord. Elle sera offerte en versions à empattement long et à empattement court. La version longue offre un environnement encore plus luxueux aux passagers des sièges arrière grâce à un espace aux jambes accru de 125 millimètres. Le coffre, d'un volume de 520 litres, peut loger deux grandes valises l'une à côté de l'autre. D'un point de vue technique, la nouvelle Jaguar XJ est constituée d'une structure de caisse en aluminium qui lui permet d'afficher un poids inférieur d'au moins 150 kilos par rapport à ses concurrentes. Selon la marque anglaise, son architecture améliore nettement ses performances, sa tenue de route et sa consommation de carburant.

[HABITACLE] L'intérieur marie avec succès le moderne et le traditionnel car Jaguar est toujours la gardienne de la tradition aristocratique anglaise. Les insérés chromés et *Piano noir* contrastent avec la sellerie de cuir et les boiseries. Quatre échelons de finition, Luxe, Luxe Premium, Portfolio et Supersport, permettront au client de personnaliser sa voiture selon ses goûts. La finition Supersport est l'expression ultime de cette philosophie et intègre une garniture de pavillon en cuir, une

FORCES • Lignes à couper le souffle • Finition sans faute

FAIBLESSES • Moteur diesel non offert chez nous

sellerie de cuir et des boiseries avec incrustation au laser. Un étonnant combiné des instruments virtuel à haute définition de 12,3 pouces vient compléter l'innovant écran tactile de 8 pouces à double vision. Il permet aux passagers de visionner des films DVD ou des programmes télévisés, tandis que le conducteur visualise l'information liée au fonctionnement de la voiture ou les instructions du système de navigation par satellite. La gamme des chaînes audio offertes sur la nouvelle XJ comprend la chaîne audio surround haut de gamme Bowers & Wilkins de 1200 watts. L'équipement multimédia comprend également une chaîne audio et un système de navigation à disque dur, ainsi qu'une connexion complète pour appareils audio et vidéo portables.

[MÉCANIQUE] Pour ce qui est des moteurs, Jaguar est demeurée dans la famille en allant chercher des motorisations déjà présentes dans la XF ou la XK. L'offre se résume pour le moment à trois moteurs V8. Le premier, à alimentation atmosphérique et à injection directe de carburant, offre 5 litres de cylindrée et 385 chevaux. Le deuxième profite du même bloc-moteur, mais l'ajout d'une suralimentation porte sa puissance à 470 chevaux; le troisième habillera la version Supersport avec ses 510 chevaux provenant du même V8. Tous seront couplés à la boîte de vitesses automatique à 6 rapports commandée électriquement par le système *JaguarDriveSelector* ou les leviers de sélection au volant. Il semble que le V6 de 3 litres diesel ne fera pas le voyage pour le moment.

[COMPORTEMENT] La compagnie indo-britannique n'a pas lésiné sur les moyens pour tenir la voiture bien au sol, la concurrence est forte. On trouve, par exemple, la suspension pneumatique, le dispositif *Adaptive Dynamics* (amortissement variable en continu), le système de contrôle de différentiel actif et la direction assistée à faible démultiplication qui se conjuguent pour offrir une tenue de route réactive et dynamique et le confort de conduite raffiné propres à Jaguar.

[CONCLUSION] Jaguar nourrit beaucoup d'espoir pour cette nouvelle berline et envisage même la création d'un coupé et d'un break de chasse, typique du marché anglais. Il faudra attendre la fin de 2009 avant de voir les premiers modèles chez les concessionnaires.

(5) FICHE TECHNIQUE

· **MOTEURS**
(XJ, XJ L)
V8 5,0 l DACT, 385 ch à 3500 tr/min
Couple 380 lb-pi à 6500 tr/min
Transmission automatique à 6 rapports avec mode manuel au volant
0-100 km/h 5,7 s
Vitesse maximale 250 km/h (bridée)

· **(XJ L SUPERCHARGED)**
V8 5,0 l suralimenté DACT, 470 ch à 6500 tr/min
Couple 424 lb-pi à 3500 tr/min
Transmission automatique à 6 rapports avec mode manuel au volant
0-100 km/h 5,2 s
Vitesse maximale 250 km/h (bridée)
Consommation (100 km) 11,5 l (octane 91)
Émissions de CO_2 5780 kg/an
Litres par année 2360 l
Coût par an 2596 $
Autre motorisation non
Empreinte écologique 36 arbres

· **(XJ SUPERSPORT)**
V8 5,0 l suralimenté DACT, 510 ch à 6000 tr/min
Couple 461 lb-pi à 2500 tr/min
Transmission automatique à 6 rapports avec mode manuel au volant
0-100 km/h 4,9 s
Vitesse maximale 250 km/h (bridée)
Consommation (100 km) 12,1 l (octane 91)
Émissions de CO_2 5780 kg/an
Litres par année 2360 l **Coût par an** 2596 $
Autre motorisation non
Empreinte écologique 36 arbres

· **AUTRES COMPOSANTES**
Sécurité active freins ABS, répartition électronique de force de freinage, antipatinage, contrôle de stabilité électronique
Suspension avant/arrière indépendante
Freins avant/arrière disques
Direction à crémaillère, assistée
Pneus base : P235/50R18 **Option :** P255/40HR19
SuperCharged et SuperSport : P255/35ZR20

· **DIMENSIONS**
Empattement 3032 mm **emp. long** 3157 mm
Longueur 5122 mm **emp. long** 5247 mm
Largeur 1894 mm **Hauteur** 1448 mm
Poids XJ : 1755 **XJL** : 1773 kg
XJL Supercharged 1915 kg **SuperSport** 1892 kg
Diamètre de braquage court 12,3 m, **long** 12,7 m
Coffre 520 l
Réservoir de carburant 82 l

XK

www.jaguar.ca

N ÉVOLUTION É J

96 500 $ à 103 200 $
transport et préparation: 1270 $

LA COTE VERTE

AVEC MOTEUR V8 DE 5,0 L

- **Consommation (100km):** 12,3 l
- **Émissions polluantes CO_2 :** 5280 kg/an
- **Empreinte écologique (nombre d'arbres à planter par année):** 32
- **Indice d'octane:** 91
- **Autre motorisation:** non
- **Coût du carburant moyen par année:** 2420 $
- **Nombre de litres par année:** 2200 l

(SOURCE: ÉnerGuide)

1 FICHE D'IDENTITÉ

- **Versions** Coupé, Cabriolet
- **Roues motrices** arrière
- **Portières** 2 **Nombre de passagers** 2+2
- **Première génération** 1997
- **Génération actuelle** 2010
- **Construction** Coventry, Angleterre
- **Sacs gonflables** 6 (frontaux, rideaux et latéraux avant)
- **Concurrence** Aston Martin V8 Vantage, Chevrolet Corvette, Dodge Viper, Lexus SC, Maserati GT, Mercedes-Benz Classe SL, Porsche 911

2 AU QUOTIDIEN

- **Prime d'assurance**
  25 ans: 3700 à 3900 $
  40 ans: 2400 à 2600 $
  60 ans: 1600 à 1800 $
- **Collision frontale** 5/5
- **Collision latérale** 5/5
- **Ventes du modèle de l'an dernier**
  Au Québec 27 **Au Canada** 132
- **Dépréciation** (3 ans) 58,3%
- **Rappels** (2003 à 2008) 3
- **Cote de fiabilité** 3,5/5

3 GARANTIES... ET PLUS

- **Garantie générale** 4 ans/80 000 km
- **Garantie motopropulseur** 4 ans/80 000 km
- **Perforation** 4 ans/80 000 km
- **Assistance routière** 4 ans/80 000 km
- **Nombre de concessionnaires**
  Au Québec 4 **Au Canada** 29

4 NOUVEAUTÉS EN 2010

- Nouvelle motorisation V8 5,0 litres

À CONTRE-COURANT

PAR BENOIT CHARETTE

ALORS QUE LA PLANÈTE VIRE AU VERT, LES GENS DE JAGUAR ONT DÉCIDÉ DE METTRE AU RANCART LE VIEILLISSANT V8 DE 4,2 LITRES POUR LE REMPLACER PAR UN 5-LITRES À INJECTION DIRECTE PLUS PUISSANT. Conséquence, consommation et émissions polluantes stagnent, mais les performances sont désormais à la hauteur de celles de la précédente XKR. Il semble que la planète peut absorber une autre bête de route.

[CARROSSERIE] Parler d'un nouveau modèle serait un peu exagéré. J'étais du dernier lancement mondial en Afrique du Sud, il y a trois ans, et on ne peut pas dire que le modèle soit si différent; et c'est une bonne chose. Fidèle à sa tradition, Jaguar offre toujours cette beauté intemporelle. Reconnaissable entre mille, la silhouette oblongue de la XK ne reçoit que de fines retouches pour cette mise à jour. A la fois moderne et délicieusement classique, cette robe portant l'héritage de Coventry gagne simplement en dynamisme avec l'arrivée, à l'avant, de nouvelles prises d'air latérales, tandis que les blocs optiques arrière et les répétiteurs de clignotant des rétroviseurs adoptent la technologie à diodes électroluminescentes (DEL).

[HABITACLE] À bord, outre les nouveaux habillages et garnissages dans le ton classique de Jag, on retient surtout la greffe du sélecteur rotatif de la boîte de vitesses de la XF qui remplace la désormais célèbre grille en J. Un seul petit hic, la planche de bord high-tech, elle aussi issue de la XF avec cette commande avant-gardiste qui s'extrait de la console centrale au démarrage, détonne un peu dans la XK. Son ergonomie et le gain d'espace libéré justifient ce changement, mais c'est un changement de mentalité dans cette voiture plus conservatrice que la XF. La XK 5.0 en version coupé ou cabriolet offre donc un moelleux rare dans la catégorie et amortit avec une grande douceur dos d'âne, ornières et autres aspérités de la chaussée, et ce, même avec les jantes de 19 pouces offertes en option, une chose rare dans cette catégorie. Par contre, les places arrière sont toujours inutilisables.

FORCES • Lignes qui ne peuvent laisser indifférent • Agrément mécanique • Ambiance inimitable d'un habitacle Jaguar

FAIBLESSES • Moteur trop discret à l'occasion • Plutôt confort que sport Taille imposante

[MÉCANIQUE] Répondant au doux patronyme de AJ-V8 Gen III, le nouveau 8 cylindres de Jaguar fournit à la XK 385 chevaux – soit 85 de plus que l'ancien 4.2. Il combine injection directe et levée variable des soupapes pour garantir à ce chat une belle vélocité sans qu'il se montre trop gourmand. Jaguar annonce une consommation de carburant à 11,2 litres aux 100 kilomètres, mais dans la réalité, nous sommes demeurés à quelques gouttes des 14 litres aux 100 kilomètres. À fond la caisse, vous franchirez les 100 km/h en 5,5 secondes contre 6,2 pour l'ancienne mouture avec une belle aisance. Et attention, Jaguar conserve sa proverbiale douceur, si bien que les accélérations se font en vase clos, et vous serez à des allures supra légales avant même de vous en rendre compte. Vous serez aidé en cela par la superbe boîte de vitesses ZF à 6 rapports qui joue sur tous les tableaux, de douce à agressive si vous appuyez sur la touche sport qui décoince l'échappement et dynamise la réponse à l'accélérateur. Un régal !

[COMPORTEMENT] Côté châssis, la XK troque sa suspension active « CATS » contre un nouvel amortissement piloté signé Bilstein, aux fonctions plus étendues. Celui-ci permet au coupé de virer bien à plat tout en lui assurant un confort digne de son rang. On prend beaucoup de plaisir à enchaîner les virages avec cet imposant coupé qui dissimule bien ses 1 660 kilos et signale ses limites par des déhanchements progressifs facilement contrôlables. Il faut évidemment bousculer l'anglaise pour en arriver là ou profiter d'une mauvaise adhérence, car la motricité ne prête pas flanc à la critique.

[CONCLUSION] Plus démonstrative mais toujours fidèle à sa bonne éducation, la Jaguar XK s'affirme comme l'une des GT les plus accomplies. Un coupé 2+2 porté sur les traditions qui procure autant de plaisir à rythme coulé que mené à bon train.

2e OPINION

PHILIPPE LAGUË Marcher dans les traces d'une légende n'est jamais facile... Non seulement la Jaguar XK se montre-t-elle une digne descendante de sa glorieuse aïeule, l'immortelle Type E, mais elle donne tout son sens à la désignation grand tourisme. Belle, racée, rapide et confortable, elle est la preuve que la célèbre marque britannique est encore capable de produire de superbes voitures. Les XK et XKR ne souffrent d'aucun complexe face aux meilleures GT du moment, qu'elles s'appellent Maserati, Porsche ou Aston Martin. La XF et la future XJ ont été développées sous le règne de Ford, tout comme l'actuelle XK; mais cette dernière est la dernière vraie Jaguar, tant dans l'allure que dans l'esprit. Souhaitons que les nouveaux propriétaires indiens respectent le riche patrimoine de la marque de Coventry...

5 FICHE TECHNIQUE

· **MOTEURS**
(XK)
V8 5,0 l DACT, 385 ch à 6500 tr/min
Couple 380 lb-pi à 4100 tr/min
Transmission automatique à 6 rapports avec mode manuel au volant
0-100 km/h 5,5 s
Vitesse maximale 250 km/h (bridée)

· **AUTRES COMPOSANTES**
Sécurité active freins ABS, répartition électronique de force de freinage, antipatinage
Suspension avant/arrière indépendante
Freins avant/arrière disques
Direction à crémaillère, assistée
Pneus P245/45ZR19 (av) P275/35ZR19 (ar)
Option : 255/35ZR20 (av) 285/30ZR20 (ar)

· **DIMENSIONS**
Empattement 2752 mm
Longueur 4794 mm
Largeur 1892 mm
Hauteur coupé 1322 mm **cabrio.** 1329 mm
Poids XK coupé 1660 kg **XK cabrio.** 1696 kg
Diamètre de braquage 10,9 m
Coffre 330 l **cabrio** 313 l
Réservoir de carburant 71 l

NOS MENTIONS

Modèle recommandé

NOTRE VERDICT

Plaisir au volant
Qualité de finition
Consommation
Rapport qualité/prix
Valeur de revente

XKR

www.jaguar.ca

N NOUVEAUTÉ É J

107 000 $ à 114 000 $
transport et préparation: 1195 $

LA COTE VERTE

AVEC MOTEUR V8 DE 5,0 L

- **Consommation (100km):** 12,3 l
- **Émissions polluantes CO_2 :** 5840 kg/an
- **Empreinte écologique (nombre d'arbres à planter par année):** 37
- **Indice d'octane:** 91
- **Autre motorisation:** non
- **Coût du carburant moyen par année:** 2640 $
- **Nombre de litres par année:** 2400 l

(SOURCE: ÉnerGuide)

1 FICHE TECHNIQUE

· MOTEUR
(XKR) V8 5,0 l suralimenté DACT, 510 ch à 6000 tr/min
Couple 461 lb-pi à 2500 tr/min
Transmission automatique à 6 rapports avec mode manuel au volant
0-100 km/h 4,6 s
Vitesse maximale 250 km/h (bridée)

· AUTRES COMPOSANTES
Sécurité active freins ABS, répartition électronique de force de freinage, antipatinage, contrôle de stabilité électronique
Suspension avant/arrière indépendante
Freins avant/arrière disques
Direction à crémaillère, assistée
Pneus : P255/35ZR20 (option)

· DIMENSIONS
Empattement 2752 mm
Longueur 4794 mm
Largeur 1892 mm
Hauteur 1322 mm **cabrio :** 1 329mm
Poids coupé : 1753 **cabrio :** 1 800kg
Diamètre de braquage 10,9 m
Coffre coupé 330 l **cabrio** 313 l
Réservoir de carburant 71 l

2 NOUVEAUTÉS EN 2010

Nouveau modèle

SÉDUCTION 101

PAR CARL NADEAU

JAGUAR PREND UN VIRAGE QUI ME PLAÎT BEAUCOUP. Le retour aux sources, marqué, fait qu'on délaisse les modèles d'entrée de gamme, qui ne rendaient pas service à la marque, pour se concentrer sur la mission d'origine : vendre des voitures luxueuses agréables à conduire, sans viser un vo lume de ventes élevé.

[CARROSSERIE] Elle se distingue notamment du modèle standard par la présence d'une calandre grillagée en aluminium, d'ouïes d'aération chargées de faire respirer le moteur ou, encore, d'une quadruple sortie d'échappement. Ce à quoi s'ajoutent, de ma gnifiques jantes de 20 pouces.

[HABITACLE] L'habitacle recèle des matériaux de qualité, et le luxe ambiant contribue à l'expérience de conduite positive. Non seulement les sièges sont-ils confortables, mais ils permettent également une multitude de réglages, comme le maintien latéral, qui vous garde parfaitement en place lors de virages attaqués avec enthousiasme. L'ensemble audio vous déplace vers un univers symphonique envoûtant, quel que soit le type de musique choisi.

[MÉCANIQUE] Son moteur suralimenté de 5 litres fait cavaler 510 chevaux et produit un couple de 461 livres-pieds (une augmentation respective de 23 et de 12 %), le tout sans affecter la consommation de carburant et en réduisant les émissions polluantes. Pas mal ! La boîte de vitesses automatique à 6 rapports est un exemple de douceur et se montre à la hauteur quand on augmente le rythme.

[COMPORTEMENT] Du côté de la conduite, les ingénieurs se sont surpassés sur toute la ligne avec le mode dynamique, qui profite d'un différentiel actif. La voiture donne confiance, elle s'inscrit très bien en virage en profitant du poids réduit de son châssis en aluminium et de l'excellente gestion de la conduite.

[CONCLUSION] Je comptais parmi les sceptiques quand les gens parlaient d'un renouveau de Ja guar et d'une santé financière future excellente, mais je suis converti ! Les récents rapports de fiabilité placent Jaguar au sommet. Les voitures sont superbes et surpassent plusieurs produits germaniques remarquables quant à l'expérience de conduite. Qui aurait pu le prévoir ?

FORCES · Confort · Tenue de route · Puissance

FAIBLESSES · Moteur trop discret à l'occasion · Taille imposante

N NOUVEAU É J

85 300 $
transport et préparation: 1270 $

XFR

www.jaguar.ca

LA COTE VERTE

AVEC MOTEUR V8 DE 5,0L S/C

- **Consommation (100km):** 12,6 l
- **Émissions polluantes CO_2 :** 5840 kg/an
- **Empreinte écologique (nombre d'arbres à planter par année):** 37
- **Indice d'octane:** 91
- **Autre motorisation:** non
- **Coût du carburant moyen par année:** 2706 $
- **Nombre de litres par année:** 2460 l

(SOURCE: ÉnerGuide)

MR. HYDE

PAR BENOIT CHARETTE

POUR METTRE FIN À L'HÉGÉMONIE ALLEMANDE DANS LE SEGMENT DES BERLINES SPORT AUX GROS POUMONS, la firme indo-britannique a décidé de mettre le paquet dans cette berline de nature gentille que les 510 chevaux transforment en M. Hyde.

[CARROSSERIE] Pour reconnaître la XFR de la XF, il suffit de jeter un œil du côté des jantes : 20 pouces ! Calandre, boucliers et capot percé sont d'autres signes distinctifs. Enfin, à l'arrière, difficile de ne pas remarquer les quatre sorties d'échappement. Disons que la robe est plus mordante, mais elle conserve son élégance.

[HABITACLE] Jaguar propose une couleur de sellerie qui s'harmonise avec chaque couleur extérieure. Dans l'habitacle, certains détails sont propres à ce modèle comme le cuir pleine fleur souple et une nouvelle boiserie de couleur chêne foncé. Les sièges sport réglables ont des renforts latéraux à réglage électrique et permettent un meilleur maintien dans les virages à grande vitesse. Le tableau de bord arbore une finition aluminium maillée foncée. Enfin, le conducteur-pilote profite aussi de la signature R, et les aiguilles du compteur de vitesse et du compte-tours sont rouges.

[MÉCANIQUE] La XFR profite du moteur V8 suralimenté de 5 litres de 510 chevaux. La vitesse maximale est limitée électroniquement à 250 km/h, et la berline passe de 0 à 100 km/h en 4,9 secondes. Il faut souligner l'excellent travail de la boîte de vitesses ZF à 6 rapports.

[COMPORTEMENT] La XFR profite d'un différentiel arrière piloté électroniquement capable de distiller la puissance différemment à chacune des roues motrices. Il travaille de concert avec la suspension à « dynamique adaptative » (AD) réglant automatiquement les paramètres des amortisseurs de la suspension. La XFR bénéficie également d'une direction plus directe et des plus grands freins à disque ventilés de la gamme.

[CONCLUSION] La XFR offre une réelle alternative aux avaleuses de bitume allemande, sans rien perdre de son charme anglais.

1 FICHE TECHNIQUE

- **(5,0 S/C)**

V8 4,2 l DACT suralimenté, 510 ch à 6500 tr/min
Couple 375 lb-pi à 6000 tr/min
Transmission Automatique à 6 rapports avec palettes montées au volant
0-100 km/h 4,9 s
Vitesse maximale 250 km/h (bridée)

- **AUTRES COMPOSANTES**

Sécurité active freins ABS, répartition électronique de force de freinage, antipatinage, contrôle de stabilité électronique
Suspension avant/arrière indépendante
Freins avant/arrière disques
Direction à crémaillère, assistée
Pneus P255/35ZR20

- **DIMENSIONS**

Empattement 2909 mm
Longueur 4961 mm
Largeur 1877 mm
Hauteur 1460 mm
Poids 1890 kg
Diamètre de braquage 11,48 m
Coffre 500 l
Réservoir de carburant 69,5 l

FORCES · Grande homogénéité au volant · Moteur souple et très puissant · Silhouette d'enfer

FAIBLESSES · Poids · Espace un peu juste à l'arrière

XF

www.jaguar.ca

N ÉVOLUTION É J

61 800 $ à 68 300 $
transport et préparation: 1270 $

LA COTE VERTE

AVEC MOTEUR V8 DE 4,2 L

- **Consommation (100km):** 10,6 l
- **Émissions polluantes CO_2 :** 5232 kg/an
- **Empreinte écologique (nombre d'arbres à planter par année):** 31
- **Indice d'octane:** 91
- **Autre motorisation:** non
- **Coût du carburant moyen par année:** 2398 $
- **Nombre de litres par année:** 2180 l

(SOURCE: ÉnerGuide)

1 FICHE D'IDENTITÉ

- **Versions** Luxury, Premium
- **Roues motrices** arrière
- **Portières** 4 **Nombre de passagers** 5
- **Première génération** 2009
- **Génération actuelle** 2009
- **Construction** Coventry, Angleterre
- **Sacs gonflables** 4 (frontaux, latéraux avant)
- **Concurrence** Acura TL, Audi A6, BMW Série 5, Cadillac STS, Infiniti M, Lexus GS, Lincoln MKS, Mercedes-Benz Classe E, Volvo S80

2 AU QUOTIDIEN

- **Prime d'assurance**
  25 ans: 3000 à 3200 $
  40 ans: 2100 à 2300 $
  60 ans: 1800 à 2000 $
- **Collision frontale** nd
- **Collision latérale** nd
- **Ventes du modèle de l'an dernier**
  Au Québec 96 **Au Canada** 538
- **Dépréciation** nm
- **Rappels** (2004 à 2009) nd
- **Cote de fiabilité** nd

3 GARANTIES... ET PLUS

- **Garantie générale** 4 ans/80 000 km
- **Garantie motopropulseur** 4 ans/80 000 km
- **Perforation** 4 ans/80 000 km
- **Assistance routière** 4 ans/80 000 km
- **Nombre de concessionnaires**
  Au Québec 4 **Au Canada** 29

4 NOUVEAUTÉS EN 2010

- Moteur V8 4,2 l Supercharged remplacé par un V8 5,0 l

LE DÉFI DE CONVAINCRE

PAR PHILIPPE LAGUË

RÉPUTÉE POUR SON CONSERVATISME, JAGUAR A EFFECTUÉ, L'ANNÉE DERNIÈRE, UN VIRAGE À 180 DEGRÉS AVEC LA XF QUI A SUCCÉDÉ À LA S-TYPE. Il ne s'agissait pas, cette fois, d'un renouvellement ni même d'une évolution, mais bel et bien d'un remplacement. La nuance est importante.

[CARROSSERIE] Le design de la XF marque une rupture de style non seulement avec sa devancière mais avec le style Jaguar tel qu'on le connaît depuis des décennies. Évidemment, un changement aussi radical déclenche de fortes réactions, très polarisées; les traditionalistes – dont je suis – n'aiment guère, mais ce style plus moderne permettra assurément d'aller chercher de nouveaux acheteurs, peut-être même de rajeunir la clientèle.

[HABITACLE] Le dépaysement se poursuit à l'intérieur. La décoration de l'habitacle est moderne, très épurée, à des années-lumière du classicisme qui était l'une des marques de commerce de ces nobles anglaises. Ce mobilier d'inspiration nordique, avec un tableau de bord minimaliste, me laisse froid; le cachet d'une Jag a disparu. Shocking ! Il faut également apprivoiser la panoplie électronique, et ça, mes amis, ce n'est pas une mince affaire ! Hier encore, c'était si simple dans une Jag... Alors que dans la XF, c'est aussi compliqué que dans une allemande. Côté confort, cependant, les standards de la marque sont respectés. L'habitacle est fort bien insonorisé, ce qui permet d'apprécier la sonorité exceptionnelle de la chaîne stéréo. Les bruits éoliens sont inexistants, signe d'une grande efficacité aérodynamique. Les occupants prennent place dans des sièges très confortables, et ce, à l'avant comme à l'arrière. L'habitabilité est aussi sans reproche, les passagers arrière bénéficiant d'un bon dégagement pour les jambes mais aussi pour la tête, malgré la forte inclinaison du toit.

[MÉCANIQUE] En entrée de gamme, le V8 de 4,2 litres est toujours au catalogue, et ses 300 chevaux ne sont pas de trop pour déplacer les quelque 1800 kilos de cette berline. Un cran plus haut, le nouveau V8 de 5 litres affiche 85

FORCES • Confort princier • Habitabilité • Trio de moteurs impressionnant (du moins, sur le papier) • Boîte automatique très souple • Excellente direction

FAIBLESSES •Style banal • Décoration intérieure froide • Panoplie électronique complexe • Consommation (XFR) • Réputation à rebâtir • Présence timide au Québec

chevaux supplémentaires. Et s'il vous en faut encore plus, histoire de perdre votre permis de conduire avec panache, il y a la version suralimentée de ce même V8, dont le compresseur volumétrique fait grimper la puissance à 510 chevaux (voir la section exclusive du XFR). Objectif : BMW M5 et consorts. Évidemment, ce surplus de puissance a une incidence directe sur l'appétit de la bête : les accélérations sont à couper le souffle, tout comme la consommation. C'est, du moins, ce que révèlent les chiffres, car Jaguar n'a pas cru bon nous faire essayer la XF et ses nouveaux moteurs.

[COMPORTEMENT] Ultra précise, parfaitement dosée, la direction place la voiture là où vous le voulez, au quart de poil, et permet d'apprécier les qualités dynamiques de cette berline qui cache bien son poids. Du roulis, il y en a très peu, et, dans les grandes courbes comme dans les virages serrés, la Jag plante ses griffes dans le pavé et reste imperturbable.

[CONCLUSION] Conçue sous le régime Ford, la XF permet néanmoins à Jaguar de faire peau neuve pour son entrée dans le groupe Tata, avec une nouvelle identité visuelle et une approche beaucoup plus moderne. Si la XF conserve les qualités des Jaguar en matière de confort et de qualités routières, elle doit maintenant inspirer la même confiance aux acheteurs de voitures de luxe que les marques allemandes. Même si ces dernières ne sont pas plus fiables, leur réputation n'en souffre guère; alors que Jaguar traîne la sienne comme un boulet, même si la situation s'est considérablement améliorée depuis une vingtaine d'années. Tel est le défi de la XF et des nouveaux propriétaires de la marque : convaincre. Un service de presse plus efficace pourrait aussi aider à répandre la bonne nouvelle... Difficile, en effet, de parler d'une voiture quand on ne peut la conduire, et, au Québec, le parc de véhicules de presse est inexistant.

2e OPINION

BENOIT CHARETTE Contrairement aux rivaux allemands, la forme peu enveloppante des sièges laisse deviner dès la prise en main du véhicule que sa vocation n'est pas sportive, la R s'occupe de cette tâche. En fait, l'ambiance à bord plus proche d'un salon anglais n'invite pas à la brusquer. Malmenée, elle s'en sort toutefois honorablement, mais sans plaisir. Le réglage des suspensions a clairement été de favoriser le confort, objectif largement atteint, le filtrage des inégalités de la route est digne de mention. Si la route devient tortueuse, le roulis et le tangage sont importants, mais la voiture ne perd pas pied et la tenue de route inspire tout de même confiance. Jaguar démontre sa maîtrise des châssis, une allemande offre moins de confort pour une vivacité similaire.

(5) FICHE TECHNIQUE

· MOTEURS

(4,2)
V8 4,2 l DACT, 300 ch à 6000 tr/min
Couple 303 lb-pi à 4100 tr/min
Transmission automatique à 6 rapports avec mode manuel
0-100 km/h 6,5 s
Vitesse maximale 250 km/h

· (5,0)
V8 5,0 l DACT, 385 ch à 6500 tr/min
Couple 380 lb-pi à 3500 tr/min
Transmission automatique à 6 rapports avec mode manuel
0-100 km/h 5,7 s
Vitesse maximale 250 km/h
Consommation (100 km) 11,3 l (octane 91)
Émissions de CO_2 5712 kg/an
Litres par année 2380 l
Coût par an 2618$
Carburant alternatif non
Empreinte écologique 33 arbres

· AUTRES COMPOSANTES
Sécurité active freins ABS, répartition électronique de force de freinage, antipatinage, contrôle de stabilité électronique
Suspension avant/arrière indépendante
Freins avant/arrière disques
Direction à crémaillère, assistée
Pneus 4.2 P245/45HR18 **option** P245/40HR19

· DIMENSIONS
Empattement 2909 mm
Longueur 4961 mm
Largeur 1877 mm
Hauteur 1460 mm
Poids 1822 kg
Diamètre de braquage 11,5 m
Coffre 500 l
Réservoir de carburant 69,5 l

NOS MENTIONS

Coup de coeur

NOTRE VERDICT

Plaisir au volant	4/5
Qualité de finition	5/5
Consommation	4/5
Rapport qualité/prix	4/5
Valeur de revente	Nm

COMPASS

www.jeep.ca

N ÉVOLUTION É J

18 495 $ à 20 795 $
transport et préparation: 1400 $

LA COTE VERTE

AVEC MOTEUR L4 DE 2,0 L

- **Consommation (100km):** 8,2 l
- **Émissions polluantes CO_2 :** 3984 kg/an
- **Empreinte écologique (nombre d'arbres à planter par année):** 24
- **Indice d'octane:** 87
- **Autre motorisation:** non
- **Coût du carburant moyen par année:** 1660 $
- **Nombre de litres par année:** 1660 l

(SOURCE: ÉnerGuide)

1 FICHE D'IDENTITÉ

- **Versions** Sport, North, Limited
- **Roues motrices** 2, 4
- **Portières** 4 **Nombre de passagers** 5
- **Première génération** 2007
- **Génération actuelle** 2007
- **Construction** Belvidere, Illinois, É.-U.
- **Sacs gonflables** 4 (frontaux, rideaux latéraux; latéraux en option)
- **Concurrence** Ford Escape, Honda CR-V, Hyundai Tucson, Kia Sportage, Nissan Rogue, Subaru Forester, Suzuki Grand Vitara, Toyota Rav4

2 AU QUOTIDIEN

- **Prime d'assurance**
  25 ans: 1500 à 1700 $
  40 ans: 1000 à 1200 $
  60 ans: 800 à 1000 $
- **Collision frontale** 4/5
- **Collision latérale** 5/5
- **Ventes du modèle de l'an dernier**
  Au Québec 2639 **Au Canada** 9423
- **Dépréciation** (2 ans) 35,5%
- **Rappels** (2004 à 2009) 6
- **Cote de fiabilité** 3/5

3 GARANTIES... ET PLUS

- **Garantie générale** 3 ans/60 000 km
- **Garantie motopropulseur** 5 ans/100 000 km
- **Perforation** 5 ans/160 000 km
- **Assistance routière** 5 ans/100 000 km
- **Nombre de concessionnaires**
  Au Québec 94 **Au Canada** 439

4 NOUVEAUTÉS EN 2010

- Appuie-tête actifs, nouveau groupe d'équipements (North, Limited)

POUR ELLE OU POUR LUI ?

PAR DANIEL RUFIANGE

LA DIVISION JEEP A INTRODUIT PAS MOINS DE 4 NOUVEAUX MODÈLES SUR LE MARCHÉ AU COURS DES 6 DERNIÈRES ANNÉES, DONT LE TANDEM PATRIOT/COMPASS. Si cette stratégie d'offrir des véhicules jumeaux demeure questionnable, on est moins inquiet quant à leur génétique toute Jeep. Digne porte-étendard de la marque, le Compass offre les qualités d'un utilitaire sans ruiner son propriétaire. A-t-on cependant besoin de lui ET du Patriot ?

[CARROSSERIE] Les deux véhicules partagent la même plateforme qui est celle de la Dodge Caliber. Seules les lignes extérieures viennent les différencier. Celles du Compass sont nettement plus arrondies et féminines que celles du Patriot, plus définies, tranchées et masculines. Pourtant, les acheteurs de Compass se divisent également selon les sexes alors que 70 % des acheteurs de Patriot sont des hommes. Si la mine du Compass est plus efféminée, elle n'en déplaît pas moins. L'avant porte la signature célèbre de Jeep, et c'est fait avec goût, y compris ces sourcils ronds qui surplombent les phares avant. À l'arrière, la forme arrondie du Compass le rend plus discret. Enfin, remarquez cette poignée de porte arrière plantée dans le pilier C plutôt que sur le panneau; c'est du plus bel effet mais tant qu'à y être, pourquoi ne pas avoir fait la même chose avec la portière avant ?

[HABITACLE] À l'intérieur, Jeep a beau faire des efforts, on retrouve les mêmes problèmes récurrents; j'ai nommé ici la qualité des matériaux. Toutefois, l'assemblage m'a semblé en progression, du moins sur les modèles essayés. J'ai le pardon plus facile compte tenu de la facture exigée pour ce véhicule. Ce qui est plus triste, c'est que certains de ces matériaux trouvent niche à l'intérieur de produits plus coûteux mais ça, c'est une toute autre histoire. Les sièges sont confortables à l'avant, et la position de conduite est bonne, peu importe notre gabarit. À l'arrière, les passagers aimeront moins. L'espace est bon, mais l'assise est un peu raide, et le soutien pour le bas du dos, trop présent et inconfortable. Le revêtement intérieur en cuir atténue cet inconfort. Derrière, on a droit à un espace de

FORCES · Rapport qualité-prix intéressant · Génétique signée Jeep · Consommation raisonnable

FAIBLESSES · Intérieur à perfectionner · Fiat, des moteurs SVP ! · Boîte CVT insupportable · Évitez les options; ce ne sera plus une bonne affaire !

chargement intéressant une fois les banquettes arrière 60/40 rabattues, jeu d'enfant qui s'exécute à la simple tirette d'une ganse. Le plancher obtenu, presque plat, peut alors accueillir 1518 litres de matériel.

[MÉCANIQUE] Sous le capot, deux options. D'abord, celle du moteur à 4-cylindres de 2,4 litres, de série sur les trois versions du Compass. Cet engin n'est pas un exemple de haute technologie. D'abord, les 172 chevaux annoncés sont plus des poulains en pleine croissance que des étalons adultes. Ceci dit, ce moteur qu'on retrouve aussi dans le Journey sied mieux au Compass, moins lourd. Les accélérations sont correctes mais très bruyantes. Une boîte de vitesses à variation continue – CVT – est offerte pendant qu'une bonne vieille boîte manuelle à 5 rapports équipe le véhicule de série. Un moteur à 4- cylindres de 2 litres est proposé en option mais puisqu'il s'accompagne de l'horrifiante boîte CVT, oubliez-le !

[COMPORTEMENT] Je m'attendais à pire du comportement routier du Compass... mais aussi à mieux ! Du côté des plus, mentionnons une excellente douceur de roulement et un niveau de confort fort appréciable. J'ai même éprouvé beaucoup de plaisir à piloter une version à boîte manuelle. En contrepartie, la tenue de route est moins rassurante, la pédale de frein est spongieuse, et la direction se veut un peu trop assistée pour offrir une réelle communication avec la route; il faut doser ses attentes ! Du travail reste à faire pour rendre sa conduite inspirante.

[CONCLUSION] À tout ceux qui recherchent un petit utilitaire compétent pour affronter les quelques bordées de neige hivernales auxquelles nous avons habituellement droit, le Compass représente une alternative à considérer, surtout en raison de son prix. Il demeure un passe-partout, et sa consommation ne gâchera pas vos vacances d'été.

2e OPINION

JEAN-PIERRE BOUCHARD À un prix de base sous la barre des 18 000 $ en configuration à quatre roues motrices, on ne peut exiger l'excellence. Le Compass en est la preuve. Ce véhicule, qui est ni plus ni moins qu'une version du type « camion » de la Dodge Caliber, offre certes un confort honnête et un espace intérieur intéressant de même que certaines caractéristiques de série que la concurrence n'offre pas, dont le contrôle de la stabilité. Mais malheureusement, outre un design tarabiscoté, le petit utilitaire présente des lacunes au chapitre du comportement routier, du raffinement des groupes motopropulseurs, en particulier pour leur manque de discrétion, et de la pauvre qualité des matériaux utilisés et de leur assemblage. À défaut d'être un véritable tout-terrain, ce Jeep peut toutefois être doté d'un système à quatre roues motrices qui fonctionne assez efficacement sur des surfaces glissantes. Pour l'ensemble, le Compass manque de raffinement que des constructeurs comme Hyundai et Kia proposent respectivement dans leur Tucson et Sportage.

5 FICHE TECHNIQUE

· MOTEURS

· L4 2,4 l DACT, 172 ch à 6000 tr/min
Couple 165 lb-pi à 4400 tr/min
Transmission manuelle à 5 rapports, automatique à variation continue avec mode manuel (en option)
0-100 km/h 2RM 10,2 s **4RM** 10,7 s
Vitesse maximale 185 km/h
Consommation (100 km) 2RM man. 8,0l **4RM man.** 8,4 l **2RM CVT** 8,9 l 4 **RM CVT** 9,1 l (octane 87)
Émissions de CO_2 2RM man. 3888 kg/an **4RM man.** 3936 kg/an **2RM CVT** 4272 kg/an **4 RM CVT** 4416 kg/an (octane 87)
Litres par année 2RM man 1620 l **4RM man.** 1640 l **2RM CVT** 1780 l **4 RM CVT** 1840
Coût par an 2RM man. 1620 $ **4RM man.** 1640 $ **2RM CVT** 1780 $ **4 RM CVT** 1840 $
Carburant alternatif non
Empreinte écologique 27 arbres

· (EN OPTION SUR SPORT ET NORTH 2RM)
L4 2,0 l DACT, 158 ch à 6400 tr/min
Couple 141 lb-pi à 5000 tr/min
Transmission automatique à variation continue avec mode manuel
0-100 km/h 11,2 s
Vitesse maximale 175 km/h

· AUTRES COMPOSANTES
Sécurité active freins ABS, antipatinage, contrôle de stabilité électronique
Suspension avant/arrière indépendante
Freins avant/arrière disques/tambours
Direction à crémaillère, assistée
Pneus Sport P215/60R17 **North** P215/65R17 **Limited** P215/55R18

· DIMENSIONS
Empattement 2635 mm
Longueur 4405 mm
Largeur 1811 mm
Hauteur 1631 mm
Poids Sport/North 2RM 1393 kg **Sport/North 4RM** 1462 kg **Limited 2RM** 1430 kg **Limited 4RM** 1499 kg
Diamètre de braquage roues de 17 po 10,8 m roues de 18 po 11,3 m
Coffre 643 l, 1518 l (sièges abaissés)
Réservoir de carburant 51 l
Capacité de remorquage 907 kg (avec groupe remorquage)

NOTRE VERDICT

Plaisir au volant
Qualité de finition
Consommation
Rapport qualité/prix
Valeur de revente

COMMANDER

www.jeep.ca

N ÉVOLUTION É J

43 495 $ à 54 695 $
transport et préparation: 1400 $

LA COTE VERTE

AVEC MOTEUR V6 DE 3,7 L

- **Consommation (100km):** 12,6 l
- **Émissions polluantes CO_2 :** 6144 kg/an
- **Empreinte écologique (nombre d'arbres à planter par année):** 36
- **Indice d'octane:** 87
- **Autre motorisation:** non
- **Coût du carburant moyen par année:** 2560 $
- **Nombre de litres par année:** 2560 l

(SOURCE: ÉnerGuide)

1 FICHE D'IDENTITÉ

- **Versions** Sport, Limited
- **Roues motrices** 4
- **Portières** 4 **Nombre de passagers** 7
- **Première génération** 2006
- **Génération actuelle** 2006
- **Construction** Detroit, Michigan, É.-U.
- **Sacs gonflables** 4 (frontaux, rideaux latéraux)
- **Concurrence**, Ford Explorer, Nissan Pathfinder, Toyota 4Runner

2 AU QUOTIDIEN

- **Prime d'assurance**
  25 ans: 2500 à 2700 $
  40 ans: 1500 à 1700 $
  60 ans: 1100 à 1300 $
- **Collision frontale** 5/5
- **Collision latérale** 4/5
- **Ventes du modèle de l'an dernier**
  Au Québec 180 **Au Canada** 793
- **Dépréciation** 59,1%
- **Rappels** (2004 à 2009) 7
- **Cote de fiabilité** 3/5

3 GARANTIES... ET PLUS

- **Garantie générale** 3 ans/60 000 km
- **Garantie motopropulseur** 5 ans/100 000 km
- **Perforation** 5 ans/160 000 km
- **Assistance routière** 5 ans/100 000 km
- **Nombre de concessionnaires**
  Au Québec 94 **Au Canada** 439

4 NOUVEAUTÉS EN 2010

- Moteur 4,7 litres retiré
- Air climatisé arrière, Radio Sirius, Moulures extérieures chromées et porte bagages avec rails ajustables de série

ESPÈCE MENACÉE

PAR PHILIPPE LAGUË

DEPUIS LA DISPARITION DU GRAND WAGONEER, EN 1991, JEEP N'AVAIT PLUS DE VUS GRAND FORMAT POUR CONCURRENCER LES CHEVROLET TAHOE, GMC YUKON, FORD EXPEDITION ET TOYOTA SEQUOIA. Le Commander est donc venu combler ce trou dans la gamme. Manque de pot, il est arrivé tout juste avant les envolées du prix du pétrole et la crise économique. Depuis deux ans, sa mort est annoncée, et pourtant, il est toujours là...

[CARROSSERIE] Pour le design, on ne s'est pas cassé la tête : Jeep et les formes carrées, c'est indissociable, et le Commander a toute la grâce et l'élégance du véhicule militaire. Cela dit, la clientèle cible aime cela, alors... Et puis, l'allure cubique est à la mode : qu'il suffise de mentionner, outre la quasi-totalité de la gamme Jeep, les Honda Element et Pilot, le Kia Soul et le bien nommé Nissan Cube. Démodé, le Commander ? Au contraire !

[HABITACLE] L'habitabilité de ce gros VUS constitue une déception directement proportionnelle à la taille de la bête. Non seulement faut-il faire attention de ne pas se cogner la tête en prenant place à l'arrière, mais l'espace pour les jambes est également compté. Quant à la troisième banquette, elle est plus décorative qu'autre chose; parlons plutôt de places d'appoint. Quelqu'un peut-il m'expliquer comment il peut y avoir si peu d'espace dans un aussi gros véhicule ? Au moins, la banquette médiane est confortable, tout comme les sièges avant qui offrent bien peu de maintien latéral. L'habitacle est aussi fort bien insonorisé. Finition et qualité d'assemblage atteignent des sommets; Jeep ne nous a pas habitués à autant de rigueur, c'est même du jamais vu.

[MÉCANIQUE] Le Commander emprunte sa plateforme au Grand Cherokee avec lequel il partage également ses deux motorisations. Le V6 est à proscrire; malgré toute sa bonne volonté, ses 210 chevaux peinent à déplacer cette masse de plus de 2000 kilos. Le V8 HEMI de 5,7 litres pourra s'attaquer aux gros travaux avec ses 357 chevaux et, surtout, son couple de 389 livres-pieds. Grâce à son système de désactiva-

FORCES · Allure militaire (pour ceux qui aiment ça) · Finition soignée · Confort étonnant · Bonne direction · Moteur volontaire (V8)

FAIBLESSES · Habitabilité décevante · V6 inadapté · V8 qui a soif... · Pas de version hybride ni de diesel · Véhicule en fin de carrière

tion des cylindres, il parvient à limiter (un peu) les dégâts, côté consommation; mais on ne peut que regretter l'absence du V6 diesel de 3 litres d'origine Mercedes-Benz auquel a droit le Grand Cherokee ? Non seulement le couple est-il comparable (376 livres-pieds), mais la consommation est beaucoup plus raisonnable. Ces deux moteurs peuvent être jumelés à une robuste boîte de vitesses automatique à 5 rapports. Robuste, mais néanmoins raffinée car elle autorise des passages fluides. L'exécution mécanique est d'ailleurs irréprochable dans son ensemble. Évidemment, un Jeep ne serait pas un Jeep s'il n'avait pas quatre roues motrices; trois systèmes d'entraînement sont offerts (Quadra Trac I et II et Quadra Drive II). Peu importe le mode choisi, les capacités hors route des Jeep sont dans une classe à part.

[COMPORTEMENT] Ce genre de véhicule, lourd et haut sur pattes, ne peut défier les lois de la physique. Et puis le Commander est un camion, pas une automobile, et il s'assume. Malgré tout, le roulis est fort bien maîtrisé grâce à un système de contrôle antiroulis, et la tenue de route ne réserve pas de mauvaises surprises, pour autant qu'on garde bien en tête qu'on conduit un gros VUS et non une Ferrari. Le travail des trains roulants est à souligner car la grande douceur de roulement contribue au confort exceptionnel de ce VUS. Autre amélioration notable, la direction qui brille par sa précision et sa rapidité d'exécution.

[CONCLUSION] Comme tous les gros VUS de son espèce (en voie de disparition), le Commander fait figure d'anachronisme. Pour le rendre plus fréquentable, il aurait fallu une motorisation diesel ou hybride; or, le Commander n'offre ni l'un ni l'autre. Dommage car, dans l'ensemble, c'est un véhicule qui possède de réelles qualités, à commencer par son confort et sa qualité de construction, une rareté chez ce constructeur. À moins que Chrysler ait tout simplement décidé de le laisser mourir de sa belle mort...

2e OPINION

DANIEL RUFIANGE En apercevant le Commander, je me remémore les anciens Jeep Grand Wagoneer. Ces derniers avaient du style, à défaut d'être beaux ! La version moderne de cette boîte à chaussure proposée par Jeep ne remportera pas de concours d'élégance. On a l'impression que ce véhicule a été dessiné en cinq minutes tellement ses lignes manquent de raffinement. Pire, le design de ce véhicule favorise la consommation de carburant ! C'est dommage car, si on oublie sa triste allure, le Commander demeure un très bon produit. Installez-y un moteur HEMI, sortez des sentiers battus et profitez des capacités hors route du Jeep et vous franchirez les pires obstacles sourire aux lèvres. Même que sur la route, le confort est surprenant. Êtes-vous cependant prêt à débourser tant pour ce véhicule ?

5 FICHE TECHNIQUE

· MOTEURS

· (SPORT)

V6 3,7 l SACT, 210 ch à 5200 tr/min
Couple 235 lb-pi à 4000 tr/min
Transmission automatique à 5 rapports
0-100 km/h 11,1 s
Vitesse maximale 180 km/h

· (LIMITED)

V8 5,7 l ACC, 357 ch à 5000 tr/min
Couple 389 lb-pi à 4000 tr/min
Transmission automatique à 5 rapports avec mode manuel
0-100 km/h 7,9 s
Vitesse maximale 200 km/h
Consommation (100 km) 13,7 l (octane 87)
Émissions de CO_2 6432 kg/an
Litres par année 2680 l
Coût par an 2680 $
Autre motorisation non
Empreinte écologique 37 arbres

· AUTRES COMPOSANTES

Sécurité active freins ABS, antipatinage, contrôle de stabilité électronique
Suspension avant/arrière indépendante / essieu rigide
Freins avant/arrière disques
Direction à crémaillère, assistée
Pneus P245/65R17

· DIMENSIONS

Empattement 2781 mm
Longueur 4788 mm
Largeur 2261 mm
Hauteur 1920 mm
Poids 3,7 l 2141 kg **5,7 l** 2358 kg
Diamètre de braquage 11,4 m
Coffre 212 l, 1940 l (sièges abaissés)
Réservoir de carburant 80 l
Capacité de remorquage 3,7 l 1588 kg **5,7 l** 3266 kg

NOTRE VERDICT

Plaisir au volant
Qualité de finition
Consommation
Rapport qualité/prix
Valeur de revente

GRAND CHEROKEE

www.jeep.ca

N ÉVOLUTION É J

41 645 $ à 50 395 $
transport et préparation: 1420 $

LA COTE VERTE

AVEC MOTEUR V6 3,7 L
- **Consommation (100km):** 12,0 l
- **Émissions polluantes CO_2 :** 5856 kg/an
- **Empreinte écologique (nombre d'arbres à planter par année):** 35
- **Indice d'octane:** 87
- **Autre motorisation:** non
- **Coût du carburant moyen par année:** 2440$
- **Nombre de litres par année:** 2440 l

(SOURCE: ÉnerGuide)

1 FICHE D'IDENTITÉ

- **Versions** Laredo, Limited, North, SRT8
- **Roues motrices** 4
- **Portières** 4 **Nombre de passagers** 5
- **Première génération** 1993
- **Génération actuelle** 2005
- **Construction** Detroit, Michigan, É.-U.
- **Sacs gonflables** 4 (frontaux, rideaux latéraux)
- **Concurrence**, Dodge Durango, Ford Explorer, Nissan Pathfinder, Toyota 4Runner

2 AU QUOTIDIEN

- **Prime d'assurance**
  25 ans: 2400 à 2600 $
  40 ans: 1400 à 1600 $
  60 ans: 1100 à 1300 $
- **Collision frontale** 5/5
- **Collision latérale** 5/5
- **Ventes du modèle de l'an dernier**
  Au Québec 1746 **Au Canada** 7617
- **Dépréciation** (3 ans) 66,0%
- **Rappels** (2004 à 2009) 10
- **Cote de fiabilité** 2/5

3 GARANTIES... ET PLUS

- **Garantie générale** 3 ans/60 000 km
- **Garantie motopropulseur** 5 ans/100 000 km
- **Perforation** 5 ans/160 000 km
- **Assistance routière** 5 ans/100 000 km
- **Nombre de concessionnaires**
  Au Québec 94 **Au Canada** 439

4 NOUVEAUTÉS EN 2010

- Moteur diesel supprimé, moteur V8 de 4,7 L supprimé, nouvelle version North, Version Overland éliminée

EN ATTENDANT 2011...

PAR JEAN-PIERRE BOUCHARD

LE GRAND CHEROKEE ENTAME SON DERNIER DROIT AVANT L'ARRIVÉE DE LA NOUVELLE GÉNÉRATION 2011. Celle-ci profitera d'importantes améliorations dont l'utilisation d'une plateforme adaptée du Mercedes-Benz ML. Peut-être est-ce le temps de réaliser de bonnes affaires avec l'actuelle génération. Triste nouvelle toutefois : Jeep a retiré l'excellent moteur diesel de son catalogue de commande.

[CARROSSERIE] L'utilitaire intermédiaire de Jeep repose sur un châssis monocoque au lieu du traditionnel châssis en échelle, ce qui offre l'avantage d'assurer un comportement routier plus civilisé, sans lui faire perdre ses excellentes aptitudes pour la conduite hors route ni pénaliser la capacité de remorquage.

[HABITACLE] Malgré la hauteur de la garde au sol du véhicule, l'accès aux places avant ne pose aucune difficulté. Le conducteur bénéficie d'une bonne position de conduite, d'un volant inclinable et télescopique ainsi que d'un dégagement pour la tête adéquat. L'intrusion du différentiel réduit toutefois l'espace pour les pieds. Les sièges procurent un bon confort, mais leur coussin est un peu court pour assurer un bon soutien pour les cuisses. Sur les versions munies de commandes électriques de réglage des sièges du conducteur et du passager, l'espace limité entre la porte et les boutons rend leur manipulation difficile. Le conducteur bénéficie d'une bonne visibilité vers l'arrière, mais les larges piliers qui retiennent le pare-brise créent un angle mort. L'instrumentation est bien placée et facile à consulter, tandis que les principales commandes sont simples à utiliser. Le véhicule est, dans l'ensemble, bien fini. Toutefois, c'est souvent après quelques années d'utilisation qu'on constate des signes prématurés de vieillissement. À l'arrière, l'ouverture de porte étroite, l'intrusion de la cage de roue et l'angle d'ouverture de la porte insuffisant compliquent les entrées et les sorties. La banquette offre un confort moyen, car l'assise est un peu basse. L'espace utilitaire est par ailleurs généreux. De plus, la lunette s'ouvre séparément du hayon pour faciliter le transport d'objets.

+ −

FORCES • Comportement routier honnête • Capacité de remorquage • Capacités hors route.

FAIBLESSES • Accès aux places arrière • Étroitesse de l'espace pour les pieds du conducteur.

GRAND CHEROKEE

[CONCLUSION] Le Grand Cherokee est un véhicule solide, confortable et qui offre un comportement routier équilibré pour ce type de véhicule. À mon avis, son principal atout résidait surtout dans la possibilité de l'équiper du moteur diesel. J'aurais plutôt supprimé le V8 de 6,1 litres. À plus long terme, l'utilitaire ne maintient pas une valeur de revente élevée. Et quand on le compare au Honda Pilot, par exemple, on constate que l'arrivée de la nouvelle génération, malgré une demande à la baisse dans cette catégorie, devrait constituer une bonne nouvelle.

[MÉCANIQUE] Le V6 de base de 3,7 litres n'offre que des prestations honnêtes, sans plus. La plupart des V6 concurrents dont celui du Honda Pilot ou du Nissan Pathfinder font mieux. Et comme il travaille plus fort, il consomme également davantage. La prochaine génération devrait être propulsée par un V6 de 3,6 litres de 280 chevaux, en plus d'afficher une meilleure consommation de carburant. Le rendement du V8 de 5,7 litres est, bien entendu, plus musclé. Tout comme la consommation de carburant, surtout si l'on a le pied pesant. Cette année, Jeep laisse aussi tomber le V8 de 4,7 litres qui constituait un bon compromis. Le moteur turbodiesel qui disparaît du catalogue constituait un choix vraiment intéressant compte tenu de la qualité de la technologie utilisée et du prix demandé. Le V8 de 6,1 litres de la version SRT8 fait toujours partie des choix offerts. Ce qui est difficile à comprendre dans le contexte actuel et le nombre limité d'acheteurs qu'il attire. La boîte de vitesses automatique à 5 rapports jumelée à tous les moteurs fonctionne toujours en douceur.

[COMPORTEMENT] La suspension du véhicule assure une bonne douceur de roulement dans la plupart des situations. Bien entendu, certaines réactions ne sont pas sans rappeler qu'il s'agit d'un vrai utilitaire. En courbes, il conserve néanmoins un bel aplomb. La direction est bien dosée, ce qui rend le véhicule maniable. De plus, la robustesse du Grand Cherokee le rend à l'aise pour la conduite hors route et en fait un bon compagnon pour les amateurs de pêche et de chasse.

2e OPINION

BENOIT CHARETTE L'attrait le plus intéressant du Jeep Grand Cherokee a disparu cette année avec le départ du moteur Diesel. Je ne vois plus pourquoi vous voudriez d'une véhicule qui perd plus de 65% de sa valeur en trois ans, n'est pas très fiable et offre une conduite plutôt rustique. Pas de suspension pneumatique ici, l'essieu arrière rigide archaïque se rappelle au bon souvenir du conducteur sur les bosses et autres ornières, sans que cela ne soit réellement gênant. La direction à crémaillère reste d'une précision acceptable, sans toutefois faire concurrence à la BMW X5. Mais là n'est pas la vocation d'un SUV tel que celui-ci. Quant au comportement hors des sentiers battus, il est impressionnant, aidé en cela par un débattement des roues important. Autre gros avantage du Grand Cherokee : sa capacité à tracter, mais sans Diesel, tout cela perd énormément d'intérêt. Souhaitons seulement qu'on ramène un Diesel avec le nouveau modèle l'an prochain.

5 FICHE TECHNIQUE

· MOTEURS

· (LAREDO, LIMITED)
V6 3,7 l SACT, 210 ch à 5200 tr/min
Couple 235 lb-pi à 4000 tr/min
Transmission automatique à 5 rapports
0-100 km/h 9,7 s
Vitesse maximale 180 km/h

· (NORTH, OPTION LIMITED)
V8 5,7 l ACC 357 ch à 5000 tr/min
Couple 389 lb-pi à 4000 tr/min
Transmission automatique à 5 rapports avec mode manuel
0-100 km/h 7,4 s **Vitesse maximale** 205 km/h
Consommation (100 km) 13,5 l (octane 89)
Émissions de CO_2 6624 kg/an
Litres par année 2760 l **Coût par an** 2925 $
Carburant alternatif non
Empreinte écologique 39

· (SRT8)
V8 6,1 l ACC, 420 ch à 6000 tr/min
Couple 420 lb-pi à 4800 tr/min
Transmission automatique à 5 rapports avec mode manuel
0-100 km/h 5,4 s **Vitesse maximale** 235 km/h
Consommation (100 km) 16,7 l (octane 91)
Émissions de CO_2 8112 kg/an
Litres par année 3380 l **Coût par an** 3717 $
Carburant alternatif non
Empreinte écologique 48

· AUTRES COMPOSANTES
Sécurité active freins ABS, EBD, ESP, Anti patinage
Suspension avant/arrière indépendante, essieu rigide
Freins avant/arrière disques
Direction à crémaillère, assistée
Pneus Laredo, Limited P245/65R17
North P245/60R18 **SRT8** P255/45R20 (av.), P285/40R20 (arr.)

· DIMENSIONS
Empattement 2781 mm
Longueur 4742 mm **SRT8** 4956 mm
Largeur 2139 mm
Hauteur 1745 mm **SRT8** 1712 mm
Poids Laredo 2018 kg **Limited** 2174 kg **SRT8** 2188 kg
Diamètre de braquage 11,2 m **SRT8** 11,3 m
Coffre 997 l, 1940 l (sièges abaissés)
Réservoir de carburant 80 l
Capacité de remorquage 1588 à 3266 kg

NOTRE VERDICT

Plaisir au volant
Qualité de finition
Consommation
Rapport qualité/prix
Valeur de revente

LIBERTY

www.jeep.ca

N ÉVOLUTION É J

29 445 $ à 33 245 $
transport et préparation: 1400 $

LA COTE VERTE

MOTEUR
V6 DE 3,7 L

- **Consommation (100km):** 11,9 l
- **Émissions polluantes CO_2 :** 5808 kg/an
- **Empreinte écologique (nombre d'arbres à planter par année):** 35
- **Indice d'octane:** 87
- **Autre motorisation:** non
- **Coût du carburant moyen par année:** 2420 $
- **Nombre de litres par année:** 2420 l

(SOURCE: ÉnerGuide)

1 FICHE D'IDENTITÉ

- **Versions** Sport, North, Limited
- **Roues motrices** 4
- **Portières** 4 **Nombre de passagers** 5
- **Première génération** 2002
- **Génération actuelle** 2008
- **Construction** Toledo, Ohio, É.-U.
- **Sacs gonflables** 4 (frontaux, rideaux latéraux)
- **Concurrence** Dodge Nitro, Nissan Xterra, Toyota FJ Cruiser, Suzuki Grand Vitara, Kia Sorento

2 AU QUOTIDIEN

- **Prime d'assurance**
  25 ans: 1900 à 2100 $
  40 ans: 1300 à 1500 $
  60 ans: 1000 à 1200 $
- **Collision frontale** 5/5
- **Collision latérale** 5/5
- **Ventes du modèle de l'an dernier**
  Au Québec 1328 **Au Canada** 6904
- **Dépréciation** 60,0%
- **Rappels** (2004 à 2009) 9
- **Cote de fiabilité** 2,5/5

3 GARANTIES... ET PLUS

- **Garantie générale** 3 ans/60 000 km
- **Garantie motopropulseur** 5 ans/100 000 km
- **Perforation** 5 ans/160 000 km
- **Assistance routière** 3 ans/60 000 km
- **Nombre de concessionnaires**
  Au Québec 94 **Au Canada** 439

4 NOUVEAUTÉS EN 2010

- Appuie têtes actifs, rétroviseurs extérieurs chauffants, nouveau tissu pour les sièges

BUTOR OU RUSTRE, C'EST SELON.

JEAN-PIERRE BOUCHARD

LE LIBERTY EST UN VÉRITABLE PETIT 4 X 4. MAIS, MALGRÉ DES QUALITÉS HORS ROUTE INDÉNIABLES, CE VÉHICULE MANQUE DE RAFFINEMENT AU CHAPITRE DE LA CONCEPTION. Pour l'année modèle 2010, Jeep le remet au catalogue en ne lui apportant que des changements mineurs qui, malheureusement, n'en réduisent pas la consommation de carburant.

[CARROSSERIE] Le véhicule partage la plateforme du Dodge Nitro, ce qui en fait donc essentiellement un véritable coureur des bois. Le Liberty s'inscrit dans la plus pure tradition Jeep : il affiche une carrure athlétique qui lui confère un caractère robuste à défaut de prêcher par aérodynamisme.

[HABITACLE] Malgré la hauteur du véhicule, l'accès aux places avant ne présente pas de difficulté particulière. Les occupants de plus grande taille doivent, par contre, prendre garde de ne pas se heurter la tête contre le toit. Une fois à bord, le dégagement pour la tête est bon. Ce qui n'est pas le cas pour d'autres parties du corps. Pour le conducteur, l'espace pour les pieds est juste, et celui pour les jambes est pénalisé par l'intrusion de la console centrale. Pour le passager, la poignée de maintien située au-dessus de la boîte à gants peut limiter l'espace pour celui qui a de plus longues jambes. Les sièges avant assurent un confort honnête. La présentation de bord est efficace : toutes les commandes tombent dans la main du conducteur. Toutes sauf celles de la climatisation qui sont un peu basses. La qualité des matériaux et de leur assemblage manque de rigueur quand on compare l'ensemble à ce que font des constructeurs comme Hyundai ou Kia qui font beaucoup mieux. À l'instar d'autres véhicules de la marque, la qualité peut varier d'un véhicule à l'autre. Mon véhicule d'essai était doté du toit ouvrant Sky Slider, qui consiste en une robuste toile qui se replie sur la quasi-totalité du toit. Pour la quiétude des lieux, il faudra repasser puisque les bruits de roulement et de moteur

FORCES • Véritable tout-terrain • Allure robuste

FAIBLESSES • Consommation de carburant • Caractère rustre

sont omniprésents. La banquette reçoit deux personnes et leur offre un bon confort et un bon dégagement pour les jambes et la tête. La place centrale devra être réservée pour un siège d'auto pour enfant ou une personne de petite taille, car le dégagement pour les jambes fait cruellement défaut. L'espace utilitaire est adéquat. Quand les dossiers de la banquette sont relevés, certains rivaux font toutefois un peu mieux.

[MÉCANIQUE] Le cas du Liberty est simple : un seul groupe motopropulseur, soit le V6 de 3,7 litres associé à une boîte de vitesses automatique à 4 rapports. Rien de plus ordinaire. Dommage que Jeep n'ait pas choisi de relancer une version diesel en utilisant, pourquoi pas, le moteur du Grand Cherokee. Les performances manquent de conviction par comparaison au V6 de 3,3 litres du Kia Sorento, par exemple. Mais elles conviendront à la majorité des conducteurs. La consommation de carburant frôle rapidement la marque des 15 litres aux 100 kilomètres. La situation est pire quand on fait le moindrement appel aux quatre roues motrices. Élément intéressant, la capacité de remorquage atteint jusqu'à 2 268 kilos (5 000 livres).

[COMPORTEMENT] Sur la route, le Liberty offre un bon confort de roulement. Son côté camion ressort toutefois rapidement. Ce caractère typiquement Jeep devrait plaire aux aficionados de la marque. Le véhicule n'est pas non plus particulièrement agile. L'ensemble manque de raffinement par comparaison avec d'autres véhicules de cette catégorie, dont le Sorento. Le système à quatre roues motrices fonctionne néanmoins efficacement. Lors de mon essai, j'ai eu la chance de le constater durant une semaine de neige intense.

[CONCLUSION] Le véhicule présente une allure robuste ainsi que des capacités hors route et de remorquage certaines. Et probablement que la signature Jeep fait oublier les tares en ce qui concerne l'ergonomie et le comportement routier. Mais l'importante consommation de carburant, fruit de la vétusté du groupe motopropulseur, amène à y réfléchir deux fois avant d'apposer sa signature au bas du contrat.

2e OPINION

FRÉDÉRIC MASSE Je ne sais pas ce qu'ont les confrères à tant taper sur le Liberty. Je l'aime bien, moi, ce camion. Dans une catégorie où les vrais 4 x 4 sont en voie d'extinction, le Liberty remplit sa fonction. Non, ce n'est pas une machine raffinée, mais son rouage d'entraînement et sa garde au sol en font l'ami des amateurs de sports de plein air. Il n'est certes pas aussi fiable qu'un Toyota FJ ou un Nissan Xterra, mais il est meilleur marché. Certains des plastiques dans son habitacle devraient par contre être revus. Il faut également tenir compte du fait que le V6, bien qu'il ne soit pas le plus puissant, a aussi relativement soif... mais, dois-je vous rappeler que c'est un vrai 4 x 4 ? En matière de consommation, ce n'est donc pas mieux ni pire que les autres. Là où le Jeep devra faire des pas de géant, c'est au chapitre de la fiabilité... là, selon bien des rapports, dont celui de *Consumer Reports*, il a des croûtes à manger ! Ah oui, oubliez le toit souple escamotable, il rend l'insonorisation exécrable. Mais, pour un vrai camion à un prix décent, vous êtes au bon endroit.

5 FICHE TECHNIQUE

· MOTEUR
· V6 3,7 l SACT, 210 ch à 5200 tr/min
Couple 235 lb-pi à 4000 tr/min
Transmission automatique à 4 rapports
0-100 km/h 10,2 s
Vitesse maximale 185 km/h

· AUTRES COMPOSANTES
Sécurité active freins ABS, antipatinage, contrôle de stabilité électronique
Suspension avant/arrière indépendante
Freins avant/arrière disques
Direction à crémaillère, assistée
Pneus Sport P225/75R16 **North** P235/70R16 **Limited** P235/65R17, P235/60R18 (en option)

· DIMENSIONS
Empattement 2694 mm
Longueur 4493 mm
Largeur 1838 mm
Hauteur 1808 mm
Poids Command-Trac 1872 kg
Select-Trac 1915 kg
Diamètre de braquage 10,8 m
Coffre 892 l, 1818 l (sièges abaissés)
Réservoir de carburant 74 l
Capacité de remorquage 2268 kg

NOTRE VERDICT

Plaisir au volant
Qualité de finition
Consommation
Rapport qualité/prix
Valeur de revente

PATRIOT

www.jeep.ca

N ÉVOLUTION É J

16 995 $ à 24 995 $
transport et préparation: 1400 $

LA COTE VERTE

MOTEUR
L4 DE 2,0 L

- **Consommation (100km):** 8,2 l
- **Émissions polluantes CO_2 :** 3984 kg/an
- **Empreinte écologique (nombre d'arbres à planter par année):** 24
- **Indice d'octane:** 87
- **Autre motorisation:** non
- **Coût du carburant moyen par année:** 1660 $
- **Nombre de litres par année:** 1660 l

(SOURCE: ÉnerGuide)

1 FICHE D'IDENTITÉ

- **Versions** Sport, North, Limited
- **Roues motrices** avant, 4
- **Portières** 4 **Nombre de passagers** 5
- **Première génération** 2007
- **Génération actuelle** 2007
- **Construction** Belvidere, Illinois, É.-U.
- **Sacs gonflables** 6 (frontaux, latéraux avant, rideaux latéraux)
- **Concurrence** Chevrolet Equinox, Ford Escape, Hyundai Tucson, Honda CR-V, Kia Sportage, Misubishi Outlander, Suzuki Grand Vitara, Toyota RAV4

2 AU QUOTIDIEN

- **Prime d'assurance**
  25 ans: 1500 à 1700 $
  40 ans: 1000 à 1200 $
  60 ans: 800 à 1000 $
- **Collision frontale** 4/5
- **Collision latérale** 5/5
- **Ventes du modèle de l'an dernier**
  Au Québec 4135 **Au Canada** 13 836
- **Dépréciation** (2 ans) 33,5%
- **Rappels** (2004 à 2009) 3
- **Cote de fiabilité** 3/5

3 GARANTIES... ET PLUS

- **Garantie générale** 3 ans/60 000 km
- **Garantie motopropulseur** 5 ans/100 000 km
- **Perforation** 5 ans/160 000 km
- **Assistance routière** 5 ans/100 000 km
- **Nombre de concessionnaires**
  Au Québec 94 **Au Canada** 439

4 NOUVEAUTÉS EN 2010

- Aucun changement majeur

JUMEAU NON IDENTIQUE

PAR PHILIPPE LAGUË

LES JUMEAUX COMPASS ET PATRIOT S'INSCRIVENT DANS LA VEINE DE CE QU'ON APPELLE LES VUS URBAINS OU, SI VOUS PRÉFÉREZ, DES AUTOMOBILES COMPACTES DÉGUISÉES EN PETITS VUS. Des faux durs, quoi ! Pas très Jeep, ça...

[CARROSSERIE] Ces deux modèles ont des dimensions semblables et partagent leur plateforme et leur mécanique avec la Dodge Caliber. Des jumeaux, donc, mais pas identiques, les deux ayant une carrosserie distincte. Heureux mélange de nostalgie et de contemporain, le Patriot évoque le défunt Cherokee, ce qui ne déplaira pas aux aficionados de la marque. Il ressemble à un Jeep; c'est l'essentiel.

[HABITACLE] Par une journée grise et pluvieuse, l'examen de l'habitacle vous achèvera, si vous êtes le moindrement déprimé(e). C'est gris, c'est noir et c'est plein de plastique bon marché partout. Consternant. Au moins, c'est bien assemblé : pas de craquement, rien qui pendouille ou qui est posé croche. Les commandes sont simples, bien placées et faciles à utiliser. Pas de lacune de ce côté, donc, mais ça se gâte quand on examine les compartiments de rangement aux formes étranges, tarabiscotées, qui contiennent peu. À défaut d'être sexy, l'habitacle est spacieux, et les plus cartésiens diront que c'est ce qui importe. La garde au toit procure un bon dégagement pour la tête, et les passagers arrière ont de la place pour les jambes. Ils devront cependant prendre place sur une banquette qui a tout du banc d'église : toute notion de confort est évacuée et le maintien latéral est inexistant. Heureusement, c'est mieux à l'avant, et de beaucoup.

[MÉCANIQUE] Contrairement à d'autres joueurs de cette catégorie, Jeep a choisi de s'en tenir au 4-cylindres. Ça se défend : un 4-cylindres consomme moins, pollue moins, et le Patriot n'est pas un gros véhicule. Mais encore faut-il que ce moteur se montre à la hauteur. Ce n'est pas le cas ici : malgré sa cylindrée (2,4 litres) et sa puissance (172 chevaux), ce moteur est erratique, faiblard même, et bruyant à l'effort. Et en plus, il est gourmand ! À bas régime, le

+ FORCES • Jeep qui a l'air d'un Jeep • Habitacle spacieux • Bonne boîte manuelle • Certification *Trail Rated* • Confort et comportement d'une auto

− FAIBLESSES • Finition risible • Banquette arrière atroce • Moteur erratique et bruyant • Consommation décevante • Qualité d'ensemble médiocre

couple brille par son absence, et ce moteur commence à s'animer un tant soit peu à partir des 3 000 tours par minute. Et encore, il trouve le moyen de tricher, en faisant beaucoup de bruit pour masquer sa paresse, comme s'il voulait montrer qu'il fait de gros efforts. Notre véhicule d'essai était muni d'une boîte de vitesses manuelle, ce qui aurait dû l'aider; et pourtant, les reprises n'ont aucun mordant, et il est obligatoire de rétrograder au moindre ralentissement. Et avant de dépasser, il faut planifier... La boîte manuelle n'est, par ailleurs, nullement en cause, puisque son rendement est irréprochable.

[COMPORTEMENT] Même si les propriétaires de véhicules utilitaires, pour la plupart, ne s'aventurent jamais hors route, il en reste encore qui veulent un 4 x 4 pour s'en servir ailleurs que sur l'asphalte. Contrairement à son jumeau, le Patriot peut obtenir la certification Trail Rated à condition d'être paré de l'ensemble d'options Freedom Drive II qui comprend notamment des pneus tout-terrains, des plaques de protection et une garde au sol plus élevée. Si, comme moi, vous considérez les adeptes du hors route comme des masochistes, vous vous contenterez de l'ensemble Freedom Drive I avec transmission intégrale permanente et répartition variable. Bien servi par une direction précise et bien dosée, ce Jeep en format compact fait preuve d'agilité, et sa caisse n'est pas affligée par le roulis. Il n'est pas trop sous-vireur, et sa tenue de route a tout d'une automobile, tout comme sa douceur de roulement.

[CONCLUSION] Le Patriot est à la fois si près et si loin d'être un véhicule attrayant. Il a plus de qualités que de défauts, sauf que ceux-ci sont majeurs... Par contre, il est polyvalent et il a une allure de dur, ce qui plaira à la clientèle visée, en plus de jouir de l'image très forte de la marque Jeep. Sa carte maîtresse est cependant son prix, nettement inférieur à celui des autres petits VUS. Sauf que la qualité est directement proportionnelle.

2e OPINION

FRÉDERIC MASSE La première livraison des Patriot était honteuse. Même si le prix était plus que concurrentiel, un essai de deux semaines pendant mes vacances m'avait permis de découvrir que le petit Jeep faisait plus de bruit qu'une boîte de Rice Krispies remplis de lait. Cric, crac, croc. Il y avait des limites... Pourquoi ne pas demander 1000 $ de plus pour offrir un habitacle décent ? Depuis, Chrysler a amélioré et changé bien des plastiques pour atteindre un niveau acceptable. Pour les moteurs et les boîtes de vitesses, il n'y a rien pour écrire à sa mère. Mais, en version manuelle et au prix demandé pour une version à transmission intégrale, on peut difficilement critiquer les bruits agaçants provenant de la mécanique ou le fait que ce Jeep n'est pas un vrai Jeep. Si vous tenez absolument à avoir un Jeep, vous avez ma bénédiction. Pour les autres, j'irais lorgner, juste au cas, du côté du Hyundai Tucson.

5 FICHE TECHNIQUE

· MOTEURS

· L4 2,4 l DACT, 172 ch à 6000 tr/min
Couple 165 lb-pi à 4400 tr/min
Transmission manuelle à 5 rapports, automatique à variation continue avec mode manuel (en option)
0-100 km/h 2RM 10,2 s **4RM** 10,7 s
Vitesse maximale 185 km/h
Consommation (100 km) 2RM man. 8,0l. **4RM man.** 8,4 l **2RM CVT** 8,9 l **4 RM CVT** 9,1 l (octane 87)
Émissions de CO_2 2RM man. 3888 kg/an **4RM man.** 3984 kg/an **2RM CVT** 4272 kg/an **4RM CVT** 4416 kg/an (octane 87)
Litres par année 2RM man. 1620 l **4RM man.**1640 l **2RM CVT** 1780 l **4RM CVT** 1840l
Coût par an 2RM man. 1620 $ **4RM man.** 1640 $ **2RM CVT** 1780 $ **4RM CVT** 1840 $
Carburant alternatif non
Empreinte écologique 25 arbres

· (en option sur Sport et North 2RM)
L4 2,0 l DACT, 158 ch à 6400 tr/min
Couple 141 lb-pi à 5000 tr/min
Transmission automatique à variation continue avec mode manuel
0-100 km/h 11,2 s
Vitesse maximale 175 km/h

· AUTRES COMPOSANTES

Sécurité active freins ABS, antipatinage, contrôle de stabilité électronique
Suspension avant/arrière indépendante
Freins avant/arrière disques/tambours
Direction à crémaillère, assistée
Pneus Sport et North P205/70R16
Limited P215/60R17

· DIMENSIONS

Empattement 2635 mm
Longueur 4411 mm
Largeur 1756 mm
Hauteur 1669 mm
Poids 2RM 1410 kg, **4RM** 1474 kg
Diamètre de braquage 10,8 m
Coffre 652 l, 1535 l (sièges abaissés)
Réservoir de carburant 51 l
Capacité de remorquage 454 à 907 kg

NOTRE VERDICT

Plaisir au volant
Qualité de finition
Consommation
Rapport qualité/prix
Valeur de revente

WRANGLER

www.jeep.ca

N ÉVOLUTION É J

19 995 $ à 31 995 $
transport et préparation: 1400 $

LA COTE VERTE

MOTEUR
V6 DE 3,8 L

- **Consommation (100km):** **man.** 12,5 l **autom.** 12,2 l
- **Émissions polluantes CO_2 :** **man.** 6048 kg/an **autom.** 6048 kg/an
- **Empreinte écologique (nombre d'arbres à planter par année):** 36
- **Indice d'octane:** 87
- **Autre motorisation:** non
- **Coût du carburant moyen par année:** **man.** 2520 $ **autom.** 2520 $
- **Nombre de litres par année:** **man.** 2520 l **autom.** 2520 l

(source: ÉnerGuide)

1 FICHE D'IDENTITÉ

- **Versions** X, Sahara, Rubicon, Unlimited
- **Roues** motrices 4
- **Portières** 2, 4 **Nombre de passagers** 4
- **Première génération** 1987
- **Génération actuelle** 2007
- **Construction** Toledo, Ohio, É.-U.
- **Sacs gonflables** 2 (frontaux; latéraux en option)
- **Concurrence**, Nissan Xterra, Toyota FJ Cruiser

2 AU QUOTIDIEN

- **Prime d'assurance**
  25 ans: 1800 à 2000 $
  40 ans: 1200 à 1400 $
  60 ans: 900 à 1100 $
- **Collision frontale** 4/5
- **Collision latérale** nd
- **Ventes du modèle de l'an dernier**
  Au Québec 2460 **Au Canada** 12 137
- **Dépréciation** (2 ans) 37%
- **Rappels** (2004 à 2009) 4
- **Cote de fiabilité** 2,5/5

3 GARANTIES... ET PLUS

- **Garantie générale** 3 ans/60 000 km
- **Garantie motopropulseur** 5 ans/100 000 km
- **Perforation** 5 ans/160 000 km
- **Assistance routière** 5 ans/100 000 km
- **Nombre de concessionnaires**
  Au Québec 94 **Au Canada** 439

4 NOUVEAUTÉS EN 2010

- Aucun changement majeur

N'Y TOUCHEZ PAS !

PAR DANIEL RUFIANGE

LA SAGA DE CHRYSLER A CONNU TOUT UN DÉNOUEMENT DEPUIS LE DÉBUT DE L'ANNÉE. Une faillite structurée, des ententes historiques avec les syndicats, l'arrivée de Fiat et les déclarations d'Obama, le tout a pris des allures de roman feuilleton. Il va sans dire que, à travers ce récit, plusieurs se sont demandé quel sort attendait les produits du fabricant. Si certains sont destinés à l'oubli pendant que d'autres risquent l'échafaud, certains véhicules demeurent à l'abri de toute guillotine. Souhaitons qu'on soit clément envers le Wrangler.

[CARROSSERIE] Si sa survie est pratiquement assurée, c'est en raison de cette calandre si caractéristique qu'on retrouve à l'avant; celle d'un Jeep. En termes d'esthétique, le Wrangler ne fait pas dans le raffinement. On oublie les angles ronds et aérodynamiques et on laisse de côté les standards en vigueur dans l'industrie. Le Wrangler est dans une classe à part et se veut le digne héritier d'une tradition vieille de plus de 60 ans. On a fignolé les lignes au fil des générations sans jamais les dénaturer. Le Wrangler se décline en trois versions soit X, Sahara, Rubicon, toutes offertes à quatre portières – Unlimited –. Si ces dernières demeurent les plus intéressantes, celles à deux portières conservent l'allure classique d'ultime aventurier qui colle si bien à ce Jeep.

[HABITACLE] Place à l'amusement ! On n'impressionne pas l'acheteur d'un Wrangler avec un système de navigation de série, un volant chauffant et, encore moins, un système à reconnaissance vocale. La séduction passe plutôt par un habitacle rudimentaire, une présentation simpliste et des sièges qui profiteraient d'un meilleur maintien. Pourtant, on adore ! Et là repose toute la magie du Wrangler. Alors que les fabricants rivalisent tous d'adresse afin de nous bichonner, Jeep brasse toujours la même recette; comme la vieille soupe de grand-mère que tout le monde adore, l'habitacle du Wrangler conserve tout son charme en demeurant simple et fonctionnel. Le plaisir réside plutôt dans l'absence de fioritures. On jouit d'un espace de chargement intéressant et adapté aux utilisations qu'on fait habituellement d'un véhicule de ce genre – lire

FORCES • Capacités hors route • Habitacle très bien adapté • Style intemporel • Versions Unlimited

FAIBLESSES • Prix une fois bien équipé • Conduite sur le bitume • Fiabilité

planchers lavables au boyau d'arrosage –. En prime, la possibilité de retirer le toit, tout simplement, afin de profiter des quelques belles journées que mère Nature nous accorde chaque été. N'est-ce pas le type de toit ouvrant dont tous rêvent ?

[MÉCANIQUE] La simplicité est de mise alors qu'un seul engin est offert. Il s'agit d'un V6 de 3,8 litres. Fort de 202 modestes chevaux, c'est plutôt son couple de 237 livres-pieds qui est apprécié, tant pour tirer des charges que pour se tirer d'embarras hors des sentiers battus. Pourtant, on aimerait pouvoir bénéficier de plus, tant au chapitre de la puissance que du couple. Vivement d'autres alternatives de ce côté. Pour le reste, les éléments de suspension trahissent la véritable vocation du Wrangler; ressorts à l'avant et lames à l'arrière, rien pour obtenir des performances intéressantes sur nos routes truffées de nids-de-poule.

[COMPORTEMENT] Ceci dit, on doit comprendre que s'installer au volant de ce véhicule est aux antipodes d'une expérience de conduite sportive. La conduite du Wrangler demeure aussi rudimentaire que celle d'un tracteur de ferme. De fait, quand on a l'occasion de le guider dans son élément, c'est-à-dire sur toute surface autre que de l'asphalte, on se sent soudainement plus à l'aise. Cette impression est plus forte au volant des versions à deux portes. La conduite d'une version Unlimited se veut un tantinet plus civilisée – merci à un empattement allongé – mais n'allez pas croire que vous pourrez mettre vos techniques de pilotage à l'essai; il faut conduire le Wrangler avec prudence pour éviter les mauvaises surprises.

[CONCLUSION] Lorsque la poussière sera entièrement retombée dans le dossier Chrysler, on aura peut-être plus de respect pour les véhicules qui auront traversé la crise, et le Wrangler devrait être de ceux-là. Soit dit en passant, il est plus joli couvert de poussière que tout propre ! L'un des rares vrais utilitaires.

2e OPINION

ALEXANDRE CRÉPAULT Il n'existe qu'un Wrangler sur cette planète. En raison de ses 60 ans et plus d'histoire, rien ne s'y compare vraiment. Comme toujours, le Wrangler se veut sans compromis : capacités hors route imbattables, comportement routier rudimentaire, consommation qui incite au pied léger et toit souple toujours aussi compliqué à monter et à démonter. Si ces inconvénients vous paraissent secondaires, et si l'idée d'un tout-en-un vous plaît (4 x 4, auto et cabrio), il se peut fort bien que le Wrangler vous soit destiné. La version Limited à quatre portes incite à la réflexion; son empattement plus long permet non seulement plus d'espace mais également une meilleure tenue de route. Un modèle diesel serait toujours apprécié.

5 FICHE TECHNIQUE

· MOTEUR

· V6 3,8 l ACC, 202 ch à 5000 tr/min
Couple 237 lb-pi à 4000 tr/min
Transmission manuelle à 6 rapports, automatique à 4 rapports (en option)
0-100 km/h 12,5 s
Vitesse maximale 174 km/h

· AUTRES COMPOSANTES

Sécurité active freins ABS, antipatinage, contrôle de stabilité électronique
Suspension avant/arrière essieu rigide
Freins avant/arrière disques
Direction à billes, assistée
Pneus X P225/75R16 **Sahara** P255/70R18 **Rubicon** LT255/75R17

· DIMENSIONS

Empattement 2423 mm **Unlimited** 2946 mm
Longueur 4138 mm **Unlimited** 4684 mm
Largeur 1872 mm **Unlimited** 1877 mm
Hauteur 1798 mm à 1839 mm
Poids X 1746 kg **Sahara** 2010 kg **Rubicon** 1889 kg **Unlimited X** 1919 kg **Sahara** 2007 kg **Rubicon** 1957 kg
Diamètre de braquage 10,6 m **Unlimited** 12,6 m
Coffre 487 l, 1600 l (sièges abaissés) **Unlimited**
Réservoir de carburant 70 l **Unlimited** 85 l
Capacité de remorquage 907 kg Unlimited 1588 kg

NOTRE VERDICT

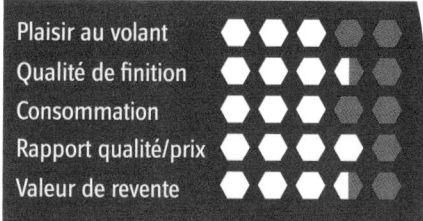

Plaisir au volant
Qualité de finition
Consommation
Rapport qualité/prix
Valeur de revente

AMANTI

N ÉVOLUTION É J

29 995 $ à 37 895 $
transport et préparation: 1455 $

LA COTE VERTE

MOTEUR V6 DE 3,8 L
- **Consommation (100km):** 10,4 l
- **Émissions polluantes CO_2:** 5088 kg/an
- **Empreinte écologique (nombre d'arbres à planter par année):** 30
- **Indice d'octane:** 87
- **Autre motorisation:** non
- **Coût du carburant moyen par année:** 2120 $
- **Nombre de litres par année:** 2120 l

(SOURCE: ÉnerGuide)

1 FICHE D'IDENTITÉ
- **Versions** Base, Luxe
- **Roues motrices** avant
- **Portières** 4 **Nombre de passagers** 5
- **Première génération** 2004
- **Génération actuelle** 2004
- **Construction** Sohari, Corée du Sud
- **Sacs gonflables** 8 (frontaux, latéraux avant et arrière, rideaux latéraux)
- **Concurrence**
  Chrysler 300, Ford Taurus, Lexus ES 350, Nissan Maxima, Toyota Avalon

2 AU QUOTIDIEN
- **Prime d'assurance**
  25 ans: 1600 à 1800 $
  40 ans: 1200 à 1400 $
  60 ans: 1000 à 1200 $
- **Collision frontale** 4/5
- **Collision latérale** 4/5
- **Ventes du modèle de l'an dernier**
  Au Québec 40 **Au Canada** 158
- **Dépréciation** (3 ans) 47,4 %
- **Rappels** (2004 à 2009) 1
- **Cote de fiabilité** 4/5

3 GARANTIES... ET PLUS
- **Garantie générale** 5 ans/100 000 km
- **Garantie motopropulseur** 5 ans/100 000 km
- **Perforation** 5 ans/kilométrage illimité
- **Assistance routière** 5 ans/100 000 km
- **Nombre de concessionnaires**
  Au Québec 51 **Au Canada** 155

4 NOUVEAUTÉS EN 2010
- Aucun changement majeur

GROSSE BERLINE TRANQUILLE

PAR FRANCIS BRIÈRE

VRAIMENT TERMINÉE LA CROISIÈRE DU PÉTROLIER ÉCHOUÉ EN HAUTE MER ? CHOSE CERTAINE, LA KIA AMANTI, DEPUIS 2008, A SUBI QUELQUES TRANSFORMATIONS QUI EN ONT FAIT UNE BERLINE TOUT EN DOUCEUR À PRIX FORT CONCURRENTIEL. Espace appréciable, luxe et confort, tels sont les principaux arguments de vente de la grande berline de Kia. Il s'agit, à tout le moins, d'une initiative louable de la part du constructeur coréen qui a cru bon lancer sur le marché un véhicule original susceptible de plaire à une clientèle ciblée. Voilà une entreprise qu'on ne peut que saluer !

[CARROSSERIE] En matière de design, les fabricants coréens progressent, lentement mais sûrement. Citons en exemple la nouvelle Genesis, une voiture dont le style a de quoi séduire bien des acheteurs. En revanche, on ne peut en dire autant de l'Amanti qui, après seulement sept ans d'existence, affiche toujours une mine moribonde. Nul ne pourrait affirmer qu'il s'agit d'un laideron, mais ses lignes font un peu, disons, vieille école... Reconnaissons tout de même les efforts des stylistes pour la partie avant : les phares et la calandre lui procurent un certain panache. Autrement, on profite d'un coffre généreux auquel on a greffé des phares hideux du type limousine ! Vue de l'arrière, on croirait reconnaître une vieille Lincoln Continental des années 1980.

[HABITACLE] Il faut reconnaître que, chez Kia, la qualité de la finition est en hausse. En effet, malgré l'utilisation de quelques panneaux de plastique du type Dollarama, l'intérieur de l'Amanti se compose de beaux matériaux bien agencés. La présentation se veut sensiblement moins vieillotte que l'apparence extérieure de la voiture. Certaines commandes sont mal placées, en particulier celles de la ventilation. Les sièges de cuir souple sont douillets, mais manquent de maintien. Je dois avouer que mon dos commençait à souffrir après une heure de conduite. La position du conducteur plaira à ceux qui aiment

FORCES • Confort douillet • Équipement • Belle finition • Prix intéressant

FAIBLESSES • Silhouette d'arrière-garde • Mécanique d'arrière-garde • • Conduite somnifère

se sentir bien en contrôle, au-dessus de leurs affaires ! Quand on affirme que les Coréens ont cette tendance à copier, on le constate avec l'Amanti. Les commandes des sièges se trouvent dans la portière, à la manière de Mercedes-Benz. Pourquoi chercher les boutons sous le siège et se salir les doigts ? En hiver, vous trouverez le siège chauffant très lent à vous procurer tout le confort que vous désirez, contrairement à ce qu'on retrouve à bord des voitures allemandes.

[MÉCANIQUE] Sous le capot, les ingénieurs n'ont rien prévu de révolutionnaire. Le moteur est toujours un V6 de 3,8 litres qui développe 264 chevaux. Du reste, la mécanique de cette voiture n'est pas issue de la dernière technologie : calage variable des soupapes (non intelligent) et boîte de vitesses à 5 rapports. Ne soyons pas trop sévères, l'Amanti possède des composants mécaniques qui rivalisent avec ceux qu'on retrouve du côté des rivales américaines. Au volant, on apprécie les accélérations franches et le silence du moteur.

[COMPORTEMENT] La Kia Amanti n'est pas le genre de voiture à vous couper le souffle sur une piste. On s'attendrait plutôt à un train spongieux et à des nausées probables une fois installé en vitesse de croisière sur l'autoroute. En revanche, je dois affirmer que le comportement routier de cette voiture s'est révélé fort honnête. La suspension est un peu spongieuse, mais la direction, relativement précise pour ce genre de véhicule. De fait, l'Amanti étonne par sa maniabilité. On se sent en confiance au volant, peu importe l'état de la chaussée.

[CONCLUSION] Oubliez l'exaltation d'une conduite sportive, l'Amanti ne se compare en rien aux berlines européennes. L'acheteur de Kia ne fait plus confiance aux grosses américaines, Chevrolet Impala et Ford Taurus en premier lieu, ou encore se lasse d'une bagnole tape-cul et désire jouir d'un meilleur confort. On ne se trompe pas avec l'Amanti : une voiture fiable, bien conçue et accueillante. Il serait étonnant d'assister à un engouement soudain pour l'Amanti, mais les quelques futurs propriétaires trouveront satisfaction avec cette berline.

2e OPINION

DANIEL RUFIANGE L'Amanti est à Kia ce que la Bonneville a été à Pontiac; une grosse berline confortable et pataude. Pour une entreprise qui vise une clientèle relativement jeune, comme le faisait Pontiac en réponse à Chevrolet, il est comique de retrouver une grosse affaire comme l'Amanti dans les salles d'exposition. Toutefois, rendons à César ce qui lui revient. Cette voiture offre un confort douillet, un niveau d'équipement impressionnant pour le prix et une conduite qui rappelle... celle d'une Pontiac Bonneville ! Je me demande sérieusement ce que souhaite faire Kia avec cette voiture. Face à sa sœurette, la Hyundai Genesis, l'Amanti n'est plus dans le coup. Face aux allemandes, encore moins. Lui reste quelques japonaises à concurrencer, mais la carte de la fiabilité appartient encore à ces dernières.

5 FICHE TECHNIQUE

· **Moteur**
· V6 3,8 l DACT 264 ch à 6000 tr/min
Couple 260 lb-pi à 4500 tr/min
Transmission à 5 rapports avec mode manuel
0-100 km/h 9,0 s
Vitesse maximale 200 km/h

· **AUTRES COMPOSANTES**
Sécurité active freins ABS, antipatinage, contrôle de stabilité électronique
Suspension avant/arrière indépendante
Freins avant/arrière disques
Direction à crémaillère, assistée
Pneus Base P225/60R16, **Luxe** P235/55R17

· **DIMENSIONS**
Empattement 2800 mm
Longueur 5000 mm
Largeur 1850 mm
Hauteur 1485 mm
Poids 1710 kg, **Luxe** 1790 kg
Diamètre de braquage 11,6 m
Coffre 450 l
Réservoir de carburant 70 l

NOTRE VERDICT

Plaisir au volant
Qualité de finition
Consommation
Rapport qualité/prix
Valeur de revente

BORREGO

www.kia.ca

N ÉVOLUTION É J

37 395 $ à 44 395 $
transport et préparation: 1650 $

LA COTE VERTE

AVEC MOTEUR V6 DE 3,8 L

- **Consommation (100km):** 11,2 l
- **Émissions polluantes CO_2 :** 5472 kg/an
- **Empreinte écologique (nombre d'arbres à planter par année):** 33
- **Indice d'octane:** 87
- **Autre motorisation:** non
- **Coût du carburant moyen par année:** 2280 $
- **Nombre de litres par année:** 2280 l

(SOURCE: ÉnerGuide)

1 FICHE D'IDENTITÉ

- **Versions** LX-V6, EX-V6, LX-V8, EX-V8 Luxe
- **Roues motrices** 4
- **Portières** 4 **Nombre de passagers** 7
- **Première génération** 2009
- **Génération actuelle** 2009
- **Construction** Sohari et Hwasung, Corée du Sud
- **Sacs gonflables** 6 (frontaux, latéraux avant, rideaux latéraux)
- **Concurrence** Dodge Durango, Ford Explorer, Honda Pilot, Jeep Grand Cherokee, Mitsubishi Endeavor, Nissan Pathfinder, Toyota 4Runner

2 AU QUOTIDIEN

- **Prime d assurance**
  25 ans: 2100 à 2300 $
  40 ans: 1400 à 1600 $
  60 ans: 1100 à 1300 $
- **Collision frontale** 5/5
- **Collision latérale** 5/5
- **Ventes du modèle de l an dernier**
  Au Québec 47 **Au Canada** 187
- **Dépréciation** (3 ans) nm
- **Rappels** (2004 à 2009) 1
- **Cote de fiabilité** 3/5

3 GARANTIES... ET PLUS

- **Garantie générale** 5 ans/100 000 km
- **Garantie motopropulseur** 5 ans/100 000 km
- **Perforation** 5 ans/kilométrage illimité
- **Assistance routière** 5 ans/100 000 km
- **Nombre de concessionnaires**
  Au Québec 51 **Au Canada** 155

4 NOUVEAUTÉS EN 2010

- En option, de nouveaux sièges avant chauffés et ventilés, bluetooth sans main

LENTEMENT MAIS SÛREMENT

PAR MICHEL CRÉPAULT

PAS BESOIN D'ÊTRE FIN STRATÈGE POUR SAVOIR QU'ON NE LANCE PAS UN UTILITAIRE DE BONNE TAILLE ET NANTI D'UN V8 QUAND LE COURS DU PÉTROLE FAIT FLAMBER LES PRIX À LA POMPE. C'EST POURTANT LE MOMENT QU'A CHOISI KIA POUR INTRODUIRE SON BORREGO AU CANADA, À L'AUTOMNE 2008. À dire vrai, le fabricant sud-coréen n'a pas « choisi » ce moment. Les astres étaient ainsi alignés. Un an plus tard, cette malchance n'a pas tant nui au Borrego : sans fracasser des records de vente, il ne perd pas la face vis-à-vis ses rivaux. C'est dire que, malgré le mauvais timing, les Québécois ont su découvrir les vertus de ce VUS intermédiaire.

[CARROSSERIE] Rien pour écrire à sa mère en matière de design mais rien non plus qui blesse l'œil. La coque est agréablement proportionnée, et la fenestration généreuse se traduira tantôt par une bonne visibilité. On verra plus tard ce que Peter Schreyer, le nouveau styliste en chef de Kia, donnera comme impulsion visuelle au Borrego, mais, pour le moment, on se retrouve avec un camion qui a l'air de tout sauf bon marché. Il est livrable en versions LX et EX pour les deux motorisations proposées. Outre les jantes de 18 pouces (contre 17 pour le LX), le modèle EX se distingue aussi grâce à ses phares antibrouillard, son toit ouvrant électrique, les clignotants intégrés aux rétroviseurs extérieurs, etc.

[HABITACLE] L'accent est mis sur la configuration versatile des sept places de même que sur les gâteries de série qui ont fait la réputation de Kia. Les deux baquets principaux sont dodus au point de manquer de maintien latéral. Les trois places de la banquette médiane (60/40) plairont à tous. Par contre, l'accès aux deux dernières places du fond (50/50) se fait au prix de quelques contorsions. Il y a fort à parier, de toute façon, que vous utiliserez le Borrego avec ces deux sièges fondus à plat dans le plancher pour augmenter l'espace de chargement. Un utilitaire, ça sert à cela. Le seul petit problème réside alors dans le recouvrement en vinyle des dossiers qui rend le plancher de la soute inutilement glissant pour les objets censés ne pas bouger. Selon la version choisie, l'équipement, bien sûr, s'enrichit, mais

+ / −

FORCES • Équipement de série impressionnant • Châssis en échelle conçu pour les balades en tout-terrain, mais confort de tous les jours indéniable

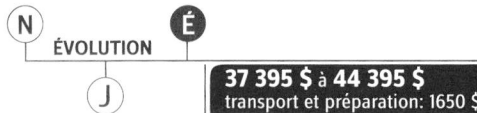

FAIBLESSES • V6 qui nécessite un rodage avant de mieux boire • Absence d'un différentiel autobloquant pour les situations hors route corsées

Le Borrego V8 se déplace en douceur avec un flegme qui cadre bien avec son gabarit.

les espaces de rangement, eux, sont nombreux, peu importe la livrée. J'ai beaucoup apprécié la console centrale qui parvient à vider nos poches toujours trop pleines.

[MÉCANIQUE] Kia tenait à prouver que son Borrego peut jouer dans la cour des grands en le munissant, en option, d'un V8 de 4,6 litres de 337 chevaux (celui de la berline Genesis). Bonne nouvelle, il boit du carburant ordinaire. On peut sinon se satisfaire du V6 de 3,8 litres de 276 chevaux (70 % des ventes, d'ailleurs). Les deux engins sont combinés à une boîte de vitesses automatique Steptronic à 5 ou à 6 rapports. Pour attaquer les sentiers en forêt, le dispositif AWD du modèle fonctionne sur demande, alors que l'autre réagit tout de go aux conditions routières. La gamme entière bénéficie d'un boîtier de transfert qui démultiplie le couple pour franchir les sentiers irascibles. Par contre, on ne peut bloquer le différentiel. Si une roue patine, ça peut aller mal.

[COMPORTEMENT] Qu'on le dise tout de suite, le V6 convient très bien. Il fournit du muscle sans rouspéter, et les dépassements se font à l'enseigne de la confiance. J'admets que sa consommation au-delà des 12 litres aux 100 kilomètres m'a agacé au début, mais cette moyenne s'est assagie au fur et à mesure que se prolongeait mon essai. Le choix du V8 se fera en fonction de la taille de l'ego mais, plus prosaïquement, selon vos besoins de remorquage : 7 500 livres pour le V8 contre 5 000 pour le V6, ce qui est déjà fort honorable. Je craignais que la suspension m'inflige une tenue de route guimauve, mais je me suis trompé.

[CONCLUSION] Bien que le Borrego démontre que Kia ne se limite plus qu'à des produits bon marché (comme le Veracruz et la Genesis l'ont fait chez Hyundai), ce véhicule-là présente encore un rapport qualité-prix intéressant. Si vos besoins appellent ce genre de camion, inscrivez celui de Kia sur votre liste d'épicerie.

2e OPINION

ALEXANDRE CRÉPAULT Le Kia Borrego arrive sur le marché à un drôle de moment : la popularité des véhicules utilitaires sport est en chute libre. Avouons quand même que ses dimensions sont intéressantes. De plus, il s'agit d'une bonne offre : de la place pour sept occupants, un arrangement de sièges permettant plusieurs configurations pratiques, un degré de confort très décent et un équipement de série concurrentiel. Le V6 est amplement puissant et enlève toute raison d'être au V8, à moins que vous ayez besoin de son impressionnante capacité de remorquage. Malheureusement, même le plus petit des deux moteurs est assoiffé. Il se révèle incapable de consommer moins de 12 litres aux 100 kilomètres. Par chance, ces moteurs se nourrissent de carburant ordinaire. Le Borrego n'est pas laid, non. Ses formes modernes, simples mais d'allure robuste font que personne ne le considérera comme l'option bon marché du segment. Décidément, le Borrego a ce qu'il faut pour concurrencer dans son créneau. Reste à voir si, avec le temps, la demande suivra l'offre.

5 FICHE TECHNIQUE

- **MOTEURS**
- **(LX V6, EX-V6)**

V6 3,8 l DACT, 276 ch à 6000 tr/min
Couple 267 lb-pi à 4400 tr/min
Transmission automatique à 5 rapports avec mode manuel
0-100 km/h 9,5 s
Vitesse maximale 180 km/h

- **(LX-V8, EX-V8 Luxe)**

V8 4,6 l DACT, 337 ch à 6000 tr/min
Couple 323 lb-pi à 3500 tr/min
Transmission automatique à 6 rapports avec mode manuel
0-100 km/h 7,6 s
Vitesse maximale 190 km/h
Consommation (100 km) 12,1 l (octane 87)
Émissions de CO^2 5904 kg/an
Litres par année 2460 l
Coût par an 2460 $
Carburant alternatif non
Empreinte écologique 36 arbres

- **AUTRES COMPOSANTES**

Sécurité active freins ABS, répartition électronique de force de freinage, antipatinage, contrôle de stabilité électronique, contrôle de freinage dans les descentes
Suspension avant/arrière indépendante/essieu rigide
Freins avant/arrière disques ventillés
Direction à crémaillère, assistée
Pneus LX P245/70R17 **EX-luxe** P260/65R18

- **DIMENSIONS**

Empattement 2895 mm
Longueur 4880 mm
Largeur 1915 mm
Hauteur 1810 mm
Poids V6 2023 kg **V8** 2096 kg
Diamètre de braquage 11,1 m
Coffre 350 l, 1370 l (sièges abaissés)
Réservoir de carburant 78 l
Capacité de remorquage V6 2765 kg **V8** 3402kg

NOTRE VERDICT

Plaisir au volant
Qualité de finition
Consommation
Rapport qualité/prix
Valeur de revente Nm

FORTE

www.kia.ca

N NOUVEAUTÉ É J

15 695 $ à 20 995 $
transport et préparation: 1455 $

LA COTE VERTE

AVEC MOTEUR L4 DE 2,0 L

- Consommation (100km) : man. 7,1 l auto. 7 l
- Émissions polluantes CO_2 : 3744 kg/an auto 3600 kg/an
- Empreinte écologique (nombre d'arbres à planter par année) : 21
- Indice d'octane : 87
- Autre motorisation : non
- Coût du carburant moyen par année : man. 1560$ auto. 1500 $
- Nombre de litres par année : man. 1560 l auto. 1500 l

(SOURCE : ÉnerGuide)

1 FICHE D'IDENTITÉ

- **Versions** LX, EX, SX
- **Roues motrices** avant
- **Portières** 4 **Nombre de passagers** 4
- **Première génération** 2010
- **Génération actuelle** 2010
- **Construction** Asan Bay, Corée du Sud
- **Sacs gonflables** 6 (frontaux, latéraux avant, rideaux latéraux)
- **Concurrence** Chevrolet Cobalt, Ford Focus, Honda Civic, Mazda3, Mitsubishi Lancer, Nissan Sentra, Subaru Impreza, Suzuki SX4, Toyota Corolla, Volkswagen Rabbit / Jetta City

2 AU QUOTIDIEN

- **Prime d'assurance**
  25 ans: 1600 à 1800 $
  40 ans: 900 à 1100 $
  60 ans: 800 à 1000 $
- **Collision frontale** 5/5
- **Collision latérale** 4/5
- **Ventes du modèle de l'an dernier**
  Au Québec nm **Au Canada** nm
- **Dépréciation (3 ans)** nm
- **Rappels (2004 à 2009)** nm
- **Cote de fiabilité** nm

3 GARANTIES... ET PLUS

- **Garantie générale** 5 ans/100 000 km
- **Garantie motopropulseur** 5 ans/100 000 km
- **Perforation** 5 ans/kilométrage illimité
- **Assistance routière** 5 ans/100 000 km
- **Nombre de concessionnaires**
  Au Québec 51 **Au Canada** 155

4 NOUVEAUTÉS EN 2010

- Nouveau modèle

GUEULE D'AMOUR

BENOIT CHARETTE

POUR SE DONNER DES AMBITIONS INTERNATIONALES, KIA A FAIT APPEL À UNE GROSSE POINTURE POUR DESSINER LA FORTE. CELUI QUI A CONÇU LA PREMIÈRE GÉNÉRATION DE L'AUDI TT ET LA VOLKSWAGEN NEW BEETLE, PETER SCHREYER, EST MAINTENANT RESPONSABLE DU DESIGN CHEZ KIA. Contrairement au Soul qui sortait des sentiers battus, la Forte est assez traditionnelle, mais offre des lignes plaisantes qui prendront de l'âge avec grâce. On reconnaît les rondeurs et la ligne de phare fuyantes, typiques du style de Schreyer. Une chose est certaine, c'est une avancée majeure face à la Spectra qu'elle remplace. On le sait, l'amour est d'abord physique, et Kia a pris les mesures nécessaires pour que sa nouvelle petite berline se fasse remarquer. Mais au-delà de sa bouille sympathique, qu'a-t-elle à offrir ?

[CARROSSERIE] Laissant habituellement les primeurs à sa grande sœur, Hyundai, Kia a pris l'initiative avec la Forte avec l'ambition avouée de placer cette petite berline dans les cinq meilleures vendeuses de sa catégorie. Avec des véhicules aussi bien établis que la Honda Civic, la Mazda3 et la Toyota Corolla, l'objectif est pour le moins ambitieux. Il fallait donc un produit qui accroche l'œil, et la Spectra n'était définitivement plus dans le coup. Les lignes beaucoup plus modernes de la Forte se promènent entre des rondeurs qui rappellent la Civic et quelques angles plus acérés plus proches des modèles Acura. De profil, la voiture n'est pas banale avec sa ceinture de caisse marquée par un décrochage à la hauteur des montants avant et des bas de portière creusés. On ne peut qualifier le véhicule de spectaculaire, mais il a juste ce qu'il faut pour attirer l'œil et donner une valeur ajoutée à un véhicule qui se vend à un prix populaire.

[HABITACLE] Dans une catégorie où tous les constructeurs se battent pour quelques dollars supplémentaires de contenu, Kia fait main basse sur la concurrence. Kia Canada a décidé de garder des prix identiques à ceux de la Spectra tout en ajoutant entre 2000 et 3000 $ d'équipements supplémentaires. Tous les modèles sont équipés de six coussins de sécurité gonflables, de freins

FORCES • Équipements de série complets • Rapport qualité-prix • Lignes sympathiques • À l'aise sur autoroute

FAIBLESSES • Performances décevantes • Direction ankylosée • SX qui pourrait être plus sportive • Le L4 de base est loin de la concurrence

ABS à disques aux quatre roues, de rétroviseurs extérieurs et d'un pare-brise dégivrant dans la partie du bas, de commandes audio au volant, d'un port USB et de la connectivité Bluetooth, une exclusivité dans cette catégorie. En optant pour le modèle EX à 17 995 $, vous obtiendrez des roues en alliage de 16 pouces, le contrôle électronique de la stabilité (combinant l'ABS, la répartition électronique du freinage, l'assistance au freinage et l'antipatinage), des sièges avant chauffants, une colonne de direction télescopique, des clignotants intégrés aux rétroviseurs extérieurs et des poignées de porte chromées. Enfin, la SX à 20 995 $ ajoute un moteur de 2,4 litres, des roues de 17 pouces, un contrôle automatique de la température, des garnitures intérieures métallisées, des sièges en cuir, des phares antibrouillard, un pédalier en alliage et une radio satellite Sirius. Dollar pour dollar, c'est la Forte qui offre le plus d'équipement du côté des compactes. La Forte est plus longue et plus large que la Spectra, et ses ingénieurs ont également étiré l'empattement pour maximiser le volume de son habitacle. Vous avez donc un espace plus que généreux pour les passagers et les bagages. En y regardant de plus près à chaque étape de notre analyse, nous avons réalisé que le travail de base a été bien fait, mais que, pour être capable de vendre une voiture aussi bien équipée à un prix aussi populaire, il y avait quelques sacrifices à faire en route. Dans le cas de l'habitacle, le design est bien pensé, l'ergonomie, soignée, mais les matériaux sont durs et de bas de gamme. Il manque un petit morceau de tissu dans les contreforts de porte pour lui donner un brin d'élégance. Mais c'est une critique mineure, Kia a choisi de mettre la priorité sur l'équipement plutôt que le matériel, sinon, le prix du véhicule aurait augmenté de quelques centaines de dollars.

« LAISSANT HABITUELLEMENT LES PRIMEURS À SA GRANDE SŒUR HYUNDAI, KIA A PRIS L'INITIATIVE AVEC LA FORTE, AVEC L'AMBITION AVOUÉE DE PLACER CETTE PETITE BERLINE DANS LES CINQ MEILLEURES VENDEUSES DE SA CATÉGORIE. »

[MÉCANIQUE] La Forte offre deux choix de moteurs à 4 cylindres. Celui de 2 litres produit 156 chevaux. Un tout nouveau moteur pour Kia, qui servira à de futures applications dans d'autres modèles Kia et Hyundai. Il est jumelé de série d'une boite de vitesses manuelle à 5 rapports. La version SX arrive avec un moteur de 2,4 litres qui développe 173 chevaux et une boîte manuelle à 6 rapports. Des boîtes automatiques à quatre ou à 5 rapports respectivement sont offertes en option et ajoutent 1200 $ à la facture. Contrairement aux lignes modernes, Kia n'a pas innové au chapitre de la mécanique. Peu importe le moteur que vous choisirez, la puissance annoncée ne répond pas présente sous le capot. Les 156 chevaux annoncés dans le modèle de base ressemblent beaucoup plus à 125 ou à 130 derrière le volant. Le synchronisme n'est pas parfait (surtout sur la boîte manuelle), et la boîte automatique à 4 rapports montre des signes de désuétude en conduite urbaine. Même constat avec le moteur de 2,4 litres qui est anémique, même avec un rapport de plus. Sur les autoroutes, cela ne pose pas de problème, mais si vous appréciez une conduite un peu

HISTORIQUE

L'histoire de Kia est à l'image des produits coréens qui ont lentement fait leur chemin dans les habitudes des automobilistes nord-américain. Très modeste à ses débuts avec des produits dont la qualité laissait fortement à désirer, Kia comme son cousin Hyundai avait emprunté sa technologie automobile à d'autres et offrait des véhicules avec une technologie dépassée. La Sephia, ancêtre de la Forte est un bel exemple. La génération suivante était déjà plus prometteuse et la Spectra qui ajouta une familiale à l'offre fut découverte par bon nombre de nouveaux adeptes.
Les amateurs de modifications de véhicules y ont même ajouté leur grain de sel, donnant une dimension tout à fait nouvelle à la voiture. C'est finalement sous la plume de Peter Schreyer, père de la New-Beetle et de la Audi TT, que la Forte a vu le jour. Une voiture bien né qui risque de plaire.

KIA SEPHIA 2000

KIA SPECTRA 2002

KIA SPECTRA 5

KIA SPECTRA SEMA 2004

KIA SPECTRA 5 SEMA 2004

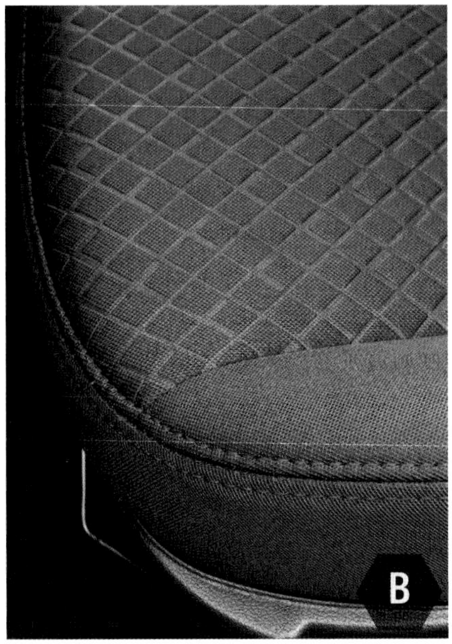

GALERIE

A Le summum du luxe est offert dans la version sport de la Forte, la SX avec un système de climatisation automatique, des sièges en cuir ainsi qu'un volant et un pommeau de levier de vitesses gainés de cuir et beaucoup d'espace pour les jambes pour une voiture de cette catégorie.

B La Forte 2.0L EX, qui selon les dires de Kia sera le modèle le plus populaire, offre beaucoup d'équipement de série. Au delà des sièges chauffants en tissus confortable, vous obtenez de série un système de climatisation, un système électronique de stabilité et des clignotants intégrés aux rétroviseurs extérieurs.

C D Il est important de savoir que Kia offre de série dans tous les modèles de Forte des commandes audio intégrées au volant, un système de communication mains libres à commande vocale avec technologie Bluetooth, une chaîne stéréophonique AM/FM/CD/MP3 avec bornes auxiliaire et USB. On va ensuite essayer de nous faire avaler qu'il faut payer plus pour avoir le même équipement dans des véhicules de luxe qui se vendent trois fois le prix. Tout le monde devrait prendre Kia en exemple.

E Bien que le design de l'habitacle et l'ergonomie soient bons et bien pensés, les matériaux utilisés sont durs et cassants. Même un petit morceau de tissu sur les accoudoirs dans les portes constituerait une amélioration. Il est clair que la priorité pour Kia était d'offrir l'équipement de série le plus complet dans sa catégorie plutôt que les matériaux les plus cossus. Mais on ne peut pas tout avoir.

plus sportive, vous serez un peu déçu. Je trouve un peu dommage de rouler avec de « vieilles » boîtes de vitesses sur les modèles de base. Toutefois, malgré cela, la consommation de la Forte est plus raisonnable que la moyenne : 8,3 et 5,8 litres aux 100 kilomètres (ville/route) pour le moteur de 2 litres; 9,2 et 6,2 litres aux 100 kilomètres (ville/route) pour le moteur de 2,4 litres.

[COMPORTEMENT] Nous l'avons souligné plus tôt, pour être capable de vendre une telle voiture à un peu plus de 15 600 $, il faut prendre quelques raccourcis en cours de route. Kia se contente d'une épure de suspension très simple et de boîtes de vitesses déjà existantes. Sur la route, l'insonorisation est correcte, mais les 156 chevaux annoncés ne sont pas tous présents. La direction manque de vie, mais la voiture accomplit les tâches de base avec une bonne note de passage. Même son de cloche pour la SX de 173 chevaux; il semble en manquer une trentaine quelque part. Nous avons bien noté la suspension plus ferme et une tenue de route plus proactive, mais la direction manquait encore un peu de mordant. Bref, l'expérience au volant est semblable à celle d'une Toyota Corolla, correcte mais sans plus. Parmi les points forts, il faut souligner l'insonorisation soignée. La visibilité est excellente grâce aux grands rétroviseurs latéraux, et les places arrière sont plus spacieuses que la moyenne dans la catégorie. Donc, un confort appréciable pour les passagers, peu importe leur position dans la voiture. Les moteurs, les boîtes de vitesses et la direction n'ont pas réveillé en moi le désir de prendre la voiture au corps pour lui montrer les chemins de l'amour.

[CONCLUSION] La nouvelle Kia Forte ne manque pas d'intérêt, mais l'ambition de viser une cinquième place sur le podium des ventes me semble un peu prématuré pour l'instant. Toutefois, cette voiture risque d'avoir du succès grâce à une recette éprouvé de Kia, celle d'offrir un très bon produit avec plus d'équipement et une meilleure garantie que la concurrence à prix imbattable.

2e OPINION

JEAN-PIERRE BOUCHARD Pas facile la vie d'une compacte, surtout dans un segment hautement concurrentiel dont fait partie la Forte. Kia entend toutefois marquer des points et faire oublier la Spectra qui, faute de personnalité, n'était pas dépourvue d'intérêt. La Forte est confortable et spacieuse. Sur la route, elle procure une belle douceur de roulement. Cette compacte n'ajoute toutefois rien de neuf. Pour un prix somme toute concurrentiel, elle offre une liste exhaustive de caractéristiques de série, une mécanique dont les performances suffiront à la grande majorité des conducteurs et une insonorisation plus efficace que nombre de concurrentes, à débuter par la Honda Civic. Reste que l'écart de prix entre une Forte et une Mazda3 ou encore une Honda Civic et une Toyota Corolla n'est pas dramatique, alors que les valeurs de revente des véhicules Kia, elles, sont plus faibles. La partie n'est pas gagnée, mais la joueuse mérite d'être considérée.

5 FICHE TECHNIQUE

- **MOTEURS**
- **(LX, EX)**

L4 2,0 l DACT, 156 ch à 6200 tr/min
Couple 144 lb-pi à 4300 tr/min
Transmission manuelle à 5 rapports, automatique à 4 rapports
0-100 km/h 10,5 s
Vitesse maximale 190 km/h

- **(SX)**

L4 2,4 l DACT, 173 ch à 6000 tr/min
Couple 168 lb-pi à 4000 tr/min
Transmission manuelle à 6 rapports, automatique à 5 rapports
0-100 km/h 9,8 s
Vitesse maximale 200 km/h
Consommation (100 km)
man. 8,7 l **auto.** 8,7 l (octane 87)
Émissions de CO_2 3840 kg/an
Litres par année man. 1600 l
Coût par an man. 1600 $
Autre motorisation non
Empreinte écologique nd

- **AUTRES COMPOSANTES**

Sécurité active freins ABS, contrôle électronique de stabilité, antipatinage
Suspension avant/arrière indépendante / essieu rigide
Freins avant/arrière : disques
Direction à pignon et crémaillère, assistée
Pneus LX P195/65 R15 **EX** P205/55 R16 **SX** P215/45 R17

- **DIMENSIONS**

Empattement 2650 mm
Longueur 4530 mm
Largeur 1775 mm
Hauteur 1460 mm
Poids 1228 kg **(LX, EX man.)**; 1294 kg **(SX man.)**
Capacité de remorquage: 340 kg, 680 kg (avec freins remorque)
Diamètre de braquage 10,3 m
Coffre 415 l
Réservoir de carburant 52 l

NOS MENTIONS

☺ Modèle recommandé

NOTRE VERDICT

Plaisir au volant
Qualité de finition
Consommation
Rapport qualité/prix
Valeur de revente Nm

KOUP

www.kia.ca

N NOUVEAUTÉ É J

18 495 $ à 21 495 $
transport et préparation: 1455 $

AVEC MOTEUR L4 DE 2,0 L

- **Consommation (100km): man.** 7,1 l **auto.** 7 l
- **Émissions polluantes CO_2 :** 3744 kg/an **auto** 3600 kg/an
- **Empreinte écologique (nombre d'arbres à planter par année):** 21
- **Indice d'octane:** 87
- **Autre motorisation:** non
- **Coût du carburant moyen par année: man.** 1560$ **auto.** 1500 $
- **Nombre de litres par année: man.** 1560 l **auto.** 1500 l

(SOURCE: ÉnerGuide)

1 FICHE D'IDENTITÉ

- **Versions**, EX, SX
- **Roues motrices** avant
- **Portières** 2 **Nombre de passagers** 4
- **Première génération** 2010
- **Génération actuelle** 2010
- **Construction** Asan Bay, Corée du Sud
- **Sacs gonflables** 6 (frontaux, latéraux avant, rideaux latéraux)
- **Concurrence** Chevrolet Cobalt, Ford Focus, Honda Civic, Mazda3, Mitsubishi Lancer, Nissan Sentra, Subaru Impreza, Suzuki SX4, Toyota Corolla, Volkswagen Rabbit / Jetta City

2 AU QUOTIDIEN

- **Prime d'assurance**
  25 ans: 1600 à 1800 $
  40 ans: 900 à 1100 $
  60 ans: 800 à 1000 $
- **Collision frontale** 5/5
- **Collision latérale** 4/5
- **Ventes du modèle de l'an dernier**
  Au Québec nm **Au Canada** nm
- **Dépréciation** (3 ans) nm
- **Rappels** (2004 à 2009) nm
- **Cote de fiabilité** nm

3 GARANTIES... ET PLUS

- **Garantie générale** 5 ans/100 000 km
- **Garantie motopropulseur** 5 ans/100 000 km
- **Perforation** 5 ans/kilométrage illimité
- **Assistance routière** 5 ans/100 000 km
- **Nombre de concessionnaires**
  Au Québec 51 **Au Canada** 155

4 NOUVEAUTÉS EN 2010

- Nouveau modèle

DE MIEUX EN MIEUX

PAR MICHEL CRÉPAULT

KIA FILE SUR UNE IRRÉSISTIBLE LANCÉE. APRÈS L'UTILITAIRE BORREGO, LA FUNKY SOUL ET LA BERLINE FORTE, PLACE AU COUPÉ KOUP. La Forte a provoqué la mise à la retraite de la Spectra, et l'arrivée de la Koup marque la première fois qu'un coupé de cet acabit aboutit dans les salles d'exposition de Kia. Les performances sur la route de la Forte, ainsi que son équipement, ont éclipsé la Spectra en un éclair. La Koup est censée pousser cette enveloppe plus loin en aguichant les jeunes célibataires intéressés par une sportive abordable.

[CARROSSERIE] Contrairement à la berline qui se décline en trois versions, le coupé Koup limitera les siennes à deux : EX et SX. La Forte et la Koup utilisent la même plateforme, mais une seule feuille de métal est commune, celle du capot. Pour le reste, il faut admettre que le designer Schreyer et son équipe ont fait du solide boulot. La Koup est très plaisante à regarder. Son devant distille une agressivité de bon aloi, en concordance avec les ailes d'avantage musclées que celles de la berline et le museau biseauté. Les designers ont brillamment disposé des « patches » sombres : la calandre, la bavette et les coins. Le résultat est un faciès qui n'a pas vraiment son pareil dans l'industrie. À l'arrière, on note le double tuyau d'échappement et les crêtes le long du tablier qui facilitent un écoulement aérodynamique de l'air sous le châssis. De l'extérieur, une poignée de détails permettent de distinguer une SX d'une EX. La version haut de gamme est sertie d'antibrouillards et de roues de 17 pouces (au lieu de 16) au motif spécial. Mais le truc le plus subtil pour différencier les deux modèles est le suivant : jetez un coup d'œil au logo Koup plaqué à l'arrière du coffre à bagages. Si le « K » est rouge, vous avez affaires à une SX tout équipée! Je vous entends déjà épater vos amis avec votre science en déambulant le long de la Ste-Catherine !

[HABITACLE] Les portières s'ouvrent sur un accès sans pilier. Les occupants à l'avant n'ont donc aucune difficulté à se glisser dans les baquets sportifs accueillants. Ils auront peut-être à déjouer les protubérants supports latéraux, mais ceux-ci deviennent très rapidement nos

FORCES • Une coque dessinée avec expertise • Équipement de série convaincant (SX) • Sonorité du 2,4L stimulante

FAIBLESSES • Long débattement de la pédale d'embrayage • Motorisation semi sportive du modèle EX Le roulis pourrait être mieux contrôlé

amis dès qu'on demande à l'auto de faire ce pourquoi elle est venue au monde : zigzaguer ! L'accès à la banquette est moins simple. Un peu de contorsions seront requises, puis du biceps pour remettre le dossier avant en place. Cette banquette est confortable pour deux passagers, la place du milieu ne servant qu'à dépanner. Le dégagement pour la tête est tout juste pour un grand jack, mais les genoux s'en tirent mieux. La banquette est rabattable en deux sections (60/40) si l'on se donne la peine de tirer sur les câbles installés dans la soute à bagages. Celle-ci est d'une capacité décente, facilitée par une embrasure qui court sur une largeur maximale. L'équipement de la SX est particulièrement riche, mais celui de l'EX n'est pas bête non plus. Par exemple, la connectivité Bluetooth et les sièges avant chauffants sont standards. Le noir domine l'intérieur. Le volant, les portières, les sièges et, même, la banquette ont droit à des coutures rouges du plus bel effet qu'on ne s'attendait pas à voir dans une auto de ce prix. Le volant constellé d'interrupteurs complète bien la planche de bord en forme de L. Les trois principaux cadrans logent dans une profonde nacelle et, même avec des lunettes de soleil, je n'ai rien perdu de leur information. J'aime particulièrement l'auréole rougeoyante qui orne l'indicateur de vitesse, lequel sait compter jusqu'à 240 km/h. La partie centrale du tableau de bord de la SX arbore le fini noir et luisant d'un piano. Les interrupteurs sont ergonomiquement disposés et limpides quant à leur fonction. Au creux du bac de rangement qui se profile sous la planche se trouvent les prises pour l'iPod ou une clef USB. Le coude repose confortablement sur un accoudoir à deux étages amovibles. Le panneau de toit ouvrant a la bonne idée de coulisser à l'extérieur du pavillon afin de préserver le dégagement pour la tête. Ce panneau est la seule option de la SX, et il est également livrable sur l'EX.

« LE NOIR DOMINE L'INTÉRIEUR. LE VOLANT, LES PORTIÈRES, LES SIÈGES ET MÊME LA BANQUETTE ONT DROIT À DES COUTURES ROUGES DU PLUS BEL EFFET QU'ON NE S'ATTENDAIT PAS À VOIR DANS UNE AUTO DE CE PRIX. »

[MÉCANIQUE] L'acheteur de l'EX hérite du litres de 156 chevaux, tandis que celui d'une SX profite des vertus du 2,4 litres de 173 chevaux. On reprend en somme la motorisation de la Forte. Les deux moteurs commandent un choix de boîtes : manuelle à 5 rapports ou automatique à 4 rapports dans le cas de l' EX, et ajoutez un rapport de plus aux deux boîtes si vous passez à la gamme supérieure. Des disques (ventilés à l'avant), l'ABS et le contrôle électronique de la stabilité sont de série. Les amortisseurs de la SX ont été raffermis.

[COMPORTEMENT] À mon humble avis, le client qui se tournera vers la combinaison 2 litres – 4 rapports automatiques le fera parce qu'il aura succombé à l'allure attrayante du coupé. Les considérations au sujet des performances et sur l'art de négocier une courbe au point de corde ne seront pas ses priorités. En revanche, celui qui s'intéressera au 2,40-litres et à la boîte manuelle à 6 rapports aura à cœur d'extirper le meilleur

HISTORIQUE

Depuis peu, Kia s'est donné une nouvelle image qui donne enfin une personnalité à leurs voitures. Pour vous rappeler à vos bons souvenirs, nous voyons ici quelques anciens modèles de la fime aux lignes plutôt génériques. C'est l'Allemand Peter Schreyer qui s'est vu confier la tâche de transformer l'image de tous les produits Kia. Après la Forte et la Soul, la Koup nous arrive très proche de l'image de son concept présenté à New York en 2009.

SEPHIA 1995

SPORTAGE 1999

RIO 2001

PETER SCHREYER

KEE 2007

KOUP CONCEPT

KOUP 2010

GALERIE

A La connectivité Bluetooth est de série dans tous les modèles ainsi que la prise USB. Un message pour tous les constructeurs qui offrent des voitures plus chères et demande un supplément pour une prise iPod.

B Il est possible de parler d'un coupé à 4 places avec la Koup. Les places arrière ne sont pas spacieuses, mais si la personne accepte d'avoir un peu moins d'espace pour la tête, les jambes s'en tirent à bon compte. La banquette est rabattable en deux sections (60/40).

C Les interrupteurs sont ergonomiquement disposés et très instinctifs. Il faut par contre aimer le plastique qui, heureusement, est de bonne facture.

D La version SX propose des roues de 17 pouces (au lieu de 16) au motif spécial, facile à reconnaître.

E L'échappement double à l'arrière ajoute au petit côté sportif de la Koup.

de la petite bête. Il s'apercevra que l'embrayage nécessite une période d'apprentissage étant donné la longue course de la pédale. Les premiers kilomètres, immobile dans une pente, on ne prend pas de chance et on plaque les gaz. Ce qui ajoute au plaisir, somme toute, parce que la musicalité de l'échappement est stimulante. Mon bref essai m'aura permis de constater l'agilité de la Koup. Offrez-lui une brèche dans le trafic et elle s'y précipite avec voracité. En ouvrant la machine dans les longues courbes surélevées de Toronto, l'auto gardait son cap sans chercher à se dérober. Les dépassements ne sont pas explosifs mais suffisamment autoritaires pour occuper la voie de gauche sur demande. Je ne suis pas certain que le châssis soit le plus résistant aux tortures structurales qu'imposent nos belles routes, mais, règle générale, le roulis est sous contrôle. Je souhaiterais quand même que Kia développe une version de la Koup encore plus « teigne ». Elle a déjà la silhouette fendante. Il ne lui manquerait que des passages de rapports plus serrés et un raffermissement de la suspension

[CONCLUSION] Le client potentiel, dans la mi-vingtaine, aura mis des voitures comme la Honda Civic, la Chevrolet Cobalt et possiblement la Ford Focus sur sa liste de magasinage. Si son budget le guide, la Koup EX fera son bonheur. S'il ne déteste pas ça quand plumage et ramage vont de pair, s'il apprécie la fébrilité d'une machine bien née, sans trouer son compte en banque, la SX lui fera entendre son chant de sirène.

2e OPINION

BENOIT CHARETTE Kia a compris que la voiture est une affaire de coup de cœur, et que, si c'est possible d'offrir une voiture vraiment accrocheuse à prix raisonnable, les chances de réussite sont très élevées. Et c'est exactement ce qui arrive avec la Koup. Très proche du prototype présenté au salon de l'auto de New-York en avril dernier, elle utilise la même plateforme que la Forte, mais seul le capot est identique, tout le reste de la carrosserie est unique à la Koup. Sa ligne agressive dégage aussi une certaine noblesse. Cette voiture a l'air riche, sans les logos, on ne devinerait jamais qu'il s'agit d'une Kia. La firme coréenne a trouvé une formule gagnante car la Koup ne répond pas seulement aux attentes des acheteurs cibles de cette catégorie, mais offre en plus une gueule d'enfer à un prix plus que concurrentiel. À mon avis ils ne peuvent pas manquer leur Koup.

5 FICHE TECHNIQUE

· MOTEUR

(EX)

L4 2,0 l DACT, 156 ch à 6200 tr/min
Couple 144 lb-pi à 4300 tr/min
Transmission manuelle à 5 rapports, automatique à 4 rapports
0-100 km/h 10,5 s
Vitesse maximale 190 km/h

· (SX)

L4 2,4 l DACT, 173 ch à 6000 tr/min
Couple 168 lb-pi à 4000 tr/min
Transmission manuelle à 6 rapports, automatique à 5 rapports
0-100 km/h 9,8 s
Vitesse maximale 200 km/h
Consommation (100 km)
man. 7,7l **auto.** 7,7 l (octane 87)
Émissions de CO_2 3840 kg/an
litres par année man. 1600 L
Coût par an man. 1600 $
Carburant alternatif non
Empreinte écologique nd

· AUTRES COMPOSANTES

Sécurité active freins ABS, contrôle électronique de stabilité, antipatinage
Suspension avant/arrière indépendante / essieu rigide
Freins avant/arrière disques ventilés / disques
Pneus EX P205/55 R16 **SX** P215/45 R17

· DIMENSIONS

Empattement 2650 mm
Longueur 4480 mm
Largeur 1765 mm
Hauteur 1400 mm
Poids 1232 kg (EX man.); 1297 kg (SX man.)
Diamètre de braquage 10,3 m
Coffre 358 l
Réservoir de carburant 52 l

NOS MENTIONS

☺ Modèle recommandé

NOTRE VERDICT

Plaisir au volant
Qualité de finition
Consommation
Rapport qualité/prix
Valeur de revente Nm

MAGENTIS

www.kia.ca

N ÉVOLUTION É J

21 995 $ à 30 795 $
transport et préparation: 1455 $

LA COTE VERTE

MOTEUR
L4 DE 2,4 L

- **Consommation (100km):** 7,8 l
- **Émissions polluantes CO_2 :** 3840 kg/an
- **Empreinte écologique (nombre d'arbres à planter par année):** 23
- **Indice d'octane:** 87
- **Autre motorisation:** non
- **Coût du carburant moyen par année:** 1600 $
- **Nombre de litres par année:** 1600 l

(SOURCE: ÉnerGuide)

1 FICHE D'IDENTITÉ

- **Versions** LX/Premium/Cuir, LX V6, LX V6 Luxury, SX, SX V6
- **Roues motrices** avant
- **Portières** 4 **Nombre de passagers** 5
- **Première génération** 2001
- **Génération actuelle** 2007
- **Construction** Sohari, Corée du Sud
- **Sacs gonflables** 6, frontaux, latéraux avant et rideaux latéraux
- **Concurrence** Chevrolet Malibu, Chrysler Sebring, Ford Fusion, Honda Accord, Hyundai Sonata, Mazda6, Mitsubishi Galant, Nissan Altima, Subaru Legacy, Toyota Camry, Volkswagen Jetta/Passat

2 AU QUOTIDIEN

- **Prime d'assurance** **25 ans:** 1500 à 1700 $ **40 ans:** 1000 à 1200 $ **60 ans:** 800 à 1000 $
- **Collision frontale** 5/5 · **Collision latérale** 5/5
- **Ventes du modèle de l'an dernier** **Au Québec** 517 **Au Canada** 1975
- **Dépréciation** 57,8%
- **Rappels** (2004 à 2009) Aucun
- **Cote de fiabilité** 4/5
- **Garantie générale** 5 ans/100 000 km
- **Garantie motopropulseur** 5 ans/100 000 km
- **Perforation** 5 ans/kilométrage illimité

3 GARANTIES... ET PLUS

- **Assistance routière** 5 ans/100 000 km
- **Nombre de concessionnaires** **Au Québec** 51 **Au Canada** 155

4 NOUVEAUTÉS EN 2010

- Nouvelles roues, 16 pouces, Bouton de démarrage (SX), Nouveau tissu pour les sièges

DURE DURE LA VIE D'INTERMÉDIAIRE

JEAN-PIERRE BOUCHARD

PAS FACILE DE CONCURRENCER LES GROS CANONS JAPONAIS. PAS FACILE NON PLUS LORSQUE LA SOCIÉTÉ SŒUR DE KIA, HYUNDAI, OFFRE LA SONATA. La berline Magentis doit donc faire mille et une pirouettes pour attirer l'attention des acheteurs. Et à en juger par les ventes, elle y parvient plus difficilement. Cela ne signifie toutefois pas que la voiture doit être mise aux oubliettes. Car sur plusieurs plans, elle constitue un choix des plus honnêtes.

[CARROSSERIE] Les améliorations récentes lui ont donné un tantinet plus de caractère. La partie avant, plus particulièrement, la rend plus moderne. Une signature désormais transposée dans la compacte Forte. Mais, prise dans son ensemble, l'intermédiaire manque de punch. Et elle n'a pas ce petit côté chic de la Sonata. Mais, ce n'est pas parce que les concepteurs manquent d'originalité. À preuve, ils ont dessiné la Soul ! Cette approche ne fait que la plonger dans l'anonymat. Un anonymat qui ne changera pas pour l'année modèle 2010 puisque la firme ne lui apporte aucun changement esthétique.

[HABITACLE] Kia et Hyundai ont compris que pour susciter de l'intérêt, ils devaient offrir une valeur ajoutée. Leur choix : gonfler la liste des caractéristiques de série et soigner davantage l'apparence intérieure. Lorsque l'on monte à bord de la voiture, on constate que le choix et l'assemblage des matériaux dégagent une belle impression de qualité. À ce titre, certaines japonaises pourraient prendre exemple. À l'avant, le conducteur et le passager disposent d'un bon dégagement pour les jambes et la tête, qui est par contre un peu plus juste sur les versions coiffées du toit ouvrant. Les sièges procurent un bon confort. Et ils sont chauffants dans toutes les versions. Le volant inclinable et télescopique (sauf dans la version LX de base !) permet de trouver une position de conduite confortable. La version SX V6, la plus cossue, dispose des pédales à réglage électrique. L'instrumentation est disposée

FORCES · Caractéristiques de série · Confort · Qualité générale de l'assemblage · Douceur de fonctionnement du V6

FAIBLESSES · Manque de oomph · Valeur de revente · Conduite somnifère

de la carrosserie en virages. Ce n'est toutefois pas une voiture agile et plaisante à conduire comme l'est la Volkswagen Jetta par exemple. Mais elle plaira aux conducteurs qui aiment la quiétude au volant. La voiture

de façon efficace. Les commandes sont placées dans l'environnement immédiat du conducteur. Aucune critique au sujet de l'insonorisation : l'habitacle filtre efficacement les bruits de la route et ceux causés par le vent. À l'arrière, la banquette offre un bon confort pour au moins deux adultes. Le coffre est par ailleurs de bonne dimension et on peut en augmenter la capacité en rabattant le dossier de la banquette dans une proportion 60/40.

[MÉCANIQUE] La Magentis est d'office livrée avec un 4-cylindres de 2,4 L relié à une boîte manuelle ou automatique, les deux à cinq rapports. Les 175 chevaux dont dispose le conducteur suffisent amplement pour déplacer la voiture avec aisance dans la plupart des situations. Il forme un excellent tandem avec la boîte automatique. Autre choix : le V6 de 2,7 L, dont le mérite est surtout de s'activer avec plus de douceur que le 2,4 L. Autrement, ce moteur n'est pas concurrentiel lorsqu'on le compare à ceux de la concurrence. Élément intéressant, le dispositif ECO-Minder qui accompagne les versions dotées de la boîte automatique permet d'économiser du carburant en indiquant au conducteur que le rendement du moteur est optimal et qu'il consomme moins d'essence. Kia avance des économies de l'ordre de 13 %.

[COMPORTEMENT] L'intermédiaire mise d'emblée sur le confort et la douceur de roulement. La suspension un tantinet ferme lui permet d'offrir une bonne maniabilité et d'assurer un meilleur contrôle des mouvements

est équipée de série de freins à disque aux quatre roues, du contrôle de la stabilité du véhicule et de l'antipatinage.

[CONCLUSION] Pour attirer l'attention, la berline offre plusieurs attraits : elle affiche de bonnes notes en ce qui concerne le confort, l'équipement, la sécurité, en plus d'être appuyée par une bonne garantie. Mais, dans un marché d'hyper concurrence, il lui manque ce petit quelque chose pour la faire véritablement sortir de la mêlée, à commencer par un design plus tapageur.

2e OPINION

DANIEL RUFIANGE L'avantage de la Magentis demeure son prix. À moins de 30 000 $, on obtient une berline honnête au confort très acceptable. Pour aller du point A au point B, elle est parfaite. Cependant, si vous aimez les sensations de conduite, regardez ailleurs. Oublions la concurrence que représentent les Honda Accord, Toyota Camry, Nissan Altima, Chevrolet Malibu et Ford Fusion, pour ne nommer que celles-ci; ces dernières sont trop bien implantées pour se sentir menacées par la Kia. En réalité, la Magentis doit d'abord entrer en concurrence avec elle-même et regarder ce qui se fait ailleurs. L'expérience de conduite se doit d'être améliorée, elle qui se révèle beaucoup trop neutre. Et si cela doit se faire au détriment de la facture car les ventes actuelles ne décollent pas.

5 FICHE TECHNIQUE

· **MOTEURS**

· (LX, LX Premium, LX Cuir)
L4 2,4 l DACT 175 ch à 6000 tr/min
Couple 169 lb-pi à 4000 tr/min
Transmission manuelle à 5 rapports, automatique à 5 rapports avec mode manuel en option (de série sur LX Premium, LX Cuir)
0-100 km/h 9,0 s
Vitesse maximale 190 km/h

· **(LX V6, LX V6 Luxury)**
V6 2,7 l DACT 194 ch à 6000 tr/min
Couple 184 lb-pi à 4500 tr/min
Transmission automatique à 5 rapports avec mode manuel
0-100 km/h 8,5 s
Vitesse maximale 210 km/h
Consommation (100 km) 8,8 l (octane 87)
Émissions de CO_2 4272 kg/an
Litres par année 1780 l
Coût par an 1780 $
Empreinte écologique 26 arbres

· **AUTRES COMPOSANTES**
Sécurité active freins ABS, répartition électronique de force de freinage, antipatinage (LX Premium, LX Cuir et LX V6 Luxury), contrôle de stabilité électronique (LX Premium, LX Cuir et LX V6 Luxury)
Suspension avant/arrière indépendante
Freins avant/arrière disques
Direction à crémaillère, assistée
Pneus P205/60R16 **LX V6 Luxury** P215/50R17

· **DIMENSIONS**
Empattement 2720 mm
Longueur 4800 mm
Largeur 1805 mm
Hauteur 1480 mm
Poids L4 1432 kg **V6** 1494 kg
Diamètre de braquage 10,8 m
Coffre 425 l
Réservoir de carburant 62 l

NOTRE VERDICT

Plaisir au volant
Qualité de finition
Consommation
Rapport qualité/prix
Valeur de revente

RIO

www.kia.ca

N ÉVOLUTION É J

13 595 $ à 18 295 $
transport et préparation: 1455 $

LA COTE VERTE

AVEC MOTEUR L4 DE 1,6 L

- **Consommation (100km): man.** 6,8 l **auto** 6,9 l
- **Émissions polluantes CO_2 : man.** 3316 kg/an **auto** 3364 kg/an
- **Empreinte écologique (nombre d'arbres à planter par année):** 19
- **Indice d'octane:** 87
- **Autre motorisation:** non
- **Coût du carburant moyen par année: man.** 1340 $ **auto** 1360 $
- **Nombre de litres par année: man.** 1340 l **auto** 1360 l

(SOURCE: ÉnerGuide)

1 FICHE D'IDENTITÉ

- **Versions** EX, EX Commodité,(berl.); EX, EX Commodité, EX Sport (Rio5)
- **Roues motrices** avant
- **Portières** 4 **Nombre de passagers** 4
- **Première génération** 2002
- **Génération actuelle** 2006
- **Construction** Sohari, Corée du Sud
- **Sacs gonflables** 2 (frontaux)
- **Concurrence** Chevrolet Aveo, Honda Fit, Hyundai Accent, Nissan Versa, Suzuki Swift+, Toyota Yaris

2 AU QUOTIDIEN

- **Prime d'assurance**
  25 ans: 1200 à 1400 $
  40 ans: 1000 à 1100 $
  60 ans: 800 à 1000 $
- **Collision frontale** 4/5
- **Collision latérale** 3/5
- **Ventes du modèle de l'an dernier**
  Au Québec 3440 **Au Canada** 9742
- **Dépréciation** (3 ans) 65,7%
- **Rappels** (2004 à 2009) 2
- **Cote de fiabilité** 3/5

3 GARANTIES... ET PLUS

- **Garantie générale** 5 ans/100 000 km
- **Garantie motopropulseur** 5 ans/100 000 km
- **Perforation** 5 ans/kilométrage illimité
- **Assistance routière** 5 ans/100 000 km
- **Nombre de concessionnaires**
  Au Québec 51 **Au Canada** 155

4 NOUVEAUTÉS EN 2010

- Nouveau dessin du pare-choc et calandre
- Volant et roues de 15 pouces redessinés

LES VENTS ONT CHANGÉ

PAR FRANCIS BRIÈRE

ON NE CESSE D'AFFIRMER QUE LES CORÉENS FONT DES PROGRÈS. Il n'y a pas si longtemps, les voitures que proposaient Kia et Hyundai n'inspiraient guère confiance. Plusieurs se souviennent de la Pony et de la Stellar, deux tas de ferraille ambulants (le mot est fort !), véritables risées de quartier. Depuis environ cinq ans, les vents ont changé. Kia et Hyundai proposent des produits intéressants et dont la qualité de conception ne fait plus de doute. De fait, la Rio, voiture vendue à prix mini, constitue un achat judicieux pour celui ou celle qui souhaite se déplacer sans se ruiner.

[CARROSSERIE] La Rio profite de la plateforme de la Hyundai Accent, une voiture qui n'a rien à envier aux petites américaines. Sa carcasse, à mon humble avis, plaît davantage. Ses formes se dessinent plus subtilement et lui donnent une allure moderne. Jolie comme tout, la version à hayon (cinq portières) est plus pratique. La berline offre moins d'espace.

[HABITACLE] Pour une voiture qu'on se procure à environ 10 000 dollars, il faut modérer nos attentes en matière de conception et de luxe dans l'habitacle. La Rio possède une planche de bord bien intégrée et composée de matériaux de qualité acceptable. Les commandes sont au bon endroit, et l'assemblage est bien réalisé. Du reste, la présentation intérieure ne détonne pas par rapport à la silhouette de la voiture : c'est du joli. Quand on prend place à bord de la Rio, on constate que les sièges n'ont rien à voir avec le canapé du salon. Ils sont durs et peu invitants. Considérons le fait que cette voiture est destinée aux déplacements urbains. En revanche, une balade de cent kilomètres ne vous rendra pas malade. La livrée Rio5 Sport possède de petits éléments distinctifs intéressants, comme un volant et un pommeau de levier de vitesses gainés de cuir, des sièges colorés et un pédalier en aluminium.

[MÉCANIQUE] Les composantes mécaniques ne cache rien de bien spécial. La Rio est livrée avec un moteur de 1,6 litre produisant 110 chevaux. La boîte automatique, malgré ses quatre rapports, se comporte de façon convenable. En revanche, même si la boîte manuelle manque de

+ −

FORCES • Silhouette sympathique • Comportement agréable • Voiture pratique pour le prix

FAIBLESSES • Mécanique manque de raffinement • Sièges durs • Moteur bruyant

fermeté, elle rendra davantage justice aux qualités de cette voiture. Comme il s'agit d'une mécanique Hyundai, elle ne possède pas encore le raffinement que l'on retrouve avec les engins japonais, pensons à ceux de Honda et Toyota entre autres. Si vous enfoncez l'accélérateur pendant un certain temps, vous devrez vivre avec les plaintes du moteur qui supporte un peu mal une sollicitation trop insistante.

[COMPORTEMENT] Sur la route, la Rio se montre fiable et agréable, ludique même. Elle n'excite pas son conducteur comme le ferait une voiture de sport, mais elle possède une verve qui ne déplaît pas. Comme il s'agit d'une sous-compacte, les accélérations traînent en longueur. En ce qui a trait au freinage, il se révèle suffisant quoique légèrement spongieux. La voiture se comporte avec assurance, et une manœuvre d'urgence peut survenir sans mettre en péril l'intégrité morphologique du véhicule. Certaines voitures de cette catégorie n'apprécient guère les trajets sur la route. Je pense entre autres à la Honda Fit et à la Toyota Yaris. Leur vocation première est dédiée à la conduite urbaine, mais la Rio ne craint pas les randonnées à l'extérieur de la ville.

[CONCLUSION] Là aussi, la concurrence est féroce. Les petites voitures gagnent en popularité de nos jours, et c'est tant mieux. Les Rio et Accent tiennent leur bout : elles représentent un bon rapport qualité-prix. Respectons le fait que ces voitures doivent principalement circuler en ville. C'est dans cette zone qu'on les apprécie pour leurs bons services. La Rio pourrait toutefois offrir un peu plus de confort à ses occupants, entre autres avec des sièges plus douillets !

2e OPINION

PHILIPPE LAGUË La Rio fait face à une concurrence relevée, essentiellement japonaise : ses rivales les plus sérieuses ont pour nom Honda Fit, Nissan Versa, Toyota Yaris. Évidemment, la fiabilité demeure le point fort des sous-compactes nippones, alors que celle de la Rio et de sa jumelle, la Hyundai Accent, se situe dans la moyenne. De plus, leur valeur de revente est inférieure. Vous voilà prévenus. Sachez cependant que leur garantie de base est la plus généreuse de l'industrie automobile en Amérique du Nord (5 ans ou 100 000 kilomètres), ce qui mérite considération. Par ailleurs, la Rio et l'Accent proposent un excellent rapport prix-équipement, supérieur à celui de leurs rivales. Et elles sont jolies comme tout, ce qui ne gâche rien.

5 FICHE TECHNIQUE

· MOTEUR

· L4 1,6 l DACT, 110 ch à 6000 tr/min
Couple 107 lb-pi à 4500 tr/min

Transmission manuelle à 5 rapports, automatique à 4 rapports (en option)

0-100 km/h 11,8 s

Vitesse maximale 180 km/h

· AUTRES COMPOSANTES

Sécurité active aucune

Suspension avant/arrière Indépendante/essieu rigide

Freins avant/arrière Disques/tambours

Direction à crémaillère, assistée

Pneus EX, EX Commodité P175/70R14

Sport P195/55R15

· DIMENSIONS

Empattement 2500 mm

Longueur berl. 4240 mm **Rio5** 3990 mm

Largeur 1695 mm

Hauteur 1470 mm

Poids berl.1105 kg **Rio5** 1114 kg

Diamètre de braquage 10,1 m

Coffre berl. 337 l **Rio5** 447 l, 1405 l (sièges abaissés)

Réservoir de carburant 45 l

NOS MENTIONS

Le choix vert

Modèle recommandé

NOTRE VERDICT

Plaisir au volant
Qualité de finition
Consommation
Rapport qualité/prix
Valeur de revente

RONDO

www.kia.ca

N ÉVOLUTION É J

19 995 $ à 26 595 $
transport et préparation: 1650 $

LA COTE VERTE

AVEC MOTEUR L4 DE 2,4 L

- **Consommation (100km) :** 9,3 l
- **Émissions polluantes CO_2 :** 4416 kg/an
- **Empreinte écologique (nombre d'arbres à planter par année) :** 27
- **Indice d'octane :** 87
- **Autre motorisation :** non
- **Coût du carburant moyen par année :** 1840 $
- **Nombre de litres par année :** 1840l

(SOURCE : ÉnerGuide)

1 FICHE D'IDENTITÉ

- **Versions** LX, EX, EX Premium, EX V6, EX V6 Luxe
- **Roues motrices** avant
- **Portières** 4 **Nombre de passagers** 5-7
- **Première génération** 2007
- **Génération actuelle** 2007
- **Construction** Corée du Sud
- **Sacs gonflables** 6 (frontaux, latéraux avant, rideaux latéraux)
- **Concurrence** Mazda 5, Chevrolet HHR, Mercedes-Benz Classe B

2 AU QUOTIDIEN

- **Prime d'assurance**
  25 ans: 1300 à 1500 $
  40 ans: 1000 à 1200 $
  60 ans: 800 à 900 $
- **Collision frontale** 5/5
- **Collision latérale** 4/5
- **Ventes du modèle de l'an dernier**
  Au Québec 3873 **Au Canada** 9906
- **Dépréciation** (2 ans) 26%
- **Rappels** (2004 à 2009) 2
- **Cote de fiabilité** 4/5

3 GARANTIES... ET PLUS

- **Garantie générale** 5 ans/100 000 km
- **Garantie motopropulseur** 5 ans/100 000 km
- **Perforation** 5 ans/kilométrage illimité
- **Assistance routière** 5 ans/100 000 km
- **Nombre de concessionnaires**
  Au Québec 51 **Au Canada** 155

4 NOUVEAUTÉS EN 2010

- Aucun changement majeur

MOINS, C'EST PLUS !

PAR DANIEL RUFIANGE

PENDANT QUE CERTAINES COMPAGNIES EN ARRACHENT, D'AUTRES COMME LE CONSORTIUM KIA-HYUNDAI ONT LE VENT DANS LES VOILES. Lors de la dernière année, la « petite » entreprise coréenne a gardé la tête hors de l'eau. Comment donc ? Tout simplement parce que, depuis quelques années, on s'efforce d'offrir des produits à la fois abordables et intelligents. Ce respect de la clientèle, le Rondo la caractérise en tous points.

[CARROSSERIE] Pour être efficace, pas nécessaire d'être beau. Si certains embrassent les lignes du Rondo, je dois avouer qu'elles me laissent plutôt indifférentes. Les feux arrière avec leur partie supérieure retroussée donne un drôle d'effet pendant qu'à l'avant, c'est plutôt sobre comme design, insipide même. On remarque au premier coup d'œil cette immense surface vitrée, signe annonciateur de la belle surprise qui nous attend à l'intérieur. Les longerons sur la toiture viennent à la fois ajouter un peu de style à l'ensemble tout en permettant l'arrimage de matériel. Pas moins de cinq versions du Rondo sont offertes soit la configuration de base LX ainsi que quatre variantes du modèle EX (base, Premium, EX-V6 et EX-V6 Luxe). Notons que les versions Premium et Luxe profitent de roues de 17 pouces, alors que les autres doivent se contenter de jantes de 16 pouces.

[HABITACLE] Si le Rondo connaît autant de succès, c'est que, outre son prix alléchant, il possède l'un des intérieurs les mieux pensés de sa catégorie. D'abord, pour la moitié, le tiers même du prix de certains autres utilitaires, le Rondo peut accueillir sept occupants. D'accord, pas tous des adultes, mais tout de même! À l'avant, on jouit d'une bonne position de conduite et d'une excellente visibilité tout azimut. Aux places arrière, on sacrifie le confort, alors que la banquette centrale ne se montre pas conciliante pour le dos. Ce qu'on apprécie de cet habitacle, c'est son côté polyvalent. Non seulement regorge-t-il d'espaces de rangement bien placés, mais on peut aménager les banquettes à sa guise afin de profiter d'un maximum d'habitabilité. De plus, ce toit surélevé vient augmenter l'espace

FORCES • Rapport qualité-prix • Fiabilité en constante croissance • Aspect pratique • Peut accueillir sept occupants

FAIBLESSES • 4 cylindres paresseux • Direction qui montre quelques imprécisions • Confort de la banquette centrale

intérieur, ce qui permet de ranger encore plus de matériel ou tout simplement d'accueillir des objets plus gros qu'on peut déposer sur un plancher entièrement plat quand les banquettes sont toutes rabattues. Bravo !

[MÉCANIQUE] Kia adopte une attitude agressive en tentant d'offrir le maximum de puissance tout en garantissant la plus grande économie possible en carburant. Cette stratégie lui réussit bien. Au catalogue, un moteur à 4 cylindres de 2,4 litres qui se montre vaillant mais un peu bruyant en reprise. Il a le mérite de consommer peu et fait le travail, à moins d'avoir à tirer des charges. Advenant ce besoin, vous serez mieux servi par le V6 de 2,7 litres qui affiche un couple de 15 livres-pieds supplémentaires, toujours appréciées en situation de remorquage.

[COMPORTEMENT] Il ne faut pas s'attendre à trop du Rondo. Il se manoeuvre bien, qu'on emprunte l'autoroute ou qu'on se retrouve en plein centre-ville. Toutefois, comme c'est le cas de la plupart des véhicules coréens, la conduite est neutre mais prévisible. On apprécie sa douceur de roulement et son confort. Le freinage est aussi efficace, mais un usage abusif vous laissera avec une pédale moins obéissante; lors d'un essai plus intensif, les freins de notre Rondo sentaient non seulement le cochon brûlé après quelques arrêts brusques mais perdaient de leur efficacité. Rien à craindre au quotidien toutefois. Évitez seulement de le conduire comme une formule 1 et les freins vous serviront à merveille.

[CONCLUSION] On entend souvent les gens nous dire que certains véhicules sont bien trop chers pour ce qu'ils offrent. Cette remontrance ne vise jamais les produits Kia qui présentent un excellent rapport qualité-prix. Le Rondo en est un exemple patent. À moins de 20 000 $ en version de base, une famille en obtient pour son argent et peut dormir tranquille car, plus que jamais, on achète aussi fiabilité et tranquillité d'esprit. Oui, les Coréens en ont fait du chemin !

2e OPINION

PHILIPPE LAGUË Avec le Rondo, Kia a vraiment trouvé un bon filon. Cet heureux croisement entre une minifourgonnette et une automobile est une réussite sur toute la ligne. Spacieux, polyvalent et confortable, le Rondo est un véritable véhicule multifonction et un tour de force ergonomique : malgré ses dimensions compactes, son habitabilité est comparable à celle de véhicules beaucoup plus imposants. Mieux encore, il peut accueillir 7 personnes grâce à une troisième banquette (en option). À toutes ces qualités s'ajoutent la fiabilité et la meilleure garantie de base de l'industrie. Et finalement, l'argument qui tue : le prix. Pour 26 000 $, vous avez un modèle tout équipé avec moteur V6, sellerie de cuir, toit ouvrant électrique et coussins de sécurité gonflables. Ne cherchez pas, il n'existe pas d'équivalent à ce prix.

5 FICHE TECHNIQUE

· MOTEURS

· L4 2,4 l DACT, 175 ch à 6000 tr/min
Couple 169 lb-pi à 4000 tr/min
Transmission automatique 4 vitesses avec mode séquentiel
0-100 km/h 10,2 s
Vitesse maximale 185 km/h

· **v6** 2,7 l DACT, 192 ch à 6000 tr/min
Couple 184 lb-pi à 4500 tr/min
Transmission automatique 5 vitesses avec mode séquentiel
0-100 km/h 9,8 s
Vitesse maximale 190 km/h
Consommation (100 km) 9,7 l
Émissions de CO_2 4704 kg/an
Litres par année 1960 l
Coût par an 1960 $
Carburant alternatif non
Empreinte écologique 28 arbres

· AUTRES COMPOSANTES

Sécurité active freins ABS
Suspension avant/arrière indépendante
Freins avant/arrière disques
Direction à crémaillère, assistée
Pneus P205/60R16 **Premium et Luxe** P225/50R17

· DIMENSIONS

Empattement 2700 mm
Longueur 4545 mm
Largeur 1820 mm
Hauteur 1650 mm
Poids 1515 kg à 1686 kg
Diamètre de braquage 10,8 m (roues de 16 po), 11 m (roues de 17 po)
Coffre 185 l, 898 l, 2083 l (sièges abaissés)
Réservoir de carburant 60 l

NOS MENTIONS

Modèle recommandé

NOTRE VERDICT

Plaisir au volant
Qualité de finition
Consommation
Rapport qualité/prix
Valeur de revente

SEDONA

www.kia.ca

N ÉVOLUTION É J

26 745 $ à 38 895 $
transport et préparation: 1650 $

LA COTE VERTE

AVEC MOTEUR V6 DE 3,8 L

- **Consommation (100km):** 11,0 l
- **Émissions polluantes CO_2 :** 5376 kg/an
- **Empreinte écologique (nombre d'arbres à planter par année):** 32
- **Indice d'octane:** 87
- **Autre motorisation:** non
- **Coût du carburant moyen par année:** 2240 $
- **Nombre de litres par année:** 2240 l

(SOURCE: ÉnerGuide)

1 FICHE D'IDENTITÉ

- **Versions** LX Base, LX, EX
- **Roues motrices** avant
- **Portières** 4 **Nombre de passagers** 7 ou 8
- **Première génération** 2002
- **Génération actuelle** 2006
- **Construction** Asan, Corée du Sud
- **Sacs gonflables** 6 (frontaux, latéraux avant, rideaux latéraux)
- **Concurrence** Chrysler Town & Country Dodge Grand Caravan, Honda Odyssey, Nissan Quest, Toyota Sienna, Volkswagen Routan

2 AU QUOTIDIEN

- **Prime d'assurance**
  25 ans: 1300 à 1500 $
  40 ans: 1000 à 1200 $
  60 ans: 800 à 1000 $
- **Collision frontale** 5/5
- **Collision latérale** 5/5
- **Ventes du modèle de l'an dernier**
  Au Québec 816 **Au Canada** 3615
- **Dépréciation** (3 ans) 54,1 %
- **Rappels** (2004 à 2009) 6
- **Cote de fiabilité** 3/5

3 GARANTIES... ET PLUS

- **Garantie générale** 5 ans/100 000 km
- **Garantie motopropulseur** 5 ans/100 000 km
- **Perforation** 5 ans/kilométrage illimité
- **Assistance routière** 5 ans/100 000 km
- **Nombre de concessionnaires**
  Au Québec 51 **Au Canada** 147

4 NOUVEAUTÉS EN 2010

- Aucun changement majeur

BIEN FAIRE LES CHOSES

PAR ALEXANDRE CRÉPAULT

EN RAISON DE L'EXPLOSION DES NOUVEAUX VÉHICULES MULTISEGMENTS, BIEN PLUS COOL ET À LA MODE QUE LES FOURGONNETTES, on en oublie presque à quel point ces dernières, bien pensées et fabriquées, peuvent faire du bon travail... En voici un exemple parfait.

[CARROSSERIE] Je crois que très peu de véhicules sont plus banals à regarder qu'une Kia Sedona. Je dis ça avec le plus grand respect. À la fin de la journée, qui veut vraiment se pavaner au volant d'une fourgonnette ? Avec ses dimensions pratiquement identiques à celles de la concurrence – Caravan, Odyssey, Sienna, Routan – la Sedona roule parmi les véhicules sans susciter de réaction. Et c'est correct comme ça.

[HABITACLE] À défaut d'offrir un environnement excitant pour les sens, les automobiles coréennes ont l'habitude d'être généreuses en confort. La Sedona ne fait pas exception à la règle. Les sièges sont donc bien rembourrés, les commandes du véhicule, grosses et faciles à manier. L'intérieur se caractérise par son espace généreux et place encore une fois la Sedona sur le même pied que ses rivales. Les deux fauteuils de la deuxième rangée sont coulissants et inclinables, tandis que la banquette arrière, divisée 60/40, peut se rabattre dans le plancher. Étant donné que fourgonnette rime avec sécurité, Kia propose un cocktail de six coussins gonflables et une série d'aides électroniques qui ont contribué à lui faire décrocher une cote de sécurité cinq étoiles. Comme c'est souvent le cas pour les fourgonnettes, on nous déroule pour nous tenter une longue liste d'options pratiques : radio satellite, pédalier réglable, hayon et portes à commande électrique, système de divertissement pour les passagers arrière. Cela dit, j'apprécie que la prise iPod/USB et le système Bluetooth soient de série. Rendez-vous compte, des voitures de luxe de 50 000 $ et plus les offrent encore en option !

[MÉCANIQUE] Voici la section la plus simple de ce texte. Un seul moteur embarqué, soit un V6 de 3,8 litres de 250 chevaux et qui produit un couple de 253 livres-pieds, jumelé à une boîte de vitesses automatique à 5 rapports. Remplissez-le

FORCES • Confort • Prix • Motorisation

FAIBLESSES • Comportement un peu mou • Allure particulièrement banale L'Odyssey existe encore • Comportement un peu mou •

de carburant ordinaire, faites la vidange d'huile de temps à autre et roulez. Si le 0 à 100 km/h ou la vitesse maximale d'une fourgonnette vous importe vraiment, vous savez ce qu'il vous reste à faire...

[COMPORTEMENT] C'est sur la route que la Sedona se démarque de la concurrence. Son V6 possède une belle bande de puissance et peut tout à fait pousser les 2000 kilos et plus du véhicule, en souplesse et sans cracher des vingt dollars par le pot d'échappement. La tenue de route se fait rassurante; un peu cotonneuse, mais sans être stressante. Tout le monde peut relaxer à bord. La suspension absorbe bien les défauts de la route. Bien sûr, les japonaises demeurent plus inspirantes à conduire... Il suffit de voir où vont vos priorités.

[CONCLUSION] Lors de son apparition sur le marché en 2002, la Sedona jouait principalement la carte des bas prix. Du coup, elle a été critiquée pour sa fiabilité plus ou moins exemplaire. Les temps ont changé. Son prix a augmenté, et sa cote de fiabilité a repris du poil de la bête. Quoique les modèles de base continuent d'offrir un bon rapport qualité-prix, la version EX Luxe mérite votre attention, ne serait-ce que pour ses multiples options (dont un système de divertissement à l'arrière) et pour son prix.

2e OPINION

BENOIT CHARETTE Une Kia Sedona pourrait se comparer à la paire de souliers qu'on cherche pour aller au travail tous les jours. On veut quelque chose de confortable, sans trop de fantaisie et relativement discret. C'est exactement ce qu'est la Sedona. Son style peut facilement se confondre avec d'autres fourgonnettes. L'essentiel de l'équipement est là, le style est correct, et la finition, même si quelques plastiques font bon marché, est dans la bonne moyenne. Il est facile de se retrouver à l'intérieur, et l'espace est suffisamment grand pour toute la famille. C'est donc un achat sensé pour celui ou celle qui veut combler les besoins familiaux sans avoir à trop dépenser. Avec l'Entourage qui a disparu chez Hyundai, la Sedona est la seule fourgonnette à vous offrir cinq ans de garantie.

5 FICHE TECHNIQUE

- **Moteur**
- V6 3,8 l DACT 250 ch à 6000 tr/min
  Couple 253 lb-pi à 3500 tr/min

Transmission automatique à 5 rapports
0-100 km/h 9,3 s
Vitesse maximale 195 km/h

- **AUTRES COMPOSANTES**

Sécurité active freins ABS, antipatinage, contrôle de stabilité électronique (EX)
Suspension avant/arrière indépendante
Freins avant/arrière disques
Direction à crémaillère, assistée
Pneus LX P225/70R16 **EX** P235/60R17

- **DIMENSIONS**

Empattement 3020 mm
Longueur 5130 mm
Largeur 1985 mm
Hauteur LX 1760 mm **EX** 1830 mm
Poids LX 1989 kg **EX** 2107 kg
Diamètre de braquage 12,1 m
Coffre 912 l, 4007 l (sièges abaissés)
Réservoir de carburant 80 l
Capacité de remorquage 453 à 1587 kg (option)

NOS MENTIONS

Modèle recommandé

NOTRE VERDICT

Plaisir au volant
Qualité de finition
Consommation
Rapport qualité/prix
Valeur de revente

SOUL

www.kia.ca

N NOUVEAUTÉ É J

15 495 $ à 22 195 $
transport et préparation: 1650 $

AVEC MOTEUR L4 DE 1,6 L

- **Consommation (100km) :** 7,6 l
- **Émissions polluantes CO_2 :** 3264 kg/an
- **Empreinte écologique (nombre d'arbres à planter par année) :** 20
- **Indice d'octane :** 87
- **Autre motorisation :** non
- **Coût du carburant moyen par année :** 1360$
- **Nombre de litres par année :** 1360 l

(SOURCE: ÉnerGuide)

1 FICHE D'IDENTITÉ

- **Versions** 1,6L; 2,0 L 2u; 2,0L 4u; 2,0L 4u Retro; 2,0L 4u Bolide
- **Roues motrices** avant
- **Portières** 4 **Nombre de passagers** 4 ou 5
- **Première génération** 2010
- **Génération actuelle** 2010
- **Construction** Gwangju, Corée du Sud
- **Sacs gonflables** 6 (frontaux, latéraux avant, rideaux latéraux)
- **Concurrence** Nissan Cube, Scion Xb

2 AU QUOTIDIEN

- **Prime d'assurance**
  25 ans: 1300 à 1500 $
  40 ans: 1000 à 1200 $
  60 ans: 800 à 900 $
- **Collision frontale** 5/5
- **Collision latérale** 4/5
- **Ventes du modèle de l'an dernier**
  Au Québec nm **Au Canada** nm
- **Dépréciation** nm
- **Rappels** nm
- **Cote de fiabilité** nm

3 GARANTIES... ET PLUS

- **Garantie générale** 5 ans/100 000 km
- **Garantie motopropulseur** 5 ans/100 000 km
- **Perforation** 5 ans/kilométrage illimité
- **Assistance routière** 5 ans/100 000 km
- **Nombre de concessionnaires**
  Au Québec 51 **Au Canada** 155

4 NOUVEAUTÉS EN 2010

- Nouveau modèle

LE TRANSPORT « COOL »

PAR MICHEL CRÉPAULT

PENDANT QUE HYUNDAI CONNAÎT SON HEURE DE GLOIRE AVEC LA GENESIS, KIA – le fabricant qui fait partie du même conglomérat sud-coréen, mais qui doit se comporter comme un parfait rival – essaie à son tour de se faire un nom. En passant par tous les salons de l'auto de 2008, l'entreprise s'est servie d'un drôle de petit véhicule cubique pour y arriver : le Soul. En vente chez nous depuis le printemps 2009, peut-on maintenant affirmer que le Soul transformera pour le mieux l'image que se font les consommateurs de Kia ?

[CARROSSERIE] Cette forme originale, on la doit à l'Allemand Peter Schreyer, styliste transfuge de Volkswagen qui a signé la New Beetle et l'Audi TT, notamment. Le design est mutin, et le Soul ne passe pas inaperçu, l'un des buts assurément recherchés. Il ne faut pas perdre de vue que la clientèle visée par Kia est d'abord et avant tout le groupe des 20 à 29 ans. Or, on ne les attirera pas avec le clone d'une Buick... Parmi les éléments visuels novateurs, on retient les réflecteurs arrière qui grimpent à la verticale le long du hayon, la bavette noire qui cintre le centre du pare-chocs avant et d'autres détails stylistiques contemporains. En comparaison avec deux autres boîtes à pain sur roues, le Honda Element et le Nissan Cube, l'empattement et la longueur hors tout du Soul se glisse entre les deux; le petit Kia est le moins haut du trio. Les roues seront de 15, de 16 ou de 18 pouces, selon la livrée. Combien y en a-t-il de ces versions ? Au dernier décompte, au moins cinq : le modèle de base, puis le 2u, et les 4u, 4u Retro et 4u Bolide.

[HABITACLE] Le fait de conduire un 2u ou un 4u et encore, pas n'importe lequel, change le décor ambiant. Réglons d'abord un détail : même le modèle de base comporte un équipement plus que décent, soit six coussins gonflables, des sièges chauffants avant, un lecteur de CD avec prise USB et la connectivité Bluetooth. Le climatiseur est offert en option. Plus votre Soul monte en grade, plus ça s'améliore : contrôle de la stabilité, vitres teintées... La banquette se rabat selon le mode 60/40, ce qui est bien pratique quand vient le temps de tripler la capacité naturelle de 546 litres de l'espace de chargement. Sous le plancher se cache un compartiment secret (chuttt !). Les sièges

+ / –

FORCES • Silhouette aguichante • Équipement riche et original • Comportement routier sain

FAIBLESSES • Boîte automatique à 4 rapports • Moteur de base un peu juste

sont confortables, et le dégagement tous azimuts est remarquable. Le tableau de bord est très sympathique à fréquenter. Compte tenu de la clientèle visée, on ne sera pas surpris de voir des interrupteurs branchés, des formes modernes et des coloris joyeux. Parmi les selleries, le motif pied-de-poule (retro) retient l'attention et un autre dont le mot Soul imprimé devient phosphorescent la nuit ! Mais la palme de l'innovation full cool revient sans contredit au *Sound Sensitive Mood Lighting*. Ce gadget, contrôlé à partir d'un bouton près du volant, fait en sorte que les gros haut-parleurs encastrés dans les portières avant ne se contentent pas de cracher des décibels. Non, monsieur ! Ils battent aussi la mesure à l'aide d'une lumière rouge! La pulsation rougeoyante suit le rythme, que ce soit celui d'une valse ou d'une toune d'AC/DC. Pour le mélomane qui préfère une cadence de métronome, c'est aussi possible. Et si l'idée de vous balader dans une disco mobile vous tombe sur les nerfs, vous pouvez éteindre tout le bataclan. Bébelleux ? Assurément. Ingénieux ? Absolument.

CETTE RAFRAÎCHISSANTE PETITE CAMIONNETTE FAIT NATURELLEMENT TOURNER LES TÊTES, ET LES PROPRIOS POURRONT S'AMUSER À RENDRE SON ALLURE ENCORE PLUS REMARQUABLE GRÂCE À UNE GAMME D'ACCESSOIRES QUI N'A PAS FINI DE S'ALLONGER.

[MÉCANIQUE] Le moins cher des Soul, celui qui est censé vous inciter à pousser la porte d'un concessionnaire Kia, est la seule livrée avec un 4-cylindres de 1,6 litre développant 122 chevaux. Toutes les autres versions font appel à un 2-litres de 142 chevaux. La boîte de vitesses manuelle à 5 rapports est la seule offerte avec le 1,6-litre, alors que s'ajoute une automatique à 4 rapports pour les autres modèles. Disons-le tout de suite : Kia aurait pu se forcer et ajouter un 5e rapport. Une automatique à 4 rapports, ça tombe dans l'anachronique, pour ne pas dire le vétuste. Toujours dans le but de garder le modèle d'entrée alléchant, ce dernier se contente de tambours à l'arrière. Tous les autres freinent à l'aide de disques.

[COMPORTEMENT] Le Soul, peu importe la version, n'a pas été conçue pour battre des records de vitesse. Pour les dépassements en toute sécurité, le 1,6-litre se tire d'affaires, mais vous pourriez tout aussi bien le faire sans signe de la croix au volant du 2-litres. La suspension à roues indépendantes (McPherson et poutre de torsion) travaille en souplesse, invitant aux longs trajets dans la bonne humeur. Le plus étonnant, c'est que la boîte automatique à 4 rapports contre laquelle tous les chroniqueurs ont grogné, y compris bibi, se montre plutôt adéquate. On se rend compte que la mécanique compense son manque d'avant-gardisme par un comportement maintes fois éprouvé. Bien entendu, ça ne suffira pas aux yeux des jeunes (quand même la clientèle visée) qui succomberont aux charmes de tous les accessoires cosmétiques proposés par le fabricant et qui s'arrangeront pour que l'arsenal sous le capot soit aussi explosif que la carrosserie modifiée. Je fais confiance à ces jeunes débrouillards pour trouver des solutions. Et leurs parents seront heureux d'apprendre que les tests de collision menés par des organismes

HISTORIQUE

Dévoilé au salon de Détroit début 2003, le concept Slice préfigurait le Soul. Le Slice se voulait avant tout un concept tout chemin pouvant transporter 6 personnes. Phares très étirés, calandre étroite, le mariage du gris et de l'orange donnait au Slice une bouille rondouillarde qui a fortement influencé le Soul. À l'arrière, les feux sont placés en haut sur les montants comme la Soul. L'intérieur ne manque pas de fantaisie qui a aussi inspiré le Soul. Motorisé par un moteur V6 de 2.7 litres de cylindrée, le Concept de Kia a fait preuve de plus de retenu pour la version de production avec un petit 4 cylindres, question d'économiser sur le carburant.

KIA SLICE 2003

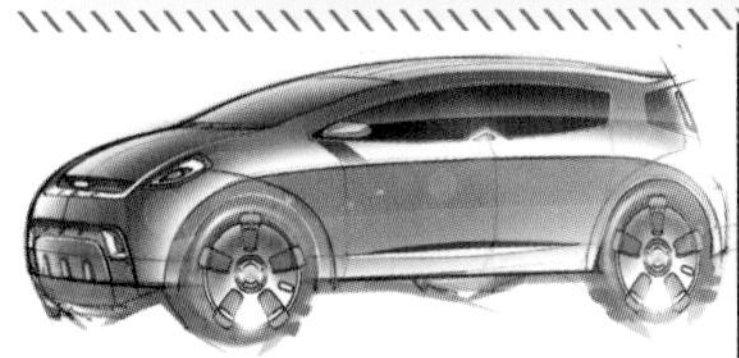

KIA SLICE 2003

KIA SOULSTER

KIA SOUL CONCEPT

KIA SOUL CONCEPT

KIA SOUL 2010

KIA SOUL 2010

GALERIE

Le Soul se démarque à bien des points de vue et vise une génération de jeunes urbains branchés. Par exemple, le Soul 4u est doté d'un éclairage d'ambiance. Les deux haut-parleurs d'origine dans les portières avant sont entourés d'un
A anneau DEL qui produit un éclairage rouge; un interrupteur fixé au tableau de bord permet de le régler de telle sorte qu'il soit constant ou pour que son intensité et sa durée changent au rythme des sons et de la musique provenant du système
B audio. Entre autres accessoires offerts en option, mentionnons une chaîne stéréophonique améliorée, assortie du système *Sound Sensitive Mood Lighting* avec débit de 315 watts, d'un haut-parleur central surmontant le tableau de bord, d'un amplificateur externe et d'un caisson de basse dans le coffre arrière, ce qui porte le nombre total de haut-parleurs à huit.

Offerte à 20 995$, avec transmission manuelle ou automatique, le Soul 4u Bolide, dont l'habillage intérieur adopte le noir et le rouge sur le tableau de bord et les portières, se
C caractérise par son architecture arrière permettant une vision élargie, le motif noir et rouge "Burner" des sièges, ses paupières de clignotants avant et son déflecteur arrière.

Malgré son petit prix, le Soul est généreuse en équipement de série. Il comprend six coussins gonflables; des glaces et des serrures à commande électrique et des rétroviseurs
D chauffants; un système de son AM/FM/CD/MP3 avec prise d'entrée auxiliaire et port USB, la connectivité mains libres Bluetooth; des commandes audio sur le volant et des sièges chauffants.

Pour cacher les petits objets hors de la vue des curieux, le Soul offre pas moins de
E 14 petits compartiments pratiques sous le plancher du coffre à l'arrière.

Les passagers arrière disposent d'un dégagement suffisant à tous les niveaux, mais les
F 546 litres de volume de chargement sont trop souvent insuffisants. Il peut être agrandi grâce à un dossier rabattable 60/40.

E

réputés ont mérité le maximum de cinq étoiles au Soul. Cette rafraîchissante petite camionnette fait naturellement tourner les têtes, et les proprios pourront s'amuser à rendre son allure encore plus remarquable grâce à une gamme d'accessoires qui n'a pas fini de s'allonger. En réalité, Kia n'aura jamais mis autant d'équipements supplémentaires à la disposition de ses clients, et ce, sans nuire à la garantie de base.

[CONCLUSION] Mon souci dans le cas de ce nouveau Soul était de vérifier que l'apparence ne l'emportait pas sur la substance. Lors de la présentation canadienne aux scribes spécialisés, Kia Canada nous a décrit la clientèle ciblée : Nick, 29 ans, et Kendra, 27 ans, possèdent un condo et un chien. Ils en ont assez de se promener dans le tacot qui les a fidèlement servis tout au long de l'université. Ils veulent maintenant quelque chose de « in », certes, mais aussi de pratique. À l'autre bout du spectre, des clients plus matures ont vu leurs enfants quitter le nid familial et souhaitent désormais un plus petit véhicule, mais qui les gardera néanmoins jeunes... Pour ces deux types de clients, le Soul, jure Kia, est la solution tout indiquée. Ce que j'en pense au final ? Le design est certainement original, le confort louable, l'espace agréable et les petites pensées (les haut-parleurs flyés !), très accrocheuses. Une boîte de vitesses automatique plus moderne ? Elle va finir par se pointer, j'en suis sûr, et, en attendant, l'actuelle ne nous laisse pas tomber.

F

2e OPINION

BENOIT CHARETTE Kia, qui vise habituellement le consensus populaire au sein des produits de sa gamme, explore de nouvelles pistes avec le Soul. Le constructeur coréen tente maintenant l'exubérance. Sorte de croisement entre une MINI et un Land Rover LR2 à l'échelle 1/2, Kia compte bien sur ce nouveau joueur aux allures fort sympathiques pour augmenter son potentiel de séduction auprès du public automobile. Et il semble que la recette soit payante. Le Soul est devenu le premier véhicule coréen à obtenir la prestigieuse reconnaissance d'un prix du design mondialement célèbre le « Red Dot » dans le cadre de l'édition 2009 du concours de qualité du design des produits, organisé en Allemagne. Avec plus de 3230 produits inscrits dans 17 catégories différentes et issus de 49 pays, le nouveau Kia Soul a été élu dans la catégorie « Automobile Transport and Caravan » pour recevoir cette distinction du design. Et il est aussi amusant à conduire.

5 FICHE TECHNIQUE

· MOTEURS

· L4 1,6 l DOHC , 122 ch à 6300 tr/min
Couple 115 lb-pi à 4200 tr/min
Transmission manuelle à 5 vitesses
0-100 km/h 13,2 s
Vitesse maximale 160 km/h

· L4 2,0 l DOHC, 142 ch à 6000 tr/min
Couple 137 lb-pi à 4600 tr/min
Transmission manuelle à 5 vitesses, automatique à 4 vitesses (option)
0-100 km/h 11,6 s
Vitesse maximale 175 km/h
Consommation (100 km) **man.** 7,8 l **auto.** 7,6l
Émissions de CO_2 3744 kg/an **man.** 3600 kg/an **auto.**
Litres par année 1560 l **man.** 1500 l **auto.**
Coût par an 1560 $ **man.** 1500 $ **auto.**
Autres motorisation non
Empreinte écologique 22 arbres

· AUTRES COMPOSANTES

Sécurité active freins ABS (sauf 1,6 l), contrôle électronique de stabilité (ESC), antipatinage (TCS), répartition électronique au freinage
Suspension avant/arrière indépendante
Freins avant/arrière disques (tambours arrière pour le 1,6 l)
Direction à pignon et crémaillère, assistée
Pneus 15 po, P195/65 R15 **16 po,** P205/55 R16 **18 po,** P225/45 R18

· DIMENSIONS

Empattement 2550 mm
Longueur 4105 mm
Largeur 1785 mm
Hauteur 1610 mm
Poids 1,6 l 1 190 kg à 1 235 kg **2,0 l** 1 285 kg à 1 355 kg
Diamètre de braquage 10,5 m
Coffre 546 l, 1511 l (sièges abaissés)
Réservoir de carburant 48 l

NOS MENTIONS

Modèle recommandé

NOTRE VERDICT

Plaisir au volant	4/5
Qualité de finition	4/5
Consommation	4/5
Rapport qualité/prix	4/5
Valeur de revente	Nm

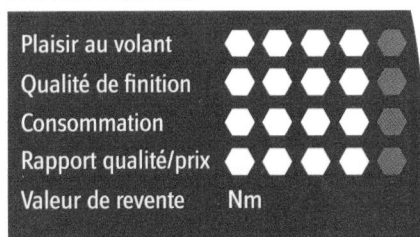

SORENTO

www.kia.ca

N NOUVEAUTÉ É J

29 995 $ à 39 295 $
transport et préparation: 1650 $

LA COTE VERTE

AVEC MOTEUR V6 DE 3,3 L

- **Consommation (100km) :** 12,0 l
- **Émissions polluantes CO_2 :** 5664 kg/an
- **Empreinte écologique (nombre d'arbres à planter par année) :** 33
- **Indice d'octane :** 87
- **Autre motorisation :** non
- **Coût du carburant moyen par année :** 2360 $
- **Nombre de litres par année :** 2360 l

(SOURCE: ÉnerGuide)

1 FICHE D'IDENTITÉ

- **Versions** L, LX, LX Luxe
- **Roues motrices** 4
- **Portières** 4 **Nombre de passagers** 5
- **Première génération** 2003
- **Génération actuelle** 2003
- **Construction** Sohari et Hwasung, Corée du Sud
- **Sacs gonflables** 6 (frontaux, latéraux avant, rideaux latéraux)
- **Concurrence** Dodge Durango, Ford Explorer, Honda Pilot, Jeep Grand Cherokee, Mitsubishi Endeavor, Nissan Pathfinder, Toyota 4Runner

2 AU QUOTIDIEN

- **Prime d'assurance**
  25 ans: 2100 à 2300 $
  40 ans: 1400 à 1600 $
  60 ans: 1100 à 1300 $
- **Collision frontale** 4/5
- **Collision latérale** 5/5
- **Ventes du modèle de l'an dernier**
  Au Québec 465 **Au Canada** 1398
- **Dépréciation** 50,6%
- **Rappels** (2004 à 2009) 2
- **Cote de fiabilité** 3/5

3 GARANTIES... ET PLUS

- **Garantie générale** 5 ans/100 000 km
- **Garantie motopropulseur** 5 ans/100 000 km
- **Perforation** 5 ans/kilométrage illimité
- **Assistance routière** 5 ans/100 000 km
- **Nombre de concessionnaires**
  Au Québec 51 **Au Canada** 155

4 NOUVEAUTÉS EN 2010

- nouveau modèle

PRISE 2

PAR BENOIT CHARETTE

LA PROCHAINE GÉNÉRATION DU KIA SORENTO A ÉTÉ DÉVOILÉE AU DÉBUT D'AVRIL 2009 AU SALON DE L'AUTO DE SÉOUL; ELLE ARRIVERA AU CANADA AU DÉBUT DE L'ANNÉE 2010 COMME MODÈLE 2011. L'heure de la retraite a donc sonné pour le rustique Sorento. La seconde génération, qui sera fabriquée à la toute nouvelle usine de Kia, à West Point, en Géorgie, vise des prestations routières améliorées, sans pour autant renier ses aptitudes au franchissement.

[CARROSSERIE] Suivant la tendance du marché qui veut que bien des utilitaires se transforment en véhicule familial pour mieux faire accepter leur format, le nouveau Sorento sera plus bas et plus long. Kia a abandonné le châssis en échelle pour le monocoque emprunté au Hyundai Santa Fe. Du coup, le centre de gravité est plus bas de 54 millimètres, un gage d'une meilleure tenue de route. Plus long d'une dizaine de centimètres, le nouveau Sorento en profite pour ajouter une 3e banquette et accueillir 7 occupants. Le volume du coffre, de par la nouvelle forme du hayon, gagne également 15 %. Avec son toit panoramique en option et des lignes qui ne sont pas sans rappeler le Lexus RX, le Sorento conserve une allure qui a fait sa réputation.

[HABITACLE] Le nouveau Sorento bénéficiera du même traitement haut de gamme qui est le lot des berlines de la famille depuis quelques années. L'intérieur sera donc un peu moins camion. Sans connaître tous les détails, on sait déjà qu'il bénéficiera du DBC (pour *Down-hill Brake Control*), un système qui freine le véhicule en descente (vitesse maximale de 8 km/h). Il dispose aussi du dispositif HAC (pour *Hill-start Assist Control*), qui facilite les démarrages en côte. Outre les matériaux de meilleure qualité et le dessin du volant qui change, le tableau de bord et la console centrale restent globalement proches de l'ancienne version. L'habitabilité est accrue en raison du plus grand format, et la position de conduite avec un centre de gravité abaissé sera plus proche de la berline que du VUS. Enfin, on pourra également ajouter le système de navigation et le toit panoramique.

FORCES • Lignes inspirées • Espace plus généreux

FAIBLESSES • À voir lors de notre essai

[CONCLUSION] À l'image de Hyundai, Kia continue de pousser la qualité de ses véhicules vers le haut et se donne comme objectif de faire concurrence aux meilleurs produits de chaque catégorie. Tant et aussi longtemps que cette qualité sera accompagnée d'un rapport qualité-prix-équipement difficile à battre, l'entreprise continuera de connaître le succès.

[MÉCANIQUE] En lieu et place des moteurs V6 qui se trouvent actuellement sous le capot, Kia introduira un 4-cylindres de 2,4 litres de 175 chevaux qui produit un couple de 166 livres-pieds. Pour ceux qui veulent plus de puissance, un V6 sera toujours au programme. Avec 3,5 litres et 277 chevaux, il sera un peu plus puissant que le 3,8 litres de 262 chevaux actuellement offert. Les deux moteurs profiteront d'une boîte de vitesses automatique qui comportera 5 rapports pour le moteur à 4 cylindres et 6 pour le V6. Les États-Unis auront droit à des versions à deux et à quatre roues motrices; il n'est pas encore certain que les versions à deux roues motrices traverseront la frontière canadienne.

[COMPORTEMENT] En abandonnant le châssis séparé à essieu rigide pour adopter un châssis monocoque, on a transformé la conduite. La garde au sol permettra une prise de roulis beaucoup plus faible en attaquant une courbe, et la suspension à quatre roues indépendantes améliorera de beaucoup le confort. Pour ceux qui ont déjà pris le volant du Santa Fe qui, lui aussi, subira quelques retouches cette année, l'impression de conduite sera assez semblable. Vous serez encore capable de faire des excursions hors route grâce à une panoplie de dispositifs électroniques adaptés pour aider aux démarrages en côte et au DBC capable de freiner le véhicule dans les descentes les plus raides. Mais contrairement à la première génération, ce Sorento est d'abord conçue pour la route.

2e OPINION

JEAN-PIERRE BOUCHARD Le Sorento continue d'attirer bon an mal an une petite poignée d'acheteurs. Probablement pour son format, son prix et sa capacité de remorquage. Ce véhicule est l'un des rares à reposer sur un vrai châssis de camion, ce qui en fait un véhicule robuste certes, mais aussi un véhicule dont le comportement routier est davantage celui d'un camion. Et dans le cas du Sorento, la chose se traduit notamment par une tendance au rebondissement sur les inégalités, surtout quand le véhicule est chaussé de pneus optionnels de 18 pouces. Un conseil : ne portez pas de café chaud à votre bouche en conduisant! L'insonorisation est par ailleurs excellente. Le V6 de 3,3 litres fournit des performances satisfaisantes dans la plupart des conditions. Son seul véritable problème : sa forte consommation de carburant. Autrement, le véhicule offre une belle douceur de roulement et un bon confort.

5 FICHE TECHNIQUE 2009

· MOTEURS
· (L et LX)
V6 3,3 l DACT, 242 ch à 6000 tr/min
Couple 228 lb-pi à 4500 tr/min
Transmission automatique à 5 rapports avec mode manuel
0-100 km/h 10,5 s
Vitesse maximale 180 km/h

· (LX LUXE)
V6 3,8 l DACT, 262 ch à 6000 tr/min
Couple 260 lb-pi à 4500 tr/min
Transmission automatique à 5 rapports
0-100 km/h 10,0 s
Vitesse maximale 185 km/h
Consommation (100 km) 12,5 l (octane 87)
Émissions de CO_2 5808 kg/an
Litres par année 2420 l
Coût par an 2420 $
Autre motorisation non
Empreinte écologique 35 arbres

· AUTRES COMPOSANTES
Sécurité active freins ABS, répartition électronique de force de freinage, antipatinage, contrôle de stabilité électronique
Suspension avant/arrière indépendante/essieu rigide
Freins avant/arrière disques ventilés
Direction à crémaillère, assistée
Pneus L P225/75R16, **LX** P245/70R16, **LX Luxe** P245/65R17

· DIMENSIONS
Empattement 2710 mm
Longueur 4590 mm
Largeur 1863 mm, 1884 mm (avec revêtement latéraux)
Hauteur 1730 mm
Poids 1939 kg à 2027 kg
Diamètre de braquage 11,0 m
Coffre 878 l, 1880 l (sièges abaissés)
Réservoir de carburant 80 l
Capacité de remorquage 2268 kg

SPORTAGE

www.kia.ca

(N) JUMEAU (É)
(J)

21 695 $ à **30 935 $**
transport et préparation: 1495 $

LA COTE VERTE

AVEC MOTEUR L4 DE 2,0 L

- **Consommation (100km): man.** 9,1 l **auto.** 9,4 l
- **Émissions polluantes CO_2 : man.** 4416 kg/an **auto.** 4416 kg/an
- **Empreinte écologique (nombre d'arbres à planter par année):** 27
- **Indice d'octane:** 87
- **Autre motorisation:** non
- **Coût du carburant moyen par année: man.** 1840 $ **auto.** 1840 $
- **Nombre de litres par année: man.** 1840 l **auto.** 1840 l

(SOURCE: ÉnerGuide)

1 FICHE D'IDENTITÉ

- **Versions** LX, LX Commodité, LX Commodité AWD, LX V6, LX V6 AWD, LX V6 Luxe AWD, SX
- **Roues motrices** avant, 4
- **Portières** 4 **Nombre de passagers** 5
- **Première génération** 2000
- **Génération actuelle** 2005
- **Construction** Asan, Corée du Sud
- **Sacs gonflables** 6(frontaux, latéraux avant, rideaux latéraux)
- **Concurrence** Chevrolet Equinox, Ford Escape, Honda CR-V, Jeep Compass/Patriot, Mitsubishi Outlander, , Subaru Forester, Suzuki Grand Vitara, Toyota RAV4

2 AU QUOTIDIEN

- **Prime d'assurance**
  25 ans: 1400 à 1600 $
  40 ans: 1000 à 1200 $
  60 ans: 900 à 1100 $
- **Collision frontale** 5/5
- **Collision latérale** 5/5
- **Ventes du modèle de l'an dernier**
  Au Québec 1477 **Au Canada** 5509
- **Dépréciation** (3 ans) 51,2 %
- **Rappels** (2004 à 2009) 4
- **Cote de fiabilité** 4/5

3 GARANTIES... ET PLUS

- **Garantie générale** 5 ans/100 000 km
- **Garantie motopropulseur** 5 ans/100 000 km
- **Perforation** 5 ans/kilométrage illimité
- **Assistance routière** 5 ans/100 000 km
- **Nombre de concessionnaires**
  Au Québec 48 **Au Canada** 147

4 NOUVEAUTÉS EN 2010

- Aucun changement majeur

IL SE FAIT VIEUX...

PAR DANIEL RUFIANGE

ÇA BOUGE CHEZ KIA DEPUIS LE DÉBUT DE L'ANNÉE MAIS PAS DU CÔTÉ DU SPORTAGE. Celui-ci demeure inchangé pour 2010 et, pourtant, un petit rafraîchissement ne serait pas superflu; ses lignes vieillissent et ses ventes demeurent toujours à la remorque de son jumeau, le Hyundai Tucson.

[CARROSSERIE] Pas de changement à la carcasse du Sportage cette année. C'est dommage car même le plus subtil des changements aurait été bienvenu. Demeurent donc au catalogue les différentes versions LX équipées du moteur à 4 cylindres ou du V6, chacune pouvant recevoir la transmission intégrale. S'ajoute cette année une version 10e anniversaire avec rétroviseurs aux couleurs de la carrosserie et sièges chauffants, entre autres.

[HABITACLE] L'intérieur du Sportage, c'est un peu comme une chaise de dentiste; c'est confortable, mais on n'est pas impatient de pas s'y installer. La version de base livre le minimum de confort, alors que la version LX-V6 se montre plus seyante avec les baquets de cuir et quelques commodités qui rendent les déplacements plus agréables.

[MÉCANIQUE] Toujours les mêmes deux moteurs sont offerts et, du même coup, le même dilemme se présente à l'acheteur. Doit-on opter pour le 4 cylindres ou le V6, plus apte à déplacer le Sportage, surtout bien chargé. Seule la version de base reçoit la boîte manuelle à 5 vitesses. Malheureusement, tous les autres modèles doivent compter sur une vieillotte boîte automatique à quatre rapports. Peu moderne, mais efficace.

[COMPORTEMENT] Certains véhicules ne laissent ni chaud ni froid. Le Sportage en est un ! Sa conduite n'a rien d'inspirante, mais se veut prévisible. Le moteur à 4 cylindres gémit à la tâche, alors que le V6 fait preuve de plus de souplesse; pour la différence de consommation entre les deux, je préfère ce dernier.

[CONCLUSION] Vivement un nouveau Sportage. Dans un marché aussi concurrentiel, je ne vois pas comment les ventes de la mouture actuelle peuvent progresser.

FORCES • Prix du modèle de base • Fiabilité en constante progression • Ça devient « in » un Kia !

FAIBLESSES • Modèle vieillissant • Boîte automatique à 4 rapports désuète • Valeur de revente encore faible

GALLARDO

www.lamborghini.ca

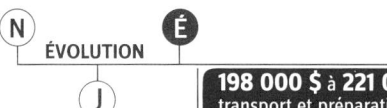

N ÉVOLUTION É J

198 000 $ à 221 000$
transport et préparation: 2980 $

LA COTE VERTE

AVEC MOTEUR V10 DE 5,2 L

- **Consommation (100km):** 15,2 l
- **Émissions polluantes CO2 :** 7538 kg/an
- **Empreinte écologique (nombre d'arbres à planter par année):** 45
- **Indice d'octane:** 94
- **Autre motorisation:** non
- **Coût du carburant moyen par année: man.** 3455 $
- **Nombre de litres par année: man.** 3141 l

(SOURCE: ÉnerGuide)

1 FICHE D'IDENTITÉ

- **Versions** coupé, Spyder, LP560-4
- **Roues motrices** 4
- **Portières** 2 **nombre de passagers** 2
- **Première génération** 2004
- **Génération actuelle** 2004
- **Construction** Sant'Agata, Italie
- **Sacs gonflables** 4 (frontaux, latéraux)
- **Concurrence** Aston Martin V8, Bentley Continental GT, Ferrari 458, Mercedes-Benz SL, Porsche 911 Turbo

2 AU QUOTIDIEN

- **Prime d'assurance**
  25 ans: 11 500 à 12 000 $
  40 ans: 7400 à 7800 $
  60 ans: 6300 à 6700 $
- **Collision frontale** nd
- **Collision latérale** nd
- **Ventes du modèle de l'an dernier**
  Au Québec nd **Au Canada** nd
- **Dépréciation** (3 ans) nd
- **Rappels** (2004 à 2009) 2
- **Cote de fiabilité** nd

3 GARANTIES... ET PLUS

- **Garantie générale** 2 ans/kilométrage illimité
- **Garantie motopropulseur** 2 ans/kilométrage ill.
- **Perforation** 2 ans/kilométrage illimité
- **Assistance routière** 2 ans/kilométrage illimité
- **Nombre de concessionnaires**
  Au Québec 1 **Au Canada** 3

4 NOUVEAUTÉS EN 2010

- Unique modèle LP-560

VOLCANIQUE

PAR MARK HACKING

LA PLUS RÉCENTE NOUVEAUTÉ DE LAMBOR GHINI, LA GALLARDO LP 560-4 SPYDER, ÉTAIT PRÉSENTÉE À LA PRESSE INTERNATIONALE SUR L'ÎLE HISPANIQUE DE TÉNÉRIFE. L'itinéraire d'essai se résumait ainsi : pas d'autostrada, pas de circuit fermé, seulement un trajet en boucle de 80 kilomètres vers les hauteurs d'El Teide, singulier relief volcanique et, incidemment, treizième plus haut sommet sur le territoire de l'Union européenne.

[CARROSSERIE] La présentation extérieure a bénéficié d'un remodelage. Par rapport au design épuré et presque sobre (pour Lamborghini) de la Gallardo d'origine, les nouvelles lignes sont plus anguleuses et arborent quelques ajouts aérodynamiques pour bonifier le coefficient de pénétration. La Spyder comporte une spé cificité, soit celle d'un volume arrière rehaussé pour accueillir la capote pliée. Quand elle est déployée, elle donne l'illusion d'écraser le dessin autrement gracieux de la voiture; mais quand elle est retranchée dans son coffre, le design dédié retrouve son image d'arme de propulsion massive.

[HABITACLE] Le design intérieur de la nouvelle Lambo semble être le yang du yin extérieur. En total contraste, rien n'y est radical ou exubérant – on y mise plutôt sur la finesse des lignes et l'élégance discrète des matériaux. Tous les modèles font la part belle au cuir cousu à double point; les versions haut de gamme ont droit à un volant recouvert de suède et à des garnitures en tissu d'Alcantara.

[MÉCANIQUE] La Spyder partage l'ensemble de ses composants mécaniques avec la berlinette Gallardo, abstraction faite des petits moteurs et des pompes électriques nécessaires à l'articulation du toit souple en tissu. Les deux quasi-jumelles bénéficient toutes deux du magnifique V10 fourni par leur constructeur mécène Audi. La motorisation, développée en compétition, produit un tsunami de puissance – 560 chevaux – et un couple vitaminé de 398 livres-pieds à 6500 tours par minute. Ces chiffres représentent une progression notoire par rapport à la Spyder précédente; combinés aux efforts de réduction de poids, la Gallardo est non seulement « ragaillardie

+ −

FORCES • Sensations grisantes • Finition soignée • Motorisation puissante et mélodieuse

FAIBLESSES • Manque de maintien des sièges • Peu de rangements à bord • Gestion de boîte parfois brutale

GALLARDO

», mais elle est propulsée dans la stratosphère de la haute performance. La décapotable rend bien quelques fractions de seconde au coupé en vitesse pure, elle demeure parfaitement capable d'atteindre les 100 km/h en 4 secondes et s'envole allègrement vers son plafond de 324 km/h. Mais les modifications qui différencient l'ancienne Gallardo de la nouvelle LP 560-4 ne s'arrêtent pas là. La boîte de vitesses semi-automatique *e-gear* a été peaufinée et procure des passages de rapports 40 % plus vifs que la précédente version. Elle offre à l'utilisateur cinq programmations distinctes : normal, sport, automatique, corsa et thrust. Les deux dernières configurations titillent particulièrement les fanas de pilotage; le mode corsa est élaboré pour la conduite sur piste et laisse le plein contrôle des changements de rapport au pilote grâce aux leviers de sélection à l'arrière du volant, alors que le mode thrust est ni plus ni moins un système de launch control, pour des départs-arrêtés électroniquement optimisés. La Spyder peut aussi être équipée d'une boîte manuelle à 6 rapports, bien qu'aucune n'était offerte lors de l'essai en terre espagnole. On ne se surprend pas d'une telle omission quand on apprend que la grande majorité des propriétaires actuels de Gallardo ont préféré la boîte *e-gear.* Cette dernière n'offre peut-être pas le rendement des plus récentes boîtes à double embrayage, offertes notamment chez Ferrari et Porsche, mais elle les talonne de près.

[COMPORTEMENT] Sur la route sinueuse menant vers El Teide, le système de transmission intégrale du bolide – un autre legs provenant d'Audi – semblait vouloir continuellement accentuer la cadence, même en situation de dérapage latéral (en mode corsa, l'antipatinage est un peu plus permissif et retarde l'entrée en action du contrôle de la stabilité électronique). La répartition du couple de l'intégrale, favorisant à 70 % les roues arrière, procure une véritable sensation de course, le tout conforté par l'adhésion prodigieuse des pneus Pirelli P Zero, conçus expressément pour la cause. D'un côté, elle est on ne peut plus calme et docile en conduite urbaine; mais de l'autre, quand on la cravache, la Gallardo prouve qu'elle est une sportive affirmée sinon explosive – automobilistes timides s'abstenir. Au chapitre du train roulant, la LP 560-4 a droit à une révision de sa suspension à doubles triangles superposés, qui lui donne ainsi une agilité démoniaque comme seule une voiture de sport exotique peut l'exhiber. Avec un centre de gravité au ras du sol, un moteur en position centrale et une distribution des masses avant-arrière de 43/57, la Lambo tranche les virages au scalpel, et les transferts d'appui se font avec aisance et fluidité.

[CONCLUSION] Au final, la Gallardo LP 560-4 Spyder fournit des joies terribles comme seule une exotique peut le faire, tout en faisant preuve, en conduite de tous les jours, d'un tempérament affable : le meilleur des deux mondes existerait-il ?

5 FICHE TECHNIQUE

· (LP560-4)
V10 5,2 l DACT, 560 ch à 8000 tr/min
Couple 398 lb-pi à 6500 tr/min
Transmission manuelle à 6 rapports, séquentielle à 6 rapports (en option)
0-100 km/h 3,7 s **Vitesse maximale** 325 km/h

· AUTRES COMPOSANTES
Sécurité active freins ABS, antipatinage, contrôle de stabilité électronique
Suspension avant/arrière indépendante
Freins avant/arrière disques ventilés
Direction à crémaillère, assistée
Pneus P235/35R19 (av.), P295/30R19 (arr.)

· DIMENSIONS
Empattement 2560 mm
Longueur 4345 mm
Largeur 1900 mm
Hauteur 1165 mm **Spyder** 1184 mm
Poids Spyder 1570 kg **coupé** 1410 kg
Diamètre de braquage 11,5 m
Coffre 110 l
Réservoir de carburant 90 l **Spyder** 80 l

NOS MENTIONS

Coup de coeur

NOTRE VERDICT

Plaisir au volant	5/5
Qualité de finition	3,5/5
Consommation	2/5
Rapport qualité/prix	2,5/5
Valeur de revente	4/5

LP 650 / LP 670

www.lamborghini.ca

N ÉVOLUTION É J

539 800 $ à 569 860 $ (670 SV)
transport et préparation: inclus

LA COTE VERTE

AVEC MOTEUR V12 DE 6,5 L

- **Consommation (100km):** man. 19,3 l auto. 19,0 l
- **Émissions polluantes CO_2 :** man. 10224 kg/an auto. 9312 kg/an
- **Empreinte écologique (nombre d'arbres à planter par année):** 56
- **Indice d'octane:** 95
- **Autre motorisation:** non
- **Coût du carburant moyen par année:** man. 4686 $ auto. 4268 $
- **Nombre de litres par année:** man. 4260 l auto. 3880 l

(SOURCE: ÉnerGuide)

1 FICHE D'IDENTITÉ

- **Versions** Coupé, Roadster
- **Roues motrices** 4
- **Portières** 2 **Nombre de passagers** 2
- **Première génération** 2003 (Murciélago)
- **Génération actuelle** 2003
- **Construction** Sant'Agata, Italie
- **Sacs gonflables** 4 (frontaux, latéraux)
- **Concurrence** Aston Martin DB9, Ferrari 599 Fiorano

2 AU QUOTIDIEN

- **Prime d'assurance**
  25 ans: 15 000 à 15 500 $
  40 ans: 9500 à 9800 $
  60 ans: 8000 à 8500 $
- **Collision frontale** nd
- **Collision latérale** nd
- **Ventes du modèle de l'an dernier**
  Au Québec nd **Au Canada** nd
- **Dépréciation** (3 ans) nd
- **Rappels** (2004 à 2009) 1
- **Cote de fiabilité** nd

3 GARANTIES... ET PLUS

- **Garantie générale** 2 ans/kilométrage illimité
- **Garantie motopropulseur** 2 ans/kilométrage ill.
- **Perforation** 2 ans/kilométrage illimité
- **Assistance routière** 2 ans/kilométrage illimité
- **Nombre de concessionnaires**
  Au Québec 1 **Au Canada** 3

4 NOUVEAUTÉS EN 2010

- LP 640 devient LP 650-4
- Nouveau modèle LP 670-4 SuperVeloce

QUANTITÉS TRÈS LIMITÉES

PAR BENOIT CHARETTE

AVEC LA CRISE ÉCONOMIQUE MONDIALE QUI SÉVIT DEPUIS UN PEU PLUS D'UN AN, LES MARCHANDS DE RÊVES, DONT FAIT PARTIE LAMBORGHINI, ONT CONNU CERTAINES DIFFICULTÉS. La petite firme italienne, propriété d'Audi, a dû diminuer substantiellement son rythme de production passant de 2000 à 1400 exemplaires produits pour le monde entier entre 2008 et 2009. Ce qui fait que les voitures se font encore plus rares sur la route. Toutefois, cela n'a pas empêché la marque au taureau de présenter pas une mais deux nouveautés au dernier salon de Genève. Une version roadster plus puissante de la Murciélago accompagnera la SuperVeloce chez les concessionnaires en 2010.

[CARROSSERIE] Les derniers coupés et roadsters 640 ont été vendus, et 2010 fera place à quelques exemplaires de la LP 650-4. Elle se distingue de la Murciélago LP640-4 roadster par un traitement extérieur spécifique. Ainsi, la carrosserie se voit parée d'une couleur grise furtive que viennent rehausser des becquets, des bas de caisse et des étriers de frein peints en orange. Pour la 670 SV (pour SuperVeloce), l'aérodynamisme de la voiture a été revu. La partie frontale, complètement redessinée : implanté très en avant et présentant une finition noir mat, le becquet avant en fibre de carbone est relié à la partie frontale par deux éléments obliques. Les grandes prises d'air des freins avant sont soulignées avec davantage de puissance. Les deux nouvelles ailes avant comportent des écopes supplémentaires pour le refroidissement des freins. Le canal de ventilation pour le radiateur d'huile situé dans la zone du bas de caisse, du côté conducteur, est peint en noir, comme la partie inférieure des bas de caisse. Elle a l'air d'un monstre sorti de l'enfer.

[HABITACLE] Depuis la refonte majeure du modèle en 2006 et la prise en main par Audi, l'intérieur a enfin une finition à la hauteur du prix demandé. Autrefois improvisés et artisanaux dans le sens le plus péjoratif du terme, les intérieurs de Lamborghini ont conservé une partie du charme des artisans, au sens plus positif du terme en ajoutant une rigueur toute allemande. Les portes en élytre, marque de commerce de Lambo,

FORCES • Mécanique hallucinante • Force d'accélération déroutante • Tenue de route • Silhouette magnétique

FAIBLESSES • Visibilité arrière inexistante • Impossible à exploiter sur nos routes • Être simple millionnaire ne suffit pas pour être propriétaire.

LP 650 / LP 670

s'ouvrent sur un univers de fibre de carbone et de cuir mur à mur qui donne le ton au tempérament très sportif de la voiture. Les caractéristiques des deux voitures se ressemblent, mais la 670 reflète plus son côté sport extrême.

[MÉCANIQUE] Gagnant 10 chevaux par rapport aux 640 du modèle actuel, la LP650-4 Roadster sera un cabriolet d'exception qui ne devrait être produit qu'à une centaine exemplaires. Son V12 de 6,5 litres est aussi le même moteur qui se retrouve dans la 670 qui, vous l'avez deviné, produira 670 chevaux. Mais le travail a été plus ardu sur la 670. En premier lieu, l'auto a subi un important programme d'allègement qui a poussé le vice jusqu'à modifier la structure qui utilise de nouveaux aciers à haute résistance et de la fibre de carbone. Ceci a permis de réduire le poids de 20 kilos et d'augmenter la rigidité de 20 %. De nombreux éléments de carrosserie sont égaleme nt réalisés en carbone. Si l'on ajoute une cure de minceur à l'intérieur et dans le compartiment-moteur, la LP 670-4 SV s'allège en tout de 100 kilos à 1 565 kilos à sec. Les modifications du V12 concernent essentiellement l'échappement, entièrement redessiné. La voiture peut donc atteindre 342 km/h en vitesse de pointe.

[COMPORTEMENT] Ma dernière expérience en version LP remonte à 2007 avec la boîte de vitesses manuelle à 6 rapports qui demeure ma préférée. La transmission intégrale donne une certaine inertie au départ, mais si vous donnez trois kilomètres de ligne droite à cet obus, vous n'aurez probablement pas le courage de tester les limites du moteur. La ligne rouge dépasse les 8 000 tours par minute, et, une fois qu'on a passé les 5 000 tours, la poussée est phénoménale, et la symphonie qui émane du moteur vous glace le sang; de l'exotisme à son meilleur.

[CONCLUSION] Si j'avais vraiment beaucoup d'argent, j'achèterais une villa au Lac Como avec une LP dans l'entrée pour aller sortir mon surplus de testostérone quand le besoin se fait sentir.

5 FICHE TECHNIQUE

- **MOTEURS**
- **LP 650-4**
- V12 6,5 l DACT, 650 ch à 8000 tr/min
  Couple 487 lb-pi à 6000 tr/min
  Transmission manuelle à 6 rapports, automatique à 6 rapports avec mode manuel (en option)
  0-100 km/h 3,4 s
  Vitesse maximale 330 km/h

- **LP 670 SUPERVELOCE**
  V12 6,5 l DACT, 670 ch à 8000 tr/min
  Couple 487 lb-pi à 6500 tr/min
  Transmission séquentielle à 6 rapports avec mode manuel
  0-100 km/h 3,2 s
  Vitesse maximale 342 km/h
  Consommation (100 km) 19,5 l
  Émissions de CO_2 9600 kg/an
  Litres par année 4260 l. **Coût par an** 4686 $
  Carburant alternatif non
  Empreinte écologique 57 arbres

- **AUTRES COMPOSANTES**
  Sécurité active freins ABS, répartition électronique de force de freinage, assistance au freinage, antipatinage, contrôle de stabilité électronique
  Suspension avant/arrière indépendante
  Freins avant/arrière disques ventillés
  Direction à crémaillère, assistée
  Pneus P245/35R18 (av.), P335/30R18 (arr.)

- **DIMENSIONS**
  Empattement 2665 mm
  Longueur 4610 mm **LP 670** 4704 mm
  Largeur 2058 mm **LP 670** 2239 mm
  Hauteur 1135 mm
  Poids roadster 1690 kg **LPI 670 SV** 1565 kg
  Diamètre de braquage 12,55 m
  Coffre nd
  Réservoir de carburant 100 l

NOS MENTIONS

Coup de coeur

NOTRE VERDICT

Plaisir au volant
Qualité de finition
Consommation
Rapport qualité/prix
Valeur de revente

LR2

www.landrover.ca

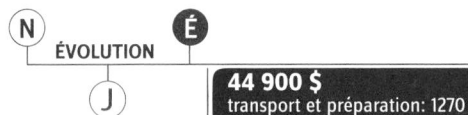

N ÉVOLUTION É J

44 900 $
transport et préparation: 1270 $

LA COTE VERTE

AVEC MOTEUR L6 DE 3,2 L

- **Consommation (100km):** 11,6 l
- **Émissions polluantes CO_2 :** 5664 kg/an
- **Empreinte écologique (nombre d'arbres à planter par année):** 32
- **Indice d'octane:** 91
- **Autre motorisation:** non
- **Coût du carburant moyen par année:** 2596 $
- **Nombre de litres par année:** 2360l

(SOURCE: ÉnerGuide)

1 FICHE D'IDENTITÉ

- **Versions** HSE
- **Roues motrices** 4
- **Portières** 4 **Nombre de passagers** 5
- **Première génération** 2002 (Freelander)
- **Génération actuelle** 2007
- **Construction** Solihull, Angleterre
- **Sacs gonflables** 7 (frontaux, latéraux avant, rideaux latéraux, sac gonflable genoux)
- **Concurrence** Acura RDX, BMW X3, Audi Q5, Volvo XC60, Mercedes GLK

2 AU QUOTIDIEN

- **Prime d'assurance**
  25 ans: 3200 à 3400 $
  40 ans: 1600 à 1800 $
  60 ans: 1400 à 1600 $
- **Collision frontale** 4/5
- **Collision latérale** 4/5
- **Ventes du modèle de l'an dernier**
  Au Québec 181 **Au Canada** 810
- **Dépréciation** (1 an) 26,3%
- **Rappels** (2004 à 2009) 4
- **Cote de fiabilité** 2,5/5

3 GARANTIES... ET PLUS

- **Garantie générale** 4 ans/80 000 km
- **Garantie motopropulseur** 4 ans/80 000 km
- **Perforation** 6 ans/kilométrage illimité
- **Assistance routière** 4 ans/80 000 km
- **Nombre de concessionnaires**
  Au Québec 4 **Au Canada** 23

4 NOUVEAUTÉS EN 2010

- Nouvelles couleurs intérieures et extérieures
- Nouvelle montre numérique

LE PETIT ROI DES COMPROMIS

PAR MICHEL CRÉPAULT

DANS LA CATÉGORIE DES UTILITAIRES SPORT COMPACTS, LE MODÈLE LR2 N'A PAS D'AUTRES CHOIX QUE D'AFFICHER DEUX DES CARACTÉRISTIQUES PRINCIPALES DE SON GÉNITEUR : le luxe inhérent au produit Land Rover, de même que ses capacités hors route, tout autant associées à la légendaire marque britannique passée depuis peu dans le giron de l'Indien Tata.

[CARROSSERIE]Le modèle HSE, le seul offert en 2010, agrémenté d'une poignée d'ensembles facultatifs, résume ses nouveautés de la nouvelle année à des gâteries esthétiques, à commencer par une palette de couleurs qui s'enrichit de quatre coloris inédits. Le châssis monocoque est bardé d'acier extrêmement résistant pour contribuer à des balades capables de décourager un sherpa. Le dessous du véhicule est protégé aux endroits judicieux pour déjouer les cailloux malveillants. La silhouette emprunte avec fierté l'ADN des autres membres de la famille. Son pavillon élevé, à double panneau de verre, le rend facilement repérable.

[HABITACLE] Le montage transversal du moteur a permis d'organiser une cabine généreuse. La ressemblance avec les intérieurs du LR3 et du Range Rover Sport n'est pas fortuite. En gros, vous prenez place dans un cube où se côtoient de robustes formes géométriques adoucies par des matériaux dignes d'une berline. Les trois passagers de la banquette (ils seront mieux à deux) sont assis haut, de sorte qu'ils bénéficient de la généreuse surface vitrée de l'utilitaire. Pour 2010, l'ancien Freelander reçoit une nouvelle sellerie de cuir ajourée assortie à de nouveaux tapis. Et une horloge numérique a été encastrée au tableau de bord. Les options de la livrée HSE ont été regroupées dans quatre ensembles : Plus, Luxe, Style et Climat. Les seules options individuelles concernent les roues de 19 pouces chromées et les couleurs intérieures et extérieures, certaines sans frais supplémentaires (par exemple, le tableau de bord peut s'habiller d'un fini argent satiné, et ce, gratos).

FORCES • Liens forts avec les autres membres prestigieux de la famille • Habitacle spacieux et polyvalent • Adresse hors route conçue pour les vrais amateurs

FAIBLESSES • Accélérations ordinaires pour un véhicule dit de luxe • Roulis dans les virages prononcés • Consommation du 6 cylindres

Grâce à sa garde au sol de 21,1 centimètres, on peut aller s'amuser dans 50 centimètres d'eau. Les aides électroniques comme le Hill Descent Control veillent au grain pour tirer le conducteur de l'embarras. La suspension entièrement à 4 roues indépendantes garantit le confort sur le plat et beaucoup d'agilité et de souplesse en terrain accidenté.

[MÉCANIQUE] Le LR2 utilise un 6-cylindres en ligne 3,2 litres à 24 soupapes de 230 chevaux capable de boucler le 0 à 100 km/h en 9 secondes. Une consommation moyenne oscillant autour de 12 litres aux 100 kilomètres n'est pas la plus économe, à moins de faire beaucoup d'autoroute pour ramener l'appétit à moins de 10 litres aux 100 kilomètres. En utilisant des dispositifs modernes qui jonglent avec le travail des soupapes, le véhicule peut fournir plus de 80 % de son couple maximal à partir de 1 400 tours par minute, ce qui est pratique durant les excursions tout-terrain. La transmission Aisin Warner à 6 rapports obéit à divers programmes qui modifient sa personnalité, dont un mode séquentiel qui autorise le passage des rapports à la main. Pour le travail sérieux, le Terrain Response, un système génial de Land Rover, module le groupe motopropulseur selon les conditions routières. Impressionnant !

[COMPORTEMENT] Le choix du 6-cylindres en ligne a été pensé en fonction de sa souplesse de fonctionnement. Vous me direz que ça semble un peu futile quand on sait que le LR2 a été conçu pour affronter des sentiers où les occupants se font brasser comme s'ils avaient pris place dans le baril d'une machine à laver. Sauf que, justement, les produits Land Rover ne font pas que jouer à la chèvre des montagnes. Ils s'adressent au gentleman farmer qui mettra de côté sa besace à gibier pour se diriger avec sa lady jusqu'à la galerie d'arts locale. Sur l'autoroute, la transmission intégrale permanente du LR2 peut transférer le couple tout à l'avant. L'inverse est aussi vrai.

[CONCLUSION] À titre de plus petit et de plus abordable des modèles Land Rover, le LR2 fait honneur à la marque. Toutefois, n'oubliez pas que vous ne pouvez pas vous procurer un véhicule aussi habile dans les sentiers et vous attendre à ce qu'il se comporte comme une Lexus une fois sorti des sous-bois. Le LR2 brille dans toutes les situations mais sans exceller. Pour ça, il faudra débourser davantage...

2e OPINION

BENOIT CHARETTE Il y a certains mystères du monde de l'automobile que même nous, journalistes de carrière, avons peine à saisir. Alors que la logique dicte que les véhicules hors route possèdent un centre de gravité plus bas, un châssis à échelle et un intérieur qui peut se nettoyer au boyau d'arrosage, Land Rover a toujours trouvé le moyen de marier une silhouette aristocrate capable de franchir le Kalahari sans froncer les sourcils. Et même avec une réputation de fiabilité exécrable, on réussit encore à vendre des véhicules. Land Rover est une contradiction sur roues, mais elle possède des qualités de prestige indéniable que le constructeur de Solihull a jalousement conservé. C'est encore le seul véritable véhicule hors route que vous pouvez amener au « country club » en ayant l'approbation des membres.

(5) FICHE TECHNIQUE

· MOTEUR

· L6 3,2 l DACT, 230 ch à 6300 tr/min
Couple 234 lb-pi à 3200 tr/min
Transmission automatique à 6 rapports avec mode manuel
0-100 km/h 8,9 s
Vitesse maximale 200 km/h

· AUTRES COMPOSANTES

Sécurité active freins ABS, répartition électronique de force de freinage, assistance au freinage, antipatinage, contrôle de stabilité électronique
Suspension avant/arrière indépendante
Freins avant/arrière disques ventilés
Direction à crémaillère, assistée
Pneus P235/55R19

· DIMENSIONS

Empattement 2660 mm
Longueur 4500 mm
Largeur 1910 mm
Hauteur 1740 mm
Poids 1930 kg
Diamètre de braquage 11,3 m
Coffre 755 l, 1670 l (sièges abaissés)
Réservoir de carburant 70 l
Capacité de remorquage 750 kg à 1585 kg

NOTRE VERDICT

Plaisir au volant
Qualité de finition
Consommation
Rapport qualité/prix
Valeur de revente

LR4

www.landrover.ca

NOUVEAUTÉ

59 980 $
transport et préparation: 1270 $

LA COTE VERTE

AVEC MOTEUR V8 DE 5,0 L

- **Consommation (100km):** 14,4 l
- **Émissions polluantes CO_2 :** 7104 kg/an
- **Empreinte écologique (nombre d'arbres à planter par année):** 43
- **Indice d'octane:** 91
- **Autre motorisation:** non
- **Coût du carburant moyen par année:** 3256 $
- **Nombre de litres par année:** 2960 l

(SOURCE: ÉnerGuide)

1 FICHE D'IDENTITÉ

- **Versions** HSE, HSE Lux
- **Roues motrices** 4
- **Portières** 4 **Nombre de passagers** 7
- **Première génération** 2010
- **Génération actuelle** 2010
- **Construction** Solihull, Angleterre
- **Sacs gonflables** 8 (frontaux, latéraux avant et arrière, rideaux latéraux)
- **Concurrence** Acura MDX, Audi Q7, BMW X5, Cadillac SRX, Infiniti FX, Lexus RX/GX, Mercedes-Benz Classe ML, Porsche Cayenne, Volkswagen Touareg, Volvo XC90

2 AU QUOTIDIEN

- **Prime d'assurance**
  25 ans: 3600 à 3800 $
  40 ans: 1900 à 2100 $
  60 ans: 1500 à 1700 $
- **Collision frontale** nd
- **Collision latérale** nd
- **Ventes du modèle de l'an dernier** 423
  Au Québec 115 **Au Canada** 518
- **Dépréciation** (3 ans) nm
- **Rappels** (2004 à 2009) nm
- **Cote de fiabilité** nm

3 GARANTIES... ET PLUS

- **Garantie générale** 4 ans/80 000 km
- **Garantie motopropulseur** 4 ans/80 000 km
- **Perforation** 6 ans/kilométrage illimité
- **Assistance routière** 4 ans/80 000 km
- **Nombre de concessionnaires**
  Au Québec 4 **Au Canada** 23

4 NOUVEAUTÉS EN 2010

- Nouveau modèle

UN NOUVEAU TATA

PAR DANIEL RUFIANGE

APRÈS CINQ ANS DE CARRIÈRE, LE LR3 CÈDE LE PAS AU LR4, LA QUATRIÈME GÉNÉRATION DE L'ANCIEN DISCOVERY. Les ventes de ce modèle ont triplé au Québec entre 2004 et 2008, mais l'escalade des prix du carburant n'a rien fait pour aider Land Rover, un joueur plus marginal dans le créneau. Le rachat de l'entreprise par Tata Motors est peut-être la planche de salut qui assurera l'avenir de cette marque. En attendant, l'arrivée d'un modèle ragaillardi ne peut qu'aider.

[CARROSSERIE]Les lignes du LR4 regorgent de caractère. Franches et masculines, elles semblent dire « hey, regardez-moi ! » Les changements apportés cette année sont surtout visibles à l'avant où on note la présence de nouveaux phares et d'une nouvelle calandre. En somme, l'image du LR4 s'harmonise avec le reste de la gamme. Land Rover est fière d'une tradition de plus de 60 ans, et cette éternité passée à fabriquer des véhicules robustes et polyvalents prêts à affronter n'importe quelle situation caractérise le nouveau millésime. Outre l'attention qu'on porte aux lignes carrées du LR4, on remarque ce toit tout en hauteur qui lui donne des allures de véhicule safari. De l'intérieur, les passagers jouissent d'un dégagement irréel pour la tête; même le plus grand des joueurs de basket-ball ne peut se frotter la tête au plafond. Qui plus est, deux toits panoramiques viennent éclairer et égayer les déplacements. Le bolide conserve sa belle surface vitrée, gage d'une bonne visibilité sous tous les angles. Les changements à l'arrière sont plus mineurs, et l'immense lunette aux formes asymétriques demeure.

[HABITACLE] À l'intérieur, les stylistes ont donné un sérieux coup de barre. Des modifications importantes ont été apportées au tableau de bord et, surtout, à la console centrale; autrefois peu ergonomique et d'allure moche, sa présentation est nettement plus jolie et promet d'être plus fonctionnelle maintenant qu'elle s'incline vers le conducteur. L'utilisation de nouveaux matériaux et l'ajout d'un éclairage d'ambiance à diodes électroluminescentes (DEL) rajeunit l'habitacle du LR4. Ajoutez à cela un nouveau volant, chauffant s'il vous plaît, une finition comportant des touches de bois naturel et des sièges redessinés qui offrent

FORCES • Capacités hors routes indiscutables • Degré de confort • Toit panoramique • Impression de solidité

FAIBLESSES • Consommation du nouveau V8 ? • Fiabilité, l'éternelle question quand on mentionne Land Rover • Réseau de concessionnaires très restreint • Moteur diesel qui demeure en Europe • Prix

plus de maintien. Le LR4 compte aussi sur une nouvelle interface radio portative permettant de brancher tous les bidules externes possibles. Le système de navigation a été simplifié, lui qui nous demande toujours de sélectionner le bon type de navigation; sur route ou hors route !

[MÉCANIQUE] L'ancien moteur V8 de 4,4 litres de 300 chevaux est remplacé par un tout nouveau 5-litres de 375 chevaux qui profite de l'injection directe de carburant. Souhaitons qu'il soit un peu moins gourmand que l'ancien ! La structure du LR4 a également fait l'objet d'améliorations. La suspension promet de réduire l'effet de roulis grâce, entre autres, à l'ajout d'une barre antiroulis plus large. Les freins, dit-on, seront plus mordants, et la direction, nous assure-t-on chez Land Rover, sera plus précise, surtout à vitesse élevée.

[COMPORTEMENT] Les qualités hors route du LR3 n'étaient un secret pour personne. On ne peut que les imaginer supérieures sur la nouvelle mouture. Avec son système *Terrain Response,* qui nous donne l'occasion de régler la garde au sol et l'antipatinage à l'accélération, entre autres, ainsi que le dispositif *Hill Descent,* pour affronter les pentes abruptes en toute sécurité, il n'y a pratiquement aucun obstacle que le LR4 ne puisse franchir. C'est là que le véhicule cultive son aura : agilité et confort. Sa conduite devrait demeurer plus rassurante à basse vitesse car, sur l'autoroute, vous aurez deviné que sa forme très « aérodynamique » ne se marie pas bien au vent.

[CONCLUSION] Avec seulement quelques centaines d'exemplaires vendus chaque année au Québec, les ventes du LR3 sont plutôt modestes. Est-ce que l'arrivée d'une version améliorée du véhicule suffira pour les relancer ? Cela reste à voir. Son unicité et son caractère prestigieux seront-ils suffisants pour assurer sa survie ?

(5) FICHE TECHNIQUE

· MOTEURS

V8 5,0 l DACT 375 ch à 5500 tr/min
Couple 375 lb-pi à 4000 tr/min
Transmission automatique à 6 rapports
0-100 km/h 7,6 s
Vitesse maximale 210 km/h

· AUTRES COMPOSANTES

Sécurité active freins ABS, assistance au freinage, répartition électronique de force de freinage, antipatinage, contrôle de stabilité électronique, contrôle de descente en pente
Suspension avant/arrière indépendante
Freins avant/arrière disques
Direction à crémaillère, assistée
Pneus HSE P255/55R19

· DIMENSIONS

Empattement 2885 mm
Longueur 4828 mm
Largeur 1915 mm
Hauteur 1993 mm
Poids 2655 kg
Diamètre de braquage 11,36 m
Coffre 280 l, 2560 l (sièges abaissés)
Réservoir de carburant 86,3 l
Capacité de remorquage 3500 kg

NOTRE VERDICT

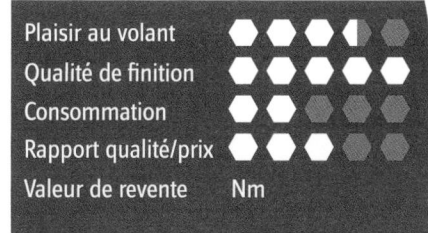

Plaisir au volant
Qualité de finition
Consommation
Rapport qualité/prix
Valeur de revente Nm

RANGE-ROVER

www.landrover.ca

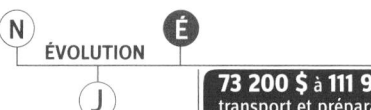

N ÉVOLUTION É J

73 200 $ à 111 900 $
transport et préparation: 1270 $

LA COTE VERTE

AVEC MOTEUR V8 DE 5,0 L

- **Consommation (100km):** 13,9 l
- **Émissions polluantes CO_2 :** 6540 kg/an
- **Empreinte écologique (nombre d'arbres à planter par année):** 40
- **Indice d'octane:** 91
- **Autre motorisation:** non
- **Coût du carburant moyen par année:** 3025 $
- **Nombre de litres par année:** 2750 l

(SOURCE: Énerguide)

1 FICHE D'IDENTITÉ

- **Versions** HSE, HSE, Supercharged ,RR Sport
- **Roues motrices** 4
- **Portières** 4 **Nombre de passagers** 5
- **Première génération** 1970
- **Génération actuelle** 2010
- **Construction** Solihull, Angleterre
- **Sacs gonflables** 6 (frontaux, latéraux avant, rideaux latéraux)
- **Concurrence** Cadillac Escalade, Infiniti QX 56, Lexus LX 570, Lincoln Navigator, Mercedes-Benz Classe G, Porsche Cayenne

2 AU QUOTIDIEN

- **Prime d'assurance**
  25 ans: 4400 à 4600 $
  40 ans: 2000 à 2200 $
  60 ans: 1500 à 1700 $
- **Collision frontale** nm
- **Collision latérale** nm
- **Ventes du modèle de l'an dernier**
  Au Québec 176 **Au Canada** 965
- **Dépréciation** (3 ans) 47,4%
- **Rappels** (2003 à 2008) 6
- **Cote de fiabilité** 2,5/5

3 GARANTIES... ET PLUS

- **Garantie générale** 4 ans/80 000 km
- **Garantie motopropulseur** 4 ans/80 000 km
- **Perforation** 6 ans/kilométrage illimité
- **Assistance routière** 4 ans/80 000 km
- **Nombre de concessionnaires**
  Au Québec 4 **Au Canada** 23

4 NOUVEAUTÉS EN 2010

- Retouches esthétiques à l'intérieur et à l'extérieur nouvelles gammes de moteurs atmosphériques et à compresseur

SCOUTISME ARCHI DE LUXE

PAR MICHEL CRÉPAULT

POUR 2010, LAND ROVER PRÉSENTE UN RANGE ROVER PASSABLEMENT REVU ET CORRIGÉ, TOUJOURS EN VERSION CLASSIQUE ET SPORT. L'heure de tombée de L'Annuel de l'automobile nous a fait rater de peu le lancement international en Écosse, mais nos informateurs nous ont refilé tout le reste...

[CARROSSERIE] Seulement des changements subtils pour ces rois de la route et du hors route, comme de nouveaux phares à diodes électroluminescentes (DEL) et des pare-chocs redessinés. Pour distinguer les deux modèles, fiez-vous à la calandre (deux barres au lieu de trois pour le Sport), aux ouïes latérales (horizontales pour le Sport, verticales pour l'autre) et à l'allure résolument plus athlétique du Sport. Les deux coques reflètent une allure plus épurée mais tout aussi robuste. Cela dit, les véritables améliorations apportées au Range Rover se trouvent dans ses entrailles.

[HABITACLE] C'est le festival du détail chic. La cabine d'un RR est l'occasion pour des artisans triés sur le volet de démontrer leur savoir-faire. La qualité des matériaux n'a d'égale que leur finition. Les lisières de cuir alternent avec les accents de chrome et de bois précieux pour créer un environnement qui marie à merveille la techno et l'élégance. La différence majeure entre les deux tableaux de bord : l'un est plus encombré que l'autre. Mais, dans les deux cas, on compte moins de boutons grâce à l'utilisation d'un énorme écran tactile. L'arrimage du iPod a été pensé pour résister aux chocs qu'entraînera l'escalade d'une falaise ! Parmi les nouvelles options, on note un système de vision à cinq caméras numériques qui fournit presque un panorama à 360 degrés et le dispositif Towing Assist qui montre à l'écran la direction que prendra votre remorque si vous persistez à orienter le volant de la sorte...

[MÉCANIQUE] Place à deux V8 de 5 litres. Le premier, fier de ses 375 chevaux (25 % de plus que l'ancien 4,4-litres), mime au dixième de seconde près les performances du 4,2-litres suralimenté désormais au rancart : 0 à 100 km/h en 7,6 secondes, soit un écart de 0,5 seconde ! Avec le second, dont la puissance passe à 510 chevaux

FORCES · Améliorations de tous les aspects du véhicule · Technologie au service du conducteur

FAIBLESSES · Consommation toujours élevée · Prix qui limite l'enthousiasme

RANGE-ROVER

(31 % plus puissant que l'ancien 4,2-litres) grâce à un compresseur Eaton et à l'injection directe de carburant, on abaisse ce chrono sous la barre des 6 secondes. Les deux gloutons sont associés à une boîte de vitesses ZF à 6 rapports avec, en option, des leviers de sélection au volant pour le modèle suralimenté. Pour la première fois, ces V8 ont été concoctés par l'équipe Jaguar/Land Rover dans le but de desservir les deux familles. Mais les engins destinés à LR reçoivent des traitements spéciaux afin d'endurer des excursions hors du commun. Par exemple, plusieurs morceaux sont étanches au cas où il vous viendrait l'idée de batifoler dans le lit d'une rivière. Je l'ai déjà fait, et c'est très amusant !

[COMPORTEMENT] L'une des forces du RR réside dans son système Adaptive Dynamics. En deux mots, l'utilitaire est bardé de capteurs électroniques qui modifient constamment les réactions du châssis afin de l'adapter aux conditions routières. Le choix est d'abord donné au conducteur de sélectionner le type de confort qu'il souhaite, bien assis sur son trône de cuir. La machine ensuite fait le reste, modulant les réflexes du camion pour garder le proprio heureux tout en optimisant l'adhérence au sol. Un exemple qui dit tout : le calibrage de chaque amortisseur est analysé 500 fois par seconde ! Il n'y a pas un conducteur au monde capable d'affûter ainsi ses réflexes. Le freinage a été revu à la hausse, le modèle atmosphérique héritant des disques de l'ancienne livrée suralimentée, et le haut de gamme bénéficiant de disques ventilés encore plus gros. Malgré son luxe criant, le Range Rover est capable d'affronter les pires sentiers. Même le fameux système Terrain Response inclut désormais un nouveau programme appelé Dynamic qui autorise du tout-terrain encore plus sportif. À peu près tous les éléments du char d'assaut se raidissent pendant que d'autres deviennent plus alertes. Au lieu de ramper sur un rocher acéré, vous pourrez maintenant le survoler. Et si jamais votre témérité s'alignait vers un tonneau, toutes les aides électriques réagiraient en chœur pour prévenir cette catastrophe.

[CONCLUSION] On s'entend, la famille Range Rover n'est pas à la portée de tous les budgets. Si elle l'était, tous les gens à la recherche d'un utilitaire parfait, sur la route comme dans les bois, n'auraient plus à chercher longtemps.

2e OPINION

**ALEXANDRE CRÉPAULT La famille Range Rover, c'est l'excès par excellence. On ne trouve rien de raisonnable dans le 4 x 4. Du luxe, en voilà à la pelletée. De la puissance, on vous en sert autant qu'il en faut. De l'espace, la famille Dion au complet pourrait y tenir. Et sa consommation ? Équivalente à celle d'un bateau de croisière. Par chance, sous sa robe du dimanche se cache un véhicule hors route capable de traverser un désert, l'Amazonie ou le Pôle Nord d'un bout à l'autre. Mais en connaissez-vous, de grands explorateurs qui parcourent la jungle en smoking ? C'est le triste destin qui est réservé à 99 % des RR qui vont se contenter des centres de villégiature, des centres commerciaux et des pentes de ski. Alors comment fait-on pour justifier l'acquisition d'un véhicule dont le prix, autant à l'achat qu'à l'usage, est celui d'un petit pays ?
Je suppose qu'il faut aimer l'excès, être un peu snob sur les bords et avoir de la patience lors des visites d'entretien inévitables.**

5 FICHE TECHNIQUE

· MOTEURS

· (HSE ET RANGE ROVER SPORT)

V8 5,0 l DACT, 375 ch à 6500 tr/min
Couple 375 lb-pi à 3500 tr/min
Transmission automatique à 6 rapports avec mode manuel
0-100 km/h 7,6 sec
Vitesse maximale 210 km/h

· (SUPERCHARGED)

V8 5,0 l suralimenté DACT, 510 ch à 6500 tr/min
Couple 461 lb-pi à 2500 tr/min
Transmission automatique à 6 rapports avec mode manuel
0-100 km/h 6,2 s
Vitesse maximale 225 km/h
Consommation (100 km) 15,0 l (octane 91)
Émissions de CO2 7060 kg/an
Litres par année 2980 l
Coût par an 3278 $
Carburant alternatif non
Empreinte écologique 43 arbres

· AUTRES COMPOSANTES

Sécurité active freins ABS, assistance au freinage, répartition électronique de force de freinage, antipatinage, contrôle de stabilité électronique
Suspension avant/arrière indépendante
Freins avant/arrière disques ventilés
Direction à crémaillère, assistée
Pneus RR HSE P255/55R19
Supercharged P255/50R20

· DIMENSIONS

Empattement RR 2880 mm **RR Sport** 2745 mm
Longueur RR 4972 mm **RR Sport** 4783 mm
Largeur RR 2034 mm **RR Sport** 2004 mm
Hauteur RR 1877 mm **RR Sport** 1784 mm
Poids RR HSE 2584 kg **Supercharged** 2672 kg
RR Sport HSE 2480 kg **Supercharged** 2572 kg
Diamètre de braquage 11,6 m
Coffre RR 2110 l (sièges abaissés)
RR Sport 2013 l (sièges abaissés)
Réservoir de carburant RR 104,5 l **RR Sport** 88 l
Capacité de remorquage 3500 kg

NOTRE VERDICT

Plaisir au volant
Qualité de finition
Consommation
Rapport qualité/prix
Valeur de revente

ES 350

www.lexus.ca

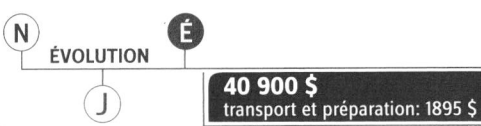

N ÉVOLUTION É J

40 900 $
transport et préparation: 1895 $

LA COTE VERTE

MOTEUR
V6 DE 3,5 L

- **Consommation (100km):** 9,1 l
- **Émissions polluantes CO_2 :** 4464 kg/an
- **Empreinte écologique (nombre d'arbres à planter par année):** 27
- **Indice d'octane:** 87
- **Autre motorisation:** non
- **Coût du carburant moyen par année:** 1860 $
- **Nombre de litres par année:** 1860 l

(SOURCE: ÉnerGuide)

1 FICHE D'IDENTITÉ

- **Versions** 350
- **Roues motrices** avant
- **Portières** 4 **Nombre de passagers** 5
- **Première génération** 1991
- **Génération actuelle** 2007
- **Construction** Tochigi, Japon
- **Sacs gonflables** 8 (frontaux, latéraux avant, rideaux latéraux, aux genoux à l'avant)
- **Concurrence** Acura TL, Buick Lucerne, Cadillac CTS, Chrysler 300, Hyundai Genesis, Kia Amanti, Lincoln MKZ, Nissan Maxima, Toyota Avalon, Volkswagen Passat

2 AU QUOTIDIEN

- **Prime d'assurance**
  25 ans: 2300 à 2500 $
  40 ans: 1200 à 1400 $
  60 ans: 900 à 1100 $
- **Collision frontale** 5/5
- **Collision latérale** 5/5
- **Ventes du modèle de l'an dernier**
  Au Québec 634 **Au Canada** 3634
- **Dépréciation** 47,1%
- **Rappels** (2004 à 2009) aucun
- **Cote de fiabilité** 5/5

3 GARANTIES... ET PLUS

- **Garantie générale** 4 ans/80 000 km
- **Garantie motopropulseur** 6 ans/110 000 km
- **Perforation** 6 ans/kilométrage illimité
- **Assistance routière** 4 ans/kilométrage illimité
- **Nombre de concessionnaires**
  Au Québec 6 **Au Canada** 30

4 NOUVEAUTÉS EN 2010

- Aucun changement majeur

LE LUXE DISCRET

PAR JEAN-PIERRE BOUCHARD

LA BERLINE ES EST UNE VOITURE QUI OFFRE UN LUXE ET UN RAFFINEMENT QUI N'ONT RIEN D'OSTENTATOIRE. À l'instar de la plupart des véhicules de la gamme Lexus, elle affiche des lignes conservatrices qui, à défaut d'attirer les regards, ont le mérite de vieillir paisiblement.

[CARROSSERIE] La berline ne fait pas que partager la plateforme de la Camry, elle lui ressemble. Quand on jette un coup d'œil du côté d'une Infiniti G37 ou, même, de l'élégante Hyundai Genesis, l'ES n'a rien pour embraser les âmes ni pour faire tourner les têtes. Cette sobre discrétion, c'est ce que cherchent toutefois ceux et celles qui s'y intéressent. Ce qui est très bien ainsi.

[HABITACLE] Lexus maîtrise l'art des intérieurs bien assemblés. Une fois à bord, les occupants ne peuvent faire autrement que d'apprécier la qualité des matériaux et de leur texture. Les boiseries et les cuirs fins s'amalgament pour former un ensemble cossu. Les occupants des places avant profitent de sièges conçus pour fournir un excellent confort. Leur galbe assure un bon maintien. En option, celui du conducteur peut être muni d'une rallonge qui procure davantage de soutien pour les cuisses. Le dégagement pour les jambes est généreux, mais celui pour la tête des personnes de grande taille est plus juste. Le conducteur peut trouver facilement une excellente position de conduite. À défaut d'être révolutionnaire, la présentation de la planche de bord mise sur l'efficacité. Tous les éléments sont parfaitement intégrés. La lisibilité des instruments de bord est excellente, de jour comme de nuit. Les commandes, pour la plupart, sont faciles à utiliser. La cabine filtre avec une bonne efficacité la plupart des bruits désagréables. La liste des caractéristiques de série est par ailleurs longue. Et celle des options, qui font partie de groupes d'options, l'est tout autant. La banquette arrière accueille confortablement deux personnes de taille moyenne, car le dégagement pour la tête est insuffisant. Le coffre est de bonnes dimensions, mais seule une trappe au centre de la banquette permet d'y placer des objets longs.

FORCES • Aménagement intérieur • Qualité des matériaux • Confort de roulement • Mécanique onctueuse • Fiabilité

FAIBLESSES • Manque de tempérament • Lignes anonymes

ES 350

[MÉCANIQUE] L'ES350 est dotée d'un V6 de 3,5 litres de 272 chevaux relié à une boîte de vitesses automatique à 6 rapports. Cet ensemble fonctionne avec une grande onctuosité et permet à la berline d'autoriser des accélérations et des reprises efficaces. La berline Infiniti G37, qui loge sous son capot un moteur de 328 chevaux, effectue toutefois les mêmes exercices avec un peu plus de célérité. Mais pour le conducteur type de l'ES, le groupe motopropulseur suffit pleinement. De plus, la consommation moyenne atteint un peu moins de 10,5 litres aux 100 kilomètres, soit une marque fort raisonnable pour une voiture de cette dimension.

[COMPORTEMENT] Pour celui ou celle qui cherche une conduite coulée ou, pour reprendre un mot à la mode, zen, l'ES est le choix le plus sensé. La souplesse de la suspension amortit efficacement les imperfections de la route. La voiture offre un bel équilibre de conduite. Ce n'est toutefois pas une berline aussi agile qu'une G37. Et elle ne procure pas cette sensation d'être rivé au sol comme le font les européennes. Oubliez les sensations de la route, car la communication entre la direction et la chaussée est rompue. Loin d'être mollasse, la conduite donne toujours l'impression de rouler sur un tapis de moquette en laine d'agneau.

[CONCLUSION] Au fil des ans, la division haut de gamme de Toyota a démontré qu'elle pouvait relever le défi de la perfection ou, du moins, de s'en approcher. Mais la perfection a parfois pour conséquence l'ennui. L'ES est une voiture qui offre un habitacle raffiné, un groupe motopropulseur performant, un confort de roulement incomparable et une fiabilité exemplaire. Des qualités qui plairont aux acheteurs qui ont besoin d'une voiture sans souci, mais dont le parfum n'a rien pour éveiller les sens.

2e OPINION

DANIEL RUFIANGE C'est lors d'un aller-retour entre Montréal et Québec que j'ai eu l'occasion de découvrir cette berline. Si ses lignes ne m'ont jamais inspiré - avouons-le, rien pour écrire à sa mère ici - l'expérience a été tout autre au fur et à mesure que les kilomètres se sont ajoutés au compteur. Il faut avouer que, sur l'autoroute, cette voiture est en terrain familier. Sa douceur de roulement est sublime; mes passagers se sont permis quelques roupillons et ronflements tellement l'insonorité transforme l'habitacle en havre de quiétude. Le moteur fait de l'excellent travail, et la consommation demeure... correcte - 9 litres aux 100 kilomètres sur l'autoroute -. L'achat de cette voiture représente une valeur sûre, mais il faut oublier les mots passion et émotion. Une question de priorité quoi !

5 FICHE TECHNIQUE

· MOTEUR
· V6 3,5 l DACT 272 ch à 6200 tr/min
Couple 254 lb-pi à 4700 tr/min
Transmission automatique à 6 rapports avec mode manuel
0-100 km/h 7,3 s
Vitesse maximale 220 km/h

· AUTRES COMPOSANTES
Sécurité active freins ABS, répartition électronique de force de freinage, assistance au freinage, antipatinage, contrôle de stabilité électronique
Suspension avant/arrière indépendante
Freins avant/arrière disques
Direction à crémaillère, assistée
Pneus P215/55R17

· DIMENSIONS
Empattement 2775 mm
Longueur 4855 mm
Largeur 1820 mm
Hauteur 1450 mm
Poids 1624 kg
Diamètre de braquage 11,8 m
Coffre 416 l
Réservoir de carburant 70 l

NOS MENTIONS

Modèle recommandé

NOTRE VERDICT

Plaisir au volant	3/5
Qualité de finition	5/5
Consommation	3,5/5
Rapport qualité/prix	4/5
Valeur de revente	4,5/5

GS

www.lexus.ca

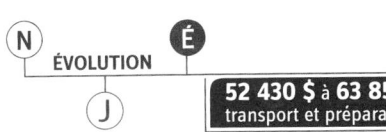

N ÉVOLUTION É J

52 430 $ à 63 850 $
transport et préparation: 1895 $

LA COTE VERTE

AVEC MOTEUR V6 DE 3,5 L HYBRIDE

- **Consommation (100km):** 8,3 l
- **Émissions polluantes CO_2:** 3936 kg/an
- **Empreinte écologique (nombre d'arbres à planter par année):** 24
- **Indice d'octane:** 91
- **Autre motorisation:** hybride
- **Coût du carburant moyen par année:** 1760 $
- **Nombre de litres par année:** 1600 l

(SOURCE: ÉnerGuide)

1 FICHE D'IDENTITÉ

- **Versions** 350, 350 AWD, 460, 450h
- **Roues motrices** arrière, 4
- **Portières** 4 **Nombre de passagers** 5
- **Première génération** 1993
- **Génération actuelle** 2006
- **Construction** Tahara, Japon
- **Sacs gonflables** 10 (frontaux, latéraux avant, latéraux arrière, rideaux latéraux, au niveau des genoux à l'avant)
- **Concurrence** Acura RL, Audi A6, BMW Série 5, Cadillac STS, Infiniti M, Jaguar XF, Mercedes-Benz Classe E, Volvo S80

2 AU QUOTIDIEN

- **Prime d'assurance**
  25 ans: 2700 à 2900 $
  40 ans: 1800 à 2000 $
  60 ans: 1600 à 1800 $
- **Collision frontale** 5/5
- **Collision latérale** 5/5
- **Ventes du modèle de l'an dernier**
  Au Québec 89 **Au Canada** 474
- **Dépréciation** 38,5%
- **Rappels** (2004 à 2009) 2
- **Cote de fiabilité** 5/5

3 GARANTIES... ET PLUS

- **Garantie générale** 4 ans/80 000 km
- **Garantie motopropulseur** 6 ans/110 000 km
- **Perforation** 6 ans/kilométrage illimité
- **Assistance routière** 4 ans/kilométrage illimité
- **Nombre de concessionnaires**
  Au Québec 6 **Au Canada** 30

4 NOUVEAUTÉS EN 2010

- Radio satellite de série, appuis-tête actifs, connectivité audio USB, groupes d'équipements remaniés, nouvel équipement standard (Hybride)

LA SÉDUCTRICE INVISIBLE

PAR DANIEL RUFIANGE

SI L'ON VOUS DEMANDAIT D'IDENTIFIER À BRÛLE-POURPOINT UN PRODUIT LEXUS, IL SERAIT SURPRENANT QUE VOUS NOMMIEZ INSTINCTIVEMENT LA GS. Les modèles IS ou RX, par exemple, sont beaucoup plus connus. À l'inverse, les ES et LX connaissent des carrières tout aussi discrètes que la GS; un hasard, vous croyez ? Bien franchement, non ! Il semble que Lexus se fasse un plaisir et une spécialité de nous offrir des produits aussi efficaces qu'anonymes, et la GS en est un exemple patent. S'il est souvent bon d'être flamboyant dans le milieu, cela ne signifie pas que la discrétion est à proscrire.

[CARROSSERIE] Sous un enrobage circonspect, la silhouette de la GS n'en demeure pas moins superbe. Même si la génération actuelle entreprend sa cinquième année, ses lignes n'en demeurent pas moins modernes et actuelles. La calandre avant, à titre d'exemple, est l'une des plus belles qui soit avec ses quatre phares, un faciès qui rappelle celui de la Saab 9-3. La ligne de profil est élancée et cache à peine la longueur du bolide, près de 5 mètres. Le consommateur peut choisir parmi quatre modèles : 350, 350 AWD, 460 et 450h. Si cette dernière demeure la plus intéressante du groupe, elle est aussi celle qui propose le plus petit coffre en raison de la place exigée par la batterie, située entre le coffre et les places arrière. À considérer si vous avez l'habitude de transporter les sacs de golf de vos compagnons de jeu.

[HABITACLE] Même si la qualité générale de l'habitacle de la GS demeure bonne, je dois avouer que j'ai été irrité par plusieurs petits détails. Rien ne devrait clocher dans l'habitacle d'une voiture de ce prix, et pourtant ! D'abord, du côté des plus, mentionnons une présentation visuelle agréable et une ergonomie sans faille. L'écran tactile est un charme à utiliser, et l'apprentissage de toutes les fonctions n'exige pas un diplôme d'études supérieures. Les propriétaires profiteront même de la présence d'un lecteur de cassettes; oui, la GS vise une clientèle... plus avancée en âge. Par contre, les irritants sont nombreux. Quand on débourse plus de 60 000 billets verts pour une bagnole, c'est décevant. On s'attend, entre autres, à profiter d'une assise réglable à souhait, que la porte de la

FORCES • Grand confort • Très belles lignes • Fiabilité éprouvée • Consommation de la version hybride (moins de 10 L/100 km, en moyenne)

FAIBLESSES • Finition intérieure décevante • Manque de sensations au volant • Anonymat relié à une voiture de ce prix

boîte à gants soit fixée solidement, que les cuirs qui ornent le tableau de bord soient de meilleure facture, et que la qualité de l'assemblage soit une référence; les tableaux de bord de deux versions conduites chantaient comme des oiseaux sur les routes cahoteuses. Lexus doit corriger ce genre de détail.

[MÉCANIQUE] Même si le consommateur a un choix de trois motorisations, en réalité il a droit à deux options : une motorisation à 100 % essence ou hybride. Deux engins classiques équipent les versions 350 et 460 – V6 de 3,5 litres et V8 de 4,6 litres pour 303 et 342 chevaux, respectivement –. Puis, la version hybride pourvue du V6 de 3,5 litres auquel s'adjoint un moteur électrique. Plus puissante, plus économique et écologique, c'est mon choix et celui qui fait le plus de sens; il faut cependant accepter de débourser plus pour cette voiture qui vous remettra vos dollars à la pompe... au compte-gouttes !

[COMPORTEMENT] Ce qui prime à bord d'une GS, c'est le confort. Lexus nous le livre sur un plateau d'argent. En boni, des performances à faire rougir certaines sportives, particulièrement quand on profite de la version hybride. Le seul hic, c'est qu'on ne ressent rien tellement on a l'impression de flotter sur un nuage. La boîte CVT se laisse oublier, un bijou technologique que Lexus maîtrise, ce qu'on ne peut affirmer de toutes ses concurrentes. Je déteste habituellement les boîtes CVT; j'aime la sensation de celle proposée par Lexus.

[CONCLUSION] La GS est noyée dans un univers très concurrentiel et pour attirer les clients, elle doit en donner plus. Mais justement, si elle devait modifier son image pour plaire, ce ne serait plus une Lexus.

2e OPINION

FRANCIS BRIÈRE On retrouve, chez Lexus, une douceur et un silence de roulement hors du commun. La GS ne fait pas exception à la règle. Cette grande berline s'adresse à un public en quête de confort, de luxe, de puissance et de prestige. Moins chère que la LS, elle en donne sans doute un peu moins, mais elle représente tout de même un excellent choix dans sa catégorie.
On n'éprouve guère de sensations fortes au volant d'une GS, mais quel coussin d'air ! Pour une randonnée de longue haleine, soyez assuré d'arriver à destination frais comme une rose. Pour les acheteurs soucieux de l'environnement, un modèle hybride vous est offert. Cette technologie ne battra pas de record, mais elle a l'avantage de brûler moins de carburant.

5 FICHE TECHNIQUE

· MOTEURS

· (GS 350)
V6 3,5 l DACT, 303 ch à 6200 tr/min
Couple 274 lb-pi à 4800 tr/min
Transmission automatique à 6 rapports avec mode manuel
0-100 km/h 6,6 s **AWD** 7,4 s
Vitesse maximale 235 km/h
Consommation (100 km) 2RM 9,2 l
4RM 9,8 l (octane 91)
Émissions de CO_2 2RM 4464 kg/an
4RM 4800 kg/an
Litres par année 2RM 1860 l **4RM** 2000 l
Coût par an 2RM 2046 $ **4RM** 2200 $
Carburant alternatif non
Empreinte écologique 27 arbres

· (GS 460)
V8 4,6 l DACT, 342 ch à 6400 tr/min
Couple 339 lb-pi à 4100 tr/min
Transmission automatique à 8 rapports avec mode manuel
0-100 km/h 6,2 s **Vitesse maximale** 250 km/h
Consommation (100 km) 10,5 l (octane 91)
Émissions de CO_2 5040 kg/an
Litres par année 2100 l
Coût par an 2310 $
Carburant alternatif non
Empreinte écologique 30 arbres

· (GS 450h)
V6 3,5 l DACT + électrique à aimant permanent, 339 ch à 6200 tr/min
Couple 362 lb-pi à 4800 tr/min
Transmission automatique à variation continue avec mode manuel
0-100 km/h 5,8 s **Vitesse maximale** 235 km/h
Consommation (100 km) 8,3 l (octane 91)

· AUTRES COMPOSANTES
Sécurité active freins ABS, répartition électronique de force de freinage, assistance au freinage, antipatinage, contrôle de stabilité électronique
Suspension avant/arrière indépendante
Freins avant/arrière disques ventilés
Direction à crémaillère, assistée
Pneus 350/350 AWD P225/50R17
460/450h P245/40R18

· DIMENSIONS
Empattement 2850 mm
Longueur 4825 mm
Largeur 1820 mm
Hauteur 1425 mm **350 AWD** 1435 mm
Poids 350 1680 kg **350 AWD** 1755 kg **460** 1740 kg **450h** 1875 kg
Diamètre de braquage 11,2 m **350 AWD** 11,4 m
Coffre 360 l **450h** 292 l
Réservoir de carburant 71 l **450h** 65 l

NOS MENTIONS

Modèle recommandé

NOTRE VERDICT

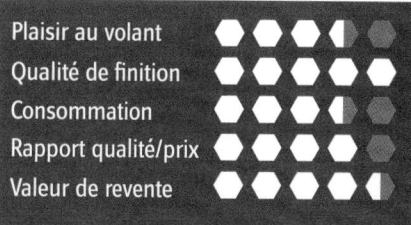

Plaisir au volant
Qualité de finition
Consommation
Rapport qualité/prix
Valeur de revente

GX 470

www.lexus.ca

ÉVOLUTION N É J

60 650 $
transport et préparation: 1895 $

LA COTE VERTE

AVEC MOTEUR V8 DE 4,7 L

- **Consommation (100km):** 13,4 l
- **Émissions polluantes CO_2 :** 6528 kg/an
- **Empreinte écologique (nombre d'arbres à planter par année):** 39
- **Indice d'octane:** 87
- **Autre motorisation:** non
- **Coût du carburant moyen par année:** 2720 $
- **Nombre de litres par année:** 2720 l

(SOURCE: ÉnerGuide)

1 FICHE D'IDENTITÉ

- **Versions** 470 Premium, 470 Ultra Premium
- **Roues motrices** 4
- **Portières** 4 **Nombre de passagers** 8
- **Première génération** 2004
- **Génération actuelle** 2004
- **Construction** Tahara, Japon
- **Sacs gonflables** 6 (frontaux, latéraux avant, rideaux latéraux)
- **Concurrence** Acura MDX, BMW X5, Hyundai Veracruz, Land Rover LR4, Lincoln MKX, Mercedes-Benz ML, Volkswagen Touareg, Volvo XC90

2 AU QUOTIDIEN

- **Prime d'assurance**
  25 ans: 3300 à 3500 $
  40 ans: 1700 à 1900 $
  60 ans: 1600 à 1800 $
- **Collision frontale** 5/5
- **Collision latérale** 5/5
- **Ventes du modèle de l'an dernier**
  Au Québec 21 **Au Canada** 291
- **Dépréciation** (3 ans) 34,0%
- **Rappels** (2004 à 2009) aucun à ce jour
- **Cote de fiabilité** 4/5

3 GARANTIES... ET PLUS

- **Garantie générale** 4 ans/80 000 km
- **Garantie motopropulseur** 6 ans/110 000 km
- **Perforation** 6 ans/kilométrage illimité
- **Assistance routière** 4 ans/kilométrage illimité
- **Nombre de concessionnaires**
  Au Québec 6 **Au Canada** 30

4 NOUVEAUTÉS EN 2010

- Nouveau modèle à venir en 2010 sur la base du nouveau 4 Runner

UN DINOSAURE EN PANTOUFLE

PAR ALEXANDRE CRÉPAULT

LE LEXUS GX 470 N'EST PLUS D'ACTUALITÉ. En fait, Toyota aurait dû depuis longtemps le remplacer... ou carrément le faire disparaître.

[CARROSSERIE] Sous la tôle du GX se dissimule plus ou moins bien un Toyota 4Runner qu'on a couronné de symboles Lexus. En raison d'un choix de couleurs discrètes, comme le taupe, le gris ou le noir, le GX flamboie autant qu'une éclipse solaire. Et on ne peut que dénigrer le coffre, qui s'ouvre non pas comme un hayon normal, mais de côté, comme une portière... ce qui peut devenir particulièrement irritant.

[HABITACLE] Ici aussi, il est temps pour Lexus de revoir le GX. Bien qu'on y trouve plus de bois et de cuir que dans le salon de Mme Marois, l'habitacle commence à montrer son âge. Le design se révèle banal, et on repassera pour l'aspect pratique. Les commutateurs ne sont pas toujours d'accès facile, et le groupe d'indicateurs rappelle celui d'une Camry d'il y a 10 ans. Enfin, le GX 470 peut accueillir quatre adultes très confortablement, plus trois autres occupants grâce à la troisième rangée de bancs, ce qui porte à huit occupants la capacité de transport du véhicule.

[MÉCANIQUE] Le V8 de 4,7 litres du GX est muni de la distribution à calage variable intelligente (VVT-i) et nourri de soupe au poids (indice d'octane 87). Cette motorisation produit le couple nécessaire, tant pour les sorties au centre commercial que pour les gros travaux de remorquage. Comment gros ? Tenez-vous bien, le GX peut tirer jusqu'à 2948 kilos ! La boîte de vitesses à 5 rapports est la seule offerte au catalogue, tandis qu'un levier qu'on retrouve au centre de la console centrale contrôle le système à quatre roues motrices du GX. De plus, le véhicule est équipé d'une suspension variable adaptative qui se règle continuellement aux conditions de la route. Elle peut également être abaissée électroniquement de quatre centimètres afin de faciliter le chargement ou d'assurer un meilleur centre de gravité sur la route.

FORCES • Capacités tout-terrains • Espace • Luxe

FAIBLESSES • Consommation exorbitante • Nouveau modèle à l'horizon • Comportement montrant son âge

GX 470

5 FICHE TECHNIQUE

· MOTEUR

· V8 4,7 l DACT, 263 ch à 5400 tr/min
Couple 323 lb-pi à 3400 tr/min
Transmission automatique à 5 rapports
0-100 km/h 8,6 s
Vitesse maximale 190 km/h

· AUTRES COMPOSANTES

Sécurité active freins ABS, répartition électronique de force de freinage, assistance au freinage, antipatinage, contrôle de stabilité électronique
Suspension avant/arrière indépendante, essieu rigide
Freins avant/arrière disques ventilés
Direction à crémaillère, assistée
Pneus P265/65R17

· DIMENSIONS

Empattement 2790 mm
Longueur 4780 mm
Largeur 1880 mm
Hauteur 1895 mm
Poids 2150 kg
Diamètre de braquage 11,7 m
Coffre 1238 l, 2513 l (sièges abaissés)
Réservoir de carburant 87 l
Capacité de remorquage 2948 kg

[COMPORTEMENT] Je me rappelle encore le lancement du GX 470 en 2004. Toyota Canada nous avait invités à tester les habiletés hors route de son véhicule sur un parcours inégal qui, à première vue, semblait défier les lois de la gravité. Le GX avait réussi à franchir tous les obstacles sans broncher. Pour mettre à l'épreuve la commande d'assistance en descente (DAC), Toyota nous avait même fait dévaler un gigantesque cratère au volant d'un GX tout neuf, juste pour nous montrer qu'on pouvait arriver en bas et traverser un lac confortablement assis dans les somptueux fauteuils en cuir. C'est le genre de gâterie qu'on croyait exclusive à Land Rover. Remarquez, c'était à l'époque où l'on se souciait autant de la consommation de carburant que de l'antigel utilisé. Car si je me meurs d'amour pour le GX capable d'attaquer un train de guerre et de se montrer douillet sur la route, les 15 litres ou plus de carburant qu'il absorbe tous les 100 kilomètres en ville me font tout bonnement mourir de peur. Également, le GX est monté sur un châssis à échelle et utilise un essieu arrière rigide, ce qui, parfois, compromet sérieusement son comportement. Ne vous en faites pas trop, cependant : le GX possède tous les éléments de sécurité nécessaires pour prévenir le pire, du contrôle de la stabilité à l'antipatinage actif, en passant par la répartition de la force du freinage.

[CONCLUSION] Le GX ne se révèle pas vraiment une option logique, sauf peut-être, à la limite, dans l'occasion, auquel cas la qualité de sa construction pourrait jouer un rôle dans la prise de décision. Sinon, attendons de voir quel genre de méga utilitaire hybride de luxe Lexus nous proposera sous peu.

2e OPINION

PHILIPPE LAGUË Ces gros 4 x 4 de luxe constituent une espèce en voie de disparition, et c'est très bien ainsi. Dans le genre inutile, c'est difficile à battre : ils n'offriront jamais le confort d'une berline de prestige, encore moins la tenue de route. Quant à leurs présumées qualités hors route, lâchez-moi avec cela : vous avez déjà vu un de ces joujoux coûteux dans des sentiers ? Moi non plus. Pourquoi en achète-t-on, alors ? Pour frimer, bien sûr. À Miami, à Los Angeles et dans les paradis « bling bling » du gratin « euro-trash », ils font fureur. Mais chez nous, leur popularité a fondu comme neige au soleil. Intrinsèquement, le GX 470 n'est pas un mauvais véhicule; après tout, c'est un Lexus. Mais dans le contexte actuel, il n'a plus sa place. S'il vous faut absolument un VUS, optez plutôt pour le RX qui, lui, au moins, est offert en version hybride.

NOS MENTIONS

Modèle recommandé

NOTRE VERDICT

Plaisir au volant	3/5
Qualité de finition	4,5/5
Consommation	2/5
Rapport qualité/prix	4/5
Valeur de revente	4/5

HS 250 h

www.lexus.ca

N NOUVEAUTÉ É J

34 200 $ (US)
transport et préparation: 1895 $

LA COTE VERTE

AVEC MOTEUR L4 2,4 L

- **Consommation (100km):** 5,7 l
- **Émissions polluantes CO_2 :** 2736 kg/an
- **Empreinte écologique (nombre d'arbres à planter par année):** 17
- **Indice d'octane:** 87
- **Autre moorisation** hybride
- **Coût du carburant moyen par année:** 1140 $
- **Nombre de litres par année:** 1140 l

(SOURCE: ÉnerGuide)

1 FICHE D'IDENTITÉ

- **Versions** unique
- **Roues motrices** avant
- **Portières** 4 **Nombre de passagers** 5
- **Première génération** 2010
- **Génération actuelle** 2010
- **Construction** Tuchigi, Japon
- **Sacs gonflables** 10
- **Concurrence** Ford Fusion hybride

2 AU QUOTIDIEN

- **Prime d'assurance**
  25 ans: 1800 à 2000 $
  40 ans: 1200 à 1400 $
  60 ans: 900 à 1100 $
- **Collision frontale** 5/5
- **Collision latérale** 5/5
- **Ventes du modèle de l'an dernier**
  Au Québec nm **Au Canada** nm
- **Dépréciation** nm
- **Rappels** (2004 à 2009) nm
- **Cote de fiabilité** nm

3 GARANTIES... ET PLUS

- **Garantie générale** 4 ans/80 000 km
- **Garantie motopropulseur** 6 ans/110 000 km
- **Perforation** 6 ans/kilométrage illimité
- **Assistance routière** 4 ans/kilométrage illimité
- **Nombre de concessionnaires**
  Au Québec 6 **Au Canada** 30

4 NOUVEAUTÉS EN 2010

- Nouveau modèle

LA PRIUS DE LUXE

PAR BENOIT CHARETTE

FIÈRE DE SA RÉPUTATION DE PIONNIÈRE DANS LE MONDE DE L'HYBRIDE, TOYOTA VEUT ÉTENDRE SON INFLUENCE À SA DIVISION DE LUXE. Pour 2010, l'opulente LS 600h aura maintenant de la compagnie plus abordable au sein de la famille avec la nouvelle HS 250 h. Cette nouvelle venue prend place au sein de la gamme du constructeur japonais entre l'IS et l'ES. Construite sur un châssis modifié de la plus récente génération de la Prius, la HS 250 h pigera toutefois dans la Camry hybride pour sa motorisation et deviendra ainsi le premier modèle Lexus à 4 cylindres sur le marché.

[CARROSSERIE] Difficile de qualifier la HS de beauté mobile. Les voitures écologiques répondent avant tout à des impératifs d'efficacité, la forme avant la fonction. La HS 250h mesure 4,69 mètres de longueur, 1,50 mètre de hauteur et 1,78 mètre de largeur. Elle se place donc entre la petite IS (4,53 mètres de longueur) et l'ES (4,85 mètres de longueur). Dans ce cas-ci, les concepteurs ont travaillé l'aérodynamisme puisque la berline affiche un coefficient de traînée (Cx) avantageux de 0,27. Ainsi, Lexus ne s'est pas contentée d'implanter une motorisation hybride dans la HS 250h, c'est toute la voiture qu'elle a pensée pour en réduire l'impact écologique : les plastiques utilisés dans l'habitacle sont des plastiques organiques qui ne rejettent pas de carbone au cours de leur fabrication, le pare-brise permet de diminuer les effets du rayonnement infrarouge dans le but de réduire l'utilisation de la climatisation, et un dispositif de récupération de chaleur à l'échappement permet de favoriser la montée en température du moteur, des caractéristiques qu'on retrouve également dans la Prius.

[HABITACLE] À l'intérieur, on remarque une étrange commande située dans la console centrale à la place du levier de vitesses. Ce semblant de souris d'ordinateur, empruntée au RX 2010, contrôle un groupe multimédia très bien intégré au véhicule. Parmi les fonctions offertes, vous avez la connectivité Bluetooth, les commandes vocales, le système de navigation, la radio satellite et des prises USB et iPod. Pour le reste, la planche de bord joue le classicisme, et, comme

FORCES • Beaucoup de technologie embarquée • Format intéressant

FAIBLESSES • Lignes auxquelles il faut s'habituer

HS 250 h

il se doit, cette nouvelle Lexus se révèle suréquipée. La sécurité n'a pas été mise au rancart. Au chapitre des équipements, on relèvera la présence de pas moins de dix coussins de sécurité gonflables et une caméra détectant les changements de voie, le conducteur étant prévenu par des vibrations dans le volant. Ce système comprend également un régulateur de vitesse intelligent qui conserve une distance prédéterminée entre vous et la voiture qui vous précède.

[MÉCANIQUE] La HS est la première Lexus à moteur à 4 cylindres sur la route. Le châssis, construit sur celui de la Prius, est donc une traction, mais le moteur de 2,4 litres provient plutôt de la Camry hybride. Le combiné moteur à essence/moteur électrique offre une puissance de 187 chevaux. Comme le véhicule utilitaire hybride RX 450 h 2010, la Lexus HS 250h 2010 comprend un nouveau système de récupération de chaleur de l'échappement dont le rôle consiste à améliorer son rendement énergétique. Ce système réduit le temps d'échauffement, ce qui permet au moteur à essence de s'arrêter plus tôt, plus souvent et pendant de plus longues périodes en conduite normale. Tout comme la Prius, c'est une boîte de vitesses à variation continue qui transmet la puissance aux roues.

[COMPORTEMENT] Comme il ne faut pas trop compter sur le plaisir de conduire au volant d'un tel véhicule, Lexus a plutôt misé sur le silence de roulement et une suspension bien calibrée. Des amortisseurs dynamiques installés à tous les points de support du moteur à essence réduisent les bruits et les vibrations; des résonateurs réduisent le bruit de l'admission, et un écoulement optimisé des gaz réduit le bruit de l'échappement. Des enduits spéciaux amortissent le bruit du moteur et de la route, tandis que des joints de portières, de capot et d'ailes améliorés réduisent la transmission du bruit du vent à l'habitacle. On a réduit les vibrations en améliorant la forme et l'épaisseur des points de montage de la suspension.

[CONCLUSION] Les consommateurs auront maintenant la possibilité de se procurer un hybride plus luxueux, plus technologique et plus puissant que la Prius, mais à un prix encore réaliste.

5 FICHE TECHNIQUE

· MOTEUR

L4 2,4 l DACT IEMS, 187 ch à 6000 tr/min
Couple 138 lb-pi à 4400 tr/min
Transmission automatique à variation continue
0-100 km/h 8,4 s
Vitesse maximale 180 km/h

· AUTRES COMPOSANTES

Sécurité active freins ABS, répartition électronique de force de freinage, assistance au freinage, antipatinage et contrôle de stabilité électronique
Suspension avant/arrière indépendante
Freins avant/arrière disques
Direction à crémaillère, assistée
Pneus P215/55R17
Option P225/45R18

· DIMENSIONS

Empattement 2700 mm
Longueur 4694 mm
Largeur 1786 mm
Hauteur 1506 mm
Poids 1670 kg
Diamètre de braquage 11,4 m
Coffre 342 l
Réservoir de carburant 55 l

NOS MENTIONS

Le choix vert

IS

www.lexus.ca

N ÉVOLUTION É J

33 050 $ à 60 400 $
transport et préparation: 1893 $

LA COTE VERTE

AVEC MOTEUR V6 DE 2,5 L

- **Consommation (100km):** **auto.** 8,3 l **auto. AWD** 9,1 l
- **Émissions polluantes CO^2 :** **auto.** 4032 kg/an **auto. AWD** 4416 kg/an
- **Empreinte écologique (nombre d'arbres à planter par année):** 27
- **Indice d'octane:** 91
- **Autre motorisation:** non
- **Coût du carburant moyen par année:** **auto.** 1848 $ **auto. AWD** 2024$
- **Nombre de litres par année:** **auto.** 1680 l **auto. AWD** 1840 l

(SOURCE: ÉnerGuide)

1 FICHE D'IDENTITÉ

- **Versions** 250, 250 AWD, 350, décapotable
- **Roues motrices** arrière, 4
- **Portières** 4 **Nombre de passagers** 4
- **Première génération** 1999
- **Génération actuelle** 2006
- **Construction** Tochigi, Japon
- **Sacs gonflables** 8 (frontaux, latéraux avant, rideaux latéraux, genoux à l'avant)
- **Concurrence** Acura TSX, Audi A4, BMW Série 3, Cadillac CTS, Infiniti G37, Mercedes-Benz Classe C, Volvo S40

2 AU QUOTIDIEN

- **Prime d'assurance**
  25 ans: 2100 à 2300 $
  40 ans: 1300 à 1500 $
  60 ans: 1100 à 1300 $
- **Collision frontale** 4/5
- **Collision latérale** 5/5
- **Ventes du modèle de l'an dernier**
  Au Québec 772 **Au Canada** 3600
- **Dépréciation** 16%
- **Rappels (2004 à 2009)** 3
- **Cote de fiabilité** 5/5

3 GARANTIES... ET PLUS

- **Garantie générale** 4 ans/80 000 km
- **Garantie motopropulseur** 6 ans/110 000 km
- **Perforation** 6 ans/kilométrage illimité
- **Assistance routière** 4 ans/kilométrage illimité
- **Nombre de concessionnaires**
  Au Québec 6 **Au Canada** 30

4 NOUVEAUTÉS EN 2010

- Modèle décapotable

RAISON ET PASSION

PAR FRANCIS BRIÈRE

QUELLE EST LA RECETTE POUR SÉDUIRE UN ACHETEUR DE PETITE BERLINE DE LUXE ? BON CONFORT, LUXE, BELLE MOTORISATION PERFORMANCES. BIEN. Lexus, avec sa gamme IS, propose un produit pourtant doté de toutes ces belles qualités. Mais le constructeur japonais se heurte à une concurrence difficile à ébranler. En effet, BMW, Audi et Mercedes-Benz offrent des voitures qui satisfont cette clientèle depuis belle lurette. Ils fabriquent des berlines sportives et luxueuses comme si c'était une seconde nature. Pour Lexus, la route s'annonce longue, même si son produit n'est pas à dédaigner.

[CARROSSERIE] Souvent considérée comme anonyme, la silhouette de l'IS manque sans doute de panache, mais elle figure parmi les belles berlines à sillonner nos routes. L'IS F affiche une mine plus agressive, avec ses roues de 19 pouces, ses ailes élargies et son échappement à deux tuyaux doubles.

[HABITACLE] Une chose m'a frappé en montant à bord de la Lexus IS250 : l'immensité de ses piliers. C'est un détail, mais qui peut devenir agaçant. La console vous laisse indifférent, la présentation aussi. Du reste, elle est efficace. En position de conduite, les sièges offrent du confort à volonté, mais ils ne moulent pas le corps comme le font ceux de BMW. Ça plaît davantage aux Américains. En ce qui concerne la finition, rien à reprocher. Les matériaux de bonne qualité meublent l'habitacle, qui procure un espace luxueux et douillet.

[MÉCANIQUE] Deux V6 et un V8 composent la motorisation offerte pour la Lexus IS. La 250 est propulsée grâce à un engin de 2,5 litres qui peut se révéler juste dans certaines situations. La boîte de vitesses manuelle, seulement offerte avec cette livrée, produit des changements de rapports qui manquent un peu de douceur. Pour une conduite en hiver, il est impératif d'opter pour le modèle à transmission intégrale. En roulant sur le moindre tapis neigeux, la propulsion devient irritante, l'aide électronique à la conduite, ahurissante ! En fin de compte, la voiture peine à avancer. La version 350, comme on s'en doute un peu, profite

FORCES • Douceur de roulement • Belle motorisation (IS F) • Confort

FAIBLESSES • Aide électronique intrusive • Conduite en hiver (RWD) • Plaisir de conduite discutable

d'un moteur de 3,5 litres qui produit 100 chevaux de plus que le premier. De fait, il rend davantage justice à cette voiture. En revanche, c'est la version IS F qui est choyée du point de vue de la motorisation. Son V8 de 416 chevaux la propulse de 0 à 100 km/h en cinq secondes et des poussières. Les accélérations sont douces et puissantes, la sonorité est enivrante. Son principal défaut : il manque environ 1000 tours par minute pour tirer le maximum de puissance de l'engin. Étant donné la coupure de couple hâtive, on perd un peu de performance.

[COMPORTEMENT] Sur la route, les occupants bénéficient d'un confort hors du commun pour ce genre de voitures. La tenue de cap est sûre malgré une direction qui pourrait gagner un peu de justesse. À bord de l'IS F, l'envie nous prend de mettre les gaz à fond et de se laisser propulser au son de ce merveilleux engin. En revanche, les routes du Québec et les lois provinciales nous empêchent de profiter pleinement d'un tel bolide. Ces plaisirs interdits ne peuvent être comblés que sur la piste. Pour le chemin de tous les jours, l'IS250 à transmission intégrale convient très bien, surtout l'hiver.

[CONCLUSION] La gamme IS de Lexus offre beaucoup de possibilités. Les prix varient beaucoup aussi : de 33 000 à 81 000 dollars. Peu importe la livrée choisie, il s'agit d'un produit de bonne qualité, fiable et intéressant. Je m'interroge quant au réel plaisir qu'il procure, surtout en considérant l'offre concurrente. Une Série 3 de BMW ou encore une M3 risque d'élever davantage le niveau d'adrénaline du conducteur. Pour le même prix qu'une IS F, on se saoule de vitesse et de testostérone avec la C63 AMG de Mercedes-Benz. Dommage pour Lexus, qui s'attaque à un marché dominé par les allemandes.

2e OPINION

ALEXANDRE CRÉPAULT Avec l'arrivée de la nouvelle IS-C à toit rétractable, la famille de l'IS est plus complète que jamais. La super IS-F, avec plus de 400 chevaux sous le pied droit, continue de trôner, tandis que les modèles 250 et 350 à transmission intégrale se partagent le titre de valeur sûre. Mais mon coup de cœur demeure la version de base. Offerte dans les bas 30 000 dollars, le modèle à moteur 2,5-litres jumelé à la boîte de vitesses manuelle et à la propulsion offre une combinaison de caractéristiques à la fois amusantes et luxueuses. Le seul bémol est la rapidité à laquelle la facture peut grimper si l'on se laisse tenter par les options au catalogue. Je ne dirais pas non à une version à hayon comme le proposait sa devancière, l'IS 300.

5 FICHE TECHNIQUE

· MOTEURS

· (250, 250 AWD)

V6 2,5 l DACT, 204 ch à 6400 tr/min
Couple 185 lb-pi à 4800 tr/min
Transmission manuelle à 6 rapports, automatique à 6 rapports avec mode manuel (en option, de série sur 250 AWD)
0-100 km/h 8,3 s
Vitesse maximale 225 km/h

· (350)

V6 3,5 l DACT, 306 ch à 6400 tr/min
Couple 277 lb-pi à 4800 tr/min
Transmission automatique à 6 rapports avec mode manuel
0-100 km/h 5,8 s
Vitesse maximale 240 km/h
Consommation (100 km) 9,4 l (octane 91)
Émissions de CO_2 4560 kg/an
Litres par année 1900 l
Coût par an 2850 $
Empreinte écologique 27 arbres

· AUTRES COMPOSANTES

Sécurité active freins ABS, répartition électronique de force de freinage, assistance au freinage, antipatinage, contrôle de stabilité électronique
Suspension avant/arrière indépendante
Freins avant/arrière disques **IS-F** disques percés
Direction à crémaillère, assistée
Pneus 250 P205/55R16 **250 AWD** P225/45R17 **350** P225/45R17 **(av.)**, P245/45R17 **(arr.)** **350** P255/40R18 **(en option)** **IS F** P225/40R19 **(av)**, P255/35R19 **(ar.)**

· DIMENSIONS

Empattement 2730 mm
Longueur 4575 mm **IS F** 4660 mm
Largeur 1800 mm **IS F** 1815mm
Hauteur 1425 mm **250 AWD** 1440 mm **IS F** 1415mm
Poids 250 1567 kg **250 AWD** 1656 kg **350** 1600 kg **IS F** 1715 kg
Diamètre de braquage 10,2 m **IS F** 11m
Coffre 378 l **IS F** 311 l
Réservoir de carburant 65 l **IS F** 64 l

NOS MENTIONS

Modèle recommandé

Coup de coeur

NOTRE VERDICT

Plaisir au volant	4,5/5
Qualité de finition	4,5/5
Consommation	3,5/5
Rapport qualité/prix	4,5/5
Valeur de revente	4/5

IS F

www.lexus.ca

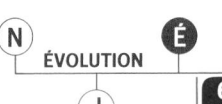

N ÉVOLUTION É J

66 450$
transport et préparation: 1895 $

LA COTE VERTE

MOTEUR
V8 DE 5,0 L

- **Consommation (100km):** 10,8l
- **Émissions polluantes CO_2 :** 5280 kg/an
- **Empreinte écologique (nombre d'arbres à planter par année):** 32
- **Indice d'octane:** 91
- **Autre motorisation:** non
- **Coût du carburant moyen par année:** 2420$
- **Nombre de litres par année:** 2200 l

(SOURCE: ÉnerGuide)

1 MOTEUR

- **(IS-F)**
  V8 5,0 l DACT, 416 ch à 6600 tr/min
  Couple 371 lb-pi à 5200 tr/min
- **Transmission** automatique à 8 rapports avec mode manuel
- **0-100 km/h** 4,9 s
- **Vitesse maximale** 250 km/h

2 AUTRES COMPOSANTES

- **Sécurité active** freins ABS, répartition électronique de force de freinage, assistance au freinage, antipatinage, contrôle de stabilité électronique
- **Suspension avant/arrière** indépendante
- **Freins avant/arrière** disques IS-F disques percés
- **Direction** à crémaillère, assistée
- **Pneus** P225/40R19 (av), P255/35R19 (ar.)

3 DIMENSIONS

- **Empattement** 2730 mm
- **Longueur** 4660 mm
- **Largeur** 1815mm
- **Hauteur** 1415mm
- **Poids** 1715 kg
- **Diamètre de braquage** 11m
- **Coffre** 311 l
- **Réservoir de carburant** 64 l

4 NOUVEAUTÉS EN 2010

- Aucun changement majeur

PARADIS ARTIFICIEL

PAR FRANCIS BRIÈRE

LEXUS A JOUÉ D'AUDACE EN PRÉSENTANT SON IS F EN 2008. LES ALLEMANDES POSSÈDENT DES LIEUX D'AVANCE EN CE QUI CONCERNE CES BERLINES SPORTIVES DE GRAND LUXE. Tâche quasi impossible de déloger BMW du sommet, fallait aussi la mesurer à la C63 AMG de Mercedes-Benz ! Malgré la concurrence féroce et impitoyable, le constructeur japonais peut être fier de sa réalisation.

[CARROSSERIE] Il s'agit bien d'une Lexus IS, mais plus musclée. On note les tuyaux d'échappement doubles, les prises d'air latérales, une protubérance sur le capot et des roues en alliage exclusives. La suspension sport abaisse quelque peu la caisse, ce qui lui confère une allure plus agressive.

[HABITACLE] Il y a peu de différences entre l'intérieur d'une IS F et celui d'une IS. Outre quelques fioritures dans la planche de bord, les sièges offrent plus de maintien latéral et moulent un peu mieux l'anatomie. Le manque de souplesse en ce qui a trait aux réglages du siège du conducteur peut devenir irritant, en particulier si l'on souhaite conduire avec le dossier bien droit.

[MÉCANIQUE] La Lexus IS F se déplace à toute vitesse grâce à un V8 de 5 litres qui développe 416 chevaux. Il est jumelé à une boîte de vitesses automatique à 8 rapports avec leviers de sélection au volant. Ce tandem fait de bien belles choses, mais il manque environ 1000 tours par minute au moteur pour en tirer la pleine puissance. Quel dommage ! De fait, il faut changer de rapport un peu trop tôt, ce qui a pour effet de réduire les performances.

[COMPORTEMENT] Un peu lourde du nez, l'IS F montre des qualités de sportive, même sur circuit. Elle est confortable sur l'autoroute. Le mode sport rehausse quelque peu les performances en augmentant le régime moteur et en durcissant la suspension.

[CONCLUSION] Même si la Lexus IS F n'est pas à la hauteur des BMW M3 et Mercedes-Benz C63 AMG, elle représente une bonne affaire. Si le confort demeure une priorité, cette berline en donne pour son argent.

FORCES • V8 souple et ultra puissant • Confort appréciable • Boîte de vitesses sophistiquée

FAIBLESSES • Manque de régime moteur • Électronique intrusive • Sonorité fabriquée

MOTOMAG.TV
LE SHOW DES PASSIONNÉS
Essais routiers Voyages Routes à découvrir
Entrevues Nouveaux produits et gadgets
Entrez dans l'univers de la moto au Québec avec Éric Ménard !
Avril 2010
Saison III
sur les ondes de RDS
Lucas Production Vidéo inc.
RDS HD
MOTO Internationale Montréal
BOUTIQUE, PIÈCES & ACCESSOIRES DEPUIS 1958
YAMAHA

LS 460/600h L

www.lexus.ca

N ÉVOLUTION É J

74 900 $ à 141 750 $
transport et préparation: 1895 $

LA COTE VERTE

MOTEUR V8 DE 5,0 L HYBRIDE

- **Consommation (100 km)** 9,9 l (octane 91)
- **Émissions polluantes CO_2** 4752 kg/an
- **Empreinte écologique (nombre d'arbres à planter par année):** 29
- **Autre motorisation** hybride
- **Nombre de litres par année** 1980 l
- **Coût du carburant moyen par année:** 2178 $

(SOURCE: ÉnerGuide)

1 FICHE D'IDENTITÉ

- **Versions** 460, 460 L, 600h L
- **Roues motrices** arrière, AWD (hybride)
- **Portières** 4 **Nombre de passagers** 5
- **Première génération** 1990
- **Génération actuelle** 2007
- **Construction** Tahara, Japon
- **Sacs gonflables** 8 (frontaux, latéraux avant et arrière, rideaux latéraux)
- **Concurrence** Audi A8, BMW Série 7, Mercedes-Benz Classe S

2 AU QUOTIDIEN

- **Prime d'assurance**
  25 ans: 3300 à 3500 $
  40 ans: 2000 à 2200 $
  60 ans: 1800 à 2000 $
- **Collision frontale** nd
- **Collision latérale** nd
- **Ventes du modèle de l'an dernier**
  Au Québec 40 **Au Canada** 311
- **Dépréciation** (2 ans) 26%
- **Rappels** (2004 à 2009) 1
- **Cote de fiabilité** 4,5/5

3 GARANTIES... ET PLUS

- **Garantie générale** 4 ans/80 000 km
- **Garantie motopropulseur** 6 ans/110 000 km
- **Perforation** 6 ans/kilométrage illimité
- **Assistance routière** 4 ans/kilométrage illimité
- **Nombre de concessionnaires**
  Au Québec 6 **Au Canada** 30

4 NOUVEAUTÉS EN 2010

- Aucun changement majeur

À VOTRE SERVICE

PAR FRANCIS BRIÈRE

PLUSIEURS ÉLÉMENTS SONT À CONSIDÉRER QUAND UN JOURNALISTE DOIT RÉDIGER SA CRITIQUE POUR UN VÉHICULE COMME CE-LUI-CI. UN DE CES ÉLÉMENTS CONCERNE L'ACHETEUR TYPE. Ne soyez pas étonné si je vous raconte que le propriétaire d'une Lexus LS risque fort de s'asseoir sur la banquette arrière la majorité du temps. Mais sachez que cette voiture est aussi agréable pour le conducteur que pour ses passagers.

[CARROSSERIE] S'il est vrai que la silhouette de la LS est anonyme, sa discrétion ne l'empêche pas de briller par son élégance. J'apprécie les lignes, en particulier l'arrière qui est splendide. La LS ne profite pas d'un design aussi audacieux que celui de la BMW Série 7, mais ce modèle de Lexus attire l'œil. L'échappement en forme de trapèze lui donne un air masculin. En revanche, la devanture pourrait afficher un peu plus d'éclat. Autrement, peinture, qualité de finition et d'assemblage, tout est parfait ! Je l'ai possédée, ne fut-ce qu'un instant, vêtue de noir... Quelle noblesse !

[HABITACLE] Voici maintenant le bureau ! En effet, puisque c'est là que l'acheteur profitera le plus de ce que peut offrir cette voiture. Si la planche de bord et la console font très Lexus, ce qui signifie que l'ergonomie est efficace mais sans génie esthétique, ce sont les sièges et l'espace réservés aux occupants qui attirent l'attention. On y retrouve autant de confort que dans son salon. Les sièges à l'arrière se règlent de mille et une façons (y compris le dossier !) de sorte que l'on obtient la position idéale. Les matériaux utilisés pour la conception de l'habitacle sont de grande qualité, de même que la finition. L'insonorisation, supérieure à celle d'une Audi A8, procure un environnement paisible, même sur l'autoroute. La chaîne audio n'impressionne pas autant que celle de Bang & Olufsen, mais elle comble le silence de roulement avec beaucoup de douceur.

[MÉCANIQUE] Un V8 de 4,6 litres propulse la version 460. Couplé à la boîte de vitesses à 8 rapports, cet engin fait des merveilles. D'une douceur incomparable, le moteur produit des accélérations franches, silencieuses, onctueuses à

FORCES • Confort indécent • Luxe omniprésent • Douceur de roulement

FAIBLESSSES • Prix • Version hybride discutable

LS 460/600h L

souhait. Les changements de rapports passe inaperçu. La suspension vous donne l'impression de filer sur un coussin d'air. La LS460 est aussi offerte équipée d'une transmission intégrale. Voilà qui peut servir pour nos hivers. Quant à la 600h, c'est un V8 de 5 litres qui l'anime. Le seul moteur à essence produit 438 chevaux. Jumelé à un composant électrique, cet engin fournit une puissance phénoménale. En revanche, le système hybride a pour effet d'alourdir considérablement le véhicule. On s'interroge sur l'utilité de la chose, surtout pour une voiture de cette catégorie.

[COMPORTEMENT] Routière hors pair, la Lexus LS ne demande qu'à manger la route. Elle se compare avantageusement à une Mercedes-Benz de Classe S, ou encore à une BMW Série 7. Seule l'Audi S8 se comporte avec autant de douceur que la LS. En revanche, si vous croyez que cette grosse voiture agit comme un somnifère sur la route, détrompez-vous. On éprouve un réel plaisir au volant. On se laisse transporter par le silence et l'onctuosité du roulement, on fait monter l'adrénaline en sollicitant la puissance du moteur. Oubliez l'idée d'une voiture lourde et encombrante, la LS vous surprendra par sa maniabilité. Même sur une route sinueuse, elle se manie avec aisance sans sous-virer.

[CONCLUSION] La Lexus LS se trouve dans une catégorie où bien peu d'élues peuvent se faire valoir. Bien que ce marché soit dominé par les allemandes, elle tire son épingle du jeu et de façon honorable. Plus agréable à conduire qu'une Mercedes-Benz, plus maniable qu'une Série 7 de BMW et plus silencieuse qu'une Audi A8, la LS s'adresse à un public averti. Même s'il s'agit d'une voiture exceptionnelle, Lexus en vend une poignée annuellement. Avec un tel prix affiché, on comprend pourquoi. Sa destinée risque de croiser celle du politicien ou de l'homme d'affaires nomade.

2e OPINION

FRÉDÉRIC MASSE Je pourrai dire que je me suis assis dans la même voiture que Sir Paul McCartney une fois dans ma vie. Lors du 400e de Québec, j'ai reçu ma voiture d'essai, une LS600h, deux jours plus tard que prévu, l'ancien Beatles l'ayant réquisitionné. Mais le Sir ne choisit pas cette voiture pour rien... La LS est une voiture qu'on cajole et qui nous le rend bien. Sans être totalement impotente, elle n'est évidemment pas destinée aux amateurs de conduite sportive, la nouvelle BMW Série 7 s'en charge maintenant fort bien, mais plutôt à la conduite docile. Extrêmement confortable, raisonnablement puissante, économe à rouler, d'une ergonomie irréprochable et fiable comme pas une, elle rendra très longtemps de fiers services à son acheteur. Tout cela sans compter le service après-vente plus que reconnu qu'on tente de copier partout. C'est doux, c'est mou, c'est rempli de bidules technos, mais c'est tout de même tellement agréable....

5 FICHE TECHNIQUE

• MOTEURS

• (460, 460L)

V8 4,6 l DACT, 380 ch à 6400 tr/min
Couple 367 lb-pi à 4100 tr/min
Transmission automatique à 8 rapports avec mode manuel
0-100 km/h 5,7 s
Vitesse maximale 210 km/h (limitée)
Consommation (100km): 11,0 l
Émissions polluantes CO_2 : 5184 kg/an
Empreinte écologique (nombre d'arbres à planter par année): 31
Indice d'octane: 91
Carburant alternatif: non
Coût du carburant moyen par année: 2376 $
Nombre de litres par année: 2160 l

• (600h L)

V8 5,0 l DACT, 438 ch à 6400 tr/min
Couple 521 lb-pi à 4000 tr/min ; 385 lb-pi **(moteur à essence seul)**
Transmission à variation continue (CVT)
0-100 km/h 6,3 s
Vitesse maximale 210 km/h (limitée)

• AUTRES COMPOSANTES

Sécurité active freins ABS, répartition électronique de force de freinage, assistance au freinage, antipatinage, contrôle de stabilité électronique
Suspension avant/arrière indépendante
Freins avant/arrière disques ventilés
Direction à crémaillère, assistée
Pneus P235/50R18 **hybride** P245/45R19,

• DIMENSIONS

Empattement 2970 mm **L** 3090 mm
Longueur 5030 mm **L** 5150 mm
Largeur 1875 mm
Hauteur 1475 mm **hybride** 1480 mm
Poids 1960 kg **AWD** 2105 kg **L** 2025 kg **hybride** 2290 kg
Diamètre de braquage 10,8 m **L** 11,0 m
Coffre 510 l, 340 l (avec climatisation arrière), **hybride** 330 l
Réservoir de carburant 84 l

NOS MENTIONS

Modèle recommandé

NOTRE VERDICT

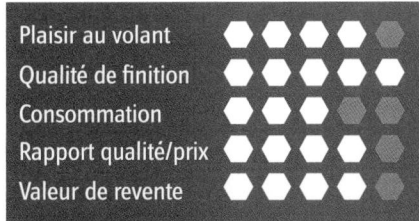

Plaisir au volant
Qualité de finition
Consommation
Rapport qualité/prix
Valeur de revente

LX 570

www.lexus.ca

N ÉVOLUTION É J

89 250 $
transport et préparation: 1895 $

LA COTE VERTE

AVEC MOTEUR V8 DE 5,7 L

- **Consommation (100km):** 14,3 l
- **Émissions polluantes CO_2 :** 6960 kg/an
- **Empreinte écologique (nombre d'arbres à planter par année):** 42
- **Indice d'octane:** 91
- **Autre motorisation:** non
- **Coût du carburant moyen par année:** 3190 $
- **Nombre de litres par année:** 2900 l

(SOURCE: ÉnerGuide)

1 FICHE D'IDENTITÉ

- **Version** 570
- **Roues motrices** 4
- **Portières** 4 **Nombre de passagers** 8
- **Première génération** 1996
- **Génération actuelle** 2008
- **Construction** Araco, Japon
- **Sacs gonflables** 10 (frontaux, genoux, latéraux avant et arrière, rideaux latéraux)
- **Concurrence** Cadillac Escalade, Infiniti QX56, Land Rover Range Rover, Lincoln Navigator, Mercedes-Benz Classe G

2 AU QUOTIDIEN

- **Prime d'assurance**
  25 ans: 3000 à 3200 $
  40 ans: 1700 à 1900 $
  60 ans: 1600 à 1800 $
- **Collision frontale** 5/5
- **Collision latérale** 5/5
- **Ventes du modèle de l'an dernier**
  Au Québec 40 **Au Canada** 353
- **Dépréciation** (3 ans) 37,4 %
- **Rappels** (2004 à 2009) aucun à ce jour
- **Cote de fiabilité** 5/5

3 GARANTIES... ET PLUS

- **Garantie générale** 4 ans/80 000 km
- **Garantie motopropulseur** 6 ans/110 000 km
- **Perforation** 6 ans/kilométrage illimité
- **Assistance routière** 4 ans/kilométrage illimité
- **Nombre de concessionnaires**
  Au Québec 6 **Au Canada** 30

4 NOUVEAUTÉS EN 2010

- La dernière génération du système de navigation Lexus à disque dur et commande vocale; Une prise d'entrée audio USB; Le système de réglages personnalisables de Lexus; Verre intimité pour le hayon.

ÉLOGE D'UN PARADOXE

PAR JEAN-PIERRE BOUCHARD

LES VENTES DE VÉHICULES DE LA TAILLE DU LX 570 ONT CONSIDÉRABLEMENT DIMINUÉ. Reste que, chaque mois, ici comme ailleurs, les utilitaires haut de gamme de cette trempe attirent une poignée de bien nantis en quête d'une démonstration de leur succès. Les véhicules de la populace, trop peu pour eux. Et ceux qui consomment 8 litres aux 100 kilomètres, trop peu pour eux aussi.

[CARROSSERIE] Le plus luxueux des utilitaires Lexus repose sur la plateforme du Toyota Land Cruiser. Ce véhicule partage des dimensions comparables au non moins princier Land Rover Ranger Rover, mais qui sont plus petites que celles du plus petit des Cadillac Escalade.

[HABITACLE] Un véhicule aussi imposant ne peut faire autrement que d'offrir une habitabilité impressionnante. La cabine, dont le choix et l'amalgame des matériaux respectent le savoir faire de Lexus en matière de qualité et de raffinement, peut loger huit occupants, dont au moins cinq dans un confort non négligeable. L'ajout d'un élégant passepoil comme chez Land Rover aurait donné plus de prestance aux larges fauteuils du véhicule. Les personnes de plus petite taille trouveront les entrées et les sorties plus difficiles étant donné la hauteur du véhicule et la garde au sol. Heureusement, elles pourront s'agripper au volant et aux poignées installées sur les piliers qui retiennent le pare-brise. Une fois installés dans leur fauteuil chauffé ou climatisé, c'est selon, les occupants des places avant profitent d'une vue imprenable sur la route. Côté cour, le conducteur trouve aisément une excellente position de conduite. Et l'importante surface vitrée lui assure une bonne visibilité dans toutes les directions, sauf peut-être vers l'arrière au moment de reculer. L'encombrement d'un tel véhicule est notable. Côté jardin, l'aménagement intérieur permet une multitude de configurations. La banquette médiane, chauffante, est divisée dans une proportion 60/40, alors que la banquette de troisième rangée dispose de deux sections qui ne sont pas particulièrement confortables. Pour conduire vos enfants et ceux du voisinage à l'entraînement de soccer du samedi matin, elle conviendra parfaitement. L'espace utilitaire res-

FORCES • Confort • Douceur de roulement • Capacité de remorquage • Performances • Qualité des matériaux et de la finition

FAIBLESSES • Consommation de carburant • Encombrement • Prix élevé

LX 570

tant ne permettra toutefois que d'y loger quelques ballons ! Quand le véhicule est doté de l'ensemble supérieur, des commandes permettent de relever et d'abaisser la banquette de troisième rangée au moyen de commandes.

[MÉCANIQUE] Lexus fait appel au solide V8 de 5,7 litres de 383 chevaux relié à une boîte de vitesses automatique à 6 rapports et utilise un réservoir de carburant de 93 litres. Même si ce moteur respecte les normes d'émissions Tier 2 Bin 5, la consommation moyenne réelle atteint la marque des 18 litres aux 100 kilomètres, ce qui l'exclut des exemples utilisés pour illustrer les bons coups de Toyota dans son rapport annuel sur l'environnement. L'intérêt d'implanter une technologie hybride prendrait ici tout son sens. Autrement, ce groupe motopropulseur s'active avec célérité pour déplacer cette masse de trois tonnes, tant au moment d'accélérer que de dépasser. De plus, l'onctuosité de fonctionnement de l'ensemble est telle qu'on le dirait baigner en permanence dans un lait pour le corps Lancôme. Sur un plan plus viril, le LX 570 autorise une capacité de remorquage de 3 856 kilos, ce qui permet de tirer un bateau de bonnes dimensions, par exemple.

[COMPORTEMENT] Le constructeur utilise une kyrielle de dispositifs permettant d'assurer la stabilité du véhicule et son contrôle. Et même si la définition d'une expédition tout-terrain de l'acheteur moyen consiste en une route balisée pour le mener à son club de pêche privé, le LX offre de robustes capacités hors route. Les alarmes qui informent le conducteur du dérapage sont toutefois tout ce qu'il y a de plus inutiles. À défaut d'offrir l'agilité du Porsche Cayenne, l'utilitaire procure un grand confort de roulement et le fait avec douceur et discrétion.

[CONCLUSION] Si Toyota produit de tels véhicules, c'est qu'il y a une demande de la part de consommateurs prêts à dépenser l'équivalent du tiers du prix moyen d'un cottage de banlieue. Malgré d'innombrables qualités, la présence de ce véhicule contraste avec le discours écologique que tient le constructeur. Si, au moins, Toyota le dotait d'une motorisation hybride...Sir Paul pourrait l'utiliser...

2e OPINION

BENOIT CHARETTE Porte-étendard des camions de la famille Lexus, le LX 570 n'a rien à envier à ses concurrents. Il possède le raffinement, la puissance et les capacités de franchissement des meilleurs véhicules du marché. Il faut aussi ajouter que, depuis son renouvellement l'an dernier, Lexus a ramené les prix à des valeurs plus concurrentielles. Il est vrai que 89 000 $ n'est pas encore considéré comme accessible, mais c'est mieux que les 101 000 $ de l'année précédente. Tout dans ce véhicule se fait en douceur. Les commandes se révèlent extrêmement douces dans leur manipulation, en particulier la pédale d'accélérateur. L'accélération est progressive, les décollages ne sont jamais brusques. Et c'est le camion le plus silencieux que vous aurez l'occasion de conduire. Malgré son format et son poids, le LX 570 possède toutes les caractéristiques d'une Lexus.

5 FICHE TECHNIQUE

· MOTEUR

V8 5,7 l DACT, 383 ch à 5600 tr/min
Couple 403 lb-pi à 3600 tr/min
Transmission automatique à 6 rapports
0-100 km/h 8,7 s
Vitesse maximale 180 km/h

· AUTRES COMPOSANTES

Sécurité active freins ABS, répartition électronique de force de freinage, assistance au freinage, antipatinage, contrôle de stabilité électronique
Suspension avant/arrière indépendante, essieu rigide
Freins avant/arrière disques ventilés
Direction à crémaillère, assistée
Pneus P285/50R20

· DIMENSIONS

Empattement 2850 mm
Longueur 4990 mm
Largeur 1970 mm
Hauteur 1920 mm
Poids 2660 kg
Diamètre de braquage 12,8 m
Coffre 430 l, 2560 l (sièges abaissés)
Réservoir de carburant 93 l
Capacité de remorquage 3856 kg

NOTRE VERDICT

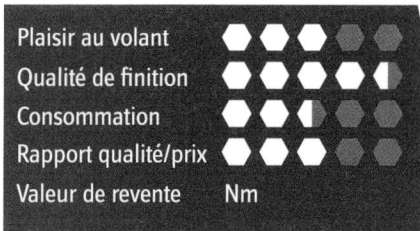

Plaisir au volant
Qualité de finition
Consommation
Rapport qualité/prix
Valeur de revente Nm

RX

www.lexus.ca

N NOUVEAUTÉ É J

46 900 $ à 58 900 $
transport et préparation: 1895 $

LA COTE VERTE

AVEC MOTEUR V6 DE 3,5 L HYBRIDE

- **Consommation (100km):** 8,3 l
- **Émissions polluantes CO_2 :** 3936 kg/an
- **Empreinte écologique (nombre d'arbres à planter par année):** 24
- **Indice d'octane:** 91
- **Autre motorisation:** hybride
- **Coût du carburant moyen par année:** 1760 $
- **Nombre de litres par année:** 1600 l

(SOURCE: ÉnerGuide)

1 FICHE D'IDENTITÉ

- **Version** 350, 450h
- **Roues motrices** 4
- **Portières** 4 **Nombre de passagers** 5
- **Première génération** 1998
- **Génération actuelle** 2010
- **Construction** Cambridge, Ontario
- **Sacs gonflables** 10 (frontaux, latéraux avant, rideaux latéraux, avant/arrière au niveau des genoux)
- **Concurrence** Acura MDX, Audi Q7, BMW X5, Cadillac SRX, Infiniti FX, Land Rover LR3, Mercedes-Benz Classe M, Porsche Cayenne, Volkswagen Touareg, Volvo XC90

2 AU QUOTIDIEN

- **Prime d'assurance**
  25 ans: 4100 à 4300 $
  40 ans: 2800 à 3000 $
  60 ans: 2400 à 2600 $
- **Collision frontale** 5/5
- **Collision latérale** 5/5
- **Ventes du modèle de l'an dernier**
  Au Québec 895 **Au Canada** 6221
- **Dépréciation** 32,1%
- **Rappels** (2004 à 2009) 3
- **Cote de fiabilité** 5/5

3 GARANTIES... ET PLUS

- **Garantie générale** 4 ans/80 000 km
- **Garantie motopropulseur** 6 ans/110 000 km
- **Perforation** 6 ans/kilométrage illimité
- **Assistance routière** 4 ans/kilométrage illimité
- **Nombre de concessionnaires**
  Au Québec 6 **Au Canada** 30

4 NOUVEAUTÉS EN 2010

- Nouveau modèle

UN PETIT PAS EN AVANT

PAR BENOIT CHARETTE

C'EST LEXUS QUI A LANCÉ LA MODE DES UTILITAIRES BCBG À LA FIN DES ANNÉES 90. À une époque où l'on achetait son VUS solide et carré, Lexus s'est présentée avec un RX 300 plutôt frêle à l'allure si distinguée que la clientèle féminine a tout de suite accepté, ce qui a sans doute été la raison de son succès. Lexus avait trouvé ce que recherchent tous les constructeurs, une niche qu'elle a su très bien exploiter.

[CARROSSERIE] Pour sa troisième génération, Toyota a ajouté un peu de robustesse et une allure plus dynamique sans cacher que l'acheteur mâle est une cible plus prioritaire. On ne peut parler d'un style agressif, mais les contours du véhicule prennent des rondeurs, élargissent un peu les épaules. C'est un peu comme si on avait envoyé le véhicule à l'entraînement quelques mois, il offre une allure plus athlétique. En plus d'être légèrement plus grand, le RX reçoit une nouvelle suspension arrière à double bras triangulé. À l'avant, la géométrie des jambes de force McPherson a été optimisée. Dès lors, le volume de charge utile est augmenté de 5 %. D'autre part, l'aérodynamisme bénéficie d'un sous-cadre spécialement conçu qui assure un coefficient de traînée (Cx) de 0,32 (difficile de faire mieux avec ce type de véhicule). Lexus continuera d'offrir deux versions de son RX, le 350 et le 450h hybride.

[HABITACLE] Outre le luxe habituel associé à ce genre de véhicule, les concepteurs de Lexus ont dessiné une nouvelle ambiance de conduite. En lieu et place de l'habituel tableau de bord, nous avons droit à une interface « homme-machine » d'une surprenante harmonie. Consommant peu d'énergie, les caractères blancs très définis sont affichés sur fond noir pour un contraste élevé. L'indicateur de vitesse et le compte-tours présentent des marques tridimensionnelles avec des gradations bleues qui créent une apparence en trois dimensions. Sur le modèle hybride, l'indicateur de puissance traditionnel a été remplacé par un indicateur de rendement du système hybride qui encourage la conduite écologique. Le système de navigation à disque dur (HDD) peut recevoir, en option, une nouvelle commande *RemoteTouch* placée sur le bloc central, inspirée

FORCES • Allure plus dynamique • Habitacle bien conçu • Système RemoteTouch réussi • Confort sans reproche

FAIBLESSES • Poids • Liste d'options quasi interminable

d'une souris d'ordinateur et très conviviale à utiliser. Il remplace l'écran tactile et s'utilise pratiquement sans avoir à regarder l'écran grâce à la rétroaction de force. C'est un peu comme les commandes de jeux vidéo qui vous vibrent dans les mains. On peut pratiquement procéder par utilisation sensorielle après un certain temps d'adaptation. Le RX intègre le premier affichage à tête haute au monde utilisant des lectures en blanc. Des diodes électroluminescentes (DEL) à haute intensité projettent des chiffres blancs hautement contrastants sur le pare-brise; cet affichage est plus facile à consulter – et plus doux pour les yeux – que l'affichage de couleur verte typique. L'affichage à tête haute présente des données sur la vitesse, la navigation et la chaîne audio. Comme tout véhicule haut de gamme, la sécurité arrive en tête des priorités. En plus du système de gestion intégrée de la dynamique du véhicule (VDIM), le nouveau RX adopte la commande d'assistance au démarrage en pente (HAC), qui utilise la pression des freins pour empêcher le véhicule de reculer lors d'un démarrage en pente. Sur le RX 450h, le système précollision (PCS), en option avec régulateur de vitesse à radar dynamique, utilise un radar à ondes millimétriques pour mesurer et maintenir une distance établie à partir du véhicule circulant en avant. Un mot en terminant sur la sécurité passive. Les modèles RX 2010 sont équipés de 10 coussins gonflables de série, soit le plus haut nombre de la catégorie, y compris des coussins gonflables latéraux en rideau, des coussins gonflables latéraux montés aux sièges avant, des coussins gonflables latéraux arrière (pour les places latérales) et des coussins gonflables de protection des genoux pour le conducteur et le passager avant. Un détecteur de roulis commande le déploiement des coussins gonflables latéraux en rideau si le seuil prédéterminé de basculement du véhicule est détecté.

LES MODÈLES RX 2010 SONT ÉQUIPÉS DE 10 COUSSINS GONFLABLES DE SÉRIE, Y COMPRIS DES COUSSINS GONFLABLES DE PROTECTION DES GENOUX POUR LE CONDUCTEUR ET LE PASSAGER

[MÉCANIQUE] Le modèle 350 offre un V6 de 3,5 litres qui développe 275 chevaux et produit un couple de 257 livres-pieds. Il est jumelé à une nouvelle boîte de vitesses à 6 rapports (au lieu de 5) avec levier de vitesses séquentiel à commande électronique. Il bénéficie de la transmission intégrale et d'un système de contrôle actif du couple. Le RX 450h jouit d'un système hybride amélioré. Il est toujours associé à un moteur V6 de 3,5 litres à cycle Atkinson et à deux moteurs électriques (un à l'avant et l'autre à l'arrière). Un système de récupération de la chaleur perdue des gaz d'échappement réduit le temps de réchauffement du moteur qui peut donc s'arrêter plus tôt et plus souvent quand la circulation est à l'arrêt. À l'opposé, un système de recirculation des gaz d'échappement refroidis réduit, lui, la perte due au mouvement des pistons, ce qui améliore la consommation de 8 %. Le Lexus RX 450h est doté d'un système hybride à quatre roues motrices temporaires à commande électronique.

HISTORIQUE

Le RX est vendu depuis 1998 en Amérique du Nord. Ce modèle est en fait un Toyota Harrier, vendu au Japon, avec un logo différent. Ce véhicule est le fer de lance de l'expansion de la marque appartenant au géant Toyota, avec notamment sa version hybride qui a fait de lui le premier SUV hybride au monde. En 2003 , Lexus présente un concept HPX qui a largement inspiré la présente génération du RX, même certains détail intérieur du RX 2010 proviennent du HPX comme la commande ergonomiques présente dans le HPX qui se retrouve aussi dans le nouveaux RX.

LEXUS RX 300
1998

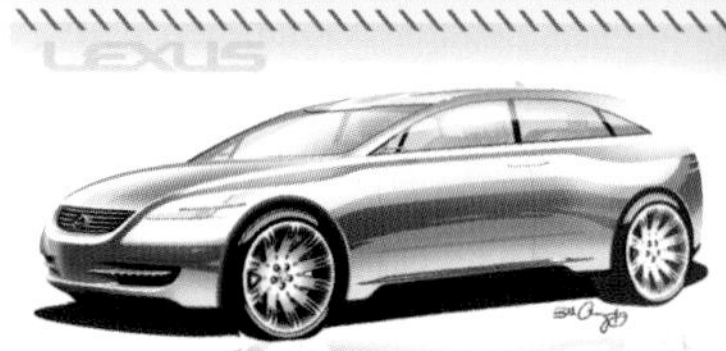
LEXUS HPX CONCEPT
2003

LEXUS HPX CONCEPT
2003

INTÉRIEUR
HPX

LEXUS RX HYBRID
CONCEPT 2004

INTÉRIEUR
HPX

LEXUS RX 350
2010

A

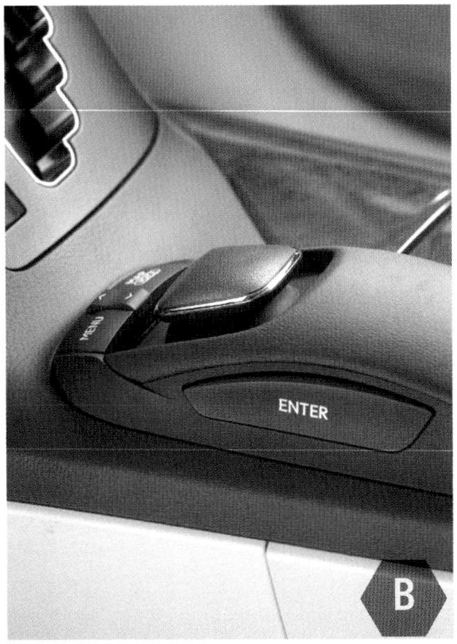

B

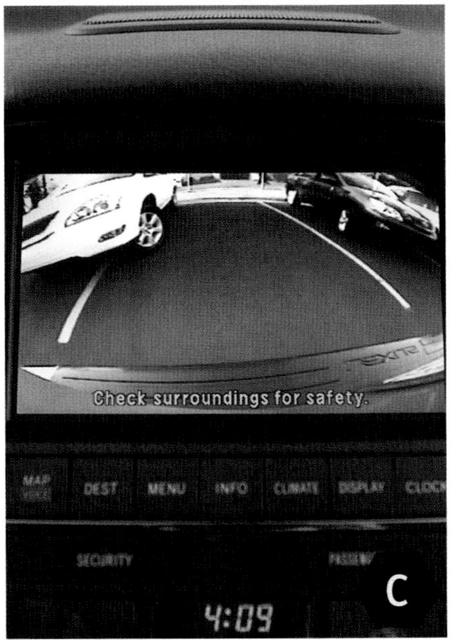

C

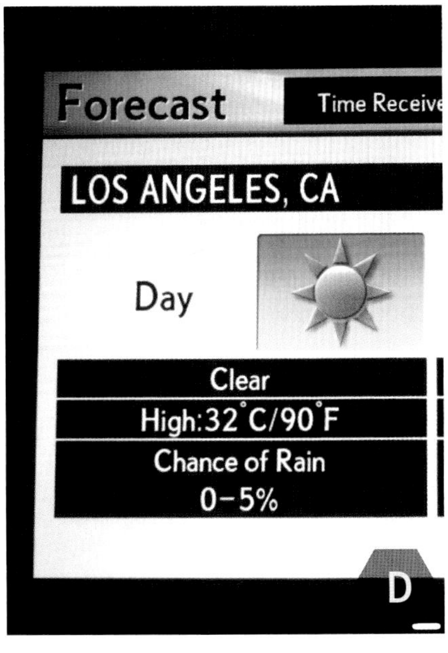

D

GALERIE

Les occupants de l'avant et de l'arrière peuvent profiter en même temps de deux modes audiovisuels différents. Le système de divertissement à l'arrière peut lire des DVD vidéo et
A audio ainsi que des CD. Il comporte deux écrans à cristaux liquides à profil bas de 7 po de largeur intégrés aux appuis-tête des sièges avant.

Placée à l'endroit où la main droite du conducteur se pose sur le bloc central, la com-
B mande « Remote Touch » s'utilise aussi naturellement qu'une souris d'ordinateur et place le réglage de la plupart des fonctions les plus utilisées du RX sous la main du conducteur.

C Le système de navigation est doté d'une caméra vidéo fixée sur la portière arrière qui projette sur l'écran de navigation l'image de ce qui se trouve derrière lorsque le levier de
D vitesse est en position R. Vous pouvez également vérifier les conditions météo

E Le système « VoiceBox » permet au conducteur de commander plusieurs fonctions intérieures tout en gardant les mains bien campées sur le volant. (en option)

Le moteur-générateur électrique monté à l'arrière du VUS permet une récupération d'énergie au freinage afin de recharger plus efficacement la batterie. Combiné à un nouvel inverseur plus efficace, le système développe une puissance totale de 295 chevaux. Il y a aussi un nouveau mode EV sélectionnable qui permet au RX hybride de rouler sur de courtes distances avec le moteur électrique seul.

[COMPORTEMENT] Sur la route, il n'y a pas grand-chose à redire. Le légendaire silence de roulement des Lexus fait honneur à sa réputation. Les nouvelles configurations de suspensions offrent à la fois un meilleur confort et gomment plus efficacement les imperfections de la route. Toutefois, il faut admettre que le surplus de puissance ne se fait pas réellement sentir derrière le volant. Le RX ne manque pas de souffle, mais comme trop de modèles qui prennent du galon au fil des générations, l'embonpoint suit immanquablement. Le 350 ajoute dans sa version 2010 115 kilos à la balance, et le RX 450h, plus de 250 kilos face à la dernière génération; et ce poids se fait sentir, spécialement au moment d'appliquer les freins. Le modèle le plus intéressant à conduire est sans doute le 350 qui fait montre d'un peu plus d'agilité. Le Canada profite d'une transmission intégrale de série sur tous les modèles contrairement aux États-Unis qui offre une version de base à deux roues motrices. Malgré ce poids un peu excessif, la conduite est très coulée, le confort, irréprochable, et la visibilité, sans faille. Au chapitre de la consommation, nous avons réussi à maintenir la moyenne tout juste sous la barre des 12 litres aux 100 kilomètres avec le 350 et environ 1 litres de moins pour le 450h.

[CONCLUSION] Avec plus d'un million d'exemplaires vendus avec les deux premières générations, le RX a su montrer sa pertinence sur le marché. La troisième génération ajoute un peu plus de dynamisme dans sa présentation et sa conduite. Et comme tout produit haut de gamme qui se respecte, il offre sa part d'innovations techniques qui méritent un coup d'œil.

2e OPINION

FRÉDÉRIC MASSE Sincèrement, j'ai beau chercher, je ne trouve aucun autre véhicule sur le marché mieux adapté à mon paternel. Bien que la dernière génération soit nettement plus agréable à conduire et possède des qualités dynamiques véritablement rehaussées, le RX ne cherche toujours pas à s'attaquer aux utilitaires sport, ce n'est pas sa prétention. Loin de moi l'idée de qualifier la conduite de sportive, car c'est pour son confort et son usage au quotidien qu'on choisira le RX. Même sa fiabilité et son prix de base intéressant vont dans ce sens. Le Lexus se veut dont un véhicule parfait pour la personne qui veut rouler du point A au point B, mais avec luxe et allure tout de même. En plus, les personnes soucieuses de l'environnement peuvent rouler écolo grâce à la très impressionnante version hybride. Ajoutez à ces qualités des éléments de sécurité très complets (notamment 10 coussins gonflables), un habitacle plus insonorisé que par le passé, une fiabilité enviable, un service après vente souvent exceptionnel et vous avez un VUS taillé sur mesure pour... mon père.

5 FICHE TECHNIQUE

· MOTEURS

· (RX 350)

V6 3,5 l DACT 275 ch à 6200 tr/min
Couple 257 lb-pi à 4700 tr/min
Transmission automatique à 6 rapports avec mode manuel
0-100 km/h 7,8 s
Vitesse maximale 200 km/h
Consommation (100 km) 11,7 l (octane 91)
Émissions de CO_2 5332 kg/an
Litres par année 2180l **Coût par an** 2398 $
Autre motorisation non
Empreinte écologique 32 arbres

· (RX 450h)

V6 3,5 l DACT + électrique à aimant permanent, 295 ch à 6200 tr/min
Couple 234 lb-pi à 4400 tr/min
Transmission automatique à variation continue
0-100 km/h 7,8 s
Vitesse maximale 200 km/h
Consommation (100 km) 10,1 l (octane 87)

· AUTRES COMPOSANTES

Sécurité active freins ABS, répartition électronique de force de freinage, assistance au freinage, antipatinage, contrôle de stabilité électronique
Suspension avant/arrière indépendante
Freins avant/arrière disques
Direction à crémaillère, assistée
Pneus Base : P235/60R18 **Option :** P235/55R19

· DIMENSIONS

Empattement 2740 mm
Longueur 4770 mm
Largeur 1885 mm
Hauteur RX350 1720 mm
Poids 1970 kg **(RX 350)**, 2110 kg **(RX 450h)**
Diamètre de braquage 11,4 m
Coffre RX350 1080 l, 2400 l (sièges abaissés)
Réservoir de carburant 72,5 l **(RX 350)**, 65 l **(RX 450h)**
Capacité de remorquage 1587 kg (350)

NOTRE VERDICT

Plaisir au volant
Qualité de finition
Consommation
Rapport qualité/prix
Valeur de revente

SC 430

www.lexus.ca

N ÉVOLUTION É J

81 000 $ à 84 400 $
transport et préparation: 1895 $

LA COTE VERTE

AVEC MOTEUR V8 DE 4,3 L

- **Consommation (100km):** 10,8 l
- **Émissions polluantes CO_2 :** 5280 kg/an
- **Empreinte écologique (nombre d'arbres à planter par année):** 32
- **Indice d'octane:** 91
- **Autre motorisation:** non
- **Coût du carburant moyen par année:** 2420 $
- **Nombre de litres par année:** 2200 l

(SOURCE: ÉnerGuide)

1 FICHE D'IDENTITÉ

- **Versions** 430
- **Roues motrices** arrière
- **Portières** 2 **Nombre de passagers** 2
- **Première génération** 2002
- **Génération actuelle** 2002
- **Construction** Tahara, Japon
- **Sacs gonflables** 4 (frontaux, latéraux)
- **Concurrence** BMW Série 6 Chevrolet Corvette, Maserati Spyder, Mercedes-Benz Classe SL

2 AU QUOTIDIEN

- **Prime d'assurance**
  25 ans: 3500 à 3700 $
  40 ans: 2000 à 2200 $
  60 ans: 1700 à 1900 $
- **Collision frontale** nd
- **Collision latérale** nd
- **Ventes du modèle de l'an dernier**
  Au Québec 10 **Au Canada** 80
- **Dépréciation** (3 ans) 31%
- **Rappels** (2004 à 2009) aucun
- **Cote de fiabilité** 5/5

3 GARANTIES... ET PLUS

- **Garantie générale** 4 ans/80 000 km
- **Garantie motopropulseur** 6 ans/110 000 km
- **Perforation** 6 ans/kilométrage illimité
- **Assistance routière** 4 ans/kilométrage illimité
- **Nombre de concessionnaires**
  Au Québec 6 **Au Canada** 30

4 NOUVEAUTÉS EN 2010

- Aucun changement majeur

IMMUABLE

PAR MICHEL CRÉPAULT

RIEN DE NEUF À L'HORIZON POUR L'INTRIGANTE BAIGNOIRE SUR ROUES DE LEXUS. COMME SUR LE CANAL RDS, PAR ICI LA REPRISE...

[CARROSSERIE] Les années coulent sur la coque de la SC 430 comme les sarcasmes sur le dos de Denise Bombardier. Est-il possible que le constructeur pense avoir effleuré le Saint-Graal du design quand il a dévoilé ce cabriolet en 2002 ? Comme protégée par un ensorcellement, la voiture n'a pas pris une seule ride. Son coefficient de traînée de 0,31 a été battu depuis belle lurette, mais demeure dans des normes très acceptables. Un ami à moi, qui s'est procuré l'une des premières SC à rouler au pays, l'encense toujours autant. Il avait été conquis sur-le-champ par l'allure et par ce toit dur mais escamotable, l'un des premiers de la décennie et qui a par la suite inspiré bon nombre de cabriolets. Les 25 secondes nécessaires à déplier le pavillon sont elles aussi encore dans le coup.

[HABITACLE] On peut croire qu'il n'y a guère de place dans cette bulbeuse auto, mais on se tromperait. L'ami en question, grand (remarque, ami, je n'ai pas écrit « gros »...) et corpulent, a toujours apprécié le siège en cuir capable d'épouser sa robuste stature. Il a poussé l'audace jusqu'à coincer des adultes sur la banquette arrière pour une pointe dans les Cantons de l'Est... et ces gens lui parlent encore ! Parce que, soyons francs, la banquette recevra surtout des enfants ou, encore, les bagages que le coffre, une fois encombré par le toit, ne peut plus accepter (déjà qu'il n'est pas généreux à cet égard). La finition est raffinée, sans bavures, de même que l'ergonomie. Le bois, le cuir et le chrome entament ici un ballet de bon goût. Le cœur de la sono Mark Levinson est dissimulé derrière un paravent escamotable, peut-être pour faire écho au pavillon amovible. Un minuscule coupe-vent s'installe entre les appuie-tête pour diminuer les rafales à l'intérieur de la cabine, laquelle, de toute façon, est naturellement à l'abri d'Eole étant donné la hauteur de la ceinture de caisse.

[MÉCANIQUE] Le V8 de 4,3 litres de 288 chevaux travaille de concert avec une boîte de

FORCES • Si ce type de design nous parle, il est encore éloquent
• Tous les composants travaillent en harmonie

FAIBLESSES • Aisance sportive brimée par une position de conduite renfermée
• Coffre réduit à pas grand-chose

SC 430

vitesses séquentielle à 6 rapports. La suspension à double fourchette a d'abord été calibrée pour assurer le confort des occupants, mais puisqu'il s'agit d'une propulsion, on ne peut nier que l'adrénaline saura être au rendez-vous si tel est notre désir, comme le prouve l'excellent 0 à 100 km/h de 6,4 secondes.

[COMPORTEMENT] Elle est puissante mais lourde. Elle propose un format idéal pour qui veut enfiler les courbes, mais elle se soucie davantage des grands boulevards. Ce n'est pas une voiture vindicative, c'est une automobile qui ne demande rien de mieux que de se farcir la route des vins. La ceinture de caisse élevée et la pauvre visibilité avec le toit en place n'incitent vraiment pas aux folies. L'auto n'est pas à l'abri du roulis quand on la bouscule et, à vrai dire, même la direction assistée électroniquement semble accuser un poil de retard sur nos réflexes.

[CONCLUSION] La SC 430 poursuit son petit bonhomme de chemin, mais, bientôt, ça ne suffira plus. J'espère pour Lexus que Toyota planche sur un successeur moderne, capable de rivaliser avec les SL de ce monde. En réalité, cette voiture, bien que toujours jolie, réclame une solide cure de rajeunissement. On doit peaufiner son enveloppe et, surtout, on doit moderniser ses entrailles et ses accessoires. Lexus vient justement de donner un coup de barre dans la bonne direction avec l'introduction des IS 250C et 350C. Ce sont dès lors les acheteurs de moins de 30 ans qui ont de quoi se réjouir. Il est maintenant temps de s'occuper de la SC 430, après tout le deuxième plus ancien membre de la famille.

2e OPINION

FRANCIS BRIÈRE Un directeur des ventes d'un concessionnaire Lexus m'avouait vendre environ 4 ou 5 SC 430 par année. Le prix ne convient pas à toutes les bourses, bien entendu. Il s'agit également d'une voiture dont l'utilisation ne peut s'étaler sur toute l'année et qui se révèle souvent bien peu pratique. En revanche, si vous avez envie d'élégance, de confort, de luxe et de raffinement, la SC 430 pourrait vous convenir. Vous devriez la sortir par une belle et chaude soirée d'été, en bonne compagnie. Vous seriez alors invité à porter une tenue soignée, et votre randonnée vous comblerait de bonheur. Pour se balader à ciel ouvert, peu de voitures peuvent vous offrir une telle douceur de roulement et un tel confort. On en oublie volontiers la présentation vieillissante...

5 FICHE TECHNIQUE

MOTEUR

- V8 4,3 l DACT, 288 ch à 5600 tr/min
  Couple 317 lb-pi à 3400 tr/min

Transmission automatique à 6 rapports avec mode manuel
0-100 km/h 6,4 s
Vitesse maximale 250 km/h

AUTRES COMPOSANTES

Sécurité active freins ABS, répartition électronique de force de freinage, assistance au freinage, antipatinage, contrôle de stabilité électronique
Suspension avant/arrière indépendante
Freins avant/arrière disques
Direction à crémaillère, assistée
Pneus P245/40ZR18

DIMENSIONS

Empattement 2620 mm
Longueur 4534 mm
Largeur 1825 mm
Hauteur 1350 mm
Poids 1750 kg
Diamètre de braquage 10,8 m
Coffre 266 l
Réservoir de carburant 75 l

NOTRE VERDICT

Plaisir au volant	3,5/5
Qualité de finition	5/5
Consommation	3/5
Rapport qualité/prix	3/5
Valeur de revente	3,5/5

MKS

www.ford.ca

N ÉVOLUTION É J

45 599 $ à 47 799 $
transport et préparation: 1300 $

LA COTE VERTE

MOTEUR
V6 DE 3,7 L

- **Consommation (100km):** **2RM** 10,2 l **4RM** 10,6 l
- **Émissions polluantes CO_2 :** 2RM 5136 kg/an 4RM 5280 kg/an
- **Empreinte écologique (nombre d'arbres à planter par année):** 32
- **Indice d'octane:** 87
- **Autre motorisation:** non
- **Coût du carburant moyen par année:** **2RM** 2140 $ **4RM** 2200 $
- **Nombre de litres par année:** **2RM** 2140 l **4RM** 2200

(SOURCE: ÉnerGuide)

1 FICHE D'IDENTITÉ

- **Versions** unique
- **Roues motrices** 4
- **Portières** 4 **Nombre de passagers** 5
- **Première génération** 2009
- **Génération actuelle** 2009
- **Construction** Wayne, Michigan, É.-U.
- **Sacs gonflables** 6 (frontaux, latéraux avant, rideaux latéraux)
- **Concurrence** Acura TL, Audi A4, BMW Série 3, Cadillac CTS, Infiniti G37, Jaguar XF, Kia Amanti, Lexus IS/ES, Mercedes-Benz Classe C, Volvo S60

2 AU QUOTIDIEN

- **Prime d'assurance**
  25 ans: 2200 à 2400 $
  40 ans: 1300 à 1500 $
  60 ans: 1200 à 1400 $
- **Collision frontale** 5/5
- **Collision latérale** 5/5
- **Ventes du modèle de l'an dernier**
  Au Québec 77 **Au Canada** 615
- **Dépréciation** nm
- **Rappels (2004 à 2009)** aucun à ce jour
- **Cote de fiabilité** nm

3 GARANTIES... ET PLUS

- **Garantie générale** 4 ans/80 000 km
- **Garantie motopropulseur** 6 ans/110 000 km
- **Perforation** 5 ans/kilométrage illimité
- **Assistance routière** 6 ans/110 000 km
- **Nombre de concessionnaires**
  Au Québec 77 **Au Canada** 400

4 NOUVEAUTÉS EN 2010

- Aucun changement majeur

LA LEXUS AMÉRICAINE

PAR PHILIPPE LAGUË

QU'EST-CE QU'UNE BONNE BERLINE DE LUXE ? UNE VOITURE CONFORTABLE, SILENCIEUSE ET SPACIEUSE QUI, DANS UN MONDE PARFAIT, MARIERAIT LE COMPORTEMENT ROUTIER D'UNE ALLEMANDE ET LA FIABILITÉ D'UNE JAPONAISE. Lincoln a fait une première tentative convaincante au début des années 2000 avec la LS, mais les acheteurs n'ont pas suivi. Introduite l'an dernier, la MKS peut-elle réussir là où l'autre a échoué ?

[CARROSSERIE] Lincoln se cherche encore une identité visuelle. Avec la MKS, c'est mieux : au moins, elle réussit à se démarquer. Je vous laisse le soin de juger si c'est beau ou non, mais ça vaut bien une Lexus, et c'est moins torturé que les Acura. C'est déjà ça de gagné, d'autant plus que les véritables rivales de la MKS ne sont pas les petites Audi ou BMW, mais bien les berlines de luxe asiatiques.

[HABITACLE] En examinant l'intérieur de la MKS, je me disais qu'on pourrait très bien être à l'intérieur d'une Lexus; c'est un compliment, n'en doutez pas. La finition est irréprochable, et l'ergonomie est sans faille : tout est d'accès facile et, surtout, les commandes sont d'une simplicité qui devrait servir d'exemple aux constructeurs allemands. À l'avant, les baquets n'ont rien à voir, Dieu merci, avec les immenses banquettes des Lincoln d'antan, mais le maintien latéral demeure déficient. C'est encore plus moelleux à l'arrière, et les passagers ont beaucoup d'espace pour les jambes; pour la tête, ce sera un peu juste pour les personnes de grande taille. Le coffre est immense, mais son ouverture étroite complique le chargement. Trop étroite aussi, la lunette, ce qui, combiné avec la hauteur de la ceinture de caisse, résulte en une visibilité médiocre. Heureusement, une caméra de recul figure dans la liste des options.

[MÉCANIQUE] Certains ont reproché au moteur de la MKS de manquer de tonus. Permettez que je m'inscrive en faux : ce V6 de 3,7 litres génère 273 chevaux, ce qui n'est pas rien; à 100 km/h, il tourne doucement à 1 900 tours par minute, et il n'y a pas de creux quand on monte en ré-

FORCES • Finition soignée • Insonorisation • Douceur de roulement • Direction précise • Voiture bien née

FAIBLESSES • Visibilité arrière médiocre • Ouverture étroite du coffre • Mécanique qui manque de caractère et de raffinement

MKS

gime. S'il vous en faut absolument plus, sachez qu'une version suralimentée de ce V6 s'ajoute en 2010. La greffe de deux turbocompresseurs (et de l'injection directe) fait grimper la puissance à 355 chevaux. Voilà, vous êtes contents ? Le seul véritable reproche qu'on peut faire à ce V6, c'est son manque de caractère et de raffinement. Malgré son architecture moderne, ce moteur n'a ni la douceur, ni la souplesse des V6 japonais et allemands, en plus d'être plus bruyant que ceux-ci. En revanche, la boîte de vitesses automatique à 6 rapports affiche un rendement exemplaire. Fluide et bien étagée, elle serait parfaite si elle se montrait un peu plus rapide à changer de rapports.

[COMPORTEMENT] La raison d'être d'une berline de luxe, c'est le confort. Ça tombe bien : c'est la principale force de la MKS. Osons le dire, l'insonorisation et la douceur de roulement se situent au niveau de Lexus, une référence s'il en est une. Le comportement s'apparente aussi à celui des japonaises, ce qui, cette fois, est moins flatteur. En clair, cela signifie que la Lincoln n'a pas l'aplomb d'une Mercedes-Benz ou d'une Audi, encore moins d'une BMW. Ce n'est pas très excitant, vous l'aurez compris; mais pas aussi ennuyeux à conduire qu'une Lexus, non plus. Une très bonne direction, précise et bien dosée, permet de sauver les meubles. Le roulis est perceptible, mais bien maîtrisé. Dans l'ensemble, le comportement est très sain, signe que la MKS repose sur un bon châssis.

[CONCLUSION] Malgré quelques imperfections, la MKS est la meilleure Lincoln depuis plusieurs décennies, la première qui s'approche autant des berlines de luxe importées par sa qualité de construction, son confort et l'équilibre de son comportement. Il ne lui manque qu'un moteur un peu plus raffiné, ce qu'on lui pardonnera s'il se révèle fiable. À un prix de détail se situant sous la barre des 50 000 dollars (transmission intégrale incluse), cette berline de luxe richement équipée constitue également l'un des meilleurs rapports qualité-prix de cette catégorie.

2e OPINION

DANIEL RUFIANGE Nombreux sont ceux qui ont prématurément annoncé la mort de la bannière Lincoln. Bien que celle-ci ne soit pas aussi prospère que souhaité, elle travaille placidement à se sortir d'un bourbier dans lequel le respect d'une tradition l'a embourbée. Petit à petit, les modèles de la marque changent de nom mais, surtout, de style, à commencer par la MKS, digne successeur de la Town Car de qui elle se différencie admirablement. Cette voiture présente un design inspirée et imposant; nombreux m'ont demandé : « C'est quoi ce « véhicule-là ? » À l'intérieur, luxe et confort se marient pour nous dorloter. Quand on emprunte la route, on découvre une berline au comportement stable et rassurant. Qu'on se le dise, Lincoln offre des produits rajeunis et nettement à découvrir.

5 FICHE TECHNIQUE

· MOTEURS
V6 3,7 l SACT, 273 ch à 6250 tr/min
Couple 270 lb-pi à 4250 tr/min
Transmission automatique à 6 rapports avec mode manuel
0-100 km/h 8,8 s
Vitesse maximale 200 km/h

· ECOBOOST
· V6 3,5 l, 355 ch à 5700 tr/min
Couple 350 lb-pi à 3500 tr/min
Transmission automatique à 6 rapports avec mode manuel
0-100 km/h 6,2 s
Vitesse maximale 240 km/h
Consommation (100km): 2RM 10,5 **4RM** 11,4 l (octane 91)
Émissions CO_2 : nd
Empreinte écologique (nombre d'arbres à planter par année): 27
Carburant alternatif: non
Coût par an: 2RM 2090 $ **4RM** 2354 $
Nombre de litres par année: 2RM 1900 l **4RM** 2140 l

· AUTRES COMPOSANTES
Sécurité active Freins ABS, antipatinage.
Suspension avant/arrière Indépendante
Freins avant/arrière Disques
Direction À crémaillère, assistée
Pneus P255/45VR19 , P245/45VR20 (option)

· DIMENSIONS
Empattement 2868 mm
Longueur 5184 mm,
Largeur 2172 mm
Hauteur 1565 mm,
Poids 1872 kg, **4RM** 1940 kg.
Diamètre de braquage 12,4 m
Coffre 467 l,
Réservoir de carburant 66,2 l.

NOS MENTIONS

Modèle recommandé

NOTRE VERDICT

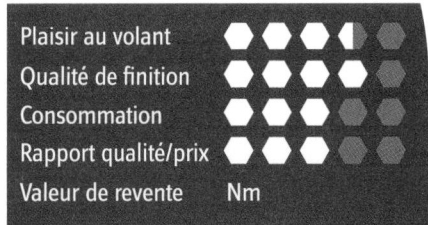

Plaisir au volant	3,5/5
Qualité de finition	4/5
Consommation	3/5
Rapport qualité/prix	3/5
Valeur de revente	Nm

MKT

www.ford.ca

N ÉVOLUTION É J

49 950 $
transport et préparation: 1400 $

LA COTE VERTE

AVEC MOTEUR V6 DE 3,7 L

- **Consommation (100km):** 11,9 l
- **Émissions polluantes CO_2 :** 5760 kg/an
- **Empreinte écologique (nombre d'arbres à planter par année):** 33
- **Indice d'octane:** 87
- **Autre motorisation** non
- **Coût du carburant moyen par année:** 2400 $
- **Nombre de litres par année:** 2400 l

(SOURCE: ÉnerGuide)

1 FICHE D'IDENTITÉ

- **Versions** 3,7, 3,5 EcoBoost
- **Roues motrices** 4
- **Portières** 4 **Nombre de passagers** 7
- **Première génération** 2010
- **Génération actuelle** 2010
- **Construction** Oakville, Ontario, Canada
- **Sacs gonflables** 6 (frontaux, latéraux avant, rideaux latéraux)
- **Concurrence** GMC Acadia, Acura MDX, Cadillac SRX, Infiniti FX, Subaru Tribeca, Lexus GX 470

2 AU QUOTIDIEN

- **Prime d'assurance**
  25 ans: 1800 à 2000 $
  40 ans: 1100 à 1300 $
  60 ans: 900 à 1100 $
- **Collision frontale** 5/5
- **Collision latérale** 5/5
- **Ventes du modèle de l'an dernier**
  Au Québec nm **Au Canada** nm
- **Dépréciation** nm
- **Rappels** (2004 à 2009) nm
- **Cote de fiabilité** nm

3 GARANTIES... ET PLUS

- **Garantie générale** 4 ans/80 000 km
- **Garantie motopropulseur** 6 ans/110 000 km
- **Perforation** 5 ans/kilométrage illimité
- **Assistance routière** 6 ans/110 000 km
- **Nombre de concessionnaires**
  Au Québec 77 **Au Canada** 400

4 NOUVEAUTÉS EN 2010

- Nouveau modèle

LA VOITURE FAMILIALE DE DARTH VADER

PAR BENOIT CHARETTE

SI, DANS UNE AUTRE VIE, DARTH VADER DEVENAIT PÈRE DE FAMILLE, je le verrais très bien avec sa suite au volant du MKT.

[CARROSSERIE] Ce nouveau multisegment partage son architecture et sa chaîne d'assemblage avec le Ford Flex. Sa calandre singulière et ses arêtes affûtées lui donne cet aspect extra-terrestre qui a le mérite de sortir des sentiers battus.

[HABITACLE] Vous pourrez installer six ou sept occupants en tout confort; même la banquette arrière est tout à fait correcte pour les adultes. Comme nous sommes chez Lincoln, il y a bon nombre de gadgets qui différencient le MKT du Flex. Parmi les options, le système de stationnement autonome, le système de surveillance des angles morts emprunté à Volvo, et je vous invite à profiter du système Sync qui gère toutes les fonctions de communication et de navigation, c'est le plus brillant système de l'industrie de l'automobile.

[MÉCANIQUE] Le MKT est l'un des premiers véhicules de la famille Ford à profiter du nouveau moteur EcoBoost. Il s'agit d'unV6 de 3,5 litres biturbo qui développe 355 chevaux. Ce moteur est appelé à remplacer les V8 dans plusieurs modèles Ford au cours des prochaines années. Il y a également un MKT de base avec le V6 de 3,7 litres du Flex.

[COMPORTEMENT] Ce V6 (ÉcoBoost) est moins gourmand qu'un V8, mais j'ai tout de même frisé les 14,5 litres de moyenne dans ma semaine d'essai, ce qui n'est pas réellement économique. Le V6 fait du bon travail, mais n'a pas la noblesse sonore d'un V8, il faut s'y faire. Il y a aussi un petit délai au moment de la remise franche des gaz. Pour le reste, le confort est excellent, la tenue de route surprenante. Tous les modèles vendus au Canada sont livrés de série avec 4 roues motrices.

[CONCLUSION] Au-delà de ses lignes originales, le MKT n'a pas à rougir devant la concurrence, allemande ou autres.

FORCES • Moteur EcoBoost puissant • Confort luxueux • Tenue de route

FAIBLESSES • Commandes des systèmes audio trop basses dans la console centrale • Consommation assez forte (EcoBoost) • Lignes singulières

N JUMEAU É J

43 000 $
transport et préparation: 1400 $

MKX

www.ford.ca

AVEC MOTEUR V6 DE 3,5 L

- **Consommation (100km):** **4RM** 11,4 l
- **Émissions polluantes CO_2 :** **4RM** 5136 kg/an
- **Empreinte écologique (nombre d'arbres à planter par année):** 28
- **Indice d'octane:** 87
- **Autre motorisation:** non
- **Coût du carburant moyen par année:** **4RM** 3210 $
- **Nombre de litres par année:** **4RM** 2140 l

(SOURCE: ÉnerGuide)

MAUVAISE IDÉE

PAR BENOIT CHARETTE

DEPUIS TOUJOURS, LES CONSTRUCTEURS AMÉRICAINS ADORENT ÉTIRER LA SAUCE ET CLONER LEURS MODÈLES. GM s'est acculée à la faillite avec cette méthode, et Ford voit ses ventes de clones diminuer chaque année. Qu'on se le dise, cette façon de faire est dépassée.

[CARROSSERIE] Pour vous le décrire rapidement, le MKX est un Ford Edge avec du chrome et des brillants qui vous coûtera 7 000 ou 8 000 dollars de plus. Si vous voulez avoir l'air d'un nouveau riche bas de gamme, lassez-vous aller.

[HABITACLE] L'intérieur a certainement l'air de la maison d'un chanteur de Hip-Hop. Il y a beaucoup de clinquant. Il y a les sièges climatisés et chauffants qui ne sont pas offerts dans l'Edge. Ford a également glissé son système Sync pour une connectivité optimale et la radio Sirius. Le MKX profite également de détecteurs de proximité pour favoriser les manœuvres de recul.

[MÉCANIQUE] Ici, il n'y a aucune différence avec le Ford Edge. La mécanique V6 de 3,5 litres de 265 chevaux a fait le voyage d'un modèle à l'autre. Cet excellent moteur est tout à fait à sa place dans le MKX. La boîte de vitesses automatique à 6 rapports fait du bon travail. Seule la transmission intégrale est maintenant disponible. Équipé du système Advance Trac, le MKX vous mènera à bon port peu importe les circonstances.

[COMPORTEMENT] Face à l'Edge, Lincoln a retravaillé l'insonorisation et la douceur de roulement. La conduite du MKX se veut plus douce, et l'habitacle offre une plus grande sérénité. Toutefois, au chapitre de la tenue de route, on retrouve les mêmes caractéristiques que du côté du Ford. Le roulis est assez prononcé si vous poussez un peu la mécanique.

[CONCLUSION] Le MKX est un très beau véhicule, mais il faudrait que Lincoln apprenne à fabriquer des véhicules qui sont propres à la marque. Les gens ont trop de choix maintenant pour rouler en clone, même si ce dernier est intéressant. Le salut de la marque en dépend.

FORCES · Aménagement intérieur flatteur · Excellente insonorisation · Mécanique bien adaptée

FAIBLESSES · Direction un peu molle · Trop fort lien de parenté avec le Ford Edge pour réellement le distinguer · Suspension un peu souple

1 FICHE D'IDENTITÉ

- **Version** unique
- **Roues motrices** 4
- **Portières** 4 **Nombre de passagers** 5
- **Première génération** 2007
- **Génération actuelle** 2007
- **Construction** Oakville, Ontario, Canada
- **Sacs gonflables** 6 (frontaux, latéraux avant, rideaux latéraux)
- **Concurrence** Buick Enclave, Ford Edge et Flex, Mazda CX-7 et CX-9, Hyundai Veracruz, Nissan Murano, Subaru Tribeca, Toyota Highlander

2 AU QUOTIDIEN

- **Prime d'assurance**
  25 ans: 2000 à 2200 $
  40 ans: 1000 à 1200 $
  60 ans: 900 à 1100 $
- **Collision frontale** 5/5
- **Collision latérale** 5/5
- **Ventes du modèle de l'an dernier**
  Au Québec 252 **Au Canada** 2218
- **Dépréciation** (2 an) 39,3%
- **Rappels** (2004 à 2009) 2
- **Cote de fiabilité** 4/5

3 GARANTIES... ET PLUS

- **Garantie générale** 4 ans/80 000 km
- **Garantie motopropulseur** 6 ans/110 000 km
- **Perforation** 5 ans/kilométrage illimité
- **Assistance routière** 6 ans/110 000 km
- **Nombre de concessionnaires**
  Au Québec 77 **Au Canada** 400

4 NOUVEAUTÉS EN 2010

- Aucun changement majeur

MKZ

www.ford.ca

N NOUVEAUTÉ É J

38 399 $ à 42 199 $
transport et préparation: 1400 $

LA COTE VERTE

AVEC MOTEUR V6 DE 3,5 L

- **Consommation (100km) :**
  2RM 9,5 l
  4RM 10,5 l
- **Émissions polluantes CO_2 :**
  2RM 4656 kg/an
  4RM 5136 kg/an
- **Empreinte écologique (nombre d'arbres à planter par année) :** 32
- **Indice d'octane :** 87
- **Autre motorisation :** non
- **Coût du carburant moyen par année :**
  2RM 1940 $
  4RM 2140 $
- **Nombre de litres par année :**
  2RM 1940 l
  4RM 2140 l

(SOURCE : ÉnerGuide)

1 FICHE D'IDENTITÉ

- **Version** roues motrices avant, 4 roues motrices
- **Roues motrices** avant, 4
- **Portières** 4 **Nombre de passagers** 5
- **Première génération** 2006
- **Génération actuelle** 2010
- **Construction** Hermosillo, Mexique
- **Sacs gonflables** 6 (frontaux, latéraux avant et arrière)
- **Concurrence** Acura TL, Audi A4, BMW série 3, Buick Lucerne, Cadillac CTS, Chrysler 300, Infiniti G35, KIA Amanti, Lexus ES350, Mercedes-Benz classe C, Nissan Maxima, Toyota Avalon, VW Passat

2 AU QUOTIDIEN

- **Prime d'assurance**
  25 ans: 2000 à 2200 $
  40 ans: 1000 à 1200 $
  60 ans: 800 à 1000 $
- **Collision frontale** 4/5
- **Collision latérale** 5/5
- **Ventes du modèle de l'an dernier**
  Au Québec 181 **Au Canada** 1358
- **Dépréciation** (2 ans) 41,6%
- **Rappels** (2004 à 2009) aucun à ce jour
- **Cote de fiabilité** 4/5

3 GARANTIES... ET PLUS

- **Garantie générale** 4 ans/80 000 km
- **Garantie motopropulseur** 6 ans/110 000 km
- **Perforation** 5 ans/kilométrage illimité
- **Assistance routière** 4 ans/80 000 km
- **Nombre de concessionnaires**
  Au Québec 77 **Au Canada** 400

4 NOUVEAUTÉS EN 2010

- modèle rafraîchi à l'extérieur et à l'intérieur

CETTE BELLE INCONNUE

PAR BENOIT CHARETTE

VOILÀ UNE VOITURE QUI N'A PAS LA POPULARITÉ QU'ELLE MÉRITE. Ce n'est pas faute d'essayer. Ford a fait une magnifique pub télé sur la musique de Major Tom. Toutefois, je pense que j'ai retenu la musique plus que le produit. Qu'à cela ne tienne, la MKZ, la sœur plus fortunée de la Ford Fusion, a beaucoup à offrir.

[CARROSSERIE] Pour 2010, elle a droit au même traitement que la Fusion c'est-à-dire un remodelage de l'avant et de l'arrière. Une bonne idée puisqu'elle adopte la nouvelle calandre double déjà aperçue sur la MKS et le MKT. Cela lui accorde un style plus affirmé qui lui permet de sortir de l'anonymat.

[HABITABLE] L'intérieur aussi gagne en qualité, les matériaux étant de plus belle facture. Pour justifier le prix plus salé de la MKZ, Lincoln a abandonné la planche de bord de la Fusion à laquelle on avait ajouté un peu de chrome du plus mauvais effet pour se tourner vers quelque chose plus proche de la MKS, une amélioration sur toute la ligne. L'habitacle gagne en noblesse.

[MÉCANIQUE] Pas de changement sous le capot, la MKZ partage toujours le V6 de 3,5 litres de 263 chevaux avec la Fusion de même que sa boîte de vitesses automatique à 6 rapports au rendement sans reproche. La voiture est une traction, mais elle peut aussi être équipée de la transmission intégrale que je conseille fortement.

[COMPORTEMENT] J'ai été surpris de constater l'entrain de cette voiture sur la route. Silencieuse, bien élevée, elle se déplace en silence, ce qui fait d'elle une routière de première classe. Plus confortable que sportive, sa suspension offre juste ce qu'il faut de souplesse pour être agréable sans nuire au comportement routier qui demeure sain. La rigidité de la caisse provenant de la Mazda6 lui donne ce qu'il faut d'agilité pour offrir une expérience au volant qui ne manque pas de piquant si l'on veut pousser un peu la machine.

[CONCLUSION] Lincoln a réussi le pari délicat de conserver ce qui fait l'essence de la berline américaine et de l'enrober d'un mélange de genres entre l'Europe et l'Asie.

FORCES • Confort • Châssis très solide • Intérieur en net progrès

FAIBLESSES • Options nombreuses et coûteuses • Consommation un peu élevée • Segment difficile à percer

N ÉVOLUTION É J

70 800 $ à 73 800 $
transport et préparation: 1400 $

NAVIGATOR

www.ford.ca

LA COTE VERTE

AVEC MOTEUR V8 DE 5,4 L

- **Consommation (100km):** 14,6 l
- **Émissions polluantes CO^2 :** 7104 kg/an
- **Empreinte écologique (nombre d'arbres à planter par année):** 42
- **Indice d'octane:** 87
- **Autre motorisation:** non
- **Coût du carburant moyen par année:**
- **Nombre de litres par année:** 2960 l

(SOURCE: ÉnerGuide)

TOUT LE MONDE À BORD !

PAR DANIEL RUFIANGE

ON S'ENTEND, LE NAVIGATOR, C'EST UNE VERSION TRÈS HAUT DE GAMME DU FORD EXPEDITION. Cela signifie qu'il s'agit d'un excellent camion. Cependant, je demeure surpris que Lincoln, qui travaille à se refaire une image, offre toujours cette baleine qui n'a vraiment plus sa place sur le marché.

[CARROSSERIE] Si le Cadillac Escalade, principal concurrent du Navigator, a de la gueule, on ne peut en dire autant du Navigator. Franchement, ce véhicule n'est pas très beau. Blâmons cette affreuse calandre aux allures de grille de BBQ. Outre cet élément de design peu orthodoxe, on remarque les dimensions éléphantesques du Navigator, toujours offert en trois versions : Ultimate, Ultimate L et Limo L

[HABITACLE] À bord, bien malheureux celui qui se plaindra du niveau de luxe offert. Tout est présent pour nourrir les folies d'opulence des plus prospères. Surtout, de l'espace au point où vous ne saurez qu'en faire. Cependant, je dois vous avouer mon dédain profond pour la planche de bord; les cadrans me rappellent ceux d'une Mercury Grand Marquis de la fin des années 80; un petit effort s'il-vous-plaît !

[MÉCANIQUE] Aucun changement sous le capot alors que le V8 de 5,4 litres, qui anime aussi l'Expedition, s'occupe des déplacements du Navigator. Prévoyez des réserves pour votre budget de carburant; le Navigator boit comme un bateau !

[COMPORTEMENT] Les bases de ce véhicule sont très saines. Le résultat au volant est donc surprenant. Tant la tenue de route, impressionnante pour un camion de ce gabarit, que le niveau de confort sont à souligner. Cependant, gardez en mémoire vos leçons de physique 414 car quand vient le temps d'arrêter cette grosse chaloupe; les lois de la gravité sont ce qu'elles sont !

[CONCLUSION] Bien sûr qu'on apprécie l'expérience à bord d'un Navigator. Position de conduite élevée, impression qu'on peut littéralement rouler par-dessus les autres voitures, sentiment d'invincibilité, la séduction est là. Toutefois, peut-on me justifier la présence d'un tel véhicule ? Ford offre pourtant d'autres alternatives pour permettre aux gens de tirer leur bateau.

FORCES • Confort impérial • Sensation d'invincibilité à bord • Tenue de route étonnante pour un camion

FAIBLESSES • Grande consommation • Esthétique douteuse • Planche de bord sortie des années 80

1 FICHE D'IDENTITÉ

- **Versions** Ultimate, Ultimate L, Limo L
- **Roues motrices** 2, 4
- **Portières** 4 **Nombre de passagers** 8
- **Première génération** 1998
- **Génération actuelle** 2003
- **Construction** Wayne, Michigan, É.-U.
- **Sacs gonflables** 6 (frontaux, latéraux avant, rideaux latéraux)
- **Concurrence** Cadillac Escalade, Infiniti QX56, Land Rover Range Rover, Lexus GX/LX, Mercedes-Benz Classe G/Classe GL, Porsche Cayenne

2 AU QUOTIDIEN

- **Prime d'assurance**
  25 ans: 2600 à 2800 $
  40 ans: 1400 à 1600 $
  60 ans: 1200 à 1400 $
- **Collision frontale** 5/5
- **Collision latérale** 5/5
- **Ventes du modèle de l'an dernier**
  Au Québec 34 **Au Canada** 384
- **Dépréciation** 57,5%
- **Rappels** (2004 à 2009) 6
- **Cote de fiabilité** 3,5/5

3 GARANTIES... ET PLUS

- **Garantie générale** 4 ans/80 000 km
- **Garantie motopropulseur** 6 ans/110 000 km
- **Perforation** 5 ans/kilométrage illimité
- **Assistance routière** 6 ans/110 000 km
- **Nombre de concessionnaires**
  Au Québec 77 **Au Canada** 400

4 NOUVEAUTÉS EN 2010

- Système My Key de série
- 5 nouvelles couleurs de carrosserie

ELISE / ELISE SC

www.lotuscars.com

N ÉVOLUTION É J

61 900 $ à 73 900 $
transport et préparation: 1910 $

LA COTE VERTE

MOTEUR
L4 DE 1,8 L

- **Consommation (100km):** 10,0 l
- **Émissions polluantes CO_2:** 4836 kg/an
- **Empreinte écologique (nombre d'arbres à planter par année):** 29
- **Indice d'octane:** 91
- **Autre motorisation:** non
- **Coût du carburant moyen par année:** 2217 $
- **Nombre de litre par année:** 2015 l

(SOURCE: ÉnerGuide)

1 FICHE D'IDENTITÉ

- **Versions** Elise, Elise SC
- **Roues motrices** arrière
- **Portières** 2 **Nombre de passagers** 2
- **Première génération** 2006
- **Génération actuelle** 2006
- **Construction** Angleterre
- **Sacs gonflables** 2 (frontaux)
- **Concurrence** Audi TT, BMW Z4, Honda S2000, Mercedes-Benz Classe SLK, Nissan 370Z, Porsche Boxster/Cayman

2 AU QUOTIDIEN

- **Prime d'assurance**
  25 ans: 3000 à 3200 $
  40 ans: 2000 à 2200 $
  60 ans: 1500 à 1700 $
- **Collision frontale** nd
- **Collision latérale** nd
- **Ventes du modèle de l'an dernier**
  Au Québec 35 **Au Canada** nd
- **Dépréciation** (2 ans) 34,6%
- **Rappels** (2004 à 2009) aucun
- **Cote de fiabilité** 4/5

3 GARANTIES... ET PLUS

- **Garantie générale** 3 ans/60 000 km
- **Garantie motopropulseur** 3 ans/60 000 km
- **Perforation** 8 ans/kilométrage illimité
- **Assistance routière** 3 ans/60 000 km
- **Nombre de concessionnaires**
  Au Québec 1 **Au Canada** 3

4 NOUVEAUTÉS EN 2010

- Système de surveillance de la pression des pneus, nouvel écran ACL

LA SOUTENABLE LÉGÈRETÉ DE LA CHOSE

PAR FRANCIS BRIÈRE

POUR CERTAINES PERSONNES, LA CONDUITE D'UNE AUTOMOBILE N'EST PAS FAITE POUR LES COMPROMIS. CES CONDUCTEURS RECHERCHENT LA PERFORMANCE, LA MANIABILITÉ, LA CONDUITE ENIVRANTE, LA JOIE DE VIVRE ET LES SENSATIONS FORTES. Pour ces personnes, il y a Lotus. Le fameux leitmotiv « Light is right » séduit les puristes : on réduit le poids, on augmente le ratio puissance-poids. Jusqu'à preuve du contraire, c'est encore la meilleure façon d'obtenir satisfaction.

[CARROSSERIE] Elle est séduisante, la petite Elise. La variante SC possède une allure plus agressive, entre autres avec une calandre expressive et un aileron arrière qui lui procure plus de stabilité à haute vitesse. Malgré son empattement réduit, l'Elise se distingue des autres voitures de performance avec son nez plongeant et ses prises d'air latérales. Pour le temps clément, un toit souple qui recouvre seulement l'espace de l'habitacle ne demande qu'à être enlevé pour permettre d'apprécier une conduite à ciel ouvert. En revanche, il faudra sortir du véhicule et user de sa force pour retirer la toile et la ranger dans le coffre.

[HABITACLE] Il n'y a pas de quoi écrire un roman quand vient le temps de faire la description de l'habitacle de l'Elise. Aucun luxe, aucune babiole, aucun accessoire n'est offert, si ce n'est la climatisation en option. Vous aurez droit à une radio, question d'écouter vos disques préférés pour agrémenter votre conduite folle. Autrement, deux sièges de course minces comme du papier vous attendent, en plus du petit volant Momo qui ne permet, hélas, aucun réglage. Vous ne pourrez qu'avancer ou reculer les sièges, même le dossier n'est pas réglable. La position de conduite en souffre terriblement, et le conducteur aussi. Il existe deux raisons pour lesquelles cette voiture ne s'adresse qu'à une clientèle exclusive, d'un point de vue strictement pondéral. Primo, un homme pesant au-delà de 100 kilos aura

FORCES • Défie la gravité • Conduite jouissive • Performances de gros calibre

FAIBLESSES • Position de conduite peu flexible • Confort réduit au néant • Accès pour contorsionniste

ELISE / ELISE SC

besoin d'un estomac solide et d'une colonne vertébrale à toute épreuve pour endurer les sévices d'un tel bolide. Ai-je besoin de spécifier que la Lotus Elise offre une bonne tenue de route ?

besoin de s'armer de patience pour pénétrer dans l'habitacle. Une stratégie doit être élaborée avant de s'aventurer à enfourcher la structure renforcée du châssis. Secundo, à bien y penser, deux passagers de 100 kilos chacun représentent plus de 20 % du poids de la voiture. On ne voudrait surtout pas trop en ajouter...

[MÉCANIQUE] Lotus entretient une relation de qualité avec Toyota, qui fournit le moteur et la boîte de vitesses. Il s'agit d'un bloc à quatre cylindres de 1,8 litre de 189 chevaux pour le modèle de base. La SC profite d'un engin à compresseur volumétrique qui lui permet de développer une puissance de 218 chevaux. Seule une boîte manuelle à 6 rapports est offerte sur les deux modèles. Derrière le volant, vous écoutez la sonorité du moteur en position centrale arrière qui rappelle un peu celle d'un aspirateur. Cette mécanique, du reste, fait preuve de fiabilité et de durabilité. Ajoutons que ce moteur, malgré sa petite cylindrée, supporte très bien les régimes exigeants de plus de 7000 tours par minute. Les accélérations sont fulgurantes, et vous aurez du plaisir à solliciter la pédale de droite sur les deuxième et troisième rapports.

[COMPORTEMENT] Au risque de passer pour un sot, j'aimerais mentionner que cette voiture est agréable à conduire sur une chaussée lisse comme un mur de gypse. Pour rouler sur nos routes : trouvez-vous un chiropraticien ! Le tandem suspension et direction fait des merveilles. L'impression de conduite se rapproche terriblement de celle qu'on éprouve au volant d'une voiture de course. En revanche, vous aurez

[CONCLUSION] Le propriétaire de Lotus doit affronter un sérieux problème. Quand vient le temps de changer de voiture, que doit-il faire ? Rien ne se compare à une Elise, si ce n'est sans doute une Exige ! Il s'agit d'une voiture inclassable pour laquelle il n'existe aucune concurrence. Si le budget le permet, ce jouet promet des heures de plaisir.

2e OPINION

BENOIT CHARETTE Les produits Lotus illustrent très bien qu'on peut faire plus avec moins. Plus de puissance avec moins de poids. Dans le cas de l'Élise SC, on ajoute un compresseur et 29 chevaux au moteur Toyota de 1,8 litre. Ce compresseur renforce la courbe de puissance sans rien enlever au confort. Naturellement, l'Élise est une voiture à vocation unique; elle n'a pas réellement de côté pratique, mais n'est pas inconfortable, surtout si vous optez pour les sièges Pro Bax. Un volant télescopique serait souhaitable, et vous devrez voyager léger car le coffre ne contient que 112 litres. Voiture minimaliste pour amateur de conduite pure, l'Élise fait du conducteur le centre d'intérêt, et c'est ce qui rend la voiture aussi plaisante à conduire. Si votre budget le permet, allez-y pour la SC, vous pousserez des cris de joie au volant , je vous le promets.

5 FICHE TECHNIQUE

· MOTEURS (ELISE)
L4 1,8 l DACT, 189 ch à 7800 tr/min
Couple 133 lb-pi à 6800 tr/min
Transmission manuelle à 6 rapports
0-100 km/h 5,4 s
Vitesse maximale 240 km/h

· (ELISE SC)
L4 1,8 l DACT, 218 ch à 8000 tr/min
Couple 153 lb-pi à 5500 tr/min
Transmission manuelle à 6 rapports
0-100 km/h 5,0 s
Vitesse maximale 255 km/h
Consommation (100 km) 9,9 l (octane 91)
Émissions de CO_2 5059 kg/an
Litres par année 2108 l
Coût par an 2319$
Empreinte écologique 30 arbres

· AUTRES COMPOSANTES
Sécurité active freins ABS, antipatinage (en option)
Suspension avant/arrière indépendante
Freins avant/arrière disques
Direction à crémaillère, non assistée
Pneus Elise P175/55R16 (av.), P225/45R17 (arr.)

· DIMENSIONS
Empattement 2299 mm
Longueur 3785 mm
Largeur 1720 mm
Hauteur 1118 mm
Poids 900 kg **SC** 914 kg
Diamètre de braquage 10,0 m
Coffre 113 l
Réservoir de carburant 40 l

NOS MENTIONS

Coup de coeur

NOTRE VERDICT

Plaisir au volant
Qualité de finition
Consommation
Rapport qualité/prix
Valeur de revente

EVORA

www.lotuscars.com

N ÉVOLUTION É J

75 000 $ (estimé)
transport et préparation: 1415 $

LA COTE VERTE

AVEC MOTEUR V6 DE 3,5 L

- **Consommation (100km):** 8,7 l
- **Émissions polluantes CO_2 :** 4100 kg/an
- **Empreinte écologique (nombre d'arbres à planter par année):** 23
- **Indice d'octane:** 91
- **Autre motorisation:** non
- **Coût du carburant moyen par année:** 1800 $
- **Nombre de litre par année:** 1800 l

(SOURCE: constructeur)

1 FICHE D'IDENTITÉ

- **Versions** Tech, Premium, Sport
- **Roues motrices** arrière
- **Portières** 2 **Nombre de passagers** 2+2
- **Première génération** 2010
- **Génération actuelle** 2010
- **Construction** Ethel, Angleterre
- **Sacs gonflables** 2 (frontaux)
- **Concurrence** Audi TT, BMW Z4, M-Benz Classe SLK, Nissan 370Z, Porsche Cayman

2 AU QUOTIDIEN

- **Prime d'assurance**
  25 ans: 3000 à 3200 $
  40 ans: 2000 à 2200 $
  60 ans: 1500 à 1700 $
- **Collision frontale** nm
- **Collision latérale** nm
- **Ventes du modèle de l'an dernier**
  Au Québec nm **Au Canada** nm
- **Dépréciation** nm
- **Rappels** (2004 à 2009) nm
- **Cote de fiabilité** nm

3 GARANTIES... ET PLUS

- **Garantie générale** 3 ans/60 000 km
- **Garantie motopropulseur** 3 ans/60 000 km
- **Perforation** 8 ans/kilométrage illimité
- **Assistance routière** 3 ans/60 000 km
- **Nombre de concessionnaires**
  Au Québec 1 **Au Canada** 3

4 NOUVEAUTÉS EN 2010

- nouveau modèle

UNE QUESTION DE POIDS

PAR FRÉDÉRIC MASSE

ILS NOUS AURONT FAIT ATTENDRE CES GENS DE LOTUS. L'Evora n'aura finalement pas pu être essayée à temps pour vous permettre d'obtenir nos impressions de conduite pour cette édition de l'Annuel. Qu'à cela ne tienne, l'Evora, tient une place tellement importante dans l'offre du fabricant anglais, qui ne compte que l'Elise et l'Exige, qu'on ne pouvait se permettre de la passer sous silence. Ce superbe modèle vient remplir un grand vide après 13 ans d'absence dans la catégorie grand tourisme.

[CARROSSERIE]On dit d'elle qu'elle réunit les termes Evolving, Vogue et Aura, d'où l'appellation Evora. Lotus avait bien besoin d'une grande sœur pour son Elise afin de se positionner dans un marché automobile de plus en plus segmenté. Un superbe 2+2 aux lignes élancées semblait être une solution naturelle pour le fabricant anglais qui a toutefois la réputation, avec raison, de produire de petites sportives ultra légères pures et dures. Quoi de mieux donc que de revenir à ses origines, au moment où l'Elan comptait dans son offre, pour conjurer le sort. La Lotus Evora parvient à réunir des airs de famille avec la cadette. Placées côte à côte, les deux sœurs sont indissociables, sauf sur le plan des dimensions et sur les lignes résolument plus modernes de l'aînée.

[HABITACLE] Lotus se targue d'être le seul fabricant à proposer un 2+2 à configuration à moteur central. Pour l'instant, seul le coupé 2+2 sera offert, mais Lotus devraient étayer son offre en proposant notamment des versions à boîte de vitesses automatique (la seule offerte pour l'instant est la manuelle à 6 rapports), sport, roadster et, même, hybride. En version à deux places, l'espace arrière est réservé au rangement. Lotus a véritablement réussi un bon coup en offrant, avec une voiture mesurant 4,34 mètres de longueur, deux places relativement spacieuses à l'avant, deux petits sièges à l'arrière (quoique très accessoires), le moteur en position centrale et un coffre de 110 litres ! Un bel effort pour augmenter les qualités pratiques.

[MOTEUR] Il est étrange de penser que l'Evora dispose du même moteur V6 de 3,5 litres que

FORCES · Motricité épatante · Châssis exemplaire · Freinage puissant

FAIBLESSES · Manque de couple · Confort spartiate · Pédalier décalé · Prix salé

EVORA

la Toyota Camry. Mais, les réglages auraient été revus très sérieusement. C'est 276 chevaux qui sont extirpés de cette mécanique. Faisant 1382 kilos (même si on est loin d'être dans la dimension pachyderme, on est tout de même loin du slogan de Colin Chapman, le fondateur de Lotus, qui décrétait que le poids était l'ennemi numéro 1), l'Evora ferait le 0 à 100 km/h en 5,1 secondes. Une chose est aussi certaine, la consommation annoncée est spectaculaire : 8,7 litres aux 100 kilomètres. Un détail pour une voiture de ce type, mais tout un exploit.

[CONDUITE] Le châssis en aluminium (avant et central) et en acier (arrière) de l'Evora est composé de trois parties. Lotus affirme d'ailleurs que ce bout de métal serait 2,6 fois plus rigide que celui de l'Elise qui, je le rappelle, date de 1996 ! On dit d'elle dans la presse qu'elle est d'une incroyable facilité de conduite, mais qu'elle manque de ce petit « oomph » si cher aux voitures sport. Gageons que Lotus, qui a notamment la recette pour le dosage parfait de ses directions, ne laissera pas les choses en plan, et que la version Sport promise viendra modifier le portrait, notamment en utilisant un compresseur ou la turbocompression. Sachez toutefois que, sur papier, la voiture semble équipée pour bien faire : amortisseurs Bilstein et ressorts Eibach aux quatre coins, différentiel à glissement limité, pneus de 18 pouces à l'avant et de 19 pouces à l'arrière, grands freins ventilés (350 millimètres à l'avant et 332 à l'arrière) à quatre pistons, et la liste s'allonge...

[CONCLUSION] Selon le seul distributeur des Lotus au Québec, la concession John Scotti, les premières livraisons officielles aux clients devraient avoir lieu au plus tard en novembre 2009. Le prix de vente ? Environ 80 000 $ US l'exemplaire. Pour l'instant, une seule configuration serait offerte, soit le 2+2. La clientèle n'aura donc que le choix de la couleur intérieure et extérieure. L'Evora aura mis du temps à sortir de l'usine d'Hetel, en Angleterre, mais elle donnera peut-être une frousse aux Porsche Cayman de ce monde.

5 FICHE TECHNIQUE

· MOTEURS
· (EVORA)
V6 3,5 l DACT, 276 ch à 6400 tr/min
Couple 258 lb-pi à 4700 tr/min
Transmission manuelle à 6 rapports
Manuelle 6 rapports rapprochées (option)
0-100 km/h 5,1 s
Vitesse maximale 261 km/h

· AUTRES COMPOSANTES
Sécurité active freins ABS, antipatinage
Suspension avant/arrière indépendante
Freins avant/arrière disques ventilés
Direction à crémaillère, assistée
Pneus P225/40ZR18 (av) P255/35ZR19 (ar)

· DIMENSIONS
Empattement 2575 mm
Longueur 4342 mm
Largeur 1848 mm
Hauteur 1223 mm
Poids 1382 kg
Diamètre de braquage 10,1 m
Coffre 110 l
Réservoir de carburant 60 l

NOTRE VERDICT

Plaisir au volant
Qualité de finition
Consommation
Rapport qualité/prix
Valeur de revente Nm

EXIGE S 240 / 260

www.lotuscars.com

N ÉVOLUTION É J

80 500 $ à 91 795 $
transport et préparation: 1415 $

LA COTE VERTE

MOTEUR
L4 DE 1,8 L

- **Consommation (100km):** 9,9 l
- **Émissions polluantes CO_2 :** 5059 kg/an
- **Empreinte écologique (nombre d'arbres à planter par année):** 30
- **Indice d'octane:** 91
- **Autre motorisation:** non
- **Coût du carburant moyen par année:** 2319 $
- **Nombre de litre par année:** 2108 l

(SOURCE: ÉnerGuide)

1 FICHE D'IDENTITÉ

- **Versions** Exige, Exige SC
- **Roues motrices** arrière
- **Portières** 2 **Nombre de passagers** 2
- **Première génération** 2007
- **Génération actuelle** 2007
- **Construction** Angleterre
- **Sacs gonflables** 2 (frontaux)
- **Concurrence** Audi TT, BMW Z4, Honda S2000, M-Benz Classe SLK, Nissan 350Z, Porsche Boxster

2 AU QUOTIDIEN

- **Prime d'assurance**
  25 ans: 3000 à 3200 $
  40 ans: 2000 à 2200 $
  60 ans: 1500 à 1700 $
- **Collision frontale** nd
- **Collision latérale** nd
- **Ventes du modèle de l'an dernier**
  Au Québec 8 **Au Canada** nd
- **Dépréciation** (1 ans) 16%
- **Rappels** (2004 à 2009) aucun
- **Cote de fiabilité** nm

3 GARANTIES... ET PLUS

- **Garantie générale** 3 ans/60 000 km
- **Garantie motopropulseur** 3 ans/60 000 km
- **Perforation** 8 ans/kilométrage illimité
- **Assistance routière** 3 ans/60 000 km
- **Nombre de concessionnaires**
  Au Québec 1 **Au Canada** 3

4 NOUVEAUTÉS EN 2010

- Aucun changement majeur

SANS COMPROMIS

PAR ALEXANDRE CRÉPAULT

L'EXIGE EST UNE VERSION SANS COMPROMIS DE L'ELISE. ELLE UTILISE À PEU PRÈS LES MÊMES COMPOSANTS, LES PETITS CONFORTS EN MOINS – si on peut les appeler ainsi – afin de se concentrer exclusivement sur ses performances brutes.

[CARROSSERIE] L'Exige est une de ces voitures qui ne font pas dans la demi-mesure. L'Elise étant déjà très radicale, elle pousse la note encore plus loin. Pas de vitre arrière, des trappes d'aération partout où l'air frais peut servir, un toit dur boulonné fixement et de nouveaux ailerons avant et arrière capables de plaquer la voiture au sol. Grâce à l'utilisation de fibre de verre et de composite, l'Exige affiche un poids plume. La version de haute performance de l'Exige, la 260S, reçoit en addition une gamme d'accessoires en fibres de carbone qui lui font perdre près de 50 livres.

[HABITACLE] Très minimaliste, l'Exige met l'accent sur le nécessaire seulement. Un exemple ? Les sièges baquets, en un morceau, avec ouvertures pour les ceintures à quatre ou à cinq points. On y retrouve aussi un système d'antipatinage que le pilote peut régler selon ses préférences et un système « launch control » qui, lui aussi, donne la possibilité au pilote de sélectionner la quantité de révolution désirée lors des départs arrêtés. Pour le reste, on se croirait presque dans une Elise : châssis en aluminium à nu à l'intérieur de la cabine, petit volant Momo et porte-gobelets... offerts en option.

[MÉCANIQUE] On a planqué entre les roues arrière et la cabine de la voiture un moteur de 1,8 litre d'origine Toyota, que Lotus a pris soin de munir d'un compresseur volumétrique. La version 240 propose 240 chevaux, tandis que la version 260, dérivée de la L'Exige Cup, arrive à extirper 257 chevaux. Ce qui veut donc dire que le rapport poids-puissance de l'Exige S 260 est supérieur à celui d'une Viper ACR ou d'une Ferrari F430. Impressionnant ? Certes. Mais le plus renversant, c'est la consommation moyenne de carburant de la Lotus Exige S; tenez-vous bien, est similaire à celle d'une Mazda3.

FORCES • La voiture de circuit idéale • Couple du compresseur • Allure de voiture de course • Consommation similaire à celle d'une voiture compacte

FAIBLESSES • Confort inexistant • Difficulté à survivre sur nos routes • Visibilité arrière

EXIGE S 240 / 260

[COMPORTEMENT] Appuyez sur le bouton-poussoir et écoutez siffler les bronches de la mécanique Toyota. Avec une sonorité pareille, il est difficile de croire que cette mécanique ait pu avoir sa place au ventre d'une Corolla. Par contre, le cillement de son compresseur volumétrique nous fait vite comprendre que la ressemblance avec la mécanique Toyota s'arrête là. Le couple du compresseur à bas régime s'apprécie surtout au quotidien. Les départs arrêtés se font aisément, et les dépassements à vitesse de croisière nécessitent moins d'efforts qu'avec la version atmosphérique. Sur les routes du Québec, l'Exige montre peu de qualités. Le problème, c'est qu'elle est faite pour s'amuser dans les courbes, pas sur une autoroute à six voies. Et au Québec, les belles routes pleines de virages, ça ne court pas les rues. Cela dit, en piste, à quoi l'Exige appartient vraiment, c'est une toute autre histoire. Son couple, jumelé au différentiel autobloquant offert en option, permet d'arracher au bolide un maximum de puissance en sortie de virage à basse vitesse. Sur les portions rapides, l'appui aérodynamique de l'Exige permet de passer d'un virage à l'autre à des vitesses hallucinantes. Ne vous laissez pas abuser par les (relativement) petites dimensions des freins et des pneus. Ils ont été choisis par les ingénieurs de Lotus, qui visaient un équilibre optimal entre accélérations, tenue de route, agilité et freinage, le tout réglé pour qu'il y ait un peu de sous-virage. Cette idée peut sembler étrange à première vue, mais elle a pour but de limiter les dégâts des pilotes un peu trop téméraires. De toute façon, l'Exige, comme l'Elise, parle un dialecte qu'on apprend rapidement. Et une fois qu'on est sur la même longueur d'onde, l'Exige fait ce qu'on veut. Du bout des doigts, il est aussi facile d'effectuer de longues glissades accompagnées de nuages de fumée que de faire lever une roue en passage de virage. Un vrai bijou.

[CONCLUSION] Il faut être un sacré mordu des circuits de fin de semaine pour désirer une Exige. L'Elise fait pratiquement autant qu'elle, en offrant un peu plus d'agrément au quotidien, notamment grâce à son toit escamotable. Cela dit, l'une ou l'autre demeure le choix par excellence des passionnés de pilotage. De plus, utiliser l'Exige se révèle relativement abordable si l'on considère la simplicité de son entretien, même quand on la maltraite comme une voiture de piste.

2e OPINION

BENOIT CHARETTE Pour bien différencier une Lotus Élise d'une Lotus Exige, la première est une voiture de route, tandis que la seconde est une pure voiture de course, accessoirement dotée des équipements de sécurité légaux pour aller sur la route. Tous les attributs sont là pour exciter les sens. Une palette de couleurs vives, des becquets avant et arrière, des prises d'air partout. Mais le plus intéressant se trouve sous le capot. Le petit moteur de 1,8 litre et ses 240 chevaux. Une Exige accélère plus vite qu'une Boxster S et tient tête à une Ferrari F 430. La conduite est très sportive, le confort, spartiate, l'insonorisation, inexistante, il n'y a aucun côté pratique, et la visibilité arrière est nulle. Bref, c'est la piste qui constitue le meilleur terrain de jeu de cette Exige. Mais vous pouvez partir de la maison et vous rendre au circuit à son volant.

(5) FICHE TECHNIQUE

· MOTEURS

· (EXIGE S240)

L4 1,8 l DACT, 240 ch à 8000 tr/min
Couple 170 lb-pi à 5500 tr/min
Transmission manuelle à 6 rapports
0-100 km/h 4,4 s
Vitesse maximale 260 km/h

· (EXIGE S260)

L4 1,8 l DACT, 257 ch à 8000 tr/min
Couple 174 lb-pi à 6000 tr/min
Transmission manuelle à 6 rapports
0-100 km/h 4,1 s
Vitesse maximale 260 km/h
Consommation (100 km) 10,6 l (octane 91)
Émissions de CO_2 5059 kg/an
Litres par année 2108 l
Coût par an 3319 $
Carburant alternatif non
Empreinte écologique 30 arbres

· AUTRES COMPOSANTES

Sécurité active freins ABS, antipatinage (en option)
Suspension avant/arrière indépendante
Freins avant/arrière disques
Direction à crémaillère, assistée
Pneus P195/50R16 (av.), P225/45R17 (arr.)

· DIMENSIONS

Empattement 2299 mm
Longueur 3797 mm
Largeur 1727 mm
Hauteur 1158 mm
Poids 942 kg
Diamètre de braquage 10,0 m
Coffre 110 l
Réservoir de carburant 40 l

NOS MENTIONS

Coup de coeur

NOTRE VERDICT

Plaisir au volant	5/5
Qualité de finition	2,5/5
Consommation	3,5/5
Rapport qualité/prix	4/5
Valeur de revente	Nm

QUATTROPORTE

www.maserati.com

N ÉVOLUTION É J

143 000 $ à 149 000 $
transport et préparation: 3500 $

LA COTE VERTE

AVEC MOTEUR V8 DE 4,2 L

- **Consommation (100km):** 14,8 l
- **Émissions polluantes CO_2 :** 7440 kg/an
- **Empreinte écologique (nombre d'arbres à planter par année):** 45
- **Indice d'octane:** 91
- **Autre motorisation:** non
- **Coût du carburant moyen par année:** 3410 $
- **Nombre de litres par année:** 3100 l

(SOURCE: ÉnerGuide)

1 FICHE D'IDENTITÉ

- **Versions** quattroporte et quattroporte S
- **Roues motrices** arrière
- **Portières** 4 **Nombre de passagers** 4
- **Première génération** 2005
- **Génération actuelle** 2005
- **Construction** Modène, Italie
- **Sacs gonflables** 6 (frontaux, latéraux avant, rideaux latéraux)
- **Concurrence** Audi A8, BMW Série 7, Jaguar XJ, Lexus LS, Mercedes-Benz Classe S

2 AU QUOTIDIEN

- **Prime d'assurance**
  25 ans: 7000 à 7200 $
  40 ans: 4400 à 4600 $
  60 ans: 3500 à 3700 $
- **Collision frontale** nd
- **Collision latérale** nd
- **Ventes du modèle de l'an dernier**
  Au Québec nd Au Canada nd
- **Dépréciation** (3 ans) 2%
- **Rappels** (2004 à 2009) 3
- **Cote de fiabilité** 3/5

3 GARANTIES... ET PLUS

- **Garantie générale** 4 ans/80 000 km
- **Garantie motopropulseur** 4 ans/80 000 km
- **Perforation** 4 ans/80 000 km
- **Assistance routière** 4 ans/80 000 km
- **Nombre de concessionnaires**
  Au Québec 1 **Au Canada** 3

4 NOUVEAUTÉS EN 2010

- Aucun changement majeur

L'AUTRE JOUEUR

PAR BENOIT CHARETTE

DANS UN MONDE DOMINÉ PAR LES LIMOUSINES ALLEMANDES QUI OFFRENT, CERTES, UN LUXE SUPRÊME, MAIS AUSSI DES CARACTÉRISTIQUES TRÈS PROCHES LES UNES DES AUTRES, MASERATI OFFRE UNE AUTRE VOIE, CELLE DU LUXE À L'ITALIENNE. De la haute couture façon automobile et Ferrari pour faire battre le cœur de la belle, une invitation plutôt intéressante. Maserati ne vend pas le dernier cri technologique, il vend de l'émotion, c'est ce qui rend cette voiture si attachante.

[CARROSSERIE] Encore cette année vous avez droit aux versions 4,2 et 4,7 S. Simplement mentionner que c'est Pininfarina, la grand carrossier de Ferrari, aujourd'hui décédé, qui a mis sa griffe sur la voiture, et vous êtes assuré d'avoir un classique. Cette voiture est belle, peu importe l'angle. Elle respire la sensualité, le bon goût, le chic. Extérieurement, les différences entre la version de base et la S sont minimes. Le chrome disparaît au profit d'un noir plus « agressif » pour l'intérieur des phares, la calandre et le contour de vitres. Pour une touche plus sport, la S offre une double sortie d'échappement désormais ovale et des jantes de 20 pouces pour compléter.

[HABITACLE] A l'intérieur, la finition est incroyable, le choix des matériaux, parfait. Seuls les leviers de sélection en plastique au volant détonnent dans la version à boîte séquentielle. Pour le reste, on se croirait à la semaine de la mode à Milan. Les fauteuils capitonnés, le cuir pleine fleur très souple et, contrairement aux Allemands, qui mettent de l'avant toute la quincaillerie électronique, Maserati la cache pour faire toute la place au style. Ne cherchez donc pas ni affichage à tête haute ni radar de détection de véhicule ni vision de nuit ou autre gadget du genre, ce n'est pas dans le vocabulaire Maserati. Il y a bien des interfaces multimédia : le Maserati *Multimédia System* ou le *Bose Multimedia System*. Ils ont en commun l'ordinateur de bord, le GPS, un disque dur interne (30 et 40 gigaoctets), la reconnaissance vocale, le Bluetooth et une prise USB, la chaîne Bose offrant en plus la reconnaissance de formats vidéos (dont 5.1), une interface iPod, un syntoniseur TV... Mais tout est bien dissimulé.

FORCES • Lignes toujours originales • Âme sportive • Performances • V8 mélodieux et vivant • Pas de surenchère pour l'équipement technologique

FAIBLESSES • Poids • Amortissement ferme • Freins qui manquent de mordant

QUATTROPORTE

[MÉCANIQUE] Depuis l'an dernier, vous avez le choix de deux moteurs V8 qui offrent 400 ou 427 chevaux. Maserati est allée piger dans la boîte à outils de Ferrari pour garnir le compartiment-moteur. La musique inimitable des vocalises italiennes est donc au rendez-vous. Pour plaire à une clientèle américaine qui constitue le plus gros marché mondial, Maserati a ajouté à sa boîte séquentielle une boîte automatique ZF à 6 rapports. Avec cette boîte, la Quattroporte gagne cette douceur au moment de s'élancer qui lui manquait auparavant avec la boîte séquentielle.

[COMPORTEMENT] On sent le poids au moment du décollage, mais le V8 se réveille vigoureusement en laissant échapper sa symphonie qui réveille les sens. Dans la version S, il est possible d'enfoncer le bouton Sport. Ce geste permet d'ouvrir les soupapes à l'échappement pour modifier le parcours des gaz brûlés en trajet direct vers l'extérieur. Outre le gain de puissance, la sonorité est métamorphosée. Les 427 chevaux résonnent, ronronnent, hurlent en fonction du régime moteur. La suspension se resserre. Du grand confort, on passe alors à une caisse fermement tenue mais pas beaucoup moins confortable. Cerise sur le gâteau, les rétrogradations s'accompagnent d'un double débrayage automatique, parfaitement grisant. Le petit coup d'accélérateur à vide avant que le rapport inférieur ne s'engage est au moins aussi enthousiasmant que la vitesse à laquelle l'opération s'exécute. Même avec près de 2 tonnes, la Maserati est très à l'aise même en courbe.

[CONCLUSION] Plaisir de conduire sans édulcorant et V8 orchestrant la symphonie musicale appellent à l'essentiel de la passion et du plaisir des sens. Point besoin ici du dernier gadget à la mode, la Maserati se distingue par une vocation finalement devenue rare : le grand tourisme au sens noble du terme, avec le pilote au centre de l'action.

2e OPINION

PHILIPPE LAGUË En voilà une qui ne peut renier ses origines. Pensez à tous les stéréotypes qu'on attribue aux Italien(ne)s : l'exubérance, le caractère bouillant...
La Quattroporte est une sanguine, une limite caractérielle prête à exploser en tout temps. Si la Jaguar est un félin qui se transforme en fauve, la Maserati est un fauve à plein temps ! Dans l'univers des berlines de prestige, la Quattroporte fait bande à part : elle n'a peut-être pas l'extrême douceur de ses rivales ni leur avalanche de gadgets électroniques, mais quel tempérament !
En matière de performances et de prestations routières, elle est sans rivale : si Ferrari faisait une berline, cela donnerait la Quattroporte. Elle devra cependant affronter de nouvelles concurrentes : Porsche, qui débarque avec sa Panamera, et Jaguar, qui renouvelle sa XJ. Mais la Maserati est encore plus exclusive, ce qui est un argument de poids dans ce créneau pour le moins élitiste.

5 FICHE TECHNIQUE

· MOTEURS

· V8 4,2 l DACT, 400 ch à 7000 tr/min
Couple 332-339 lb-pi à 4750 tr/min
Transmission séquentielle ou automatique à 6 rapports
0-100 km/h 5,9 s
Vitesse maximale 265 km/h

· (S)
V8 4,7 l DACT, 427 ch à 7000 tr/min
Couple 361 lb-pi à 4750 tr/min
Transmission séquentielle ou automatique à 6 rapports
0-100 km/h 5,6 s
Vitesse maximale 278 km/h
Consommation (100 km) 14,8 l (octane 91)
Émissions de CO_2 7850 kg/an
Litres par année 3240 l
Coût par an 4860 $
Empreinte écologique 47 arbres

· AUTRES COMPOSANTES
Sécurité active freins ABS, antipatinage, contrôle de stabilité électronique, répartition électronique de force de freinage, assistance au freinage
Suspension avant/arrière indépendante
Freins avant/arrière disques
Direction à crémaillère, assistée
Pneus P245/45R18 (av.), P285/40R18 (arr.)

· DIMENSIONS
Empattement 3064 mm
Longueur 5097 mm
Largeur 1991 mm
Hauteur 1438 mm
Poids 1985 kg
Diamètre de braquage 12,3 m
Coffre 450 l
Réservoir de carburant 90 l

NOS MENTIONS

Coup de coeur

NOTRE VERDICT

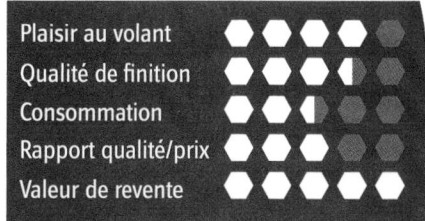

Plaisir au volant
Qualité de finition
Consommation
Rapport qualité/prix
Valeur de revente

GT

www.maserati.com

N ÉVOLUTION É J

139 900 $
transport et préparation: 3500 $

LA COTE VERTE

AVEC MOTEUR V8 DE 4,2 L

- **Consommation (100km):** 13,5 l
- **Émissions polluantes CO_2 :** 7200 kg/an
- **Empreinte écologique (nombre d'arbres à planter par année):** 42
- **Indice d'octane:** 94
- **Autre motorisation:** non
- **Coût du carburant moyen par année:** 3300 $
- **Nombre de litres par année:** 3100 l

(SOURCE: ÉnerGuide)

1 FICHE D'IDENTITÉ

- **Versions** unique
- **Roues motrices** arrière
- **Portières** 2 **Nombre de passagers** 2+2
- **Première génération** 2002
- **Génération actuelle** 2008
- **Construction** Modène, Italie
- **Sacs gonflables** 4 (frontaux et latéraux)
- **Concurrence** Aston Martin DB9, Bentley Continental GT, BMW Série 6, Dodge Viper, Ferrari 458, Jaguar XK, Lexus SC 430 Mercedes-Benz Classe CL et SL, Porsche 911

2 AU QUOTIDIEN

- **Prime d'assurance**
  25 ans: 7000 à 7300 $
  40 ans: 4400 à 4700 $
  60 ans: 3500 à 3700 $
- **Collision frontale** nm
- **Collision latérale** nm
- **Ventes du modèle de l'an dernier**
  Au Québec nm **Au Canada** nm
- **Dépréciation** (1 an) 12,8%
- **Rappels** (2004 à 2009) nd
- **Cote de fiabilité** nd

3 GARANTIES... ET PLUS

- **Garantie générale** 4 ans/80 000 km
- **Garantie motopropulseur** 4 ans/80 000 km
- **Perforation** 4 ans/80 000 km
- **Assistance routière** 4 ans/80 000 km
- **Nombre de concessionnaires**
  Au Québec 1 **Au Canada** 3

4 NOUVEAUTÉS EN 2010

- Aucun changement majeur

CÉTAUTOMATIX

PAR BENOIT CHARETTE

J'AI GRANDI EN LISANT LES BANDES DESSINÉES D'ASTÉRIX. CÉTAUTOMATIX EST LE FORGERON-ARMURIER DU PETIT VILLAGE GAULOIS. Il est apprécié pour ses produits « forgés à la main », son lourd marteau de forge lui servant plutôt à calmer les ardeurs du barde Assurancetourix ou à discuter de la fraîcheur des poissons d'Ordralphabetix. Son nom colle bien au travail d'artiste de la Maserati GT, mais c'est plutôt pour sa nouvelle boîte de vitesses automatique ZF à 6 rapports, conçue avec le marché américain en tête, que je trouvais le nom de Cétautomatix approprié.

[CARROSSERIE] Maserati représente tout ce qu'on aime et déteste des italiennes. On aime son style. Agressive avec cette gueule béante prête à avaler les kilomètres, sensuelle avec cette ceinture de caisse aux galbes sublimes. Pourtant, l'arrière est plus quelconque. On dirait que le travail a été terminé un peu à la hâte. C'est un peu trop chargé, et cela manque de cohésion avec le devant de la voiture, mieux réussi. Il faut la regarder de profil, c'est son plus bel angle. Chose certaine, elle en impose.

[HABITACLE] Ceux qui ont déjà pris place à bord de la berline Quattroporte ne seront pas dépaysés. On reprend la plupart des composants à l'exception de quelques ajouts comme la petite ligne chromée qui habille le tableau de bord sur toute sa longueur. Les sièges sont très fermes, même pour moi qui carbure au confort allemand, et le maintien est inadéquat. Mais il y a un côté délirant typique des italiennes qui me plaît beaucoup. On peut, par exemple, choisir un intérieur rouge et personnaliser une foule de détails pour rendre notre GT unique. Les places arrière sont un peu plus grandes que la moyenne pour un coupé sport. De là à la qualifier d'une véritable quatre-places, c'est un peu fort.

[MÉCANIQUE] Même avec des mécaniques Ferrari sous le capot, les Maserati sont beaucoup plus tranquilles. Le moteur de base est un V8 de 4,2 litres de 405 chevaux. La musique est agréable, mais son poids de 1780 kilos donne du fil à retordre à la mécanique, qui doit se faire brasser un peu pour dévoiler son potentiel. C'est pour cette raison que Maserati a introduit l'an dernier une

FORCES • Lignes plus flatteuses • Habitacle invitant • Version à 4 roues motrices intéressantes • Performances impressionnantes (CTS-V)

FAIBLESSES • Il manque encore un brin de raffinement pour rejoindre les Européens • Le V6 de base est loin de la concurrence

mécanique de 4,7 litres qui pousse la puissance à 433 chevaux. La réponse est meilleure, mais elle n'est pas aussi enjouée que sa consoeur de Maranello. La boîte automatique est paresseuse, et il faut cravacher fort pour extirper son potentiel, un modèle qui convient mieux au boomers qui ont déjà eu leur dose de voiture sport dans leur vie. J'aime mieux la boîte séquentielle.

[COMPORTEMENT] Comme nous le disions, la GT est de nature tranquille, elle acceptera de bonne grâce de se faire brusquer un peu, mais n'apprécie guère l'exercice. Son encombrement devient un handicap si vous avez le goût de vous lancer dans les petites routes en lacets. Pour activer un peu le rythme, il y a bien un mode sport, mais c'est comme si vous donniez une canette de Red Bull à la voiture. Elle s'énerve pour un rien et ne semble pas vouloir se calmer. C'est tout ou rien. Mais, il faut rendre à César ce qui lui appartient (c'est une italienne après tout), la Maserati conjugue l'élégance, le confort, la performance et la douceur de roulement. Il faut la prendre avec délicatesse, comme une fleur, pour apprécier ses qualités routières.

[CONCLUSION] Les sportives allemandes offrent rigueur, performances, souci du travail bien fait, mais l'ambiance n'est pas toujours au rendez-vous. L'Angleterre est le gardien de la tradition aristocrate automobile. L'Italie, c'est l'enfant rebelle de la famille, qui arrive toujours avec quelque chose de différent, et c'est précisément cela qui fait leur charme. Le jour où Maserati fera des voitures aussi bonnes qu'elles sont belles, allemands et britanniques auront du souci à se faire. D'ici là, je continuerai à préférer les allemandes.

2e OPINION

FRANCIS BRIÈRE La Maserati GT est ce qu'on pourrait appeler un objet exclusif. Si vous en voyez passer une à l'occasion ou, même, si vous en avez déjà eu une, vous êtes chanceux. J'ajouterais même : c'est une œuvre d'art ! On trouve sa silhouette sensuelle, on jouit de son habitacle somptueux. Il ne faut pas croire que Maserati produit des voitures de performance. Elle est dotée d'un moteur Ferrari, mais il s'agit d'une voiture de tourisme. Derrière le volant, on apprécie la grande rigidité de la caisse de même que la souplesse et le couple de l'engin. En revanche, elle fait plus de 1700 kilos ! Malheureusement, la lourdeur se fait sentir. Si votre budget peut se montrer généreux, vous vous laisserez sans doute tenter par son charme et son style irrésistibles.

5 FICHE TECHNIQUE

· MOTEUR

· V8 4,2 l DACT, 405 ch à 7100 tr/min
Couple 340 lb-pi à 4750 tr/min
Transmission automatique à 6 rapports avec mode manuel
0-100 km/h 5,6 s
Vitesse maximale 285 km/h

· (S)

V8 4,7 l DACT, 433 ch à 7000 tr/min
Couple 361 lb-pi à 4750 tr/min
Transmission séquentielle ou automatique à 6 rapports
0-100 km/h 5,2 s
Vitesse maximale 295 km/h
Consommation (100 km) 15,0 l (octane 94)
Émissions de CO_2 7850 kg/an
Litres par année 3240 l
Coût par an 3564 $
Empreinte écologique 47 arbres

· AUTRES COMPOSANTES

Sécurité active freins ABS, assistance au freinage, antipatinage, contrôle de stabilité électronique
Suspension avant/arrière indépendante
Freins avant/arrière disques
Direction à crémaillère, assistée
Pneus P235/40R19 (av.), P285/40R19 (arr.) P245/35R20 (av.), P285/35R20 (arr.) (en option)

· DIMENSIONS

Empattement 2942 mm
Longueur 4881 mm
Largeur 2056 mm
Hauteur 1353 mm
Poids 1880 kg
Diamètre de braquage 10,7 m
Coffre 260 l
Réservoir de carburant 86 l

NOTRE VERDICT

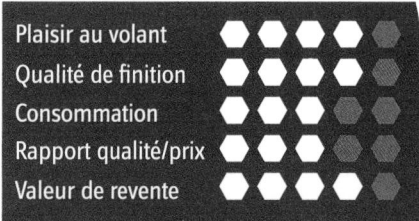

Plaisir au volant
Qualité de finition
Consommation
Rapport qualité/prix
Valeur de revente

57 & 62

www.mercedes-benz.ca

N ÉVOLUTION É J

348 000 $ à 438 500 $
transport et préparation: 1995 $

LA COTE VERTE

AVEC MOTEUR V12 DE 5,5 L

- **Consommation (100km) :** 17,1 l
- **Émissions polluantes CO_2 :** 8352 kg/an (57 et 62)
- **Empreinte écologique (nombre d'arbres à planter par année) :** 50
- **Indice d'octane :** 91
- **Autre motorisation :** non
- **Coût du carburant moyen par année :** 3828 $
- **Nombre de litres par année :** 3480 l

(SOURCE : ÉnerGuide)

1 FICHE D'IDENTITÉ

- **Versions** 57 et 62 base, S et Zeppelin, 62 Maybach Landaulet
- **Roues motrices** arrière
- **Portières** 4 **Nombre de passagers** 4
- **Première génération** 1921
- **Génération actuelle** 2004
- **Construction** Sindelfingen, Allemagne
- **Sacs gonflables** 8 (frontaux, latéraux avant et arrière, rideaux latéraux)
- **Concurrence** Bentley Arnage, Rolls-Royce Phantom

2 AU QUOTIDIEN

- **Prime d'assurance**
  25 ans: 8000 à 8200 $
  40 ans: 6600 à 7000 $
  60 ans: 6000 à 6300 $
- **Collision frontale** 5/5
- **Collision latérale** 5/5
- **Ventes du modèle de l'an dernier**
  Au Québec 0 **Au Canada** 5
- **Dépréciation** nd
- **Rappels** (2004 à 2009) Aucun à ce jour
- **Cote de fiabilité** 3/5

3 GARANTIES... ET PLUS

- **Garantie générale** 4 ans/80 000 km
- **Garantie motopropulseur** 4 ans/80 000 km
- **Perforation** 4 ans/80 000 km
- **Assistance routière** 4 ans/ kilométrage illimité
- **Nombre de concessionnaires**
  Au Québec 1 **Au Canada** 3

4 NOUVEAUTÉS EN 2010

- Versions « Zeppelin » et « Landaulet »

JETER SON ARGENT PAR LES FENÊTRES, LITTÉRALEMENT

PAR BENOIT CHARETTE

L'EXPRESSION NOUVEAU RICHE EST UTILISÉE POUR QUALIFIER PÉJORATIVEMENT LES PERSONNES QUI SE SONT ENRICHIES RAPIDEMENT, PARFOIS DE MANIÈRE SUSPECTE, ET QUI DÉPENSENT LEUR ARGENT DE MANIÈRE OSTENTATOIRE. Le nouveau riche a, par définition, mauvais goût. Il aime ce qui est cher et qui se voit sans se soucier du reste. Ces personnes qui sont la cible des Maybach proviennent de Russie, de Chine ou sont des dictateurs de pays malfamés, ordinairement en Afrique.

[CARROSSERIE] En mars dernier, Maybach présentait au salon de l'auto de Genève ses versions Zeppelin. Il faudrait plutôt dire que Maybach ressuscite les Zeppelin. Dans les années 30 déjà, les frères Wilhelm et Karl Maybach associaient le célèbre nom de Zeppelin aux finitions de très grand luxe de ces modèles. La carrosserie de la Maybach Zeppelin arbore deux tons. La couleur standard est composée d'un bandeau marron contrastant avec le noir. Mais, bien évidemment, à ce prix, chaque client a le droit d'opter pour une autre teinte ou pour une combinaison différente. Les autres modèles 57 et 62 sont toujours au catalogue ainsi que l'extravagant modèle Landaulet. Pour revenir à la Zeppelin, elle chausse des roues de 20 pouces, et le bouchon du radiateur reprend l'emblème Maybach surmontant la mention Zeppelin. Le dessin des rétroviseurs extérieurs, pour cette série limitée à 100 exemplaires, a été refait. Ils ont été retaillés pour diminuer les bruits aérodynamiques tout en étant plus grands.

[HABITACLE] Comment élever d'un cran un intérieur qui respire l'opulence. On débute avec du cuir pleine fleur allant dans des teintes inédites. Vos pieds fouleront une carpette en véritable peau d'agneau. On trouve aussi des garnitures couleur piano laqué. Des motifs de diamants sont piqués sur les sièges. Le nom Zeppelin est, bien sûr, présent. Et pour la version 62, les flûtes de champagne en argent font partie de l'équipement de

FORCES • Luxe sans limite • Silence de roulement incomparable • Technologie très poussée • Performances surprenantes

FAIBLESSES • Lignes un peu banales • Freinage perfectible • Options trop nombreuses et trop chères pour un véhicule de ce prix

L'aiguille s'affole, mais aucune brusquerie à bord, c'est la championne de la force tranquille. Malgré une belle agilité, il ne faut pas oublier les 2 800 kilos ou plus de la chose. Le freinage demande du doigté, et les courbes prononcées finissent par se faire sentir, le Titanic n'était pas fait pour les circuits routiers.

série. Même à plus de 700 000 $, vous avez droit à des options. La plus longue des Maybach, la 62, qui fait, comme son nom l'indique, 6,2 mètres de longueur, propose un séparateur avec écran vidéo entre l'avant et l'arrière. L'intérieur de la version Zeppelin baignera dans une ambiance parfumée grâce à un diffuseur unique au monde. Il est matérialisé par un globe à l'arrière de la console centrale. Les deux fragrances offertes ont été créées par le groupe suisse Givaudan. Ce n'est pas rien.

[MÉCANIQUE] Les versions 57 et 62 profitent d'un V12 de 5,5 litres biturbo de 543 chevaux. Les versions S et Landaulet profitent d'un V12 biturbo porté à 6 litres développant une puissance de 604 chevaux. En ce qui concerne le Zeppelin, Mercedes-Benz ajoute 27 chevaux aux versions de 6 litres pour une puissance de 631 chevaux. Une seule boîte de vitesses automatique à 5 rapports pour tout le monde.

[COMPORTEMENT] À bord, vous êtes dans un cocon ouaté. Je me rappelle ma première expérience comme passager à l'arrière; il m'était impossible de dire à quelle vitesse nous nous déplacions tellement le véhicule semble coupé de la route. C'est la raison pour laquelle on a prévu, à l'arrière, un centre d'information qui donne la vitesse de déplacement. Je n'étais pas très chaud à l'idée de prendre le volant en me disant que je conduirais sur un nuage. Il n'en fut rien. Face à une instrumentation moderne digne d'un Airbus, la Maybach pousse aussi fort qu'une fusée dans un silence et une retenue hors du commun.

[CONCLUSION] Pour ceux qui veulent étaler leur richesse au grand jour, vous trouverez difficilement mieux.

2e OPINION

PHILIPPE LAGUË La Maybach, c'est la quintessence du mauvais goût. La preuve par quatre (roues ?) que l'argent n'achète pas tout, surtout pas la classe... Très prisée par les nouveaux riches (très, très riches) désireux d'afficher (et de dilapider) leur réussite, elle symbolise à merveille l'excès. Laide à en arrêter le sang et décorée à l'intérieur comme un palais du Moyen-Orient ou de dictateur africain – ça tombe bien, c'est la clientèle visée –, la Maybach est l'équivalent européen des grosses limousines de Las Vegas. Cette incarnation du « bling bling » sur quatre roues n'a ni la noblesse ni la prestance des glorieuses Maybach d'avant-guerre. Mercedes-Benz a ressuscité ce nom pour affronter BMW, propriétaire de Rolls-Royce, dans ce créneau ultra exclusif. Avec le même résultat : ces deux éternels rivaux ont complètement dénaturé deux marques légendaires. Pathétique.

5 FICHE TECHNIQUE

· MOTEURS

· (57 et 62)

V12 5,5 l biturbo SACT, 543 ch à 5250 tr/min
Couple 664 lb-pi à 2300 tr/min
Transmission automatique à 5 rapports
0-100 km/h 57 5,4 s 62 5,6 s
Vitesse maximale 250 km/h (bridée)

· (57 S, 62 S et Landaulet)

· V12 6,0 l biturbo SACT, 604 ch à 4800 tr/min
Couple 738 lb-pi à 2000 tr/min
Transmission automatique à 5 rapports
0-100 km/h 57S 5,2s 62S 5,4s
Vitesse maximale 278 km/h (bridée)
Consommation (100 km) 17,1 l (octane 91)
Émissions de CO_2 57S 8400 kg/an
Litres par année 3480 l
Coût par an 3828 $
Carburant alternatif non
Empreinte écologique 50 arbres

· ZEPPELIN

· V12 6,0 l biturbo SACT, 631 ch à 4800 tr/min
Couple 738 lb-pi à 2000 tr/min
Transmission automatique à 5 rapports
0-100 km/h 57 5,2 s **62** 5,4 s
Vitesse maximale 278 km/h (bridée)
Consommation (100 km) 17,1 l (octane 91)
Émissions de CO_2 57 8400 kg/an
Litres par année 3480 l
Coût par an 3828 $
Carburant alternatif non
Empreinte écologique 50 arbres

· AUTRES COMPOSANTES

Sécurité active freins ABS, assistance au freinage, distribution électronique de force de freinage, antipatinage, contrôle de stabilité électronique
Suspension avant/arrière indépendante
Freins avant/arrière disques
Direction à billes, assistée
Pneus P275/50R19 **versions S** P275/45R20

· DIMENSIONS

Empattement 57 3390 mm **62** 3827 mm
Longueur 57 5728mm **62** 6165 mm
Largeur 2143 mm (incluant rétroviseurs)
Hauteur 1573 mm
Poids 57 2745 kg **62** 2875 kg
Diamètre de braquage nd
Coffre 442 l
Réservoir de carburant 110 l

NOTRE VERDICT

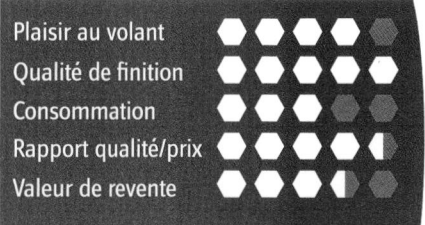

Plaisir au volant
Qualité de finition
Consommation
Rapport qualité/prix
Valeur de revente

3

www.mazda.ca

N NOUVEAUTÉ É J

15 995 $ à 29 380 $
transport et préparation: 1395 $

LA COTE VERTE

AVEC MOTEUR L4 DE 2,0 L

- **Consommation (100km):** **man.** 7,3 l **auto.** 7,8 l
- **Émissions polluantes CO_2 :** **man.** 3552 kg/an **auto.** 3792 kg/an
- **Empreinte écologique (nombre d'arbres à planter par année):** 21
- **Indice d'octane:** 87
- **Autre motorisation:** non
- **Coût du carburant moyen par année:** **man.** 1480 $ **auto.** 1580 $
- **Nombre de litres par année:** **man.** 1480 l **auto.** 1580 l

(SOURCE: ÉnerGuide)

1 FICHE D'IDENTITÉ

- **Versions** berl. GX, GS, GT sport GX, GS, GT,
- **Roues motrices** avant
- **Portières** 4/5 **Nombre de passagers** 5
- **Première génération** 2004
- **Génération actuelle** 2010
- **Construction** Hiroshima, Japon
- **Sacs gonflables** 6 (frontaux, latéraux avant, rideaux latéraux)
- **Concurrence** Chevrolet Cobalt, Dodge Caliber, Ford Focus, Honda Civic, Hyundai Elantra, Kia Spectra, Mitsubishi Lancer, Nissan Sentra, Pontiac Vibe, Suzuki SX4, Subaru Impreza, Toyota Corolla/Matrix, Volkswagen Rabbit/Jetta

2 AU QUOTIDIEN

- **Prime d'assurance**
  25 ans: 1500 à 1700 $
  40 ans: 1100 à 1300 $
  60 ans: 900 à 1100 $
- **Collision frontale** 4/5
- **Collision latérale** 3/5
- **Ventes du modèle de l'an dernier**
  Au Québec 19 621 **Au Canada** 50 317
- **Dépréciation** 28,8% (1 ans)
- **Rappels** (2004 à 2009) 2
- **Cote de fiabilité** 5/5

3 GARANTIES... ET PLUS

- **Garantie générale** 3 ans/80 000 km
- **Garantie motopropulseur** 5 ans/100 000 km
- **Perforation** 5 ans/kilométrage illimité
- **Assistance routière** 3 ans/80 000 km
- **Nombre de concessionnaires**
  Au Québec 57 **Au Canada** 166

4 NOUVEAUTÉS EN 2010

- Nouveau modèle

LA FORCE DE L'ÂGE

PAR BENOIT CHARETTE

ON DIT D'UNE PERSONNE QU'ELLE EST DANS LA FORCE DE L'ÂGE QUAND ELLE A ATTEINT LE PLEIN POTENTIEL DE L'ÂGE ADULTE. Les années de développement et le succès des générations précédentes ont donné une vertu à la Mazda3, vertu qui apporte une force et un sentiment d'appartenance. Mazda a donc profité de cette réputation durement gagnée pour renouveler son modèle le plus populaire. Sur 28 708 voitures vendues au Québec l'an dernier par Mazda, plus de 19 600 étaient des Mazda3. Cela en dit long sur l'importance de ce modèle pour le fabricant nippon. Avec ses hanches plus larges et son regard plus assuré, la nouvelle 3 montre l'allure d'une voiture qui a pris de l'assurance au fil des générations.

[CARROSSERIE] L'inspiration vient à la fois des plus récentes voitures concepts et des autres modèles de la famille comme la Mazda6 et la RX8. Les lignes sont plus expressives et fluides, et il s'en échappe une incontestable impression de sportivité. Certains n'apprécient pas sa bouche de carnassier et ses yeux bridés à l'avant en disant que Mazda a poussé le concept un peu loin. Chose certaine, le coup d'œil de cette nouvelle mouture est plus expressif, comme en témoignent son capot plongeant, ses phares très étirés, son becquet de toit ou, encore, ses bas de caisse prononcés. Les entrées d'air de part et d'autre du bouclier renforcent son caractère. Les lignes latérales en forme de vague lui font gagner en dynamisme, tout comme son bouclier arrière remodelé. Mazda a aussi ajouté des feux arrière à diodes. Mais cette nouvelle Mazda3 repose sur le même châssis (modifié un peu) que la précédente génération et offre le même moteur de base. En quelques mots, nous pourrions également dire que Mazda suit une tendance lourde dans le monde de l'automobile, celui de donner des lignes directrices à tous ses modèles. Les lignes de la 3 sont fortement modelées sur celle de la 6.

[HABITACLE] L'habitacle de la Mazda3 fait un sérieux bond en avant en matière de qualité. L'atmosphère est plus sportive, et les matériaux utilisés pour les sièges et le tableau de bord, de

FORCES • Excellent équilibre sur la route • Meilleure insonorisation (surtout sur la GT) • Version de base fort intéressante

FAIBLESSES • Liste d'options qui s'allonge • Calandre proéminente • Plastiques dans l'habitacle qui s'éraflent facilement

meilleure facture. Il faut également souligner une liste d'équipements inédits pour ce genre de véhicule. Vous pourrez, entres autres, obtenir pour la première fois dans ce modèle un système de navigation, une chaîne audio Bose à 10 haut-parleurs, la connectivité Bluetooth, un siège conducteur avec mémoire des positions, des phares bixénon, une climatisation à double zone et bien d'autres. Une liste d'équipements qu'on retrouve habituellement dans des voitures plus haut de gamme. Sans l'avouer, je fais la prédiction que Mazda monte en grade la 3 pour laisser le champ libre à une future Mazda2, déjà très populaire en Europe et qui pourrait venir chez nous dans un avenir pas trop éloigné. Parmi les petits bémols, mentionnons la sensibilité aux rayures des plastiques de la console centrale et certains plastiques mal ajustés. Pour le reste, l'espace évolue peu pour les passagers, la visibilité est meilleure, mais les espaces de rangement ne sont pas légion, heureusement le format est bon. Les sièges sont également en progression au chapitre du confort et du maintien latéral. En terminant, le coffre de la Mazda3 offre un bon volume de chargement, toutefois les sièges ne se rabattent pas à plat, limitant ainsi un peu son côté pratique.

« LA VOITURE N'A RIEN PERDU DE SA VERVE SUR LA ROUTE. J'AURAIS SOUHAITÉ UN PEU PLUS DE COMMUNION AVEC LA ROUTE DE LA PART DE LA DIRECTION. »

[MÉCANIQUE] Nous l'avons souligné plus tôt, la 3 est construite sur la même plateforme que sa devancière. Vous avez le choix d'une version GS, GX et GT. Les versions GS et GX offrent la même mécanique de 2 litres que l'ancienne génération. Bon pour 148 chevaux, ce moteur n'est pas un foudre de guerre, mais accomplit ses tâches au quotidien sans sourciller. Mazda a ajouté une nouvelle boîte de vitesses automatique à 5 rapports qui remplace la boîte automatique à 4 rapports pour une consommation de carburant améliorée de 11 %. La boîte manuelle à 5 rapports est toujours offerte de série. La version GT est celle qui offre le plus de changements. Le moteur passe de 2,3 à 2,5 litres. En réalité, Mazda a simplement utilisé le moteur de base de la Mazda6 et l'a installé sous le capot de la 3. La puissance offerte est de 167 chevaux (156 pour l'ancienne version) pour 168 livres-pieds de couple (150 pour l'ancienne). Une nouvelle et intéressante boîte manuelle à 6 rapports est livrée de série avec, en option, la boîte automatique à 5 rapports. Grâce à des suspensions revues et à des matériaux insonorisants de meilleure qualité, on sent une meilleure rigidité et un plus grand silence de roulement.

[COMPORTEMENT] C'est au volant que les qualités de cette nouvelle Mazda3 se font le plus sentir. L'insonorisation à bord est excellente et gomme de manière impressionnante les sons du moteur. La suspension apporte tout autant de confort, même chaussée de pneus taille basse. L'assise des sièges, très rigide, dégrade toutefois cette bonne impression. La Mazda 3 est moins joueuse qu'une Mazda 6 mais son bon équilibre

HISTORIQUE

C'est en 1977 que Mazda introduit la Familia l'ancêtre de la 3 qui devint tour à tour la GLC, la 323 et la Protegé. À plus d'une reprise, les différentes générations de cette petite voiture Mazda a terminé en tête du palmarès des ventes dans la catégorie des sous-compacte au Québec. Avec cette nouvelle génération qui arrive sur nos routes, Mazda souhaite garder son avance sur la concurrence. Un succès qui ne dément pas depuis près de 30 ans.

FAMILIA 1977

GLC SPORT 1983

323 2008

PROTEGÉ 1999

PROTEGÉ 5 2003

MAZDA 3 2004

MAZDA 3 GT 2010

GALERIE

A De plus en plus populaire du côté des voitures à vocation sportive, la Mazda 3 GT offre un démarrage sans clé sur simple pression du doigt.

B L'affichage multifonction est situé dans la partie supérieure du tableau de bord de sorte que les yeux du conducteur quittent la route le moins souvent possible. Il affiche l'information sur les équipements utilisés lors de la conduite, tels que le système de navigation compact, la chaîne audio et l'ordinateur de voyage, qui peuvent tous être facilement manipulés grâce aux commandes intégrées au volant.

C La calandre au sourire béant et les entrées d'air aux coins avant, de pair avec les formes sculptées du capot et les lignes expressives et audacieuses qui joignent le capot aux montants avant, ajoutent une expression unique et dynamique au design extérieur. Maintenant, il reste à savoir si cette bouille extravertie n'est pas un peu extravagante.

D Le 4-cylindres de 2,5 litres remplace le 2,3-litres de l'ancien modèle. Ce moteur, qui provient de la Mazda 6, est équipé du correcteur de couple ce qui donne une qualité plus linéaire à sa performance. De plus, pour faire ressortir davantage la nature sportive et agile de la nouvelle Mazda3, le papillon des gaz est réglé de façon à ce qu'il s'ouvre plus rapidement que celui de la Mazda6 lorsque le conducteur appuie sur l'accélérateur.

E Signe d'un raffinement toujours en hausse, la Mazda 3 offre même un rappel de clignotants sur les rétroviseurs extérieurs, joli et sécuritaire.

Avec la nouvelle boîte automatique à 5 rapports, la consommation est moins problématique, et le silence de roulement, amélioré. À mon avis, si vous voulez une voiture économique, agréable, fiable et sympathique, la Mazda3 GS de 2 litres répondra à vos attentes. Les performances sont certes légèrement supérieures avec le moteur de 2,5 litres, mais pas significatives, sauf au chapitre du luxe. Si vous voulez réellement de la performance, il faudra aller lire notre rapport sur la Speed3.

ne la rend pas ennuyeuse pour autant. Les ingénieurs ont trouvé le juste milieu entre confort et sportivité. La 3 est à la fois efficace et prévisible sur la route. La suspension s'accroche bien au bitume sans nuire au confort. Au volant de la GT, le silence de roulement offre une quiétude intéressante, et la boîte manuelle à 6 rapports contribue à diminuer l'intrusion de bruits de moteur dans l'habitacle. La voiture n'a rien perdu de sa verve sur la route. La tenue de route est très bonne, même si j'aurais souhaité un peu plus de communion avec la route de la part de la direction. J'ai encore et toujours une préférence pour les sièges en tissus qui offrent un meilleur maintien en conduite soutenue. En ce qui a trait à la GS qui débute à 16 995 $, j'ai été agréablement surpris par le petit moteur de 2 litres, d'une douceur surprenante. Pas de complaintes aiguës lors des changements de rapports à haut régime, et il s'est montré capable de soutenir un bon rythme peu importe les circonstances. Il est vrai que le modèle GT est, dans l'ensemble, plus agréable, mais une version manuelle bien équipée dépasse les 27 000 $. Tout bien réfléchi, la version GS pour pratiquement 10 000 $ de moins constitue une meilleure affaire.

[CONCLUSION] Le segment des voitures compactes figure sans doute parmi les plus concurrentiels sur le marché. Mazda continue de faire monter en gamme ses véhicules. Plus expressive, mieux équipée et plus habitable que la précédente génération, la nouvelle Mazda3 risque d'en séduire plus d'un ! Entre les grands noms de la catégorie comme la Corolla, la Civic et la Cobalt, la Mazda3 se démarque encore par son plaisir de conduire.

2e OPINION

JEAN-PIERRE BOUCHARD **Je me demandais comment Mazda allait améliorer une voiture qui, depuis son lancement, attire autant d'acheteurs, les plus jeunes comme les plus vieux. Comment une compacte qui l'a pratiquement sauvée de la ruine pourrait être améliorée lors de sa refonte sans être dénaturée. Le constructeur y est parvenu avec la nouvelle génération. Une génération qui, ma foi, a beaucoup de gueule ! Je ne parle pas ici d'une révolution, mais d'une évolution heureuse. La voiture est une génération bonifiée qui, pour un prix abordable, offre un équipement plus complet, sans pour autant perdre l'un de ses atouts à mes yeux : son agrément de conduite. Et sur la route, elle m'apparaît plus imposante. Bien entendu, le 2,5-litres lui donne un peu plus de nerf. Mais, le plus petit moteur, le 2-litres, convient parfaitement dans la plupart des situations. C'est la compacte idéale. Reste à voir si les carrosseries seront plus résistantes à la rouille que celle de la précédente cuvée.**

(5) FICHE TECHNIQUE

· MOTEURS
(GX, GS, Sport GX)
L4 GT 2,0 l DACT, 148 ch à 6500 tr/min
Couple 135 lb-pi à 4500 tr/min
Transmission manuelle à 5 rapports, automatique à 5 rapports avec mode manuel (option)
0-100 km/h 9,4 s
Vitesse maximale 188 km/h (bridée)

· (SPORT GS, SPORT GT)
L4 2,5 l DACT, 167 ch à 6000 tr/min
Couple 168 lb-pi à 4000 tr/min
Transmission manuelle à 6 rapports, automatique à 5 rapports avec mode manuel (option)
0-100 km/h 9,0 s
Vitesse maximale 200 km/h
Consommation (100 km) man. 8,7 l **autom.** 8,2 l (octane 87)
Émissions de CO_2 man. 4224 kg/an, **auto.** 3984 kg/an
Litres par année man. 1760 l **auto.** 1660 l
Coût par an man. 1760 $ **auto.** 1660 $
Autre motorisation non
Empreinte écologique 24 arbres

· AUTRES COMPOSANTES
Sécurité active freins ABS, répartition électronique de force de freinage
Suspension avant/arrière indépendante
Freins avant/arrière disques
Direction à crémaillère, assistée
Pneus GX/ GS P205/55R16GT **Sport GT** P205/50R17

· DIMENSIONS
Empattement 2640 mm
Longueur sport 2,0L. 4500 mm **sport 2,5L** 4505 mm
Largeur 1755 mm
Hauteur 1470 mm
Poids ber. 1295 à 1381 kg **Sport** 1313 à 1399 kg
Diamètre de braquage 10,4 m
Coffre ber. 335 l **Sport** 481 l, 884 l (sièges abaissés)
Réservoir de carburant ber sport 6X 55 l **GT sport** 65 l,**GT** 60 l

NOS MENTIONS

Modèle recommandé
Coup de coeur

NOTRE VERDICT

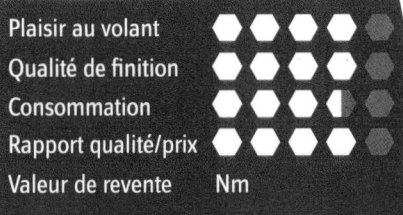

Plaisir au volant
Qualité de finition
Consommation
Rapport qualité/prix
Valeur de revente Nm

SPEED3

www.mazda.ca

N NOUVEAUTÉ É J

32 995 $
transport et préparation: 1395 $

LA COTE VERTE

AVEC MOTEUR L4 DE 2,3 L

- **Consommation (100km):** 9,7 l
- **Émissions polluantes CO_2 :** 4752 kg/an
- **Empreinte écologique (nombre d'arbres à planter par année):** 28
- **Indice d'octane:** 91
- **Autre motorisation:** non
- **Coût du carburant moyen par année:** 2178 $
- **Nombre de litres par année:** 1980 l

(SOURCE: ÉnerGuide)

5 FICHE TECHNIQUE

- ***MAZDASPEED3***

MZR 2,3 l turbo DACT, 263 ch à 5500 tr/min
Couple 280 lb-pi à 3000 tr/min
Transmission manuelle à 6 rapports
0-100 km/h 6,1 s
Vitesse maximale 250 km/h

- **AUTRES COMPOSANTES**

Sécurité active freins ABS, répartition électronique de force de freinage
Suspension avant/arrière indépendante
Freins avant/arrière disques
Direction à crémaillère, assistée
Pneus P225/40R18

- **DIMENSIONS**

Empattement 2640 mm
Longueur 4510 mm
Largeur 1770 mm
Hauteur 1460mm
Poids 1461 kg
Diamètre de braquage 11 m
Coffre 481 l, 1213 l (sièges abaissés)
Réservoir de carburant 60 l

NOTRE VERDICT

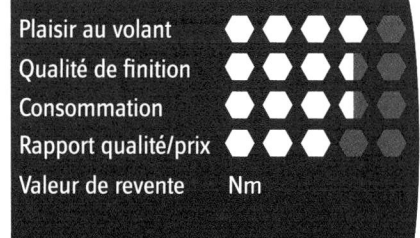

Plaisir au volant	●●●●
Qualité de finition	●●●◐
Consommation	●●●◐
Rapport qualité/prix	●●●
Valeur de revente	Nm

L'ESSENCE DU PILOTAGE

PAR MICHEL CRÉPAULT

LA PRÉCÉDENTE VERSION N'A QUE DEUX ANS, ET LE CONSTRUCTEUR SE DEMANDAIT CE QU'IL POUVAIT FAIRE POUR AMÉLIORER LA NOUVELLE. Il s'est enfin fixé trois buts : transformer la MAZDASPEED3 en joyau de famille, améliorer la liaison au sol et rehausser le confort à bord.

[CARROSSERIE] Un gros aileron, des roues en alliage distinctes et une nouvelle prise d'air intégrée au capot avec pare-chocs et ailes élargies la différencient de la 3 de série.

[HABITACLE] L'équipement de série impressionne par sa richesse, mais ne comprend rien qui ne se retrouve sur une Mazda3 top niveau. L'intérieur est offert en noir et rien qu'en noir. Cela dit, des coutures rouges embellissent la sellerie mi-cuir, mi-tissu. Le compte-tours « dans-ta-face » fait valser son aiguille sur une plage de 260 degrés au lieu des 190 de la 3 normale, sans doute pour confirmer au pilote l'action qui se déroule sous le capot.

[MÉCANIQUE] Le turbo qui permet au 2,3-litres à DACT de développer 263 chevaux, comme l'an dernier. Le couple maximal est disponible dès 3000 tours. L'adhérence et la maniabilité ont été accrues en rigidifiant les points d'ancrage et en augmentant le diamètre des barres stabilisatrices.

[COMPORTEMENT] Lors d'une séance à brides abattues sur le circuit de Saint-Eustache, la MAZDASPEED3 a prouvé l'homogénéité de sa proposition : gabarit idéal, acuité de la direction et du freinage, le bolide enchaîne rapidement des tours et des tours de plaisir où il est très aisé de trouver sa zone de confort. Les 6 rapports manuels (légèrement allongés) se laissent tricoter avec fluidité pour procurer le bon élan dans la trajectoire désirée.

[CONCLUSION] La *MAZDASPEED3* 2010 coûte quelque 3 000 $ de plus que l'ancienne. Mazda estime avoir conçu la meilleure compacte sportive à traction du marché. Bien malin celui qui la contredira.

FORCES • Sonorité du 4-cylindres suralimenté • Budget et pilotage accessibles • Ensemble de l'œuvre

FAIBLESSES • Elle pourrait s'offrir une gueule différente • Décor de la cabine limité à un style

MAGAZINE EN
VOITURE
VOTRE SOURCE D'INFORMATION SUR L'AUTOMOBILE
BANC D'ESSAI
L'ESSAI DU MOIS D'UN VÉHICULE SPÉCIFIQUE;
DOSSIER DU MOIS
DOSSIER ÉTOFFÉ TOUCHANT LE DOMAINE AUTOMOBILE;
LES 30 JOURS DE L'AUTOMOBILE
CE QUI S'EST PASSÉ DANS LE DERNIER MOIS DANS L'INDUSTRIE;
LE MATCH
ESSAIS COMPARATIFS DE VÉHICULES DE MÊME CATÉGORIE;
LES BÂTISSEURS
UN PORTRAIT DES FAMILLES QUI ONT MARQUÉ LE DÉVELOPPEMENT DE L'INDUSTRIE AUTOMOBILE;
CINÉ-PARC
UN RETOUR SUR LES « BEST OF » DE FILMS QUI ONT MARQUÉ L'INDUSTRIE AUTOMOBILE;
ÉPHÉMÉRIDE
QUE S'EST-IL PASSÉ AU COURS DES 50 DERNIÈRES ANNÉES DANS LE DOMAINE AUTOMOBILE;
L'OCCASION DU MOIS
L'ESSAI ROUTIER DU MOIS D'UN VÉHICULE SPÉCIFIQUE D'OCCASION À CONSIDÉRER.
DISPONIBLES CHEZ VOS MARCHANDS IGA DE LAVAL
AUTEUIL : Alimentation Auteuil IGA extra, 5680, boul. des Laurentides
CHOMEDEY : IGA extra Daigle, 2137, boul. Curé-Labelle
LAVAL : IGA extra Morin, 515, boul. Curé-Labelle
LAVAL-OUEST : IGA Quintal, 4805, boul. Arthur-Sauvé
LAVAL-DES-RAPIDES : IGA extra St-Denis, 307, boul. Cartier Ouest
SAINTE-DOROTHÉE : IGA extra Crevier, 550, autoroute Chomedey
SAINTE-ROSE : IGA Quintal, 380, boul. d Curé-Labelle
SAINT-VINCENT-DE-PAUL : IGA Joannette, 4411, boul. de la Concorde Est
VIMONT : IGA extra Hébert-Sénécal, 5805, boul. Robert-Bourassa
OU PAR ABONNEMENT (AU COÛT DE 19, 95 $ POUR 10 NUMÉROS),
SUR DEMANDE ÉCRITE À masseyc@transcontinental.ca
Propulsé par
COURRIER LAVAL
www.courrierlaval.com

5

www.mazda.ca

N ÉVOLUTION É J

20 495 $ à 23 995 $
transport et préparation: 1535 $

LA COTE VERTE

MOTEUR
L4 DE 2,3 L

- **Consommation (100km):** **man.** 8,4 l **auto.** 8,6 l
- **Émissions polluantes CO_2 :** **man.** 4032 kg/an **auto.** 4176 kg/an
- **Empreinte écologique (nombre d'arbres à planter par année):** 24
- **Indice d'octane:** 87
- **Autre motorisation:** non
- **Coût du carburant moyen par année:** **man.** 1680 $
- **Nombre de litres par année:** **man.** 1680 l

(SOURCE: ÉnerGuide)

1 FICHE D'IDENTITÉ

- **Versions** GS, GT
- **Roues motrices** avant
- **Portières** 4 **Nombre de passagers** 6
- **Première génération** 2006
- **Génération actuelle** 2006
- **Construction** Hiroshima, Japon
- **Sacs gonflables** 2, frontaux (latéraux avant et rideaux latéraux sur GT)
- **Concurrence** Kia Rondo

2 AU QUOTIDIEN

- **Prime d'assurance**
  25 ans: 1500 à 1700 $
  40 ans: 1100 à 1300 $
  60 ans: 900 à 1100 $
- **Collision frontale** nd
- **Collision latérale** nd
- **Ventes du modèle de l'an dernier**
  Au Québec 5764 **Au Canada** 11 944
- **Dépréciation** 45,0 %
- **Rappels** (2004 à 2009) 2
- **Cote de fiabilité** 4/5

3 GARANTIES... ET PLUS

- **Garantie générale** 3 ans/80 000 km
- **Garantie motopropulseur** 5 ans/100 000 km
- **Perforation** 5 ans/kilométrage illimité
- **Assistance routière** 3 ans/80 000 km
- **Nombre de concessionnaires**
  Au Québec 57 **Au Canada** 166

4 NOUVEAUTÉS EN 2010

- Aucun changement majeur

DU GROS BON SENS

PAR JEAN-PIERRE BOUCHARD

LA 5 CONNAÎT UNE BELLE POPULARITÉ DEPUIS SON INTRODUCTION SUR LE MARCHÉ. LE FORMAT ET LE DESIGN PLAISENT. Il faut dire que l'idée d'importer sur le marché un tel format de véhicule était heureuse, car pour la plupart des petites familles, l'espace disponible convient parfaitement. C'est une excellente solution de rechange à l'encombrante fourgonnette.

[CARROSSERIE] Mazda a conçu une minifourgonnette qui évolue dans une classe à part, du moins chez nous, en Amérique du Nord. Car en Europe, ce type de véhicule fait partie depuis belle lurette du paysage automobile. La plus proche rivale porte le nom de Kia Rondo, à la différence qu'elle est un peu plus longue et qu'elle est dotée de portes latérales coulissantes. La japonaise peut accueillir jusqu'à six occupants, alors que la sud-coréenne peut en recevoir un de plus.

[HABITACLE] La hauteur de la voiture facilite l'accès à bord. Les occupants des sièges avant bénéficient d'un bon confort. En tant que conducteur de grande taille, j'aurais apprécié que le siège recule davantage pour fournir un peu plus de dégagement pour les jambes. Le conducteur peut néanmoins trouver facilement une bonne position de conduite et peaufiner le tout au moyen du volant télescopique. Comme la surface vitrée du véhicule est importante, la visibilité est excellente. La présentation intérieure est agréable, les commandes sont bien placées, et les instruments de bord, de consultation facile. Tout est placé dans l'environnement immédiat du conducteur. La qualité des matériaux et de leur assemblage n'appelle aucune critique. Ce qui n'est malheureusement pas le cas de l'insonorisation qui n'arrive pas à gommer les bruits de roulement. Les places médianes sont composées de deux baquets modulables. Les larges ouvertures des portes facilitent les entrées et les sorties. Les baquets peuvent former une banquette ou être séparés, ce qui constitue un atout intéressant au moment de séparer les enfants plus turbulents. La banquette de troisième rangée sera surtout utile pour des enfants, et ce, pour de courts déplacements. Car en plus d'être inconfortable, elle limite considérablement, une fois en position,

FORCES • Polyvalence • Design • Agrément de conduite

FAIBLESSES • Sièges de la troisième rangée accessoires • Bruits de roulement • Moteur qui manque un peu d'entrain • Absence de contrôle de stabilité

l'espace utilitaire qui, autrement, offre un bon volume de chargement. Les espaces de rangement à bord de la Mazda5 ne manquent pas.

[MÉCANIQUE] Afin de déplacer le véhicule, le constructeur utilise un moteur à 4 cylindres de 2,3 litres de 153 chevaux. Malgré le poids du véhicule, ce moteur assure des performances décentes dans la plupart des situations. Et il le fait en consommant de façon raisonnable. Bien entendu, quand il doit transporter plusieurs personnes, les bagages et le chien, un peu de « oomph » additionnel serait le bienvenu. La boîte de vitesses manuelle à 5 rapports permet de mieux exploiter cette puissance. Le levier est de plus agréable à manipuler. Toutefois, la boîte automatique à 5 rapports avec mode séquentiel travaille en harmonie avec le moteur.

[COMPORTEMENT] Le véhicule démontre une belle agilité, ce qui le rend plaisant à conduire dans la vie de tous les jours. La direction est rapide, et les mouvements de la carrosserie sont bien contrôlés pour un véhicule haut. La version GT reçoit des jantes de 17 pouces, ce qui autorise une stabilité supérieure. Le dosage de la suspension à quatre roues indépendantes est juste assez ferme pour lui donner un petit côté sportif, sans pénaliser le confort des occupants. La Mazda5 est dotée de freins à disque aux quatre roues avec antiblocage. Elle ne peut malheureusement recevoir le contrôle de la stabilité du véhicule ni l'antipatinage, une caractéristique de série sur la Rondo.

[CONCLUSION] En plus d'être coquette, la Mazda5 est polyvalente et pratique. Elle offre, pour le prix, un ensemble intéressant et un juste compromis. Ne reste au constructeur qu'à lui greffer un moteur dont le rendement sera encore mieux adapté au gabarit du véhicule.

2e OPINION

DANIEL RUFIANGE Avec tous les véhicules à vocation familiale sur le marché, Il y a de quoi faire une surdose. Il y a des fourgonnettes, des utilitaires et des multisegments, sans parler des bonnes vieilles familiales. La Mazda*5* s'inscrit dans le créneau des minifourgonnettes ! Si votre conseiller financier grinche des dents quand vous lui parlez de la Honda Odyssey, la Mazda*5* risque moins de le faire sourciller. Pour moins de 20 000 $ en configuration de base, vous mettez la main sur un véhicule spacieux, confortable et, ma foi, agréable à conduire grâce au châssis emprunté à la Mazda*3*. Il me semble clair que l'avenir de l'automobile passe par ce type de véhicule intelligent. Ne reste plus qu'à le rendre joli car les lignes actuelles n'ont rien d'éblouissant.

5 FICHE TECHNIQUE

· MOTEUR

L4 2,3 l DACT 153 ch à 6500 tr/min
Couple 148 lb-pi à 4500 tr/min
Transmission manuelle à 5 rapports, automatique à 5 rapports avec mode manuel en option
0-100 km/h 9,6 s
Vitesse maximale 190 km/h

· AUTRES COMPOSANTES

Sécurité active freins ABS, répartition électronique de force de freinage
Suspension avant/arrière indépendante
Freins avant/arrière disques
Direction à crémaillère, assistée
Pneus GS P205/55R16 **GT** P205/50R17

· DIMENSIONS

Empattement 2750 mm
Longueur 4620 mm
Largeur 1755 mm
Hauteur 1630 mm
Poids man. 1545 kg **auto.**1571 kg
Diamètre de braquage 10,6 m
Coffre 112 l, 857 l (sièges abaissés)
Réservoir de carburant 60 l

NOS MENTIONS

Modèle recommandé

NOTRE VERDICT

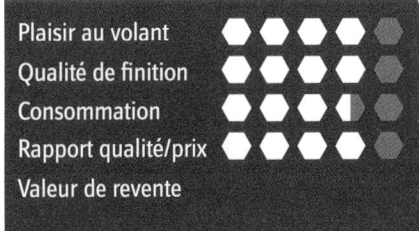

Plaisir au volant
Qualité de finition
Consommation
Rapport qualité/prix
Valeur de revente

6

www.mazda.ca

N ÉVOLUTION É J

22 995 $ à 34 395 $
transport et préparation: 1395 $

LA COTE VERTE

MOTEUR
L4 DE 2,5 L

- **Consommation (100km):** **man.** 8,6 l **auto.** 8,2 l
- **Émissions polluantes CO_2 :** **man.** 4236 kg/an **autom.** 4008 kg/an
- **Empreinte écologique (nombre d'arbres à planter par année):** 25
- **Indice d'octane:** 87
- **Autre motorisation:** non
- **Coût du carburant moyen par année:** **man.** 1760 $ **auto.** 1660 $
- **Nombre de litres par année:** **man.** 1760 l **auto.** 1660 l

(SOURCE: ÉnerGuide)

1 FICHE D'IDENTITÉ

- **Versions** GS, GS V6, GT, GT V6
- **Roues motrices** avant
- **Portières** 4 **Nombre de passagers** 5
- **Première génération** 2004
- **Génération actuelle** 2009
- **Construction** Flat Rock, Michigan, É.-U.
- **Sacs gonflables** 6 (frontaux et latéraux) rideau
- **Concurrence** Chevrolet Malibu, Chrysler Sebring, Honda Accord, Hyundai Sonata, Kia Magentis, Mitsubishi Galant, Nissan Altima, Subaru Legacy, Toyota Camry, Volkswagen Jetta/Passat

2 AU QUOTIDIEN

- **Prime d'assurance**
  25 ans: 1600 à 1800 $ **40 ans:** 1000 à 1200 $
  60 ans: 900 à 1100 $
- **Collision frontale** 5/5 · **Collision latérale** 5/5
- **Ventes du modèle de l'an dernier**
  Au Québec 2640 **Au Canada** 6561
- **Dépréciation** (3 ans) 56,9%
- **Rappels** (2004 à 2009) 4
- **Cote de fiabilité** 3,5/5

3 GARANTIES... ET PLUS

- **Garantie générale** 3 ans/80 000 km
- **Garantie motopropulseur** 5 ans/100 000 km
- **Perforation** 5 ans/kilométrage illimité
- **Assistance routière** 3 ans/80 000 km
- **Nombre de concessionnaires**
  Au Québec 57 **Au Canada** 166

4 NOUVEAUTÉS EN 2010

- Télédéverrouillage avec clé rétractable et commande de déverrouillage du coffre
- Bluetooth® avec profil audio
- Siège conducteur à réglage électrique 8 directions
- Pommeau de levier sélecteur gainé de cuir
- Volant de direction gainé de cuir

SECOND DÉBUT

PAR PHILIPPE LAGUË

LA MAZDA6 A SUBI L'AN DERNIER UNE PREMIÈRE REFONTE TRÈS ATTENDUE CAR LE MODÈLE PRÉCÉDENT N'A JAMAIS ÉTÉ EN MESURE DE MENACER LES TÉNORS DE LA CATÉGORIE. Pourtant, la première génération se distinguait de ses ternes compatriotes par son allure plus européenne et se déclinait en plusieurs configurations, une rareté dans ce créneau. Et pourtant, les acheteurs lui ont souvent préféré des modèles concurrents.

[CARROSSERIE] La gamme s'est rationalisée, avec la disparition de la berline à 5 portes et de la familiale. Une seule configuration, donc, livrable en deux versions (GS et GT). Sur le plan esthétique, c'est franchement réussi, plus encore que le modèle précédent : la nouvelle Mazda6 a un petit quelque chose de Jaguar et elle demeure la plus belle berline japonaise et l'une des plus belles de sa catégorie.

[HABITACLE] Mazda se distingue aussi des autres marques nippones avec des habitacles décorés de façon plus éclatée, sans verser dans l'excès. La touche sportive est toujours présente, en conformité avec l'image de la marque. Non seulement est-ce agréable à l'œil, mais c'est également assemblé avec sérieux, et les matériaux sont de meilleure qualité que dans le modèle précédent. L'amélioration la plus notable concerne cependant l'insonorisation; la Mazda6 se classe maintenant parmi les meilleures. Les baquets sont bien rembourrés mais fermes, ce qui accentue le penchant européen de cette japonaise. Le maintien latéral est cependant insuffisant; à l'arrière, il est inexistant. L'habitabilité bénéficie grandement des dimensions accrues du nouveau modèle, de sorte que les passagers arrière disposent d'un bon dégagement pour les jambes ainsi que pour la tête, malgré la forte inclinaison du toit.

[MÉCANIQUE] Lors de sa refonte, la Mazda6 a vu la cylindrée de ses deux motorisations augmenter et leur puissance grimper. Tout cela est bien beau sur le papier, mais à l'usage, le résultat est mitigé. Commençons par le 4-cylindres : roulement plus doux, plus de souplesse lors des accélérations et

FORCES · Réussite esthétique · Présentation intérieure · Insonorisation améliorée · Habitabilité accrue · Toujours la plus agréable à conduire · Prix concurrentiel

FAIBLESSES · Configuration unique · Maintien latéral des sièges déficient · Consommation décevante · Boîte automatique un peu lente

voitures japonaises.

[CONCLUSION] Avec la nouvelle Mazda6, le constructeur d'Hiroshima n'a jamais été aussi bien outillé pour rivaliser avec les trois ténors japonais que sont les Toyota Camry, Honda Accord et Nisan Altima. Cette nouvelle mouture est plus spacieuse, plus confortable, mieux insonorisée, plus puissante et encore plus agréable à conduire, tout en étant moins chère que ses compatriotes. Le hic, c'est que ses deux motorisations consomment plus que celles des trois ténors. Il s'agit, du reste, d'un problème qui afflige plusieurs modèles de la gamme Mazda, et ce constructeur devra y remédier car cela risque de refroidir les ardeurs de plus d'un acheteur.

des rétrogradations, les ingénieurs ont fait leurs devoirs. Mais sa consommation est supérieure à celle des modèles concurrents. Les mêmes commentaires s'appliquent au V6. D'abord, ce moteur manquait vraiment de puissance et de couple face aux autres V6, ce qui n'est plus le cas. Côté raffinement, il se rapproche aussi des meilleurs de la catégorie. Le hic ? La consommation, encore elle. Seule la boîte de vitesses automatique à 6 rapports est offerte avec le V6, tandis que le 4-cylindres peut aussi être jumelé à une boîte manuelle, également à 6 rapports tandis que l'automatique ne comporte que 5 rapports. Ces deux boîtes effectuent du bon travail : l'automatique assure des passages fluides, mais elle est parfois un peu lente. La manuelle est un modèle de précision.

[COMPORTEMENT] Les voitures japonaises sont rarement excitantes à conduire, et c'est encore plus vrai dans la catégorie des intermédiaires. L'exception qui confirme la règle demeure la Mazda6. Cette berline possède un aplomb qui n'est pas sans rappeler celui des voitures allemandes. Ferme et précise, la direction n'a rien à voir avec celles de ses compatriotes, trop souvent surassistée. Au volant d'une Mazda6, on sent encore quelque chose. Et le rayon de braquage est beaucoup plus court que sur l'ancien modèle. Sans être sportif, le comportement est plus affirmé que celui de n'importe quelle autre voiture de cette catégorie. Et le plus beau dans tout cela, c'est que le confort n'a pas été sacrifié. Au contraire, la nouvelle 6 a plus que jamais cette douceur de roulement qui est la marque de commerce des

2e OPINION

JEAN-PIERRE BOUCHARD Je l'avoue d'emblée : la Mazda6 de dernière génération est superbe! Cette voiture est racée, ce qui lui donne beaucoup de classe. Peut-être s'est-elle un peu embourgeoisée au chapitre de la conduite. J'aimais bien la conduite plus nerveuse de la précédente génération. Mais, la nouvelle 6 est plus confortable, incroyablement plus spacieuse et tout de même plaisante à conduire dans la vie de tous les jours. Le V6 est performant, à défaut d'être économe en carburant, mais la version à moteur à 4 cylindres offre toute la puissance nécessaire pour la plupart des conducteurs. Mazda offre une intermédiaire bien conçue et proposant un bel équilibre de conduite. La douceur de roulement est au rendez-vous. Afin de compléter la famille, ne lui reste qu'à importer ici la cinq portes et, surtout, la superbe familiale que j'ai eu l'occasion d'apprécier de visu lors d'un séjour en Europe.

(5) FICHE TECHNIQUE

· MOTEURS
(GS, GT)
L4 2,5 l DACT, 170 ch à 6000 tr/min
Couple 167 lb-pi à 4000 tr/min
Transmission manuelle à 6 rapports, automatique à 5 rapports avec mode manuel (en option)
0-100 km/h 8,0 s
Vitesse maximale 210 km/h

· (GS V6, GT V6)
V6 3,7 l DACT, 272 ch à 6250 tr/min
Couple 269 lb-pi à 4250 tr/min
Transmission automatique à 6 rapports avec mode sport
0-100 km/h 6,7 s
Vitesse maximale 230 km/h
Consommation (100 km) 10,0 l (octane 87)
Émissions de CO_2 4922 kg/an
Litres par année 2040 l
Coût par an 2040 $
Autre motorisation non
Empreinte écologique 30 arbres

· AUTRES COMPOSANTES
Sécurité active freins ABS, répartition électronique de force de freinage, antipatinage, contrôle de stabilité électronique
Suspension avant/arrière indépendante
Freins avant/arrière disques
Direction à crémaillère, assistée
Pneus GS P215/55R17 **GT** P235/45R18

· DIMENSIONS
Empattement 2790 mm
Longueur 4940 mm
Largeur 1840 mm
Hauteur 1470 mm
Poids berl. L4 1486 kg à 1509 **berl. V6** 1610 kg
Diamètre de braquage 10,8 m
Coffre 469 l
Réservoir de carburant 70 l

NOS MENTIONS

☺ Modèle recommandé

NOTRE VERDICT

Plaisir au volant	●●●●○
Qualité de finition	●●●●○
Consommation	●●●◐○
Rapport qualité/prix	●●●●○
Valeur de revente	Nm

CX-7

www.mazda.ca

N ÉVOLUTION É J

27 995 $ à **36 095 $**
transport et préparation: 1295 $

LA COTE VERTE

AVEC MOTEUR L4 DE 2,5 L

- **Consommation (100km):** **2RM** 10,6 l **4RM** 10,9 l
- **Émissions polluantes CO_2 :** **2RM** 5040 kg/an **4RM** 5328 kg/an
- **Empreinte écologique (nombre d'arbres à planter par année):** 30
- **Indice d'octane:** 91
- **Autre motorisation:** non
- **Coût du carburant moyen par année:** **2RM** 2310 $ **4RM** 2442 $
- **Nombre de litres par année:** **2RM** 2100 l **4RM** 2220 l

(SOURCE: ÉnerGuide)

1 FICHE D'IDENTITÉ

- **Versions** GX, GS, GT
- **Roues motrices** avant, 4
- **Portières** 4 **Nombre de passagers** 5
- **Première génération** 2007
- **Génération actuelle** 2007
- **Construction** Hiroshima, Japon
- **Sacs gonflables** 6 (frontaux, latéraux avant, rideaux latéraux)
- **Concurrence** Acura RDX, Chevrolet Equinox, Ford Edge, Honda CR-V, Hyundai Santa Fe, Kia Sorento, Mitsubishi Outlander, Subaru Outback, Suzuki Grand Vitara, Toyota RAV4

2 AU QUOTIDIEN

- **Prime d'assurance**
  25 ans: 1700 à 1900 $
  40 ans: 1000 à 1100 $
  60 ans: 900 à 1100 $
- **Collision frontale** 5/5
- **Collision latérale** 5/5
- **Ventes du modèle de l'an dernier**
  Au Québec 1590 **Au Canada** 3576
- **Dépréciation** (2 ans) 30,7%
- **Rappels** (2004 à 2009) aucun à ce jour
- **Cote de fiabilité** 3,5/5

3 GARANTIES... ET PLUS

- **Garantie générale** 3 ans/80 000 km
- **Garantie motopropulseur** 5 ans/100 000 km
- **Perforation** 5 ans/kilométrage illimité
- **Assistance routière** 3 ans/80 000 km
- **Nombre de concessionnaires**
  Au Québec 57 **Au Canada** 166

4 NOUVEAUTÉS EN 2010

- GX 2RM avec moteur 2,5 l

BON CONCEPT, EXÉCUTION IMPARFAITE

PAR PHILIPPE LAGUË

LES VÉHICULES MULTISEGMENTS PRÉTENDENT OFFRIR LE MEILLEUR DES DEUX MONDES : le confort, l'agrément de conduite et la consommation de carburant d'une automobile, combinés à l'aspect pratique d'un VUS. De bien nobles intentions qui méritent vérification.

[CARROSSERIE] Les stylistes de Mazda ont eu le coup de crayon inspiré, ce qui n'est pas étonnant car cette marque se démarque nettement des autres constructeurs japonais en matière de design. Les formes très sculptées du CX-7 évoquent la sportive RX-8, et ce n'est pas un hasard : Mazda affirme que son CX-7 n'est pas un croisement entre une familiale et un utilitaire, mais plutôt entre un utilitaire et une voiture sport.

[HABITACLE] Autre point fort des Mazda : leur présentation intérieure. On retrouve la même audace, la même originalité qu'à l'extérieur. L'instrumentation du CX-7 est regroupée dans une nacelle comprenant trois gros cadrans dont la lecture est aisée. Les commandes sont bien placées, accessibles, et les grosses mollettes en facilitent la manipulation. À l'arrière, le dégagement pour les jambes est un peu juste; la hauteur du véhicule lui confère cependant une bonne garde au toit. La banquette ne procure cependant aucun maintien latéral à ses occupants. C'est un peu mieux à l'avant, mais on en prendrait encore plus. En revanche, il n'y a rien à redire, côté confort. La visibilité ne fait pas partie non plus des points forts de l'habitacle; la ceinture de caisse surélevée réduit la surface vitrée à l'arrière. Autre détail perfectible : l'insonorisation, qui laisse filtrer des bruits de roulement.

[MÉCANIQUE] Pour appuyer les prétentions sportives du CX-7, on lui a refilé un 4-cylindres de 2,3 litres à injection directe, suralimenté par un turbocompresseur. Un choix qui se défend, car ce moteur est généreux en couple, et ce, à tous les régimes. Il peut donc aussi bien convenir à une voiture aux prétentions sportives qu'à un

+ −

FORCES • Design réussi (intérieur et extérieur) • Moteur souple et vaillant • Freinage puissant • Comportement sportif

FAIBLESSES • Habitabilité décevante • Bruits de roulement • Visibilité perfectible à l'arrière • Gros buveur

véhicule ayant une vocation plus utilitaire. Le temps de réponse propre aux engins turbocompressés est à peine perceptible, tandis que les accélérations et les reprises se comparent à celles d'un V6. Sa souplesse permet par ailleurs de profiter pleinement de sa plage d'utilisation. Mais cette mécanique raffinée a un talon d'Achille : sa soif. Même si on s'en tient à une conduite normale, le CX-7 est gourmand, alors imaginez si on décide d'ouvrir les gaz... Pour limiter les dégâts, vous pouvez toujours opter pour la version à deux roues motrices. La tâche de gérer les 244 chevaux a été confiée à une boîte de vitesses automatique à 6 rapports qui, elle, ne mérite que des compliments. Les passages sont fluides, les rapports, bien étagés, et cette boîte se marie fort bien à un moteur suralimenté. Toujours dans le rayon mécanique, mentionnons également le bon travail des freins, prompts et efficaces.

[COMPORTEMENT] L'idée de donner un caractère sportif à ce véhicule multisegment fonctionne : il n'y a ni roulis, ni tangage, et la caisse est d'une rigidité impressionnante. La tenue de route est rehaussée une monte pneumatique performante et la transmission intégrale. La direction brille par autant par sa grande précision que par sa rapidité, ce qui permet d'exploiter au mieux l'agilité étonnante de ce multisegment. Je résume : on n'a pas l'impression une seule seconde de conduire un VUS et, à mon avis, c'est très bien ainsi. Oubliez cependant les excursions hors route avec le CX-7 : l'aventure, ce n'est pas son truc. Et le confort dans tout cela ? Eh bien, ce n'est pas mal non plus, mais certains trouveront la suspension un peu ferme. C'est le prix à payer pour avoir des prestations routières de haut calibre.

[CONCLUSION] Les promesses ont été tenues : le CX-7 brille par son comportement routier, plus près de celui d'une voiture sport que d'un véhicule à vocation familiale ou utilitaire, tout en se montrant polyvalent. L'envers de la médaille, c'est sa consommation élevée, comparable à celle d'un VUS traditionnel, et des irritants comme son insonorisation perfectible et son habitabilité décevante à l'arrière.

2e OPINION

BENOIT CHARETTE Il est rare qu'on puisse associer un utilitaire à un athlète dans un bloc de départ prêt pour un 100 mètres olympique. C'est pourtant bien de cette manière qu'on peut résumer l'aspect physique de la CX-7. Son esthétique ne fait pas de place à la demi-mesure avec ses ailes larges, son physique ramassé, son avant proéminent, les attributs sportifs ne manquent pas. On en oublie presque les roues de 18 pouces. Le moteur turbo procure des performances à la hauteur des appréhensions, mais il faudra être prêt à payer la facture. Je suis un peu déçu des plastiques bas de gamme à l'intérieur et des espaces de rangement qui sont peu nombreux, mais dans l'ensemble, c'est un VUS à l'image sportive de Mazda, il faudra cependant songer à revoir les cotes de consommation qui sont, à mon avis, un frein à son expansion.

5 FICHE TECHNIQUE

· MOTEURS
L4 2,5 l DACT, 161 ch à 6000 tr/min
Couple 161 lb-pi à 3500 tr/min
Transmission automatique à 5 rapports avec mode manuel
0-100 km/h 8,8 s
Vitesse maximale 200 km/h

· (GS/GT 4RM)
L4 2,3 l turbo DACT, 244 ch à 5000 tr/min
Couple 258 lb-pi à 2500 tr/min
Transmission automatique à 6 rapports avec mode manuel
0-100 km/h 7,8 s
Vitesse maximale 200 km/h
Consommation (100 km) man. 10,6 l auto 10,9 l (octane 91)
Émissions de CO2 man. 5040 kg/an, auto. 5328 kg/an
Litres par année man. 2100 l auto. 2220 l
Coût par an man. 2310 $ auto. 2442 $
Autre motorisation : non
Empreinte écologique 30 arbres

· AUTRES COMPOSANTES
Sécurité active freins ABS, répartition électronique de force de freinage, assistance au freinage, antipatinage, contrôle de stabilité électronique
Suspension avant/arrière indépendante
Freins avant/arrière disques ventilés
Direction à crémaillère, assistée
Pneus GS P235/60R18 **GT** P235/55R19 **GX** P215/70R17

· DIMENSIONS
Empattement 2750 mm
Longueur 4682 mm
Largeur 1872 mm
Hauteur 1645 mm
Poids 2RM 1588 kg **4RM** 1818 kg
Diamètre de braquage 11,4 m
Coffre 848 l, 1658 l (sièges abaissés)
Réservoir de carburant GS/GT 69 l **GX** 62 l
Capacité de remorquage GS/GT 907 kg **GX** 680 kg

NOTRE VERDICT

Plaisir au volant
Qualité de finition
Consommation
Rapport qualité/prix
Valeur de revente

CX-9

www.mazda.ca

N ÉVOLUTION É
J

36 795 $ à 44 395 $
transport et préparation: 1390 $

LA COTE VERTE

MOTEUR V6 DE 3,7 L

- **Consommation (100km):** **2RM** 10,6 l **4RM** 11,9 l
- **Émissions polluantes CO_2 :** **2RM** 5520 kg/an **4RM** 5760 kg/an
- **Empreinte écologique (nombre d'arbres à planter par année):** 32
- **Indice d'octane:** 87
- **Autre motorisation:** non
- **Coût du carburant moyen par année:** **2RM** 2300 $ **4RM** 2400 $
- **Nombre de litres par année:** **2RM** 2300 l **4RM** 2400 l

(SOURCE: ÉnerGuide)

1 FICHE D'IDENTITÉ

- **Versions** GS, GT (4RM)
- **Roues** motrices avant, 4
- **Portières** 4 **nombre de passagers** 7
- **Première génération** 2007
- **Génération actuelle** 2007
- **Construction** Hiroshima, Japon
- **Sacs gonflables** 6 (frontaux, latéraux avant, rideaux latéraux)
- **Concurrence** Ford Flex,GMC Acadia, Honda Pilot, Hyundai Veracruz, Nissan Murano, Subaru Tribeca, Toyota Highlander

2 AU QUOTIDIEN

- **Prime d'assurance**
  25 ans: 1900 à 2100 $
  40 ans: 1200 à 1400 $
  60 ans: 900 à 1100 $
- **Collision frontale** 5/5
- **Collision latérale** 5/5
- **Ventes du modèle de l'an dernier**
  Au Québec 544 **Au Canada** 1725
- **Dépréciation** (2 ans) 42,8%
- **Rappels** (2004 à 2009) 1
- **Cote de fiabilité** 3,5/5

3 GARANTIES... ET PLUS

- **Garantie générale** 3 ans/80 000 km
- **Garantie motopropulseur** 5 ans/100 000 km
- **Perforation** 5 ans/kilométrage illimité
- **Assistance routière** 3 ans/80 000 km
- **Nombre de concessionnaires**
  Au Québec 57 **Au Canada** 166

4 NOUVEAUTÉS EN 2010

- Système d'appuie-tête actifs avant
- Sièges avant chauffants
- Écran d'affichage de climatisation arrière

PROHIBITIF

PAR DANIEL RUFIANGE

LE MARCHÉ DE L'AUTOMOBILE EST LITTÉRALEMENT INONDÉ D'UTILITAIRES ET DE MULTISEGMENTS, ET MAZDA EST ENTRÉE DANS LA DANSE GAIEMENT AVEC LES TRIBUTE, CX-7 ET CX-9. Au sommet de cette hiérarchie chez le constructeur nippon, on retrouve le CX-9 qui offre aux familles – car c'est bien à des familles qu'on s'adresse ici, souhaitons-le – polyvalence, habitabilité et confort. Seulement, si un questionnement collectif est déjà amorcé sur la pertinence de ce genre de véhicule, le temps n'est-il pas venu de se questionner sur lesquels devraient disparaître ? Où se situe le CX-9 dans cette jungle ?

[CARROSSERIE] Les lignes du CX-9 me plaisent, je l'avoue. Réussi que ce design à la ceinture de caisse montante et à la toiture arrondie. C'est peut-être la seule façon de donner un caractère sportif à un véhicule qui ne le sera jamais. Néanmoins, le CX-9 fait bonne impression et domine le paysage là où il est garé. À l'avant, on reconnaît la calandre aux lignées élancées des produits Mazda. Deux versions nous sont offertes, soit les GS et GT. Pendant que la première roule sur des jantes de 18 pouces, la seconde se pavane sur des roues de 20 pouces; rien de trop beau pour la classe ouvrière. Dites-moi : il y a quelqu'un qui pense aux coûts de remplacement de ces pneus, sans parler des pneus d'hiver obligatoires ? Pensez à faire des provisions.

[HABITACLE] Mazda utilise tout son charme pour se présenter sous son plus beau jour. Il faut avouer que c'est un succès. L'ensemble offert est d'excellente facture, et la présentation est très bien. Cependant, on en souhaite un peu plus sur un véhicule de ce prix, surtout si on compare à ce qui se fait ailleurs – Buick Enclave, Hyundai Veracruz, entre autres –. En revanche, j'ai adoré la position de conduite; les nombreux réglages du dossier et de l'assise permettent de trouver sa position préférée, et ce, sans trop compromettre l'ergonomie. À l'arrière, les places sont bienveillantes. Cependant, l'accès aux 6e et 7e places demandera une certaine contorsion, particulièrement au moment de descendre; elle demeure un jeu d'enfant pour les tout petits, toutefois.

FORCES • Douceur de roulement • De la place pour sept • Lignes réussies

FAIBLESSES • Prix d'une version GT bien équipée • Consommation de carburant élevée • Visibilité lors des changements de voie • Coût de remplacement des pneus

[MÉCANIQUE] Pas de chicane alors que Mazda n'offre qu'un seul engin aux acheteurs. Le V6 de 3,7 litres – qu'on retrouve aussi dans la Mazda6 – fait un excellent travail et traîne sans peine les 1588 kilos du CX-9. Par contre, il faut s'attendre à fréquenter la station-service fréquemment car ce moteur n'est pas une référence en termes de frugalité. Soit dit en passant, y a-t-il un moteur Mazda qui le soit ? Il va s'en dire que, sur un véhicule de ce prix, on retrouve tous les éléments de sécurité, des freins ABS au système de contrôle électronique de la stabilité en passant par la répartition assistée de la force de freinage.

[COMPORTEMENT] Voilà sans aucun doute l'un des points forts du CX-9. Même si la conduite d'un camion n'est jamais vraiment excitante, on prend goût à celle de ce véhicule. La douceur de roulement est au rendez-vous, le degré d'insonorisation est notable, et le roulis demeure relativement limité en virage; même à bord du plus gros véhicule Mazda, on retrouve l'essence de l'esprit « vroum-vroum ». De plus, chaque déplacement s'agrément d'une chaîne audio de bonne qualité, chose que Mazda a l'habitude de proposer aux audiophiles. Comme mentionné précédemment, la seule vraie déception, c'est la consommation de carburant; près de 14 litres aux 100 kilomètres lors de mon essai, ce qui est nettement en deçà d'un seuil de décence; qu'on se mette au travail de ce côté.

[CONCLUSION] Le CX-9 est un véhicule bourré de qualités. Outre sa consommation, il se montre agréable en tous points. Mais il y a un hic. Une version bien garnie vous coûtera plus de 50 000 $, sans compter les taxes, la livraison et les pneus d'hiver. C'est cher payé pour un camion Mazda, ne trouvez-vous pas ?

2e OPINION

BENOIT CHARETTE Mazda a choisi l'approche urbaine pour ce VUS proche cousin du Ford Edge, qui ne se donne pas de faux airs de dur à cuire. Ses lignes sont sophistiquées, sa liste d'équipements, complète et de bon goût. Avec ses trois rangées de sièges, le CX-9 représente une alternative fort intéressante pour ceux qui en ont assez des fourgonnettes traditionnelles. Le meilleur rapport qualité-prix trouvera son compte avec la version de base qui est très bien équipée. Les versions avec cuir, chaîne audio haut de gamme et tout le reste font très rapidement grimper le prix et rendent le véhicule moins intéressant d'un point de vue financier. Mazda a réussi à insuffler les caractéristiques des VUS de luxe dans un véhicule qui demeure à prix réaliste.

5 FICHE TECHNIQUE

· MOTEUR

V6 3,7 l DACT, 273 ch à 6250 tr/min
Couple 270 lb-pi à 4250 tr/min
Transmission automatique à 6 rapports avec mode manuel
0-100 km/h 8,4 s
Vitesse maximale 210 km/h

· AUTRES COMPOSANTES

Sécurité active freins ABS, répartition électronique de force de freinage, assistance au freinage, antipatinage, contrôle de stabilité électronique
Suspension avant/arrière indépendante
Freins avant/arrière disques ventilés
Direction à crémaillère, assistée
Pneus GS P245/60R18 **GT** P245/50R20

· DIMENSIONS

Empattement 2875 mm
Longueur 5074 mm
Largeur 1936 mm
Hauteur GS 1728 mm **GT** 1735 mm
Poids 2RM 1959 kg **4RM** 2056 kg
Diamètre de braquage 11,4 m
Coffre 487 l, 2851 l (sièges abaissés)
Réservoir de carburant 76 l
Capacité de remorquage 1588 kg

NOS MENTIONS

☺ Modèle recommandé

NOTRE VERDICT

Plaisir au volant	●●●●○
Qualité de finition	●●●●●
Consommation	●●●●○
Rapport qualité/prix	●●●●○
Valeur de revente	Nm

MX-5

www.mazda.ca

ÉVOLUTION N É J

28 995 $ à 39 995 $
transport et préparation: 1395 $

LA COTE VERTE

MOTEUR
L4 DE 2,0 L

- **Consommation (100km):** **man.** 5 8,4 l **auto.** 6 8,6 l
- **Émissions polluantes CO_2 :** **man.** 5 4080 kg/a **auto.** 6 4176 kg/an
- **Empreinte écologique (nombre d'arbres à planter par année):** 24
- **Indice d'octane:** 91
- **Autre motorisation:** non
- **Coût du carburant moyen par année:** **man.** 5 1700 $ **auto.** 6 1740 $
- **Nombre de litres par année:** **man.** 5 1700 l **auto.** 6 1740 l

(SOURCE: ÉnerGuide)

1 FICHE D'IDENTITÉ

- **Versions** GX, GS, GT
- **Roues motrices** arrière
- **Portières** 2 **Nombre de passagers** 2
- **Première génération** 1990
- **Génération actuelle** 2006
- **Construction** Hofu, Japon
- **Sacs gonflables** 2 (frontaux; latéraux sur GT)
- **Concurrence** Mini Cooper Cabrio, Volkswagen New Beetle Cabrio

2 AU QUOTIDIEN

- **Prime d'assurance**
  25 ans: 2500 à 2700 $
  40 ans: 1500 à 1700 $
  60 ans: 1200 à 1400 $
- **Collision frontale** 4/5
- **Collision latérale** 4/5
- **Ventes du modèle de l'an dernier**
  Au Québec 545 **Au Canada** 1 407
- **Dépréciation** 35,2%
- **Rappels** (2004 à 2009) 1
- **Cote de fiabilité** 4/5

3 GARANTIES... ET PLUS

- **Garantie générale** 3 ans/80 000 km
- **Garantie motopropulseur** 5 ans/100 000 km
- **Perforation** 5 ans/kilométrage illimité
- **Assistance routière** 3 ans/80 000 km
- **Nombre de concessionnaires**
  Au Québec 57 **Au Canada** 166

4 NOUVEAUTÉS EN 2010

- Blanc marbre remplacé par blanc cristal.

C'EST LA JOIE !

PAR FRÉDÉRIC MASSE

TROUVER UN ROADSTER NEUF, GARANTI, FIABLE, PERFORMANT ET PRATIQUE (dans la mesure où un véhicule décapotable à deux places peut être pratique...) pour moins de 30 000 $, est-ce possible ? Certainement, et vous pouvez vous le procurer chez Mazda. Évidemment, on ne m'a pas envoyé le modèle de base, mais plutôt le GT à 40 000 $, mais l'idée n'est pas là. La MX-5 assurera beaucoup de plaisir et peu de problèmes à son heureux propriétaire.

[CARROSSERIE] Mazda a passablement remanié le petit deux-places. Nouvelle partie arrière, large sourire dans la calandre et autres ajouts esthétiques permettent de distinguer le neuf du vieux. On ne se confond pas toutefois, sa taille fait toujours en sorte qu'elle ne respire pas la virilité. Mais, c'est justement sa taille qui fait de cette voiture une merveille à conduire. D'ailleurs, Mazda parle peut-être à rapetisser encore davantage la prochaine génération. Petite merveille, soit dit en passant, le toit rigide escamotable, qui se déploie en un rien de temps et ne prend pas d'espace dans le coffre. Les dimensions de ce dernier sont d'ailleurs fort acceptables.

[HABITACLE] Au prix demandé, les concurrents directs (qui n'existeront probablement plus d'ailleurs) ne sont pas de taille. L'ergonomie est peaufinée et le fruit d'une évolution datant de 1989. Rien ne remplace cette expérience. Les sièges n'offrent pas un maintien terrible, mais on y est si enfoncés profondément qu'ils font leur travail admirablement bien. Un moyen dadais de 6 pieds et 200 livres comme moi ne s'y est pas senti trop oppressé, ça vous donne une idée. On ne devient pas la voiture sport la plus vendue au monde pour rien !

[MOTEUR] Les ingénieurs de Mazda ont pris en main cette version et lui ont donné, tant au chapitre de la mécanique que de la suspension, un petit quelque chose de plus. Le résultat se sent, et on conduit définitivement l'évolution la plus à point du petit roadster. Le couple et la cavalerie n'ont rien de terrifiant (167 chevaux n'impressionnent personne), mais le rapport

FORCES • Facilité de conduite • Précision de la direction • Bolide équilibré • • Confort général • Capacité du coffre • Toit rigide escamotable

FAIBLESSES • Espace limitée pour les plus de 6 pieds • Lignes peu viriles

poids-puissance est intéressant, et le nombre de tours par minute, plus élevé. Le petit 4-cylindres de 2 litres est en plus frugal comme pas un dans cette catégorie. Bon, un 0 à 100 km/h entre 7 et 8 secondes n'a rien de bien violent, mais avec un système d'échappement qui laisse maintenant sortir une belle mélodie, on se met à croire qu'on va plus vite. La boîte de vitesses manuelle à 6 rapports augmente aussi le plaisir, l'embrayage est une joie à manier, et la proximité des deux autres pédales permet un talon-pointe d'une facilité déconcertante. Si on préfère l'automatique, sachez qu'elle est efficace, mais qu'on y perd neuf chevaux... Le plus sérieusement du monde, bien que je crois que les contacts manuels sont plus agréables, je peux comprendre ceux qui laissent faire une machine à 6 rapports (avec commande manuelle dans la GS et la GT).

[CONDUITE] Commençons par la direction car, dans un véhicule de ce type, sa précision est primordiale. On ne se trompe pas, le roadster se manipule du beau des doigts. Chaque courbe, chaque stationnement vide est une invitation au plaisir et au lâcher prise. La petite MX-5 devrait être mise en pilule pour les dépressifs. À la sortie des courbes, aides à la conduite désactivés, la puissance ne surprend jamais, elle flotte un peu et permet quelques dérapages. Pour les néophytes et les amateurs de conduite, c'est génial grâce à la répartition de poids idéal. Mazda a d'ailleurs travaillé fort pour améliorer encore d'un cran la suspension. En toutes conditions, la MX-5 demeure confortable. Appelons ça une réussite sur toute la ligne. Et, compte tenu de la petite masse à stopper, les freins sont amplement puissants. Vraiment, je n'ai rien à redire. Dans le genre, ça frise presque la perfection. Que dire de plus, la MX-5 est actuellement à son paroxysme. Appelons ça l'âge d'or de la Miata. Si on oublie le style, que plusieurs (dont moi) ne trouvent pas encore assez masculin, la petite Mazda représente l'un des meilleurs rapports qualité-fiabilité-plaisir de l'industrie. Restez légers, chers ingénieurs, la recette, vous l'avez.

2e OPINION

DANIEL RUFIANGE Tout passionné de conduite recherche les meilleures sensations possibles au volant. Nous, chroniqueurs, avons la chance de les vivre à bord de bolides d'exception que nous n'avons assurément pas les moyens de nous payer. C'est pourquoi nous craquons pour la MX-5, car pour une fraction du prix de certains roadsters plus prestigieux, cette petite japonaise nous en fait voir de toutes les couleurs. Le plaisir au volant est tel que nous souhaiterions la conduire 12 mois par année. Son équilibre sur la route est digne d'un go-kart. Non, il ne faut pas la comparer aux autres, elle ne ferait pas le poids. Pourtant, elle demeure incomparable quand même, et là réside sa force. En voilà une qui est branchée sur le plaisir. Personne ne s'en plaindra.

(5) FICHE TECHNIQUE

· MOTEUR
L4 2,0 l DACT, 166 ch à 6700 tr/min
Couple 140 lb-pi à 5000 tr/min
Transmission manuelle à 5 rapports (GX), manuelle à 6 rapports (GS, GT), automatique à 6 rapports avec mode manuel (en option sur GX, GT)
0-100 km/h man. 5 7,5 s **man.** 6 7,2 s **auto.** 8,2 s
Vitesse maximale man. 206 km/h **auto.** 191 km/h

· AUTRES COMPOSANTES
Sécurité active freins ABS, répartition électronique de force de freinage
Suspension avant/arrière indépendantes
Freins avant/arrière disques
Direction à crémaillère, assistée
Pneus GX P205/50R16 **GS/GT** P205/45R17

· DIMENSIONS
Empattement 2330 mm
Longueur 3990 mm
Largeur 1720 mm
Hauteur 1245 mm
Poids man. 5 1108 kg **man.** 6 1119 kg **auto.** 1132 kg
Diamètre de braquage 9,4 m
Coffre 150 l
Réservoir de carburant 48 l

NOS MENTIONS

- Clé d'or de sa catégorie
- Modèle recommandé
- Coup de coeur

NOTRE VERDICT

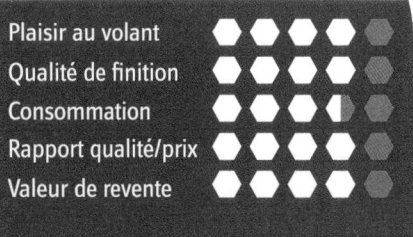

Plaisir au volant	4/5
Qualité de finition	4/5
Consommation	3,5/5
Rapport qualité/prix	4/5
Valeur de revente	4/5

SÉRIE B

www.mazda.ca

N JUMEAU É
J

15 695 $ à 23 595 $
transport et préparation: 1535 $

LA COTE VERTE

AVEC MOTEUR L4 DE 2,3 L

- **Consommation (100km):** **man.** 8,7 l **auto.** 9,8 l
- **Émissions polluantes CO_2 :** **man.** 4224 kg/an **auto.** 4608 kg/an
- **Empreinte écologique (nombre d'arbres à planter par année):** 25
- **Indice d'octane:** 87
- **Autre motorisation:** non
- **Coût du carburant moyen par année:** **man.** 1760 $ **auto.** 1920 $
- **Nombre de litres par année:** **man.** 1760 l **auto.** 1920 l

(SOURCE: ÉnerGuide)

1 FICHE D'IDENTITÉ

- **Versions** SX, SE, Dual Sport DS
- **Roues motrices** arrière, 4
- **Portières** 2, 4 **Nombre de passagers** 3, 4 ou 5
- **Première génération** 1983
- **Génération actuelle** 1993
- **Construction** Edison, New Jersey, É.-U.; St.Paul, Minnesota, É.-U.
- **Sacs gonflables** 2 (frontaux)
- **Concurrence** Chevrolet Colorado, Dodge Dakota, GMC Canyon, Nissan Frontier, Toyota Tacoma

2 AU QUOTIDIEN

- **Prime d'assurance**
  25 ans: 1400 à 1600 $
  40 ans: 900 à 1100 $
  60 ans: 600 à 800 $
- **Collision frontale** 4/5
- **Collision latérale** 4/5
- **Ventes du modèle de l'an dernier**
  Au Québec 1294 **Au Canada** 3464
- **Dépréciation** 20,5%
- **Rappels** (2004 à 2009) 2
- **Cote de fiabilité** 3/5

3 GARANTIES... ET PLUS

- **Garantie générale** 3 ans/60 000 km
- **Garantie motopropulseur** 5 ans/100 000 km
- **Perforation** 5 ans/kilométrage illimité
- **Assistance routière** 3 ans/80 000 km
- **Nombre de concessionnaires**
  Au Québec 57 **Au Canada** 166

4 NOUVEAUTÉS EN 2010

- Aucun changement majeur

SYMPATHIQUEMENT RÉTROGRADE

PAR DANIEL RUFIANGE

RECONNUE DÉSORMAIS POUR UNE LONGÉVITÉ AUSSI SURPRENANTE QUE DÉSESPÉRANTE, la Série B de Mazda poursuit sa route, tout juste derrière la cousine Ranger de Ford avec qui elle partage son curieux destin.

[CARROSSERIE] La signature Mazda à l'avant représente la principale différence entre le produit du constructeur japonais et celui de son homologue américain. Deux choix de cabines, couplées à une boîte de 6 pieds, ainsi que la possibilité de faire passer la motricité de deux à quatre roues résument l'offre de configuration de la Série B.

[HABITACLE] Avant de prendre place à bord, munissez-vous de votre crème préférée contre les douleurs musculaires. L'espace intérieur est à ce point exigu que vous vous y cognerez à coup sûr, tôt ou tard. L'ergonomie n'a pas le choix d'être correcte; tout est à portée de la main! Le confort des sièges est relatif, et la position de conduite, une suggestion. Les places arrière sont symboliques, alors qu'on retrouve encore un siège latéral peu accommodant pour la visite. Et ce n'est pas joli en plus !

[MÉCANIQUE] Deux choix pour le consommateur. Un V6 de 4,0 litres de 207 chevaux apte pour les travaux de remorquage, ainsi qu'un 4-cylindres de 2,3 litres de 143 chevaux. Sa puissance est un peu juste pour les travaux lourds mais suffisante pour les petits détours hors route.

[COMPORTEMENT] Le cœur vous lève à la vue d'un manège à La Ronde ? Oubliez alors l'idée de franchir les tourniquets de la Série B. Pire encore, une balade à bord brasse plus l'estomac qu'une virée dans le Monstre. Il faut avoir le cœur solide et aimer se faire brasser. Hors route cependant, la compétence de la Série B n'est pas à renier,

[CONCLUSION] Le logo tatoué sur votre cœur porte-t-il les couleurs de Ford ou celles de Mazda ?

FORCES • Prix en configuration de base • Aspect pratique • Modèle éprouvé et d'entretien facile

FAIBLESSES • Ça brasse comme un malaxeur • Consommation élevée du moteur V6 de 4 litres • Carcasse et structure désuètes

(N) JUMEAU (É)
(J)

23 295 $ à 33 195 $
transport et préparation: 1295 $

LA COTE VERTE

AVEC MOTEUR L4 DE 2,5 L

- **Consommation (100 km)**
  2RM man. 9,6 l
  auto. 10,1 l
  4RM auto. 10,9l
  (octane 87)
- **Émissions de CO_2**
  2RM man. 4639 kg/an
  auto. 4930 kg/an
  4RM auto. 5304 kg/an
- **Litres par année**
  2RM man. 1930 l
  autom. 2054 l
  4RM autom. 2210 l
- **Coût par an**
  2RM man. 2900 $
  autom. 3081 $
  4RM autom. 3315 $
- **Autre motorisation**
  non
- **Empreinte écologique**
  30 arbres

SOURCE: ÉnerGuide)

L'AMÉRICAIN AUX YEUX BRIDÉS

PAR FRÉDÉRIC MASSE

LE MAZDA TRIBUTE EST LE COUSIN GERMAIN DU FORD ESCAPE ET NE S'EN CACHE PAS. Mais, est-ce un défaut ? Après tout, malgré une plateforme vieillissante, Ford propose un véhicule intéressant.

[CARROSSERIE] Un peu moins masculin que le Ford, le Tribute semble plaire à ceux qui préfèrent un petit VUS à l'allure plus urbaine.

[HABITACLE] Bien que l'allure générale qui se dégage du Tribute soit fort jolie, la qualité des matériaux, elle, l'est moins. Beaucoup de plastiques durs et des appliques qui s'éraflent facilement n'aident en rien. Les commandes se manipulent aisément, et les sièges sont très confortables. Bref, c'est simple, et il y a de la place pour tout le monde.

[MOTEUR] Deux mécaniques sont offertes. La première suffit avec un 4-cylindres de 2,5 litres de 171 chevaux. Offert en traction (avec boîte de vitesses manuelle à 5 rapports) et transmission intégrale, le petit moteur parvient à déplacer la bonne masse. Du côté du V6 de 3 litres, on l'a révisé l'an dernier et porté sa puissance à 240 chevaux. Évidemment, si le petit suffit, le plus gros fait mieux. Il augmente considérablement la capacité de remorquage à 1588 kilos. La boîte à 6 rapports qui équipe les modèles à transmission intégrale avec V6 surprend par sa douceur et son efficacité.

[COMPORTEMENT] La plateforme du Tribute date, mais ce n'est pas dramatique. Il y certainement du roulis et du tangage, mais c'est fort acceptable compte tenu de son confort. *J'aurais aimé une direction offrant plus de rétroaction.

[CONCLUSION] Le Tribute, malgré son âge, est encore dans le coup. Son prix décent en fait un choix rationnel. C'est simple, pas laid du tout, bref, c'est efficace.

FORCES • Boîte à six rapports douce • Prix concurrentiel • Confort de roulement

FAIBLESSES • Qualité de certains matériaux • Direction sans vie • Plancher pas parfaitement plat (une fois la banquette rabattue)

1 FICHE D'IDENTITÉ

- **Versions** GX, GS, GT
- **Roues motrices** avant - 4RM
- **Portières** 4 **Nombre de passagers** 5
- **Première génération** 2001
- **Génération actuelle** 2001
- **Construction** Kansas City, Missouri, É.-U.; Hybride Claymoco, Missouri, É.-U.
- **Sacs gonflables** 6, frontaux (latéraux avant et rideaux latéraux)
- **Concurrence** Chevrolet Equinox, Honda CR-V, Hyundai Tucson, Jeep Compass/Patriot, Mitsubishi Outlander, Nissan Rogue, Subaru Forester, Suzuki Grand Vitara, Toyota RAV4

2 AU QUOTIDIEN

- **Prime d'assurance**
  25 ans: 2000 à 2200 $
  40 ans: 1300 à 1500 $
  60 ans: 1100 à 1300 $
- **Collision frontale** 5/5
- **Collision latérale** 5/5
- **Ventes du modèle de l'an dernier**
  Au Québec 2 639 **Au Canada** 5 437
- **Dépréciation** (3 ans) 47,7 %
- **Rappels** (2004 à 2009) 4
- **Cote de fiabilité** 3/5

3 GARANTIES... ET PLUS

- **Garantie générale** 3 ans/80 000 km
- **Garantie motopropulseur** 5 ans/100 000 km
- **Perforation** 5 ans/kilométrage illimité
- **Assistance routière** 3 ans/80 000 km
- **Nombre de concessionnaires**
  Au Québec 57 **Au Canada** 166

4 NOUVEAUTÉS EN 2010

- Aucun changement majeur

RX-8

www.mazda.ca

N ÉVOLUTION É J

41 995 $ à 43 795 $
transport et préparation: 1395 $

LA COTE VERTE

AVEC MOTEUR DOUBLE ROTOR DE 1,3 L

- **Consommation (100km):** 11,0 l
- **Émissions polluantes CO_2 :** 5376 kg/an
- **Empreinte écologique (nombre d'arbres à planter par année):** 32
- **Indice d'octane:** 91
- **Autre motorisation:** non
- **Coût du carburant moyen par année:** **manuel** 2464 $ **auto** 2486 $
- **Nombre de litres par année:** **manuel** 2240 l **auto.** 2260 l

(SOURCE: EnerGuide)

1 FICHE D'IDENTITÉ

- **Versions** R3, GT
- **Roues motrices** arrière
- **Portières** 2+2 **Nombre de passagers** 4
- **Première génération** 2004
- **Génération actuelle** 2004
- **Construction** Hiroshima, Japon
- **Sacs gonflables** 4, frontaux et latéraux
- **Concurrence** Audi TT, BMW Série 3 coupé, Infiniti G37 coupé, Nissan 370Z

2 AU QUOTIDIEN

- **Prime d'assurance**
  25 ans: 2300 à 2500 $
  40 ans: 1400 à 1600 $
  60 ans: 1000 à 1200 $
- **Collision frontale** 4/5
- **Collision latérale** 4/5
- **Ventes du modèle de l'an dernier**
  Au Québec 138 **Au Canada** 543
- **Dépréciation** 52,3 %
- **Rappels** (2004 à 2009) 4
- **Cote de fiabilité** 3/5

3 GARANTIES... ET PLUS

- **Garantie générale** 3 ans/80 000 km
- **Garantie motopropulseur** 5 ans/100 000 km
- **Perforation** 5 ans/kilométrage illimité
- **Assistance routière** 3 ans/80 000 km
- **Nombre de concessionnaires**
  Au Québec 57 **Au Canada** 166

4 NOUVEAUTÉS EN 2010

- Nouvelles couleurs intérieures / extérieures
- Dispariation de la version GS

UNE MACHINE À PART

PAR MICHEL CRÉPAULT

AUCUN CHANGEMENT NOTABLE POUR LA RX-8 EN 2010, MAIS LE SIMPLE FAIT QUE CETTE DIABLESSE SOIT TOUJOURS AU MENU PROUVE AU MOINS DEUX CHOSES : primo, il y a encore moyen de se procurer une automobile pas comme les autres... et secundo, Mazda est une entreprise têtue !

[CARROSSERIE] La gamme comporte deux modèles, soit la GT, qui se commande avec boîte de vitesses manuelle ou automatique, et la R3, la version présentée l'an dernier pour célébrer les 40 ans du moteur rotatif. La silhouette n'a pas changé. Commence-t-elle à prendre un coup de vieux ? Pas vraiment. La RX-8 a encore l'air d'une grenouille supersonique prête à avaler les kilomètres d'un coup d'accélérateur. Sur la R3, les roues en tornade de 19 pouces (18 pour la GT) sont superbes.

[HABITACLE] Intérieur noir piqué de coutures rouges, des surfaces laquées, d'autres en aluminium mat, dont un pédalier ajouré. Le système de navigation demeure offert en option. La palme du bon goût revient au design des commandes du tableau de bord qui gravitent en cercle très techno sans être incompréhensibles. Un seul bémol : chaque fois que je voulais diminuer le volume de la sono Bose, je changeais plutôt de chaîne parce que ma main attrapait tout naturellement le bouton le plus proche, alors que le contrôle du volume, le plus gros du lot, est planté plus loin. Une question d'habitude, j'imagine, ou d'apprendre à utiliser les interrupteurs du volant... Les sièges Recaro de la R3 sont un régal. Leurs contours prononcés nous retiennent comme un étau de cuir qu'ils sont censés être. Amenez-en des virages en épingle ! L'accès à la banquette, au dégagement qui frôle le miracle, est facilité par des miniportières suicide. Au milieu du dossier se détache un panneau de plastique (à verrouillage de surcroît) qui permet d'accéder à la soute à bagages. Celle-ci est pourvue d'un couvercle étroit mais d'une profondeur étonnante.

[MÉCANIQUE] Le moteur à deux rotors est l'apanage exclusif de Mazda, et ce n'est pas demain qu'elle lâchera le morceau. Le con-

FORCES • Boîte manuelle qui appelle le tricot • Sonorité unique • Robustesse et agilité excitantes

FAIBLESSES • Consommation agaçante • Moteur qui ne répond qu'à des régimes élevés

structeur y a investi trop de yens. Quels sont les avantages du rotatif, outre son originalité ? Moins de vibrations et moins de bruits parasites. Ses désavantages ? Sa consommation en super sans plomb et son manque de couple à bas régime. La version R3 reçoit seulement la boîte de vitesses manuelle à 6 rapports, alors que la GT accepte l'automatique, également à 6 rapports et sans débours supplémentaire. Associé à l'automatique, le 1,3-litres fournit 212 chevaux et trouve sa zone rouge à 7 500 tours par minute; avec la manuelle, on gagne 20 chevaux, et le régime grimpe jusqu'à 9000 tours. Le choix est clair. En réalité, pour être encore plus direct, je bannirais la boîte automatique du catalogue de la RX-8. Aussi bien attacher une calèche au gagnant du Derby du Kentucky.

[COMPORTEMENT] Il faut jouer avec les réglages du siège pour trouver une position de conduite confortable car la ceinture de caisse est basse. Et durant les manœuvres arrière, il faut s'étirer le cou pour bien calculer son coup. Chaque maniement du court levier de vitesses amène un sourire aux lèvres. Le déplacement est sec et la sonorité du rotatif, très stimulante. Il est impossible de réussir un départ qui se respecte sans ameuter tout le quartier. Cette boîte de vitesses nous ramène au bon vieux temps où les leviers de sélection au volant ne primaient pas autant qu'aujourd'hui. N'oubliez pas que vous conduisez une propulsion. Si vous l'oubliez, du sable dans un virage ou la pluie se chargeront de vous le rappeler. Nous sommes quand même loin du côté sauvage de la dernière RX-7. Une construction robuste, une répartition de poids avant/arrière de 48/52 et des aides électroniques adéquates rendent la RX-8 beaucoup plus civilisée.

[CONCLUSION] La RX-8 est une automobile différente des autres dont l'allure ne s'est pas encore démodée. Quel plaisir au volant ! Elle consomme un peu trop ? Vvouiiii... Devriez-vous vous en priver pour autant? Non !

2e OPINION

ALEXANDRE CRÉPAULT C'est presque triste de voir Mazda s'entêter sur son moteur rotatif. Car il n'est ni très puissant ni très économique. Et pourtant, la RX-8 est l'un des meilleurs concepts de voiture sport sur le marché. Aucun autre coupé ne peut se vanter d'avoir son côté pratique, soit quatre vraies places et des portes inversées. L'habitacle est plaisant et donne envie d'y passer du temps. Et sa grâce ! Avouons que la RX-8 est une très belle voiture. Si seulement Mazda pouvait lui dénicher une motorisation à essence aussi amusante que compacte (un turbo vient en tête) et économique, la RX-8 n'aurait plus aucune raison de ne pas figurer parmi les plus vendues de son segment. Peut-être un jour...

5 FICHE TECHNIQUE

· MOTEURS

(MANUELLE)

Double rotor 1,3 l 232 ch à 8500 tr/min
Couple 159 lb-pi à 5500 tr/min
Transmission manuelle à 6 rapports
0-100 km/h 6,1 s
Vitesse maximale 230 km/h

(AUTOMATIQUE)

Double rotor 1,3 l 212 ch à 7500 tr/min
Couple 159 lb-pi à 5500 tr/min
Transmission automatique à 6 rapports, séquentielle
0-100 km/h 8,4 s
Vitesse maximale 210 km/h
Consommation (100 km) 10,8 l (octane 91)

· AUTRES COMPOSANTES

Sécurité active freins ABS, distribution électronique de force de freinage, antipatinage (GT), contrôle de stabilité électronique (GT)
Suspension avant/arrière indépendante
Freins avant/arrière disques ventilés
Direction à crémaillère, assistée
Pneus GT P225/45R18 **R3** P225/40R19

· DIMENSIONS

Empattement 2700 mm
Longueur 4470 mm
Largeur 1770 mm
Hauteur 1340 mm
Poids man. 1410 kg **auto.** 1431 kg
Diamètre de braquage 10,6 m
Coffre 290 l
Réservoir de carburant 64 l

NOS MENTIONS

Coup de coeur

NOTRE VERDICT

Plaisir au volant
Qualité de finition
Consommation
Rapport qualité/prix
Valeur de revente

CLASSE B

www.mercedes-benz.ca

N ÉVOLUTION É J

29 900 $ à 32 400 $
transport et préparation: 1995 $

LA COTE VERTE

AVEC MOTEUR L4 DE 2,0 L

- **Consommation (100km):** **man.** 8,0 l **auto.** 8,2 l
- **Émissions polluantes CO_2 :** **man.** 3888 kg/an **auto.** 3984 kg/an
- **Empreinte écologique (nombre d'arbres à planter par année):** 23
- **Indice d'octane:** 87
- **Autre motorisation:** non
- **Coût du carburant moyen par année:** **man.** 1782 $ **auto.** 1826 $
- **Nombre de litres par année:** **man.** 1620 l **auto.** 1660 l

(SOURCE: EnerGuide)

1 FICHE D'IDENTITÉ

- **Versions** B 200, B 200 TURBO
- **Roues motrices** avant
- **Portières** 4 **Nombre de passagers** 5
- **Première génération** 2006
- **Génération actuelle** 2006
- **Construction** Stuttgart, Allemagne
- **Sacs gonflables** 6 (frontaux, latéraux, rideaux)
- **Concurrence** Audi A3, Volvo V50

2 AU QUOTIDIEN

- **Prime d'assurance**
  25 ans: 1700 $ à 1900 $
  40 ans: 1400 $ à 1600 $
  60 ans: 1100 $ à 1300 $
- **Collision frontale** 4/5
- **Collision latérale** 5/5
- **Ventes du modèle de l'an dernier**
  Au Québec 816 **Au Canada** 3207
- **Dépréciation** 38,2%
- **Rappels** (2004 à 2009) 1
- **Cote de fiabilité** 4/5

3 GARANTIES... ET PLUS

- **Garantie générale** 4 ans/80 000 km
- **Garantie motopropulseur** 4 ans/80 000 km
- **Perforation** 5 ans/kilométrage illimité
- **Assistance routière** 4 ans/80 000 km
- **Nombre de concessionnaires**
  Au Québec 12 **Au Canada** 53

4 NOUVEAUTÉS EN 2010

- Nouvelles roues (B200)

LA PETITE MERCEDES

PAR BENOIT CHARETTE

NÉE EN 2005, LA CLASSE B A ÉTÉ CONÇUE POUR COMBLER UN TROU DANS LA GAMME DE MERCEDES-BENZ. Entre la Classe A, petite citadine carrée offerte en Europe, et les classiques berlines, la marque allemande avait mis au point un véhicule familial compact qui se voulait aussi un peu plus sportif avec l'offre d'un moteur turbo. Fidèle à ses habitudes, Mercedes-Benz a donné quelques coups de crayon en 2008 pour rafraîchir un peu les lignes. Selon toute vraisemblance, c'est l'an prochain qu'on devrait assister à une première évolution du modèle.

[CARROSSERIE] Au premier coup d'œil, la Classe B offre de justes proportions et une filiation certaine avec les autres membres de la famille. Des phares optiques en amande au capot nervuré flanqué de l'étoile d'argent, elle ne manque pas de présence. Seul l'arrière plus discret avec son hayon dessine des lignes conservatrices. Longue de seulement 4,27 mètres (une Hyundai Accent en fait 4,26) elle offre un empattement de 2,77 mètres (plus long qu'une Toyota Camry à 2,72) pour un espace habitable impressionnant. Ce tour de force en matière d'habitabilité est rendu possible grâce à l'architecture en sandwich. Ce concept se caractérise par l'implantation du moteur et de la boîte de vitesses en partie devant et en partie sous la cellule passager. Ce peu d'encombrement du moteur permet de placer les roues beaucoup plus loin à l'avant et, par conséquent, de libérer plus d'espace pour les occupants.

[HABITACLE] Les matériaux dans la Classe B sont nobles et de qualité. Le choix des équipements de sécurité et de confort est relativement élaboré, et la longue liste des options comprend notamment les sièges avant à réglage électrique, la sellerie de cuir, le toit ouvrant panoramique à lamelles et le système de navigation. Dommage que, sur un véhicule de ce prix, il faille payer pour avoir une prise iPod. En rabattant les deux sièges arrière, le volume de chargement passe à plus de 1 500 litres et à 2 245 si vous abaissez le dossier du siège avant.

[MÉCANIQUE] Vous aurez le choix de deux moteurs à 4 cylindres de 2 litres, le premier,

FORCES • Habitabilité et volume du coffre • Qualité des matériaux • Châssis rigoureux

FAIBLESSES • Flou dans la direction • Peu d'espaces de rangement

atmosphérique, et le second, turbocompressé. En version atmosphérique, vous avez droit à 134 chevaux et à deux types de boîtes de vitesses, une manuelle à 5 rapport et une automatique à variation continue (CVT) dotée de 7 rapports programmés. Si vous êtes de nature conservatrice et n'abusez pas de l'accélérateur, la version CVT est pour vous, sinon la boîte manuelle tire un meilleur parti des 134 chevaux. La version turbo de cette même mécanique produit 193 chevaux et quadruple le plaisir de conduire. Vous ne serez pas surpris que je vous annonce que la version manuelle à 6 rapports m'a beaucoup plu, mais je n'ai pas de problème à endosser la version automatique qui ne manque pas de charme.

[COMPORTEMENT] Dans la Classe B, le conducteur bénéficie d'une position de conduite basse, le volant vertical et la planche de bord haute accrochée au pare-brise offrent une ergonomie singulière et très agréable. Après quelques kilomètres d'autoroute pour tester les capacités de la voiture, je me rends compte que la version turbo autorise des dépassements prompts, mais on atteint vite, et sans s'en rendre compte, des vitesses excessives (plus de 170 km/h) dans un silence de roulement complet. Le châssis parvient à suivre des rythmes soutenus en virage grâce à son train arrière parabolique. Ce système adapte les forces d'amortissement à la situation dynamique du moment : si le style de conduite est normal, la caractéristique des amortisseurs est axée sur la souplesse afin d'offrir un bon confort de roulement. En revanche, la force d'amortissement sera entièrement mobilisée pour une conduite dynamique en virage, de façon à stabiliser au mieux la Classe B. Si la suspension fait du bon travail, difficile d'en dire autant de la direction active à assistance variable, légère et imprécise autour du point milieu. La hauteur de caisse et la masse assez importante (1 400 kilos) limitent les aptitudes dynamiques de l'auto.

[CONCLUSION] Mercedes-Benz a réussi à faire un produit plus abordable sans dénaturer la marque. En espérant que des problèmes de fiabilité électronique ne viennent pas gâcher la fête.

2e OPINION

DANIEL RUFIANGE Déjà une quatrième édition pour la Classe B. Pour moins de 30 000 $, vous pénétrez dans l'univers de Mercedes-Benz et vous pourrez désormais déposer votre trousseau de clef sur n'importe quelle table, étoile argentée bien en vue. Toutefois, malgré des qualités évidentes, c'est cher payé. La Classe B demeure un très bon véhicule. Pratique, polyvalente, bien conçue et rassurante sur la route, on l'apprécie à l'usage. Seulement, une fois bien équipée, elle affiche un prix qui frise les 40 000 $ et, à ce coût, d'autres fabricants proposent des véhicules tout aussi intéressants et bien plus spacieux. Demeure que la valeur de revente est bonne, et que posséder une Mercedes-Benz n'est pas une mauvaise expérience en soi. Évaluez bien vos besoins et magasinez de façon éclairée.

(5) FICHE TECHNIQUE

• MOTEURS

• (B200)

L4 2,0 l DACT, 134 ch à 5500 tr/min
Couple 136 lb-pi à 3500 à 4000 tr/min
Transmission manuelle à 5 rapports, automatique à variation continue (option à 7 rapports)
0-100 km/h man. 10,1 s **auto** 10,2 s
Vitesse maximale 196 km/h **cvt** 190 km/h

• (B200T)

L4 2,01 l DACT, 193 ch à 5000 tr/min
Couple 206 lb-pi de 1800 à 4850 tr/min
Transmission manuelle à 6 rapports, automatique à variation continue (programmée pour 7 rapports)
0-100 km/h man. 7,6 s **auto.** 7,4 s
Vitesse maximale 210 km/h (limitée)
Consommation (100 km) man. 8,6 l **auto.** 8,5 l (octane 91)
Émissions de CO_2 man. 4224 kg/an **auto.** 4128 kg/an
Litres par année man. 1760 l **auto.** 1720 l
Coût par an man. 1936 $ **auto.** 1892 $
Autre motorisation non
Empreinte écologique 25 arbres

• AUTRES COMPOSANTES

Sécurité active freins ABS, répartition électronique de force de freinage, assistance au freinage, antipatinage, contrôle de stabilité électronique
Suspension avant/arrière indépendante / essieu rigide
Freins avant/arrière disques
Direction à crémaillère, assistée
Pneus P205/55R16, **200T** P215/45R17

• DIMENSIONS

Empattement 2778 mm
Longueur 4273 mm
Largeur 2040 mm (avec rétroviseurs)
Hauteur 1604 mm
Poids B200 man. 1355 kg **B200 auto.** 1400 kg **B200T man.** 1395 kg **B200T auto.** 1430 kg
Diamètre de braquage 11,95 m
Coffre 544 l, 1530 l (sièges abaissés)
Réservoir de carburant 54 l

NOS MENTIONS

Modèle recommandé

NOTRE VERDICT

Plaisir au volant	4/5
Qualité de finition	5/5
Consommation	4/5
Rapport qualité/prix	4/5
Valeur de revente	4/5

CLASSE C

www.mercedes-benz.ca

N ÉVOLUTION É J

35 800 $ à 63 500 $
transport et préparation: 1995 $

LA COTE VERTE

MOTEUR
V6 DE 2,5 L

- **Consommation (100km): auto.** 9,5 l **4RM** 9,9 l
- **Émissions polluantes CO_2: autom.** 4656 kg/an **4RM** 4848 kg/an
- **Empreinte écologique (nombre d'arbres à planter par année):** 27
- **Indice d'octane:** 91
- **Autre motorisation:** non
- **Coût du carburant moyen par année: auto.** 2156$ **4RM** 2222 $
- **Nombre de litres par année: auto.** 1960 l **4RM** 2020 l

(SOURCE: ÉnerGuide)

1 FICHE D'IDENTITÉ

- **Versions** C250, C250 4Matic, C300, C300 4Matic, C350, C350 4Matic
- **Roues motrices** arrière, 4
- **Portières** 4 **nombre de passagers** 5
- **Première génération** 1994
- **Génération actuelle** 2008
- **Construction** Sindelfingen/Stuttgart, Allemagne
- **Sacs gonflables** 6 (frontaux, latéraux avant, rideaux latéraux)
- **Concurrence** Acura TL/TSX, Audi A4, BMW Série 3, Cadillac CTS, Infiniti G37, Lexus IS, Lincoln MKZ, Volvo S40

2 AU QUOTIDIEN

- **Prime d'assurance**
  25 ans: 1700 à 1900 $
  40 ans: 1400 à 1600 $
  60 ans: 1200 à 1400 $
- **Collision frontale** 4/5
- **Collision latérale** 5/5
- **Ventes du modèle de l'an dernier**
  Au Québec 1966 **Au Canada** 7966
- **Dépréciation** (1 an) 22,9 %
- **Rappels** (2004 à 2009) 3
- **Cote de fiabilité** nd

3 GARANTIES... ET PLUS

- **Garantie générale** 4 ans/80 000 km
- **Garantie motopropulseur** 4 ans/80 000 km
- **Perforation** 5 ans/kilométrage illimité
- **Assistance** routière 4 ans/80 000 km
- **Nombre de concessionnaires**
  Au Québec 12 **Au Canada** 53

4 NOUVEAUTÉS EN 2010

- Moteurs révisés, coussin gonflable aux genoux du conducteur de série, sièges avec support lombaire, caméra de recul en option, volant gainé de cuir.

L'AFFIRMATION

PAR FRANCIS BRIÈRE

VOUS AVEZ LE CHOIX. POUR ENVIRON 35 000 DOLLARS JUSQU'À ENVIRON 70 000 DOLLARS, VOUS POUVEZ CHOISIR LA CLASSE C QUI VOUS INTÉRESSE. Si la concurrence est féroce dans ce marché, nous pouvons prétendre que Mercedes-Benz a réalisé un gros coup en 2008 en introduisant cette nouvelle génération. Malgré sa silhouette un peu timide, il s'agit d'une cuvée affirmée dont le mérite réside dans la qualité de fabrication et tout le prestige qu'elle procure à son propriétaire.

[CARROSSERIE] Je m'aventure ici sur un terrain glissant. L'une des meilleures façons de se prononcer sur une automobile est la comparaison. En revanche, juger de l'esthétique relève d'un maximum de subjectivité. Prêtons-nous tout de même à l'exercice. La Classe C ne fait pas tourner les têtes. Elle possède une silhouette qui laisse songeur. On songe que la BMW Série 3 possède une gueule plus sympathique, et que l'Audi A4 a plus de chien. En guise de consolation, la C63 AMG montre un style plus musclé. Une poussée de testostérone sous le capot devait être accompagnée de tuyaux d'échappement doubles et d'une partie avant plus menaçante.

[HABITACLE] Il faut s'asseoir sur une centaine de sièges d'automobile par année pour affirmer que cette voiture vous réserve un confort et un maintien parfaits. La présentation de la planche de bord regroupe tous les éléments avec simplicité et efficacité. La qualité des matériaux, de la finition et de l'assemblage ne ment pas. Cet habitacle soigné témoigne d'un souci de grande minutie, de solidité et de sobriété. Le système de navigation par satellite se dégage de la planche de bord en l'activant : un écran caché fait surface comme par enchantement.

[MÉCANIQUE] Ce sont trois moteurs à 6 cylindres qui animent les versions 230, 300 et 350 de la Classe C. Le premier développe 201 chevaux pour une cylindrée de 2,5 litres. On passe ensuite respectivement à 228 et 268 chevaux. La boîte de vitesses offerte est une automatique à 7 rapports; la manuelle à 6 rapports est offerte sur la C230. Pour les plus fortunés, la C63 AMG profite d'un

FORCES • Tenue de route rassurante • Solidité incomparable • • Moteur ahurissant (C63 AMG)

FAIBLESSES • Silhouette ordinaire • Boîte de vitesses moyenne • • Suspension un peu ferme

puissant V8 de 451 chevaux. Cet engin propulse la voiture de 0 à 100 km/h en moins de cinq secondes, mais une boîte de vitesses à double embrayage serait souhaitable pour ce bolide qui mériterait des changements de rapports encore plus pointus.

[COMPORTEMENT] Une Classe C mue par un V6 est moins sportive qu'une BMW Série 3. Elle s'apparente sans doute plus à une Audi A4 de par sa personnalité plus classique. Sur la route, la direction, bien qu'elle soit solide et lourde, manque un peu de rétroaction. En virage, elle excelle avec sa grande stabilité en raison de sa suspension ferme et de la rigidité de son châssis. Le freinage est puissant, mais les accélérations, un peu justes. En revanche, la version C63 AMG frôle la folie. Je suis convaincu qu'AMG a étudié la sonorité que produit ce gros V8 et sa tuyauterie d'échappement double. En appuyant à fond sur l'accélérateur, un monde s'ouvre à vous, celui de la sublimation par l'adrénaline et la testostérone. Sur un circuit, prenez bien garde aux prouesses trop audacieuses : la C63 AMG se révèle délicate en virage, surtout si vous avez désactivé les aides électroniques à la conduite.

[CONCLUSION] Quand on y pense, il est possible de se procurer une Mercedes-Benz de Classe C à un prix moindre qu'une Volkswagen Passat équipé d'un V6. Vous bénéficiez du prestige et de tous les avantages de la marque. Une interrogation demeure en ce qui concerne cette voiture : sa fiabilité. Si le constructeur allemand a récemment connu quelques déboires, les ventes de la Classe C ne risquent que d'augmenter. Avec un aussi bon produit, bien des acheteurs pourraient se tourner du côté de Mercedes-Benz et bouder les japonaises ou la concurrence allemande.

2e OPINION

DANIEL RUFIANGE L'un de mes coups de cœur récent, la Classe C, a su non seulement se refaire une beauté - et quelle beauté ! - mais elle l'a fait en ne perdant pas un iota des éléments qui faisaient jadis son charme. Au contraire, elle est plus raffinée, plus confortable, plus accueillante et, même, plus performante que jamais. Il est révolu le temps ou la sportivité du côté des allemandes n'était l'affaire que d'Audi et de BMW. Désormais, la marque à l'étoile argentée peut revendiquer le titre de marque sportive sans qu'on ne retrouve nécessairement les lettres AMG à l'arrière. La Classe C se pilote en douceur ou avec agressivité et obéit aux moindres commandes. Et que dire de la version AMG; installée à la verticale, elle pourrait rejoindre la lune...

5 FICHE TECHNIQUE

· MOTEURS

· (C250)

V6 2,5 l DACT, 201 ch à 6100 tr/min
Couple 181 lb-pi à 2900 tr/min
Transmission manuelle à 6 rapports, automatique à 7 rapports avec mode manuel
0-100 km/h 8,4 s
Vitesse maximale 210 km/h (limité)

· (C300)

V6 3,0 l DACT, 228 ch à 6000 tr/min
Couple 221 lb-pi à 2500 tr/min
Transmission manuelle à 6 rapports avec mode manuel
0-100 km/h 7,3 s
Vitesse maximale 210 km/h (limité)
Consommation (100 km) 2RM 9,7 l **4RM** 10,0 l
Émissions de CO_2 2RM 4752 kg/an
4RM 4896 kg/an
Litres par année 2RM 1980 l **4RM** 2040 l
Coût par an 2RM 2178 $ **4RM** 2244 $
Carburant alternatif non
Empreinte écologique 27 arbres

· (C350)

V6 3,5 l DACT, 268 ch à 6000 tr/min
Couple 258 lb-pi à 2400 tr/min
Transmission automatique à 7 rapports avec mode manuel
0-100 km/h 6,4 s
Vitesse maximale 210 km/h (limité)
Consommation (100 km) 2RM 10,1 l **4RM** 10,4 l
Émissions de CO_2 2RM 4944 kg/an
4RM 5088 kg/an
Litres par année 2RM 2060 l **4RM** 2120 l
Coût par an 2RM 2266 $ **4RM** 2332 $
Carburant alternatif non
Empreinte écologique 30 arbres

· AUTRES COMPOSANTES

Sécurité active freins ABS, répartition électronique de force de freinage, assistance au freinage, antipatinage, contrôle de stabilité électronique
Suspension avant/arrière indépendante
Freins avant/arrière disques
Direction à crémaillère, assistée
Pneus C250 P205/55R16 **C300** P225/45R17 (av.) P245/40R17 (ar.) **C350** 225/40R18 (av.) 255/35R18 (ar.)

· DIMENSIONS

Empattement 2760 mm
Longueur 4625 mm
Largeur 2020 mm (incluant rétroviseurs)
Hauteur C300 1444 mm **C350** 1448 mm
Poids C250 1590 kg **4matic** 1690 kg **C300** 1615 kg **4matic** 1695 kg **C350** 1640 kg **4matic** 1720 kg
Diamètre de braquage 10,9 m
Coffre 354 l
Réservoir de carburant 66 l

CL

www.mercedes-benz.ca

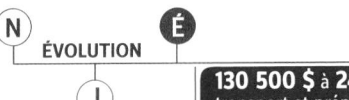

N ÉVOLUTION É J

130 500 $ à 241 000 $
transport et préparation: 1995 $

LA COTE VERTE

AVEC MOTEUR V8 DE 5,5 L

- **Consommation (100km):** 12,3 l
- **Émissions polluantes CO_2 :** 6000 kg/an
- **Empreinte écologique (nombre d'arbres à planter par année):** 36
- **Indice d'octane:** 91
- **Autre motorisation:** non
- **Coût du carburant moyen par année:** 2750 $
- **Nombre de litres par année:** 2500 l

(SOURCE: ÉnerGuide)

1 FICHE D'IDENTITÉ

- **Versions** 550 4MATIC, 600, 63 AMG, 65 AMG
- **Roues motrices** arrière, 4
- **Portières** 4 **Nombre de passagers** 4
- **Première génération** 2007
- **Génération actuelle** 2007
- **Construction** Sindelfingen/Stuttgart, Allemagne
- **Sacs gonflables** gonflables 6 (frontaux, latéraux avant et rideaux latéraux)
- **Concurrence** Bentley Continental GT, Ferrari 612 Scaglietti, Aston Martin DB9

2 AU QUOTIDIEN

- **Prime d'assurance**
  25 ans: 7200 à 7400 $
  40 ans: 4500 à 4700 $
  60 ans: 3600 à 3800 $
- **Collision frontale** nd
- **Collision latérale** nd
- **Ventes du modèle de l'an dernier**
  Au Québec nd **Au Canada** nd
- **Dépréciation** (3 ans) 42,7%
- **Rappels** (2004 à 2009) 6
- **Cote de fiabilité** 3/5

3 GARANTIES... ET PLUS

- **Garantie générale** 4 ans/80 000 km
- **Garantie motopropulseur** 4 ans/80 000 km
- **Perforation** 5 ans/kilométrage illimité
- **Assistance routière** 4 ans/80 000 km
- **Nombre de concessionnaires**
  Au Québec 12 **Au Canada** 53

4 NOUVEAUTÉS EN 2010

- Système COMAND révisé, éclairage ambiant à choix de 3 couleurs.

SURDOUÉE

PAR BENOIT CHARETTE

VOUS AVEZ RENCONTRÉ AU COURS DE VOTRE VIE DES GENS QUI SEMBLAIENT AVOIR HÉRITÉ DE TOUS LES TALENTS. Qu'on recule aussi loin que De Vinci ou Mozart, ces gens maîtrisaient bien leur art. On pourrait dire la même chose de la CL. Cette voiture excelle dans tout, elle marie le confort et le dynamisme avec un savant mélange de bons ingrédients et une suspension pneumatique qui vous transporte de bonheur.

[CARROSSERIE] Si vous êtes propriétaire d'une classe S et si vous avez envie de vous débarrasser de votre chauffeur, je vous recommande fortement une CL. Les deux voitures profitent de la même plateforme, le degré de raffinement est le même. Les concepteurs ont même été capables de donner des lignes fluides à ce paquebot de plus de 5 mètres de longueur, une tâche à n'en point douter compliquée. Malgré son format, la CL respire l'élégance. Les courbes lisses de la carrosserie, la calandre un peu plus agressive depuis l'an dernier et l'arrière simple mais de bon goût.

[HABITACLE] La presse écrite et électronique poussée par les cotes d'écoute a trop tendance de nos jours à abuser des superlatifs. Les mots comme « remarquable », « extraordinaire », « impérial » ont tendance à être utilisés à toujours les sauces. Dans le cas de la CL, le confort est simplement « prodigieux », et je pèse mes mots. J'ai fait Montréal-Chicoutimi aller et retour en 24 heures en demeurant frais comme une rose. Les sièges se fondent littéralement à votre morphologie et vous pouvez vous faire chauffer, climatiser ou, même, masser en conduisant. Le maintien latéral gonflable des sièges va même vous soutenir dans les courbes. Le silence qui règne à bord est impressionnant. La climatisation automatique n'émet aucune sonorité. Mercedes-Benz a même revu son système de gestion Comand qui se montre plus convivial. J'ai tout de même un petit reproche, ce long coupé qui fait la part belle aux occupants des places avant laisse un peu à eux-mêmes ceux qui prendront place à l'arrière. Considérant le format de la bête, c'est plutôt étonnant. Vous pourrez y asseoir deux adultes, même confortablement, mais disons

\+ **FORCES** • Confort sans équivalent dans cette catégorie • Combinaison moteur/boîte qui frise la perfection • Vitrine technologique

− **FAIBLESSES** • Espace arrière un peu petit • Liste interminable d'options • Prix

simplement que la voiture a été pensée pour deux, pas pour quatre.

[MÉCANIQUE] La version de base, si je peux me permettre cette expression, est munie du fidèle moteur V8 de 5,5 litres de 382 chevaux. Mercedes-Benz a clairement favorisé la disponibilité et le couple à la puissance pure, ce qui va tout à fait dans le sens d'un coupé comme celui-ci. Incroyablement souple, ce moteur reprend dès les régimes les plus bas. Il est plus à l'aise à régime de croisière, mais ne refuse pas une poussée d'adrénaline si besoin est. La boîte de vitesses propose trois modes de fonctionnement : confort, sport ou manuel. Ce dernier peut être commandé par l'entremise d'interrupteurs placés derrière le volant; j'ai à peine pensé de les utiliser tellement la boîte se débrouille bien sur le mode automatique. Chose surprenante, j'ai réussi à rouler sous la barre des 10 litres aux 100 kilomètres sur l'autoroute. Si vous recherchez la puissance d'un missile balistique, la CL 600 avec son V12 biturbo et ses 510 chevaux offre la même douceur, mais une hargne qui vous laissera sans mot. Et que dire des versions 63 et 65 AMG qui ajoute la démesure à la folie, 603 chevaux dans le cas de la 65 AMG.

[COMPORTEMENT] Vous ferez l'achat d'une CL si vous êtes arrivé à une période de votre vie où vous donnez la priorité au confort. La suspension pneumatique efface littéralement toutes les imperfections de la route, un atout de taille au Québec. Solide comme un roc, le mélange de douceur de roulement, de précision de trajectoire et de communion avec la route rend l'expérience de conduite quasi surréaliste. La corvée de conduire semble s'alléger et prendre une toute autre dimension. Comble du raffinement, les grandes portières assistées électriquement se ferment d'elles-mêmes si l'on manque de conviction en les claquant... Je vous fait grâce, faute d'espace, de la liste interminable de gadgets électroniques qui gèrent l'existence à bord et vous rendent la vie plus facile.

[CONCLUSION] Capable de tenir tête à n'importe quelle sportive exotique, la CL choisit plutôt de vous transporter dans un confort très rare pour une GT. Une « souveraine » des longs trajets, elle monnaie chèrement ses bons soins, mais cette vitrine du savoir de Mercedes-Benz vaut largement le détour si le confort trône en haut de votre liste. Et de voir un propriétaire de 911 se faire laver par un paquebot inscrit AMG vaut presque l'investissement.

5 FICHE TECHNIQUE

· MOTEURS

· (CL550 4MATIC)
V8 5,5 l DACT, 382 ch à 6000 tr/min
Couple 391 lb-pi à 2800 tr/min
Transmission automatique à 7 rapports avec mode manuel
0-100 km/h 5,4 s
Vitesse maximale 210 km/h (bridée)

· (CL600)
V12 5,5 l biturbo SACT, 510 ch à 5000 tr/min
Couple 612 lb-pi à 1800 tr/min
Transmission automatique à 5 rapports
0-100 km/h 4,6 s
Vitesse maximale 210 km/h (bridée)
Consommation (100 km) 15,6 l (octane 91)
Émissions de CO_2 7680 kg/an
Litres par année 3200 l
Coût par an 3520 $
Carburant alternatif non
Empreinte écologique 45 arbres

· (CL63 AMG)
V8 6,2 l DACT, 518 ch à 6800 tr/min
Couple 465 lb-pi à 5200 tr/min
Transmission automatique à 7 rapports avec mode manuel
0-100 km/h 4,6 s
Vitesse maximale 250 km/h (bridée)
Consommation (100 km) 15,0 l (octane 91)
Émissions de CO_2 7344 kg/an
Litres par année 3060 l
Coût par an 3366 $
Carburant alternatif non
Empreinte écologique 44 arbres

· (CL65 AMG)
V12 6,0 l biturbo SACT, 603 ch à 4800 tr/min
Couple 738 lb-pi à 2000 tr/min
Transmission automatique à 5 rapports avec mode manuel
0-100 km/h 4,4 s
Vitesse maximale 250 km/h (bridée)
Consommation (100 km) 15,5 l (octane 91)
Émissions de CO_2 7584 kg/an
Litres par année 3160 l
Coût par an 3476 $
Carburant alternatif non
Empreinte écologique 45 arbres

· AUTRES COMPOSANTES
Sécurité active freins ABS, répartition électronique de force de freinage, assistance au freinage, antipatinage, contrôle de stabilité électronique
Suspension avant/arrière indépendante
Freins avant/arrière disques ventilés (arrière non ventilés sur le 550)
Direction à crémaillère, assistée
Pneus 550 P255/45R18 **600** P255/45R18 (av.), P275/45R18 (arr.) **AMG** P255/35R20 (av.), P275/35R20 (arr.)

· DIMENSIONS
Empattement 2955 mm
Longueur 5065 mm **AMG** 5084 mm
Largeur 1871 mm
Hauteur 1419 mm
Poids CL550 4MATIC 2095 kg **CL600** 2220 kg **CL63 AMG** 2125 kg **CL65 AMG** 2275 kg
Diamètre de braquage 11,6 m
Coffre 490 l
Réservoir de carburant 90 l

NOS MENTIONS

Modèle recommandé

Coup de coeur

NOTRE VERDICT

Plaisir au volant
Qualité de finition
Consommation
Rapport qualité/prix
Valeur de revente

CLASSE CLS

www.mercedes-benz.ca

N ÉVOLUTION É J

69 500 $ à 117 900 $
transport et préparation: 1995 $

LA COTE VERTE

AVEC MOTEUR V8 DE 5,5 L

- **Consommation (100km):** 12,3 l
- **Émissions polluantes CO_2:** 6048 kg/an
- **Empreinte écologique (nombre d'arbres à planter par année):** 36
- **Indice d'octane:** 91
- **Autre motorisation:** non
- **Coût du carburant moyen par année:** 2772 $
- **Nombre de litres par année:** 2520 l

(SOURCE: ÉnerGuide)

1 FICHE D'IDENTITÉ

- **Versions** 550, CLS 63 AMG
- **Roues motrices** arrière
- **Portières** 4 **Nombre de passagers** 5
- **Première génération** 2006
- **Génération actuelle** 2006
- **Construction** Sindelfingen/Stuttgart, Allemagne
- **Sacs gonflables** 6 (frontaux, latéraux avant, rideaux latéraux)
- **Concurrence** Audi A6, BMW Série 5, Cadillac STS, Infiniti M

2 AU QUOTIDIEN

- **Prime d'assurance**
  25 ans: 3500 à 3700 $
  40 ans: 2500 à 2700 $
  60 ans: 2300 à 2500 $
- **Collision frontale** 5/5
- **Collision latérale** 5/5
- **Ventes du modèle de l'an dernier**
  Au Québec nd **Au Canada** nd
- **Dépréciation** (3 ans) 59,3%
- **Rappels** (2004 à 2009) 2
- **Cote de fiabilité** 3,5/5

3 GARANTIES... ET PLUS

- **Garantie générale** 4 ans/80 000 km
- **Garantie motopropulseur** 4 ans/80 000 km
- **Perforation** 5 ans/kilométrage illimité
- **Assistance routière** 4 ans/kilométrage illimité
- **Nombre de concessionnaires**
  Au Québec 12 **Au Canada** 53

4 NOUVEAUTÉS EN 2010

- Édition spéciale, nouvel équipement standard.

NOBLE CRÉATURE

PAR FRANCIS BRIÈRE

QUAND VOUS PRENEZ LE VOLANT D'UNE MERCEDES-BENZ DE CETTE TREMPE, VOUS AVEZ CE SENTIMENT INDESCRIPTIBLE À LA FOIS DE SÉCURITÉ, DE CONFORT, DE SOLIDITÉ ET DE CLASSE. Tel un aristocrate, vous séjournez à bord d'une voiture digne des plus nobles créations de la société. La CLS symbolise l'audace et cette propension à l'évolution et au dépassement. La facture témoigne des efforts du fabricant à livrer un véhicule hors du commun, dont les qualités font qu'on ne peut que le vénérer.

[CARROSSERIE] Les deux livrées, la CLS 550 et la CLS 63 AMG, partagent sensiblement les mêmes éléments esthétiques, à l'exception de la calandre, des roues et de l'échappement. Les tuyaux trapézoïdaux lui confèrent un air plus masculin. Reste que ce modèle incarne à la fois une évolution à contre-courant et une continuité dans la même carcasse. En effet, il s'agit du projet le plus audacieux conçu par le constructeur allemand. Sa silhouette dégage beaucoup de sensualité. À croire que Volkswagen a imité Mercedes-Benz avec sa Passat CC dont les formes font étrangement penser à celles de la CLS.

[HABITACLE] Si vous prenez place à bord d'une Classe CLS, vous constatez avec quelle virtuosité les ingénieurs et les concepteurs de Mercedes-Benz ont réalisé l'habitacle. L'ergonomie est parfaite. La planche de bord dispose de tous les éléments requis dans l'harmonie et dans la simplicité. Les matériaux les plus nobles ont été utilisés par souci d'élégance et de solidité à toute épreuve. Même s'il s'agit d'une berline, les sièges soutiennent l'anatomie sans compromettre le confort. Chez Mercedes-Benz, on ne lésine pas sur les réglages possibles. Soulignons tout de même, en guise de reproche, que les places arrière sont relativement exiguës pour la taille du véhicule. Cela s'explique par le fait que la CLS possède un profil bas dont la pente plus prononcée vers l'arrière de la voiture réduit le dégagement pour la tête. Personnellement, je ne ferai jamais l'éloge de ces coupés à quatre places qui laissent irrémédiablement, un jour ou l'autre, un passager à la rue.

FORCES • Habitacle somptueux • Lignes audacieuses • Rigidité et solidité

FAIBLESSES • Prix excessif • Poids excessif • Places arrière

CLASSE CLS

[MÉCANIQUE] Mercedes-Benz utilise le même engin pour ses voitures de Classe S, SL et CLS, soit un V8 de 5,5 litres qui développe, dans le cas qui nous intéresse, 382 chevaux et produit un couple de 391 livres-pieds. À moins de souffrir d'un complexe de puissance extrême, ce moteur produit suffisamment de puissance pour vous permettre de vous déplacer allègrement. Mais le constructeur a prévu le coup. Pour les hargneux et dévoreurs d'asphalte, on peut insérer sous le capot un V8 de 6,2 litres qui génère une puissance de 507 chevaux et produit un couple de 465 livres-pieds. Dans les deux cas, vous bénéficiez d'une excellente boîte de vitesses automatique à 7 rapports. En revanche, pour le modèle CLS 63 AMG, un système à double embrayage s'occupe des changements de rapports comme si vous étiez au volant d'un bolide de course.

[COMPORTEMENT] La CLS – je sais que quelques-uns fronceront les sourcils – n'est pas la voiture la plus excitante et enivrante à conduire. Il ne s'agit pas d'une sportive. En revanche, cela ne veut pas dire qu'on ne passe pas un agréable moment au volant de la CLS. Ne serait-ce que pour la prise en main du volant, on vit cette sensation de conduire une machine tellement solide, tellement bien construite que rien n'est à son épreuve. En virage, la lourdeur de la voiture se fait sentir. Vous bénéficiez de trois modes de conduite selon lesquels la suspension se règle. Quant à la CLS 63 AMG, attachez votre tuque avec du barbelé !

[CONCLUSION] La CLS se distingue de toute la gamme Mercedes-Benz. Entre la Classe C et la Classe S, loin de la Classe E même si elle partage la même base, elle brille par ses atouts esthétiques qui en font une voiture unique. La finition, les matériaux, le confort, l'élégance, le luxe, le prestige, c'est une Mercedes-Benz.

2e OPINION

BENOIT CHARETTE On dit que l'imitation est la plus belle forme de flatterie. Les gens de Mercedes-Benz doivent être très flattés d'apprendre que le concept lancé par le fabricant a fait beaucoup de petits.
La CLS, apparue en 2004, a été la pionnière des coupés à quatre portes. De plus en plus de constructeurs ont suivi ce concept, et l'offre de berlines dont les lignes copient celles des coupés est en constante hausse ! Aston Martin avec sa Rapide, Porsche avec sa Panamera et Audi avec sa future A7 suivent également cette voie dans le segment *premium*. Plus bas dans l'échelle, VW propose une Passat CC. La CLS sous sa forme actuelle en est à sa dernière année, une nouvelle mouture arrivera pour 2011.
Une chose est certaine, si vous cherchez une berline pour abattre beaucoup de kilomètres dans un confort inégalé, c'est la voiture qu'il vous faut.

(5) FICHE TECHNIQUE

· **MOTEURS**
· **(CLS550)**
V8 5,5 l DACT, 382 ch à 6000 tr/min
Couple 391 lb-pi à 2800 tr/min
Transmission automatique à 7 rapports
0-100 km/h 5,4 s
Vitesse maximale 210 km/h (limitée)

· **(CLS63 AMG)**
V8 6,2 l DACT, 507 ch à 6800 tr/min
Couple 465 lb-pi à 5200 tr/min
Transmission automatique à 7 rapports avec mode manuel
0-100 km/h 4,5 s
Vitesse maximale 250 km/h (limitée)
Consommation (100 km) 14,5 l (octane 91)
Émissions de CO_2 7104 kg/an
Litres par année 2960 l
Coût par an 3256$
Empreinte écologique 42 arbres

· **AUTRES COMPOSANTES**
Sécurité active freins ABS, répartition électronique de force de freinage, assistance au freinage, antipatinage, contrôle de stabilité électronique
Suspension avant/arrière indépendante
Freins avant/arrière disques ventilés
Direction à crémaillère, assistée
Pneus CLS550 P245/40R18 (av.) P275/35R18(arr.)
CLS63AMG P255/35R19 (av.), P285/30R19 (arr.)

· **DIMENSIONS**
Empattement 2854 mm
Longueur 4910 mm **CLS63AMG** 4915 mm
Largeur 1873 mm
Hauteur 1414 mm **CLS63AMG** 1389 mm
Poids 1825 kg **CLS63AMG** 1910 kg
Diamètre de braquage 11,2 m **CLS63AMG** 11,5m
Coffre 495 l
Réservoir de carburant 80 l

NOS MENTIONS

Coup de coeur

NOTRE VERDICT

Plaisir au volant
Qualité de finition
Consommation
Rapport qualité/prix
Valeur de revente

CLASSE E

www.mercedes-benz.ca

N NOUVEAUTÉ É J

58 600 $ à 121 100 $
transport et préparation: 1995 $

LA COTE VERTE

AVEC MOTEUR V6 DE 3,5 L

- **Consommation (100km):** 11,0 l
- **Émissions polluantes CO_2 :** 5328 kg/an
- **Empreinte écologique (nombre d'arbres à planter par année):** 31
- **Indice d'octane:** 91
- **Autre motorisation:** non
- **Coût du carburant moyen par année:** 2242 $
- **Nombre de litres par année:** 2220 l

(SOURCE: ÉnerGuide)

1 FICHE D'IDENTITÉ

- **Versions** 350 4MATIC, 350 BlueTECH, 550 4MATIC, E63 AMG
- **Roues motrices** 4
- **Portières** 4
- **Nombres de passagers** 5
- **Première génération** 1996
- **Génération actuelle** 2010
- **Construction** Sindelfingen/Stuttgart, Allemagne
- **Sacs gonflables** 8 (frontaux, latéraux avant et arrière, rideaux latéraux)
- **Concurrence** Acura RL, Audi A6, BMW Série 5, Cadillac STS, Infiniti M, Jaguar XF, Lexus GS

2 AU QUOTIDIEN

Saab 9-5, Volvo S80

- **Prime d'assurance**
  25 ans: 2900 à 3100 $
  40 ans: 2300 à 2500 $
  60 ans: 1500 à 1700 $
- **Collision frontale** 4/5
- **Collision latérale** 5/5
- **Ventes du modèle de l'an dernier**
  Au Québec 472 **Au Canada** 2161
- **Dépréciation** 53,2 %
- **Rappels** (2004 à 2009) 4

3 GARANTIES... ET PLUS

- **Cote de fiabilité** 2/5
- **Garantie générale** 4 ans/80 000 km
- **Garantie motopropulseur** 4 ans/80 000 km
- **Perforation** 5 ans/kilométrage illimité
- **Assistance routière** 4 ans/80 000 km
- **Nombre de concessionnaires**

4 NOUVEAUTÉS EN 2010

Au Québec 12 **Au Canada** 53

- Nouveau modèle

L'HOMME OU LA MACHINE

PAR BENOIT CHARETTE

DEPUIS PLUS DE 20 ANS, ON SE DEMANDE SI L'ON DOIT APPRENDRE AUX GENS À ÊTRE DE MEILLEURS CONDUCTEURS OU SI LES FABRICANTS D'AUTOMOBILES DOIVENT FAIRE DES VOITURES QUI CONDUISENT MIEUX À NOTRE PLACE; MERCEDES-BENZ A CHOISI LA SECONDE SOLUTION. La nouvelle Classe E regor gent d'assistances électroniques qui font mieux les choses que bien des conducteurs, même les plus habiles. Nous sommes, dans le cas de cette nouvelle berline, sur le point d'assister au remplacement de l'homme par la machine. Elle fait tout de manière parfaite, calculée, mesurée, sans le moindre effort apparent, au point que sa conduite peut devenir un peu aseptisée. D'ici quelques années, il y aura peut-être même un bouton pour le pilotage automatique. Chose certaine, Mercedes-Benz démontre encore une fois qu'elle est le chef de file en matière d'innovations techniques dans le monde des berlines de luxe.

[CARROSSERIE] Les nouvelles formes montrent qu'on délaisse clairement une époque chez Mercedes-Benz. Un peu à l'image du GLK qui se veut le véhicule du 21e siècle, on abandonne les rondeurs au profit d'un profil plus acéré. En matière d'esthétique, elle se démarque de sa devancière par des optiques rectangulaires séparées et des diodes de bas de caisse « façon » Audi. On retrouve toujours la mythique calandre chromée et la fameuse étoile cerclée. À l'arrière, le design est plus classique, même un peu générique. Le fabricant justifie le choix de ce design un peu terne par un coefficient de traînée de seulement 0,25 permettant d'économiser 0,25 litre aux 100 kilomètres à 130 km/h. Le coup d'œil général demeure fidèle à l'image de la marque, mais veut clairement démontrer un pas dans une nouvelle direction.

[HABITACLE] Tout comme la silhouette, l'intérieur abandonne les formes rondes pour adapter des lignes plus tendues, plus allemandes, tout en angle. Les sièges sont encore plus confortables avec un rembourrage en mousse intégré sous le revêtement en tissu ou en cuir (massage et places arrière individuelles en option). Les possibili-

FORCES • Très haut degré de sécurité • Une tenue de route solide • Un diesel propre et performant

FAIBLESSES • Une direction un peu lourde • Une liste longue et coûteuse d'options • Une conduite un peu aseptisée

tés de personnalisation sont nombreuses, et les combinaisons de bois, d'aluminium et de cuir se multiplient entre la finition Classic de base, la sportive Avant Garde et la luxueuse Elegance. Toutes les versions offrent un équipement riche, et, vous l'aurez deviné, une liste exhaustive d'options. Le côté pratique n'est pas oublié avec une grande boîte à gants et un petit filet pour mettre des cartes contre la console centrale. Le levier de vitesses, automatique, est derrière le volant. Il y a en option des leviers de sélection, et l'on notera aussi le bouton de démarrage, partie intégrante de l'option Keyless-Go qui supprime la clé de contact. La couleur bleue des cadrans ajoute une touche de bon goût. La climatisation automatique est bizone, sauf sur la E550 où elle est quadrizone. Mais au-delà de l'équipement, ce qui permet de distinguer les voitures de luxe des autres sur le marché réside dans la liste des équipements offerts. À ce cha pitre, Mercedes-Benz pousse l'offre plus loin que tous les concurrents dans cette catégorie. Vous savez déjà que Mercedes-Benz est gavée de systèmes électroniques, et cette nouvelle Classe E a de quoi impressionner. En plus des sept coussins de sécurité gonflables de série, on retrouve un système de détection de somnolence (Attention Assist) de série, le système de protection Pre-Safe (qui anticipe les accidents et prépare certains équipements de sécurité à intervenir) et le capot actif (il se lève de 50 millimètres afin d'amortir l'impact avec piéton) de série. En option, le client pourra opter pour une assistance aux feux de route (Adaptive Main Beam Assist), la vision nocturne avec détection de piétons, l'alerte de franchissement de ligne involontaire, le radar adaptatif (qui freinera automatiquement l'auto quand un véhicule se présentera devant votre Classe E), l'avertisseur d'angle mort et le freinage automatique en cas de risque de collision. Les modèles européens profitent même d'un système de reconnaissance des panneaux de vitesse qui s'affiche devant vous sur un petit écran témoin et vous avertit si vous dépassez la vitesse permise.

« LA COMMUNION ENTRE LE CONDUCTEUR ET LA ROUTE N'EST PAS PARFAITE. TOUTEFOIS, LA SOLIDITÉ DE LA CAISSE, L'EXCELLENT TRAVAIL DE LA SUSPENSION ET L'ADHÉRENCE DES PNEUS COMPENSENT LARGEMENT CE LÉGER MANQUE. »

[MÉCANIQUE] La nouvelle Classe E est disponible avec les trois mêmes moteurs que la génération précédente. Le modèle V6 de 3,5 litres de base et ses 268 chevaux, le modèle E550 et son V8 de 382 chevaux et la puissante E63 AMG et ses diaboliques 507 chevaux. Mercedes a simplement souligné que les mécaniques ont fait l'objet de quelques réglages pour une meilleure consommation de carburant. La nouveauté arrivera au printemps 2010 avec la 350 Diesel BlueTEC, la technologie diesel la plus propre sur la planète. Une version familiale viendra également se joindre au reste de la famille. Les modèles 350 et 550 sont uniquement offerts en version 4Matic, alors que la 63 AMG demeure une propulsion. Tous les modèles profitent de l'excellente boîte de vitesses automatique à sept rapports.

HISTORIQUE

Bien que l'histoire officielle de la Classe E a débuté en 1968 sous le nom de W114, on retrouve les premiers ancêtres dès le milieu des années 50. Une longue tradition qui se poursuit comme beaucoup d'autres produits de la famille Mercedes.

W 120 1953

MERCEDES 1961

MERCEDEAS 1968

MERCEDES 1976

CLASSE E 1984

MERCEDEAS 1995

CLASSE E WAGON 2002

1953 vs 2010

CLASSE E

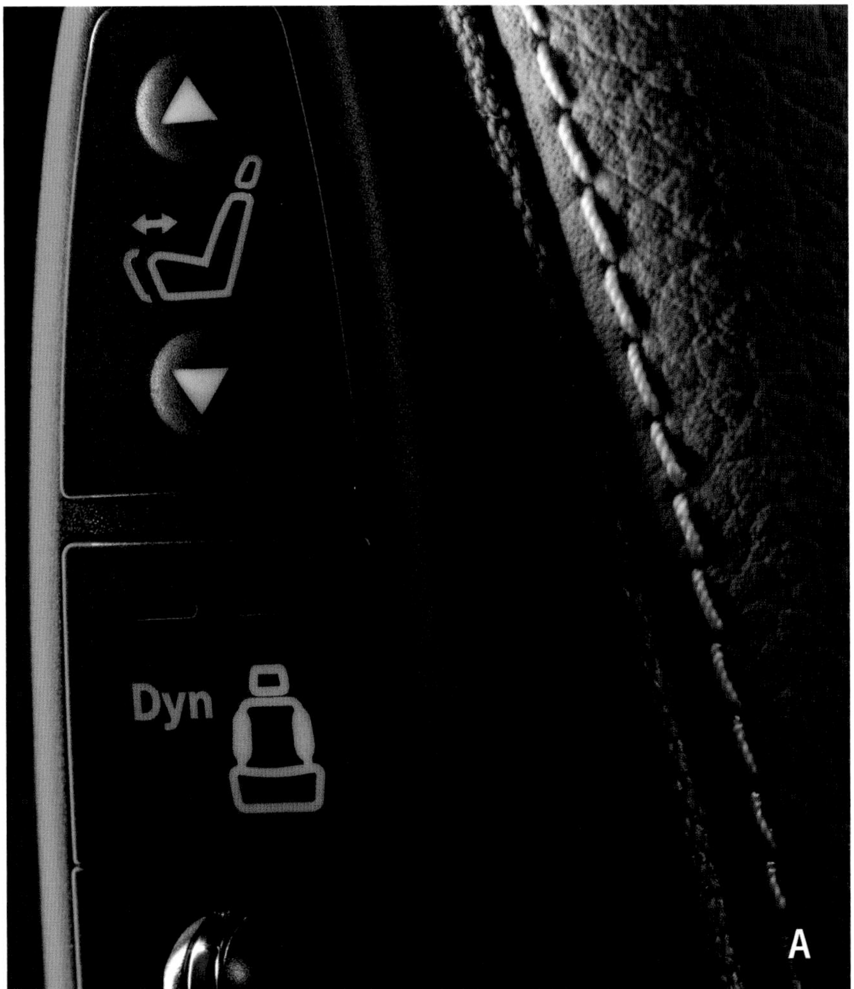

A

B

C

D

GALERIE

A En option, les sièges avant multicontours actifs comportent des appui-tête confort et avec une fonction massage à deux niveaux dans le dossier, reprise de la Classe S. Des vannes piézoélectriques ajustent la pression et le volume des coussins d'air du dossier en fonction de l'angle de braquage, de la vitesse et de l'accélération transversale pour améliorer le maintien latéral du conducteur et du passager avant.

B L'équipement de série comprend une suspension perfectionnée dotée d'amortisseurs adaptatifs. En situation de conduite normale, l'amortissement s'assouplit et l'accent est mis sur le confort de roulement. Lors d'une conduite dynamique ou de manœuvres d'évitement soudaines, le système raffermit l'amortissement au maximum afin de stabiliser le véhicule de manière optimale.

C Sous ses airs presque tranquilles, de taxi musclé, le moteur de la nouvelle E 63 AMG livre 518 chevaux.

D Le bouton « AMG » : cette macro-commande configurable (en bas de la photo) permet de transformer le Dr. Jekyll en Mr. Hide d'une pression de l'index. Vous pouvez par exemple passer l'excellente boîte 7Gtronic en mode « Sport + », raffermir la suspension et déconnecter l'ESP d'un seul geste ! Le style aviation du module de commande le différencie de la Classe E berline et ajoute un air distinctif

[COMPORTEMENT] Il est plutôt rare que je me lance dans des essais routiers de nuit, mais je l'ai fait pour cette Classe E. Il y avait naturellement un but à cet exercice, celui de tester deux nouveautés offertes sur la liste des options. La nouvelle Classe E est dotée d'un assistant feux de route qui adapte automatiquement la luminosité des phares la nuit afin d'éclairer le plus largement possible la chaussée en permanence, mais surtout pour ne pas éblouir le conducteur d'un véhicule qui arriverait dans l'autre sens. Une sorte de passage automatique feux de route/feux de croisement en quelque sorte. Cela a également permis de faire l'essai du système de détection nocturne. Dans le cas des phares automatiques, cela a bien fonctionné et il n'y a rien à redire du système de détection nocturne. Toutefois, ce système est plus pratique pour le passager, car on doit quitter les yeux de la route pour bien voir l'écran et l'image. Pour ce qui est de la conduite, la Classe E, comme beaucoup de générations qui l'ont précédée, souffre d'une petite lourdeur au volant. La communion entre le conducteur et la route n'est pas parfaite. Toutefois, la solidité de la caisse, l'excellent travail de la suspension et l'adhérence des pneus compensent largement ce léger manque, J'ai entre autres été impressionné par la suspension pneumatique de la E550 qui s'accroche fortement à la route, même sous la torture. Vous ne serez probablement pas surpris d'apprendre que ma version préférée est le diesel qui offre une sensation de conduite plus prompte que le V6 à essence avec une économie de carburant que j'ai maintenue sous la barre des 7 litres aux 100 km. Le V8 relève un peu de la gourmandise; vous n'avez pas besoin de cette puissance, mais la disponibilité du V8 et la justesse de son chant demeure une musique si douce aux oreilles des amateurs.

[CONCLUSION] Mercedes garde sa place comme précurseur de nouvelles technologies dans la gamme des véhicules de luxe. Cette nouvelle classe E n'est certes pas aussi dynamique qu'une BMW de Série 5, mais vous ne perdrez pas pied à moins de faire une grave erreur de conduite. Solide, luxueuse, elle respire le travail bien fait et conserve toutes les qualités qui ont fait sa renommée.

5 FICHE TECHNIQUE

· MOTEURS

· (350)
V6 3,5 l DACT, 268 ch à 6000 tr/min
Couple 258 lb-pi à 2400 à 5000 tr/min
Transmission automatique à 7 rapports
0-100 km/h 6,6 s
Vitesse maximale 210 km/h (limitée)

· (550)
V8 5,5 l DACT, 382 ch à 6000 tr/min
Couple 391 lb-pi à 2800 à 4800 tr/min
Transmission automatique à 5 rapports
0-100 km/h 5,5 s
Vitesse maximale 210 km/h (limitée)
Consommation (100 km) 13,1 l (octane 91)
Émissions de CO_2 6432 kg/an
Litres par année 2680 l **Coût par an** 2948 $
Empreinte écologique 39

· (63 AMG)
V8 6,2 l DACT, 518 ch à 6800 tr/min
Couple 465 lb-pi à 5200 tr/min
Transmission automatique à 7 rapports avec mode manuel
0-100 km/h 4,5 s
Vitesse maximale 250 km/h (limitée)
Consommation (100 km) 14,0 l (octane 91)
Émissions de CO_2 6864 kg/an
Litres par année 2860 l **Coût par an** 3146 $
Empreinte écologique 41 arbres

· AUTRES COMPOSANTES
Sécurité active freins ABS, répartition électronique de force de freinage, assistance au freinage, antipatinage, contrôle de stabilité électronique
Suspension avant/arrière indépendante
Freins avant/arrière disques
Direction à crémaillère, assistée
Pneus 350 P245/45R17 **550** P235/40R18 **63 AMG** P245/40R18

· DIMENSIONS
Empattement 2874 mm
Longueur 4868 AMG 4881
Largeur 2071 mm
Hauteur 350 1467 mm **550** 1447 mm **63** 1440 mm
Poids 350 1830 kg **550** 1910 kg **63** 1830 kg
Diamètre de braquage 11,25 m
Coffre 540 l **63 AMG** 532 l
Réservoir de carburant 80 l

NOS MENTIONS

Modèle recommandé

Coup de coeur

NOTRE VERDICT

Plaisir au volant
Qualité de finition
Consommation
Rapport qualité/prix
Valeur de revente Nm

CLASSE E COUPÉ

www.mercedes-benz.ca

N NOUVEAUTÉ É J

58 600 $ à 68 200 $
transport et préparation: 1995 $

LA COTE VERTE

AVEC MOTEUR V6 DE 3,5 L

- **Consommation (100km) :** 10,1 l
- **Émissions polluantes CO_2 :** 5376 kg/an
- **Empreinte écologique (nombre d'arbres à planter par année) :** 33
- **Indice d'octane :** 91
- **Autre motorisation :** non
- **Coût du carburant moyen par année :** 2464 $
- **Nombre de litres par année :** 2240 l

(SOURCE : ÉnerGuide)

1 FICHE D'IDENTITÉ

- **Versions** 350, 550
- **Roues motrices** arrière
- **Portières** 4 **Nombre de passagers** 4
- **Première génération** 2010
- **Génération actuelle** 2010
- **Construction** Sindelfingen/Stuttgart, Allemagne
- **Sacs gonflables** 8 (frontaux, latéraux avant et arrière, rideaux latéraux)
- **Concurrence** Audi A5, BMW Série 3 coupé, Infiniti G37 coupé, Volvo C70

2 AU QUOTIDIEN

- **Prime d'assurance**
  25 ans: 2900 à 3100 $
  40 ans: 2300 à 2500 $
  60 ans: 1500 à 1700 $
- **Collision frontale** 4/5
- **Collision latérale** 5/5
- **Ventes du modèle de l'an dernier**
  Au Québec nm **Au Canada** nm
- **Dépréciation** (3 ans) nm
- **Rappels** (2004 à 2009) nm
- **Cote de fiabilité** nm

3 GARANTIES... ET PLUS

- **Garantie générale** 4 ans/80 000 km
- **Garantie motopropulseur** 4 ans/80 000 km
- **Perforation** 5 ans/kilométrage illimité
- **Assistance routière** 4 ans/80 000 km
- **Nombre de concessionnaires**
  Au Québec 12 **Au Canada** 53

4 NOUVEAUTÉS EN 2010

- Nouveau modèle

PLUS QU'UNE QUESTION DE PORTIÈRES

PAR MICHEL CRÉPAULT

EN REPENSANT LA CLASSE E, LES DIRIGEANTS DU FABRICANT ONT MIS LE PAQUET. Non seulement le consommateur peut-il y dénicher une berline (pages précédentes), mais il peut également y trouver un coupé (le présent texte), un cabriolet (prévu au début de 2010) et une familiale (elle aussi en 2010). Chaque déclinaison aura ses lettres de noblesse. Dans le cas du coupé, elles sont assez prestigieuses pour entraîner la disparition de la Classe CLK.

[CARROSSERIE] La plateforme est celle de la berline, de sorte que les mensurations se répètent, à l'exception de la longueur, à peine plus courte. Fidèle à la nouvelle tendance chez Benz, le nez prend beaucoup d'importance, avec une calandre et un écusson agressifs. Les ingénieurs ont amputé l'auto des ses piliers latéraux, ce qui procure une allure sportive et met la table pour la décapotable. On peut présumer que cette dernière héritera d'un toit souple car le contraire la rendrait trop semblable au coupé. La croupe présente une forme compacte soulignée par des réflecteurs à diodes électroluminescentes (DEL) distinctifs. Les flancs s'élancent avec un bel élan aérodynamique confirmé par un incroyable coefficient de traînée de 0,24, le meilleur du monde au moment d'écrire ces lignes !

[HABITACLE] L'accès aux deux places arrière est facilité par le coulissement automatique du siège avant. Le dégagement de la banquette (60/40) est bon pour les rotules mais plus serré pour le crâne des grands six pieds, étant donné la forme du pavillon. L'équipement de série de l'E350 rend hommage à la marque avec, par exemple, un toit panoramique standard, un écran couleurs Comand de 7 pouces, un lien Bluetooth et plusieurs autres gâteries. J'ai été ébloui par la sono Harman/Kardon 5.1. Un CD de démonstration a fait voler un hélicoptère dans la cabine, je le jure ! Le Canada recevra 50 exemplaires Prime Edition des deux versions. On les reconnaîtra entre autres grâce à leur peinture argent métallique et à leurs sièges deux tons Designo.

+ **FORCES** • Design extérieur très réussi • Confort intérieur fidèle à la marque • Véhicule distinctif

− **FAIBLESSES** • Plus c'est beau et plus c'est techno, plus c'est cher...

CLASSE E COUPÉ

un autre automobiliste venant en sens inverse. Le reste du temps, oui, l'auto se laisse piloter... mais vous êtres prévenu : si vous commettez une erreur, elle reprendra le contrôle pour vous éviter le pire !

[MÉCANIQUE] L'appellation des deux modèles résume bien leur motorisation respective. En effet, l'E350 utilise un V6 de 3,5 litres de 268 chevaux, tandis que l'E550 préfère un V8 de 5,5 litres de 382 chevaux. Le catalogue ne comportera pas tout de suite un moteur préparé par les patenteux d'AMG, mais ça ne saurait tarder. Pour patienter, le client du V6 peut cocher un ensemble de carrosserie AMG (standard avec le V8) et des roues spéciales. La boîte de vitesses offerte est une 7G-TRONIC automatique avec leviers de sélection au volant.

[COMPORTEMENT] Un bouton Sport donne accès au *Dynamic Handling*, de concert avec une suspension plus sportive, et la différence se fait sentir. Par définition, un coupé doit pouvoir arracher un « mon oncle ! » à la route, et la nouvelle Benz a ce qu'il faut pour être méchante. Dans l'ensemble, le coupé trahit son poids, mais aucun des moteurs n'en souffre. Cela dit, elle a aussi à cœur de faciliter la vie du conducteur avec une pléiade d'aides électroniques. Prenez le dispositif *Pre-Safe Brake* qui, à l'instar du *Safety City* de Volvo, met automatiquement les freins quand le conducteur est trop distrait pour le faire lui-même; ou le *Parktronic* qui réalise à votre place un stationnement en parallèle parfait; sans oublier le *Distronic Plus*, un régulateur de vitesse intelligent qui conserve toujours une distance sûre avec le véhicule devant; le bidule *Attention Assist* qui émet des alertes afin de vous suggérer de prendre une pause quand votre conduite devient erratique; ou le système *Adaptive Highbeam Assist* qui diminue l'intensité de vos phares dès qu'il estime que vous pourriez aveugler

[CONCLUSION] Un sondage maison a appris au constructeur de Stuttgart qu'à peine 10 % des acheteurs de coupé s'en procure un pour terroriser l'asphalte. La majorité recherche avant tout le confort et la nécessité de combler ce désir de posséder une automobile qui dégage plus de personnalité qu'une berline. Le nouveau coupé Classe E de Mercedes-Benz joue ce rôle à merveille.

2e OPINION

BENOIT CHARETTE Après plus de 10 ans sur le marché, la CLK qui a fait sa première apparition en 1998, fait place à la Classe E coupé. Une ligne résolument plus «mâle» des aspirations plus sportives et un CX de 0,24 en font une voiture qui fait sentir sa présence. Au volant le plaisir est incontestable, dès la fermeture de la porte, avec le valet qui tend la boucle de la ceinture de sécurité, puis quand on appuie sur le bouton *start*, sans résultat audible avec juste les aiguilles des cadrans qui s'animent. Silence à bord du V6 et grondement feutré dans le V8. Sur la route, le modèle 6-cylindres plus léger, a fait montre d'une plus belle nervosité au volant, les réactions sont plus promptes et la direction plus incisives. Pour sa part la 550 se veut plus proche de la CL.

5 FICHE TECHNIQUE

· MOTEURS

· (350)

V6 3,5 l DACT, 268 ch à 6000 tr/min
Couple 258 lb-pi de 2400 à 5000 tr/min
Transmission automatique à 7 rapports avec mode manuel
0-100 km/h 6,4 s
Vitesse maximale 210 km/h (bridée)

· (550)

V8 5,5 l DACT, 382 ch à 6000 tr/min
Couple 391 lb-pi de 2800 à 4800 tr/min
Transmission automatique à 7 rapports avec mode manuel
0-100 km/h 5,6 s
Vitesse maximale 210 km/h (bridée)
Consommation (100 km) 11,8 l (octane 91)
Émissions de CO_2 6432 kg/an
Litres par année 2680 l
Coût par an 2948 $
Carburant alternatif non
Empreinte écologique 39

· AUTRES COMPOSANTES

Sécurité active freins ABS, répartition électronique de force de freinage, assistance au freinage, antipatinage, contrôle de stabilité électronique
Suspension avant/arrière indépendante
Freins avant/arrière disques ventilés
Direction à crémaillère, assistée
Pneus E 350 :P235/45R17 (av.), P255/40R17 (arr.)
E 550 : P235/40R18(av.) P255/35R18(ar.)

· DIMENSIONS

Empattement 2760 mm
Longueur 4698 mm, 4717 mm (550)
Largeur 1786 mm
Hauteur 1393 mm
Poids E 350 1705 kg , **E 550** : 1770 kg
Diamètre de braquage E 350 :10,95 m, **E 550** : 11.2 m
Coffre 450 l
Réservoir de carburant 66 l

NOS MENTIONS

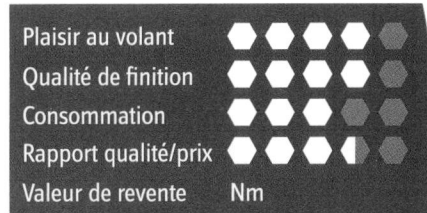

Modèle recommandé

NOTRE VERDICT

Plaisir au volant	4/5
Qualité de finition	4/5
Consommation	3/5
Rapport qualité/prix	3,5/5
Valeur de revente	Nm

CLASSE G

www.mercedes-benz.ca

N ÉVOLUTION É J

79 400 $ à 100 800 $
transport et préparation: 1995 $

LA COTE VERTE

AVEC MOTEUR V8 DE 5,5 L

- **Consommation (100km):** 16,0 l
- **Émissions polluantes CO_2 :** 7920 kg/an
- **Empreinte écologique (nombre d'arbres à planter par année):** 46
- **Indice d'octane:** 91
- **Autre motorisation:** non
- **Coût du carburant moyen par année:** 3630 $
- **Nombre de litres par année:** 3300 l

(SOURCE: ÉnerGuide)

1 FICHE D'IDENTITÉ

- **Versions** G550, G55 AMG
- **Roues motrices** 4
- **Portières** 4 **Nombre de passagers** 5
- **Première génération** 1979
- **Génération actuelle** 2002
- **Construction** Autriche
- **Sacs gonflables** 2 (frontaux)
- **Concurrence** Cadillac Escalade, Land Rover Range Rover, Lincoln Navigator, Lexus LX570

2 AU QUOTIDIEN

- **Prime d'assurance**
  25 ans: 4000 à 4300 $
  40 ans: 2500 à 2700 $
  60 ans: 1800 à 2000 $
- **Collision frontale** 4/5
- **Collision latérale** 4/5
- **Ventes du modèle de l'an dernier**
  Au Québec 167 **Au Canada** 1156
- **Dépréciation** 42,4%
- **Rappels** (2004 à 2009) 1
- **Cote de fiabilité** 3,5/5

3 GARANTIES... ET PLUS

- **Garantie générale** 4 ans/80 000 km
- **Garantie motopropulseur** 4 ans/80 000 km
- **Perforation** 5 ans/kilométrage illimité
- **Assistance routière** 4 ans/80 000 km
- **Nombre de concessionnaires**
  Au Québec 12 **Au Canada** 53

4 NOUVEAUTÉS EN 2010

- Nouveaux sièges, nouvelle clé, tableau de bord recouvert de cuir.

JOYEUX ANNIVERSAIRE !

PAR BENOIT CHARETTE

QUI AURAIT PARIÉ, EN 1979, QUE LE MERCEDES-BENZ GELÄNDEWAGEN (VÉHICULE TOUT-TERRAIN, EN ALLEMAND), DEVENU AUJOURD'HUI CLASSE G, MÈNERAIT UNE AUSSI BELLE ET AUSSI LONGUE CARRIÈRE ? Autrefois offert à sa plus simple expression aux militaires allemands, il est devenu aujourd'hui un symbole de luxe et d'opulence partout sur la planète. Et cette année 2009 marque le trentième anniversaire de la naissance du parcours improbable de ce camion qui est toujours assemblé à la main.

[CARROSSERIE] On ne change pas une recette qui a fait ses preuves depuis 30 ans, un peu à l'image d'une Porsche 911. Sa silhouette carrée et massive est celle d'un véhicule tout-terrain. Les vrais. Ceux qui s'embarrassent d'une gamme courte et de trois blocages de différentiel. En termes d'esthétique, les modifications sont minimes : un nouveau couvert de roue de secours en acier inoxydable, un échappement sport et une option chrome. Pour le reste, son style cubique au coefficient de traînée (Cx) inavouable est toujours de la partie.

[HABITACLE] Malgré la présence de toute la technologie actuelle qui habille les produits Mercedes-Benz, on sent bien que sa conception date de 30 ans. Simple et à la fois fonctionnel, l'intérieur de la Classe G reçoit cette année de nouveaux sièges directement issus de la Classe E 2010 et configurée pour la G. La console centrale, elle aussi inspirée de la Classe E, offre cette année un tableau de bord recouvert de cuir et de nouvelles couleurs de cuir pour la G 550. Les commandes de blocage de différentiel (AV, AR et central) nous rappellent, en prime, que nous sommes bien à bord d´un vrai 4 x 4. Notons en terminant que le G dispose d'une habitabilité très séduisante et d'un volume de coffre plus que généreux.

[MÉCANIQUE] Sous le capot, vous avez toujours le choix de deux variantes moteurs. Le modèle de base, appelons-le ainsi, offre un V8 de 5,5 litres de 382 chevaux. Souple généreux et assez puissant pour déplacer cette brique mobile, il utilise en plus l'excellente boîte de vitesses à 7 rapports de Mercedes-Benz. Il y a aussi une variante AMG. Comme la majorité des autres

FORCES • Style unique • Vrai 4 x 4 • Surprenante douceur de roulement • Intérieur de limousine

FAIBLESSES • Consommation très élevée • Cx d'un mur de brique • Prix de revient au kilomètre qui donne des cauchemars

CLASSE G

membres de la famille, la Classe G ne reçoit pas le V8 de 6,2 litres, mais plutôt l'ancienne version V8 de 5,5 litres Kompressor. Technologiquement moins évolué que le nouveau-né à l'Étoile, il produit tout de même 500 chevaux. Le 0 à 100 km/h est ainsi atteint en seulement 5,5 secondes. Quant à la vitesse de pointe, elle demeure pour des raisons de sécurité limitée électroniquement au seuil largement prohibitif de 210 km/h, ce qui n'est pas le cas de la consommation gargantuesque de 22 litres aux 100 kilomètres en ville.

[COMPORTEMENT] La Classe G est qualifiée par plusieurs de Classe S des utilitaires pour deux raisons : son silence de roulement et le prix qui se situera entre 100 000 et 115 000 dollars. Tout comme le Hummer, le G550 possède des capacités de franchissement assez impressionnantes. Alors, pour ceux qui n'ont qu'à se rendre au chalet pour le week-end, vous n'aurez pas l'occasion d'exploiter 10 % des capacités de cette bête. Il faut donc s'attendre à ce que cette Rolls du désert soit victime d'une diffusion très limitée. Il est dommage, pour des raisons d'économie de carburant, que le nouveau V8 diesel proposé en Europe ne soit pas offert ici. Car en plus de donner un rendement plus acceptable, ce moteur possède une capacité de remorquage supérieure au moteur à essence.

[CONCLUSION] Ce monstre de l'ère jurassique a survécu à toutes les vagues de coupures, mais si Mercedes-Benz veut assurer sa pérennité, il faudrait sérieusement songer à installer un diesel BlueTEC sous le capot. Car avec un prix du pétrole qui ne fera que continuer à augmenter, même les millionnaires de ce monde vont trouver la facture en carburant abusive. Car si on enlève le coût prohibitif en carburant, ce véhicule ne manque pas de charme, décalé, certainement, mais charmant.

2e OPINION

MICHEL CRÉPAULT Le Classe G détient le douteux honneur d'être l'un des véhicules les plus gourmands que j'ai jamais conduits, et ça inclut le non moins bizarre Hummer H2 ! Un matin d'essai où j'avais le pied droit un peu pesant - par devoir professionnel... - j'ai noté une consommation instantanée de 35,9L aux 100 km ! Même en conduite pépère, les pétrolières vous décernent une médaille. D'un autre côté, le G distille un charme qui échappe à son rival américain. Les deux véhicules ont des antécédents militaires, mais alors que le H2 ressemble à un jouet géant, le Geländewagen propose un style post-apocalyptique plus cool. Les portières se renferment en faisant un son de vieille 911 et l'espace de rangement est caverneux. Mais, je me répète, quel ivrogne !

5 FICHE TECHNIQUE

· **MOTEURS**

· **(G550)**

V8 5,5l SACT, 382 ch à 6000 tr/min
Couple 391 lb-pi à 2800 tr/min
Transmission automatique à 7 rapports avec mode manuel
0-100 km/h 6,1 s
Vitesse maximale 210 km/h (bridée)

· **(G55 AMG)**

V8 5,5 l suralimenté SACT, 500 ch à 6100 tr/min
Couple 516 lb-pi à 2750 tr/min
Transmission automatique à 5 rapports avec mode manuel
0-100 km/h 5,5 s
Vitesse maximale 210 km/h (bridée)
Consommation (100 km) 17,4 l (octane 91)
Émissions de CO_2 8112 kg/an
Litres par année 3380 l
Coût par an 3718 $
Carburant alternatif non
Empreinte écologique 50 arbres

· **AUTRES COMPOSANTES**

Sécurité active freins ABS, répartition électronique de force de freinage, assistance au freinage, antipatinage, contrôle de stabilité électronique
Suspension avant/arrière essieu rigide
Freins avant/arrière disques ventilés
Direction à billes, assistée
Pneus G550 P265/60R18 **G55 AMG** P275/55R19

· **DIMENSIONS**

Empattement 2850 mm
Longueur 4662 mm
Largeur 1760 mm
Hauteur 1931 mm
Poids G550 2500 kg **G55 AMG** 2595 kg
Diamètre de braquage 13,3 m
Coffre 480 l, 2250 l (sièges abaissés)
Réservoir de carburant 96 l
Capacité de remorquage 750 kg

NOTRE VERDICT

Plaisir au volant
Qualité de finition
Consommation
Rapport qualité/prix
Valeur de revente

CLASSE M

www.mercedes-benz.ca

N ÉVOLUTION É J

59 900 $ à 97 500 $
transport et préparation: 1995 $

LA COTE VERTE

AVEC MOTEUR V6 DIESEL 3,0 L
- **Consommation (100km) :** 9,8 l (diesel)
- **Émissions polluantes CO2 :** 5400 kg/an
- **Empreinte écologique (nombre d arbres à planter par année) :** 32
- **Indice d'octane :** diesel
- **Carburant alternatif :** diesel
- **Coût du carburant moyen par année :** 2000 $
- **Nombre de litres par année :** 2000 l (SOURCE : ÉnerGuide)

1 FICHE D'IDENTITÉ

- **Versions** 350 BlueTEC, 350, 550, 63 AMG
- **Roues motrices** 4 MATIC
- **Portières** 4 **Nombre de passagers** 5
- **Première génération** 1998
- **Génération actuelle** 2006
- **Construction** Tuscaloosa, Alabama, É.-U.
- **Sacs gonflables** 8 (frontaux, latéraux avant et arrières, rideaux latéraux)
- **Concurrence** Acura MDX, Audi Q7, BMW X5, Cadillac SRX, Infiniti FX, Land Rover LR3, Lexus RX, Porsche Cayenne, Volkswagen Touareg, Volvo XC90

2 AU QUOTIDIEN

- **Prime d assurance 25 ans :** 3300 à 3500 $
  40 ans : 2300 à 2500 $
  60 ans : 1500 à 1700 $
- **Collision frontale** 5/5
- **Collision latérale** 5/5
- **Ventes du modèle de l an dernier**
  Au Québec 657 **Au Canada** 3525
- **Dépréciation (3 ans)** 41,4%
- **Rappels (2004 à 2009)** 3
- **Cote de fiabilité** 3, 5/5

3 GARANTIES... ET PLUS

- **Garantie générale** 4 ans/80 000 km
- **Garantie motopropulseur** 4 ans/80 000 km
- **Perforation** 5 ans/kilométrage illimité
- **Assistance routière** 4 ans/80 000 km
- **Nombre de concessionnaires**
  Au Québec 12 **Au Canada** 53

4 NOUVEAUTÉS EN 2010

- ML 320 devient le ML 350 BlueTEC
- Nouveaux groupes d'options

PLUS SEUL... MAIS TOUJOURS CONCURRENTIEL

ALEXANDRE CRÉPAULT

Ces dernières années, le ML avait une longueur d'avance sur ses concurrents; il était le seul VUS de luxe à pouvoir carburer au diesel. La tendance, cependant, commence à se faire de plus en plus populaire dans le créneau. Le ML doit maintenant faire face à une nouvelle concurrence émergeante. A-t-il tout ce qu'il faut ?

[CARROSSERIE] Depuis que le ML est passé d'un châssis à échelle à une structure monocoque en 2006, ses dimensions se sont embourgeoisées, et ses lignes ont rajeuni. Cela dit, peu importe la génération, on reconnaît le ML par ses lignes aérodynamiques et sa vitre arrière qui semble faire le tour du coffre d'un pilier C à l'autre. La cuvée actuelle demeure la plus belle interprétation du ML à ce jour : partie avant provocante, arches de roues prononcées et section arrière bien définie.

[HABITACLE] L'habitacle du ML se décrit en trois mots : confortable, luxueux et pratique. Pas trop de flafla ni de design futuriste. Juste des cuirs et du bois qui dégagent de la somptuosité et une finition irréprochable. Les commandes sont d'accès facile et simples à manipuler, et on trouve de la place pour quatre adultes et tous leurs bagages.

[MÉCANIQUE] Le ML propose rien de moins que cinq mécaniques pour 2010. Deux d'entre elles valent vraiment le détour. Le 6-cylindres turbodiesel est le choix de l'heure. Avec son couple de 400 livres-pieds et sa consommation (qui peut aisément demeurer sous les 10 litres aux 100 kilomètres), il offre le meilleur des deux mondes. Sa technologie BlueTEC fait passer les gaz d'échappement dans un réservoir de liquide AdBlue qui nettoie jusqu'à 80 % des émissions d'oxyde nitreux. Complètement à l'opposé, le V8 de 503 chevaux de la version AMG vous hérisse les poils des bras quand vous l'entendez galoper de 0 à 100 km/h en 5 secondes. Reste le V6 de 3,5 litres ou le V8 de 382 chevaux. Oubliez le V6, il n'en vaut pas vraiment la peine. Il se vend environ au même prix que la version diesel, qui est plus

FORCES • Moteur diesel • Style à jour • Confort et luxe

FAIBLESSES • Prix une fois équipé • Maintenance liquide *AdBlue*

puissante, plus propre et plus économique. Et cette année, Mercedes ajoute une version 450 hybride (uniquement pour l'Europe) qui emprunte sa technologie à la récente Classe S hybride qui va talonner le Diesel pour la consommation de carburant.

[COMPORTEMENT] Il ne faut pas craindre les maigres figures de puissance des véhicules diesel. Oubliez que le ML350 BlueTEC ne produit que 210 chevaux et concentrez votre attention sur son couple de 400 livres-pieds. La tonne de couple est livrée dès les premiers tours. Résultat : Le VUS de 5000 livres ne perd pas une seconde avant de bondir vers l'horizon. Le tout se fait sous le très subtil grondement de la mécanique diesel. La boîte de vitesses à 7 rapports passe d'un rapport à l'autre dans la plus grande discrétion et transmet le tout à la transmission intégrale du ML, qui s'assure de toujours maximiser le niveau de motricité, peu importe les conditions. Au bout du compte, la conduite du ML est posée et rassurante. Le poids de la direction fait en sorte que le transfert des masses du véhicule est bien communiqué, ce qui se traduit par un degré accru de confiance au volant. La suspension adaptative, en option, est un joyau, surtout sur les routes du Québec, et préfère, en temps normal, le mode « confort ». Cela dit, rien ne bat la possibilité de choisir le mode « sport » mettant en avant-plan la rigidité du châssis du ML.

2e OPINION

FRÉDÉRIC MASSE Dans la catégorie des VUS de luxe, certains produits se démarquent nettement par leur caractère sportif, d'autres par leur douceur, alors que certains optent plutôt pour la technologie. Pour le ML, c'est plutôt l'amalgame. Il réunit en petites parcelles l'ensemble de ces qualités et se veut, à mon avis, le meilleur VUS intermédiaire de luxe. Quand on considère en plus les choix de mécaniques, qui comptent un diesel frugal et maintenant un hybride « bi-mode », je ne peux que renchérir. Le ML a tout pour lui, une suspension conciliante, une direction bien dosée et des performances qui peuvent passer de correctes (350) à enivrantes (63 AMG), selon le modèle choisi. Ajoutez à cela une qualité de construction et de présentation enviable, une insonorisation à la hauteur, un châssis solide et des assises confortables, et vous obtenez la recette d'un succès fort mérité. Il est encore au sommet !

[CONCLUSION] Les VUS perdent des plumes. Cependant, le ML demeure une option acceptable en raison de sa superbe mécanique diesel sans parler du luxe et du confort. Le prix est presque raisonnable (avant options). Il ne reste plus qu'à voir comment la concurrence va s'en prendre au créneau...

5 FICHE TECHNIQUE

· (ML350 BlueTEC)
V6 3,0 l DACT, 210 ch à 3400 tr/min
Couple 400 lb-pi de 1600 à 2400 tr/min
Transmission automatique à 7 rapports
0-100 km/h 8,6 s
Vitesse maximale 210 km/h (bridée)

· (ML350)
V6 3,5 l DACT, 268 ch à 6000 tr/min
Couple 258 lb-pi de 2400 à 5000 tr/min
Transmission automatique à 7 rapports
0-100 km/h 8,4 s
Vitesse maximale 210 km/h (bridée)
Consommation (100 km) 12,2 l (octane 91)
Émissions de CO_2 5952 kg/an
Litres par année 2480 l **Coût** par an 3720 $
Carburant alternatif non
Empreinte écologique 36 arbres

· (ML550)
V8 5,5 l DACT, 382 ch à 6000 tr/min
Couple 391 lb-pi de 2800 à 4800 tr/min
Transmission automatique à 7 rapports
0-100 km/h 5,8 s
Vitesse maximale 210 km/h (bridée)
Consommation (100 km) 13,6 l (octane 91)
Émissions de CO2 6624 kg/an
Litres par année 2760 l Coût par an 4140 $
Carburant alternatif non
Empreinte écologique 40 arbres

· (ML63 AMG)
V8 6,2 l DACT, 503 ch à 6800 tr/min
Couple 465 lb-pi à 5200 tr/min
Transmission automatique à 7 rapports
0-100 km/h 5,0 s
Vitesse maximale 250 km/h (bridée)
Consommation (100 km) 17,0 l (octane 91)
Émissions de CO_2 8304 kg/an
Litres par année 3460 l **Coût par an** 5190 $
Carburant alternatif non
Empreinte écologique 50 arbres

· AUTRES COMPOSANTES
Sécurité active freins ABS, répartition électronique de force de freinage, assistance au freinage, antipatinage, contrôle de stabilité électronique
Suspension avant/arrière indépendante
Freins avant/arrière disques (ventilés)
Direction à crémaillère, assistée
Pneus ML350 4Matic P 235/65R17
ML350 BlueTec P255/50R19
ML550 P265/45R20
ML63 AMG P295/35R21

· DIMENSIONS
Empattement 2915 mm
Longueur 4781 mm **ML63 AMG** 4812 mm
Largeur 2124 mm (incluant rétroviseurs)
Hauteur ML350 1815 mm
ML550 1840 mm **ML63 AMG** 1899 mm
Poids ML350 BlueTEC 2255 kg **ML350** 2145 kg
ML550 2215 kg **ML63 AMG** 2370 kg
Diamètre de braquage 11,6 m **hybrid** 12,0 m
Coffre 833 l, 2050 l (sièges abaissés)
Réservoir de carburant 95 l **hybrid** 90 l
Capacité de remorquage 3,266 kg

NOS MENTIONS

Modèle recommandé

Le choix vert (diesel)

NOTRE VERDICT

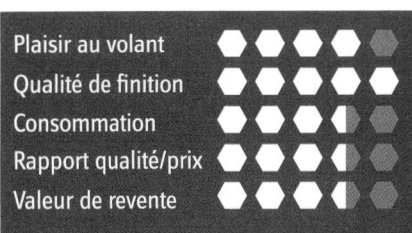

Plaisir au volant
Qualité de finition
Consommation
Rapport qualité/prix
Valeur de revente

GL

www.mercedes-benz.ca

N ÉVOLUTION É J

71 500 $ à 91 000 $
transport et préparation: 1995 $

LA COTE VERTE

AVEC MOTEUR V6 DE 3,0 L BLUETEC

- **Consommation (100km):** 9,9 l (diesel)
- **Émissions polluantes CO_2:** 5832 kg/an
- **Empreinte écologique (nombre d'arbres à planter par année):** 32
- **Autre motorisation:** diesel
- **Coût du carburant moyen par année:** 2160 $
- **Nombre de litres par année:** 2160 l

(SOURCE: ÉnerGuide)

1 FICHE D'IDENTITÉ

- **Versions** 320 CDI, 450, 550
- **Roues motrices** 4
- **Portières** 4 **Nombre de passagers** 7
- **Première génération** 2007
- **Génération actuelle** 2007
- **Construction** Huntsville, Alabama, É.-U.
- **Sacs gonflables** 8 (frontaux, latéraux avant et arrière, rideaux latéraux)
- **Concurrence** Cadillac Escalade, Hummer H2, Infiniti QX56, Lexus GX/LX, Lincoln Navigator, Land Rover Range Rover

2 AU QUOTIDIEN

- **Prime d'assurance**
  25 ans: 3800 à 4000 $
  40 ans: 2300 à 2500 $
  60 ans: 1900 à 2100 $
- **Collision frontale** 5/5
- **Collision latérale** 5/5
- **Ventes du modèle de l'an dernier**
  Au Québec nd **Au Canada** nd
- **Dépréciation** (2 ans) 43%
- **Rappels** (2004 à 2009) 3
- **Cote de fiabilité** 3/5

3 GARANTIES... ET PLUS

- **Garantie générale** 4 ans/80 000 km
- **Garantie motopropulseur** 4 ans/80 000 km
- **Perforation** 5 ans/kilométrage illimité
- **Assistance routière** 4 ans/80 000 km
- **Nombre de concessionnaires**
  Au Québec 12 **Au Canada** 53

4 NOUVEAUTÉS EN 2010

- Retouches extérieures
- La GL320 TDi devient la GL350 BlueTEC

JE SUIS GROS, MAIS JE M'ASSUME !

PAR BENOIT CHARETTE

EN GÉNÉRAL, UNE GÉNÉRATION DE LA GAMME MERCEDES-BENZ A UNE ESPÉRANCE DE VIE DE SIX ANS. À mi-cours de son chemin, la firme allemande procède habituellement à une remise à niveau pour donner un second souffle. Comme le GL est arrivé sur nos routes en 2007, il était de circonstance de refaire un peu, discrètement, l'image de ce paquebot créé pour le marché américain.

[CARROSSERIE] C'est au salon de New York, en mars 2009, que Mercedes-Benz a dévoilé sa nouvelle interprétation de son paquebot autoroutier. La carrosserie a été légèrement rafraîchie avec de nouveaux pare-chocs avant et arrière. On note la présence de chrome sur les bas de caisse. À l'arrière, l'échappement chromé a lui aussi été légèrement redessiné. À l'extérieur, du chrome toujours pour les feux avant et arrière. Les roues en alliage de 18 à 21 pouces ont également été redessinées. C'est vrai que les Américains aiment bien le clinquant, mais Mercedes-Benz l'a quand même fait avec goût, sans tomber dans le « kitsch ».

[HABITACLE] À l'intérieur, le volant en cuir multifonction a été redessiné, l'instrumentation, repensée, avec notamment un nouveau système de surveillance de la pression des pneus. Un graphique en temps réel est proposé au conducteur. Le reste de l'habitacle est à la hauteur des produits Mercedes-Benz. Bois précieux, cuirs, qualité irréprochable, on a du mal à imaginer qu'on est dans un 4 x 4. De plus, il est extrêmement spacieux, devant ou derrière, les passagers sont choyés. Et c'est la première voiture qui offre autant de place aux passagers de la troisième rangée de sièges. Une troisième rangée est escamotable électriquement dans le plancher sur une simple pression d'un bouton. Il y a même de l'espace derrière la troisième banquette, des mensurations dignes des plus gros utilitaires américains.

FORCES • Très spacieux • Très luxueux • Très économique (diesel) • Très douce (la boîte)

FAIBLESSES • Très gourmand (V8) • Très mou (le freinage) • Très lourd • Très chères • (les options)

[CONCLUSION] Pour ceux qui jouissent d'un budget de plus de 70 000 $ pour un véhicule familial, le GL est le véhicule de rêve. Imposant, élégant, digne de son rang, il comblera son propriétaire, surtout si celui-ci veut s'aventurer hors des sentiers battus. Et de grâce, allez du côté du diesel, il y a de l'attente car Mercedes-Benz vend 80 % de ses GL en diesel, mais c'est de très loin le choix le plus logique.

[MÉCANIQUE] Mercedes-Benz offre toujours les trois mêmes moteurs sous le capot. Les deux V8 déplacent avec brio les quelque 2 500 kilos de cette masse d'acier, mais au prix d'une consommation qui vous empêchera de dormir. Pour éviter les somnifères, je vous propose la version diesel BlueTEC, qui change de nom cette année, passant de la version 320 Cdi à la version 350 BlueTEC. Dans les faits, c'est le même moteur et la même puissance de 210 chevaux épaulée par un couple de 400 livres-pieds. Le bruit du moteur n'est pas aussi mélodieux, mais les 10,5 litres aux 100 kilomètres de moyenne côté consommation sonneront comme de la musique à vos oreilles. Les trois modèles, comme toute la gamme des produits Mercedes-Benz, profitent de la très efficace boîte de vitesses automatique à 7 rapports.

[COMPORTEMENT] Sur la route, il faut prendre quelques précautions pour ne pas se faire prendre par surprise au volant d'un V8. Les modèles 450 et 550 poussent comme un avion. Mais assurez-vous d'être sur une ligne droite si vous avez l'intention de pousser un peu la machine. Car s'il aime bien les lignes droites, il montre une moins bonne agilité en virage. C'est normal avec 2,5 tonnes et un centre de gravité aussi haut. En contrepartie, ses capacités de tout-terrain sont remarquables pour un 4 x 4 de ce gabarit, particulièrement si vous optez pour les suspensions pneumatiques, en option, qui permettent de lever et de baisser la garde au sol. Sans parler de ses capacités à toutes épreuves l'hiver. Avec de bons pneus, vous ne resterez jamais pris.

2e OPINION

FRÉDÉRIC MASSE

Même s'il n'est pas très populaire de se promener dans un VUS grand format par les temps qui courent, il n'en demeure pas moins que, dans le genre, le GL demeure l'une des meilleures offres de l'industrie. C'est son châssis monocoque, sa maniabilité surprenante, sa suspension conciliante et ses mécaniques (dont une diesel) qui en font un mélange homogène et réussi. Il n'a certainement pas le charisme d'un Range Rover ou d'un Cadillac Escalade, mais il remplace plutôt cet élément de style par une sobriété appréciée par certains acheteurs. Avec une troisième banquette qui peut vraiment accueillir deux adultes sans problème et l'un des habitacles les mieux ficelés de la catégorie, le GL parvient en plus à faire oublier sa grande taille grâce à un design qui le dissimule dans le paysage. Grosse ombre au tableau, par contre, la fiabilité du pachyderme semble problématique selon les rapports. C'est d'ailleurs une manie dans cette catégorie où le Lexus LX 570 est seul ou presque à obtenir une note satisfaisante.

(5) FICHE TECHNIQUE

- **MOTEURS**
- **(350 BlueTEC)**

V6 3,0 l DACT, 210 ch à 3400 tr/min
Couple 400 lb-pi à 1600 tr/min
Transmission automatique à 7 rapports avec mode manuel
0-100 km/h 9,5 s
Vitesse maximale 210 km/h (limitée)

- **(450)**

V8 4,7 l DACT, 335 ch à 6000 tr/min
Couple 339 lb-pi à 2700 tr/min
Transmission automatique à 7 rapports avec mode manuel
0-100 km/h 6,9 s
Vitesse maximale 210 km/h (limitée)
Consommation (100 km) 13,5 l (octane 91)
Émissions de CO_2 6814 kg/an
Litres par année 2839 l **Coût par an** 3123 $
Empreinte écologique 39 arbres

- **(550)**

V8 5,5 l DACT, 382 ch à 6000 tr/min
Couple 391 lb-pi à 2800 tr/min
Transmission automatique à 7 rapports avec mode manuel
0-100 km/h 6,5 s
Vitesse maximale 210 km/h (limitée)
Consommation (100 km) 14,2 l (octane 91)
Émissions de CO_2 6912 kg/an
Litres par année 2880 l **Coût par an** 3168 $
Empreinte écologique 42 arbres

- **AUTRES COMPOSANTES**

Sécurité active freins ABS, répartition électronique de force de freinage, assistance au freinage, antipatinage, contrôle de stabilité électronique
Suspension avant/arrière indépendante
Freins avant/arrière disques ventilés
Direction à crémaillère, assistée
Pneus P275/50R20 **GL550** P275/55R19

- **DIMENSIONS**

Empattement 3075 mm
Longueur 5088 mm
Largeur 2124 mm
Hauteur 1840 mm
Poids 350 BlueTEC 2460 kg **450** 2425 kg **550** 2515 kg
Diamètre de braquage 12,1 m
Coffre 200 l, 2300 l (sièges abaissés)
Réservoir de carburant 100 l

NOS MENTIONS

Modèle recommandé (diesel)

NOTRE VERDICT

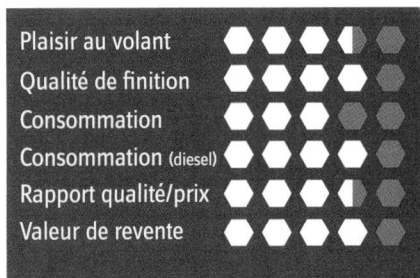

Plaisir au volant
Qualité de finition
Consommation
Consommation (diesel)
Rapport qualité/prix
Valeur de revente

CLASSE GLK

www.mercedes-benz.ca

N ÉVOLUTION É J

41 800 $
transport et préparation: 1995 $

LA COTE VERTE

AVEC MOTEUR V6 DE 3,5 L

- **Consommation (100km):** 10,4 l
- **Émissions polluantes CO_2 :** 5952 kg/an
- **Empreinte écologique (nombre d'arbres à planter par année):** 36
- **Indice d'octane:** 91
- **Autre motorisation:** non
- **Coût du carburant moyen par année:** 2728 $
- **Nombre de litres par année:** 2480 l

(SOURCE: ÉnerGuide)

1 FICHE D'IDENTITÉ

- **Versions** GLK350
- **Roues** motrices 4
- **Portières** 4 **nombre de passagers** 5
- **Première génération** 2009
- **Génération actuelle** 2009
- **Construction** Bremen, Allemagne
- **Sacs gonflables** 6 (frontaux, latéraux et rideaux latéraux)
- **Concurrence** Acura RDX, Audi Q5, BMW X1, Volvo XC60

2 AU QUOTIDIEN

- **Prime d'assurance**
  25 ans: 1700 $ à 1900 $
  40 ans: 1400 $ à 1600 $
  60 ans: 1100 $ à 1300 $
- **Collision frontale** nm
- **Collision latérale** nm
- **Ventes du modèle de l'an dernier**
  Au Québec nm **Au Canada** nm
- **Dépréciation** (3 ans) nm
- **Rappels** (2004 à 2009) nm
- **Cote de fiabilité** nm

3 GARANTIES... ET PLUS

- **Garantie générale** 4 ans/80 000 km
- **Garantie motopropulseur** 4 ans/80 000 km
- **Perforation** 5 ans/kilométrage illimité
- **Assistance routière** 4 ans/kilométrage illimité
- **Nombre de concessionnaires**
  Au Québec 12 **Au Canada** 53

4 NOUVEAUTÉS EN 2010

- Système de clé *KEYLESS GO*
- Finition d'aluminum en option

UN UTILITAIRE FUTÉ

PAR MICHEL CRÉPAULT

SI VOUS AVEZ VU LE FILM SEX AND THE CITY, VOUS CONNAISSEZ LE GLK PUISQUE LES STRATÈGES DE MARKETING DE MERCEDES-BENZ ONT FAIT EN SORTE QUE LEUR NOUVEL UTILITAIRE INTERMÉDIAIRE SOIT LE COPAIN À QUATRE ROUES DES COPINES DE SARAH JESSICA PARKER. Est-ce suffisant pour dire du GLK qu'il a été conçu pour les dames ? D'abord, il n'y a pas un constructeur au monde qui s'aliénerait une partie des consommateurs en allant déclarer pareille incongruité. Deuxièmement, j'ai croisé plusieurs hommes qui ont professé leur intérêt envers le nouveau véhicule. Bref, si le GLK n'est pas un véhicule rose, il est quoi alors ?

[CARROSSERIE] Je reviens au film pour rappeler que le quatuor féminin en vedette était tendance et tout. Or, le design du GLK tombe aussi dans la catégorie des produits branchés. L'enveloppe de métal est à la fois audacieuse et bien proportionnée, mettant en valeur des angles biseautés avec talent. Il a une allure «cool», ce véhicule! Le format n'est ni trop gros ni trop petit (voisin de l'Acura RDX). De très gros utilitaires remportent du succès auprès d'une partie de la gent féminine car elle s'y sent en sécurité. D'autres, en revanche, ne dédaigneraient pas ce sentiment de confiance que procure la conduite surélevée d'un char d'assaut urbain mais pas au prix de manœuvrer un camion à dix roues au centre-ville. Ces gens-là trouveront l'apprentissage au volant du GLK très facile.

[HABITACLE] L'intérieur est unisexe parce qu'il s'inspire carrément de celui de la berline de Classe C (qui a également prêté sa plateforme). On se sent immédiatement en territoire connu. Le sélecteur de vitesses du GLK a beau travailler automatiquement, sa forme rappelle celui d'une boîte manuelle. Les sièges tendus de beau cuir, fermes par endroits, dodus à d'autres, ne peuvent cacher leur origine germanique. L'espace de chargement se révèle facile à utiliser grâce à un accès convivial et à un cache-objets pratique. Benz a la mauvaise habitude de planter trop près les leviers du régulateur de vitesse et des essuie-glaces. Avec le GLK, on a enfin amenuisé ce risque de gaucherie. Quant au réglage électrique

FORCES • Lignes extérieures inspirées • Rapport qualité-prix intéressant • Arsenal électronique rassurant • côté sécurité

FAIBLESSES • Arsenal qui déshumanise un peu la conduite • Version BlueTEC toujours attendue

des sièges qui s'exerce à partir d'un commutateur imitant les sections du fauteuil, on devrait le rendre obligatoire dans tous les véhicules. À l'arrière, le dégagement est bon tout azimut. Par contre, les portières nous obligent à nous battre avec le puits de la roue qui empiète sur notre passage. Comme le GLK occupe une niche haut de gamme, sa liste d'accessoires de série comprend notamment un climatiseur à deux zones, une interface Bluetooth et un écran couleur central. Parmi les options, le toit panoramique est ma préférée.

[MÉCANIQUE] Autre point qui augmente notre degré de confiance à l'égard du GLK : sa transmission intégrale 4MATIC de série. Combinez cette technologie (qui envoie 55% du couple à l'arrière) à la suspension Agility Control, à la boîte automatique à 7 rapports de même qu'à un arsenal impressionnant d'aides électroniques et vous voilà prêt à jouer à la chèvre des montagnes. Son moteur – le seul offert pour le moment chez nous – est ce V6 de 3,5 litres de 268 chevaux qu'on retrouve sous une multitude d'autres capots de la famille.

[COMPORTEMENT] La vision à 360 degrés est excellente grâce à des glaces généreuses et à des rétroviseurs bien postés. Le volant est gros, mais s'empoigne avec aisance, tandis que le freinage est à la fois puissant et onctueux. Une tenue de route athlétique encaisse les joints de dilatation sans broncher. Cela dit, en attaquant des virages de façon agressive, le GLK a de la difficulté à garder le cap Pour rester dans sa zone de confort, le véhicule demande des manières posées.En réalité, le V6 met un certain temps à s'échauffer mais, une fois lancé, la puissance sur les régimes médians est tout à fait adéquate. Force progressive et non explosive. L'accélérateur répond bien, en harmonie avec une direction précise mais qui se cherche un peu quand on est pressé. En bref, le GLK se conduit comme un charme, mais restons zen.

[CONCLUSION] Mercedes-Benz exploite déjà sans vergogne le segment des utilitaires avec ses véhicules de Classe M, GL, R et G. Le nouveau GLK, plus petit en tout (format, consommation et prix), profite d'une récession qui s'étire, mais qui n'empêchera pas plusieurs d'entre nous de vouloir se faire plaisir.

2e OPINION

ALEXANDRE CRÉPAULT On reconnaît aisément l'influence de la Classe C à travers les lignes angulaires du GLK. Si l'image de boîte de sardines du véhicule n'arrive toujours pas à m'accrocher, l'opinion publique, elle, semble apprécier. Donc, si rouler au volant d'un utilitaire de luxe compact socialement accepté vous importe, le GLK vous comblera, promis ! Je n'ai rien à redire sur le V6, la boîte de vitesses à 7 rapports ou le comportement global du véhicule. Franchement, il se conduit vraiment très bien. Mais M-B étant un chef de file en matière de moteurs diesels, j'ai de la difficulté à avaler l'absence au catalogue du 3-litres diesel offert partout en Europe. En raison de son couple d'environ 400 livres-pieds et de son économie à faire rougir d'envie une Mazda3 GT... on ne peut cacher son évidente nécessité.

5 FICHE TECHNIQUE

· **MOTEUR**
· **(GLK 350)**
V6 3,5 l DACT, 268 ch à 6000 tr/min
Couple 258 lb-pi à 2400 tr/min
Transmission automatique à 7 rapports
0-100 km/h 6,7 s
Vitesse maximale 210 km/h (limitée)

· **AUTRES COMPOSANTES**
Sécurité active freins ABS, répartition électronique de force de freinage, assistance au freinage, antipatinage, contrôle de stabilité électronique
Suspension avant/arrière indépendante
Freins avant/arrière disques
Direction à billes, assistée
Pneus P235/60R17 av. P255/55R17 ar.
P235/50R19 av. P255/45R19 ar. (option)

· **DIMENSIONS**
Empattement 2755 mm
Longueur 4525 mm
Largeur 1840 mm
Hauteur 1689 mm
Poids 1830 kg
Diamètre de braquage 11,5 m
Coffre 450 l
Réservoir de carburant 74 l
Capacité de remorquage 2000 kg

NOS MENTIONS

☺ Modèle recommandé

NOTRE VERDICT

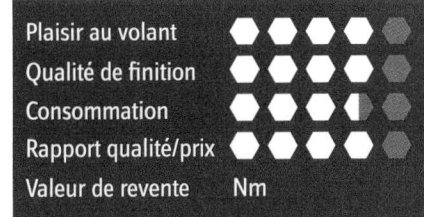

Plaisir au volant
Qualité de finition
Consommation
Rapport qualité/prix
Valeur de revente Nm

CLASSE R

www.mercedes-benz.ca

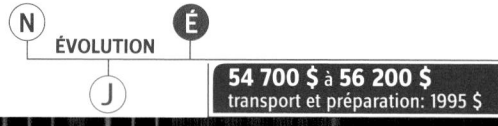

N ÉVOLUTION É J

54 700 $ à 56 200 $
transport et préparation: 1995 $

LA COTE VERTE

AVEC MOTEUR V6 DE 3,0 L

- **Consommation (100km):** 9,8 l (diesel)
- **Émissions polluantes CO_2 :** 5454 kg/an
- **Empreinte écologique (nombre d'arbres à planter par année):** 32
- **Indice d'octane:** diesel
- **Autre motorisation:** diesel
- **Coût du carburant moyen par année:** 2020$
- **Nombre de litres par année:** 2020 l

(SOURCE: ÉnerGuide)

1 FICHE D'IDENTITÉ

- **Versions** R350 BlueTEC 4MATIC, R350 4MATIC
- **Roues motrices** 4
- **Portières** 4 **Nombre de passagers** 7
- **Première génération** 2006
- **Génération actuelle** 2006
- **Construction** Tuscaloosa, Alabama, É.-U.
- **Sacs gonflables** 8 (frontaux, latéraux avant et arrière, rideaux latéraux)
- **Concurrence** Buick Enclave, GMC Acadia,

2 AU QUOTIDIEN

- **Prime d'assurance**
  25 ans: 3000 à 3200 $
  40 ans: 2200 à 2400 $
  60 ans: 1500 à 1700 $
- **Collision frontale** 5/5
- **Collision latérale** 5/5
- **Ventes du modèle de l'an dernier**
  Au Québec 68 **Au Canada** 394
- **Dépréciation** 54%
- **Rappels** (2004 à 2009) 4
- **Cote de fiabilité** 3/5

3 GARANTIES... ET PLUS

- **Garantie générale** 4 ans/80 000 km
- **Garantie motopropulseur** 4 ans/80 000 km
- **Perforation 5 ans**/kilométrage illimité
- **Assistance routière** 4 ans/80 000 km
- **Nombre de concessionnaires**
  Au Québec 12 **Au Canada** 53

4 NOUVEAUTÉS EN 2010

- R320 BlueTec devient le R350 BlueTEC (même moteur)
- Deux nouvelles teintes de gris offertes

CACHALOT APPRIVOISABLE

PAR DANIEL RUFIANGE

LA CLASSE R N'EST CERTES PAS LE VÉHICULE LE PLUS POPULAIRE DE MERCEDES, MAIS IL EST DE LOIN LE PLUS INTRIGUANT. Derrière des formes bizarroïdes se cache un véhicule multifonction charmant au point de nous faire oublier qu'on pilote un bolide pas très joli. Mercedes-Benz prévoyait vendre annuellement plus de 50 000 exemplaires aux Américains; la meilleure cuvée a été celle de 2006 avec un peu plus de 18 000 modèles écoulés; depuis, ce chiffre à fondu de moitié. Au pays, la Classe R s'écoule au compte-gouttes. Assiste-t-on au lent naufrage de ce paquebot ?

[CARROSSERIE] À un prix de base qui frise les 65 000 $, on ne parle pas d'un véhicule qui s'adresse à la masse mais bien d'un jouet excentrique que lorgnent les familles plus fortunées. En termes d'esthétique, rien ne ressemble à la Classe R. Son profil allongé lui confère une allure distincte qui, à première vue, confond les regards. Est-ce un utilitaire, un VUS ou une familiale ? En réalité, la Classe R, c'est tout cela. Assez basse pour donner l'impression d'être une familiale, assez longue pour se faire passer pour une fourgonnette et assez fonctionnelle pour narguer bien des utilitaires. À l'avant, on reconnaît l'emblème Mercedes-Benz de tous les angles. Le nez plongeant favorise l'aérodynamisme, élément capital qui permet à la Classe R d'être moins gloutonne. Son profil se recroqueville à l'arrière; ça plaît ou ça déplaît. Chose certaine, elle ne laisse personne indifférent.

[HABITACLE] On passe par différentes émotions à l'intérieur. D'abord, je dois avouer que, en termes visuels, le premier coup d'œil m'a déplu. C'est probablement en raison de cette affreuse console centrale, dont le design ne s'harmonise aucunement avec la planche de bord. Les critiques virulentes s'arrêtent cependant là. L'habitacle de la Classe R demeure sublime. Au volant, on se sent comme un chauffeur d'autobus tellement le « camion » est long. Rien à voir avec le simili-confort des bus scolaires jaunes, cependant. La qualité des matériaux et de leur assemblage nous rappelle rapidement la marque à laquelle ils sont associés. L'enchantement se poursuit quand on

FORCES • Lignes distinctives • Consommation de son moteur diesel: entre 9 et 10 litres aux 100 kilomètres • Habitabilité • Confort princier

FAIBLESSES • Planche de bord à revoir • Visibilité • Prix des options

prend place à l'arrière. Les fauteuils qui nous reçoivent sont confortables, et l'espace à notre disposition, très suffisant. Même la troisième banquette laisse deux adultes s'y installer sans trop de difficulté et ne se révèle pas désagréable lors de longs trajets. Et que dire de l'insonorité !

[MÉCANIQUE] Depuis la disparition du moteur V8 l'an dernier et l'abandon d'une version AMG de la Classe R, il ne subsiste que deux moteurs V6 pour répondre à la demande. Bien franchement, un seul suffirait. Le moteur diesel V6 BlueTEC de 3 litres offre une puissance similaire à l'autre engin mais se montre beaucoup plus économique. De plus, il est discret au point où on oublie qu'il s'agit d'un diesel. La boîte de vitesses à 7 rapports, qui fonctionne tout en souplesse, y est certainement pour quelque chose. Pour ceux que la chose diesel indiffère, le V6 de 3,5 litres à essence sans plomb fait aussi du bon travail.

[COMPORTEMENT] Au volant, les surprises se bousculent. Le degré de confort est remarquable, et la tenue de cap, impressionnante. La Classe R n'a cependant aucune prétention sportive et est accablée d'un inévitable roulis relié à sa masse. Elle ne désire pas être malmenée, simplement dorlotée. Le freinage est puissant et stable. C'est sur l'autoroute qu'on l'apprécie. Je m'imagine moins à son volant dans les dédales du centre-ville de Montréal à me chercher un stationnement. À chacun son terrain de jeu; la Classe R préfère les grands espaces.

[CONCLUSION] Pourquoi une Classe R ? Pourquoi pas ? Si vous en avez les moyens et compter dépenser plus de 50 000 $ pour un véhicule utilitaire, pourquoi ne pas opter pour la différence en vous procurant un véhicule à l'image prestigieuse et bourré de panache. Surtout que sa consommation demeure très raisonnable. Et puis, il y a ce voyage de golf que vous planifiez depuis longtemps...

2e OPINION

FRANCIS BRIÈRE D'accord, la Classe R n'est peut-être pas le plus beau véhicule de Mercedes-Benz. Mais sous ces formes bizarroïdes se cache un multisegment unique qui ne laisse personne indifférent, qu'il soit garé devant la maison ou en train de filer à 220 km/h sur l'Autobahn.
De loin, la version à moteur diesel est toute désignée. Malgré un évident surplus de poids, la consommation de carburant moyenne oscille autour des 11 litres aux 100 kilomètres; rien de comparable à ce que les moteurs à essence proposent.
Au volant, l'équilibre de ce monstre est impressionnant; ça se pilote quasiment comme une berline. Épatant ! Le pire, c'est qu'on préfère presque se trouver à l'arrière, où les fauteuils nous donnent l'impression de voyager en première classe. Une drôle de « bibitte » !

5 FICHE TECHNIQUE

· MOTEURS

· (R350 BlueTEC)
V6 3,0 l BlueTEC diesel DACT, 210 ch à 3400 tr/min Couple 400 lb-pi à 1600 tr/min
Transmission automatique à 7 rapports avec mode manuel
0-100 km/h 8,8 s
Vitesse maximale 210 km/h

· (R350)
V6 3,5 l DACT, 268 ch à 6000 tr/min
Couple 258 lb-pi à 2400 tr/min
Transmission automatique à 7 rapports avec mode manuel
0-100 km/h 8,4 s
Vitesse maximale 210 km/h
Consommation (100 km) 12,4 l (octane 91)
Émissions de CO_2 6048 kg/an
Litres par année 2550 l
Coût par an 2772 $
Empreinte écologique 36 arbres

· AUTRES COMPOSANTES
Sécurité active Freins ABS, répartition électronique de force de freinage, assistance au freinage, antipatinage, contrôle de stabilité électronique
Suspension avant/arrière indépendante
Freins avant/arrière disques
Direction à crémaillère, assistée
Pneus P255/50R18

· DIMENSIONS
Empattement 3215 mm
Longueur 5173 mm
Largeur 2168 mm
Hauteur 1663 mm
Poids R350 BlueTEC 2390 kg **R350** 2285 kg
Diamètre de braquage 12,4 m
Coffre R320 320 l, 2385 l (sièges abaissés)
R350 295 l, 2366 (sièges abaissés)
Réservoir de carburant 80 l

NOS MENTIONS

Modèle recommandé

NOTRE VERDICT

Plaisir au volant
Qualité de finition
Consommation
Consommation (diesel)
Rapport qualité/prix
Valeur de revente

CLASSE S

www.mercedes-benz.ca

N ÉVOLUTION É J

108 000 $ à 187 000 $
transport et préparation: 1995 $

LA COTE VERTE

AVEC MOTEUR V6 DE 3,5 L HYBRIDE

- **Consommation (100km):** 8,0 l
- **Émissions polluantes CO_2 :** 3760 kg/an
- **Empreinte écologique (nombre d'arbres à planter par année):** 19
- **Indice d'octane:** 91
- **Autre motorisation:** hybride
- **Coût du carburant moyen par année:** 1870 $
- **Nombre de litres par année:** 1700 l

(SOURCE: ÉnerGuide)

1 FICHE D'IDENTITÉ

- **Versions** S400 HYBRID, S450 4MATIC, S550 4MATIC, S600
- **Roues motrices** arrière, 4
- **Portières** 4 **Nombre de passagers** 5
- **Première génération** 1992
- **Génération actuelle** 2006
- **Construction** Sindelfingen/Stuttgart, Allemagne
- **Sacs gonflables** 8 (frontaux, latéraux avant et arrière, rideaux latéraux)
- **Concurrence** Audi A8, Bentley Flying Spur, BMW Série 7, Jaguar XJ, Lexus LS, Maserati Quattroporte

2 AU QUOTIDIEN

- **Prime d'assurance**
  25 ans: 4100 à 4300 $
  40 ans: 3100 à 3300 $
  60 ans: 2700 à 2900 $
- **Collision frontale** 5
- **Collision latérale** 5/5
- **Ventes du modèle de l'an dernier**
  Au Québec 247 **Au Canada** 1026
- **Dépréciation** 43,3 %
- **Rappels** (2004 à 2009) 8
- **Cote de fiabilité** 3/5

3 GARANTIES... ET PLUS

- **Garantie générale** 4 ans/80 000 km
- **Garantie motopropulseur** 4 ans/80 000 km
- **Perforation** 5 ans/kilométrage illimité
- **Assistance routière** 4 ans/80 000 km
- **Nombre de concessionnaires**
  Au Québec 12 **Au Canada** 53

4 NOUVEAUTÉS EN 2010

- Retouches esthétiques, nouvelle version S400 hybride système vision de nuit, coffre à gants réfrigéré, phares adaptatifs système d'assistance au stationnement

MARIER ÉCONOMIE ET ÉLÉGANCE

BENOIT CHARETTE

POUR LA PREMIÈRE FOIS DE SON HISTOIRE, MERCEDES-BENZ INTRODUIT UNE VOITURE HYBRIDE SUR LE MARCHÉ. C'est aussi la première voiture de série à être équipée d'une batterie au lithium-ion. Très compacte, cette batterie prend place dans le compartiment moteur à l'avant et n'entrave en rien l'espace des passagers et la sublime expérience de confort.

[CARROSSERIE] La présente génération de Classe S remonte à 2006 et, après trois ans, le modèle arrive à sa demi-vie, et le temps était venu de faire un brin de toilette. Le vaisseau-amiral de la flotte Mercedes-Benz évolue subtilement en intégrant de nouveaux boucliers plus affûtés, une calandre légèrement plus sculptée, des rétroviseurs intégrés et des optiques à DEL (en complément des projecteurs bixénon) à l'avant et à l'arrière, notamment pour les feux de jour qui prennent la place des antibrouillards à l'image de la récente Classe E. Le double échappement de forme trapézoïdale offre également un nouveau style à l'arrière. Bref, rien pour bouleverser les habitudes des acheteurs.

[HABITACLE] À l'exception du nouveau modèle hybride, tous les autres modèles de la Classe S sont reconduits pour 2010. L'intérieur est à l'image de cette limousine de grand style. Le tableau de bord est toujours orienté vers le conducteur avec des commandes faciles à utiliser. La seule touche de nouveauté concerne un éclairage d'ambiance multi-ton qui égaie la planche de bord et les contre-portes dans une teinte solaire (couleur ambre), neutre (couleur blanche) ou polaire (bleu glacier), au choix. Pour le reste, le système « COMAND » permet la gestion complète des fonctions du véhicule, de la radio au GPS, en passant par le réglage des sièges ultra ergonomiques, climatisés et massants. Bref, on se sent toujours aussi bien à bord et, grâce à la batterie du moteur hybride qui se trouve sous le capot, les passagers n'ont pas à sacrifier d'espace dans la version hybride.

FORCES • Consommation exemplaire (hybride) • Douceur de conduite • Confort exceptionnel • Coffre préservé (hybride)

FAIBLESSES • Boîte automatique parfois un peu lente (hybride) • Options nombreuses et chères • Pas de fonctionnement en tout à l'électricité (hybride)

[MÉCANIQUE] Permettez de prendre quelques lignes pour vous parler de la nouveauté de 2010, la S400 hybride. La base mécanique est un V6 de 3,5 litres utilisé dans plusieurs autres modèles de la famille. La puissance combinée du V6 avec le moteur électrique de 20 chevaux atteint ainsi 295 chevaux. Le poids de la batterie (de la grosseur d'une boîte de couches) n'est que de 75 kilos. Par comparaison avec le modèle non hybride, les économies de carburant réalisées sont de l'ordre de 20 %; de plus, le 0 à 100 km/h se boucle en 7,2 secondes. À la manière de Honda, Mercedes-Benz a choisi un moteur électrique intégré au moteur thermique. Pour le reste, la famille des modèles demeure inchangée avec les versions 450 et 550 à moteur V8 et la 600 à moteur V12.

[COMPORTEMENT] Cette limousine, conçue pour avaler les kilomètres de bitume, est toujours aussi plaisante à conduire. Son poids relatif est amoindri par une quantité industrielle d'aides à la conduite. De l'amortissement adaptatif au « Torque VectoringBrake » venant freiner la roue arrière du côté intérieur du virage pour améliorer le comportement dynamique en courbe, cette énorme berline ne fait jamais son poids sur la route, sauf à l'occasion dans quelques courbes serrées qui dévoile un léger roulis. La S 400 hybride n'a jamais laissé montrer que nous étions au volant d'un véhicule à assistance électrique outre le fait que le moteur s'éteignait à un feu de circulation ou quand nous faisions un arrêt complet. Seul un pictogramme au tableau de bord montrait les phases d'utilisation de la batterie. Sinon, vous aviez seulement l'impression d'être au volant d'une Mercedes-Benz Classe S à moteur V6.

[CONCLUSION] Le système hybride de Mercedes-Benz n'est pas le plus perfectionné, mais atteint son objectif, celui de réduire la consommation et les émissions de CO_2. Il permet à Mercedes-Benz de revendiquer le titre de berline de luxe la plus économique du monde avec les rejets les plus faibles. Le fabricant allemand travaille en ce moment à l'élaboration d'un motorisation hybride diesel qui pourrait faire son apparition dans une Classe E à moyen terme et faire son chemin dans d'autres modèles de la famille par la suite.

5 FICHE TECHNIQUE

· MOTEURS

(S 400 hybride)
V6 3,5 l DACT, 295 ch à 6000 tr/min
Couple 284 lb-pi à 2400 tr/min
Transmission automatique à 7 rapports avec mode manuel
0-100 km/h 7,2 s
Vitesse maximale 210 km/h

· (S450 4MATIC)
V8 4,7 l DACT, 335 ch à 6000 tr/min
Couple 339 lb-pi à 2700 tr/min
Transmission automatique à 7 rapports avec mode manuel
0-100 km/h 5,9 s
Vitesse maximale 210 km/h (bridée)
Consommation (100 km) 11,9 l (octane 91)
Émissions de CO_2 5808 kg/an
Litres par année 2420 l **Coût par an** 2618 $
Autre motorisation non
Empreinte écologique 35 arbres

(S550 4MATIC)
V8 5,5 l DACT, 382 ch à 6000 tr/min
Couple 391 lb-pi à 2800 tr/min
Transmission automatique à 7 rapports avec mode manuel
0-100 km/h 5,4 s
Vitesse maximale 210 km/h (bridée)
Consommation (100 km) 12,6 l (octane 91)
Émissions de CO_2 6144 kg/an
Litres par année 2480 l **Coût par an** 2728 $
Autre motorisation non
Empreinte écologique 37 arbres

· (S600)
V12 5,5 l SACT biturbo, 510 ch à 5000 tr/min
Couple 612 lb-pi à 1800 tr/min
Transmission automatique à 5 rapports avec mode manuel
0-100 km/h 4,6 s
Vitesse maximale 210 km/h (bridée)
Consommation (100 km) 15,2 l (octane 91)
Émissions de CO_2 7488 kg/an
Litres par année 3120 l **Coût par an** 3432 $
Autre motorisation non
Empreinte écologique 45 arbres

· AUTRES COMPOSANTES
Sécurité active freins ABS, répartition électronique de force de freinage, assistance au freinage, antipatinage, contrôle de stabilité électronique, *attention assist, pre-safe*, régulateur de vitesse intelligent
Suspension avant/arrière indépendante
Freins avant/arrière disques
Direction à crémaillère, assistée
Pneus
S400 hybride/S 450 P235/55R17
S550 P255/45R18
S600 P255/40R18 (av.), P275/45R18 (arr.)

· Dimensions
Empattement 3165 mm S450 3035 mm
Longueur 5206 mm S450 5079mm
Largeur 1871 mm S450 1872 mm
Hauteur 1473 mm
Poids S400 hybride 2050 kg
S450/S550 2095 kg **S600** 2250 kg
Diamètre de braquage 12,2 m S450 11,8 m
Coffre 560 l 550 l (S 600)
Réservoir de carburant 90 l

NOS MENTIONS

Modèle recommandé

NOTRE VERDICT

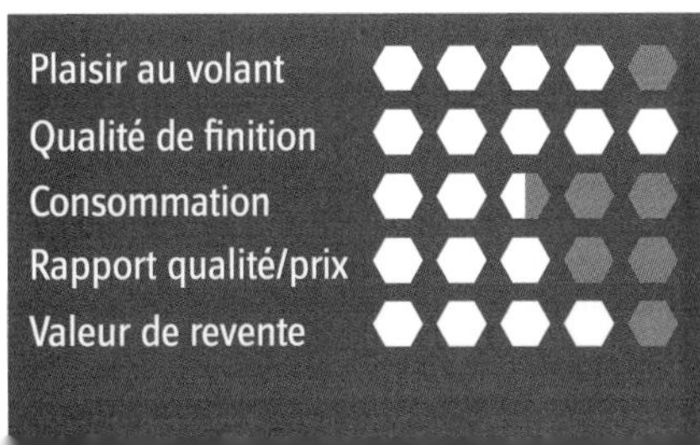

CLASSE S AMG

www.mercedes-benz.ca

N ÉVOLUTION É J

150 000 $ à 234 000 $
transport et préparation: 1995 $

LA COTE VERTE

AVEC MOTEUR V8 DE 6,2 L

- **Consommation (100km):** 15,2 l
- **Émissions polluantes CO_2 :** 7392 kg/an
- **Empreinte écologique (nombre d'arbres à planter par année) :** 45
- **Indice d'octane :** 91
- **Autre motorisation :** non
- **Coût du carburant moyen par année :** 3388 $
- **Nombre de litres par année :** 3080 l

(SOURCE : ÉnerGuide)

5 FICHE TECHNIQUE

- **CLASSE S AMG**
- **(S63 AMG)**

V8 6,2 l DACT, 518 ch à 6800 tr/min
Couple 465 lb-pi à 5200 tr/min
Transmission automatique à 7 rapports avec mode manuel
0-100 km/h 4,6 s
Vitesse maximale 250 km/h (bridée)

- **(S65 AMG)**

V12 6,0 l biturbo SACT, 603 ch à 4800 tr/min
Couple 738 lb-pi de 2000 à 4000 tr/min
Transmission automatique à 5 rapports avec mode manuel
0-100 km/h 4,4 s
Vitesse maximale 250 km/h (bridée)
Consommation (100 km) 15,7 l (octane 91)
Émissions de CO_2 7728 kg/an
Litres par année 3220 l **Coût par an** 3542 $
Carburant alternatif non
Empreinte écologique 46 arbres

- **DIMENSIONS**

Empattement 3165 mm
Longueur 5206 mm
Largeur 1871 mm
Hauteur 1473 mm
Poids S63 AMG 2155 kg **S65** AMG 2300 kg
Diamètre de braquage 12,2 m
Coffre 560 l
Réservoir de carburant 90 l
Pneus S63/S65 AMG P255/35R20 (av.), P275/35R20 (arr.)

POLITIQUEMENT INCORRECTE

PAR BENOIT CHARETTE

Il y a un vieux proverbe anglais dans le milieu de l'automobile qui va ainsi : « There is no such thing as too much horsepower! ». Trop de puissance, ça n'existe pas, c'est ce groupe qui constitue la clientèle AMG.

[CARROSSERIE] Tout comme le reste de la famille S, les versions AMG ont eu droit à une petite refonte cette année. On voulait surtout favoriser l'aérodynamisme pour abaisser un peu les cotes de consommation et tenter de faire taire les critiques qui qualifient ces voitures d'hérésie. Les concepteurs ont donc dessiné une nouvelle calandre, un diffuseur arrière, des rétroviseurs et retouché le bouclier avant.

[HABITACLE] Les S AMG héritent des mêmes nouveautés que le reste de la gamme comme le régulateur de vitesse adaptatif *Distronic Plus* encore amélioré, couplé au freinage d'urgence *PreSafe* (décélération automatique en cas de collision imminente), ou encore le *Splitview*, système permettant la visualisation de deux programmes différents sur l'écran central.

[MÉCANIQUE] Mercedes-Benz a revu sa boîte de vitesses pour offrir une amélioration de 3 % au chapitre de la consommation, sinon les motorisations demeurent inchangées. Le pied droit dispose toujours de 518 chevaux prodigués par le désormais célèbre V8 atmosphérique de 6,2 litres de la S63. Même chose pour le V12 de 6 litres biturbo de la S65 AMG, qui affiche toujours fièrement ses 603 chevaux et son couple démentiel de 738 livres-pieds.

[COMPORTEMENT] Un sentiment domine au volant d'une Classe S AMG : le contrôle. On se sait capable d'affronter n'importe quelle situation. Sans effort et dans un calme serein, vous pourrez suivre et dépasser une Ferrari ou endormir les enfants à l'arrière tellement l'ambiance est sereine. La fée électronique se charge de tout.

[CONCLUSION] Dans un monde de plus en plus raisonnable, il faut se demander si les voitures de la Classe AMG auront encore une place. Il semble que, sous leurs formes actuelles, elles soient menacées; il faudra revoir la formule, mais il serait très dommage qu'elles disparaissent.

FORCES • Luxe et puissance exceptionnels • Technologie d'avant-garde • Conduite inspirée

FAIBLESSES • Prix

ÉVOLUTION N É J

151 500 $ à 238 500 $
transport et préparation: 1995 $

SL AMG

www.mercedes-benz.ca

LA COTE VERTE

AVEC MOTEUR V8 6,2 L

- **Consommation (100km):** 14,0 l
- **Émissions polluantes CO_2:** 6864 kg/an
- **Empreinte écologique (nombre d'arbres à planter par année):** 40
- **Indice d'octane:** 91
- **Autre motorisation:** non
- **Coût du carburant moyen par année:** 3146 $
- **Nombre de litres par année:** 2860 l

(SOURCE: ÉnerGuide)

LA RÉCOMPENSE

PAR BENOIT CHARETTE

LA SL EST À MERCEDES-BENZ CE QUE LA 911 EST À PORSCHE, SON MODÈLE FÉTICHE, SA LÉGENDE. ELLE EST APPARUE EN 1954, ET LES GÉNÉRATIONS SE SONT SUCCÉDÉES EN GARDANT TOUJOURS À L'ESPRIT LE LUXE ET LA PERFORMANCE.

[CARROSSERIE] Si l'arrière reste quasiment inchangé par rapport aux autres SL, l'avant est plus distinct avec l'adoption d'un becquet avant taillé en pointe, façon *pace car* de Formule 1, surplombé par une entrée d'air majorée. Pour évacuer la chaleur de la salle des machines, les ailes avant sont garnies d'ouïes latérales. Il vaut mieux, car le cœur de l'ouvrage renferme un moteur qui dégage beaucoup de calories.

[HABITACLE] Les 63 et 65 AMG reçoivent une instrumentation spécifique en rapport avec les performances de l'engin. Le compteur de vitesse gradué à plus de 300 km/h n'est pas là pour épater la galerie, car si les SL AMG sont castrées électroniquement de série à seulement 250 km/h, il est possible, moyennant un petit supplément, de faire sauter cette bride. Le diffuseur d'air chaud *Airscarf*, intégré désormais dans les appuie-tête, vous permettra d'allonger la saison sans toit.

[MÉCANIQUE] Pour la démence contrôlée, le V8 de 518 chevaux est tout indiqué. Si vous penchez vers la folie furieuse, le V12 biturbo et ses 603 chevaux feront mordre la poussière à 99,8 % des voitures qui seront sur la route avec vous.

[COMPORTEMENT] Dans la circulation, les SL se montrent parfaitement dociles. Mais quand la route se dégage enfin, ce roadster laisse exprimer sa vraie nature : celle d'une furie mécanique. Elle vous jette sans ménagement vers la ligne d'horizon. Les accélérations, dantesques avec le V8, dépassent l'entendement avec le V12. Mais vous demeurez toujours en contrôle.

[CONCLUSION] Ce nirvana de la technologie, comme bien d'autres jouets de luxe, arrive à un prix prohibitif. Mais si vous voulez vous faire plaisir sans vous écraser quelques vertèbres au passage, vous êtes à la bonne adresse.

5 FICHE TECHNIQUE

- **(Classe SL63 AMG)**
  - V8 6,2 l DACT, 518 ch à 6800 tr/min
  - Couple 465 lb-pi à 5200 tr/min
  - **Transmission** automatique à 7 rapports avec mode manuel
  - **0-100 km/h** 4,6 s
  - **Vitesse maximale** 250 km/h (bridée)
- **(SL65 AMG)**
  - V12 6,0 l biturbo SACT, 603 ch à 4800 tr/min
  - Couple 738 lb-pi de 2000 à 4000 tr/min
  - **Transmission** automatique à 5 rapports avec mode manuel
  - **0-100 km/h** 4,2 s
  - **Vitesse maximale** 250 km/h (bridée)
  - **Consommation (100 km)** 14,9 l (octane 91)
  - **Émissions de CO_2** 7296 kg/an
  - **Litres par année** 3040 l **Coût par an** 4560 $
  - **Carburant alternatif** non
  - **Empreinte écologique** 44 arbres
- **DIMENSIONS**
  - **Empattement** 2560 mm
  - **Longueur** 4605 mm
  - **Largeur** 2069 mm **SL65** 2033 mm (incluant rétroviseurs)
  - **Hauteur** 1295 mm
  - **Poids SL63 AMG** 1995 kg **SL65 AMG** 2065 kg
  - **Diamètre de braquage** 11,04 m
  - **Coffre** 288 l
  - **Réservoir de carburant** 80 l
  - **Pneus** P255/35R19 (av.) P285/30R19 (arr.)

+ −

FORCES • Luxe de l'habitacle • Sonorité des mécaniques • Boîte auto à 7 rapports • Précision de la direction • Confort impérial

FAIBLESSES • Tarifs exorbitants pour tous • Stricte deux-places • Pas de roue de secours

CLASSE SL

www.mercedes-benz.ca

N ÉVOLUTION É J

125 000 $ à 175 000 $
transport et préparation: 1995 $

LA COTE VERTE

AVEC MOTEUR V8 5,5 L

- **Consommation (100km):** 12,6 l
- **Émissions polluantes CO_2 :** 6192 kg/an
- **Empreinte écologique (nombre d'arbres à planter par année):** 37
- **Indice d'octane:** 91
- **Autre motorisation:** non
- **Coût du carburant moyen par année:** 2838 $
- **Nombre de litres par année:** 2580 l

(SOURCE: ÉnerGuide)

1 FICHE D'IDENTITÉ

- **Versions** SL550, SL600
- **Roues motrices** arrière
- **Portières** 2 **Nombre de passagers** 2
- **Première génération** 1954
- **Génération actuelle** 2006
- **Construction** Bremen, Allemagne
- **Sacs gonflables** 4 (frontaux, latéraux)
- **Concurrence** Aston Martin DB9, Bentley Continental GTC, BMW Série 6, Porsche 911

2 AU QUOTIDIEN

- **Prime d'assurance**
  25 ans: 6500 à 6700 $
  40 ans: 4100 à 4300 $
  60 ans: 3200 à 3400 $
- **Collision frontale** 5/5
- **Collision latérale** 5/5
- **Ventes du modèle de l'an dernier**
  Au Québec 66 **Au Canada** 398
- **Dépréciation (3 ans)** 50,1%
- **Rappels (2006 à 2009)** 1
- **Cote de fiabilité** 3/5

3 GARANTIES... ET PLUS

- **Garantie générale** 4 ans/80 000 km
- **Garantie motopropulseur** 4 ans/80 000 km
- **Perforation** 5 ans/kilométrage illimité
- **Assistance routière** 4 ans/kilométrage illimité
- **Nombre de concessionnaires**
  Au Québec 12 **Au Canada** 53

4 NOUVEAUTÉS EN 2010

- Ensemble sport de série, direction active et radio HD.

J'EN VEUX UNE !

DANIEL RUFIANGE

LES PERSONNES FORTUNÉES ET CAPABLES DE SE PAYER DES AUTOMOBILES DE GRAND LUXE SONT MONNAIE COURANTE, ET LA CRISE ÉCONOMIQUE L'A PROUVÉ. Les constructeurs comme Mercedes-Benz n'ont pas autant souffert que ceux qui s'adressent à la classe moyenne. Dans ce genre de contexte, une entreprise comme Mercedes-Benz continue de prospérer, sachant très bien que, malgré des factures stratosphériques, ses produits trouveront preneur. Dans le cas de la SL, cependant, pas besoin d'arguments de vente; suffit d'en prendre le volant pour avoir envie de sortir son chéquier, de prendre une quatrième hypothèque ou d'aller tout risquer au casino !

[CARROSSERIE] La SL s'est refait une beauté l'an dernier, elle qui était passée chez l'esthéticienne en 2006. Si on s'étonne de ce changement rapide, on ne s'en plaint pas. Les modifications apportées sont tout simplement spectaculaires. Les plus importantes se situent à l'avant. On a complètement revu le dessin de la calandre et des phares avec un objectif précis en tête : revisiter le passé. La nouvelle bouille de la SL reprend les airs de la première 300SL de 1954. On a sciemment fait renaître cette calandre munie d'une seule lamelle centrale qui semble s'accrocher à l'immense logo étoilé qui trône en pacha au centre du museau. Cette « nouvelle » signature est très réussie. Quant au capot, il reçoit deux stries qui ne font rien pour camoufler la puissance dissimulée juste en dessous. Quant à la capote, elle se déploie sur simple pression d'un bouton et, quand elle est relevée, l'insonorisation à l'intérieur nous fait oublier qu'on pilote une décapotable. À l'arrière, c'est du terrain connu. Les embouts d'échappement adoptent une forme trapézoïdale qui s'harmonise avec le design arrière, et l'ensemble a de la gueule.

[HABITACLE] À l'intérieur, les vedettes, ce sont ces appuie-tête équipés d'une buse de ventilation qui nous réchauffe le cou par temps frais, en trois vitesses s'il vous plaît : jouissif ! En option sur les SL 550 et SL 600 et de série sur les variantes AMG, par contre. Un autre élément qui vous collera un sourire un visage : les sièges massants; pas drôle la vie à bord d'une SL. Quant à l'équipement de série, vous aurez l'impression d'être au bureau

FORCES • Allure diabolique • Conduite agréable au possible • Les appuie-tête... ahhhh ! • Motorisations

FAIBLESSES • Pas pour toutes les bourses ! • Consommation élevée • On ose faire payer pour certaines options ! • Ce qu'une boîte manuelle serait agréable !

en tout temps. Ça comprend une interface média complète, un système de navigation HDD (information de navigation conservée en permanence sur disque dur), la technologie Bluetooth ainsi qu'une chaîne audio ambiophonique Harman Kardon LOGIC7, notamment.

[MÉCANIQUE] Démentes ! Voilà qui qualifie les différentes motorisations offertes. Si les 382 chevaux et les 392 livres-pieds de couple de la SL 550 ne suffisent pas, vous pouvez préférer la variante SL 63 AMG avec ses 518 chevaux et son couple de 465 livres-pieds. Pas assez ? Alors, il y a la SL 600 avec son moteur V12 biturbo, bonne pour 510 chevaux et un couple fascinant de 612 livres-pieds. Vous êtes amateur de courses d'accélération, et ces chiffres ne vous impressionnent pas ? La folie se poursuit avec la SL 65 AMG qui pousse la note avec 603 étalons et un couple époustouflant de 738 livres-pieds. Pas encore assez ? Dénichez-vous un volant en F1 !

[COMPORTEMENT] Le comportement de la SL se résume assez simplement. Outre une puissance qui semble infinie, on a droit à une direction ultra précise, à une tenue de route velcro et à un freinage puissant. Toutes ces gâteries nous sont communiquées par l'entremise des roues de 18 pouces sur les versions SL 550 et SL 600, alors que les démoniques AMG roulent sur des pneus de 19 pouces. À noter que, pour chacune des versions, les pneus arrière sont plus larges de 30 millimètres, et le profil, plus bas de cinq ! En descendant d'une version de base, on ne pense qu'à une chose; conduire une mouture AMG.

[CONCLUSION] La SL est une voiture de rêve, malheureusement inaccessible pour la grande majorité d'entre nous. Si vous en avez les moyens, gâtez-vous donc et pourquoi pas avec une version AMG.

2e OPINION

BENOIT CHARETTE On pourrait dire de la SL qu'elle est l'ultime cabriolet. Sur la route depuis 55 ans, cette voiture a toujours représenté le summum en matière de voiture sans toit. Si le portefeuille suit, voilà sans doute l'un des roadsters les plus aboutis et les plus sophistiqués sur le marché en ce moment. Certes, il n'est plus tout jeune, et même la récente petite chirurgie plastique a du mal à cacher quelques rides, notamment du côté de l'aménagement intérieur. Mais une SL, par tradition, c'est indémodable. Pour les puristes, la version 550 offre le mariage parfait entre agrément de conduite et confort. La version 600 suit le même principe de la douceur au volant, les chevaux en plus. Si vous voulez passer du grand tourisme à la véritable sportive, il y a les sulfureuses versions AMG en version à 8 et à 12 cylindres. Un véritable dragster en habit de noces.

5 FICHE TECHNIQUE

- **MOTEURS**
- **(SL550)**

V8 5,5 l DACT, 382 ch à 6000 tr/min
Couple 391 lb-pi à 2800 à 4800 tr/min
Transmission automatique à 7 rapports avec mode manuel
0-100 km/h 5,4 s
Vitesse maximale 210 km/h (limitée)

- **(SL600)**

V12 5,5 l biturbo SACT, 510 ch à 5000 tr/min
Couple 612 lb-pi de 1900 à 3500 tr/min
Transmission automatique à 5 rapports avec mode manuel
0-100 km/h 4,5 s
Vitesse maximale 210 km/h (limitée)
Consommation (100 km) 15,0 l (octane 91)
Émissions de CO_2 7344 kg/an
Litres par année 3060 l **Coût par an** 3366 $
Carburant alternatif non
Empreinte écologique 44 arbres

- **AUTRES COMPOSANTES**

Sécurité active freins ABS, répartition électronique de force de freinage, assistance au freinage, antipatinage, contrôle de stabilité électronique
Suspension avant/arrière indépendante
Freins avant/arrière disques
Direction à crémaillère, assistée
Pneus SL550/SL600 P255/40R18 (av.) P285/35R18 (arr.)

- **DIMENSIONS**

Empattement 2560 mm
Longueur 4562 mm
Largeur 2069 mm
Hauteur 1295 mm
Poids SL550 1915 kg SL600 2040 kg
Diamètre de braquage 11,02 m
Coffre 288 l
Réservoir de carburant 80 l

NOS MENTIONS

Coup de coeur

NOTRE VERDICT

Plaisir au volant
Qualité de finition
Consommation
Rapport qualité/prix
Valeur de revente Nm

CLASSE SLK

www.mercedes-benz.ca

N ÉVOLUTION É J

57 500 $ à 84 800 $
transport et préparation: 1995 $

LA COTE VERTE

AVEC MOTEUR V6 DE 3,0 L

- **Consommation (100km):** 10,0 l
- **Émissions polluantes CO_2 :** 4896 kg/an
- **Empreinte écologique (nombre d'arbres à planter par année):** 29
- **Indice d'octane:** 91
- **Autre motorisation:** non
- **Coût du carburant moyen par année: manuel** 2200 $ **auto.** 2112 $
- **Nombre de litres par année: manuel** 2000 l **auto.** 1920

(SOURCE: ÉnerGuide)

1 FICHE D'IDENTITÉ

- **Versions** SLK 300, SLK 350,
- **Roues motrices** arrière
- **Portières** 2 **Nombre de passagers** 2
- **Première génération** 1997
- **Génération actuelle** 2005
- **Construction** Bremen, Allemagne
- **Sacs gonflables** 6 (frontaux, latéraux, aux genoux)
- **Concurrence** Audi TT Roadster, BMW Z4, Nissan 370Z Roadster, Porsche Boxster

2 AU QUOTIDIEN

- **Prime d'assurance**
  25 ans: 3000 à 3200 $
  40 ans: 1900 à 2100 $
  60 ans: 1400 à 1600 $
- **Collision frontale** 5/5
- **Collision latérale** 5/5
- **Ventes du modèle de l'an dernier**
  Au Québec 112 **Au Canada** 519
- **Dépréciation** 31,1 %
- **Rappels** (2004 à 2009) 2
- **Cote de fiabilité** 4/5

3 GARANTIES... ET PLUS

- **Garantie générale** 4 ans/80 000 km
- **Garantie motopropulseur** 4 ans/80 000 km
- **Perforation** 5 ans/kilométrage illimité
- **Assistance routière** 4 ans/80 000 km
- **Nombre de concessionnaires**
  Au Québec 12 **Au Canada** 53

4 NOUVEAUTÉS EN 2010

- apparence AMG de série sur version 350
  radio HD disponible de pair avec la radio Sirius
  édition 2LOOK (25 exemplaires au Canada)
  nouvelle fonction «route économique» avec le système de navigation

LE ROADSTER À PERSONNALITÉS MULTIPLES

PAR MICHEL CRÉPAULT

IL REVIENT À LA SLK L'HONNEUR D'AVOIR ÉTÉ LE PREMIER ROADSTER MODERNE À SE DOTER D'UN TOIT EN ALUMINIUM RÉTRACTABLE. C'était en 1997 afin de riposter à la Z3 et à la Boxster de l'époque. Il est amusant de constater aujourd'hui que la nouvelle Z4 vient d'adopter ce principe, tout comme l'a déjà fait la Mazda MX-5. Mais du côté de la SLK, quoi de neuf pour 2010 ? Dans l'immédiat, il ne peut guère se passer grand-chose. C'est un secret de polichinelle que Benz travaille à la 3e génération de SLK (nom de code R172), laquelle sera lancée à la fin de 2010 comme modèle 2011.

[CARROSSERIE] L'allure du tonnerre se révèle le point fort de la SLK actuelle : la puissante assurance de son museau, la sveltesse de ses flancs et la très belle harmonie qui se dégage de sa silhouette. Les stylistes de 2004 ne se sont pas gênés pour s'inspirer de la superbe SLR McLaren afin d'incorporer au véhicule biplace une élégante agressivité. La SLK a mis au rancart un qualificatif douteux comme « charmante » et se prend désormais au sérieux avec ses trois versions offertes chez nous : 300, 350 et 55 AMG.

[HABITACLE] Un roadster, ce n'est pas spacieux, une impression accentuée dans la SLK par la hauteur de la ceinture de caisse. Au moins, elle a de la classe : les cadrans techno, le tableau de bord légèrement tourmenté, le gros volant dont les mains recherchent goulûment le boudin et les deux baquets extrêmement bien moulés et moulants. Par ici les kilomètres ! Dès 2004, Benz a innové avec le AIRSCARF, un bidule qui achemine de l'air chaud à la hauteur des appuie-tête pour prolonger la saison à ciel ouvert. Les espaces de rangement sont parcimonieux, toutefois. Et dès que vous accueillez un passager, n'importe quel bagage devra prendre la direction du coffre, lequel n'est pas exactement gigantesque.

FORCES • Allure qui plaît • Confort certain • Boîte manuelle offerte dans au moins deux versions

FAIBLESSES •Sonorité du V6 qui manque de piquant • Espaces de rangement déficients • Poids qui reste un ennemi de taille

[MÉCANIQUE] Trois versions, trois moteurs, deux boîtes de vitesses et des performances à l'avenant. La SLK300 est heureuse avec son V6 de 3 litres de 228 chevaux qui boucle le 0 à 100 km/h en 6,3 secondes. La SLK350 préfère un V6 de 3,5 litres de 300 chevaux qui retranche près d'une seconde au chrono de sa petite sœur. Enfin, la SLK55 d'AMG utilise un V8 de 5,4 litres de 355 chevaux qui descend les accélérations sous la barre mythique des 5 secondes. Ironiquement, ce bolide se débrouille uniquement avec la boîte de vitesses automatique 7G-TRONIC, alors que les deux autres versions s'offrent en extra une boîte manuelle à 6 rapports.

[COMPORTEMENT] Si vous voulez posséder un roadster pour maîtriser des routes en lacet dont vous seul connaissez l'existence, allongez les billets nécessaires pour la version AMG; sinon, au moins la 350. Les 228 chevaux de la version de base me laissent mi-figue, mi-raisin. Elle a le gabarit d'une Z4, mais elle est loin d'en avoir la nervosité. Trop bourgeoise. Cette biplace est conçue pour la balade et le salon de coiffure. Si on se donne la peine d'écraser le champignon et de sortir le méchant en soi, l'auto ne nous en est pas vraiment reconnaissante. Le toit dur comporte au moins deux inconvénients : il gruge l'espace du coffre et ajoute des kilos. La SLK300 nous le rappelle. Avec le 3,5-litres, on jouit d'une zone rouge à 7 200 tours par minute, tandis que 97% de la puissance est disponible dès 2 000 tours. La direction a été raffermie. On tourne le volant, et le système entièrement mécanique s'empresse de réagir. La boîte automatique, par contre, ne prend pas le relais aussi rapidement qu'on le voudrait. À bord du modèle AMG, la version SPEEDSHIFT de la boîte G-TRONIC satisfera davantage.

[CONCLUSION] L'appellation SLK n'a pas été choisie au hasard : Sportlich (sportif), Leicht (léger) et Kompact (compact) résument bien les attributs visés. La première génération était trop gentille. La deuxième a augmenté de plusieurs crans le plaisir de conduire, mais n'oublions pas que les amateurs de Benz apprécient d'abord la marque pour le confort à bord. Pour le pilote en vous, il vaudra mieux se tourner vers la version AMG ou alors vers d'autres roadsters moins dodus mais plus nerveux. Ou attendre la 3e génération...

2e OPINION

PAR ALEXANDRE CRÉPAULT La SLK, c'est avant tout une question d'image. Le roadster bavarois ressemble de façon stupéfiante à sa grande sœur, la SL, exception faite de ses dimensions, plus compactes. Cela dit, comme la SLK est courte, large et basse au sol, on dirait le petit frère tout en muscles de la famille. Ses performances vont d'ailleurs dans ce sens : 0 à 100 km/h en 6,3 secondes pour la version de base et, tenez-vous bien, 4,9 secondes pour l'AMG. De quoi effrayer bien des sportives. Avec les aides électroniques au pilotage, on peut catapulter sa caisse vers l'horizon comme un pilote de dragster professionnel les doigts dans le nez. Et le tout se fait dans le confort ultime des cuirs et autres finis de luxe signés M-B. À vous de décider si l'emblème surdimensionné de la marque, trônant fièrement au bout du capot, vous représente. Après tout, la voiture est une extension de soi-même.

5 FICHE TECHNIQUE

- **MOTEURS**
- **(SLK 300)**

V6 3,0 l DACT, 228 ch à 6100 tr/min
Couple 221 lb-pi à 2500 tr/min
Transmission manuelle à 6 rapports, automatique à 7 rapports avec mode manuel
0-100 km/h 6,3 s 6,2 s (auto)
Vitesse maximale 210 km/h

- **(SLK 350)**

V6 3,5 l DACT, 300 ch à 6500 tr/min
Couple 266 lb-pi à 4900 tr/min
Transmission manuelle à 6 rapports, automatique à 7 rapports avec mode manuel
0-100 km/h 5,4 s **Vitesse maximale** 210 km/h
Consommation (100 km) man. 10,7 l **auto.** 10,5 l (octane 91)
Émissions de CO_2 man. 5232 kg/an **autom.** 5136 kg/an
Litres par année man. 2100 l **auto.** 2000 l
Coût par an man. 2310 $ **auto.** 2200 $
Autre motorisation non
Empreinte écologique 32 arbres

- **(SLK 55 AMG)**

V8 5,5 l SACT, 355 ch à 5750 tr/min
Couple 376 lb-pi à 4000 tr/min
Transmission automatique à 7 rapports avec mode manuel
0-100 km/h 4,9 s **Vitesse maximale** 250 km/h
Consommation (100 km) 12,4 l (octane 91)
Émissions de CO2 6096 kg/an
Litres par année 2540 l **Coût par an** 2794 $
Carburant alternatif non
Empreinte écologique 36 arbres

- **AUTRES COMPOSANTES**

Sécurité active freins ABS, répartition électronique de force de freinage, assistance au freinage, antipatinage, contrôle de stabilité électronique
Suspension avant/arrière indépendante
Freins avant/arrière disques
Direction à crémaillère, assistée
Pneus SLK 300 P205/55R16 (av.), P225/50R16 (arr.) **SLK 350** P225/45R17 (av.), P245/40R17 (arr.)

- **DIMENSIONS**

Empattement 2430 mm
Longueur 4103 mm **AMG** 4099 mm
Largeur 2012 mm (incluant rétroviseurs)
Hauteur SLK 300 1296mm **SLK** 350 1298 mm SLK 55 AMG 1287 mm
Poids SLK 300 1470 kg **autom.** 1490 kg **SLK 350** 1490 kg **autom.** 1510 kg **SLK 55 AMG** 1570 kg
Diamètre de braquage 10,5 m **Coffre** 300 l
Réservoir de carburant 70 l

NOS MENTIONS

Coup de coeur

NOTRE VERDICT

Plaisir au volant
Qualité de finition
Consommation
Rapport qualité/prix
Valeur de revente

SLR

www.mercedes-benz.ca

N ÉVOLUTION É J

495 000 $ US
transport et préparation: 2750 $

LA COTE VERTE

AVEC MOTEUR V8 DE 5,4 L

- **Consommation (100km):** 15,4 l
- **Émissions polluantes CO_2 :** 7296 kg/an
- **Empreinte écologique (nombre d'arbres à planter par année):** 44
- **Indice d'octane:** 91
- **Autre motorisation:** non
- **Coût du carburant moyen par année:** 3344 $
- **Nombre de litres par année:** 3040 l

(SOURCE: ÉnerGuide)

1 FICHE D'IDENTITÉ

- **Versions** Roadster
- **Roues motrices** arrière
- **Portières** 2 **Nombre de passagers** 2
- **Première génération** 2005
- **Génération actuelle** 2005
- **Construction** Surrey, Angleterre
- **Sacs gonflables** 6 (frontaux, latéraux, rideaux latéraux)
- **Concurrence** Lamborghini LP 650 Roaster, Ferrari 599 Fiorano

2 AU QUOTIDIEN

- **Prime d'assurance**
  25 ans: 15 000 à 15 300 $
  40 ans: 9500 à 9800 $
  60 ans: 8000 à 8500 $
- **Collision frontale** nd
- **Collision latérale** nd
- **Ventes du modèle de l'an dernier**
  Au Québec 0 **Au Canada** 11
- **Dépréciation** (3 ans) nd
- **Rappels** (2004 à 2009) 1
- **Cote de fiabilité** nd

3 GARANTIES... ET PLUS

- **Garantie générale** 4 ans/80 000 km
- **Garantie motopropulseur** 4 ans/80 000 km
- **Perforation** 5 ans/kilométrage illimité
- **Assistance routière** 4 ans/80 000 km
- **Nombre de concessionnaires**
  Au Québec 12 **Au Canada** 53

4 NOUVEAUTÉS EN 2010

- Aucun changement majeur

UNE VOITURE DE COURSE POUR LA ROUTE

PAR MARK HACKING

SON PATRONYME A BEAU INCLURE LE NOM DE L'ILLUSTRE ÉQUIPE DE FORMULE 1 BRITANNIQUE, ON AURAIT TOUT AUSSI BIEN PU LA BAPTISER MERCEDES-BENZ SLR « Croquemitaine »; car quand on tente le diable et qu'on appuie à fond sur l'accélérateur, la SLR McLaren nous donne l'impression qu'elle va nous manger tout rond.

[CARROSSERIE] Si le ramage est époustouflant, le plumage est également à la hauteur; de la finition de la carrosserie au compartiment-moteur, c'est une bête de course. Cela commence par une carrosserie en fibre de carbone, étudiée pour harmoniser les nécessités de fluidité mais aussi d'appuis aérodynamiques. Des déflecteurs de calandre aux extracteurs arrière, en passant par le fond plat puis l'aileron d'aérofrein coiffant le coffre, tout a été pensé pour coller le fauve au bitume. Et si cela n'était pas encore suffisant pour susciter un élan de bravade, ajoutons au cocktail d'immenses freins en carbone et céramique. Ensemble, ils font chuter l'aiguille du compte-tours à la moindre sollicitation; même les pneus replets ont été conçus pour profiter au maximum de cette puissance de freinage effarante.

[HABITACLE] À l'intérieur le degré d'exécution et de minutie est de tout premier ordre. La fibre de carbone se faufile sous le capot puis autour des sièges, incidemment offerts en cinq grandeurs pour mouler le gabarit de tous les types de pilotes. Des cuirs rouge et noir décorent l'habitacle, et le toit souple est tissé avec deux couleurs de fibres entrelacées, pour une allure différente selon la perspective de l'admirateur. Et la cerise sur le sundae, que dire du bouton de démarrage dissimulé dans le pommeau du levier de vitesses, ou encore les portes s'ouvrant en élytre – un rappel évident des fameuses portes « ailes de mouettes » de la 300 SL de 1955, mais avec une touche toute contemporaine.

FORCES • Exclusivité garantie • Sonorité grandiose • Accélérations dantesques

FAIBLESSES • Tarif délirant • Freinage difficile à doser • Manque d'agilité en virage

[MÉCANIQUE] L'explication de ce tempérament démoniaque ? Un V8 suralimenté de 5,5 litres où se déchaînent la furie de 617 chevaux et d'un couple de 575 livres-pieds, avec une hargne capable de faire battre en retraite la plupart des supposés supercars de ce monde. La conception de cet engin radical – plus proche de la voiture de course que de la routière légale – est une coréalisation de Mercedes-Benz et de McLaren, alors que son assemblage à la main est confié aux sorciers d'AMG. La seule boîte de vitesses offerte sur la SLR est une automatique à 5 rapports – plutôt vieux jeu de la part de Mercedes-Benz, dira-t-on, en cette époque où la technologie nous propose ailleurs des boîtes à 6 rapports à double embrayage. Mais au moment où la SLR a été développée, il semble que cette boîte était la seule capable de digérer un tel niveau de puissance et de couple. Elle prend à sa charge le passage des rapports, mais peut être également utilisée en mode manuel grâce à un système de leviers de sélection au volant – façon F1 –, avec trois niveaux de bridage de régime : « sport », « supersport » et « race ».

[COMPORTEMENT] Bien des fabricants se targuent d'avoir créé pour leur haut de gamme leur propre « super-voiture », et dans certains cas, l'effort et les résultats sont tout à fait honorables. Mais au risque d'en froisser quelques-uns, si une voiture soi-disant exotique n'est pas en mesure de faire le 0 à 100 km/h en moins de 4 secondes, elle ne devrait pas usurper ce vocable exclusif. Soyons clair; un temps de quatre secondes pour franchir les 100 km/h est amplement méritoire, mais quand on passe sous cette barre plus que psychologique, c'est un autre univers qui s'ouvre devant soi. Mercedes-Benz annonce un chrono de 3,8 secondes, et, pourtant, la SLR donne l'impression d'être en mesure de sublimer ce chiffre – une émotion que je n'avais pas ressentie depuis fort longtemps. La vitesse de pointe grimperait jusqu'à 334 km/h, mais je n'ai pas eu l'occasion d'atteindre ce sommet. Mais qu'importe; au-delà des chiffres, cette voiture est un monstre. Mais gare à celui qui s'aventurerait à choisir le mode « race » sans faire preuve d'une maîtrise des lois de la physique et sans un historique de pilote adéquat – ou sinon sans faire preuve d'une foi inébranlable qu'il existe un dieu pour les innocents.

[CONCLUSION] Cela dit, on doit rendre hommage aux ingénieurs de la SLR, qui se sont assurés, grâce à leurs choix judicieux, qu'une telle occurrence ne puisse se concrétiser. Une seule conclusion s'impose : en toute légitimité, la Mercedes-Benz SLR McLaren Roadster est la quintessence même de la sportive exotique.

5 FICHE TECHNIQUE

· MOTEURS

· V8 5,4 l suralimenté SACT, 617 ch à 6500 tr/min Couple 575 lb-pi à 3250 tr/min

Transmission automatique à 5 rapports séquentielle

0-100 km/h 3,8 s

Vitesse maximale 334 km/h

· AUTRES COMPOSANTES

Sécurité active freins ABS, répartition électronique de force de freinage, assistance au freinage, antipatinage, contrôle de stabilité électronique

Suspension avant/arrière indépendante

Freins avant/arrière disques

Direction à crémaillère, assistée

Pneus P255/35ZR19 (av.), P295/30ZR19 (arr.)

· DIMENSIONS

Empattement 2700 mm

Longueur 4656 mm

Largeur 1908 mm

Hauteur 1261 mm

Poids 1825 kg

Diamètre de braquage 12,2 m

Coffre 204 l

Réservoir de carburant 97 l

NOTRE VERDICT

- Plaisir au volant
- Qualité de finition
- Consommation
- Rapport qualité/prix
- Valeur de revente

COOPER

www.mini.ca

(N) ÉVOLUTION (É) (J)

22 800 $ à 38 390 $
transport et préparation: 1895 $

LA COTE VERTE

AVEC MOTEUR L4 DE 1,6 L

- **Consommation (100km):** **man.** 6,2 l **auto.** 6,8 l
- **Émissions polluantes CO_2 :** **man.** 3024 kg/an **auto.** 3312 kg/an
- **Empreinte écologique (nombre d'arbres à planter par année):** 18
- **Indice d'octane:** 91
- **Autre motorisation:** non
- **Coût du carburant moyen par année:** **man.** 1386 $ **autom** 1518 $
- **Nombre de litres par année:** **man.** 1260 l **auto.** 1380 l

(SOURCE: ÉnerGuide)

1 FICHE D'IDENTITÉ

- **Versions** Classic, Cooper, Cooper S, JCW Cabriolet/Clubman: base, S, JCW
- **Roues motrices** avant
- **Portières** 2 **Nombre de passagers** 4
- **Première génération** 2002
- **Génération actuelle** 2007
- **Construction** Oxford, Angleterre
- **Sacs gonflables** 6 (frontaux, latéraux, rideaux latéraux)
- **Concurrence** Audi TT, M-Benz SLK, Nissan 370Z, Porsche Boxster/Cayman

2 AU QUOTIDIEN

- **Prime d'assurance**
  25 ans: 2600 à 2800 $
  40 ans: 1600 à 1800 $
  60 ans: 1400 à 1600 $
- **Collision frontale** 4/5
- **Collision latérale** 4/5
- **Ventes du modèle de l'an dernier**
  Au Québec 1199 **Au Canada** 4905
- **Dépréciation (3 ans)** 37,3%
- **Rappels** (2004 à 2009) 2
- **Cote de fiabilité** 3/5

3 GARANTIES... ET PLUS

- **Garantie générale** 4 ans/80 000 km
- **Garantie motopropulseur** 4 ans/80 000 km
- **Perforation** 12 ans/kilométrage illimité
- **Assistance routière** 4 ans/80 000 km
- **Nombre de concessionnaires**
  Au Québec 4 **Au Canada** 25

4 NOUVEAUTÉS EN 2010

- Aucun changement majeur

TOUJOURS COOL

PAR PHILIPPE LAGUË

BMW A RÉUSSI UN COUP DE MAÎTRE EN RESSUSCITANT LA MINI, EN 2001. Contrairement aux autres modèles lancés en pleine vague néo rétro (New Beetle, PT Cruiser et consorts), l'engouement n'a jamais diminué, et cette icône britannique, désormais allemande mais toujours fabriquée en Angleterre, demeure toujours aussi populaire. Et éternellement cool. Comme les Beatles.

[CARROSSERIE] La MINI a fait l'objet d'une première refonte il y a deux ans, et une version allongée, la Clubman, est venue s'ajouter, pour ceux et celles qui ont besoin de plus d'espace. L'an dernier, ce renouvellement en forme de *work in progress* s'est poursuivi avec la Cabriolet. Cette dernière est particulièrement réussie, avec un ingénieux système de toit rétractable.

[HABITACLE] Comme la carrosserie, l'habitacle marie avec bonheur le rétro et le moderne. On retrouve avec bonheur le compte-tours juché sur la colonne de direction, droit devant les yeux, ainsi que l'indicateur de vitesse surdimensionné au centre de la planche de bord. On reconnaît, hélas, l'influence BMW et son approche « pourquoi faire simple quand on peut faire compliqué », surtout pour les commandes de la chaîne stéréo et de la climatisation. À l'exception de quelques plastiques qui imitent l'aluminium brossé, les matériaux respirent la qualité. Par contre, on pouvait entendre des bruits de caisse à l'intérieur de nos véhicules d'essai. À l'arrière, la Clubman offre aussi un dégagement supérieur pour les jambes et beaucoup d'espace pour la tête. Comme les baquets avant, la banquette arrière est ferme mais confortable. Les baquets sont cependant tout indiqués pour la conduite sportive avec un très bon maintien latéral et un excellent soutien lombaire. La Clubman est aussi dotée d'une troisième portière latérale, côté passager, et de deux portes qui s'ouvrent de chaque côté, à l'arrière. Évidemment, ces portes facilitent grandement l'accès au compartiment à bagages, mais l'envers de la médaille, c'est cette séparation entre les portes, au milieu d'une lunette déjà étroite et qui gêne la visibilité.

+

FORCES • Choix de configurations • Cabriolet très réussi • Charme intact • Tenue de route de kart • Fiabilité • Valeur de revente

−

FAIBLESSES • Places arrière minuscules • Piètre visibilité arrière (Clubman) • Commandes inutilement compliquées • Suspension de kart • Prix corsés

[MÉCANIQUE] Un seul moteur officie sous le capot des différentes versions de la MINI, mais la puissance varie : 118 chevaux pour la Cooper et la Classic, 172 pour la Cooper S et 208 pour les JCW (John Cooper Works). Avec ou sans turbo, ce 4-cylindres de 1,6 litre se débrouille fort bien en matière de performances. Évidemment, l'ajout d'un turbocompresseur se fait sentir : la Cooper S et la JCW sont de véritables « pocket rockets », de petites bombes. Toutefois, la consommation grimpe rapidement si on adopte une conduite disons, plus enthousiaste... Le turbo semble aussi rendre ce moteur plus discret : si les accélérations sont plus franches, elles sont également moins sonores.

[COMPORTEMENT] Comme son aïeule, la MINI Cooper du XXIe siècle brille par son agilité et sa tenue de route de kart qui en font une redoutable pistarde, aussi efficace qu'amusante. Elle sous-vire un brin, mais c'est un jeu d'enfant à corriger, tant elle répond au doigt et à l'œil. De plus, la MINI a maintenant du sang germanique, et cela se ressent notamment dans le freinage, puissant comme celui d'une BMW. Ce comportement résolument sportif est rehaussé par une direction d'une précision chirurgicale. Les versions plus puissantes, S et JCW, sont cependant affectées par l'effet de couple. Par ailleurs, la MINI n'est pas avare de sensations, ce qui veut aussi dire que vous allez tout ressentir : la moindre fissure sur le pavé, la moindre bosse... Bref, « ça porte dur ».

[CONCLUSION] Objet de culte, mais aussi objet de plaisir, la MINI peut désormais intégrer le mot « pratique » à son vocabulaire grâce à l'ajout de la version Clubman. Les deux autres versions ont aussi leur charme, particulièrement le cabriolet, qui ajoute le plaisir de la conduite à ciel ouvert à cette voiture déjà ludique. Sur une note plus rationnelle, les MINI sont fiables et plus raffinées que leurs ancêtres. Elles sont cependant chères, et c'est bien là leur principal défaut, mais il est en partie compensé par une excellente valeur de revente.

2e OPINION

ALEXANDRE CRÉPAULT Depuis que BMW s'est lancée dans l'aventure MINI en 2001, la Cooper et, surtout, la Cooper S, ne font qu'accumuler les éloges. Si le style parle clairement de lui-même, il faut faire l'expérience d'une MINI pour réellement apprécier la précision et la vivacité de la conduite. Un véhicule que les journalistes aiment bien qualifier de kart. Le petit moteur turbocompressé de la version Cooper S possède toute la vigueur nécessaire pour faire filer la petite allemande (encore plus dans le cas du modèle JCW). La MINI, à tout coup, est une petite boîte d'amusement qu'on ouvre à chaque sortie. On ne peut lui demander plus, sauf peut-être la motorisation à 4 cylindres diesel offerte en Europe.

5 FICHE TECHNIQUE

· MOTEURS

· (Cooper)
L4 1,6 l DACT, 118 ch à 6000 tr/min
Couple 114 lb-pi à 4250 tr/min
Transmission manuelle 6 vitesses, 6 vitesses automatique
0-100 km/h 9,1 s **Vitesse maximale** 203 km/h

· (COOPER S)
L4 1,6 l turbocompressé DACT, 172 ch à 5500 tr/min Couple 177 lb-pi à 1600 tr/min
Transmission manuelle 6 vitesses, 6 vitesses automatique
0-100 km/h 7,1 s **Vitesse maximale** 223 km/h
Consommation (100 km) man. 6,7 l **autom.** 7,5 l (octane 91)
Émissions de CO_2 man. 3264 kg/an **autom.** 3648 kg/an
Litres par année man. 1360 l **autom.** 1520 l
Coût par an man. 1496 $ **autom.** 1672 $
Empreinte écologique 20 arbres

· (JCW)
L4 1,6 l turbocompressé DACT, 208 ch à 6000 tr/min Couple 192 lb-pi à 1850 tr/min
Transmission manuelle 6 vitesses
0-100 km/h 6,5 s **Vitesse maximale** 236 km/h
Consommation (100 km) man. 7,5 l (octane 91)
Émissions de CO_2 man. 3264 kg/an
Litres par année. 1360 l
Coût par an man. 1496 $
Autre motorisation non
Empreinte écologique 21 arbres

· AUTRES COMPOSANTES
Sécurité active freins ABS, répartition électronique de force de freinage, contrôle des freins en virage, antipatinage, « Hill assist », contrôle de stabilité dynamique
Suspension avant/arrière indépendante
Freins avant/arrière disques ventilés/disques
Direction assistée électromécanique EPAS à deux niveaux d'assistance
Pneus Mini Cooper P175/65R15 **Mini Cooper S** P195/65R16 **Option Cooper S/JCW** P205/45R17

· DIMENSIONS
Empattement 2467 mm
Longueur 3699 mm **Cooper S** 3714 mm
Largeur 1683 mm
Hauteur 1407 mm
Poids 1165 kg **JCW** 1225 kg
Diamètre de braquage 10,7 m
Coffre 160 l, 680 l (sièges abaissés)
Réservoir de carburant 50 l

NOS MENTIONS

Modèle recommandé

Coup de coeur

NOTRE VERDICT

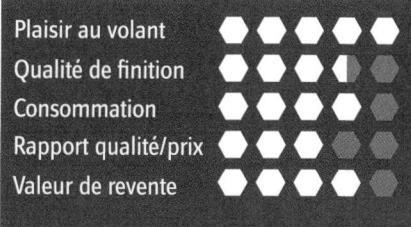

Plaisir au volant	5/5
Qualité de finition	3,5/5
Consommation	4/5
Rapport qualité/prix	3/5
Valeur de revente	4/5

ECLIPSE

www.mitsubishi-motors.ca

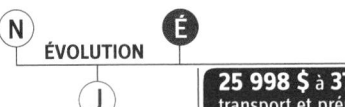

N ÉVOLUTION É J

25 998 $ à 37 798 $
transport et préparation: 1560 $

LA COTE VERTE

AVEC MOTEUR L4 DE 2,4 L

- **Consommation (100km):** **man.** 8,9 l **auto.** 9,1 l
- **Émissions polluantes CO_2 :** **man.** 4320 kg/an **auto.** 4416 kg/an
- **Empreinte écologique (nombre d'arbres à planter par année):** 26
- **Indice d'octane:** 87
- **Autre motorisation:** non
- **Coût du carburant moyen par année:** **man.** 1800 $ **auto.** 1840 $
- **Nombre de litres par année:** **man.** 1800 l **auto.** 1840 l

(SOURCE: ÉnerGuide)

1 FICHE D'IDENTITÉ

- **Versions** coupé GS, GT-P Spyder GS, GT-P
- **Roues motrices** avant
- **Portières** 2 **Nombre de passagers** 4
- **Première génération** 1990
- **Génération actuelle** 2006
- **Construction** Normal, Illinois, É.-U.
- **Sacs gonflables** 4 (frontaux, latéraux avant; rideaux latéraux sur coupé)
- **Concurrence** Ford Mustang, Honda Accord Coupé, Mazda RX-8, Toyota Solara

2 AU QUOTIDIEN

- **Prime d'assurance**
  25 ans: 3000 à 3200 $
  40 ans: 1700 à 1900 $
  60 ans: 1300 à 1500 $
- **Collision frontale** nd
- **Collision latérale** nd
- **Ventes du modèle de l'an dernier**
  Au Québec 522 **Au Canada** 1675
- **Dépréciation** (3 ans) 46,5 %
- **Rappels** (2004 à 2009) 5
- **Cote de fiabilité** 3/5

3 GARANTIES... ET PLUS

- **Garantie générale** 5 ans/100 000 km
- **Garantie motopropulseur** 10 ans/160 000 km
- **Perforation** 7 ans/160 000 km
- **Assistance routière** 5 ans/kilométrage illimité
- **Nombre de concessionnaires**
  Au Québec 26 **Au Canada** 71

4 NOUVEAUTÉS EN 2010

- Aucun changement majeur.

FLEUR FANÉE

PAR FRANCIS BRIÈRE

IL EXISTE DES VOITURES DONT L'ALLURE EST SI ACCROCHEUSE QUE LES FABRICANTS EN VENDRAIENT MÊME ÉQUIPÉES DE MOTEURS DE TONDEUSE. Je pense, entre autres, aux Saturn Sky et Pontiac Solstice de ce monde. Mitsubishi propose plutôt une Eclipse, qui est heureusement dotée d'un engin adéquat, surtout son V6. En revanche, l'amateur de voiture sportive bien conçue, solide et justement finie ne pourra cacher sa déception de l'Eclipse. Sans doute faudrait-il l'apprécier pour ce qu'elle est : une voiture de tourisme en fin de carrière.

[CARROSSERIE] La dernière refonte de l'Eclipse remonte à 2006. Elle affiche la même tronche depuis : une calandre en forme de trapèze, une silhouette arrondie, de belles roues et un aileron insignifiant. Sa garde au sol est relativement haute compte tenu de la catégorie de voiture. Si nous devons lui trouver des qualités, c'est définitivement à son allure qu'il faut s'en remettre. L'Eclipse séduit par ses formes et par son allure sportive. Si l'idée de vous promener à ciel ouvert vous plaît, vous ferez tourner des têtes avec la Spyder.

[HABITACLE] Ici, les problèmes commencent. Comme c'est le cas pour la Galant, les concepteurs de Mitsubishi ont inséré à bord de l'Eclipse des fauteuils horribles des années 1980, une assise molle et un dossier qui manque de maintien latéral. Si vous deviez payer près de 38 000 dollars pour un modèle GT, vous seriez réconforté de prendre place à bord de la voiture et de vous asseoir dans de bons sièges. Pour ce qui est du reste de l'habitacle et des matériaux qui composent l'intérieur de la voiture, il me semble que la finition d'une bagnole n'a rien à voir avec la construction d'une piaule : on n'a pas droit au quart de pouce ! Entre la portière et la planche de bord, je peux insérer mes gros doigts; entre la portière et la partie arrière de la voiture, je peux y insérer ma main au complet et probablement mon avant-bras en forçant un peu. La rencontre entre l'Eclipse et les nids-de-poule n'est pas heureuse : on se demande si certaines pièces résisteront à l'assaut. Évidemment, l'épreuve est encore plus difficile pour le modèle Spyder, qui nous chante de belles chansons (symphonie pour plastique bon marché en mineur) tout au long du trajet, surtout si la capote est relevée.

\+ **FORCES** • Silhouette agréable • Version Spyder • Moteur souple et puissant (GT)

− **FAIBLESSES** • Finition horrible • Matériaux « Dollarama » • Caisse en carton

ECLIPSE

[MÉCANIQUE] Deux engins sont offerts dans l'Eclipse : un 4-cylindres de 2,4 litres et un V6 de 3,8 litres. Le second moteur développe la bagatelle somme de 103 chevaux de plus que le premier. Aussi, jumelé à un échappement double, le V6 produit une sonorité plus agréable en plus de montrer une belle souplesse à la tâche. La boîte de vitesses à 6 rapports est agréable et aide à apprécier les qualités du moteur V6.

[COMPORTEMENT] Même si l'on s'en doute, j'ajouterai que l'Eclipse n'est pas une sportive. L'amateur de conduite folle ne trouvera pas son compte avec cette voiture de tourisme. Sous des apparences trompeuses, elle s'engage difficilement en virage, sous-vire, glisse et produit un effet de couple désagréable au volant. La traction n'aide en rien. On s'ennuie de la version à transmission intégrale d'antan ! Prière de ne pas s'aventurer sur un circuit avec l'Eclipse. Autrement, une balade d'après-midi lui convient mieux, d'autant plus qu'elle n'est pas désagréable à conduire, à condition que le conducteur reste poli.

[CONCLUSION] Bon, d'accord, mon compte rendu est sévère. Mitsubishi anonce son Eclipse à un prix de départ de 26 000 dollars, un prix qui peut atteindre près de 38 000 dollars pour un modèle GT. Voilà qui motive ma critique acerbe. Le consommateur s'attend à un minimum de qualité quand il débourse un tel montant, peu importe que la voiture soit sexy ou qu'elle affiche une esthétique flamboyante. Si les bruits de caisse et l'idée d'assister à l'autodémolition de l'habitacle ne vous agacent pas trop, l'Eclipse pourrait vous convenir pour des heures de douces balades, même en famille.

2e OPINION

BENOIT CHARETTE Avec l'arrivée de la très moderne et très séduisante EVO, l'Éclipse vient de se faire «éclipser» (pour faire un mauvais jeu de mots). Dépassée tant mécaniquement que structurellement, il n'y a que le V6 pour sauver un peu les meubles. Vous devrez faire avec un léger effet de couple lors de fortes accélérations, mais la puissance est instantanée à tous les régimes. L'autre option est à mon avis purement économique. Avec 103 chevaux de moins dans l'équation, vous n'êtes plus au volant de la même voiture. De sportive, l'Éclipse devient ordinaire et n'offre pas plus d'agrément de conduite qu'une simple berline. Au final, l'Evo est sur une autre planète et laisse cette vieillerie loin, très loin derrière.

5 FICHE TECHNIQUE

- **MOTEURS**
- **(GS)**

L4 2,4 l SACT, 162 ch à 6000 tr/min
Couple 162 lb-pi à 4000 tr/min
Transmission manuelle à 5 rapports, automatique à 4 rapports avec mode manuel (en option)
0-100 km/h 9,4 s
Vitesse maximale 190 km/h

- **(GT-P)**

V6 3,8 l SACT, 265 ch à 5750 tr/min
Couple 262 lb-pi à 4500 tr/min
Transmission manuelle à 6 rapports, automatique à 5 rapports avec mode manuel (en option)
0-100 km/h 7,2 s
Vitesse maximale 225 km/h
Consommation (100 km) man. 10,8 l **auto.** 10,3 l (octane 87)
Émissions de CO_2 man. 5184 kg/an **auto.** 5040 kg/an
Litres par année man. 2160 l **auto.** 2180 l
Coût par an man. 2376 $ **auto.** 2398 $
Empreinte écologique 30 arbres

- **AUTRES COMPOSANTES**

Sécurité active freins ABS, antipatinage (GT-P), contrôle de stabilité
Suspension avant/arrière indépendante
Freins avant/arrière disques
Direction à crémaillère, assistée
Pneus GS P225/50R17 **GT-P** P235/45R18

- **DIMENSIONS**

Empattement 2575 mm
Longueur 4583 mm
Largeur 1835 mm
Hauteur coupé GS 1358 mm **GT-P** 1366 mm **Spyder** 1381 mm
Poids coupé GS 1480 kg **GT-P** 1578 kg **Spyder GS** 1577 kg **GT-P** 1673 kg
Diamètre de braquage 12,2 m
Coffre coupé 445 l **Spyder** 147 l
Réservoir de carburant 67 l

NOTRE VERDICT

Plaisir au volant
Qualité de finition
Consommation
Rapport qualité/prix
Valeur de revente

ENDEAVOR

www.mitsubishi-motors.ca

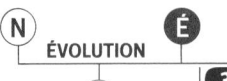

N ÉVOLUTION É
J

32 298 $
transport et préparation: 1660 $

LA COTE VERTE

AVEC MOTEUR V6 DE 3,8 L

- **Consommation (100km):** 12,5 l
- **Émissions polluantes CO_2 :** 5952 kg/an
- **Empreinte écologique (nombre d'arbres à planter par année):** 33
- **Indice d'octane:** 87
- **Autre motorisation :** non
- **Coût du carburant moyen par année:** 2480 $
- **Nombre de litres par année:** 2480 l

(SOURCE: ÉnerGuide)

1 FICHE D'IDENTITÉ

- **Version(s):** SE AWD
  Roues motrices : 4RM
  Portières : 4 **Nombre de passagers** 5
  Première génération : 2004
  Génération actuelle : 2004
  Construction : Normal, Illinois, États-Unis
  Sacs gonflables : 4, frontaux et latéraux
  Concurrence : Honda Pilot, Kia Sorento, Nissan Murano, Toyota Highlander, Ford Flex, GMC Acadia, Hyundai Santa Fe, Subaru Tribeca

2 AU QUOTIDIEN

Prime d'assurance :
25 ans :1700 à 1900 $
40 ans: 1200 à 1400 $
60 ans: 1000 à 1200 $
Collision frontale : 5/5
Collision latérale : 5/5
Ventes du modèle l'an dernier
Au Québec : 83 **Au Canada :** 398
Dépréciation : 64,8 %
Rappels (2004 à 2009): 8
Cote de fiabilité : 3/5

3 GARANTIES... ET PLUS

- **Garantie générale** 5 ans/100 000 km
- **Garantie motopropulseur** 10 ans/160 000 km
- **Perforation** 7 ans/160 000 km
- **Assistance routière** 5 ans/kilométrage illimité
- **Nombre de concessionnaires**
  Au Québec 26 **Au Canada** 71

4 NOUVEAUTÉS EN 2010

- Une seule version offerte : SE AWD

MÛR POUR LA RETRAITE

PAR BENOIT CHARETTE

AU PAYS DE LA DÉMESURE, LES CAMIONS SONT LÉGION. D'ABORD VOUÉ À DE SIMPLES TÂCHES UTILITAIRES, LE MITSUBISHI ENDEAVOR EST DEVENU AU FIL DES ANS PLUS POLYVALENT ET JOINT DEPUIS QUELQUES GÉNÉRATIONS L'UTILE À L'AGRÉABLE. Confortable, pratique, il a même été tendance, mais en temps de crise, seul les mieux adaptés survivent, et l'Endeavor est le dinosaure de sa catégorie. Premier véhicule à vocation hybride de la famille, l'Endeavor est basé sur la plateforme de la Galant. Cette union était voulue et planifiée dès le début car les deux véhicules sont assemblés côte à côte à l'usine de Normal, en Illinois. Mitsubishi conserve une seule version, la SE AWD. Certains seront heureux, moi j'ai plutôt l'impression que c'est de l'acharnement thérapeutique.

[CARROSSERIE] L'Endeavor est librement inspiré du futuriste prototype SSU, présenté au salon de Tokyo en 1999. La calandre à l'horizontale est très représentative des produits de la famille. Les roues de 17 pouces et les moulures latérales sur le véhicule ajoutent un rien de muscle et beaucoup de personnalité. Ce n'est pas le physique qui pose problème, mais au-delà de cette gueule sympathique, l'Endeavor n'a pas grand-chose à offrir.

[HABITACLE] L'Endeavor est un bon choix si vous avez des individus et des bagages à transporter. Avec un espace confortable pour cinq occupants, il reste amplement d'espace à l'arrière pour tous les bagages. Le tableau de bord d'allure futuriste offre toutefois des plastiques d'une apparence quelconque. Il y a même un écran sur le dessus des boutons de commande qui donne de l'information sur les signes vitaux du véhicule, la radio, la température extérieure. À défaut d'une troisième banquette, souvent inconfortable, Mitsubishi préfère offrir cinq places confortables. Le confort est bon et plutôt moelleux, il faut noter le manque de maintien latéral.

[MÉCANIQUE] Comme le reste du véhicule, la mécanique montre son âge. Il s'agit du vieux V6 de 3,8 litres. Heureusement, le couple plus élevé de 250 livres-pieds compense partielle-

FORCES • Style original • Véhicule très confortable • Moteur V6 agréable • Fiabilité et garantie rassurantes • Bonne qualité de construction

FAIBLESSES • Forte dépréciation • Pas de troisième rangée de sièges • Diamètre de braquage trop grand • Boîte à quatre rapports seulement

ENDEAVOR

ment le manque de puissance, mais une injection de 50 chevaux serait la bienvenue. Un peu cacophonique au moment d'écraser l'accélérateur, le moteur se fait très discret à vitesse de croisière. Je sais bien qu'il est trop tard pour faire cette demande, mais une boîte de vitesses automatique à 5 rapports aurait certainement aidé la cause en ce qui concerne la douceur de roulement et la consommation.

[COMPORTEMENT] Si je voulais vous donnez une image de ce que représente la conduite d'un Endeavor, je dirais que ce véhicule est au monde utilitaire ce qu'était la Cadillac DeVille aux grosses berlines des années 70. La suspension très souple favorise un confort ouaté, douillet et presque soporifique. Je ne le vois pas comme une qualité ou un défaut, mais une simple constatation. Malgré cela, l'équilibre général de ce VUS est excellent, comme sa maniabilité d'ailleurs. Vous aurez compris que, dans le même ordre d'idées, la direction est assez floue, et le roulis, très présent; si l'idée vous prenait de vérifier la tenue de route en courbe, je vous signale que l'exercice ne serait pas très apprécié. Toutefois, Mitsubishi a laissé comme seul modèle sur la route une version avec transmission intégrale du type réactif qui se révèle passablement rapide et, donc, apte à répondre efficacement aux besoins des acheteurs qui veulent s'aventurer ailleurs que sur les routes pavées.

[CONCLUSION] Comme bien des véhicules de cette catégorie, l'Endeavor n'offre pas une expérience au volant qui restera gravée dans votre mémoire. Mais il mérite quand même que vous alliez faire un petit détour. La garantie est toujours l'une des meilleures de l'industrie, à défaut d'innovation technique ou mécanique, la fiabilité s'est révélée correcte. Mais surtout, il y a fort à parier que vous serez capable de vous négocier un prix très alléchant. En prime, vous aurez un modèle rare sur la route. C'est quand la dernière fois que vous avez aperçu un Mitsubishi Endeavor, j'en étais sûr.

2e OPINION

PHILIPPE LAGUË Comme le veut la règle dans le créneau des multisegments (ou crossovers, comme disent les Français), l'Endeavor reprend la plateforme d'une berline, en l'occurrence celle de la Galant. Cela permet de bénéficier d'une douceur de roulement appréciable - impressionnante, même - et d'une tenue de route tout aussi appréciable; mais dans ce dernier cas, il faut cependant composer avec le centre de gravité plus élevé, qui accentue le roulis en virage. Une bonne note pour les pneus, qui contribuent directement à ce bel équilibre entre le confort et le comportement. Si Mitsubishi veut écouler ce qui reste d'inventaire, elle devra opter pour une politique de prix plus agressive. Sinon, à prix égal, il sera difficile d'aller chercher des acheteurs de Honda ou Toyota.

5 FICHE TECHNIQUE

· MOTEUR

V6 3,8 l SACT 215 ch à 5000 tr/min
couple: 250 lb-pi à 3750 tr/min
Transmission : automatique à 4 rapports, séquentielle
0-100 km/h : 9,1 s
Vitesse maximale: 195 km/h
Consommation (100 km) : 11,9 l (octane : 87)

· AUTRES COMPOSANTES

Sécurité active freins ABS, répartition électronique de force de freinage
Suspension avant/arrière indépendante
Freins avant/arrière disques
Direction à crémaillère, assistée
Pneus P235/65R17

· DIMENSIONS

Empattement : 2750 mm
Longueur : 4830 mm
Largeur : 1870 mm
Hauteur : 1710 mm
Poids : 1850 kg
Diamètre de braquage : 11,7 m
Coffre : 1153 l, 2163 l (sièges abaissés)
Réservoir de carburant : 81 l
Capacité de remorquage : 1588 kg

NOTRE VERDICT

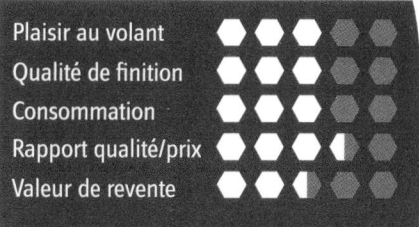

Plaisir au volant
Qualité de finition
Consommation
Rapport qualité/prix
Valeur de revente

GALANT

www.mitsubishi-motors.ca

N — ÉVOLUTION — É — J

23 998 $
transport et préparation: 1 395 $

LA COTE VERTE

AVEC MOTEUR L4 DE 2,4 L

- **Consommation (100km):** 8,8 l
- **Émissions polluantes CO_2 :** 4296 kg/an
- **Empreinte écologique (nombre d'arbres à planter par année):** 26
- **Indice d'octane:** 87
- **Autre motorisation:** non
- **Coût du carburant moyen par année:** 1800 $
- **Nombre de litres par année:** 1800 l

(SOURCE: ÉnerGuide)

1 FICHE D'IDENTITÉ

- **Versions** ES
- **Roues motrices** avant
- **Portières** 4 **Nombre de passagers** 5
- **Première génération** 1969
- **Génération actuelle** 2004
- **Construction** Normal, Illinois, É-U
- **Sacs gonflables** 6, frontaux, latéraux et rideaux latéraux
- **Concurrence** Chevrolet Malibu, Chrysler Sebring, Ford Fusion, Honda Accord, Hyundai Sonata, Kia Magentis, Mazda6, Nissan Altima, Subaru Legacy, Toyota Camry, Volkswagen Jetta/Passat

2 AU QUOTIDIEN

- **Prime d'assurance**
  25 ans: 1700 à 1900 $
  40 ans: 1000 à 1200 $
  60 ans: 800 à 1000 $
- **Collision frontale** 5/5
- **Collision latérale** 5/5
- **Ventes du modèle de l'an dernier**
  Au Québec 178 **Au Canada** 902
- **Dépréciation** (3 ans) 46,7 %
- **Rappels** (2004 à 2009) 3
- **Cote de fiabilité** 4/5

3 GARANTIES... ET PLUS

- **Garantie générale** 5 ans/100 000 km
- **Garantie motopropulseur** 10 ans/160 000 km
- **Perforation** 7 ans/160 000 km
- **Assistance routière** 5 ans/kilométrage illimité
- **Nombre de concessionnaires**
  Au Québec 26 **Au Canada** 71

4 NOUVEAUTÉS EN 2010

- Disponible uniquement en version ES; les modèles V6 sont discontinués.

L'HEURE DE LA RETRAITE ?

PAR JEAN-PIERRE BOUCHARD

LA CATÉGORIE DES INTERMÉDIAIRES PROPOSE DE NOMBREUX CHOIX, DONT LES PLUS RÉCENTES CHEVROLET MALIBU, FORD FUSION, HONDA ACCORD ET TOYOTA CAMRY, POUR N'EN NOMMER QUE QUELQUES-UNES. Sans être une mauvaise voiture, la Galant n'offre pas, par comparaison à cette concurrence, une vraie valeur ajoutée. Vous savez, ce petit quelque chose qui fait une différence et qui fait pencher la balance en sa faveur. Pourquoi la choisir, elle ?

[CARROSSERIE] En matière d'esthétique, la carrosserie ne présente rien de particulièrement original. Les gros phares la déguisent en la faisant ressembler à un camion, l'utilitaire Endeavor, par exemple. Les deux sont d'ailleurs assemblés à la même usine, aux États-Unis. Je suis persuadé que les stylistes de la firme qui a mis la clé dans la porte de son studio de Californie feront mieux lors de la prochaine refonte.

[HABITACLE] Une voiture doit créer une impression de solidité et de convivialité. Or, quand on ferme les portes de la Galant, on entend un désagréable son de tôle. Cela étant dit, les occupants des places avant disposent d'un bon dégagement pour les jambes. Mais pour la tête, il est un peu juste pour les personnes de grande taille. Les sièges fournissent un confort adéquat, mais pourraient être un peu plus enveloppants, surtout pour offrir plus de maintien latéral. Celui du conducteur de l'ES n'est muni d'aucun réglage pour le soutien lombaire. La position de conduite serait également un peu plus confortable si le volant était télescopique. La visibilité latérale du côté droit est pénalisée par une ligne de caisse haute et un large pilier arrière. Le soir, seule la commande du lève-glace du conducteur est timidement éclairée. La présentation de la planche de bord est classique. Les matériaux utilisés sont de bonne facture, et ceux de ma voiture d'essai étaient bien assemblés. Le faux fini aluminium de la console centrale fait, justement, un peu trop faux fini. Autrement, l'instrumentation est facile à consulter, et les commandes sont placées dans l'environnement du conducteur. La banquette arrière offre un bon confort. Le dégagement pour les jambes est généreux, mais celui pour la tête

FORCES · Habitabilité · Garantie · Douceur de roulement

FAIBLESSES · Absence de dossier arrière rabattable · Absence de contrôle de la stabilité · Manque de...

des occupants de plus grande taille est insuffisant. Elle ne comporte que deux appuie-tête intégrés. Le coffre propose un bon volume de chargement, mais il n'est pas aussi spacieux que celui de plusieurs concurrentes. De plus, la banquette n'est malheureusement pas rabattable. Pour le transport d'objets plus longs, on doit se contenter d'un passe-ski.

[MÉCANIQUE] Afin de réaliser mon essai et de me rafraîchir la mémoire, j'ai conduit une version dotée du moteur à 4 cylindres de 2,4 litres jumelé à une boîte de vitesses automatique à 4 rapports. Dans les côtes qui mènent vers Charlevoix, l'ensemble livre des performances tout ce qu'il y a de plus honnêtes. Je lui aurais toutefois ajouté une pincé de chevaux. La boîte automatique fonctionne en douceur. Elle est munie d'un mode manuel. Il faudra vous contenter de ce moteur si vous voulez faire l'achat d'un modèle 2010, car les modèles V6 ont été retiré du catalogue cette année.

[COMPORTEMENT] Les conducteurs apprécieront d'emblée la belle douceur de roulement sur la route. Sur certaines imperfections, la voiture réagit de façon plus sentie. En virages, la Galant garde le cap. D'une façon générale, la voiture offre un comportement routier honnête, mais qui manque de raffinement. La version ES dispose enfin du contôle de la stabilité pour 2010, mais c'est trop peu, trop tard.

[CONCLUSION] La Galant est une voiture qui ne suscite aucune émotion particulière et qui, quand on la compare aux principales rivales, n'offre rien de vraiment distinctif, si ce n'est une garantie de 10 ans ou 160 000 kilomètres sur le groupe motopropulseur. Or, je doute que ce soit suffisant dans le contexte concurrentiel actuel.

2e OPINION

DANIEL RUFIANGE Où serait Mitsubishi sans la Lancer ? Poser la question, c'est y répondre, mais c'est aussi porter un sérieux jugement sur le reste de la gamme. Outre la Lancer et l'Outlander, dans une moindre mesure, les produits Mitsubishi peinent à s'imposer, et l'exemple le plus pathétique est certes celui de la Galant. J'ai beau essayer de la trouver belle, je n'y arrive pas ! Pourtant, dans un segment où ça joue aussi serré, il faut offrir un produit qui a de la gueule et qui sait se faire désirer. Au mieux, la Galant attire la sympathie, bien insuffisante. L'expérience au volant n'est pas désagréable. Autrement, c'est neutre au cube ! Mais surtout, la concurrence fait mieux !

5 FICHE TECHNIQUE

· MOTEUR

· (ES)

L4 2,4 l SACT 160 ch à 5500 tr/min

Couple 157 lb-pi à 4000 tr/min

Transmission automatique à 4 rapports avec mode manuel

0-100 km/h 9,8 s

Vitesse maximale 190 km/h

· AUTRES COMPOSANTES

Sécurité active freins ABS, répartition électronique de force de freinage, contrôle actif de stabilité

Suspension avant/arrière indépendante

Freins avant/arrière disques

Direction à crémaillère, assistée

Pneus ES P215/60R16

· DIMENSIONS

Empattement 2750 mm

Longueur 4835 mm

Largeur 1840 mm

Hauteur 1470 mm

Poids 1540 kg

Diamètre de braquage 11,6 m

Coffre 377 l

Réservoir de carburant 67 l

NOTRE VERDICT

Plaisir au volant

Qualité de finition

Consommation

Rapport qualité/prix

Valeur de revente

LANCER

www.mitsubishi-motors.ca

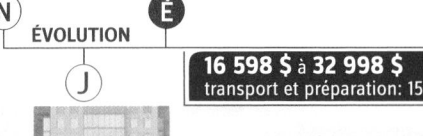

N ÉVOLUTION É J

16 598 $ à 32 998 $
transport et préparation: 1560 $

LA COTE VERTE

MOTEUR
L4 DE 2,0 L

- **Consommation (100km):** **man.** 8,4 l **CVT** 8,3 l
- **Émissions polluantes CO_2 :** **man.** 3936 kg/an **CVT** 4032 kg/an
- **Empreinte écologique (nombre d'arbres à planter par année):** 24
- **Indice d'octane:** 87
- **Autre motorisation:** non
- **Coût du carburant moyen par année:** **man.** 1640 $ **auto.** 2266 **CVT** 1680 $
- **Nombre de litres par année:** **man.** 1640 l **auto.** 2060 l **CVT** 1680 l

(SOURCE: ÉnerGuide)

1 FICHE D'IDENTITÉ

- **Versions** DE, SE, GT, GTS, Ralliart **Evolution** (GSR, MR, MR Premium)
- **Roues motrices** avant, 4
- **Portières** 4 **Nombre de passagers** 5
- **Première génération** 2003
- **Génération actuelle** 2007
- **Construction** Mizushima, Japon
- **Sacs gonflables** 7, frontaux, latéraux et genoux conducteur
- **Concurrence** Chevrolet Cobalt, Ford Focus, Honda Civic, Hyundai Elantra, Kia Spectra, Mazda3, Nissan Sentra, Subaru Impreza, Toyota Corolla/ Matrix, VW Jetta

2 AU QUOTIDIEN

- **Prime d'assurance** **25 ans:** 1700 à 1900 $ **40 ans:** 1000 à 1100 $ **60 ans:** 700 à 900 $
- **Collision frontale** 4/5
- **Collision latérale** 4/5
- **Ventes du modèle de l'an dernier** **Au Québec** 3355 **Au Canada** 9157
- **Dépréciation** 49,4%
- **Rappels** (2004 à 2009) 1
- **Cote de fiabilité** 4/5

3 GARANTIES... ET PLUS

- **Garantie générale** 5 ans/100 000 km
- **Garantie motopropulseur** 5 ans/100 000 km
- **Perforation** 7 ans/160 000 km
- **Assistance routière** 5 ans/kilométrage illimité
- **Nombre de concessionnaires** **Au Québec** 26 **Au Canada** 71

4 NOUVEAUTÉS EN 2010

- Modèle ralliart, contrôle actif de stabilité, de série. Lave-glace intelligent, de série. Nouveaux cadrans sur le tableau de bord pour tous les modèles.

DOUBLE PERSONNALITÉ

PAR ALEXANDRE CRÉPAULT

LA FAMILLE LANCER N'A JAMAIS ÉTÉ AUSSI COMPLÈTE. ON COMPTE MAINTENANT QUATRE MODÈLES À TRACTION (LANCER DE, SE, GT ET GTS) ET TROIS MODÈLES À TRANSMISSION INTÉGRALE (RALLIART/EVOLUTION, GSR ET MR). On peut tous les obtenir en version berline ou en version Sportback pour ce qui est de la GTS et de la Ralliart.

[CARROSSERIE] Depuis l'introduction de la huitième génération de Lancer en 2007, le langage du style chez Mitsubishi a littéralement fait volte-face. Fini les boîtes à savon ! La Lancer présente maintenant une allure moderne, des lignes saillantes qui semblent avoir été taillées au couteau. La partie avant se révèle plus dynamique que jamais grâce aux phares effilés et à la calandre massive en forme de trapèze. L'exercice est encore plus marquant sur les modèles Ralliart et Evolution : la bouche géante, complètement noire, laisse entrevoir le refroidisseur d'air du turbo. Par les trois trappes d'air sur le capot, ces deux versions s'affichent clairement comme des engins de performance. La haute ceinture du coffre et les lignes fluides du hayon confirment l'orientation athlétique de la Lancer et en font l'une des familiales les plus sportives sur le marché.

[HABITACLE] Toutes les variantes de la Lancer partagent le même habitacle de base. Deux imposants cadrans, de couleur argent, dominent le tableau de bord. Sur les modèles Ralliart et Evolution, les bancs Recaro, le volant gainé de cuir et le levier de vitesses en aluminium transforment en « sportive » l'apparence autrement sobre de l'habitacle. Une chaîne audio performante Rockford Fosgate peut être installée en option ainsi qu'un système de navigation comme accessoire.

[MÉCANIQUE] Vous avez l'embarras du choix. Le moteur de base, un 4-cylindres MIVEC de 2 litres, développe une puissance de 152 chevaux et produit un couple de 146 livres-pieds. Très respectable. Qu'on l'équipe de la boîte de vitesses manuelle à 5 rapports ou de l'automatique CVT, sa consommation de carburant demeure à peu près identique. Le modèle GTS propose un moteur à 4 cylindres MIVEC d'une cylindrée de 2,4 litres. La capacité

FORCES • Une familiale à l'allure sportive
• Moteur turbocompressé performant • Transmission intégrale

FAIBLESSES • Absence d'une boîte manuelle 6 rapports
• Modèles turbo qui consomment • Intérieur moyen

plus grande de carburant dans la chambre de combustion lui permet d'atteindre 168 chevaux et de produire un couple de 167 livres-pieds. La hausse de puissance n'a rien de renversant, il en va de même avec la consommation de l'engin. Quant aux versions Ralliart et Evolution, elles utilisent un moteur turbocompressé au lieu d'un moteur plus gros. La Ralliart arrive à lui extirper 237 chevaux et 253 livres-pieds; l'Evolution, quant à elle, nous donne 300 livres-pieds et pratiquement autant de puissance. Sa grande vigueur peut être attribuée à une augmentation de la pression du turbo. Elle profite, de plus, de pièces internes plus solides qui assurent la fiabilité de sa mécanique. Toute cette puissance peut être envoyée aux quatre roues grâce à une boîte de vitesses à double embrayage. Seul le modèle Evolution GSR offre une boîte manuelle dotée de 5 rapports. Un indice d'octane minimum de 91 et une forte consommation de carburant en font une assidue des pompes à essence.

[COMPORTEMENT] Il y a un monde de différences entre les modèles atmosphériques et turbocompressés de la Lancer. Qu'on préfère le moteur de 2 litres ou celui de 2,4 litres, on parle de performances honnêtes qui peuvent affronter la concurrence sans rougir. On peut ne pas aimer les boîtes CVT; celle de la Lancer fait du bon boulot, c'est indubitable. Les roues de 18 pouces et les barres stabilisatrices plus volumineuses de la GTS aident cette dernière à maintenir une bonne position en courbes. Toutefois, si on veut de la performance, il faut aller du côté de la Ralliart et de l'Evolution. Ce qui frappe au premier abord, c'est la rigidité du châssis. Le court délai de réaction du turbo impressionne également. Aussitôt le pied sur l'accélérateur, la turbine simple envoie une charge d'air supplémentaire au moteur qui grimpe en régime avec force. La boîte de vitesses à double embrayage change de rapport en une fraction de seconde, surtout sur le mode Sport. Cependant, sa souplesse dans le trafic laisse à désirer. Quant à la boîte manuelle de l'Evolution GSR, l'absence d'un sixième rapport fait de cette dernière une piètre voiture de croisière.

[CONCLUSION] La Lancer possède plusieurs cartes dans son jeu qui la rendent féroce face à ses rivales, tant les berlines et les familiales compactes que les sportives à transmission intégrale comme les Subaru WRX et STi. Si Mitsubishi peut corriger certains détails irritants, comme l'absence d'une boîte manuelle à 6 rapports, l'affaire sera « ketchup ».

2e OPINION

FRÉDÉRIC MASSE Il suffit de s'asseoir un petit instant derrière le volant et dans les sièges de la Mitsubishi Evolution pour comprendre à quel point ce modèle est une réussite. Elle est une pure merveille. Avec sa version à boîte de vitesses à double embrayage (MR), elle n'est rien d'autre qu'une voiture conçue pour être brassée. Compacte, extrêmement agile et suffisamment puissante grâce à son petit moteur de 2 litres de 291 chevaux, cette petite bête est douée. Sa transmission intégrale et sa direction ultra-précise ne font qu'ajouter à la réussite du modèle. Mettez-vous en mode Super Sport et embrayez... le temps d'une fraction de seconde sur le premier rapport et amusez-vous ! Pour ce qui est des autres versions, elles ont toutes en elles, à un degré variable, un peu d'ADN de l'Evo, en plus d'être pratique (version Sportback), bien finie, confortable et dotée d'une garantie imbattable. Que puis-je vous dire de plus ?

5 FICHE TECHNIQUE

· MOTEURS

· (DE, SE, GT)
L4 2,0 l DACT 16s 152 ch à 6000 tr/min
Couple 146 lb-pi à 4240 tr/min
Transmission manuelle à 5 rapports, CVT (option)
0-100 km/h 7,9 s
Vitesse maximale 180 km/h

· (GTS)
L4 2,4 l DACT 168 ch à 6000 tr/min
Couple 167 lb-pi à 4100 tr/min
Transmission manuelle à 5 rapports (option)
0-100 km/h 7,9 s Vitesse maximale 180 km/h
Consommation (100 km) man. 8,6 l **CVT** 8,7 l (octane 87)
Émissions de CO_2 man. 4200 kg/an
CVT 4212 kg/an
Litres par année man. 1740 l **CVT** 1740 l
Coût par an man. 1740 $ **CVT** 1740 $
Empreinte écologique 25 arbres

· (Ralliart)
L4 2,0 l biturbo DACT 237 ch à 6000 tr/min
Couple 253 lb-pi à 3000 tr/min
Transmission manuelle à 6 rapports Sportronic
0-100 km/h 6,5 s Vitesse maximale 225 km/h
Consommation (100 km) 11.0 l (octane 91)
Émissions de CO_2 man. 4560 kg/an
Carburant alternatif non
Empreinte écologique 27 arbres

· AUTRE COMPOSANTES
Sécurité active freins ABS
Suspension avant/arrière indépendante
Freins avant/arrière disques
Direction à crémaillère, assistée
Pneus DE, SE, GT P205/60R16
GTS, Ralliart P215/45R18

· DIMENSIONS
Empattement 2635 mm
Longueur 4570 mm
Largeur 1760 mm
Hauteur 1490 mm
Poids DE 1325 kg **SE** 1335 kg **GTS** 1380 kg
Ralliart 1570 kg
Diamètre de braquage 10,0 m
Coffre 348 l
Réservoir de carburant 59 l
Ralliart 55 l

NOTRE VERDICT

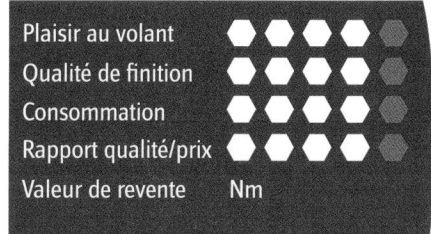

Plaisir au volant
Qualité de finition
Consommation
Rapport qualité/prix
Valeur de revente Nm

LANCER EVOLUTION

www.mitsubishi-motors.ca

N ÉVOLUTION É J

41 498 $
transport et préparation: 1560 $

LA COTE VERTE

AVEC MOTEUR L4 DE 2,0 L TURBO

- **Consommation (100km):** **man.** 10, 95 l **auto.** 10,8 l
- **Émissions polluantes CO_2 :** **man.** 5376 kg/an **auto.** 5280 kg/an
- **Empreinte écologique (nombre d'arbres à planter par année):** 24
- **Indice d'octane:** 91
- **Autre motorisation:** non
- **Coût du carburant moyen par année:** **man.** 2464 $ **auto.** 2420 $
- **Nombre de litres par année:** **man.** 2240 l **auto.** 2200 l

(SOURCE: ÉnerGuide)

1 FICHE D'IDENTITÉ

· (EVOLUTION)
L4 2,0 l biturbo DACT 291 ch à 6500 tr/min
Couple 300 lb-pi à 4000 tr/min
Transmission manuelle à 5 ou 6 rapports
0-100 km/h 5,2 s
Vitesse maximale 250 km/h

· DIMENSIONS
Empattement 2650 mm
Longueur 4545 mm
Largeur 1810 mm
Hauteur 1480 mm
Poids 1630 kg
Diamètre de braquage 11,8 m
Coffre 348 l
Réservoir de carburant 55 l
Pneus P245/40R18

2 NOUVEAUTÉS EN 2010

- Le modèle MR de base discontinué.
Nouveau groupe Tenue de route pour la GSR
Sellerie en cuir à l'avant et à l'arrière
(MR premium) Puissance de la chaîne audio Rockford passant de 650 à 710 watts
(MR premium) Essuie-glaces automatiques
(MR premium) Phares à allumage automatique
(MR premium)

ENVIE D'EVO !

PAR FRÉDÉRIC MASSE

IL Y A DE CES TEXTES QU'ON CHOISIT D'ÉCRIRE PAR ENVIE. J'ai pu essayer l'Evo à de nombreuses reprises, dans différentes conditions, et à toutes les fois ou presque, elle me l'a bien rendu. L'Evo, c'est quasiment une religion.

[CARROSSERIE] L'Evo ne gagnera pas un prix auprès de la force policière. On voit aussi mal un comptable en bas bruns roulés derrière son volant. Dans les faits, elle rappelle la voiture de rallye. Aileron surdimensionné, roues BBS de 18 pouces, trappes d'air, etc. C'est très tape-à-l'œil...

[HABITACLE] Siège Recaro et volant... ça se résume à ce que vous aurez besoin. Oui, les matériaux font bon marché pour ce prix. Oui, la position de la roulette pour régler le dossier du siège est ridicule. L'espace dans le coffre, avec la chaîne audio de 650 watts est également une aberration. Mais, sérieusement... Sommes-nous bien supportés ? Extrêmement. Et le volant... la prise en main ? Divin.

[MOTEUR] Oubliez les autres versions, si vous choisissez une Evo, prenez la MR. Sa boîte de vitesses à double embrayages permet des passages parfaits et ultra rapides. Une merveille qui vous permet de choisir trois modes de conduite : Normal, Sport et S Sport (brutal). Jumelé à cette boîte, un petit 4-cylindres de 2 litres turbocompressé de 291 chevaux qui produit un couple de 300 livres-pieds à 4000 tours par minute poussant à profusion.

[CONDUITE] Transmission intégrale, trois modes (TARMAC, GRAVEL et SNOW), différentiel central actif, contrôle actif du lacet, ressorts Eibach, jambes de force inversées à l'avant, amortisseurs Bilstein, freinage Brembo, des masses merveilleusement bien réparties. On peut la pousser à fond dans les courbes, elle les avalera d'un trait. La direction est si communicative et ses limites sont si hallucinantes que, même quand on la fait déraper, c'est un jeu d'enfant de la ramener dans le droit chemin. Petit bémol, une vraie alcoolique au carburant super... 15 litres aux 100 kilomètres !

[CONCLUSION] Rarement une voiture m'a fait tant sourire. Normalement, c'est l'apanage des 911, des R8, des M3... Mais, là, la Lancer Evolution MR m'a séduit.

+ −

FORCES · Un siège, ma chère... un siège ! · Volant et direction idéaux · Bombe sur quatre roues · Plaisir été comme hiver · Tenue de route · Boîte de vitesses de la MR géniale

FAIBLESSES · Consommation de carburant · Dimension du coffre avec la chaîne audio offerte en option · Qualité de certains matériaux · Position du réservoir de lave-glace des mains de Cerberus Capital Management. Cet ex-proprio espérait éviter la faillite en vendant les meilleurs morceaux.

Mais Chrysler fut néanmoins obligé de se placer sous la protection du Chapter 11 le 30 avril. L'alliance avec Fiat a été fortement encouragée par le gouvernement Obama parce qu'il s'agissait, selon lui, de la manière la plus rapide d'offrir une petite voiture économique aux Américains, et donc d'importer au plus vite la Fiat 500 (quatre versions devraient être offertes à compter de 2011).

Au Canada, Chrysler n'a pas perdu de marchands parce que la division canadienne n'était pas en faillite et que les concessionnaires avaient déjà, en 2000, regroupé les différentes bannières sous un même toit. « Notre réseau canadien est solide. Il y a même plusieurs concessionnaires qui ont multiplié les investissements ces derniers mois », dit Daniel Labre, directeur national des communications de Chrysler Canada.

BMW AG

Le constructeur bavarois toujours sous la coupe majoritaire de la famille Quandt, s'occupe également des marques Mini et Rolls-Royce.

DAIMLER DAIMLER AG

Les affaires marchent rondement depuis que la compagnie de Stuttgart s'est sortie de sa fâcheuse fusion avec Chrysler. Des automobiles aussi opposées que les Mercedes-Benz et les Smart se vendent à la douzaine, tandis que les limousines Maybach continuent de faire rêver.

MITSUBISHI GROUP

Il tire les ficelles du fabricant d'automobiles Mitsubishi Motors Corp. et entretient également des liens avec Isuzu (13,6%), en partenariat avec Itochu Corp. et Mizuho Corporate Bank.

SUZUKI MOTOR CORP.

La compagnie enregistre du succès avec ses motos et ses VTT mais en arrache présentement avec ses véhicules en Amérique du Nord où elle a enregistré un fort déclin de ses ventes (60,2% pour le premier semestre de 2009). Et pourtant, Suzuki maîtrise l'art des petites voitures frugales. Elle mise beaucoup sur la venue en décembre prochain de la berline intermédiaire Kizashi.

MAZDA

Le constructeur japonais fait relativement cavalier sauf en ce qui concerne Ford avec qui la relation d'affaires est tissée serrée. Ford a beau avec réduit sa participation dans Mazda à 13%, les deux constructeurs s'entraident toujours.

SUBARU

Au sein du conglomérat Fuji Heavy Industries, la division automobile poursuit son petit bonhomme de chemin, notamment au Québec où les gens apprécient la traction intégrale.

MAHINDRA & MAHINDRA LTD.

La compagnie indienne fondée en 1945 et basée à Mumbai compte réaliser une percée aux USA au printemps 2010, d'abord avec une camionnette compacte mue par une motorisation diesel turbocompressée de 140 CV. Le distributeur Global Vehicles U.S.A. Inc, d'Atlanta, organise présentement un réseau de ventes qui comptera quelque 330 marchands. Et le Canada dans tout ça? Un utilitaire, dérivé de la camionnette, devrait ensuite suivre.

TATA MOTORS LTD.

Créée en 1945, la division de Tata Group, présidé par le milliardaire Ratan Tata et sa famille, a beaucoup fait parler d'elle ces temps derniers, d'abord en se portant acquéreur de Land Rover et Jaguar (en 2008), puis en lançant la Nano, l'automobile la moins chère au monde (2 500$). L'ambitieuse compagnie ne détesterait pas l'importer en Amérique du Nord mais cela prendra du temps afin de rendre la Nano conforme aux normes de sécurité fédérales. Ce faisant, il sera impossible d'offrir l'auto au même prix qu'aux Indes mais, même si elle coûtait le double, ça ne serait quand même que 5 000$!

CHINE

De ce coin du globe, on entend dire depuis trois ans que l'un ou l'autre de ses constructeurs s'apprêteraient à envahir l'Amérique. Ça pourrait être Zhejiang Geely Automobile Group, Brillance Jinbei Automotive Co., Chery Automobile Co. (qui a failli assembler de petites voitures pour le compte de Chrysler), BYD Auto Co., Chongqing Changan Automobile Co. ou China FAW Group, ces deux derniers étant actuellement de mèche avec Ford Motor Co. pour fabriquer des autos au Mexique d'ici quelques années. Une chose est certaine : tout le monde veut une part du pâté chinois.

Si l'ensemble de ce que vous venez de lire vous semble assez dense, vous ne vous trompez pas! Jetez alors un coup d'oeil aux p'tits dessins des pages 24-25.

OUTLANDER

www.mitsubishi-motors.ca

N ÉVOLUTION É J

24 998 $ à 32 198 $
transport et préparation: 1660 $

LA COTE VERTE

MOTEUR
L4 DE 2,4 L

- **Consommation (100km):** **2RM** 9,1 l **4RM** 9,2 l
- **Émissions polluantes CO_2 :** **2RM** 4416 kg/an **4RM** 4464 kg/an
- **Empreinte écologique (nombre d'arbres à planter par année):** 26
- **Indice d'octane:** 87
- **Autre motorisation:** non
- **Coût du carburant moyen par année:** **2RM** 1840 $ **4RM** 1860 $
- **Nombre de litres par année:** **2RM** 1840 l **4RM** 1860 l

(SOURCE: ÉnerGuide)

1 FICHE D'IDENTITÉ

- **Versions** ES, LS, XLS (2RM ET 4RM)
- **Roues motrices** avant, 4
- **Portières** 4 **Nombre de passagers** 5 ou 7
- **Première génération** 2003
- **Génération actuelle** 2007
- **Construction** Mizushima, Japon
- **Sacs gonflables** 7 (frontaux, latéraux, rideaux gonflables, genoux conducteur)
- **Concurrence** Chevrolet Equinox, Ford Escape, Honda CR-V, Hyundai Tucson, Jeep Liberty, Nissan Rogue, Subaru Forester, Suzuki Grand Vitara, Toyota RAV-4

2 AU QUOTIDIEN

- **Prime d'assurance**
  25 ans: 1500 à 1700 $
  40 ans: 1100 à 1300 $
  60 ans: 900 à 1100 $
- **Collision frontale** 5/5
- **Collision latérale** 5/5
- **Ventes du modèle de l'an dernier**
  Au Québec 2352 **Au Canada** 6507
- **Dépréciation** (2 ans) 36.6%
- **Rappels** (2004 à 2009) 3
- **Cote de fiabilité** 5/5

3 GARANTIES... ET PLUS

- **Garantie générale** 5 ans/100 000 km
- **Garantie motopropulseur** 10 ans/160 000 km
- **Perforation** 7 ans/160 000 km
- **Assistance routière** 5 ans/kilométrage illimité
- **Nombre de concessionnaires**
  Au Québec 26 **Au Canada** 71

4 NOUVEAUTÉS EN 2010

- Nouvel avant, Assistance de démarrage en côte (4RM), V6 plus puissant

L'ÉTOILE MONTANTE

PAR PHILIPPE LAGUË

DEPUIS SA REFONTE, IL Y A TROIS ANS, LES VENTES DU MITSUBISHI OUTLANDER ONT PLUS QUE DOUBLÉ. Il est vrai qu'il propose de solides arguments : en plus d'être fiable, il est protégé par la meilleure garantie de l'industrie et, pour couronner le tout, il coûte moins cher que les autres VUS japonais.

[CARROSSERIE] De l'avis – très subjectif – de l'auteur de ces lignes, c'est le plus réussi de sa catégorie sur le plan esthétique. Côté dimensions, l'Outlander se situe dans la moyenne supérieure. Ce n'est ni le plus haut, ni le plus large, mais c'est toutefois le plus long (ex-æquo avec le Nissan Rogue). C'est aussi l'un des rares VUS compacts à proposer une troisième banquette. Celle-ci doit cependant être considérée comme un siège d'appoint, car elle ne peut accueillir que de très jeunes enfants.

[HABITACLE] Comme c'est le cas des autres modèles de la marque, il y a beaucoup de plastique à l'intérieur. Ce n'est pas joyeux non plus : la présentation est franchement austère. Mais l'essentiel est là : le tableau de bord, constitué de deux gros cadrans, est facile à consulter, et les trois grosses mollettes pour le chauffage et la climatisation sont aussi faciles à manipuler. Les sièges sont bien rembourrés, mais fermes. À l'avant, les baquets procurent un bon maintien latéral et un bon soutien lombaire; à l'arrière, toutefois, la banquette est vraiment trop ferme. Dure, même. Mais que d'espace ! Pour la tête, les jambes... L'Outlander offre également l'une des meilleures capacités de chargement dans cette catégorie. De plus, les espaces de rangement abondent dans l'habitacle.

[MÉCANIQUE]Le V6 a du cœur au ventre, mais il brille aussi, comme la plupart des moteurs japonais, par sa souplesse et son silence de roulement. Sa consommation est raisonnable, mais si c'est votre priorité, optez plutôt pour le 4-cylindres : vous gagnerez facilement 2 litres aux 100 kilomètres. Ce 4-cylindres propose juste ce qu'il faut de puissance et de couple pour rivaliser avec les ténors de sa catégorie. Il peut être accouplé à une boîte de vitesses à variation

FORCES • Physique agréable • Habitacle fonctionnel et spacieux • Très bonne mécanique • Garantie • Rapport qualité-prix • Fiabilité

FAIBLESSES •Abondance de plastique à l'intérieur • Banquette arrière trop ferme • Troisième banquette symbolique • Bruits de roulement • Notoriété pas encore acquise

OUTLANDER

continue, tandis que le V6 a droit à une boîte automatique à 6 rapports avec un mode manuel. Sauf erreur, l'Outlander est le seul de sa catégorie à être muni de leviers de sélection au volant pour changer les rapports (entre vous et moi, dans ce type de véhicule, c'est franchement inutile). Tous les organes mécaniques exécutent un travail irréprochable, que dis-je, exemplaire. Les moteurs, les boîtes de vitesses, le freinage – puissant –, mais aussi la direction, bien dosée, rapide, avec un court rayon de braquage. Vraiment, c'est de la bonne mécanique.

[COMPORTEMENT] Au Québec, ce ne sont pas les endroits qui manquent pour vérifier le travail des trains roulants d'un véhicule. L'une des portions d'un parcours que j'utilise régulièrement pour mes essais routiers est en piteux état – ça vous étonne ? – et les suspensions de l'Outlander ont pu montrer leur efficacité. Les trous, les fissures, les bosses étaient absorbés avec doigté, sans altérer le confort. Une seule lacune digne de mention : les bruits de roulement. L'amortissement est souple mais bien calibré et ne pénalise aucunement la tenue de route, très solide. Dans les virages, la caisse penche; cependant, si on accélère, elle se braque et la motricité de la transmission intégrale fait le reste. L'Outlander est aussi offert en version à deux roues motrices, mais au Québec, c'est moins pertinent...

[CONCLUSION] Spacieux, silencieux, confortable et fiable, l'Outlander est, de surcroît, protégé par une garantie de base plus longue que celle de ses concurrents. Qui plus est, il est offert à un prix très concurrentiel. Et même si Mitsubishi ne jouit pas de la même notoriété que Honda, Toyota, Nissan ou Mazda, la qualité est comparable. Pour ces raisons, l'Outlander est l'étoile montante de ce segment et constitue une réelle menace pour les CR-V, RAV4, Forester et Cie.

2e OPINION

FRANCIS BRIÈRE Le marché des petits véhicules utilitaires à caractère sportif ne semble pas s'essouffler. À preuve, les constructeurs se battent pour obtenir leur petite part en proposant des produits qui se ressemblent tous à peu de choses près. L'Outlander se distingue par son petit côté sportif et jeune qui plaît. Si l'on retrouve des matériaux de qualité discutable à l'intérieur, Mitsubishi a décidé de gagner le cœur de la jeunesse en y insérant une chaîne audio à vous défoncer les tympans. Pour le reste, il est plaisant à conduire, possède un système à quatre roues motrices (qu'on peut verrouiller) et un hayon rabattable. Pour satisfaire encore davantage son propriétaire : il n'est pas si gourmand à la pompe. Si son prix vous convient, en voilà un qui risque de trouver preneur !

5 FICHE TECHNIQUE

· MOTEURS

· (ES)

L4 2,4 l SACT 168 ch à 6000 tr/min
Couple 167 lb-pi à 4100 tr/min
Transmission CVT
0-100 km/h 11,2 s
Vitesse maximale 190 km/h

· (LS, XLS)

V6 3,0 l DACT, 230 ch à 6250 tr/min
Couple 204 lb-pi à 4000 tr/min
Transmission automatique à 6 rapports avec mode manuel Sportronic
0-100 km/h 10 s
Vitesse maximale 190 km/h
Consommation (100 km) 10,4 l (octane 87)
Émissions de CO_2 4944 kg/an
Litres par année 2060 l
Coût par an 2060 $
Carburant alternatif non
Empreinte écologique 30 arbres

· AUTRE COMPOSANTES

Sécurité active freins ABS, antipatinage
Suspension avant/arrière indépendante
Freins avant/arrière disques
Direction à crémaillère, assistée
Pneus ES/LS P215/70R16 **XLS** P225/55R18

· DIMENSIONS

Empattement 2670 mm
Longueur 4640 mm
Largeur 1800 mm
Hauteur 1680 mm
Poids ES 2RM 1540 kg **LS 4RM** 1667 kg **XLS 4RM** 1715 kg
Diamètre de braquage 10,6 m
Coffre 422 l, 2056 l (sièges abaissés)
Réservoir de carburant 2RM 63 l **4RM** 60 l
Capacité de remorquage ES 680 kg **LS** 1588 kg

NOS MENTIONS

Modèle recommandé

NOTRE VERDICT

Plaisir au volant
Qualité de finition
Consommation
Rapport qualité/prix
Valeur de revente

370Z

www.nissan.ca

N ÉVOLUTION É J

39 998 $ à 52 798 $
transport et préparation: 1500 $

LA COTE VERTE

AVEC MOTEUR V6 DE 3,5 L

Consommation (100km):
man. 10,0 l
auto. 9,9 l
- **Émissions polluantes CO_2 :**
man. 4752 kg/an
auto 4656 kg/an
- **Empreinte écologique (nombre d'arbres à planter par année):** 28
- **Indice d'octane:** 91
- **Autre motorisation:** non
- **Coût du carburant moyen par année:**
man. 2178$
auto. 2134$
- **Nombre de litres par année:**
man. 1980 l
auto. 1940 l

(SOURCE: ÉnerGuide)

1 FICHE D'IDENTITÉ

- **Versions** Grand Touring, Performance, Roadster
- **Roues motrices** arrière
- **Portières** 2 **Nombre de passagers** 2
- **Première génération** 1970
- **Génération actuelle** 2009
- **Construction** Tochigi, Japon
- **Sacs gonflables** 4, frontaux et latéraux
- **Concurrence** Audi TT, BMW Z4 et Série 3 coupé, Chevrolet Corvette, Infiniti G37 coupé, Mazda RX-8, Mercedes-Benz SLK, Porsche Boxster / Cayman

2 AU QUOTIDIEN

- **Prime d'assurance**
  25 ans: 3000 à 3200 $
  40 ans: 1600 à 1800 $
  60 ans: 1400 à 1600 $
- **Collision frontale** 4/5
- **Collision latérale** 5/5
- **Ventes du modèle de l'an dernier**
  Au Québec 58 **Au Canada** 311
- **Dépréciation** (3 ans) 34,3%
- **Rappels** (2004 à 2009) 2
- **Cote de fiabilité** 4/5

3 GARANTIES... ET PLUS

- **Garantie générale** 3 ans/60 000 km
- **Garantie motopropulseur** 5 ans/100 000 km
- **Perforation** 5 ans/kilométrage illimité
- **Assistance routière** 3 ans/kilométrage illimité
- **Nombre de concessionnaires**
  Au Québec 47 **Au Canada** 148

4 NOUVEAUTÉS EN 2010

- version 370Z décapotable, prise IPod remplacée par prise USB, connectivité Bluethooth ajoutée au système de navigation

TOUJOURS L'UNE DES MEILLEURES !

PAR ALEXANDRE CRÉPAULT

LA 350Z A ÉTÉ, SANS L'OMBRE D'UN DOUTE, L'UNE DES SPORTIVES LES PLUS POPULAIRES DE LA DÉCENNIE. Avec des centaines de milliers d'exemplaires vendus partout dans le monde, elle aura permis à Nissan de redorer l'image de la marque. Depuis l'été dernier, Nissan a renouvelé son offre avec la nouvelle 370Z. Une meilleure Z ? Sans aucun doute !

[CARROSSERIE] Pour commencer, la 370Z est plus courte et plus large que sa devancière. Voilà la preuve que Nissan mise avant tout sur les performances. Si on place la « vieille » et la «jeune» côte à côte, on remarque que des centimètres de cette dernière ont été retranchés de la partie arrière. Résultat : le long capot impose sa présence de même que les nouveaux phares en forme de crochet. Les ailes arrière, bien larges, accentuent l'impression de muscle. La forme du toit en dos de chameau permet d'augmenter l'espace pour la tête des occupants. Et là où ce toit rejoint le pare-brise, ça nous rappelle les lignes de la grande sœur GT-R. Au moment de lire ces lignes, une version décapotable aura rejoint les rangs du coupé.

[HABITACLE] La 370Z frappe là où le modèle précédent perdait des points, c'est-à-dire dans l'habitacle. Du cuir et du suède tapissent les différentes surfaces et contribuent à la richesse de l'intérieur sans qu'on n'ait à casser sa tire-lire. Bonne joueuse, toutefois, elle reprend les meilleurs éléments de sa devancière, comme le volant et les cadrans, tous réglables en hauteur. Trois indicateurs supplémentaires dominent toujours la partie centrale du tableau de bord, et les sièges en cuir offrent un confort et un maintien dignes d'une voiture sport haut de gamme. L'espace de rangement derrière les bancs a également été amélioré, et la barre stabilisatrice qui, autrefois, dérangeait en plein milieu du coffre, a été déplacée vers l'avant de façon à maximiser le volume de chargement du véhicule.

FORCES • Puissance en hausse • Style à la fois classique et moderne • Intérieur supérieur

FAIBLESSES • Sous-virage à la limite • Prix canadiens contre américains • Édition Nismo absente du catalogue canadien

[MÉCANIQUE] L'évolution mécanique de la Z était évidente. Le vénérable VQ35 ayant pris sa retraite, on trouve maintenant un V6 de 3,7 litres générant une puissance de 333 chevaux et produisant un couple de 270 livres-pieds. La boîte manuelle à 6 rapports rapprochés, offre (en option) le système baptisé SynchroRev Match, qui égalise de lui-même les révolutions du moteur au moment de rétrograder, exactement comme le ferait un parfait pointe-talon. Quant à la boîte automatique à 7 rapports, on peut l'utiliser en mode manuel grâce à deux leviers de sélection montés derrière le volant. Cette boîte permet aussi de régulariser les régimes moteur lors des rétrogradations. Toute cette belle puissance se rend jusqu'au bitume par l'entremise des deux roues arrière et d'un différentiel à glissement limité visqueux.

[COMPORTEMENT] La première chose qui frappe au volant de la 370Z, c'est l'augmentation de puissance en comparaison avec la 350Z. Si cette dernière était amusante, la 370Z se révèle puissante et peut, à la limite, mettre son pilote dans le pétrin s'il ne fait pas gaffe. Bien sûr, des dispositifs électroniques – bien trop intrusifs à mon goût – jouent le rôle de filet de sécurité pour les pilotes un peu trop téméraires. Cela dit, Nissan offre toujours la possibilité de désactiver complètement l'antipatinage à l'accélération et le système de contrôle de la stabilité. Là, le pilote peut pousser la machine à sa guise. La suspension à quatre roues indépendantes combinée aux immenses roues en alliage léger de 19 pouces enrobées des Bridgestone Potenza ultra collants montre un degré d'adhérence assez élevé, du moins jusqu'à ce qu'un sous-virage vienne gâcher la fête. Jouer avec le transfert de poids et la puissance aux roues permettra de transformer ce méchant sous-virage en survirage. L'autre solution consiste à modifier les réglages de la suspension et des barres stabilisatrices grâce aux produits Nismo, entre autres. Il est à noter que les freins à 4 pistons Akebono font un très bon travail et n'ont rien à envier aux anciens Brembo.

[CONCLUSION] La 370Z se révèle l'une des meilleures voitures sport accessibles sur le marché. Pour les mordus des fins de semaine en piste, une révision des suspensions s'impose. Enfin, notre seul regret demeure la différence de prix, inacceptable, entre les marchés canadien et américain. L'absence du modèle Nismo, offert aux Etats-Unis, est aussi décevante.

2e OPINION

FRANCIS BRIÈRE Nissan propose une 370Z musclée, équipée d'une boîte de vitesses manuelle qui transmet merveilleusement bien les sensations de conduite sportive. La pédale d'embrayage est dure et précise, les changements de rapport sont courts. On vous offre également une boîte automatique avec mode manuel et leviers de sélection au volant. Choisissez la première des deux, elle vous procurera beaucoup plus de plaisir. J'apprécie également l'intérieur de cette voiture bien pensé : sièges sport très ergonomiques, volant agressif, tableau de bord au goût du jour. La 370Z représente un bon choix pour l'amateur de sportive à propulsion qui ne souhaite pas se ruiner. En revanche, un tour de piste vous fera réaliser que cette voiture souffre d'un excès de poids. Après, on peut bien vivre avec !

(5) FICHE TECHNIQUE

· MOTEUR

V6 3,7 l DACT 332 ch à 7000 tr/min
Couple 270 lb-pi à 5200 tr/min
Transmission manuelle à 6 rapports, automatique à 7 rapports avec mode manuel (option)
0-100 km/h 5,9 s
Vitesse maximale 250 km/h

· AUTRES COMPOSANTES

Sécurité active freins ABS, antipatinage, contrôle de stabilité électronique (Performance), assistance au freinage, distribution électronique de force de freinage
Suspension avant/arrière indépendante
Freins avant/arrière disques
Direction à crémaillère, assistée
Pneus P225/45R18 (av.), P245/45R18 (ar.)

· DIMENSIONS

Empattement 2550 mm
Longueur 4246 mm
Largeur 1848 mm
Hauteur coupé 1317 mm, **déc.** 1326 mm
Poids Performance 1488 kg, **Roadster** 1554 kg
Diamètre de braquage 10,8 m
Coffre coupé 195 l, **déc.** 116 l
Réservoir de carburant 71,9 l

NOS MENTIONS

Modèle recommandé

NOTRE VERDICT

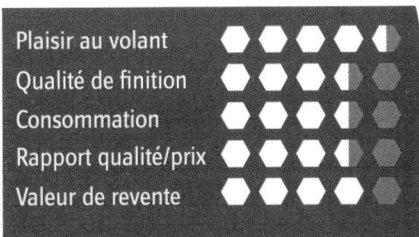

Plaisir au volant
Qualité de finition
Consommation
Rapport qualité/prix
Valeur de revente

ALTIMA / HYBRIDE

www.nissan.ca

N ÉVOLUTION É J

25 998 $ à 29 998 $
transport et préparation: 1400 $

LA COTE VERTE

MOTEUR
L4 DE 2,5 L HYBRIDE

- **Consommation (100km):** 5,8 l
- **Émissions polluantes CO_2 :** 2784 kg/an
- **Empreinte écologique (nombre d'arbres à planter par année):** 16
- **Indice d'octane:** 87
- **Autre motorisation:** hybride
- **Coût du carburant moyen par année:** 1160 $
- **Nombre de litres par année:** 1160 l

(SOURCE: ÉnerGuide)

1 FICHE D'IDENTITÉ

- **Versions** 2.5S, 3.5S, 3.5SE, Hybride
- **Portières** 2, 4 **Nombre de passagers** 5
- **Première génération** 1993
- **Génération actuelle** 2007
- **Construction** Canton, Mississippi, Smyrna et Sechard, Tennessee, É.-U.
- **Sacs gonflables** 6 (frontaux, latéraux avant, rideaux latéraux ; latéraux et rideaux en option sur 2.5S et 3.5S)
- **Concurrence** Chevrolet Malibu, Chrysler Sebring, Honda Accord, Hyundai Sonata, Kia Magentis, Mazda*6*, Mitsubishi Galant, Subaru Legacy, Toyota Camry, Volkswagen Passat

2 AU QUOTIDIEN

- **Prime d'assurance**
  25 ans: 1600 à 1800 $
  40 ans: 1000 à 1100 $
  60 ans: 900 à 1100 $
- **Collision frontale** 4/5
- **Collision latérale** 3/5
- **Ventes du modèle de l'an dernier**
  Au Québec 4227 **Au Canada** 16 676
- **Dépréciation** 64,3%
- **Rappels** (2004 à 2009) 6
- **Cote de fiabilité** 3/5

3 GARANTIES... ET PLUS

- **Garantie générale** 3 ans/60 000 km
- **Garantie motopropulseur** 5 ans/100 000 km
- **Perforation** 5 ans/kilométrage illimité
- **Assistance routière** 3 ans/kilométrage illimité
- **Nombre de concessionnaires**
  Au Québec 47 **Au Canada** 148

4 NOUVEAUTÉS EN 2010

- Aucun changement majeur

BIEN VIEILLIR

PAR PHILIPPE LAGUË

LA HONDA ACCORD ET LA TOYOTA CAMRY SONT LES REINES DE LA CATÉGORIE DES BERLINES INTERMÉDIAIRES, MAIS DEPUIS QUE NISSAN A REMPLACÉ LA DÉFUNTE STANZA PAR L'ALTIMA, EN 1993, CELLE-CI A CONNU UNE PROGRESSION, AU POINT DE TALONNER LES DEUX AUTRES AU CHAPITRE DES VENTES.

[CARROSSERIE] Le coupé et la berline utilisent la même plateforme, mais, vocation oblige, le premier est moins long, moins haut, et son empattement est plus court. Dans les deux configurations, le coffre arrière est généreux en espace, mais, dans la version hybride, ça se gâte sérieusement en raison de la présence de la batterie derrière le dossier de la banquette, lequel ne s'incline pas, de surcroît. Le coupé a de la gueule, ce qui est une bonne chose car c'est le critère numéro 1 pour la clientèle cible. Quant à la berline, elle vieillit très bien.

[HABITACLE] Lorsque Renault s'est porté acquéreur de Nissan, la qualité d'assemblage en a pris un coup, surtout la finition. On était loin des standards japonais, et plus près des Américains... Au moins, les critiques ont été entendues, et le tir a été corrigé. Il y a moins de plastique qu'auparavant, et la qualité de construction s'est nettement améliorée, tout comme l'insonorisation. L'habitacle est confortable, à l'avant comme à l'arrière. Le conducteur prend place dans un gros baquet bien rembourré; le maintien latéral est correct, mais il pourrait y en avoir un peu plus. À l'arrière, l'espace pour la tête et les jambes est satisfaisant, mais il y en a moins que dans une Accord, une Camry ou une Malibu. Dans le coupé, c'est radical : seuls des enfants pourront prendre place à l'arrière.

[MÉCANIQUE] Malgré la réticence du grand patron, Carlos Ghosn, la gamme Nissan compte finalement une voiture hybride. C'est l'Altima qui a été choisie, et Nissan a tout simplement acheté la technologie de sa rivale, Toyota. Adaptée par Nissan, elle n'a pas le même raffinement, le passage du mode carburant au mode électricité étant plus brusque dans l'Altima que dans la Camry, tout comme les accélérations. Sinon, on retrouve cette douceur propre aux engins hybrides. Les deux

FORCES · Lignes qui vieillissent bien · Finition en progrès · Trio de moteurs · Consommation frugale · Conduite inspirée · Fiabilité

FAIBLESSES · Petit coffre (Hybrid) · Places arrière symboliques (coupé) · Sièges manquant de maintien · Changement de mode brusque (Hybrid)

motorisations régulières de cette berline brillaient déjà par leur petite soif, et l'Altima Hybrid fait encore mieux : nous avons obtenu une moyenne de 7,5 litres aux 100 kilomètres, ce qui est vraiment impressionnant pour une berline intermédiaire. Avec une conduite éconergétique, nous avons même réussi à obtenir 6,6 litres aux 100 kilomètres. Deux autres motorisations sont offertes : un 4-cylindres de 2,5 litres et un V6 de 3,5 litres. Ce solide trio de moteurs constitue l'une des principales forces de l'Altima, qui n'a rien à envier à l'Accord ou à la Camry à ce chapitre. Le seul hic, c'est que ces moteurs sont jumelés à une boîte de vitesses à variation continue (CVT). Il faut aimer, ce qui n'est pas mon cas. Le but est d'optimiser la consommation de carburant et force est d'admettre que c'est réussi, alors je m'incline. Une boîte manuelle à 6 rapports est également offerte, mais pas dans l'hybride.

[COMPORTEMENT] Autre point en faveur de l'Altima face à l'Accord et à la Camry : sa conduite plus affirmée et moins ennuyeuse. Tout part de la direction, précise et parfaitement dosée. Le comportement général est dans la même veine : l'aplomb de cette berline lui donne une touche plus européenne, qui la démarque de ses compatriotes. Le confort n'est nullement altéré par les qualités routières, preuve de l'équilibre remarquable de l'Altima qui repose sur une excellente plateforme. La douceur de roulement a beaucoup contribué à la réputation des voitures japonaises, et ça se confirme une fois de plus avec l'Altima.

[CONCLUSION] Même si elle vit dans l'ombre de l'Accord et de la Camry, l'Altima n'a rien à leur envier et demeure l'une des meilleures voitures de ce créneau hautement concurrentiel. En plus de posséder les qualités habituelles des voitures japonaises – qualité de construction, confort, fiabilité – elle montre plus de caractère, de dynamisme que la plupart de ses compatriotes, trop aseptisées au goût de plusieurs.

2e OPINION

BENOIT CHARETTE C'est sur les épaules de cette voiture que repose le sort des berlines à grande diffusion de Nissan. C'est pour cette raison qu'il est possible de posséder une Altima en version berline, coupé et, même, hybride. La voiture n'a pas le succès d'une Camry et pas encore la réputation d'une Honda Accord, mais les efforts sont là, car elle tient la troisième place au palmarès. Certains en parlent comme la BMW à traction des berlines abordables en raison de son plaisir de conduire plus évident que ses concurrentes. Sans pousser la comparaison aussi loin, il est juste d'affirmer que les moteurs sont performants, et que l'espace est généreux. La meilleure offre repose encore avec la version 2.5S, et ceux qui veulent un joli coupé à prix réaliste seront aussi bien servis.

ALTIMA / HYBRIDE

5 FICHE TECHNIQUE

· MOTEURS

· (2.5S)
L4 2,5 l DACT, 175 ch à 5600 tr/min
Couple 180 lb-pi à 3900 tr/min
Transmission manuelle à 6 rapports, CVT (en option)
0-100 km/h 8,8 s
Vitesse maximale 190 km/h

· (3.5S et SE)
V6 3,5 l DACT, 270 ch à 6000 tr/min
Couple 258 lb-pi à 4400 tr/min
Transmission manuelle à 6 rapports, CVT (en option)
0-100 km/h 7,4 s
Vitesse maximale 215 km/h
Consommation (100 km) **man.** 9,3 l
CVT. 9,1 l (octane 91)
Émissions de CO_2 4608 kg/an **CVT** 4512 kg/an
Litres par année man. 1920 l **CVT** 1880 l
Coût par an man. 2112 $ **CVT** 2068 $
Empreinte écologique 27 arbres

· (HYBRIDE)
L4 2,5 l DACT, 158 ch à 5200 tr/min
Couple moteur électrique de 185 kW
Transmission CVT
0-100 km/h 8,0 s
Vitesse maximale 200 km/h
Émissions de CO_2 2784
Litres par année 1160 l
Coût par an 1160 $
Empreinte écologique 27 arbres

· AUTRES COMPOSANTES
Sécurité active freins ABS, assistance au freinage, distribution électronique de force de freinage, antipatinage
Suspension avant/arrière indépendante
Freins avant/arrière disques
Direction à crémaillère, assistée
Pneus P215/60R16 **SE** P215/55R17
SE coupé P235/45R18

· DIMENSIONS
Empattement 2776 mm **coupé** 2675 mm
Longueur 4821 mm **coupé** 4636 mm
Largeur 1796 mm
Hauteur 1471 mm **coupé** 1405 mm
Poids coupé S 1385 kg **SE** 1454 kg
Diamètre de braquage S 10,6 m
coupé SE 11,0 m
Coffre 371 l **coupé** 210 l **hybride** 218 l
Réservoir de carburant 76 l

NOS MENTIONS

Modèle recommandé

NOTRE VERDICT

Plaisir au volant
Qualité de finition
Consommation
Rapport qualité/prix
Valeur de revente

ARMADA

www.nissan.ca

N ÉVOLUTION É J

55 398 $
transport et préparation: 1500 $

LA COTE VERTE

AVEC MOTEUR V8 DE 5,6 L

- **Consommation (100km):** 14,9 l
- **Émissions polluantes CO_2 :** 7296 kg/an
- **Empreinte écologique (nombre d'arbres à planter par année):** 45
- **Indice d'octane:** 87
- **Autre motorisation:** non
- **Coût du carburant moyen par année:** 2940 $
- **Nombre de litres par année:** 2940 l

(SOURCE: ÉnerGuide)

1 FICHE D'IDENTITÉ

- **Versions** Édition Platine
- **Roues motrices** 4
- **Portières** 4 **Nombre de passagers** 8
- **Première génération** 2004
- **Génération actuelle** 2004
- **Construction** Canton, Mississippi, É.-U.
- **Sacs gonflables** 6 (frontaux, latéraux avant, rideaux latéraux)
- **Concurrence** Chevrolet Tahoe/Suburban, Ford Expedition, GMC Yukon/Yukon XL, Toyota Sequoia

2 AU QUOTIDIEN

- **Prime d'assurance**
  25 ans: 2300 à 2500 $
  40 ans: 1300 à 1500 $
  60 ans: 1100 à 1300 $
- **Collision frontale** 4/5
- **Collision latérale** 4/5
- **Ventes du modèle de l'an dernier**
  Au Québec 12 **Au Canada** 100
- **Dépréciation** 50,5%
- **Rappels** (2004 à 2009) 1
- **Cote de fiabilité** 4/5

3 GARANTIES... ET PLUS

- **Garantie générale** 3 ans/60 000 km
- **Garantie motopropulseur** 5 ans/100 000 km
- **Perforation** 5 ans/kilométrage illimité
- **Assistance routière** 3 ans/kilométrage illimité
- **Nombre de concessionnaires**
  Au Québec 47 **Au Canada** 148

4 NOUVEAUTÉS EN 2010

- Nouvelles roues de 20po.
- Nouvelle version - Armada Platinum Edition (remplace l'Armada LE, une version précédente)
  Supports de moteur révisés.
  Trois nouvelles couleurs extérieures

MAMMOUTH DE LA ROUTE

PAR MICHEL CRÉPAULT

CE N'EST QUAND MÊME PAS PARCE QU'IL Y AURAIT UN SEMBLANT DE REPRISE ÉCONOMIQUE À L'HORIZON, SELON LA BOULE DE CRISTAL QU'ON UTILISE, QUE NISSAN SE DÉFONCERA POUR POPULARISER L'ARMADA. Après tout, il est gros pas pour rire ! Et la tendance actuelle serait plutôt vers le compact et le frugal. Voilà pourquoi, pour 2010, le constructeur asiatique, à défaut de nous présenter un Armada électrique ou à tout le moins hybride, limitera ses efforts à un seul modèle, soit l'édition Platine qui remplacera la version LE. Quant à donner dans le gigantisme, aussi bien s'assumer jusqu'au bout !

[CARROSSERIE] Le modèle Platine célèbre le nouveau millésime avec l'inclusion, de série, d'énormes roues chromées de 20 pouces, des moulures latérales avec accent de chrome et du brillant sur les rails du toit et l'échappement. Échafaudé sur le squelette de la camionnette Titan, l'Armada peut transporter jusqu'à huit personnes, et personne ne se sentira à l'étroit.

[HABITACLE] Avec une mention Platine accolée à son historique, on s'attend à ne manquer de rien. L'Armada ne déçoit pas à ce chapitre : la clé intelligente (elle mémorise vos réglages du fauteuil, du pédalier et des rétroviseurs selon vos préférences, et tout cela du fond de votre poche ou de votre sacoche), le cuir tendre, une caméra de recul, une connectivité Bluetooth, une sono Bose à 11 haut-parleurs, un volant et des sièges avant chauffants, une ouverture du hayon assistée, un panneau de toit ouvrant et un système de divertissement DVD pour toute la famille sont quelques-unes des gâteries qui récompenseront l'heureux propriétaire. Seul le système de navigation à reconnaissance vocale et un disque dur de 9,3 gigaoctets pour transporter votre discothèque où que vous alliez demeurent du côté des options (on parle quand même ici de 2 900 chansons, alors bye-bye les CD éparpillés dans la cabine). La rangée du fond est rabattable électriquement en configuration 60/40. Ce faisant, vous transformez en caverne la soute à bagages qui, paraît-il, chevauche plus

FORCES • Malgré les kilos, belle aisance sur la route • Des litres et des litres d'espace • Capacité de remorquage herculéenne

FAIBLESSES • Mécanique fiable mais rétrograde • Esclave des pétrolières

ARMADA

d'un fuseau horaire... La capacité totale atteint alors 2 750 litres (ou 97,1 pieds cubes).

[MÉCANIQUE] Le mastodonte de plus de 2 600 kilos est toujours équipé d'un V8 à 32 soupapes de 5,6 litres développant 317 chevaux et produisant un couple de 385 livres-pieds. La boîte de vitesses est une automatique à 5 rapports, et la transmission est intégrale, assistée d'un boîtier de transfert à deux régimes. Une suspension indépendante à double triangle assure le confort à bord, alors que l'ABS, la répartition électronique du freinage et le contrôle dynamique du véhicule veillent de manière active à votre sécurité.

[COMPORTEMENT] Le châssis en échelle de l'Armada le rend susceptible d'absorber en rigolant les rigueurs d'une balade hors route. Si l'idée ne nous vient pas tout de suite d'aller cueillir des bleuets avec l'Armada, sachez que des entrepreneurs se tournent volontiers vers cette bête de somme pour écumer les chantiers de construction. La suspension pneumatique à l'arrière permet de conserver une assiette rectiligne et une garde au sol optimale, peu importe le chargement du véhicule. Mesurée à 9 000 livres, la capacité de remorquage de l'Armada frôle le spectaculaire. Pas besoin d'un dessin pour comprendre que tout dessein de conduite sportive est voué à l'échec. En ligne droite, l'Armada se comporte en locomotive sur coussins d'air. Dans les virages, il commande le respect. Au freinage, vaut mieux prévenir et actionner les disques en se réservant une marge de manœuvre supplémentaire. Faut-il souligner que la consommation de carburant ne vous vaudra pas une souscription à vie chez Green Peace. Pour amadouer les écolos, vous devrez planter les 45 arbres par année nécessaires pour effacer votre empreinte écologique.

[CONCLUSION] Il faut réellement avoir besoin de ce monstre pour mieux accomplir son boulot avant de considérer son achat. Et les reçus de carburant sont admissibles par le fisc. À moins d'avoir une tribu à transporter régulièrement et de ne pas avoir confiance dans le permis de conduire des autres. Vous serez donc au volant d'un char d'assaut ouaté. Bonne route et bonne conscience !

2e OPINION

FRANCIS BRIÈRE Personnellement, je vois deux désavantages importants en ce qui a trait au Nissan Armada. Le premier, c'est son prix, le second, le coût en carburant. Si l'on pouvait faire abstraction des deux, je songerais sérieusement à me procurer un Armada. À moins que vous ne rouliez un véhicule récréatif, jamais vous ne pourrez bénéficier d'autant d'espace ! L'Armada se compare aux concurrents pour le confort qu'il procure, pour sa douceur de roulement, pour son luxe et son habitabilité. Je concède cependant un léger avantage à l'Armada pour son habitacle, plus intéressant que celui du Toyota Sequoia. Bien entendu, ces gros éléphants de la route n'intéressent pas tout le monde. Heureusement ! Mais pour l'entrepreneur qui a besoin d'espace, c'est le Pérou !

5 FICHE TECHNIQUE

MOTEUR
V8 5,6 l DACT, 317 ch à 5200 tr/min
Couple 385 lb-pi à 3400 tr/min
Transmission automatique à 5 rapports
0-100 km/h 7,5 s
Vitesse maximale 180 km/h

AUTRES COMPOSANTES
Sécurité active freins ABS, assistance au freinage, distribution électronique de force de freinage, contrôle de stabilité, antipatinage
Suspension avant/arrière indépendante
Freins avant/arrière disques
Direction à crémaillère, assistée
Pneus P265/60R20

DIMENSIONS
Empattement 3129 mm
Longueur 5276 mm
Largeur 2014 mm
Hauteur 1981 mm
Poids 2652 kg
Diamètre de braquage 12,5 m
Coffre 566 l, 2750 l (sièges abaissés)
Réservoir de carburant 105 l
Capacité de remorquage 4082 kg

NOTRE VERDICT

Plaisir au volant	3,5/5
Qualité de finition	3,5/5
Consommation	2/5
Rapport qualité/prix	3/5
Valeur de revente	3/5

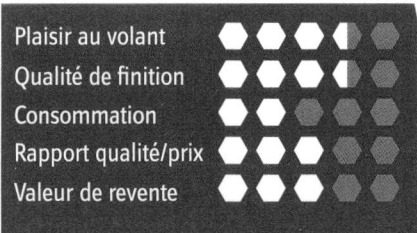

CUBE

www.nissan.ca

N NOUVEAUTÉ É J

16 998 $ à 20 698 $
transport et préparation: 1500 $

AVEC MOTEUR L4 DE 1,8 L

- **Consommation (100km):** **man.** 7,1 l **CVT** 6,8 l
- **Émissions polluantes CO_2 :** **man.** 3456 kg/an **CVT** 3264 kg/an
- **Empreinte écologique (nombre d'arbres à planter par année):** 20
- **Indice d'octane:** 87
- **Autre motorisation:** non
- **Coût du carburant moyen par année:** **man.** 1440 $ **CVT** 1360 $
- **Nombre de litres par année:** **man.** 1440 l **CVT** 1360 l

(SOURCE: ÉnerGuide)

1 FICHE D'IDENTITÉ

- **Versions** 1.8 S, 1.8 SL
- **Roues motrices** avant
- **Portières** 4 **Nombre de passagers** 5
- **Première génération** 2010
- **Génération actuelle** 2010
- **Construction** Aguascalientes, Mexique
- **Sacs gonflables** 6, frontaux, latéraux
- **Concurrence** Kia Soul, Scion Xb (à venir)

2 AU QUOTIDIEN

- **Prime d'assurance**
  25 ans: 1900 à 2100 $
  40 ans: 1000 à 1100 $
  60 ans: 800 à 1000 $
- **Collision frontale** nm
- **Collision latérale** nm
- **Ventes du modèle de l'an dernier**
  Au Québec nm **Au Canada** nm
- **Dépréciation** nm
- **Rappels** (2004 à 2009) nm
- **Cote de fiabilité** nm

3 GARANTIES... ET PLUS

- **Garantie générale** 3 ans/60 000 km
- **Garantie motopropulseur** 5 ans/100 000 km
- **Perforation** 5 ans/kilométrage illimité
- **Assistance routière** 3 ans/kilométrage illimité
- **Nombre de concessionnaires**
  Au Québec 47 **Au Canada** 148

4 NOUVEAUTÉS EN 2010

- Nouveau modèle

COMME SI VOUS ÉTIEZ À TOKYO

PAR BENOIT CHARETTE

AVEC SES LIGNES ORIGINALES ET AUDACIEUSES, LE NISSAN CUBE NE FAIT PAS UN MYSTÈRE DE SES ORIGINES JAPONAISES. Depuis son arrivée sur les routes du Québec. Mais il y a toujours un risque à sortir trop loin des sentiers battus. Se faire remarquer, c'est bien, mais en prenant le risque de sortir aussi loin des normes, Nissan prend également le risque d'avoir un véhicule qui demeurera une curiosité. Mais ce qui, pour nous, est hors norme est tout à fait dans les mœurs pour les Japonais. Le Cube, qui existe depuis 1998 au pays du soleil levant, s'est vendu à plus d'un million d'exemplaires en dix ans. Nissan a donc attendu la troisième génération du Cube pour tenter sa chance hors du Japon. Il constitue d'ores et déjà une véritable attraction sur la route et pave la voie, avec le Kia Soul, à un nouveau segment de petit véhicule multifonction. Dans un marché de l'automobile où il est de plus en plus difficile de se faire une niche, le Cube inaugure la catégorie des micro-utilitaires. Tout ce que Nissan souhaite maintenant, c'est que les amateurs suivront.

[CARROSSERIE] Toute l'originalité du Cube réside dans son pouvoir d'attraction. Ce véhicule exerce une sorte de curiosité, de charme. Cela est sans nul doute redevable à sa silhouette cubique comme son nom l'indique si bien, mais aussi à ses formes ludiques également uniques sur le marché de l'automobile. Le Cube propose une fenêtre arrière droite courant depuis l'aile jusqu'au hayon, tandis que son côté gauche dispose d'une custode traditionnelle. À cela s'ajoute une ouverture de coffre latérale, à la manière d'un réfrigérateur... pas forcément des plus pratiques en ville. Ses lignes rondouillardes et asymétriques ainsi que son apparence ludique constituent une véritable attraction. Dans la ville très vivante de Miami, les badauds n'ont pas manqué l'occasion de passer des remarques. Certains demandaient où l'on mettait le savon, et d'autres voulaient savoir si les poissons étaient à l'avant où à l'arrière; enfin, plusieurs ont également demandé s'il y avait un lien de parenté avec le Honda Element. Une chose est certaine, le Cube a fait tourner beaucoup de têtes, et ça, c'est

FORCES • Espace de cabine généreux • Motorisation assez frugale • Beaucoup de caractère

FAIBLESSES • Pas de boîte automatique, CVT seulement • Direction un peu floue • Couleurs foncées qui ne l'avantage pas

CUBE

assurément le signe d'un design original.

[HABITACLE] Les ingénieurs ont conçu l'intérieur du Cube en s'inspirant d'un jacuzzi. Les sièges sont pensés comme un sofa et apportent un confort moelleux, mais ils manquent, en revanche, de maintien. Pour offrir un maximum d'habitabilité, les ingénieurs ont développé une plateforme limitant l'espace occupé par le moteur, la boîte de vitesses et la suspension pour maximiser l'espace habitable. Malgré sa petite taille et une plateforme tirée de la Versa, le Cube est capable d'accueillir cinq personnes. Cette impression de grandeur est fortement renforcée par un ciel de toit très élevé. Les plastiques dans la version de base sont noirs et durs, comme dans tous les modèles Nissan. Heureusement, le concept de la goutte d'eau vient jeter un peu d'originalité dans la présentation. Le plafond est dessiné en forme de sillons laissés sur l'eau par une pierre qui rebondit et les porte-gobelet ainsi que les vide-poches sont conçus en forme de goutte d'eau. La grande baie vitrée à l'avant apporte de la luminosité à l'habitacle. Un mot en terminant sur le coffre qui offre une porte à ouverture verticale avec un espace de chargement variable grâce à la deuxième rangée de sièges coulissants qui offre de l'espace supplémentaire pour les passagers ou les bagages, selon nos besoins. Il est aussi important de souligner que Nissan offrira pas moins de 40 objets de personnalisation pour rendre votre Cube encore plus unique. Cette personnalisation vise la clientèle cible, les jeunes, qui cultivent le goût de la différence. Nissan offrira des accessoires qui personnaliseront chaque Cube vendu. Cela va du tapis décoratif de console aux tendeurs élastiques de contre-porte en passant par les jantes chromées. Les concessionnaires auront beaucoup de plaisir.

« LA COMMUNION ENTRE LE CONDUCTEUR ET LA ROUTE N'EST PAS PARFAITE. TOUTEFOIS, LA SOLIDITÉ DE LA CAISSE, L'EXCELLENT TRAVAIL DE LA SUSPENSION ET L'ADHÉRENCE DES PNEUS COMPENSENT LARGEMENT CE LÉGER MANQUE. »

[MÉCANIQUE] Sous le capot, Nissan ne s'est pas cassé la tête : une mécanique et deux boîtes de vitesses, c'est tout. Tout le concept provient directement de la Versa. La mécanique est un 4-cylindres de 1,8 litre de 122 chevaux. La version S reçoit, de base, une boîte manuelle à 6 rapports ou, en option, la boîte CVT. La version SL est livrable uniquement avec la boîte CVT. Le 0 à 100 km/h est couvert sous les 10 secondes, ce qui n'est pas impressionnant en soi, mais c'est deux secondes de mieux que le Kia Soul et une de moins que la Honda Fit. De toute manière, l'acheteur type de ce véhicule n'aura pas comme souci premier de connaître les temps d'accélération de la voiture.

[COMPORTEMENT] Rarement dans un véhicule, le côté performance semble relégué au second plan, mais le Cube est un bon exemple. Les jeunes branchés, qui constituent la clientèle cible de choix de ce véhicule, ne sera sans doute pas trop préoccupée par les performances et la tenue de route. Nissan a donc misé sur l'ambiance. L'insonorisation et le freinage sont sans doute les deux éléments qui ont retenu l'attention. L'ambiance sonore

HISTORIQUE

La première génération de Cube est lancée au Japon en 1998. Elle ne remplace alors aucun modèle dans la gamme et s'ajoute aux autres Nissan déjà existantes. La Cube de deuxième génération, lancée fin 2002, offre un habitacle plus spacieux que celui de la version antérieure. La 3e génération a été dévoilée au salon de l'auto de Los Angeles en 2008. Bien d'autres voitures cubiques ont aussi fait partie des concepts de Nissan.

CUBE 1998

CUBE 2000

NISSAN AL-X

NISSAN CHAPEAU

CUBE 2004

CUBE CONCEPT CAR 2009

CUBE KROM 2009

CUBE

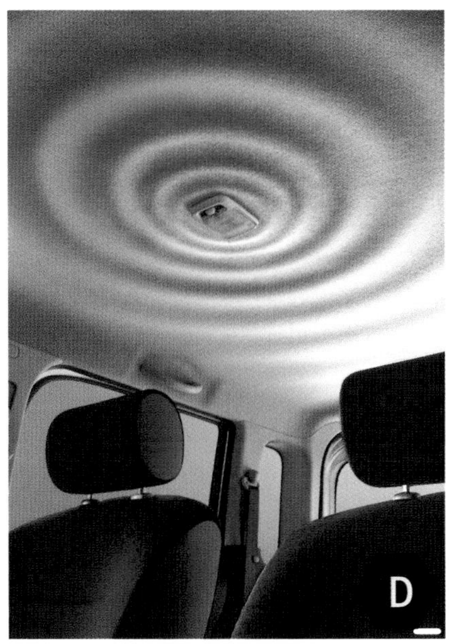

GALERIE

A Véhicule aux tendances très urbaines, le Cube propose, entre autres, des porte-gobelet éclairés offrant pas moins d'une douzaine de couleurs d'ambiance.

B L'ensemble Technologie offert en option comprend le système téléphonique à mains libres Bluetooth(MD), un haut-parleur pour les basses Rockford Fosgate et six autres haut-parleurs modernisés, la radio par satellite XM et un système de sonar à l'arrière.

C L'habitacle spacieux du nouveau Cube est conçu comme un lieu de rassemblement social pouvant accueillir jusqu'à cinq passagers. La banquette arrière inclinable du type fauteuil de cinéma, est coulissante, et offre trois réglages.

D Parmi les caractéristiques uniques de l'intérieur, mentionnons des cadrans asymétriques surdimensionnés, des garnitures intérieures du type « goutte d'eau » qui reviennent un peu partout dans le véhicule, même au plafond.

E Il est possible de personnaliser son Cube. Vous pouvez parmi les nombreuses options choisir un tapis en « shag » qui se place sur le dessus de la planche de bord. On peut

F ainsi y mettre des objets sans qu'ils glissent sur la surface lisse des plastiques.

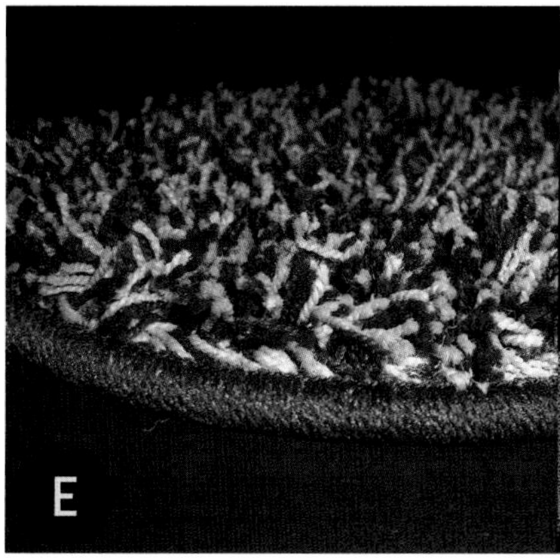
E

F

dans l'habitacle est feutrée et libre de tous bruits parasites, mais à condition de conduire en ville ou à basse vitesse. Dès que vous montez en régime, les bruits de vent viennent siffler dans les montants de pare-brise. Au chapitre de la conduite, la suspension est trop molle, et la direction, trop légère. Encore une fois à bas régime, cela est quasi imperceptible, mais dès que vous attaquez une bretelle d'autoroute ou que vous effectuez un dépassement, vous sentez que la suspension peine à contenir les mouvements de caisse, et qu'il y a un flou évident au centre du volant qui oblige à corriger. Les freins à disque à l'avant et à tambour à l'arrière font du bon travail, mais encore une fois, il ne faut pas pousser trop fort, car leur degré d'endurance est bas, et le système s'essouffle rapidement. Un mot enfin sur les roues de 15 pouces : elles n'offrent que très peu d'adhérence; les 16 pouces du modèle SL font un peu mieux. Mais au-delà des pneus, c'est surtout la calibration des suspensions et la répartition du poids qui rendent les manœuvres sportives en courbe très hasardeuses. Toutefois, le rayon de braquage de 10,1 mètres transforme le Cube en passe-partout. Un atout essentiel pour un véhicule qui a commencé sa vie dans les rues très étroites du Japon. Je ne suis pas un adepte de la boîte CVT, mais je dois admettre qu'elle tire le maximum de la mécanique à 4 cylindres. Je trouve simplement dommage que la boîte manuelle ne soit pas offerte avec la version SL. Et chose encore plus décevante, il n'y a pas de boîte automatique. Les nouvelles boîtes à 6 rapports offrent une douceur remarquable et une consommation de carburant qui se comparent à bien des boîtes CVT.

[CONCLUSION] Si le Cube connaît autant de succès ici qu'au Japon, il y a fort à parier que Nissan renflouera une partie de ses coffres. Il est certain que les Américains auront quelques réticences, mais le Québec, qui cultive la différence, risque fort d'apprécier ce véhicule différent et sans cérémonie.

2e OPINION

MICHEL CRÉPAULT Mais quelle mouche a donc piqué les stylistes asiatiques ? Coup sur coup, le Kia Soul et le Nissan Cube, deux véhicules sortis tout droit d'une bande dessinée ! Surtout le Cube, absolument original et amusant. Bien sûr, l'effet d'enchantement sera inversement proportionnel, avec le temps, au nombre de véhicules croisés sur les routes.
Le dégagement intérieur est sensationnel, l'instrumentation est sympathique sans tomber dans le ridicule, l'espace de chargement modulable prouve la polyvalence du véhicule, et les performances sur la route confirment les prétentions du Cube : je prends la vie avec une bonne dose de bonne humeur, j'apprécie le confort sans pêcher par excès et, de grâce, ne me poussez pas dans le dos, sinon je devrai lâcher sur vous le petit diable de Tasmanie qui roupille dans la boîte à gants...

CUBE

5 FICHE TECHNIQUE

· MOTEUR
(1.8S, 1.8SL)
L4 1,8 l DACT 122 ch à 5200 tr/min
Couple 127 lb-pi à 4800 tr/min
Transmission manuelle à 6 rapports, automatique à variation continue
0-100 km/h 10,0 s
Vitesse maximale 185 km/h

· AUTRES COMPOSANTES
Sécurité active freins ABS, répartition électronique de force de freinage, assistance au freinage
Suspension avant/arrière indépendante/ essieu rigide
Freins avant/arrière disques/tambours
Direction à crémaillère, assistée
Pneus 1.8S P185/65R15 **1.8SL** P195/55R16

· DIMENSIONS
Empattement 2530 mm
Longueur 3980 mm
Largeur 1695 mm
Hauteur 1650 mm
Poids 1.8S 1268 kg **1.8SL** 1289 kg
Diamètre de braquage 10,1 m
Coffre hayon 323 l, 1645 l (sièges abaissés),
Réservoir de carburant 50 l

NOS MENTIONS

☺ Modèle recommandé

NOTRE VERDICT

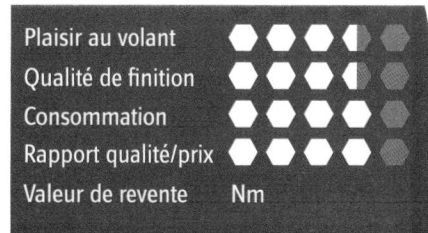

Plaisir au volant
Qualité de finition
Consommation
Rapport qualité/prix
Valeur de revente Nm

FRONTIER

www.nissan.ca

N ÉVOLUTION É J

23 298 $ à 39 898 $
transport et préparation: 1440 $

LA COTE VERTE

AVEC MOTEUR L4 DE 2.5 L

- **Consommation (100km):** **man.** 9,7 l **auto.** 10,9 l
- **Émissions polluantes CO_2 :** **man.** 4704 kg/an **auto.** 5280 kg/an
- **Empreinte écologique (nombre d'arbres à planter par année):** 28
- **Indice d'octane:** 87
- **Autre motorisation:** non
- **Coût du carburant moyen par année:** **man.** 1960 $ **auto.** 2200 $
- **Nombre de litres par année:** **man.** 1960 l **auto.** 2200 l

(SOURCE: ÉnerGuide)

1 FICHE D'IDENTITÉ

- **Versions** XE, SE, LE, PRO-4X
- **Roues motrices** 2, 4
- **Portières** 4 **Nombre de passagers** 4 ou 5
- **Première génération** 1998
- **Génération actuelle** 2005
- **Construction** Smyrna, É.-U.
- **Sacs gonflables** 6, frontaux, latéraux avant et rideaux latéraux
- **Concurrence** Chevrolet Colorado, Dodge Dakota, Ford Ranger, GMC Canyon, Honda Ridgeline, Mazda Série B, Toyota Tacoma

2 AU QUOTIDIEN

- **Prime d'assurance** **25 ans:** 1400 à 1600 $ **40 ans:** 1000 à 1200 $ **60 ans:** 800 à 1000 $
- **Collision frontale** 4/5
- **Collision latérale** 5/5
- **Ventes du modèle de l'an dernier** **Au Québec** 264 **Au Canada** 1608
- **Dépréciation** 33,2 %
- **Rappels** (2004 à 2009) 4
- **Cote de fiabilité** 4/5

3 GARANTIES... ET PLUS

- **Garantie générale** 3 ans/60 000 km
- **Garantie motopropulseur** 5 ans/100 000 km
- **Perforation** 5 ans/kilométrage illimité
- **Assistance routière** 3 ans/kilométrage illimité
- **Nombre de concessionnaires** **Au Québec** 47 **Au Canada** 148

4 NOUVEAUTÉS EN 2010

- Sacs et rideaux gonflables latéraux de série sur tous les modèles.
- Système de contrôle dynamique du véhicule sur tous les modèles équipés d'un moteur V6. Système d'assistance au démarrage dans une pente sur les modèles SE et LE 4 roues motrices à transmission automatique.

ABANDONNÉE

PAR BENOIT CHARRETTE

CE N'EST PAS FAUTE D'ESSAYER. DEPUIS 1998, NISSAN TENTE PÉRIODIQUEMENT DE REDONNER VIE À SA PETITE CAMIONNETTE DEVENUE PLUS GRANDE ET PLUS PUISSANTE AU FIL DES GÉNÉRATIONS SANS JAMAIS Y PARVENIR. Les ventes, déjà faibles l'an dernier, ont continué de baisser de plus de 25 % cette année. Il semble que la Frontier soit de plus en plus laissée à elle-même, et pourtant, ce véhicule mérite un deuxième coup d'œil.

[CARROSSERIE] Depuis 2005, date de sa dernière retouche, la Frontier partage une version allégée et raccourcie de la plateforme de sa grande sœur la Titan. Elle emprunte aussi plusieurs indices visuels. Les ailes plus bombées, les lignes plus angulaires donnent du muscle au véhicule. Autrefois membre de la famille des petites camionnettes, la Frontier peut maintenant remorquer jusqu'à 2 950 kilos avec son V6, ce qui la place dans le plus fort de la lutte avec des concurrentes comme la Colorado ou la Dakota V6. Vous avez toujours le choix d'une configuration King Cab ou de la cabine double qui offrent quatre vraies portes.

[HABITACLE] L'aménagement intérieur est surprenant et offre plus d'espace utile que bien des camionnettes pleine grandeur d'il y a 15 ans. Si vous utilisez la Frontier pour le travail, vous trouverez beaucoup d'espaces de rangement et des strapontins pour les passagers occasionnels. Si vous devez faire du covoiturage, il vous faut aller directement à la version à cabine double qui offre de véritables places à l'arrière. Pour ce qui est de l'ambiance à bord, les matériaux sont de bonne qualité, les sièges, un peu fermes, tout comme la conduite. La Frontier est d'abord et avant tout une camionnette conçue pour le travail, et l'aménagement de la cabine le reflète bien.

[MÉCANIQUE] C'est ici que vous choisirez ce que vous désirez faire avec votre véhicule. Pour les utilisateurs occasionnels qui recherchent un bon espace de rangement pour des matériaux, fleurs, plantes et autres, le modèle à 4 cylindres de 2,5 litres fera le travail. Vous pouvez même vous le procurer en version à deux roues motrices. Cette Frontier est fidèle à ses origines de petite camionnette pratique à utilisation légère. Pour

FORCES • Format intéressant • Performances à la hauteur (V6) • Châssis robuste

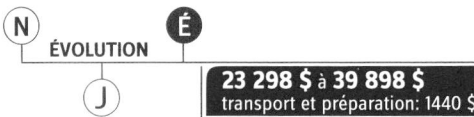

FAIBLESSES • Intérieur utilitaire et peu inspiré • Prix élevé (PRO 4X) • V6 assez glouton

ceux qui ont du travail plus sérieux, le V6 de 4 litres proposent 261 chevaux et un couple de 281 livres-pieds; c'est tout près d'une Dodge Dakota V8. Les deux moteurs viennent avec une boîte de vitesses manuelle, à 5 rapports dans le 4 cylindres et à 6 rapports avec le V6. Dans les deux cas, une boîte automatique à 5 rapports est également proposée en option.

[COMPORTEMENT] Au volant, la Frontier est sans surprise. Comme elle est construite sur une plateforme modifiée de la camionnette Titan, vous avez l'impression de conduire les 2/3 d'une Titan. La conduite est confortable et coulée. Le V6 possède toute la puissance nécessaire, et le système à 4 roues motrices peut vous amener à des endroits où vous n'oseriez jamais aller. La suspension est un peu sèche et vous rappelle que vous êtes dans une camionnette avec châssis à échelle équipé d'un essieu rigide à l'arrière. Donc, dès que la route se dégrade un peu, ça cogne. Pour ceux qui aiment les montagnes russes, il y a la version Pro-4X avec des amortisseurs Bilstein, des plaques de protection supplémentaires sous le véhicule et un différentiel autobloquant DANA 44. Un ensemble d'équipements qui apprécient spécialement la torture hors route.

[CONCLUSION] En regardant le véhicule de près, il n'y a pas de défaut majeur. La baisse de succès est plutôt attribuable à des facteurs extérieurs. Par exemple, au cours de la dernière année, le prix des camionnettes pleine grandeur a tellement chuté qu'il se compare maintenant à celui de la Frontier. On peut se procurer une F-150, une Ram ou une Chevrolet Silverado pour 25 000 $, soit le prix de la Frontier à 4 cylindres. Entre les deux, laquelle choisiriez-vous ? Posez la question c'est y répondre.

2e OPINION

DANIEL RUFIANGE Le marché des camionnettes intermédiaires se trouve dans un perpétuel entre-deux. Les ventes se portent bien lorsque le prix de l'or noir grimpe mais l'inverse a plutôt un effet stagnant sur les ventes. Les acheteurs, surtout nos voisins américains, se tournent vers les camionnettes pleine grandeur. Tant qu'ils pourront les gaver en essence, l'expression « bigger is better » dictera toujours leurs choix. Dans ce contexte aussi compétitif, difficile pour le Frontier de s'imposer. Les ventes sont plutôt modestes, tant au Québec qu'au Canada et sur les routes américaines, il se fait rare. Faut dire que côté marketing... Pourtant, il regorge de qualités et a tout pour plaire aux amateurs. Seul Toyota, avec son Tacoma, possède une longueur d'avance. Il faudra plus que ça...

FRONTIER

5 FICHE TECHNIQUE

· MOTEURS
(XE)
L4 2,5 l DACT 152 ch à 5200 tr/min
Couple 171 lb-pi à 4400 tr/min
Transmission manuelle à 5 rapports, automatique à 5 rapports (option)
0-100 km/h 10,9 s **Vitesse maximale** 175 km/h

· (SE, LE, PRO-4X)
V6 4,0 l DACT 261 ch à 5600 tr/min
Couple 281 lb-pi à 4000 tr/min
Transmission manuelle à 6 rapports, automatique à 5 rapports (en option sur tous les modèles, de série pour la version LE)
0-100 km/h man. 8,6 s **auto** 9,0 s
Vitesse maximale 190 km/h
Consommation (100 km) 2RM man. 11,8 l **auto.** 12,4 l **4RM man.** 12,2 l **auto.** 12,7 l (octane 87)
Émissions de CO_2 2RM man. 5760 kg/an **auto.** 6048 kg/an **man. 4RM** 5856 kg/an **auto.** 6192 kg/an
Litres par année 2RM man 2400 l **auto.** 2480 l **4RM man.** 2420 l **auto.** 2540 l
Coût par an 2RM man. 2400 $ **auto.** 2480 $ **4RM man.** 2420 $ **auto.** 2540 $
Empreinte écologique 34 arbres

· AUTRES COMPOSANTES
Sécurité active freins ABS, antipatinage (V6 sauf King Cab XE et SE), contrôle de stabilité électronique (4x4 PRO-4X avec boîte auto., en option sur LE Crew Cab)
Suspension avant/arrière indépendante/ essieu rigide
Freins avant/arrière disques
Direction à crémaillère, assistée
Pneus XE 4x2 P235/75R15
SE 4x2/4x4 PRO-4X P265/70R16 **LE** P265/60R18

· DIMENSIONS
Empattement 3200 mm **cab. double boîte longue** 3554 mm
Longueur 5220 mm **cab. double boîte longue** 5570 mm
Largeur 1850 mm
Hauteur King Cab, XE 4x2 1745 mm **autres** 1770 mm **Crew Cab** 1780 mm **Crew Cab** avec galerie de toit 1879 mm
Poids de 1665 à 2067 kg
Diamètre de braquage auto 13,2 m **man.** 13,3 m
Réservoir de carburant 80 l
Capacité de remorquage L4 1588 kg **V6** 2950 kg

NOTRE VERDICT

Plaisir au volant	3/5
Qualité de finition	3,5/5
Consommation	3,5/5
Rapport qualité/prix	3,5/5
Valeur de revente	3/5

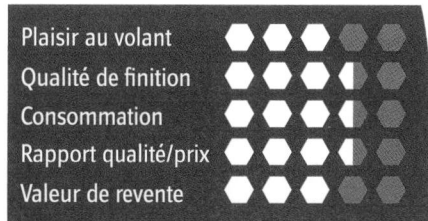

GT-R

www.nissancanada.ca

N ÉVOLUTION É J

89 900 $
transport et préparation: 2150 $

LA COTE VERTE

MOTEUR
V6 DE 3,8 L

- **Consommation (100km): man.** 11,3 l
- **Émissions polluantes CO_2 :** 5520 kg/an
- **Empreinte écologiqu (nombre d'arbres planter par année):**
- **Indice d'octane:** 91
- **Autre motorisation:** non
- **Coût du carburant moyen par année:** 2530 $
- **Nombre de litres par année:** 2300 l

(SOURCE: ÉnerGuide)

1 FICHE D'IDENTITÉ

- **Versions** Skyline GT-R
- **Roues motrices** 4 **Nombre de passagers** 4
- **Portières** 2
- **Première génération** 1969
- **Génération actuelle** 2009
- **Construction** Tochigi, Japon
- **Sacs gonflables** 4, frontaux et latéraux
- **Concurrence** Chevrolet Corvette, Dodge Viper, Jaguar XK, Maserati GT, Mercedes-Benz Classe SL, Porsche 911

2 AU QUOTIDIEN

- **Prime d'assurance**
  25 ans: 3500 à 3700 $
  40 ans: 2200 à 2400 $ **60 ans:** 2000 à 2200 $
- **Collision frontale** 4/5
- **Collision latérale** 5/5
- **Ventes du modèle de l'an dernier**
  Au Québec 26 **Au Canada** 137
- **Dépréciation** nm
- **Rappels** (2004 à 2009) nm
- **Cote de fiabilité** nm

3 GARANTIES... ET PLUS

- **Garantie générale** 3 ans/60 000 km
- **Garantie motopropulseur** 5 ans/100 000 km
- **Perforation** 5 ans/kilométrage illimité
- **Assistance routière** 3 ans/kilométrage illimité
- **Nombre de concessionnaires**
  Au Québec 53 **Au Canada** 146

4 NOUVEAUTÉS EN 2010

- 5 chevaux de plus au moteur V6 de 3,8 litres
  nouveau module de contrôle de transmission
  système de freinage plus puissant
  suspension révisée, roues noires et une nouvelle couleur de carrosserie blanche

PUR-SANG

PAR PHILIPPE LAGUË

LA NISSAN SKYLINE ÉTAIT DÉJÀ CONNUE DES PASSIONNÉS D'AUTOMOBILE, MAIS CE SONT LES JEUX VIDÉO QUI EN ONT FAIT UNE VEDETTE AUPRÈS DES JEUNES. Avec la nouvelle GT-R, remplaçante officielle de la Skyline, la marque franco-japonaise vise encore plus haut : cette fois, ce sont des pointures comme la Porsche 911, la Corvette et la Viper qui sont ciblées. Autrement dit, le club des 400 chevaux ou plus. Et cette fois, l'Amérique n'a pas été oubliée.

[CARROSSERIE] La GT-R est spectaculaire, assurément. Mais belle ? Euh... ben... les goûts ne se discutent pas. Chose certaine, on est loin de la grâce d'une Jaguar ou de la sensualité des bolides italiens. C'est plutôt massif, coupé à la hache et, ma foi, peu harmonieux; comme si elle avait été dessinée par un collectif de stylistes qui auraient fait chacun une partie. Bref, c'est un peu n'importe quoi, si vous voulez mon avis. Du reste, il ne pèse pas très lourd, à en juger par la commotion – le mot n'est pas trop fort – que la GT-R a causé tout au long de notre essai.

[HABITACLE] Le noir domine à l'intérieur, parsemé d'appliques de plastique imitant l'aluminium dont le toucher trahit la facture bon marché. C'est un peu indigne d'une voiture de ce rang, mais du côté Nissan, ce n'est pas étonnant non plus. Au moins, l'assemblage est rigoureux, et le cuir est omniprésent, ce qui étoffe la présentation générale. Le tableau de bord, conçu comme une console de jeu vidéo, comblera les puristes avec son compte-tours en plein centre. À l'avant, les baquets semblent tout droit sortis d'une voiture de course et offrent un excellent maintien, mais à l'arrière, l'espace pour la tête et les jambes est restreint au minimum. Autre lacune, plus grave : la piètre visibilité arrière.

[MÉCANIQUE] La fiche technique est fort bien garnie, si vous me permettez l'euphémisme : V6 de 3,8 litres biturbo, boîte de vitesses séquentielle à 6 rapports, transmission intégrale... et le chiffre qui tue : 485 chevaux ! (5 de plus que l'an dernier) Pour trouver quelque chose de comparable, il n'y a que la Porsche 911 Turbo. Or, cette dernière coûte le double. À moins de 100 000

FORCES · Performances démentielles · Tenue de route fabuleuse ! · Sièges de course · Rapport prix-performances imbattable · Voiture culte

FAIBLESSES · Style tarabiscoté · Qualité de certains matériaux à l'intérieur · Sonorité décevante du moteur · Visibilité arrière médiocre · Boîte séquentielle seulement

dollars, la GT-R est presque une affaire... Ceux qui ont l'oreille mécanique en seront cependant quitte pour une déception : la principale – la seule ? – carence de ce moteur, c'est sa sonorité peu inspirante. Rien à voir avec la musicalité des moteurs italiens, le grognement féroce des V8 américains ou encore la sonorité rauque et métallique des 6-cylindres de Porsche. Mais on oublie rapidement ce détail : quand les deux turbos entrent en scène, c'est la foudre ! (Évidemment, la consommation est gargantuesque...) Ce qui nous amène à la boîte séquentielle... Il faut aimer, ce qui n'est pas mon cas. La conduite ne sera jamais aussi fusionnelle ni aussi instinctive qu'avec une boîte manuelle. Ce qui est plus grave, cependant, c'est que les leviers de sélection sont fixés sur la colonne de direction et ne tournent pas avec le volant. Emmerdant, surtout en conduite sportive.

[COMPORTEMENT] Peu importe le rythme, la GT-R reste plaquée au sol grâce à des pneus conçus pour la piste et une transmission intégrale efficace. Pas étonnant qu'elle ait battu des pointures comme la Porsche GT2 ou l'Audi R8 sur circuit. D'une précision chirurgicale, la direction, rapide et ferme, permet d'exploiter au mieux l'agilité de ce bolide malgré son poids et ses dimensions. Dans les virages, la GT-R tourne bien droit, sans aucun mouvement de caisse; le roulis a été tout bonnement éliminé. Évidemment, ce n'est pas pour les douillets : on ressent chaque fissure du revêtement, et ça « porte dur », comme on dit en bon québécois.

[CONCLUSION] Par ses performances exceptionnelles et sa tenue de route qui l'est tout autant, la GT-R se permet de tutoyer les Porsche, Ferrari, Lamborghini et autres membres de l'élite sportive. Et ce, faut-il le rappeler, pour la moitié, sinon le tiers du prix de ces bolides exotiques. « Bang for the bucks », comme disent les Américains, il ne se fait pas mieux. Qu'on aime ou non sa ligne torturée, la GT-R mérite respect, car elle appartient déjà au gotha des sportives.

2e OPINION

BENOIT CHARETTE **La GT-R est un bel exemple de toute l'ingénierie nipponne à son meilleur avec ses qualités et ses défauts. Cette voiture sport extrême offre une approche typiquement japonaise où rien ne dépasse, tout est pensé au millimètre près. Il n'y a rien à redire sur ce travail immaculé. Mais la mentalité japonaise ne correspond pas nécessairement à nos critères. Le moteur, qui développe 485 chevaux, n'a pas la hargne des mécaniques allemandes ou américaines ni le chant haut perché des belles italiennes. On sent le moteur étouffé. La tenue de route est fantastique, mais sans émotion. Comme c'est trop souvent le cas de bien des sportives japonaises, il manque une âme à cette voiture. À vouloir trop bien faire, on laisse l'émotion de côté et, même avec un palmarès impressionnant, cette voiture, à l'image de sa conduite, m'a laissé de glace.**

5 FICHE TECHNIQUE

· MOTEUR
V6 3,8 l biturbo DACT 485 ch à 6400 tr/min
Couple 430 lb-pi à 5200 tr/min
Transmission Séquentielle à 6 rapports, avec mode automatique
0-100 km/h 3,7 s
Vitesse maximale 311 km/h

· AUTRES COMPOSANTES
Sécurité active freins ABS, antipatinage, contrôle de stabilité électronique, assistance au freinage, distribution électronique de force de freinage
Suspension avant/arrière indépendante
Freins avant/arrière disques
Direction à crémaillère, assistée
Pneus P255/40ZRF20 (av.), P285/35ZRF20 (ar.)

· DIMENSIONS
Empattement 2780 mm
Longueur 4655 mm
Largeur 1895 mm
Hauteur 1370 mm
Poids 1750 kg
Diamètre de braquage 11,4 m
Coffre 249 l
Réservoir de carburant 64 l

NOTRE VERDICT

Plaisir au volant
Qualité de finition
Consommation
Rapport qualité/prix
Valeur de revente Nm

MAXIMA

www.nissan.ca

N ÉVOLUTION É J

37 900 $ à 41 050 $
transport et préparation: 1475 $

LA COTE VERTE

AVEC MOTEUR V6 DE 3,5 L

- **Consommation** (100km): 9,5 l
- **Émissions polluantes CO2 :** 4656 kg/an
- **Empreinte écologique (nombre d'arbres à planter par année):** 27
- **Indice d'octane:** 87
- **Autre motorisation:** non
- **Coût du carburant moyen par année:** 1880 $
- **Nombre de litres par année:** 1880 l

(SOURCE: ÉnerGuide)

1 FICHE D'IDENTITÉ

- **Versions** 3.5 SV, SV Sport, SV Privilège
- **Roues motrices** avant
- **Portières** 4 **Nombre de passagers** 4 ou 5
- **Première génération** 1978
- **Génération actuelle** 2009
- **Construction** Smyrna, Tennessee, É.-U.
- **Sacs gonflables** 6 (frontaux, latéraux avant, rideaux latéraux)
- **Concurrence** Acura TL, Buick Allure, Cadillac CTS, Chrysler 300, Dodge Charger, Hyundai Genesis V6, Kia Amanti, Lexus ES, Lincoln MKZ, Toyota Avalon, Volkswagen Passat

2 AU QUOTIDIEN

- **Prime d'assurance 25 ans:** 1700 à 1900 $ **40 ans:** 1000 à 1200 $ **60 ans:** 800 à 1000 $
- **Collision frontale** 5/5
- **Collision latérale** 4/5
- **Ventes du modèle de l'an dernier Au Québec** 331 **Au Canada** 1475
- **Dépréciation** 47,5 %
- **Rappels** (2004 à 2009) 4
- **Cote de fiabilité** 4/5

3 GARANTIES... ET PLUS

- **Garantie générale** 3 ans/60 000 km
- **Garantie motopropulseur** 5 ans/100 000 km
- **Perforation** 5 ans/kilométrage illimité
- **Assistance routière** 3 ans/kilométrage illimité
- **Nombre de concessionnaires Au Québec** 47 **Au Canada** 148

4 NOUVEAUTÉS EN 2010

- Nouveaux finis aux roues de 18 et de 19 po Connectivité iPod changée pour la connectivité USB Moniteur couleur de 7 po, prise audio/vidéo, programme iPod net et un serveur musique de 2GB, lecteur DVD et connectivité Bluetooth audio ajoutée au groupe technologie

QUI SUIS-JE ?

PAR DANIEL RUFIANGE

UN CERTAIN SOIR DE 1996, UN PROCHE COUSIN NOUS AVAIT DÉVOILÉ SA DERNIÈRE ACQUISITION; UNE BELLE MAXIMA NOIRE ! À l'époque, non seulement cette voiture était-elle excellente, mais représentait le plus beau fleuron du fabricant. Treize ans plus tard, la voiture est encore excellente, mais les « cousins » qui la présentent à leurs proches sont moins nombreux. Que s'est-il donc passé ? Comment cette voiture a-t-elle pu sobrer dans l'oubli de la sorte ? Chronique d'une dénaturation.

[CARROSSERIE] La Maxima a subi une première refonte esthétique majeure pour le millésime 2004 : première erreur. La voiture s'est alors sérieusement endimanchée, et son design n'a tout simplement pas fait l'unanimité. Pourtant, on avait peu de choses à lui reprocher. Les ventes se sont mises à chuter radicalement. L'an dernier, Nissan a répondu en tentant de lui redonner du panache. Mission partiellement réussie. La voiture possède dorénavant plus de caractère, mais ses lignes ne font toujours pas l'unanimité. Au centre de la controverse, on remarque ces phares aux formes bizarroïdes à l'avant combiné à une calandre qui fait plus « camion ». Même à l'arrière, on émet des réserves, mais ça demeure une question d'opinion. La vérité, c'est que, en 2004, Nissan a perdu plusieurs fidèles qui ne sont pas faciles à rapatrier.

[HABITACLE] Déclinable en deux versions qui affiche un équipement complet et dorlotent chauffeur et passagers, la dernière refonte a bien servi l'intérieur de la Maxima, alors qu'on a modernisé et rendu l'ensemble plus chaleureux. La liste d'équipements, elle, est complète. Ça va des sièges chauffants à deux niveaux au système de navigation, à tous les adaptateurs électroniques possibles en passant par le volant chauffant. En ce qui a trait à la qualité d'assemblage, on peut affirmer que Nissan a fait ses devoirs, même s'il reste quelques petits irritants ici et là, notamment dans le choix de certains matériaux.

[MÉCANIQUE] Si Nissan n'a pas toujours privilégié la continuité, c'est l'inverse pour ses

\+ −

FORCES • Douceur de roulement • Arrivée d'un moteur diesel • Présentation intérieure • Niveau de confort

FAIBLESSES • Lignes qui font encore grincer des dents • Traction • Boîte CVT : faut aimer • Prix

MAXIMA

moteurs. Depuis maintenant sept ans repose sous le capot le pain et le beurre du département d'ingénierie du constructeur: le V6 de 3,5 litres qui passe à 3,7 litres cette année. Cet engin est l'un des meilleurs de l'industrie, et il sert merveilleusement bien la Maxima. S'ajoute pour 2010 une nouvelle motorisation, fruit de l'alliance Renault-Nissan: un moteur V6 diesel de 3 litres – le dCi, déjà présent dans la Renault Laguna – qui développe 235 chevaux. Voilà qui va rendre cette voiture soudainement plus attrayante.

[COMPORTEMENT] Si la Maxima a perdu des parts de marché au milieu des années 2000, ce n'est pas seulement parce qu'on l'a drapée d'une robe que les amateurs ont boudée. Il faut comprendre que la concurrence est très forte, et que la Maxima s'est placée entre l'arbre et l'écorce. À près de 40 000 $ en version de base, elle s'approche dangereusement de sa sœurette, la G37, et de certaines allemandes de renom. De plus, la Maxima demeure la seule traction dans le lot, et c'est là, bien malheureusement, un de ses plus grands handicaps. Cela ne l'empêche toutefois pas de livrer une expérience de conduite qu'on apprécie à l'usage. Sur l'autoroute, elle se compare à des berlines bien plus chères; sa douceur de roulement n'est rien de moins qu'exceptionnelle. Côté sensations, il reste du travail à effectuer pour faire de cette voiture une sportive, mais sa conduite est plus communicative que celle de la génération précédente.

[CONCLUSION] La Maxima a beau regorger de qualités, elle n'arrivera pas à gruger des parts de marché si elle ne se transforme pas radicalement. Par là, j'entends qu'elle devienne une propulsion et que, ensuite, on lui donne un design plus… populaire ! Enfin, il restera à Nissan à ajuster la facture afin qu'elle représente une solution de rechange aux voitures plus chères et plus luxueuses, surtout en version de base. Nissan a du pain sur la planche. Elle doit s'y mettre, et rapidement.

2e OPINION

FRANCIS BRIÈRE La Maxima mériterait mieux. Si l'on n'en vend que bien peu au Québec, c'est sans doute qu'elle a mal vieilli. Pourtant, c'est le bon vieux V6 litres qui l'anime, ce moteur à tout faire chez Nissan. La Maxima, quand on y pense, est bourrée de qualités : bonne tenue de route, bon confort, bon espace de chargement, finition correcte, bon rapport qualité-prix, fiabilité exemplaire. Quel est donc le problème ? Cette voiture souffre d'un complexe de personnalité. Choisit-on une Maxima tout équipée ou une G37 de base ? La différence de prix n'est pas énorme. L'offre se révèle malheureusement moins intéressante pour la demande. La position de la Maxima dans ce marché n'est pas affirmée. L'acheteur choisit mieux pour le même prix ou presque.

5 FICHE TECHNIQUE

· MOTEUR

V6 3,7 l DACT, 290 ch à 6400 tr/min
Couple 261 lb-pi à 4400 tr/min
Transmission automatique à variation continue avec mode manuel
0-100 km/h 6,6 s
Vitesse maximale 230 km/h

· AUTRES COMPOSANTES

Sécurité active freins ABS, répartition électronique de force de freinage, antipatinage, contrôle de stabilité électronique
Suspension avant/arrière indépendante
Freins avant/arrière disques ventilés
Direction à crémaillère, assistée
Pneus P245/45R18, P245/40R19 (option)

· DIMENSIONS

Empattement 2776 mm
Longueur 4841 mm
Largeur 1859 mm
Hauteur 1468 mm
Poids SV 1627 kg
Diamètre de braquage 11,4 m
Coffre 402 l
Réservoir de carburant 76 l

NOS MENTIONS

Clé d'or de sa catégorie

Modèle recommandé

NOTRE VERDICT

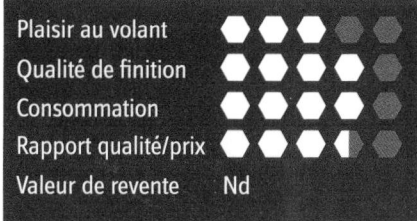

Plaisir au volant
Qualité de finition
Consommation
Rapport qualité/prix
Valeur de revente Nd

MURANO

www.nissan.ca

N ÉVOLUTION É J

37 648 $ à 47 498 $
transport et préparation: 1500 $

LA COTE VERTE

MOTEUR
V6 DE 3,5 L

- **Consommation (100km):** 10,3 l
- **Émissions polluantes CO2 :** 4944 kg/an
- **Empreinte écologique (nombre d'arbres à planter par année):** 30
- **Indice d'octane:** 91
- **Autre motorisation:** non
- **Coût du carburant moyen par année:** 2288 $
- **Nombre de litres par année:** 2080 l

(SOURCE: ÉnerGuide)

1 FICHE D'IDENTITÉ

- **Versions** S,SL, LE
- **Roues motrices** 4
- **Portières** 4 **Nombre de passagers** 5
- **Première génération** 2003
- **Génération actuelle** 2009
- **Construction** Kyushu, Japon
- **Sacs gonflables** 6, frontaux, latéraux et rideaux latéraux
- **Concurrence** Ford Edge, GMC Acadia, Honda Pilot, Hyundai Veracruz, Kia Sorento, Mazda CX-9, Subaru Tribeca, Toyota Highlander

2 AU QUOTIDIEN

- **Prime d'assurance**
  25 ans: 1900 à 2100 $
  40 ans: 1200 à 1400 $
  60 ans: 900 à 1100 $
- **Collision frontale** 4/5
- **Collision latérale** 5/5
- **Ventes du modèle de l'an dernier**
  Au Québec 1057 **Au Canada** 4557
- **Dépréciation** 42,1 %
- **Rappels** (2004 à 2009) 7
- **Cote de fiabilité** 3,5/5

3 GARANTIES... ET PLUS

- **Garantie générale** 3 ans/60 000 km
- **Garantie motopropulseur** 5 ans/100 000 km
- **Perforation** 5 ans/kilométrage illimité
- **Assistance routière** 3 ans/kilométrage illimité
- **Nombre de concessionnaires**
  Au Québec 47 **Au Canada** 148

4 NOUVEAUTÉS EN 2010

- Ensemble cuir disponible sur la version SL AWD, clé intelligente de série sur les versions S et SL

TOUJOURS MODERNE

PAR JEAN-PIERRE BOUCHARD

AU SEIN DE LA CATÉGORIE DES UTILITAIRES, LE MURANO FAIT TOUJOURS BANDE À PART, DU MOINS EN CE QUI CONCERNE L'ORIGINALITÉ DE SON DESIGN QUI N'A TOUJOURS RIEN DE CLINQUANT. À l'occasion de son lancement initial en 2003, la firme japonaise a donné naissance à ce qui définira un véhicule multi-segment : mi-familiale, mi-utilitaire sport. Et le véhicule est toujours fidèle à lui-même.

[CARROSSERIE] Les carrosseries en forme de boîte à chaussures? Trop peu pour le Murano, dont les lignes lui confèrent un côté chic. La carrosserie repose sur la plus récente génération de la solide plateforme D, utilisée également dans une forme adaptée pour la berline Altima.

[HABITACLE] Les entrées et les sorties sont aussi faciles que dans une voiture. Les sièges avant, larges et bien dessinés, assurent un bon confort. Le coussin pourrait être un peu plus long pour assurer un meilleur maintien pour les personnes de plus grande taille. Le dégagement pour la tête et les jambes conviendra à la plupart des personnes. Le conducteur peut trouver aisément une position de conduite confortable. Les commandes, pour la plupart, sont bien placées, et les instruments de bord, faciles à consulter. Afin de compliquer la tâche du conducteur, Nissan a eu la mauvaise idée d'installer deux leviers pour régler le volant : un pour la hauteur et l'autre pour la profondeur. La visibilité est bonne dans la plupart des directions. Toutefois, l'étroitesse de la glace de custode pénalise la visibilité latérale arrière. Nissan a été attentive aux critiques qui lui étaient adressées quant à la qualité de l'assemblage et des matériaux de ses véhicules. Or, Nissan a réalisé des progrès en la matière. L'habitacle supprime par ailleurs avec efficacité la plupart des bruits agaçants. La banquette arrière assure un bon confort pour au moins deux adultes qui disposeront d'un excellent dégagement pour les jambes et la tête. Afin d'améliorer leur confort, les passagers peuvent également régler l'inclinaison du dossier de leur siège. L'espace utilitaire offre une bonne capacité de chargement. Des tirettes installées sur les parois permettent d'abaisser chaque section du dossier de la banquette de l'intérieur.

+ **FORCES** · Performances · Confort · Agrément de conduite

− **FAIBLESSES** · Visibilité latérale arrière · Prix en comparaison avec l'EX35

[MÉCANIQUE] Afin d'activer les roues avant de son utilitaire, le constructeur utilise son excellent V6 de 3,5 litres, qu'il relie à une boîte de vitesses à variation continue. Dans le cas du Murano, il développe 265 chevaux. Cet ensemble procure des performances qui ne suscitent aucune critique au chapitre des accélérations et des reprises. La boîte à variation continue est particulièrement efficace et fonctionne avec compétence et discrétion. En descente, dans les côtes qui mènent vers Baie-Saint-Paul, dans la région de Charlevoix, elle ralentit en douceur le véhicule. En moyenne, le Murano consomme environ 12,5 litres aux 100 kilomètres.

[COMPORTEMENT] Sans posséder le caractère sportif et accrocheur du Volkswagen Tiguan, le Murano propose néanmoins un juste compromis entre le confort et le plaisir de conduire. Sur la route, le véhicule démontre une belle douceur de roulement. La suspension amortit bien la plupart des imperfections de la route. Les mouvements du véhicule lors de manœuvres d'évitement, par exemple, sont bien contrôlés. De série, Nissan l'a doté d'une transmission intégrale dont le couple initial est réparti de façon égale entre les roues avant et arrière ou peut être totalement acheminé aux roues avant ou dans une proportion maximale de 30% aux roues arrière, selon les besoins en motricité. Le système anticipe les pertes d'adhérence de façon à réagir plus promptement en cas de besoin, et il tient compte de la position des roues au moment de répartir le couple, en particulier dans les virages. Le Murano reçoit également le contrôle dynamique de la stabilité du véhicule. Les freins fournissent par ailleurs un rendement sûr.

[CONCLUSION] La Murano s'adresse à une clientèle qui cherche un véhicule performant, original et plaisant à conduire au quotidien. L'ensemble constitue, pour le prix demandé, une bonne affaire. Toutefois, l'écart de prix entre lui et son comparse haut de gamme, l'Infiniti EX35, plus puissant, doté d'un habitacle encore plus cossu et d'une garantie encore plus longue mérite réflexion.

2e OPINION

BENOIT CHARETTE La dernière chirurgie faciale du Murano, l'an dernier, lui a donné un regard plus raffiné, encadré d'une nouvelle calandre chromée. Le postérieur rebondi n'a pas subi de grande modification, et c'est tant mieux ! Mais malgré cette nouvelle allure, l'expérience de conduite, elle, n'a pas changé. Si sa transmission intégrale le rend très sûr en toutes circonstances, il ne demeure pas un maître de l'agilité. La direction est assez floue, notamment autour du point zéro, ce qui n'incite pas non plus à tester les limites de l'engin ! Les sièges sont moelleux, mais manquent cruellement de maintien. Bref, un véhicule qui doit se conduire avec modération, même si le moteur est capable de prouesses surprenantes. Ses plus belles qualités demeurent l'ambiance à bord et la chaîne audio, qui rendent les longs trajets fort agréables.

5 FICHE TECHNIQUE

MOTEUR

V6 3,5 l DACT 265 ch à 6000 tr/min
Couple 248 lb-pi à 4000 tr/min
Transmission automatique à variation continue avec mode manuel
0-100 km/h 8,3 s
Vitesse maximale 200 km/h

AUTRES COMPOSANTES

Sécurité active freins ABS, répartition électronique de force de freinage, assistance au freinage, contrôle de stabilité électronique (SE), antipatinage (SE)
Suspension avant/arrière indépendante
Freins avant/arrière disques
Direction à crémaillère, assistée
Pneus P235/65R18 **LE** P235/55R20

DIMENSIONS

Empattement 2825 mm
Longueur 4788 mm
Largeur 1882 mm
Hauteur 1730 mm
Poids S 1824 kg **SL** 1833 kg **LE** 1875 kg
Diamètre de braquage 11,4 m
Coffre 923 l, 2311 l (sièges abaissés)
Réservoir de carburant 82 l
Capacité de remorquage 1588 kg

NOS MENTIONS

Modèle recommandé

NOTRE VERDICT

Plaisir au volant
Qualité de finition
Consommation
Rapport qualité/prix
Valeur de revente

PATHFINDER

www.nissan.ca

N ÉVOLUTION É J

36 298 $ à 46 098 $
transport et préparation: 1500 $

LA COTE VERTE

AVEC MOTEUR V6 DE 4,0 L

- **Consommation (100km):** 12,7 l
- **Émissions polluantes CO_2 :** 6240 kg/an
- **Empreinte écologique (nombre d'arbres à planter par année):** 37
- **Indice d'octane:** 91
- **Autre motorisation:** non
- **Coût du carburant moyen par année:** 3146 $
- **Nombre de litres par année:** 2860 l

(SOURCE: ÉnerGuide)

1 FICHE D'IDENTITÉ

- **Versions** S, SE, LE
- **Roues motrices** 4
- **Portières** 4 **Nombre de passagers** 7
- **Première génération** 1987
- **Génération actuelle** 2005
- **Construction** Smyrna, Tennessee, É.-U.
- **Sacs gonflables** 6 (frontaux, latéraux avant en option, rideaux latéraux en option)
- **Concurrence** Ford Explorer, Jeep Grand Cherokee, Kia Sorento, Toyota 4Runner

2 AU QUOTIDIEN

- **Prime d'assurance**
  25 ans: 2100 à 2300 $
  40 ans: 1300 à 1500 $
  60 ans: 1100 à 1300 $
- **Collision frontale** 4/5
- **Collision latérale** 5/5
- **Ventes du modèle de l'an dernier**
  Au Québec 213 **Au Canada** 1 196
- **Dépréciation** 54,8 %
- **Rappels** (2004 à 2009) 1
- **Cote de fiabilité** 3/5

3 GARANTIES... ET PLUS

- **Garantie générale** 3 ans/60 000 km
- **Garantie motopropulseur** 5 ans/100 000 km
- **Perforation** 5 ans/kilométrage illimité
- **Assistance routière** 3 ans/kilométrage illimité
- **Nombre de concessionnaires**
  Au Québec 47 **Au Canada** 148

4 NOUVEAUTÉS EN 2010

- Nouvelle couleur extérieure

ENCORE PERTINENT ?

PAR DANIEL RUFIANGE

IL A DÉJÀ FAIT SALIVER BON NOMBRE DE QUÉBÉCOIS QUI SE DISAIENT : « UN JOUR, J'EN AUREZ UN ! C'ÉTAIT IL Y A 20 ANS, ALORS QUE LE PRIX DU CARBURANT ET LES QUESTIONS ENVIRONNEMENTALES SE SITUAIENT PLUTÔT LOIN SUR LES LISTES DE PRIORITÉS. Aujourd'hui, si certains rêvent encore de se parader au volant d'un Pathfinder, ils auront tôt fait de déchanter en analysant ce que ce monstre coûte à rouler, sans parler de sa facture à l'achat. Heureusement, le moteur V8 a été abandonné, et seul un V6 est toujours au catalogue. Il reste qu'il ne faut pas compter ses sous pour rouler en Pathfinder. Et vous connaissez autant que moi le contexte actuel...

[CARROSSERIE] Je l'avoue sans retenue, les lignes du Pathfinder – et par ricochet celles de tous les camions Nissan – me plaisent beaucoup. Le design de la calandre massive et chromée est une preuve qu'on peut très bien présenter des lignes masculines sans pour autant sombrer dans le mauvais goût et l'exagération, comme le fait Ford avec ses robustes camions F-350 et F-450, par exemple. Les passages de roues enflés ne font qu'accentuer le caractère robuste du véhicule, et c'est sans parler de sa taille imposante; je plains d'emblée ceux qui se trouvent coincés derrière dans la circulation lourde.

[HABITACLE] Si j'ai un reproche majeur à adresser à Nissan, c'est bien à propos de ses intérieurs. Ils ont longtemps été rabroués à propos de la piètre qualité des habitacles qu'ils offraient, et même si le tir a été un peu corrigé, il reste du travail à faire. Pour la facture exigée, nous devrions trouver mieux. De plus, les bruits de craquement sont toujours présents, résultat d'un assemblage déficient. Quant à la présentation visuelle, ça demeure une question de goût, mais ça manque de dynamisme, à mon avis. Tout n'est cependant pas noir à l'intérieur du Pathfinder. On profite de beaucoup d'espace, même quand on se glisse à la troisième banquette. La position de conduite est bonne et nous confère la sensation de dominer la route. Le confort des sièges est bon, et tout ce luxe dégage une sensation de richesse.

+ −

FORCES • Allure réussie • Espace intérieur généreux • Troisième banquette utilisable • Capacités hors route

FAIBLESSES • Consommation • Qualité de l'habitacle décevante considérant la facture • Présentation intérieure fade

PATHFINDER

[MÉCANIQUE] Le Pathfinder est victime de ses propres capacités. Muni d'un V8, il se transforme en bête de travail impressionnante et ses 2236 kilos se laissent trimballer sans trop de difficultés. Toutefois, les contextes économique et pétrolier rendent impopulaires les grosses motorisations, au point où Nissan n'offre maintenant qu'un seul engin, un V6 de 4 litres, bon pour 266 chevaux. Ce moteur s'acquitte relativement bien de sa tâche, mais quelque chose cloche quand on enfonce l'accélérateur; ça travaille fort sous le capot; la sensation inverse serait de propulser une Versa avec un V8 ! Quoique ça pourrait être amusant ! Au chapitre des plus, mentionnons une transmission à quatre roues motrices complète et très efficace qui rend pratiquement impossible l'embourbement. Combinez cela à la structure toute camion du Pathfinder – lire ici châssis en échelle – et vous comprendrez que ce véhicule est demeuré fidèle à sa vocation première, c'est-à-dire d'être un utilitaire d'abord.

[COMPORTEMENT] C'est donc dire que le Pathfinder se comporte comme un camion d'abord, et c'est ce qu'on apprécie de lui. Nissan a fait de l'excellent travail afin de le rendre civilisé, sur la route, au point où, sur une belle surface, le confort prime. Par contre, ses qualités de camions se transforment en défaut lors de manœuvres d'évitement, sans parler du freinage, qui donne rapidement mal au cœur; c'est inévitable quand on affiche un surplus de poids !

[CONCLUSION] Le Pathfinder a évolué au point qu'il s'agit aujourd'hui d'un utilitaire qui réunit robustesse et raffinement. Le hic, c'est que les gens l'aimaient comme il était avant. Ces derniers se tournent maintenant vers d'autres produits moins chers, comme le Jeep Wrangler. Les ventes du Pathfinder souffrent, et pour assurer sa survie, Nissan aurait avantage à simplifier l'offre.

2e OPINION

BENOIT CHARETTE Le Pathfinder joue la carte de la polyvalence, plus spacieux que bien des fourgonnettes avec 7 sièges, un grand volume de chargement et de nombreux rangements. Une fois rabattues, les seconde et troisième rangées de sièges laissent place à un plancher totalement plat. Le volume de chargement avoisine alors les 2 300 litres avec un seuil de chargement accessible à tous. Le siège du passager avant rabattu, il est même capable d'accueillir l'équivalent d'une planche de surf (2,82 m). Au total, il propose 64 configurations, sans oublier la lunette arrière ouvrante et les nombreux rangements dans l'habitacle et sous l'assise de chaque siège. Sa conduite demeure celle d'un camion et la consommation aussi, sinon pas grand-chose à redire.

5 FICHE TECHNIQUE

• MOTEUR

• (S, SE, LE)

V6 4,0 l DACT, 266 ch à 5600 tr/min
Couple 288 lb-pi à 4000 tr/min
Transmission automatique à 5 rapports
0-100 km/h 8,9 s
Vitesse maximale 190 km/h

• AUTRES COMPOSANTES

Sécurité active freins ABS, assistance au freinage, répartition électronique de force de freinage, système antipatinage, contrôle de stabilité électronique
Suspension avant/arrière indépendante
Freins avant/arrière disques
Direction à crémaillère, assistée
Pneus P245/75R16 **SE** P265/65R17 **LE** P265/60R18

• DIMENSIONS

Empattement 2850 mm
Longueur 4890 mm
Largeur 1844 mm
Hauteur 1849 mm
Poids S 2124 kg **SE** 2187 kg **LE** 2236 kg
Diamètre de braquage 11,9 m
Coffre 467 l, 2243 l (sièges abaissés)
Réservoir de carburant 80 l
Capacité de remorquage 2722 kg

NOTRE VERDICT

Plaisir au volant
Qualité de finition
Consommation
Rapport qualité/prix
Valeur de revente

QUEST

www.nissan.ca

N ÉVOLUTION É J

29 998 $ à 44 998 $
transport et préparation: 1540 $

LA COTE VERTE

AVEC MOTEUR V6 DE 3,5 L

- **Consommation (100km):** 10,7 l
- **Émissions polluantes CO_2 :** 5232 kg/an
- **Empreinte écologique (nombre d'arbres à planter par année):** 32
- **Indice d'octane:** 87
- **Autre motorisation:** non
- **Coût du carburant moyen par année:** 2398 $
- **Nombre de litres par année:** 2180 l

(SOURCE: ÉnerGuide)

1 FICHE D'IDENTITÉ

- **Versions** 3.5, 3.5 S, 3.5 SL, 3.5 SE
- **Roues motrices** avant
- **Portières** 4 **Nombre de passagers** 6 ou 7
- **Première génération** 1993
- **Génération actuelle** 2004
- **Construction** Canton, Mississipi, É.-U.
- **Sacs gonflables** 6 (frontaux, latéraux avant, rideaux latéraux)
- **Concurrence**, Chrysler Town & Country, Dodge Caravan, Honda Odyssey, Kia Sedona, Toyota Sienna

2 AU QUOTIDIEN

- **Prime d'assurance**
  25 ans: 1300 $ à 1500 $
  40 ans: 1000 $ à 1100 $
  60 ans: 800 $ à 1000 $
- **Collision frontale** 5/5
- **Collision latérale** 5/5
- **Ventes du modèle de l'an dernier**
  Au Québec 185 **Au Canada** 904
- **Dépréciation** 49,3 %
- **Rappels** (2004 à 2009) 7
- **Cote de fiabilité** 3/5

3 GARANTIES... ET PLUS

- **Garantie générale** 3 ans/60 000 km
- **Garantie motopropulseur** 5 ans/100 000 km
- **Perforation** 5 ans/kilométrage illimité
- **Assistance routière** 3 ans/kilométrage illimité
- **Nombre de concessionnaires**
  Au Québec 47 **Au Canada** 148

4 NOUVEAUTÉS EN 2010

- Aucun changement majeur et vendu jusqu'à la fin de l'automne 2009 comme modèle 2009.

FAUSSE ROUTE

PAR FRANCIS BRIÈRE

OUI, NISSAN A FAIT FAUSSE ROUTE AVEC LA QUEST. JE NE PARLE PAS DU MODÈLE ACTUEL, MAIS BIEN DES STRATÉGIES DE DÉVELOPPEMENT QU'A DÉPLOYÉES LE CONSTRUCTEUR NIPPON DEPUIS 1993. L'ancien doublon de la Mercury Villager a subi des transformations et une période d'absence qui a découragé les admirateurs. Aujourd'hui, le concept de fourgonnette perd des plumes, rien pour aider les ventes de la Quest.

[CARROSSERIE] Personnellement, je trouve que la Quest est la plus belle fourgonnette à sillonner nos routes. Affirmer qu'une fourgonnette est belle peut sembler étrange, mais ses lignes sont modernes et raffinées. Certains trouvent cela trop audacieux, en tout cas assez pour lui tourner le dos. Une chose est sûre, la comparer à une Honda Odyssey ou à une Toyota Sienna peut effrayer les plus conservateurs. La Quest est peut-être trop avant-gardiste du point de vue de la conception ! J'avoue que cela peut paraître étrange de parler d'avant-gardisme pour une fourgonnette !

[HABITACLE] Depuis que Nissan a procédé à des retouches obligées de l'habitacle, la présentation fait moins froncer les sourcils. Souvenons-nous de l'horrible intérieur que le constructeur avait concocté en 2004. La planche de bord offre des commandes bien placées et d'accès facile. En revanche, comme c'est souvent le cas des produits Nissan, la qualité des matériaux et l'assemblage laissent à désirer. On se souviendra des modèles Altima qui craquaient de partout. Les plastiques sont douteux et de goût moyen. Franchement, l'habitacle de la Quest pourrait prendre du mieux, et la fourgonnette n'en souffrirait certainement pas. Pour le reste, les sièges offrent un confort respectable, mais pas autant que ceux de la concurrence. L'ergonomie de l'habitacle fournit toute la polyvalence désirée avec des banquettes rabattables pour former un plancher plat.

[MÉCANIQUE] L'engin qui équipe la Quest est un V6 de 3,5 litres qui développe une puissance de 235 chevaux et produit un couple de 240 livres-pieds. Il est jumelé à une boîte de vitesses automatique à 5 rapports. Compte tenu du prix

FORCES • Design intérieur inspiré • Lignes réussies • Silence et douceur de roulement

FAIBLESSES • Prix de base • Assemblage ordinaire • Matériaux bon marché

demandé, on retrouve une mécanique plus sophistiquée chez la concurrente. Honda offre un V6 de même cylindrée mais doté d'un système de désactivation des cylindres, une mécanique moins gourmande, pour ne citer qu'un exemple. Cela dit, le moteur de la Quest est adéquat et éprouvé. Il est largement utilisé par le constructeur et à juste titre. Avec un véhicule dépassant les 2000 kilos, on souhaiterait bénéficier de quelques chevaux de plus, ne serait-ce que pour effectuer des entrées plus réussies sur l'autoroute.

[COMPORTEMENT] En ce qui concerne la tenue de route, la Honda Odyssey demeure la fourgonnette qui remporte la palme. Même la Toyota Sienna n'atteint pas ce niveau d'excellence. La Quest se tire bien d'affaire. Pour une fourgonnette, elle négocie les virages avec aisance et stabilité. Son centre de gravité semble relativement bas en comparaison avec d'autres véhicules de même catégorie, ce qui lui confère un net avantage en ce qui a trait à la tenue de route et à la tendance aux roulis. Le confort, la douceur et le silence de roulement, pour une fourgonnette, devraient être au rendez-vous. À bord de la Quest, on se sent comme dans son salon. En zone urbaine, le rayon de braquage un peu long peut causer certains ennuis.

[CONCLUSION] Dommage pour la Quest ! Le marché de la fourgonnette est en déclin. Dommage également pour l'industrie en général, puisque ce genre de véhicule demeure le meilleur choix pour un acheteur ayant besoin de transporter plusieurs personnes ou de nombreux objets. Mais le marché tend encore à favoriser les gros véhicules utilitaires. Pourtant, la fourgonnette est plus pratique et plus économique. Si vous êtes tenté par la chose, la Quest représente un excellent choix, tout comme la Honda Odyssey et la Toyota Sienna. En ce qui concerne le comportement routier, je donne l'avantage à la Quest et à l'Odyssey. Même si cette solution est plus économique, il faut s'attendre à débourser entre 35 000 et 40 000 dollars pour obtenir une fourgonnette bien équipée.

2e OPINION

BENOIT CHARETTE Avec des chiffres de vente qui chutent en continue depuis déjà quelques années, nous sommes en droit de nous demander combien de temps Nissan continuera à essuyer des pertes avec la Quest. Comme seule réponse à nos questions, nous avons eu droit à un « nous ne le savons pas encore ». Officiellement, il n'y a pas encore de modèle 2010 sur la route, Nisan écoule ce qui reste de 2009. Chose certaine, les ventes de fourgonnettes sont en perte de vitesse, et la Quest a toujours traîné de la patte. Certaines rumeurs voudraient que Nissan étudie la possibilité d'amener un véhicule multisegment pour remplacer sa fourgonnette, comme le concept Forum. Une chose est sûre, Nissan ne veut pas abandonner le segment, et nous verrons probablement dans le 1er ou le 2e trimestre un remplaçant à ce modèle.

(5) FICHE TECHNIQUE

· MOTEUR

V6 3,5 l DACT, 235 ch à 5800 tr/min
Couple 240 lb-pi à 4400 tr/min
Transmission automatique à 5 rapports
0-100 km/h 10,3 s
Vitesse maximale 185 km/h

· AUTRES COMPOSANTES

Sécurité active freins ABS, répartition électronique de force de freinage, assistance au freinage, antipatinage, contrôle de stabilité électronique (SE)
Suspension avant/arrière indépendante
Freins avant/arrière disques
Direction à crémaillère, assistée
Pneus S/SL P225/65R16 **SE** P225/60R17

· DIMENSIONS

Empattement 3150 mm
Longueur 5185 mm
Largeur 1971 mm
Hauteur 1826 mm
Poids S 1955 kg **SL** 1981 kg **SE** 2036 kg
Diamètre de braquage 12,19 m
Coffre 915 l, 4126 l (sièges abaissés)
Réservoir de carburant 76 l
Capacité de remorquage 1588 kg

NOTRE VERDICT

Plaisir au volant
Qualité de finition
Consommation
Rapport qualité/prix
Valeur de revente

ROGUE

www.nissan.ca

(N) ÉVOLUTION (É) (J)

24 398 $ à 28 998 $
transport et préparation: 1500 $

LA COTE VERTE

AVEC MOTEUR L4 DE 2,5 L

- **Consommation (100km):** **2RM** 8,2 l **4RM** 8,6 l
- **Émissions polluantes CO2 :** **2RM** 3984 kg/an **4RM** 4176 kg/an
- **Empreinte écologique (nombre d'arbres à planter par année):** 24
- **Indice d'octane:** 87
- **Autre motorisation:** non
- **Coût du carburant moyen par année:** **2RM** 1660 $ **4RM** 1720 $
- **Nombre de litres par année:** **2RM** 1660 l **4RM** 1720 l

(SOURCE: ÉnerGuide)

1 FICHE D'IDENTITÉ

- **Versions** S, SL
- **Roues motrices** avant, 4RM
- **Portières** 4 **Nombre de passagers** 5
- **Première génération** 2008
- **Génération actuelle** 2008
- **Construction** Kyushu, Japon
- **Sacs gonflables** 6 (frontaux, latéraux, rideaux)
- **Concurrence** Chevrolet Equinox, Ford Escape, Honda CR-V, Hyundai Tucson, Jeep Compass, Kia Sportage, Mitsubishi Outlander, Subaru Forester, Suzuki Grand Vitara, Toyota RAV4

2 AU QUOTIDIEN

- **Prime d'assurance**
  25 ans: 1400 à 1600 $
  40 ans: 1000 à 1200 $
  60 ans: 900 à 1000 $
- **Collision frontale** 4/5
- **Collision latérale** 5/5
- **Ventes du modèle de l'an dernier**
  Au Québec 4312 **Au Canada** 13 163
- **Dépréciation** (1 an) 23,1%
- **Rappels** (2004 à 2009) 1
- **Cote de fiabilité** 4/5

3 GARANTIES... ET PLUS

- **Garantie générale** 3 ans/60 000 km
- **Garantie motopropulseur** 5 ans/100 000 km
- **Perforation** 5 ans/kilométrage illimité
- **Assistance routière** 3 ans/kilométrage illimité
- **Nombre de concessionnaires**
  Au Québec 47 **Au Canada** 148

4 NOUVEAUTÉS EN 2010

- Poignées de portes chromées de série sur tous les modèles ensemble cuir incluant clé intelligente, connectivité bluetooth, téléphone main libre et radio satellite XM

MINIMURANO

PAR PHILIPPE LAGUË

CONTRAIREMENT À SON PRÉDÉCESSEUR, LE X-TRAIL, QUI SE PRÉSENTAIT SOUS LA FORME D'UN PETIT VUS, LE ROGUE EST UN VÉHICULE MULTISEGMENT, SORTE D'HYBRIDE ENTRE UNE AUTOMOBILE ET UN VÉHICULE UTILITAIRE. Ces derniers n'ayant plus la cote auprès des consommateurs, les constructeurs ont trouvé une nouvelle recette pour les séduire, qui consiste, grosso modo, à prendre une voiture et à la déguiser en véhicule utilitaire. Bref, c'est ce qu'on appelait autrefois une familiale, mais haute sur pattes.

[CARROSSERIE] J'entends souvent les gens dire que tous les véhicules se ressemblent de nos jours, et c'est on ne peut plus vrai dans le cas des VUS et de leurs remplaçants, les *crossovers*, comme on dit à Paris : ils semblent tous avoir été clonés. Cela dit, le Rogue a des airs de famille avec son grand frère, le Murano. Ils viennent d'ailleurs tous deux du studio de design californien de Nissan, dont l'ensemble de l'œuvre est loin de faire l'unanimité...

[HABITACLE] L'habitacle est vaste, aéré, avec un bon dégagement pour la tête et, à l'arrière, pour les jambes. Le compartiment à bagages impressionne aussi par sa capacité de chargement. La banquette arrière est confortable, mais les baquets à l'avant le sont encore plus : rembourrage, fermeté, maintien latéral et soutien lombaire, il n'y a rien à redire. Pas de lacunes ergonomiques non plus : les commandes sont ultra simples, faciles à manipuler et bien placées. Et on retrouve des espaces de rangement là où il en faut (console, portières), ainsi qu'une grande boîte à gants. La seule véritable fausse note concerne la finition, très plastique, ce qui est désormais la norme chez Nissan.

[MÉCANIQUE] Le 4-cylindres de 2,5 litres est un moteur souple, doux, conformément à la tradition japonaise; mais il est aussi très vaillant, avec un couple à bas régime presque comparable à celui d'un V6. Les accélérations sont franches, avec une courbe de puissance progressive. La boîte de vitesses à variation continue (CVT) gère très bien ce moteur, mais elle le fait parfois

FORCES • Habitacle spacieux et fonctionnel • Sièges confortables • Mécanique efficace • Bonne tenue de route • Confort et douceur de roulement

FAIBLESSES • Finition décevante • Consommation • Roulis en virage • Important rayon de braquage • Piètre visibilité arrière • Capacités hors route limitées

gronder en gardant un régime élevé avant de s'ajuster. Ce choix technique permet également de maintenir la consommation à un niveau raisonnable. Toutefois, même si le Rogue repose sur la plateforme d'une voiture compacte, il ne faut pas s'attendre à ce qu'il soit aussi frugal : la consommation moyenne se situe aux environs de 12 litres aux 100 kilomètres. On peut la réduire en optant pour la version à deux roues motrices, mais l'attrait de ce type de véhicule repose, pour plusieurs, sur la transmission intégrale.

[COMPORTEMENT] Même s'il partage sa plateforme avec la Sentra, le Rogue se comporte davantage comme un petit VUS. Il est haut sur pattes, ce qui comporte des avantages mais aussi des inconvénients, comme celui de pencher en virage. Cela dit, l'effet de roulis n'affecte nullement la motricité, et le Rogue tient fort bien la route – mieux, même, que la plupart de ses rivaux. Sa direction est précise et bien dosée, mais elle n'est pas parfaite pour autant, parce que lente et affligée d'un grand rayon de braquage, ce qui n'est pas idéal lors de certaines manœuvres. Pensez au stationnement en parallèle, par exemple. Et la piètre visibilité arrière ne facilite pas les choses. En revanche, le confort est l'un des points forts de ce véhicule, qui brille par sa grande douceur de roulement, comparable à celle de n'importe quelle berline. Les trains roulants sont particulièrement efficaces sur les mauvais revêtements, avec une suspension qui absorbe très bien les trous et les bosses de notre merveilleux réseau routier. Pour les excursions hors route, cependant, regardez ailleurs : le Rogue a l'air d'un VUS, mais pas la chanson, comme on dit.

[CONCLUSION] Le Rogue ne souffre aucunement de la comparaison avec les ténors de cette catégorie que sont les RAV4, CR-V et Forester. Comme eux, il est pratique, spacieux, confortable et bien assemblé. Et il devrait se montrer aussi fiable, à l'instar des autres produits Nissan. Autre point intéressant en faveur du Rogue, et non le moindre : son prix, qui le place au milieu du peloton dans ce segment, mais parmi les moins chers chez les japonais.

2e OPINION

FRANCIS BRIÈRE Parmi les petits véhicules utilitaires sport à la mode, le Rogue s'est taillé une place de choix. Il offre beaucoup à un prix raisonnable : bon comportement routier, confort et agrément de conduite. Mitsubishi offre un petit camion qui procure plus de plaisir au volant : l'Outlander. Du reste, le Rogue n'a pas que des qualités : places exiguës à l'arrière, espace de chargement limité, consommation de carburant exagérée. Un fait demeure : il s'agit d'un véhicule honnête pour le prix. Il faut vouer un amour inconditionnel aux petits camions pour se procurer un Rogue. Une voiture familiale pourrait très bien faire l'affaire et consommer moins de carburant. Certains affirment qu'il faut être de son temps...

5 FICHE TECHNIQUE

· MOTEUR

L4 2,5 l DACT, 170 ch à 6000 tr/min
Couple 175 lb-pi à 4400 tr/min
Transmission automatique à variation continue, CVT avec mode manuel
0-100 km/h 8,7 s
Vitesse maximale 190 km/h

· AUTRES COMPOSANTES

Sécurité active freins ABS, antipatinage, distribution électronique de force de freinage
Suspension avant/arrière indépendante
Freins avant/arrière disques
Direction à crémaillère, assistée
Pneus S P215/70R16 **SL** P225/60R17

· DIMENSIONS

Empattement 2690 mm
Longueur 4645 mm
Largeur 1800 mm
Hauteur 1658 mm
Poids S 2RM 1484 kg **4RM** 1564kg
SL 2RM 1504 kg **4RM** 1574 kg
Diamètre de braquage 11,4 m
Coffre 818 l, 1639 l (sièges abaissés)
Réservoir de carburant 60 l
Capacité de remorquage 454 kg à 680 kg

NOS MENTIONS

Modèle recommandé

NOTRE VERDICT

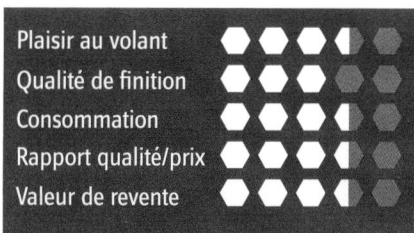

Plaisir au volant
Qualité de finition
Consommation
Rapport qualité/prix
Valeur de revente

SENTRA

www.nissan.ca

N ÉVOLUTION É J

15 198 $ à 22 448 $
transport et préparation: 1325 $

LA COTE VERTE

MOTEUR
L4 DE 2,0 L

- **Consommation (100km):** **man.** 7,4 l **auto.** 7,1 l
- **Émissions polluantes CO_2 :** **man.** 3600 kg/an, **auto.** 3456 kg/an
- **Empreinte écologique (nombre d'arbres à planter par année):**
- **Indice d'octane:** 87
- **Autre motorisation:** non
- **Coût du carburant moyen par année:** **man.** 1440 $ **autom.** 1500 $
- **Nombre de litres par année:** **man.** 1500 l **auto.** 1440 l

(SOURCE: ÉnerGuide)

1 FICHE D'IDENTITÉ

- **Versions** 2.0, 2.0 S, 2.0 SL, SE-R, SE-R Spec V
- **Roues motrices** avant
- **Portières** 4 **Nombre de passagers** 4
- **Première génération** 1983
- **Génération actuelle** 2007
- **Construction** Aguascalientes, Mexique
- **Sacs gonflables** 6 (frontaux, latéraux avant, rideaux latéraux)
- **Concurrence** Chevrolet Cobalt, Ford Focus, Honda Civic, Hyundai Elantra, Kia Spectra, Mazda*3*, Mitsubishi Lancer, Subaru Impreza, Suzuki SX4, Toyota Corolla, Volkswagen Golf

2 AU QUOTIDIEN

- **Prime d'assurance**
  25 ans: 1700 à 1900 $ **40 ans:** 1600 à 1800 $
  60 ans: 1200 à 1400 $
- **Collision frontale** 5/5
- **Collision latérale** 4/5
- **Ventes du modèle de l'an dernier**
  Au Québec 4874 **Au Canada** 11 000
- **Dépréciation** 50,0%
- **Rappels** (2004 à 2009) 7
- **Cote de fiabilité** 3,5/5

3 GARANTIES... ET PLUS

- **Garantie générale** 3 ans/60 000 km
- **Garantie motopropulseur** 5 ans/100 000 km
- **Perforation** 5 ans/kilométrage illimité
- **Assistance routière** 3 ans/kilométrage illimité
- **Nombre de concessionnaires**
  Au Québec 47 **Au Canada** 148

4 NOUVEAUTÉS EN 2010

- nouvelle calandre et grille, nouveaux phares, retouches extérieures, nouvelles roues de 16 pouces, contrôle dynamique du véhicule de série, nouveau tissu pour les sièges, connectivité USB et iPod, trois nouvelles couleurs extérieures

L'ENNEMI INTÉRIEUR

PAR PHILIPPE LAGUË

LA SENTRA EST À NISSAN CE QUE LA COROLLA EST À TOYOTA : UNE BERLINE COMPACTE SOLIDE, CONFORTABLE, QUI VOUS TRANSPORTE DU POINT A AU POINT B SANS ENCOMBRE... L'achat cartésien par excellence. Sauf que Nissan n'a pas une image de marque aussi forte que Toyota, de sorte qu'il se vend deux fois plus de Corolla. Et ce n'est sûrement pas parce que la Corolla a plus de charme !

[CARROSSERIE] Le style est particulier, audacieux même. On aime ou on n'aime pas, mais au moins, la Sentra passe moins inaperçue. Chez Nissan, on a visiblement compris qu'avec des rivales comme la Civic et la Mazda3, il fallait désormais faire preuve d'audace en matière de style. Je vous laisse le soin de décider si c'est beau...

[HABITACLE] À l'intérieur, toutefois, il y a zéro audace. C'est même triste. La piètre qualité des matériaux n'aide en rien : les plastiques durs qui recouvrent la planche de bord et la console évoquent ce qui se faisait de pire chez GM et Chrysler il y a dix ans. L'assemblage montre également quelques lacunes. Rien de grave, certes, mais des choses qu'on ne voit pas dans une Honda, une Mazda ou une Toyota. L'habitabilité déçoit elle aussi. L'espace pour les jambes à l'arrière est restreint. Sinon, il n'y a rien à redire sur le plan ergonomique : tout est à la bonne place, les commandes sont d'une utilisation intuitive, et il y a des espaces de rangement là où il en faut (bien qu'ils contiennent peu). À l'avant, les sièges procurent un bon maintien, et la mollesse du rembourrage plaira à certains.

[MÉCANIQUE] Le cœur d'une automobile, c'est son moteur. Or, à ce chapitre, la Sentra, comme les autres véhicules de la marque, est bien nantie. Cette motorisation est bien servie par la boîte de vitesses à variation continue Xtronic, qui ne lui enlève rien de sa vivacité. Cette boîte optimise la puissance et le couple à tous les régimes, de sorte que la Sentra est nerveuse comme elle ne l'a jamais été, et son moteur ronronne doucement à 2000 tours par minute entre 100 et 120 km/h sur l'autoroute. Ce 4-cylindres de 2 litres brille aussi par sa souplesse et sa discrétion. De la belle

FORCES • Bons moteurs • Boîte CVT bien adaptée • Bonne direction • Conduite enjouée • Toujours fiable

FAIBLESSES • Finition bon marché • Lacunes d'assemblage • • Habitabilité moyenne • Consommation décevante • Cannibalisée par la Versa

et bonne mécanique, indiscutablement. Une seule fausse note : la consommation, décevante pour une compacte : je n'ai pas réussi à obtenir moins de 9 litres aux 100 kilomètres. Réduction des coûts oblige, Nissan a cependant poussé le bouchon un peu loin en dotant la Sentra d'un essieu rigide à l'arrière et, surtout, d'un système de freinage mixte (disques à l'avant, tambours à l'arrière). Chiche !

[COMPORTEMENT] L'agrément de conduite, ça commence par une bonne direction. Pour ceux et celles qui aiment conduire, il n'y a rien de pire qu'une direction imprécise et surassistée. C'était le cas de la Sentra; ça ne l'est plus. Dans les faits, c'est le jour et la nuit : la direction est ferme, vive et précise, procurant ainsi une conduite enjouée à cette compacte naguère ennuyeuse comme la pluie. La Sentra gagnerait à être mieux chaussée, mais elle montre néanmoins de belles aptitudes : maniabilité, sous-virage et roulis bien maîtrisés, tenue de route sûre, autant de signes qui ne mentent pas sur la qualité du châssis. Cette berline repose sur une base saine, qui sert très bien la version plus sportive (SE-R).

[CONCLUSION] La Sentra s'est émancipée, c'est clair. Elle ne passe plus inaperçue et n'a jamais été aussi agréable à conduire. Le hic, c'est qu'elle retire d'une main ce qu'elle donne de l'autre. La réduction des coûts à tout prix se traduit de façon très tangible, que ce soit dans la piètre qualité des matériaux utilisés à l'intérieur, l'assemblage bâclé et le choix de certaines solutions techniques. En gérant « à l'américaine », il se pourrait qu'on finisse par obtenir des résultats « à l'américaine »... Heureusement, la fiabilité semble toujours au rendez-vous, mais c'est aussi le cas de bon nombre de rivales de la Sentra. Cela ne suffit donc plus. On comprend par ailleurs difficilement la stratégie de Nissan avec sa gamme, la Versa cannibalisant les ventes de la Sentra. Bref, pour ce modèle, la menace vient avant tout de l'intérieur.

2e OPINION

BENOIT CHARETTE Nissan a réussi au cours de la dernière année à écouler un peu plus de Sentra en raison du prix plus alléchant. Mais si le fabricant veut réussir à trouver une véritable place à cette berline sur le marché, il faudra changer d'approche. En ce moment, la Versa, aussi grande et moins chère, trouve deux fois plus d'acheteurs. Mon conseil, si vous regardez pour une Sentra, dirigez-vous vers la version SE-R de 177 chevaux ou la Spec-V à 200 chevaux. Une belle petite sportive qui ne défoncera pas votre budget tout en vous procurant un réel plaisir au volant. Les versions de base n'ont rien de plus à offrir qu'une Versa, le jeu n'en vaut pas la chandelle.

(5) FICHE TECHNIQUE

· MOTEURS
L4 2,0 l DACT, 140 ch à 5100 tr/min
Couple 147 lb-pi à 4800 tr/min
Transmission manuelle à 6 rapports, automatique à variation continue (option)
0-100 km/h 9,5 s
Vitesse maximale 190 km/h

· (SE-R)
L4 2,5 l DACT, 177 ch à 6000 tr/min
Couple 172 lb-pi à 2800 tr/min
Transmission à variation continue avec commande au volant
0-100 km/h 7,3 s
Vitesse maximale 215 km/h
Consommation (100 km) 7,6 l (octane 87)
Emission de CO_2 3600 kg/an
Litres par année 1500 l
Coût par année 1500 $
Carburant alternatif non
Empreinte écologique 22 arbres

· SE-R SPEC-V
L4 2,5 l DACT 200 ch à 6600 tr/min
Couple 180 lb-pi à 5200 tr/min
Transmission manuelle à 6 rapports
0-100 km/h 6,8 s
Vitesse maximale 225 km/h
Consommation (100 km) 8,4 l (octane 87)
Emission de CO_2 4032 kg/an
Litres par année 1680 l
Coût par année 1848 $
Empreinte écologique 24 arbres

· AUTRES COMPOSANTES
Sécurité active freins ABS (option sur 2.0)
Suspension avant/arrière indépendante/essieu rigide
Freins avant/arrière disques/tambours SE-R disques/disques
Direction à crémaillère, assistée
Pneus 2.0 P205/60R15 **2.0 S/2.0 SL** P205/55R16

· DIMENSIONS
Empattement 2685 mm
Longueur 4567 mm **SE-R** 4575 mm
Largeur 1791 mm
Hauteur 1511 mm **SE-R** 1501 mm
Poids 2.0 1273 kg **2.0** S 1309 kg **2.0 SL** 1353 kg
SE-R 1413 kg SE-R V-Spec 1402 kg
Diamètre de braquage 10,8 m
Coffre 371 l
Réservoir de carburant 55 l

NOS MENTIONS

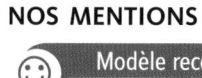

Modèle recommandé

NOTRE VERDICT

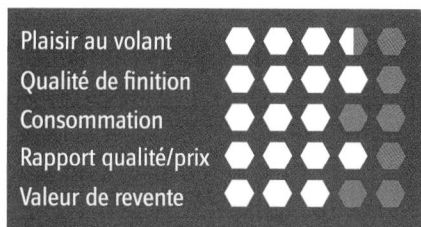

Plaisir au volant
Qualité de finition
Consommation
Rapport qualité/prix
Valeur de revente

TITAN

www.nissan.ca

N ÉVOLUTION É J

32 298 $ à 46 098 $
transport et préparation: 1450 $

LA COTE VERTE

AVEC MOTEUR V8 DE 5,6 L

- **Consommation (100km):** **2RM** 14,3 l **4RM** 15,1 l
- **Émissions polluantes CO_2 :** **2RM** 7008 kg/an **4RM** 7392 kg/an
- **Empreinte écologique (nombre d'arbres à planter par année):** 42
- **Indice d'octane:** 87
- **Autre motorisation:** non
- **Coût du carburant moyen par année:** **2RM** 2880 $ **4RM** 3020 $
- **Nombre de litres par année:** **2RM** 2880 l **4RM** 3020 l

(SOURCE: ÉnerGuide)

1 FICHE D'IDENTITÉ

- **Versions** XE, SE, PRO-4X, LE (King Cab, Crew Cab)
- **Roues motrices** arrière, 4RM
- **Portières** 4 **Nombre de passagers** 5
- **Première génération** 2004
- **Génération actuelle** 2004
- **Construction** Canton, Mississippi, É.-U.
- **Sacs gonflables** 2 (frontaux; latéraux en option sur SE, de série sur LE)
- **Concurrence** Chevrolet Silverado, Dodge Ram, Ford F-150, GMC Sierra, Toyota Tundra

2 AU QUOTIDIEN

- **Prime d'assurance**
  25 ans: 3700 à 3900 $
  40 ans: 2300 à 2500 $
  60 ans: 2000 à 2200 $
- **Collision frontale** 5/5
- **Collision latérale** 4/5
- **Ventes du modèle de l'an dernier**
  Au Québec 157 **Au Canada** 1520
- **Dépréciation** 48,6 %
- **Rappels** (2004 à 2009) 8
- **Cote de fiabilité** 3/5

3 GARANTIES... ET PLUS

- **Garantie générale** 3 ans/60 000 km
- **Garantie motopropulseur** 5 ans/100 000 km
- **Perforation** 5 ans/kilométrage illimité
- **Assistance routière** 3 ans/kilométrage illimité
- **Nombre de concessionnaires**
  Au Québec 47 **Au Canada** 148

4 NOUVEAUTÉS EN 2010

- Sacs gonflables latéraux et rideaux ainsi que système dynamique de contrôle du véhicule maintenant de série.

RAMIFICATION SOUHAITÉE

PAR DANIEL RUFIANGE

PENDANT QUE FORD VEND ANNUELLEMENT UNE DIZAINE DE MILLIERS DE SES F-150 AU QUÉBEC, NISSAN PEINE À ÉCOULER UNE CENTAINE DE SES TITAN. Est-ce à dire que la Titan est 100 fois moins intéressante que sa célèbre rivale ? Bien sûr que non, mais ça démontre l'ampleur du défi qui attend Nissan. L'an dernier, une entente semblait imminente entre Nissan et Chrysler. La prochaine génération de la Titan devait profiter des bases de la nouvelle Dodge Ram. Cette entente, mise sur la glace en février dernier, suivrait son cours alors qu'on s'est déjà entendu sur le design du nouveau modèle, prévu pour 2011. Si Nissan souhaite devenir concurrentielle dans le segment, cette alliance lui est nécessaire.

[CARROSSERIE] « Il était hors de question que je roule dans une Ford, une GM ou une Chrysler.» Voilà comment un de mes proches justifiait son choix de la Titan. S'il ne reste que ça comme argument de vente à Nissan... Pourtant, en matière d'esthétique, la Titan se tire bien d'affaire. Elle a le physique de l'emploi, sa calandre est l'une des plus belles de l'industrie, et ses configurations possibles se comparent à l'offre de la concurrence. Cependant, au moment d'acheter une camionnette, les consommateurs pensent instinctivement à Ford, à GM et à Chrysler... puis à Toyota. Oui, la pente est raide pour Nissan. Néanmoins, l'acheteur peut choisir entre trois versions – XE, SE et LE – et si on ajoute les possibles configurations de boîte et de caisse – régulière ou allongée – on décuple les possibilités. Attention aux options cependant. Si l'envie vous prenait de tout cocher sur la version haut de gamme LE, vous obtiendriez une facture de 64 258 $, sans compter les taxes.

[HABITACLE] Les habitacles de camionnettes ont grandement progressé en termes d'apparence. Fini les planches de bord rudimentaires où les plastiques bon marché faisaient la loi. Les aménagements d'aujourd'hui font mourir d'envie certaines berlines de luxe. Sauf que chez Nissan, on traîne de la patte, de sorte que la présentation intérieure se compare laborieusement à la concurrence. Vous me direz que l'important+

FORCES • Très belle gueule • Capacité de remorquage et robustesse au rendez-vous • Aspect non conformiste

FAIBLESSES • Quel choix de moteur ? • Présentation intérieure sobre • Prix des options

demeure la fonctionnalité de l'ensemble, et c'est vrai ! Cependant, pour séduire une rarissime clientèle, il faut se mettre sur son 36. Pour le reste, l'espace est généreux, les rangements, nombreux, et le confort, à la hauteur. À noter qu'aucune cabine simple ne figure au menu; c'est l'allongée ou la double.

[MOTEUR] Oubliez les choix de motorisations infinis à la Ford ou à la GM. Nissan est adepte de la simplicité volontaire et n'offre qu'un seul engin, un V8 de 5,6 litres qui propose 317 chevaux et un couple de 385 livres-pieds. C'est suffisant pour effectuer de la bonne besogne, ma is pour ceux qui désirent autre chose, il faut magasiner... ailleurs; comme stratégie de marché, on a déjà vu mieux ! Nissan donne l'impression de présenter sa Titan telle quelle et dire : « Si ça ne vous plaît pas, allez acheter ailleurs. » Malheureusement pour eux, c'est exactement ce que la clientèle fait ! Remarquez que ce ne sont pas quelques moteurs de plus qui permettraient à Nissan de devenir subitement concurrentielle. L'avenir passe par une refonte sérieuse.

[COMPORTEMENT] Reposant sur son châssis en échelle, la Titan est prête à affronter les pires tâches. Sa capacité de remorquage demeure supérieure à celle d'une Dodge Ram, et la puissance de son UNIQUE moteur la positionne bien dans la catégorie. À vide, son comportement est légèrement sautillant, alors que, bien chargée, elle offre le confort d'une limousine. Vraiment, Nissan fait la preuve qu'elle peut offrir une camionnette à la hauteur. Elle omet simplement de la rendre vraiment attrayante !

[CONCLUSION] Avec un peu plus d'amour et d'attention, la Titan pourrait concurrencer sérieusement ses rivales. Cependant, pour gruger des parts de marchés, l'entente avec Chrysler semble plus que nécessaire. Sinon, Nissan devra investir massivement dans sa camionnette, et je ne demeure pas convaincu que la direction en ait la volonté.

2e OPINION

FRÉDÉRIC MASSE C'est dommage pour la Titan. Elle ne sera jamais arrivée à s'imposer dans la catégorie des camionnettes pleine grandeur, et les choses ne s'arrangeront pas avec les années. Les qualificatifs « trop chère », « pas assez costaude », « gloutonne en carburant » reviennent souvent quand on en entend parler en mal. C'est en partie vrai. D'un autre côté, elle est l'une des plus amusantes à conduire et des plus rapides; elle propose un moteur puissant et une excellente capacité de remorquage.
Dans un marché ultra concurrentiel, ce n'est toutefois pas suffisant pour obtenir de bonnes parts de marché. Elle n'offre pas autant de configurations que la plupart des concurrentes et ne propose qu'un seul moteur; sa capacité de charge utile limitée ne l'aide pas non plus. Il en faudrait probablement encore davantage pour convaincre les acheteurs (qui restent) qui achètent traditionnellement du nord-américain...

TITAN

5 FICHE TECHNIQUE

· MOTEUR
V8 5,6 l DACT, 317 ch à 5200 tr/min
Couple 385 lb-pi à 3400 tr/min
Transmission automatique à 5 rapports
0-100 km/h 9,3 s
Vitesse maximale 190 km/h

· AUTRES COMPOSANTES
Sécurité active freins ABS, distribution électronique de force de freinage
Suspension avant/arrière indépendante, essieu rigide
Freins avant/arrière disques
Direction à crémaillère, assistée
Pneus XE, SE P265/70R18 **PRO-4X** P275/70R18 **LE** P275/60R20

· DIMENSIONS
Empattement base 3550 mm **allongé** 4051 mm
Longueur base 5705 mm **allongé** 6203 mm
Largeur 2019 mm
Hauteur King Cab 2RM 1896 mm
King Cab 4RM 1946 mm **Crew Cab 4RM** 1945 mm
Poids 2215 à 2428 kg
Diamètre de braquage 13,9 m
Coffre nd
Réservoir de carburant 106 l **allongé** 140 l
Capacité de remorquage 4309 kg

NOTRE VERDICT

Plaisir au volant
Qualité de finition
Consommation
Rapport qualité/prix
Valeur de revente

VERSA

www.nissan.ca

N ÉVOLUTION É J

12 498 $ à 16 898 $
transport et préparation: 1325 $

LA COTE VERTE

AVEC MOTEUR L4 DE 1,8 L

- **Consommation (100km):** **man.** 7,1 l **auto.** 7,4 l **cvt** 6,8 l
- **Émissions polluantes CO_2 :** **man.** 3456 kg/an **auto.** 3552 kg/an **cvt** 3264 kg/an
- **Empreinte écologique (nombre d'arbres à planter par année):** 20
- **Indice d'octane:** 87
- **Autre motorisation:** non
- **Coût du carburant moyen par année:** **man.** 1440 $ **auto.** 1480 $ **cvt** 1360 $
- **Nombre de litres par année:** **man.** 1440 l **auto.** 1480 l **cvt** 1360 l

(SOURCE: ÉnerGuide)

1 FICHE D'IDENTITÉ

- **Versions** berline 1.6, hatchback 1.8S, 1.8SL
- **Roues motrices** avant
- **Portières** 4,5 **Nombre de passagers** 5
- **Première génération** 2007
- **Génération actuelle** 2007
- **Construction** Aguascalientes, Mexique
- **Sacs gonflables** 6, frontaux, latéraux
- **Concurrence** Chevrolet Aveo, Honda Fit, Hyundai Accent, Kia Rio, Suzuki Swift+, Toyota Yaris, Volkswagen Golf City

2 AU QUOTIDIEN

- **Prime d'assurance** **25 ans:** 1900 à 2100 $ **40 ans:** 1000 à 1100 $ **60 ans:** 800 à 1000 $
- **Collision frontale** 4/5 • **Collision latérale** 5/5
- **Ventes du modèle de l'an dernier** **Au Québec** 10 701 **Au Canada** 21 845
- **Dépréciation** (2 ans) 43,7%
- **Rappels** (2004 à 2009) 3
- **Cote de fiabilité** nm

3 GARANTIES... ET PLUS

- **Garantie générale** 3 ans/60 000 km
- **Garantie motopropulseur** 5 ans/100 000 km
- **Perforation** 5 ans/kilométrage illimité
- **Assistance routière** 3 ans/kilométrage illimité
- **Nombre de concessionnaires** **Au Québec** 47 **Au Canada** 148

4 NOUVEAUTÉS EN 2010

- Grille avant redessinée (berline) partie avant et arrière retouchées. Versa Hatchback 1.8 SL nouvelles roues de 15 pouces, nouveau système Navigation/Radio satellite XM ajouté. Prise auxiliaire ajoutée à la base du système audio. Interface pour iPod afin de hausser la qualité du radio. Garnitures et tissus révisés, freinage ABS ainsi que système dynamique de contrôle du véhicule standards pour la Versa 1.8 SL et optionnels pour la Versa 1.8 S.

LE BOEUF EST LENT

PAR PHILIPPE LAGUË

LE CRÉNEAU DES SOUS-COMPACTES CONNAÎT AINSI UN VÉRITABLE BABY BOOM DEPUIS DEUX ANS : Honda l'a réintégré en important sa Jazz, rebaptisée Fit en Amérique du Nord, et Nissan a fait de même avec la Versa. Ford monte aussi dans le train cette année, avec la Fiesta, et d'autres constructeurs suivront.

[CARROSSERIE] La Versa est issue de la première plateforme commune de Nissan et de Renault, depuis le rachat de la première par la seconde, en 1999. En configuration bicorps (hatchback), on peut lui trouver un air de famille avec certaines Renault. L'autre configuration proposée est la berline à 4 portes, les Américains n'étant guère friands des carrosseries à deux volumes.

[HABITACLE] Si la décoration est une question hautement subjective, la fonctionnalité des lieux, elle, est incontestable. Malgré les dimensions du véhicule, l'habitacle est vaste, aéré, en plus d'être bien insonorisé. Les commandes sont simples et d'accès facile, avec quelques bonnes trouvailles, comme les leviers permettant de régler le siège et le dossier, placés à droite du siège, ce qui évite d'avoir la main écrasée entre le siège et la portière quand on veut changer de position. Bien pensé. Toujours dans le volet pratique, mentionnons les espaces de rangement, nombreux et logeables. À l'avant, on n'a pas lésiné sur le rembourrage des sièges, et le maintien latéral n'est pas une notion abstraite. La banquette arrière est plus ferme, mais les passagers bénéficient d'un généreux dégagement pour la tête et les jambes. Le coffre de la berline est étonnant, vu les dimensions de la voiture, et, dans le modèle muni d'un hayon, le compartiment à bagages est aussi logeable. Bref, la Versa est une sous-compacte capable de rivaliser avec des compactes en matière d'habitabilité.

[MÉCANIQUE] Sous le capot, le 4-cylindres de 1,8 litre fait honneur à la réputation des petits moulins japonais. Avec ses 122 chevaux, c'est aussi le plus puissant de sa catégorie. À l'inverse, ce n'est pas le plus frugal. Pour pallier cette lacune, Nissan a ajouté un autre 4-cylindres, de 1,6 litre, cette fois. Il fait exactement ce qu'on attend de lui, c'est-à-dire qu'il consomme très

FORCES • Habitacle vaste • Réussite ergonomique • Sièges confortables • Choix de configurations • Moteur frugal (1,6 L) • Routière confortable • Fiabilité

FAIBLESSES • Moteurs exclusifs à chaque configuration • Consommation (1,8 L) • Performances timides • Boîte CVT • Direction médiocre (berline)

VERSA

peu. Le hic, c'est qu'il n'est offert que dans la Versa berline, tandis que le 1,8 litre est réservé aux deux versions du modèle bicorps. Quand il est jumelé à une boîte de vitesses automatique, le plus petit des deux moteurs devient anémique. Le 1,8-litre peut être jumelé à une boîte manuelle à 6 rapports ou à variation continue (CVT). Ce type de boîte de vitesses s'adapte beaucoup mieux à une petite cylindrée; disons qu'une boîte CVT est plus à sa place dans une Versa que dans un Murano, par exemple.

[COMPORTEMENT] La Versa est également une routière confortable, qui montre une douceur de roulement comparable, encore une fois, à celle d'une plus grosse voiture. Le moteur de 1,8 litre autorise des performances correctes, sans plus, la faute à cette boîte de vitesses (CVT), qui ne l'avantage pas, et à un poids plus élevé que celui de ses rivales. En revanche, la Versa est une voiture maniable, qui tient bien la route. Une excellente direction, vive, précise et parfaitement dosée, rehausse le tout. Cette même direction devient imprécise et surassistée dans la berline à moteur de 1,6 litre, ce qui est plutôt étrange. Certes, les pneus de 14 pouces n'aident en rien, mais cela n'explique pas tout.

[CONCLUSION] Résumons : la Versa est une grande petite voiture, spacieuse, confortable et pratique. La liste des plus ne s'arrête pas là : Nissan n'a pas été chiche sur l'équipement de série ni sur la finition. Et en bonne japonaise qu'elle est, elle affiche jusqu'à maintenant un bilan fiabilité sans tache. Dans la catégorie des sous-compactes, elle s'est immédiatement placée dans le peloton de tête, aux côtés de la Yaris et de la Fit. En raison de ses dimensions et de sa cylindrée supérieures, elle constitue également une menace pour les compactes. Le hic, c'est que cela risque de nuire à sa sœur, la Sentra, dont elle pourrait cannibaliser les ventes.

2e OPINION

FRANCIS BRIÈRE Parmi les petites, la Nissan Versa risque de combler bien des besoins. Plus confortable, dotée d'un espace de chargement appréciable, elle possède également une meilleure tenue de route. On la compare aux autres modèles de sous-compactes, et le verdict est unanime : la Versa est la meilleure ! Son prix légèrement supérieur se justifie par le fait qu'elle en offre plus. Pour le chargement, la Honda Fit fait sans doute encore mieux. En revanche, vous devez vous en tenir à une conduite en ville. La Versa se comporte mieux sur l'autoroute et offre plus de stabilité à grande vitesse. Sa boîte de vitesses CVT permet d'économiser du carburant. Pour une conduite plus agréable, on peut opter pour la boîte manuelle.

(5) FICHE TECHNIQUE

· MOTEURS

(1,6)
L4 1,6 l DACT 107 ch à 6000 tr/min
couple 111 lb-pi à 4600 tr/min
Transmission manuelle à 5 rapports, automatique à 4 rapports
0-100 km/h 14,0 s
Vitesse maximale 175 km/h

(1.8S, 1.8SL)
L4 1,8 l DACT 16s, 122 ch à 5200 tr/min
Couple 127 lb-pi à 4800 tr/min
Transmission manuelle à 6 rapports, automatique à 4 rapports (option sur 1.8S), automatique à variation continue (option sur 1.8SL)
0-100 km/h 13,0 s
Vitesse maximale 185 km/h

· AUTRES COMPOSANTES
Sécurité active freins ABS, répartition électronique de force de freinage, assistance au freinage (de série sur 1.8SL, en option sur 1.8S)
Suspension avant/arrière indépendante/essieu rigide
Freins avant/arrière disques/tambours
Direction à crémaillère, assistée
Pneus P185/65R15 **1.6 l** P185/65R14

· DIMENSIONS
Empattement 2600 mm
Longueur 4295 mm
Largeur 1695 mm
Hauteur 1535 mm
Poids 1.8S 1235 kg **1.8SL** 1261 kg
Diamètre de braquage 10,4 m
Coffre hayon 504 l, 1427 l (sièges abaissés), **berline** 391l
Réservoir de carburant 50 l

NOS MENTIONS

Clé d'or de sa catégorie

NOTRE VERDICT

Plaisir au volant
Qualité de finition
Consommation
Rapport qualité/prix
Valeur de revente Nm

XTERRA

www.nissancanada.ca

N ÉVOLUTION É J

33 298 $ à 37 098 $
transport et préparation: 1500 $

LA COTE VERTE

MOTEUR
V6 DE 4,0 L

- **Consommation (100km):** **man.** 11,8 l **autom.** 12,4 l
- **Émissions polluantes CO_2 :** **man.** 5760 kg/an **autom.** 6048 kg/an
- **Empreinte écologique (nombre d'arbres à planter par année):** 35
- **Indice d'octane:** 87
- **Autre motorisation:** non
- **Coût du carburant moyen par année:** **man.** 2400 $ **auto.** 2500 $
- **Nombre de litres par année:** **man.** 2400 l **auto.** 2520 l

(SOURCE: ÉnerGuide)

1 FICHE D'IDENTITÉ

- **Versions S**, Tout-terrain, SE
- **Roues motrices** 4 **Nombre de passagers** 5
- **Portières** 4
- **Première génération** 2000
- **Génération actuelle** 2005
- **Construction** Smyrna et Decherd, Tennessee, É.-U.
- **Sacs gonflables** 6 (frontaux; latéraux avant et rideaux latéraux en option sur la version S)
- **Concurrence** Dodge Nitro, Kia Sorento, Jeep Liberty, Jeep Wrangler, Suzuki Grand Vitara, Toyota FJ Cruiser

2 AU QUOTIDIEN

- **Prime d'assurance**
  25 ans: 1800 à 2000 $
  40 ans: 1200 à 1400 $
  60 ans: 1000 à 1200 $
- **Collision frontale** 4/5
- **Collision latérale** 5/5
- **Ventes du modèle de l'an dernier**
  Au Québec 128 **Au Canada** 800
- **Dépréciation** 51,3%
- **Rappels** (2004 à 2009) 4
- **Cote de fiabilité** 4/5

3 GARANTIES... ET PLUS

- **Garantie générale** 3 ans/60 000 km
- **Garantie motopropulseur** 5 ans/100 000 km
- **Perforation** 5 ans/kilométrage illimité
- **Assistance routière** 3 ans/kilométrage illimité
- **Nombre de concessionnaires**
  Au Québec 47 **Au Canada** 148

4 NOUVEAUTÉS EN 2010

- Aucun changement majeur

GÈNE DOMINANT

PAR ALEXANDRE CRÉPAULT

LES VRAIS 4 X 4 SE FONT DE PLUS EN PLUS RARES. Anéantis par des utilitaires sport plus sport qu'utilitaires, ils sont habituellement peu économiques, d'un confort limité et comprennent des fonctions dont peu d'acheteurs ont réellement besoin. Cependant, la demande existe encore (elle existera probablement toujours). Et quand vient le temps de répondre à cette demande, le Xterra fait une offre à laquelle il est difficile de dire non.

[CARROSSERIE] Le Xterra ne possède peut-être pas le vécu du Wrangler, âgé de 60 ans et l'un de ses principaux rivaux. Cependant, au cours de ses 10 ans d'histoire, Nissan a réussi à faire évoluer un design bien à lui. Quelle que soit la génération, on peut reconnaître un Xterra par la ligne de son toit en escalier et son dos d'âne sur la porte du hayon. Avec son empattement plutôt court et sa hauteur considérable, le Xterra laisse parfaitement paraître ses intentions hors route.

[HABITACLE] À l'intérieur du Xterra, Nissan a mis l'accent sur l'aspect utilitaire du véhicule. Les matériaux de la planche de bord, le tissu des sièges et le plancher en plastique ne gagneraient probablement pas de concours d'élégance, mais ils sont résistants et faciles à nettoyer. Les versions tout-terrains et SE présentent bon nombre d'équipements de série, comme la connectivité Bluetooth, l'ordinateur de bord et la chaîne audio Rockford Fosgate à neuf haut-parleurs.

[MÉCANIQUE] Un seul choix de motorisation pour le Xterra, soit un V6 à DACT de 4 litres et à 24 soupapes capable de générer une puissance de 261 chevaux et de produire un couple de 281 livres-pieds. Deux boîtes de vitesses sont offertes : une manuelle à 6 rapports et une automatique à 5 rapports. Dans les deux cas, le système à 4 roues motrices avec deux boîtiers de transfert et commutateur fait partie de l'équipement de série. À cela s'ajoute une panoplie de dispositifs de sécurité active, toujours standard sur le Xterra, comme le système antipatinage, le contrôle dynamique, le contrôle d'adhérence en descente et l'aide au démarrage en côte.

FORCES • Design toujours au goût du jour • Habileté hors route sérieuse • Bon rapport qualité-prix • Équipement intéressant • Moteur puissant

FAIBLESSES • Consommation de carburant - un diesel, svp • Capacité de remorquage moindre que le Pathfinder • Système antipatinage trop intrusif

[COMPORTEMENT] Si l'on garde en tête que le Xterra se considère comme un vrai véhicule utilitaire et non comme une voiture haute sur pattes, on trouvera son confort très correct. Une fois bien assis grâce aux huit réglages des sièges avant et au volant réglable en hauteur, nous nous élançons aisément à bord du Xterra. Outre le fait qu'il boive de l'or noir avec gloutonnerie, il n'y a absolument aucun reproche à faire au V6. À bas régime, il se fait souple. Quand on lui demande plus de puissance, il grimpe avec frénésie. Les freins permettent de ralentir les 2000 kilos du véhicule sans trop de difficulté. Dans les virages, la suspension arrière à essieu rigide se fait sentir. À l'opposé du Pathfinder, qui utilise aussi la plateforme F de Nissan, le Xterra à tendance à se dandiner à mesure que la vitesse augmente, et que l'état des routes empire. Voilà un mal nécessaire pour un véhicule aussi performant que le Xterra tout-terrain. Les bancs de neige et autres obstacles de l'hiver ? Le Xterra en fait une bouchée, autant en plein centre-ville qu'au beau milieu des bois.

[CONCLUSION] Le Xterra accomplit des miracles sans renier sa véritable nature d'utilitaire. Il est beau, pratique, confortable (dans la mesure du possible) et se révèle un champion des sentiers battus. Il s'agit, à mon avis, de la meilleure offre dans son segment. Un point c'est tout.

2e OPINION

DANIEL RUFIANGE Voilà un vrai véhicule utilitaire. Son allure macho plaît surtout aux hommes mais aussi à la gente féminine. Dans la catégorie, il n'a de concurrents sérieux que le Jeep Wrangler et le Toyota FJ Cruiser. Dès son introduction, Nissan n'a jamais caché la vraie nature du Xterra, celle d'un aventurier toujours prêt à escalader montagnes et rivières. C'est donc sans surprise qu'on découvre un habitacle plus pratique que joli. L'espace de chargement regorge de points d'ancrage et la traditionnelle trousse de premiers soins a toujours sa place à bord. En option, une tente en forme de coupole qui s'arrime au hayon. Vous en connaissez beaucoup de véhicules qui offrent de vous équiper pour le camping ? Le Xterra est un vrai de vrai.

5 FICHE TECHNIQUE

· MOTEUR
V6 4,0 l DACT, 261 ch à 5600 tr/min
Couple 281 lb-pi à 4000 tr/min
Transmission manuelle à 6 rapports, automatique à 5 rapports (en option; de série sur SE)
0-100 km/h 9,0 s
Vitesse maximale 190 km/h

· AUTRES COMPOSANTES
Sécurité active freins ABS, répartition électronique de force de freinage, antipatinage, contrôle de stabilité électronique
Suspension avant/arrière indépendante, essieu rigide
Freins avant/arrière disques ventilés
Direction à crémaillère, assistée
Pneus S et **Tout-terrain** P265/75R16
SE P265/65R17

· DIMENSIONS
Empattement 2700 mm
Longueur 4538 mm
Largeur 1849 mm
Hauteur 1903 mm
Poids S 1974 kg **Tout-terrain** 1996 kg **SE** 2000 kg
Diamètre de braquage 11,4 m
Coffre 997 l, 1861 l (sièges abaissés)
Réservoir de carburant 80 l
Capacité de remorquage 2268 kg

NOTRE VERDICT

Plaisir au volant
Qualité de finition
Consommation
Rapport qualité/prix
Valeur de revente

VIBE

www.gmcanada.com

N ÉVOLUTION É J

16 830 $ à 26 070 $
transport et préparation: 1325 $

LA COTE VERTE

AVEC MOTEUR L4 DE 1,8 L

- **Consommation (100km):** man. 7,1 l auto. 7,0 l
- **Émissions polluantes CO_2 :** man. 3451 kg/an auto. 3398 kg/an
- **Empreinte écologique (nombre d'arbres à planter par année):** 21
- **Indice d'octane:** 87
- **Autre Motorisation:** non
- **Coût du carburant moyen par année:** man. 1438 $ auto. 1416 $
- **Nombre de litres par année:** man. 1438 l auto. 1416 l

(SOURCE: ÉnerGuide)

1 FICHE D'IDENTITÉ

- **Version** Base, TI, GT
- **Roues motrices** avant, 4
- **Portières** 4 **Nombre de passagers** 4
- **Première génération** 2003
- **Génération actuelle** 2009
- **Construction** Fremont, Californie, É.-U.
- **Sacs gonflables** 6 (frontaux, latéraux et rideaux latéraux)
- **Concurrence** Chevrolet HHR, Chrysler PT Cruiser, Dodge Caliber, Mazda3 Sport, Subaru Impreza, Toyota Matrix

2 AU QUOTIDIEN

- **Prime d'assurance**
  25 ans: 1600 à 1800 $ **40 ans:** 900 à 1100 $
  60 ans: 700 à 900 $
- **Collision frontale** 5/5
- **Collision latérale** 4/5
- **Ventes du modèle de l'an dernier**
  Au Québec 5331 **Au Canada** 17 335
- **Dépréciation** (3 ans) 41,6%
- **Rappels** (2004 à 2009) 1
- **Cote de fiabilité** 4/5

3 GARANTIES... ET PLUS

- **Garantie générale** 3 ans/60 000 km
- **Garantie motopropulseur** 5 ans/160 000 km
- **Perforation** 6 ans/160 000 km
- **Assistance routière** 3 ans/60 000 km
- **Nombre de concessionnaires**
  Au Québec 90 **Au Canada** 400

4 NOUVEAUTÉS EN 2010

- Système de surveillance de la pression des pneus optionnel avec modèles TA et 1,8 L - Le groupe de rangement polyvalent comprend un siège de passager avant entièrement rabattable. - Porte-bagages de toit livrable en option avec la version à TI

SAINE ET PRESQUE SAUVE

JEAN-PIERRE BOUCHARD

DE PEU. C'EST CE QU'IL AURA FALLU POUR VOIR LA VIBE DISPARAÎTRE DANS LE SILLON DE LA MARQUE PONTIAC. Cette bonne petite voiture jouit d'une popularité incontestée depuis son introduction en 2003, en plus de faire partie des rares produits du constructeur à maintenir une valeur de revente élevée, résultat d'un croisement génétique avec la Toyota Matrix. La fin de la production est survenue en août 2009.

[CARROSSERIE] L'an dernier, la voiture a subi nombre d'améliorations, dont une sur le plan du traitement esthétique. À défaut de faire l'unanimité chez les consommateurs, la carrosserie conservait néanmoins un caractère jeune et dynamique. Au chapitre des dimensions, cette cinq portes évolue dans une catégorie qui regroupe la Subaru Impreza à hayon, la plus récente mouture de Mazda3 Sport ainsi que les nouvelles Mitsubishi Lancer Sportback et Hyundai Elantra Touring.

[HABITACLE] L'accès aux places avant de la voiture ne pose aucune difficulté. Le dessin des sièges assure un bon confort et un bon maintien. Le conducteur est assis haut et peut, notamment au moyen du volant télescopique livré de série, trouver une bonne position de conduite. À titre de conducteur de grande taille, j'aurais toutefois aimé reculer mon siège davantage pour gagner en dégagement pour les jambes. L'instrumentation est claire, de jour comme de soir. Les commandes sont à portée de la main. La console centrale est légèrement orientée vers le conducteur, ce qui favorise l'utilisation de la radio et de la climatisation. Élément pratique : une prise de courant de 115 volts permet de brancher un portable ou tout autre équipement électrique qui utilise une fiche électrique ordinaire. Le design de la voiture pénalise malheureusement la visibilité latérale arrière du côté droit, tandis que l'étroitesse et la hauteur de la lunette du hayon réduit la visibilité au moment de faire marche arrière. À l'intérieur de ma voiture d'essai, les matériaux utilisés étaient de belle facture en plus d'être bien assemblés La banquette arrière accueille dans un bon confort au moins deux personnes de taille moyenne. Le dossier est rabattable dans une proportion de 60/40, tout comme le dossier du

FORCES - Économie de carburant - Caractéristiques de série - Fiabilité - Choix de motorisations

FAIBLESSES - Visibilité vers l'arrière lacunaire - Bruits de roulement - Réactions plus senties sur certaines inégalités

siège du passager avant. Cette caractéristique, proposée en option sur les versions de base, facilite le transport de longs objets (jusqu'à 2,4 mètres). Le plancher et le dos des dossiers de la banquette sont recouverts de plastique d'entretien facile et de bandes antidérapantes qui contribuent à maintenir les objets en place. Le plastique est toutefois sensible aux éraflures.

[MÉCANIQUE] D'office, la Vibe est équipée du 4-cylindres de 1,8 litre. L'acheteur peut toutefois opter pour le 4-cylindres de 2,4 litres. Le 1,8 litre effectue un travail honnête dans la plupart des situations. C'est en plus un moteur frugal en carburant. Bien entendu, le 2,4 litres assure des accélérations un peu plus vigoureuses, tout en demeurant relativement économique, même quand la voiture est dotée de la transmission intégrale et de la boîte de vitesses automatique à 4 rapports. La boîte à 5 rapports est offerte en option sur la version GT et le modèle de base doté du 2,4-litres.

[COMPORTEMENT] La voiture propose un comportement routier équilibré pour une compacte. Elle n'est toutefois pas aussi inspirante à conduire qu'une Volkswagen Golf ou une Mazda3, par exemple. En ville, elle est par contre maniable et, dans la plupart des situations, sa suspension amortit efficacement les inégalités de la route. Afin d'améliorer la stabilité en situation d'urgence, la Vibe dispose de série d'un dispositif de contrôle de la stabilité du véhicule, une caractéristique offerte en option sur les Matrix de base.

[CONCLUSION] GM offre une petite voiture honnête, bien équipée et fiable à un prix décent. De plus, contrairement à Toyota, on peut opter pour des options individuelles comme le moteur de 2,4 litres et la boîte automatique à 5 rapports pour animer la version de base. La voiture n'est toutefois pas seule dans cette catégorie de cinq-portes qui, de plus en plus, suscite l'intérêt des constructeurs.

2e OPINION

BENOIT CHARETTE Au moment où vous lirez ces lignes, la production de la Pontiac Vibe, dans l'usine de Fremont, en Californie, sera officiellement terminée. La seule survivante de la saga Pontiac et sœur jumelle de la Toyota Matrix n'est plus. Profitez des quelques modèles qui sont encore dans les concessionnaires, car la Vibe est sans doute le meilleur modèle que Pontiac a eu à offrir depuis des lunes, c'était une Toyota après tout. Plaisante, bien équipée, la Vibe offre aussi beaucoup d'équipements pour le prix. Je trouve dommage que cette voiture quitte la route car son succès était indéniable. Souhaitons seulement pour le consommateur que GM et Toyota arrive à s'attendre sur d'autres projets communs, car celui-ci, contrairement à bien d'autres projets de GM, a été un succès.

5 FICHE TECHNIQUE

· MOTEURS
L4 1,8 l DACT, 132 ch à 6000 tr/min
Couple 128 lb-pi à 4400 tr/min
Transmission manuelle à 5 rapports, automatique à 4 rapports (option)
0-100 km/h 10,5 s
Vitesse maximale 185 km/h

· (TI, GT)
L4 2,4 l DACT, 158 ch à 6000 tr/min
Couple 162 lb-pi à 4000 tr/min
Transmission manuelle à 5 rapports, automatique à 5 rapports (option)
0-100 km/h 9,8 s
Vitesse maximale 200 km/h
Consommation (100 km) **man.** 8,3 l **auto** 8,4 l **AWD** 9,1 l (octane 87)
Émissions de CO_2 man. 4051 kg/an **auto** 4090 kg/an **AWD** 4404 kg/an
Litres par année man. 1688 l **auto.** 1704 l **AWD** 1835 l
Coût par an man. 2532 $ **auto.** 2556 $ **AWD** 2753 $
Autre motorisation non
Empreinte écologique 24 arbres

· AUTRES COMPOSANTES
Sécurité active freins ABS, contrôle de stabilité
Suspension avant/arrière indépendante
Freins avant/arrière disques
Direction à crémaillère, assistée
Pneus P205/55R16, P215/45R17(option) **GT** P215/45R18

· DIMENSIONS
Empattement 2600 mm
Longueur 4336 mm **GT** 4371 mm
Largeur 1765 mm
Hauteur 1549 mm **TI** 1595 m **GT** 1560 m
Poids 1295 kg **TI** 1490 kg **GT** 1395 kg
Diamètre de braquage 10,8 m **GT** 11,2 m
Coffre 569 l, 1399 l (sièges abaissés)
Réservoir de carburant 50 l
Capacité de remorquage 680 kg

NOS MENTIONS

Le choix vert
Modèle recommandé
Coup de coeur

NOTRE VERDICT

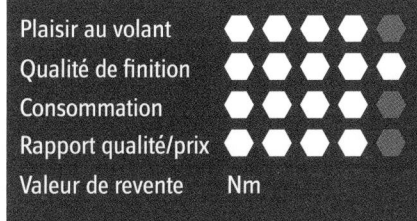

Plaisir au volant
Qualité de finition
Consommation
Rapport qualité/prix
Valeur de revente Nm

911

www.porsche.com/canada

N ÉVOLUTION É J

94 800 $ à 235 400 $ (GT2)
transport et préparation: 2015 $

LA COTE VERTE

AVEC MOTEUR H6 DE 3,6 L
- **Consommation (100km):** **man.** 10,6 l **auto.** 10,1
- **Émissions polluantes CO_2 :** **man.** 5184 kg/an, **auto.** 4944 kg/an
- **Empreinte écologique (nombre d'arbres à planter par année):** 30
- **Indice d'octane:** 91
- **Carburant alternatif:** non
- **Coût du carburant moyen par année:** **man.** 2156 $ **auto.** 2134 $ **Carrera man.** 2134 $ **auto.** 2090 $
- **Nombre de litres par année: man.** 1960 l **auto.** 1940 l **Carrera man.** 1940 l **auto.** 1900 l

(SOURCE: ÉnerGuide)

1 FICHE D'IDENTITÉ
- **Versions** Carrera, Carrera S, Carrera 4, Carrera 4S, Targa 4, Targa 4S, Turbo, GT2, GT3,
- **Roues motrices** arrière, 4
- **Portières** 2
- **Première génération** 1964
- **Génération actuelle** 1999
- **Construction** Stuttgart, Allemagne
- **Sacs gonflables** 6 (frontaux [4]), latéraux)
- **Concurrence** Aston Martin V8 Vantage/DB9, BMW Série 6, Chevrolet Corvette, Dodge Viper, Ferrari F430, Jaguar XK, Lamborghini Gallardo, Maserati Coupé, M-Benz Classe SL

2 AU QUOTIDIEN
- **Prime d'assurance**
  25 ans: 5700 à 5900 $
  40 ans: 2800 à 3000 $
  60 ans: 2600 à 2800 $
- **Collision frontale** 5/5
- **Collision latérale** 5/5
- **Ventes du modèle de l'an dernier**
  Au Québec 106 **Au Canada** 463
- **Dépréciation (3 ans)** 37,0 %
- **Rappels** (2004 à 2009) Aucun rappel à ce jour.
- **Cote de fiabilité** 4/5

3 GARANTIES... ET PLUS
- **Garantie générale** 4 ans/80 000 km
- **Garantie motopropulseur** 4 ans/80 000 km
- **Perforation** 10 ans/kilométrage illimité
- **Assistance routière** 4 ans/80 000 km
- **Nombre de concessionnaires**
  Au Québec 3 **Au Canada** 12

4 NOUVEAUTÉS EN 2010
- Nouvelle version Turbo de 500 chevaux

SENSATIONS À VOLONTÉ

PAR FRÉDÉRIC MASSE

OUI, OUI, OUI, JE DOIS L'AVOUER. AVANT MÊME D'ÉCRIRE CES LIGNES, J'AVAIS UN PRÉJUGÉ FAVORABLE POUR LES 911. JE LES ADORE, DE LA C2 À LA GT2, ELLES SYMBOLISENT L'APOGÉE DU DÉVELOPPEMENT, LE SUMMUM DE LA TRADITION. La preuve qu'on peut faire toujours mieux, pousser encore un peu plus loin. La 911 a su se renouveler, mais en devenant encore un tantinet plus (ou trop ?) civilisée...

[CARROSSERIE] C'est une superbe Carrera S qui a été mise à ma disposition pour ma semaine d'essai. Ses phares ronds, de retour depuis la génération 997, séduisent, et avec ses pneus de 19 pouces, elle semble toujours prête à bondir. Les clients ont en plus l'embarras du choix dans le style 2+2 (à l'exception des versions GT qui ne comptent que deux sièges) : coupé, cabrio et Targa, transmission intégrale ou propulsion, ainsi que les démentes Turbo, GT3 et GT2.

[HABITACLE] C'est un univers tout Porsche dans lequel on prend place. L'odeur particulière que dégagent les « Stuttgartiennes » me donne encore la chair de poule. On y découvre des cuirs de très haute qualité qui recouvrent à peu près... tout (une option). On s'assoit dans des sièges au galbe accueillant. J'aurais toutefois aimé un volant un peu plus épais. Comme dans tous les autres produits de Porsche, les commandes sont simples (à l'exception de la radio) et bien pensées, et tous les besoins usuels sont servis par des boutons. Un écran tactile sert à gérer les autres commandes quand elle est équipée du système de navigation (PCM). Et, quelle chaîne audio !

[MOTEUR] La 911 propose une panoplie de mécaniques. Disons que le choix s'étale du « simple » 6 à plat de 3,6 litres et de 345 chevaux aux 530 de la démentielle GT2! Mais, concentrons-nous sur la S. Cette petite merveille développe 385 chevaux grâce à son boxer de 3,8 litres, effectue le 0 à 100 km/h en moins 4,7 secondes et atteint une vitesse maximale de 302 km/h. Imaginez, sur le deuxième rapport et en la faisant chanter jusqu'à 7300 tours par minute, vous aurez déjà dépassé les limites officielles de nos charmantes

FORCES • Puissance de freinage • Précision et assistance de la direction • Variété d'un buffet chinois • Nouvelle boîte PDK (enfin le double embrayage) • Fiabilité éprouvée

FAIBLESSES • Manque de sensations à basse vitesse • Taille du volant

autoroutes ! Ma version d'essai était munie d'une bonne vieille boîte de vitesses manuelle à 6 rapports dont l'efficacité ne peut être mise en cause. Pour retrancher 0,2 seconde au chrono, on se tournera vers la nouvelle boîte à double embrayage à sept rapports Porsche Doppelkupplung (PDK) et l'ensemble Pack Sport Chrono Plus. Pour un prix fort raisonnable, ce dernier permet des réglages encore plus poussés, tant du côté du moteur, de la boîte, du PSM (Porsche Stability Management), du freinage que de la suspension. Avec cet ensemble, vous avez en plus droit au « Launch Control ».

[CONDUITE] Les 911 ont cette particularité qui les rend si spéciales : la position arrière du moteur. Dans les faits, à basse vitesse, elle est rendue si civilisée qu'on a presque l'impression de faire une balade du dimanche. Une fois qu'on allonge la jambe droite, par contre, c'est une toute autre voiture qui se révèle. Moins docile, plus nerveuse, elle donne une superbe rétroaction. Le Porsche Active Suspension Management (une option peu coûteuse qui comprend aussi le différentiel à glissement limité pour 1300 $) mis en mode sport, la suspension devient moins conciliante pour se concentrer sur une chose : tenir le fort. À la sortie des courbes, on demeure bien à plat et on peut la faire survirer sur demande. C'est hallucinant. Un véritable buffet de sensations à volonté. Au freinage, c'est du traditionnel Porsche, puissant et sans provoquer de plongeon (des freins déments en céramique sont aussi offerts pour la bagatelle de 11 110 $). Toutefois, pour l'une des premières fois, j'ai senti que la Porsche perdait un peu d'avance sur les concurrentes en devenant moins dominante. Elle amène encore au septième ciel, mais d'autres bêtes, comme l'Audi R8, même une BMW M3 (dans une certaine mesure), en sont maintenant également fort capables.

[CONCLUSION] Difficile de critiquer la 911. Compliqué de trouver quoi que ce soit qui cloche dans cette petite merveille, outre des options trop coûteuses. La précision de la direction et la puissance de freinage demeurent ses fers de lance. Mais, c'est encore la sophistication de sa suspension et sa configuration de moteur qui la rendent si unique. Une pure merveille dont la réputation en matière de fiabilité n'est aussi plus à faire !

5 FICHE TECHNIQUE

· MOTEURS

· (Carrera, Carrera 4, Targa 4)
H6 3,6 l DACT, 345 ch à 6800 tr/min
Couple 288 lb-pi à 4400tr/min
Transmission manuelle à 6 rapports, automatique à 7 rapports avec mode manuel (en option)
0-100 km/h Carrera coupé 4,9 s **cabrio.** 5,0 s
Vitesse maximale Carrera 289 km/h
Carrera 4 280 km/h

· (Carrera S, Carrera 4S, Targa 4S)
H6 3,8 l DACT, 385 ch à 6600 tr/min
Couple 310 lb-pi à 4600 tr/min
Transmission manuelle à 6 rapports, automatique à 7 rapports avec mode manuel (en option)
0-100 km/h Carrera S coupé 4,8 s **cabrio.** 5,0 s
Carrera 4S coupé/Targa 5,0 s **cabrio.** 5,3 s
Vitesse maximale Carrera S 293 km/h
Carrera 4S 288 km/h
Consommation (100 km) man. 10,8 l
autom. 10,2 l (octane 91)
Émissions de CO_2 man. 5184 kg/an
auto. 4944 kg/an
Litres par année man. 2020 l **auto.** 1920 l
Carrera S man. 1980 l **auto.** 1900 l
Coût par an man. 2222 $ **auto.** 2112 $
Carrera S man. 2178 $ **auto.** 2090 $
Carburant alternatif non
Empreinte écologique 30 arbres

· (TURBO)
H6 3,8 l biturbo DACT, 500 ch à 6000 tr/min
Couple 481 lb-pi à 1950 tr/min
Transmission manuelle à 6 rapports, automatique à 7 rapports avec mode manuel (en option)
0-100 km/h man. 3,7 s PDK. 3,6 s
Vitesse maximale 312 km/h
Consommation (100 km) man. 10,9 l
PDK. 11,2 l (octane 91)
Émissions de CO_2 man. 5328 kg/an
Litres par année man. 2220 l
Cabriolet man. 2260 l
Coût par an man. 2442 $ **Cabriolet man.** 2486 $
Carburant alternatif non
Empreinte écologique 32 arbres

· (GT3)
H6 3,8 l DACT, 435 ch à 7600 tr/min
Couple 318 lb-pi à 6250 tr/min
Transmission manuelle à 6 rapports
0-100 km/h 4,1 s
Vitesse maximale 310 km/h
Consommation (100 km) 11,5 l RS 11,2 l (octane 91)
Émissions de CO_2 5616 kg/an **RS** 5520 kg/an
Litres par année 2340 l **RS** 2300 l
Coût par an 2574 $ **RS** 2530 $
Carburant alternatif non
Empreinte écologique 33 arbres

· (GT2)
H6 3,6 l DACT, 530 ch à 6500 tr/min
Couple 505 lb-pi à 2200 tr/min
Transmission manuelle à 6 rapports
0-100 km/h 3,5 s **Vitesse maximale** 328 km/h
Consommation (100 km) 12,7 l (octane 91)
Émissions de CO_2 5940 kg/an **RS** 6003 kg/an
Litres par année 2320 l
Coût par an 2552 $ **Carburant alternatif** non
Empreinte écologique 36 arbres

· AUTRES COMPOSANTES
Sécurité active freins ABS, répartition électronique de force de freinage, assistance au freinage, antipatinage, contrôle de stabilité électronique
Suspension avant/arrière indépendante
Freins avant/arrière disques
Direction à crémaillère, assistée
Pneus Carrera/Targa 4 P235/40R18 (av.), P265/40R18 (arr.) **Carrera S/Targa 4S** P235/35R19 (av.), P295/30R19 (arr.) **Turbo/GT3** P235/35ZR19 (av.), P305/30ZR19 (arr.)

· DIMENSIONS
Empattement 2350 mm **GT3** 2355 mm
Longueur 4435 mm **Turbo** 4450 m **GT3** 4465 mm
Largeur 1808 mm **Turbo/GT3** 1852 mm
Hauteur Carrera/Targa 4 1310 mm **Carrera S/ Targa 4S/Turbo** 1300 mm **GT3** 1280 mm
Poids 1375 kg à 1595 kg
Diamètre de braquage 10,6 m
Coffre 125 l GT3 105 l
Réservoir de carburant 64 l **Turbo** 67 l **GT3** 90 l

BOXSTER

www.porsche.com/canada

N — ÉVOLUTION — É
J

58 400 $ à 70 600 $
transport et préparation: 2015 $

LA COTE VERTE

MOTEUR
H6 DE 2,9 L

- **Consommation (100km):** **man.** 9,1 l **auto.** 8,9 l
- **Émissions polluantes CO_2 :** **man.** 4176 kg/an **auto.** 4560 kg/an
- **Empreinte écologique (nombre d'arbres à planter par année):** 26
- **Indice d'octane:** 91
- **Autre motorisation:** non
- **Coût du carburant moyen par année:** **man.** 1930 $ **auto.** 2109 $
- **Nombre de litres par année:** **man.** 1740 l **auto.** 1900 l

(SOURCE: ÉnerGuide)

1 FICHE D'IDENTITÉ

- **Versions** Base, S
- **Roues motrices** arrière
- **Portières** 2 **Nombre de passagers** 2
- **Première génération** 1997
- **Génération actuelle** 2005
- **Construction** Stuttgart, Allemagne
- **Sacs gonflables** 4 (frontaux, latéraux avant)
- Concurrence BMW Z4, M-Benz SLK, Nissan 370Z Roadster

2 AU QUOTIDIEN

- **Prime d'assurance**
  25 ans: 4100 à 4300 $
  40 ans: 1800 à 2000 $
  60 ans: 1500 à 1700 $
- **Collision frontale** 5/5
- **Collision latérale** 5/5
- **Ventes du modèle de l'an dernier**
  Au Québec 84 **Au Canada** 272
- **Dépréciation** 44,7%
- **Rappels** (2004 à 2009) nm
- **Cote de fiabilité** 4/5

3 GARANTIES... ET PLUS

- **Garantie générale** 4 ans/80 000 km
- **Garantie motopropulseur** 4 ans/80 000 km
- **Perforation** 10 ans/kilométrage illimité
- **Assistance routière** 4 ans/80 000 km
- **Nombre de concessionnaires**
  Au Québec 3 **Au Canada** 12

4 NOUVEAUTÉS EN 2010

- nouvelle boîte PDK, moteur de base qui passe de 2,7 à 2,9 litres, puissance accrue des motorisations, injection directe (Boxster S)

TOUJOURS PLUS

BENOIT CHARETTE

AVEC 165 000 EXEMPLAIRES VENDUS DE LA PREMIÈRE GÉNÉRATION (1996-2004) ET 105 000 AUTRES DEPUIS 2005, LE SUCCÈS DE LA BOXSTER EST INDÉNIABLE. C'est probablement la raison pour laquelle, fidèle à sa tradition, Porsche n'a pas senti le besoin de trop changer la recette. L'injection directe sur la Boxster S, agrémentée de la nouvelle boîte PDK nouvellement arrivée sur la 911, vous procure une voiture qui repousse encore un peu les limites de l'ingénierie allemande avec une sonorité qui vous met l'eau à la bouche. Portrait d'un roadster aux dents acérées.

[CARROSSERIE] Pour différencier les nouvelles variantes des anciennes, il faut avoir l'œil ! Les nouvelles Boxster se dotent de phares avant inspirés de ceux de feue la Carrera GT ! Les entrées d'air sont élargies et se composent de deux barres transversales de la couleur de la carrosserie sur la Boxster et noires sur la version S. Les feux de position sont à diodes électroluminescentes, et des antibrouillards viennent se loger discrètement sous les entrées d'air. De l'arrière, on note la présence de feux à la forme plus galbée et l'apparition d'un diffuseur d'air de chaque côté de l'échappement.

[HABITACLE] Intéressante mise à niveau à l'intérieur. Le PCM (Porsche Communication Management) de l'ancienne mouture se révélait sérieusement dépassé. Le problème a été résolu avec une unité entièrement nouvelle qui permet de brancher iPod et USB, avec un style et une fonctionnalité nettement plus raffinés. Ce module a été repris de la 911, mais fait malheureusement partie de la liste des options. On note également l'arrivée — en option toujours — d'un système de navigation de dernière génération, de sièges ventilés et d'un nouvel autoradio. On remarque aussi un volant à l'aspect nouveau. Des changements qui améliorent la convivialité et l'aspect pratique. Dommage toutefois que la liste d'options comporte 26 pages (ce n'est pas une blague) pouvant faire grimper le prix à plus de 110 000 dollars.

[MÉCANIQUE] Le moteur de base passe de 2,7 à

FORCES · Boîte PDK douce et rapide · Comportement efficace et agile · Moteur démonstratif

FAIBLESSES · Commandes de boîte au volant peu pratiques · Tarif salé · Liste d'options interminables

2,9 litres, et sa puissance de 245 à 255 chevaux. Le 0 à 100 km/h est bouclé en 5,8 secondes, et vous pourrez atteindre les 261 km/h. La version S bénéficie d'un moteur à plat de 3,4 litres entièrement revu. L'injection directe permet un gain de puissance de 15 chevaux pour un total de 310. Vous franchirez le 0 à 100 km/h en 5,2 secondes et vous atteindrez 272 km/h. La grande nouveauté de cette Boxster, c'est la boîte de vitesses PDK déjà montée sur la dernière 911 et proposée en option. En position « Normal », cette boîte à 7 rapports fonctionne comme une boîte automatique. Elle se dépêche d'ailleurs de passer le septième pour augmenter son indice de frugalité (moyenne de 9 litres aux 100 kilomètres). En appuyant sur le bouton « Sport » au bas de la console centrale, le conducteur intervient sur la suspension et le passage des rapports. C'est le mode qui vous donne le meilleur compromis en terme de tenue de route et de confort, qui n'est pas mis à mal. Quant au mode « Sport Plus », il convient parfaitement aux routes sinueuses. Les régimes montent très haut, le septième rapport disparaît, et la boîte descend d'un rapport dès qu'on laisse le pied de l'accélérateur. Et, histoire d'en rajouter une couche, un « Launch Control » permet des démarrages canons. Pas très moral, mais diablement efficace.

[COMPORTEMENT] Je n'irai pas par quatre chemins, j'éprouve un plaisir jouissif au volant de la Boxster depuis 12 ans, et cette nouvelle génération repousse un peu plus loin les limites. Si la manipulation de la boîte PDK n'est pas intuitive, c'est son plus grand défaut, elle est, par contre, extrêmement rapide. En plus d'une direction ultra précise, le conducteur profite également d'un nouveau système de contrôle de la stabilité recevant un pré-remplissage du système de freinage, l'aide au freinage d'urgence et, en option, le réglage électronique des amortisseurs. Porsche a même retravaillé la sonorité de l'échappement, qui est modulé en fonction du mode utilisé. À elle seule, la sonorité de cette mécanique est un argument de vente.

[CONCLUSION] La Boxster conserve une place privilégiée dans mon cœur et représente l'une des véritables évasions automobiles sur la route. C'est vrai qu'il y a un fort prix à payer, mais vous ne serez pas déçu.

2e OPINION

DANIEL RUFIANGE Peu importe la version, quand je m'installe aux commandes d'une Porsche Boxster, cela réveille en moi un sentiment peu commun d'excitation. Suffit d'en lancer le moteur et de prendre la route pour réaliser à quel point cette voiture est à la fois un charme à conduire mais aussi un exemple patent de raffinement technologique. Qu'on sollicite la boîte séquentielle ou qu'on maltraite la boîte de vitesses manuelle, chaque changement de rapport et chaque montée en régime agit sur la pilosité. Si la version de base produit cet effet, imaginez un instant les sensations de la version S. Si jamais vous avez la chance que j'ai eue de la piloter sur une piste, vous réaliserez à quel point elle est conçue pour cela. Vous adorez conduire ? Vous devez essayer une Boxster !

5 FICHE TECHNIQUE

· MOTEURS

· (BASE)

H6 2,9 l DACT, 255 ch à 6500 tr/min
Couple 214 lb-pi à 4600 tr/min
Transmission manuelle à 6 rapports, boîte PDK à 7 rapports (en option)
0-100 km/h 5,9 s
Vitesse maximale 263 km/h

· (S)

H6 3,4 l DACT, 310 ch à 6400 tr/min
Couple 265 lb-pi à 5500 tr/min
Transmission manuelle à 6 rapports, boîte PDK à 7 rapports (en option)
0-100 km/h 5,2 s
Vitesse maximale 274 km/h
Consommation (100 km) man. 9,4 l (octane 91). PDK 9,2 l
Émissions de CO_2 man. 4752 kg/an
Litres par année 1980 l
Coût par an 2200 $
Empreinte écologique 29 arbres

· AUTRES COMPOSANTES

Sécurité active freins ABS, répartition électronique de force de freinage, assistance au freinage, antipatinage, contrôle de stabilité électronique
Suspension avant/arrière indépendante
Freins avant/arrière disques
Direction à crémaillère, assistée
Pneus
Base: P205/55R17 (av.), P235/50R17 (arr.),
S: P235/40R18 (av.), P265/40R18 (arr.)
Option: P235/35ZR19(av) P295/30ZR19(arr)
Option: P235/35ZR19(av) P305/30ZR19(arr)

· DIMENSIONS

Empattement 2415 mm
Longueur 4342 mm
Largeur 1801 mm
Hauteur 1292 mm
Poids base 1335 kg, S 1355 kg
Diamètre de braquage 10,9 m
Coffre 150 l (av.), 130 l (arr.)
Réservoir de carburant 65 l

NOS MENTIONS

Clé d'or de sa catégorie
Modèle recommandé
Coup de coeur

NOTRE VERDICT

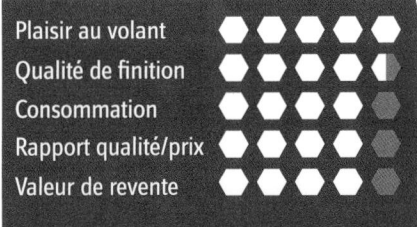

Plaisir au volant
Qualité de finition
Consommation
Rapport qualité/prix
Valeur de revente

CAYMAN

www.porsche.com/canada

N ÉVOLUTION É J

65 300 $ à 77 500 $
transport et préparation: 2015 $

LA COTE VERTE

AVEC MOTEUR H6 DE 2.9 L

- **Consommation (100km):** 9,0 l
- **Émissions polluantes CO_2 :** 4176 kg/an
- **Empreinte écologique (nombre d'arbres à planter par année):** 26
- **Indice d'octane:** 91
- **Autre motorisation:** non
- **Coût du carburant moyen par année:** 1914 $
- **Nombre de litres par année:** 1740 l.

(SOURCE: ÉnerGuide)

1 FICHE D'IDENTITÉ

- **Versions** base, S
- **Roues motrices** arrière
- **Portières** 2 **Nombre de passagers** 2
- **Première génération** 2006
- **Génération actuelle** 2006
- **Construction** Stuttgart, Allemagne
- **Sacs gonflables** 6 (frontaux, latéraux avant)
- **Concurrence** Audi TT, BMW Z4, , Mazda RX-8, Mercedes-Benz SLK, Nissan 370Z

2 AU QUOTIDIEN

- **Prime d'assurance**
  25 ans 4100 à 4300$
  40 ans 1800 à 2000$
  60 ans 1500 à 1700$
- **Collision frontale** ND
- **Collision latérale** ND
- **Ventes du modèle l'an dernier**
  Au Québec 34 **Au Canada** 169
- **Dépréciation** (3 ans) 29,6 %
- **Rappels** (2004 à 2009) 1
- **Cote de fiabilité** 4/5

3 GARANTIES... ET PLUS

- **Garantie générale** 4 ans/80 000 km
- **Garantie motopropulseur** 4 ans/80 000 km
- **Perforation** 10 ans/kilométrage illimité
- **Assistance routière** 4 ans/80 000 km
- **Nombre de concessionnaires**
  Québec 3 **Canada** 12

4 NOUVEAUTÉS EN 2010

- Aucun changement majeur

QUAND LA PERFECTION DOIT FAIRE FACE À LA TRADITION

PAR ALEXANDRE CRÉPAULT

ON ENTEND SOUVENT DIRE QUE LA CAYMAN EST LA 911 DES PAUVRES. La vérité, c'est que cette voiture possède un comportement et un caractère bien distincts... tout comme une facture qui n'a rien à voir avec le budget des pauvres...

[CARROSSERIE] Porsche affirme qu'elle a retouché sa Cayman l'an dernier. Il faut avouer que seul un œil averti peut vraiment voir la différence. Les entrées d'air à l'avant sont plus proéminentes que par le passé; les rétroviseurs se sont vu modifier, et la forme des phares et des feux arrière a été repensée. Le résultat ne nous empêchera certainement pas de dormir. Il reste que la silhouette du coupé continue de faire rêver. Les ailes avant, qui intègrent les nouveaux blocs optiques, nous ramènent vers la 911. L'arche des ailes arrière, entre lesquelles plonge la ligne du toit, donne une allure à la fois unique et musclée à la Cayman. Un ensemble aérodynamique très joli et exclusif à Porsche vous est offert en option pour... 6800 $ de plus !

[HABITACLE] À l'instar de la Boxster qui partage son habitacle avec la Cayman, simplicité et utilité dominent. Oubliez le grand design abstrait et branché. La planche de bord et la console centrale utilisent un assemblage élémentaire de formes rectangulaires. De base, la Cayman est servie quasi toute nue : vinyle, volant à trois branches et deux bancs sport réglables à la main. Selon la profondeur de vos poches, vous pourrez l'équiper de toutes les options inimaginables : cuir partout, siège à commande électrique ou baquet sport en un morceau, système de navigation, volant chauffant, pommeau de levier de vitesses de la même couleur que la carrosserie, etc. La liste s'allonge à l'infini, tout comme la facture quand vous ajoutez des options.

[MÉCANIQUE] L'une des caractéristiques de la Cayman est le fameux moteur à 6 cylindres à plat de Porsche. La Cayman de base se contente d'une cylindrée de 2,9 litres développant 265 chevaux, tandis que la Cayman S profite d'une cylindrée de

FORCES • Comportement formidable • 6-cylindres à plat exaltant • Allure sportive et sexy

FAIBLESSES • Où sont les 3,6 L et 3,8 L de Porsche • Options trop coûteuses • Sa grande sœur, la 911...

3,4 litres et de l'injection directe qui portent la puissance à 320 chevaux. Porsche a pris soin de donner 10 chevaux de plus que la Boxster aux deux modèles de la Cayman, question d'insister sur le tempérament plus sportif du coupé. À la fin de la journée, il faut se rappeler que Porsche doit constamment jongler avec la puissance de la 911 et celle de la Cayman/Boxster, de façon à ne pas cannibaliser l'un ou l'autre des modèles. Car un 6 à plat de 3,8 litres de 385 chevaux aurait une jolie place derrière les occupants d'une Cayman si la réputation de la 911 n'était pas en jeu… Et elle le serait. Encore une fois, une longue liste d'options aussi alléchantes que les prix sont salés peut ensuite agrémenter les performances de la voiture. Au sommet de l'exorbitant trône la nouvelle boîte de vitesses à double embrayage à 7 rapports de 4660 $, avec laquelle vous pourrez remplacer la manuelle à 6 rapports. La suspension active (PASM), le différentiel autobloquant et les freins en céramique de 11 110 $ sont autant de petits chefs-d'œuvre qui feront de votre Cayman un charme absolu à conduire… et de votre banquier son pire ennemi.

[COMPORTEMENT] La Cayman se comporte si bien qu'elle peut menacer la 911. Même si cette dernière demeure, à mon avis, plus gratifiante à piloter, la Cayman est tellement équilibrée qu'un enfant de six ans pourrait la pousser autour d'un circuit. Le ronronnement du 6 à plat dans notre dos… extase pure. Même avec sa cylindrée « relativement » petite, la Cayman et, surtout, la Cayman S, réussit à envoyer assez de puissance aux roues arrière pour donner une solide raclée à des voitures bien plus puissantes. À titre d'exemple, avec la boîte PPK et la commande de lancement offerte avec l'ensemble Sport Chrono, le 0 à 100 km/h s'effectue en 4,9 secondes. Le freinage (même sans les freins en céramique), la direction, les changements de rapports, tout travaille en harmonie et forme un véhicule tout simplement formidable à piloter, tant en ville que sur un circuit fermé.

[CONCLUSION] La Cayman se veut vraiment l'un des meilleurs coupés sport du monde. De plus, son prix de base est quasi raisonnable. Le problème se découvre une fois qu'on commence à configurer sa Cayman S idéale. Ce prix grimpe si vite qu'on finit par tomber dans le territoire de la 911. La question qu'il faut donc se poser : devrait-on rêver d'une 911 ou d'une Cayman ?

2e OPINION

FRANCIS BRIÈRE La Cayman fait tout à fait naturellement des tâches encore difficiles pour bien des sportives. Lorsque l'on freine, ça freine et fort. Sur circuit, vous pouvez attendre à la dernière minute pour freiner dans une courbe tellement le système est efficace. Et même après trois heures d'abus, les freins n'avaient rien perdu de leur mordant. Vous pouvez même opter pour des freins en céramique. Derrière le volant, l'équilibre naturel de la voiture, le son totalement envoûtant du moteur et l'exceptionnelle tenue de route en font une voiture désirable. Sa capacité à rouler vite vous oblige à constamment regarder les cadrans. On se sent tellement en sécurité à haute vitesse qu'on oublie à quelle vitesse on roule. Presque aussi agréable que la Boxster et optez pour la boîte manuelle.

5 FICHE TECHNIQUE

· MOTEUR

· (base)

H6 2,9 l DACT, 265 ch à 7200 tr/min

Couple 221 lb-pi à 4400 tr/min

Transmission manuelle à 6 rapports, séquentielle automatisée à 7 rapports avec mode manuel (en option)

0-100 km/h 5,8 s

Vitesse maximale 265 km/h

· (S)

H6 3,4 l DACT, 320 ch à 7200 tr/min

Couple 273 lb-pi à 4250 tr/min

Transmission manuelle à 6 rapports, séquentielle automatisée à 7 rapports avec mode manuel (en option)

0-100 km/h 5,2 s

Vitesse maximale 277 km/h

Consommation (100 km) man. 9,8 l (octane 91)

Émission de CO_2 man. 4752 kg/an

Litres par année 1980 l

Coût par année 2178$

Carburant alternatif non

Empreinte écologique 28 arbres

· AUTRES COMPOSANTES

Sécurité active freins ABS, répartition électronique de force de freinage, assistance au freinage, antipatinage, contrôle de stabilité électronique

Suspension avant/arrière indépendante

Freins avant/arrière disques ventilés

Direction à crémaillère, assistée

Pneus base P205/55R17 (av.), P235/50R17 (arr.), **S** P235/40R18 (av.), P265/40R18 (arr.)

Option : P235/35ZR19

· DIMENSIONS

Empattement 2415 mm

Longueur 4372 mm

Largeur 1801 mm

Hauteur 1305 mm

Poids base 1330 kg, **S** 1350 kg

Diamètre de braquage 11,1 m

Coffre 150 l (av.), 260 l (arr.)

Réservoir de carburant 64 l

NOTRE VERDICT

Plaisir au volant

Qualité de finition

Consommation

Rapport qualité/prix

Valeur de revente

CAYENNE

www.porsche.com/canada

N ÉVOLUTION É J

56 700 $ à 152 200 $
transport et préparation: 2115 $

LA COTE VERTE

AVEC MOTEUR V6 DE 3.6 L

- **Consommation (100km):** **man.** 12,6 l **auto.** 12,3 l
- **Émissions polluantes CO_2 :** **man.** 6192 kg/an **auto.** 6000 kg/an
- **Empreinte écologique (nombre d'arbres à planter par année):** 37
- **Indice d'octane:** 91
- **Autre motorisation:** non
- **Coût du carburant moyen par année:** **man.** 2838 $ **auto.** 2750 $
- **Nombre de litres par année:** **man.** 2580 l **autom.** 2500 l

(SOURCE: ÉnerGuide)

1 FICHE D'IDENTITÉ

- **Versions** V6, S, S Transsyberia, GTS, Turbo, Turbo S
- **Roues motrices** 4
- **Portières** 5 **Nombre de passagers** 5
- **Première génération** 2003
- **Génération actuelle** 2008
- **Construction** Leipzig, Allemagne
- **Sacs gonflables** 8 (frontaux, latéraux avant et arrière, rideaux latéraux)
- **Concurrence** Acura MDX, Audi Q7, BMW X5, Cadillac SRX, Infiniti FX, Land Rover LR4/Range Rover, Lexus RX/GX, Mercedes-Benz Classe ML, Volkswagen Touareg, Volvo XC90

2 AU QUOTIDIEN

- **Prime d'assurance**
  25 ans: 4700 à 4900$
  40 ans: 2500 à 2700$
  60 ans: 2000 à 2200$
- **Collision frontale** 5/5
- **Collision latérale** 5/5
- **Ventes du modèle l'an dernier**
  Au Québec 134 **Au Canada** 778
- **Dépréciation** 38,1%
- **Rappels** (2004 à 2009) 8
- **Cote de fiabilité** 3/5

3 GARANTIES... ET PLUS

- **Garantie générale** 4 ans/80 000 km
- **Garantie motopropulseur** 4 ans/80 000 km
- **Perforation** 10 ans/kilométrage illimité
- **Assistance routière** 4 ans/80 000 km
- **Nombre de concessionnaires**
  Au Québec 3 **Au Canada** 12

4 NOUVEAUTÉS EN 2010

- Version S Transsyberia

L'UTILITAIRE DES CORSAIRES

PAR MICHEL CRÉPAULT

DÈS QU'UN HOMME SE TRANSFORME EN PAPA, LE MUTANT N'ACCEPTE LES RESPONSABILITÉS INHÉRENTES QUE S'IL PEUT TRANSPORTER TRIBU ET TOUTOUS DANS UN VÉHICULE QUI LUI LAISSERA L'ILLUSION D'ÊTRE ENCORE CÉLIBATAIRE. Le Porsche Cayenne est pour lui.

[CARROSSERIE] Les utilitaires se ressemblent mais pas le Cayenne. Sa bouille est plutôt unique. Il s'en dégage un aérodynamisme robuste. La silhouette profite d'un coefficient de traînée de 0,35 et se reconnaît aisément dans un stationnement bondé. Le Cayenne se décline en au moins cinq modèles : de base (V6 de 290 chevaux), S (V8 de 385 chevaux), GTS (V8 de 405 chevaux), Turbo (V8 de 500 chevaux) et, même, Turbo S (V8 de 550 chevaux). Vous pourrez les différencier en comptant les sorties d'échappement (simple ou double) mais surtout en lisant leur nom sur le hayon. Pour compliquer l'offre, Stuttgart proposera encore en 2010 une version Transsyberia de la S, en l'honneur d'un rallye de malades disputé sur l'ancien terrain de jeu de Gengis Khan, et une GTS Design Edition 3, limitée à 1 000 exemplaires numérotés et dont seulement 12 exemplaires débarqueront au Canada. Porsche travaille également sur un Cayenne hybride essence-électricité dont la consommation descendrait sous les 9 litres aux 100 kilomètres. En utilisant seulement le moteur électrique, les ingénieurs sont parvenus à rouler à 140 km/h sur 1,9 kilomètre sans une goutte de carburant. À moins d'un imprévu, cet hybride sera en vente en 2010 comme modèle 2011. Un V6 d'Audi sera couplé à un engin électrique et à une batterie nickel-métal (NiMH) nichée dans le coffre. La combinaison fournira la puissance d'un V8 (0 à 100 km/h en moins de sept secondes), mais l'efficacité énergétique d'un 4-cylindres.

[HABITACLE] Certains ne se lasseront jamais d'écouter le chant guttural du moteur (même du V6), d'autres élargiront leurs horizons en testant la sono Bose 5.1 qui fournit un environnement musical à la hauteur de la facture. Sièges costauds, dégagement supérieur pour la tête, accents d'acier brossé ou de fibre de carbone et les fortes poignées dans la console centrale qui suggèrent

FORCES • Famille de modèles étendue • Vocation sportive digne de la marque • Finition qui va en s'améliorant

FAIBLESSES • Moteur V6 un peu juste vu le poids • Liste infinie d'options coûteuses • Confort sous le signe de la fermeté

du hors route viril. Lors de mon essai, l'ordinateur de bord s'est chargé de me rappeler qu'un des pneus perdait de l'air. Porsche a prévu le coup en fournissant un câble qu'on relie au compresseur du véhicule (la base du siège du passager avant est munie d'une prise) au pneu mal gonflé. Selon les options cochées, les sièges chauffants (à l'arrière itou), assez chauds pour cuire une omelette, accompagnent un volant également brûlant (bonheur garanti à moins 20 degrés).

[MÉCANIQUE] Les Nord-Américains sont toujours privés du turbodiesel des Européens. Le secret d'un Cayenne repose sur son système VarioCam qui gère le calage des arbres à cames. Les 4 soupapes par cylindre se livrent alors à des ballets distincts, selon que le conducteur veut mettre l'accent sur l'économie de carburant ou le pelage d'asphalte. Le *Porsche Traction Management* assure une transmission intégrale permanente, dont 62 % de la puissance va vers l'essieu arrière. On peut modifier cette répartition du couple en bloquant les différentiels. Et s'il ne vous venait pas à l'idée d'amener pareil bijou dans la boue, dites-vous que le mode tout-terrain du Cayenne permet de remorquer en toute quiétude.

[COMPORTEMENT] On identifie la touche Porsche à sa suspension musclée et, de surcroît, programmable. Le double turbo répond de façon spectaculaire. On n'avance pas, on est catapulté ! Le contraire aurait trahi l'essence du constructeur. Choisissez le mode Sport, et la gestion entière du véhicule devient plus incisive, jusqu'à abaisser. la suspension pneumatique pour davantage coller à la route. Le V6 et le GTS sont les seuls qui acceptent une boîte de vitesses manuelle; toutes les autres versions se réclamant disciple de la Tiptronic. Si vous croyez pour autant sauver des sous en vous contentant du modèle de base, c'est oublier que Porsche fait miroiter une liste d'options qui n'en finit plus. Les vrais coureurs des bois, eux, s'empresseront de changer les pneus à taille basse, davantage conçus pour la piste.

[CONCLUSION] Quand on est rendu à concevoir un utilitaire avec un double turbo, c'est peut-être qu'on pèche un peu par excès. Il y a aussi plus familial qu'un Cayenne, avec un espace de chargement plus généreux, un seuil de chargement moins élevé et davantage de places. Il y a également le Volkswagen Touareg, le cousin moins cher. Mais il n'y a qu'un seul écusson Porsche.

5 FICHE TECHNIQUE

· MOTEURS

· (V6)
V6 3,6 l DACT, 290 ch à 6200 tr/min
Couple 273 lb-pi à 3000 tr/min
Transmission manuelle à 6 rapports, automatique à 6 rapports avec mode manuel (option)
0-100 km/h 8,1 s
Vitesse maximale 227 km/h

· (S)
V8 4,8 l DACT, 385 ch à 6200 tr/min
Couple 369 lb-pi à 3500 tr/min
Transmission automatique à 6 rapports avec mode manuel
0-100 km/h 6,6 s
Vitesse maximale 250 km/h
Consommation (100 km) 13,4 l (octane 91)
Émission de CO_2 6575 kg/an
Litres par année 2740 l.
Coût par année 3014$
Empreinte écologique 39 arbres

· (GTS, S Transsyberia)
V8 4,8 l DACT, 405 ch à 6200 tr/min
Couple 369 lb-pi à 3500 tr/min
Transmission manuelle à 6 rapports, automatique à 6 rapports avec mode manuel
0-100 km/h 5,7 s
Vitesse maximale 250 km/h
Consommation (100 km) man. 15,1 l **autom.** 13,9 l.(octane 91)
Émission de CO_2 man. 7064 kg/an
Litres par année man. 3180 l. **auto.** 2760 l.
Coût par année man. 3498 $ **auto.** 3036 $
Empreinte écologique 42 arbres

· (TURBO)
V8 4,8 l biturbo DACT, 500 ch à 6000 tr/m
Couple 516 lb-pi à 2250 tr/min
Transmission automatique à 6 rapports avec mode manuel
0-100 km/h 5,1 s
Vitesse maximale 275 km/h
Consommation (100 km) 14,4 l (octane 91)
Émission de CO_2 7056 kg/an
Litres par année 2940 l.
Coût par année 3234 $
Empreinte écologique 42 arbres

· (TURBO S)
V8 4,8 l biturbo DACT, 550 ch à 6000 tr/min
Couple 553 lb-pi à 2250 tr/min
Transmission automatique à 6 rapports avec mode manuel
0-100 km/h 4,9 s
Vitesse maximale 275 km/h
Consommation (100 km) 15,0 l (octane 91)
Émission de CO_2 7359 kg/an
Litres par année 2340 l.
Coût par année 3234 $
Empreinte écologique 45 arbres

· AUTRES COMPOSANTES
Sécurité active freins ABS, répartition électronique de force de freinage, assistance au freinage, antipatinage, contrôle de stabilité électronique, capteurs de renversement
Suspension avant/arrière indépendante
Freins avant/arrière disques
Direction à crémaillère, assistée
Pneus V6 P235/65R17, **S** P255/55R18, **GTS/Turbo S** P295/35R21, **Turbo** P275/45R19

· DIMENSIONS
Empattement 2855 mm
Longueur 4798 mm
Largeur 1930 mm
Hauteur 1699 mm
Poids V6 2160 kg, **S/GTS** 2245 kg, **Turbo** 2355 kg
Diamètre de braquage 11,9 m
Coffre 538 l, 1784 l (sièges abaissés)
Réservoir de carburant 100 l
Capacité de remorquage 3500 kg

PANAMERA

www.porsche.com/canada

NOUVEAUTÉ

115 100 $ à 155 000 $
transport et préparation: 2015 $

LA COTE VERTE

AVEC MOTEUR V8 DE 4.8 L

- **Consommation (100km) :** 13,0 l
- **Émissions polluantes CO_2 :** 6575 kg
- **Empreinte écologique (nombre d'arbres à planter par année) :** 39
- **Indice d'octane :** 91
- **Autre motorisation :** non
- **Coût du carburant moyen par année :** 3014 $
- **Nombre de litres par année :** 2740 l

(SOURCE : ÉnerGuide)

1 FICHE D'IDENTITÉ

- **Versions** S, 4S, Turbo
- **Roues motrices** arrière, 4
- **Portières** 4 **Nombre de passagers** 4
- **Première génération** 2010
- **Génération actuelle** 2010
- **Construction** Leipzig, Allemagne
- **Sacs gonflables** 8 (frontaux, latéraux avant et arrière, rideaux latéraux)
- **Concurrence** Aston Martin Rapide, Bentley Flying Spur, Mercedes CLS AMG, BMW M5, Audi S6

2 AU QUOTIDIEN

- **Prime d'assurance**
  25 ans: 4900 à 5100$
  40 ans: 2700 à 2900$
  60 ans: 2200 à 2500$
- **Collision frontale** nm
- **Collision latérale** nm
- **Ventes du modèle l'an dernier**
  Au Québec nm **Au Canada** nm
- **Dépréciation** nm
- **Rappels** (2004 à 2009) nm
- **Cote de fiabilité** nm

3 GARANTIES... ET PLUS

- **Garantie générale** 4 ans/80 000 km
- **Garantie motopropulseur** 4 ans/80 000 km
- **Perforation** 10 ans/kilométrage illimité
- **Assistance routière** 4 ans/80 000 km
- **Nombre de concessionnaires**
  Au Québec 3 **Au Canada** 12

4 NOUVEAUTÉS EN 2010

- nouveau modèle

LE CHAÎNON MANQUANT

PAR MICHEL CRÉPAULT

SI LA FIRME DE WEISSACH S'EST RISQUÉE À INVESTIR DES MILLIARDS DE MARKS DANS UN NOUVEAU FLEURON, c'est après avoir acquis la certitude que la Panamera allait tenter les clients avec quelque chose que Porsche n'offrait pas encore : une berline. Les fidèles de la marque disposent déjà de bolides qui n'apprécient guère les groupes excédant deux personnes (la banquette d'une 911 sert surtout de rite de passage aux candidats du Cirque du Soleil) et d'un utilitaire aussi athlétique que féroce sous les traits du Cayenne. La Panamera vient fournir une nouvelle alternative, enrobée de l'allure Porsche, pétrie de l'ingénierie Porsche et insufflée de l'âme Porsche. Le résultat ne peut pas ressembler à une Buick.

[CARROSSERIE] Qui dit quatre occupants espère aussitôt une cabine spacieuse. De fait, la Panamera est très large (193,1 centimètres), une largeur qui favorisera la tenue de route. Une berline signée Porsche doit aussi présenter un pavillon bas, question de silhouette et, encore, de comportement. Ici aussi, l'auto ne déçoit pas avec une hauteur inférieure à la moyenne des berlines. Ajoutez-y une longueur de 497 centimètres, et ces mensurations ont permis au styliste en chef Michael Mauer de perpétuer la personnalité emblématique que Porsche a raffinée sur ses autres modèles. Quel plus grand triomphe pour un styliste que d'accoucher d'une auto qui, au premier coup d'œil, révèle son historique ? À l'instar des autres membres de la famille, la calandre traditionnelle a cédé sa place à d'imposantes prises d'air. Le long nez flanqué d'ailes saillantes rappelle immanquablement la 911. Le muscle est abondant. Il était écrit dans le ciel que Porsche dessinerait une berline qui tiendrait du coupé. Seule la partie arrière prête à la controverse. L'inclusion d'un hayon rend l'auto très pratique, mais a gonflé cette section. La croupe elle-même est encombrée de détails, au point que des personnes feraient disparaître les badges pour simplifier l'allure, alors que d'autres, au contraire, apprécient l'aspect rétro de l'ensemble. Une chose est certaine : contraint de créer du neuf avec des gènes connus, le styliste a signé une œuvre mobile qui, sans arracher des ébahissements, ne jure pas avec le reste de l'écurie.

FORCES • Une nouvelle Porsche est un événement en soi. • L'option Sports Chrono améliore réellement la tenue de route. • Habitacle qui invite aux longs trajets

FAIBLESSES •On doit activer la fonction d'arrêt-départ (en Europe, elle embarque au démarrage). • Le pilier A très épais complique la conduite sportive. • Un seul porte-gobelet à l'arrière...

[HABITACLE] Ceux qui ont déjà eu la chance de s'asseoir dans une 911 ou une Boxster ont constaté le confort enveloppant des baquets, conjugué à l'étroitesse de la cabine. À bord de la Panamera, les stylistes se sont ingéniés à reproduire cet effet de cocon pour chacune des quatre places, tout en maximisant le dégagement. Parce que la console centrale parcourt le poste de pilotage du tableau de bord à l'arrière, les quatre places très seyantes deviennent autant de nacelles individuelles. Malgré le toit abaissé, pour que l'auto ressemble plus à une GT qu'à un Sprinter, les occupants héritent d'un espace que je qualifie d'exceptionnel, et ce, sans que ne s'évapore la sensation du coupé sportif. Le conducteur ne se sent pas au volant d'une berline ordinaire, tandis que ses passagers ont de l'espace à revendre. Porsche ne croit pas à la mollette miracle qui règle 1001 fonctions. Utilisation pas assez intuitive. La Panamera déborde d'interrupteurs mais ils sont si bien placés qu'on a envie de tous les pianoter. Alors que les autres intérieurs Porsche pêchent par leur austérité, celui de la berline brille d'une ergonomie techno mais élégante. Les sièges avant sont dotés de multiples réglages à mémoire. Si ça ne suffit pas, il existe une option pour les doter de 18 réglages possibles, de même que huit à l'arrière. J'ai littéralement transformé le siège du passager avant en couchette, alors que les places arrière nous donnent l'impression de voyager dans la classe affaires d'une ligne aérienne. Pour le plaisir des oreilles, le spécialiste de l'ambiophonie haut de gamme Burmester, basé à Berlin, a concocté pour la Panamera une sono facultative comprenant rien de moins que 16 haut-parleurs et un caisson d'extrêmes graves, pour une puissance totale de plus de 1 000 watts. Plus besoin d'attendre qu'AC/DC envahisse le Stade olympique pour devenir sourd! Le coffre assure au naturel de l'espace pour quatre valises positionnée à la verticale. En un mot, il est caverneux. Rabattez les sièges arrière, et la capacité de 445 litres passe à 1250; ou on peut se contenter de rabattre la section centrale du dossier afin d'accéder à la soute par une trappe.

POUR LE PLAISIR DES OREILLES, PORSCHE A CONCOCTÉ POUR LA PANAMERA UNE SONO FACULTATIVE COMPRENANT RIEN DE MOINS QUE 16 HAUT-PARLEURS ET UN CAISSON D'EXTRÊMES GRAVES, POUR UNE PUISSANCE TOTALE DE PLUS DE 1 000 WATTS.

[MÉCANIQUE] Pour l'instant, la Panamera est offerte avec un duo de V8 de 4,8 litres (celui du Cayenne), tous deux armés de l'injection directe. Celui de la S développe 400 chevaux pour boucler le 0 à 100 km/h en 5,4 secondes et atteindre une vitesse de pointe de 283 km/h. La 4S héberge la même motorisation, mais sa transmission intégrale ramène le 0 à 100 km/h à exactement 5 secondes. Enfin, la Turbo, comme son nom le suggère, ajoute deux turbos pour obtenir 500 chevaux. Son chrono à elle : 4,2 secondes et une vitesse de pointe de 303 km/h. Plus tard, possiblement en 2010, Porsche offrira des V6 à partir de 300 chevaux et une boîte de vitesses manuelle à 6 rapports (déjà offerte en Europe). Le constructeur travaille aussi sur une Panamera hybride... Il fallait s'y attendre : la boîte de vitesses à double embrayage PDK (acronyme de Doppelkupplungsgetriebe – à dire

HISTORIQUE

Ferninand Porsche était un homme de famille et il avait fait allonger une Porsche 911 dans les années 60 pour embarquer les enfants à l'arrière (photo 1) avec des résultats peu convaincants pour ce qui est du style. En 1967, il y a eu la 911 Troutman-Barnes une version 4 portes. La 928 a même eu un modèle à petites portes, produit comme modèle d'après marché en 1987. Il ya ensuite eu un carrossier qui a donné le nom de Panamera à une 911 modifiée avant de finalement voir les premières esquisses d'une véritable berline.

911 1966

911 1967

928 1987

PANAMERA 1965

PANAMERA CONCEPT 2009

PANAMERA 2010

PANAMERA 2010

PANAMERA

C

GALERIE

A Première mondiale sur le segment haut de gamme, la fonction arrêt-départ coupe le moteur automatiquement quand le véhicule est immobilisé pendant une certaine période de temps. Associée à sa boîte de vitesses à double embrayage PDK, l'arrêt-départ de la Panamera permet ici de réduire la consommation tout en profitant d'une boîte sportive et elle aussi économe en carburant. Porsche annonce une consommation de 10,8 litres aux 100 kilomètres.

B Entre les deux sièges arrière, le client peut opter pour un frigo d'une capacité de 10,5 litres, pouvant refroidir son contenu jusqu'à 6 °C environ. Un écran pivotant de 7 pouces, agrémenté d'un lecteur est également offert. Enfin, pour la partie high-tech, il est possible de disposer d'une connexion USB, ainsi que d'un lecteur DVD/CD. Une console de jeu ou un iPod peuvent également être connectés.

C La version Turbo dispose d'un moteur V8 biturbo de 4,8 litres générant une puissance de 500 chevaux. Et pour maîtriser cette fougueuse cavalerie, elle est offerte avec la transmission intégrale de série. L'appui des deux turbocompresseurs réduit le temps du 0 à 100 km/h à 4,2 secondes.

D La version Turbo hérite de qualités aérodynamiques variables grâce à un aileron arrière escamotable multiposition.

E Avec cette Porsche Grand Tourisme, le constructeur allemand vient répondre aux attentes des acheteurs qui recherchent des performances dignes de la marque, mais aussi le confort pour quatre occupants et de l'espace pour les bagages. Le coffre arrière avec sa capacité de 445 litres, peut avaler quatre grosses valises en position verticale. Les deux sièges arrière rabattables permettent d'augmenter l'espace de chargement à 1 250 litres.

rapidement la bouche pleine de choucroute !) à 7 rapports, d'abord introduite dans la dernière 911, équipe la Panamera. Outre le fait que cette boîte réussit des changements de rapports plus rapidement que Superman, la consommation de carburant s'en trouve paradoxalement améliorée. La fonction d'arrêt-départ se révèle le premier système de coupure et de démarrage automatique du moteur sur une voiture de luxe à boîte automatique. Roulez sur le 7e, profitez de l'arrêt-départ et des pneus à faible résistance au roulement, et la Panamera S consomme moins de 11 litres aux 100 kilomètres. Porsche égalant sport et grand tourisme impliquant confort, comment concilier ces deux vertus en apparence contradictoires ? En équipant la Panamera d'une suspension adaptative PASM. Son interrupteur vous permet de passer de la balade à l'attaque instantanément. À ne pas confondre avec la suspension pneumatique adaptative qui augmente le volume d'air dans les amortisseurs selon l'état de la chaussée (de série sur la Turbo, livrable sur les autres). Ce gadget raffine encore plus les degrés de tendresse ou de fermeté qui vous combleront de bonheur.

[COMPORTEMENT] Vous disposez donc d'une suspension adaptative, laquelle peut devenir encore meilleure avec une touche pneumatique; vous contrôlez la stabilité; vous pouvez aussi dire à la bagnole que, ce matin, vous avez envie de gagner un grand prix. Pour mettre toutes les chances de votre côté, vous aurez coché l'option Sports Chrono. En effleurant le bon bouton, le kit programme immédiatement tous les organes mécaniques en mode haute performance, y compris la transmission intégrale permanente (de série sur la 4S et la Turbo). La différence est instantanément notable. Sur le mode ordinaire, la Panamera se permet un léger laisser-aller. Le châssis en entier ondule au gré des imperfections du chemin. Mais raffermissez-moi tout ça, et la machine au complet n'accepte plus d'ordres de la route. C'est elle qui les donne. Les rapports de la PDK, déjà précis, deviennent chirurgicaux; la suspension répond au lieu de seulement encaisser. Vous dominez la route, c'est aussi simple que ça. À bord de la Turbo, ce sentiment repousse votre confiance aux limites de l'impertinence. Les autres voitures deviennent des petits points dans votre rétroviseur en claquant des doigts, tandis que la transmission intégrale fournit une arrogance supplémentaire. Morale : à utiliser avec beaucoup de prudence. Heureusement que vous aurez choisi la Panamera pour amener les enfants à l'école. L'aileron arrière n'est pas qu'un appendice dorsal décoratif. Il s'élève de lui-même à partir de 120 km/h (et même davantage à 210 km/h...) ou on peut le déployer soi-même. Bon, ce faisant, c'est vrai qu'on épate la galerie, mais, croyez-moi, Porsche y voit davantage que de l'esbrouffe. Sur le modèle Turbo, le pilote a même la possibilité de faire varier la position de l'aileron pour modifier les forces au sol. Je ne dis pas que ça changera votre façon de faire votre épicerie, mais, à fond de train sur un circuit fermé, chaque détail compte. La sonorité de cette Porsche ? Comme le reste, il épouse votre humeur. Filez à vitesse de croisière lors d'une balade sans histoires, et la Panamera se montre telle la voiture de luxe qu'elle est. Enfoncez l'accélérateur et vous retrouvez le chant rauque de Porsche, ce qu'est aussi une Panamera.

[CONCLUSION] Le fabricant avait présenté en 1987 une 928 à 4 portières à Ferry Porsche pour ses 75 ans. La seule jamais construite. L'attente depuis fut longue mais valait la peine. La Panamera comble une lacune dans le catalogue, et les futurs propriétaires viennent de trouver l'argument idéal pour acquérir une Porsche sans être accusés de négliger la famille.

5 FICHE TECHNIQUE

· MOTEUR

· (S)

V8 4,8 l DACT, 400 ch à 6500 tr/min
Couple 369 lb-pi à 3500 tr/min
Transmission séquentielle à 7 rapports
0-100 km/h 5,4 s 5 sec (4S)
Vitesse maximale 283 km/h
Consommation (100 km) 13,4 l (octane 91)
Émission de CO_2 6575 kg/an
Litres par année 2740 l.
Coût par année 3014$
Carburant alternatif non
Empreinte écologique 39 arbres

· (TURBO)

V8 4,8 l biturbo DACT, 500 ch à 6000 tr/min
Couple 516 lb-pi à 2250 tr/min
Transmission séquentielle à 7 rapports
0-100 km/h 4,2 s
Vitesse maximale 303 km/h
Consommation (100 km) 14,4 l (octane 91)
Émission de CO_2 7056 kg/an
Litres par année 2940 l.
Coût par année 3234 $
Carburant alternatif non
Empreinte écologique 42 arbres

· AUTRES COMPOSANTES

Sécurité active freins ABS, répartition électronique de force de freinage, assistance au freinage, antipatinage, contrôle de stabilité électronique, capteurs de renversement
Suspension avant/arrière indépendante
Freins avant/arrière disques
Direction à crémaillère, assistée
Pneus S/4S : P245/50ZR18 (av.), P275/45ZR18 (arr.) **Turbo** P255/45ZR19 (av), P285/40R19 (arr.)

· DIMENSIONS 4S

Empattement 2920 mm
Longueur 4970 mm
Largeur 1931 mm
Hauteur 1418 mm
Poids S 1800 kg, **4S** : 1860 kg, **Turbo** 1970 kg
Diamètre de braquage 11,9 m
Coffre 445 l, 1263 l (sièges abaissés) 432 l, 1250 l (sièges abaissés) (turbo)
Réservoir de carburant 80 l 100 l (4S et Turbo)

NOTRE VERDICT

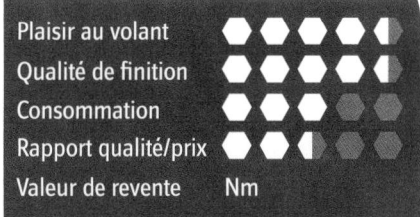

Plaisir au volant
Qualité de finition
Consommation
Rapport qualité/prix
Valeur de revente Nm

FORTWO

www.thesmart.ca

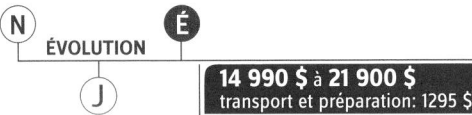

N ÉVOLUTION É J

14 990 $ à 21 900 $
transport et préparation: 1295 $

LA COTE VERTE

AVEC MOTEUR L3 DE 1,0 L

- **Consommation (100km):** 5,4 l
- **Émissions polluantes CO_2 :** 2592 kg/an
- **Empreinte écologique (nombre d'arbres à planter par année):** 16
- **Indice d'octane:** 91
- **Autre Motorisation:** non
- **Coût du carburant moyen par année:** 1188 $
- **Nombre de litres par année:** 1080 l

(SOURCE: ÉnerGuide)

1 FICHE D'IDENTITÉ

- **Versions** Coupé, Cabriolet
- **Roues motrices** arrière
- **Portières** 2 **Nombre de passagers** 2
- **Première génération** 2005
- **Génération actuelle** 2007
- **Construction** Hambach, France
- **Sacs gonflables** 2 (frontaux)
- **Concurrence** MINI-Cooper

2 AU QUOTIDIEN

- **Prime d'assurance**
  25 ans: 2000 à 2200 $
  40 ans: 1000 à 1200 $
  60 ans: 800 à 1000 $
- **Collision frontale** 4/5
- **Collision latérale** 5/5
- **Ventes du modèle de l'an dernier**
  Au Québec 779 **Au Canada** 3749
- **Dépréciation** 40,6 %
- **Rappels** (2004 à 2009) 1
- **Cote de fiabilité** 4/5

3 GARANTIES... ET PLUS

- **Garantie générale** 4 ans/80 000 km
- **Garantie motopropulseur** 4 ans/80 000 km
- **Perforation** 5 ans/kilométrage illimité
- **Assistance routière** 4 ans/kilométrage illimité
- **Nombre de concessionnaires**
  Au Québec 12 **Au Canada** 53

4 NOUVEAUTÉS EN 2010

- Aucun changement majeur

TOUT POUR PLAIRE, SAUF QUE...

PAR FRANCIS BRIÈRE

SI VOUS ACHETEZ UN LIVRE EN FORMAT DE POCHE, VOUS DEVREZ NORMALEMENT LE PAYER MOINS CHER QUE LE GRAND FORMAT. Avec une telle logique, la petite voiture, celle conçue essentiellement pour les espaces urbains, devrait, en principe, coûter moins cher. Or, la smart, bien qu'elle possède d'innombrables qualités, se vend sensiblement le même prix qu'une voiture sous-compacte. Dans le cas de la smart Brabus, on se la procure pour le même prix qu'une voiture de catégorie compacte. Dès lors, on se demande si le jeu en vaut la chandelle, d'autant qu'elle s'abreuve de plus de carburant qu'on ne le souhaiterait. Tout cela pour un modèle réduit...

[CARROSSERIE] Séduisante ! Il faut l'avouer, la carcasse de la smart a tout pour plaire. Brabus, cette boîte qui a pour mission de transformer quelques modèles Mercedes-Benz en bête de rue, s'est occupée de la smart en créant une petite voiture racée, dont toutes les parties sont issues d'un design inspiré. Les phares arrière, les roues, la calandre, les lignes, même le tuyau d'échappement double lui confère une bouille sympathique. La smart possède une silhouette unique qui rappelle les microvoitures européennes des années 1960. En revanche, elle affiche une mine plus moderne avec son nez plongeant, notamment. La surface vitrée procure une visibilité irréprochable, sauf pour la lunette qui laisse entrevoir une petite ouverture entre les deux sièges. Pour les plus branchés, une version décapotable vous fera goûter les plaisirs urbains à ciel ouvert.

[HABITACLE] Il faut reconnaître que la smart possède un intérieur qui est non seulement bien pensé, mais bien fini et de qualité. Malgré le petit empattement, on y trouve du rangement et suffisamment d'espace pour y loger sacs d'épicerie ou équipements de sport. Les sièges offrent un bon confort, mais aucune possibilité de

FORCES • Bouille sympa • Finition réussie • Habitacle pratique

FAIBLESSES • Trop chère • Boîte de vitesses ahurissante • Valeur subjective discutable

réglage. À bord de la smart, on se sent bien juché sur son siège, prêt à affronter la dense circulation urbaine. Malheureusement pour le conducteur, le volant n'est pas télescopique. Afin s'insuffler un vent de modernisme, on a greffé à la planche de bord deux petits cadrans : une horloge et un compte-tours.

[MÉCANIQUE] En Europe, les amateurs de smart qui s'offrent une Brabus peuvent rivaliser avec un moteur qui développe près de 100 chevaux. En Amérique, que vous achetiez la fortwo ou la Brabus, c'est le même engin qui sera livré, soit un 3-cylindres produisant 70 chevaux. Il ne faut pas s'attendre à des performances casse-cou; l'accélération de la voiture laisse vraiment à désirer : on a du mal à rattraper un ado filant sur une planche à roulettes. Du reste, le composant mécanique le plus frustrant demeure la boîte de vitesses. D'accord, vous avez droit à 5 rapports. Mais quand chaque changement vous force à user du langage corporel pour dire bonjour aux piétons, il y a un problème. Je croyais que le fait d'utiliser les leviers de sélection au volant allait améliorer les choses. Il n'en est rien.

[COMPORTEMENT] En circulation urbaine, la smart se tire fort bien d'affaire. Facile à garer, vous profitez d'une bonne visibilité pour défier la circulation. Les nids-de-poule, elle ne les craint pas, même avec ses petites roues « Fisher-Price ». Dès qu'on emprunte un pont pour sortir de l'Île, là, c'est une autre histoire. Avec un empattement aussi court, il ne faut pas s'attendre à des miracles. La direction devient imprécise, et la tenue de route se détériore. Quand vient le temps de dépasser un poids lourd ou un conducteur du dimanche, vaut mieux y songer à l'avance. Un long trajet, disons plus d'une heure, relève du masochisme. Avec la smart, vaut mieux ne pas trop s'éloigner des trottoirs et des feux de circulation.

[CONCLUSION] Par souci de franchise, je dois avouer que la smart correspond à une mode et convient à la bourgeoisie bohème des quartiers branchés. Si l'économie de carburant nous obsède à ce point, il y a d'autres solutions, comme les moteurs diesel ou, encore, la motorisation hybride. Vous obtiendrez peut-être une meilleure consommation et vous serez... en voiture !

2e OPINION

PHILIPPE LAGUË Difficile de comprendre l'engouement pour cette microvoiture. Marketing ? Mode ? Il est vrai qu'elle est mignonne comme tout, la petite. Mais vous connaissez le proverbe : tout ce qui brille n'est pas de l'or. La smart a beau être jolie, écolo et très pratique en ville en raison de ses dimensions lilliputiennes, il n'en demeure pas moins qu'elle est beaucoup trop chère. Pour le prix d'une sous-compacte, d'une compacte même, vous avez un véhicule qui ne propose que deux places, un compartiment à bagages ridicule ainsi qu'un degré de confort et de performances comparable à une voiturette de golf. Sans parler de sa boîte de vitesses séquentielle, une véritable horreur. La smart ? Très peu pour moi.

(5) FICHE TECHNIQUE

· MOTEUR
- L3 1,0l SACT, 70 ch à 5800 tr/min
- Couple 68 lb-pi à 4500 tr/min
- **Transmission** séquentielle à 5 rapports
- **0-100 km/h** 13,3 s
- **Vitesse maximale** 145 km/h

· AUTRES COMPOSANTES
- **Sécurité active** freins ABS, assistance au freinage, distribution électronique de force de freinage, antipatinage, contrôle de stabilité électronique
- **Suspension avant/arrière** indépendante
- **Freins avant/arrière** disques/tambours
- **Direction** à crémaillère
- **Pneus** P155/60R15 (av.), P175/55R15 (arr.)

· DIMENSIONS
- **Empattement** 1867 mm
- **Longueur** 2695 mm
- **Largeur** 1559 mm
- **Hauteur** 1542 mm
- **Poids** 820 kg
- **Diamètre de braquage** 8,8 m
- **Coffre** 220 l
- **Réservoir de carburant** 33 l

NOS MENTIONS

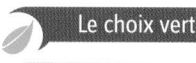

- Le choix vert
- Modèle recommandé
- Coup de coeur

NOTRE VERDICT

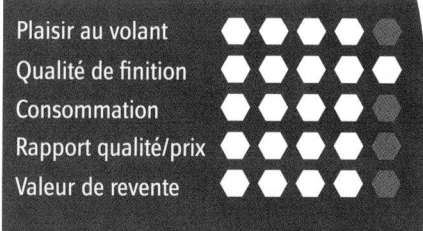

Plaisir au volant	●●●●
Qualité de finition	●●●●●
Consommation	●●●●
Rapport qualité/prix	●●●●
Valeur de revente	●●●●

FORESTER

www.subaru.ca

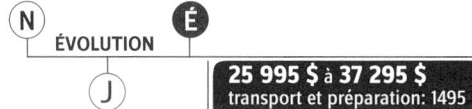

N ÉVOLUTION É J

25 995 $ à 37 295 $
transport et préparation: 1495 $

LA COTE VERTE

AVEC MOTEUR H4 DE 2,5 L

- **Consommation (100km):** **man.** 9,0 l **auto.** 9,0 l
- **Émissions polluantes CO_2 :** 4368 kg/an
- **Empreinte écologique (nombre d'arbres à planter par année):** 26
- **Indice d'octane:** 87
- **Autre motorisation:** non
- **Coût du carburant moyen par année:** 2730 $
- **Nombre de litres par année:** 1820 l

(SOURCE: ÉnerGuide)

1 FICHE D'IDENTITÉ

- **Versions** 2.5X, 2.5X Touring, 2.5X Limited, PZEV 2.5XT Limited
- **Roues motrices** 4
- **Portières** 4 **Nombre de passagers** 5
- **Première génération** 1998
- **Génération actuelle** 2009
- **Construction** Gunma, Japon
- **Sacs gonflables** 6 (frontaux, latéraux et rideaux latéraux)
- **Concurrence** Ford Escape, Honda CR-V, Hyundai Tucson, Jeep Compass/ Patriot, Kia Sportage, Mitsubishi Outlander, Nissan Rogue, Suzuki Grand Vitara, Toyota Rav4

2 AU QUOTIDIEN

- **Prime d'assurance**
  25 ans: 2200 à 2400 $
  40 ans: 1300 à 1500 $
  60 ans: 1000 à 1200 $
- **Collision frontale** 5/5
- **Collision latérale** 5/5
- **Ventes du modèle de l'an dernier**
  Au Québec 1660 **Au Canada** 6322
- **Dépréciation** (3 ans) 41,9%
- **Rappels** (2004 à 2009) 4
- **Cote de fiabilité** 4/5

3 GARANTIES... ET PLUS

- **Garantie générale** 3 ans/60 000 km
- **Garantie motopropulseur** 5 ans/100 000 km
- **Perforation** 5 ans/kilométrage illimité
- **Assistance routière** 3 ans/60 000 km
- **Nombre de concessionnaires**
  Au Québec 26 **Au Canada** 88

4 NOUVEAUTÉS EN 2010

- Version PZEV

RENTRER DANS LE RANG

PAR PHILIPPE LAGUË

MINE DE RIEN, LE FORESTER FAIT PARTIE DU PAYSAGE DE L'AUTOMOBILE DEPUIS UNE DIZAINE D'ANNÉES. Je dis mine de rien car sa carrière a été, jusqu'ici, plutôt discrète. Subaru devait donc lui redonner un nouveau souffle, d'autant plus que le créneau des petits VUS demeure florissant.

[CARROSSERIE] Depuis la refonte de l'année dernière, le style est beaucoup plus consensuel, peut-être même trop... Le Forester ne ressort plus du lot et ressemble désormais à n'importe quel autre petit VUS. Sur une note plus rationnelle, la carrosserie a pris de l'expansion, en longueur, en largeur et en hauteur. Cela se traduit par une habitabilité accrue, particulièrement à l'arrière, avec beaucoup d'espace pour la tête et les jambes. La soute à bagages gagne aussi en capacité de chargement, et les rangements sous le plancher sont toujours aussi appréciés.

[HABITACLE] À défaut d'être joyeux, c'est simple et efficace : une instrumentation claire au tableau de bord, ainsi que des commandes d'utilisation intuitive et bien placées. L'aspect pratique a été privilégié, comme en témoignent également les nombreux espaces de rangement. Comme toujours chez Subaru, la qualité d'assemblage est irréprochable. Et comme toujours, la qualité sonore de la chaîne stéréo est tout simplement atroce. Là où l'on constate un net progrès, c'est au chapitre de l'insonorisation. Autre amélioration notable : le confort des sièges. À l'avant, les baquets sont bien rembourrés, et leur maintien latéral est correct, sans plus ; à l'arrière, il est inexistant, mais la banquette est TELLEMENT plus confortable que dans le modèle précédent, où elle avait tout du banc de parc...

[MÉCANIQUE] Sous le capot, on retrouve l'increvable et incontournable 4-cylindres à plat de 2,5 litres. Increvable, car aussi fiable que durable; et incontournable, car Subaru l'utilise dans presque tous ses modèles. On le reconnaît d'abord à sa sonorité propre aux moteurs à plat de ce constructeur, qui leur a valu d'être surnommés les moulins à coudre. Ces moteurs ont toujours les mêmes qualités... et les mêmes

+ FORCES • Habitabilité accrue • Toujours le bon format • Confort et insonorisation améliorés • Mécanique fiable et durable • Motricité exceptionnelle

− FAIBLESSES • Chaîne stéréo médiocre • Moteur rugueux • Boîte manuelle désagréable • Consommation (XT) • Suspension molle • Direction légère et floue

FORESTER

défauts, comme ce manque de souplesse chronique. Étrangement, la boîte de vitesses automatique vient atténuer cette rugosité, nettement plus marquée avec la boîte manuelle, surtout lors des rétrogradations. Cette boîte est d'ailleurs peu agréable à utiliser car elle manque de fermeté et de précision. Et ne parlons pas de l'embrayage, beaucoup trop mou et peu progressif. Plusieurs concurrents du Forester proposent des motorisations à 4 et à 6 cylindres. Subaru a plutôt opté pour la suralimentation. Grâce à l'ajout d'un turbocompresseur, la puissance passe de 170 à 224 chevaux, mais la consommation de carburant est directement proportionnelle. De plus, Monsieur ne carbure qu'au super. Mais surtout, on peut se questionner sur la pertinence d'un moteur suralimenté dans un VUS, alors qu'un V6 atmosphérique serait nettement plus approprié, ne serait-ce que pour le remorquage.

[COMPORTEMENT] Comme toujours, le Forester brille par sa motricité exceptionnelle, gracieuseté d'un système de transmission intégrale qui se classe parmi les meilleurs de l'industrie de l'automobile; mais aussi par sa douceur de roulement, autre qualité des Subaru. L'amortissement est très souple, peut-être même trop; la caisse a une tendance à tanguer, et, en virage, le roulis est très marqué. La direction, floue et surassistée, n'arrange pas les choses. Seul point positif, son court rayon de braquage facilite les manœuvres de stationnement. Bref, le Forester a perdu ce zeste qui le rendait plus agréable à conduire que ses homologues, cette fermeté qui lui donnait plus d'aplomb que ses compatriotes nippons.

[CONCLUSION] Le Forester a toujours de solides arguments en sa faveur, a commencer par sa solidité et sa fiabilité ainsi que son confort et son habitabilité. Mais il s'est aseptisé et a perdu ce petit côté iconoclaste qui faisait son charme. Remarquez, c'est peut-être dommage du point de vue d'un chroniqueur automobile, mais ce changement risque aussi de se traduire par une augmentation des ventes, ce qui justifierait pleinement cette stratégie.

2e OPINION

FRÉDÉRIC MASSE Son design ne soulèvera pas les foules, vous pouvez en être certain. Par contre, le Forester se révèle l'un des choix les plus rationnels dans cette catégorie très achalandée qu'on appelle les VUS compacts. Confortable, bien équipé et relativement agréable à conduire, il marque des points avec un prix de base alléchant, surtout si l'on considère sa transmission intégrale de série. Offrant pas mal d'espace de chargement et une fiabilité au-dessus de la moyenne, le Forester devrait figurer très rapidement sur votre liste d'essai. Par contre, il faut savoir que le Forester n'est pas le plus spacieux, autant à l'avant qu'à l'arrière, ni très puissant (dans sa version de 170 chevaux). Si vous cherchez un peu plus de piquant, tournez-vous vers la version XT, passablement plus chère mais munie d'un 2,5-litres turbo de 224 chevaux, le même en réalité que celui de l'Impreza WRX.

5 FICHE TECHNIQUE

· MOTEURS

· (X)

H4 2,5 l SACT, 170 ch à 6000 tr/min
Couple 170 lb-pi à 4400 tr/min
Transmission manuelle à 5 rapports, automatique à 4 rapports (en option)
0-100 km/h 9,2 s
Vitesse maximale 185 km/h

· (XT)

H4 2,5 l turbo DACT, 224 ch à 5200 tr/min
Couple 226 lb-pi à 2800 tr/min
Transmission automatique à 4 rapports avec mode manuel
0-100 km/h 6,8 s
Vitesse maximale 225 km/h
Consommation (100 km) 10,0 l (octane 91)
Émissions de CO_2 4896 kg/an
Litres par année 2040 l
Coût par an 3060 $
Empreinte écologique 30 arbres

· AUTRES COMPOSANTES

Sécurité active ABS, antipatinage,répartition électronique de force de freinage, système de contrôle dynamique
Suspension avant/arrière indépendante
Freins avant/arrière disques
Direction à crémaillère, assistée
Pneus X P215/65R16 **X limited/XT** P225/55R17

· DIMENSIONS

Empattement 2615 mm
Longueur 4560 mm
Largeur 2006 mm
Hauteur 1700 mm
Poids X 1480 kg **XT** 1570 kg
Diamètre de braquage 10,5 m
Coffre X 949 l, 1934 l (sièges abaissés)
XT 872 l, 1784 l (sièges abaissés)
Réservoir de carburant 64 l
Capacité de remorquage 1087 kg avec freins de remorque

NOS MENTIONS

Modèle recommandé

NOTRE VERDICT

Plaisir au volant
Qualité de finition
Consommation
Rapport qualité/prix
Valeur de revente

IMPREZA

www.subaru.ca

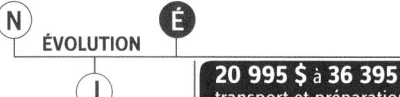

N ÉVOLUTION É J

20 995 $ à 36 395 $
transport et préparation: 1495 $

LA COTE VERTE

AVEC MOTEUR H4 DE 2,5 L

- **Consommation (100km): man.** 9,0 l **auto.** 9,0 l
- **Émissions polluantes CO_2 :** 4368 kg/an
- **Empreinte écologique (nombre d'arbres à planter par année):** 26
- **Indice d'octane:** 87
- **Autre motorisation:** non
- **Coût du carburant moyen par année: man.** 1840 $ **auto.** 1820 $
- **Nombre de litres par année: man.** 1840 l **auto.** 1820 l

(SOURCE: ÉnerGuide)

1 FICHE D'IDENTITÉ

- **Versions** 2.5i, 2.5i Groupe Sport, 2.5i Groupe Limited, WRX, WRX Groupe Limited
- **Roues motrices** 4
- **Portières** 4, 5 **Nombre de passagers** 5
- **Première génération** 1993
- **Génération actuelle** 2008
- **Construction** Gunma et Yajima, Japon
- **Sacs gonflables** 6 (frontaux, latéraux, rideaux)
- **Concurrence** Acura CSX, Chevrolet Cobalt, Ford Focus, Honda Civic, Hyundai Elantra, Kia Spectra, Mazda3, Mitsubishi Lancer, Nissan Sentra, Pontiac Vibe, Suzuki SX4, Toyota Corolla et Matrix,

2 AU QUOTIDIEN

Volkswagen Golf/Jetta

- **Prime d'assurance**
  25 ans: 1600 à 1800 $
  40 ans: 1100 à 1300 $
  60 ans: 1000 à 1200 $
- **Collision frontale** nd
- **Collision latérale** nd
- **Ventes du modèle de l'an dernier**
  Au Québec 3015 **Au Canada** 8555
- **Dépréciation** 34,7%
- **Rappels** (2004 à 2009) 4

3 GARANTIES... ET PLUS

- **Cote de fiabilité** 4/5
- **Garantie générale** 3 ans/60 000 km
- **Garantie motopropulseur** 5 ans/100 000 km
- **Perforation** 5 ans/kilométrage illimité
- **Assistance routière** 3 ans/kilométrage illimité
- **Nombre de concessionnaires**
  Au Québec 26 **Au Canada** 88

4 NOUVEAUTÉS EN 2010

- Aucun changement majeur sauf le nom des versions.

ATYPIQUE UN JOUR...

PAR PHILIPPE LAGUË

QUAND ON SONGE À FAIRE L'ACHAT D'UNE COMPACTE, IL EST RARE QUE L'ON PENSE, DE FAÇON SPONTANÉE, À LA SUBARU IMPREZA. Les Civic, Corolla et Mazda3 sont les premiers noms qui viennent en tête, car elles sont les plus connues (et les plus vendues). Pourtant, il n'existe pas de voiture mieux adaptée à notre climat; elle a longtemps été la seule à offrir la transmission intégrale dans ce segment.

[CARROSSERIE] La génération actuelle marque une étape importante dans l'évolution esthétique de l'Impreza. Si ses lignes sont nettement plus consensuelles, le résultat est le même : les réactions sont toujours aussi polarisées ! Les uns lui reprochent d'avoir perdu son allure si distinctive; les autres apprécient ce style plus européen, moins asiatique. Je vous laisse choisir votre camp.

[HABITACLE] Les deux configurations (4 et 5 portes) se déclinent en cinq versions : 2.5i, 2.5i Sport, 2.5i Limited, WRX et WRX Limited. Dans la première version, c'est vachement déprimant, avec une décoration austère et, pire encore, une finition bon marché comportant beaucoup de plastique. La qualité d'assemblage déçoit elle aussi et varie d'un modèle à l'autre. Et comme toujours chez Subaru, la radio est médiocre. L'ergonomie est cependant irréprochable. Le tableau de bord est facile à consulter, les commandes sont simples et d'utilisation intuitive, tandis que les espaces de rangement abondent. Les sièges sont confortables, mais plusieurs leur reprochent d'être trop bas. Ces mêmes sièges manquent aussi de maintien latéral. La banquette arrière est confortable, et ceux ou celles qui y prennent place bénéficient d'un dégagement impressionnant pour la tête et les jambes. L'Impreza est sans conteste l'une des plus spacieuses de sa catégorie. Dans la berline à 4 portes, le coffre est cependant handicapé par son manque de profondeur. La configuration à 5 portes est nettement plus pratique.

[MÉCANIQUE] Ce type de moteur, avec ses cylindres disposés à plat (en H), se marie mieux à une boîte de vitesses automatique que les 4-cylindres traditionnels (en ligne). Cette boîte n'a que 4 rapports, mais on ne peut le lui reprocher car son

FORCES • Ergonomie exemplaire • Habitacle confortable et spacieux • Mécanique fiable et robuste • Comportement routier relevé • Voiture parfaite pour notre climat-

FAIBLESSES • Habitacle austère • Finition bon marché • Radio médiocre • Moteur rugueux et bruyant • Boîte manuelle peu inspirante

IMPREZA

rendement est exemplaire. Subaru fait d'ailleurs de très bonnes boîtes automatiques, nettement meilleures, il faut bien le dire, que ses boîtes manuelles. Celles-ci sont imprécises, manquent de fermeté, et l'embrayage est peu progressif. La boîte manuelle exacerbe également les défauts de ce moteur qui manque de souplesse, surtout lors des rétrogradations. Elle accentue aussi l'autre irritant de ce moteur, c'est-à-dire son manque de discrétion. À vitesse de croisière, on s'accommode de son ronronnement, mais dès qu'on dépasse la barre des 3 500 tours par minute, ça devient de plus en plus bruyant. Une Subaru ne serait pas une Subaru si elle n'avait pas quatre roues motrices. Encore là, c'est un couteau à deux tranchants: dans la neige et sous la pluie, cette transmission intégrale à prise constante procure une sensation de sécurité incomparable. Mais quatre roues motrices, ça consomme plus que deux.

[COMPORTEMENT] Dans la catégorie des compactes, les joueurs, pour la plupart, sont bien sages, et l'agrément de conduite ne fait pas partie de leur ADN. L'Impreza se situe dans une classe à part : non seulement la qualité du châssis a-t-elle toujours été l'un de ses atouts, mais elle est rehaussée par la motricité exceptionnelle que lui confère sa transmission intégrale. Plus le virage est prononcé, plus la caisse penche, mais ça colle ! On se demande seulement si les pneus vont tenir. Un autre des points forts des Subaru, c'est la qualité des trains roulants qui contribuent, eux aussi, à doter l'Impreza d'un comportement routier supérieur à celui de ses rivales et à lui procurer une grande douceur de roulement. Confortables, silencieuses et rassurantes, les Subaru sont des voitures avec lesquelles on a envie d'enfiler les kilomètres.

[CONCLUSION] Ne vous fiez pas à son design, plus classique qu'auparavant: l'Impreza reste une voiture atypique qui fait bande à part dans ce segment de marché. Qui plus est, en bonne japonaise, elle est fiable comme tout. De plus, Subaru offre enfin des tarifs concurrentiels : les prix ont été revus à la baisse, et les taux de financement sont plus intéressants.

2e OPINION

FRÉDÉRIC MASSE Les consommateurs qui magasinent une voiture compacte ont souvent tendance, à tort, à oublier de considérer l'Impreza. Quelle voiture dont le prix de base se situe tout juste sous la barre des 21 000 $, offre autant pour le prix demandé ? Constatez par vous-même : la transmission intégrale qui pourrait vous sauver la vie, une fiabilité nettement au-dessus de la moyenne, une excellente valeur de revente et une « exclusivité » par rapport aux Honda Civic, Mazda3 et Toyota Corolla de ce monde. Ceux qui ne me croient pas n'ont jamais fait l'essai d'une transmission intégrale en pleine tempête, surtout pas celle de Subaru (qui offre la meilleure technologie pour le prix demandé). Bon... vous me direz que son allure ne vous fait pas rêver, vous aurez peut-être raison... mais, les goûts ça ne se discute pas. Dernier point, considérez dans votre calcul de paiement la consommation de carburant plus élevée du moteur à 4 cylindres boxer de 2,5 litres causée par la transmission intégrale et une désormais vieillissante boîte de vitesses automatique à 4 rapports.

(5) FICHE TECHNIQUE

· MOTEURS

· (2.5i)

H4 2,5 l SACT, 170 ch à 6000 tr/min
Couple 170 lb-pi à 4400 tr/min
Transmission manuelle à 5 rapports, automatique à 4 rapports (en option)
0-100 km/h 8,8 s **Vitesse maximale** 200 km/h

· (WRX)

H4 2,5 l DACT, 265 ch à 6000 tr/min
Couple 244 lb-pi à 4000 tr/min
Transmission manuelle à 5 rapports
0-100 km/h 5,4 s **Vitesse maximale** 240 km/h
Consommation (100 km) 10,5 l (octane 91)
Émissions de CO_2 5100 kg/an
Litres par année 2120 l **Coût par an** 2332 $
Autre motorisation non
Empreinte écologique 30 arbres

· AUTRES COMPOSANTES

Sécurité active freins ABS, répartition électronique de force de freinage
Suspension avant/arrière indépendante
Freins avant/arrière disques
Direction à crémaillère, assistée
Pneus 2.5i P205/55R16
WRX P225/45R17

· DIMENSIONS

Empattement 2620 mm
Longueur 4 p. 4580 mm **5 p.** 4415 mm
Largeur 1740 mm
Hauteur 1475 mm
Poids 2.5i 1390 kg **WRX** 1440 kg
Diamètre de braquage 10,6 m, **WRX** 10,8 m
Coffre 4 p. 320 l **5 p.** 538 l, 1257 l (sièges abaissés)
Réservoir de carburant 64 l

NOS MENTIONS

Modèle recommandé

NOTRE VERDICT

Plaisir au volant
Qualité de finition
Consommation
Rapport qualité/prix
Valeur de revente

WRX STI

www.subaru.ca

N ÉVOLUTION É J

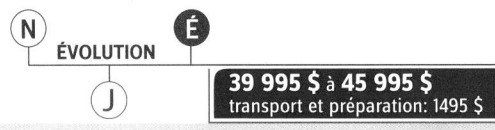

39 995 $ à 45 995 $
transport et préparation: 1495 $

LA COTE VERTE

AVEC MOTEUR H4 DE 2,5 L

- **Consommation (100km): man.** 11,6 l
- **Émissions polluantes CO_2:** 5100 kg/an
- **Empreinte écologique (nombre d'arbres à planter par année):** 30
- **Indice d'octane:** 91
- **Autre motorisation:** non
- **Coût du carburant moyen par année:** 2332 $
- **Nombre de litres par année:** 2120 l

(SOURCE: ÉnerGuide)

5 FICHE TECHNIQUE

- **MOTEUR**
- **(WRX STi)**

H4 2,5 l DACT, 305 ch à 6000 tr/min
Couple 290 lb-pi à 4000 tr/min
Transmission manuelle à 6 rapports
0-100 km/h 5,0 s **Vitesse maximale** 250 km/h

- **AUTRES COMPOSANTES**

Sécurité active freins ABS, répartition électronique de force de freinage
Suspension avant/arrière indépendante
Freins avant/arrière disques
Direction à crémaillère, assistée
Pneus P245/40R18

- **DIMENSIONS**

Empattement 2625 mm
Longueur 4415 mm
Largeur 1795 mm
Hauteur 1475 mm
Poids 1530 kg
Diamètre de braquage 10,6 m
Coffre 538 l, 1257 l (sièges abaissés)
Réservoir de carburant 64 l

PLUS SAGE LE BOLIDE

PAR BENOIT CHARETTE

LA PREMIÈRE GÉNÉRATION DE STI SEMBLAIT SORTIR DIRECTEMENT DES SENTIERS DE RALLYE POUR SE RETROUVER SUR LE BITUME. Mal dégrossie, bruyante avec le turbo qui arrivait comme une tonne de briques. Le raffinement n'était pas sa tasse de thé, mais c'est aussi ce côté spartiate qui faisait son charme. Avec l'arrivée de la deuxième génération, en 2008, le modèle s'est de beaucoup assagi, tant au chapitre de la présentation que de la conduite. Bon ou mauvais ?

[CARROSSERIE] En termes visuels, Subaru a complètement changé de registre. La forme carrée de la première livrée fait place à une silhouette plus étudiée. Elle est massive et agressive, mais tout en rondeurs, c'est plus subtil. Je trouve ce modèle plus abouti, mieux préparé.

[HABITACLE] Une fois que vous avez pris place dans les sièges de course, vous devez prendre de nombreuses décisions. Il y a entre les sièges avant une kyrielle de boutons qui vous permettront de régler votre STi en fonction de votre style de conduite. Tout d'abord, le SI-DRIVE (Subaru Intelligent Drive) permettant d'adapter les réglages du moteur et qui se compose de trois modes à choix : Intelligent [I], Sport [S] et Sport Sharp [S#]. Et ensuite le Multimode DCCD (Driver's Control Centre Differential) qui gère les réglages du différentiel central. Il y a également la chaîne audio et le système de navigation qui offrent une multitude de fonctions Vous pouvez aussi brancher votre iPod.

[COMPORTEMENT] Subaru a réussi à garder le côté féroce de la STi quand vous poussez à fond, mais sa conduite est beaucoup plus coulée à bas et à moyen régimes. Le noyau dur des amateurs regrette cet « adoucissement » dans le tempérament d'une bête de course, mais pour une conduite au quotidien, ce côté confortable est beaucoup plus apprécié. Les nombreux réglages permettent encore d'avoir une conduite ultra sportive au besoin.

[CONCLUSION] Dans l'ensemble, la voiture est un peu moins extrême que les précédentes STi mais plus facile à vivre au quotidien.

FORCES • Tenue de route • Puissance • Confort à la hausse

FAIBLESSES • Design mi-figue, mi-raisin • Moteur gourmand • Conception plus soumise

LEGACY / OUTBACK

www.subaru.ca

N NOUVEAUTÉ É J

23 995 $ à 40 795 $
transport et préparation: 1495 $

LA COTE VERTE

AVEC MOTEUR H4 DE 2,5 L

- **Consommation (100km):** 8,9 l
- **Émissions polluantes CO_2 :** **Legacy** 4368 kg/an
- **Empreinte écologique (nombre d'arbres à planter par année):** 27
- **Indice d'octane:** 87
- **Autre motorisation:** non
- **Coût du carburant moyen par année:** **man.** 1840 $ **CVT.** 1820 $
- **Nombre de litres par année:** **man.** 1840 l **CVT.** 1820 l

(SOURCE: ÉnerGuide)

1 FICHE D'IDENTITÉ

- **Versions** Legacy: 2.5i, PZEV, 2.5GT, 3.6R Outback: PZEV, 2.5i Sport, 3.6R
- **Roues motrices** 4
- **Portières** 4 **Nombre de passagers** 5
- **Première génération** 1990
- **Génération actuelle** 2010
- **Construction** Lafayette, Indiana, USA
- **Sacs gonflables** 6 (frontaux, latéraux avant, rideaux latéraux)
- **Concurrence** Chevrolet Malibu, Chrysler Sebring, Ford Fusion, Honda Accord, Hyundai Sonata, Kia Magentis, Mazda6, Mitsubishi Galant, Nissan Altima, Toyota Camry

2 AU QUOTIDIEN

- **Prime d'assurance**
  25 ans: 1800 à 2000 $
  40 ans: 1200 à 1400 $
  60 ans: 900 à 1100 $
- **Collision frontale** 5/5
- **Collision latérale** 5/5
- **Ventes du modèle de l'an dernier** **Au Québec** 1546 **Au Canada** 4089
- **Dépréciation** 38,9 %
- **Rappels** (2004 à 2009) 7

3 GARANTIES... ET PLUS

- **Cote de fiabilité** 3,5/5
- **Garantie générale** 3 ans/60 000 km
- **Garantie motopropulseur** 5 ans/100 000 km
- **Perforation** 5 ans/kilométrage illimité
- **Assistance routière** 3 ans/60 000 km
- **Nombre de concessionnaires** **Au Québec** 26 **Au Canada** 88

4 NOUVEAUTÉS EN 2010

- Nouveau modèle

SE RANGER SOUS LA BANNIÈRE

PAR BENOIT CHARETTE

VOUS LE SAVEZ, EN POLITIQUE, IL Y A CE QU'ON APPELLE LA LIGNE DE PARTI EN VERTU DE LAQUELLE UN DÉPUTÉ OU UN MINISTRE DOIT SE CONFORMER À L'IDÉOLOGIE DU PARTI, MÊME SI CELA NE REPRÉSENTE PAS TOUJOURS SA PROPRE VISION DES CHOSES. Dans le monde de l'automobile, les voitures qui connaissent du succès dans une catégorie donnée servent toujours de modèle. Les Toyota Camry ou Honda Accord portent la bannière dans la catégorie des voitures intermédiaires. Subaru, qui a toujours cultivé la différence avec son moteur à plat, la transmission intégrale de série et ses renflements de turbo sur le capot moteur, se rapproche un peu de la norme cette année avec la présentation d'une refonte de la Legacy et de l'Outback.

[CARROSSERIE] Sur le plan visuel, Subaru a choisi de rentrer dans les rangs. Les anciennes versions se démarquaient un peu de la concurrence et, aux fils des ans, le fabricant avait bien résisté à l'envie du « toujours plus gros » qui était devenu la norme dans l'industrie; et cette différence faisait partie de son charme. Hélas, en affaires, c'est le marché qui dicte la marche à suivre, et Subaru, qui veut élargir ses horizons et sa clientèle cible, a succombé à la tentation. La nouvelle Legacy, qui ne sera désormais offerte qu'en version berline, s'allonge donc de 4,5 centimètres. Pour ce qui est de l'Outback, devenue la seule version familiale, conserve pratiquement la même longueur. Toutefois, les deux modèles gagnent 9 centimètres en largeur, tandis que la Legacy gagne 8 centimètres en hauteur. L'empattement progresse de 7 centimètres dans le cas de l'Outback et de 8 centimètres dans le cas de la Legacy. En matière de style, l'évolution est discrète mais sensible : les ailes élargies et les projecteurs surdimensionnés cherchent à renforcer la personnalité de l'auto. Une évolution sans doute nécessaire pour séduire, mais certains, comme moi, regretteront le petit côté rebelle de la présente génération. La plateforme est entièrement nouvelle de même que les trains roulants. À l'avant, c'est un classique schéma McPherson qui a

FORCES • Hausse de la qualité des matériaux • Meilleure insonorisation • Légendaire tenue de route • Boîte manuelle digne de ce nom (Legacy GT) • Prix plus abordables

FAIBLESSES • Conduite plus aseptisée (Legacy) • Lignes plus génériques • Je vais m'ennuyer de la Legacy familiale.

LEGACY / OUTBACK

été retenu, tandis que, à l'arrière, un nouveau train à double triangulation fait son apparition.

[HABITACLE] L'intérieur est très semblable pour les deux modèles, et la montée en grade est évidente tant au chapitre des matériaux que de l'insonorisation. Le format plus généreux se ressent, il y a plus d'espace pour les épaules, les jambes et les passagers arrière. Subaru a même creusé les sièges avant et élargi les portes arrière pour rendre la partie arrière plus accueillante. Les sièges en tissu sont encore un peu fermes, et la sellerie de cuir semble toujours provenir de vaches en plastique, mais c'est comme cela depuis toujours chez Subaru, et j'oserais presque dire que cela fait un peu de son charme. Une seule fausse note dans l'aménagement. Les versions qui reçoivent le système de reconnaissance de la voix et la connectivité Bluetooth se voient affubler d'un espèce de truc bricolé qui se résume à deux petits haut-parleurs dans un étui de métal 1950 en plein centre de la console avec un micro installé sur le dessus de la colonne de direction. On jurerait que Subaru a oublié d'inclure un système cohérent durant la conception et a ajouté cette chose à la dernière minute. Cela fonctionne, mais pour l'esthétisme, on repassera. Un dernier mot sur le coffre plus spacieux grâce à la suspension à double triangulation plus compacte : l'Outback offre même un rail sur le toit avec des barres transversales amovibles qui restent bien cachées quand on ne les utilise pas et, du coup, élimine les bruits de vent; simple mais génial.

« SUR LE PLAN VISUEL, SUBARU A CHOISI DE RENTRER DANS LES RANGS. »

[MÉCANIQUE] C'est sans doute sous le capot qu'il y a le moins de changement. La Legacy et l'Outback sont toujours offertes en trois niveaux de performance. Les versions de base et PZEV reçoivent le même 4-cylindres à plat de 2,5 litres de 170 chevaux. La 2.5i s'équipe de série d'une nouvelle boîte de vitesses manuelle à 6 rapports qui remplace la boîte manuelle à 5 rapports. Question de sauver quelques sous de carburant et de faire mentir, un tant soit peu, la réputation plus gourmande des moteurs Subaru. L'entreprise nipponne ajoute également à l'offre une boîte CVT Lineartronic qui propose un mode manuel permettant de passer les rapports, ce qui rend son utilisation « endurable ». Cette boîte équipe de série la Legacy PZEV et est livrable en option sur la 2.5i. Pour les sportifs dans l'âme, la Legacy est toujours offerte en version GT. C'est le moteur de la WRX 265 (renommée Limited pour 2010) qui s'y retrouve et produit, vous l'avez deviné, 265 chevaux. Ce moteur turbo est jumelé à une nouvelle boîte manuelle à 6 rapports. C'est la première fois que j'ai eu du plaisir avec une boîte manuelle Subaru. Beaucoup mieux synchronisée que la récalcitrante boîte de l'ancienne Spec B, cette boîte m'a réconcilié avec la GT. Les nouvelles Legacy et Outback 3.6R vont elles aussi piger dans le coffre à outils du fabricant et héritent du moteur à 6 cylindres à plat du Tribeca. La puissance est de 256 chevaux, et la seule boîte offerte est l'automatique à 5 rapports. Comme toujours, Subaru demeure le seul

HISTORIQUE

La Subaru Legacy, lancée en 1989, a été précédé par les GL en version berline et familiale au début des années 80. Ces voitures représentent le haut de gamme de la marque Subaru, et se place au dessus de la Loyale qui elle remplaçait les GL. Proposée en berline et en familiale encore aujourd'hui, elles sont très prisées des régions froides où la transmission intégrale fait des merveilles.

GL 1983

GL WAGON 1988

LOYALE 1992

LEGACY 2000

OUTBACK 2000

OUTBACK 2008

OUTBACK 2010

LEGACY / OUTBACK

GALERIE

A Plus sage dans son approche, la Legacy 2.5i GT conserve tout de même quelques caractéristiques qui ont fait le bonheur de sa clientèle aux fils des ans, comme le désormais célèbre renflement sur le capot, signe distinctif du modèle, et son moteur à plat turbo. Les performances ont augmenté à 265 chevaux cette année tout en offrant un modèle plus confortable.

B La version Outback est maintenant le seul modèle offert en configuration «wagon». Subaru a abandonné la Legacy familale cette année pour laisser tout le terrain à la version Outback. Il faut également noter que nos voisins américains , qui ne sont pas des amateurs de familiales, boudaient la Legacy familiale qui va continuer d'être sur la route en Europe et au Japon, mais pas chez nous.

C Subaru a opté pour une transmission CVT à chaîne, qui constitue la toute première transmission CVT à montage longitudinal du monde à équiper un véhicule à traction intégrale de grande production. Contrairement aux boîtes automatiques conventionnelles, dont les rapports de démultiplication sont fixés par des engrenages, la CVT propose un nombre illimité de rapports entre le rapport inférieur et le rapport supérieur, sans aucun à-coup notable lors du passage d'un rapport à l'autre. Les automobilistes qui préfèrent passer eux-mêmes les rapports peuvent utiliser le mode manuel à six rapports proposé sur la CVT LineartronicMC, qui permet de changer manuellement les vitesses à l'aide de palettes montées au volant.

D L'empattement gagne 80 mm (3,2 po) par rapport à la version précédente. La Legacy 2010 libère aussi 100 mm (4 po) de dégagement supplémentaire au niveau des jambes à l'arrière, optimisé par la forme cintrée du dossier des nouveaux sièges avant. Les occupants arrière gagnent également 51 mm (2 po) de dégagement supplémentaire à leurs pieds grâce à la forme repensée de l'assise des sièges avant.

constructeur d'automobiles à équiper de série tous ses modèles de la transmission intégrale symétrique en prise constante.

[COMPORTEMENT] Nous disions plus tôt que Subaru avait succombé à la tendance du toujours plus gros. Les ingénieurs ont limité les dégâts et, malgré des proportions plus généreuses, la voiture n'a pris qu'une cinquantaine de kilos. Le bon côté de la chose s'entend ou plutôt ne s'entend pas. Les portes sans cadre, l'une des caractéristiques des produits Subaru depuis des décennies font place à des portes avec cadre. Ajoutez à cela un surplus de matériau insonorisant, et la voiture est plus silencieuse. Assez silencieuse pour enterrer le sifflement particulier du moteur à 4 cylindres à plat. L'envers de la médaille ? Ce surplus de poids affecte un peu le plaisir de conduire. Le volant est plus lourd, et la direction ne rend pas aussi bien les sensations de la route au volant. C'est un peu plus évident dans la Legacy qui se veut par définition plus sportive; l'Outback se conduit de manière un peu plus pantouflarde. Tous les modèles s'équipent du contrôle de la dynamique du véhicule (VDC), un système qui agit à la fois sur la stabilité et la motricité. Couplé à la transmission intégrale, vous serez assuré de ne pas perdre pied. Il faut aussi mentionner que l'Outback offre maintenant une meilleure garde au sol qu'un Ford Explorer ou un Jeep Liberty. Cette familiale, que Subaru appelle un VUS, peut faire rougir de honte bien des camions, un atout certain si vous sortez des sentiers battus.

[CONCLUSION] Si vous me demandiez de choisir entre une Legacy et une Outback, je dois vous dire que j'irais vers l'Outback. C'est celle qui, à mon avis, a le plus progressé et répond le mieux à sa vocation. La Legacy est rentrée dans les rangs et a, du coup, perdu son petit côté débridé qui faisait son charme. Je dois tout de même admettre que la version 2.5i GT avec plus de puissance et, enfin, une boîte manuelle digne de ce nom, m'a tiré un sourire de satisfaction.

2e OPINION

FRÉDÉRIC MASSE C'est le chant du cygne pour cette génération de Legacy et d'Outback. Par contre, n'allez pas croire qu'elles sont dépassées, loin de là. Dans les faits, il s'agit du meilleur moment pour s'en procurer une pour qui se soucie peu du design ou de l'attrait de la nouveauté. Mon dévolu se jette particulièrement sur l'Outback qui se veut une très bonne alternative au VUS tout en étant nettement plus agile. L'espace de chargement qu'elle procure et le dégagement au sol en font la vedette incontestée de toutes les sorties en plein air ou des balades en famille. J'adore rouler dans une Legacy ou une Outback pendant nos hivers rigoureux, ça me rappelle à quel point la transmission intégrale de série est magistrale. Certes, elle augmente légèrement le prix à la pompe, mais le sacrifice en vaut nettement la chandelle si l'on considère cet avantage de taille.

5 FICHE TECHNIQUE

· MOTEURS

· (2.5i / PZEV / 2.5i Sport)

H4 2,5 l SACT, 170 ch à 6000 tr/min
Couple 170 lb-pi à 4400 tr/min
Transmission manuelle à 6 rapports, transmission CVT (en option)
0-100 km/h Legacy 10,2 s **Outback** 10,8 s
Vitesse maximale 200 km/h

· (2.5 GT)

H4 2,5 l DACT, 265 ch à 6000 tr/min
Couple 258 lb-pi à 3600 tr/min
Transmission manuelle à 6 rapports
0-100 km/h Legacy 6,2 s
Vitesse maximale 210 km/h
Consommation (100 km) man. 10,5 l (octane 91)
Émissions de CO_2 4992 kg/an
Litres par année 2080 l
Coût par an 2288 $
Autre motorisation non
Empreinte écologique 30 arbres

· (3.6R)

H6 3,6 l DACT, 256 ch à 6600 tr/min
Couple 247 lb-pi à 4200 tr/min
Transmission automatique à 5 rapports séquentielle
0-100 km/h 8,0 s
Vitesse maximale 210 km/h
Consommation (100 km) 10,5 l (octane 87)
Émissions de CO_2 4944 kg/an
Litres par année 2060 l **Coût par an** 2060 $
Autre motorisation non
Empreinte écologique 29 arbres

· AUTRES COMPOSANTES

Sécurité active freins ABS, répartition électronique de force de freinage, contrôle de stabilité électronique et antipatinage
Suspension avant/arrière indépendante
Freins avant/arrière disques
Direction à crémaillère, assistée
Pneus Legacy 2.5i P205/55R16 **Legacy 2.5i Sport** P205/50R17 **Legacy 2.5GT** P215/45R18 **Outback 2.5Limited/3.6R** P225/55R17

· DIMENSIONS

Empattement Legacy 2750 mm **Outback** 2740 mm
Longueur Legacy 4735 mm **Outback** 4780 mm
Largeur 1820 mm
Hauteur Legacy 1505 mm **Outback** 1670 mm
Poids Legacy 2,5i: 1485 kg, **Legacy 2,5GT:** 1580 **Legacy 3,6R** 1598 kg **Outback** 1542 kg **Outback 3,6R** 1648 kg
Diamètre de braquage 11,2 m
Coffre Legacy 415 l **Outback** 972 l 2019 l (sièges abaissés)
Réservoir de carburant 70 l
Capacité de remorquage 1227 kg

NOS MENTIONS

Modèle recommandé

NOTRE VERDICT

Plaisir au volant
Qualité de finition
Consommation
Rapport qualité/prix
Valeur de revente Nm

TRIBECA

www.subaru.ca

N ÉVOLUTION É
J

39 995 $ à 48 195 $
transport et préparation: 1495 $

LA COTE VERTE

AVEC MOTEUR H6 DE 3,6 L

- **Consommation (100km):** 11,3 l
- **Émissions polluantes CO_2 :** 5520 kg/an
- **Empreinte écologique (nombre d'arbres à planter par année):** 33
- **Indice d'octane:** 91
- **Autre motorisation:** non
- **Coût du carburant moyen par année:** 2300 $
- **Nombre de litres par année:** 2300 l

(SOURCE: ÉnerGuide)

1 FICHE D'IDENTITÉ

- **Versions** Base, Limited, Optimum
- **Roues motrices** 4
- **Portières** 4 **Nombre de passagers** 7
- **Première génération** 2006
- **Génération actuelle** 2006
- **Construction** Lafayette, Indiana, É.-U.
- **Sacs gonflables** 6 (frontaux, latéraux avant, rideaux latéraux)
- **Concurrence** Ford Flex, GMC Acadia, Honda Pilot, Hyundai Veracruz, Mazda CX-9, Nissan Murano, Suzuki XL7, Toyota Highlander

2 AU QUOTIDIEN

- **Prime d'assurance**
  25 ans: 2800 à 3000 $
  40 ans: 1800 à 2000 $
  60 ans: 1200 à 1400 $
- **Collision frontale** 5/5
- **Collision latérale** 5/5
- **Ventes du modèle de l'an dernier**
  Au Québec 307 **Au Canada** 925
- **Dépréciation** 58,5 %
- **Rappels** (2004 à 2009) 1
- **Cote de fiabilité** 4/5

3 GARANTIES... ET PLUS

- **Garantie générale** 3 ans/60 000 km
- **Garantie motopropulseur** 5 ans/100 000 km
- **Perforation** 5 ans/kilométrage illimité
- **Assistance routière** 3 ans/60 000 km
- **Nombre de concessionnaires**
  Au Québec 26 **Au Canada** 88

4 NOUVEAUTÉS EN 2010

- Uniquement disponible en version 7 passagers
  Caméra de recul
  Meilleur système audio avec lecteur 6 CD

T'ES QUI TOI ?

PAR DANIEL RUFIANGE

CERTAINS VÉHICULES PEINENT À TROUVER PRENEUR. Suffit de les regarder ou d'en prendre le volant pour en saisir la raison. Ce n'est pas le cas du Tribeca. Si ses ventes correspondaient à son niveau de qualité, elles se situeraient dans le premier tiers dans la catégorie. Mais voilà : l'image de Subaru traîne de la patte, et même si les cotes de fiabilité du constructeur sont nettement à la hausse, les consommateurs hésitent encore à lui faire confiance. Le Tribeca vaut le détour, mais méfiez-vous car son prix s'envole au gré des options.

[CARROSSERIE] Au cas où vous l'auriez oublié, la génération actuelle du Tribeca a très mal amorcé sa carrière. Souvenez-vous de cet affreux faciès; même les moustiques en avaient peur et l'évitaient ! Subaru a eu beau corriger le tir en remodelant la calandre, difficile de ne pas faire de lien entre ce faux départ et ses ventes plutôt anémiques. Aujourd'hui, la bouille du Tribeca se veut plus sympathique, spécialement à l'arrière où les formes arrondies agissent harmonieusement sur le design. Offert en trois livrées, les versions de base et Limited demeurent mes choix. La mouture Optimum affiche une facture salée, difficilement justifiable si vous voulez mon avis.

[HABITACLE] Vous avez envie de subir un choc ? Montez à bord du Tribeca les yeux bandés et, une fois assis, ouvrez-les ! La présentation de la planche de bord et de la console centrale vous ébranlera sûrement. Subaru n'a pas joué la carte du conservatisme en dessinant l'intérieur, et personne ne s'en plaindra. L'œil s'habitue rapidement surtout que l'ergonomie est excellente. Le confort aussi d'ailleurs ! À l'arrière, de la place pour trois autres adultes, même si le Tribeca offre une troisième banquette, cette dernière sera plus utile dans votre garage; vous pourrez ainsi profiter des 2106 litres de chargement alors libérés une fois les sièges abaissés.

[MÉCANIQUE] L'étape la plus expéditive de l'expérience d'achat d'un Tribeca, c'est le choix de moteur. Seul un engin Boxer à 6 cylindres disposés horizontalement trouve niche sous le capot. Sa puissance, évaluée à 256 chevaux, se

+ / −

FORCES • Qualités intrinsèques du véhicule • Accès à la différence • Présentation intérieure originale • Fiabilité en progression • Confort

FAIBLESSES • Prix • Véhicule encore méconnu • Faible valeur de revente

veut adéquate, sans plus. La boîte de vitesses à 5 rapports effectue du bon boulot et propose trois modes différents : normal, Sport et Sportshift. Un bon mot pour la très efficace transmission intégrale Subaru qui distribue le couple selon ce que commande la situation.

[COMPORTEMENT] Je n'ai pas d'excès d'euphorie à la suite de mon essai du Tribeca. Toutefois, c'est toujours avec plaisir que j'en ai pris le volant. Subaru a du Volvo dans le nez. Son offre de modèles est limitée, le souci du détail, toujours présent, et on ressent ce lien affectif et cette fidélité entre l'acheteur et la marque. Tout cela se ressent au volant; sans être éberlué, on apprécie le côté prévisible du véhicule ainsi que son degré de confort. Il faut cependant éviter de trop le brasser; la suspension guimauve aura tôt fait de vous donner le mal de mer. Pour ce qui est du freinage, j'ai trouvé que le Tribeca se tirait bien d'affaire, mais cela ne devrait pas vous empêcher de garder vos distances. De bons mots pour le moteur qui étale sa puissance tout en souplesse et pour la boîte automatique qui se fait presque oublier. Le comportement routier du Tribeca se veut efficace mais plus neutre qu'inspirant.

[CONCLUSION] On ne compte plus les utilitaires sur le marché, sans mentionner les camionnettes, les plus utilitaires de toutes, et les véhicules multisegments. Pour connaître du succès, il faut frapper un grand coup, et le Tribeca n'a actuellement pas les atouts pour passer à l'attaque. De un, son prix fait sérieusement réfléchir, et de deux, le réseau de concessionnaires demeure limité. Néanmoins, si vous avez envie de quelque chose de différent, n'hésitez pas à en faire l'essai; c'est bien l'une des dernières choses gratuite dans l'industrie !

2e OPINION

JEAN-PIERRE BOUCHARD Méconnu des consommateurs et peut-être un peu cher quand on le compare à une concurrence dont fait partie le Nissan Murano ou le Toyota Highlander, par exemple, le Tribeca n'en est pas moins un excellent véhicule. C'est un véhicule pour lequel on dénombre plus de qualités que de défauts. Il est spacieux, confortable, fort bien aménagé, moderne dans la facture de sa présentation intérieure, doté d'un groupe motopropulseur qui assure un excellent rendement tout en affichant une consommation de carburant raisonnable et une transmission intégrale qui lui donne beaucoup d'aplomb. Autre caractéristique qui n'est pas toujours présente dans ce type de véhicule : le tempérament sportif de son comportement routier. Le constructeur japonais le vend toutefois au compte-gouttes, ce qui malheureusement contribue à le laisser dans l'ombre; cela fait en sorte que, si l'on cherche un véhicule de cette catégorie, on oublie de l'ajouter sur la liste d'achats potentiels.

5 FICHE TECHNIQUE

· MOTEUR
· H6 3,6 l DACT, 256 ch à 6000 tr/min
Couple 247 lb-pi à 4400 tr/min
Transmission automatique à 5 rapports avec mode manuel
0-100 km/h 9,0 s
Vitesse maximale 210 km/h

· AUTRES COMPOSANTES
Sécurité active Freins ABS, répartition électronique de force de freinage, assistance au freinage, antipatinage, contrôle de stabilité électronique
Suspension avant/arrière indépendante
Freins avant/arrière disques ventilés
Direction à crémaillère, assistée
Pneus P255/55R18

· DIMENSIONS
Empattement 2749 mm
Longueur 4865 mm
Largeur 1878 mm
Hauteur 1720 mm
Poids 7 pl. Optimum 1925 kg
Diamètre de braquage 11,4 m
Coffre 7 pl. 2106 l (sièges abaissés)
Réservoir de carburant 64 l
Capacité de remorquage 453 kg, 906 kg avec freins de remorque (en option), 1587 kg avec freins de remorque et refroidisseur de transmission (en option)
Coffre 7 pl. 235 l, 1063 l, 2106 l

NOS MENTIONS

Modèle recommandé

NOTRE VERDICT

Plaisir au volant
Qualité de finition
Consommation
Rapport qualité/prix
Valeur de revente

GRAND VITARA

www.suzuki.ca

N ÉVOLUTION É J

27 995 $ à 32 195 $
transport et préparation: 1395 $

LA COTE VERTE

AVEC MOTEUR L4 DE 2,4 L

- **Consommation (100km): auto.** 9,9 l
- **Émissions polluantes CO_2 : auto.** 4814 kg/an
- **Empreinte écologique (nombre d'arbres à planter par année):** 28
- **Indice d'octane:** 87
- **Autre motorisation:** non
- **Coût du carburant moyen par année: auto.** 2000 $
- **Nombre de litres par année: auto.** 2000 l

(SOURCE: ÉnerGuide)

1 FICHE D'IDENTITÉ

- **Versions** JX, JLX, JLX Cuir
- **Roues motrices** 4
- **Portières** 4 **Nombre de passagers** 5
- **Première génération** 1999
- **Génération actuelle** 2006
- **Construction** Smyrna, Tennessee, É.-U.
- **Sacs gonflables** 6, frontaux, latéraux et rideaux latéraux
- **Concurrence** Chevrolet Equinox, Ford Escape, Honda CR-V, Hyundai Tucson, Jeep Patriot/Liberty, Kia Sportage, Mitsubishi Outlander, Nissa Rogue, Subaru Forester, Toyota RAV4

2 AU QUOTIDIEN

- **Prime d'assurance**
  25 ans: 2000 à 2200 $
  40 ans: 1000 à 1200 $
  60 ans: 900 à 1100 $
- **Collision frontale** 4/5
- **Collision latérale** 5/5
- **Ventes du modèle de l'an dernier**
  Au Québec 1 511 **Au Canada** 3296
- **Dépréciation (3 ans)** 46,1 %
- **Rappels (2004 à 2009)** 3
- **Cote de fiabilité** 3,5/5

3 GARANTIES... ET PLUS

- **Garantie générale** 3 ans/60 000 km
- **Garantie motopropulseur** 5 ans/100 000 km
- **Perforation** 5 ans/kilométrage illimité
- **Assistance routière** 3 ans/60 000 km
- **Nombre de concessionnaires**
  Au Québec 40 **Au Canada** 90

4 NOUVEAUTÉS EN 2010

- Version JA éliminée
- Boîte manuelle à 5 rapports éliminée

À DÉCOUVRIR ET À APPRÉCIER

JEAN-PIERRE BOUCHARD

LE GRAND VITARA A POUR TÂCHE DE CONCURRENCER DES UTILITAIRES COMPACTS COMME LE TOYOTA RAV4, LE HONDA CR-V, LE FORD ESCAPE OU, ENCORE, LE NISSAN ROGUE. Pas toujours facile dans une catégorie qui regroupe de gros canons. Mais, malgré la présence de rivaux de taille, cet utilitaire compact tire assez bien son épingle du jeu et mérite d'être considéré.

[CARROSSERIE] L'an dernier, les stylistes de la petite firme japonaise ont apporté des modifications que seul l'œil d'un initié, et encore, pouvait déceler. Le Grand Vitara a toutefois pu bénéficier de nouveaux groupes motopropulseurs dont un 4-cylindres, une nouvelle qui a été accueillie favorablement.

[HABITACLE] Les occupants des places avant profitent d'un bon confort, résultat de sièges bien conçus et d'un bon dégagement pour les jambes et la tête. Le conducteur bénéficie d'une bonne position de conduite, mais il ne peut toutefois compter sur la présence d'un volant télescopique, ce qui est le cas du côté de Honda et de Toyota. Les commandes sont placées dans son environnement immédiat, et la consultation des instruments de bord ne pose aucune difficulté. La visibilité est bonne dans toutes les directions.Le Grand Vitara utilise par ailleurs des matériaux de bonne qualité et qui sont bien assemblés. À ce titre, il n'avait rien à envier au RAV4 essayé quelques mois plus tard et dont certains éléments de finition faisaient bon marché. La cabine gomme adéquatement la plupart des bruits. La banquette fournit un bon confort pour deux adultes. L'espace utilitaire est de bonnes dimensions. Chaque section de la banquette se replie et bascule pour augmenter le volume de chargement. Le hayon s'ouvre malheureusement de façon latérale et non comme un hayon traditionnel. Et en plus, il ouvre du mauvais côté. Ainsi, quand vous êtes garé en parallèle sur la rue, l'ouverture nécessite un bon dégagement, en plus d'être du côté du trottoir. Pas pratique du tout.

[MÉCANIQUE] Le véhicule a droit à un 4 cylindres de 2,4 litres à calage variable des soupapes, dont les 166 chevaux procurent des performances tout

FORCES • Robustesse de la construction • Agrément de conduite • Rapport qualité-prix honnête • Moteurs adaptés

FAIBLESSES • Consommation de carburant • Porte arrière

GRAND VITARA

5 FICHE TECHNIQUE

· MOTEURS

L4 2.4 l DACT 166 ch à 6000 tr/min
Couple 162 lb-pi à 4000 tr/min
Transmission automatique à 4 rapports
0-100 km/h 10,0 s
Vitesse maximale 180 km/h

V6 3,2 l DACT, 230 ch à 6200 tr/min
Couple 213 lb-pi à 3500 tr/min
Transmission automatique à 5 rapports
0-100 km/h 8,3 s
Vitesse maximale 195 km/h
Consommation (100 km) 10,6 l (octane 87)
Émissions de CO_2 5158 kg/an
Litres par année 2140 l
Coût par an 2140 $
Autre motorisation non
Empreinte écologique 31 arbres

· AUTRES COMPOSANTES

Sécurité active freins ABS, répartition électronique de force de freinage, antipatinage, contrôle de stabilité électronique
Suspension avant/arrière indépendante
Freins avant/arrière disques ventilés
Direction à crémaillère, assistée
Pneus L4 P225/65R17
V6 P225/60R18

· DIMENSIONS

Empattement 2640 mm
Longueur 4500 mm
Largeur 1810 mm
Hauteur 1695 mm
Poids 1656 kg, à 1795 kg
Diamètre de braquage 11,0 m
Coffre 758 l, 1880 l (sièges abaissés)
Réservoir de carburant 66 l
Capacité de remorquage 1360 kg

à fait correctes dans la plupart des situations. La consommation de carburant atteint, en moyenne, environ 12 litres aux 100 kilomètres avec la boîte de vitesses automatique à 4 rapports et la transmission intégrale. Ce qui demeure toutefois un peu plus élevé que certains concurrents.La version V6 utilise un 3,2-litres de 230 chevaux, dont les performances sont convaincantes. Ce moteur, qui fonctionne avec une belle douceur, est livré de série avec une boîte automatique à 5 rapports. Les deux moteurs du Suzuki autorisent une capacité de remorquage de 1 360 kilos (3 000 livres). Mais honnêtement, le V6 sera nécessaire pour tracter les charges plus élevées.

[COMPORTEMENT] Le Grand Vitara est dotée d'une suspension qui assure un bon confort de roulement. Certaines inégalités de la chaussée le font réagir plus vigoureusement. C'est le caractère 4 x 4 qui ressort. Autrement, le véhicule est maniable et plaisant à utiliser au quotidien. J'ai eu l'occasion de conduire ce véhicule durant plusieurs semaines consécutives. Chaque fois, j'en ai retiré de l'agrément. Et à la question qui tue : « S'il était vraiment à toi, serais-tu déçu ? », j'ai répondu non. La seule version avec boîte manuelle au programme disparaît cette année. Toutes les versions disposent d'une boîte automatique à 4 ou 5 rapports et un boîtier de transfert qui permet de sélectionner entre les modes 4H (répartition du couple de 47 % à l'avant de 53 % à l'arrière), 4H LOCK (50/50), 4L LOCK, ainsi que Neutral. Un mode utile quand vient le temps de l'attacher derrière un motorisé pour le tirer sans faire tourner le compteur.

[CONCLUSION] Le Grand Vitara offre un rapport qualité-prix des plus honnêtes. Et pour environ 1 800 $ de moins qu'un CR-V, par exemple, il en offre davantage au chapitre de l'équipement et de la robustesse. Pour peu qu'on s'y intéresse, ce petit Suzuki démontre beaucoup de potentiel et me le fait sans gêne vous le recommander.

2e OPINION

FRÉDÉRIC MASSE On me demandait ce que j'aimais tant dans le Grand Vitara pour le placer sur un piédestal ? Ma réponse était simple... l'homogénéité. Il fait tout bien et à un prix plus que raisonnable. Transmission intégrale efficace de série, boîte de vitesses douce et habitacle séduisant, vraiment le Grand Vitara demeure un secret de moins en moins bien gardé. Que dire de plus, le petit camion a été l'un de mes coups de cœur dès le premier essai et continue d'être convaincant. Par contre, sa mécanique à 4-cylindres est moins impressionnante, et je préférais de loin l'ancien petit V6 (qui était pratiquement aussi économique) à cette mécanique qui n'a d'autres fonctions que de permettre une nouvelle stratégie de mise en marché. Je n'ai toutefois que des compliments pour le V6 actuellement offert. Si vous l'achetez, par contre, tenez compte du fait que sa valeur de revente n'est pas encore au même niveau que celle de ses concurrents japonais, mais ressemble plutôt à celle des américains.

NOS MENTIONS

☺ Modèle recommandé

NOTRE VERDICT

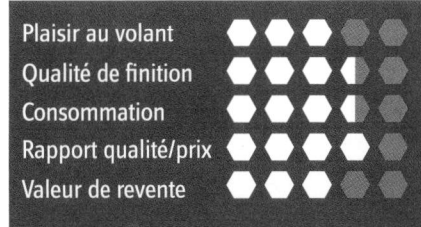

Plaisir au volant	3/5
Qualité de finition	3,5/5
Consommation	3,5/5
Rapport qualité/prix	4/5
Valeur de revente	3/5

SWIFT +

www.suzuki.ca

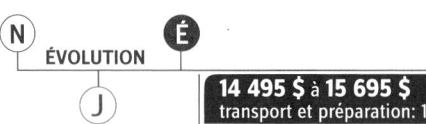

N ÉVOLUTION É J

14 495 $ à 15 695 $
transport et préparation: 1420 $

LA COTE VERTE

AVEC MOTEUR L4 DE 1,6 L

- **Consommation (100km):** **man.** 7,3 l **auto.** 7,6 l
- **Émissions polluantes CO_2:** **man.** 3600 kg/an **auto.** 3744 kg/an
- **Empreinte écologique (nombre d'arbres à planter par année):** 22
- **Indice d'octane:** 87
- **Autre motorisation:** non
- **Coût du carburant moyen par année:** **man.** 1380 $ **auto.** 1420 $
- **Nombre de litres par année: man.** 1380 l **auto.** 1420 l

(SOURCE: ÉnerGuide)

1 FICHE D'IDENTITÉ

- **Versions** Base, S
- **Roues motrices** avant
- **Portières** 4 **Nombre de passagers** 5
- **Première génération** 2004
- **Génération actuelle** 2004
- **Construction** Bupyong, Corée du Sud
- **Sacs gonflables** 4, frontaux et latéraux
- **Concurrence** Chevrolet Aveo, Honda Fit, Hyundai Accent, Kia Rio, Nissan Versa, Toyota Yaris, Volkswagen Golf City

2 AU QUOTIDIEN

- **Prime d'assurance**
  25 ans: 1200 à 1400 $
  40 ans: 900 à 1100 $
  60 ans: 600 à 800 $
- **Collision frontale** 5/5
- **Collision latérale** 3/5
- **Ventes du modèle de l'an dernier**
  Au Québec 587 **Au Canada** 1828
- **Dépréciation** (3 ans) 53,7%
- **Rappels** (2004 à 2009) Aucun rappel à ce jour
- **Cote de fiabilité** 4/5

3 GARANTIES... ET PLUS

- **Garantie générale** 3 ans/60 000 km
- **Garantie motopropulseur** 5 ans/100 000 km
- **Perforation** 5 ans/kilométrage illimité
- **Assistance routière** 3 ans/illimité
- **Nombre de concessionnaires**
  Au Québec 40 **Au Canada** 90

4 NOUVEAUTÉS EN 2010

- Aucun changement majeur

SIMPLICITÉ VOLONTAIRE

PAR BENOIT CHARETTE

LA SIMPLICITÉ VOLONTAIRE OU SOBRIÉTÉ HEUREUSE EST UN MODE DE VIE CONSISTANT À RÉDUIRE VOLONTAIREMENT SA CONSOMMATION AINSI QUE LES IMPACTS DE CETTE DERNIÈRE, EN VUE DE MENER UNE VIE DAVANTAGE CENTRÉE SUR DES VALEURS ESSENTIELLES. Voilà une définition qui pourrait convenir à un acheteur de Suzuki Swift+. Mais il y a un hic, en termes de simplicité volontaire automobile, il y a beaucoup mieux pour le même prix. La Swift a vieilli depuis son arrivée en 2004 et n'est plus dans le coup. Suzuki devrait mettre ce véhicule à la retraite. On se demande sincèrement ce qu'il fait encore sur le marché.

[CARROSSERIE] Cette Daewoo fabriquée pour Suzuki était la jumelle des Chevrolet Aveo et Pontiac Wave de l'ancienne génération. Daewoo a préparé une livrée plus moderne pour GM depuis, mais Suzuki a conservé la vieille mouture. Les lignes ne sont pas désagréables, mais ont pris beaucoup de rides. Le style rondouillet des sous-compactes a fait place à des lignes plus sculptées, et la Swift trahit ainsi son âge.

[HABITACLE] L'intérieur de la Swift représente bien la simplicité. Même si les sièges sont recouverts de velours, la présentation d'ensemble de l'habitacle est sobre et sans artifice, pour ne pas dire générique et sans saveur. L'équipement est limité à une radio lecteur de CD et lecteur MP3 à sa plus simple expression et à un essuie-glace arrière. Les places arrière conviennent plutôt aux enfants, alors que le dossier rabattable de la banquette est pratique et permet de transformer la voiture en minifamiliale. L'insonorisation est correcte, mais chaque fois que vous fermez la porte, vous avez l'impression qu'elle va tomber tellement la tôle est mince.

[MÉCANIQUE] Le petit moteur à 4 cylindres de 1,6 litre de 103 chevaux relève de la simplicité mécanique, mais brille par sa fiabilité. Il est bruyant, ronchonne en accélération et vibre quand on le pousse, il faut donc écraser l'accélérateur avec parcimonie, car le prix à payer pour vos tympans est élevé. La boîte de vitesses manuelle à 5 rapports est celle que je vous recommande, même si elle est imprécise et mal synchronisée. L'automatique

FORCES • Intérieur modulable Insonorisation acceptable Prix

FAIBLESSES • Horribles pneus d'origine Plutôt gourmande pour une petite voiture Conduite d'une autre époque Freinage aléatoire

SWIFT +

à 4 rapports est un veau, et votre consommation sera plus élevée. Il faut tout de même avouer que, une fois la vitesse de croisière atteinte, le moteur se fait discret.

[COMPORTEMENT] La Swift représente un moyen de transport simple et efficace, particulièrement pour la conduite urbaine. Cette voiture n'accepte pas d'être brusquée. L'utilisation de pneus de base de mauvaise qualité ne favorise par l'agrément de conduite ni la stabilité de la voiture, qui se met à valser lors de forts vents. Une suggestion : demander des pneus de meilleure qualité à votre concessionnaire si vous avez acheté la voiture neuve. Au volant, vous devez être très prudent. Il ne faut en aucun cas faire de fausses manœuvres. La direction est mauvaise, les freins ABS, pourris, la boîte manuelle, récalcitrante, et l'automatique, erratique. Pour ce qui est de la tenue de route, elle relève du rodéo. Bref, la seule vocation possible est de nous faire rouler pépère et de nous en servir comme seconde voiture pour faire la route au boulot le matin et le soir. Surtout, n'oubliez pas de vous débarrasser des pneus rapidement, vous améliorerez de 50% votre comportement routier.

[CONCLUSION] La Swift+ est ce qui se fait de moins bien dans cette catégorie, mais demeure relativement fiable. Son achat sera motivé par un prix très alléchant que vous aura proposé votre concessionnaire, ou si vous avez besoin d'un toit sur la tête pour vous rendre au boulot qui est à moins de 20 kilomètres de la maison, car ensuite sa conduite devient vite irritable. Et si vous désirez la conserver plusieurs années, il faut penser à un antirouille après deux ou trois ans sinon elle devient biodégradable tellement elle rouille.

2e OPINION

DANIEL RUFIANGE La Swift + a beau avoir une allure branchée, cela n'en fait pas une candidate sérieuse dans cette catégorie. Cette copie carbone de la Chevrolet Aveo possède ses atouts mais surtout ses propres handicaps. Au chapitre des plus, mentionnons une douceur de roulement fort appréciable et... c'est tout ! En contrepartie, le reste de l'expérience au volant donne la nausée; la tenue de route est exécrable. Le freinage est déficient et carrément dangereux en situation d'urgence. L'équilibre de la voiture est constamment compromis au moindre freinage ou changement de cap; la mollesse du jeu des suspensions nous donne l'impression de manœuvrer un utilitaire. Enfin, la boîte de vitesses automatique à 4 rapports est dépassée et peu économique à l'usage. Bref, magasinez ailleurs !

5 FICHE TECHNIQUE

· MOTEUR
- L4 1,6 l DACT 103 ch à 5800 tr/min
  Couple 107 lb-pi à 3400 tr/min
- **Transmission** manuelle à 5 rapports, automatique à 4 rapports (option)
- **0-100 km/h** 11,4 s
- **Vitesse maximale** 170 km/h

· AUTRES COMPOSANTES
- **Sécurité active** freins ABS et répartition électronique de force de freinage (S)
- **Suspension avant/arrière** indépendante/essieu rigide
- **Freins avant/arrière** disques/tambours
- **Direction** à crémaillère, assistée
- **Pneus** P185/60R14

· DIMENSIONS
- **Empattement** 2480 mm
- **Longueur** 3940 mm
- **Largeur** 1670 mm
- **Hauteur** 1505 mm
- **Poids** 1155 kg, **auto.** 1160 kg
- **Diamètre de braquage** 5,03 m
- **Coffre** 200 l, 1190 l (sièges abaissés)
- **Réservoir de carburant** 45 l

NOTRE VERDICT

Plaisir au volant
Qualité de finition
Consommation
Rapport qualité/prix
Valeur de revente

SX4

www.suzuki.ca

N ÉVOLUTION É
J

17 695 $ à 24 693 $
transport et préparation: 1395 $

LA COTE VERTE

AVEC MOTEUR L4 DE 2,0 L

- **Consommation (100km): 2RM man.** 7,9 l
- **Émissions polluantes CO_2 : 2RM man.** 3840 kg/an
- **Empreinte écologique (nombre d'arbres à planter par année):** 23
- **Indice d'octane:** 87
- **Autre motorisation:** non
- **Coût du carburant moyen par année: 2RM man.** 1600 $
- **Nombre de litres par année: 2RM man.** 1600 l

(SOURCE: ÉnerGuide)

1 FICHE D'IDENTITÉ

- **Versions** base, JLX, JX AWD, JLX AWD, berline
- **Roues motrices** 2, 4RM
- **Portières** 4 **Nombre de passagers** 4
- **Première génération** 2007
- **Génération actuelle** 2007
- **Construction** Esztergom, Hongrie
- **Sacs gonflables** 6 (frontaux, latéraux avant et rideaux latéraux)
- **Concurrence** Chevrolet HHR, Chrysler PT Cruiser, Dodge Caliber, Ford Focus, Kia Forte, Mazda3 Sport, Pontiac Vibe, Subaru Impreza, Toyota Matrix, Volkswagen Golf City

2 AU QUOTIDIEN

- **Prime d'assurance**
  25 ans: 1200 à 1400 $
  40 ans: 800 à 1000 $
  60 ans: 600 à 800 $
- **Collision frontale** 4/5
- **Collision latérale** 3/5
- **Ventes du modèle de l'an dernier**
  Au Québec 4042 **Au Canada** 7833
- **Dépréciation** (2 ans) 44,8%
- **Rappels** (2004 à 2009) aucun à ce jour
- **Cote de fiabilité** 4/5

3 GARANTIES... ET PLUS

- **Garantie générale** 3 ans/60 000 km
- **Garantie motopropulseur** 5 ans/100 000 km
- **Perforation** 5 ans/kilométrage illimité
- **Assistance routière** 3 ans/illimité
- **Nombre de concessionnaires**
  Au Québec 40 **Au Canada** 90

4 NOUVEAUTÉS EN 2010

- Nouveau modèle Aero avec roues de 17 pouces

EMPLOYÉE DE L'ANNÉE

PAR DANIEL RUFIANGE

SUZUKI TRAVAILLE ARDEMMENT POUR SE TAILLER UNE PLACE PARMI LESGRANDS CONSTRUCTEURS. La SX4 est de loin son produit le plus intéressant. Ce véhicule au format réduit et très pratique offre le luxe d'une transmission à quatre roues motrices, une rareté dans le segment. Si Suzuki avait le malheur de produire d'autres véhicules aussi bien pensé que celui-là, elle occuperait une place plus enviable dans l'univers des fabricants.

[CARROSSERIE] Outre les sempiternels suffixes nécessaires pour définir les différentes variantes – Base, berline, JLX et JX – il faut surtout retenir que la SX4 possède deux robes différentes; la 5-portes, offerte à quatre roues motrices, et la berline qui, elle, ne profite que de la traction. Tant la silhouette de la version à hayon que celle de la berline recueillent des commentaires élogieux. Les deux versions profitent d'une toiture élevée qui favorise le dégagement pour la tête. Cela pénalise cependant la SX4 sur la route alors qu'elle se montre plus capricieuse quand Éole souffle avec vigueur. Si ce n'est pas trop fatiguant sur de petites distances, ça devient agaçant sur de plus longs trajets.

[HABITACLE] C'est une belle surprise qui nous attend à bord. La présentation intérieure est de qualité et, visuellement, l'ensemble plaît à l'œil. La console centrale regroupe toutes les commandes, qui sont faciles à utiliser. Cependant, on devient rapidement agacé avec le système de climatisation. Il est impossible de régler la température sous les 20 degrés Celsius. Quand on tourne le commutateur sous le chiffre 20, on atteint une zone bleue et l'air se rafraîchit rapidement. On doit donc régler la température fréquemment afin de jouir d'une ambiance confortable à bord. Une fois assis, on découvre des sièges qui nous enveloppent bien. L'assise profiterait de plus de réglages qu'on ne s'en plaindrait pas. Dans l'ensemble cependant, c'est plus qu'acceptable, et la position de conduite élevée ajoute à l'expérience de conduite. Un point positif pour la visibilité, qui est excellente à l'avant en raison d'une vitrine plutôt gigantesque. Toutefois, l'irritant est certainement la proéminence de cet énorme pilier

FORCES • Silhouette réussie • Conduite agréable • 4 x 4 abordable • Très pratique version à hayon

FAIBLESSES • Boîte automatique ordinaire • Pas de version 4 x 4 pour la berline • Avenir de la marque ?

A en forme de Y renversé. Le fabricant a eu beau installer une petite surface vitrée, rien n'y fait. La visibilité sur les côtés est parfois nulle en virage, spécialement à gauche. On doit se transformer en girafe pour voir quelque chose.

[MÉCANIQUE] Un seul engin au catalogue soit un 4-cylindres de 2 litres. Ses 143 chevaux n'en font pas le plus puissant de la catégorie, mais il y a pire. J'ai été cependant un tantinet déçu de la consommation, qui tangue plus souvent du côté des 9 litres aux 100 kilomètres que des 8 annoncés. Pour amener la puissance aux roues, deux boîtes sont offertes; une automatique à 4 rapports, offerte en option, et une boîte manuelle à 5 rapports, offerte de série sur toutes les livrées sauf la JX, qui ne fonctionne qu'avec la boîte automatique.

[COMPORTEMENT] La SX4 berline offre un comportement routier honnête. La voiture est agréable à conduire et se manœuvre bien. La boîte manuelle est plus intéressante à l'usage que l'automatique qui rend la voiture moins frugale et plus amorphe. Côté performance, il ne faut pas s'attendre à se retrouver au volant d'une Mustang GT, mais les 143 chevaux répondent bien à l'appel et permettent de bonnes reprises... jusqu'à 70 km/h; au-delà de cette vitesse, c'est moins énergique. Quant à la tenue de route, elle se montre prévisible et favorise une bonne communion avec la route.

[CONCLUSION] La SX4 n'est pas une voiture sportive. Cette petite bagnole intelligente représente une belle solution de rechange pour quiconque est blasé de retrouver toujours les mêmes marques se livrer la lutte dans ce segment. La SX4 est jolie, bien construite et assise sur un châssis rigide qui rend sa conduite agréable. Suzuki doit offrir plus de produits de ce genre sinon la SX4 deviendra rapidement une voiture de collection.

2e OPINION

Frédéric Masse La petite surprise dans le lot... La SX4 est en train de me jouer le même tour que le Grand Vitara en se taillant une place de choix parmi mes recommandations. Si l'on demeure raisonnable en choisissant un modèle de « base » (parce que le modèle à transmission intégrale est plus coûteux qu'une Subaru Impreza de plus de 2000 $. La SX4 se veut l'un des très bons rapports qualité-prix dans cette catégorie des compactes... ou des sous-compactes ? De là vient son principal problème, les acheteurs ne savent pas où la classer. Trop petite pour tenir tête à la Mazda*3* ou à la Honda Civic, plus grande qu'une Hyundai Accent ou qu'une Nissan Versa. Pourtant, son habitacle invitant et aussi spacieux qu'une compacte n'a pas à avoir de complexe face aux modèles précités. Si l'on met de côté le moteur que certains trouveront un peu juste, il faudra prendre en considération cette voiture, berline et hayon, en pensant à elle plus souvent...

5 FICHE TECHNIQUE

· MOTEUR

· L4 2,0 l DACT, 150 ch à 6200 tr/min
Couple 140 lb-pi à 3500 tr/min
Transmission manuelle à 5 rapports, automatique à 4 rapports (option)
0-100 km/h 11,0 s
Vitesse maximale 175 km/h
Consommation (100 km) auto. 7,8 l
4RM man. 8,5 l **auto.** 8,4 l
Émissions de CO_2 auto. 3744 kg/an
4RM man. 4176 kg/an **auto.** 4128 kg/an
Litres par année auto. 1560 l **4RM man.** 1740 l **auto.** 1720 l
berline Sport man. 1660 l **auto.** 1620
Coût par an auto. 1560 $ **4RM man.** 1740 $ **auto.** 1720 $ berline Sport man. 1660$ **auto.** 1620 $
Empreinte écologique auto. 23 arbres
4RM man. 24 arbres **auto.** 24 arbres

· AUTRES COMPOSANTES

Sécurité active freins ABS, antipatinage (option), contrôle de stabilité électronique (option)
Suspension avant/arrière indépendante
Freins avant/arrière disques/tambours, disques (en option)
Direction à crémaillère, assistée
Pneus Base 195/65R16 **JX** 205/60R16
Aero 205/50R17

· DIMENSIONS

Empattement 2500 mm
Longueur AWD 4135 mm **ber.** 4115 mm
Largeur 1730 mm **AWD** 1755 mm
Hauteur 1572 mm **AWD** 1605 mm
Poids man. 1246 kg **auto.** 1291 kg
AWD. man. 1316 kg **auto.** 1356 kg
Diamètre de braquage 5,3 m
Coffre 203 l
Réservoir de carburant 45 l

NOTRE VERDICT

Plaisir au volant
Qualité de finition
Consommation
Rapport qualité/prix
Valeur de revente

4RUNNER

www.toyota.ca

N ÉVOLUTION É J

36 800 $ à 48 810 $
transport et préparation: 1490 $

LA COTE VERTE

AVEC MOTEUR V6 DE 4,0 L

- **Consommation (100km):** 11,9 l
- **Émissions polluantes CO_2 :** 5808 kg/an
- **Empreinte écologique (nombre d'arbres à planter par année):** 35
- **Indice d'octane:** 87
- **Autre motorisation:** non
- **Coût du carburant moyen par année:** 2360 $
- **Nombre de litres par année:** 2360 l

(SOURCE: ÉnerGuide)

1 FICHE D'IDENTITÉ

- **Versions** base, Trail, Limited
- **Roues motrices** 4
- **Portières** 4 **Nombres de passagers** 5
- **Première génération** 1985
- **Génération actuelle** 2010
- **Construction** Toyota City, Japon
- **Sacs gonflables** 6, frontaux, latéraux avant et rideaux latéraux
- **Concurrence** Ford Explorer, Jeep Grand Cherokee, Kia Sorento, Nissan Pathfinder

2 AU QUOTIDIEN

- **Prime d'assurance**
  25 ans: 3000 à 3200 $
  40 ans: 1700 à 1900 $
  60 ans: 1300 à 1500 $
- **Collision frontale** 4/5
- **Collision latérale** 5/5
- **Ventes du modèle de l'an dernier**
  Au Québec 96 **Au Canada** 725
- **Dépréciation** 38,5 %
- **Rappels** (2004 à 2009) aucun à ce jour
- **Cote de fiabilité** 5/5

3 GARANTIES... ET PLUS

- **Garantie générale** 3 ans/60 000 km
- **Garantie motopropulseur** 5 ans/100 000 km
- **Perforation** 5 ans/kilométrage illimité
- **Assistance routière** 3 ans/60 000 km
- **Nombre de concessionnaires**
  Au Québec 68 **Au Canada** 241

4 NOUVEAUTÉS EN 2010

- Refonte du modèle
- Moteur V8 retiré du marché

COUREUR DES BOIS

PAR DANIEL RUFIANGE

AVEC CE NOUVEAU 4RUNNER, TOYOTA TERMINE LA REFONTE DE SA GAMME DE CAMIONS. Dernier à recevoir la visite de l'esthéticienne, il profite à son tour de la nouvelle image très réussie réservée aux camions de la gamme, apparence qui lui sied à merveille. Considérée à juste titre comme l'un des rares vrais utilitaires sur le marché, l'ancienne génération s'est bâtie une réputation solide dans le créneau. Parions que la nouvelle ne fera que la solidifier.

[CARROSSERIE] Vous n'aurez cependant pas besoin d'une image robot pour repérer le nouveau 4Runner sur les routes. Le design de la nouvelle mouture respecte la tradition, et les changements apportés apparaissent mineurs. Toutefois, on remarque que les lignes du véhicule sont maintenant plus tranchées, ce qui renforce l'image déjà masculine du 4Runner. Au catalogue, trois versions, soit la livrée SR5, une édition Trail ainsi que la haut de gamme Limited. Notez que l'édition Limited à moteur V8 disparaît du catalogue pour 2010; les environnementalistes n'organiseront pas une manifestation pour s'en plaindre.

[HABITACLE] Les intérieurs de Toyota n'ont pas l'habitude de détonner en matière de style. Cependant, leur fonctionnalité est toujours remarquable. Le nouveau millésime promet de gâter encore plus les occupants. Une foule de caractéristiques sont maintenant de série et, parmi celles-ci, on note un volant inclinable et télescopique, un siège du conducteur à huit réglages assistés, des rétroviseurs chauffants et un réglage possible de l'inclinaison du siège arrière; souhaitons que ce soit plus probant qu'à bord du Venza ! En revanche, nous sommes en droit de nous attendre aux standards de qualité normalement présents chez Toyota en matière de qualité des matériaux utilisés et de leur assemblage. En option, selon le modèle sélectionné, il est maintenant possible de compter sur un système de navigation DVD à commandes vocales, du système de démarrage Smart Key et d'une chaîne audio JBL à 15 haut-parleurs ainsi que d'un utile plateau de compartiment de charge coulissant.

FORCES · Nouveau modèle · Esthétique réussie · Compétences hors routes indéniables · Confort et espace

FAIBLESSES · Peu économique à l'usage · Absence d'une motorisation diesel

4RUNNER

[MÉCANIQUE] Toyota a décidé de simplifier l'offre en faisant disparaître le V8 du catalogue. C'est donc dire que toutes les versions du 4Runner sont équipées du V6 de 4 litres qu'on retrouve aussi dans le FJ Cruiser et la Tacoma. Les 236 chevaux de ce moteur agissent avec souplesse et se montrent vigoureux quand on les sollicite. On ne devrait pas s'ennuyer du V8 de 4,7 litres qui n'offrait que 24 chevaux de plus que le V6. La transmission de la puissance aux roues est toujours assurée par une boîte de vitesses automatique à 5 rapports, laquelle compte sur un convertisseur de couple. Une répartition électronique de la force de freinage et des dispositifs d'aide au démarrage en pente et d'assistance en descente viennent sécuriser les déplacements sur route et hors route.

[COMPORTEMENT] Si l'on se fie à l'expérience de conduite de l'ancienne génération et si l'on suppose que le tout sera amélioré sur la nouvelle version, ça promet ! Il ne faut pas s'attendre à une tenue de route canon cependant. Le 4Runner devrait encore trouver son aise en l'absence de bitume sous ses roues. Pour les balades hors routes, un système à quatre roues motrices permanentes, y compris un système à bas régime (*low*), un boîtier de transfert ainsi qu'une plaque de protection du réservoir de carburant vous assurent à la fois de ne pas rester embourbé et, surtout, de ne rien endommager. Avis cependant aux amateurs d'utilitaires qui n'ont jamais placé un vers sur un hameçon : il vous en coûtera cher pour parader au volant du 4Runner. Il n'est pas économique à l'usage, résultat de ses quelque 2000 kilos.

[CONCLUSION] Il faudra attendre avant de porter un verdict sur le nouveau 4Runner. Je déplore cependant l'absence d'une motorisation diesel, surtout que le modèle actuel, présent en Amérique du Sud, profite de cette technologie. Le marché d'ici en jouirait grandement. Autrement, le 4Runner demeure un vrai utilitaire capable de combler le Grizzly Adam en vous.

2e OPINION

FRÉDÉRIC MASSE Nous aurons droit à un remaniement en profondeur pour le 4Runner en 2010. En plus de changer de gueule Toyoya a décidé de supprimer le moteur V8. Pour 2010, le 4Runner n'offrira donc que le V6 de 4 litres qui se révélait (sauf pour les remorquages importants) amplement puissant et... glouton. Le Toyota fait donc encore partie de ces vrais camions conçus pour aller hors route et trimer dur. Bien qu'il coûte passablement plus cher que les concurrents américains, c'est après l'avoir utilisé quelques années que vous profiterez véritablement de ses bienfaits (notamment au chapitre de la fiabilité irréprochable et de la valeur de revente). En plus, le 4Runner vous permettra d'aller au chalet de pêche ou à la partie de soccer du petit dernier, et ce, en tout confort. Outre sa consommation, vous avez mon feu vert pour le reste. Le 4Runner, malgré son prix, demeure une superbe machine.

5 FICHE TECHNIQUE

· **MOTEURS**
· **(V6)**
V6 4,0 l DACT 236 ch à 5200 tr/min
Couple 266 lb-pi à 5400 tr/min
Transmission automatique à 5 rapports
0-100 km/h 9,3 s
Vitesse maximale 175 km/h

· **AUTRES COMPOSANTES**
Sécurité active freins ABS, répartition électronique de force de freinage, assistance au freinage, antipatinage, contrôle de stabilité électronique (V8)
Suspension avant/arrière indépendante/essieu rigide
Freins avant/arrière disques
Direction à crémaillère, assistée
Pneus P265/70R17 P265/65R20 (option)

· **DIMENSIONS**
Empattement nd
Longueur 4820 mm
Largeur 1925 mm
Hauteur 1780 mm
Poids nd
Diamètre de braquage 11,7 m
Coffre 1195 l, 2127 l (sièges abaissés)
Réservoir de carburant 87 l
Capacité de remorquage 2268 kg

NOS MENTIONS

Modèle recommandé

Clé d'or de sa catégorie

NOTRE VERDICT

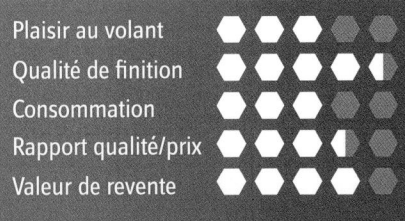

Plaisir au volant
Qualité de finition
Consommation
Rapport qualité/prix
Valeur de revente

AVALON

www.toyota.ca

N ÉVOLUTION É J

39 295 $
transport et préparation: 1420 $

LA COTE VERTE

AVEC MOTEUR V6 DE 3,5 L

- **Consommation (100km):** 8,9 l
- **Émissions polluantes CO_2 :** 4320 kg/an
- **Empreinte écologique (nombre d'arbres à planter par année):** 26
- **Indice d'octane:** 91
- **Autre motorisation:** non
- **Coût du carburant moyen par année:** 1800 $
- **Nombre de litres par année:** 1800 l

(SOURCE: ÉnerGuide)

1 FICHE D'IDENTITÉ

- **Versions** XLS
- **Roues motrices** avant
- **Portières** 4 **Nombre de passagers** 5
- **Première génération** 1994
- **Génération actuelle** 2005
- **Construction** Georgetown, Kentucky, É.-U.
- **Sacs gonflables** 7, frontaux, latéraux avant, rideaux latéraux et au niveau des genoux du conducteur
- **Concurrence** Buick Lucerne, Chevrolet Impala, Chrysler 300, Dodge Charger, Ford Taurus, Kia Amanti

2 AU QUOTIDIEN

- **Prime d'assurance**
  25 ans: 1600 à 1800 $
  40 ans: 1200 à 1400 $
  60 ans: 1000 à 1200 $
- **Collision frontale** 5/5 • **Collision latérale** 5/5
- **Ventes du modèle de l'an dernier**
  Au Québec 62 **Au Canada** 380
- **Dépréciation** 41,0 %
- **Rappels** (2004 à 2009) 1
- **Cote de fiabilité** 4/5

3 GARANTIES... ET PLUS

- **Garantie générale** 3 ans/60 000 km
- **Garantie motopropulseur** 5 ans/100 000 km
- **Perforation** 5 ans/ kilométrage illimité
- **Assistance routière** 3 ans/60 000 km
- **Nombre de concessionnaires**
  Au Québec 68 **Au Canada** 241

4 NOUVEAUTÉS EN 2010

- Siège du conducteur avec mémorisation.
- Rétroviseurs à commande assistée asservis au système de mémorisation du siège du conducteur. Nouvelle couleur intérieure. Système de navigation à DVD.

UNE BELLE CHALOUPE

PAR MICHEL CRÉPAULT

CHAQUE ANNÉE, JE M'ATTENDS À CE QUE L'AVALON DISPARAISSE DU CATALOGUE ET, CHAQUE FOIS, JE ME TROMPE (IL Y A QUAND MÊME UNE RUMEUR PROVENANT DU JAPON QUI RAPPORTE QUE 2010 SERAIT SON CHANT DU CYGNE). Cette voiture a beau être le contraire d'une apothéose pour un chroniqueur automobile à la recherche de sensations fortes, elle promène de toute évidence avec elle des qualités qui la rendent indispensable à une classe particulière de consommateurs.

[CARROSSERIE] Une seule version au menu, soit la XLS. Quand elle nous parle de l'Avalon, Toyota insiste sur son « élégance suprême ». Bon, bien sûr, l'entreprise est peut-être un peu biaisée... Mais enlevez le superlatif « suprême », et on reste avec quelque chose qui n'est quand même pas un mensonge. Pour une grosse japonaise qui veut séduire de gros Américains, l'Avalon n'a pas besoin de correspondre à des canons de beauté qui font l'unanimité (et encore, quels seraient-ils, s'ils existaient ?), mais elle dégage assurément un certain panache.

[HABITACLE] Le maintien en solo de la livrée XLS signifie essentiellement que Toyota mise sur la version la plus équipée et se permet même, pour 2010, d'en améliorer l'équipement de série et en option. Rien pour justifier une parade, cela dit. Le simple fait que l'auto soit désormais munie d'une mémoire qui se souvienne autant de votre position de siège préférée que de celle de vos rétroviseurs extérieurs chauffants ne bouscule rien au palmarès des innovations. Mais ça fait toujours plaisir. Pour sa part, l'ensemble facultatif Premium comprendra à partir de maintenant le système de navigation à DVD, une gâterie qui s'ajoute aux essuie-glaces activés par la pluie, à la chaîne audio JBL supérieure (jusqu'à 13 haut-parleurs, dont un pour les extrêmes graves) et la compatibilité Bluetooth. Les caractéristiques de série qui dorlotent le proprio ne sont pas à dédaigner non plus : sono à neuf haut-parleurs avec tout le bataclan dernier cri (AM/FM, changeur de 6 CD, capacité MP3, prise d'entrée pour iPod et précâblage pour radio satellite XM), climatisation automatique à deux zones, sièges avant chauffants en cuir, alouette. Tous les cadrans

+ −

FORCES • Lignes discrètement élégantes • Espace à revendre • Construction et finition sans reproche

FAIBLESSES • Auto trop sage pour épater le voisin • Modèle en manque cruel de renouveau

et toutes les jauges sont particulièrement faciles à consulter grâce à une technologie baptisée Optitron. Manière polie pour Toyota de bien desservir la clientèle mature de l'Avalon qui n'a plus ses yeux de 20 ans. La montre numérique a sa place mais pas nécessairement le compte-tours (qui surveille les tours par minute du moteur qui devraient osciller entre 0 et 2000). L'indicateur de température extérieure est une autre bonne idée, de même que la boussole intégrée au rétroviseur (il ne faut jamais perdre le nord dans un stationnement bondé...).

[MÉCANIQUE] Un V6 de 3,5 litres à double arbre à cames en tête, archi connu et archi éprouvé développe 268 chevaux et produit un couple optimal de 248 livres-pieds. On l'a jumelé à une boîte de vitesses automatique à 6 rapports à commande électronique (Super ECT) avec levier de vitesses multimode séquentiel et convertisseur de couple à verrouillage. La sécurité active des occupants est assurée par une panoplie complète dont l'ABS rehaussé par le répartiteur électronique de la force de freinage et l'assistance au freinage, le dispositif de contrôle de la stabilité du véhicule et l'antipatinage, sept coussins gonflables et les appuie-tête actifs (contre les coups de lapin).

[COMPORTEMENT] Dès l'ouverture des généreuses portières, le conducteur et ses passagers sont accueillis par un éclairage d'accueil qui s'empresse de rappeler le luxe à bord, à commencer par le volant et le pommeau de levier de vitesses garnis de bois et gainés de cuir. La lumière rebondit aussi sur les garnitures chromées. Démarrez, et tout se fait en douceur, l'accélération comme les dépassements. La consommation raisonnable (régulièrement autour des 10 litres aux 100 kilomètres) se révèle un autre atout pour cette auto pourtant lourde. Et spacieuse. Les passagers à l'arrière se la coulent douce, pendant que leurs bagages prennent autant leurs aises dans un coffre volumineux.

[CONCLUSION] L'Avalon XLS 2010 en est peut-être à ses derniers tours de piste au Canada. Son luxe est très agréable sans être déplacé (vous ne vous sentirez pas parvenu), et son comportement routier est à l'image de ses organes mécaniques, c'est-à-dire prévisible. Pour certains conducteurs, c'est le nirvana garanti.

2e OPINION

PHILIPPE LAGUË Si Toyota est devenu le numéro 1 mondial, c'est évidemment en raison de la qualité de ses véhicules, mais aussi parce que le géant japonais a bien compris la spécificité des marchés. Et pour être le numéro 1 mondial, il y a une condition *sine qua non* : conquérir le marché américain, le plus important de la planète. Toyota a donc développé des modèles spécifiques pour les Américains; des modèles conçus, assemblés et vendus aux États-Unis (et au Canada). L'Avalon est un bon exemple : une grosse berline confortable et silencieuse, comme les aiment nos voisins du Sud. Au Canada, son succès est mitigé mais qu'importe : elle se vend bien aux États-Unis et pour un constructeur, quel qu'il soit, c'est tout ce qui compte. L'Avalon est donc un « gros char américain », avec une fiabilité et une qualité d'assemblage conformes aux standards japonais.

5 FICHE TECHNIQUE

· MOTEUR
· V6 3,5 l DACT 24 s, 268 ch à 6200 tr/min
Couple 248 lb-pi à 4700 tr/min
Transmission automatique à 6 rapports avec mode manuel
0-100 km/h 6,9 s
Vitesse maximale 215 km/h

· AUTRES COMPOSANTES
Sécurité active freins ABS, répartition électronique de force de freinage, assistance au freinage, antipatinage, contrôle de stabilité électronique
Suspension avant/arrière indépendante
Freins avant/arrière disques
Direction à crémaillère, assistée
Pneus P215/55R17

· DIMENSIONS
Empattement 2820 mm
Longueur 5020 mm
Largeur 1850 mm
Hauteur 1470 mm
Poids 1618 kg
Diamètre de braquage 11,24 m
Coffre 408 l
Réservoir de carburant 70 l
Capacité de remorquage 454 kg

NOS MENTIONS

Modèle recommandé

NOTRE VERDICT

Plaisir au volant
Qualité de finition
Consommation
Rapport qualité/prix
Valeur de revente

COROLLA

www.toyota.ca

N ÉVOLUTION É
J

15 260 $ à 22 350 $
transport et préparation: 1320 $

LA COTE VERTE

MOTEUR
L4 DE 1,8 L

- **Consommation (100km): man.** 6,6 l **auto.** 6,5 l
- **Émissions polluantes CO_2 : man.** 3190 kg/an **autom.** 3163 kg/an
- **Empreinte écologique (nombre d'arbres à planter par année):** 18
- **Indice d'octane:** 87
- **Autre motorisation:** non
- **Coût du carburant moyen par année: man.** 1329 $ **auto.** 1318 $
- **Nombre de litres par année: man.** 1329 l **auto.** 1318 l

(SOURCE: ÉnerGuide)

1 FICHE D'IDENTITÉ

- **Versions** CE, S, XRS, LE
- **Roues motrices** avant
- **Portières** 4 **Nombre de passagers** 5
- **Première génération** 1966
- **Génération actuelle** 2009
- **Construction** Cambridge, Ontario, Canada
- **Sacs gonflables** 6, frontaux, latéraux avant et rideaux latéraux
- **Concurrence** Chevrolet Cobalt, Ford Focus, Honda Civic, Hyundai Elantra, Kia Spectra, Mazda*3*, Mitsubishi Lancer, Nissan Sentra, Suzuki SX4, Subaru Impreza, Volkswagen Golf City

2 AU QUOTIDIEN

- **Prime d'assurance**
  25 ans: 1300 à 1500 $
  40 ans: 1000 à 1100 $
  60 ans: 800 à 1000 $
- **Collision frontale** 4/5
- **Collision latérale** 4/5
- **Ventes du modèle de l'an dernier**
  Au Québec 18 303 **Au Canada** 57 736
- **Dépréciation** 43,7%
- **Rappels** (2004-2009) 1
- **Cote de fiabilité** 5/5

3 GARANTIES... ET PLUS

- **Garantie générale** 3 ans/60 000 km
- **Garantie motopropulseur** 5 ans/100 000 km
- **Perforation** 5 ans/ kilométrage illimité
- **Assistance routière** 3 ans/60 000 km
- **Nombre de concessionnaires**
  Au Québec 68 **Au Canada** 241

4 NOUVEAUTÉS EN 2010

- Aucun changement majeur

LA VALEUR SÛRE D'ENTRE LES VALEURS SÛRES

PAR PHILIPPE LAGUË

S'IL EXISTE UNE VALEUR SÛRE DANS L'INDUSTRIE DE L'AUTOMOBILE, C'EST BIEN ELLE : CHAMPIONNE TOUTES CATÉGORIES DE LA FIABILITÉ, LA COROLLA COLLECTIONNE, ANNÉE APRÈS ANNÉE, LES MENTIONS DES PUBLICATIONS SPÉCIALISÉES ET DES ASSOCIATIONS DE CONSOMMATEURS (APA, CAA, *Protégez-vous, Consumer Reports,* etc.). Pas étonnant, donc, que ses propriétaires se montrent d'une fidélité exemplaire. La Corolla est une employée modèle; pas celle qui vous fait fantasmer, mais celle sur qui on peut toujours compter.

[CARROSSERIE] Côté design, chez Toyota, ça ne s'améliore pas. La Corolla a des airs de Camry en format réduit... et en plus fade. Comme ses devancières, elle se fond dans la masse. Les Européens ont droit à une carrosserie bicorps (hatchback), alors que la Corolla nord-américaine est une berline à trois volumes traditionnelle à quatre portes. Ceux et celles qui ont besoin d'un peu plus d'espace de chargement ou d'un hayon arrière peuvent se tourner vers la Matrix puisqu'il s'agit, à toutes fins utiles, d'une Corolla familiale.

[HABITACLE] Les Corolla destinées au marché nord-américain y sont aussi assemblées... et ça commence à paraître. Des portières qui branlent quand on les referme, l'omniprésence des plastiques bon marché à l'intérieur... Au moins, l'assemblage demeure rigoureux : à l'intérieur, tout est bien serré, bien ferme. La présentation intérieure est conforme à l'apparence du véhicule, c'est-à-dire terne. Sur le plan ergonomique, toutefois, l'habitacle est à l'abri des reproches. Les commandes sont simples, bien placées et faciles à utiliser. La boîte à gants sur deux niveaux compense pour la petitesse des espaces de rangement; le coffre arrière, en revanche, demeure l'un des plus vastes de sa catégorie, et son ouverture très large facilite le chargement. À l'avant, les sièges sont bien rembourrés mais fermes, avec un bon maintien latéral. La banquette arrière est confortable, elle aussi,

FORCES • Confort, silence et douceur de roulement • • Deux excellentes motorisations • Faible consommation • Fiabilité

FAIBLESSES • Finition décevante • Fade à l'intérieur et à l'extérieur • Toujours aussi ennuyeuse à conduire • Direction surassistée • Boîte automatique à 4 rapports

COROLLA

mais le dégagement pour les jambes est cependant un peu juste.

[MÉCANIQUE] Deux motorisations à 4 cylindres sont offertes : 1,8 et 2,4 litres. Le premier est une vieille connaissance, toujours aussi doux, aussi silencieux et, surtout, aussi frugal ! À ce chapitre, la Corolla demeure une première de classe : aucune compacte à moteur à essence ne consomme moins qu'elle, même si certaines rivales ont une boîte automatique à 5 rapports ou à variation continue. Ce moteur souffre cependant du jumelage avec une boîte automatique qui exacerbe sa paresse à bas régime. Mais comme les performances ne sont pas le premier critère des acheteurs de Corolla, c'est un moindre mal. La XRS dispose exclusivement du 2,4-litres qui, lui, a droit à une boîte automatique à 5 rapports. Toutes les Corolla peuvent également recevoir une boîte manuelle toujours aussi précise. Un modèle du genre. Et comme toujours, le freinage est solide.

[COMPORTEMENT] Mettons cela au clair tout de suite : si vous cherchez de l'agrément de conduite, vous êtes à la mauvaise adresse. Le nœud du problème part du volant : comme dans la quasi-totalité des véhicules de la marque, on a droit à une direction amorphe, surassistée et imprécise, qui anesthésie toute sensation. Et dès qu'on tourne, c'est le roulis qui apparaît. Pour couronner le tout, la Corolla montre une propension au sous-virage. Mais pour les propriétaires de Corolla, ce qui est important, c'est le confort, et, à ce chapitre, cette compacte offre une douceur de roulement incomparable dans cette catégorie. Bref, tout dépend de votre notion de l'agrément de conduite : si, pour vous, c'est de se laisser bercer par la douceur et le confort d'une voiture, cette fois, vous êtes à la bonne adresse.

[CONCLUSION] La Corolla est d'abord et avant tout un moyen de transport. Pour le plaisir, c'est zéro, mais elle reste une sacrée bonne voiture, confortable et sans histoire. Si Toyota jouit d'une réputation aussi enviable, c'est en grande partie à cause de ce modèle. Mais attention : on voit des choses qu'on ne voyait pas auparavant chez ce constructeur, comme les lacunes de finition, sans parler de l'accueil à la clientèle dans les salles d'exposition et au service après-vente, qui font l'objet de plusieurs critiques.

2e OPINION

BENOIT CHARETTE En parlant de la Corolla, on peut parler d'une voiture à deux personnalités. Il y a d'abord la Corolla pratique, abordable et, avouons-le, un peu triste à conduire que tout le monde connaît. C'est de loin le modèle le plus populaire. Il faut cependant être prudent. Même si le prix annoncé pour le modèle de base est avantageux, il vous sera difficile d'en trouver un. Il existe une longue liste d'options qui font très rapidement grimper le prix. Soyez vigilant et tenez-vous-en à vos stricts besoins. Il y a ensuite la version XRS qui ajoute un peu de couleur à ce modèle plutôt terne. Malheureusement, ce modèle n'a pas connu le succès attendu car les gens n'associent simplement pas les mots performances et Corolla dans la même phrase. D'ailleurs, à ce chapitre, vous serez mieux servi par une Honda Civic Si.

5 FICHE TECHNIQUE

- **MOTEURS**
- **(CE, LE, S)**

L4 1,8 l DACT, 132 ch à 6000 tr/min
Couple 128 lb-pi à 4400 tr/min
Transmission manuelle à 5 rapports, automatique à 4 rapports (option)
0-100 km/h 10,4 s
Vitesse maximale 185 km/h

- **(XRS)**

L4 2,4 l DACT, 158 ch à 6000 tr/min
Couple 162 lb-pi à 4000 tr/min
Transmission manuelle à 5 rapports, automatique à 5 rapports avec mode manuel (option)
0-100 km/h 9,5 s
Vitesse maximale 190 km/h
Consommation (100 km) man. 8,1 l auto. 7,9 l (octane 87)
Émissions de CO_2 man. 3936 kg/an **auto.** 3868kg/an
Litres par année man. 1640 l **auto.** 1620 l
Coût par an man. 1640 $ **auto.** 1620 $
Empreinte écologique 24 arbres

- **AUTRES COMPOSANTES**

Sécurité active freins ABS et répartition électronique de force de freinage
Suspension avant/arrière indépendante/semi-indépendante
Freins avant/arrière disques/tambours XRS disques
Direction à crémaillère, assistée
Pneus CE P195/65R15 **LE/S** P205/55R16 **XRS** P215/45R17

- **DIMENSIONS**

Empattement 2600 mm
Longueur 4540 mm
Largeur 1760 mm
Hauteur 1465 mm
Poids CE 1235 kg **LE** 1275 kg **S** 1255 kg **XRS** 1305 kg
Diamètre de braquage 11,3 m
Coffre 348 l
Réservoir de carburant 50 l

NOS MENTIONS

Le choix vert

Modèle recommandé

NOTRE VERDICT

Plaisir au volant
Qualité de finition
Consommation
Rapport qualité/prix
Valeur de revente

CAMRY

www.toyota.ca

N ÉVOLUTION É J

24 900 $ à 36 040 $
transport et préparation: 1420 $

LA COTE VERTE

AVEC MOTEUR L4 DE 2,4 L HYBRIDE

- **Consommation (100km):** 5,7 l
- **Émissions polluantes CO_2:** 2736 kg/an
- **Empreinte écologique (nombre d'arbres à planter par année):** 17
- **Indice d'octane:** 87
- **Autre motorisation:** hybride
- **Coût du carburant moyen par année:** 1140 $
- **Nombre de litres par année:** 1140 l

(SOURCE: ÉnerGuide)

1 FICHE D'IDENTITÉ

- **Versions** LE, SE (L4 et V6), XLE V6, Hybride
- **Roues motrices** avant
- **Portières** 4 **Nombre de passagers** 5
- **Première génération** 1983
- **Génération actuelle** 2007
- **Construction** Georgetown, Kentucky, É.-U.
- **Sacs gonflables** 7 (frontaux, latéraux avant, rideaux latéraux, au niveau des genoux pour le conducteur)
- **Concurrence** Chevrolet Malibu, Ford Fusion, Honda Accord, Hyundai Sonata, Kia Magentis, Mazda6, Mitsubishi Galant, Nissan Altima, Subaru Legacy, VW Passat

2 AU QUOTIDIEN

- **Prime d'assurance** **25 ans:** 1400 à 1600 $ **40 ans:** 1000 à 1200 $ **60 ans:** 900 à 1100 $
- **Collision frontale** 5/5 • **Collision latérale** 5/5
- **Ventes du modèle de l'an dernier** **Au Québec** 5207 **Au Canada** 24 618
- **Dépréciation** 31,2 %
- **Rappels** (2004 à 2009) 2
- **Cote de fiabilité** 4/5

3 GARANTIES... ET PLUS

- **Garantie générale** 3 ans/60 000 km
- **Garantie motopropulseur** 5 ans/100 000 km
- **Perforation** 5 ans/ kilométrage illimité
- **Assistance routière** 3 ans/60 000 km
- **Nombre de concessionnaires** **Au Québec** 68 **Au Canada** 241

4 NOUVEAUTÉS EN 2010

- Nouveau moteur 4 cylindres de 2,5 litres (remplace celui de 2,4 litres). Nouvelle transmission automatique à 6 rapports (remplace celle à 5 rapports). Calandre, pare-chocs avant, design des roues et phares avant révisés.

PAPA A RAISON !

PAR PHILIPPE LAGUË

DANS LE SEGMENT DES BERLINES INTERMÉDIAIRES, LA TOYOTA CAMRY EST LA RÉFÉRENCE, ET CE, DEPUIS PLUS DE 25 ANS. Année après année, elle récolte les mentions d'honneur en raison de sa fiabilité exceptionnelle et se maintient dans le peloton de tête au chapitre des ventes. C'est aussi une voiture que je connais très bien : mon père en conduit une. Voici donc l'occasion de faire un bilan après deux ans et 45 000 kilomètres, sans compter que nous avons conduit les autres versions (V6 et Hybride).

[CARROSSERIE] Avec la disparition du coupé et de la décapotable Solara, la Camry ne se décline plus qu'en une seule configuration, soit une berline à quatre portes. Dans la version Hybride, la présence de la batterie empêche le dossier de la banquette arrière de s'incliner, en plus de gruger de l'espace de chargement dans le coffre.

[HABITACLE] Ce qui frappe quand on s'installe à bord, c'est l'immensité des lieux. L'habitacle est vaste – c'est le mot – à l'avant comme à l'arrière, et fort bien insonorisé. Confortable, aussi, grâce à des sièges bien rembourrés mais juste assez fermes, qui procurent un bon maintien. Conformément à la tradition Toyota, l'ergonomie est exemplaire, avec des commandes d'utilisation intuitive et bien placées ainsi que de nombreux espaces de rangement, logeables et bien situés. En termes d'esthétique, la Camry a pris du mieux, et ces efforts se perçoivent également à l'intérieur, où l'on s'est efforcé de rendre ça moins terne. De petits détails viennent égayer l'ambiance, de l'éclairage du tableau de bord aux panneaux de plastique de couleur argent. Du plastique, incidemment, il y en a plus qu'avant dans une Camry, et, chaque fois que j'en ai conduit une ces dernières années, j'ai constaté des lacunes d'assemblage : pièces mal fixées, des bruits ici et là... Des choses qu'on ne voyait (et n'entendait) pas dans cette voiture auparavant. Est-ce l'usine du Kentucky qui est en cause ?

[MÉCANIQUE] Encore une fois, nous avons là une démonstration convaincante du savoir-faire des motoristes de Toyota pour concevoir des 4-cylindres qui brillent par leur douceur, leur silence

FORCES • Habitacle vaste et confortable • Excellents moteurs • Consommation • Conduite zen • Fiabilité • Réputation enviable

FAIBLESSES • Coffre tronqué (Hybride) • Qualité d'assemblage inégale • Direction engourdie • Flottement dans la suspension

de roulement et leur frugalité, sans oublier leur fiabilité légendaire. De plus, leurs performances sont honorables, et ce, même couplés à une boîte de vitesses automatique. Celle-ci effectue un travail irréprochable, en parfaite symbiose avec le moteur. Tout se passe en douceur là aussi, et son rendement a des répercussions sur la consommation, franchement impressionnante. La version hybride fait encore mieux. Le V6 de 3,5 litres a les mêmes qualités que le 4-cylindres et, malgré le surplus de puissance (268 chevaux), il consomme à peine plus. Il se distingue aussi par sa souplesse, que dis-je, son onctuosité, au point où c'est presque trop : c'est un peu mou, un peu de tonus serait le bienvenu. Tous les organes mécaniques effectuent un travail remarquable, ce qui, encore une fois, est le propre de cette marque. Les moteurs, les boîtes de vitesses, mais aussi le freinage, puissant et bien dosé. Cela dit, les Toyota ont aussi des défauts. Comme d'habitude, la direction est lente, surassistée et engourdie même. C'est ce qui m'a toujours déplu de la Camry (et de la plupart des Toyota).

[COMPORTEMENT] Il y a quelque chose de zen, d'apaisant, à conduire une Camry. La douceur de roulement a fait la réputation de cette berline, et on se laisse bercer doucement par le flottement de la suspension, dont l'amortissement a été calibré « ultra souple ». Évidemment, cela cause aussi du roulis, et ceux qui cherchent une conduite plus affirmée, à l'européenne, ne sont pas à la bonne adresse. Pourtant, ce châssis a du potentiel : la Camry tient bien la route et elle pardonne beaucoup. Qu'importe, puisque la priorité des acheteurs, c'est le confort, et, à ce chapitre, ils seront comblés.

[CONCLUSION] Trois ans et 45 000 kilomètres plus tard, le bilan de la Camry paternelle est flatteur : aucun ennui mécanique et un service après-vente impeccable. Il faut le souligner, car cela peut varier beaucoup d'un établissement à l'autre, chez Toyota. Cette berline fait exactement ce qu'on attend d'elle, soit de transporter ses occupants du point A au point B sans pépins et, surtout, dans le plus grand confort. Mon père rejoint ainsi la cohorte de propriétaires satisfaits de leur Camry.

2e OPINION

JEAN-PIERRE BOUCHARD Quand on parle de voitures intermédiaires, la Camry apparaît plus souvent qu'autrement en tête de liste des valeurs sûres. Elle réunit la plupart des qualités recherchées par l'acheteur moyen. C'est également l'une des Camry les plus réussies au chapitre du design qui fait moins anonyme qu'auparavant. Le moteur de base effectue un excellent travail dans la plupart des situations. Le V6 ne souffre d'aucun complexe en ce qui concerne ses performances. Tout comme la motorisation hybride. Malheureusement, le prix demandé ne justifie pas réellement un tel achat étant donné que le 4-cylindres de base est très économique. De plus, le volume de son coffre est ridiculement petit. La Camry mise d'emblée sur le confort de roulement. Elle plaît pour son tempérament tranquille et le confort qu'elle assure aux occupants. Elle plaît aussi pour la réputation de fiabilité qui, année après année, la précède.

CAMRY

5 FICHE TECHNIQUE

• MOTEURS

• (LE, SE, XLE)
L4 2,5 l DACT, 169 ch à 6000 tr/min (SE 179 ch)
Couple 167 lb-pi à 4100 tr/min
Transmission manuelle à 6 rapports (SE), automatique à 6 rapports en option (de série sur LE)
0-100 km/h 9,8 s **Vitesse maximale** 190 km/h
Consommation (100 km) man. 8,0 l **auto.** 7,7 l (octane 87)
Émissions de CO_2 man. 3936 kg/an **autom.** 3840 kg/an
Litres par année man. 1640 l **auto.** 1600 l
Coût par an man. 1640 $ **auto.** 1600 $
Autre motorisation non
Empreinte écologique 24 arbres

• (LE V6, SE V6, XLE V6)
V6 3,5 l DACT, 268 ch à 6200 tr/min
Couple 248 lb-pi à 4700 tr/min
Transmission automatique à 6 rapports avec mode manuel
0-100 km/h 7,2 s **Vitesse maximale** 220 km/h
Consommation (100 km) 8,9 l (octane 87)
Émissions de CO_2 4320 kg/an
Litres par année 1800 **Coût par an** 1800 $
Autre motorisation non
Empreinte écologique 25 arbres

• (HYBRIDE)
L4 2,4 l DACT IEMS, 187 ch à 6000 tr/min
Couple 138 lb-pi à 4400 tr/min
Transmission automatique à variation continue
0-100 km/h 8,9 s **Vitesse maximale** 200 km/h

• AUTRES COMPOSANTES
Sécurité active freins ABS, répartition électronique de force de freinage, assistance au freinage, antipatinage et contrôle de stabilité électronique (SE V6, XLE V6, Hybride, en option sur LE V6)
Suspension avant/arrière indépendante
Freins avant/arrière disques
Direction à crémaillère, assistée
Pneus XLE, LE V6, XLE V6, Hybride P215/60R16
SE, SE V6 P215/55R17

• DIMENSIONS
Empattement 2775 mm
Longueur 4805 mm
Largeur 1820 mm
Hauteur 1455 mm, 1460 mm (Hybride)
Poids LE 1500 kg **SE** 1490 kg **LE V6** 1570 kg
SE V6 1580 kg **XLE V6** 1595 kg **Hybride** 1650 kg
Diamètre de braquage 11,0 m
Coffre 425 l **Hybride** 300 l
Réservoir de carburant 70 l **Hybride** 65 l

NOS MENTIONS

Le choix vert (Hybride)

NOTRE VERDICT

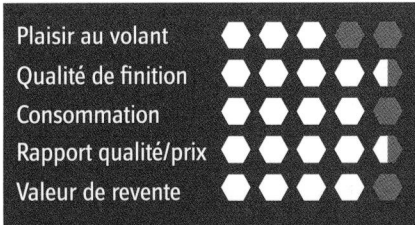

Plaisir au volant
Qualité de finition
Consommation
Rapport qualité/prix
Valeur de revente

FJ CRUISER

www.toyota.ca

N ÉVOLUTION É J

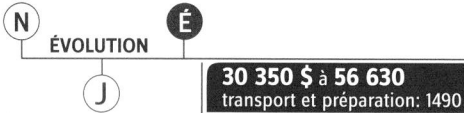

30 350 $ à 56 630
transport et préparation: 1490 $

LA COTE VERTE

MOTEUR
V6 DE 4,0 L

- **Consommation (100km):** **man.** 12,8 l **auto.** 11,9 l
- **Émissions polluantes CO_2 :** **man.** 6192 kg/an **auto.** 5808 kg/an
- **Empreinte écologique (nombre d'arbres à planter par année):** 36
- **Indice d'octane:** 91
- **Autre motorisation:** non
- **Coût du carburant moyen par année:** **man.** 2580 $ **auto.** 2420 $
- **Nombre de litres par année:** **man.** 2580 l **auto.** 2420 l

(SOURCE: ÉnerGuide)

1 FICHE D'IDENTITÉ

- **Version unique**
- **Roues motrices** 4
- **Portières** 2 x 2 **Nombre de passagers** 5
- **Première génération** 2007
- **Génération actuelle** 2007
- **Construction** Georgetown, Kentucky, É.-U.
- **Sacs gonflables** 6 (frontaux, latéraux avant; rideaux latéraux)
- **Concurrence** Jeep Wrangler, Land Rover LR2

2 AU QUOTIDIEN

- **Prime d'assurance**
  25 ans: 2400 à 2600 $
  40 ans: 1200 à 1400 $
  60 ans: 1000 à 1200 $
- **Collision frontale** 4/5
- **Collision latérale** 5/5
- **Ventes du modèle de l'an dernier**
  Au Québec 665 **Au Canada** 2 630
- **Dépréciation** (2 ans) 43,7%
- **Rappels** (2004 à 2009) 1
- **Cote de fiabilité** 4/5

3 GARANTIES... ET PLUS

- **Garantie générale** 3 ans/60 000 km
- **Garantie motopropulseur** 5 ans/100 000 km
- **Perforation** 5 ans/ kilométrage illimité
- **Assistance routière** 3 ans/60 000 km
- **Nombre de concessionnaires**
  Au Québec 68 **Au Canada** 241

4 NOUVEAUTÉS EN 2010

- Puissance moteur augmentée, recalibrage de la suspension, système double de distribution à calage variable, nouvelle couleur vert militaire

ROBERT, VIENS SOUPER !

DANIEL RUFIANGE

IL Y A PARFOIS DES EXEMPLES DE TRÈS MAUVAIS SYNCHRONISMES. Alors que l'industrie amorçait un virage vert, et que les prix du pétrole s'apprêtaient à flamber, littéralement, Toyota nous proposait un nouveau jouet, un monstre buvard destiné à satisfaire l'appétit des aventuriers et des excentriques. Si les ventes des deux premières années ont été excellentes, le FJ Cruiser a doublement subi les effets de la crise; les gens retardent l'achat de leur prochain véhicule, encore plus celui d'un utilitaire assoiffé. A-t-il ce qu'il faut pour survivre à la crise ?

[CARROSSERIE] Ce n'est pas pour rien qu'on fait référence au FJ Cruiser comme d'un jouet; c'en est un ! Et n'allez pas croire que c'est une critique. Je suis persuadé que les gens de Toyota le perçoivent comme un compliment. Avec ses allures de Tonka des temps modernes, les lignes du FJ interpellent le petit garçon qui sommeille en chaque homme et qui ne demande qu'à aller jouer dans le sable... jusqu'au souper ! Peinture deux tons, immenses roues, garde au sol élevée, longerons sur le toit, bref, rien susceptible de séduire une clientèle féminine. Pourtant, selon la firme de sondage Maritz, seulement 74 % des acheteurs seraient des hommes; je parie que c'est plus au Québec ! Au catalogue, une seule et unique version et un choix de couleurs qui permet de personnaliser son FJ. Avec un peu de chance, messieurs, une des teintes séduira madame...

[HABITACLE] À Toyota, à qui on reproche souvent l'aspect terne de ses habitacles, il faut aussi saluer l'audace quand elle sa manifeste. Tout comme à l'extérieur, rien n'est familier, alors qu'on a concocté un habitacle original et tape-à-l'œil. L'impression de bébelle est toujours présente, mais sans que la fonctionnalité n'en soit sacrifiée. On retrouve des sièges relativement confortables bien qu'offrant un degré de maintien latéral limité. L'accès aux places arrière se fait aisément avec l'ouverture de la portière inversée. Ça devient agaçant quand on veut récupérer des articles laissés à l'arrière, alors qu'on doit absolument ouvrir la portière avant pour ouvrir l'arrière; joli mais pas pra-

FORCES • Gueule unique et racée • Capacités hors routes • Présentation intérieure originale • Douceur de roulement

FAIBLESSES • Consommation gargantuesque • Visibilité arrière et trois quarts : une farce ! • Prix d'une version tout équipée, taxes et préparation incluses : 56 630,13 $? Voyons donc !

FJ CRUISER

tique. Bien sûr, on peut tout rabattre à l'arrière pour créer un espace de chargement important et entièrement lavable.

[MÉCANIQUE] Une seule option offerte par Toyota, soit un V6 de 4 litres, fort de 259 chevaux, 20 de plus que l'an dernier. Le couple s'établit à 270 livres-pieds, ce qui permet au FJ non seulement de tracter des charges intéressantes, mais également de se sortir de la gadoue une fois bien pris. À cet effet, les options de suspensions, contrôlables de l'intérieur, permettent d'intéressants réglages quand on s'amuse hors route; on passe de la propulsion aux quatre roues motrices et on peut, au choix, verrouiller le différentiel arrière ou non en plus de sélectionner un rapport de pont plus bas (*low gear*). Sur la route, la puissance est adéquate, considérant qu'on traîne une bête de 2268 kilos.

[COMPORTEMENT] Le FJ Cruiser n'a rien d'urbain – même si on peut en apercevoir sur le plateau Mont-Royal –. J'ai enregistré une consommation moyenne de 16,5 litres aux 100 kilomètres lors d'un essai combiné ville et autoroute. Cependant, sur route, son confort est franchement impressionnant. Alors qu'on s'attend à se faire brasser, la conduite est plutôt douce et très confortable. Puis, quand on sort des sentiers battus, le FJ Cruiser se transforme comme cendrillon le soir du bal. Il se montre capable de franchir les pires obstacles et le fait avec ses pneus d'origine, les mêmes qui offrent un bon confort sur la route; un beau tour de force. Si sa conduite est bonne sur la route et jouissive hors route, on tempête rapidement quand on fait marche arrière, cependant. C'est bien simple; on n'y voit rien !

[CONCLUSION] Le FJ Cruiser est un véhicule fort intéressant. Je me questionne toutefois sur sa pertinence dans le contexte actuel. Sa consommation est gargantuesque, et, outre ses capacités d'utilitaires, il se montre peu serviable. Au quotidien, je dis non ! Mais quel jouet !

2e OPINION

FRÉDÉRIC MASSE Ce qu'il m'a fait vibrer, ce camion, lors de sa sortie. Depuis, le FJ a évidemment perdu un peu de son charisme original avec les années. L'effet est toutefois encore garanti quand on se balade à son volant. Il brasse, il malmène, mais ce gros Tonka me séduit encore. On oublie les angles morts à son volant; la visibilité arrière est exécrable, et les portes inversées plutôt dérangeantes. Les gens choisiront le FJ pour sa capacité à les mener où bon leur semble dans un style plus que particulier. Ils le choisiront également parce qu'il est l'un des plus fiables de sa catégorie. Par contre, s'ils doivent asseoir un bébé dans un siège, ce qui force le passager ou le conducteur à s'avancer trop loin pour être confortable, ils éviteront. Par contre, avec son intérieur bien conçu (même si la finition est loin d'être parfaite...), ses matériaux d'entretien facile, sa bonne capacité de remorquage et son espace de chargement généreux, il comblera le sportif le plus demandant. Une bibitte de paradoxe qu'on aime ou qu'on déteste. Je suis du premier groupe. Que la vie serait ennuyeuse si tout était parfait !

(5) FICHE TECHNIQUE

· MOTEUR
· V6 4,0 l DACT, 259 ch à 5600 tr/min
Couple 270 lb-pi à 4400 tr/min
Transmission manuelle à 6 rapports, automatique à 5 rapports (en option)
0-100 km/h 8,1 s
Vitesse maximale 185 km/h

· AUTRES COMPOSANTES
Sécurité active freins ABS, répartition électronique de force de freinage, assistance au freinage, antipatinage, contrôle de stabilité électronique
Suspension avant/arrière indépendante, essieu rigide
Freins avant/arrière disques
Direction à crémaillère, assistée
Pneus P265/70R17

· DIMENSIONS
Empattement 2690 mm
Longueur 4670 mm
Largeur 1905 mm
Hauteur 1830 mm
Poids 1963 kg auto. 1967 kg
Diamètre de braquage 12,7 m
Coffre 790 l, 1890 l (sièges abaissés)
Réservoir de carburant 72 l
Capacité de remorquage 2268 kg

NOTRE VERDICT

Plaisir au volant
Qualité de finition
Consommation
Rapport qualité/prix
Valeur de revente

HIGHLANDER

www.toyota.ca

N — ÉVOLUTION — É — J

32 600 $ à 54 780 $
transport et préparation: 1490 $

LA COTE VERTE

AVEC MOTEUR V6 DE 3,3 L (HYBRIDE)

- **Consommation (100km):** 7,7 l
- **Émissions polluantes CO_2 :** 3696 kg/an
- **Empreinte écologique (nombre d'arbres à planter par année):** 21
- **Indice d'octane:** 87
  Autre motorisation: hybride
- **Coût du carburant moyen par année:** 1540 $
- **Nombre de litres par année:** 1540 l

(SOURCE: ÉnerGuide)

1 FICHE D'IDENTITÉ

- **Versions** L4, V6 Sport et Limited, Hybride, Hybride Limited
- **Roues motrices** 4
- **Portières** 4 **Nombre de passagers** 5 ou 7
- **Première génération** 2001
- **Génération actuelle** 2008
- **Construction** Georgetown, Kentuky, É.-U.
- **Sacs gonflables** 6 (frontaux, latéraux avant, rideaux latéraux)
- **Concurrence** Ford Flex, GMC Acadia, Honda Pilot, Hyundai Santa Fe, Nissan Murano, Subaru Tribeca

2 AU QUOTIDIEN

- **Prime d'assurance** **25 ans:** 1700 à 1900 $ **40 ans:** 1200 à 1400 $ **60 ans:** 1000 à 1200 $
- **Collision frontale** 4/5
- **Collision latérale** 5/5
- **Ventes du modèle de l'an dernier** **Au Québec** 878 **Au Canada** 6 486
- **Dépréciation** 44,8 %
- **Rappels** (2004 à 2009) 3
- **Cote de fiabilité** 4/5

3 GARANTIES... ET PLUS

- **Garantie générale** 3 ans/60 000 km
- **Garantie motopropulseur** 5 ans/100 000 km
- **Perforation** 5 ans/ kilométrage illimité
- **Assistance routière** 3 ans/60 000 km
- **Nombre de concessionnaires** **Au Québec** 68 **Au Canada** 241

4 NOUVEAUTÉS EN 2010

- Écran ACL de 3,5 po avec caméra de recul. Portière arrière assistée avec protection anti-obstruction et lunette de hayon relevable. Siège du conducteur à 8 réglages assistés. Sièges en tissu de qualité supérieure. Changeur de six CD monté dans le tableau de bord.. Phares antibrouillards.

L'ALLURE D'UN VUS... ET LES DÉFAUTS

PAR PHILIPPE LAGUË

C'EST LE NOUVEAU TRUC À LA MODE : COMME LES VÉHICULES UTILITAIRES SPORT ONT MAUVAISE PRESSE, LES CONSTRUCTEURS DÉGUISENT DES AUTOMOBILES EN BAROUDEURS ET LES REBAPTISENT VÉHICULES MULTISEGMENTS (OU CROSSOVERS, COMME ON DIT À PARIS). Sauf erreur, la paternité de ce concept revient à Toyota, avec l'introduction du Highlander, en 2001.

[CARROSSERIE] Lors de son renouvellement, il y a deux ans, Toyota a repris les principaux ingrédients de la recette, soit le châssis et la mécanique de la Camry; mais le châssis a été allongé et renforcé, car le Highlander de deuxième génération est plus long, plus large et plus haut que son prédécesseur. Sur le strict plan esthétique, pas grand-chose à redire, sinon que c'est dans le plus pur style Toyota : inodore, incolore et sans saveur.

[HABITACLE] Au moins, ils ont fait un effort à l'intérieur. L'instrumentation, regroupée dans un bloc avec deux immenses cadrans, est non seulement agréable à l'œil, mais facile à consulter. Assemblé avec soin, l'habitacle est aussi une réussite ergonomique. L'accessibilité aux diverses commandes est irréprochable, et elles sont encore plus faciles à manier avec leurs grosses mollettes. Les dimensions acrues de la carrosserie se traduisent, en toute logique, par une habitabilité supérieure dont bénéficient les occupants de la deuxième et de la troisième banquettes, cette dernière étant désormais offerte en équipement de série. Les sièges médians peuvent aussi s'avancer, ce qui facilite l'accès à la troisième rangée de sièges. Et puisqu'il est question des sièges, mentionnons qu'ils sont aussi confortables à l'avant qu'à l'arrière, mais manquent de maintien latéral.

[MÉCANIQUE] Le 4-cylindres 2,7 litres est offert en entrée de gamme. L'économie de carburant est sa principale motivation. Vous avez aussi les V6 de 3,3 et de 3,5 litres, le pre-

+ / −

FORCES • Assemblage toujours rigoureux • Ergonomie et habitabilité • Confort et douceur de roulement • Efficacité mécanique • Version hybride • Fiabilité, toujours...

FAIBLESSES • Embonpoint • Consommation en forte hausse (V6 de 3,5 L) • Conduite engourdie • Important rayon de braquage • Options nombreuses et coûteuses

les mêmes défauts que les vrais. Ils sont imposants, et leur consommation se rapproche davantage de celle d'un VUS que d'une automobile. C'est le cas du Highlander, dont la version hybride n'en est que plus attrayante. L'autre péché du Highlander, c'est son prix qui, avec le jeu des options, en fait un concurrent direct de son clone de luxe, le Lexus RX 350. Bien sûr, il y a la fiabilité, qui est le fonds de commerce de Toyota. Mais cela ne suffit pas à rendre le Highlander plus pertinent, d'autant plus qu'un autre multisegment, le Venza, élaboré lui aussi à partir de la plateforme de la Camry, vient le cannibaliser.

mier figurant dans une motorisation hybride. Leur puissance est exactement la même (270 chevaux), mais pas leur consommation : la motorisation hybride permet un gain significatif à ce chapitre : on passe d'une consommation moyenne d'environ 12 litres aux 100 kilomètres pour le V6 de 3,5 litres à 8,5 litres aux 100 kilomètres pour l'hybride. C'est mieux que le 4-cylindres, mais le prix lui, est plus élevé. Le rendement de la boîte de vitesses automatique est à l'image de Toyota : tout se passe en douceur, avec des passages fluides. Dans la plus pure tradition Toyota, le rendement des composants mécaniques est irréprochable… ou presque : le freinage est puissant, mais la pédale est spongieuse.

[COMPORTEMENT] La direction est bien dosée, précise, mais un brin lente, avec un léger déphasage. On reconnaît bien là la conduite engourdie des Toyota, qui donne l'impression que tout se passe au ralenti. Autre mauvaise note : un rayon de braquage très important. Vu ses dimensions et son poids, le Highlander ne brille pas par son agilité, et si on effectue des manœuvres plus rapidement, il montre aussitôt une forte propension au roulis. Autrement dit, si on le brusque, il se comporte comme un camion. En conduite normale, toutefois, le roulis se manifeste moins, et la tenue de route, rassurante, se rapproche de celle d'une automobile. Tout comme la douceur de roulement, en tous points semblable à ce que procurent les confortables berlines de la marque.

[CONCLUSION] Ces faux utilitaires ont souvent

2e OPINION

FRÉDÉRIC MASSE Le Highlander n'a rien d'une bête de conduite. Il tangue, il roule et qu'est-ce qu'il est ennuyant à piloter, bien que je dois tout de même avouer que c'est mieux que par le passé. Mais, vous savez, il y a une clientèle pour ça. Mais, le Highlander offre d'autres points positifs : un raffinement d'ensemble peu commun, de l'espace pour huit et une configuration brillante des sièges, une suspension ultra douce, une insonorisation magistrale, un modèle quatre cylindres abordable ainsi qu'une version hybride. Une machine fort intéressante pour ceux qui aiment le genre et qui ne veulent pas se tracasser pour se rendre du point A au point B. Si vos besoins se résument à trimbaler la famille, les amis, les valises et tout le bataclan et que vous ne voulez pas, par-dessus tout, rester en panne sur le bord du chemin, voici votre véhicule !

(5) FICHE TECHNIQUE

· MOTEURS
L4 2,7l ACT, 187 ch à 6200 tr/min
Couple 186 lb-pi à 4100 tr/min
Transmission automatique à 6 rapports avec mode manuel
0-100 km/h 10,0 s
Vitesse maximale 190 km/h
Consommation (100 km) 9,0 l (octane 87)
Émissions de CO2 3840 kg/an
Litres par année 1700 l
Coût par an 1700 $
Autre motorisation non
Empreinte écologique 23 arbres

· (V6)
V6 3,5l DACT, 270 ch à 6200 tr/min
Couple 248 lb-pi à 4700 tr/min
Transmission automatique à 5 rapports avec mode manuel
0-100 km/h 8,0 s
Vitesse maximale 200 km/h
Consommation (100 km) 10,6 l (octane 87)
Émissions de CO2 5184 kg/an
Litres par année 2160 l
Coût par an 2160 $
Autre motorisation hybride
Empreinte écologique 31 arbres

· (HYBRIDE)
V6 3,3 l DACT IEMS, 270 ch à 5600 tr/min
Couple 212 lb-pi à 4400 tr/min
Transmission automatique à variation continue
0-100 km/h 7,8 s
Vitesse maximale 180 km/h

· AUTRES COMPOSANTES
Sécurité active freins ABS, répartition électronique de force de freinage, assistance au freinage, antipatinage, contrôle de stabilité électronique
Suspension avant/arrière indépendante
Freins avant/arrière disque/ventilés (Hybride)
Direction à crémaillère, assistée
Pneus P245/65R17 **Sport/Limited** P245/55R19
Hybride P245/65R17 **Limited** P245/55R19

· DIMENSIONS
Empattement 2790 mm
Longueur 4785 mm
Largeur 1910 mm
Hauteur 1760 mm **Hybride** 1730 mm
Limited 1760 mm
Poids 1895 kg **Sport** 1930 kg **Limited** 1960 kg
Hybride 2045 kg **Hybride Limited** 2105 kg
Diamètre de braquage 11,8 m **Hybride** 11,9 m
Coffre 290 l, 2700 l (sièges abaissés)
Hybride 290 l, 2660 l (sièges abaissés)
Réservoir de carburant 72,5 l **Hybride** 65,0 l
Capacité de remorquage 2268 kg
Hybride 1587 kg

NOS MENTIONS

Le choix vert

MATRIX

www.toyota.ca

N ÉVOLUTION É J

16 640 $ à 26 050 $
transport et préparation: 1320$

LA COTE VERTE

AVEC MOTEUR L4 DE 1,8 L

- **Consommation (100km): man.** 7,1 l **auto.** 7,0 l
- **Émissions polluantes CO_2 : man.** 3451 kg/an **auto.** 3398 kg/an
- **Empreinte écologique (nombre d'arbres à planter par année):** 20
- **Indice d'octane:** 87
- **Autre motorisation:** non
- **Coût du carburant moyen par année: man.** 1420 $ **auto.** 1440 $
- **Nombre de litres par année: man.** 1420 l **auto.** 1440 l

(SOURCE: EnerGuide)

1 FICHE D'IDENTITÉ

- **Versions** base, XR, AWD, XRS,
- **Roues motrices** avant, 4
- **Portières** 4 **Nombre de passagers** 5
- **Première génération** 2003
- **Génération actuelle** 2009
- **Construction** Cambridge, Ontario, Canada
- **Sacs gonflables** 6, frontaux, latéraux et rideaux latéraux
- **Concurrence** Chevrolet HHR, Chrysler PT Cruiser, Dodge Caliber, Ford Focus, Mazda3 Sport, Pontiac Vibe, Subaru Impreza, Suzuki SX4, Volkswagen Rabbit

2 AU QUOTIDIEN

- **Prime d'assurance**
  25 ans: 1600 à 1800 $
  40 ans: 900 à 1100 $
  60 ans: 700 à 900 $
- **Collision frontale** 5/5
- **Collision latérale** 4/5
- **Ventes du modèle de l'an dernier**
  Au Québec 7778 **Au Canada** 23 549
- **Dépréciation** 36,8 %
- **Rappels** (2004 à 2009) 1
- **Cote de fiabilité** 4/5

3 GARANTIES... ET PLUS

- **Garantie générale** 3 ans/60 000 km
- **Garantie motopropulseur** 5 ans/100 000 km
- **Perforation** 5 ans/ kilométrage illimité
- **Assistance routière** 3 ans/60 000 km
- **Nombre de concessionnaires**
  Au Québec 68 **Au Canada** 241

4 NOUVEAUTÉS EN 2010

- Pas de changement majeur

PRATIQUE FOURRE-TOUT

PAR BENOIT CHARETTE

AVEC LE DÉPART DE LA PONTIAC VIBE, TOYOTA SE RETROUVE EN SOLO AVEC SA PETITE VOITURE MULTIFONCTIONNELLE, LA MATRIX. Toujours axé sur la famille, son format pratique va chercher une large clientèle qui explique en partie sa popularité. Toyota s'est également fixé comme objectif de rajeunir l'âge moyen de sa clientèle

[CARROSSERIE] Cette deuxième génération de Matrix se veut plus dynamique et offre une posture plus basse que le modèle précédent sans pour autant sacrifier l'espace intérieur. Vue de l'arrière, la Matrix présente des glaces arrondies et des lignes continues courant de la calandre au montant A. Fabriquée dans les usines de Toyota à Cambridge, en Ontario, elle est proposée en quatre modèles - Base, XR, XRS et AWD. Le modèle XRS intègre un becquet avant et un large cadre de phares antibrouillard en treillis et un becquet arrière. Tous les modèles XRS seront équipés d'un aileron arrière de série.

[HABITACLE] Le style plus sportif à l'extérieur se poursuit à l'intérieur. La fermeté et le confort des sièges sont à la hausse, et le volant à trois branches ajoute au côté sportif. Les modèles XRS sont fournis de série avec un pommeau de levier de vitesses garni de cuir et un volant gainé de cuir qui comporte également des commandes audio et la connectivité Bluetooth à mains libres. Comme le profil de toit est légèrement abaissé, il en va de même pour la position des sièges qui assure un dégagement pour la tête suffisant. La longueur accrue de cette nouvelle cuvée procure un espace supplémentaire pour les passagers arrière. Ce n'est pas beaucoup, mais suffisant pour être capable de déplier un peu les genoux.

[MÉCANIQUE] La Matrix offre deux choix de moteurs et trois boîtes de vitesses. Le moteur de base est un 4-cylindres de 1,8 litre à 16 soupapes qui développe 132 chevaux. Les automobilistes qui recherchent plus de couple et de puissance pourront choisir le moteur de 2,4 litres à DACT à 16 soupapes avec VVT-i qui développe 158 chevaux à 6 000 tours par minute et produit un couple de 162 livres-pieds à 4 000 tours. Dans les

FORCES • Lignes plus attirantes • Meilleure insonorisation • Choix de moteurs

FAIBLESSES • Boîte automatique à 4 rapports • Faible visibilité arrière • Espace de chargement restreint derrière les sièges arrière

MATRIX

deux cas, la boîte manuelle à 5 rapports vient en équipement de série. Le moteur de 1,8 litre est offert en option avec une boîte automatique à 4 rapports et une de plus pour le moteur de 2,4 litres, sauf la version AWD qui vient en mode automatique avec une boîte à 4 rapports. Les ingénieurs nous ont souligné qu'il n'y avait tout simplement pas d'espace pour ajouter une autre vitesse, dommage, il nous manque ce rapport supplémentaire.

[COMPORTEMENT] Malgré la grande popularité de la première génération de Matrix, cette voiture avait beaucoup de petites choses à se faire pardonner. Par exemple, le niveau sonore était plus élevé que la moyenne, et le confort des sièges, pas toujours à la hauteur. Voilà deux points sur lesquels Toyota a fait des efforts. Le confort est en hausse, mais surtout, l'insonorisation rend maintenant l'expérience au volant plus agréable. La boîte manuelle offre un bon synchronisme et, en combinaison avec le moteur de 2,4 litres, gère la puissance correctement. Pour bien faire les choses, il faudrait que Toyota ajoute une vitesse supplémentaire à sa boîte automatique à 4 rapports. Cette dernière peine un peu à l'ouvrage et fait sentir son mécontentement si vous avez un dépassement à effectuer. La boîte automatique à 5 rapports du 2,4-litres s'acquitte mieux de sa tâche. Pour ce qui est de la version intégrale, Toyota a simplement emprunté le système implanté sur le RAV4 pour le transférer sur la Matrix. C'est un bon compromis, mais nous ne sommes pas dans la ligue des transmissions intégrales permanentes de Subaru ou d'Audi.

[CONCLUSION] Au final, Toyota a bien réussi cette deuxième génération de Matrix. Avec un intérieur plus vivant, bien conçu et plus silencieux, elle offre toujours le même côté pratique avec deux choix de motorisations sans renier ce qui a fait son succès. La Matrix demeure plus que jamais un excellent choix.

2e OPINION

JEAN-PIERRE BOUCHARD

La Matrix est une voiture dont le format convient parfaitement à une petite famille. La voiture n'est toutefois pas seule en lice dans la catégorie. L'Elantra Touring de Hyundai, par exemple, mérite aussi le détour. Comme elle utilise des composants de la Corolla, la Matrix en reprend aussi le comportement routier, ce qui signifie prévisible à défaut d'être sportive, exception faite, peut-être, de la XRS. À ce chapitre, la Mazda3 Sport me plaît davantage. Étrangement, cette Toyota livre aussi bataille à la Pontiac Vibe. Issue de la même côte, la Vibe, dont seul l'habillage diffère, offre de série des caractéristiques aujourd'hui incontournables comme le contrôle de la stabilité du véhicule, y compris sur la version d'entrée de gamme. Et ce, à un prix comparable. Mes trois véritables critiques vont au manque de dégagement pour les jambes pour le conducteur de grande taille, aux craquements que laissaient entendre certaines Matrix (louées !) et aux bruits de vent qui, sur l'autoroute, deviennent agaçants sinon fatigants. Autrement, un choix raisonnable.

(5) FICHE TECHNIQUE

· MOTEURS

· BASE L4 1,8 l DACT, 132 ch à 6000 tr/min
Couple 128 lb-pi à 4400 tr/min
Transmission manuelle à 5 rapports, automatique à 4 rapports (option)
0-100 km/h 10,5 s
Vitesse maximale 185 km/h

· (XR, AWD, XRS)
L4 2,4 l DACT, 158 ch à 6000 tr/min
Couple 162 lb-pi à 4000 tr/min
Transmission manuelle à 5 rapports, automatique à 5 rapports (option)
0-100 km/h 9,8 s
Vitesse maximale 200 km/h
Consommation (100 km) **man.** 8,3 l **auto.** 8,4 l **AWD** 9,1 l (octane 87)
Émissions de CO_2 man. 4051 kg/an **auto.** 4090 kg/an **AWD** 4404 kg/an
Litres par année man. 1700 l **autom.** 1680 l **AWD** 1820 l
Coût par an man. 1700 $ **auto.** 1680 $ **AWD** 1820 $
Autre motorisation non
Empreinte écologique 25 arbres

· AUTRES COMPOSANTES
Sécurité active freins ABS, contrôle de stabilité
Suspension avant/arrière indépendante
Freins avant/arrière disques
Direction à crémaillère, assistée
Pneus P205/55R16, P215/45R17 (option) **XRS** P215/45R18

· DIMENSIONS
Empattement 2600 mm
Longueur 4365 mm **XRS** 4395 mm
Largeur 1765 mm
Hauteur 1550 mm **AWD/XRS** 1560 m
Poids base 1290 kg **AWD** 1485 kg **XRS** 1395 kg
Diamètre de braquage 11,6 m **XRS** 12,2 m
Coffre 569 l, 1399 l (sièges abaissés)
Réservoir de carburant 50 l
Capacité de remorquage 680 kg

NOS MENTIONS

Le choix vert

Modèle recommandé

NOTRE VERDICT

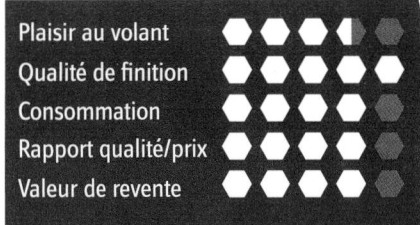

Plaisir au volant
Qualité de finition
Consommation
Rapport qualité/prix
Valeur de revente

PRIUS

www.toyota.ca

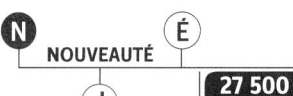

N NOUVEAUTÉ É J

27 500 $ à 36 565 $
transport et préparation: 1420 $

LA COTE VERTE

AVEC MOTEUR L4 DE 1,8 L

- **Consommation (100km):** 4,1 l
- **Émissions polluantes CO_2 :** 1840 kg/an
- **Empreinte écologique (nombre d'arbres à planter par année):** 11
- Indice d'octane: 87
- **Autre motorisation:** hybride
- **Coût du carburant moyen par année:** 820 $
- **Nombre de litres par année:** 820 l

(SOURCE: ÉnerGuide)

1 FICHE D'IDENTITÉ

- **Versions** Premium, Touring, Navigation
- **Roues motrices** avant
- **Portières** 5 **Nombre de Passagers** 5
- **Première génération** 2000
- **Génération actuelle** 2010
- **Construction** Toyota City, Japon
- **Sacs gonflables** 8 frontaux, sièges latéraux, rideaux.
- **Concurrence**, Ford Fusion Hybride, Honda Civic Hybride, Nissan Altima Hybride, Toyota Camry Hybride

2 AU QUOTIDIEN

- **Prime d'assurance**
  25 ans: 1800 à 2000 $
  40 ans: 1000 à 1200 $
  60 ans: 800 à 1000 $
- **Collision frontale** 5/5
- **Collision latérale** 4/5
- **Ventes du modèle de l'an dernier**
  Au Québec 560 **Au Canada** 4458
- **Dépréciation** (3 ans) 24,4%
- **Rappels** (2004 à 2009) 2
- **Cote de fiabilité** 5/5

3 GARANTIES... ET PLUS

- **Garantie générale** 3 ans/60 000 km
- **Garantie motopropulseur** 5 ans/100 000 km
- **Perforation** 5 ans/kilométrage illimité
- **Assistance routière** 3 ans/60 000 km
- **Nombre de concessionnaires**
  Au Québec 68 **Au Canada** 241

4 NOUVEAUTÉS EN 2010

- Nouveau modèle

LE LEADER CONFIANT

PAR MICHEL CRÉPAULT

DEPUIS L'ARRIVÉE DE LA PRIUS SUR LE MARCHÉ MONDIAL, IL Y AU MOINS DEUX GROUPES D'INDIVIDUS FOUS COMME BALAI : LES ÉCOLOS ET LES INGÉNIEURS DE TOYOTA. « La Prius est un rêve pour les ingénieurs. Son design et ses éléments mécaniques représentent le genre de défis intellectuels qu'ils affectionnent », dit Satoshi Ogiso, l'ingénieur responsable de la troisième génération de Prius et lauréat « vert » du *Time Magazine*. Quant aux militants qui s'inquiètent, avec raison, des effets néfastes du réchauffement climatique, la naissance de la Prius a assurément redonné espoir. La cuvée 2010 est-elle porteuse de meilleures nouvelles encore ?

[CARROSSERIE] L'allure a conservé sa forme triangulaire, mais les designers l'ont légèrement étirée en jouant avec les montants. Je n'aurais pas détesté un peu plus d'audace, les générations se suivant et se ressemblant un peu trop à mon goût. À force d'essais fructueux en soufflerie, la nouvelle Prius bénéficie toutefois d'un incroyable coefficient de traînée (Cx) de 0,25. On l'a érigée sur la plateforme de la Scion XB, à peine plus longue (1,5 centimètre) ou plus large (2 centimètres) que l'ancienne. Deux tailles de roues : 15 et 17 pouces. Des phares à DEL dans l'ensemble Touring.

[HABITACLE] Les premières Prius illustraient leur fonctionnement interne à l'aide de schémas multicolores qui s'animaient au tableau de bord. Joli, oui, mais plutôt distrayant. Cette fois, les diagrammes en question ont été déplacés au centre, là où ont été regroupés la majorité des renseignements pertinents (en trois langues). Et encore, l'info affichée n'est que partielle. Pour les détails, le conducteur dépose le pouce sur une rondelle caoutchoutée du volant, le *Touch Tracer*. Un hologramme (wow !) apparaît alors pour confirmer l'activation du bidule, et l'info défile. Encore une fois, plutôt distrayant, dangereux même quand on conduit. Deux solutions : demandez à votre passager de vous raconter ou priez Toyota d'installer un affichage à tête haute. Les Américains l'ont eu, eux. On peut également choisir de tout éteindre... Les premières Prius ont mis l'accent sur la technologie. Maintenant que celle-ci est mieux contrôlée, le

FORCES • Travail de pionnier qui commence à rapporter • Voiture de moins en moins « bizarre » à conduire

FAIBLESSES • Allure générale distinctive mais trop voisine de la précédente • Côté artificiel dans la direction encore présent

fabricant s'attaque au confort dernier cri. C'est ainsi que la nouvelle Prius déborde de primeurs. Il y a, par exemple, ce système de ventilation alimentée par des capteurs solaires intégrés au panneau de toit coulissant (offert en option). Le moteur électrique qui fournit la ventilation est dès lors autonome. Ce dispositif garde la température fraîche à bord même quand l'auto est stationnée sous un soleil ardent. Si ça ne suffit pas pour jouir d'une température agréable avant de prendre la route, le conducteur peut démarrer la climatisation à distance; celle-ci, puisant son énergie directement de la batterie, ne nuit en rien à la qualité de l'air. Il y a aussi un dispositif de stationnement automatique et un régulateur de vitesse intelligent. Et bonne nouvelle pour les golfeurs : la 2010 accepte désormais un sac de golf supplémentaire !

[MÉCANIQUE] Un 4-cylindres de 1,8 litre constitue le cœur du système *Hybrid Synergy Drive*. La puissance combinée des moteurs thermique et électrique fournit se chiffre à 134 chevaux, une augmentation de 22 % par rapport à la précédente Prius; pour ce qui est du couple, on parle de 105 livres-pieds. Le moteur se passe désormais de courroie d'entraînement, une première mondiale qui permet de réduire l'entretien et la consommation d'énergie. Le fait de passer de 1,5 à 1,8 litre n'est-il pas contradictoire avec la philosophie qui se trouve derrière l'auto? En réalité, en augmentant la cylindrée, on obtient un meilleur couple; ce dernier vient à bout de la force d'inertie avec moins de révolutions par minute; résultat, on dépense moins d'énergie. Oui, ils ont pensé à leur affaire... La boîte de vitesses à variation continue (CVT) est la clef qui permet au carburant et à l'électricité de cohabiter aussi bien. D'autres détails importants font leur part, comme des puces du dispositif de contrôle de l'alimentation (CPU), plus petites grâce à leur ventilation améliorée. La Prius 2010 favorise quatre modes distincts de sorte que le conducteur puisse se bâtir une consommation de carburant « sur mesure ». Outre le programme Normal, le mode EV fait en sorte que l'auto ne fonctionne qu'à l'électricité. Bon, d'accord, tant que la vitesse n'excède pas 40 km/h, que le chemin soit lisse et aussi longtemps que la batterie coopérera... Le mode Eco, pour sa part, améliore la consommation moyenne en restreignant, entre autres, l'utilisation des accessoires. Le mode *Power*, enfin, autorise des dépassements plus agressifs (on a beau être un conducteur bucolique, il est des moments où ça urge, quand vient le temps de dépasser un dix roues, par exemple). Près de six secondes ou environ quatre secondes, voilà la différence entre un dépassement de 55 à 80 km/h effectué sur les modes Normal et Power. La suspension n'a pas changé : jambes de force MacPherson à l'avant et poutre de torsion à l'arrière. En revanche, le freinage est maintenant entièrement à disques (au lieu des tambours à l'arrière).

« LA NOUVELLE PRIUS ACCUSE ENVIRON 50 KILOS DE PLUS QUE SA DEVANCIÈRE (MOTEUR PLUS GROS, PLUS D'ÉQUIPEMENT) MAIS SES PERFORMANCES SONT MEILLEURES, QUE CE SOIT EN MATIÈRE DE REPRISES OU DE CONSOMMATION DE CARBURANT. »

HISTORIQUE

Pionnière dans le monde des voitures à propulsion hybride, la Toyota Prius a passé, à la fin avril 2008, la barre du million d'exemplaires vendus dans le monde. Le premier modèle fut proposé en 1997 au Japon seulement. Il fut suivi par une version techniquement remaniée mais à la carrosserie identique en 2000, disponible alors également en Europe, aux États-Unis et en Australie. La 3e génération fut introduite fin 2003 au Japon et aux États-Unis, et début 2004 en Europe. La Prius s'est même permis une participation aux célébre «speed week» au Bonneville Salt Flats en 2004 où elle avait franchies le cap des 210 km/h, un record pour une voiture hybride/électrique.

PRIUS 2000

PRIUS BONNEVILLE

PRIUS 2004

PRIUS 2007

PRIUS ÉLECTRIQUE

PRIUS ÉLECTRIQUE

PRIUS

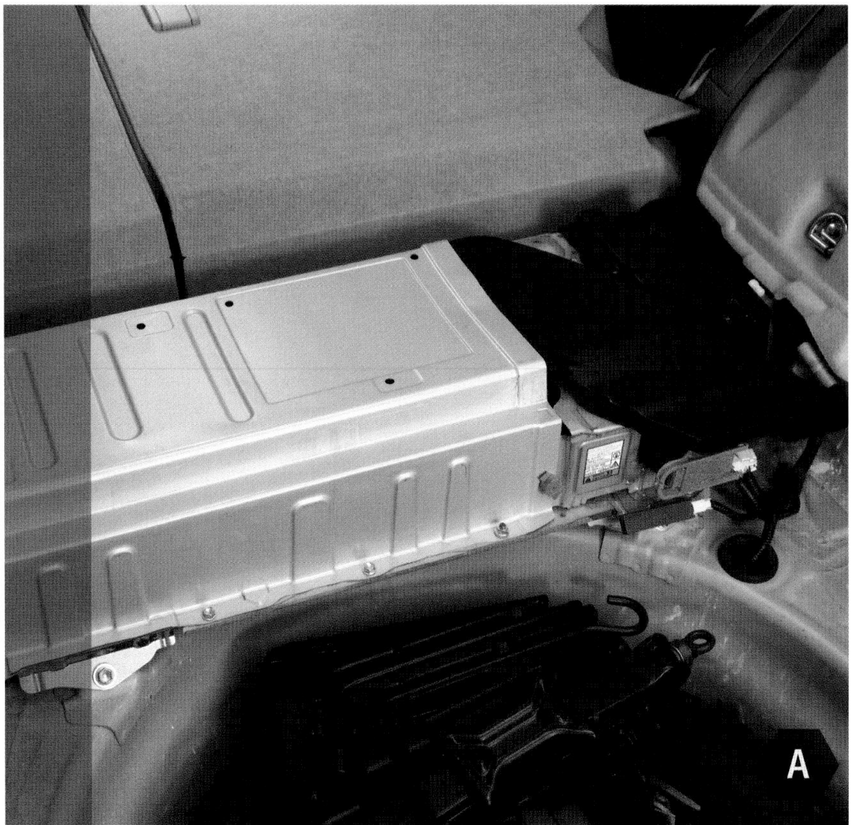

GALERIE

A Le système hybride synergétique (HSD) breveté de la Prius 2010 est à 90 % de conception nouvelle et il offre des améliorations importantes par rapport aux modèles précédents. La boîte-pont est plus légère et elle réduit les pertes de couple de jusqu'à 20 % comparativement à celle du modèle précédent. L'inverseur, qui convertit le courant continu en courant alternatif, est doté d'un nouveau système de refroidissement direct qui produit une réduction de taille et de poids. Ensemble, l'inverseur, le moteur électrique et la boîte-pont sont plus compacts et ils sont en outre plus légers de 20 %.

B La nouvelle Prius offre trois modes de conduite en plus du mode normal. Le mode électrique seul (EV) permet de rouler à basse vitesse uniquement avec l'énergie de la batterie sur environ un mille si les conditions le permettent; le mode de puissance accroît la sensibilité de l'accélérateur pour une sensation plus sportive; le mode écologique aide le conducteur à économiser le carburant au maximum.

C Le panneau de toit transparent coulissant en option comporte des panneaux solaires, montés au-dessus des sièges arrière, qui alimentent un nouveau système de ventilation. Le moteur électrique de circulation de ce système de ventilation à alimentation solaire ne consomme aucune énergie provenant du moteur. Ce système empêche la température de monter dans l'habitacle pendant que la voiture est stationnée, ce qui réduit le temps de refroidissement requis lorsque l'on reprend le véhicule et diminue donc le besoin de climatisation.

D L'écran tactile offre le double avantage d'être facile d'emploi et de réunir toutes les fonctions sous le même toit.

E Preuve que de petits changements peuvent mener à des gains importants, le coffre de la nouvelle Prius a été allongé de 10 mm (0,4 po) et élargi de 56 mm (2,2 po) grâce à une disposition nouvelle et améliorée de l'unité de refroidissement de la batterie. Le dégagement aux jambes à l'arrière a été augmenté en redessinant les sièges avant dans le but d'économiser de l'espace.

PRIUS

[COMPORTEMENT] La nouvelle Prius accuse environ 50 kilos de plus que sa devancière (moteur plus gros, plus d'équipement) mais ses performances sont meilleures, que ce soit en matière de reprises ou de consommation de carburant (moyenne de 3,8 litres aux 100 kilomètres par comparaison avec 4,1 pour l'ancienne). Elle performe mieux en ville que sur l'autoroute car le système hybride a alors l'occasion de se faire valoir plus souvent, c'est-à-dire de couper le sifflet au moteur thermique. La boîte de vitesses CVT est connectée à un tout petit sélecteur qui sort timidement de la console centrale. Un p'tit coup à gauche, un p'tit coup en bas et nous sommes en Drive. On peut aussi choisir B (pour *Braking*) afin de profiter d'un meilleur frein moteur (et toujours recharger la batterie). La direction se veut plus communicative. Dans l'ensemble, la nouvelle Prius espère être plus amusante à conduire. Je sais, dire cela d'une Toyota, hybride de surcroît, semble plutôt incroyable. Et pourtant, c'est ce que les ingénieurs ont cherché à faire : améliorer les performances « vertes » de l'auto tout en donnant plus que jamais à l'utilisateur l'impression qu'il conduit une voiture « normale ». Quelle est la réalité ? Les accélérations se font sentir de manière très graduelle, merci à la CVT. Si on enfonce franchement, pour réaliser un dépassement sûr par exemple, un grognement envahi rapidement l'habitacle. En mode Eco, l'accélérateur devient plus lourd sous le pied. C'est la façon qu'a trouvé le logiciel pour nous aider à y aller mollo. Le freinage dégage encore une impression de ouate, surtout si on procède trèèèèès doucement. Juste avant de s'immobiliser à un feu rouge, la Prius fait entendre son feulement caractéristique : elle recharge sa batterie !

[CONLUSION] Toyota est convaincue que sa stratégie est meilleure que celle des autres constructeurs qui misent plutôt sur les hybrides partiels ou les moteurs diesel. Grâce aux améliorations apportées au comportement, Toyota espère maintenant séduire d'autres gens que les écolos finis. Plus de 10 années de commentaires de la part des premiers acheteurs ont aidé le fabricant à créer une Prius susceptible de plaire à plus de monde. À ses yeux, Toyota vient de faire un pas de plus vers la voiture du futur pour tous. Bien vilain celui qui la contredira.

2e OPINION

BENOIT CHARRETTE Rien de mieux pour afficher sa conscience écologique que de rouler au volant d'une Toyota Prius. Des stars d'Hollywood aux chefs d'entreprises sans oublier les politiciens, comme Barack Obama, qui sont devenus propriétaires en 2009. Toyota a réussi, grâce à ce modèle, à s'imposer comme la gardienne de l'écologie dans le monde de l'automobile, un titre enviable que se disputent bien des constructeurs. Mais au-delà des apparences, cette nouvelle Prius fait un bond en avant considérable au chapitre de la conduite. La conduite de voiturette de golf a fait place à une conduite digne d'une voiture, et la prise en main est beaucoup plus agréable. En deux mots, la conduite de cette nouvelle Prius comble une grande partie du fossé avec celle des berlines compactes. J'ai même réussi à maintenir une moyenne de 5,5 litres aux 100 kilomètres sans vraiment faire très attention derrière le volant, un résultat convaincant.

5 FICHE TECHNIQUE

· MOTEUR

L4 1,8 l DACT, 134 ch à 5000 tr/min
Couple 105 lb-pi à 4000 tr/min
Transmission automatique à variation continue
0-100 km/h 10,3 s
Vitesse maximale 185 km/h

· AUTRES COMPOSANTES

Sécurité active freins ABS, distribution électronique de force de freinage, assistance au freinage, antipatinage et contrôle de stabilité électronique (en option)
Suspension avant/arrière indépendante / semi-indépendante
Freins avant/arrière disques
Direction à crémaillère, assistée
Pneus P195/65R15,
Option :P215/45R17

· DIMENSIONS

Empattement 2700 mm
Longueur 4460 mm
Largeur 1745 mm
Hauteur 1480 mm
Poids 1380 kg
Diamètre de braquage 10,4 m
Coffre 445 l
Réservoir de carburant 45 l

NOS MENTIONS

- Le choix vert
- Modèle recommandé
- Coup de coeur

NOTRE VERDICT

Plaisir au volant
Qualité de finition
Consommation
Rapport qualité/prix
Valeur de revente Nm

RAV4

www.toyota.ca

N — ÉVOLUTION — É
J

24 295 $ à 34 385 $
transport et préparation: 1440 $ à 1490 $

LA COTE VERTE

MOTEUR
L4 DE 2,5 L
- **Consommation (100km):** 8,9 l
- **Émissions polluantes CO_2 :** 4320 kg/an
- **Empreinte écologique (nombre d'arbres à planter par année):** 25
- **Indice d'octane:** 87
- **Autre motorisation:** non
- **Coût du carburant moyen par année:** 1720 $
- **Nombre de litres par année:** 1720 l

(SOURCE: ÉnerGuide)

1 FICHE D'IDENTITÉ

- **Versions** L4,V6 Base, Sport, Limited
- **Roues motrices** 4
- **Portières** 4 **Nombre de passagers** 5
- **Première génération** 1997
- **Génération actuelle** 2006
- **Construction** Woodstock, Ontario, Canada
- **Sacs gonflables** 6, frontaux, (latéraux avant et rideaux latéraux en option sur Limited V6)
- **Concurrence** Chevrolet Equinox, Ford Escape, Honda CR-V, Hyundai Tucson, Kia Sportage, Jeep Patriot/Liberty, Mazda CX-7, Mitsubishi Outlander, Nissan Rogue, Subaru Forester, Suzuki Grand Vitara

2 AU QUOTIDIEN

- **Prime d'assurance**
  25 ans: 1500 à 1700 $
  40 ans: 1100 à 1300 $
  60 ans: 900 à 1100 $
- **Collision frontale** 5/5
- **Collision latérale** 5/5
- **Ventes du modèle de l'an dernier**
  Au Québec 3676 **Au Canada** 20 522
- **Dépréciation** 34,1%
- **Rappels** (2004 à 2009) aucun
- **Cote de fiabilité** 5/5

3 GARANTIES... ET PLUS

- **Garantie générale** 3 ans/60 000 km
- **Garantie motopropulseur** 5 ans/100 000 km
- **Perforation** 5 ans/kilométrage illimité
- **Assistance routière** 3 ans/60 000 km
- **Nombre de concessionnaires**
  Au Québec 68 **Au Canada** 241

4 NOUVEAUTÉS EN 2010

Caméra de recul éliminée (version sport)
Cache bagage ajouté (version sport)

TOUJOURS DANS LE PELOTON DE TÊTE

PAR PHILIPPE LAGUË

MOINS TOUCHÉS PAR LA HAUSSE DU PRIX DU CARBURANT, LES VUS COMPACTS DEMEURENT TRÈS POPULAIRES CHEZ NOUS ET, DEPUIS L'INTRODUCTION DU RAV4, EN 1997, TOYOTA EST UN DES CHEFS DE FILE DANS CE CRÉNEAU.

[CARROSSERIE] Critiqué à l'origine pour la petitesse de son habitacle, le RAV4 a pris de l'expansion au fil des renouvellements. Ainsi, le modèle actuel affiche des dimensions supérieures à celles de ses prédécesseurs, ce qui se traduit par des gains au chapitre de l'habitabilité et de l'espace de chargement. Le RAV4 de troisième génération ressemble aussi moins à un jouet; son allure plus costaude, plus virile, plaira à la clientèle visée, qui aime qu'un VUS ressemble... à un VUS.

[HABITACLE] La qualité des matériaux est à la baisse depuis quelques années chez Toyota, et cette tendance se confirme à l'intérieur du RAV4. On s'attend à mieux d'un véhicule Toyota, d'une part, et d'un véhicule dont le prix peut facilement dépasser les 30 000 dollars, vu les nombreuses (et coûteuses) options, d'autre part. En revanche, la qualité de construction reste conforme aux standards de la marque. L'ergonomie du RAV4 est exemplaire : c'est simple et efficace, dans la plus pure tradition de ce constructeur qui a toujours privilégié l'essentiel. Tout est à portée de la main, d'utilisation intuitive. Dans le même souci d'efficacité, on retrouve de nombreux espaces de rangement. À l'avant, les sièges procurent un bon maintien latéral, tandis que l'inclinaison du dossier de la banquette arrière est réglable, ce qui ajoute au confort, tout comme l'espace pour la tête et les jambes. On est bien loin du premier RAV4, critiqué pour la petitesse de son habitacle. Mieux encore, une troisième rangée de sièges peut être ajoutée (en option).

[MÉCANIQUE] Le V6 sera apprécié de ceux qui désirent tracter ou transporter de lourdes charges. Si la consommation de carburant est votre priorité, le 4-cylindres demeure cependant le

+
FORCES • Habitabilité en net progrès • Excellent tandem de moteurs • Comportement routier étonnant • Confort et douceur de roulement • Fiabilité

−
FAIBLESSES • Qualité des matériaux en baisse • Consommation (V6) • Pas de boîte manuelle • Boîte automatique à 4 rapports (4-cyl.) • Qualité du service après-vente variable

meilleur choix. Évidemment, ce n'est pas le même couple que le V6, mais si vous roulez rarement avec un véhicule chargé à pleine capacité, cela importe peu : le niveau de performances est tout à fait satisfaisant. De plus, l'expertise de Toyota au rayon des motorisations 4-cylindres n'est plus à faire. Une aberration, cependant : il ne peut être jumelé à une boîte de vitesses manuelle; seule l'automatique est offerte et encore, elle n'a que 4 rapports, contre 5 pour les versions à moteur V6. Comme quoi tout n'est pas parfait. La direction est engourdie, comme c'est trop souvent le cas chez Toyota. Dans les virages serrés, la lenteur de la direction agace, et on perçoit un léger déphasage. Mais au moins, cette fois, on est allé mollo sur le dosage de l'assistance. Le freinage est progressif, puissant aussi, mais les distances d'arrêt sont un peu longues.

[COMPORTEMENT] L'agrément de conduite ne fait pas partie du code génétique des Toyota et, pourtant, le RAV4 se tire plutôt bien d'affaire. C'est d'autant plus étonnant que la suspension semble avoir été calibrée en fonction du confort. À ce chapitre, les trains roulants effectuent un travail remarquable : la douceur de roulement évoque celle de la Camry, ce qui n'est pas peu dire ! Même si on sent un peu de mou dans les amortisseurs, la caisse s'aplatit dans les virages et reste bien stable, de sorte que la tenue de route du RAV4 s'apparente à celle d'une berline. La motricité ne fait jamais défaut, grâce au système de transmission intégrale, offert de série sur toutes les versions.

[CONCLUSION] Malgré une concurrence très relevée, le RAV4 se classe dans le peloton de tête dans le créneau des VUS compacts, grâce à son excellente paire de moteurs, son confort étonnant et son comportement rassurant, sans oublier la fiabilité légendaire des Toyota. Le service après-vente peut cependant varier considérablement chez les concessionnaires; aussi est-il recommandé de faire preuve de vigilance à ce chapitre. Vous voilà prévenu.

2e OPINION

ALEXANDRE CRÉPAULT L'accélérateur du Toyota RAV4... Oh, mes amis, quel enivrant relais vers la puissance du V6 ! Ce n'est pas que le 4-cylindres est mauvais, mais sérieusement, combien de véhicules utilitaires sport compacts peuvent accomplir le 0 à 100 km/h presque aussi rapidement qu'une Honda S2000 ? Outre sa rapidité, le RAV4 est spacieux, confortable et se conduit bien. La troisième banquette se révèle plus un argument de marketing qu'un véritable atout, mais peut quand même dépanner au besoin. Les lignes du RAV4 ont dernièrement été rafraîchies et plaisent à pratiquement tout le monde. Franchement, le RAV4 continue de faire un bon travail et est toujours accompagné de la légendaire fiabilité Toyota. Seulement, il faut en accepter la facture. Par comparaison avec la concurrence, le produit n'est pas vraiment bon marché. Que voulez-vous ? On paie pour ce qu'on veut...

RAV4

5 FICHE TECHNIQUE

· MOTEURS

· (Base, Limited)
L4 2,5 l DACT, 179 ch à 6200 tr/min
Couple 172 lb-pi à 4000 tr/min
Transmission automatique à 4 rapports
0-100 km/h 9,9 s
Vitesse maximale 180 km/h

· (V6, LIMITED V6, SPORT V6)
V6 3,5 l DACT, 269 ch à 6200 tr/min
Couple 246 lb-pi à 4700 tr/min
Transmission automatique à 5 rapports
0-100 km/h 7,7 s
Vitesse maximale 210 km/h
Consommation (100 km) 9,4 l (octane 87)
Émissions de CO_2 4608 kg/an
Litres par année 1920 l
Coût par an 1920 $
Empreinte écologique 27 arbres

· AUTRES COMPOSANTES
Sécurité active freins ABS, répartition électronique de force de freinage, assistance au freinage, antipatinage, contrôle de stabilité électronique, assistance au démarrage en pente, assistance en descente
Suspension avant/arrière indépendante
Freins avant/arrière disques
Direction à crémaillère, assistée
Pneus P225/65R17 **Sport V6** P235/55R18

· DIMENSIONS
Empattement 2660 mm
Longueur 4620 mm
Largeur 1815 mm Sport/Limited 1855 mm
Hauteur 1745 mm
Poids Base 1579 kg **Limited** 1615 kg **V6** 1658 kg **Limited V6** 1668 kg **Sport V6** 1672 kg
Diamètre de braquage L4 11,4 m V6 12 m
Coffre 1015 l, 2074 l (sièges abaissés), 338 l (avec banquette de 3e rangée)
Réservoir de carburant 60 l
Capacité de remorquage L4 680 kg V6 1587 kg

NOS MENTIONS

Modèle recommandé

NOTRE VERDICT

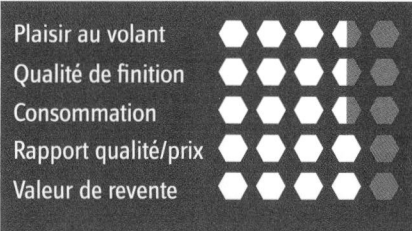

Plaisir au volant
Qualité de finition
Consommation
Rapport qualité/prix
Valeur de revente

SEQUOIA

www.toyota.ca

N ÉVOLUTION É J

48 320 $ à 65 475 $
transport et préparation: 1490 $

LA COTE VERTE

AVEC MOTEUR V8 DE 4,6 L

- **Consommation (100km):** 13,8 l
- **Émissions polluantes CO_2 :** 6912 kg/an
- **Empreinte écologique (nombre d'arbres à planter par année):** 42
- **Indice d'octane:** 87
- **Autre motorisation:** non
- **Coût du carburant moyen par année:** 2880 $
- **Nombre de litres par année:** 2880 l

(SOURCE: ÉnerGuide)

1 FICHE D'IDENTITÉ

- **Versions** SR5, Limited, Platinum
- **Roues motrices** 4
- **Portières** 4 **Nombre de passagers** 7 ou 8
- **Première génération** 2001
- **Génération actuelle** 2009
- **Construction** Indiana, É.-U.
- **Sacs gonflables** 6 (frontaux, latéraux avant, rideaux latéraux)
- **Concurrence** Chevrolet Tahoe, Ford Expedition, GMC Yukon, Nissan Armada

2 AU QUOTIDIEN

- **Prime d'assurance**
  25 ans: 2600 à 2800 $
  40 ans: 1400 à 1600 $
  60 ans: 1200 à 1400 $
- **Collision frontale** 5/5
- **Collision latérale** 5/5
- **Ventes du modèle de l'an dernier**
  Au Québec 73 **Au Canada** 842
- **Dépréciation** 36,0%
- **Rappels** (2004 à 2009) 2
- **Cote de fiabilité** 5/5

3 GARANTIES... ET PLUS

- **Garantie générale** 3 ans/60 000 km
- **Garantie motopropulseur** 5 ans/100 000 km
- **Perforation** 5 ans/ kilométrage illimité
- **Assistance routière** 3 ans/60 000 km
- **Nombre de concessionnaires**
  Au Québec 68 **Au Canada** 241

4 NOUVEAUTÉS EN 2010

- Aucun changement majeur

UN BÛCHERON S'IL VOUS PLAÎT !

PAR DANIEL RUFIANGE

VOUS CONNAISSEZ QUELQU'UN QUI S'EST PROCURÉ UN SEQUOIA, COUREZ VITE VOUS PROCURER UN BILLET DE LOTERIE; VOUS ÊTES L'UN DES RARES À AVOIR CETTE CHANCE ! Le Sequoia ne s'écoule pas comme des petits pains chauds; il ressemble plus au morceau de tarte abandonné dans le présentoir à desserts de certains restaurants. Mais pourquoi est-ce que Toyota s'obstine à fabriquer un tel monstre ? Pour les Américains, pardi ! Si le géant japonais peut gruger quelques ventes à l'un des trois grands, il fait tout en son pouvoir pour le faire, et ça inclut nous offrir ce véhicule, aussi confortable et pratique qu'inutile et encombrant.

[CARROSSERIE] Le Sequoia a été revu l'an dernier, et l'exercice a été des plus bénéfiques. Sa gueule est maintenant aussi imposante que son format. On peut questionner les gens de Toyota sur la pertinence du véhicule mais on ne peut leur reprocher d'avoir manqué d'audace dans sa conception; il a tous les atouts pour rivaliser avec ses concurrents. Trois versions complètent l'offre soit les SR5, Limited et Platinum. Ces deux dernières s'accompagnent d'imposantes jantes de 20 pouces; prévoyez les coûts de remplacement !

[HABITACLE] Le Sequoia peut accueillir une équipe de Soccer au complet, ballon inclus. C'est vous dire à quel point son habitacle est spacieux et logeable. Il s'agit de l'un des rares véhicules qui compte 7 vraies places. Impossible de se sentir à l'étroit à l'intérieur, à moins que votre sport favori soit la pratique de la lutte sumo, et encore ! Les sièges de la deuxième banquette s'avancent et se reculent, selon les besoins; le grand luxe ! Parlant de luxe, le Sequoia ne fait pas dans la dentelle. L'insonorisation est remarquable, et les sièges nous accueillent avec tout le décorum auquel on s'attend de ce genre de véhicule. Le degré d'équipement de série est complet, et Toyota s'assure de rentabiliser chaque vente en offrant quelques options invitantes auxquelles il est difficile de dire non.

+ −

FORCES • Plus d'espace que dans un cabanon • Douceur de roulement • Sentiment de piloter un " Monster Truck "

FAIBLESSES • La consommation: surpris ? • Puissance de moteur 4.6 Litres un peu juste • Aller vous stationner sur la rue Sainte-Catherine un samedi soir: on s'en reparle

SEQUOIA

[MÉCANIQUE] Le Sequoia a beau offrir deux moteurs, un seul peut vraiment s'acquitter adéquatement de la lourde tâche qu'est le déplacement de ce brontosaure. La version SR5 compte sur le V8 de 4,6 litres. Ses 310 chevaux font le travail mais se révèlent juste pour déplacer les 2707 kilos de cette version. Qui plus est, la consommation s'en ressent au point où le moteur plus puissant consomme à peine plus. Ce dernier, le V8 de 5,7 litres, fort de ses 381 chevaux, travaille avec plus d'aisance et ne donne pas l'impression de s'épuiser à l'ouvrage. De plus, il est possible de remorquer 950 kilos de plus avec cet engin sous le capot, pour un total de 4125 kilos. Les compétences du Sequoia ne sont pas à mettre en doute. Profitant du même châssis que le Tundra, il peut s'acquitter sensiblement des mêmes tâches.

[COMPORTEMENT] Le Sequoia se différencie cependant de la Toundra au chapitre du confort. Sa suspension, à quatre roues indépendantes, y est pour beaucoup. Cela se traduit par un degré de confort supérieur et une sensation plus rassurante au volant. Après tout, le Sequoia est là pour trimballer la petite famille, pas des matériaux de construction. Il faut cependant faire preuve de retenue en tout temps au volant. Chaque manœuvre doit être exécutée avec soin, et il faut les prévoir à l'avance, surtout le freinage; le Sequoia n'échappe à aucune loi de la physique. Toutefois, les aides à la conduite nous donnent tout de même un sentiment de sécurité et facilite le guidage de ce véhicule. En cas de pépin, sachez que le Sequoia compte sur un imposant système de cousins gonflables qui assurent la protection de tous les occupants en cas de collision et, même, de capotage grâce à un détecteur de roulis.

[CONCLUSION] À moins d'avoir à tirer une réplique du Titanic, le Sequoia ne comble pas vraiment de besoins essentiels. Ce n'est pas qu'il est mal conçu ou inconfortable, ou désagréable à conduire. Il n'est juste pas pertinent !

2e OPINION

FRANCIS BRIÈRE Le roi de la forêt impressionne la galerie avec son espace gigantesque et son encombrement qui en font un véhicule antiurbain. Évidemment, on n'achète pas un Sequoia pour voyager au centre-ville. Les entrepreneurs apprécient ses qualités : luxe, confort, douceur de roulement et espace de chargement. Dans ce marché de véhicule utilitaire pleine grandeur, le Sequoia tire son épingle du jeu. Il s'agit d'un des meilleurs achats encore aujourd'hui. En revanche, GM a marqué des points avec la venue de son Tahoe hybride bimode. Toyota devra réagir et proposer une motorisation moins gourmande pour satisfaire la demande. De toute façon, la firme japonaise est la grande défenderesse de la technologie hybride. Qu'elle passe aux actes. Ce gros balourd aurait tout à gagner à consommer moins de carburant.

5 FICHE TECHNIQUE

- **MOTEURS**
- **(SR5)**
- V8 4,6 l DACT, 310 ch à 5600 tr/min
  Couple 327 lb-pi à 3400 tr/min
  Transmission automatique à 6 rapports
  0-100 km/h 8,6 s (Limited, Platinium)
  Vitesse maximale 190 km/h

- V8 5,7 l DACT, 381 ch à 5600 tr/min
  Couple 401 lb-pi à 3600 tr/min
  Transmission automatique à 6 rapports
  0-100 km/h 8,0 s
  Vitesse maximale 200 km/h
  Consommation (100 km) 13,8 l (octane 87)
  Émissions de CO_2 6720 kg/an
  Litres par année 2820 l
  Coût par an 2820 $
  Autre motorisation non
  Empreinte écologique 40

- **AUTRES COMPOSANTES**
  Sécurité active freins ABS, répartition électronique de force de freinage, assistance au freinage, antipatinage, contrôle de stabilité électronique
  Suspension avant/arrière indépendante
  Freins avant/arrière disques ventilés
  Direction à crémaillère, assistée
  Pneus 4,7 l P275/65R18 **5,7 l** P275/55R20

- **DIMENSIONS**
  Empattement 3100 mm
  Longueur 5210 mm
  Largeur 2030 mm
  Hauteur 1955 mm
  Poids SR5 2707kg **Limited** 2714 kg
  Platinum 2721 kg
  Diamètre de braquage 12,5 m
  Coffre 800 l, 3420 l (sièges abaissés)
  Réservoir de carburant 100 l
  Capacité de remorquage V8 4,6 l 3175 kg
  V8 5,7 l Limited 3990 kg
  V8 5,7 l Platinum 4125 kg

NOS MENTIONS

Modèle recommandé

NOTRE VERDICT

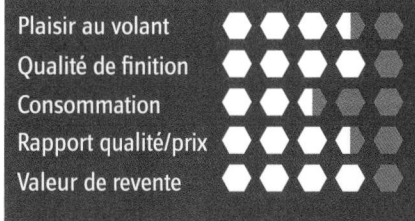

Plaisir au volant
Qualité de finition
Consommation
Rapport qualité/prix
Valeur de revente

SIENNA

www.toyota.ca

N ÉVOLUTION É J

29 500 $ à 48 380 $
transport et préparation: 1490 $

LA COTE VERTE

AVEC MOTEUR V6 DE 3,5 L

- **Consommation (100km):** **2RM** 9,9 l **4RM** 11,4 l
- **Émissions polluantes CO_2 :** **2RM** 4848 kg/an **4RM** 5568 kg/an
- **Empreinte écologique (nombre d'arbres à planter par année):** 30
- **Indice d'octane:** 87
- **Autre motorisation:** non
- **Coût du carburant moyen par année:** **2RM** 2020 $ **4RM** 2320 $
- **Nombre de litres par année:** **2RM** 2020 l **4RM** 2320 l

(SOURCE: ÉnerGuide)

1 FICHE D'IDENTITÉ

- **Versions :** CE 7 ou 8 passagers, LE 7 ou 8 passagers, XLE 7 passagers, LE 4RM 7 passagers, XLE 4RM 7 passagers
- **Roues motrices** avant, 4
- **Portières** 4 **Nombre de passagers** 7
- **Première génération** 1998
- **Génération actuelle** 2004
- **Construction** Georgetown, Kentucky, É.-U.
- **Sacs gonflables** 2, frontaux (latéraux et rideaux latéraux sur XLE)
- **Concurrence** Chrysler Town & Country, Dodge Caravan, Honda Odyssey, Kia Sedona, Mazda MPV

2 AU QUOTIDIEN

- **Prime d'assurance**
  25 ans: 1300 à 1500 $
  40 ans: 1000 à 1200 $
  60 ans: 800 à 1000 $
- **Collision frontale** 5/5
- **Collision latérale** 5/5
- **Ventes du modèle de l'an dernier**
  Au Québec 1 185 **Au Canada** 7000
- **Dépréciation** 42,0 %
- **Rappels** (2004 à 2009) 3
- **Cote de fiabilité** 4/5

3 GARANTIES... ET PLUS

- **Garantie générale** 3 ans/60 000 km
- **Garantie motopropulseur** 5 ans/100 000 km
- **Perforation** 5 ans/ kilométrage illimité
- **Assistance routière** 3 ans/60 000 km
- **Nombre de concessionnaires**
  Au Québec 68 **Au Canada** 241

4 NOUVEAUTÉS EN 2010

- Pas de changement majeur

UNE RÉFÉRENCE

PAR JEAN-PIERRE BOUCHARD

AU MOMENT DE SON LANCEMENT EN 1998, NOUS AVIONS EU L'OCCASION DE FAIRE L'ESSAI DE LA PREMIÈRE GÉNÉRATION DE SIENNA. À l'époque, les comparables portaient le nom Dodge Caravan ou Chevrolet Venture. En matière de raffinement, de qualité d'assemblage et d'agrément de conduite, c'était alors le jour et la nuit. Bien entendu, Honda a réagi au même moment en présentant une génération plus évoluée de son Odyssey. La guerre commençait. Et elle se poursuit. Car les deux véhicules figurent encore aujourd'hui sur la liste des meilleurs choix au sein de la catégorie.

[CARROSSERIE] La Sienna est offerte en une seule configuration, soit en modèle allongé. Elle peut, selon la configuration, recevoir de 7 à 8 occupants. Contrairement à l'Odyssey, la fourgonnette peut être dotée de la transmission intégrale. L'année modèle 2010 voit apparaître une version Limited à 7 places.

[HABITACLE] L'espace dans ce type de véhicule ne manque pas. Le siège du conducteur et du passager avant assurent un très bon confort. Le conducteur peut trouver aisément une position de conduite confortable. Comme c'est le cas pour la plupart des concurrentes, le volant inclinable et télescopique figure parmi les caractéristiques de série. La consultation des instruments de bord et l'utilisation des principales commandes ne présentent aucune difficulté. L'importante surface vitrée assure une très bonne visibilité, sauf peut-être au moment de reculer. Les matériaux utilisés sont de très belle facture et ils sont rigoureusement assemblés. L'habitacle gomme toutefois difficilement les bruits de roulement. L'accès aux places médianes est facile. Chaque fauteuil fournit un bon confort. Sur les versions à 8 places, la place centrale offre un confort plus précaire. Contrairement à la Dodge Grand Caravan, on ne peut toutefois les dissimuler sous le plancher, ce qui pénalise la polyvalence de l'aménagement. Il est par contre possible de les déplacer latéralement. Les places de la dernière rangée sont d'accès assez facile, mais elles n'assurent qu'un confort moyen. Une fois dissimulée dans le plancher, la banquette autorise un espace

+ **FORCES** • Confort • Groupe motopropulseur • Comportement routier • Économie de carburant

− **FAIBLESSES** • Manque de souplesse de la banquette médiane • Bruits de roulement

utilitaire généreux. Quand elle est en position, l'espace offert propose tout de même un bon volume de chargement.

[MÉCANIQUE] Les roues avant sont activées par un excellent V6 de 3,5 litres qui offre toute la puissance nécessaire pour autoriser des accélérations et des reprises franches. La boîte de vitesses automatique à 5 rapports l'accompagne efficacement dans la plupart des situations. Élément digne de mention, cet ensemble assure une consommation de carburant plus que raisonnable pour un véhicule de cette catégorie.

[COMPORTEMENT] La Sienna fait preuve d'un bel équilibre en ce qui concerne le confort et la douceur de roulement. En courbes, elle garde le cap. En tenant compte du fait, bien entendu, que ce type de véhicule n'est pas conçu pour la conduite sportive, mais pour un usage familial. La direction n'est pas communicative de la relation entre les pneus et la chaussée. En revanche, elle procure une excellente maniabilité. De plus, le court diamètre de braquage la rend maniable dans les endroits plus serrés. Les modèles à transmission intégrale sont dotés de pneus à flancs renforcés, qui permettent de continuer à rouler à la suite d'une crevaison. Le coût de remplacement de ces pneus est élevé.

[CONCLUSION] Malgré un certain ralentissement de leurs ventes, les fourgonnettes demeurent un choix raisonnable pour répondre aux besoins d'une famille. Elles offrent des qualités qu'on ne trouve pas nécessairement dans des véhicules multisegments ou utilitaires sport. La Sienna constitue un choix judicieux, car elle offre un degré élevé de raffinement, un bel agrément de conduite ainsi que des performances qui ne souffrent d'aucun complexe. Et en plus, elle est économe en carburant, fiable et moins coûteuse à l'achat qu'un Highlander équipé d'un moteur à 4 cylindres.

2e OPINION

DANIEL RUFIANGE Avec l'arrivée de nombreux véhicules multisegments sur le marché, la guerre dans le secteur des fourgonnettes s'est quelque peu estompée. Cependant, n'allez pas le mentionner aux concepteurs de la Sienna, qui ont toujours dans leur mire une certaine Honda Odyssey. À vouloir tout faire en même temps - plaire aux Américains et rattraper Honda - Toyota fait chou blanc avec sa Sienna. Bourrée de qualité, elle se classe deuxième derrière l'Odyssey en termes de raffinement et d'agrément de conduite, et son prix fait pâle figure face à l'offre des américaines... et des coréennes. Que reste-t-il donc à la Sienna ? Sa réputation, surfaite, et sa fiabilité, encore au rendez-vous. Est-ce suffisant dans le marché actuel ? Mes économies iraient du côté de Honda. Ma logique, ailleurs.

5 FICHE TECHNIQUE

· MOTEUR
V6 3,5 l DACT 266 ch à 6200 tr/min
Couple 245 lb-pi à 4700 tr/min
Transmission automatique à 5 rapports
0-100 km/h 8,3 s
Vitesse maximale 185 km/h

· AUTRES COMPOSANTES
Sécurité active freins ABS, assistance au freinage, distribution électronique de force de freinage, antipatinage (XLE), contrôle de stabilité électronique (XLE)
Suspension avant/arrière Indépendante, essieu rigide
Freins avant/arrière disques/tambours, disques aux quatre roues (LE, XLE, 4RM)
Direction à crémaillère, assistée
Pneus CE, LE P215/65R16 **XLE, 4RM** P225/60R17

· DIMENSIONS
Empattement 3030 mm
Longueur 5105 mm
Largeur 1965 mm
Hauteur 1750 mm
Poids 7 passagers 2RM 1895 kg **LTD** 1935 kg **4RM** 2000 kg **LTD** 2030 kg **8 passagers** 1915 kg
Diamètre de braquage 11,2 m
Coffre 1240 l, 4360 l (sièges abaissés)
Réservoir de carburant 79 l
Capacité de remorquage 1587 kg

NOS MENTIONS

Modèle recommandé

NOTRE VERDICT

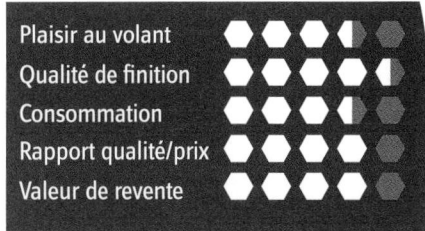

Plaisir au volant
Qualité de finition
Consommation
Rapport qualité/prix
Valeur de revente

TACOMA

www.toyota.ca

N ÉVOLUTION É J

21 125 $ à **35 125 $**
transport et préparation: 1490 $

LA COTE VERTE

AVEC MOTEUR L4 DE 2,7 L

- **Consommation (100km):** **man.** 8,9 l **auto.** 9,6 l
- **Émissions polluantes CO_2 :** **man.** 4320 kg/an **auto.** 4656 kg/an
- **Empreinte écologique (nombre d'arbres à planter par année):** 27
- **Indice d'octane:** 87
- **Autre motorisation:** non
- **Coût du carburant moyen par année:** **2RM man.** 1860 $ **auto.** 1920 $ **4RM** 2140 $
- **Nombre de litres par année:** **2RM man.** 1860 l **auto.** 1920 l **4RM** 2140 l

(SOURCE: ÉnerGuide)

1 FICHE D'IDENTITÉ

- **Versions** cabine Accès 4 x 2, cabine Accès 4x4, cabine Accès 4 x 4 V6, cabine Double 4 x 4 V6
- **Roues motrices** arrière, 4
- **Portières** 4 **Nombre de passagers** 4 ou 5
- **Première génération** 1995
- **Génération actuelle** 2005
- **Construction** Fremont, Californie, É.-U.; Georgetown, Kentucky, É.-U.
- **Sacs gonflables** 4 (frontaux et latéraux)
- **Concurrence** Chevrolet Colorado, Dodge Dakota, Ford Ranger, GMC Canyon, Mazda Série B, Nissan Frontier
- **Prime d'assurance**

2 AU QUOTIDIEN

25 ans: 1400 à 1600 $
40 ans: 1000 à 1200 $
60 ans: 700 à 900 $

- **Collision frontale** 5/5
- **Collision latérale** 5/5
- **Ventes du modèle de l'an dernier** **Au Québec** 1603 **Au Canada** 9673
- **Dépréciation** 43,1%
- **Rappels** (2004 à 2009) 4
- **Cote de fiabilité** 4/5
- **Garantie générale** 3 ans/60 000 km

3 GARANTIES... ET PLUS

- **Garantie motopropulseur** 5 ans/100 000 km
- **Perforation** 5 ans/kilométrage illimité
- **Assistance routière** 3 ans/60 000 km
- **Nombre de concessionnaires** **Au Québec** 68 **Au Canada** 241
- Les codes des modèles ont été changés.

4 NOUVEAUTÉS EN 2010

XRunner à cabine accès retiré du marché

BEAUCOUP D'APPELÉES, PEU D'ÉLUES

PAR FRANCIS BRIÈRE

QUE LA CONCURRENCE EST FORTE DANS CE SEGMENT DE MARCHÉ ! Chose certaine, Toyota a voulu s'imposer avec ses deux camionnettes, la Tacoma et la Tundra. Celle qui nous intéresse n'offre guère davantage en ce qui a trait à la motorisation, mais tellement plus pour tout le reste. Une camionnette du type intermédiaire ne peut être considérée pour effectuer de lourds travaux ou encore pour tirer des charges excessives. Vaut mieux laisser ce labeur aux durs à cuire. Reste que la Tacoma peut rendre de gros services

[CARROSSERIE] La Tacoma est définitivement la camionnette qui affiche l'allure la plus masculine dans cette catégorie. Sa calandre, son capot en relief et ses ailes lui confèrent une mine qui inspire la grosse besogne. La cabine allongée aide la cause, puisque la version de base montre une camionnette plus timide. Quand on compare la Tacoma aux autres camionnettes de la catégorie, Toyota remporte la palme en ce qui a trait à la conception. Les Colorado, Dakota et Canyon peuvent aller se rhabiller. Une boîte de cinq ou six pieds est offerte pour la Tacoma.

[HABITACLE] L'intérieur de la Tacoma offre tout le confort que vous souhaitez retrouver à bord d'une camionnette. La présentation surpasse celle de la concurrence, entre autres celle de la planche de bord et des cadrans. Les matériaux qui composent l'habitacle sont de bonne qualité et bien assemblés. De série, la Tacoma 2010 offre une chaîne audio avec lecteur de DC et de MP3, un module prêt pour la radio satellite et une prise de branchement auxiliaire. Déplorons le fait que la climatisation soit en option pour les camionnettes à deux roues motrices.

[MÉCANIQUE] Deux choix de motorisations sont proposés avec la Tacoma. Un moteur à 4 cylindres de 2,7 litres produisant 159 chevaux offre tout de même une puissance appréciable et se veut plus économique que le V6. Il s'agit du même mo-

FORCES · Caisse réussie · Comportement exemplaire · Confort étonnant

FAIBLESSES · Version de base dépouillée · Prix qui grimpe en flèche avec les options

teur qu'on retrouve dans le Highlander et dans le Venza. Si vous souhaitez équiper la Tacoma pour les travaux plus costauds, il y a le V6 de 4 litres qui fournit 236 chevaux et un couple de 266 livres-pieds. On vante le V8 que Dodge suggère avec la Dakota, mais franchement, pour la majorité des travaux, le V6 de Toyota fait un bon boulot. Et que dire de la consommation de carburant ! Bien raisonnable pour le gabarit de la camionnette. La bonne nouvelle, c'est qu'une boîte de vitesses manuelle est offerte avec les deux moteurs, une à 5 rapports avec le 4-cylindres, une autre à 6 rapports avec le V6. La configuration la plus costaude permet de traîner jusqu'à 2268 kilos, ce qui représente 5000 livres.

[COMPORTEMENT] Vous trouvez sans doute mon texte plutôt élogieux, et c'est tant mieux pour Toyota. Pour le comportement de cette camionnette, les éloges se poursuivent. En effet, la Tacoma offre une tenue de route rassurante et un confort surprenant. Je me dis qu'un entrepreneur peut utiliser cette camionnette pour le boulot et y transporter sa famille le week-end ou pour les vacances sans sacrifier le confort de ses occupants. Bien entendu, on n'achète pas une Tacoma pour la balade du dimanche, mais pourquoi ne pas s'en servir aussi comme véhicule de tourisme ! Rien n'empêche. Évidemment, il faut prendre en considération qu'il s'agit d'une camionnette, dotée d'un châssis de camionnette. Sur une mauvaise chaussée, elle devient inévitablement sautillante.

[CONCLUSION] Le marché de la camionnette intermédiaire est concurrentiel, mais Toyota offre une Tacoma qui surpasse la concurrence. La qualité de son comportement routier, le confort qu'elle procure à ses occupants et sa robustesse en font un excellent choix. Si l'idée vous prenait de vous en procurer une, n'hésitez pas à choisir la version à quatre roues motrices. Avec notre climat et pour ce type de camionnette, ce mode de propulsion me semble plus approprié. Pour moins de 30 000 dollars, vous avez une camionnette avec cabine double, moteur V6 et quatre roues motrices.

2e OPINION

ALEXANDRE CRÉPAULT La Tacoma n'a rien d'un miracle, mais fait certes bien les choses. Ses airs de famille avec sa grande soeur, la Tundra, que dégagent ses phares et sa calandre lui donnent assez de gueule pour ne pas faire rire d'elle. Les performances de son moteur V6 sont tout aussi respectables. Quoiqu'on ne puisse pas en dire autant du maigrichon 4-cylindres, il faut admettre que la concurrence ne fait guère mieux. Le degré de confort est aussi, dans la mesure du possible pour une camionnette de format moyen, un point fort de la Tacoma. Surtout sur la version double cab, avec de l'espace raisonnable pour quatre adultes. Elle a beau être aussi utile sur un chantier de construction qu'une ballerine, il est tout de même plaisant de constater qu'un constructeur d'automobiles daigne encore produire une version spécialisée de ses produits.

5 FICHE TECHNIQUE

· MOTEUR
· (CABINE ACCÈS 4X2 ET 4X4)
L4 2,7 l DACT, 159 ch à 5200 tr/min
Couple 180 lb-pi à 3800 tr/min
Transmission manuelle à 5 rapports, automatique à 4 rapports (en option)
0-100 km/h 11,5 s
Vitesse maximale 165 km/h

· (4X4, V6)
V6 4,0 l DACT, 236 ch à 5200 tr/min
Couple 266 lb-pi à 4000 tr/min
Transmission manuelle à 6 rapports, automatique à 5 rapports (en option)
0-100 km/h 9,9 s
Vitesse maximale 175 km/h
Consommation (100 km) 2RM man. 11,8 l **4RM man.** 12,7 l **auto.** 11,8 l (octane 87)
Émissions de CO_2 2RM man. 5760 kg/an **4RM man.** 6144 kg/an **auto.** 5712 kg/an
Litres par année 2RM man. 2400 l **4RM man.** 2580 l **auto.** 2360 l
Coût par an 2RM man. 2400 $ **4RM man.** 2580 $ **auto.** 2360 $
Autre motorisation non
Empreinte écologique 35 arbres

· AUTRES COMPOSANTES
Sécurité active freins ABS, répartition électronique de force de freinage, assistance au freinage, contrôle de stabilité, régulateur de traction
Suspension avant/arrière indépendante, essieu rigide
Freins avant/arrière disques/tambours
Direction à crémaillère, assistée
Pneus Cabine Accès 2RM P215/70R15 **4RM** P245/75R16

· DIMENSIONS
Empattement 3246 à 3570 mm
Longueur 5286 à 5621 mm
Largeur 1835 à 1895 mm
Hauteur 1670 à 1781 mm
Poids 1583 à 1880 kg
Diamètre de braquage 13,2 à 14,2 m
Réservoir de carburant 80 l
Capacité de remorquage 1587 à 2268 kg

NOS MENTIONS

Modèle recommandé

NOTRE VERDICT

Plaisir au volant	●●●◐
Qualité de finition	●●●●
Consommation	●●●◐
Rapport qualité/prix	●●●●
Valeur de revente	●●●●

TUNDRA

www.toyota.ca

N ÉVOLUTION É J

24 995 $ à 51 705 $
transport et préparation: 1440 $

LA COTE VERTE

AVEC MOTEUR V8 DE 4,6 L

- **Consommation (100km): 2RM** 12,1 l **4RM** 13,2 l
- **Émissions polluantes CO_2 : 2RM** 6624 kg/an **4RM** 6864 kg/an
- **Empreinte écologique (nombre d'arbres à planter par année):** 28
- **Indice d'octane:** 87
- **Autre motorisation:** non
- **Coût du carburant moyen par année: 2RM** 2720 $ **4RM** 2840 $
- **Nombre de litres par année: 2RM** 2720 l **4RM** 2840 l

(SOURCE: ÉnerGuide)

1 FICHE D'IDENTITÉ

- **Versions** 15 modèles, 3 cabines
- **Roues motrices** arrière, 4
- **Portières** 2, 4 **Nombre de passagers** 5
- **Première génération** 1999
- **Génération actuelle** 2007
- **Construction** Indiana, É.-U.
- **Sacs gonflables** 2 (frontaux)
- **Concurrence** Chevrolet Silverado, Dodge Ram, Ford F-150, GMC Sierra, Honda Ridgeline, Nissan Titan

2 AU QUOTIDIEN

- **Prime d'assurance**
  25 ans: 1900 à 2100 $
  40 ans: 1100 à 1300 $
  60 ans: 900 à 1100 $
- **Collision frontale** 4/5
- **Collision latérale** 5/5
- **Ventes du modèle de l'an dernier**
  Au Québec 1 441 **Au Canada** 9 477
- **Dépréciation** 37,2 %
- **Rappels** (2004 à 2009) 3
- **Cote de fiabilité** 1/5

3 GARANTIES... ET PLUS

- **Garantie générale** 3 ans/60 000 km
- **Garantie motopropulseur** 5 ans/100 000 km
- **Perforation** 5 ans/kilométrage illimité
- **Assistance routière** 3 ans/60 000 km
- **Nombre de concessionnaires**
  Au Québec 68 **Au Canada** 241

4 NOUVEAUTÉS EN 2010

- Nouveau moteur V8 de 4,6 l
- Mode REMORQUAGE/TRANSPORT ajouté au moteur de 4,6 L Système d'admission à com mande acoustique (ACIS)
- Nouvel ensemble Platinum

CIVILISÉE

PAR ALEXANDRE CRÉPAULT

LA TUNDRA EST SANS L'OMBRE D'UN DOUTE, LA SEULE VÉRITABLE CONCURRENCE DANS LE SEGMENT DES CAMIONNETTES PLEINE GRANDEUR VENANT DE L'EXTÉRIEUR DES ÉTATS-UNIS. Un avantage... sans doute.

[CARROSSERIE] La Tundra a beau être d'origine nipponne, il n'y a absolument rien de petit sur cette camionnette. De l'immense calandre jusqu'aux roues de 18 pouces (20 pouces en option), en passant par les poignées surdimensionnées, la Tundra se bat à armes égales avec la concurrence américaine. Trois formats de cabine sont offerts : régulier, double cab et Crewmax. Les véhicules équipés de la cabine régulière peuvent seulement être jumelés avec la plus grande caisse offerte sur la Tundra, soit de 8,1 pieds. La version double cab, elle, peut être jumelée avec la même longue caisse que le modèle régulier ou une caisse de format moyen (6,5pieds). Enfin, la cabine Crewmax a droit à la plus petite caisse des trois modèles, avec une longueur limitée à 5,5 pieds. Peu importe son choix de combinaison, la caisse de la Tundra offre un système de rabattement hydraulique qui en facilite l'ouverture et la fermeture, et un système de rail pouvant être utilisé pour divers besoins.

[HABITACLE] C'est une fois à bord de la Tundra qu'on se rend compte de son énorme avantage sur la concurrence. Les produits américains ont beau avoir fait des pas de géant au chapitre des matériaux et de la finition intérieure, face à la qualité de la planche de bord de la Tundra, ils ne font tout simplement pas le poids. Les gros boutons et l'immense levier de vitesses sont faciles à manier, et il y a du rangement pour les fins et les fous. Comme ses rivales, la Tundra peut être équipée au strict minimum, avec une banquette avant et des sièges en tissu, tout comme elle peut devenir une luxueuse camionnette d'affaire, pourvue de cuir, d'un écran à cristaux liquides de 7 pouces, d'un GPS, d'une chaîne audio performante JBL et ainsi de suite.

[MÉCANIQUE] Deux V8 à carburant, de prime abord similaires en termes de caractéristiques techniques, s'occupent de déménager les 7000

FORCES • Habitacle bien fini et confortable • Puissance du 5,7-litres • Style toujours moderne et musclé

FAIBLESSES • Consommation des deux moteurs • Prix, des options surtout • Pas de boîte manuelle

TUNDRA

livres ou plus de la Tundra. Toyota a revisé son moteur de base qui passe de 4,7 à 4,6 litres et de 276 à 310 chevaux. Plus de puissance, mais une économie de carburant de 12% grâce à une nouvelle boîte automatique à six rapports qui réduit le régime moteur. Il peut remorquer jusqu'à 8400 livres et consomme, selon le constructeur, 12,1 litres aux 100 kilomètres, en version deux roues motrices. Une deuxième mécanique offerte en option, et la seule offerte sur la version Crewcab, affiche une cylindrée de 5,7 litres et produit une puissance imposante de 381 chevaux et produit un couple de 401 livres-pieds. Sa capacité de remorquage grimpe considérablement, jusqu'à 10 800 livres précisément. À notre grande surprise, sa consommation est relativement similaire au plus petit moteur, surtout sur les versions plus lourdes de la Tundra. Toutes les Tundra peuvent être commandées avec ou sans le mode 4 x 4.

[COMPORTEMENT] J'ai eu la chance de conduire une Tundra Crewcab d'Edmonton à Montréal avec une voiture de course attachée à l'arrière. Mon Dieu qu'il y a du jus sous le pied droit. Même avec 6000 livres à tirer, le 5,7-litres avance avec tellement de vigueur que nous avons dû nous expliquer avec la gendarmerie royale. La rigidité de la caisse, même après deux ans d'usure, est tout aussi surprenante, et les freins ne nous ont jamais laissé tomber. Le seul sérieux reproche qu'on peut faire à la Tundra est sa consommation astronomique, surtout une fois chargée. Une fois défait de son fardeau, la Tundra se conduit confortablement en ville, aidée par un bon rayon de braquage et une direction assez précise.

[CONCLUSION] La qualité légendaire de Toyota est apparente sur la Tundra, et il s'agit sans l'ombre d'un doute de son principal avantage. Personne ne s'attend à un bas niveau de consommation sur une camionnette d'une demi-tonne. Cela dit, un moteur diesel ou, encore mieux, une motorisation hybride diesel ferait du sens. Et avec l'amélioration constante de la concurrence américaine, Toyota a besoin de sortir de nouveaux arguments pour mousser les ventes de sa Tundra.

2e OPINION

BENOIT CHARETTE Peu de véhicules représentent mieux les valeurs nord-américaines que la camionnette pleine grandeur. Si les Québécois n'en sont pas très friands, il faut aller chez nos voisins ontarien ou mieux américains pour réaliser l'importance de ce segment de marché. Les Américains ont toujours eu le haut du pavé grâce au choix interminable de modèles, les Japonais ont toujours été laissé pour compte en raison du format et du choix. Toyota a finalement compris le marché et commence à s'adapter. Outre la puissance de ses moteurs qui n'a rien à envier aux Américains, le Tundra offre maintenant 15 modèles, trois choix de cabines et trois longueurs de caisse qui permettent, Eh Oui ! de transporter les désormais célèbre panneaux de contreplaqué. Même si le segment a beaucoup ralenti, Toyota continue d'offrir le seul «pick-up» capable de tenir tête à Ford, GM et Dodge.

5 FICHE TECHNIQUE

- **MOTEURS**
- **(2RM CABINE STANDARD, CABINE DOUBLE, CREWMAX)**

V8 4,6 l DACT, 310 ch à 5500 tr/min
Couple 327 lb-pi à 3400 tr/min
Transmission automatique à 6 rapports
0-100 km/h 9,0 s
Vitesse maximale 185 km/h

- **(EN OPTION)**

V8 5,7 l DACT, 381 ch à 5600 tr/min
Couple 401 lb-pi à 3600 tr/min
Transmission automatique à 6 rapports
0-100 km/h 8,0 s
Vitesse maximale 200 km/h
Consommation (100 km) **2RM** 13,1 l
4RM 14,4 l (octane 87)
Émissions de CO_2 2RM 6384 kg/an
4RM 7006 kg/an
Litres par année 2RM 2660 l **4RM** 2880 l
Coût par an 2RM 2660 $ **4RM** 2880 $
Autre motorisation non
Empreinte écologique 39 arbres

- **AUTRES COMPOSANTES**

Sécurité active freins ABS
Suspension avant/arrière indépendante/essieu rigide
Freins avant/arrière disques
Direction à crémaillère, assistée
Pneus 2RM 255/70R18 **Limited** 275/55R20

- **DIMENSIONS**

Empattement 3220 mm 3700 mm
CrewMax 4180 mm
Longueur 5329 mm 5810 mm
CrewMax 6290 mm
Largeur 2030 mm
Hauteur 1935 mm **CrewMax** 1940 mm
Poids 2271 kg **(cab. standard 2RM)** à 2561 kg **(CrewMax Limited 4RM)**
Diamètre de braquage 13,42 m CrewMax 14,92
Réservoir de carburant 100 l
Capacité de remorquage 3810 à 4895 kg

NOS MENTIONS

Modèle recommandé

NOTRE VERDICT

Plaisir au volant
Qualité de finition
Consommation
Rapport qualité/prix
Valeur de revente

VENZA

www.toyota.ca

N ÉVOLUTION É
J

28 900 $ à 32 050 $
transport et préparation: 1490 $

LA COTE VERTE

MOTEUR
L4 DE 2,7 L

- **Consommation (100km):** 7,9 l
- **Émissions polluantes CO_2 :** 3840 kg/an
- **Empreinte écologique (nombre d'arbres à planter par année):** 23
- **Indice d'octane:** 87
- **Autre motorisation:** non
- **Coût du carburant moyen par année:** 1600 $
- **Nombre de litres par année:** 1600 l

(SOURCE: ÉnerGuide)

1 FICHE D'IDENTITÉ

- **Versions** LE, SE, LE V6, SE V6, XLE V6
- **Roues motrices** avant, 4
- **Portières** 4 **Nombre de passagers** 5
- **Première génération** 2009
- **Génération actuelle** 2009
- **Construction** Georgetown, Kentucky, É.-U.
- **Sacs gonflables** 7 (frontaux, latéraux avant, rideaux latéraux, au niveau des genoux pour le conducteur)
- **Concurrence** Ford Flex, Honda Pilot, Hyundai Santa Fe, Mazda CX-9, Nissan Murano, Subaru Tribeca, Suzuki XL7

2 AU QUOTIDIEN

- **Prime d'assurance**
  25 ans: 1400 à 1600 $
  40 ans: 1000 à 1200 $
  60 ans: 900 à 1100 $
- **Collision frontale** nd
- **Collision latérale** nd
- **Ventes du modèle de l'an dernier**
  Au Québec nm **Au Canada** nm
- **Dépréciation** (3 ans) nm
- **Rappels** (2003 à 2008) nm
- **Cote de fiabilité** nm

3 GARANTIES... ET PLUS

- **Garantie générale** 3 ans/60 000 km
- **Garantie motopropulseur** 5 ans/100 000 km
- **Perforation** 5 ans/kilométrage illimité
- **Assistance routière** 3 ans/60 000 km
- **Nombre de concessionnaires**
  Au Québec 68 **Au Canada** 241

4 NOUVEAUTÉS EN 2010

- Aucun changement majeur

MANGEUR DE... CAMRY ?

DANIEL RUFIANGE

LORS DU LANCEMENT DU VENZA, TOYOTA AFFIRMAIT AVOIR RÉINVENTÉ L'AUTOMOBILE. NON MAIS UN PEU D'HUMILITÉ NE FERAIT PAS DE TORT. Sans vouloir vexer personne, le Venza ne réinvente rien, mais il revoit l'automobile avec une touche novatrice. Petit Highlander ou grosse Camry que ce nouveau venu ? Ni l'un ni l'autre ! Le Venza est un produit propre en soit. Pourrait-il faire ombrage à ses consœurs ?

[CARROSSERIE] Vous l'aurez deviné, les dimensions du Venza se trouvent entre celles de la Camry et du Highlander. Sa plateforme, dérivée de ces deux produits, lui est cependant unique. À l'avant, on reconnaît la signature Toyota et on note un certain abus dans l'utilisation du chrome. À l'arrière, des feux au design inspiré donne au véhicule des airs de Lexus. Quant au profil, sa forme élancée témoigne des nombreuses heures passées en soufflerie, efforts qui confère au Venza un excellent coefficient de traînée de 0,32. Au premier regard, on remarque ses immenses roues; 19 ou 20 pouces, selon qu'on opte pour la version à 4-cylindres ou V6.

[HABITACLE] Si Toyota innove avec ce véhicule, c'est surtout à l'intérieur. Les créateurs ont mis tout en œuvre pour prioriser l'espace, et c'est réussi. Tant à l'avant qu'à l'arrière, on se sent immédiatement à l'aise à bord, peu importe son gabarit. En prime, le design des seuils de porte a été élargi afin d'en faciliter l'entrée et la sortie; belle initiative. Les baquets arrière, rabattables pour décupler les capacités de charge, sont même inclinables vers l'arrière pour plus de confort; moins belle initiative : l'exercice n'améliore pas le confort. Toyota marque des points côté présentation. Ça plaît à l'œil quand on s'installe aux commandes. La section de rangement centrale se voit munie de porte-gobelets amovibles, ce qui ne limite pas l'accès à l'espace situé en dessous. Côté équipement, le propriétaire est gâté, peu importe la version sur laquelle il dépensera ses économies. Ordinateurs de bord, prises pour les nouvelles technologies et chaîne audio de qualité ne sont que quelques-unes des gâteries auxquelles nous avons droit. Pour ce qui est des options, elles sont disponibles, pour la plupart, à condition d'opter pour une version AWD.

FORCES • Douceur de roulement • Grande polyvalence • Belle coupe • Habitacle accueillant et soigné

FAIBLESSES • Moteurs grognons • Roues de 19 ou 20 pouces seulement; ça va coûter cher ! • Une facture qui grimpe rapidement avec les options

VENZA

Autrement, le choix d'un Venza à moteur V6 vous permet de choisir quelques options, plus que la simple version de base.

[MÉCANIQUE] Toyota offre deux motorisations soit un 4-cylindres et un V6. Si nous connaissons bien cette dernière, un V6 de 3,5 litres qui anime également la Camry, la première est une recrue. Ce moteur à 4 cylindres de 2,7 litres offre une puissance adéquate de 186 chevaux. La différence de consommation entre les deux – environ 1,5 litre aux 100 kilomètres – est minime. En conséquence, je vous recommande le V6, surtout si vous comptez transporter du matériel, des passagers ou tirer des charges.

[COMPORTEMENT] Habituellement, prendre le volant d'un véhicule Toyota ne constitue pas une expérience renversante. La quiétude prime sur les sensations fortes. Le Venza respecte cette tradition. Cependant, on découvre un véhicule agile, capable de bien négocier les virages, merci aux immenses roues et à une bonne répartition des poids. La direction se montre précise quoiqu'un tantinet lourde. Quand on doit solliciter les freins, il faut s'attendre à découvrir une pédale au jeu important; gardez vos distances ! Les accélérations sont franches et honnêtes; rien pour dépeigner mais assez pour bien s'imbriquer dans la circulation lourde. Certes, la grande qualité du Venza demeure sa douceur de roulement; on a souvent l'impression de rouler plus lentement qu'on ne le fait en réalité.

[CONCLUSION] Révolutionnaire le Venza ? Non! Cependant, difficile de lui trouver de gros défauts. Spacieux, confortable et doté non seulement d'une bonne capacité de rangement mais aussi de remorquage, il se veut polyvalent. Est-ce que les ventes de la Camry ou du Highlander pourraient en souffrir ? Si j'étais propriétaire d'un taxi, je songerais sérieusement à troquer ma Camry pour un Venza.

2e OPINION

FRANCIS BRIÈRE Je m'interroge quant à l'utilité de cette voiture. Ça fait changement, pourrait-on dire. Cette Camry joufflue coûte plus cher de carburant pour sensiblement le même résultat. Mais le Venza, conçu par des Américains, plaît aux Américains qui se montrent friands de véhicules gonflés et hauts sur pattes. Pour cela, il y avait déjà la Sienna et le Highlander. Faut croire que les concepteurs ont vu une faille dans la gamme Toyota. On ne peut cependant nier qu'elle a de beaux traits. L'acheteur devra garder à l'esprit que la nouvelle loi québécoise exige la pose de pneus d'hiver. Rappelons-lui que le Venza est équipé de roues de 19 et de 20 pouces. La facture risque de faire mauvaise impression. Autrement, son conducteur appréciera le confort et la douceur de roulement qu'on retrouve chez Toyota.

(5) FICHE TECHNIQUE

· MOTEURS

· (LE, SE)

L4 2,7 l DACT, 182 ch à 5800 tr/min
Couple 182 lb-pi à 4200 tr/min
Transmission automatique à 6 rapports
0-100 km/h 9,8 s
Vitesse maximale 190 km/h

· (LE V6, SE V6, XLE V6)

V6 3,5 l DACT, 268 ch à 6200 tr/min
Couple 246 lb-pi à 4700 tr/min
Transmission automatique à 6 rapports avec mode manuel
0-100 km/h 7,2 s
Vitesse maximale 220 km/h
Consommation (100 km) 8,9 l (octane 87)
Émissions de CO_2 4560 kg/an
Litres par année 1900 l
Coût par an 1900 $
Empreinte écologique 25 arbres

· AUTRES COMPOSANTES

Sécurité active freins ABS, répartition électronique de force de freinage, assistance au freinage, antipatinage et contrôle de stabilité électronique
Suspension avant/arrière indépendante
Freins avant/arrière disques
Direction à crémaillère, assistée
Pneus P245/55R19 P245/50R20

· DIMENSIONS

Empattement 2775 mm
Longueur 4800 mm
Largeur 1905 mm
Hauteur 1610 mm
Poids LE 1705 kg **SE** 1790 kg **LE V6** 1755 kg **V6 TI** : 1835 kg
Diamètre de braquage 11,0 m
Coffre 425 l
Réservoir de carburant 70 l
Capacité de remorquage 4 cyl : 1134 kg, **V6** 1587 kg

NOS MENTIONS

Modèle recommandé

NOTRE VERDICT

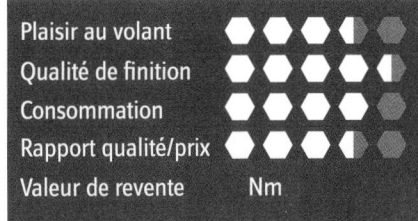

Plaisir au volant
Qualité de finition
Consommation
Rapport qualité/prix
Valeur de revente Nm

YARIS

www.toyota.ca

N ÉVOLUTION É J

13 620 $ à 19 225 $
transport et préparation: 1280 $

LA COTE VERTE

MOTEUR
L4 DE 1,5 L

- **Consommation (100km):** **man.** 6,2 l **auto.** 6,3 l
- **Émissions polluantes CO_2 :** **man.** 3024 kg/an **auto.** 3072 kg/an
- **Empreinte écologique (nombre d'arbres à planter par année):** 18
- **Indice d'octane:** 87
- **Autre motorisation:** non
- **Coût du carburant moyen par année:** **man.** 1260 $ **auto.** 1280 $
- **Nombre de litres par année:** **man.** 1260 l auto. 1280 l

(SOURCE: ÉnerGuide)

1 FICHE D'IDENTITÉ

- **Versions** hatchback CE 3 portes, LE 5 portes, RS 3 portes; berline 4 portes Groupe A, B, C, D, E
- **Roues motrices** avant
- **Portières** 3, 5 **Nombre de passagers** 4
- **Première génération** 2000 (Echo)
- **Génération actuelle** 2006
- **Construction** Nagakasa, Japon
- **Sacs gonflables** 2 (frontaux; latéraux en option sur berline)
- **Concurrence** Chevrolet Aveo, Honda Fit, Hyundai Accent, Kia Rio, Nissan Versa, Suzuki Swift+

2 AU QUOTIDIEN

- **Prime d'assurance**
  25 ans: 1200 à 1400 $
  40 ans: 800 à 1000 $
  60 ans: 700 à 900 $
- **Collision frontale** 4/5
- **Collision latérale** 3/5
- **Ventes du modèle de l'an dernier**
  Au Québec 21 578 **Au Canada** 40 602
- **Dépréciation** 35,7%
- **Rappels** (2004 à 2009) 1
- **Cote de fiabilité** 5/5

3 GARANTIES... ET PLUS

- **Garantie générale** 3 ans/60 000 km
- **Garantie motopropulseur** 5 ans/100 000 km
- **Perforation** 5 ans/ kilométrage illimité
- **Assistance routière** 3 ans/60 000 km
- **Nombre de concessionnaires**
  Au Québec 68 **Au Canada** 241

4 NOUVEAUTÉS EN 2010

- Nouvelle couleur, système de freinage antiblocage, assistance au freinage, Contrôle de la stabilité du véhicule, RS 3 portes éliminé

EN AVOIR POUR SON ARGENT ?

PAR JEAN-PIERRE BOUCHARD

LA YARIS FIGURE SUR LA LISTE DES VOITURES LES PLUS VENDUES AU PAYS. ET CE N'EST PAS À CAUSE DE SES QUALITÉS ROUTIÈRES NI POUR SON GRAND CONFORT. Non. C'est surtout pour la réputation de fiabilité qui la précède et sa frugalité en carburant. La Yaris est, d'abord et avant tout, un choix dicté par la raison.

[CARROSSERIE] La plus petite des Toyota est offertes en configurations berline, à trois portes et à cinq portes. Certes, elle est coquette, en particulier du côté des versions bicorps (hatchback). Quand on étudie son rapport prix-dimensions et qu'on la compare, disons, avec une Nissan Versa ou encore avec la Toyota Matrix, on réalise que la voiture rate la cible. Et quand on compare sa polyvalence à celle d'une Honda Fit, à peine plus chère, on constate une fois de plus que la Yaris fait figure d'enfant pauvre. Mais, un constructeur comme Toyota n'a que faire de ces considérations philosophiques. Car à lui seul, le nom attire les foules.

[HABITACLE] La voiture se démarque par un habitacle d'une grande sobriété. L'instrumentation placée au centre de la console apporte une touche d'originalité. Le conducteur a toutefois besoin d'une petite période d'adaptation. Les sièges fournissent un bon confort. Le dégagement pour la tête et les jambes est étonnant pour une voiture de ce format. J'aurais par contre souhaité deux choses : la présence d'un volant télescopique et une course de siège plus longue pour bénéficier d'un peu plus d'espace pour les jambes. Ne nous cachons rien toutefois : une Yaris n'est pas une voiture pour une grande personne ni pour la conduite sur de longs trajets. La finition est, dans l'ensemble, de bon aloi, même si les plastiques rugueux et tristounets dominent. L'habitacle filtre également difficilement les bruits du moteur et ceux de la route. À ce chapitre, la Versa et la Hyundai Accent font un peu mieux. La banquette procure un confort honnête pour au moins deux personnes. Ceux de plus grande taille apprécieront davantage la Yaris Hatchback,

FORCES • Consommation de carburant • Choix de configurations • Fiabilité reconnue

FAIBLESSES • Concurrence qui en offre davantage sur tous les plans

car le dégagement pour la tête y est un peu plus généreux. Le coffre de la berline est un peu plus spacieux que celui des autres configurations. Dans tous les cas cependant, on peut en augmenter les capacités en abaissant le dossier des sièges. Contrairement à la Honda Fit, les sièges des Hatchback ne permettent aucune modularité.

[MÉCANIQUE] Pour animer ce poids plume, nul besoin d'une artillerie lourde. Le moteur de 1,5 litre suffit amplement pour effectuer le travail. Les 106 chevaux assurent des accélérations et des dépassements tout ce qu'il y a de plus honnête, surtout avec la boîte de vitesses manuelle. Et en plus, de la façon la plus économique possible. En moyenne, la Yaris utilise environ 7 litres aux 100 kilomètres.

[COMPORTEMENT] J'ai toujours noté une disparité entre la berline et la Hatchback. La première étant moins plaisante à conduire que la seconde. Quoi qu'il en soit, ces deux voitures ne sont pas de grandes routières. Elles sont surtout de bonnes petites citadines qui permettent de se faufiler allégrement dans la circulation. La direction à assistance électrique facilite les manœuvres de stationnement à basse vitesse. Afin d'améliorer la stabilité et les distances de freinage, les freins ABS, offerts en option sur la plupart des versions, constituent un choix judicieux.

[CONCLUSION] Nul besoin de vous dire que la Yaris n'est pas mon premier choix dans la catégorie des sous-compactes. Je suis tout de même conscient que, en version d'entrée de gamme, le rapport prix-économie-fiabilité est excellent. Lors d'un match comparatif que nous avons déjà mené pour le compte de *L'Annuel*, la voiture n'avait convaincu personne. La Nissan Versa et la Honda Fit avaient, par contre, remporté les premières places. Et elles les remporteraient encore aujourd'hui. Mais, quand un véhicule jouit d'une notoriété aussi grande que celle de Toyota, difficile de ne pas lui résister, surtout pour un usage urbain ou pour livrer du poulet.

2e OPINION

DANIEL RUFIANGE Avec des chiffres de ventes aussi impressionnants, facile de comprendre que le portefeuille joue un rôle capital dans l'acquisition d'un véhicule. La Yaris représente une bonne dépense pour quiconque doit composer avec un budget limité ou priorise tout simplement la dilapidation de son fric ailleurs. Au volant, on apprécie sa maniabilité, sa faible consommation en carburant, son espace généreux, surtout pour les passagers arrière, et le fait qu'on peut la garer n'importe où ! Si votre choix s'arrête sur elle, optez pour la version à cinq portes; la berline est atroce en tout point. Soyez aussi avertis que si vous croyez frapper le gros lot uniquement parce qu'il s'agit d'un produit Toyota, détrompez-vous ! La concurrence s'est ajustée et offre des véhicules équivalents voire supérieurs.

(5) FICHE TECHNIQUE

· MOTEUR
L4 1,5 l DACT, 106 ch à 6000 tr/min
Couple 103 lb-pi à 4200 tr/min
Transmission manuelle à 5 rapports, **automatique** à 4 rapports (en option)
0-100 km/h 11,1 s
Vitesse maximale 180 km/h

· AUTRES COMPOSANTES
Sécurité active freins ABS (en option)
Suspension avant/arrière indépendante/essieu rigide
Freins avant/arrière disques, tambours
Direction à crémaillère, assistée
Pneus P185/60R15

· DIMENSIONS
Empattement hatch. 2460 mm **berl.** 2550 mm
Longueur hatch. 3825 mm **berl.** 4300 mm
Largeur hatch. 1695 mm **berl.** 1690 mm
Hauteur hatch. 1525 mm **berl.** 1440 mm
Poids berl. 1050 kg **hatch. CE** 1043 kg **LE** 1050 kg **RS 3 p.** 1052 kg **RS 5 p.** 1059 kg
Diamètre de braquage hatch. 9,4 m berl. 10,4 m
Capacité de remorquage 318 kg
Coffre hatch. 228 l berl. 365 l
Réservoir de carburant 42 l

NOS MENTIONS

Le choix vert

NOTRE VERDICT

Plaisir au volant
Qualité de finition
Consommation
Rapport qualité/prix
Valeur de revente

EOS

www.vw.ca

N ÉVOLUTION É J

36 575 $ à 44 775 $
transport et préparation: 1335 $

LA COTE VERTE

MOTEUR
L4 DE 2,0 L TURBO

- **Consommation (100km):** man. 8,5 l auto. 8,2 l
- **Émissions polluantes CO_2:** man. 4128 kg/an auto. 3984 kg/an
- **Empreinte écologique (nombre d'arbres à planter par année):** 25
- **Indice d'octane:** 91
- **Autre motorisation:** non
- **Coût du carburant moyen par année:** man. 1870 $ auto. 1782 $
- **Nombre de litres par année:** man. 1700 l auto. 1620 l

(SOURCE: ÉnerGuide)

(1) FICHE D'IDENTITÉ

- **Version** 2.0T (Trendline, Comfortline)
- **Roues motrices** avant
- **Portières** 2
- **Première génération** 2007
- **Génération actuelle** 2007
- **Construction** Setubal, Portugal
- **Sacs gonflables** 6 (frontaux, latéraux avant, rideaux latéraux)
- **Concurrence** Mitsubishi Eclipse Spyder, Toyota Solara Cabriolet

(2) AU QUOTIDIEN

- **Prime d'assurance**
  25 ans: 2200 à 2400 $
  40 ans: 1200 à 1400 $
  60 ans: 1000 à 1200 $
- **Collision frontale** nm
- **Collision latérale** nm
- **Ventes du modèle l'an dernier**
  Au Québec 411 **Au Canada** 1121
- **Dépréciation** (2 an) 43,2%
- **Rappels** (2004 à 2009) aucun à ce jour
- **Cote de fiabilité** 3,5/5

(3) GARANTIES... ET PLUS

- **Garantie générale** 4 ans/80 000 km
- **Garantie motopropulseur** 5 ans/100 000 km
- **Perforation** 12 ans/kilométrage illimité
- **Assistance routière** 4 ans/kilométrage illimité
- **Nombre de concessionnaires**
  Au Québec 42 **Au Canada** 129

(4) NOUVEAUTÉS EN 2010

- Aucun changement majeur

LE PRÊT-À-ROULER FÉMININ

PAR FRANCIS BRIÈRE

SELON VOLKSWAGEN, IL Y A TOUJOURS DE LA PLACE POUR LA PETITE BALADE DU DIMANCHE APRÈS-MIDI À CIEL OUVERT. Avec son toit rétractable, l'Eos offre davantage qu'un simple coupé : profiter de la belle saison peut changer une vie ! En revanche, cette voiture n'est pas idéale en hiver, même si sa traction lui procure une bonne stabilité dans la neige. Quoi qu'il en soit, il s'agit d'un modèle susceptible d'attirer l'attention de la gent féminine en raison de son style. Ni sportive, ni voiture de grand tourisme, l'Eos demeure un objet de convoitise destiné à satisfaire le promeneur occasionnel.

[CARROSSERIE] La Volkswagen Eos affiche les mêmes lignes fluides depuis 2007. Elle partage un lien de parenté avec l'Audi A4 décapotable, malgré le fait qu'on lui ait greffé seulement deux portes. L'agencement des deux vitres (arrière et avant) a l'avantage d'éliminer les deux piliers, ce qui améliore la visibilité et... l'ensoleillement ! Outre l'Eos et l'A4, d'autres coupés existent, comme l'Infiniti G37, la Volvo C70, l'Audi A5 et la Lexus IS. En revanche, aucune autre de ces voitures ne se vend sous les 40 000 $. Le toit rigide de l'Eos n'a rien à envier à celui de ses rivales : il offre une bonne insonorisation et lui confère une allure très chic. Comme c'est toujours le cas pour ce genre de voiture, le coffre offre un espace de chargement restreint.

[HABITACLE] Le constructeur allemand use de bien peu d'originalité quand il s'agit d'aménager une planche de bord. En revanche, les commandes se retrouvent au bon endroit, l'affichage est simple et efficace. À noter qu'il s'agit d'un modèle du type 2+2 : les places arrière conviennent surtout à de jeunes enfants. Même à l'avant, le conducteur de grande taille aura du mal à monter à bord en raison de la colonne de direction qui gêne le passage de la jambe droite. Les sièges de cuir offrent un soutien ergonomique appréciable, ce qui n'est pas toujours le cas chez Volkswagen.

[MÉCANIQUE] L'Eos profite du même engin qui équipe nombre de véhicules, tant du côté d'Audi que de Volkswagen. Le fameux 2.0T fournit la verve nécessaire pour mouvoir ce coupé à qua-

FORCES • Lignes réussies • Belle finition • Mécanique reconnue

FAIBLESSES • Caisse qui manque de rigidité • Accès difficile • Habitacle étriqué

tre places. Il s'agit d'une mécanique éprouvée et fiable. Avec l'Eos, on a le choix entre une boîte de vitesses automatique du type DSG avec leviers de sélection au volant ou encore d'une boîte manuelle à 6 rapports. Les deux systèmes rendent justice au moteur et conviennent bien. En revanche, comme c'est toujours le cas pour le marché américain, les automobilistes n'ont pas droit à une motorisation diesel, option offerte uniquement en Europe. Malgré l'efficacité du moteur 2.0T, une meilleure consommation de carburant serait souhaitable pour ce genre de voiture. Il faut s'attendre à une consommation qui dépasse les 10 litres aux 100 kilomètres, surtout si vous sillonnez le réseau urbain.

[COMPORTEMENT] Les amateurs de conduite sportive seront déçus. L'Eos ne possède ni la carcasse, ni les composants mécaniques qui lui permettraient de satisfaire les pilotes. Achetons-la plutôt comme une bagnole de promenade. Le confort des sièges est adéquat, mais la suspension, un peu sèche, en particulier sur un pavé en mauvais état. La direction procure une sensation semblable à celle qu'on retrouve dans les autres modèles de la famille Volkswagen. Elle est précise sans être sportive.

[CONCLUSION] Volkswagen propose une Eos qui offre la possibilité de se balader à ciel ouvert à un prix raisonnable. Certes, on ne peut s'attendre au confort qu'on retrouve à bord d'une C70 ou encore à la rigidité d'une caisse d'Audi A5, mais l'honnêteté du produit rendra son propriétaire heureux. Le constructeur allemand ne compte pas s'enrichir outre mesure avec l'Eos. En revanche, les quelques exemplaires qui sillonnent nos routes ont le mérite d'offrir davantage que la concurrence américaine.

2e OPINION

BENOIT CHARETTE Produit de qualité, bien fini, convenablement équipé, habitable et très agréable à mener, l'Eos est une incontestable réussite. À sa quatrième année sur le marché, le plus abordable des coupés/cabriolets n'a pas pris une ride. Fine, lisse et avec un regard juste ce qu'il faut de menaçant, l'Eos flatte l'oeil. Tout en courbes douces, elle ne choque pas le regard. Mais elle n'est pas molle pour autant ! Le seul frein à son développement se situe dans la fourchette plutôt étroite de la clientèle cible. Ce n'est pas une voiture pour tout le monde. Mais si vous cherchez un cabriolet et un coupé, c'est votre meilleur choix sur le marché en ce moment.

5 FICHE TECHNIQUE

· MOTEUR
L4 2,0 l turbo DACT, 200 ch à 5100 tr/min
Couple 207 lb-pi à 1700 tr/min
Transmission manuelle à 6 rapports, automatique à 6 rapports avec mode manuel (en option)
0-100 km/h 7,8 s
Vitesse maximale 209 km/h

· AUTRES COMPOSANTES
Sécurité active freins ABS, répartition électronique de force de freinage, antipatinage, contrôle de stabilité électronique
Suspension avant/arrière indépendante
Freins avant/arrière disques
Direction à crémaillère, assistée
Pneus P235/45R17, P235/40R18 (en option)

· DIMENSIONS
Empattement 2578 mm
Longueur 4410 mm
Largeur 1791 mm
Hauteur 1443 mm
Poids man. 1590 kg **auto.** 1618 kg
Diamètre de braquage 10,9 m
Coffre 290 l, 180 l (toit abaissé)
Réservoir de carburant 55 l

NOS MENTIONS

Modèle recommandé

NOTRE VERDICT

Plaisir au volant	4/5
Qualité de finition	4/5
Consommation	4/5
Rapport qualité/prix	4/5
Valeur de revente	Nd

GOLF

www.vw.ca

NOUVEAUTÉ N É J

19 975 $ à 21 950 $ (Prix 2009)
Transport et préparation: 1360 $

AVEC MOTEUR L4 DE 2,0 L TDI

- **Consommation (100km):** **man.** 5,8 l **auto.** 5,9 l
- **Émissions polluantes CO_2 :** **man.** 3186 kg/an **auto.** 3240 kg/an
- **Empreinte écologique (nombre d'arbres à planter par année):** 19
- **Indice d'octane:** Diesel
- **Autre motorisation:** Diesel
- **Coût du carburant moyen par année:** **man.** 1180 $ **auto.** 1200 $
- **Nombre de litres par année:** **man.** 1180 l **auto.** 1200 l

(SOURCE: ÉnerGuide)

1 FICHE D'IDENTITÉ

- **Version** berline et familiale
- **Roues motrices** avant
- **Portières** 3, 5 **Nombre de passagers** 5
- **Première génération** 1976
- **Génération actuelle** 2010
- **Construction** Wolfsburg, Allemagne
- **Sacs gonflables** 6 (frontaux, latéraux avant, rideaux latéraux ; latéraux arrière) (5 portes)
- **Concurrence** Acura CSX, Chevrolet Cobalt, Ford Focus, Honda Civic, Hyundai Elantra, Kia Spectra, Mazda3, Mitsubishi Lancer, Nissan Sentra, Subaru Impreza, Suzuki SX4, Toyota Corolla/Matrix
- **Prime d'assurance**

25 ans : 1400 à 1600 $
40 ans : 1000 à 1200 $
60 ans : 800 à 1000 $

2 AU QUOTIDIEN

- **Collision frontale** 5/5
- **Collision latérale** 4/5
- **Ventes du modèle l'an dernier** **Au Québec** 4763 **Au Canada** 16 919
- **Dépréciation** (3 ans) 52,5%
- **Rappels** (2004 à 2009) 1
- **Cote de fiabilité** 4/5
- **Garantie générale** 4 ans/80 000 km

3 GARANTIES... ET PLUS

- **Garantie motopropulseur** 5 ans/100 000 km
- **Perforation** 12 ans/kilométrage illimité
- **Assistance routière** 4 ans/80 000 km
- **Nombre de concessionnaires** **Au Québec** 42 **Au Canada** 129
- nouveau modèle en version berline et familiale

4 NOUVEAUTÉS EN 2010

Nouveau modèle

LE LAPIN SORT DU SAC.

PAR BENOIT CHARETTE

C'EST UN TERRAIN DE JEU BIEN PARTICULIER QUI A SERVI DE BANC D'ESSAI À LA GOLF VI. Avec ses paysages lunaires et ses panoramas volcaniques, l'Islande offre un spectacle unique. Il faudra également s'habituer à parler de la Golf en non plus de la Rabbit. Depuis janvier 2008, Volkswagen Canada négocie directement avec la maison-mère à Wolfsburg et ne dépend plus des États-Unis. Or, c'est aux États-Unis qu'on avait pris la décision de rebaptiser la dernière génération de Golf du nom de Rabbit. Pour 2010, VW Canada a décidé de ramener la Golf sur la route. « C'est un nom chargé d'histoire avec une forte saveur symbolique », explique Bruce Rosen du service des Relations publiques de Volkswagen Canada. Il y aura donc trois Golf en 2010, la City, la Golf et la GTi.

[CARROSSERIE] Produite à plus de 26 millions d'exemplaires depuis sa création, la Volkswagen Golf a bien changé depuis sa première génération, mais son esprit est demeuré le même. Si l'on devine au premier coup d'œil les lignes connues et reconnues de la voiture, la continuité dans le style revêt toutefois un souci du détail tout nouveau. Volkswagen a retenu les services de l'équipe de design de Walter Da'Silva l'homme derrière les plus récentes créations d'Audi (A4 et A5). En termes visuels, on constate que la qualité d'exécution a grimpé d'un cran. L'écart entre les panneaux est resserré et plus homogène, ses arêtes, plus tranchantes, ses phares, plus incisifs, et ses flancs, plus prononcés. Cette Golf respire le travail bien fait comme aucune autre génération. À l'arrière, les phares empruntent le dessin du Touareg, et ceux qui ont vu la nouvelle Scirocco pour l'Europe reconnaîtront les mêmes optiques à l'avant. Au chapitre des dimensions, on conserve la même approche. La Golf VI perd 5 millimètres en longueur, mais en gagne 27 en largeur, ce qui lui confère cette silhouette nettement plus ramassée. Sa hauteur et son empattement restent, quant à eux, identiques à l'actuelle génération. La « nouvelle » VW Golf wagon affiche un visage similaire à celui de la berline. Mais, fondamentalement, le véhicule a gardé le châssis de l'ancienne génération. L'avant respecte le nouvel ADN de la marque. L'arrière a été retouché à la hau-

FORCES • Hausse de la qualité générale du véhicule • Insonorisation réussie • • Excellente sécurité passive (aides électroniques)

FAIBLESSES • Moteur de 2,5 litres pourrait être remplacé par le 1,4 litre turbo • Pas de diesel lors du lancement • Peu d'évolution dans le style • L'intérieur manque encore un peu d'originalité.

teur du bouclier, des optiques, discrètement, et des sorties d'échappement plus visibles. Cette version familiale remplace la Jetta Wagon qui a été retirée du marché cette année.

[HABITACLE] En termes visuels, on retrouve rapidement ses repères dans la Golf 2010. Le noir est toujours dominant, et l'aménagement du tableau de bord demeure inchangé. Toutefois, Volks semble avoir fait de la qualité de fabrication et de celle des matériaux son principal cheval de bataille. On sent encore une fois la touche d'Audi apportée dans le soin aux détails. Le plastique au fini moussé et texturé de qualité supérieure, le surpiqué sur la sellerie de cuir. Une qualité d'exécution qui rapproche la Golf VI de sa cousine l'Audi A3. Et que dire de l'ambiance très silencieuse de l'habitacle. Le pare-brise utilise une nouvelle technologie multicouche en intégrant des feuilles de plastique laminées entre les épaisseurs de verre. Sous le capot, les supports de moteurs isolent encore mieux la mécanique de la carrosserie, des joints de portes de conception nouvelle forment une barrière plus étanche avec l'extérieur. Résultat, même sur les routes très sonores de l'Islande (formé de gravier concassé et collé par de l'asphalte liquide recouverte d'un scellant contre les températures extrêmes) la Golf est remarquable de silence.

> « À DES VITESSES OSCILLANT ENTRE 140 ET 175 KM/H SUR DES ROUTES EN LACETS, J'AI PRIS LA PLEINE MESURE DE LA DYNAMIQUE DU CHÂSSIS. »

[MÉCANIQUE] Côté moteur, c'est le statu quo. La Golf VI sera alimentée par le même 5-cylindres de 2,5 litres de 170 chevaux que l'actuelle génération de Rabbit. La version GTi héritera de la plus récente génération du moteur 2 litres turbo. Pour ce qui est des boîtes de vitesses, vous aurez toujours le choix entre une manuelle à 5 rapports et une automatique ou DSG à 6 rapports. Volks Canada est également en pourparlers avec l'Allemagne pour inclure dans sa gamme une version diesel avec le même moteur 2,0 TDi qui se trouve sous le capot de la Jetta. Cette version se joindra au groupe au printemps 2010, si tout va comme prévu.

[COMPORTEMENT] Avec un silence de roulement remarquable et des sièges confortables, la première impression au volant est excellente. Comme nous étions au lancement européen, nous avons eu la chance de faire l'essai du moteur diesel qui arrivera plus tard l'an prochain. En plus d'être agréable, puissant et silencieux, vous obtiendrez une moyenne de consommation de 5 litres au 100 kilomètres. Parmi les options qui s'ajouteront à la Golf VI, il y a le DCC, un système de contrôle adaptatif du châssis qui dispose de trois modes : confort, normal et sport. Il procure un confort adapté en permanence au revêtement et au style de conduite, un investissement qui en vaut la peine. Nous avons eu l'occasion de tester les boîtes DSG et automatique, car sur les 40 véhicules de presse disponibles, aucun n'était équipé d'une boîte manuelle. En questionnant les ingénieurs de

HISTORIQUE

Apparue en 1974, six générations se succèdent jusqu'à la version actuelle (plate-forme Golf VI), lancée en octobre 2008 pour l'Europe, à l'automne 2009 chez-nous. La populaire GTi a vu le jour en 1976. Elle a créé le concept de petite voiture sportive avec moteur à injection (contrairement aux moteurs à carburateur de l'époque). Un moteur de 1,6 l de 110 ch dans une caisse légère permettait de réaliser des performances de haut niveau pour l'époque.

RABBIT 1975

CABRIO 1978

RABBIT GTI 1983

GOLF 1985

GOLF 1 1991

GOLF 2000

GOLF 2006

GOLF

A

B

C

GALERIE

A Lorsqu'un modèle est aussi populaire, les concepteurs sont prudents quand vient le moment de refaire le modèle. Alors, même si on parle d'une nouvelle génération, le coup de crayon aura été pour le moins frileux, pas vraiment inspiré. On retrouve le même intérieur habillé de noir des précédentes générations. C'est très bien fait, mais un peu lugubre.

B En plus d'avoir travaillé le niveau sonore de la voiture, Volkswagen a aussi amélioré la rigidité de la coque avec une place grande utilisation d'acier léger et très fort pour une intégrité sans pareil du châssis.

C La grande nouveauté cette année est la version familiale de la Golf, déjà très populaire en Europe qui remplace la Jetta Wagon qui ne revient pas en 2010. Elle offrira parmi les options intéressantes un toit en verre panoramique

D Comme tous les modèles à hayon, cette familiale fait la part belle à l'espace bagage et pourra tour à tour accueillir, vélo, ski de fond, planche à neige.

E Grâce à la banquette qui se rabat , vous avez encore plus d'espace. Est-ce utile de vous dire que j'ai un faible pour les versions familiale.

D

Volkswagen, ces derniers m'ont avoué que beaucoup de gens invités n'étaient pas du milieu de l'automobile et ne conduisaient tout simplement pas en mode manuel. Au fil des quelque 350 kilomètres, la conduite s'est révélée sans faute. L'assistance de direction électrique reste l'une des meilleures du genre. Le freinage se montre également irréprochable et bénéficie d'une fonction de stabilité supplémentaire sur l'ABS. J'ai eu l'occasion pendant 10 kilomètres de suivre quelques apprentis pilotes allemands engagés pour l'entretien et le transport des véhicules entre les différents points de ravitaillement. À des vitesses oscillant entre 140 et 175 km/h sur des routes en lacets, j'ai pris la pleine mesure de la dynamique du châssis. Le DCC en mode sport se montre ferme, sans déranger le confort, et L'ESP régule plus tardivement qu'auparavant, ce qui ajoute au plaisir de conduite. Au total, la Golf VI offre un dynamisme nettement au-dessus de la moyenne dans cette catégorie. Il est seulement un peu dommage que le moteur de 2,5 litres, un peu dépassé par les évènements, soit encore de la partie. Un moteur de 1,4 litre turbo plus silencieux, plus économe et aussi plus puissant est offert en Europe et crée une symbiose beaucoup plus intéressante avec cette voiture. J'en profite donc pour suggérer à Volkswagen de regarder de près cette combinaison gagnante.

[CONCLUSION] Avec des versions à essence, diesel et familiale, la Golf redevient la voiture polyvalente qui a meublé ses plus belles heures de gloire. Ajoutez à cela l'économique version City et la plus fougueuse version GTi et vous avez toutes les chances de trouver chaussure à votre pied. La VW Golf perpétue la tradition avec cette 6e génération. Elle pousse le concept de la voiture pratique, facile à vivre, qui donnera satisfaction par son design rafraîchi et sa prise en main sans histoire. Le summum de la voiture normale. Cette dernière génération de Golf ne devrait pas ternir le succès de ses aïeules, ses qualités de voiture pratique et facile ne vont pas chasser la clientèle. Un design en progrès, et une qualité de construction de premier plan lui permettent de garder les recettes de son succès.

5 FICHE TECHNIQUE

(TDI)

L4 2,0 l turbo SACT 16 s, 140 ch à 4000 tr/min
Couple 236 lb-pi à 1750 tr/min
Transmission manuelle à 6 rapports automatique à 6 rapports avec mode manuel (option)
0-100 km/h nd **Vitesse maximale** 209 km/h

L5 2,5 l DACT, 170 ch à 5700 tr/min
Couple 177 lb-pi à 4250 tr/min
Transmission manuelle à 5 rapports, automatique à 6 rapports avec mode manuel (en option)
0-100 km/h man. 8,0s. **auto.** 8,3s.
Vitesse maximale 209 km/h (limitée)
Consommation par 100 km 8,8 l (octane 87)
Émission de CO2 man. 4320 kg/an **auto.** 4320 kg/an
Litres par année man. 1800 l **auto.** 1800.
Coût par année man. 1800 $ **auto.** 1800 $
Carburant alternatif non
Empreinte écologique 25 arbres

AUTRES COMPOSANTES

Sécurité active freins ABS, répartition électronique de force de freinage, assistance au freinage, antipatinage, contrôle de stabilité électronique (en option)
Suspension avant/arrière indépendante
Freins avant/arrière disques ventilés / disques
Direction à crémaillère, assistée
Pneus P195/65R15, P205/55R16 familiale (P225/45/17 groupe sport)

DIMENSIONS

Empattement 2578 mm
Longueur 4201 mm **familiale** 4556 mm
Largeur 1779 mm **familiale** 1781 mm
Hauteur 1479 mm **familiale** 1504 mm
Poids : 1346 à 1511 kg
Diamètre de braquage 10,9 m
Coffre 420 l,
Familiale 930 l, 1890 (sièges abaissés)
Réservoir de carburant 55 l

NOS MENTIONS

- Le choix vert
- Modèle recommandé
- Coup de coeur

NOTRE VERDICT

Plaisir au volant	⬢⬢⬢⬢⬡
Qualité de finition	⬢⬢⬢⬢⬡
Consommation	⬢⬢⬢⬡⬡
Rapport qualité/prix	⬢⬡⬡⬡⬡
Valeur de revente	Nm

GOLF CITY

www.vw.ca

N ÉVOLUTION É J

15 300 $
transport et préparation: 1360 $

LA COTE VERTE

AVEC MOTEUR L4 DE 2,0 L

- **Consommation (100km):** **man.** 8,4 l **auto.** 8,4 l
- **Émissions polluantes CO_2 :** 4128 kg/an
- **Empreinte écologique (nombre d'arbres à planter par année):** 24
- **Indice d'octane:** 87
- **Autre motorisation:** non
- **Coût du carburant moyen par année:** 1720 $
- **Nombre de litres par année:** 1720 l

(SOURCE: ÉnerGuide)

1 FICHE D'IDENTITÉ

- **Version** unique
- **Roues motrices** avant
- **Portières** 4 **Nombre de passagers** 5
- **Première génération** 1974
- **Génération actuelle** 1999
- **Construction** Curitiba, Brésil
- **Sacs gonflables** 2 (frontaux)
- **Concurrence** Chevrolet Cobalt, Ford Focus, Hyundai Elantra, Kia Spectra, Mazda3, Mitsubishi Lancer, Nissan Sentra, Subaru Impreza, Suzuki SX4, Toyota Corolla

2 AU QUOTIDIEN

- **Prime d'assurance**
  25 ans: 1400 à 1600 $
  40 ans: 1000 à 1200 $
  60 ans: 800 à 1000 $
- **Collision frontale** 5/5
- **Collision latérale** 4/5
- **Ventes du modèle l'an dernier (Golf)**
  Au Québec 6495 **Au Canada** 16 919
- **Dépréciation** (2 ans) 34,8%
- **Rappels** (2004 à 2009) Golf 3
- **Cote de fiabilité** 3/5

3 GARANTIES... ET PLUS

- **Garantie générale** 4 ans/80 000 km
- **Garantie motopropulseur** 5 ans/100 000 km
- **Perforation** 12 ans/kilométrage illimité
- **Assistance routière** 4 ans/80 000 km
- **Nombre de concessionnaires**
  Au Québec 42 **Au Canada** 129

4 NOUVEAUTÉS EN 2010

- modèle Jetta City discontinué

SPÉCIAL DU CHEF

PAR DANIEL RUFIANGE

L'HISTOIRE ENTRE VOLKSWAGEN ET LE CANADA - ET LE QUÉBEC SURTOUT - EN EST UNE D'AMOUR ET DE HAINE. Bien que des problèmes de fiabilité répétés aient ébranlé ce lien affectif, l'attrait pour les produits Volkswagen demeure. Si nous sommes en droit à un questionnement d'ordre social sur cet attrait particulier envers une entreprise qui n'a pas toujours livré la marchandise, on comprend mieux en conduisant l'un de ses produits qui, il faut l'avouer, procurent toujours plaisir et agrément. La conduite allemande abordable, il n'y a que Volkswagen qui la propose. Et depuis quelques années, il y a la conduite allemande TRÈS abordable; j'ai nommé la Golf City, car la Jetta City nous a quitté cette année.

[CARROSSERIE] Une brillante idée qu'a eue la firme allemande de ramener sur le marché des versions antérieures de véhicules ayant été très populaires ici. Bien sûr, ils ont été adaptés au goût du jour avec des retouches aux phares et aux feux, mais, grosso modo, la Golf City ressemble étrangement à ceux qu'on pouvait admirer dans les salles d'exposition il y a 10 ans. Cependant, il ne faut pas se leurrer; Volkswagen nous présente ici des produits réduits à leur plus simple expression. Il existe une seule version de la Golf City considérez-vous avisé !

[HABITACLE] On comprendra que, aux prix proposés, nous n'avons pas droit aux toutes dernières tendances. La présentation respecte la tradition Volkswagen, c'est-à-dire que le tout demeure simple mais très fonctionnel. Dans la Golf, on jouit d'une très bonne position de conduite, et les sièges restent très confortables. L'espace arrière est adéquat mais sans plus. L'électronique est réduite au minimum, et c'est avec de bons vieux boutons qu'on actionne la radio et la ventilation. Entre vous et moi, une très bonne chose qui profite à notre portefeuille. Cela ne signifie toutefois pas que l'équipement se résume à un volant, à un toit et à des pédales. La City reçoit, de série, des freins à disques aux quatre roues, une prise USB pour les appareils et un volant télescopique. On peut ajouter la climatisation, les sièges chauffants et quelques

FORCES • Prix de base • Agrément de conduite • Présentation intérieure simple et fonctionnelle

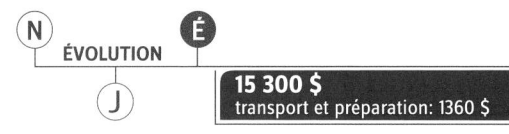

FAIBLESSES • Attention aux options • Consommation élevée • Moteur peu performant

GOLF CITY

autres accessoires de luxe en option. Mais attention; une fois équipée, la facture grimpe et rapidement, il ne s'agit plus d'une aussi bonne affaire !

[MOTORISATION] Un seul moteur sous le capot, soit un 4-cylindres de 2 litres qui propose 115 maigres chevaux. Oui, l'achat d'une version City exige des compromis, et la puissance en est un de taille. Mais si vous n'avez pas l'habitude de collectionner les contraventions, la puissance vous conviendra. Au choix, deux boîtes de vitesses, une automatique à 6 rapports Tiptronic en option pendant qu'une traditionnelle boîte manuelle à 5 rapports est offerte de série. Cette dernière permet au mieux de soutirer le maximum des étalons qui hennissent sous le capot. Ma déception concernant la motorisation n'est pas reliée à la puissance mais plutôt à la consommation. Habituellement, une faible puissance se traduit par des économies à la pompe, et, lors de mon essai, j'ai enregistrée une moyenne de 8,8 litres aux 100 kilomètres; décevant !

[COMPORTEMENT] Le comportement est à première vue conforme à son caractère allemand. La direction est précise, et la sensation de communion avec la route se perçoit bien. Cependant, il faut comprendre que Volkswagen nous offre ici une mécanique des plus simples. En conséquence, le roulis se fait bien sentir en virage, la voiture tangue facilement lors des changements de cap, et le freinage se révèle spongieux; à piloter avec retenue! Par contre, la douceur de roulement est au rendez-vous, et on apprécie les moments passés à bord.

[CONCLUSION] En configuration de base, l'offre de Volkswagen en est une à considérer. Toutefois, si vous avez la mauvaise habitude de piger dans le catalogue d'options, vous obtiendrez une voiture plus chère que ce qu'offre la concurrence sans pour autant bénéficier de plus.

2e OPINION

ALEXANDRE CRÉPAULT Je connais un comptable agréé qui roulait en Volvo V50 T5 manuelle 6 rapports et qui utilise maintenant une Golf City. Pourquoi ? Parce qu'il s'agit d'une bonne affaire, voilà pourquoi. D'accord, ses 115 chevaux ne battront pas des records sur le quart de mille. La City n'a pas été conçue pour cela de toute façon. Toutefois, elle compense son peu de puissance par un comportement rassurant typiquement européen et des accessoires essentiels de série (comme une chaîne audio moderne et un volant réglable), et elle se montre drôlement pratique. À titre d'exemple, le vélo de notre ami comptable s'y engouffre sans problème une fois les bancs abaissés. Pas mal pour une voiture compacte qui se vend au prix d'une sous-compacte ! On doit aussi admettre que, même 13 ans plus tard, ses lignes sont restées jeunes et ne semblent pas du tout démodées.

(5) FICHE TECHNIQUE

· MOTEUR

L4 2,0 l SACT, 115 ch à 275 200 tr/min
Couple 122 lb-pi à 2600 tr/min
Transmission manuelle à 5 rapports, automatique à 6 rapports (en option)
0-100 km/h 10,4 s
Vitesse maximale 195 km/h (bridé)

· AUTRES COMPOSANTES

Sécurité active freins ABS, antipatinage (en option), contrôle de stabilité électronique (en option)
Suspension avant/arrière indépendante/semi-indépendante
Freins avant/arrière disques
Direction à crémaillère, assistée
Pneus 195/65R15

· DIMENSIONS

Empattement 2511 mm
Longueur 4189 mm
Largeur 1735 mm
Hauteur 1444 mm
Poids auto, 1277 kg
Diamètre de braquage 10,9 m
Coffre 330 l, 1180 l (sièges abaissés)
Réservoir de carburant 55 l

NOS MENTIONS

☺ Modèle recommandé

NOTRE VERDICT

Plaisir au volant
Qualité de finition
Consommation
Rapport qualité/prix
Valeur de revente Nm

GTI

www.vw.ca

N ÉVOLUTION É J

27 975 $ à 28 975 $
transport et préparation: 1360 $

LA COTE VERTE

AVEC MOTEUR L4 DE 2,0 L TURBO

- **Consommation (100km):** **man.** 8,5 l **auto.** 8,1 l
- **Émissions polluantes CO_2 :** **man.** 4128 kg/an **auto.** 3936 kg/an
- **Empreinte écologique (nombre d'arbres à planter par année):** 24
- **Indice d'octane:** 91
- **Autre motorisation:** non
- **Coût du carburant moyen par année:** **man.** 1870 $ **auto.** 1936 $
- **Nombre de litres par année:** **man.** 1700 l **auto.** 1760 l

(SOURCE: ÉnerGuide)

1 FICHE D'IDENTITÉ

- **Versions** unique
- **Roues motrices** avant
- **Portières** 3, 5 **Nombre de passagers** 5
- **Première génération** 1976
- **Génération actuelle** 2010
- **Construction** Wolfsburg, Allemagne
- **Sacs gonflables** 6, frontaux, latéraux avant et rideaux latéraux, (latéraux arrière en option sur 5 portes)
- **Concurrence** Acura CSX-S-Type, Chevrolet Cobalt SS, Mazda3Speed, Mitsubishi Lancer Evo, Nissan

2 AU QUOTIDIEN

Sentra SE-R, Subaru Impreza WRX

- **Prime d'assurance**
  25 ans: 1400 à 1600 $
  40 ans: 1000 à 1200 $
  60 ans: 800 à 1000 $
- **Collision frontale** 5/5
- **Collision latérale** 4/5
- **Ventes du modèle de l'an dernier**
  Au Québec 335 **Au Canada** 1 406
- **Dépréciation** 49,2 %
- **Rappels** (2004 à 2009) 3

3 GARANTIES... ET PLUS

- **Cote de fiabilité** 3/5
- **Garantie générale** 4 ans/80 000 km
- **Garantie motopropulseur** 5 ans/100 000 km
- **Perforation** 12 ans/kilométrage illimité
- **Assistance routière** 4 ans/80 000km
- **Nombre de concessionnaires**

4 NOUVEAUTÉS EN 2010

- Nouveau modèle

FAUT QUE JEUNESSE SE PASSE !

PAR FRANCIS BRIÈRE

ELLE A DU VÉCU, CETTE GTI ! DEPUIS 1976, LES AMATEURS, LES AMOUREUX, DIS-JE BIEN, DE LA MARQUE PERSISTENT À LOUANGER CETTE VOITURE. Et pour cause ! La GTI est jolie, intéressante à conduire, et sa conception est solide. Elle possède une mécanique éprouvée et une allure distinctive. Que demander de plus ?

[CARROSSERIE] Deux éléments principaux distinguent la GTI d'une Rabbit ordinaire : ses roues et sa calandre. On note les entrées d'air à l'avant et les lignes rouges qui ornent la partie avant. Les roues en alliage surdimensionnées sont superbes avec les cinq trous géants. Pour le reste, il y a l'échappement double à l'arrière et les phares au xénon. Pour environ 30 000 dollars, il faut bien quelques éléments exclusifs qui la différencient du modèle d'entrée de gamme. En revanche, c'est surtout sous le capot et sur la route qu'on note les différences.

[HABITACLE] À l'intérieur, ce sont surtout les sièges qui se démarquent. Malheureusement, Volkswagen aurait pu faire mieux. Ils ne moulent pas bien l'anatomie et ne permettent pas une position de conduite agréable. En revanche, le volant est issu d'une conception qui lui confère une allure sportive : il se prend bien en mains. Les pédales faites d'aluminium agrémentent l'allure et la conduite sportives. En optant pour la boîte de vitesses manuelle, vous bénéficiez d'un pommeau de levier de vitesses sport bien placé pour des changements de rapports faciles.

[MÉCANIQUE] Le moteur qui équipe la GTI est le fameux 4-cylindres de 2,0 litres turbocompressé qui propulse de nombreux véhicules allemands, comme l'Audi A3. Cet engin est une merveille d'ingénierie. Il est léger, nerveux, agressif et doux à la fois. Il possède un couple généreux, même à bas régime. Il a également l'avantage de consommer peu de carburant, malgré les 200

FORCES · Qualité de motorisation · Solidité de la caisse · Tenue de route

FAIBLESSES · Traction · Suspension spongieuse · Position de conduite

chevaux qu'il génère. Vous optez pour une boîte manuelle à 6 rapports ou encore pour une DSG, à la bonne heure ! Les deux font un bon travail et exploitent bien la puissance du moteur.

[COMPORTEMENT] Malgré l'excellente conception de cette voiture et la qualité de sa motorisation, permettez-moi d'avoir quelques réserves quant aux prétentions sportives de la GTI. Comme voiture de tous les jours, elle vous apporte beaucoup de satisfactions. Vous obtenez du confort, une conduite nerveuse et plaisante. En revanche, ce n'est ni une voiture pour la piste, ni une sportive invétérée. Avec ses roues motrices à l'avant, elle se compare à une Honda Civic Si ou, encore, à une MAZDASPEED3. Cela ne veut pas dire qu'elle ne vaut pas le coup, mais il ne faut pas s'attendre à piloter une voiture de course. Son empattement court en fait un véhicule maniable, idéal pour la conduite urbaine, qu'on peut manœuvrer à sa guise. Sur la route, elle procure un minimum de confort et, comme la plupart des produits allemands, vous n'aurez rien à craindre pour ce qui est de la tenue de route. Malgré son empattement relativement court, cette voiture convient aux longues randonnées sur les voies rapides. Si l'idée vous prend d'aller vous aventurer sur la piste avec la GTI, vous réaliserez que ce n'est pas le meilleur bolide pour négocier des virages de façon très agressive. D'une part, la traction a ses limites. D'autre part, la suspension ne rend pas justice à la voiture. Le transfert de poids ne s'effectue pas sans heurts. En revanche, la puissance de l'engin n'en fait pas une bête de piste qui la rendrait dangereuse, loin de là. Sa vocation première demeure la promenade sur nos belles routes.

[CONCLUSION] Dans cette catégorie de voitures, la Volkswagen GTI demeure le choix de prédilection. Sa conception est supérieure à la concurrence : plus grande rigidité de la caisse, meilleure motorisation, tenue de route exemplaire. Le constructeur allemand pourrait faire mieux en ce qui concerne les sièges et la position de conduite, surtout pour les conducteurs de grande taille.

2e OPINION

ALEXANDRE CRÉPAULT La nouvelle GTI MK6 est à deux pas d'arriver sur le plancher de nos concessionnaire québécois, et votre humble serviteur doit admettre avoir très, très hâte. Pour moi, la GTI, c'est l'incarnation originale et ultime des voitures sport compactes. Même si la MAZDASPEED3 ou la SRT4 propose plus de puissance, et même si la Civic Si demeure une arme de piste redoutable, la GTI est, à mon avis, celle qui, dans l'ensemble, réussit le mieux. Il est vrai que son prix continue de nous faire avaler de travers. Mais une fois derrière le volant, on oublie vite les paiements mensuels. Entre les performances du moteur de 2 litres turbocompressé, la tenue de route et l'ergonomie intérieure du bolide, l'envie de rouler se perpétue jusqu'à l'infini. Et à en croire les critiques européennes, cette nouvelle génération ne fait que rehausser la synergie quasi parfaite des éléments de la voiture. Une histoire à suivre.

(5) FICHE TECHNIQUE

· MOTEUR
L4 2,0 l turbo DACT, 200 ch à 5100 tr/min
couple: 207 lb-pi à 1700 tr/min
Transmission manuelle à 6 rapports, automatique à 6 rapports avec mode manuel (option)
0-100 km/h man. 7,2 s, **auto.** 6,9 s
Vitesse maximale 209 km/h (bridée)

· AUTRES COMPOSANTES
Sécurité active freins ABS, répartition électronique de force de freinage, assistance au freinage, antipatinage, contrôle de stabilité électronique (option)
Suspension avant/arrière indépendante
Freins avant/arrière disques
Direction à crémaillère, assistée
Pneus P225/45R17

· DIMENSIONS
Empattement 2578 mm
Longueur 4210 mm
Largeur 1759 mm
Hauteur 1484 mm
Poids 3p. man. 1406 kg,
5p. man. 1434 kg
Diamètre de braquage 10,9 m
Coffre 400 l
Réservoir de carburant 55 l

NOS MENTIONS

☺ Modèle recommandé

NOTRE VERDICT

Plaisir au volant	●●●●
Qualité de finition	●●●●
Consommation	●●●●
Rapport qualité/prix	●●●●
Valeur de revente	Nm

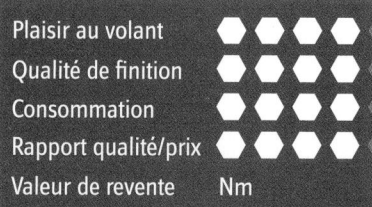

JETTA

www.vw.ca

N — ÉVOLUTION — É — J

21 975 $ à 32 575 $
transport et préparation: 1360 $

LA COTE VERTE

MOTEUR
L4 DE 2,0 L TSI

- **Consommation (100km):** **man.** 8,5 l **auto.** 8,2 l
- **Émissions polluantes CO_2:** **man.** 4128 kg/an **auto.** 3984 kg/an
- **Empreinte écologique (nombre d'arbres à planter par année):** 25
- **Indice d'octane:** 91
- **Autre motorisation:** non
- **Coût du carburant moyen par année:** **man.** 1870 $ **auto.** 1782 $
- **Nombre de litres par année:** **man.** 1700 l **auto.** 1620 l

(SOURCE: ÉnerGuide)

1 FICHE D'IDENTITÉ

- **Versions** 2.5, 2.0 TDI, 2.0 TSI
- **Roues motrices** avant
- **Portières** 4 **Nombre de passagers** 5
- **Première génération** 1981
- **Génération actuelle** 2006
- **Construction** Puebla, Mexique
- **Sacs gonflables** 6, frontaux, latéraux et rideaux latéraux
- **Concurrence** Acura CSX, Chrysler Sebring, Ford Fusion, Honda Accord, Hyundai Sonata, Kia Magentis, Mazda6, Mitsubishi Galant, Nissan Altima, Subaru Impreza/Legacy, Toyota Camry

2 AU QUOTIDIEN

- **Prime d'assurance**
  25 ans: de 2000 à 2200 $
  40 ans: de 1000 à 1200 $
  60 ans: de 800 à 1000 $
- **Collision frontale** 4/5
- **Collision latérale** 5/5
- **Ventes du modèle l'an dernier**
  Au Québec 4480 **Au Canada** 13 915
- **Dépréciation** 45,0 %
- **Rappels** (de 2004 à 2009) 6
- **Cote de fiabilité** 3/5

3 GARANTIES... ET PLUS

- **Garantie générale** 4 ans/80 000 km
- **Garantie motopropulseur** 5 ans/100 000 km
- **Perforation** 12 ans/kilométrage illimité
- **Assistance routière** 4 ans/80 000 km
- **Nombre de concessionnaires**
  Au Québec 42 **Au Canada** 129

4 NOUVEAUTÉS EN 2010

- Édition Wolfsburg

PLUS PERTINENTE QUE JAMAIS

PAR PHILIPPE LAGUË

DEPUIS QUELQUES ANNÉES, IL NE SE PASSE PAS UNE JOURNÉE SANS QU'ON ENTENDE PARLER DU PRIX DU CARBURANT. Le moment était on ne peut mieux choisi pour le retour, l'an dernier, de la TDI, version diesel de la Volkswagen Jetta. Non seulement était-ce opportun, mais la Jetta demeure le seul véhicule à motorisation diesel sous la barre des 30 000 dollars au Canada. Pour combien de temps ?

[CARROSSERIE] Sur le plan esthétique, la Jetta a perdu ce petit quelque chose qui la distinguait de ses rivales. Naguère l'une des plus jolies compactes sur le marché, elle est devenue aussi excitante à regarder qu'une fade berline japonaise (excusez le pléonasme). Comme la Jetta régulière, la TDI se décline en deux configurations, soit une berline et une familiale. Dans la catégorie des compactes, les familiales sont rares, ce qui lui confère un petit plus. Pour moins de 25 000 dollars, la version de base ne démérite pas, avec un équipement de série qui comprend climatisation, vitres électriques, télédéverrouillage central, chaîne audio avec huit haut-parleurs, coussins et rideaux de sécurité gonflables.

[HABITACLE] À l'intérieur, c'est très sobre, comme toujours. Dans la version de base, cependant, sobriété rime avec austérité. L'ambiance n'est pas très joyeuse, et celui ou celle qui a dessiné l'habitacle n'était visiblement pas d'humeur à rire. Sur le plan de l'efficacité, rien à redire : instrumentation complète, nombreux espaces de rangement, commandes simples et d'accès facile... Et rien de déroutant comme c'est trop souvent le cas à bord des voitures allemandes. Comme toujours chez VW, l'assemblage est rigoureux. La génération actuelle est la plus spacieuse de l'histoire de ce modèle. Mentionnons également que le coffre, caverneux, est le plus vaste de sa catégorie.

[MÉCANIQUE] Suralimenté par un turbocompresseur, ce 4-cylindres de 2 litres est maintenant muni d'un système d'injection directe qui

+ / −

FORCES • Version familiale • Habitacle confortable, spacieux et fonctionnel • Rapport qualité-prix • Rendement global du moteur TDI • Consommation impressionnante • Freinage puissant

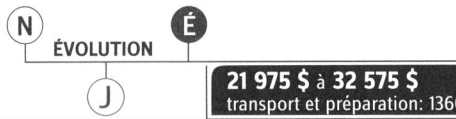

FAIBLESSES • Design banal • Présentation intérieure terne • Boîte manuelle quelconque • Fiabilité à prouver

le rend à la fois plus économique et plus puissant. Ceux qui croient encore que moteur diesel est synonyme de performances anémiques devront rajuster leur tir : avec 140 chevaux, la TDI n'a rien à envier à ses rivales à essence. C'est même le contraire, car son couple est nettement plus élevé. En respectant rigoureusement les limites de vitesse, j'ai obtenu une moyenne de 6,5 litres aux 100 kilomètres (ville et route). Sur l'autoroute, à 100 km/h, on peut donc s'attendre à descendre sous la barre des 5 litres aux 100 kilomètres. Amenez-en, des hybrides! Les détracteurs du diesel seront vraiment à court d'arguments: un autre de leurs griefs, le bruit, ne tient plus. Bien sûr, le moteur émet toujours ce grondement caractéristique, mais le niveau sonore est comparable à celui de n'importe quel moteur à essence ordinaire. De plus, l'habitacle est bien insonorisé, de sorte que ce ronronnement sourd n'est jamais agressant. Ce moteur exceptionnel se marie aussi très bien à une boîte de vitesses automatique. Celle-ci atténue à peine les performances de ce 4-cylindres, bien servi, il est vrai, par son couple hors norme. Le freinage respecte en tous points les standards germaniques : la Jetta TDI freine vite, et fort.

[COMPORTEMENT] Sur la route, le comportement de la Jetta TDI est sans surprise. Lire : pas de bonne, ni de mauvaise. Naguère le point fort de cette berline allemande, les prestations routières ont été, disons, adaptées aux goûts des acheteurs américains. En ce sens, c'est réussi : la Jetta n'a jamais été aussi confortable. Mais elle a perdu un peu de son dynamisme. Ceci dit, ça reste nettement moins ennuyeux à conduire qu'une Corolla, comprenons-nous bien ! L'agrément de conduite n'est peut-être plus ce qu'il était, mais la Jetta a conservé son aplomb. De toute façon, les fidèles ne seront pas dépaysés: une Volkswagen, ça penche toujours dans les virages, mais ça s'écrase et ça colle.

[CONCLUSION] « Timing is everything ». La Jetta TDI « revue et améliorée » ne pouvait revenir à un meilleur moment. Pertinente comme jamais et seule sur son île, elle est en excellente position pour faire un tabac. La prudence reste cependant de mise avec les moteurs diesel de VW qui ont souvent causé des maux de tête à leurs propriétaires. Si vous louez, c'est un moindre mal, mais si vous achetez, il serait sage d'opter pour une garantie prolongée.

2e OPINION

FRANCIS BRIÈRE On parle beaucoup des voitures hybrides comme solution immédiate pour contrer les problèmes reliés au prix et à la consommation de carburant. Pourtant, le diesel est privilégié depuis belle lurette en Europe et s'avère une option aussi bonne sinon meilleure. La Jetta vous est offerte en version TDI, pourquoi ne pas en profiter ? Il s'agit d'une petite berline abordable qui vous en donne pour votre argent. Pour environ 25 000 dollars, vous profitez d'une carcasse solide, d'une tenue de route adéquate et d'un moteur qui produit un couple remarquable. Personnellement, je considère qu'il s'agit encore de la meilleure solution. De plus, la version familiale vous propose plein de bonnes raisons pour ne pas acheter un véhicule utilitaire sport. Soyons raisonnables !

(5) FICHE TECHNIQUE

· MOTEURS

· (2.5)
L5 2,5 l DACT 20 s, 170 ch à 5700 tr/min
Couple 177 lb-pi à 4250 tr/min
Transmission manuelle à 5 rapports, automatique à 6 rapports
0-100 km/h 9,1 s **Vitesse maximale** 209 km/h
Consommation par 100 km 8,6 l (octane 87)
Émission de CO_2 man. 4272 kg/an auto. 4224 kg/an
Litres par année man. 1800 l **auto.** 1800 l
Coût par année man. 1800 $ **auto.** 1800 $
Autre motorisation non
Empreinte écologique 25 arbres

· (TDI)
L4 2,0 l turbo SACT 140 ch à 4000 tr/min
Couple 236 lb-pi à 1750 tr/min
Transmission man. à 6 rapports, auto. à 6 rapports avec mode manuel (option)
0-100 km/h nd **Vitesse maximale** 209 km/h

· (2.0 TSI)
L4 2,0 l turbo DACT 200 ch à 5100 tr/min
Couple 207 lb-pi à 1700 tr/min
Transmission manuelle à 6 rapports, auto. à 6 rapports avec mode manuel (option)
0-100 km/h 6,9 s **Vitesse maximale** 209 km/h
Consommation par 100 km man. 8,5 l auto. 8,1 l (octane 91)
Émission de CO_2 man. 4128 kg/an **auto.** 3936 kg/an
Litres par année man. 1700 l **auto.** 1760 l
Coût par année man. 1870 $ **auto.** 1936 $
Autre motorisation non
Empreinte écologique 25 arbres

· AUTRES COMPOSANTES
Sécurité active freins ABS, répartition électronique de force de freinage, antipatinage, contrôle de stabilité électronique (option)
Suspension avant/arrière indépendante
Freins avant/arrière disques
Direction à crémaillère, assistée
Pneus 2.5/ TDI/fam. P205/55R16
2.0 TSI P225/45R17

· DIMENSIONS
Empattement 2578 mm
Longueur 4554 mm **Largeur** 1781 mm
Hauteur 1459 mm
Poids 2.5 1465 kg **2.0T** 1478 kg **GLI** 1500 kg **fam.** 1490kg
Diamètre de braquage 2.5 10,9 m 2.0T/GLI 10,7 m
Coffre 500 l **Réservoir de carburant** 55 l

NOS MENTIONS

Modèle recommandé

NOTRE VERDICT

Plaisir au volant
Qualité de finition
Consommation
Rapport qualité/prix
Valeur de revente

NEW BEETLE

www.vw.ca

N ÉVOLUTION É J

24 175 $ à 30 575$
transport et préparation: 1360$

LA COTE VERTE

AVEC MOTEUR L5 DE 2.5 L

- **Consommation (100km):** **man.** 8,6 l **auto.** 8,6 l
- **Émissions polluantes CO_2 :** **man.** 4272 kg/an **auto.** 4224 kg/an
- **Empreinte écologique (nombre d'arbres à planter par année):** 25
- **Indice d'octane:** 87
- **Autre motorisation:** non
- **Coût du carburant moyen par année:** **man.** 1780 $ **auto.** 1760 $
- **Nombre de litres par année:** **man.** 1780 l **auto.** 1760 l

(SOURCE: ÉnerGuide)

1 FICHE D'IDENTITÉ

- **Version** 2.5 coupé, 2.5 cabrio
- **Roues motrices** avant
- **Portières** 2 **Nombre de passagers** 4
- **Première génération** 1998
- **Génération actuelle** 1998
- **Construction** Puebla, Mexique
- **Sacs gonflables** 4 (frontaux, latéraux)
- **Concurrence** Chevrolet HHR, Chrysler PT Cruiser, MINI Cooper

2 AU QUOTIDIEN

- **Prime d'assurance**
  25 ans: 1400 à 1600 $
  40 ans: 1000 à 1200 $
  60 ans: 800 à 1000 $
- **Collision frontale** 4/5
- **Collision latérale** 5/5
- **Ventes du modèle l'an dernier**
  Au Québec 537 **Au Canada** 1606
- **Dépréciation** 36,3 %
- **Rappels** (2004 à 2009) 3/5
- **Côtes de fiabilité** 3/5

3 GARANTIES... ET PLUS

- **Garantie générale** 4 ans/80 000 km
- **Garantie motopropulseur** 5 ans/100 000 km
- **Perforation** 12 ans/kilométrage illimité
- **Assistance routière** 4 ans/80 000km
- **Nombre de concessionnaires**
- **Au Québec** 42 **Au Canada** 129

4 NOUVEAUTÉS EN 2010

- Antenne de radio satellite sur le toit et dans le tableau de bord. Boulons de roue antivol. Assistance routière pendant 4 ans ou 80 000 km. Pommeau de levier de vitesses et levier de frein de stationnement gainés de cuir. Radio par satellite Sirius (abonnement gratuit de 3 mois). Volant à trois branches gainé de cuir.

FLEUR DE MACADAM

PAR MICHEL CRÉPAULT

JE ME SOUVIENS TRÈS BIEN DE SON LANCEMENT, EN 1998. TOUTES LES VOITURES AVAIENT ÉTÉ DISPOSÉES DANS UNE CLAIRIÈRE : UN TAPIS DE NEW BEETLE MULTICOLORES QUI ÉTINCELAIENT AU SOLEIL COMME DES SMARTIES GÉANTES. On aurait dit une scène d'Alice au pays des merveilles ! Aussitôt la voiture mise en vente, les nouveaux acheteurs se sont mis à s'envoyer la main quand ils se croisaient sur la route. Une fraternité s'est spontanément formée. Était-ce la nostalgie d'une auto qui a fourni tant de loyaux services à d'anciens cégépiens ? Était-ce le soulagement de voir que les stylistes n'avaient pas raté leur coup en osant revisiter la légendaire Coccinelle ?

[CARROSSERIE] Des années plus tard, l'effet de nouveauté s'est, bien sûr, estompé; mais ne trouvez-vous pas que la New Beetle a toujours l'air aussi moderne ? Et toujours aussi coquine ! Elle a beau avoir des racines qui remontent au Troisième Reich, elle se promène encore avec une calandre enjôleuse qui n'a pas pris une ride. Mais pour combien de temps encore ? Dans son catalogue 2010, VW n'annonce rien de neuf vraiment. Que ce soit le coupé ou le cabriolet, les deux versions n'ont droit qu'à la livrée Comfortline.

[HABITACLE] Pour un intérieur censé charmer les abonnés de Décormag, il me semble qu'il y manque de chaleur. Les plastiques utilisés sont froids et durs. Oui, il y a des éclairs de design un peu exubérants, mais ils sont trop parcimonieux. La smart et la MINI sont plus folichonnes. Par ailleurs, vive les serrures puisqu'on peut verrouiller la boîte à gants, la trappe à skis et toutes les portières et portillons qui truffent la coque. Le toit de la décapotable se dégrafe sans problème du pare-brise. L'abaissement total se fera à la main ou électriquement, selon l'option choisie. La toile se range en accordéon sur le dessus du coffre et, franchement, ce n'est pas joli. L'armature reste visible et on imagine facilement la tonne d'insectes qui auront la mauvaise idée d'aller mourir dans les interstices. D'où l'obligation d'utiliser la housse protectrice. Comme les autres décapotables dissimulent leur toit dans le coffre, la NB nous impose cette fastidieuse opération. Au

FORCES • Silhouette encore originale • Comportement routier qui surprend

FAIBLESSES • Formes qui entraînent une praticabilité limitée • On dirait que même VW se demande quoi faire avec ce modèle...

NEW BEETLE

moins, on peut s'attendre à un coffre généreux puisque la toile couche dehors. Oubliez cela ! D'abord, l'embrasure est minuscule – il existe des ailerons plus gros que ce hayon ! – et, ensuite, l'espace de rangement ovale permettra d'y mettre surtout les valises en forme de ballon de football. Heureusement, la banquette est rabattable sur le coupé (le cabrio se contente d'une trappe).

[MÉCANIQUE] Fini les tentatives de jazzer les performances, on en reste au moteur à essence à 5 cylindres de 2,5 litres de 150 chevaux, associé, au choix, à une boîte de vitesses manuelle à 5 rapports ou à une automatique Tiptronic à 6 rapports. Des aides électroniques rassurantes sont tout de même au rendez-vous.

[COMPORTEMENT] La New Beetle a provoqué un glissement de clientèle. Même si Volkswagen n'aime pas le claironner, la clientèle est majoritairement féminine. Les formes rondes ? Les couleurs pimpantes ? Le vase à fleur accroché au tableau de bord depuis la renaissance ? Chose certaine, une New Beetle est « cute » et, du coup, je connais plus d'un homme qui l'éviteront sciemment à cause de son côté bonbon fleuri... Cet empilage de cercles conquiert l'œil mais suscite des bizarreries dans l'habitacle. L'arc du pare-brise oblige le tableau de bord à vivre avec une profondeur inhabituelle. Que d'espace perdu. À l'arrière, en revanche, c'est de l'espace gagné pour les deux passagers de la banquette, du moins au plan du dégagement crânien; pour leurs rotules, priez un peu. Sur la route, la décapotable émet des craquements auxquels on s'attendait. Enfin, on pouvait toujours espérer qu'il n'y en aurait pas, mais on déchante rapidement. On ne les entend plus, remarquez, dès qu'on file à bonne vitesse ou qu'on allume la sono. Quant à l'étanchéité dans un lave-auto, tenez-vous loin des glaces... Mais tout n'est pas perdu : malgré son allure pas sérieuse, la New Beetle colle à la route avec une nette habilité. Une fois vaincue l'étrange position de conduite et la visibilité aléatoire, on se surprend à avoir du plaisir au volant.

[CONCLUSION] L'attrait d'une New Beetle, pour moi, se limite à sa résurrection réussie et à son allure amusante. Le reste me laisse perplexe. Le coupé n'est guère pratique, alors imaginez le cabriolet ! J'ignore quel avenir VW réserve à la New Beetle mais, personnellement, je choisirais de porter ma fleur à la boutonnière.

2e OPINION

ALEXANDRE CRÉPAULT La New Beetle, c'était avant tout une question de style. Le style néo-rétro de la nouvelle Bug a littéralement fait fureur lors de son lancement en 1998. Je me souviens encore des attroupements de gens qui tentaient de voir de plus près mon premier modèle d'essai, et ce, même stationné à coté d'une Ferrari... Mais avec le temps, la New Beetle a perdu de son effet « nouveau » et s'est entourée d'une image si féminine que plusieurs n'osent même pas la considérer. C'est pourquoi VW risque fortement de nous présenter une toute nouvelle New Beetle sous peu. Une variante décapotable devrait suivre un an plus tard. Mais pour ceux qui recherchent une véritable bonne affaire, les New Beetle d'occasion, surtout munies d'un moteur turbo, se vendent souvent moins chère que la Golf et performent tout aussi bien, mieux même à certains points de vue.

5 FICHE TECHNIQUE

· MOTEUR

L5 2,5 l DACT 20s, 150 ch à 5000 tr/min
Couple 170 lb-pi à 3750 tr/min
Transmission manuelle à 5 rapports, automatique à 6 rapports avec mode manuel (en option)
0-100 km/h 8,9 s
Vitesse maximale 209 km/h (bridée)

· AUTRES COMPOSANTES

Sécurité active freins ABS, antipatinage, contrôle de stabilité électronique
Suspension avant/arrière indépendant/semi-indépendante
Freins avant/arrière disques
Direction à crémaillère, assistée
Pneus P205/55R16

· DIMENSIONS

Empattement 2509 mm
Longueur 4091 mm
Largeur 1724 mm
Hauteur 1502 mm
Poids coupé 1308 kg **cabriolet** 1435 kg
Diamètre de braquage 10,9 m
Coffre 300 l, 770 l (sièges abaissés) cabriolet 100 l
Réservoir de carburant 55 l

NOTRE VERDICT

Plaisir au volant
Qualité de finition
Consommation
Rapport qualité/prix
Valeur de revente

PASSAT

www.vw.ca

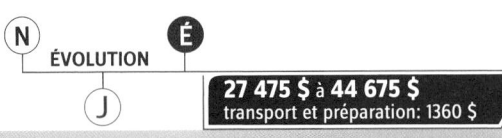

N ÉVOLUTION É J

27 475 $ à 44 675 $
transport et préparation: 1360 $

LA COTE VERTE

MOTEUR L4 DE 2.0 L TURBO

- **Consommation (100km):** **man.** 8,5 l **auto.** 8,9 l
- **Émissions polluantes CO_2 :** **man.** 4080 kg/an **auto.** 4368 kg/an
- **Empreinte écologique (nombre d'arbres à planter par année):** 24
- **Indice d'octane:** 91
- **Autre motorisation:** non
- **Coût du carburant moyen par année:** **man.** 1870 $ **auto.** 2002 $
- **Nombre de litres par année:** **man.** 1700 l **auto.** 1820 l

(SOURCE: ÉnerGuide)

1 FICHE D'IDENTITÉ

- **Versions** 2.0TSi, 3.6, 3.6 4Motion, CC
- **Roues motrices** avant, 4
- **Portières** 4 **Nombre de passagers** 5, **CC** 4
- **Première génération** 1990 (Canada)
- **Génération actuelle** 2006
- **Construction** Emden, Allemagne
- **Sacs gonflables** 6 (frontaux, latéraux avant, rideaux latéraux; latéraux arrière en option)
- **Concurrence** Chevrolet Malibu, Chrysler Sebring, Ford Fusion, Honda Accord, Hyundai Sonata, Kia Magentis, Mazda*6*, Mitsubishi Galant, Nissan Altima, Subaru Legacy, Toyota Camry

2 AU QUOTIDIEN

- **Prime d'assurance**
  25 ans: 2200 à 2400 $
  40 ans: 1200 à 1400 $
  60 ans: 1000 à 1200 $
- **Collision frontale** 4/5
- **Collision latérale** 5/5
- **Ventes du modèle l'an dernier**
  Au Québec 911 **Au Canada** 2589
- **Dépréciation** (3 ans) 49,8%
- **Rappels** (2004 à 2009) 8
- **Cote de fiabilité** 3/5

3 GARANTIES... ET PLUS

- **Garantie générale** 4 ans/80 000 km
- **Garantie motopropulseur** 5 ans/100 000 km
- **Perforation** 12 ans/kilométrage illimité
- **Assistance routière** 4 ans/kilométrage illimité
- **Nombre de concessionnaires**
  Au Québec 42 **Au Canada** 129

4 NOUVEAUTÉS EN 2010

- Nouvelles roues 18 pouces (Highline)

VIVE LA VARIÉTÉ !

PAR FRANCIS BRIÈRE

POUR AUSSI PEU QUE 28 000 DOLLARS, VOUS POUVEZ VOUS PROCURER UNE VOITURE AGRÉABLE À CONDUIRE, SOLIDE, CONFORTABLE ET BIEN PENSÉE. Oui, la Passat est offerte pour cette somme. En revanche, le constructeur allemand Volkswagen vous offre la même voiture, avec un moteur plus puissant et davantage d'options pour la rondelette somme de 50 000 dollars. Le problème, c'est que, à ce prix, la concurrence devient féroce : Audi A4, BMW 335i, Mercedes-Benz C350 4Matic, ces voitures font partie d'une catégorie supérieure. Le modèle Passat peut ainsi prendre plusieurs formes, selon vos besoins et selon votre budget.

[CARROSSERIE] L'allure de la Passat n'a rien de bien enivrant. Que vous optiez pour la familiale ou pour la berline, sa silhouette attire peu l'attention. En revanche, celle de la Passat CC se distingue davantage, probablement en raison de ses lignes plus dynamiques, de ses traits plus incisifs et de son profil plus bas. Pour la mine traditionnelle du modèle, un mot nous vient en tête : sobriété. Si vous désirez de l'espace et du confort, la familiale convient avec un volume de chargement impressionnant (1010 litres).

[HABITACLE] Encore une fois, la CC se distingue du modèle traditionnel par ses lignes plus dynamiques et plus modernes, mais aussi par son habitacle. Celui de la CC possède des sièges enveloppants et de belle facture, mais l'accès peut se révéler difficile, en particulier pour les personnes de grande et de grosse tailles. On remarque un style plus européen et plus moderne pour les sièges et la planche de bord. La position de conduite prend de la valeur avec cette livrée : on trouve une configuration idéale à coup sûr. En revanche, la finition laisse à désirer, et le choix des matériaux déçoit. On oserait même affirmer que le résultat fait bon marché. Quoi qu'il en soit, ce modèle risque de ne pas plaire aux Américains. La Passat, quant à elle, offre un intérieur américanisé à souhait, avec une assise plus flasque et un habitacle plus dégagé. Dans les deux cas, le confort est de mise.

FORCES • Choix de modèles • Moteur 2.0T éprouvé • Confort • Tenue de route sûre

FAIBLESSES • Prix élevé (3,6 litres) • Absence de motorisation diesel • Finition légère (CC) • Poids important (3,6 litres)

[MÉCANIQUE] Si nous déplorons l'absence de motorisation diesel dans la Passat, on ne peut qu'applaudir le splendide engin de 2 litres turbocompressé qui l'équipe. Cette mécanique éprouvée, fiable et durable fournit une puissance adéquate sans trop consommer de carburant. Le moteur à 6 cylindres de 3,6 litres en donne plus, mais le poids excessif du véhicule (plus de 1700 kilos avec le système 4Motion) combiné à la soif de l'engin vous fera visiter la station-service plus souvent que vous ne le souhaitez, surtout si vous circulez en ville. En revanche, le moteur est puissant et souple. L'avantage, avec le 2-litres turbo, c'est que vous bénéficiez d'une bonne boîte de vitesses manuelle à 6 rapports. À bon entendeur.

[COMPORTEMENT] Les produits allemands en ont fait une marque de commerce : la tenue de route. La Passat et la Passat CC ne font pas exception à la règle. Cette voiture procure un confort très convenable tout en offrant une tenue de route rassurante. On retrouve sans doute plus d'agréments de conduite chez Audi ou chez BMW, mais considérant le modèle de base et son prix abordable, on ne saurait lui reprocher sa prestation sur la route.

[CONCLUSION] Volkswagen propose des modèles intéressants avec la Passat. La familiale dispose d'un coffre immense et se révèle bien plus pratique que certains véhicules utilitaires sport et leur espace de chargement ridicule. Elle est aussi confortable et plus agréable à conduire. La CC, plus européenne, offre une conduite plus dynamique et un style résolument moderne. Il faut quand même tenir compte des inconvénients de ces coupés à quatre places. L'accès est plus difficile et ne convient pas à tous. Aussi, en supposant que cinq personnes souhaitent monter à bord, vous devrez en laisser une sur le trottoir.

2e OPINION

FRÉDÉRIC MASSE L'un de mes plus grands coups de cœur cette année a été la Passat CC. Je l'ai évidemment trouvé fort jolie, mais c'est son équilibre qui m'a le plus étonné. C'est dans la version de base avec son 4-cylindres turbo qu'elle m'a littéralement charmé. Elle roule bien, se conduit comme un charme et fait effet partout. Vraiment, j'aimais déjà la Passat, mais la CC est dans un autre univers. Je n'ai aucune, mais aucune difficulté à la qualifier de berline de luxe à part entière quand elle est habillée de cuir. Son habitacle est réussi et fait belle impression, ses sièges, quasi parfaits, et sa direction, particulièrement bien dosée. À mon avis, si l'on demeure dans la version à 4 cylindres, la CC se veut l'un des produits au meilleur rapport qualité-prix de l'industrie. Si on se tourne vers la version avec le V6 de 3,6 litres et la transmission intégrale, c'est une toute autre histoire. On peut se payer plus luxueux ailleurs. Reste plus qu'à s'assurer de la fiabilité...

(5) FICHE TECHNIQUE

· **MOTEURS**
· **(2.0T/CC)**
L4 2,0 l turbo DACT, 200 ch à 5100 tr/min
Couple 207 lb-pi à 1700 tr/min
Transmission manuelle à 6 rapports, automatique à 6 rapports avec mode manuel (en option)
0-100 km/h 7,5 s auto. 7,8 s.
Vitesse maximale 209 km/h

· **(3.6)**
V6 3,6 l DACT, 280 ch à 6200 tr/min
Couple 265 lb-pi à 2750 tr/min
Transmission automatique à 6 rapports avec mode manuel
0-100 km/h 6,6 s
Vitesse maximale 209 km/h
Consommation (100 km) 10,0 l, **4Motion** 10,6 l (octane 91)
Émission de CO_2 4944 kg/an, **4Motion** 5184 kg/an
Litres par année 2060 l. **4Motion** 2140 l
Coût par année 2266$ **4Motion** 2354 $
Empreinte écologique 30 arbres

· **AUTRES COMPOSANTES**
Sécurité active freins ABS, répartition électronique de force de freinage, assistance au freinage, antipatinage, contrôle de stabilité électronique
Suspension avant/arrière indépendante
Freins avant/arrière disques
Direction à crémaillère, assistée
Pneus 2.0T P215/55R16, **3.6** P235/45R17, **CC** P235/40R17, P235/40R18 (option)

· **DIMENSIONS**
Empattement 2709 mm
Longueur berl. 4780 mm, **fam.** 4774 mm **CC** 4796 mm
Largeur 1820 mm **CC** 1856 mm.
Hauteur berl. 1472 mm, **fam.** 1517 mm **CC** 1422 mm.
Poids berl. 2.0T 1454 kg, **3.6** 1622 kg, **3.6 4Motion** 1737 kg, **fam. 2.0T** 1593 kg, **3.6** 1677 kg, **3.6 4Motion** 1793 kg **CC** 1530 kg
Diamètre de braquage 10,9 m
Coffre berl. 400 l, **fam.** 1010 l, 1570 sièges abaissés
Réservoir de carburant 70 l

NOS MENTIONS

☺ Modèle recommandé

NOTRE VERDICT

Plaisir au volant
Qualité de finition
Consommation
Rapport qualité/prix
Valeur de revente

PASSAT CC

www.vw.ca

N ÉVOLUTION É
J

31 975 $ à 44 975
transport et préparation: 1360 $

LA COTE VERTE

AVEC MOTEUR L4 DE 2.0 L TURBO

- **Consommation (100km):** **man.** 8,5 l **auto.** 8,9 l
- **Émissions polluantes CO_2 :** **man.** 4128 kg/an **auto.** 4368 kg/an
- **Empreinte écologique (nombre d'arbres à planter par année):** 24
- **Indice d'octane:** 91
- **Autre motorisation:** non
- **Coût du carburant moyen par année:** **man.** 1892 $ **auto.** 2002 $
- **Nombre de litres par année:** **man.** 1720 l **auto.** 1820 l

(SOURCE: ÉnerGuide)

1 FICHE D'IDENTITÉ

- **Versions** 2.0TSI, 3.6 4MOTION
- **Roues motrices** avant, 4
- **Portières** 4 **Nombre de passagers** 4
- **Première génération** 1990 (Canada)
- **Génération actuelle** 2006 (Passat)
- **Construction** Emden, Allemagne
- **Sacs gonflables** 8 (frontaux, latéraux avant, rideaux latéraux; latéraux arrière)
- **Concurrence** Chevrolet Malibu, Chrysler Sebring, Ford Fusion, Honda Accord, Hyundai Sonata, Kia Magentis, Mazda6, Mitsubishi Galant, Nissan Altima, Subaru Legacy, Toyota Camry

2 AU QUOTIDIEN

- **Prime d'assurance**
  25 ans: 2200 à 2400 $
  40 ans: 1200 à 1400 $
  60 ans: 1000 à 1200 $
- **Collision frontale** 4/5
- **Collision latérale** 5/5
- **Ventes du modèle l'an dernier (Passat)**
  Au Québec 911 **Au Canada** 2589
- **Dépréciation** (3 ans) nd
- **Rappels** (2004 à 2009) 8
- **Cote de fiabilité** 3/5

3 GARANTIES... ET PLUS

- **Garantie générale** 4 ans/80 000 km
- **Garantie motopropulseur** 5 ans/100 000 km
- **Perforation** 12 ans/kilométrage illimité
- **Assistance routière** 4 ans/80 000
- **Nombre de concessionnaires**
  Au Québec 42 **Au Canada** 129

4 NOUVEAUTÉS EN 2010

- Nouvelle transmission DSG pour la version 2.0T
- Coussins latéraux arrière
- Bluetooth et MDI standard

EXERCICE DE STYLE

PAR PHILIPPE LAGUË

C'EST À MERCEDES-BENZ QUE REVIENT L'HONNEUR D'AVOIR INITIÉ CE NOUVEAU CONCEPT, CELUI DU COUPÉ À QUATRE PORTES. Quand on connaît la rivalité qui oppose les trois marques de prestige allemandes, on s'attendait logiquement à une réplique de BMW et d'Audi; c'est plutôt Volkswagen qui s'est invitée. Pour la firme de Wolfsburg, c'est une nouvelle tentative de monter en grade, après l'échec retentissant de la Phaeton.

[CARROSSERIE] La raison d'être de ce type de voiture, c'est le style. De sa réussite esthétique dépend son succès aux ventes; sinon, pourquoi payer plus cher pour ce qui demeure malgré tout une Passat ? Force est d'admettre que les stylistes de Volkswagen n'ont pas manqué leur coup : la CC a de la gueule mais aussi une sacrée présence, avec sa ligne de toit surbaissée et sa ceinture de caisse surélevée. Évidemment, il faudra composer avec une visibilité réduite, en raison de la petitesse des fenêtres, mais c'est le prix à payer.

[HABITACLE] La finition est moins austère que celle des autres modèles de la gamme VW, et l'assemblage, irréprochable, comme toujours. L'ergonomie est une autre spécialité maison: tout est bien placé, d'accès facile, et les commandes sont beaucoup plus simples que dans les autres voitures allemandes. Mentionnons également l'abondance des espaces de rangement. Concept « coupé à quatre portes » oblige, l'habitacle reçoit quatre sièges baquets, dont le confort est exemplaire : ils sont fermes mais bien rembourrés et offrent un maintien latéral et un soutien lombaire excellents. La prédominance accordée au style a entraîné certains sacrifices. Outre la visibilité, l'habitabilité en pâtit quelque peu, surtout dans le cas du dégagement pour la tête et les jambes à l'arrière. Par contre, le coffre est vaste.

[MÉCANIQUE] La CC reprend les motorisations de la Passat, soit un 4-cylindres turbo de 2 litres et un V6 de 3,6 litres. Les deux utilisent l'injection directe (FSI) qui permet une augmentation des performances tout en réduisant la consomma-

FORCES • Réussite esthétique incontestable • Finition et ergonomie exemplaires • Deux excellents moteurs • Raffinement mécanique • Berline luxueuse et confortable

FAIBLESSES • Visibilité sacrifiée • Habitabilité réduite à l'arrière • Consommation (V6). Comportement pataud. Fiabilité à prouver

tion. Le 4-cylindres turbo consomme peu, c'est vrai; mais le V6 consomme, lui... comme un V6. D'autant plus que la transmission intégrale est de la partie, ce qui n'aide en rien. Le rendement global de ces deux moteurs fait honneur à la réputation de l'ingénierie allemande. Le 4-cylindres turbo est l'un des meilleurs moteurs de l'industrie de l'automobile, rien de moins; sa puissance et son couple sont savamment répartis, de sorte qu'il n'y a jamais de creux, tandis que le temps de réponse du turbocompresseur est imperceptible. Les deux moteurs brillent également par leur souplesse. Plus puissant, le V6 est forcément plus véloce, et son couple autorise des reprises plus rapides. La boîte de vitesses automatique passe les rapports de façon très fluide, mais elle est un peu lente; pour une réponse plus rapide, il suffit de passer en mode séquentiel (Tiptronic). Le 4-cylindres turbo peut également être jumelé à une boîte manuelle, également à 6 rapports.

[COMPORTEMENT] Coupé confort, voilà ce que veut dire CC. C'est bien de le préciser car cette berline n'affiche pas l'aplomb habituel des allemandes. Plus lourde, la V6 sous-vire : malgré la transmission intégrale, le train arrière semble avoir de la difficulté à suivre en conduite sportive, et c'est le train avant qui compense. La CC n'est pas un poids plume, et son agilité s'en ressent; sa direction, lente et floue au centre, n'arrange pas les choses. Cela dit, ces irritants se manifestent quand on pousse la CC dans ses derniers retranchements. Côté confort, la CC remplit son mandat : sa douceur de roulement est bel et bien celle d'une berline de luxe.

[CONCLUSION] Volkswagen a de la difficulté à s'imposer sur le marché nord-américain (aux États-Unis, surtout) et compte sûrement sur les atouts esthétiques et confortables de cette berline pour séduire les acheteurs américains, peu attirés par le style fade de la Passat régulière. Que les amateurs de conduite à l'allemande se le tiennent pour dit : cette berline de luxe n'a rien d'une Audi ou d'une Mercedes-Benz, encore moins d'une BMW. Mais pour être belle, elle est belle. Reste à voir si cela suffira.

2e OPINION

BENOIT CHARETTE Force est de constater que ce coupé 4 portes a réussi à me séduire. Habitabilité, confort, moteurs et finition, Volkswagen marque un sans faute à bien des chapitres. Pour être parfaite, il faudrait que Volks puisse rendent disponible une version 2,0T avec la transmission 4MOTION. Je trouve regrettable de devoir débourser plus de 40 000 $ pour avoir droit à un modèle 4 roues motrices. Toutefois le modèle 2,0 TSI demeure sans l'ombre d'une hésitation mon modèle de prédilection. C'est la plus légère, la moins chère, et celle dotée du moteur le plus agréable. Avec la CC, Volkswagen reprend sa quête de notoriété. Il est clair que les ventes de la Passat berline vont souffrir, mais Volks préparent déjà un successeur pour 2011 qui va laisser le chemin libre à la CC et paver la voie à une montée en gamme qui pourrait cette fois être la bonne.

5 FICHE TECHNIQUE

· **MOTEURS**

· (2.0T)

L4 2,0 l turbo DACT, 200 ch à 5100 tr/min
Couple 207 lb-pi à 1700 tr/min
Transmission manuelle à 6 rapports, automatique à 6 rapports avec mode manuel (en option)
0-100 km/h 7,5 s auto. 7,8 s.
Vitesse maximale 209 km/h (bridé)

· **(3.6)**

V6 3,6 l DACT, 280 ch à 6200 tr/min
Couple 265 lb-pi à 2750 tr/min
Transmission automatique à 6 rapports =avec mode manuel
0-100 km/h 6,6 s
Vitesse maximale 209 km/h (bridé)
Consommation (100 km) 10,0 l, **4MOTION** 10,6 l (octane 91)
Émission de CO_2 4944 kg/an, **4Motion** 5184kg/an
Litres par année 2060 l. **4MOTION** 2160 l
Coût par année 2266$ **4MOTION** 2376 $
Autre motorisation non
Empreinte écologique 30 arbres

· **AUTRES COMPOSANTES**

Sécurité active freins ABS, répartition électronique de force de freinage, assistance au freinage, antipatinage, contrôle de stabilité électronique
Suspension avant/arrière indépendante
Freins avant/arrière disques
Direction à crémaillère, assistée
Pneus P235/45R17,
3,6 4MOTION : P235/40R18 (option 2.0TSI)

· **DIMENSIONS**

Empattement 2710 mm
Longueur 4796 mm
Largeur 1856 mm
Hauteur 1422 mm
Poids berl. 1530 kg
Diamètre de braquage 10,9 m
Coffre 400 l 1570 sièges abaissés
Réservoir de carburant 70 l

NOS MENTIONS

Modèle recommandé

NOTRE VERDICT

Plaisir au volant	4/5
Qualité de finition	4/5
Consommation	4/5
Rapport qualité/prix	4/5
Valeur de revente	3/5

ROUTAN

www.vw.ca

N ÉVOLUTION É J

27 975 $ à 49 975 $
transport et préparation: 1575 $

LA COTE VERTE

MOTEUR V6 DE 4,0 L

- **Consommation (100km):** 10,8 l
- **Émissions polluantes CO_2:** 4944 kg/an
- **Empreinte écologique (nombre d'arbres à planter par année):** 32
- **Indice d'octane:** 87
- **Autre motorisation:** non
- **Coût du carburant moyen par année:** 2060 $
- **Nombre de litres par année:** 2060 l

(SOURCE: ÉnerGuide)

1 FICHE D'IDENTITÉ

- **Versions** Trendline, Comfortline, Highline, Execline
- **Roues motrices** avant
- **Portières** 4 **Nombre de passagers** 7
- **Première génération** 2009
- **Génération actuelle** 2009
- **Construction** St. Louis, Missouri, É.-U.; Windsor, Ontario, Canada
- **Sacs gonflables** 4 (frontaux, rideaux latéraux)
- **Concurrence** Honda Odyssey, Kia Sedona, Nissan Quest, Toyota Sienna

2 AU QUOTIDIEN

- **Prime d'assurance**
  25 ans: 1400 à 1600 $
  40 ans: 900 à 1100 $
  60 ans: 700 à 900 $
- **Collision frontale** 5/5
- **Collision latérale** 5/5
- **Ventes du modèle l'an dernier**
  Au Québec 97 **Au Canada** 355
- **Dépréciation** nm
- **Rappels** (2004 à 2009) nm
- **Cote de fiabilité** nm

3 GARANTIES... ET PLUS

- **Garantie générale** 4 ans/80 000 km
- **Garantie motopropulseur** 5 ans/100 000 km
- **Perforation** 12 ans/kilométrage illimité
- **Assistance routière** 4 ans/kilométrage illimité
- **Nombre de concessionnaires**
  Au Québec 42 **Au Canada** 129

4 NOUVEAUTÉS EN 2010

- Carrosserie anticorrosion

CAMOUFLAGE À L'AMÉRICAINE

PAR BENOIT CHARETTE

CONCEVOIR UN VÉHICULE À PARTIR D'UNE FEUILLE BLANCHE COÛTE ENTRE 1,5 ET 2,5 MILLIARDS DE DOLLARS. Transformer un modèle existant a coûté à Volkswagen 100 millions de dollars. Comme le facteur prix est très important dans cette catégorie, la seconde approche a été privilégiée. Vous obtenez donc une Chrysler Town & Country revue et corrigée par les ingénieurs allemands. Peut-on réellement appeler ce produit une Volkswagen? Suivez le guide.

[CARROSSERIE] La Routan est construite sur un châssis Chrysler, dans une usine Chrysler, par des gens qui assemblent des produits Chrysler. Le toit et les portes proviennent directement de la Town & Country, les autres panneaux, les optiques et la calandre sont exclusives à Volkswagen. Mais entre vous et moi, il est difficile de camoufler des traits aussi typiques même avec un bon maquillage, et le travail ne convaincra personne. Ailleurs, Volks a apporté un peu plus de rigidité à la suspension et ajouté quelques notes allemandes à l'habitacle. Mais dans l'ensemble, même si Volks admet avoir déboursé 100 millions de dollars pour transformer la Town & Country en Routan, il vous faudra beaucoup d'imagination pour trouver où est allé cet argent.

[HABITACLE] Imaginez un instant que vous preniez un Américain pour le vêtir du costume traditionnel de l'Octoberfest. J'exagère un peu, mais c'est bien ce que Volks a fait avec l'habitacle de la Town & Country. Les ingénieurs ont changé le costume pour le rendre plus attrayant, mais la base demeure la même. Les boutons et les commandes proviennent directement de Chrysler. La console centrale bas de gamme a le même aspect, le sélecteur au centre de la console est le même. Vous pouvez également obtenir, en option, le même système de divertissement DVD à deux écrans et la chaîne audio de 500 watts multimédia avec mémoire de 30 gigaoctets pour la musique. Toutefois, les systèmes Stow'n' Go et Swivel'n' Go ne sont pas offerts dans la Rou-

FORCES • Sièges plus confortables que Chrysler
• Suspension un brin plus ferme

FAIBLESSES • Silhouette trop proche de la Town & Country
• Plastique bon marché

ROUTAN

tan, Chrysler se garde l'exclusivité sur le marché. Si d'autres concurrentes viennent à offrir des systèmes semblables, Chrysler offrira à ce moment la possibilité à Volkswagen d'offrir ces caractéristiques dans ses fourgonnettes. Comme les sièges de deuxième rangée ne se replient pas dans le plancher, Volks en a profité pour augmenter le rembourrage et les rendre plus confortables que ceux de son géniteur. On peut également en dire autant des sièges avant qui offrent un meilleur maintien que ceux de Chrysler.

[MÉCANIQUE] VW a aussi emprunté la mécanique de Chrysler. Le V6 de 4 litres offre 251 chevaux et la même boîte de vitesses automatique à 6 rapports. Le moins qu'on puisse dire, c'est que la sensation de conduite en tournant la clé n'a rien à voir avec les habituels produits de Volkswagen.

[COMPORTEMENT] Un des rares endroits où il est possible de percevoir une petite différence entre les deux modèles est sur la route. Volks utilise des ressorts de suspension, des coussinets et des amortisseurs différents qui contrôlent mieux le roulis. La conduite est donc plus ferme et mieux contrôlée que chez Chrysler, qui vous donne presque le mal de mer sur les chemins tortueux. Pour le reste, il ne faut pas se faire d'illusion, vous êtes dans une fourgonnette, donc pas de surprise.

[CONCLUSION] La Routan est donc un compromis et, comme tous les compromis, on tente de ménager la chèvre et le chou. Le véhicule n'est pas mauvais, mais je ne vois pas de raison valable de choisir une Routan en lieu et place d'une Town & Country. Il y a bien une petite différence dans la conduite, mais pas assez pour vous faire changer d'idée. On voit que Volkswagen est entrée dans ce partenariat sans grande conviction. Ce véhicule sert de prime abord à boucher un trou dans la gamme de produits, sans plus. Il s'adresse aux « endurcis » de la marque qui voudront absolument rester dans la famille Volks.

2e OPINION

FRANCIS BRIÈRE La fourgonnette devrait procurer confort, sécurité, espace et équipement. Pour obtenir ces quatre caractéristiques avec la Routan, vous devrez débourser au moins 40 000 dollars pour un modèle Highline. N'oublions pas que, même dans ce marché très ciblé, la concurrence est féroce. J'opterais encore pour la Honda Odyssey qui, à mon humble avis, en offre davantage. La Routan ne propose rien de novateur, si ce n'est le logo du constructeur allemand sur une fourgonnette. De plus, Honda offre un moteur plus sophistiqué, une meilleure consommation de carburant et un confort supérieur. À bord de la Routan, je n'ai pas retrouvé cette sensation de rigidité de caisse et la qualité habituelle d'une tenue de route digne de Volkswagen. Après tout, c'est une fourgonnette !

5 FICHE TECHNIQUE

· MOTEUR

V6 4,0 l ACC, 251 ch à 6000 tr/min
Couple 259 lb-pi à 4100 tr/min
Transmission automatique à 6 rapports
0-100 km/h 9 s
Vitesse maximale 180 km/h

· AUTRES COMPOSANTES

Sécurité active freins ABS, contrôle de stabilité électronique, répartition de freinage électronique, antipatinage
Suspension avant/arrière indépendante/essieu rigide
Freins avant/arrière disques
Direction à crémaillère, assistée
Pneus P225/65R16, P225/65R17 (en option)

· DIMENSIONS

Empattement 3078 mm
Longueur 5143 mm
Largeur 1953 mm
Hauteur 1750 mm
Poids 2096 kg
Diamètre de braquage 11,6 m
Coffre 930 l, 2400 l (sièges abaissés)
Réservoir de carburant 77,6 l
Capacité de remorquage 1633 kg

NOTRE VERDICT

Plaisir au volant
Qualité de finition
Consommation
Rapport qualité/prix
Valeur de revente Nd

TIGUAN

www.vw.ca

N ÉVOLUTION É J

27 575 à 38 375 $
transport et préparation: 1575 $

LA COTE VERTE

AVEC MOTEUR L4 DE 2.0 L TURBO

- **Consommation (100km):** man. 9,4 l auto. 9,3 l
- **Émissions polluantes CO_2 :** man. 4598 kg/an auto. 4495 kg/an
- **Empreinte écologique (nombre d'arbres à planter par année):** 27
- **Indice d'octane:** 91
- **Autre motorisation:** non
- **Coût du carburant moyen par année:** 2RM manuel 2112 $ auto 2178 $ 4RM 2222 $
- **Nombre de litres par année:** 2RM manuel 1920 l auto. 1980 l 4RM 2020 l

(SOURCE: ÉnerGuide)

1 FICHE D'IDENTITÉ

- **Version** Trendline, Comfortline, Highline
- **Roues motrices** avant, 4
- **Portières** 4 **Nombre de passagers** 5
- **Première génération** 2009
- **Génération actuelle** 2009
- **Construction** Puebla, Mexique
- **Sacs gonflables** 6, frontaux, latéraux et rideaux latéraux.
- **Concurrence** Ford Escape, Honda CR-V, Hyundai Tucson, Jeep Compass/Patriot, Kia Sportage, Nissan Rogue, Suzuki Grand Vitara, Toyota RAV4

2 AU QUOTIDIEN

- **Prime d'assurance**
  25 ans: de 2000 à 2200 $
  40 ans: de 1000 à 1200 $
  60 ans: de 800 à 1000 $
- **Collision frontale** 4/5
- **Collision latérale** 5/5
- **Ventes du modèle l'an dernier**
  Au Québec 469 **Au Canada** 1412
- **Dépréciation** (3 ans) nm
- **Rappels** (de 2004 à 2009) nm
- **Cote de fiabilité** nm

3 GARANTIES... ET PLUS

- **Garantie générale** 4 ans/80 000 km
- **Garantie motopropulseur** 5 ans/100 000 km
- **Perforation** 12 ans/kilométrage illimité
- **Assistance routière** 4 ans/kilométrage illimité
- **Nombre de concessionnaires**
  Au Québec 42 **Au Canada** 129

4 NOUVEAUTÉS EN 2010

- Nouveaux groupes d'options

MIEUX VAUT TARD...

PAR PHILIPPE LAGUË

VOLKSWAGEN A LONGTEMPS RÉSISTÉ AU SEGMENT DES PETITS VUS, LAISSANT LE PLANCHER AUX CONSTRUCTEURS ASIATIQUES ET AMÉRICAINS. Rien d'étonnant, du reste, de la part d'une marque qui semble avoir des difficultés à lire le marché nord-américain. Mais ils ont finalement compris qu'il s'agissait d'un bon filon : dix ans après tout le monde, VW a lancé, l'année dernière, le Tiguan, nouveau rival des CR-V, RAV4, Ford Escape et consorts. Mieux vaut tard...

[CARROSSERIE] Volkswagen ne réinvente pas le genre, mais les limites imposées par ce type de véhicule ne permettent pas beaucoup de fantaisie. L'air de famille avec son grand frère, le Touareg, est criant. Comme c'est désormais la norme dans ce créneau, une seule configuration, à 4 portes, est offerte. Côté format, le Tiguan se situe dans le milieu du peloton. Ce qui ne l'empêche pas d'offrir une habitabilité supérieure à celle de plusieurs de ses rivaux, notamment en qui a trait au dégagement pour la tête et les jambes, à l'arrière. Le coffre est lui aussi volumineux et brille par sa finition, avec du tapis partout.

[HABITACLE] Dès qu'on s'installe à bord, on ressent cette impression de solidité, si importante pour les disciples de VW. La finition un peu trop plastique déçoit, mais c'est assemblé avec rigueur. Notre véhicule d'essai était cependant muni du toit ouvrant panoramique (en option), d'où s'échappaient des bruits venant des caoutchoucs isolants. La tradition allemande est respectée avec des sièges fermes mais confortables, du moins à l'avant. La banquette arrière est vraiment trop ferme et procure un piètre maintien latéral. C'est tout le contraire à l'avant, avec un maintien latéral et un soutien lombaire irréprochables. Les espaces de rangement sont nombreux, et l'ergonomie est exemplaire. Les commandes sont à portée de la main et ultra simples; rien à voir avec les commandes inutilement compliquées des autres marques allemandes.

[MÉCANIQUE] Dans ce segment, certains modèles offrent une motorisation à 4 cylindres, d'autres des V6, quand ce n'est pas les deux. Volkswagen a opté pour une solution de compromis : un 4-cylindres suralimenté par un

FORCES • Habitabilité • Assemblage rigoureux • Quel bon moteur ! • Comportement inspirant • Confort appréciable

FAIBLESSES • Freinage moyen • Fiabilité à prouver • Prix corsés • Options nombreuses et coûteuses

TIGUAN

turbocompresseur. Ce moteur n'a pas grand-chose à envier à un V6, que ce soit au chapitre de la puissance, de la douceur ou du silence de roulement; de plus, le temps de réponse propre aux engins turbocompressés est à peine perceptible. Sa capacté de remorquage est cependant inférieure à celle d'un V6, mais si on la compare à celle des VUS à 4-cylindres, c'est l'une des plus élevées. La puissance de freinage est une autre marque de commerce allemande et, cette fois, on reste sur sa faim. La réponse est immédiate, très prompte, mais les distances d'arrêt sont plus longues que ce que le mordant peut laisser croire. Et ce n'est pas le plus stable en freinage d'urgence.

[COMPORTEMENT] On dira ce qu'on voudra, les voitures allemandes se situent encore dans une classe à part à ce chapitre, malgré de beaux efforts de la concurrence japonaise et américaine. Le Tiguan en fait une démonstration convaincante : même si c'est un VUS, il possède les aptitudes routières des automobiles de la marque et, sur ce plan, il lamine ses rivaux. Le plus sportif des VUS, c'est lui. Il est agile mais aussi très stable en virage, où sa transmission intégrale - très efficace - le sert bien. Le travail des trains roulants est d'autant plus remarquable que le confort n'est nullement pénalisé; au contraire. Disons-le : aucun joueur dans ce créneau n'offre un tel équilibre entre le confort et le comportement.

[CONCLUSION] L'attente en valait la peine : même si Volkswagen arrive en retard dans ce créneau, son entrée est réussie. Le Tiguan est spacieux, solide, bien construit et confortable, en plus de briller par ses aptitudes routières. Deux bémols, toutefois : d'abord, le Tiguan est l'un des plus chers de sa catégorie, et les options font rapidement grimper l'addition. Et il y a la fiabilité qui a connu des ratés chez ce constructeur depuis une dizaine d'années. Malgré de sérieux progrès depuis deux ans, l'achat d'une garantie prolongée est à considérer.

2e OPINION

FRÉDÉRIC MASSE Pas laid ce petit Tiguan. Petit, certes, car en conduisant le VUS de VW, je me suis souvent fait dire que j'avais une bien drôle de Rabbit (ou Golf) ! Quand je montrais le coffre à ces comiques, je ne faisais que renforcer leur jugement. Vous savez donc déjà quel est le principal défaut du Tiguan, il manque d'espace de chargement. Mais, comme ce n'est pas utile à tout le monde de trimbaler valises de voyage et poussette, sachez que le Tiguan est le plus agréable des VUS compacts à conduire. Son petit 4-cylindres turbo est un véritable charme, et sa direction pourrait donner des leçons à bien des berlines. Il faut toutefois savoir que son prix avec la transmission intégrale 4Motion (une option d'approximativement 3500 $, mais qui donne aussi droit à une géniale boîte automatique à 6 rapports) le rend pas mal coûteux, et que la fiabilité des VW ne se comparent pas encore à celles des Toyota, Honda et Subaru. C'est le prix pour rouler plus exclusif.

5 FICHE TECHNIQUE

· MOTEUR

· (2.0T)

L4 2,0 l turbo DACT, 200 ch à 5100 tr/min
Couple 207 lb-pi à 1700 tr/min
Transmission manuelle à 6 rapports, automatique à 6 rapports avec mode manuel (option)
0-100 km/h 8,1 s
Vitesse maximale 215 km/h

· AUTRES COMPOSANTES

Sécurité active freins ABS, répartition électronique de force de freinage, antipatinage, contrôle de stabilité électronique
Suspension avant/arrière indépendante
Freins avant/arrière disques
Direction à crémaillère, assistée
Pneus P215/55R16

· DIMENSIONS

Empattement 2604 mm
Longueur 4427 mm
Largeur 1809 mm
Hauteur 1683 mm
Poids man. 1541 kg **auto.** 1557 kg
4Motion 1647 kg
Diamètre de braquage 12,0 m
Coffre 700 l sièges abaissés 1600 l
Réservoir de carburant 63,5 l
Capacité de remorquage 998 kg

NOS MENTIONS

- Clé d'or de sa catégorie
- Modèle recommandé
- Coup de coeur

NOTRE VERDICT

Plaisir au volant	●●●●
Qualité de finition	●●●●
Consommation	●●●●
Rapport qualité/prix	●●●●
Valeur de revente	Nm

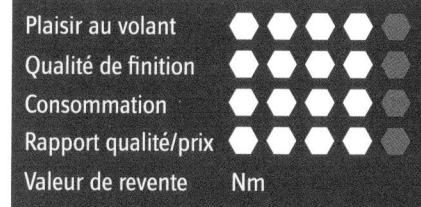

TOUAREG

www.vw.ca

N ÉVOLUTION É J

45 300 $ à 58 300 $
transport et préparation: 1575 $

LA COTE VERTE

AVEC MOTEUR V6 DE 3,0 L TDI

- **Consommation (100km):** 10,3 l
- **Émissions polluantes CO_2 :** 5508 kg/an
- **Empreinte écologique (nombre d'arbres à planter par année):** 30
- **Indice d'octane:** Diesel
- **Autre motorisation:** Essence
- **Coût du carburant moyen par année:** 2040 $
- **Nombre de litres par année:** 2040 l

(SOURCE: ÉnerGuide)

1 FICHE D'IDENTITÉ

- **Versions** Comfortline, Highline
- **Roues motrices** 4
- **Portières** 4 **Nombre de passagers** 5
- **Première génération** 2004
- **Génération actuelle** 2004
- **Construction** Bratislava, Slovaquie
- **Sacs gonflables** 6 (frontaux, latéraux avant, rideaux latéraux)
- **Concurrence** Acura MDX, Audi Q7, BMW X5, Cadillac SRX, Infiniti FX, Land Rover LR4, Lexus RX, Mercedes-Benz Classe M, Porsche Cayenne, Volvo XC90

2 AU QUOTIDIEN

- **Prime d'assurance** **25 ans :** 2600 à 2800 $ **40 ans :** 1400 à 1600 $ **60 ans :** 1200 à 1400 $
- **Collision frontale** 5/5
- **Collision latérale** 5/5
- **Ventes du modèle de l'an dernier** **Au Québec** 188 **Au Canada** 703
- **Dépréciation** 47,7 %
- **Rappels** (2004 à 2009) 5
- **Cote de fiabilité** 3/5

3 GARANTIES... ET PLUS

- **Garantie générale** 4 ans/80 000 km
- **Garantie motopropulseur** 5 ans/100 000 km
- **Perforation** 12 ans/kilométrage illimité
- **Assistance routière** 4 ans/80 000
- **Nombre de concessionnaires** **Au Québec** 42 **Au Canada** 129

4 NOUVEAUTÉS EN 2010

- modèle V8 retiré et nouveau modèle Diesel
Hayon à ouverture/fermeture électrique.
Roues en alliage 8J X 18po. Avec boulons de roue antivol. Volant chauffant.
Pare-soleil latéraux à réglage manuel.
Suppression de l'ensemble Execline.

CHIMIE 101

PAR FRANCIS BRIÈRE

LA BASE DU TOUAREG, VÉHICULE UTILITAIRE PLEINE GRANDEUR DE VOLKSWAGEN, SERT AUSSI À AUDI ET À PORSCHE POUR LES Q7 ET CAYENNE DE CE MONDE. La preuve est faite : il s'agit d'une excellente plateforme. Mû par un V6, ce véhicule lourd tend à consommer outrageusement du carburant. Voilà une bonne raison pour produire une version à motorisation diesel, un TDI. Bravo Volkswagen, une bien bonne idée !

[CARROSSERIE] Justement, le Touareg partage des airs de famille avec le Cayenne de Porsche. Sa partie avant est moins audacieuse et moins sportive, mais il possède des lignes semblables vers l'arrière. On peut y greffer des jantes de 19 pouces à volonté si le budget le permet, de quoi lui donner encore plus de panache et une meilleure tenue de route.

[HABITACLE] L'intérieur du Touareg est fait de matériaux de qualité dont l'assemblage ne mérite que des éloges. Les sièges fournissent confort et maintien pour une longue randonnée. Le modèle Highline est livré avec un habitacle plus luxueux. Sa planche de bord est garnie d'appliques de bois, et l'ensemble technologique propose une chaîne audio de 600 watts de la compagnie Dynaudio, un système de navigation, la caméra de recul et la radio satellite Sirius. Si la livrée TDI vous intéresse, sachez que l'insonorisation et la discrétion de l'engin font en sorte que les ronronnements sont à peine perceptibles de l'intérieur. On apprécie le silence et la douceur de roulement. Du reste, c'est un produit Volkswagen, il faut donc s'attendre à une présentation simple et à une ergonomie bien pensée.

[MÉCANIQUE] Au premier abord, les 225 chevaux proposés avec la motorisation diesel peuvent sembler justes. Avec un couple de plus de 400 livres-pieds, sachez que le Touareg TDI a suffisamment de puissance pour se déplacer avec aisance et dynamisme. La preuve : on boucle l'accélération de 0 à 100 km/h en moins de 10 secondes ! Pas mal pour un gros balourd. De plus, en utilisant l'accélérateur avec politesse,

FORCES • Caisse rigide et robuste • Moteur TDI plein de couple • Consommation raisonnable (TDI)

FAIBLESSES • Prix élevé • Poids important • Fiabilité douteuse

on réussit à obtenir une consommation raisonnable de l'ordre de 10 à 11 litres aux 100 kilomètres. Maintenant, quelques notions de chimie. La technologie *AddBlue* prévue pour le modèle TDI sert à éliminer les éléments chimiques qui polluent l'atmosphère comme le monoxyde et le dioxyde d'azote. Cette substance doit être remplacée au moment où le véhicule visite le concessionnaire pour l'entretien régulier. Si le liquide *AddBlue* n'est pas présent dans le réservoir, le véhicule ne démarre pas. Autrement, on opte pour le moteur V6 à essence de 280 chevaux, un moteur souple et puissant mais plus glouton.

[COMPORTEMENT] Le Touareg TDI n'a rien à envier à la concurrence quand il s'agit de sortir des chemins battus. Ce véhicule possède l'une des meilleures réputations pour la conduite hors route. Nous avons eu l'occasion d'emprunter des sentiers de terre battue relativement escarpés sans craindre la moindre défaillance. Sur la route, le Touareg est confortable. La direction manque de précision comme c'est le cas de la majorité des véhicules de cette catégorie. En virage serré, le poids important se fait sentir. Même si le Touareg ne possède pas les mêmes caractéristiques sportives que le Porsche Cayenne, il démontre un comportement sûr. Reste que le plaisir de conduire manque à l'appel.

[CONCLUSION] Une version TDI du Touareg fait l'unanimité, malgré son prix un peu gonflé qui atteint les 60 000 dollars pour un modèle Comfortline. Quoi qu'il en soit, profiter des qualités du véhicule tout en brûlant moins de carburant. À la bonne heure ! Attendre que le réservoir se vide complètement peut déprimer les gens déjà de mauvaise humeur. Avec un réservoir de 100 litres, sachant que le prix du diesel oscille autour du dollar, le billet brun sort de votre poche aussi vite que l'éclair. Remarquez, ça pourrait être pire.

2e OPINION

DANIEL RUFIANGE Le Touareg reçoit une belle dose d'énergie avec l'ajout d'une motorisation diesel. Lui dont les ventes sont plutôt modestes ne peut que bénéficier de l'arrivée d'un engin à la fois plus propre et plus économique. Le Touareg demeure l'un des deux ou trois utilitaires les plus efficaces sur le marché. Non seulement a-t-il tous les atouts pour traverser ruisseaux, monts et vallées, mais il possède également tout le charme et la classe qu'une soirée à l'opéra prescrit. En prime, sa conduite s'apparente plus à celle d'une berline de luxe, résultat d'un châssis à toute épreuve qui le rend agile sur le pavé. Il faut cependant avoir les poches bien nanties pour se l'offrir; sa facture devient rapidement salée avec les options, et sa fiabilité demeure un GROS point d'interrogation.

TOUAREG

5 FICHE TECHNIQUE

· MOTEURS

· (V6 Turbo Diesel)
V6 3,0 l TDI, 225 ch à 4000 tr/min
Couple 406 lb-pi à 1750 tr/min
Transmission automatique à 6 rapports avec mode manuel
0-100 km/h 8,9 s
Vitesse maximale 209 km/h (limitée)

· (V6)
V6 3,6 l DACT, 280 ch à 6200 tr/min
Couple 265 lb-pi à 2500 tr/min
Transmission automatique à 6 rapports avec mode manuel
0-100 km/h 8,6 s
Vitesse maximale 210 km/h
Consommation (100 km) 12,6 l Octane 91
Émissions de CO_2 6144 kg/an
Litres par année 2560 l
Coût par an 2816 $
Autre motorisation: non
Empreinte écologique 36 arbres

· AUTRES COMPOSANTES
Sécurité active freins ABS, répartition électronique de force de freinage, assistance au freinage, antipatinage, contrôle de stabilité électronique
Suspension avant/arrière indépendante
Freins avant/arrière disques
Direction à crémaillère, assistée
Pneus Comfortline P255/60R17 **Highline** P255/55R18 **(optionV6),** P275/40R20

· DIMENSIONS
Empattement 2855 mm
Longueur 4754 mm
Largeur 1928 mm
Hauteur 1726 mm
Poids 2332 kg
Diamètre de braquage 11,6 m
Coffre 900 l, 2000 l (sièges abaissés)
Réservoir de carburant 100 l
Capacité de remorquage 3500 kg

NOS MENTIONS

Modèle recommandé

NOTRE VERDICT

Plaisir au volant	4/5
Qualité de finition	5/5
Consommation	3,5/5
Rapport qualité/prix	4/5
Valeur de revente	3,5/5

C30

www.volvocanada.com

N ÉVOLUTION É J

27 695 $ à 32 195 $
transport et préparation: 1095 $

LA COTE VERTE

AVEC MOTEUR L5 DE 2,4 L

- Consommation (100km): 8,8 l
- Émissions polluantes CO_2 : 4272 kg/an
- Empreinte écologique (nombre d'arbres à planter par année): 26
- Indice d'octane: 87
- Autre motorisation: non
- Coût du carburant moyen par année: 1800$
- Nombre de litres par année: 1800 l

(SOURCE: ÉnerGuide)

1 FICHE D'IDENTITÉ

- **Versions** 2.4i, T5
- **Roues motrices** 2
- **Portières** 2 **Nombre de passagers** 4
- **Première génération** 2007
- **Génération actuelle** 2007
- **Construction** Gand, Belgique
- **Sacs gonflables** 6 (frontaux avec protection aux genoux, latéraux avant, rideaux latéraux)
- **Concurrence** Acura CSX, Audi A3, Mercedes-Benz classe B, Mini Cooper, VW Golf

2 AU QUOTIDIEN

- **Prime d'assurance**
  25 ans: 1900 à 2100 $
  40 ans: 1200 à 1400 $
  60 ans: 1000 à 1200 $
- **Collision frontale** 5/5
- **Collision latérale** 5/5
- **Ventes du modèle de l'an dernier**
  Au Québec 398 **Au Canada** 1 142
- **Dépréciation (1 an)** 15,5 %
- **Rappels (2004 à 2009)** 2
- **Cote de fiabilité** 3,5/5

3 GARANTIES... ET PLUS

- **Garantie générale** 4 ans/80 000 km
- **Garantie motopropulseur** 4 ans/80 000 km
- **Perforation** 12 ans/kilométrage illimité
- **Assistance routière** 4 ans/kilométrage illimité
- **Nombre de concessionnaires**
  Au Québec 12 **Au Canada** 41

4 NOUVEAUTÉS EN 2010

- Aucun changement majeur.

VISION URBAINE

PAR ALEXANDRE CRÉPAULT

QUAND LA C30 A FAIT SON APPARITION AU SALON DE DETROIT EN 2006, SON DESIGN, QU'ON DOIT AU QUÉBÉCOIS SIMON LAMARRE, A CAPTÉ L'INTÉRÊT DE TOUS. Pourtant, quatre ans après, les C30 ne sont pas légion comme les MINI. Pourquoi ?

[CARROSSERIE] Ayant dans sa mire une clientèle principalement urbaine, Volvo a visé juste avec le design de la C30 qui se veut ni plus ni moins que la colonne vertébrale du projet. Inspirée de la très rare Volvo P1800ES produite entre 1971 et 1973, la voiture reprend, entre autres, la forme très particulière de la vitre arrière. Mais revenons à l'avant de la C30. Vue de face, cette dernière n'est pas laide, mais pas sensationnelle. Son faciès, identique à celui des S40 et V50, ne provoque pas l'exclamation à laquelle on aurait pu s'attendre. Il faut se déplacer sur le côté pour constater à quel point la haute ceinture et les hanches bien larges donnent du corps au coupé. Équipée de roues imposantes de 18 pouces et de l'ensemble aérodynamique dont la teinte contraste avec la couleur de la voiture, la C30 paraît aussi dynamique que moderne. Si l'on revient à l'arrière, on remarque les feux qui emboîtent le hayon en vitre et les deux pots d'échappement qui créent ainsi le style en rondeurs très à la mode de la C30.

[HABITACLE] La cabine peut être considérée comme du type 2+2. Cependant, elle fait mentir la définition habituelle de ce genre d'habitacle. En effet, les places arrière peuvent recevoir des passagers autres que des enfants et des nains. Avec un peu de patience (et une attestation du Cirque du Soleil), on arrive également à se glisser sur les sièges pour se rendre compte, avec une grande surprise, que l'espace se révèle suffisant pour asseoir confortablement deux joueurs de football. Par contre, vous devrez trouver un autre moyen de transport pour l'équipement; le coffre n'est pas très accommodant. Ou alors vous pourrez rabattre les sièges à plat et faire du coffre une garde-robe pleine grandeur, et ce, malgré l'ouverture limitée du petit hayon. Mais vous devrez condamner les joueurs de football à voyager avec les meneuses de claques...

FORCES • Design charmeur • Qualité de la finition ! • Confort réel • Présentation intérieure • Châssis très équilibré

FAIBLESSES • Motricité • Poids • Boîte longue • Habitabilité arrière et accès aux places • Pas très sportive

[MÉCANIQUE] Les moteurs de la C30 que proposait Volvo aux Canadiens pouvaient paraître raisonnables en 2006. Aujourd'hui, plus d'excuse : on veut au moins un des trois moteurs diesel dont bénéficie l'Europe. Pour l'instant, nos acheteurs devront se rabattre sur l'un ou l'autre des moteurs à essence, dont un turbocompressé, avec boîte de vitesses manuelle ou automatique. Malheureusement, pas de transmission intégrale sur la version T5, contrairement aux S40 et V50.

[COMPORTEMENT] Le comportement de la C30 dépendra surtout de vos attentes. Si vous aspirez à la sensation d'un kart, comme dans une MINI Cooper, allez voir ailleurs. Même en version turbo, la C30 se révèle trop spongieuse pour plaire à l'amateur de performances, particulièrement au chapitre de la direction et des changements de rapports de la boîte manuelle. En revanche, si vos désirs tournent plutôt autour d'une conduite saine, rassurante et confortable, alors là, la C30 est peut-être pour vous. N'oublions pas que, avec son couple de 236 livres-pieds, elle ne perd pas de temps pour bâtir de la vitesse. Quant au moteur de 2,4 litres, ses accélérations ne feront pas s'envoler votre perruque, mais vous permettront tout de même de suivre la circulation.

[CONCLUSION] Une multitude de facteurs font de la C30 un moins bon produit que, disons, la MINI. Par exemple, l'absence d'un tempérament sportif, un prix guère concurrentiel et un marketing peu agressif. Pourtant, cette voiture possède beaucoup de qualités intéressantes, comme un côté pratique surprenant pour un couple sans enfants, un niveau de confort supérieur à la moyenne, des lignes qu'on peut réellement apprécier et une certaine exclusivité. À vous d'établir vos priorités.

2e OPINION

FRÉDÉRIC MASSE Si ce n'était de ses lignes qui laissent bien des consommateurs pantois, la petite C30 aurait pu remporter un succès beaucoup plus grand. Elle qui peut accueillir quatre personnes en tout confort (et leurs bagages) est relativement amusante à conduire, même si elle n'a pas de grandes ambitions sportives, et devient nettement plus vivante avec le moteur turbo. Ses sièges, la conception de son habitacle, son design général, même sa direction un peu floue sont évidemment davantage conçus pour plaire davantage aux dames qu'aux hommes; toutefois, ces derniers seraient surpris derrière le volant. Elle offre en réalité un compromis intéressant aux autres voitures sport qui malmènent souvent le dos. Ce n'est pas le cas de la petite suédoise qui aime bien jouer dans les courbes, non sans étirer un peu, mais dans une limite fort acceptable compte tenu de ses autres qualités. Une petite voiture qu'on gagne à découvrir si on aime le genre. En plus, selon *Consumer Reports*, la C30 se tiendrait très loin des problèmes de fiabilité. Eh bien !

5 FICHE TECHNIQUE

· MOTEURS

· (2.4i)

L5 2,4 l DACT, 168 ch à 6000 tr/min
Couple 170 lb-pi à 4400 tr/min
Transmission manuelle à 5 rapports, automatique à 5 rapports (en option)
0-100 km/h 9,2 s
Vitesse maximale 210 km/h

· (T5)

L5 2,5 l DACT, 227 ch à 5000 tr/min
Couple 236 lb-pi à 1500 tr/min
Transmission manuelle à 6 rapports, automatique à 5 rapports (en option)
0-100 km/h 7,0 s
Vitesse maximale 225 km/h
Consommation (100 km) man. 8,9 l **auto.** 9,2 l (octane 87)
Émissions de CO_2 man. 4320 kg/an **auto.** 4512 kg/an
Litres par année man. 1820 l **auto.** 1820 l
Coût par an man. 1820 $ **auto.** 1820 $
Carburant alternatif non
Empreinte écologique 25 arbres

· AUTRES COMPOSANTES

Sécurité active freins ABS, répartition électronique de force de freinage, assistance au freinage, antipatinage, contrôle de stabilité électronique
Suspension avant/arrière indépendante
Freins avant/arrière disques
Direction à crémaillère, assistée
Pneus 205/55R16

· DIMENSIONS

Empattement 2640 mm
Longueur 4252 mm
Largeur 2039 mm (miroirs inclus)
Hauteur 1447 mm
Poids 2,4i 1425 kg **T5** 1447 kg
Diamètre de braquage 10,6 m
Coffre 433 l, 1542 l (sièges abaissés)
Réservoir de carburant 60 l

NOS MENTIONS

Coup de coeur

NOTRE VERDICT

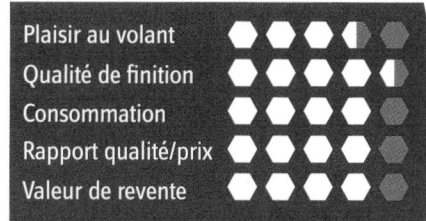

Plaisir au volant
Qualité de finition
Consommation
Rapport qualité/prix
Valeur de revente

C70

www.volvocanada.com

N ÉVOLUTION É J

52 095 $
transport et préparation: 1895 $

LA COTE VERTE

MOTEUR L5 DE 2,5 L

- **Consommation (100km):** **man.** 9,4 l **auto.** 9,5 l
- **Émissions polluantes CO_2 :** **man.** 4608 kg/an **auto.** 4656 kg/an
- **Empreinte écologique (nombre d'arbres à planter par année):** 27
- **Indice d'octane:** 91
- **Autre motorisation:** non
- **Coût du carburant moyen par année:** **man.** 1920 $ **auto.** 1940 $
- **Nombre de litres par année:** **man.** 1920 l **auto.** 1940 l

(SOURCE: ÉnerGuide)

1 FICHE D'IDENTITÉ

- **Versions** T5
- **Roues motrices** avant
- **Portières** 2 **Nombre de passagers** 4
- **Première génération** Gand, Belgique
- **Génération actuelle** 2006
- **Construction** Gand, Belgique
- **Sacs gonflables** 6 (frontaux, latéraux avant, rideaux latéraux)
- **Concurrence** Audi A5 Cabriolet, BMW Série 3 Cabriolet, Volkswagen EOS

2 AU QUOTIDIEN

- **Prime d'assurance**
  25 ans: 2400 à 2600 $
  40 ans: 1200 à 1400 $
  60 ans: 1000 à 1200 $
- **Collision frontale** 5/5
- **Collision latérale** 5/5
- **Ventes du modèle de l'an dernier**
  Au Québec 40 **Au Canada** 174
- **Dépréciation** (2 ans) 50,5%
- **Rappels** (2003 à 2008) 4
- **Cote de fiabilité** 3/5

3 GARANTIES... ET PLUS

- **Garantie générale** 4 ans/80 000 km
- **Garantie motopropulseur** 4 ans/80 000 km
- **Perforation** 12 ans/kilométrage illimité
- **Assistance routière** 4 ans/80 000 km illimité
- **Nombre de concessionnaires**
  Au Québec 12 **Au Canada** 41

4 NOUVEAUTÉS EN 2010

- Aucun changement majeur

MA BELLE SUÉDOISE !

PAR FRÉDÉRIC MASSE

ELLES SONT SI BELLES CES SUÉDOISES. L'IMAGE QU'ON SE FAIT D'ELLES EST EXQUISE : DOUCE, BLONDE AUX YEUX BLEUS ET CORPS SEXY, COMME LA C70, EN RÉALITÉ (À L'EXCEPTION DU BLOND DES CHEVEUX ET DU BLEU DES YEUX...). Dans les faits, c'est la voie qu'a préconisée Volvo pour se distinguer de la masse, elle qui combine de belles lignes, le confort, la sécurité et... la traction. Un bon choix ? Certes, puisque les allemandes et les japonaises occupent déjà le haut du pavé en matière de cabriolet à propulsion à vocation sportive.

[CARROSSERIE] Le design de la C70 est réussi et passe les années à merveille. À l'image de la génération précédente, qui ne montre pas trop de rides, la C70 semble encore aussi jeune, fraîche et pimpante. Cette dernière est assise sur la plateforme C1, qu'on a allongée pour la cause, qu'elle partage notamment avec la S40 (et la Ford Focus européenne). Capotée ou pas, le design de C70 plaît naturellement à l'œil, et le néophyte pourra croire à tort qu'une fois le toit levé, la C70 se révèle un véritable coupé.

[HABITACLE] À l'intérieur, la Volvo est une Volvo. Simple, bien organisée, bien ficelée, tout à fait suédois. Le tableau de bord, la forme des lignes et les appliques n'ont rien de bien fascinant, mais offrent l'avantage d'être fonctionnels. C'est aussi agaçant d'avoir à déplier des dollars supplémentaires pour obtenir le lecteur à 6 CD quand le prix de la voiture est fixé à plus de 50 000 $. La console flottante, bien qu'offerte depuis quelques années, fait toutefois toujours aussi effet auprès des néophytes. À souligner, le maintien divin des sièges, du moins à l'avant, car à l'arrière, on s'en doute, les places sont plus que restreintes. Même chose pour le coffre qui, une fois le toit abaissé, doit contenir tout cet amas de tôle. Mais, ça c'est le propre de pratiquement toutes les voitures à toit rigide rétractable. Autre point pour la Volvo, son insonorisation.

[MOTEUR] Le fabricant suédois trimbale une seule mécanique pour sa C70. Avec ses 227 chevaux, le petit 5-cylindres de 2,5 litres turbocompressé est parfait pour la voiture. Bien adaptée, il n'envoie pas trop de puissance aux roues

FORCES • Douceur de roulement • Insonorisation impressionnante pour un cabriolet • Sièges divins • Pédale d'embrayage consentante • Traction • Lignes réussies

FAIBLESSES • Performances générales • Habitacle un peu austère • Levier de vitesses flou

avant, ce qui évite un effet de couple agaçant. La puissance ne déstabilisera jamais le chauffeur et elle parvient de manière linéaire. Même s'il date de quelques années, pourquoi changer une formule qui fonctionne à merveille. Les accélérations riment donc avec le type de voiture : progressives et en douceur.

[COMPORTEMENT] Comme on s'en doute, la C70 n'a rien d'agressif. Sa direction est légère comme une plume, et le sportif devra aller voir ailleurs. En la poussant, on perd rapidement contact avec la route et on doit corriger la trajectoire. Par contre, la conductrice ou le conducteur aimant voyager et se faire dorloter appréciera la suspension un peu rebondie de la belle suédoise. Pour un peu plus de plaisir au volant, je lui greffe volontiers la boîte de vitesses manuelle à 6 rapports, qui propose de toute manière une des pédales d'embrayage les plus faciles à manier de l'industrie. Un levier plus précis devrait toutefois faire partie des priorités. Pour les récalcitrants ou ceux qui ne jurent que par l'automatisme, sachez que 5 rapports bien étagés vous attendent. En passant, on demeurera sur le 17 pouces et évitera l'option des 18, eux qui rendent la suspension moins agréable et la direction moins sensible. Donc, doux, souple et soignée... une vraie suédoise quoi !

[CONCLUSION] La C70 a sa niche. Elle cible ceux qui apprécient rouler dans le beau et le confortable... tout en sécurité. À un peu plus de 52 000 $, la C70 n'est certainement pas donnée. Mais, ceux qui l'achèteront le feront en ayant en tête qu'il s'agit d'abord et avant tout d'une routière de luxe confortable. Pour ces derniers et en conservant cette idée en tête, on se rend compte que la Volvo représente un produit fort intéressant.

2e OPINION

BENOIT CHARETTE Avec des ventes nationales qui ont chuté de plus de 50% au cours de la dernière année, inutile de dire que la C70 n'a plus la cote auprès des acheteurs. Pourtant, ce véhicule ne manque pas de charme. Avec des lignes réussies qui se démarquent de la concurrence, sa cote d'attraction est encore bonne, et, comme toutes les voitures de la marque, la sécurité arrive au premier plan. Le prix est probablement un facteur qui a refroidi plus d'un acheteur et la présence depuis quelques années de la VW Eos, moins chère, a certainement nui aux ventes de la C70. Pas sportive mais proposant un confort hors pair, la Volvo C70 est une machine qu'il faut rouler à petit régime sous le soleil. Si vous poussez un peu la mécanique, le châssis pêche pour son léger manque de rigidité. Au final, ce coupé-cabriolet suédois propose à ses quatre passagers un habitacle impeccable.

5 FICHE TECHNIQUE

· MOTEUR

· (T5)

L5 2,5 l DACT, 227 ch à 5000 tr/min
Couple 236 lb-pi à 1500 tr/min
Transmission manuelle à 6 rapports, automatique à 5 rapports avec mode manuel (option)
0-100 km/h 7,4 s
Vitesse maximale 210 km/h

· AUTRES COMPOSANTES

Sécurité active freins ABS, répartition électronique de force de freinage, assistance au freinage, antipatinage, contrôle de stabilité électronique
Suspension avant/arrière indépendante
Freins avant/arrière disques
Direction à crémaillère, assistée
Pneus P235/45R17

· DIMENSIONS

Empattement 2639 mm
Longueur 4582 mm
Largeur 1836 mm
Hauteur 1400 mm
Poids 1645 kg
Diamètre de braquage 11,8 m
Coffre 362 l, 170 l (toit abaissé)
Réservoir de carburant 62 l

NOTRE VERDICT

Plaisir au volant
Qualité de finition
Consommation
Rapport qualité/prix
Valeur de revente

S40 / V50

www.volvocanada.com

N ÉVOLUTION É J

28 995 $ à 44 495 $
transport et préparation: 1895 $

LA COTE VERTE

MOTEUR L5 DE 2,4 L

- **Consommation (100km):** 8,8 l
- **Émissions polluantes CO2 :** 4272 kg/an
- **Empreinte écologique (nombre d'arbres à planter par année):** 25
- **Indice d'octane:** 91
- **Autre motorisation:** non
- **Coût du carburant moyen par année:** 1800 $
- **Nombre de litres par année:** 1800 l

(SOURCE: ÉnerGuide)

1 FICHE D'IDENTITÉ

- **Versions** 2.4i R-Design, T5 R-Design, T5 AWD R-Design
- **Roues motrices** 2, 4
- **Portières** 4 **Nombre de passagers** 4
- **Première génération** 2000
- **Génération actuelle** 2005
- **Construction** Gand, Belgique
- **Sacs gonflables** 6 (frontaux, latéraux avant, rideaux latéraux)
- **Concurrence** Acura TSX, Audi A3/A4, BMW Série 3, Lexus IS, M-Benz Classe B et Classe C, Volkswagen Jetta

2 AU QUOTIDIEN

- **Prime d'assurance**
  25 ans: 1900 à 2100 $
  40 ans: 1200 à 1400 $
  60 ans: 1000 à 1200 $
- **Collision frontale** 5/5
- **Collision latérale** 5/5
- **Ventes du modèle de l'an dernier**
  Au Québec 395 **Au Canada** 1036
- **Dépréciation** 47,3 %
- **Rappels** (2004 à 2009) 9
- **Cote de fiabilité** 3/5

3 GARANTIES... ET PLUS

- **Garantie générale** 4 ans/80 000 km
- **Garantie motopropulseur** 4 ans/80 000 km
- **Perforation** 12 ans/kilométrage illimité
- **Assistance routière** 4 ans/kilométrage illimité
- **Nombre de concessionnaires**
  Au Québec 12 **Au Canada** 41

4 NOUVEAUTÉS EN 2010

- Aucun changement majeur

TANDEM À DÉCOUVRIR

PAR DANIEL RUFIANGE

MALHEUREUX EST LE SEUL MOT QUI ME VIENT EN TÊTE QUAND JE PENSE AU SORT QUE SUBIT VOLVO DEPUIS QUELQUES ANNÉES. La firme suédoise produit des véhicules intéressants, mais qui ne parviennent pas à se vendre en quantité suffisante pour assurer sa pérennité. Le tandem S40/V50 en est un exemple parfait. Une voiture de cette qualité devrait compter plus que quelques centaines de preneurs au Québec annuellement. Que reste-t-il de nos amours ?

[CARROSSERIE] Vous aimez les lignes de la S40 ? Moi, oui ! Cependant, j'ai l'impression qu'elle en laisse plusieurs indifférents. Volvo a été l'une des premières à se doter d'une signature moderne avec ses feux arrière tronqués et cette calandre centrale placée à l'avant des phares. C'est distinctif et réussi. Mais pourtant... Il est clair que Volvo traîne cette réputation d'offrir des véhicules ennuyeux destinés aux hommes d'affaires ayant une vie moche et sans histoire. Vous savez comme moi à quel point il est difficile de se défaire d'une réputation. C'est d'autant plus compliqué quand votre entreprise est à vendre, et que l'industrie de l'automobile entière travaille à se sortir d'une crise sans précédent. Néanmoins, deux moutures n'attendent que vos bons soins : la berline S40 et la familiale V50. Chacune compte trois livrées soit les 2,4i, T5 et T5 AWD.

[HABITACLE] Chez Volvo, tout est pensé en fonction des gens et de leur bien-être. Sans surprise, on découvre un habitacle à la fois fonctionnel et confortable. La qualité d'assemblage est excellente. Même constat pour la valeur des matériaux même si ceux-ci demandent une certaine période d'adaptation. Par exemple, le revêtement T-Tec graphite des sièges est différent au toucher, mais nous permet de rester au frais par temps très chaud. C'est le genre d'attention auquel on a droit avec Volvo. Vu les dimensions plus réduites de cette petite sportive – car oui, on peut vraiment s'amuser au volant d'une S40 – les places arrières en souffrent, et l'espace y est limité. En revanche, la V50 se veut très pratique alors qu'on peut loger quantité de matériel à l'arrière, encore plus quand on rabat les banquettes. Parlant des banquettes, soulignons cette autre

FORCES · Sécurité tous azimuts · Plaisante à conduire · Consommation raisonnable · Aspect pratique de la familiale

FAIBLESSES · Facture qui grimpe rapidement avec les options · Moteur de base un peu juste · Espace limité à l'arrière

innovation Volvo : un coussin rehausseur intégré qui permet aux enfants de profiter du paysage en étant assis plus haut en toute sécurité. Bravo !

[MÉCANIQUE] Volvo propose deux moteurs, un atmosphérique et un autre turbocompressé. Le premier, un 5-cylindres en ligne de 2,4 litres, propose 168 chevaux et un couple de 170 livres-pieds, ce qui est amplement pour des déplacements sans histoire et relativement économes. L'autre, un 5-cylindres en ligne de 2,5 litres, reçoit l'aide d'un turbo pour offrir 227 chevaux et une couple de 236 livres-pieds; c'est elle la petite sportive ! Des jambes de forces MacPherson à l'avant et une suspension arrière indépendante à multibras vient bien servir les S40/V50.

[COMPORTEMENT] Cet ensemble mécanique, combiné à un châssis qu'on sent très rigide, confère à cette voiture un comportement routier très équilibré. Ce n'est jamais trop sec pour être inconfortable et jamais trop mou pour ressentir un effet de roulis désagréable. Volvo offre un bon compromis aux amateurs de conduite sportive ainsi qu'à ceux qui préfèrent confort et douceur de roulement. Pour profiter au maximum des capacités sportives de la voiture, il faut opter pour une version à transmission intégrale qui s'accompagne du moteur turbo et des jantes de 17 pouces.

[CONCLUSION] Que manque-t-il aux S40/V50 pour séduire les amateurs ? Quelques petits détails importants, de fait. D'abord, une facture moins salée si l'on équipe un peu la voiture aura l'effet attendu chez les amateurs. J'ai conduit une V50 qui valait plus de 53 000 $, c'est trop cher ! Ensuite, un dénouement heureux aux problèmes financiers de l'entreprise à qui on souhaite un propriétaire en bonne santé qui lui redonnera ses lettres de noblesse. Enfin, un peu de chance, mais surtout, se débarrasser de cette image de voitures ennuyeuses qui colle à Volvo comme des mouches sur de la mélasse.

2e OPINION

JEAN-PIERRE BOUCHARD Les compactes de Volvo suscitent de l'intérêt depuis leur apparition sur le marché. Mais elles ne fracassent toutefois aucun record de vente. Les S40 et V50 offrent un bel agrément de conduite et un bon confort. La familiale est polyvalente, bien qu'elle ne prêche pas par excès en ce qui concerne le dégagement pour les jambes. La berline non plus, d'ailleurs. Le moteur de base fournit des performances convenables. Rien d'époustouflant. Et en plus, il manque de discrétion à vitesse d'autoroute. Au moment de passer à la caisse, la facture est élevée, surtout si l'on y ajoute quelques équipements. Une Mazda*3* entièrement équipée coûte des milliers de dollars de moins et en offre pratiquement tout autant. Leur valeur de revente moyenne les rend plus attrayantes sur le marché des véhicules d'occasion. Souvent, on peut en dénicher une avec un kilométrage raisonnable, mieux équipée et toujours garantie. Et comme une Volvo conserve longtemps ses attributs de solidité...

5 FICHE TECHNIQUE

· MOTEURS

· (2.4i)

L5 2,4 l DACT, 168 ch à 6000 tr/min
Couple 170 lb-pi à 4400 tr/min
Transmission manuelle à 5 rapports, automatique à 5 rapports avec mode manuel (en option)
0-100 km/h 8,8 s
Vitesse maximale 210 km/h

· (T5, T5 AWD)

L5 2,5 l turbo DACT, 227 ch à 5000 tr/min
Couple 236 lb-pi à 1500 tr/min
Transmission manuelle à 6 rapports, automatique à 5 rapports avec mode manuel (en option)
0-100 km/h 7,3 s
Vitesse maximale 210 km/h
Consommation (100 km) man. 8,9 l **autom.** 9,2 l **man. 4RM** 9,9 l **autom. 4RM** 9,7 l (octane 91)
Émissions de CO2 man. 4320 kg/an **auto.** 4512 kg/an **man.** 4RM 4848 kg/an **auto. 4RM** 4752 kg/an
Litres par année man. 1800 l **auto.** 1820 l **man. 4RM** 2020 l **auto. 4RM** 1980 l
Coût par an man. 1800 $ **auto.** 1820 $ **man. 4RM** 2020 $ **auto. 4RM** 1980 $
Empreinte écologique 25 arbres

· AUTRES COMPOSANTES

Sécurité active freins ABS, répartition électronique de force de freinage, assistance au freinage, antipatinage, contrôle de stabilité électronique (en option)
Suspension avant/arrière indépendante
Freins avant/arrière disques
Direction à crémaillère, assistée
Pneus P205/50R17

· DIMENSIONS

Empattement 2640 mm
Longueur S40 4476 mm **V50** 4522 mm
Largeur 1770 mm
Hauteur S40 1454 mm **V50** 1457 mm
Poids S40 2.4i 1456 kg **T5** 1505 kg **T5 AWD** 1587 kg **V50 2.4i** 1470 kg **T5** 1519 kg **T5 AWD** 1599 kg
Diamètre de braquage 10,6 m
Coffre S40 357 l, 1087 l (sièges abaissés **V50** 775 l, 1087 l (sièges abaissés)
Réservoir de carburant AWD 57 l

NOTRE VERDICT

Plaisir au volant
Qualité de finition
Consommation
Rapport qualité/prix
Valeur de revente

V70 / XC70

www.volvocanada.com

N ÉVOLUTION É J

42 495 $ à 55 995 $
transport et préparation: 1715 $

LA COTE VERTE

AVEC MOTEUR L6 DE 3,2 L

- **Consommation (100km):** 10,8 l
- **Émissions polluantes CO_2 :** 5328 kg/an
- **Empreinte écologique (nombre d'arbres à planter par année):** 32
- **Indice d'octane:** 91
- **Autre motorisation:** non
- **Coût du carburant moyen par année:** 2100 $
- **Nombre de litres par année:** 2100 l

(SOURCE: ÉnerGuide)

1 FICHE D'IDENTITÉ

- **Versions** 3,2, T6
- **Roues motrices** avant, 4
- **Portières** 4 **Nombre de passagers** 5
- **Première génération** 1993 (850)
- **Génération actuelle** 2008
- **Construction** Unddevella, Suède
- **Sacs gonflables** 6 (frontaux, latéraux avant, rideaux latéraux)
- **Concurrence** Audi A4, BMW Série 3, Infiniti EX35, Mercedes-Benz Classe C, Saab 9-3, Subaru Legacy/ Outback, Volkswagen Passat

2 AU QUOTIDIEN

- **Prime d'assurance**
  25 ans: 2600 à 2800 $
  40 ans: 1400 à 1600 $
  60 ans: 1200 à 1400 $
- **Collision frontale** 5/5
- **Collision latérale** 5/5
- **Ventes du modèle de l'an dernier**
  Au Québec 95 **Au Canada** 377
- **Dépréciation** 61,2 %
- **Rappels** (2004 à 2009) 7
- **Cote de fiabilité** 3/5

3 GARANTIES... ET PLUS

- **Garantie générale** 4 ans/80 000 km
- **Garantie motopropulseur** 4 ans/80 000 km
- **Perforation** 12 ans/kilométrage illimité
- **Assistance routière** 4 ans/kilométrage illimité
- **Nombre de concessionnaires**
  Au Québec 12 **Au Canada** 41

4 NOUVEAUTÉS EN 2010

- Aucun changement majeur.

UNE ALTERNATIVE AUX UTILITAIRES

PAR DANIEL RUFIANGE

LA V70 EST L'UN DES SECRETS LES MIEUX GARDÉS DE L'INDUSTRIE. Non seulement cette voiture livre-t-elle la marchandise – et je ne parle pas de l'espace spacieux qui permet de le faire à l'arrière – mais elle offre certes l'une des plus grandes douceurs de roulement dont j'ai été témoin récemment. Une grande routière que la V70 ? Oui, et bien plus que cela.

[CARROSSERIE] La V70 est l'une des plus belles familiales sur le marché. Qu'on l'admire de l'avant ou de l'arrière, ses lignes plaisent. La calandre a un petit côté agressif, pendant que les feux arrière s'harmonisent à merveille au design du hayon. Vraiment, un A+ aux concepteurs. Si la V70 présente une allure austère, le XC70, lui, donne constamment l'impression d'être prêt à partir en randonnée, tant les longerons sur le toit que les bas de caisse et les passages d'ailes plastifiés lui donne ce petit air col bleu qui séduit à tout coup.

[HABITACLE] À l'intérieur, c'est bien simple, Volvo offre un traitement royal aux occupants. L'habitacle est accueillant au possible et rempli de petits éléments qui rendent la vie à bord plus que plaisante – mémoire de position du siège du conducteur, contrôle à double zone de la température ambiante, rétroviseurs chauffants, et j'en passe. Et il y a ces baquets avant munis du revêtement textile T-Tec. Sans être hyper enveloppants, ceux de la V70 sont tellement confortables qu'on peut y passer la journée sans jamais en ressentir les effets; rares sont les voitures dont on peut en dire autant. À l'arrière, les passagers profitent de tellement d'espace qu'ils ont l'impression d'être à bord d'une limousine. En option, des écrans intégrés aux appuie-tête peuvent divertir les enfants – ou tante Georgette – lors des longues escapades. La banquette arrière est rabattable 40/20/40, ce qui offre de multiples possibilités de chargement. En option, les amateurs de musique opteront pour la chaîne Dynaudio, l'une des bonnes dans l'industrie.

FORCES · Sécurité : c'est une Volvo · Confort des sièges · Consommation Incroyable · Douceur de roulement

FAIBLESSES · Prix des nombreuses options · Moteur de base un peu juste pour la version XC70 · Avenir de l'entreprise

V70 / XC70

[MÉCANIQUE] L'arrivée du moteur V6 de 3,2 litres dans les entrailles de la V70 a été favorablement accueillie lors de la refonte de 2008. Non pas que l'ancienne mécanique ne faisait pas le travail, mais celle-ci se montrait un peu juste pour trimballer les quelque 1856 kilos du XC70. Le moteur V6 de 3,2 litres actuel se montre performant et suffit amplement aux besoins des propriétaires de ce véhicule. Et, oh surprise, il se montre raisonnable à la pompe; lors de ma semaine d'essai, j'ai eu le plaisir d'enregistrer une consommation sous les 10 litres aux 100 kilomètres; pas mal pour un véhicule de ce gabarit. Optez pour la version T6 AWD à moteur V6 turbo de 3 litres et 281 chevaux.

[COMPORTEMENT] Une petite merveille que ce châssis Four-C qui permet d'adopter trois modes de suspension : confort, sport ou avancé. En mode confort, vous aurez l'impression de prendre les commandes d'une Rolls-Royce tellement la route se transforme en tapis ouaté. Les modes sport et avancé permettent, quant à eux, de négocier des virages plus serrés avec plus d'assurance. J'aurais souhaité une direction un tantinet plus communicative et un freinage plus incisif, mais que voulez-vous, nous sommes parfois un peu trop exigeants. En accélération cependant, on a l'agréable surprise de piloter un bolide qui ne tarde pas à se mettre en marche. Les 235 chevaux du moteur sont piqués au vif quand on enfonce l'accélérateur et c'est encore mieux avec la version turbocompressée. Soyez cependant averti; la conduite de cette voiture plaira surtout aux amateurs de confort, pas de conduite sportive.

[CONCLUSION] Vous magasinez actuellement pour un véhicule utilitaire car vous aimez l'aventure, le camping, la pêche et les petits sentiers dans les bois. Profitez-en pour aller voir ce que Volvo propose. Non seulement aurez-vous une agréable surprise, mais vous découvrirez également une véritable alternative à plusieurs véhicules utilitaires qui sont plus énergivores que pratiques. Faites seulement attention au catalogue d'options. Les prix grimpent rapidement.

2e OPINION

ALEXANDRE CRÉPAULT J'adore les Volvo V70 et XC70. Qui a besoin d'un VUS gourmand, polluant et encombrant quand il existe des familiales comme elles ? Confortables au possible, pratiques à tous les points de vue et équipées d'une suspension bien calibrée pour affronter nos routes, elles ne prêtent pas beaucoup le flanc à la critique. En fait, je n'ai que deux reproches à leur faire : primo, pas de moteur diesel offert chez nous. C'est un gros moins, car Volvo offre un superbe moteur diesel sur ses V70 européennes, un moteur puissant, capable de rouler longtemps sur un seul plein de carburant. Il fait simplement du sens. Secundo, la liste d'options. Elle est tellement longue que à la fin de la journée, on se demande si les quatre roues sont de série. Sans parler du prix qu'elle gonfle. Si Volvo peut corriger ces points, je conseillerais les V70 et XC70 à toutes les familles de la province.

5 FICHE TECHNIQUE

· MOTEURS

· (3.2)

L6 3,2 l DACT, 235 ch à 6200 tr/min
Couple 236 lb-pi à 3200 tr/min
Transmission automatique à 6 rapports
0-100 km/h 8,5 s
Vitesse maximale 235 km/h
Consommation (100 km)
XC70 11,8 l (octane 91)
Émissions de CO_2
XC70 5760 kg/an
Litres par année XC70 2300 l
Coût par an $ XC70 2300 $
Carburant alternatif non
Empreinte écologique 33 arbres

· (T6 AWD)

L6 3,0 l turbo DACT, 281 ch à 5600 tr/min
Couple 295 lb-pi à 1500 tr/min
Transmission automatique à 6 rapports
0-100 km/h 7,9 s
Vitesse maximale 240 km/h

· AUTRES COMPOSANTES

Sécurité active freins ABS, répartition électronique de force de freinage, assistance au freinage, antipatinage, contrôle de stabilité électronique, système WHIPS
Suspension avant/arrière indépendante
Freins avant/arrière disques
Direction à crémaillère, assistée
Pneus V70 P225/55R16 **XC70** P215/65R16
XC70T6 P235/55R17

· DIMENSIONS

Empattement 2814 mm
Longueur V70 4823 mm **XC70** 4839 mm
Largeur 1862 mm
Hauteur V70 1539 mm **XC70** 1603 mm
Poids V70 1600 kg **XC70** 1856 kg
Diamètre de braquage V70 11,2 m **XC70** 11,5 m
Coffre 942 l, 2042 (sièges abaissés)
Réservoir de carburant V70 70 l **XC70** 70 l
Capacité de remorquage 1500 kg

NOS MENTIONS

Modèle recommandé

Coup de coeur

NOTRE VERDICT

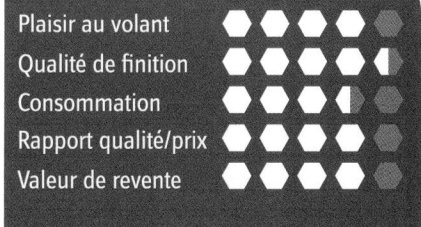

Plaisir au volant
Qualité de finition
Consommation
Rapport qualité/prix
Valeur de revente

S80

www.volvocanada.com

N ÉVOLUTION É J

49 995 $ à 64 995 $
transport et préparation: 1715 $

LA COTE VERTE

AVEC MOTEUR L6 DE 3,2 L

- **Consommation (100km):** 10,8 l
- **Émissions polluantes CO_2 :** 5328 kg/an
- **Empreinte écologique (nombre d'arbres à planter par année):** 32
- **Indice d'octane:** 91
- **Autre motorisation:** non
- **Coût du carburant moyen par année:** 2100 $
- **Nombre de litres par année:** 2100 l

(SOURCE: ÉnerGuide)

1 FICHE D'IDENTITÉ

- **Versions** 3.2, T6 AWD, V8 AWD
- **Roues motrices** avant, 4
- **Portières** 4 **Nombre de passagers** 5
- **Première génération** 1999
- **Génération actuelle** 2007
- **Construction** Torslanda, Suède
- **Sacs gonflables** 6 (frontaux, latéraux avant, rideaux latéraux)
- **Concurrence** Acura RL, Audi A6, BMW Série 5, Cadillac STS, Infiniti M, Jaguar XF, Lincoln MKS, Mercedes-Benz Classe E

2 AU QUOTIDIEN

- **Prime d'assurance**
  25 ans: 2800 à 3000 $
  40 ans: 1600 à 1800 $
  60 ans: 1400 à 1600 $
- **Collision frontale** 5/5
- **Collision latérale** 5/5
- **Ventes du modèle de l'an dernier**
  Au Québec 87 **Au Canada** 243
- **Dépréciation** 57,2 %
- **Rappels** (2004 à 2009) 6
- **Cote de fiabilité** 2/5

3 GARANTIES... ET PLUS

- **Garantie générale** 4 ans/80 000 km
- **Garantie motopropulseur** 4 ans/80 000 km
- **Perforation** 12 ans/kilométrage illimité
- **Assistance routière** 4 ans/kilométrage illimité
- **Nombre de concessionnaires**
  Au Québec 12 **Au Canada** 41

4 NOUVEAUTÉS EN 2010

- Retouche à l'habitacle
- Deux nouvelles configurations de châssis, confort et sport

AU SOMMET DE LA HIÉRARCHIE CONFORT

PAR FRÉDÉRIC MASSE

C'EST BIEN CONNU, OUTRE LA S40 ET SES DÉCLINAISONS (C30 ET C70), VOLVO A CHOISI LE CONFORT ET LA SÉCURITÉ POUR SÉDUIRE LA CLIENTÈLE. Au sommet de la hiérarchie confort, se trouve la pantouflarde S80. Ce n'est pas mauvais comme idée car tous les autres fabricants semblent se tourner vers les qualités dynamiques. Pourquoi ne pas offrir une belle suédoise solide comme le roc et sûr comme un char d'assaut ? Pas bête comme idée !

[CARROSSERIE] « Böser blick », l'expression utilisée par Volvo pour expliquer une partie du design renouvelé de la S80, réfère à une voiture à l'allure plus menaçante quand on la voit dans le rétroviseur... Sans dire qu'elle est une menace, disons que le design lui permet de se démarquer davantage et d'être encore plus jolie dans une catégorie où la forme est souvent tout aussi importante que la technique. Parmi les autres changements, notons une nouvelle calandre, des feux arrière modifiés et un nouveau design pour les admissions d'air et les bas de porte.

[HABITACLE] Quelques légers changements à l'habitacle, notamment une console, toujours flottante, empruntant le design du XC60. Il est toujours rafraîchissant de monter dans une Volvo. Les boutons sont simples, bien placés, et tout est facile à manipuler. Une petite merveille. La qualité des matériaux, la présentation et l'assemblage n'ont rien à envier à qui que ce soit. Comme c'est une habitude chez Volvo, les sièges de la suédoise sont enveloppants et confortables, et la banquette arrière (pas très spacieuse, par contre) est chauffante. Le coffre se veut de bonnes dimensions. Verdict ? Dans la très bonne moyenne.

[MOTEUR] Traction ou transmission intégrale, vous aurez le choix. En matière de mécanique, vous pourrez favoriser le 6-cylindres en ligne de 3,2 litres (le seul offert avec les roues avant

FORCES • Confort princier • Insonorisation • Moteur turbo • Sécurité • Prix décent

FAIBLESSES • Places arrière limites • Valeur de revente ? • Conduite peu vivante

motrices), le 3-litres turbo ou le V8 Yamaha de 4,4 litres qu'on trouve également dans le XC90. Si le premier suffit avec ses 235 chevaux, le couple de 295 livres-pieds du deuxième est vraiment emballant en plus d'offrir une consommation de carburant enviable. Le V8 de 311 chevaux détone quant à lui un peu avec la fonction de la voiture, surtout en ce qui concerne sa sonorité qui laisse presque croire que la S80 est vouée à la performance. N'y pensez même pas !

[CONDUITE] Volvo offre en 2010 deux nouvelles configurations de châssis qui permettraient d'offrir le choix au conducteur entre le confort habituel de la S80 ou une conduite plus sportive. Grosso modo, la configuration pour la conduite plus sportive offre une voiture abaissée de 15 millimètres à l'arrière et de 20 millimètres à l'avant, une suspension raffermie et une direction plus précise. Je serais bien malin de vous la commenter puisque, je dois vous avouer bien humblement, je n'ai essayé que la version confort. Ce que je peux vous dire, par contre, c'est que la S80 remplit sa fonction de voiture confortable. Elle accepte de rouler sur toutes les chaussées sans un soubresaut, et sa suspension est conciliante et axée sur le confort sans être impotente. Les systèmes d'aide à la sécurité sont aussi omniprésents, mais quelquefois offerts en option : système de détection d'angles morts, avertisseur de collision avec freinage automatique, avertisseur de distance (si vous suivez le véhicule de trop près à l'avant), contrôle de la concentration du conducteur (qui vous dit de prendre une bonne pause-café si vous roulez de façon erratique), avertisseur de changement de voie, régulateur de vitesse adaptatif. Verdict ? C'est mou et sûr.

[CONCLUSION] Difficile de dire que Volvo n'a pas fait le bon choix en offrant un produit qui trouve une niche particulière dans cette catégorie engorgée. Pourtant, il suffit de regarder sur les routes pour voir que le produit est méconnu par les consommateurs. Peut-être ont-ils peur de la réputation des anciennes S80 qui n'étaient pas très fiables (ce serait maintenant chose révolue, les S80 figurent en haut des chartes) ou même de leur valeur de revente qui n'avaient rien de reluisant (ça, on verra dans deux ans). Je ne sais trop, mais pour les amateurs de confort princier à un prix tout de même intéressant pour cette catégorie, la S80 s'adresse directement à eux.

2e OPINION

DANIEL RUFIANGE

La S80 est malheureusement méconnue. Oui, malheureusement, car cette voiture est toute une pièce d'ingénierie. À bord, on n'a rien laissé au hasard afin de satisfaire les moindres caprices des occupants. Véritable laboratoire roulant, la suspension de la S80 est réglable pour modifier la conduite selon l'humeur. L'expérience au volant est feutrée au possible, le tout rehaussé par le confort royal des baquets. La neige ? Un régal pour les versions à transmission intégrale, technologie que Volvo maîtrise aussi bien que d'autres. En prime, l'une des très bonnes chaînes audio offertes dans l'industrie, signature de Dynaudio. Mais que lui manque-t-il ? Du charme ! Malgré toutes ses qualités, l'émotion ne passe pas quand on se trouve aux côtés de cette voiture qu'il faut conduire pour apprécier, et encore.

5 FICHE TECHNIQUE

· MOTEURS

· (3.2)
L6 3,2 l DACT, 235 ch à 6200 tr/min
Couple 236 lb-pi à 3200 tr/min
Transmission automatique à 6 rapports avec mode manuel
0-100 km/h 7,9 s
Vitesse maximale 240 km/h

· (T6 AWD)
L6 3,0 l turbo DACT, 281 ch à 5600 tr/min
Couple 295 lb-pi à 1500 à 4800 tr/min
Transmission automatique à 6 rapports avec mode manuel
0-100 km/h 7,9 s **Vitesse maximale** 240 km/h
Consommation (100 km) 11,2 l (octane 91)
Émissions de CO_2 5520 kg/an
Litres par année 2280 l **Coût par an** 2280 $
Carburant alternatif non
Empreinte écologique 33 arbres

· (V8 AWD)
V8 4,4 l DACT, 311 ch à 5950 tr/min
Couple 325 lb-pi à 3950 tr/min
Transmission automatique à 6 rapports avec mode manuel
0-100 km/h 6,5 s **Vitesse maximale** 250 km/h
Consommation (100 km) 11,1 l (octane 91)
Émissions de CO_2 5520 kg/an
Litres par année 2340 l **Coût par an** 2340 $
Carburant alternatif non
Empreinte écologique 33 arbres

· AUTRES COMPOSANTES
Sécurité active freins ABS, répartition électronique de force de freinage, assistance au freinage, antipatinage, contrôle de stabilité électronique
Suspension avant/arrière indépendante
Freins avant/arrière disques
Direction à crémaillère, assistée
Pneus 225/50R17 **V8** 245/40R18 (en option T6)

· DIMENSIONS
Empattement 2835 mm
Longueur 4851 mm
Largeur 1861 mm
Hauteur 1493 mm
Poids 3.2 1716 kg **T6** 1829 kg **V8** 1889 kg
Diamètre de braquage 11,2 m
Coffre 422 l
Réservoir de carburant 70 l
Capacité de remorquage 1500 kg

NOTRE VERDICT

Plaisir au volant
Qualité de finition
Consommation
Rapport qualité/prix
Valeur de revente

XC60

www.volvocanada.ca

(N) ÉVOLUTION (É) (J)

39 995 $ à 49 995 $
transport et préparation: 1420 $

LA COTE VERTE

AVEC MOTEUR L6 DE 3,2 L

- Consommation (100km): 10,8 l
- Émissions polluantes CO2 : 5328 kg/an
- Empreinte écologique (nombre d'arbres à planter par année): 32
- Indice d'octane: 91
- Autre motorisation non
- Coût du carburant moyen par année: 2100 $
- Nombre de litres par année: 2100 l

(SOURCE: ÉnerGuide)

1 FICHE D'IDENTITÉ

- **Versions** unique
- **Roues motrices** avant 4
- **Portières** 4 **Nombre de passagers** 5
- **Première génération** 2009
- **Génération actuelle** 2009
- **Construction** Gand, Belgique
- **Sacs gonflables** 8 (frontaux, latéraux avant et arrière, rideaux latéraux)
- **Concurrence** Acura RDX, Audi Q5, BMW X3, Infiniti EX35, Land Rover LR2, Mercedes-Benz Classe GLK

2 AU QUOTIDIEN

- **Prime d'assurance**
  25 ans : 3200 à 3400 $
  40 ans : 1600 à 1800 $
  60 ans : 1400 à 1600 $
- **Collision frontale** nm
- **Collision latérale** nm
- **Ventes du modèle de l'an dernier**
  Au Québec nm **Au Canada** nm
- **Dépréciation** (3 ans) nm
- **Rappels** (2004 à 2009) nm
- **Cote de fiabilité** nm

3 GARANTIES... ET PLUS

- **Garantie générale** 4 ans/80 000 km
- **Garantie motopropulseur** 4 ans/80 000 km
- **Perforation** 12 ans/kilométrage illimité
- **Assistance routière** 4 ans/kilométrage illimité
- **Nombre de concessionnaires**
  Au Québec 12 **Au Canada** 41

4 NOUVEAUTÉS EN 2010

- Modèles 3.2 et 3.2 AWD

LA NOUVELLE COQUELUCHE

PAR ALEXANDRE CRÉPAULT

LE XC60 EST LE PRODUIT DE VOLVO LE PLUS NOVATEUR, DANS UN CRÉNEAU DE PLUS EN PLUS ENCOMBRÉ (X3, RDX, EX35, GLK, Q5, ALOUETTE !). Cet utilitaire compact de luxe a été complètement revu au printemps dernier, mais les Suédois nous le proposaient alors en une seule version T6 AWD. Pour 2010, ils élargissent la gamme avec les modèles 3.2 et 3.2 AWD.

[CARROSSERIE] Il est beau, c'est indéniable. Habilement proportionné, il a su acquérir des traits distinctifs par rapport à la concurrence. Les roues en alliage varient de 17 ou 18 pouces et, même, de 20 quand on coche l'option R-Design réservée au T6. Pour 3 000 $ supplémentaires, cet ensemble revisite aussi l'échappement, le bouclier, les rétroviseurs et la calandre désormais flanquée d'antibrouillards.

[HABITACLE] Le XC60 inclut tout ce qui n'étonne plus dans un véhicule dit de luxe. La version AWD ajoute des gâteries comme le toit panoramique (laminé, ce qui est rare), la connectivité Bluetooth et, ma préférée, l'aver-tisseur d'angles morts logé dans les miroirs extérieurs. La version haut de gamme incorpore une meilleure sono avec radio satellite. Le dossier de la banquette se rabat en trois sections (40/20/40), et les occupants de la banquette apprécieront son généreux dégagement. Le décor R-Design appelle des cadrans, un pédalier, des tapis et un volant d'allure plus sportive. Mais peu importe le degré de finition, chaque XC60 inclut de série le génial dispositif *City Safety* : tant que l'écart de vitesse entre vous et le véhicule qui vous précède demeure sous 15 km/h, le XC60 appliquera lui-même les freins jusqu'à un arrêt complet. Imaginiez que vous avancez à petit trot sur une route congestionnée et que vous partez pour la lune (ça nous arrive tous !) : au lieu de cogner l'auto devant, le XC60 freinera comme un grand ! Si la vitesse est supérieure, le dispositif (qui fonctionne à l'aide d'un rayon laser lancé du rétroviseur intérieur) s'activera quand même. À défaut d'empêcher totalement la collision, il vous fera au moins épargner mucho dollars en réduisant les dégâts.

FORCES • Technologie avant-gardiste axée sur la sécurité • Confort teinté du beau style scandinave • Format et polyvalence très pratiques

FAIBLESSES • Consommation de carburant perfectible • Tenue de route raide à bord du T6 • Écran de navigation trop complexe

[MÉCANIQUE] En 2009, le XC60 n'avait au catalogue que le 6-cylindres en ligne turbocompressé de 281 chevaux. Pour 2010, le consommateur pourra sélectionner l'autre 6 en ligne de 3,2 litres de 235 chevaux déjà offert sous plusieurs capots Volvo. Il l'accouplera à une boîte de vitesses automatique à 6 rapports Geartronic, la seule offerte. La traction suffit au modèle de base, alors que les deux autres versions profitent de la transmission intégrale signée Haldex qui comprend l'*Instant Traction*, un mécanisme qui redistribue mieux le couple entre les deux essieux lors d'un départ ou sur surfaces glissantes. Le T6 profite en plus du châssis actif Four-C, et l'option R-Design raffermit ce châssis.

[COMPORTEMENT] Faut vraiment le faire exprès pour avoir un accident au volant du nouveau XC60 ! Si vous commencez à zigzaguer à cause de la fatigue, le tableau de bord déclenche une alerte visuelle et sonore. Si vous forcez un peu trop la note du côté du pilotage, des aides électroniques comme le *Dynamic Stability & Traction Control*, l'ABS et la répartition électronique de la force de freinage veillent au grain. Si vous devenez distrait dans le trafic, j'ai déjà parlé du *City Safety*. Bref, il vous reste essentiellement à jouir du sentiment de sécurité du XC60. Son format compact le rend convivial au centre-ville. Son luxe transforme les longs trajets en détente. Et si jamais vous venait l'idée de vous farcir un sentier hors route, sa garde au sol de 230 millimètres le transforme en tout-terrain adéquat. Un bémol : les Suédois ont voulu maintenir du plaisir au volant tout en garantissant la sécurité des occupants. Or, on le sait, les meilleures intentions aboutissent toujours à des compromis. Ça signifie que le T6 offre effectivement une conduite serrée, plus incisive que celle d'un GLK ou d'un Q5, mais au prix d'une suspension qui tarabuste les vertèbres.

[CONCLUSION] Volvo proclame sans gêne que le nouveau XC60 est son véhicule le plus sûr jamais construit. Croyez-le. La seule autre façon de ne pas courir de risques avec son XC serait de le laisser dans le garage, ce qui reviendrait à vous priver d'un véhicule qui frise la perfection.

2e OPINION

BENOIT CHARETTE **Deux caractéristiques ressortent tout de suite après quelques minutes derrière le volant : le confort et l'environnement serein du véhicule. On se sent comme dans un coffre-fort tellement le nid est douillet. Le moteur turbo de 3 litres offre une souplesse et des performances hors du commun. Les 281 chevaux viennent de manière progressive, sans jamais vous malmener. Au-delà de la sécurité, c'est surtout pour cette sensation de bien-être émanant de son habitacle remarquablement fin et la qualité de son châssis combinant à merveille l'efficacité et le confort que vous achèterez un XC60. Un véhicule qui, comme le reste de la famille, cultive très bien un art particulier de vivre typique des produits Volvo.**

5 FICHE TECHNIQUE

- **MOTEURS**
- **(BASE)**

L6 3,2 l DACT, 235 ch à 6200 tr/min
Couple 236 lb-pi à 3200 tr/min
Transmission automatique à 6 rapports avec mode manuel
0-100 km/h 8,8 s
Vitesse maximale 210 km/h (bridée)

- **(T6)**

L6 3,0T l DACT, 281 ch à 5600 tr/min
Couple 295 lb-pi à 1500 tr/min
Transmission automatique à 6 rapports avec mode manuel
0-100 km/h 7,1 s
Vitesse maximale 210 km/h (limitée)
Consommation (100 km) 12,5 l (octane 91)
Émissions de CO2 6005 kg/an
Litres par année man. 2400 l
Coût par an 2640 $
Autre motorisation non
Empreinte écologique 36 arbres

- **AUTRES COMPOSANTES**

Sécurité active freins ABS, répartition électronique de force de freinage, assistance au freinage, antipatinage, contrôle de stabilité électronique
Suspension avant/arrière indépendante
Freins avant/arrière disques
Direction à crémaillère, assistée
Pneus L6 3,2 l P235/65R17 **L6 3,0T l** P235/60R18

- **DIMENSIONS**

Empattement 2774 mm
Longueur 4628 mm
Largeur 1890 mm
Hauteur 1713 mm
Poids 1928 kg
Diamètre de braquage 11,7 m
Coffre 873 litres , 1907 (sièges abaissés)
Réservoir de carburant 70 l
Capacité de remorquage 1500 kg

NOTRE VERDICT

Plaisir au volant
Qualité de finition
Consommation
Rapport qualité/prix
Valeur de revente Nm

XC90

www.volvocanada.com

N ÉVOLUTION É J

51 995 $ à 69 995 $
transport et préparation: 1895 $

LA COTE VERTE

AVEC MOTEUR L6 DE 3,2 L

- **Consommation (100km):** 12,6 l
- **Émissions polluantes CO_2 :** 6192 kg/an
- **Empreinte écologique (nombre d'arbres à planter par année):** 37
- **Indice d'octane:** 87
- **Autre motorisation:** non
- **Coût du carburant moyen par année:** **2RM** 2500 $ **4RM** 2540 $
- **Nombre de litres par année:** **2RM** 2500 l **4RM** 2540 l

(SOURCE: ÉnerGuide)

1 FICHE D'IDENTITÉ

- **Versions** 3.2,v8 AWD, R3,2 AWD, RV8 AWD
- **Roues motrices** 4
- **Portières** 4 **Nombre de passagers** 7
- **Première génération** 2003
- **Génération actuelle** 2003
- **Construction** Torslanda, Suède
- **Sacs gonflables** 8 (frontaux, latéraux avant et arrière, rideaux latéraux)
- **Concurrence** Acura MDX, Audi Q7, BMW X5, Cadillac SRX, Infiniti FX, Land Rover LR3, Lexus RX, Mercedes-Benz Classe ML,Volkswagen Touareg
- **Prime d'assurance**

2 AU QUOTIDIEN

25 ans: 2600 à 2800 $
40 ans: 1500 à 1700 $
60 ans: 1200 à 1400 $

- **Collision frontale** 5/5
- **Collision latérale** 5/5
- **Ventes du modèle de l'an dernier** **Au Québec** 376 **Au Canada** 1500
- **Dépréciation** 47,3 %
- **Rappels** (2004 à 2009) 10
- **Cote de fiabilité** 2/5
- **Garantie générale** 4 ans/80 000 km

3 GARANTIES... ET PLUS

- **Garantie motopropulseur** 4 ans/80 000 km
- **Perforation** 12 ans/kilométrage illimité
- **Assistance routière** 4 ans/kilométrage illimité
- **Nombre de concessionnaires** **Au Québec** 12 **Au Canada** 41

4 NOUVEAUTÉS EN 2010

- Troisième banquette de série pour tous les modèles

LA MODE POUR L'INTELLO

PAR FRANCIS BRIÈRE

MALGRÉ DES VENTES QUI NE BATTENT GUÈRE DE RECORDS, VOLVO NE PRÊCHE PAS TROP PAR LE CHANGEMENT. La cuvée actuelle du XC90 remonte à 2003 ! Outre quelques fioritures du genre R-Design, le plus gros véhicule de la gamme est resté inchangé. Il ne faut pas toucher aux classiques, direz-vous. Aussi, pourrait-on ajouter que le XC90 tire son épingle du jeu dans ce marché des utilitaires sport. La concurrence plus que féroce n'empêche pas le constructeur suédois de vendre autour de 2000 exemplaires par année au pays.

[CARROSSERIE] Quand on pense que la réalisation de Simon Lamarre, la C30, représente ce qu'il y a de plus audacieux chez Volvo, on comprend que l'avant-gardisme ne fait pas partie du vocabulaire de la firme suédoise. En revanche, je ne connais personne qui fuit du regard les véhicules Volvo. Conservatisme est le mot d'ordre, mais cela ne veut pas dire qu'ils ne sont pas beaux. De fait, le XC90 est un superbe véhicule, des lignes classiques et une surface vitrée idéale. La présentation est sous le signe de la discrétion : phares discrets, calandre discrète, roues discrètes, même les phares antibrouillard le sont. La version R-Design propose quelques ajouts – discrets, eux aussi – comme le logo R-Design, des roues de 19 pouces pour le modèle avec le V6 ou de 20 pouces pour le V8.

[HABITACLE] En matière de conception, c'est ici que Volvo se démarque. L'habitacle du XC90 est non seulement luxueux, mais il est superbement présenté, conçu à partir de matériaux de qualité et assemblés de façon remarquable. Vous bénéficiez d'un intérieur dont l'insonorisation devient presque troublante. Heureusement, quelques bruits de vent demeurent... Volvo offre une configuration à cinq ou à sept places. Le XC90 reste fidèle à la tradition : il offre un confort hors du commun. Les sièges se comparent à un canapé douillet qu'on retrouve dans son salon. Les appuie-tête invitent à la détente. Si vous optez pour le modèle à sept places, vous aurez beaucoup de mal à trouver une utilité à la troisième banquette. On pourrait y asseoir des enfants en très bas âge, mais elle manque de confort et d'espace.

FORCES · Confort et silence, Habitacle somptueux, Solidité exemplaire

FAIBLESSES · Performances moyennes, Lourdeur éléphantesque, Conduite somnifère

[MÉCANIQUE] Le XC90 vous laisse le choix entre deux engins : un V6 de 235 chevaux et un V8 de 311 chevaux. Même la configuration la plus puissante n'en fournit pas trop. Pour être honnête, je ne recommande pas le V6 pour un véhicule de ce poids et de ces dimensions. Cela n'enlève rien aux qualités du moteur, mais c'est nettement insuffisant. Si vous prévoyez lui faire tirer une charge, optez pour le V8. Dans ce cas, il faut prévoir un déboursé substantiel pour couvrir la différence de prix entre les deux versions. Bien que la mécanique du XC90 fasse amende honorable, on retrouve chez Porsche, avec le Cayenne S, ou encore chez BMW avec le X5, des engins plus puissants et mieux adaptés à ce genre de véhicule.

[COMPORTEMENT] Le XC90 ne vous donnera guère de sensations de conduite exaltantes. C'est un véhicule tranquille, comme c'est le cas pour toute la gamme Volvo. Sa tenue de route est sûre et solide. Le comportement routier du XC90 est marqué par la douceur de roulement et par le silence qui règne dans l'habitacle. Les occupants ne manquent pas de confort. Qui s'en plaindrait ? En optant pour de plus grosses roues et d'une suspension plus ferme avec une configuration sportive (le mot est fort !), la sensation de solidité s'accentue sans toutefois compromettre le confort.

[CONCLUSION] Pour l'acheteur d'un Volvo XC90, le choix relève de la raison et non de la passion. Si on n'éprouve aucun plaisir de conduire, le véhicule se révèle rassurant, confortable, réconfortant. On y prend place pour apprécier l'ergonomie et la qualité de fabrication du produit. Malheureusement pour le constructeur suédois, la concurrence offre des produits plus excitants à conduire.

2e OPINION

BENOIT CHARETTE D'abord créé pour contenter les familles ayant un compte en banque assez généreux, le XC90 s'est ensuite enrichi d'un V8 pour contrer les offensives sportives des Cayenne, Touareg et Q7. À l'intérieur le mot d'ordre est confort, même la transmission est un peu paresseuse pour favoriser la conduite coulée. Le modèle V8 est sans l'ombre d'un doute le plus agréable à conduire. Le silence de fonctionnement, l'absence de vibrations, la disponibilité... ce moteur a toutes les qualités. Un avertissement toutefois à propos du V8. Si vous avez quelques personnes à bord, la consommation sera proche des 20 litres aux 100 km et votre réservoir sera à sec après 400 kilomètres. Il est donc fortement conseillé de faire l'achat d'un puit de pétrole pour assouvir l'appétit sans limite de cette bête.

5 FICHE TECHNIQUE

MOTEURS

(3.2)
L6 3,2 l DACT, 235 ch à 6200 tr/min
Couple 236 lb-pi à 3200 tr/min
Transmission automatique à 6 rapports avec mode manuel
0-100 km/h 9,1 s
Vitesse maximale 206 km/h

(V8)
V8 4,4 l DACT, 311 ch à 5850 tr/min
Couple 325 lb-pi à 3900 tr/min
Transmission automatique à 6 rapports avec mode manuel
0-100 km/h 7,2 s
Vitesse maximale 206 km/h
Consommation (100 km) 13,4 l (octane 91)
Émissions de CO_2 6576 kg/an
Litres par année 2740 l
Coût par an 3014 $
Autre motorisation: non
Empreinte écologique 39 arbres

AUTRES COMPOSANTES
Sécurité active freins ABS, répartition électronique de force de freinage, assistance au freinage, antipatinage, contrôle de stabilité électronique
Suspension avant/arrière indépendante
Freins avant/arrière disques
Direction à crémaillère, assistée
Pneus P235/65R17, P235/60R18

DIMENSIONS
Empattement 2857 mm
Longueur 4807 mm
Largeur 1898 mm
Hauteur 1784 mm
Poids 3.2 2107 kg **V8** 2167 kg
Diamètre de braquage 13,1 m
Coffre 1178 l, 2403 l (sièges abaissés)
Réservoir de carburant 80 l
Capacité de remorquage 2250 kg

NOTRE VERDICT

Plaisir au volant
Qualité de finition
Consommation
Rapport qualité/prix
Valeur de revente

LA REMISE DES CLÉS D'OR

L'*Annuel de l'automobile 2010* a répertorié 23 catégories de véhicules disponibles sur le territoire canadien Pour toutes ces catégories, une seule question : « Quelle auto est la meilleure? » Ces catégories regroupent des véhicules tous susceptibles de se retrouver sur votre liste d'achat. Chaque auteur a réfléchi à ses choix sans en discuter avec ses collègues. Nous avons ensuite compilé les résultats. Nous avons aussi une 24e et une 25e catégorie. La première désigne le véhicule « le plus vert » ! Nous prenons en considération la consommation moyenne mais aussi des facteurs tels le pourcentage recyclable des pièces de l'auto et les technologies énergétiques montées à bord.

La deuxième, c'est notre voiture de l'année 2010, l'honneur suprême! Sans plus attendre, voici la remise des **Clés d'or** de *L'Annuel de l'automobile 2010.*

L'équipe de rédaction

+ PS : Si, en conduisant votre propre véhicule, vous remarquez au quotidien des qualités et des défauts qui nous auraient échappés, faites-le nous savoir de l'une des trois façons suivantes :
+ **Télécopieur :** (450) 308-0742
+ **Poste :** L'Annuel de l'automobile 2010, att. : Palmarès, CP 930, Coteau-du-Lac (Qc) J0P 1B0

LISTE DES VOITURES EN COMPÉTITION

VOITURES SOUS-COMPACTES

Chevrolet Aveo
Honda Fit
Hyundai Accent
Kia Rio
Nissan Versa
Suzuki Swift+
Smart For Two
Toyota Yaris

VOITURES COMPACTES

Chevrolet Cobalt
Chevrolet HHR
Chrysler PT Cruiser
Dodge Caliber
Ford Focus
Honda Civic
Hyundai Elantra
Kia Forte
Kia Soul
Mazda3
Mitsubishi Lancer
Nissan Cube
Nissan Sentra
Subaru Impreza
Suzuki SX4
Toyota Corolla
Toyota Matrix /Pontiac Vibe
Volkswagen Golf City/Golf
Volkswagen Jetta

VOITURES INTERMÉDIAIRES

Buick Allure
Chevrolet Malibu
Chrysler Sebring
Dodge Avenger
Ford Fusion
Honda Accord
Hyundai Sonata
Kia Magentis
Mazda6
Mitsubishi Galant
Nissan Altima
Subaru Legacy
Toyota Camry
Volkswagen Passat

VOITURES PLEINE GRANDEUR

Buick Lucerne
Chevrolet Impala
Chrysler 300
Dodge Charger
Ford Taurus
Kia Amanti
Nissan Maxima
Toyota Avalon

VOITURES DE LUXE (MOINS DE 50 000 $)

Acura TSX
Audi A3
Audi A4
BMW Série 1
BMW Série 3
Cadillac CTS
Infiniti G37
Lexus ES
Lexus IS
Lincoln MKZ
Mercedes-Benz Classe C
Volvo S40/V50/C70

VOITURES DE LUXE (ENTRE 50 000 $ ET 100 000 $)

Acura TL
Acura RL
Audi A6
BMW Série 5
Hyundai Genesis
Infiniti M45
Jaguar XF
Lexus GS
Mercedes-Benz CLS
Mercedes-Benz Classe E
Volvo S 60/V70

VOITURES DE LUXE (PLUS DE 100 000 $)
Aston Martin Rapide
Audi A8
BMW Série 7
Cadillac DTS
Cadillac STS
Jaguar XJ sedan
Lexus LS 460
Maserati Quattroporte
Porsche Panamera
Mercedes-Benz Classe S
Volvo S 80

VOITURES SPORT (MOINS DE 50 000 $)
Chevrolet Camaro
Dodge Challenger
Ford Mustang
Hyundai Genesis Coupe
Kia Koup
Mazda MX-5
Mazda RX-8
Mini Cooper
Mitsubishi Eclipse
Mitsubishi Lancer Evolution
Nissan 350Z
Volvo C30
VW EOS

VOITURES SPORT (ENTRE 50 000 ET 100 000 $)
Audi TT
Audi A5
BMW M3
BMW Z4
Chevrolet Corvette
Infiniti G37 coupé
Lexus IS-F
Lotus Elise/Exige/Evora
Mercedes-Benz Classe E Coupé
Mercedes-Benz SLK
Nissan GTR
Porsche Boxster
Porsche Cayman

VOITURES SPORT (PLUS DE 100 000 $)
Aston Martin V8 Vantage
Audi R8
BMW Série 6
Chevrolet Corvette ZR1
DodgeViper
Jaguar XK
Lamborghini Gallardo
Lexus SC 430
Mercedes-Benz CL
Mercedes-Benz SL
Porsche 911

SPORT EXOTIQUES
Aston martin DB9
Bentley Continental GT
Ferrari California
Ferrari 599
Ferrari 612
Lamborghini Murcielago LP 640
Maserati Gransport
Mercedes-Benz SLR McLaren

UTILITAIRES SPORT COMPACTS
Chevrolet Equinox
Dodge Journey
Dodge Nitro
Ford Escape
GMC Terrain
Honda CRV
Honda Element
Hyundai Tucson
Jeep Compass
Jeep Liberty
Jeep Patriot
Kia Sportage
Mitsubishi Outlander
Nissan Rogue
Kia Sorento
Subaru Forester
Suzuki Grand Vitara
Toyota RAV4
Volkswagen Tiguan

UTILITAIRES DE LUXE COMPACTS
Acura RDX
Audi Q5
BMW X3
Cadillac SRX
Infiniti FX35/50
Lexus RX 350
Land Rover LR2
Mercedes Benz GLK

MULTISEGMENTS (CROSSOVER)
Buick Enclave
Chevrolet Traverse
Ford Edge
Ford Taurus-X
Ford Flex/Lincoln MKT
Honda Pilot
GMC Acadia
Hyundai Santa Fe
Mazda CX-7 et CX-9
Nissan Murano
Subaru Tribeca
Suzuki XL-7
Toyota Highlander

UTILITAIRES SPORT INTERMÉDIAIRES
Dodge Durango
Ford Explorer /Sport Trac
Jeep Commander
Jeep Grand Cherokee
Jeep Wrangler
Nissan Pathfinder
Nissan Xterra
Toyota FJ Cruiser
Toyota 4Runner

UTILITAIRES SPORT DE LUXE INTERMÉDIAIRES
Acura MDX
BMW X5
BMW X6
Hyundai Veracruz
Land Rover LR3
Land Rover Range Rover
Lexus GX 470
Lincoln MKX
Mercedes-Benz ML
Porsche Cayenne
Volkswagen Touareg
Volvo XC90

UTILITAIRES PLEINE GRANDEUR
Chevrolet Suburban
Chevrolet Tahoe
Ford Expedition
GMC Yukon
Kia Borrego
Nissan Armada
Toyota Sequoia

UTILITAIRE DE LUXE PLEINE GRANDEUR
Audi Q7
Cadillac Escalade
Infiniti QX56
Lexus LX 570
Lincoln Navigator
Mercedes-Benz Classe G
Mercedes-Benz Classe GL

CAMIONNETTES COMPACTES
Chevrolet Colorado
Ford Ranger
GMC Canyon
Mazda Série B

CAMIONNETTES INTERMÉDIAIRES
Dodge Dakota
Honda Ridgeline
Nissan Frontier
Toyota Tacoma

CAMIONNETTES PLEINE GRANDEUR
Cadillac Escalade EXT
Chevrolet Avalanche
Chevrolet Silverado
Dodge Ram
Ford Série F
GMC Sierra
Nissan Titan
Toyota Tundra

FOURGONNETTES
Chrysler Town& Country
Dodge Caravan
Honda Odyssey
Kia Rondo
Kia Sedona
Mazda5
Mercedes-Benz Classe R
Nissan Quest
Toyota Sienna
Volkswagen Routan

FOURGONS À VOCATION COMMERCIALE
Chevrolet Express
Dodge Sprinter
Ford Econoline
Ford Transit Connect
GMC Savana

LE VÉHICULE LE « PLUS VERT » 2010
Honda Civic Hybride
Honda Insight
Ford Escape Hybride
Ford Fusion Hybride
Lexus HS 250
Nissan Altima Hybride
Toyota Camry Hybride
Toyota Prius

LA VOITURE DE L'ANNÉE 2010
FORD FUSION

VOITURES SOUS-COMPACTES

LA GAGNANTE ›››

HONDA FIT

« Mon choix se porte sur la Fit, en raison de son habitabilité (supérieure à la Yaris) et de sa consommation (moins élevée que celle de la Versa). » - Philippe

« De loin la plus amusante à conduire. » - Alexandre

LA FINALISTE › NISSAN VERSA

« La plus confortable et la plus agréable de toutes. » - Francis

L'AN DERNIER › NISSAN VERSA

À surveiller : la Ford Fiesta d'inspiration européenne qui débarquera au Québec à l'été 2010

VOITURES COMPACTES

LA GAGNANTE ›››

MAZDA3

« La nouvelle génération de Mazda3 est l'une des rares compactes plaisantes à conduire.» - Jean-Pierre
« Malgré la Mitsubishi Lancer et la très serviable Civic, la Mazda 3 demeure celle qui regroupe le plus de qualités. » - Daniel

LA FINALISTE › VOLKSWAGEN JETTA

« Le simple fait que la Jetta soit la seule voiture compacte offerte avec une motorisation diesel en fait une gagnante sur toute la ligne. » - Alexandre

L'AN DERNIER › MITSUBISHI LANCER

À surveiller : la nouvelle Golf

VOITURES INTERMÉDIAIRES

LA GAGNANTE ›››

FORD FUSION

« Ford a fait un travail remarquable avec la Fusion, spécialement en version hybride. » - Benoit

« Ça fait plus d'un quart de siècle que Detroit nous promet une berline intermédiaire capable de rivaliser avec les japonaises... Le miracle s'est produit ! » - Philippe

LA FINALISTE › MAZDA6

« Elle ne fait pas de bruit, vraiment, sauf qu'elle fait tout le reste brillamment. » - Michel

L'AN DERNIER › MAZDA6

À surveiller : la nouvelle Subaru Legacy

VOITURES PLEINE GRANDEUR

LA GAGNANTE »»»

NISSAN MAXIMA

« Punchée, vivante, agressive, mais tout de même confortable, un tour de force signé Nissan. » - Frédéric

« Un modèle que l'on laisse trop souvent de côté, le Maxima qui a perdu de sa superbe depuis l'arrivé d'infiniti, mais qui a encore du potentiel dans le ventre. » - Benoit

LA FINALISTE › BUICK LUCERNE

« Une spécialité américaine. Allons-y pour la Buick, en raison de sa qualité de construction et de sa fiabilité. » - Philippe

L'AN DERNIER › PONTIAC G8

À surveiller : la nouvelle Ford Taurus

VOITURES DE LUXE (MOINS DE 50 000 $)

LA GAGNANTE »»»

BMW SÉRIE 3

« Inimitable, la Série 3 domine encore. » - Frédéric

« La Série 3 s'avère incontournable, et encore plus depuis l'ajout d'une motorisation diesel au catalogue. » - Daniel

LES FINALISTES › AUDI A4 › INFINITI G37

« La A4 est un judicieux mélange de luxe, de confort et d'agrément au volant. » - Alexandre

« L'Infiniti G37 est assurément une berline haut de gamme complète. Elle amalgame de façon heureuse le meilleur de tous les mondes. » - Jean-Pierre

L'AN DERNIER › BMW SÉRIE 1/3 › M-BENZ CLASSE C

VOITURES DE LUXE (ENTRE 50 000 $ ET 100 000 $)

BMW Série 5

Hyundai Genesis

LES GAGNANTES»»

BMW SÉRIE 5

HYUNDAI GENESIS

« La BMW Série 5 est ma voiture tout-aller de prédilection... toutes catégories confondues! » - Frédéric

« Rapport qualité/prix, il n'y a pas de doutes, c'est la Genesis sans hésitation! » - Benoit

LA FINALISTE › INFINITI M35/M45

« Le meilleur compromis entre l'émotion et la raison. La seule berline de luxe japonaise capable de rivaliser avec ses rivales allemandes au chapitre des prestations routières et elle est plus fiable que celles-ci. » - Philippe

L'AN DERNIER › JAGUAR XF

À surveiller : la future Infiniti M 2011 (disponible au printemps 2010)

VOITURES DE LUXE (PLUS DE 100 000 $)

LA GAGNANTE ›››

AUDI A8

« Elle propose le meilleur compromis, en plus d'un agrément de conduite digne de ce nom. » - Philippe

« L'an dernier, j'avais choisi la Classe S. Cette année, je choisis l'Audi A8. De toute façon, en avoir les moyens, j'achèterais les deux. » - Jean-Pierre

LES FINALISTES › BMW SÉRIE 7 › M-BENZ CLASSE S

« À mes yeux, la Série 7 détrône l'Audi A8 et la Mercedes Classe S, ce n'est pas une mince affaire ! » - Frédéric

« La Classe S représente tout ce que les gens recherchent dans une grande berline et l'A8 commence à vieillir. » - Benoit

L'AN DERNIER › AUDI A8/S8 › LEXUS LS 460/LS 600H › M-BENZ CLASSE S

À surveiller : la nouvelle Porsche Panamera

VOITURES SPORT (MOINS DE 50 000 $)

LA GAGNANTE ›››

MAZDA MX-5

« C'est l'essence même d'une sportive : légère, agile, nerveuse et amusante à conduire. Pour le prix, il ne se fait pas mieux. » - Philippe

« Pas besoin de chercher plus loin pour le roadster idéal à tous les points de vue. » - Michel

LES FINALISTES › HYUNDAI GENESIS COUPE › MITSUBISHI LANCER EVOLUTION

« La Evo procure du plaisir... quatre saisons durant ! » - Frédéric

L'AN DERNIER › MINI COOPER / S

VOITURES SPORT (ENTRE 50 000 ET 100 000 $)

Porsche Boxster

Porche Cayman

LES GAGNANTES ››

PORSCHE BOXSTER

CAYMAN

« Existe-t-il une meilleure voiture sport que la Porsche Boxster ? Elle tient la route de façon phénoménale et elle procure un agrément de conduite incomparable. On peut la conduire tous les jours, contrairement à une Lotus. » - Philippe

« Je n'ai pas encore trouvé mieux qu'une Boxster comme exutoire. » - Benoit

LA FINALISTE › LOTUS ELISE/EXIGE/EVORA

« Lotus est le seul constructeur à offrir une sportive sans compromis. » - Alexandre

L'AN DERNIER › PORSCHE BOXSTER

VOITURES SPORT (PLUS DE 100 000 $)

Audi R8

Porsche 911

LES GAGNANTES›››

AUDI R8
PORSCHE 911

« La R8 promène une gueule de rock star, deux gros moteurs, une traction intégrale et, cerise sur le gâteau, elle est facile à vivre au quotidien. » - Frédéric

« L'expérience que procure la famille des 911 demeure unique et relativement accessible. » - Alexandre

LA FINALISTE › ASTON MARTIN V8 VANTAGE

« Une catapulte supersonique dans un gant de velours. » - Michel

L'AN DERNIER › AUDI R8

SPORT EXOTIQUES

LA GAGNANTE ››

FERRARI CALIFORNIA

« Ferrari et exotisme vont main dans la main et la California est la plus in de la famille. Une belle réussite. » - Benoit

LA FINALISTE › BENTLEY CONTINENTAL GT

« Un chef d'œuvre sur roues, rapide à souhait et confortable comme mon salon. » - Michel

L'an dernier : Ferrari F430

UTILITAIRES SPORT COMPACTS

LA GAGNANTE ››

VOLKSWAGEN TIGUAN

« Dans un monde empli de gris, la nouvelle Tiguan ajoute une touche de couleur très appréciée, sans rien sacrifier à la conduite et l'efficacité. » - Benoit

« La liste des utilitaires compacts est de plus en plus longue... Je choisis le Tiguan, le seul en lice qui soit à la fois performant et plaisant à conduire. » - Jean-Pierre

LA FINALISTE › SUBARU FORESTER

« Fiable, traction intégrale de série, bonne valeur de revente ... et il y ajoute une petite twist ! - Frédéric

L'AN DERNIER › NISSAN ROGUE

UTILITAIRES DE LUXE COMPACTS

Audi Q5

M-Benz GLK

LES GAGNANTES»»»»»»»»»»»»»»»»»»»»»»»»»»»»»»»»»»»»»»»

AUDI Q5

M-BENZ GLK

« Grâce à sa présence et sa tenue de route, la nouvelle GLK déborde de belles surprises. » - Benoit

« La Q5 et la GLK sont toutes deux excellentes rivales, mais l'Audi l'emporte pour son tempérament de conduite plus inspiré et son V6 plus vigoureux. » - Jean-Pierre

LA FINALISTE › BMW X3

« Le X3 vieillit, mais il demeure le plus solide et le plus intéressant de sa catégorie. » - Francis

L'AN DERNIER › BMW X3

À surveiller : le nouveau Cadillac SRX

MULTISEGMENTS (CROSSOVER)

LA GAGNANTE »»»»»»»»»»»»»»»»»»»»»»»»»»»»»»»»»»»»»

FORD FLEX

« Il offre, pour un prix raisonnable, un format intéressant, l'espace, un bel agrément de conduite, une motorisation moderne et une allure robuste. » - Jean-Pierre

« Si on aime son allure - qui est loin de faire l'unanimité -, on est immédiatement conquis par tout le reste. » - Michel

LA FINALISTE › BUICK ENCLAVE

« Une Buick ? Sérieusement ? Vous devriez l'essayer... » - Frédéric

L'AN DERNIER › BUICK ENCLAVE

UTILITAIRES SPORT INTERMÉDIAIRES

LA GAGNANTE »»»»»»»»»»»»»»»»»»»»»»»»»»»»»»»»»»»»»

TOYOTA 4RUNNER

« Pour la qualité et la durabilité du produit, même si un successeur arrivera bientôt sur le marché. » - Benoit

« Le Toyota 4Runner, encore et toujours dans le coup ! » - Frédéric

LES FINALISTES › JEEP GRAND CHEROKEE › TOYOTA FJ CRUISER

« Lorsque vient le temps de jouer à l'utilitaire, le FJ en est très capable. Et quel beau joujou !» - Daniel

« La version Diesel du Jeep Grand Cherokee vaut son pesant d'or. » - Alexandre

L'AN DERNIER › JEEP GRAND CHEROKEE

UTILITAIRES SPORT DE LUXE INTERMÉDIAIRES

LA GAGNANTE ›››

ACURA MDX

Le MDX pour son rapport qualité/prix/fiabilité. » - Frédéric
Un comportent routier sérieux et un degré de fiabilité que la plupart des rivaux européens n'offrent pas. » - Jean-Pierre

LES FINALISTES › BMW X5 › HYUNDAI VERACRUZ › VOLKSWAGEN TOUAREG

« Pour le prix, le Veracruz est une sacrée affaire ! - Philippe

« Douceur, confort et une motorisation diesel ! » - Francis

« Le Touareg insuffle de la confiance à son propriétaire. » - Michel

L'AN DERNIER › ACURA MDX › VOLKSWAGEN TOUAREG

UTILITAIRES PLEINE GRANDEUR

Chevrolet Tahoe

GMC Yukon

LES GAGNANTES›››

CHEVROLET TAHOE

GMC YUKON

« GM fabrique de très bons camions et le tandem Tahoe/Yukon en est la preuve mobile. » - Frédéric

« La version hybride du Tahoe nous redonne espoir... » - Francis

LE FINALISTE › FORD EXPEDITION

« C'est encore lui le meilleur ! » - Daniel

L'AN DERNIER › CHEVROLET TAHOE › GMC YUKON

UTILITAIRE DE LUXE PLEINE GRANDEUR

LA GAGNANTE ›››

AUDI Q7

« Parce qu'il a une motorisation diesel et qu'il est plus fiable que ses rivaux de chez Mercedes, j'opte pour l'Audi Q7, un véhicule au demeurant très réussi. » - Philippe

« Le Q7 Diesel vous enlève presque le sentiment de culpabilité d'acheter un monstrueux utilitaire, et sa puissance impressionne. Il en faudrait plus des Diesel comme lui. » - Benoit

LE FINALISTE › M-BENZ GL

« La Classe GL respire le luxe et l'élégance ! » - Francis

L'AN DERNIER › AUDI Q7

CAMIONNETTES COMPACTES

Ford Ranger

GMC Canyon

LES GAGNANTES

FORD RANGER

GMC CANYON

« La version crew cab du Canyon offre de l'espace et un confort appréciable. » - Francis

« Ford vend son Ranger pratiquement au prix d'une Hyundai Accent... Que peut-on dire de plus ? » - Frédéric

LA FINALISTE › AUCUNE

L'AN DERNIER › FORD RANGER

CAMIONNETTES INTERMÉDIAIRES

Honda Ridgeline

Honda Ridgeline

LA GAGNANTE

HONDA RIDGELINE

« À cheval entre les camionnettes intermédiaires et pleine grandeur, le Ridgeline est innovateur et pratique. » - Alexandre

« Le Ridgeline, ingénieux, différent, souffle un vrai vent de fraîcheur dans un créneau traditionaliste. » - Frédéric

LE FINALISTE › TOYOTA TACOMA

« Du solide, du confortable et du beau avec le Tacoma. » - Francis

L'AN DERNIER › HONDA RIDGELINE

CAMIONNETTES PLEINE GRANDEUR

Dodge Ram

Ford F-150

LES GAGNANTES

DODGE RAM

FORD F-150

« Le Ram se situe à des années-lumière devant les bon vieux pick-up. » - Alexandre

« Ce n'est pas un hasard si le F-150 occupe le haut du pavé des ventes depuis si longtemps. Une mention plus qu'honorable au tout nouveau Dodge Ram. » - Daniel

LE FINALISTE › TOYOTA TUNDRA

« Le nouveau moteur de 4,6 litres du Tundra accomplit des merveilles. » - Francis

L'AN DERNIER › FORD F-150

FOURGONNETTES

Dodge Grand Caravan

Honda Odyssey

LES GAGNANTES

DODGE GRAND CARAVAN

HONDA ODYSSEY

« N'y pensez même pas deux fois si vous pouvez supporter la facture de l'Odyssey! Elle en vaut chaque dollar! » - Alexandre

« Qualité, prix, innovation, il faut y aller avec le Dodge Caravan qui mène encore le bal. » - Benoit

LA FINALISTE › KIA RONDO

« Croisement réussi entre une fourgonnette et une automobile. Un véhicule confortable, polyvalent et très spacieux, protégé de surcroît par une des meilleures garanties de base de l'industrie. » - Philippe

L'AN DERNIER › DODGE GRAND CARAVAN

FOURGONS À VOCATION COMMERCIALE

LE GAGNANT
(à l'unanimité pour une 4e année de suite)

DODGE SPRINTER

« Le Sprinter évolue encore et toujours sur un autre planète. » - Benoit

« Le seul qui ne donne pas la frousse au volant. » - Francis

L'AN DERNIER › DODGE SPRINTER

LE VÉHICULE LE « PLUS VERT »

LA GAGNANTE

TOYOTA PRIUS

« Innovations et technologie dernier cri, c'est encore la Prius qui indique la route à suivre dans ce domaine. » - Benoit

« En 2010, la Prius a pris une longueur d'avance. » - Francis

« La Prius reste une référence. Pour le prix demandé, et les améliorations apportées cette année, elle réunit d'excellentes qualités en termes de confort, de comportement routier et d'économie de carburant. » - Jean-Pierre

LA VOITURE DE L'ANNÉE 2010

LA GAGNANTE

FORD FUSION

« La Ford Fusion pour sa qualité de construction, sa fiabilité et la version hybride. » - Philippe

« La Fusion prouve que Ford est capable de faire mieux que la concurrence et l'hybride est un exemple à suivre sur le marché. » -Benoit

Le blog vidéo de la moto au Québec
MOTOMAG.TV
VIDÉOS | BLOG | TOURISME | NOUVELLES | REPORTAGES | COMMUNAUTÉS
WWW.MOTOMAG.TV

GUIDE DES PRIX DU NEUF

MODÈLES 2010

Cette liste ayant été compilée à la veille de l'impression de L'Annuel de l'Automobile 2010 les prix qu'elle contient sont les plus récents de l'ensemble de cet ouvrage au moment d'aller sous presse. Toutefois, au moment d'aller sous presse, certains prix 2010 n'avaient pas encore été annoncés. Le cas échéant, en guise de référence, nous avons choisi d'indiquer les prix des modèles 2009 et de les identifier par un astérisque. Dans tous les cas, ces prix ont été obtenus des fabricants et ils étaient en vigueur le 23 août 2009.

Ces prix ne comprennent ni les frais de transport et de préparation du véhicule, ni les taxes qui s'appliquent à la vente ou à la location.

LÉGENDES

4RM = 4 roues motrices / C.L. = caisse longue / cab. all.= cabine allongée / t. = tonne / emp. all. = empattement long

> Tous les prix inscrits avec un astérisque* identifient des modèles 2009.
> Mise-à-jour des données faites le 23 août 2009 – PR

ACURA

CSX*	26 990 $
CSX Tech*	29 990 $
CSX Type-S*	33 400 $
RL	63 900 $
RL Elite	69 500 $
TL*	39 990 $
TL Tech*	43 490 $
TL SH-AWD*	44 490 $
TSX*	32 900 $
TSX Premium*	36 200 $
TSX Tech*	39 000 $

ACURA · Camions

MDX*	52 900 $
MDX Tech*	58 200 $
MDX Elite*	62 500 $
RDX	41 990 $
RDX Tech	45 100 $
ZDX	ND

ASTON MARTIN

DBS*	289 400 $
DBS Volante	323 195 $
DB9*	188 800 $
DB9 Volante*	206 500 $
V8 Vantage*	129 500 $
V8 Vantage Roadster*	144 800 $
Rapide	ND

AUDI

A3 2.0T	32 300 $
A3 2.0 TDI	ND
A3 2.0T quattro	36 900 $
A3 2.0T quattro Premium	39 950 $
A4 2.0T	38 300 $
A4 2.0T quattro	39 700 $
A4 2.0T Avant quattro	42 700 $
A5 2.0T	44,100 $
A5 3.2	53 350 $
A5 cabriolet	ND
A6 3.2	52 900 $
A6 3.0 quattro	62 700 $
A6 3.0 Avant	66 700 $
A6 4.2	75 900 $
A8 4.2	95 000 $
A8 L 4.2	100 000 $
R8 4.2	141 000 $
R8 5.2	173 000 $
S4	52 500 $
S5	65 900 $
S5 cabriolet	ND
S6	99 500
TT 2.0T quattro	49 350 $
TTS 2.0T quattro	57 600 $
TT 2.0T Roadster Quattro	52 350 $
TTS 2.0T Roadster Quattro	61 900 $

AUDI · Camions

Q5 3.2	43 500 $
Q7 3.6	54 200 $
Q7 3.6 Premium	59 300 $
Q7 TDI	57 700 $
Q7 4.2	75 200 $

BENTLEY

Azure	399 990 $
Brooklands	374 990 $
Continental GT	201 100 $
Continental Supersports	293 700 $
Continental GTC cabriolet	221 700 $
Continental Flying Spur	195 400 $
Continental Flying Spur Speed	222 800 $

BMW

128i coupé	33 900 $
135i coupé	41 700 $
128i cabriolet	39 900 $
135i cabriolet	47 200 $
323i	34 900 $
328i Drive	42 500 $
335i	48 900 $
335d	49 700 $
335xDrive	51 500 $
328i coupé	42 600 $
328i xDrive coupé	45 100 $
335i coupé	50 600 $
335i xDrive coupé	53 100 $
328Ci cabriolet	55 600 $
335Ci cabriolet	65 600 $
328i xDrive Touring	44 100 $
528i	56 200 $
528i xDrive	58 800 $
535i xDrive	68 900 $
535i xDrive Touring	71 000 $
550i	80 400 $
650i coupé	95 500 $
650i cabriolet	105 500 $
750i*	104 900 $
750Li*	112 900 $
M3 coupé	71 300 $
M3 cabriolet	81 900 $
M5	106 900 $
M6 coupé	121 300 $
M6 cabriolet	131 300 $

BMW · Camions

X3 28i xDrive	39 900 $
X3 30i xDrive	45 900 $
X5 30i xDrive*	58 200 $
X5 35d xDrive*	62 200 $
X5 48i xDrive*	71 500 $
X5 M	97 900 $
X6 35i xDrive *	63 900 $
X6 50i xDrive *	78 100 $
X6 M	99 900 $

BUGATTI

Veyron*	1 800 000 $

BUICK

Allure CX	32 795 $
Allure CXL	34 795 $
Allure CXL 4RM	38 295 $
Allure CXS	40 795 $
Lucerne CX	33 095 $
Lucerne CXL	36 095 $
Lucerne Super V8	47 795 $

BUICK · Camions

Enclave CX	43 505 $
Enclave CXL	48 475 $
Enclave CX 4RM	46 505 $
Enclave CXL 4RM	51 475 $

CADILLAC

CTS 3.0L	40 650 $
CTS 3.6L	48 780 $
CTS 3.0L 4RM	44 975 $
CTS 3.6L 4RM	51 405 $
CTS-V	68 500 $
DTS	56 535 $
STS V6	61 085 $
STS V6 4RM	64 255 $
STS V8	70 395 $
STS V8 4RM	72 535 $

CADILLAC · Camions

Escalade 4RM	83 460 $
Escalade EXT 4RM	78 535 $
Escalade ESV 4RM	87 160 $
Escalade Hybride	94 295 $
SRX V6	41 575 $
SRX V6 4RM	44 875 $

SRX Premium 4RM	57 775 $

CHEVROLET

Aveo LS	14 150 $
Aveo LT	16 850 $
Aveo5 LS	13 950 $
Aveo5 LT	16 650 $
Camaro LS	26 995 $
Camaro LT	28 065 $
Camaro SS	37 065 $
Cobalt LS coupé	15 495 $
Cobalt LT coupé	18 425 $
Cobalt SS coupé	27 995 $
Cobalt LS	15 495 $
Cobalt LT	18 425 $
Corvette coupé	67 050 $
Corvette Grand Sport coupé	76 440 $
Corvette cabriolet	76 955 $
Corvette Grand Sport cabriolet	85 220 $
Corvette Z06	95 620 $
Corvette ZR1	128 515 $
Impala LS	26 945 $
Impala LT	27 855 $
Impala LTZ	30 565 $
Malibu LS	23 995 $
Malibu LT	25 795 $
Malibu LTZ	32 255 $
Malibu Hybride	28 490 $

CHEVROLET • Camions

Avalanche LS	41 720 $
Avalanche LT	43 245 $
Avalanche LS 4RM	44 965 $
Avalanche LT 4RM	46 490 $
Avalanche LTZ 4RM	56 475 $
Colorado LT	23 860 $
Colorado LT cab. all.	25 930 $
Colorado LT Crew Cab	31 230 $
Colorado LS 4RM	26 470 $
Colorado LS cab. all. 4RM	28 540 $
Colorado LT 4RM	27 665 $
Colorado LT cab. all. 4RM	29 735 $
Colorado LT Crew Cab 4RM	36 230 $
Equinox LS	25 995 $
Equinox LT	27 725 $
Equinox LTZ	33 460 $
Equinox LS 4RM	27 605 $
Equinox LT 4RM	29 335 $
Equinox LTZ 4RM	35 070 $
Express 1500 LS Passagers	38 790 $
Express 1500 LT Passagers	43 220 $
Express 1500 LS Passagers 4RM	41 850 $
Express 1500 LT Passagers 4RM	46 180 $
Express 2500 LS Passagers	39 090 $
Express 2500 LT Passagers	43 170 $
Express 3500 LS Passagers	39 520 $
Express 3500 LT Passagers	43 055 $
Express 3500 LS Passagers emp. long	42 330 $
Express 3500 LT Passagers emp. long	44 940 $
Express 1500 Cargo	31 460 $
Express 1500 Cargo 4RM	36 460 $
Express 2500 Cargo	33 145 $
Express 2500 Cargo emp. long	34 485 $
Express 3500 Cargo	33 625 $
Express 3500 Cargo emp. long	34 710 $
HHR LS	20 395 $
HHR LT	22 040 $
HHR SS	30 955 $
HHR LS Panel	20 545 $
Silverado 1500 WT*	22 940 $
Silverado 1500 WT C.L*.	23 240 $
Silverado 1500 LT*	28 660 $
Silverado 1500 LT C.L.*	28 960 $
Silverado 1500 WT cab. All*.	27 250 $
Silverado 1500 WT cab. all C.L*.	27 400 $
Silverado 1500 LT cab. All*	32 040 $
Silverado 1500 LT cab. all C.L*.	33 620 $
Silverado 1500 LTZ cab. All*	40 005 $
Silverado 1500 LTZ cab. all C.L*.	40 455 $
Silverado 1500 WT Crew Cab*	30 280 $
Silverado 1500 LS Crew Cab*	32 660 $
Silverado 1500 LT Crew Cab*	33 860 $
Silverado 1500 LTZ Crew Cab*	42 045 $
Silverado 1500 4RM WT*	26 540 $
Silverado 1500 4RM WT C.L*.	26 840 $
Silverado 1500 4RM LT*	32 810 $
Silverado 1500 4RM LT C.L*	33 110 $
Silverado 1500 4RM WT cab. All*	33 135 $
Silverado 1500 4RM WT cab. all C.L*.	33 710 $
Silverado 1500 4RM LT cab. All*	36 195 $
Silverado 1500 4RM LT cab. all C.L*.	37 770 $
Silverado 1500 4RM LTZ cab. All*	44 155 $
Silverado 1500 4RM LTZ cab. all C.L*.	44 605 $
Silverado 1500 4RM LS Crew Cab*	36 260 $
Silverado 1500 4RM LT Crew Cab*	38 010 $
Silverado 1500 4RM LTZ Crew Cab*	46 405 $
Suburban 1500 LS*	50 795 $
Suburban 1500 LT*	52 535 $
Suburban 1500 LS 4RM*	56 475 $
Suburban 1500 LT 4RM*	54 895 $
Suburban 1500 LTZ 4RM*	70 515 $
Suburban 2500 LS*	52 915 $
Suburban 2500 LT*	54 655 $
Suburban 2500 LS 4RM*	56 115 $
Suburban 2500 LT 4RM*	57 855 $
Tahoe LS	47 650 $
Tahoe LT	49 350 $
Tahoe Hybride	67 415 $
Tahoe LS 4RM	51 635 $
Tahoe LT 4RM	53 405 $
Tahoe LTZ 4RM	67 475 $
Tahoe Hybride 4RM	70 415 $
Traverse LS	35 700 $
Traverse LT	38 360 $
Traverse LTZ	47 525 $
Traverse LS 4RM	38 700 $
Traverse LT 4RM	41 360 $
Traverse LTZ 4RM	50 525 $

CHRYSLER

300 Touring	32 995 $
300 Touring 4RM	37 295 $
300 Limited	36 645 $
300 Limited 4RM	40 945 $
300C	46 745 $
300C 4RM	50 295 $
300C SRT8	54 845 $
PT Cruiser LX*	22 195 $
Sebring LX	23 695 $
Sebring Touring	26 995 $
Sebring LX décapotable	30 665 $
Sebring Touring décapotable	35 465 $
Sebring Limited décapotable	44 070 $

CHRYSLER • Camions

Town & Country Touring	37 745 $
Town & Country Limited	43 745 $

DODGE

Avenger SE	22 995 $
Avenger SXT	24 795 $
Caliber SE*	16 495 $
Caliber SXT*	18 795 $
Caliber SRT4*	25 995 $
Challenger SE	25 995 $
Challenger SXT	27 695 $
Challenger R/T	35 395 $
Challenger SRT8	46 995 $
Charger SE	29 945 $
Charger SXT	31 695 $
Charger R/T	40 595 $
Charger SXT 4RM	35 945 $
Charger R/T 4RM	42 695 $
Charger SRT8	47 445 $
Viper SRT10	99 895 $
Viper SRT10 cabriolet	98 895 $

DODGE • Camions

Dakota ST	27 795 $
Dakota SXT	28 995 $
Dakota Crew Cab SXT	31 495 $
Dakota Crew Cab SLT	34 095 $
Dakota ST 4RM	32 415 $
Dakota SXT 4RM	32 595 $
Dakota Crew Cab SXT 4RM	35 195 $
Dakota Crew Cab SLT 4RM	37 795 $
Grand Caravan CV Cargo	27 945 $
Grand Caravan SE	27 445 $
Grand Caravan SXT	32 595 $
Journey SE	19 995 $
Journey SXT	25 595 $
Journey R/T 4RM	29 595 $
Nitro SXT 4RM	31 195 $
Ram 1500 ST	26 495 $
Ram 1500 ST emp. Long	26 795 $
Ram 1500 SLT	29 195 $
Ram 1500 SLT emp. Long	29 495 $
Ram 1500 ST 4RM	30 845 $
Ram 1500 ST 4RM emp. Long	31 145 $
Ram 1500 R/T	31 895 $
Ram 1500 SLT 4RM	32 645 $
Ram 1500 SLT 4RM emp. Long	32 945 $
Ram 1500 Quad Cab ST	30 795 $
Ram 1500 Quad Cab ST 4RM	35 145 $
Ram 1500 Quad Cab SLT	33 495 $
Ram 1500 Quad Cab SLT 4RM	36 945 $
Ram 1500 Quad Cab Laramie	41 545 $
Ram 1500 Quad Cab Laramie 4RM	44 995 $
Ram 1500 Crew Cab SLT	34 990 $
Ram 1500 Crew Cab SLT 4RM	38 440 $
Ram 1500 Crew Cab Laramie	43 040 $
Ram 1500 Crew Cab Laramie 4RM	46 490 $
Sprinter 2500 fourgon 144"*	44 910 $
Sprinter 2500 fourgon 170"*	49 870 $
Sprinter 2500 fourgon 170" long*	50 890 $
Sprinter 2500 passagers 144"*	53 240 $
Sprinter 2500 passagers 170"*	56 445 $

FERRARI

F458 Italia	ND
599 GTB Fiorano F1*	399 000 $
612 Scaglietti F1*	364 860 $
California	262 000 $

FORD

Focus coupé	17 999 $
Focus coupé	20 199 $
Focus S	14 999 $
Focus SE	17 699 $
Focus SEL	19 799 $
Focus SES	20 399 $
Fusion S	21 699 $
Fusion SE	22 426 $
Fusion SEL	25 096 $
Fusion SEL V6	27 766 $
Fusion SEL V6 4RM	29 546 $
Fusion Sport V6 4RM	33 551 $
Fusion Hybride	30 664 $
Mustang V6	24 499 $
Mustang V6 cabriolet	30 199 $
Mustang GT	37 499 $
Mustang GT cabriolet	41 699 $
Mustang GT 500	58 399 $
Taurus SE	29 999 $
Taurus SEL	32 299 $
Taurus SEL 4RM	34 799 $
Taurus Limited 4RM	40 699 $
Taurus SHO 4RM	48 199 $

FORD • Camions

E-150 fourgon	31 299 $
E-250 fourgon	32 599 $
E-350 Super Duty fourgon	33 899 $
E-150 passagers XL	36 399 $
E-150 passagers XLT	38 499 $
E-350 Super Duty passagers XL	39 099 $
E-350 Super Duty passagers XLT	41 399 $
Edge SE	30 499 $
Edge SEL	33 999 $
Edge Limited	37 499 $
Edge SEL 4RM	35 999 $
Edge Limited 4RM	39 499 $
Edge Sport 4RM	40 699 $
Escape XLT	24 499 $
Escape XLT 4RM	27 999 $
Escape XLT V6	27 199 $
Escape XLT V6 4RM	29 599 $
Escape Limited 4RM	32 949 $
Escape Limited V6 4RM	34 549 $
Escape Hybride	34 899 $
Escape Hybride Limited	39 899 $
Escape Hybride 4RM	37 299 $
Escape Hybride Limited 4RM	42 299 $
Expedition SSV	44 879 $
Expedition XLT	45 999 $
Expedition Eddie Bauer	54 299 $
Expedition Limited	58 349 $
Expedition King Ranch	61 899 $
Expedition SSV MAX	47 629 $
Expedition Eddie Bauer MAX	56 799 $
Expedition Limited MAX	60 849 $
Expedition King Ranch MAX	64 399 $
Explorer XLT V6	37 499 $
Explorer XLT V8	38 999 $
Explorer Eddie Bauer V6	43 899 $
Explorer Eddie Bauer V8	45 399 $
Explorer Limited V8	49 799 $
Explorer Sport Trac XLT 4.0L 4RM	35 699 $
Explorer Sport Trac XLT 4.6L 4RM	37 199 $

Explorer Sport Trac Limited 4.6L 4RM	42 299 $
F-150 XL	24 599 $
F-150 XLT	28 699 $
F-150 XL 4RM	29 899 $
F-150 XLT 4RM	33 899 $
F-150 SuperCab XL emp. long	31 299 $
F-150 SuperCab STX	32 399 $
F-150 SuperCab XLT	33 199 $
F-150 SuperCab XL 4RM	35 499 $
F-150 SuperCab XLT 4RM	37 399 $
F-150 SuperCab SVT Raptor 4RM	48 299 $
F-150 SuperCrew XLT	34 999 $
F-150 SuperCrew XLT 4RM	39 299 $
F-150 SuperCrew Lariat	48 299 $
F-150 SuperCrew Lariat King Ranch 4RM	52 599 $
F-150 SuperCrew Lariat Platinum 4RM	56 799 $
Flex SE	32 699 $
Flex SEL	35 999 $
Flex Limited	41 199 $
Flex SEL 4RM	37 999 $
Flex Limited 4RM	43 199 $
Ranger XL	17 799 $
Ranger SuperCab XL	17 899 $
Ranger SuperCab XLT	23 699 $
Ranger SuperCab XLT 4RM	26 699 $
Ranger SuperCab Sport	19 699 $
Ranger SuperCab Sport 4RM	24 199 $
Transit Connect fourgon XLT	26 799 $
Transit Connect tourisme XLT	28 299 $

GMC

Acadia SLE	37 930 $
Acadia SLT	46 185 $
Acadia SLE 4RM	40 930 $
Acadia SLT 4RM	49 195 $
Canyon SLE	23 860 $
Canyon SLE cab. all.	27 330 $
Canyon SLE Crew Cab	31 230 $
Canyon SLE 4RM	27 665 $
Canyon SLE cab. all. 4RM	29 735 $
Canyon SLE Crew Cab 4RM	36 230 $
Envoy SLE 4RM*	40 695 $
Envoy SLT 4RM*	45 195 $
Envoy Denali 4RM*	51 950 $
Savana 1500 SL	39 090 $
Savana 1500 SLE	43 170 $
Savana 1500 SL 4RM	41 850 $
Savana 1500 SLE 4RM	46 180 $
Savana 1500 fourgon	33 475 $
Savana 1500 fourgon 4RM	36 460 $
Savana 2500 SL	39 090 $
Savana 2500 SLE	43 170 $
Savana 2500 fourgon	33 145 $
Savana 2500 fourgon emp. long	34 485 $
Savana 3500 SL	39 520 $
Savana 3500 SLE	43 055 $
Savana 3500 SL emp. long	42 330 $
Savana 3500 SLE emp. long	44 940 $
Savana 3500 fourgon	33 625 $
Savana 3500 fourgon emp. long	34 170 $
Terrain SLE	27 465 $
Terrain SLE V6	31 865 $
Terrain SLT	31 440 $
Terrain SLT V6	33 490 $
Terrain SLE 4RM	29 075 $
Terrain SLE V6 4RM	33 475 $
Terrain SLT 4RM	32 795 $
Terrain SLT V6 4RM	37 805 $
Sierra 1500 WT*	22 940 $
Sierra 1500 WT C.L*.	23 240 $
Sierra 1500 SLE*	28 660 $
Sierra 1500 SLE C.L*.	28 960 $
Sierra 1500 WT cab. All*.	27 250 $
Sierra 1500 WT cab. all C.L*.	27 400 $
Sierra 1500 SLE cab. All*	32 045 $
Sierra 1500 SLE cab. all C.L*.	33 620 $
Sierra 1500 SLT cab. All*	40 005 $
Sierra 1500 SLT cab. all C.L*.	40 455 $
Sierra 1500 WT Crew Cab*	30 280 $
Sierra 1500 SLE Crew Cab*	32 660 $
Sierra 1500 SLE Crew Cab*	33 860 $
Sierra 1500 SLT Crew Cab*	42 045 $
Sierra 1500 4RM WT*	26 540 $
Sierra 1500 4RM WT C.L*.	26 840 $
Sierra 1500 4RM SLE*	32 810 $
Sierra 1500 4RM SLE C.L*	33 110 $
Sierra 1500 4RM WT cab. All*.	32 135 $
Sierra 1500 4RM WT cab. all C.L*	32 285 $
Sierra 1500 4RM SLE cab. All*	36 195 $
Sierra 1500 4RM SLE cab. all C.L.*	37 770 $
Sierra 1500 4RM SLT cab. All*	44 155 $
Sierra 1500 4RM SLT cab. all C.L.*	44 455 $
Sierra 1500 4RM WT Crew Cab*	33 880 $
Sierra 1500 4RM SL Crew Cab*	36 260 $
Sierra 1500 4RM SLE Crew Cab*	38 010 $
Sierra 1500 4RM SLT Crew Cab*	46 405 $
Sierra 1500 4RM Denali Crew Cab*	53 190 $
Yukon SLE*	48 245 $
Yukon SLT *	54 045 $
Yukon SLT Hybride*	68 255 $
Yukon SLE 4RM*	52 635 $
Yukon SLT 4RM*	58 665 $
Yukon SLT Hybride 4RM*	71 235 $
Yukon Denali 4RM*	70 910 $
Yukon Denali Hybride 4RM*	80 045 $
Yukon XL 1500 SLE*	51 205 $
Yukon XL 1500 SLT*	57 045 $
Yukon XL 1500 SLE 4RM*	55 495 $
Yukon XL 1500 SLT 4RM*	61 495 $
Yukon XL 1500 Denali 4RM*	74 380 $
Yukon XL 2500 SLE*	53 425 $
Yukon XL 2500 SLT*	59 125 $
Yukon XL 2500 SLE 4RM*	56 525 $
Yukon XL 2500 SLT 4RM*	61 495 $

HONDA

Accord LX*	25 090 $
Accord EX*	27 490 $
Accord EX-L*	31 090 $
Accord EX-L NAVI*	32 690 $
Accord EX V6*	31 690 $
Accord EX-L V6*	34 990 $
Accord EX-L V6 NAVI*	37 790 $
Accord coupé EX*	28 190 $
Accord coupé EX-L*	30 590 $
Accord coupé EX-L NAVI*	33 190 $
Accord coupé EX-L V6*	35 490 $
Accord coupé EX-L V6 NAVI*	38 290 $
Civic DX*	16 990 $
Civic DX-A*	18 290 $
Civic DX-G*	19 480 $
Civic Sport*	21 580 $
Civic EX-L*	23 480 $
Civic Si*	26 680 $
Civic Hybride*	26 350 $
Civic coupé DX*	17 190 $
Civic coupé DX-A*	18 490 $
Civic coupé DX-G*	19 780 $
Civic coupé LX SR*	21 580 $
Civic coupé EX-L*	23 780 $
Civic coupé Si*	26 680 $
Fit DX*	14 980 $
Fit LX*	17 380 $
Fit Sport*	19 280 $
Insight LX	23 900 $
Insight EX	27 500 $
S2000*	50 600 $

HONDA • Camions

CR-V LX 2RM*	27 790 $
CR-V LX*	29 790 $
CR-V EX*	32 690 $
CR-V EX-L*	35 190 $
CR-V EX-L NAVI*	37 790 $
Element LX*	25 290 $
Element EX*	28 090 $
Element EX 4RM*	30 390 $
Element SC*	29 990 $
Odyssey DX*	31 490 $
Odyssey LX*	33 590 $
Odyssey EX*	36 990 $
Odyssey EX-L*	40 590 $
Odyssey EX-L RES*	42 790 $
Odyssey Touring*	48 890 $
Pilot LX 2RM	36 820 $
Pilot LX	39 820 $
Pilot EX	42 720 $
Pilot EX-L	45 020 $
Pilot EX-L RES	46 620 $
Pilot Touring	50 420 $
Ridgeline DX*	34 490 $
Ridgeline VP*	35 790 $
Ridgeline EX-L*	40 790 $
Ridgeline EX-L NAVI*	42 990 $

HYUNDAI

Accent L	14 299 $
Accent GL	15 749 $
Accent GLS	18 999 $
Accent 3p L	13 599 $
Accent 3p GL	15 299 $
Accent 3p GL Sport	16 999 $
Azera GLS*	36 995 $
Elantra L*	15 845 $
Elantra GL*	18 095 $
Elantra GL Sport*	21 395 $
Elantra GLS*	20 595 $
Elantra Limited*	23 795 $
Elantra Touring L	14 999 $
Elantra Touring GL	17 399 $
Elantra Touring GLS	19 299 $
Genesis Coupe 2.0T	24 495 $
Genesis Coupe 3.8	32 995 $
Genesis 3.8*	37 995 $
Genesis 4.6*	43 995 $
Sonata GL	22 499 $
Sonata GLS V6	29 999 $
Sonata Limited	28 499 $
Sonata Limited V6	32 999 $

HYUNDAI • Camions

Santa Fe GL 2.7L*	25 995 $
Santa Fe GL 3.3L*	28 745 $
Santa Fe GLS 2.7L*	29 945 $
Santa Fe GLS 3.3L*	31 045 $
Santa Fe GL 3.3L 4RM*	30 545 $
Santa Fe GLS 3.3L 4RM*	32 845 $
Santa Fe Limited 3.3L 4RM*	35 245 $
Santa Fe Limited 3.3L 7 pass. 4RM*	36 945 $
Tucson L*	21 195 $
Tucson GL*	22 995 $
Tucson GL V6*	26 495 $
Tucson GL V6 4RM*	28 795 $
Tucson Limited V6*	28 895 $
Tucson Limited V6 4RM*	30 995 $
Veracruz GL*	36 995 $
Veracruz GLS 4RM*	40 995 $
Veracruz Limited 4RM*	47 295 $

INFINITI

G37*	39 990 $
G37 Sport*	46 490 $
G37x 4RM *	43 540 $
G37x 4RM Sport*	48 440 $
G37 coupé Premium	47 350 $
G37 coupé Sport	49 950 $
G37x 4RM	ND
G37 Cabriolet	57 400 $
M35*	49 400 $
M35 Technology*	56 650 $
M35x 4RM Luxury	52 900 $
M45 Sport*	69 150 $
M45x 4RM Luxury*	66 950 $
M45 Sport*	67 150 $

INFINITI • Camions

EX35	40 900 $
FX35	51 800 $
FX50 Privilège	58 900 $
FX50 Privilège Sport	70 650 $
QX56	71 900 $

JAGUAR

XF Luxury	61 800 $
XF Premium	68 300 $
XFR	85 300 $
XJ8*	80 500 $
XJR*	98 500 $
XK Portfolio	96 500 $
XK Portfolio cabriolet	103 200 $
XKR	107 000 $
XKR Portfolio*	117 500 $
XKR cabriolet	114 000 $
XKR Portfolio cabriolet*	124 500 $

JEEP

Compass Sport	18 595 $
Compass Sport 4RM	20 795 $
Compass North	21 595 $
Compass Limited	23 995 $
Compass Limited 4RM	25 395 $

JEEP • Camions

Commander Sport	43 495 $
Commander Limited	54 695 $
Grand Cherokee Laredo	41 645 $
Grand Cherokee Limited	54 645 $
Grand Cherokee SRT8	50 395 $
Liberty Sport	29 695 $
Liberty Limited	33 545 $

Patriot Sport	17 595 $
Patriot Sport 4RM	19 795 $
Patriot North	20 595 $
Patriot North 4RM	22795 $
Patriot Limited	23 595 $
Patriot Limited 4RM	25 795 $
Wrangler Sport	20 395 $
Wrangler Sahara	27 295 $
Wrangler Rubicon	30 295 $
Wrangler Unlimited Sport	25 795 $
Wrangler Unlimited Sahara	29 295 $
Wrangler Unlimited Rubicon	32 295 $

KIA

Amanti*	29 995 $
Amanti Luxury*	37 195 $
Forte Koup EX 2.0L	18 495 $
Forte Koup SX 2.4L	21 495 $
Forte LX 2.0L	15 695 $
Forte EX 2.0L	17 995 $
Forte SX 2.4L	20 995 $
Magentis LX*	21 895 $
Magentis LX Premium*	25 095 $
Magentis LX V6*	24 195 $
Magentis LX V6 Luxe*	27 995 $
Rio EX*	13 595 $
Rio EX Commodité*	15 395 $
Rio5 EX*	13 995 $
Rio5 EX Commodité*	15 995 $
Rio5 EX Sport*	18 295 $
Soul 1.6L	15 495 $
Soul 2.0L 2u	17 995 $
Soul 2.0L 4u	19 995 $
Spectra LX*	15 995 $
Spectra LX Commmodité*	18 195 $
Spectra LX Premium*	20 525 $
Spectra5 LX*	16 495 $
Spectra5 LX Commodité*	18 695 $
Spectra5 SX*	21 175 $

KIA · Camions

Borrego LX V6*	36 995 $
Borrego LX V8*	39 495 $
Borrego EX V6 Luxury*	40 995 $
Borrego EX V8 Luxury*	43 495 $
Sedona LX*	26 745 $
Sedona EX*	32 795 $
Sorento LX*	32 495 $
Sorento Luxe*	38 995 $
Sportage LX*	21 695 $
Sportage LX Commodité*	23 895 $
Sportage LX Commodité 4RM*	25 895 $
Sportage LX V6*	27 235 $
Sportage LX V6 4RM*	29 235 $
Sportage LX V6 Luxe 4RM*	30 935 $

LAMBORGHINI

Gallardo LP560-4	198 000 $
Gallardo Spyder LP560-4	221 000 $
Murciélago LP650-4	539 800 $
Murciélago LP670 SV	569 860 $

LAND ROVER

LR2 HSE	44 950 $
LR4	59 990 $
LR4 HSE	63 740 $
LR4 HSE Luxury	70 790 $
Range Rover Sport HSE	73 200 $
Range Rover Sport Compresseur	87 400 $
Range Rover HSE	93 830 $
Range Rover Compresseur	111 900 $

LEXUS

ES 350*	40 900 $
HS 250h Premium	39 900 $
IS 250*	33 050 $
IS 250 4RM*	39 200 $
IS 250C cabriolet	52 100 $
IS 350*	44 550 $
IS 350C cabriolet	60 400 $
IS F*	66 450 $
GS 350*	52 450 $
GS 350 4RM*	54 450 $
GS 460*	63 850 $
GS 450h*	63 050 $
LS 460*	77 000 $
LS 460 4RM*	82 100 $
LS 460L*	98 200 $
LS 460L 4RM*	94 600 $
LS 600h L*	119 950 $
SC 430*	81 000 $
SC 430 Pebble Beach*	84 400 $

LEXUS · Camions

GX 470 Premium*	60 650 $
LX 570	89 250 $
RX 350	46 900 $
RX 350 Ultra Premium	62 200 $
RX 450h	58 900 $
RX 450h Ultra Premium	71 400 $

LINCOLN

MKS	47 399 $
MKS 4RM	49 599 $
MKZ	38 399 $
MKZ 4RM	42 199 $

LINCOLN · Camions

MKT	49 950 $
MKX	43 000 $
Navigator Ultimate	70 800 $
Navigator Ultimate L	73 800 $

LOTUS

Elise*	57 575 $
Exige S*	80 500 $
Evora	ND

MASERATI

GranTurismo*	139 900 $
Quattroporte*	143 000 $
Quattroporte Sport GT*	149 000 $
Quattroporte Executive GT*	149 000 $

MAYBACH

57*	339 500 $
57S*	375 000 $
62*	390 500 $
62S*	430 000 $

MAZDA

Mazda3 GX	15 995 $
Mazda3 GS	19 395 $
Mazda3 GT	22 995 $
Mazda3 Sport GX	16 995 $
Mazda3 Sport GS	20 895 $
Mazda3 Sport GT	23 995 $
MazdaSpeed3	32 995 $
Mazda5 GS	20 245 $
Mazda5 GT	23 995 $
Mazda6 GS	22 995 $
Mazda6 GT	28 395 $
Mazda6 GS V6	28 295 $
Mazda6 GT V6	34 395 $
MX-5 GX	28 995 $
MX-5 GS	33 495 $
MX-5 GT	41 195 $
RX-8 R3	41 995 $
RX-8 GT	43 795 $

MAZDA · Camions

CX-7 GX 2RM	27 995 $
CX-7 GS	32 295 $
CX-7 GT	36 095 $
CX-9 GS 2RM*	36 795 $
CX-9 GS*	38 795 $
CX-9 GT*	44 395 $
Série B SX 2.3L*	15 695 $
Série B Dual Sport 3.0 L cab. All*.	18 645 $
Série B Dual Sport 4.0 L cab. All*.	22 375 $
Série B SE 4.0 L 4RM cab. All*.	24 995 $
Tribute GX	23 450 $
Tribute GX V6	26 345 $
Tribute GS V6	27 900 $
Tribute 4RM GX	27 145 $
Tribute 4RM GX V6	28 745 $
Tribute 4RM GS V6	30 300 $
Tribute 4RM GT V6	34 995 $

MERCEDES-BENZ

B200	29 900 $
B200 Turbo	32 400 $
C250	35 800 $
C250 4MATIC	39 500 $
C300	41 200 $
C300 4MATIC	44 900 $
C350	48 200 $
C350 4MATIC	50 400 $
C63 AMG	63 500 $
CL550 4MATIC	130 500 $
CL63 AMG	159 000 $
CL600	189 500 $
CL65 AMG	241 000 $
CLS550	88 500 $
CLS63 AMG	159 000 $
E350 4MATIC	62 900 $
E350 Coupe	58 600 $
E550 Coupe	68 200 $
E63 AMG	121 100 $
S400 Hybride	ND
S450 4MATIC	108 000 $
S550 4MATIC	123 500 $
S600	187 000 $
S63 AMG	150 000 $
S65 AMG	234 000 $
SL550	125 000 $
SL600	175 000 $
SL63 AMG	151 500 $
SL65 AMG	238 500 $
SLK300	57 500 $
SLK350	63 500 $
SLK55 AMG	84 800 $
SLR Mc Laren Roadster*	US 495 000 $
SLR Mc Laren 722S*	US 547 750 $

MERCEDES-BENZ · Camions

G550	111 900 $
G55 AMG	152 450 $
GLK350	41 800 $
GL350 BlueTec	69 000 $
GL450	79 900 $
GL550	88 600 $
ML350 BlueTec	58 900 $
ML350	57 400 $
ML550	69 700 $
ML450 Hybride	ND
ML63 AMG	97 500 $
R350	54 700 $
R350 BlueTec	56 200 $

MINI

Cooper Classic	22 800 $
Cooper	24 800 $
Cooper S	29 900 $
Cooper John Cooper Works	38 390 $
Cooper Clubman	26 400 $
Cooper S Clubman	31 500 $
Cooper John Cooper Works Clubman	39 990 $
Cooper cabriolet	29 950 $
Cooper S cabriolet	36 350 $
Cooper John Cooper Works cabriolet	44 400 $

MITSUBISHI

Eclipse GS*	25 998 $
Eclipse GT-P*	34 798 $
Eclipse Spyder GS*	32 298 $
Eclipse Spyder GT-P*	37 798 $
Galant ES*	23 998 $
Galant GT*	27 998 $
Galant Ralliart*	32 998 $
Lancer DE*	16 598 $
Lancer SE*	19 998 $
Lancer GT*	21 998 $
Lancer GTS*	22 998 $
Lancer EVO*	41 498 $

MITSUBISHI · Camions

Endeavor SE*	35 998 $
Endeavor 4RM SE*	39 298 $
Endeavor 4RM Limited*	43 298 $
Outlander ES*	24 998 $
Outlander ES 4RM*	26 998 $
Outlander LS 4RM*	28 898 $
Outlander XLS 4RM*	33 698 $

NISSAN

370Z*	39 998 $
370Z Roadster*	51 498 $
Altima coupé 2.5 S*	26 598 $
Altima coupé 3.5 S*	30 398 $
Altima 2.5 S *	22 698 $
Altima 3.5 S*	27 198 $
Altima 3.5 SE*	29 498 $
Altima Hybride*	32 298 $
Cube 1.8S*	16 998 $
Cube 1.8SL*	20 698 $
GT-R	98 900 $
Maxima SV*.	38 700 $
Sentra 2.0	15 198 $
Sentra 2.0S	18 048 $

Sentra 2.0 SL	22 898 $
Sentra 2.5 SE-R	21 348 $
Sentra 2.5 SE-R Spec V*	24 298 $
Versa hatchback 1.8 S	12 498 $
Versa hatchback 1.8 SL	16 898 $

NISSAN · Camions

Armada Platine	55 398 $
Frontier XE King Cab	23 298 $
Frontier SE V6 King Cab	26 948 $
Frontier SE Crew Cab	32 748 $
Frontier SE V6 King Cab 4RM	28 848 $
Frontier SE V6 Crew Cab 4RM	32 748 $
Frontier LE V6 Crew Cab 4RM	39 898 $
Murano S*	37 648 $
Murano SL*	39 348 $
Murano LE*	47 498 $
Pathfinder S*	36 298 $
Pathfinder SE*	40 698 $
Pathfinder LE*	46 098 $
Quest 3.5 S*	29 998 $
Quest 3.5 SL*	37 398 $
Quest 3.5 SE*	44 998 $
Rogue S*	23 798 $
Rogue SL*	26 398 $
Rogue S 4RM*	26 598 $
Rogue SL 4RM*	28 398 $
Titan King Cab XE	32 298 $
Titan King Cab SE	35 898 $
Titan King Cab SE 4RM	41 298 $
Titan King Cab PRO 4X 4RM	43 998 $
Titan King Cab LE 4RM	45 298 $
Titan Crew Cab XE 4RM	38 298 $
Titan Crew Cab SE 4RM	42 998 $
Titan Crew Cab PRO 4X 4RM	43 998 $
Titan Crew Cab LE 4RM	49 798 $
Xterra S*	32 598 $
Xterra Tout-terrain*	35 098 $
Xterra SE*	36 398 $

PONTIAC

Vibe	16 865 $
Vibe GT	26 155 $
Vibe 4RM	22 430 $

PORSCHE

911 Carrera	96 700 $
911 Carrera 4	104 000 $
911 Carrera S	109 900 $
911 Carrera 4S	117 300 $
911 Carrera cabriolet	109 900 $
911 Carrera 4 cabriolet	117 300 $
911 Carrera S cabriolet	122 900 $
911 Carrera 4S cabriolet	130 500 $
911 GT3	138 100 $
911 Targa 4	113 700 $
911 Targa 4S	127 000 $
911 Turbo cabriolet*	178 400 $
Boxster	59 600 $
Boxster S	72 200 $
Cayman	65 300 $
Cayman S	77 500 $
Panamera S	115 100 $
Panamera 4S	120 300 $
Panamera Turbo	155 000 $

PORSCHE · Camions

Cayenne V6	56 700 $
Cayenne S	74 100 $
Cayenne S Transyberia	87 200 $
Cayenne GTS	88 000 $
Cayenne Turbo	120 300 $
Cayenne Turbo S	152 200 $

ROLLS-ROYCE

Phantom	380 000 $
Phantom Coupe	408 000 $
Phantom LWB	450 000 $
Phantom Drophead Coupé	443 000 $

SMART

Fortwo pure*	14 990 $
Fortwo passion*	18 250 $
Fortwo Brabus*	21 900*
Fortwo cabriolet passion*	21 250 $
Fortwo cabriolet Brabus*	24 900 $

SUBARU

Impreza 2.5i	20 995 $
Impreza 2.5i Sport	24 695 $
Impreza 2.5i Limited	26 695 $
Impreza 2.5i 5 portes	21 895 $
Impreza 2.5i Sport 5 portes	25 595 $
Impreza 2.5i Limited 5 portes	27 595 $
Impreza WRX	32 495 $
Impreza WRX Limited	35 495 $
Impreza WRX 5 portes	33 395 $
Impreza WRX Limited 5 portes	36 395 $
Impreza WRX STI*	39 995 $
Impreza WRX STI Sport-Tech*	45 995 $
Legacy 2.5i	23 995 $
Legacy PZEV	26 395 $
Legacy 2.5i Limited	31 995 $
Legacy 2.5 GT	38 395 $
Legacy 3.6R	31 895 $
Legacy 3.6R Limited	34 695 $
Outback PZEV 2.5i	28 995 $
Outback 2.5i Sport	31 795 $
Outback 2.5i Limited	35 795 $
Outback 3.6R	35 695 $
Outback 3.6R Limited	38 495 $

SUBARU · Camions

Forester 2.5X	25 995 $
Forester 2.5X Touring	28 695 $
Forester 2.5X Limited	32 795 $
Forester 2.5XT Limited	35 295 $
Tribeca*	39 995 $
Tribeca Limited*.	45 195 $
Tribeca Optimum*	48 195 $

SUZUKI

Swift+*	14 495 $
Swift+ AC*	15 695 $
SX4	17 695 $
SX4 JX	20 295 $
SX4 Aero	22 195 $
SX4 JX 4RM	22 695 $
SX4 JLX 4RM	24 695 $
SX4 berline	17 695 $
SX4 Sport berline	19 695 $

SUZUKI · Camions

Equator JX V6 4RM*	33 795 $
Grand Vitara JX	27 995 $
Grand Vitara JLX	29 495 $
Grand Vitara JLX V6	32 195 $

TOYOTA

Avalon XLS	39 295 $
Camry LE	24 900 $
Camry LE V6	28 345 $
Camry SE	26 205 $
Camry SE V6	31 555 $
Camry XLE	30 925 $
Camry XLE V6	36 040 $
Camry Hybride	30 900 $
Corolla CE	15 260 $
Corolla S	20 085 $
Corolla LE	20 965 $
Corolla XRS	22 350 $
Matrix	16 440 $
Matrix XR	20 350 $
Matrix XRS	26 050 $
Matrix 4RM	23 470 $
Prius	27 500 $
Prius groupe Technologie	36 565 $
Yaris Hatchback CE 3p*	13 620 $
Yaris Hatchback RS 3p*	18 795 $
Yaris Hatchback LE 5p*	14 770 $
Yaris Hatchback RS 5p*	19 225 $

TOYOTA · Camions

4Runner SR5 V6*	36 800 $
4Runner SR5 Sport V6*	43 380 $
4Runner Limited V6*	46 170 $
4Runner Limited V8*	48 810 $
FJ Cruiser*	31 100 $
Highlander 4 cyl*.	32 600&
Highlander V6*	37 570 $
Highlander V6 Sport*	42 505 $
Highlander Limited	47 150 $
Highlander Hybride *	42 735 $
Highlander Hybrid Limited*	54 780 $
RAV4*	24 298 $
RAV4 Sport*	30 165 $
RAV4 Limited	31 635 $
RAV4 V6*	29 100 $
RAV4 V6 Sport*	31 920 $
RAV4 V6 Limited*	33 890 $
Sequoia SR5	48 320 $
Sequoia Limited	57 235 $
Sequoia Platinum	65 475 $
Sienna CE	29 500 $
Sienna LE	33 990 $
Sienna Limited	39 990 $
Sienna 4RM CE	34 505 $
Sienna 4RM LE	38 030 $
Sienna 4RM XLE Limited	48 380 $
Tacoma Access Cab	21 125 $
Tacoma Access Cab X-Runner V6 4RM	29 775 $
Tacoma Access Cab 4RM	25 765 $
Tacoma Access Cab V6 4RM	28 150 $
Tacoma Doublecab V6 4RM	29 955 $
Tacoma Doublecab V6 SR5 4RM	31 470 $
Tacoma Doublecab V6 Sport TRD 4RM*	35 125 $
Tundra 4.6L	24 995 $
Tundra 5.7L	28 660 $
Tundra Double Cab SR5 4.6L	31 725 $
Tundra Double Cab 5.7L	35 700 $
Tundra CrewMax	37 315 $
Tundra 4RM 4.6L	29 060 $
Tundra 4RM 5.7L	32 725 $
Tundra 4RM Double Cab SR5 4.6L	35 790 $
Tundra 4RM Double Cab SR5 5.7L	36 890 $
Tundra 4RM Double Cab Limited 5.7L	47 960 $
Tundra 4RM CrewMax	41 430 $
Tundra 4RM CrewMax Platinum	51 705 $
Venza	28 900 $
Venza TI	30 350 $
Venza V6	30 600 $
Venza V6 TI	32 050 $

VOLKSWAGEN

Eos	36 575 $
Golf 2.5L*	19 975 $
Golf 2.0 TDI	24 000 $ est.
Golf 2.5L familiale	23 500 $ est.
Golf City	15 300 $
GTI 3p*	27 630 $
GTI 5p*	27 975 $
Jetta 2.5L	22 175 $
Jetta 2.0L TDI	24 475 $
Jetta 2.0T Édition Wolfsburg	27 275 $
New Beetle 2.5L	21 175 $
New Beetle 2,5L cabriolet	29 175 $
Passat 2.0T	27 775 $
Passat CC	33 075 $
Passat CC V6 4Motion	45 875 $
Passat 2.0T familiale	29 275 $
Passat 3.6L 4Motion familiale	52 100 $

VOLKSWAGEN · Camions

Routan*	27 975 $
Tiguan	27 875 $
Tiguan 4Motion	31 275 $
Touareg2 V6	45 300 $
Touareg2 TDI	49 300 $

VOLVO

C30 2.4i	27 695 $
C30 T5	36 995 $
C70	52 995 $
S40 2.4i	28 995 $
S40 T5 Premium	35 995 $
S40 T5 4RM	42 995 $
V50 2.4i	30 495 $
V50 T5 Premium	37 495 $
V50 T5 4RM	44 495 $
S80	46 995 $
S80 T6 4RM	59 995 $
S80 V8 4RM	69 995 $
V70 3.2	42 495 $
V70 3.2 Premium	48 495 $
XC70	43 995 $
XC70 T6	55 995 $

VOLVO · Camions

XC60 3.2 2RM	39 995 $
XC60 3.2	44 495 $
XC60 T6	49 995 $
XC90 3.2	51 995 $
XC90 3.2 R	61 995 $
XC90 V8 Executive	69 995 $

ACURA

Description	R.m.	Tr.	L	Prix
2009 CSX				**20 000 km**
4p berline base	2	M	2	23,500
4p berline base	2	A	2	24,600
4p berline Tech (Navi)	2	M	2	26,100
4p berline Tech (Navi)	2	A	2	27,200
4p berline Type-S	2	M	2	29,100
2008 CSX				**40 000 km**
4p berline base	2	M	2	20,100
4p berline base	2	A	2	21,200
4p berline Tech (Navi)	2	M	2	21,700
4p berline Tech (Navi)	2	A	2	22,300
4p berline Type-S	2	M	2	23,200
2007 CSX				**60 000 km**
4p berline base	2	M	2	16,100
4p berline base	2	A	2	17,300
4p berline Premium (cuir)	2	M	2	18,000
4p berline Premium (cuir)	2	A	2	18,500
4p berline Navi	2	A	2	19,200
4p berline Type-S	2	M	2	19,600
2006 CSX				**80 000 km**
4p berline Touring	2	M	2	14,000
4p berline Touring	2	A	2	15,000
4p berline Premium (cuir)	2	M	2	16,000
4p berline Premium (cuir)	2	A	2	16,700
4p berline Navi	2	M	2	17,100
4p berline Navi	2	A	2	17,500
2005 EL				**100 000 km**
4p berline Touring	2	M	1.7	11,100
4p berline Touring	2	A	1.7	12,100
4p berline Touring Aero	2	M	1.7	12,100
4p berline Touring Aero	2	A	1.7	12,900
4p berline Premium (cuir)	2	M	1.7	12,300
4p berline Premium (cuir)	2	A	1.7	13,000
4p berline Premium Aero (cuir)	2	M	1.7	13,000
4p berline Premium Aero (cuir)	2	A	1.7	13,900
2009 MDX				**20 000 km**
4p base	A	A	3.7	45,700
4p Tech	A	A	3.7	49,800
4p Elite	A	A	3.7	54,100
2008 MDX				**40 000 km**
4p base	A	A	3.7	37,400
4p base 20e Ann. Edition	A	A	3.7	42,000
4p Tech	A	A	3.7	41,100
4p Tech 20e Ann. Edition	A	A	3.7	45,700
4p Elite	A	A	3.7	44,800
4p Elite 20e Ann. Edition	A	A	3.7	49,500
2007 MDX				**60 000 km**
4p base	A	A	3.7	28,700
4p Tech	A	A	3.7	32,300
4p Elite	A	A	3.7	34,400
2006 MDX				**80 000 km**
4p base	A	A	3.5	25,500
4p Touring	A	A	3.5	26,900
4p Ens.Technologique	A	A	3.5	28300
2005 MDX				**100 000 km**
4p base	A	A	3.5	22,900
4p ens. Technologique	A	A	3.5	24,900
2009 RDX				**20 000 km**
4p 2.3L Base	2	A	2.3	36,000
4p 2.3L Tech	2	A	2.3	39,200
2008 RDX				**40 000 km**
4p 2.3L Base	2	A	2.3	29,300
4p 2.3L Tech	2	A	2.3	31,200
2007 RDX				**60 000 km**
4p 2.3L Base	2	A	2.3	25,200
4p 2.3L Tech	2	A	2.3	27,200
2009 RL				**20 000 km**
4p berline 3.7L base	A	A	3.7	55,600
4p berline 3.7L Elite	A	A	3.7	60,500
2008 RL				**40 000 km**
4p berline 3.5L base	A	A	3.5	43,100
4p berline 3.5L A-Spec Ensemble	A	A	3.5	47,800
4p berline 3.5L Elite	A	A	3.5	47,200
4p berline 3.5L A-Spec Ensemble	A	A	3.5	50,300
2007 RL				**60 000 km**
4p berline 3.5L base	A	A	3.5	37,600
4p berline 3.5L Elite	A	A	3.5	41,200
2006 RL				**80000 km**
4p berline 3.5L	A	A	3.5	31,200

Description	R.m.	Tr.	L	Prix
2005 RL				**100 000 km**
4p berline 3.5L	A	A	3.5	24,600
2006 RSX				**80 000 km**
2p coupé Premium	2	M	2	19,000
2p coupé Premium	2	A	2	20,000
2p coupé Premium (cuir)	2	M	2	18,000
2p coupé Premium (cuir)	2	A	2	20,300
2p coupé Type-S (cuir)	2	M	2	22,600
2005 RSX				**100 000 km**
2p coupé base	2	M	2	16,300
2p coupé base	2	A	2	17,400
2p coupé Premium	2	M	2	18,000
2p coupé Premium	2	A	2	18,600
2p coupé Premium (cuir)	2	M	2	18,900
2p coupé Premium (cuir)	2	A	2	19,400
2p coupé Type-S (cuir)	2	M	2	19,800
2009 TL				**20 000 km**
4p berline 3.5L	2	A	3.5	34,800
4p berline 3.5L Tech	2	A	3.5	37,800
4p berline 3.7L SH-AWD	A	A	3.7	38,700
4p berline 3.7L SH-AWD Tech	A	A	3.7	41,800
2008 TL				**40 000 km**
4p berline 3.2L	2	A	3.2	31,000
4p berline 3.2L ensemble NAVI	2	A	3.2	33,300
4p berline 3.2L Type-S	2	M	3.5	34,000
4p berline 3.2L Type-S	2	A	3.5	34,300
2007 TL				**60 000 km**
4p berline 3.2L	2	A	3.2	26,500
4p berline 3.2L ensemble NAVI	2	A	3.2	28,200
4p berline 3.2L Type-S	2	M	3.5	28,700
4p berline 3.2L Type-S	2	A	3.5	29,200
2006 TL				**80 000 km**
4p berline 3.2L	2	A	3.2	23,300
4p berline 3.2L ensemble NAVI	2	A	3.2	24,200
4p berline 3.2L ens Dynamic	2	M	3.2	24,100
4p berline 3.2L ens Dyna/NAVI	2	M	3.2	24,400
2005 TL				**100 000 km**
4p berline 3.2L	2	A	3.2	18,300
4p berline 3.2L ensemble NAVI	2	A	3.2	19,300
4p berline 3.2L ens Dynamic	2	M	3.2	19,000
4p berline 3.2L ens Dyna/NAVI	2	M	3.2	19,600
2009 TSX				**20 000 km**
4p berline 2.4L	2	M	2.4	28,600
4p berline 2.4L	2	A	2.4	29,800
4p berline 2.4L ensemble Tech	2	M	2.4	33,900
4p berline 2.4L ensemble Tech	2	A	2.4	35,100
2008 TSX				**40 000 km**
4p berline 2.4L	2	M	2.4	26,200
4p berline 2.4L	2	A	2.4	27,300
4p berline 2.4L ensemble NAVI	2	M	2.4	28,400
4p berline 2.4L ensemble NAVI	2	A	2.4	29,400
2007 TSX				**60 000 km**
4p berline 2.4L	2	M	2.4	22,100
4p berline 2.4L	2	A	2.4	23,100
4p berline 2.4L ensemble NAVI	2	M	2.4	23,800
4p berline 2.4L ensemble NAVI	2	A	2.4	24,800
2006 TSX				**80 000 km**
4p berline 2.4L	2	M	2.4	22,000
4p berline 2.4L	2	A	2.4	23,200
4p berline 2.4L ensemble NAVI	2	M	2.4	23,600
4p berline 2.4L ensemble NAVI	2	A	2.4	24,000
2005 TSX				**100 000 km**
4p berline 2.4L	2	M	2.4	17,100
4p berline 2.4L	2	A	2.4	18,100
4p berline 2.4L ensemble NAVI	2	M	2.4	18,500
4p berline 2.4L ensemble NAVI	2	A	2.4	19,500

AUDI

Description	R.m.	Tr.	L	Prix
2009 A3				**20 000 km**
4p hayon Front Trak 2.0 T	2	M	2	27,200
4p hayon Quattro 2.0 T	A	A	2	31,600
4p hayon Quattro 3.2 S-Line (cuir)	A	A	3.2	37,400
2008 A3				**40 000 km**
4p hayon Front Trak 2.0 T	2	M	2	25,700
4p hayon Front Trak 2.0 T Titanium	2	M	2	26,600
4p hayon Front Trak 2.0 T S-Line	2	M	2	26,800
4p hayon Quattro 3.2 S-Line (cuir)	A	A	3.2	29,800
2007 A3				**60 000 km**
4p hayon Front Trak 2.0 T	2	M	2	22,700
4p hayon Front Trak 2.0 T Prem	2	M	2	24,400
4p hayon Front Trak 2.0 T S-Line	2	M	2	25,100
4p hayon Quattro 3.2 S-Line (cuir)	A	A	3.2	27,300

Description	R.m.	Tr.	L	Prix
2006 A3				**80 000 km**
4p hayon Front Trak 2.0 T	2	M	2	18,900
4p hayon Front Trak 2.0 T Sport	2	M	2	20,800
4p hayon Front Trak 2.0 T Prem	2	M	2	21,000
4p hayon Quattro 3.2 S-Line (cuir)	A	A	3.2	22,900
2009 A4				**20 000 km**
4p berline Front Trak 2.0 T (cuir)	2	A	2	34,500
4p berline Quattro 2.0 T (cuir)	A	A	2	37,500
4p ber Quattro 3.2 (cuir)	A	A	3.2	40,900
4p familiale Quattro 2.0 T (cuir)	A	A	2	38,500
2p déc. Front Track 2.0 T (cuir)	2	A	2	48,100
2p déc. Quattro 2.0 T (cuir)	A	A	2	50,800
2p décapotable Quattro 3.2 (cuir)	A	A	3.2	59,100
2p décapotable S4 Quattro	A	M	4.2	68,700
2008 A4				**40 000 km**
4p berline Front Trak 2.0 T (cuir)	2	M	2	23,900
4p berline Quattro 2.0 T (cuir)	A	M	2	28,000
4p berl. Quattro 3.2 S-Line (cuir)	A	M	3.2	34,300
4p berline S4 Quattro	A	M	4.2	49,800
4p berline RS4 Quattro	A	M	4.2	67,400
4p familiale Quattro 2.0 T (cuir)	A	M	2	29,000
4p fam Quattro 3.2 S-Line (cuir)	A	M	3.2	35,500
4p familiale S4 Quattro	A	M	4.2	50,800
2p déc. Front Track 2.0 T (cuir)	2	A	2	37,100
2p déc. Quattro 2.0 T (cuir)	A	A	2	39,100
2p décapotable Quattro 3.2 (cuir)	A	A	3.2	46,100
2p décapotable S4 Quattro	A	M	4.2	55,800
2007 A4				**60 000 km**
4p berline Front Trak 2.0 T	2	M	2	21,900
4p berline Front Trak 2.0 T S-Line	2	M	2	24,800
4p berline Quattro 2.0 T (cuir)	A	M	2	25,800
4p berline Quattro 2.0 T S-Line	A	M	2	28,600
4p berline Quattro 3.2 (cuir)	A	M	3.2	31,900
4p berline Quattro 3.2 S-Line	A	M	3.2	32,800
4p berline S4 Quattro	A	M	4.2	42,900
4p berline RS4 Quattro	A	M	4.2	55,900
4p familiale Quattro 2.0 T (cuir)	A	M	2	26,800
4p familiale Quattro 2.0 T S-Line	A	M	2	29,600
4p familiale Quattro 3.2 (cuir)	A	M	3.2	32,800
4p familiale Quattro 3.2 S-Line	A	M	3.2	33,800
4p familiale S4 Quattro	A	M	4.2	43,900
2p déc. Front Track 2.0 T (cuir)	2	A	2	35,800
2p déc. Front Track 2.0T S-Line	2	A	2	37,200
2p déc. Quattro 2.0 T (cuir)	A	A	2	36,000
2p déc. Quattro 2.0 T S-Line	A	A	2	37,400
2p décapotable Quattro 3.2 (cuir)	A	A	3.2	41,700
2p décapotable Quattro 3.2 S-Line	A	A	3.2	41,200
2p décapotable S4 Quattro	A	M	4.2	48,200
2006 A4				**80 000 km**
4p berline Front Trak 2.0 T	2	M	2	18,800
4p berline Quattro 2.0 T (cuir)	A	M	2	22,200
4p berline Quattro 3.2 (cuir)	A	M	3.2	27,300
4p berline S4 Quattro	A	M	4.2	36,400
4p familiale Quattro 2.0 T (cuir)	A	M	2	23,100
4p familiale Quattro 3.2 (cuir)	A	M	3.2	28,300
4p familiale S4 Quattro	A	M	4.2	37,300
2p déc. Front Track 1.8 T (cuir)	2	A	1.8	29,600
2p déc. Front Track 1.8 T S-Line	2	A	1.8	31,300
2p décapotable Quattro 3.0 (cuir)	A	A	3	35,000
2p décapotable Quattro 3.0 S-Line	A	A	3	36,700
2p décapotable S4 Quattro	A	A	4.2	42,700
2005 A4				**100 000 km**
4p berline Front Trak 1.8 T	2	A	1.8	16,000
4p berline Quattro 1.8 T (cuir)	A	M	1.8	18,000
4p berline Quattro 3.0 (cuir)	A	M	3	23,000
4p berline S4 Quattro	A	M	4.2	30,200
4p familiale Front Trak 1.8 T	2	A	1.8	16,700
4p familiale Quattro 1.8 T (cuir)	A	M	1.8	18,900
4p familiale Quattro 3.0 (cuir)	A	M	3	24,300
4p familiale S4 Quattro	A	M	4.2	35,200
2p décap Front Trak 1.8 T (cuir)	2	A	1.8	22,400
2p décap Front Trak 1.8 T S-Line	2	A	1.8	23,900
2p décap Quattro 3.0 (cuir)	A	A	3	26,900
2p décap Quattro 3.0 S-Line	A	A	3	28,500
2p décap S4 Quattro	A	M	4.2	33,200
2009 A5				**20 000 km**
2p coupé Quattro 3.2	A	M	3.2	45,100
2p coupé Quattro 3.2 S-Line	A	M	3.2	48,500
2p coupé S5 Quattro	A	M	4.2	57,300
2008 A5				**40 000 km**
2p coupé Quattro 3.2	A	M	3.2	42,100
2p coupé Quattro 3.2 S-Line	A	M	3.2	45,500
2p coupé S5 Quattro	A	M	4.2	54,300
2009 A6				**20 000 km**
4p berline Front Trak	2	A	3.2	46,800
4p berline Quattro	A	A	3	57,100
4p berline Quattro V8	A	A	4.2	69,100
4p berline Quattro S6	A	A	5.2	90,500

Description	R.m.	Tr.	L	Prix
4p familiale Avant Quattro	A	A	3.2	60,700
2008 A6				**40 000 km**
4p berline Quattro	A	A	3.2	41,600
4p berline Quattro S-Line	A	A	3.2	44,200
4p berline Quattro V8	A	A	4.2	50,500
4p berline Quattro V8 S-Line	A	A	4.2	53,000
4p berline Quattro S6	A	A	5.2	64,800
4p familiale Avant Quattro	A	A	3.2	43,800
4p familiale Avant Quattro S-Line	A	A	3.2	46,300
2007 A6				**60 000 km**
4p berline Quattro	A	A	3.2	34,700
4p berline Quattro S-Line	A	A	3.2	37,200
4p berline Quattro V8	A	A	4.2	43,500
4p berline Quattro V8 S-Line	A	A	4.2	45,900
4p berline Quattro S6	A	A	5.2	57,900
4p familiale Avant Quattro	A	A	3.2	37,200
4p familiale Avant Quattro S-Line	A	A	3.2	38,700
2006 A6				**80 000 km**
4p berline Quattro	A	A	3.2	30,300
4p berline Quattro ens. Prem (toit)	A	A	3.2	32,000
4p berline Quattro	A	A	4.2	37,800
4p berline Quattro S-Line	A	A	4.2	39,000
4p familiale Avant Quattro	A	A	3.2	32,300
2005 A6				**100 000 km**
4p berline Quattro	A	A	3.2	25,000
4p berline Quattro	A	A	4.2	32,700
4p berline Quattro S-Line	A	A	4.2	34,400
4p familiale All Road turbo	A	M	2.7	24,300
4p familiale All Road turbo	A	A	2.7	25,200
2009 A8				**20 000 km**
4p berline Quattro	A	A	4.2	77,900
4p berline L Quattro	A	A	4.2	82,000
4p berline S8 Quattro	A	A	5.2	104,000
4p berline W12 Quattro	A	A	6	120,000
2008 A8				**40 000 km**
4p berline Quattro	A	A	4.2	69,900
4p berline L Quattro	A	A	4.2	73,900
4p berline S8 Quattro	A	A	5.2	92,100
4p berline W12 Quattro	A	A	6	96,500
2007 A8				**60 000 km**
4p berline Quattro	A	A	4.2	49,900
4p berline L Quattro	A	A	4.2	52,000
4p berline S8 Quattro	A	A	5.2	65,600
4p berline W12 Quattro	A	A	6	71,800
2006 A8				**80 000 km**
4p berline Quattro	A	A	4.2	35,600
4p berline L Quattro	A	A	4.2	36,900
4p berline W12 Quattro	A	A	6	46,900
2005 A8				**100 000 km**
4p berline Quattro	A	A	4.2	29,100
4p berline L Quattro	A	A	4.2	31,000
4p berline W12 Quattro	A	A	6	39,500
2009 Q5				**20 000 km**
4p 3.2	A	A	3.2	39 500
4p 3.2 Premium	A	A	3.2	44 100
2009 Q7				**20 000 km**
4p 3.6	A	A	3.6	47,200
4p 3.0 TDI	A	A	3	49,200
4p 4.2	A	A	4.2	61,400
2008 Q7				**40 000 km**
4p 3.6 Premium	A	A	3.6	44,700
4p 3.6 Premium S-Line	A	A	3.6	48,500
4p 4.2 Premium (toit)	A	A	4.2	50,100
4p 4.2 Premium S-Line	A	A	4.2	52,700
2007 Q7				**60 000 km**
4p 3.6 base	A	A	3.6	36,400
4p 3.6 Premium	A	A	3.6	42,500
4p 3.6 Premium S-Line	A	A	3.6	43,400
4p 4.2 base	A	A	4.2	43,700
4p 4.2 Premium (toit)	A	A	4.2	43,800
4p 4.2 Premium S-Line	A	A	4.2	45,500
2009 TT				**20 000 km**
2p coupé Front Trac 2.0T	2	A	2	40,800
2p coupé Quattro 2.0T	2	A	2	42,900
2p coupé Front Trac 2.0T TTS	2	A	2	49,800
2p coupé Quattro 3.2L	A	M	3.2	48,300
2p décapotable Front Trac 2.0T	2	A	2	43,400
2p déc. Quattro 2.0T	2	A	2	45,500
2p déc. Quattro 2.0T TTS	2	A	2	53,700
2p décapotable Quattro 3.2L	A	M	3.2	53,500
2008 TT				**40 000 km**
2p coupé Front Trac 2.0T	2	A	2	35,200

Description	R.m.	Tr.	L	Prix
2p coupé Front Trac 2.0T Prem	2	A	2	37,000
2p coupé Front Trac 2.0T S-Line	2	A	2	40,000
2p coupé Quattro 3.2L	A	M	3.2	42,000
2p coupé Quattro 3.2L S-Line	A	M	3.2	44,800
2p décapotable Front Trac 2.0T	2	A	2	37,600
2p déc. Front Trac 2.0T Premium	2	A	2	40,600
2p déc. Front Trac 2.0T S-Line	2	A	2	43,300
2p décapotable Quattro 3.2L	A	M	3.2	45,300
2p déc. Quattro 3.2L S-Line	A	M	3.2	48,200

2006 TT				80 000 km
2p coupé Quattro turbo	A	M	1.8	30,500
2p coupé Quattro	A	A	3.2	33,500
2p décapotable Quattro turbo	A	M	1.8	32,900
2p décapotable Quattro	A	A	3.2	34,600

2005 TT				100 000 km
2p coupé Quattro turbo	A	M	1.8	27,900
2p coupé Quattro	A	A	3.2	28,400
2p décapotable Quattro turbo	A	M	1.8	27,700
2p décapotable Quattro	A	A	3.2	29,200

BMW

2009 SERIE 1				20 000 km
2p coupé 128i	2	M	3	31,200
2p coupé 135i	2	M	3	38,400
2p décapotable 128i	2	M	3	36,700
2p décapotable 135i	2	M	3	43,400

2008 SERIE 1				40 000 km
2p coupé 128i	2	M	3	28,700
2p coupé 135i	2	M	3	34,100
2p décapotable 128i	2	M	3	33,900
2p décapotable 135i	2	M	3	38,700

2009 SERIE 3				20 000 km
2p coupé 328i	2	M	3	37,100
2p coupé 328xDrive	A	M	3	39,200
2p coupé 335i	2	M	3	44,000
2p coupé 335xDrive	A	M	3	46,200
2p coupé M3 (cuir)	2	M	4	62,000
2p coupé M3 (cuir) (Séq.)	2	A	4	65,400
4p berline 323i	2	M	2.5	30,400
4p berline 328i	2	M	3	34,700
4p berline 328xDrive	A	M	3	37,000
4p berline 335i	2	M	3	42,500
4p berline 335xDrive	A	M	3	44,800
4p berline M3 (cuir)	2	M	4	60,800
4p berline M3 (cuir) (Séquentielle)	2	A	4	64,200
4p familiale 328xDrive Touring	A	M	3	38,400
2p décapotable 328i	2	M	3	48,400
2p décapotable 335i (cuir)	2	M	3	57,100
2p décapotable M3 (cuir)	2	M	4	71,300
2p décapotable M3 (cuir) (Séq.)	2	A	4	74,200

2008 SERIE 3				40 000 km
2p coupé 328i	2	M	3	31,500
2p coupé 328xi	A	M	3	33,600
2p coupé 335i	2	M	3	38,100
2p coupé 335xi	A	M	3	40,200
2p coupé M3 (cuir)	2	M	4	54,000
2p coupé M3 (cuir) (Séq.)	2	A	4	56,700
4p berline 323i	2	M	2.5	26,100
4p berline 328i	2	M	3	30,400
4p berline 328xi	A	M	3	32,000
4p berline 335i	2	M	3	37,500
4p berline 335xi	A	M	3	39,500
4p berline M3 (cuir)	2	M	4	52,800
4p berline M3 (cuir) (Séq.)	2	A	4	56,500
4p familiale 328xi Touring	A	M	3	33,500
2p décapotable 328i	2	M	3	43,000
2p décapotable 335i (cuir)	2	M	3	51,000
2p décapotable M3 (cuir)	2	M	4	62,000
2p décapotable M3 (cuir) (Séq.)	2	A	4	64,000

2007 SERIE 3				60 000 km
2p coupé 328i	2	M	3	27,500
2p coupé 328xi	A	M	3	29,400
2p coupé 335i	2	M	3	31,800
4p berline 323i	2	M	2.5	20,700
4p berline 328i	2	M	3	23,800
4p berline 328xi	A	M	3	25,700
4p berline 335i	2	M	3	30,600
4p berline 335xi	A	M	3	33,900
4p familiale 328xi Touring	A	M	3	27,000
2p décapotable 328Ci	2	M	3	36,800
2p décapotable 335Ci (cuir)	2	M	3	45,500

2006 SERIE 3				80 000 km
2p coupé 325Ci	2	M	2.5	23,700
2p coupé 325Ci M Sport Edition	2	M	2.5	27,300
2p coupé 330Ci	2	M	3	27,800
2p coupé 330Ci (Séquentielle)	2	A	3	29,100
2p coupé M3 (cuir)	2	M	3.2	41,900
2p coupé M3 (cuir) (Séquentielle)	2	A	3.2	43,100
4p berline 323i	2	M	2.5	19,300
4p berline 325i	2	M	3	20,300
4p berline 330i	2	M	3	22,500
4p berline 325xi	A	M	3	22,100
4p berline 330xi	A	M	3	22,600
4p familiale 325xiT	A	M	3	23,200
2p décapotable 325Ci	2	M	2.5	31,400
2p déc 325Ci Exclusive Ed	2	M	2.5	35,200
2p décapotable 330Ci (cuir)	2	M	3	39,600
2p déc 330Ci (cuir) (Séquent.)	2	A	3	40,900
2p déc 330Ci (cuir) M Perform.	2	M	3	42,000
2p décapotable M3 (cuir)	2	M	3.2	46,500
2p déc M3 (cuir) (Séquentielle)	2	A	3.2	50,600

2005 SERIE 3				100 000 km
2p coupé 325Ci	2	M	2.5	19,300
2p coupé 330Ci (M5)	2	M	3	25,300
2p coupé 330Ci (M6)	2	M	3	26,700
2p coupé 330Ci M Perform. (M5)	2	M	3	31,000
2p coupé M3 (cuir)	2	M	3.2	36,000
2p coupé M3 (cuir) (Séquentielle)	2	A	3.2	38,600
4p berline 320i	2	M	2.2	15,600
4p berline 325i	2	M	2.5	17,500
4p berline 330i (M5)	2	M	3	23,100
4p berline 330i (M6)	2	M	3	24,600
4p berline 330i M Perform. (M5)	2	M	3	27,700
4p berline 325xi	A	M	2.5	19,400
4p berline 330xi	A	M	3	25,600
4p familiale 325iT	2	M	2.5	18,200
4p familiale 325xiT	A	M	2.5	20,700
2p décapotable 325Ci	2	M	2.5	29,000
2p décapotable 330Ci (cuir) (M5)	2	M	3	37,300
2p décapotable 330Ci (cuir) (M6)	2	M	3	38,000
2p déc 330Ci (cuir) M Perform.	2	M	3	36,300
2p décapotable M3 (cuir)	2	M	3.2	37,700
2p déc M3 (cuir) (Séquentielle)	2	A	3.2	38,200

2009 SERIE 5				20 000 km
4p berline 528i	2	M	3	51,300
4p berline 528i	2	A	3	51,400
4p berline 528xDrive	A	M	3	53,800
4p berline 528xDrive	A	A	3	53,900
4p berline 535i	2	M	3	59,900
4p berline 535i	2	A	3	59,900
4p berline 535xDrive	A	M	3	62,900
4p berline 535xDrive	A	A	3	62,900
4p berline 550i	2	M	4.8	73,400
4p berline 550i	2	A	4.8	73,400
4p berline M5	2	M	5	97,600
4p berline M5	2	A	5	99,600
4p familiale 535xDrive Touring	A	M	3	64,900
4p familiale 535xDrive Touring	A	A	3	64,900

2008 SERIE 5				40 000 km
4p berline 528i	2	M	3	47,100
4p berline 528i	2	A	3	47,100
4p berline 528xi	A	M	3	47,300
4p berline 528xi	A	A	3	47,300
4p berline 535i	2	M	3	54,500
4p berline 535i	2	A	3	54,500
4p berline 535xi	A	M	3	56,700
4p berline 535xi	A	A	3	56,700
4p berline 550i	2	M	4.8	66,100
4p berline 550i	2	A	4.8	66,100
4p berline M5	2	M	5	87,600
4p berline M5	2	A	5	89,300
4p familiale 535xi Touring	A	M	3	58,400
4p familiale 535xi Touring	A	A	3	58,400

2007 SERIE 5				60 000 km
4p berline 525i	2	M	3	40,300
4p berline 525i	2	A	3	40,300
4p berline 525xi	A	M	3	40,600
4p berline 525xi	A	A	3	40,600
4p berline 530i	2	M	3	47,700
4p berline 530i	2	A	3	47,700
4p berline 530xi	A	M	3	50,000
4p berline 530xi	A	A	3	50,000
4p berline 550i	2	M	4.8	56,200
4p berline 550i	2	A	4.8	56,200
4p berline M5	2	M	5	80,600
4p berline M5	2	A	5	82,300
4p familiale 530xi Touring	A	M	3	51,700
4p familiale 530xi Touring	A	A	3	51,700

2006 SERIE 5				80 000 km
4p berline 525i	2	M	3	30,900
4p berline 525i	2	A	3	30,900
4p berline 525xi	A	M	3	31,100
4p berline 525xi	A	A	3	31,100
4p berline 530i	2	M	3	38,400
4p berline 530i	2	A	3	38,400
4p berline 530i Séquentielle	2	M	3	37,800
4p berline 530xi	A	M	3	38,800
4p berline 530xi	A	A	3	38,800
4p berline 550i	2	M	4.8	45,300
4p berline 550i	2	A	4.8	45,300
4p berline M5	2	A	5	56,300
4p familiale 530xi Touring	A	M	3	40,500
4p familiale 530xi Touring	A	A	3	40,500

2005 SERIE 5				100 000 km
4p berline 530i	2	M	3	30,300
4p berline 530i	2	A	3	28,800
4p berline 530i Steptronic	2	A	3	30,000
4p berline 545i	2	M	4.4	31,300
4p berline 545i	2	A	4.4	31,300
4p berline 545i Steptronic	2	A	4.4	32,000

2009 SERIE 6				20 000 km
2p coupé 650i	2	M	4.8	83,100
2p coupé 650i Steptronic	2	A	4.8	83,100
2p coupé M6	2	M	5	105,500
2p coupé M6 Sequential	2	A	5	107,400
2p décapotable 650i	2	M	4.8	91,800
2p décapotable 650i Steptronic	2	A	4.8	91,800
2p décapotable M6	2	M	5	114,200
2p décapotable M6 Sequential	2	A	5	116,100

2008 SERIE 6				40 000 km
2p coupé 650i	2	M	4.8	73,100
2p coupé 650i Steptronic	2	A	4.8	73,100
2p coupé M6	2	M	5	86,900
2p coupé M6 Sequential	2	A	5	88,600
2p décapotable 650i	2	M	4.8	81,000
2p décapotable 650i Steptronic	2	A	4.8	81,000
2p décapotable M6	2	M	5	94,100
2p décapotable M6 Sequential	2	A	5	95,700

2007 SERIE 6				60 000 km
2p coupé 650i	2	M	4.8	63,900
2p coupé 650i Steptronic	2	A	4.8	63,900
2p coupé M6	2	M	5	76,200
2p coupé M6	2	A	5	77,700
2p décapotable 650i	2	M	4.8	71,600
2p décapotable 650i Steptronic	2	A	4.8	71,600
2p décapotable M6	2	M	5	79,600
2p décapotable M6	2	A	5	80,700

2006 SERIE 6				80 000 km
2p coupé 650i	2	M	4.8	58,400
2p coupé 650i Steptronic	2	A	4.8	58,400
2p coupé M6	2	A	5	65,700
2p décapotable 650i	2	M	4.8	63,700
2p décapotable 650i Steptronic	2	A	4.8	63,700

2005 SERIE 6				100 000 km
2p coupé 645Ci	2	M	4.4	46,800
2p coupé 645Ci	2	A	4.4	46,800
2p décapotable 645Ci	2	M	4.4	51,500
2p décapotable 645Ci	2	A	4.4	51,500

2009 SERIE 7				20 000 km
4p berline 750i	2	A	4.4	91,300
4p berline 750Li	2	A	4.4	98,200

2008 SERIE 7				40 000 km
4p berline 750i	2	A	4.8	71,000
4p berline 750Li	2	A	4.8	75,600
4p berline 760Li	2	A	6	113,500

2007 SERIE 7				60 000 km
4p berline 750i	2	A	4.8	57,800
4p berline 750Li	2	A	4.8	61,100
4p berline ALPINA B7	2	A	4.4	74,600
4p berline 760Li	2	A	6	77,900

2006 SERIE 7				80 000 km
4p berline 750i	2	A	4.8	42,600
4p berline 750i Executive pkg	2	A	4.8	47,000
4p berline 750Li	2	A	4.8	45,100
4p berline 750Li Executive pkg	2	A	4.8	48,500
4p berline 760Li	2	A	6	54,600

2005 SERIE 7				100 000 km
4p berline 745i	2	A	4.8	35,900
4p berline 745Li	2	A	4.8	37,600
4p berline 760Li	2	A	6	44,100

2009 SERIE X3				20 000 km
4p X3 3.0xDrive	A	A	3	41,400

2008 SERIE X3				40 000 km
4p X3 3.0i	A	M	3	38,700
4p X3 3.0i	A	A	3	38,700
4p X3 3.0si	A	M	3	42,600
4p X3 3.0si	A	A	3	42,600

2007 SERIE X3				60 000 km
4p X3 3.0i	A	M	3	34,300
4p X3 3.0i	A	A	3	34,300
4p X3 3.0si	A	M	3	37,800
4p X3 3.0si	A	A	3	37,800

2006 SERIE X3				80 000 km
4p X3 2.5i	A	M	2.5	29,100
4p X3 2.5i	A	A	2.5	29,100
4p X3 3.0i	A	M	3	31,600
4p X3 3.0i	A	A	3	31,600

2005 SERIE X3				100 000 km
4p X3 2.5i	A	M	2.5	24,400
4p X3 2.5i	A	A	2.5	25,100
4p X3 3.0i	A	M	3	27,200
4p X3 3.0i	A	A	3	27,200

2009 SERIE X5				20 000 km
4p X5 30i xDrive	A	A	3	53,000
4p X5 35d xDrive	A	A	3	56,000
4p X5 48i xDrive	A	A	4.8	62,600

2008 SERIE X5				40 000 km
4p X5 3.0si	A	A	3	47,000
4p X5 4.8i	A	A	4.8	51,000

2007 SERIE X5				60 000 km
4p X5 3.0si	A	A	3	39,200
4p X5 4.8i	A	A	4.8	43,500

2006 SERIE X5				80 000 km
4p X5 3.0i	A	M	3	35,500
4p X5 3.0i	A	A	3	35,500
4p X5 3.0i Executive (cuir -toit)	A	A	3	40,300
4p X5 4.4i (cuir)	A	A	4.4	40,600
4p X5 4.4i Executive (cuir -toit)	A	A	4.4	42,400
4p X5 4.8is (cuir)	A	A	4.8	44,800

2005 SERIE X5				100 000 km
4p X5 3.0i	A	M	3	25,800
4p X5 3.0i	A	A	3	25,800
4p X5 4.4i (cuir)	A	A	4.4	29,500
4p X5 4.8is (cuir)	A	A	4.8	31,900

2009 SERIE X6				20 000 km
4p X6 xDrive 35i	A	A	3	58,400
4p X6 xDrive 50i	A	A	4.4	68,400

2008 SERIE X6				40 000 km
4p X6 xDrive 35i	A	A	3	55,100

2009 SERIE Z4				20 000 km
2p décapotable Z4 30i	2	M	3	46,500
2p décapotable Z4 35i	2	M	3	50,400

2008 SERIE Z4				40 000 km
2p décapotable Z4 3.0Si	2	M	3	41,000
2p décapotable M Roadster	2	M	3.2	47,500
2p coupé M	2	M	3.2	46,700

2007 SERIE Z4				60 000 km
2p décapotable Z4 3.0i	2	M	3	33,700
2p décapotable Z4 3.0Si (cuir)	2	M	3	37,700
2p décapotable M Roadster	2	M	3.2	44,100
2p coupé M	2	M	3.2	43,500

2006 SERIE Z4				80 000 km
2p décapotable Z4 3.0i	2	M	3	30,400
2p décapotable Z4 3.0Si (cuir)	2	M	3	33,900
2p décapotable M Roadster	2	M	3.2	43,800
2p coupé M	2	M	3.2	43,400

2005 SERIE Z4				100 000 km
2p décapotable Z4 2.5i (M5)	2	M	2.5	26,300
2p décapotable Z4 3.0i (M5) (cuir)	2	M	3	28,000
2p décapotable Z4 3.0i (M6) (cuir)	2	M	3	29,000

BUICK

2009 ALLURE				20 000 km
4p berline CX	2	A	3.8	20,200
4p berline CXL	2	A	3.8	22,100
4p berline CXL Lux. 6 pass. (cuir)	2	A	3.8	25,300
4p berline Super (cuir)	2	A	5.3	30,100

2008 ALLURE				40 000 km
4p berline CX	2	A	3.8	16,000
4p berline CXL	2	A	3.8	17,900
4p berline CXL Lux. 6 pass. (cuir)	2	A	3.8	19,000
4p berline Super (cuir)	2	A	5.3	19,400

2007 ALLURE				60 000 km
4p berline CX	2	A	3.8	13,800
4p berline CXL	2	A	3.8	15,100
4p berline CXS (cuir)	2	A	3.6	16,200

2006 ALLURE				80 000 km
4p berline CX	2	A	3.8	10,400
4p berline CXL	2	A	3.8	12,000
4p berline CXS (cuir)	2	A	3.6	13,300

Description	R.m.	Tr.	L	Prix
2005 ALLURE				**100 000 km**
4p berline CX	2	A	3.8	8,400
4p berline CXL	2	A	3.8	9,800
4p berline CXS (cuir)	2	A	3.6	10,600
2005 CENTURY				**100 000 km**
4p berline Custom	2	A	3.1	8,600
4p berline Special Edition	2	A	3.1	9,500
2009 ENCLAVE				**20 000 km**
4p CX	2	A	3.6	36,200
4p CXL (cuir)	2	A	3.6	42,600
4p CX AWD	A	A	3.6	38,700
4p CXL AWD (cuir)	A	A	3.6	42,800
2008 ENCLAVE				**40 000 km**
4p CX	2	A	3.6	34,100
4p CXL (cuir)	2	A	3.6	37,700
4p CX AWD	A	A	3.6	36,300
4p CXL AWD (cuir)	A	A	3.6	39,900
2005 LESABRE				**100 000 km**
4p berline Custom	2	A	3.8	10,600
4p berline Limited	2	A	3.8	11,700
2009 LUCERNE				**20 000 km**
4p berline CX	2	A	3.9	26,200
4p berline CXL (cuir)	2	A	3.9	28,200
4p berline Super (cuir)	2	A	4.6	36,100
2008 LUCERNE				**40 000 km**
4p berline CX	2	A	3.8	19,700
4p berline CXL (cuir)	2	A	3.8	22,100
4p berline CXS V8 (cuir)	2	A	4.6	24,600
4p berline Super (cuir)	2	A	4.6	25,500
2007 LUCERNE				**60 000 km**
4p berline CX	2	A	3.8	17,300
4p berline CXL (cuir)	2	A	3.8	19,100
4p berline CXL V8 (cuir)	2	A	4.6	20,500
4p berline CXS (cuir)	2	A	4.6	20,900
2006 LUCERNE				**80 000 km**
4p berline CX	2	A	3.8	13,800
4p berline CXL (cuir)	2	A	3.8	15,600
4p berline CXL V8 (cuir)	2	A	4.6	16,800
4p berline CXS (cuir)	2	A	4.6	17,200
2005 PARK AVENUE				**100 000 km**
4p berline base	2	A	3.8	14,900
4p berline Ultra	2	A	3.8	17,000
2007 RAINIER				**60 000 km**
4p CXL	A	A	4.2	21,600
4p CXL V8	A	A	5.3	21,800
2006 RAINIER				**80 000 km**
4p CXL	A	A	4.2	17,600
4p CXL V8	A	A	5.3	17,900
2005 RAINIER				**100 000 km**
4p CXL	A	A	4.2	14,300
4p CXL V8	A	A	5.3	15,000
2007 RENDEZVOUS				**60 000 km**
4p CX	2	A	3.5	12,700
4p CX Plus	2	A	3.5	13,600
4p CXL (cuir)	2	A	3.5	16,400
4p CXL Plus (cuir)	2	A	3.5	17,300
2006 RENDEZVOUS				**80 000 km**
4p CX	2	A	3.5	8,600
4p CX Plus	2	A	3.5	9,600
4p CXL (cuir)	2	A	3.5	13,600
4p CXL 3.6L (cuir)	2	A	3.6	13,800
4p CXL Plus (cuir)	2	A	3.6	13,900
4p CX	A	A	3.5	10,600
4p CX Plus	A	A	3.5	11,500
4p CXL (cuir)	A	A	3.5	13,600
4p CXL 3.6L (cuir)	A	A	3.6	14,400
4p CXL Plus (cuir)	A	A	3.6	15,000
2005 RENDEZVOUS				**100 000 km**
4p CX	2	A	3.4	7,400
4p CX Plus	2	A	3.4	8,300
4p CXL (cuir)	2	A	3.4	9,500
4p CXL Plus (cuir)	2	A	3.4	10,700
4p Ultra (cuir)	2	A	3.6	10,900
4p CX	A	A	3.4	9,500
4p CX Plus	A	A	3.4	10,500
4p CXL (cuir)	A	A	3.4	11,000
4p CXL Plus (cuir)	A	A	3.4	11,500
4p Ultra (cuir)	A	A	3.6	12,000
2007 TERRAZA				**60 000 km**
4p CX	2	A	3.9	14,100
4p CXL (cuir)	2	A	3.9	15,700
2006 TERRAZA				**80 000 km**
4p CX	2	A	3.5	11,900
4p CXL (cuir)	2	A	3.9	13,900
4p CX	A	A	3.5	13,800
4p CXL (cuir)	A	A	3.5	14,600
2005 TERRAZA				**100 000 km**
4p CX	2	A	3.5	8,800
4p CXL (cuir)	2	A	3.5	11,200
4p CX	A	A	3.5	11,500
4p CXL (cuir)	A	A	3.5	11,700

CADILLAC

Description	R.m.	Tr.	L	Prix
2009 CTS				**20 000 km**
4p berline 3.6 L	2	M	3.6	34,200
4p berline 3.6 L Injection directe	2	M	3.6	36,800
4p berline 3.6 L AWD	A	A	3.6	38,200
4p berline 3.6 L Inj directe AWD	A	A	3.6	40,600
4p berline CTS-V	M	2	6.2	31,100
2008 CTS				**40 000 km**
4p berline 3.6 L	2	M	3.6	29,200
4p berline 3.6 L Injection directe	2	M	3.6	31,200
4p berline 3.6 L AWD	A	A	3.6	32,700
4p berline 3.6 L Inj directe AWD	A	A	3.6	34,500
2007 CTS				**60 000 km**
4p berline 2.8 L	2	M	2.8	23,000
4p berline 3.6 L	2	M	3.6	24,500
4p berline 3.6 L Sport	2	M	3.6	27,300
4p berline CTS-V	2	M	6	32,800
2006 CTS				**80 000 km**
4p berline 2.8 L	2	M	2.8	19,200
4p berline 3.6 L	2	M	3.6	20,900
4p berline 3.6 L Sport	2	M	3.6	22,900
4p berline CTS-V	2	M	6	27,200
2005 CTS				**100 000 km**
4p berline 2.8 L	2	M	2.8	15,200
4p berline 3.6 L	2	M	3.6	16,500
4p berline 3.6 L Sport	2	M	3.6	18,600
4p berline CTS-V	2	M	5.7	22,500
2009 DTS				**20 000 km**
4p berline base	2	A	4.6	44,200
4p berline Performance	2	A	4.6	54,200
2008 DTS				**40 000 km**
4p berline Deluxe	2	A	4.6	32,000
4p berline Performance	2	A	4.6	39,900
2007 DTS				**60 000 km**
4p berline Deluxe	2	A	4.6	25,900
4p berline Performance	2	A	4.6	29,200
2006 DTS				**80 000 km**
4p berline Deluxe	2	A	4.6	18,900
4p berline Performance	2	A	4.6	21,400
2005 DEVILLE				**100 000 km**
4p berline base	2	A	4.6	14,300
4p berline DHS	2	A	4.6	14,700
4p berline DTS	2	A	4.6	14,900
2009 ESCALADE				**20 000 km**
4p base	A	A	6.2	55,700
4p ESV	A	A	6.2	57,100
4p EXT	A	A	6.2	51,300
4p Hybride	A	A	6	62,100
2008 ESCALADE				**40 000 km**
4p base	A	A	6.2	48,100
4p ESV	A	A	6.2	50,400
4p EXT	A	A	6.2	45,100
2007 ESCALADE				**60 000 km**
4p base	A	A	6.2	40,500
4p ESV	A	A	6.2	41,600
4p EXT	A	A	6.2	37,800
2006 ESCALADE				**80 000 km**
4p base	A	A	6	25,800
4p ESV	A	A	6	27,300
4p ESV Platinum	A	A	6	28,000
4p EXT	A	A	6	23,100
2005 ESCALADE				**100 000 km**
4p base	A	A	6	22,500
4p ESV	A	A	6	23,000
4p ESV Platinum	A	A	6	24,700
4p EXT	A	A	6	19,200
2009 SRX				**20 000 km**
4p V6	2	A	3.6	38,500
4p V8	2	A	4.6	49,800
4p V6 AWD	A	A	3.6	40,300
4p V6 AWD Sport	A	A	3.6	45,300
4p V8 AWD	A	A	4.6	51,600
4p V8 AWD Sport	A	A	4.6	53,900
2008 SRX				**40 000 km**
4p V6	2	A	3.6	27,800
4p V8	2	A	4.6	33,800
4p V6 AWD	A	A	3.6	29,500
4p V6 AWD Sport	A	A	3.6	33,300
4p V8 AWD	A	A	4.6	35,200
4p V8 AWD Sport	A	A	4.6	36,700
2007 SRX				**60 000 km**
4p V6	2	A	3.6	24,000
4p V8	2	A	4.6	26,100
4p V6 AWD	A	A	3.6	25,400
4p V8 AWD	A	A	4.6	27,400
2006 SRX				**80 000 km**
4p V6	2	A	3.6	19,200
4p V8	2	A	4.6	22,000
4p V6 AWD	A	A	3.6	21,300
4p V8 AWD	A	A	4.6	22,200
2005 SRX				**100 000 km**
4p V6	2	A	3.6	15,300
4p V8	2	A	4.6	16,600
4p V6 AWD	A	A	3.6	16,000
4p V8 AWD	A	A	4.6	17,300
2009 STS				**20 000 km**
4p berline V6	2	A	3.6	48,200
4p berline V6 STS4 AWD	A	A	3.6	50,100
4p berline V8	2	A	4.6	54,200
4p berline V8 STS4 AWD	A	A	4.6	68,500
4p berline STS-V	2	A	4.4	74,300
2008 STS				**40 000 km**
4p berline V6	2	A	3.6	29,200
4p berline V6 STS4 AWD	A	A	3.6	30,200
4p berline V8	2	A	4.6	34,400
4p berline V8 STS4 AWD	A	A	4.6	38,900
4p berline STS-V	2	A	4.4	52,200
2007 STS				**60 000 km**
4p berline V6	2	A	3.6	26,900
4p berline V6 STS4 AWD	A	A	3.6	28,300
4p berline V8	2	A	4.6	34,800
4p berline V8 STS4 AWD	A	A	4.6	37,100
4p berline STS-V	2	A	4.4	45,600
2006 STS				**80 000 km**
4p berline V6	2	A	3.6	23,100
4p berline V6 STS4 AWD	A	A	3.6	23,700
4p berline V8	2	A	4.6	25,100
4p berline V8 STS4 AWD	A	A	4.6	28,500
4p berline STS-V	2	A	4.4	36,400
2005 STS				**100 000 km**
4p berline V6	2	A	3.6	19,600
4p berline V8	2	A	4.6	21,600
2009 XLR				**20 000 km**
2p décapotable Platinum Edition	2	A	4.6	73,800
2p décapotable XLR-V	2	A	4.4	85,200
2008 XLR				**40 000 km**
2p décapotable base	2	A	4.6	61,200
2p décapotable Platinum Edition	2	A	4.6	65,000
2p décapotable XLR-V	2	A	4.4	71,800
2007 XLR				**60 000 km**
2p décapotable base	2	A	4.6	55,600
2p décapotable XLR-V	2	A	4.4	63,500
2006 XLR				**80 000 km**
2p décapotable base	2	A	4.6	45,900
2p décapotable XLR-V	2	A	4.4	53,100
2005 XLR				**100 000 km**
2p décapotable base	2	A	4.6	42,800

CHEVROLET

Description	R.m.	Tr.	L	Prix
2009 1500 SILVERADO				**20 000 km**
cab. rég. WT	2	A	4.3	19,800
cab. rég. LT	2	A	4.8	24,600
cab. all. LT	2	A	4.8	27,500
cab. all. LTZ (cuir)	2	A	5.3	34,200
crew cab. WT	2	A	4.8	25,900
crew cab. LTZ (cuir)	2	A	5.3	35,800
cab. rég. WT	4	A	4.3	22,800
cab. all. WT	4	A	4.8	27,600
cab. all. LTZ (cuir)	4	A	5.3	37,700
crew cab. WT	4	A	4.8	29,000
crew cab. LT	4	A	4.8	32,400
crew cab. LTZ (cuir)	4	A	5.3	39,400
2008 1500 SILVERADO				**40 000 km**
cab. rég. WT	2	A	4.3	12,500
cab. rég. WT	2	A	4.8	13,100
cab. rég. WT	2	A	5.3	13,600
cab. rég. LT	2	A	4.8	15,700
cab. rég. LT	2	A	5.3	16,300
cab. all. WT	2	A	4.3	14,900
cab. all. LT	2	A	4.8	17,800
cab. all. LT	2	A	5.3	18,400
cab. all. LT	2	A	6	19,200
cab. all. LTZ (cuir)	2	A	5.3	22,000
cab. all. LTZ (cuir)	2	A	6	22,800
crew cab. WT	2	A	4.8	16,400
crew cab. WT	2	A	5.3	17,000
crew cab. LT	2	A	4.8	18,700
crew cab. LT	2	A	5.3	19,300
crew cab. LT	2	A	6	20,200
crew cab. LTZ (cuir)	2	A	5.3	22,800
crew cab. LTZ (cuir)	2	A	6	23,800
cab. rég. WT	4	A	4.3	14,400
cab. rég. WT	4	A	4.8	18,500
cab. rég. LT	4	A	4.8	18,000
cab. all. WT	4	A	4.8	17,500
cab. all. LT	4	A	4.8	20,000
cab. all. LT	4	A	6	20,600
cab. all. LTZ (cuir)	4	A	5.3	24,300
cab. all. LTZ(cuir)	4	A	6	25,100
crew cab. WT	4	A	4.8	18,500
crew cab. LT	4	A	4.8	21,000
crew cab. LT	4	A	5.3	21,800
crew cab. LT	4	A	6	22,500
crew cab. LTZ (cuir)	4	A	5.3	25,300
crew cab. LTZ (cuir)	4	A	6	26,100
cab. rég. WT	2	A	4.3	8,800
cab. rég. WT	2	A	4.8	9,200
cab. rég. WT	2	A	5.3	9,600
cab. rég. LT	2	A	4.8	11,100
cab. rég. LT	2	A	5.3	11,700
cab. all. WT	2	A	4.3	10,600
cab. all. LT	2	A	4.8	11,000
cab. all. LT	2	A	5.3	11,500
cab. all. LT	2	A	6	13,700
cab. all. LTZ (cuir)	2	A	5.3	15,700
cab. all. LTZ (cuir)	2	A	6	16,300
crew cab. WT	2	A	4.8	11,800
crew cab. WT	2	A	5.3	12,000
crew cab. LT	2	A	4.8	13,200
crew cab. LT	2	A	5.3	13,800
crew cab. LTZ (cuir)	2	A	5.3	16,400
crew cab. LTZ (cuir)	2	A	6	17,100
2007 1500 SILVERADO				**60 000 km**
cab. rég. WT	4	A	4.3	10,200
cab. rég. LT	4	A	4.8	10,600
cab. all. WT	4	A	4.8	12,500
cab. all. LT	4	A	4.8	14,400
cab. all. LTZ (cuir)	4	A	5.3	17,500
cab. all. LTZ(cuir)	4	A	6	18,100
crew cab. WT	4	A	4.8	13,100
crew cab. LT	4	A	4.8	14,900
crew cab. LT	4	A	5.3	15,600
crew cab. LT	4	A	6	16,100
crew cab. LTZ (cuir)	4	A	5.3	18,300
crew cab. LTZ (cuir)	4	A	6	18,800
cab. rég. Ensemble Valeur	2	M	4.3	7,700
cab. rég. base	2	M	4.3	10,200
cab. rég. base	2	A	4.8	11,100
cab. rég. base	2	A	5.3	11,700
cab. rég. LS	2	A	4.8	12,000
cab. rég. LS	2	A	5.3	12,600
cab. all. base	2	A	4.3	11,800
cab. all. LS	2	A	4.8	13,300
cab. all. LS Hybride	2	A	5.3	15,000
cab. all. LS Performance édition	2	A	6	15,300
cab. all. LT (cuir)	2	A	5.3	16,300
cab. all. SS (cuir)	2	A	6	17,300
cab. all. LT Performance édition	2	A	6	18,000
crew cab. Cheyenne Edition	2	A	4.8	13,900
crew cab. LS	2	A	5.3	14,600
crew cab. LT (cuir)	2	A	5.3	17,100
crew cab. LS HD	2	A	6	15,200
crew cab. LT (cuir) HD	2	A	6	17,900
cab. rég. Ensemble Valeur	4	M	4.3	9,300
cab. rég. base	4	M	4.3	11,800
cab. rég. LS	4	A	4.8	13,400
cab. all. base	4	A	4.8	13,400
cab. all. LS	4	A	4.8	15,100
cab. all. LS Hybride	4	A	5.3	16,800
cab. all. LS Max Performance	4	A	6	16,800
cab. all. LT (cuir)	4	A	5.3	18,300
cab. all. LT (cuir) Max Perform.	4	A	6	19,400
crew cab. Cheyenne Edition	4	A	4.8	15,400

Description	R.m.	Tr.	L	Prix
crew cab. LS	4	A	5.3	16,300
crew cab. LS Max Performance	4	A	6	17,600
crew cab. LT (cuir)	4	A	5.3	18,900
crew cab. LT (cuir) Max Perform.	4	A	6	20,100
crew cab. LS HD	4	A	6	16,800
crew cab. LT HD (cuir)	4	A	6	19,200

2006 1500 SILVERADO — 80 000 km

Description	R.m.	Tr.	L	Prix
cab. rég. Ensemble Valeur	2	M	4.3	6,500
cab. rég. base	2	M	4.3	8,500
cab. rég. base	2	M	4.8	9,200
cab. rég. base	2	A	5.3	10,800
cab. rég. Ensemble Valeur	2	M	4.3	6,600
cab. rég. LS	2	A	4.8	9,400
cab. rég. LS	2	A	5.3	10,900
cab. all. base	2	A	4.3	10,900
cab. all. LS	2	A	4.8	13,000
cab. all. LS Hybride	2	A	5.3	13,500
cab. all. LT (cuir)	2	A	5.3	16,300
crew cab. Cheyenne Edition	2	A	4.8	13,100
crew cab. LS	2	A	5.3	14,200
crew cab. LT (cuir)	2	A	5.3	17,000
crew cab. LS HD	2	A	6	14,800
crew cab. LT (cuir) HD	2	A	6	17,800
cab. rég. Ensemble Valeur	4	M	4.3	8,200
cab. rég. base	4	M	4.3	11,100
cab. rég. base	4	A	4.8	13,700
cab. rég. LS	4	A	4.8	13,100
cab. all. base	4	A	4.8	13,100
cab. all. LS	4	A	4.8	14,800
cab. all. LS Hybride	4	A	5.3	14,800
cab. all. LT (cuir)	4	A	5.3	18,400
cab. all. SS (cuir)	4	A	6	17,300
crew cab. Cheyenne Edition	4	A	4.8	15,000
crew cab. LS	4	A	5.3	16,300
crew cab. LT (cuir)	4	A	5.3	19,200
crew cab. LS HD	4	A	6	16,300
crew cab. LT HD (cuir)	4	A	6	19,800

2005 1500 SILVERADO — 100 000 km

Description	R.m.	Tr.	L	Prix
cab. rég. base	2	M	4.3	6,200
cab. rég. LS	2	A	4.8	9,600
cab. all. base	2	A	4.3	9,200
cab. all. LS	2	A	4.8	10,800
cab. all. LS Hybride	2	A	5.3	13,100
cab. all. LT (cuir)	2	A	5.3	13,100
crew cab. LS	2	A	5.3	11,600
crew cab. LT (cuir)	2	A	5.3	14,000
crew cab. LS HD	2	A	6	10,100
crew cab. LT (cuir) HD	2	A	6	14,800
cab. rég. base	4	M	4.3	10,100
cab. rég. LS	4	A	4.8	10,900
cab. all. base	4	A	4.8	10,900
cab. all. LS	4	A	4.8	11,800
cab. all. LS Hybride	4	A	5.3	14,900
cab. all. LT (cuir)	4	A	5.3	15,000
cab. all. SS (cuir)	4	A	6	19,000
crew cab. LS	4	A	5.3	13,300
crew cab. LT (cuir)	4	A	5.3	16,200
crew cab. LS HD	4	A	6	13,700
crew cab. LT HD (cuir)	4	A	6	16,700

2008 2500 SILVERADO — 40 000 km

Description	R.m.	Tr.	L	Prix
cab. rég. WT HD	2	A	6	16,200
cab. rég. LT HD	2	A	6	18,800
cab. all. WT HD	2	A	6	18,300
cab. all. LT HD	2	A	6	20,000
cab. all. LTZ HD (cuir)	2	A	6	28,500
crew cab. WT HD	2	A	6	19,300
crew cab. LT HD	2	A	6	20,900
crew cab. LTZ HD (cuir)	2	A	6	24,400
cab. rég. WT HD benne all.	4	A	6	17,900
cab. rég. LT HD benne all.	4	A	6	20,400
cab. all. WT HD	4	A	6	20,000
cab. all. LT HD	4	A	6	22,000
cab. all. LTZ HD (cuir)	4	A	6	25,500
crew cab. WT HD	4	A	6	20,900
crew cab. LT HD	4	A	6	22,700
crew cab. LTZ HD (cuir)	4	A	6	26,400

2007 2500 SILVERADO — 60 000 km

Description	R.m.	Tr.	L	Prix
cab. rég. WT HD	2	A	6	14,100
cab. rég. LT HD	2	A	6	16,300
cab. all. WT HD	2	A	6	16,000
cab. all. LT HD	2	A	6	17,800
cab. all. LTZ HD (cuir)	2	A	6	20,800
crew cab. WT HD	2	A	6	16,800
crew cab. LT HD	2	A	6	18,300
crew cab. LTZ HD (cuir)	2	A	6	21,700
cab. rég. WT HD benne all.	4	A	6	15,600
cab. rég. LT HD benne all.	4	A	6	18,000
cab. all. WT HD	4	A	6	17,700
cab. all. LT HD	4	A	6	19,200
cab. all. LTZ HD (cuir)	4	A	6	22,400
crew cab. WT HD	4	A	6	18,300
crew cab. LT HD	4	A	6	20,100
crew cab. LTZ HD (cuir)	4	A	6	23,300
cab. rég. base HD	2	M	6	12,700
cab. rég. LS HD	2	M	6	14,600
cab. all. base HD	2	M	6	14,700
cab. all. LS HD	2	M	6	16,000
cab. all. LT HD (cuir)	2	A	6	19,200
cab. all. LT HD (cuir) benne all.	2	A	6	19,300
crew cab. base HD	2	M	6	14,900
crew cab. LS HD	2	M	6	16,800
crew cab. LT HD (cuir)	2	A	6	20,100
cab. rég. base HD benne all.	4	M	6	14,100
cab. rég. LS HD benne all.	4	M	6	16,100
cab. all. base HD	4	M	6	16,000
cab. all. LS HD	4	M	6	17,700
cab. all. LT HD (cuir)	4	A	6	21,000
crew cab. base HD	4	M	6	16,100
crew cab. LS HD	4	M	6	18,400
crew cab. LT HD (cuir)	4	A	6	21,800

2006 2500 SILVERADO — 80 000 km

Description	R.m.	Tr.	L	Prix
cab. rég. base HD	2	M	6	10,700
cab. rég. LS HD	2	M	6	12,600
cab. rég. LS HD Diesel	2	A	6.6	15,800
cab. all. base HD	2	M	6	12,600
crew cab. base HD	2	M	6	12,800
crew cab. base HD	2	M	8.1	13,600
cab. rég. base HD benne all.	4	M	6	12,100
cab. all. base HD	4	A	6	14,400
cab. all. LS HD	4	M	6	16,000
cab. all. LT HD (cuir)	4	A	6	19,600
crew cab. base HD	4	M	6	14,500
crew cab. LS HD	4	M	6	16,800
crew cab. LT HD (cuir)	4	A	6	20,500

2005 2500 SILVERADO — 100 000 km

Description	R.m.	Tr.	L	Prix
cab. rég. base HD	2	M	6	8,200
cab. rég. LS HD	2	M	6	11,300
cab. all. base HD	2	M	6	11,300
cab. all. LS HD	2	M	6	12,300
cab. all. LT HD (cuir)	2	A	6	14,400
crew cab. base HD	2	M	6	11,500
crew cab. LS HD	2	M	6	13,400
crew cab. LT HD (cuir)	2	A	6	16,000
cab. rég. base HD benne all.	4	M	6	10,700
cab. rég. LS HD benne all.	4	M	6	12,600
cab. all. base HD	4	M	6	12,400
cab. all. LS HD	4	M	6	13,600
cab. all. LT HD (cuir)	4	A	6	17,000
crew cab. base HD	4	M	6	12,600
crew cab. LS HD	4	M	6	14,100
crew cab. LT HD (cuir)	4	A	6	18,100

2008 3500 SILVERADO — 40 000 km

Description	R.m.	Tr.	L	Prix
cab. all. WT benne all.	2	A	6	18,800
cab. all. LT benne all.	2	A	6	20,500
cab. all. LTZ (cuir) benne all.	2	A	6	23,400
crew cab. WT benne all.	2	A	6	19,600
crew cab. LT benne all.	2	A	6	21,300
crew cab. LTZ (cuir) benne all.	2	A	6	24,400
cab. rég. WT benne all.	4	A	6	18,100
cab. rég. LT benne all.	4	A	6	20,600
cab. all. WT benne all.	4	A	6	20,400
cab. all. LT benne all.	4	A	6	22,400
cab. all. LTZ (cuir) benne all.	4	A	6	25,300
crew cab. WT benne all.	4	A	6	21,300
crew cab. LT benne all.	4	A	6	22,900
crew cab. LTZ (cuir) benne all.	4	A	6	26,200

2007 3500 SILVERADO — 60 000 km

Description	R.m.	Tr.	L	Prix
cab. all. WT benne all.	2	A	6	16,900
cab. all. LT benne all.	2	A	6	18,500
cab. all. LTZ (cuir) benne all.	2	A	6	21,100
crew cab. WT benne all.	2	A	6	17,700
crew cab. LT benne all.	2	A	6	19,100
crew cab. LTZ (cuir) benne all.	2	A	6	22,000
cab. rég. WT benne all.	4	A	6	16,200
cab. rég. LT benne all.	4	A	6	18,500
cab. all. WT benne all.	4	A	6	18,500
cab. all. LT benne all.	4	A	6	20,100
cab. all. LTZ (cuir) benne all.	4	A	6	22,700
crew cab. WT benne all.	4	A	6	19,200
crew cab. LT benne all.	4	A	6	20,800
crew cab. LTZ (cuir) benne all.	4	A	6	23,800
cab. all. base benne all.	2	M	6	14,500
cab. all. LS benne all.	2	M	6	15,600
cab. all. LT (cuir) benne all.	2	A	6	18,500
crew cab. base benne all.	2	M	6	14,700
crew cab. LS benne all.	2	M	6	16,300
crew cab. LT (cuir) benne all.	2	A	6	19,300
cab. rég. base benne all.	4	M	6	13,900
cab. rég. LS benne all.	4	M	6	15,600
cab. all. base benne all.	4	M	6	15,900
cab. all. LS benne all.	4	M	6	17,200
cab. all. LT (cuir) benne all.	4	A	6	20,100
crew cab. base benne all.	4	M	6	16,000
crew cab. LS benne all.	4	M	6	18,000
crew cab. LT (cuir) benne all.	4	A	6	21,000

2006 3500 SILVERADO — 80 000 km

Description	R.m.	Tr.	L	Prix
cab. all. base benne all.	2	M	6	13,300
cab. all. LS benne all.	2	M	6	14,700
cab. all. LT (cuir) benne all.	2	A	6	17,800
crew cab. base benne all.	2	M	6	13,500
crew cab. LS benne all.	2	M	6	15,400
crew cab. LT (cuir) benne all.	2	A	6	19,000
cab. rég. base benne all.	4	M	6	12,700
cab. rég. LS benne all.	4	M	6	14,800
cab. all. base benne all.	4	M	6	14,900
cab. all. LS benne all.	4	M	6	16,600
cab. all. LT (cuir) benne all.	4	A	6	19,900
crew cab. base benne all.	4	M	6	15,000
crew cab. LS benne all.	4	M	6	17,400
crew cab. LT (cuir) benne all.	4	A	6	20,900

2005 3500 SILVERADO — 100 000 km

Description	R.m.	Tr.	L	Prix
cab. all. base benne all.	2	M	6	10,200
cab. all. LS benne all.	2	M	6	11,600
cab. all. LT (cuir) benne all.	2	A	6	15,100
crew cab. base benne all.	2	M	6	10,400
crew cab. LS benne all.	2	M	6	12,600
crew cab. LT (cuir) benne all.	2	A	6	16,500
cab. rég. base benne all.	4	M	6	9,600
cab. rég. LS benne all.	4	M	6	11,700
cab. all. base benne all.	4	M	6	12,100
cab. all. LS benne all.	4	M	6	13,700
cab. all. LT (cuir) benne all.	4	A	6	17,400
crew cab. base benne all.	4	M	6	12,200
crew cab. LS benne all.	4	M	6	14,700
crew cab. LT (cuir) benne all.	4	A	6	18,400

2005 ASTRO — 100 000 km

Description	R.m.	Tr.	L	Prix
3p allongé base	2	A	4.3	6,500
3p allongé LS	2	A	4.3	6,700
3p allongé LT	2	A	4.3	9,000
cargo allongé base	A	A	4.3	7,200
3p allongé base	A	A	4.3	7,400
3p allongé LS	A	A	4.3	8,900
3p allongé LT	A	A	4.3	9,900
cargo allongé base	2	A	4.3	5,600

2009 AVALANCHE — 20 000 km

Description	R.m.	Tr.	L	Prix
4p 1500 LS	2	A	5.3	31,100
4p 1500 LT	2	A	5.3	32,200
4p 1500 LT 6.0L	2	A	6	34,400
4p 1500 LS	A	A	5.3	33,500
4p 1500 LT	A	A	5.3	34,700
4p 1500 LT 6.0L	A	A	6	38,100
4p 1500 LTZ (cuir)	A	A	5.3	42,200
4p 1500 LTZ 6.0L (cuir)	A	A	6	43,400

2008 AVALANCHE — 40 000 km

Description	R.m.	Tr.	L	Prix
4p 1500 LS	2	A	5.3	22,000
4p 1500 LT	2	A	5.3	23,000
4p 1500 LT 6.0L	2	A	6	23,800
4p 1500 LS	A	A	5.3	23,800
4p 1500 LT	A	A	5.3	24,800
4p 1500 LT 6.0L	A	A	6	25,600
4p 1500 LTZ (cuir)	A	A	5.3	27,300
4p 1500 LTZ 6.0L (cuir)	A	A	6	28,300

2007 AVALANCHE — 60 000 km

Description	R.m.	Tr.	L	Prix
4p 1500 LS	2	A	5.3	19,400
4p 1500 LT	2	A	5.3	20,200
4p 1500 LT 6.0L	2	A	6	20,900
4p 1500 LS	A	A	5.3	21,400
4p 1500 LT	A	A	5.3	22,000
4p 1500 LT 6.0L	A	A	6	22,900
4p 1500 LTZ (cuir)	A	A	5.3	23,700
4p 1500 LTZ 6.0L (cuir)	A	A	6	24,500

2006 AVALANCHE — 80 000 km

Description	R.m.	Tr.	L	Prix
4p 1500 LS	2	A	5.3	17,200
4p 1500 LS FFV	2	A	5.3	17,400
4p 1500 Z66	2	A	5.3	17,900
4p 1500 Z66 FFV	2	A	5.3	18,200
4p 1500 LT (cuir)	2	A	5.3	20,300
4p 1500 LT (cuir) FFV	2	A	5.3	20,200
4p 1500 LS	A	A	5.3	19,400
4p 1500 LS FFV	A	A	5.3	19,800
4p 1500 Z71	A	A	5.3	20,200
4p 1500 Z71 FFV	A	A	5.3	20,000
4p 1500 LT (cuir)	A	A	5.3	20,900
4p 1500 LT (cuir) FFV	A	A	5.3	21,100
4p 2500 LS	A	A	8.1	20,700
4p 2500 LT (cuir)	A	A	8.1	21,500

2005 AVALANCHE — 100 000 km

Description	R.m.	Tr.	L	Prix
4p 1500 LS	2	A	5.3	14,000
4p 1500 LS FFV	2	A	5.3	14,400
4p 1500 Z66	2	A	5.3	15,400
4p 1500 Z66 FFV	2	A	5.3	15,700
4p 1500 LT (cuir)	2	A	5.3	17,200
4p 1500 LT (cuir) FFV	2	A	5.3	17,500
4p 1500 LS	A	A	5.3	16,000
4p 1500 LS FFV	A	A	5.3	16,400
4p 1500 Z71	A	A	5.3	16,600
4p 1500 Z71 FFV	A	A	5.3	17,200
4p 1500 LT (cuir)	A	A	5.3	17,900
4p 1500 LT (cuir) FFV	A	A	5.3	18,300
4p 2500 LS	A	A	8.1	17,100
4p 2500 LT (cuir)	A	A	8.1	18,500

2009 AVEO — 20 000 km

Description	R.m.	Tr.	L	Prix
4p hayon Aveo 5 LS	2	M	1.6	10,400
4p hayon Aveo 5 LT	2	M	1.6	12,300
4p berline LS	2	M	1.6	10,400
4p berline LT	2	M	1.6	12,300

2008 AVEO — 40 000 km

Description	R.m.	Tr.	L	Prix
4p hayon Aveo 5 LS	2	M	1.6	7,900
4p hayon Aveo 5 LT	2	M	1.6	9,300
4p berline LS	2	M	1.6	7,300
4p berline LT	2	M	1.6	8,500

2007 AVEO — 60 000 km

Description	R.m.	Tr.	L	Prix
4p hayon Aveo 5 LS	2	M	1.6	6,800
4p hayon Aveo 5 LT	2	M	1.6	8,200
4p berline LS	2	M	1.6	6,800
4p berline LT	2	M	1.6	8,200

2006 AVEO — 80 000 km

Description	R.m.	Tr.	L	Prix
4p hayon Aveo 5 LS	2	M	1.6	5,800
4p hayon Aveo 5 LT	2	M	1.6	6,800
4p berline LS	2	M	1.6	5,700
4p berline LT	2	M	1.6	6,600

2005 AVEO — 100 000 km

Description	R.m.	Tr.	L	Prix
4p hayon Aveo 5 LS	2	M	1.6	5,100
4p hayon Aveo 5 LT	2	M	1.6	5,900
4p berline LS	2	M	1.6	4,900
4p berline LT	2	M	1.6	5,600

2005 BLAZER — 100 000 km

Description	R.m.	Tr.	L	Prix
2p LS ZE5	4	M	4.3	5,900
2p LS YC3	4	M	4.3	7,000

2005 CAVALIER — 100 000 km

Description	R.m.	Tr.	L	Prix
2p coupé VL	2	M	2.2	4,000
2p coupé Sport Z	2	M	2.2	4,700
2p coupé VLX	2	M	2.2	5,300
2p coupé Z24	2	M	2.2	6,000
4p berline VL	2	M	2.2	4,000
4p berline VLX	2	M	2.2	5,200
4p berline Z24	2	M	2.2	6,500

2009 COBALT — 20 000 km

Description	R.m.	Tr.	L	Prix
2p coupé LS	2	M	2.2	10,500
2p coupé LT	2	M	2.2	12,700
2p coupé SS Turbo	2	M	2	18,500
4p berline LS	2	M	2.2	10,500
4p berline LT	2	M	2.2	12,700
4p berline SS Turbo	2	M	2	18,500

2008 COBALT — 40 000 km

Description	R.m.	Tr.	L	Prix
2p coupé LS	2	M	2.2	7,300
2p coupé LT	2	M	2.2	8,800
2p coupé Sport	2	M	2.4	11,300
2p coupé SS Turbo	2	M	2	13,100
4p berline LS	2	M	2.2	7,300
4p berline LT	2	M	2.2	8,800
4p berline Sport	2	M	2.4	11,300

2007 COBALT — 60 000 km

Description	R.m.	Tr.	L	Prix
2p coupé LS	2	M	2.2	5,700
2p coupé LT	2	M	2.2	7,300
2p coupé SS	2	M	2.4	8,800
2p coupé SS Supercharged (cuir)	2	M	2	10,800
4p berline LS	2	M	2.2	5,100
4p berline LT	2	M	2.2	7,300
4p berline LTZ (cuir)	2	A	2.2	10,600
4p berline SS	2	M	2.4	9,900

2006 COBALT — 80 000 km

Description	R.m.	Tr.	L	Prix
2p coupé LS	2	M	2.2	4,700
2p coupé LT	2	M	2.2	7,200
2p coupé SS	2	M	2.4	8,800
2p coupé SS Supercharged (cuir)	2	M	2	9,800
4p berline LS	2	M	2.2	4,700
4p berline LT	2	M	2.2	7,200
4p berline LTZ (cuir)	2	A	2.2	8,400
4p berline SS	2	M	2.4	8,300

2005 COBALT — 100 000 km

Description	R.m.	Tr.	L	Prix
2p coupé base	2	M	2.2	4,400
2p coupé LS	2	M	2.2	6,400
2p coupé SS Supercharged (cuir)	2	M	2	9,000
4p berline base	2	M	2.2	4,400

Description	R.m.	Tr.	L	Prix
4p berline LS	2	M	2.2	6,400
4p berline LT (cuir)	2	A	2.2	7,100

2009 COLORADO				20 000 km
cab. rég. LT	2	M	2.9	18,000
cab. rég. LT	2	A	3.7	19,100
cab. all. LT	2	M	2.9	22,500
cab. all. LT	2	A	3.7	25,800
crew cab. LT	2	A	2.9	24,700
crew cab. LT	2	A	3.7	27,100
cab. rég. LT	4	M	2.9	22,100
cab. rég. LT	4	A	3.7	23,700
cab. all. LT	4	M	2.9	23,700
cab. all. LT	4	A	3.7	24,600
crew cab. LT	4	A	3.7	27,600

2008 COLORADO				40 000 km
cab. rég. LS	2	M	2.9	11,400
cab. rég. LS	2	A	3.7	12,700
cab. rég. LT	2	M	2.9	12,500
cab. rég. LT	2	A	3.7	13,900
cab. all. LS	2	M	2.9	12,500
cab. all. LS	2	A	3.7	14,000
cab. all. LT	2	M	2.9	13,600
cab. all. LT	2	A	3.7	15,000
crew cab. LT	2	A	2.9	15,800
crew cab. LT	2	A	3.7	16,400
cab. rég. LS	4	M	2.9	13,500
cab. rég. LS	4	A	3.7	14,900
cab. rég. LT	4	M	2.9	14,500
cab. rég. LT	4	A	3.7	15,900
cab. all. LS	4	M	2.9	14,600
cab. all. LS	4	A	3.7	16,000
cab. all. LT	4	M	2.9	15,700
cab. all. LT	4	A	3.7	17,000
crew cab. LT	4	A	3.7	18,500

2007 COLORADO				60 000 km
cab. rég. LS	2	M	2.9	10,200
cab. rég. LS	2	A	3.7	11,400
cab. rég. LT	2	M	2.9	10,900
cab. rég. LT	2	A	3.7	11,700
cab. all. LS	2	M	2.9	11,100
cab. all. LS	2	A	3.7	11,900
cab. all. LT	2	M	2.9	12,100
cab. all. LT	2	A	3.7	12,600
crew cab. LT	2	M	2.9	12,600
crew cab. LT	2	A	3.7	14,000
cab. rég. LS	4	M	2.9	12,100
cab. rég. LS	4	A	3.7	12,600
cab. rég. LT	4	M	2.9	12,200
cab. rég. LT	4	A	3.7	13,500
cab. all. LS	4	M	2.9	12,300
cab. all. LS	4	A	3.7	13,800
cab. all. LT	4	M	2.9	13,200
cab. all. LT	4	A	3.7	14,400
crew cab. LT	4	A	3.7	15,800

2006 COLORADO				80 000 km
cab. rég. base	2	M	2.8	7,200
cab. rég. LS	2	M	2.8	8,800
cab. all. base	2	M	2.8	8,500
cab. all. LS	2	M	2.8	9,800
crew cab. LS	2	M	2.8	10,500
cab. rég. base	4	M	2.8	9,300
cab. rég. LS	4	M	2.8	9,400
cab. all. base	4	M	2.8	9,800
cab. all. LS	4	M	2.8	11,100
crew cab. LS	4	M	2.8	12,500

2005 COLORADO				100 000 km
cab. rég. base	2	M	2.8	5,600
cab. rég. LS	2	M	2.8	7,300
cab. all. commercial	2	M	2.8	5,800
cab. all. base	2	M	2.8	6,500
cab. all. LS	2	M	2.8	8,300
crew cab. LS	2	M	2.8	9,100
cab. rég. base	4	M	2.8	7,500
cab. rég. LS	4	M	2.8	8,500
cab. all. base	4	M	2.8	8,600
cab. all. LS	4	M	2.8	9,500
crew cab. LS	4	M	2.8	11,100

2009 CORVETTE				20 000 km
2p coupé base	2	M	6.2	52,300
2p coupé Z06	2	M	7	64,200
2p coupé ZR1	2	M	6.2	102,500
2p décapotable base	2	M	6.2	62,500

2007 CORVETTE				60 000 km
2p coupé base	2	M	6	40,600
2p coupé Z06	2	M	7	53,900
2p décapotable base	2	M	6	46,000

2006 CORVETTE				80 000 km
2p coupé base	2	M	6	36,000

Description	R.m.	Tr.	L	Prix
2p coupé Z06	2	M	7	47,800
2p décapotable base	2	M	6	40,500

2005 CORVETTE				100 000 km
2p coupé base	2	M	6	33,300
2p coupé base	2	A	6	36,300
2p décapotable base	2	M	6	36,200
2p décapotable base	2	A	6	36,200

2006 EPICA				80 000 km
4p berline LTZ	2	A	2.5	9,000

2005 EPICA				100 000 km
4p berline LS	2	A	2.5	7,500
4p berline LT (cuir)	2	A	2.5	8,000

2009 EQUINOX				20 000 km
4p LS	2	A	3.4	21,300
4p LT	2	A	3.4	23,500
4p Sport 3.6L	2	A	3.6	26,100
4p LS	A	A	3.4	26,500
4p LT	A	A	3.4	25,600
4p Sport 3.6L	A	A	3.6	28,200

2008 EQUINOX				40 000 km
4p LS	2	A	3.4	14,700
4p LT	2	A	3.4	16,300
4p Sport 3.6L	2	A	3.6	17,400
4p LS	A	A	3.4	16,300
4p LT	A	A	3.4	17,100
4p Sport 3.6L	A	A	3.6	18,900

2007 EQUINOX				60 000 km
4p LS	2	A	3.4	12,800
4p LT	2	A	3.4	14,200
4p LS	A	A	3.4	14,200
4p LT	A	A	3.4	14,800

2006 EQUINOX				80 000 km
4p LS	2	A	3.4	11,200
4p LT	2	A	3.4	12,600
4p LS	A	A	3.4	12,600
4p LT	A	A	3.4	13,700

2005 EQUINOX				100 000 km
4p LS	2	A	3.4	8,700
4p LT	2	A	3.4	10,000
4p LS	A	A	3.4	10,100
4p LT	A	A	3.4	10,800

2009 G10				20 000 km
3p Express LS	2	A	5.3	23,900
3p Express LT	2	A	5.3	32,800
3p Express LS AWD	A	A	5.3	32,300
3p Express LT AWD	A	A	5.3	35,100

2008 G10				40 000 km
3p Express LS	2	A	5.3	22,000
3p Express LT	2	A	5.3	24,800
3p Express LS AWD	A	A	5.3	23,800
3p Express LT AWD	A	A	5.3	25,900

2007 G10				60 000 km
3p Express LS	2	A	5.3	17,000
3p Express LT	2	A	5.3	18,500
3p Express LS AWD	A	A	5.3	18,400
3p Express LT AWD	A	A	5.3	20,700

2006 G10				80 000 km
3p Express base	2	A	4.3	10,300
3p Express LS	2	A	4.3	13,500
3p Express base	A	A	5.3	12,900
3p Express LS	A	A	5.3	15,400

2005 G10				100 000 km
3p Express base	2	A	4.3	8,300
3p Express LS	2	A	4.3	11,600
3p Express base	A	A	5.3	10,900
3p Express LS	A	A	5.3	13,600

2009 G20				20 000 km
3p Express LS	2	A	6	29,900
3p Express LT	2	A	6	32,600

2008 G20				40 000 km
3p Express LS	2	A	6	22,200
3p Express LT	2	A	6	24,800

2007 G20				60 000 km
3p Express LS	2	A	4.8	17,100
3p Express LT	2	A	4.8	18,600

2006 G20				80 000 km
3p Express base	2	A	4.8	11,100
3p Express LS	2	A	4.8	14,400

2005 G20				100 000 km

Description	R.m.	Tr.	L	Prix
3p Express base	2	A	6	8,600
3p Express LS	2	A	6	13,500

2009 G30				20 000 km
3p Express LS	2	A	6	32,100
3p allongé Express LS	2	A	6	34,500
3p Express LT	2	A	6	34,400
3p allongé Express LT	2	A	6	36,000

2008 G30				40 000 km
3p Express LS	2	A	6	22,500
3p allongé Express LS	2	A	6	54,200
3p Express LT	2	A	6	24,100
3p allongé Express LT	2	A	6	25,100

2007 G30				60 000 km
3p Express LS	2	A	6	17,100
3p allongé Express LS	2	A	6	19,000
3p Express LT	2	A	6	18,200
3p allongé Express LT	2	A	6	19,300

2006 G30				80 000 km
3p Express base	2	A	6	14,400
3p allongé Express base	2	A	6	16,000
3p Express LS	2	A	6	15,300
3p allongé Express LS	2	A	6	16,700

2005 G30				100 000 km
3p Express base	2	A	6	12,900
3p allongé Express base	2	A	6	14,400
3p Express LS	2	A	6	13,900
3p allongé Express LS	2	A	6	15,300

2009 HHR				20 000 km
4p LS	2	M	2.2	16,300
4p LT	2	M	2.2	17,400
4p SS	2	M	2	20,300
2p cargo LS Panel	2	M	2.2	16,300
2p cargo LT Panel	2	M	2.2	17,400
2p cargo SS Panel	2	M	2	22,000

2008 HHR				40 000 km
4p LS	2	M	2.2	13,100
4p LT	2	M	2.2	13,900
4p SS	2	M	2	17,000
2p cargo LS Panel	2	M	2.2	13,100
2p cargo LT Panel	2	M	2.2	13,900

2007 HHR				60 000 km
4p LS	2	M	2.2	10,100
4p LT	2	M	2.4	11,600
2p cargo LS Panel	2	M	2.2	10,200
2p cargo LT Panel	2	M	2.4	12,200

2006 HHR				80 000 km
4p LS	2	M	2.2	8,800
4p LT	2	M	2.4	10,000

2009 IMPALA				20 000 km
4p berline LS	2	A	3.5	21,300
4p berline LT	2	A	3.5	22,500
4p berline LTZ	2	A	3.9	24,600
4p berline SS (cuir)	2	A	5.3	29,500

2008 IMPALA				40 000 km
4p berline LS	2	A	3.5	14,500
4p berline LT	2	A	3.5	15,500
4p berline LT 50e Ann. (cuir)	2	A	3.5	18,000
4p berline LTZ	2	A	3.9	17,900
4p berline SS (cuir)	2	A	5.3	18,800

2007 IMPALA				60 000 km
4p berline LS	2	A	3.5	10,900
4p berline LT	2	A	3.5	11,600
4p berline LTZ	2	A	3.9	13,700
4p berline SS (cuir)	2	A	5.3	14,000

2006 IMPALA				80 000 km
4p berline LS	2	A	3.5	9,200
4p berline LT	2	A	3.5	10,100
4p berline LTZ	2	A	3.9	11,100
4p berline SS	2	A	5.3	13,000

2005 IMPALA				100 000 km
4p berline base	2	A	3.4	8,600
4p berline base	2	A	3.8	9,200
4p berline LS	2	A	3.8	10,600
4p berline SS	2	A	3.8	14,300

2009 MALIBU				20 000 km
4p berline LS	2	A	2.4	17,200
4p berline 1LT	2	A	2.4	18,500
4p berline 2LT (suede)	2	A	2.4	19,600
4p berline 2LT V6 Performance	2	A	3.6	22,000
4p berline LTZ (cuir)	2	A	2.4	23,600
4p berline LTZ V6 (cuir)	2	A	3.6	25,600
4p berline Hybride	2	A	2.4	20,600

2008 MALIBU				40 000 km
4p berline LS	2	A	2.4	12,400
4p berline 1LT	2	A	2.4	13,800
4p berline 2LT (suede)	2	A	2.4	14,400
4p berline 2LT V6 Performance	2	A	3.6	15,900
4p berline LTZ (cuir)	2	A	2.4	16,400
4p berline LTZ V6 (cuir)	2	A	3.6	17,500
4p berline Hybride	2	A	2.4	15,200

2007 MALIBU				60 000 km
4p berline LS	2	A	2.2	8,200
4p berline LT	2	A	2.2	9,900
4p berline LT V6	2	A	3.5	11,000
4p berline LTZ (cuir)	2	A	3.5	11,700
4p berline SS	2	A	3.9	12,500
4p hayon MAXX LT	2	A	3.5	11,400
4p hayon MAXX LTZ (cuir)	2	A	3.5	12,400
4p hayon MAXX SS	2	A	3.9	12,500

2006 MALIBU				80 000 km
4p berline LS	2	A	2.2	7,200
4p berline LT	2	A	2.2	8,800
4p berline LT V6	2	A	3.5	9,500
4p berline LTZ (cuir)	2	A	3.5	9,700
4p berline SS	2	A	3.9	10,000
4p hayon MAXX LT	2	A	3.5	9,100
4p hayon MAXX LTZ (cuir)	2	A	3.5	10,000
4p hayon MAXX SS	2	A	3.9	10,000

2005 MALIBU				100 000 km
4p berline base	2	A	2.2	6,600
4p berline LS	2	A	3.5	8,300
4p berline LT (cuir)	2	A	3.5	8,600
4p hayon MAXX LS	2	A	3.5	8,800
4p hayon MAXX LT (cuir)	2	A	3.5	9,400

2007 MONTE CARLO				60 000 km
2p coupé LS	2	A	3.5	12,300
2p coupé LT	2	A	3.5	14,300
2p coupé SS (cuir)	2	A	5.3	15,500

2006 MONTE CARLO				80 000 km
2p coupé LS	2	A	3.5	9,500
2p coupé LT	2	A	3.5	10,100
2p coupé LTZ	2	A	3.9	11,500
2p coupé SS	2	A	5.3	13,200

2005 MONTE CARLO				100 000 km
2p coupé LS	2	A	3.4	9,000
2p coupé LT	2	A	3.8	10,600
2p coupé Supercharged SS	2	A	3.8	12,300

2007 OPTRA				60 000 km
4p hayon Optra 5 LS	2	M	2	7,500
4p hayon Optra 5 LT	2	M	2	8,500
4p familiale LS	2	M	2	7,900
4p familiale LT	2	M	2	8,800

2006 OPTRA				80 000 km
4p hayon Optra 5 LS	2	M	2	6,200
4p hayon Optra 5 LT	2	M	2	7,200
4p familiale LS	2	M	2	6,800
4p familiale LT	2	M	2	7,900

2005 OPTRA				100 000 km
4p hayon Optra 5 base	2	M	2	5,800
4p hayon Optra 5 LS	2	M	2	6,900
4p berline base	2	M	2	5,000
4p berline LS	2	M	2	5,900
4p familiale base	2	M	2	6,500
4p familiale LS	2	M	2	7,000

2006 SSR				80 000 km
2p base	2	M	6	36,200
2p base	2	A	6	35,200

2005 SSR				100 000 km
2p base	2	M	6	31,800
2p base	2	A	6	31 000

2009 SUBURBAN				20 000 km
4p 1500 LS	2	A	5.3	36,100
4p 1500 LT	2	A	5.3	37,500
4p 1500 LT 6.0L	2	A	6	46,900
4p 2500 LS	2	A	6	37,900
4p 2500 LT	2	A	6	39,300
4p 1500 LS	A	A	5.3	39,100
4p 1500 LT	A	A	5.3	40,800
4p 1500 LT 6.0L	A	A	6	49,300
4p 1500 LTZ (cuir)	A	A	5.3	52,300
4p 1500 LTZ 6.0L (cuir)	A	A	6	53,600
4p 2500 LS	A	A	6	40,500
4p 2500 LT	A	A	6	41,900

2008 SUBURBAN				40 000 km
4p 1500 LS	2	A	5.3	27,500

Description	R.m.	Tr.	L	Prix
4p 1500 LT	2	A	5.3	28,500
4p 1500 LT 6.0L	2	A	6	30,000
4p 2500 LS	2	A	6	28,500
4p 2500 LT	2	A	6	29,500
4p 1500 LS	A	A	5.3	29,600
4p 1500 LT	A	A	5.3	30,700
4p 1500 LT 6.0L	A	A	6	31,600
4p 1500 LTZ (cuir)	A	A	5.3	36,300
4p 1500 LTZ 6.0L (cuir)	A	A	6	37,000
4p 2500 LS	A	A	6	30,300
4p 2500 LT	A	A	6	31,400

2007 SUBURBAN — 60 000 km

Description	R.m.	Tr.	L	Prix
4p 1500 LS	2	A	5.3	21,500
4p 1500 LT	2	A	5.3	22,200
4p 1500 LT 6.0L	2	A	6	22,800
4p 2500 LS	2	A	6	21,700
4p 2500 LT	2	A	6	22,400
4p 1500 LS	A	A	5.3	23,000
4p 1500 LT	A	A	5.3	23,700
4p 1500 LT 6.0L	A	A	6	24,300
4p 1500 LTZ (cuir)	A	A	5.3	27,600
4p 1500 LTZ 6.0L (cuir)	A	A	6	28,300
4p 2500 LS	A	A	6	23,200
4p 2500 LT	A	A	6	23,700

2006 SUBURBAN — 80 000 km

Description	R.m.	Tr.	L	Prix
4p 1500 LS	2	A	5.3	17,000
4p 1500 LT (cuir)	2	A	5.3	19,400
4p 2500 LS	2	A	6	17,700
4p 2500 LS	2	A	8.1	18,400
4p 2500 LT (cuir)	2	A	6	19,700
4p 2500 LT (cuir)	2	A	8.1	20,600
4p 1500 LS	A	A	5.3	18,500
4p 1500 LT (cuir)	A	A	5.3	20,800
4p 1500 Off Road Z71 (cuir)	A	A	5.3	20,400
4p 1500 LTZ (cuir)	A	A	6	21,800
4p 2500 LS	A	A	6	19,300
4p 2500 LS	A	A	8.1	20,000
4p 2500 LT (cuir)	A	A	6	21,300
4p 2500 LT (cuir)	A	A	8.1	22,000

2005 SUBURBAN — 100 000 km

Description	R.m.	Tr.	L	Prix
4p 1500 LS	2	A	5.3	13,500
4p 1500 LT (cuir)	2	A	5.3	16,600
4p 2500 LS	2	A	6	14,200
4p 2500 LT (cuir)	2	A	6	16,300
4p 1500 LS	A	A	5.3	14,800
4p 1500 LT (cuir)	A	A	5.3	16,200
4p 1500 Off Road (cuir)	A	A	5.3	16,100
4p 2500 LS	A	A	6	15,800
4p 2500 LT (cuir)	A	A	6	16,700

2009 TAHOE — 20 000 km

Description	R.m.	Tr.	L	Prix
4p LS	2	A	5.3	35,900
4p LT	2	A	5.3	36,800
4p LS AWD	A	A	5.3	38,200
4p LT AWD	A	A	5.3	38,500
4p LTZ AWD (cuir)	A	A	5.3	43,100

2008 TAHOE — 40 000 km

Description	R.m.	Tr.	L	Prix
4p LS	2	A	5.3	25,900
4p LT	2	A	5.3	26,800
4p LS AWD	A	A	5.3	28,000
4p LT AWD	A	A	5.3	28,500
4p LTZ AWD (cuir)	A	A	5.3	33,200

2007 TAHOE — 60 000 km

Description	R.m.	Tr.	L	Prix
4p LS	2	A	4.8	21,800
4p LS	2	A	5.3	22,500
4p LT	2	A	5.3	23,100
4p LS	A	A	5.3	24,000
4p LT	A	A	5.3	23,600
4p LTZ (cuir)	A	A	5.3	28,000

2006 TAHOE — 80 000 km

Description	R.m.	Tr.	L	Prix
4p LS	2	A	4.8	18,300
4p LS	2	A	5.3	18,900
4p LT (cuir)	2	A	5.3	22,600
4p LS	A	A	5.3	20,600
4p LT (cuir)	A	A	5.3	23,100
4p LT Off Road (cuir)	A	A	5.3	22,600

2005 TAHOE — 100 000 km

Description	R.m.	Tr.	L	Prix
4p LS	2	A	4.8	13,000
4p LT (cuir)	2	A	5.3	16,000
4p LS	A	A	4.8	15,200
4p LT (cuir)	A	A	5.3	16,300
4p LT Off Road (cuir)	A	A	5.3	16,500

2009 TRAILBLAZER — 20 000 km

Description	R.m.	Tr.	L	Prix
4p LT1	4	A	4.2	32,600
4p LT3 (cuir)	4	A	4.2	36,700
4p SS (cuir)	A	A	6	43,300

2008 TRAILBLAZER — 40 000 km

Description	R.m.	Tr.	L	Prix
4p LT1	4	A	4.2	23,700
4p LT1 V8	4	A	5.3	25,600
4p LT3 (cuir)	4	A	4.2	26,700
4p LT3 V8 (cuir)	4	A	5.3	28,400
4p SS (cuir)	A	A	6	29,800

2007 TRAILBLAZER — 60 000 km

Description	R.m.	Tr.	L	Prix
4p LS	2	A	4.2	15,800
4p LT	2	A	4.2	17,000
4p SS (cuir)	2	A	6	22,500
4p LS	A	A	4.2	18,800
4p LT	A	A	4.2	21,000
4p SS (cuir)	A	A	6	25,400

2006 TRAILBLAZER — 80 000 km

Description	R.m.	Tr.	L	Prix
4p LS	2	A	4.2	11,400
4p LT	2	A	4.2	12,600
4p SS	2	A	6	19,200
4p LS	A	A	4.2	16,600
4p LT	A	A	4.2	18,700
4p SS	A	A	6	23,100

2005 TRAILBLAZER — 100 000 km

Description	R.m.	Tr.	L	Prix
4p VL	2	A	4.2	8,000
4p LS	2	A	4.2	12,900
4p LT	2	A	4.2	14,400
4p LS	A	A	4.2	14,500
4p LT	A	A	4.2	15,200

2006 TRAILBLAZER EXT — 80 000 km

Description	R.m.	Tr.	L	Prix
4p LS	2	A	4.2	13,300
4p LT	2	A	4.2	14,300
4p LS	A	A	4.2	18,000
4p LT	A	A	4.2	19,000

2005 TRAILBLAZER EXT — 100 000 km

Description	R.m.	Tr.	L	Prix
4p LS	2	A	4.2	11,300
4p LT	2	A	4.2	12,000
4p LS	A	A	4.2	13,300
4p LT	A	A	4.2	13,700

2009 TRAVERSE — 20 000 km

Description	R.m.	Tr.	L	Prix
4p LS	2	A	3.6	30 700
4p LT 1	2	A	3.6	32 900
4p LTZ	2	A	3.6	43 700
4p 4RM LS	A	A	3.6	33 300
4p 4RM LT 1	A	A	3.6	35 500
4p 4RM LTZ	A	A	3.6	46 300

2009 UPLANDER — 20 000 km

Description	R.m.	Tr.	L	Prix
4p LS	2	A	3.9	18,000
4p LT 1	2	A	3.9	19,500
4p LT 2	2	A	3.9	21,800
4p allongé LS	2	A	3.9	20,300
4p allongé LT 1	2	A	3.9	21,200
4p allongé LT 2	2	A	3.9	24,000

2008 UPLANDER — 40 000 km

Description	R.m.	Tr.	L	Prix
4p LS	2	A	3.9	10 300
4p LT 1	2	A	3.9	11 200
4p LT 2	2	A	3.9	11 500
4p allongé LS	2	A	3.9	11 300
4p allongé LT 1	2	A	3.9	11 800
4p allongé LT 2	2	A	3.9	12 400

2007 UPLANDER — 60 000 km

Description	R.m.	Tr.	L	Prix
4p LS	2	A	3.9	8,700
4p LT 1	2	A	3.9	9,600
4p LT 2	2	A	3.9	10,000
4p allongé LS	2	A	3.9	9,900
4p allongé LT 1	2	A	3.9	10,000
4p allongé LT 2	2	A	3.9	10,500

2006 UPLANDER — 80 000 km

Description	R.m.	Tr.	L	Prix
4p LS	2	A	3.5	6,100
4p LT 1	2	A	3.5	6,600
4p LT 2	2	A	3.5	7,900
4p allongé LS	2	A	3.5	7,600
4p allongé LT 1	2	A	3.5	7,700
4p allongé LT 2	2	A	3.5	8,600
4p allongé LT 2 (3.9L)	2	A	3.9	8,800
4p allongé LT 2 tr.intégrale	A	A	3.5	9,100

2005 UPLANDER — 100 000 km

Description	R.m.	Tr.	L	Prix
4p Value	2	A	3.5	5,300
4p LS	2	A	3.5	5,800
4p LT	2	A	3.5	7,100
4p allongé Value	2	A	3.5	6,600
4p allongé LS	2	A	3.5	7,100
4p allongé LT	2	A	3.5	8,000
4p allongé LT tr.intégrale	A	A	3.5	8,900

2005 VENTURE — 100 000 km

Description	R.m.	Tr.	L	Prix
4p allongé Value Plus	2	A	3.4	5,700
4p allongé base	2	A	3.4	5,500
4p allongé LS	2	A	3.4	6,800
4p allongé LT	2	A	3.4	7,900

CHRYSLER

2009 300 — 20 000 km

Description	R.m.	Tr.	L	Prix
4p berline 300 Touring	2	A	3.5	22,900
4p berline 300 Limited (cuir)	2	A	3.5	25,100
4p berline 300C (cuir)	2	A	5.7	32,000
4p berline 300C Heritage (cuir)	2	A	5.7	33,200
4p berline 300C SRT8	2	A	6.1	37,600
4p berline 300 Touring AWD	A	A	3.5	25,500
4p berline 300 Limited (cuir) AWD	A	A	3.5	27,800
4p berline 300C (cuir) AWD	A	A	5.7	34,400

2008 300 — 40 000 km

Description	R.m.	Tr.	L	Prix
4p berline 300 Touring	2	A	3.5	15,600
4p berline 300 Limited (cuir)	2	A	3.5	18,100
4p berline 300C (cuir)	2	A	5.7	20,400
4p berline 300C Heritage (cuir)	2	A	5.7	21,400
4p berline 300C SRT8	2	A	6.1	35,800
4p berline 300 Touring AWD	A	A	3.5	17,800
4p berline 300 Limited (cuir) AWD	A	A	3.5	19,600
4p berline 300C (cuir) AWD	A	A	5.7	22,100

2007 300 — 60 000 km

Description	R.m.	Tr.	L	Prix
4p berline 300	2	A	3.5	14,800
4p berline 300 Touring (cuir)	2	A	3.5	15,900
4p berline 300 Limited (cuir)	2	A	3.5	17,900
4p berline 300C (cuir)	2	A	5.7	18,400
4p berline 300C SRT8	2	A	6.1	30,900
4p berline 300 AWD	A	A	3.5	17,100
4p berline 300 Touring (cuir) AWD	A	A	3.5	17,900
4p berline 300 Limited (cuir) AWD	A	A	3.5	18,500
4p berline 300C (cuir) AWD	A	A	5.7	18,700

2006 300 — 80 000 km

Description	R.m.	Tr.	L	Prix
4p berline 300	2	A	3.5	13,400
4p berline 300 Touring (cuir)	2	A	3.5	14,600
4p berline 300 Limited (cuir)	2	A	3.5	15,600
4p berline 300C (cuir)	2	A	5.7	16,200
4p berline 300C SRT8	2	A	6.1	26,100
4p berline 300 AWD	A	A	3.5	15,700
4p berline 300 Touring (cuir) AWD	A	A	3.5	16,100
4p berline 300 Limited (cuir) AWD	A	A	3.5	16,000
4p berline 300C (cuir) AWD	A	A	5.7	17,400

2005 300 — 100 000 km

Description	R.m.	Tr.	L	Prix
4p berline 300 base	2	A	3.5	9,000
4p berline 300 Touring (cuir)	2	A	3.5	10,000
4p berline 300 Limited (cuir)	2	A	3.5	12,000
4p berline 300C (cuir)	2	A	5.7	12,800
4p berline 300 base AWD	A	A	3.5	10,900
4p berline 300 Touring (cuir) AWD	A	A	3.5	11,600
4p berline 300 Limited (cuir) AWD	A	A	3.5	12,300
4p berline 300C (cuir) AWD	A	A	5.7	13,500

2009 ASPEN — 20 000 km

Description	R.m.	Tr.	L	Prix
4p Limited	A	A	5.7	34,400
4p Limited Hybride HEV	A	A	5.7	38,500

2008 ASPEN — 40 000 km

Description	R.m.	Tr.	L	Prix
4p Limited	A	A	5.7	28,500

2007 ASPEN — 60 000 km

Description	R.m.	Tr.	L	Prix
4p Limited	A	A	5.7	20,600

2008 CROSSFIRE — 40 000 km

Description	R.m.	Tr.	L	Prix
2p coupé Limited (cuir)	2	M	3.2	31,600
2p décapotable Limited (cuir)	2	M	3.2	33,700

2007 CROSSFIRE — 60 000 km

Description	R.m.	Tr.	L	Prix
2p coupé base	2	M	3.2	18,000
2p coupé Limited (cuir)	2	M	3.2	22,100
2p décapotable Limited (cuir)	2	M	3.2	23,000

2006 CROSSFIRE — 80 000 km

Description	R.m.	Tr.	L	Prix
2p coupé base	2	M	3.2	15,300
2p coupé Limited (cuir)	2	M	3.2	19,300
2p coupé SRT6 (cuir)	2	A	3.2	20,500
2p décapotable Limited (cuir)	2	M	3.2	21,200
2p décapotable SRT6 (cuir)	2	A	3.2	22,800

2005 CROSSFIRE — 100 000 km

Description	R.m.	Tr.	L	Prix
2p coupé base	2	M	3.2	13,600
2p coupé Limited (cuir)	2	M	3.2	15,700
2p coupé SRT6 (cuir)	2	A	3.2	18,100
2p décapotable Limited (cuir)	2	M	3.2	16,300
2p décapotable SRT6 (cuir)	2	A	3.2	19,100

2008 PACIFICA — 40 000 km

Description	R.m.	Tr.	L	Prix
4p base	2	A	3.8	17,400
4p Touring	2	A	4	18,800
4p Touring (cuir)	A	A	4	19,300
4p Limited (cuir / toit)	A	A	4	20,000

2007 PACIFICA — 60 000 km

Description	R.m.	Tr.	L	Prix
4p base	2	A	3.8	16,300
4p Touring	2	A	4	16,700
4p Touring (cuir)	A	A	4	17,500
4p Limited (cuir / toit)	A	A	4	18,000

2006 PACIFICA — 80 000 km

Description	R.m.	Tr.	L	Prix
4p base	2	A	3.5	15,200
4p Touring	2	A	3.5	16,400
4p Touring (cuir)	A	A	3.5	16,600
4p Limited (cuir)	A	A	3.5	16,700

2005 PACIFICA — 100 000 km

Description	R.m.	Tr.	L	Prix
4p base	2	A	3.8	12,300
4p Touring	2	A	3.5	13,400
4p Touring (cuir)	A	A	3.5	14,200
4p Limited (cuir)	A	A	3.5	15,100

2009 PT CRUISER — 20 000 km

Description	R.m.	Tr.	L	Prix
4p LX	2	M	2.4	13,000

2008 PT CRUISER — 40 000 km

Description	R.m.	Tr.	L	Prix
4p LX	2	M	2.4	9,200
4p Touring	2	M	2.4	11,700
4p Touring Turbo	2	A	2.4	12,700
2p décapotable Touring	2	M	2.4	15,800
2p décapotable Touring Turbo	2	A	2.4	16,900

2007 PT CRUISER — 60 000 km

Description	R.m.	Tr.	L	Prix
4p base	2	M	2.4	7,700
4p Classic	2	M	2.4	8,200
4p Touring	2	M	2.4	9,600
4p Touring turbo	2	A	2.4	10,800
4p GT turbo (cuir)	2	M	2.4	12,100
2p décapotable Touring	2	M	2.4	11,800
2p décapotable Touring turbo	2	A	2.4	12,300
2p décapotable GT turbo (cuir)	2	M	2.4	13,200

2006 PT CRUISER — 80 000 km

Description	R.m.	Tr.	L	Prix
4p base	2	M	2.4	5,800
4p Classic	2	M	2.4	6,600
4p Classic turbo	2	A	2.4	7,800
4p Touring	2	M	2.4	9,200
4p Touring turbo	2	A	2.4	9,300
4p GT turbo (cuir)	2	M	2.4	10,200
2p décapotable Touring	2	M	2.4	8,700
2p décapotable Touring turbo	2	A	2.4	9,600
2p décapotable GT turbo (cuir)	2	M	2.4	11,600

2005 PT CRUISER — 100 000 km

Description	R.m.	Tr.	L	Prix
4p base	2	M	2.4	4,600
4p base turbo	2	A	2.4	5,900
4p Classic	2	M	2.4	5,000
4p Classic turbo	2	A	2.4	7,700
4p Touring	2	M	2.4	7,300
4p Touring turbo	2	A	2.4	7,700
4p GT turbo (cuir)	2	M	2.4	8,400
2p décapotable Touring	2	M	2.4	9,100
2p décapotable Touring turbo	2	A	2.4	9,700
2p décapotable GT turbo (cuir)	2	M	2.4	9,800

2009 SEBRING — 20 000 km

Description	R.m.	Tr.	L	Prix
4p berline LX	2	A	2.4	17,100
4p berline Touring	2	A	2.7	19,600
4p berline Limited (cuir)	2	A	2.7	20,600
4p berline Limited 3.5L (cuir)	2	A	3.5	21,700
2p décapotable LX	2	A	2.4	21,100
2p décapotable Touring	2	A	2.7	24,300
2p décapotable Limited (cuir)	2	A	3.5	28,800

2008 SEBRING — 40 000 km

Description	R.m.	Tr.	L	Prix
4p berline LX	2	A	2.4	11,400
4p berline Touring	2	A	2.7	12,800
4p berline Touring 3.5L	2	A	3.5	13,400
4p berline Limited (cuir)	2	A	2.7	13,400
4p berline Limited 3.5L (cuir)	2	A	3.5	13,800
4p berline Limited 3.5L AWD (cuir)	A	A	3.5	14,800
2p décapotable LX	2	A	2.4	14,100
2p décapotable Touring	2	A	2.7	16,000
2p décapotable Limited (cuir)	2	A	3.5	17,600

2007 SEBRING — 60 000 km

Description	R.m.	Tr.	L	Prix
4p berline berline	2	A	2.4	9,700
4p berline Touring	2	A	2.7	10,300
4p berline Touring 3.5L	2	A	3.5	10,800
4p berline Limited (cuir)	2	A	3.5	11,400

2006 SEBRING — 80 000 km

Description	R.m.	Tr.	L	Prix
4p berline berline	2	A	2.4	7,600
4p berline Touring	2	A	2.7	8,400
2p décapotable base	2	A	2.7	10,500
2p décapotable Touring (cuir)	2	A	2.7	10,700
2p décapotable Limited (cuir)	2	A	2.7	12,200

2005 SEBRING — 100 000 km

Description	R.m.	Tr.	L	Prix
4p berline base	2	A	2.4	5,300
4p berline Touring	2	A	2.7	6,100

Description	R.m.	Tr.	L	Prix
4p berline Limited (cuir)	2	A	2.7	7,400
2p décapotable base	2	A	2.7	9,100
2p décapotable GTC	2	A	2.7	9,400
2p décapotable Touring (cuir)	2	A	2.7	9,700
2p décapotable Limited (cuir)	2	A	2.7	9,800
2009 TOWN & COUNTRY				**20 000 km**
4p Touring	2	A	3.8	26,000
4p Touring Luxury (cuir)	2	A	3.8	28,200
4p Limited (cuir)	2	A	4	30,200
2008 TOWN & COUNTRY				**40 000 km**
4p Touring	2	A	3.8	19,000
4p Touring Luxury (cuir)	2	A	3.8	19,500
4p Limited (cuir)	2	A	4	21,700
2007 TOWN & COUNTRY				**60 000 km**
4p Touring	2	A	3.8	16,600
4p Limited	2	A	3.8	17,000
2006 TOWN & COUNTRY				**80 000 km**
4p Touring	2	A	3.8	14,200
4p Limited	2	A	3.8	15,300
2005 TOWN & COUNTRY				**100 000 km**
4p Touring	2	A	3.8	13,200
4p Limited	2	A	3.8	14,600

DODGE

Description	R.m.	Tr.	L	Prix
2009 AVENGER				**20 000 km**
4p berline SE	2	A	2.4	17,200
4p berline SXT	2	A	2.4	19,000
4p berline SXT V6	2	A	2.7	20,400
4p berline R/T (cuir)	2	A	3.5	23,500
2008 AVENGER				**40 000 km**
4p berline SE	2	A	2.4	12,400
4p berline SXT	2	A	2.4	13,600
4p berline SXT V6	2	A	2.7	13,700
4p berline R/T (cuir)	2	A	3.5	14,600
4p berline R/T AWD (cuir)	A	A	3.5	15,500
2009 CALIBER				**20 000 km**
4p hayon SE	2	M	1.8	12,500
4p hayon SE (CVT)	2	A	2	13,500
4p hayon SXT	2	M	1.8	14,200
4p hayon SXT (CVT)	2	A	2	15,200
4p hayon SXT Sport Plus	2	M	1.8	15,500
4p hayon SXT Sport Plus (CVT)	2	A	2	16,500
4p hayon SRT4	2	M	2.4	19,600
2008 CALIBER				**40 000 km**
4p hayon SE	2	M	1.8	8,900
4p hayon SE (CVT)	2	A	2	9,500
4p hayon SXT	2	M	1.8	10,000
4p hayon SXT (CVT)	2	A	2	10,700
4p hayon SXT Sport	2	M	1.8	10,500
4p hayon SXT Sport (CVT)	2	A	2	11,200
4p hayon R/T	2	M	2.4	12,000
4p hayon R/T (CVT)	2	A	2.4	12,700
4p hayon R/T AWD (CVT)	A	A	2.4	13,500
4p hayon SRT4	2	M	2.4	14,600
2007 CALIBER				**60 000 km**
4p hayon SE	2	M	1.8	7,700
4p hayon SE (CVT)	2	A	2	8,000
4p hayon SXT	2	M	1.8	8,100
4p hayon SXT (CVT)	2	A	2	8,900
4p hayon SXT Sport	2	M	1.8	8,500
4p hayon R/T	2	M	2.4	9,300
4p hayon R/T (CVT)	2	A	2.4	10,500
4p hayon R/T AWD (CVT)	A	A	2.4	11,600
2007 CARAVAN				**60 000 km**
4p Ensemble Valeur Plus	2	A	3.3	7,200
4p base	2	A	3.3	10,800
4p SXT	2	A	3.3	10,900
2006 CARAVAN				**80 000 km**
4p Ensemble Valeur Plus	2	A	3.3	6,400
4p base	2	A	3.3	8,900
4p SE	2	A	3.3	9,100
4p SXT	2	A	3.3	9,300
2005 CARAVAN				**100 000 km**
4p base (28C)	2	A	3.3	6,900
4p base (25C) FFV	2	A	3.3	7,300
4p SE	2	A	3.3	7,400
4p SXT (28H)	2	A	3.3	8,100
2009 GRAND CARAVAN				**20 000 km**
4p Valeur Plus	2	A	3.3	19,700
4p SE Stow N Go	2	A	3.3	21,400
4p SXT	2	A	3.3	23,200
4p SXT 4.0L	2	A	4	24,200

Description	R.m.	Tr.	L	Prix
2008 GRAND CARAVAN				**40 000 km**
4p Valeur Plus	2	A	3.3	15,600
4p SE Stow N Go	2	A	3.3	16,400
4p SXT	2	A	3.3	16,600
4p SXT 3.8L (25H)	2	A	3.8	17,000
2007 GRAND CARAVAN				**60 000 km**
4p base	2	A	3.3	11,500
4p SXT	2	A	3.8	13,000
4p SXT Premium (cuir)	2	A	3.8	13,400
2006 GRAND CARAVAN				**80 000 km**
4p base	2	A	3.3	9,800
4p SE	2	A	3.3	9,900
4p SE gr. équip.populaire	2	A	3.3	10,500
4p SXT	2	A	3.8	10,700
4p SXT Premium (cuir)	2	A	3.8	10,900
2005 GRAND CARAVAN				**100 000 km**
4p base	2	A	3.3	9,100
4p SE	2	A	3.3	9,200
4p SE (28G PLUS)	2	A	3.3	9,900
4p SXT	2	A	3.8	10,100
2009 CHALLENGER				**20 000 km**
2p coupé SE	2	A	3.5	21,700
2p coupé SXT	2	A	3.5	23,500
2p coupé R/T	2	A	5.7	32,200
2p coupé SRT8	2	A	6.1	39,400
2008 CHALLENGER				**40 000 km**
2p coupé SRT8 500	2	A	6.1	38,500
2009 CHARGER				**20 000 km**
4p berline SE	2	A	2.7	20,000
4p berline SXT	2	A	3.5	22,400
4p berline R/T (cuir)	2	A	5.7	31,000
4p berline R/T Daytona	2	A	5.7	33,900
4p berline SRT8	2	A	6.1	37,200
4p berline SXT AWD	A	A	3.5	27,400
4p berline R/T (cuir) AWD	A	A	5.7	32,600
2008 CHARGER				**40 000 km**
4p berline SE	2	A	2.7	12,300
4p berline SXT	2	A	3.5	13,400
4p berline R/T (cuir)	2	A	5.7	20,300
4p berline R/T Daytona	2	A	5.7	22,200
4p berline SRT8	2	A	6.1	33,000
4p berline SXT AWD	A	A	3.5	17,200
4p berline R/T (cuir) AWD	A	A	5.7	21,400
2007 CHARGER				**60 000 km**
4p berline SE	2	A	2.7	10,600
4p berline SXT	2	A	3.5	11,500
4p berline R/T (cuir)	2	A	5.7	19,500
4p berline R/T Daytona	2	A	5.7	19,600
4p berline SRT8	2	A	6.1	31,700
4p berline SE AWD	A	A	3.5	16,000
4p berline SXT AWD	A	A	3.5	17,300
4p berline R/T (cuir) AWD	A	A	5.7	19,800
2006 CHARGER				**80 000 km**
4p berline SE	2	A	2.7	10,200
4p berline SXT	2	A	3.5	11,000
4p berline R/T	2	A	5.7	16,500
4p berline R/T Daytona	2	A	5.7	18,800
4p berline SRT8	2	A	6.1	28,000
2009 DAKOTA				**20 000 km**
club cab. ST	2	M	3.7	19,400
club cab. SXT	2	M	3.7	
21,500Quad cab SXT	2	M	3.7	23,400
Quad cab. SLT	2	A	3.7	25,400
Quad cab. SLT	2	A	4.7	26,200
club cab. ST	4	M	3.7	22,100
Quad cab. ST	4	M	3.7	26,200
Quad cab. SXT	4	M	3.7	26,900
Quad cab. SLT	4	A	3.7	28,500
Quad cab. SLT	4	A	4.7	29,000
2008 DAKOTA				**40 000 km**
club cab. ST	2	M	3.7	13,400
club cab. SXT	2	M	3.7	14,100
club cab. SLT	2	M	3.7	15,400
club cab. SLT	2	A	4.7	16,500
Quad cab. ST	2	M	3.7	14,600
Quad cab. SXT	2	M	3.7	15,400
Quad cab. SLT	2	A	3.7	17,300
Quad cab. SLT	2	A	4.7	17,800
club cab. ST	4	M	3.7	15,300
club cab. SXT	4	M	3.7	16,100
club cab. SLT	4	M	3.7	17,400
club cab. SLT	4	A	4.7	18,600
Quad cab. ST	4	M	3.7	16,600
Quad cab. SXT	4	M	3.7	17,500
Quad cab. SLT	4	A	3.7	19,300

Description	R.m.	Tr.	L	Prix
Quad cab. SLT	4	A	4.7	19,800
2007 DAKOTA				**60 000 km**
club cab. ST	2	M	3.7	9,100
club cab. SLT	2	M	3.7	10,800
Quad cab. ST	2	A	3.7	11,100
Quad cab. SLT	2	M	3.7	11,900
club cab. ST	4	M	3.7	11,300
club cab. SLT	4	M	3.7	12,800
Quad cab. ST	4	M	3.7	12,500
Quad cab. SLT	4	M	3.7	14,000
2006 DAKOTA				**80 000 km**
club cab. ST	2	M	3.7	9,400
club cab. ST plus	2	M	3.7	9,800
club cab. SLT	2	M	3.7	10,400
club cab. SLT plus	2	M	3.7	11,300
Quad cab. ST	2	M	3.7	10,500
Quad cab. ST plus	2	M	3.7	11,000
Quad cab. SLT	2	M	3.7	11,600
Quad cab. SLT plus	2	M	3.7	12,400
club cab. ST	4	M	3.7	11,200
club cab. ST plus	4	M	3.7	11,400
club cab. SLT	4	M	3.7	12,300
club cab. SLT plus	4	M	3.7	13,000
Quad cab. ST	4	M	3.7	12,400
Quad cab. ST plus	4	M	3.7	12,600
Quad cab. SLT	4	M	3.7	13,300
Quad cab. SLT plus	4	M	3.7	14,100
2005 DAKOTA				**100 000 km**
club cab. ST	2	M	3.7	5,800
club cab. ST plus	2	M	3.7	8,300
club cab. SLT	2	M	3.7	6,800
club cab. SLT plus	2	M	3.7	7,600
club cab. Laramie (cuir)	2	A	4.7	10,100
Quad cab. ST	2	M	3.7	6,800
Quad cab. ST plus	2	M	3.7	7,200
Quad cab. SLT	2	M	3.7	8,100
Quad cab. SLT plus	2	M	3.7	8,600
Quad cab. Laramie (cuir)	2	A	4.7	11,300
club cab. ST	4	M	3.7	7,400
club cab. ST plus	4	M	3.7	7,700
club cab. SLT	4	M	3.7	8,500
club cab. SLT plus	4	M	3.7	9,900
club cab. Laramie (cuir)	4	A	4.7	11,800
Quad cab. ST	4	M	3.7	8,700
Quad cab. ST plus	4	M	3.7	9,400
Quad cab. SLT	4	M	3.7	10,100
Quad cab. SLT plus	4	M	3.7	10,900
Quad cab. Laramie (cuir)	4	A	4.7	17,100
2009 DURANGO				**20 000 km**
4p SLT	4	A	4.7	33,900
4p SLT	4	A	5.7	35,100
4p SLT Ens. Technologie II	4	A	4.7	36,100
4p SLT Ens. Technologie II	4	A	5.7	37,200
4p SLT Plus (cuir)	4	A	4.7	35,400
4p SLT Plus (cuir)	4	A	5.7	36,500
4p SLT Plus (cuir) Techn. II	4	A	4.7	37,400
4p SLT Plus (cuir) Techn. II	4	A	5.7	38,500
2008 DURANGO				**40 000 km**
4p SLT	4	A	4.7	23,700
4p SLT	4	A	5.7	24,300
4p SLT Ens. Technologie II	4	A	4.7	25,500
4p SLT Ens. Technologie II	4	A	5.7	25,600
4p SLT Plus (cuir)	4	A	4.7	24,900
4p SLT Plus (cuir)	4	A	5.7	25,600
4p SLT Plus (cuir) Techn. II	4	A	4.7	26,000
4p SLT Plus (cuir) Techn. II	4	A	5.7	26,200
2007 DURANGO				**60 000 km**
4p SLT	4	A	4.7	18,400
4p SLT	4	A	5.7	19,000
4p Adventurer	4	A	4.7	18,900
4p Adventurer	4	A	5.7	19,800
4p SLT Plus (cuir)	4	A	4.7	19,900
4p SLT Plus (cuir)	4	A	5.7	19,900
4p Limited (cuir)	4	A	5.7	20,400
2006 DURANGO				**80 000 km**
4p SLT	4	A	4.7	15,300
4p SLT	4	A	5.7	15,500
4p Adventurer	4	A	4.7	16,200
4p SLT Plus (cuir)	4	A	4.7	16,200
4p Limited	4	A	5.7	17,500
2005 DURANGO				**100 000 km**
4p SLT	4	A	4.7	13,700
4p Adventurer	4	A	4.7	14,300
4p SLT Plus (cuir)	4	A	4.7	15,500
4p Limited	4	A	5.7	16,700
2009 JOURNEY				**20 000 km**
4p SE	2	A	2.4	16,400

Description	R.m.	Tr.	L	Prix
4p SXT	2	A	2.4	19,700
4p R/T (cuir)	2	A	3.5	23,000
4p SXT 4RM	A	A	3.5	22,600
4p R/T 4RM (cuir)	A	A	3.5	24,600
2008 MAGNUM				**40 000 km**
4p familiale SE	2	A	2.7	12,600
4p familiale SXT	2	A	3.5	13,800
4p familiale R/T (cuir)	2	A	5.7	22,700
4p familiale SRT8	2	A	6.1	33,000
4p familiale SXT AWD	A	A	3.5	20,500
4p familiale R/T (cuir) AWD	A	A	5.7	24,200
2007 MAGNUM				**60 000 km**
4p familiale SE	2	A	2.7	10,700
4p familiale SXT	2	A	3.5	11,700
4p familiale R/T (cuir)	2	A	5.7	18,500
4p familiale SRT8	2	A	6.1	31,800
4p familiale SXT	A	A	3.5	17,000
4p familiale R/T (cuir)	A	A	5.7	19,900
2006 MAGNUM				**80 000 km**
4p familiale SE	2	A	2.7	9,300
4p familiale SXT	2	A	3.5	10,500
4p familiale R/T (cuir)	2	A	5.7	15,000
4p familiale SRT8	2	A	6.1	28,600
4p familiale SXT	A	A	3.5	14,900
4p familiale R/T (cuir)	A	A	5.7	16,300
2005 MAGNUM				**100 000 km**
4p familiale SE	2	A	2.7	8,500
4p familiale SXT	2	A	3.5	9,300
4p familiale R/T (cuir)	2	A	5.7	12,300
4p familiale SXT	A	A	3.5	11,300
4p familiale R/T (cuir)	A	A	5.7	13,100
2009 NITRO				**20 000 km**
4p SE	2	M	3.7	19,400
4p SXT	2	M	3.7	22,000
4p SE	4	M	3.7	21,800
4p SXT	4	M	3.7	23,100
4p SLT	4	A	3.7	23,800
4p R/T	A	A	4	24,700
2008 NITRO				**40 000 km**
4p SE	2	M	3.7	13,500
4p SXT	2	M	3.7	14,500
4p SE	4	M	3.7	15,200
4p SXT	4	M	3.7	16,300
4p SLT	4	A	3.7	16,200
4p R/T	A	A	4	18,000
2007 NITRO				**60 000 km**
4p SE	2	M	3.7	10,400
4p SXT	2	M	3.7	11,200
4p SE	4	M	3.7	12,000
4p SXT	4	M	3.7	12,600
4p SLT	4	A	3.7	13,700
4p R/T	A	A	4	14,400
2009 RAM 1500				**20 000 km**
cab. rég. ST	2	M	3.7	18,200
cab. rég. ST	2	M	4.7	18,800
cab. rég. SLT	2	M	4.7	19,900
cab. rég. Sport	2	A	5.7	23,100
Quad cab. ST	2	M	3.7	21,200
Quad cab. ST	2	M	4.7	21,900
Quad cab. SLT	2	M	4.7	22,900
Quad cab. Sport	2	A	5.7	26,100
Quad cab. Laramie (cuir)	2	A	5.7	28,500
crew cab. ST	2	A	4.7	23,200
crew cab. Laramie (cuir)	2	A	5.7	32,600
cab. rég. ST	4	M	4.7	21,200
cab. rég. SLT	4	M	4.7	24,200
cab. rég. Sport	4	A	5.7	27,700
Quad cab. ST	4	M	4.7	26,300
Quad cab. SLT	4	M	4.7	27,500
Quad cab. Sport	4	A	5.7	31,000
Quad cab. Laramie (cuir)	4	A	5.7	30,900
crew cab. ST	4	A	4.7	25,600
crew cab. Laramie (cuir)	4	A	5.7	32,400
2008 RAM 1500				**40 000 km**
cab. rég. ST	2	M	3.7	13,000
cab. rég. ST	2	M	4.7	14,100
cab. rég. SLT	2	M	4.7	14,800
cab. rég. Sport	2	A	5.7	16,800
Quad cab. ST	2	M	3.7	14,700
Quad cab. ST	2	M	4.7	15,100
Quad cab. SLT	2	M	4.7	17,100
Quad cab. Sport	2	A	5.7	19,100
Quad cab. Laramie (cuir)	2	A	5.7	21,200
mega cab. SLT	2	A	5.7	18,400
mega cab. Laramie (cuir)	2	A	5.7	21,100
cab. rég. ST	4	M	4.7	15,200
cab. rég. SLT	4	M	4.7	16,600

Description	R.m.	Tr.	L	Prix
cab. rég. Sport	4	A	5.7	18,600
Quad cab. ST	4	M	4.7	16,900
Quad cab. SLT	4	M	4.7	18,800
Quad cab. Sport	4	A	5.7	20,800
Quad cab. Laramie (cuir)	4	A	5.7	22,900
mega cab. SLT	4	A	5.7	20,400
2007 RAM 1500				**60 000 km**
cab. rég. ST	2	M	3.7	10,600
cab. rég. ST	2	M	4.7	11,000
cab. rég. SLT	2	M	4.7	12,000
cab. rég. Sport	2	A	5.7	14,000
Quad cab. ST	2	M	3.7	12,200
Quad cab. ST	2	M	4.7	12,500
Quad cab. SLT	2	M	4.7	13,800
Quad cab. Sport	2	A	5.7	15,900
Quad cab. Laramie (cuir)	2	A	5.7	16,600
mega cab. SLT	2	A	5.7	15,200
mega cab. Laramie (cuir)	2	A	5.7	17,300
cab. rég. ST	4	M	4.7	12,600
cab. rég. SLT	4	M	4.7	13,600
cab. rég. Sport	4	A	5.7	15,700
Quad cab. ST	4	M	4.7	14,000
Quad cab. SLT	4	M	4.7	15,200
Quad cab. Sport	4	A	5.7	17,500
Quad cab. Laramie (cuir)	4	A	5.7	18,200
mega cab. SLT	4	A	5.7	16,800
mega cab. Laramie (cuir)	4	A	5.7	19,100
2006 RAM 1500				**80 000 km**
cab. rég. ST	2	M	3.7	9,500
cab. rég. ST	2	M	4.7	9,900
cab. rég. SLT	2	M	4.7	11,000
cab. rég. Laramie (cuir)	2	A	4.7	13,600
cab. rég. SRT-10 (cuir)	2	M	8.3	26,400
Quad cab. ST	2	M	3.7	11,200
Quad cab. ST	2	M	4.7	11,500
Quad cab. SLT	2	M	4.7	13,000
Quad cab. Laramie (cuir)	2	A	4.7	15,200
Quad cab. SRT-10 (cuir)	2	A	8.3	29,300
mega cab. SLT	2	A	5.7	14,200
mega cab. Laramie (cuir)	2	A	5.7	16,600
cab. rég. ST	4	M	4.7	11,700
cab. rég. SLT	4	M	4.7	12,900
cab. rég. Laramie (cuir)	4	A	4.7	15,300
Quad cab. ST	4	M	4.7	13,200
Quad cab. SLT	4	M	4.7	14,600
Quad cab. Laramie (cuir)	4	A	4.7	17,100
mega cab. SLT	4	A	5.7	16,000
mega cab. Laramie (cuir)	4	A	5.7	18,500
2005 RAM 1500				**100 000 km**
cab. rég. ST	2	M	3.7	8,700
cab. rég. ST	2	M	4.7	7,800
cab. rég. SLT	2	M	4.7	8,900
cab. rég. Laramie (cuir)	2	A	4.7	12,200
cab. rég. SRT-10 (cuir)	2	M	8.3	22,600
Quad cab. ST	2	M	3.7	9,300
Quad cab. SLT	2	M	4.7	11,100
Quad cab. Laramie (cuir)	2	A	4.7	14,500
Quad cab. SRT-10 (cuir)	2	A	8.3	20,000
cab. rég. ST	4	M	4.7	9,700
cab. rég. SLT	4	M	4.7	10,900
cab. rég. Laramie (cuir)	4	A	4.7	14,200
Quad cab. ST	4	M	4.7	11,500
Quad cab. SLT	4	M	4.7	13,000
Quad cab. Laramie (cuir)	4	A	4.7	16,200
2009 RAM 2500				**20 000 km**
cab. rég. ST	2	M	5.7	23,300
cab. rég. SLT	2	M	5.7	25,200
Quad cab. ST	2	M	5.7	25,600
Quad cab. SLT	2	M	5.7	28,000
Quad cab. Laramie (cuir)	2	A	5.7	32,500
mega cab. SLT	2	A	5.7	29,100
mega cab. Laramie (cuir)	2	A	5.7	33,000
cab. rég. ST	4	M	5.7	25,600
cab. rég. SLT	4	M	5.7	28,600
Quad cab. ST	4	M	5.7	27,900
Quad cab. SLT	4	M	5.7	31,300
Quad cab. Power Wagon	4	M	5.7	33,800
Quad cab. Laramie (cuir)	4	A	5.7	34,800
mega cab. SLT	4	A	5.7	31,600
mega cab. Laramie (cuir)	4	A	5.7	35,500
2008 RAM 2500				**40 000 km**
cab. rég. ST	2	M	5.7	15,700
cab. rég. SLT	2	M	5.7	17,100
Quad cab. ST	2	M	5.7	17,400
Quad cab. SLT	2	M	5.7	18,900
Quad cab. Laramie (cuir)	2	A	5.7	22,000
mega cab. SLT	2	A	5.7	20,100
mega cab. Laramie (cuir)	2	A	5.7	22,500
cab. rég. ST	4	M	5.7	17,300
cab. rég. SLT	4	M	5.7	18,700

Description	R.m.	Tr.	L	Prix
Quad cab. ST	4	M	5.7	19,000
Quad cab. SLT	4	M	5.7	20,600
Quad cab. Power Wagon	4	M	5.7	23,000
Quad cab. Laramie (cuir)	4	A	5.7	23,800
mega cab. SLT	4	A	5.7	21,900
mega cab. Laramie (cuir)	4	A	5.7	24,200
2007 RAM 2500				**60 000 km**
cab. rég. ST	2	M	5.7	12,900
cab. rég. SLT	2	M	5.7	14,000
Quad cab. ST	2	M	5.7	14,400
Quad cab. SLT	2	M	5.7	15,600
Quad cab. Laramie (cuir)	2	A	5.7	17,400
mega cab. SLT	2	A	5.7	16,600
mega cab. Laramie (cuir)	2	A	5.7	18,400
cab. rég. ST	4	M	5.7	14,400
cab. rég. SLT	4	M	5.7	15,600
Quad cab. ST	4	M	5.7	15,900
Quad cab. SLT	4	M	5.7	17,100
Quad cab. Laramie (cuir)	4	A	5.7	18,900
mega cab. SLT	4	A	5.7	18,100
mega cab. Laramie (cuir)	4	A	5.7	20,100
2006 RAM 2500				**80 000 km**
cab. rég. ST	2	M	5.7	13,400
cab. rég. SLT	2	M	5.7	14,600
cab. rég. Laramie (cuir)	2	A	5.7	16,100
Quad cab. ST	2	M	5.7	14,900
Quad cab. SLT	2	M	5.7	16,100
Quad cab. Laramie (cuir)	2	M	5.7	17,500
mega cab. SLT	2	A	5.7	16,100
mega cab. Laramie (cuir)	2	A	5.7	19,300
cab. rég. ST	4	M	5.7	15,000
cab. rég. SLT	4	M	5.7	16,200
cab. rég. Laramie (cuir)	4	M	5.7	17,700
Quad cab. ST	4	M	5.7	16,600
Quad cab. SLT	4	M	5.7	17,800
Quad cab. Laramie (cuir)	4	M	5.7	19,100
mega cab. SLT	4	A	5.7	19,000
mega cab. Laramie (cuir)	4	A	5.7	21,100
2005 RAM 2500				**100 000 km**
cab. rég. ST	2	M	5.7	10,400
cab. rég. SLT	2	M	5.7	11,900
cab. rég. Laramie (cuir)	2	A	5.7	14,200
Quad cab. ST	2	M	5.7	12,200
Quad cab. SLT	2	M	5.7	13,600
Quad cab. Laramie (cuir)	2	M	5.7	16,000
cab. rég. ST	4	M	5.7	12,300
cab. rég. SLT	4	M	5.7	13,700
cab. rég. Laramie (cuir)	4	M	5.7	15,800
Quad cab. ST	4	M	5.7	14,000
Quad cab. SLT	4	M	5.7	15,000
Quad cab. Laramie (cuir)	4	M	5.7	17,900
2009 RAM 3500				**20 000 km**
cab. rég. ST TDiesel	2	M	6.7	32,700
cab. rég. SLT TDiesel	2	M	6.7	33,900
Quad cab. Laramie (cuir) TDiesel	2	M	6.7	39,900
mega cab. Laramie (cuir) TDiesel	2	M	6.7	40,200
Quad cab. ST TDiesel	4	M	6.7	36,100
Quad cab. Laramie (cuir) TDiesel	4	M	6.7	41,400
2008 RAM 3500				**40 000 km**
cab. rég. ST	2	M	5.7	16,400
cab. rég. ST TDiesel	2	M	6.7	21,100
cab. rég. SLT	2	M	5.7	17,600
cab. rég. SLT TDiesel	2	M	6.7	22,000
Quad cab. ST benne allongée	2	M	5.7	18,200
Quad cab. ST TDiesel	2	M	6.7	22,600
Quad cab. SLT benne allongée	2	M	5.7	19,600
Quad cab. SLT TDiesel	2	M	6.7	24,000
Quad cab. Laramie (cuir) b. all.	2	M	5.7	21,600
Quad cab. Laramie (cuir) TDiesel	2	M	6.7	26,500
mega cab. SLT TDiesel	2	M	6.7	25,100
mega cab. Laramie (cuir) TDiesel	2	M	6.7	27,400
cab. rég. ST	4	M	5.7	18,300
cab. rég. ST TDiesel	4	M	6.7	22,900
cab. rég. SLT	4	M	5.7	19,500
cab. rég. SLT TDiesel	4	M	6.7	24,100
Quad cab. ST benne allongée	4	M	5.7	20,200
Quad cab. ST TDiesel	4	M	6.7	24,500
Quad cab. SLT benne allongée	4	M	5.7	21,500
Quad cab. SLT TDiesel	4	M	6.7	26,000
Quad cab. Laramie (cuir) b. all.	4	M	5.7	23,800
Quad cab. Laramie (cuir) TDiesel	4	M	6.7	28,300
mega cab. SLT TDiesel	4	M	6.7	26,800
mega cab. Laramie (cuir) TDiesel	4	M	6.7	29,500
cab. rég. & cha ST	2	M	5.7	14,400
cab. rég. & cha ST TDiesel	2	M	6.7	17,900
cab. rég. & cha SLT	2	M	5.7	15,900
cab. rég. & cha SLT TDiesel	2	M	6.7	19,500
Quad cab.& cha ST	2	M	5.7	19 100
Quad cab.& cha ST TDiesel	2	M	6.7	16,300
Quad cab.& cha SLT	2	M	5.7	19,900

Description	R.m.	Tr.	L	Prix
Quad cab.& cha SLT TDiesel	2	M	6.7	20,000
Quad cab.& cha Laramie (cuir)	2	M	5.7	20,000
Quad cab.& cha Laramie (cuir) TD	2	M	6.7	23,600
cab. rég. ST	4	M	5.7	16,200
cab. rég. ST TDiesel	4	M	6.7	19,700
cab. rég. SLT	4	M	5.7	17,700
cab. rég. SLT TDiesel	4	M	6.7	21,300
Quad cab.& cha ST	4	M	5.7	18,100
Quad cab.& cha ST TDiesel	4	M	6.7	21,600
Quad cab.& cha SLT	4	M	5.7	19,600
Quad cab.& cha SLT TDiesel	4	M	6.7	23,200
Quad cab.& cha Laramie (cuir)	4	M	5.7	21,700
Quad cab.& cha Laramie (cuir) TD	4	A	6.7	25,400
2007 RAM 3500				**60 000 km**
cab. rég. ST	2	M	5.7	13,700
cab. rég. ST TDiesel	2	M	6.7	17,700
cab. rég. SLT	2	M	5.7	14,700
cab. rég. SLT TDiesel	2	M	6.7	17,500
Quad cab. ST benne allongée	2	M	5.7	15,100
Quad cab. ST TDiesel	2	M	6.7	18,200
Quad cab. SLT benne allongée	2	M	5.7	16,000
Quad cab. SLT TDiesel	2	M	6.7	19,200
Quad cab. Laramie (cuir) b. all.	2	M	5.7	17,400
Quad cab. Laramie (cuir) TDiesel	2	M	6.7	20,400
mega cab. SLT TDiesel	2	M	6.7	20,200
mega cab. Laramie (cuir) TDiesel	2	M	6.7	22,000
cab. rég. ST	4	M	5.7	15,200
cab. rég. ST TDiesel	4	M	6.7	19,400
cab. rég. SLT	4	M	5.7	16,200
cab. rég. SLT TDiesel	4	M	6.7	19,300
Quad cab. ST benne allongée	4	M	5.7	17,100
Quad cab. ST TDiesel	4	M	6.7	19,900
Quad cab. SLT benne allongée	4	M	5.7	18,000
Quad cab. SLT TDiesel	4	M	6.7	20,900
Quad cab. Laramie (cuir) b. all.	4	M	5.7	19,300
Quad cab. Laramie (cuir) TDiesel	4	M	6.7	22,100
mega cab. SLT TDiesel	4	M	6.7	21,900
mega cab. Laramie (cuir) TDiesel	4	M	6.7	23,800
cab. rég. & cha ST	2	M	5.7	10,600
cab. rég. & cha ST TDiesel	2	M	6.7	14,800
cab. rég. & cha SLT	2	M	5.7	12,900
cab. rég. & cha SLT TDiesel	2	M	6.7	16,000
Quad cab.& cha ST	2	M	5.7	13,600
Quad cab.& cha ST TDiesel	2	M	6.7	16,600
Quad cab.& cha SLT	2	M	5.7	14,900
Quad cab.& cha SLT TDiesel	2	M	6.7	18,000
Quad cab.& cha Laramie (cuir)	2	M	5.7	16,900
Quad cab.& cha Laramie (cuir) TD	2	M	6.7	19,900
cab. rég. ST	4	M	5.7	13,500
cab. rég. ST TDiesel	4	M	6.7	16,600
cab. rég. SLT	4	M	5.7	14,900
cab. rég. SLT TDiesel	4	M	6.7	18,000
Quad cab.& cha ST	4	M	5.7	15,000
Quad cab.& cha ST TDiesel	4	M	6.7	18,200
Quad cab.& cha SLT	4	M	5.7	16,600
Quad cab.& cha SLT TDiesel	4	M	6.7	19,500
Quad cab.& cha Laramie (cuir)	4	M	5.7	18,500
Quad cab.& cha Laramie (cuir) TD	4	A	6.7	21,700
2006 RAM 3500				**80 000 km**
cab. rég. ST	2	M	5.7	13,700
cab. rég. ST TDiesel	2	M	5.9	16,900
cab. rég. SLT	2	M	5.7	14,700
cab. rég. SLT TDiesel	2	M	5.9	18,000
cab. rég. Laramie (cuir)	2	M	5.7	16,100
cab. rég. Laramie (cuir) TDiesel	2	M	5.9	19,500
Quad cab. ST TDiesel	2	M	5.9	18,400
Quad cab. SLT TDiesel	2	M	5.9	19,600
Quad cab. Laramie (cuir) TDiesel	2	M	5.9	21,000
mega cab. SLT TDiesel	2	M	5.9	20,000
mega cab. Laramie (cuir) TDiesel	2	M	5.9	22,100
cab. rég. ST	4	M	5.7	15,600
cab. rég. ST TDiesel	4	M	5.9	18,700
cab. rég. SLT	4	M	5.7	16,600
cab. rég. SLT TDiesel	4	M	5.9	19,800
cab. rég. Laramie (cuir)	4	M	5.7	18,000
Quad cab. ST TDiesel	4	M	5.9	20,300
Quad cab. SLT TDiesel	4	M	5.9	21,400
Quad cab. Laramie (cuir) TDiesel	4	M	5.9	22,800
mega cab. SLT TDiesel	4	M	5.9	21,800
mega cab. Laramie (cuir) TDiesel	4	M	5.9	24,000
2005 RAM 3500				**100 000 km**
cab. rég. ST RD	2	M	5.7	11,000
cab. rég. SLT RD	2	M	5.7	12,300
cab. rég. Laramie (cuir) RD	2	M	5.7	14,500
Quad cab. ST HO TD	2	M	5.9	16,600
Quad cab. SLT HO TD	2	M	5.9	19,100
Quad cab. Laramie (cuir) HO TD	2	M	5.9	20,400
cab. rég. ST RD	4	M	5.7	13,000
cab. rég. SLT RD	4	M	5.7	14,200
cab. rég. Laramie (cuir) RD	4	M	5.7	16,600
Quad cab. ST HO TD	4	M	5.9	18,700
Quad cab. SLT HO TD	4	M	5.9	20,000

Description	R.m.	Tr.	L	Prix
Quad cab. Laramie (cuir) HO TD	4	M	5.9	22,500
2005 SX 2.0				**100 000 km**
4p berline base	2	M	2	3,300
4p berline Sport	2	M	2	4,400
4p berline SRT-4	2	M	2.4	8,500
2009 VIPER				**5 000 km**
2p coupé SRT 10	2	M	8.4	81,700
2p coupé SRT 10 ACR	2	M	8.4	91,700
2p décapotable SRT 10	2	M	8.4	80,900
2008 VIPER				**15 000 km**
2p coupé SRT 10	2	M	8.4	76,900
2p décapotable SRT 10	2	M	8.4	76,100
2006 VIPER				**20 000 km**
2p coupé SRT 10	2	M	8.3	68,800
2p décapotable SRT 10	2	M	8.3	67,700
2005 VIPER				**25 000 km**
2p décapotable SRT 10	2	M	8.3	54,200

FORD

Description	R.m.	Tr.	L	Prix
2009 CROWN VICTORIA				**20 000 km**
4p berline LX	2	A	4.6	22,400
2008 CROWN VICTORIA				**40 000 km**
4p berline base	2	A	4.6	15,900
4p berline LX	2	A	4.6	17,900
2007 CROWN VICTORIA				**60 000 km**
4p berline base	2	A	4.6	12,600
4p berline LX	2	A	4.6	13,500
2006 CROWN VICTORIA				**80 000 km**
4p berline base	2	A	4.6	10,500
4p berline LX	2	A	4.6	11,400
2005 CROWN VICTORIA				**100 000 km**
4p berline base	2	A	4.6	8,800
4p berline LX	2	A	4.6	9,700
2009 EDGE				**20 000 km**
4p SEL	2	A	3.5	24,600
4p Limited (cuir)	2	A	3.5	27,400
4p SEL AWD	A	A	3.5	26,200
4p Limited AWD (cuir)	A	A	3.5	28,800
4p Sport AWD	A	A	3.5	28,800
2008 EDGE				**40 000 km**
4p SEL	2	A	3.5	20,600
4p Limited (cuir)	2	A	3.5	22,900
4p SEL AWD	A	A	3.5	21,800
4p Limited AWD (cuir)	A	A	3.5	23,100
2007 EDGE				**60 000 km**
4p SE	2	A	3.5	17,500
4p SEL (cuir)	2	A	3.5	19,500
4p SE AWD	A	A	3.5	18,700
4p SEL AWD (cuir)	A	A	3.5	19,500
2009 ESCAPE				**20 000 km**
4p XLT	2	M	2.5	20,900
4p XLT	2	A	2.5	21,800
4p XLT V6	2	A	3	23,200
4p Hybride	2	A	2.5	29,900
4p XLT AWD	A	A	2.5	23,900
4p XLT V6 AWD	A	A	3	25,300
4p Limited V6 AWD (cuir)	A	A	3	30,400
4p Hybride AWD	A	A	2.5	32,000
2008 ESCAPE				**40 000 km**
4p XLS	2	A	2.3	14,700
4p XLT	2	A	2.3	15,500
4p XLT V6	2	A	3	16,200
4p Hybride	2	A	2.3	19,100
4p XLT AWD	A	A	2.3	16,800
4p XLT V6 AWD	A	A	3	17,600
4p Limited V6 AWD (cuir)	A	A	3	20,900
4p Hybride AWD	A	A	2.3	20,500
2007 ESCAPE				**60 000 km**
4p XLS	2	M	2.3	12,400
4p XLS	2	A	2.3	13,700
4p XLT	2	A	3	15,300
4p XLT Sport	2	A	3	15,900
4p Hybride	2	A	2.3	17,600
4p XLS	A	A	2.3	15,200
4p XLT	A	A	3	16,900
4p XLT Sport	A	A	3	17,300
4p Limited (cuir)	A	A	3	16,900
4p Hybride	A	A	2.3	18,600
2006 ESCAPE				**80 000 km**
4p XLS	2	M	2.3	11,000

Description	R.m.	Tr.	L	Prix
4p XLS	2	A	2.3	12,400
4p XLT	2	A	3	13,100
4p XLT Sport	2	A	3	13,300
4p Hybride	2	A	2.3	14,800
4p XLS	A	A	2.3	13,000
4p XLT	A	A	3	13,900
4p XLT Sport	A	A	3	14,400
4p Limited (cuir)	A	A	3	15,700
4p Hybride	A	A	2.3	15,600

2005 ESCAPE — 100 000 km

Description	R.m.	Tr.	L	Prix
4p XLS	2	M	2.3	9,400
4p XLS	2	A	2.3	10,600
4p XLT	2	A	3	11,400
4p XLT Sport	2	A	3	11,500
4p XLT No Boundaries Pkg.	2	A	3	11,500
4p Hybride	2	A	2.3	12,400
4p XLS	A	A	2.3	11,400
4p XLT	A	A	3	11,900
4p XLT Sport	A	A	3	11,800
4p XLT No Boundaries Pkg.	A	A	3	12,000
4p Limited (cuir)	A	A	3	13,000
4p Hybride	A	A	2.3	12,400

2005 EXCURSION — 100 000 km

Description	R.m.	Tr.	L	Prix
4p XLT (cuir)	2	A	6.8	22,700
4p XLT	4	A	5.4	24,700
4p XLT	4	A	6.8	25,500
4p XLT TD	4	A	6	27,400
4p Eddie Bauer (cuir)	4	A	6.8	28,800
4p Eddie Bauer TD (cuir)	4	A	6	29,800
4p Limited (cuir)	4	A	6.8	27,900
4p Limited TD (cuir)	4	A	6	30,500

2009 EXPEDITION — 20 000 km

Description	R.m.	Tr.	L	Prix
4p XLT	4	A	5.4	34,000
4p Eddie Bauer (cuir)	4	A	5.4	40,800
4p Limited (cuir)	4	A	5.4	43,900
4p King Ranch (cuir)	4	A	5.4	47,100
4p MAX Eddie Bauer (cuir)	4	A	5.4	42,900
4p MAX Limited (cuir)	4	A	5.4	45,900
4p MAX King Ranch (cuir)	4	A	5.4	49,100

2008 EXPEDITION — 40 000 km

Description	R.m.	Tr.	L	Prix
4p XLT	4	A	5.4	25,300
4p Eddie Bauer (cuir)	4	A	5.4	30,000
4p Limited (cuir)	4	A	5.4	31,800
4p King Ranch (cuir)	4	A	5.4	34,000
4p MAX Eddie Bauer (cuir)	4	A	5.4	31,500
4p MAX Limited (cuir)	4	A	5.4	33,300
4p MAX King Ranch (cuir)	4	A	5.4	34,600

2007 EXPEDITION — 60 000 km

Description	R.m.	Tr.	L	Prix
4p XLT	4	A	5.4	20,600
4p Eddie Bauer (cuir)	4	A	5.4	23,300
4p Limited (cuir)	4	A	5.4	24,800
4p MAX Eddie Bauer (cuir)	4	A	5.4	24,600
4p MAX Limited (cuir)	4	A	5.4	25,700

2006 EXPEDITION — 80 000 km

Description	R.m.	Tr.	L	Prix
4p XLT (parc)	A	A	5.4	17,100
4p XLT	A	A	5.4	18,400
4p XLT Sport	A	A	5.4	18,700
4p Eddie Bauer (cuir)	A	A	5.4	20,100
4p Limited (cuir)	A	A	5.4	21,300
4p King Ranch (cuir)	A	A	5.4	22,200

2005 EXPEDITION — 100 000 km

Description	R.m.	Tr.	L	Prix
4p XLT (parc)	4	A	5.4	14,000
4p XLT	4	A	5.4	16,200
4p XLT Sport	4	A	5.4	16,500
4p Eddie Bauer (cuir)	4	A	5.4	17,800
4p Limited (cuir)	4	A	5.4	18,000

2009 EXPLORER — 20 000 km

Description	R.m.	Tr.	L	Prix
4p Sport Trac XLT	2	A	4	27,900
4p Sport Trac XLT V8	2	A	4.6	29,200
4p Sport Trac Limited	2	A	4	31,700
4p Sport Trac Limited V8	2	A	4.6	33,000
4p Sport Trac XLT	4	A	4	30,600
4p Sport Trac XLT V8	4	A	4.6	31,900
4p Sport Trac Limited	4	A	4	34,400
4p Sport Trac Limited V8	4	A	4.6	35,700
4p Sport Trac Limited V8 AWD	A	A	4.6	37,100
4p XLT	4	A	4	31,300
4p XLT V8	4	A	4.6	32,600
4p Eddie Bauer (cuir)	4	A	4	36,900
4p Eddie Bauer V8 (cuir)	4	A	4.6	38,200
4p Limited AWD (cuir)	A	A	4.6	42,000

2008 EXPLORER — 40 000 km

Description	R.m.	Tr.	L	Prix
4p Sport Trac XLT	2	A	4	22,100
4p Sport Trac XLT V8	2	A	4.6	23,300
4p Sport Trac Limited	2	A	4	25,300
4p Sport Trac Limited V8	2	A	4.6	26,300
4p Sport Trac XLT	4	A	4	24,300
4p Sport Trac XLT V8	4	A	4.6	25,500
4p Sport Trac Limited	4	A	4	26,100
4p Sport Trac Limited V8	4	A	4.6	26,100
4p Sport Trac Limited V8 AWD	A	A	4.6	25,500
4p XLT	4	A	4	26,300
4p XLT V8	4	A	4.6	25,700
4p Eddie Bauer (cuir)	4	A	4	26,200
4p Eddie Bauer V8 (cuir)	4	A	4.6	27,200
4p Limited AWD (cuir)	A	A	4.6	27,900

2007 EXPLORER — 60 000 km

Description	R.m.	Tr.	L	Prix
4p Sport Trac XLT	2	A	4	16,800
4p Sport Trac XLT V8	2	A	4.6	17,800
4p Sport Trac Limited	2	A	4	18,900
4p Sport Trac Limited V8	2	A	4.6	19,900
4p Sport Trac XLT	4	A	4	18,900
4p Sport Trac XLT V8	4	A	4.6	19,900
4p Sport Trac Limited	4	A	4	21,000
4p Sport Trac Limited V8	4	A	4.6	20,900
4p XLT	4	A	4	21,100
4p XLT V8	4	A	4.6	22,000
4p Eddie Bauer (cuir)	4	A	4	21,100
4p Eddie Bauer V8 (cuir)	4	A	4.6	22,000
4p Limited (cuir)	4	A	4.6	22,800

2006 EXPLORER — 80 000 km

Description	R.m.	Tr.	L	Prix
4p XLT	4	A	4	17,400
4p XLT V8	4	A	4.6	17,700
4p Eddie Bauer (cuir)	4	A	4	18,100
4p Eddie Bauer V8 (cuir)	4	A	4.6	18,600
4p Limited (cuir)	4	A	4.6	19,000

2005 EXPLORER — 100 000 km

Description	R.m.	Tr.	L	Prix
4p Sport Trac gr. Commodité	2	A	4	7,400
4p Sport Trac gr. confort	2	A	4	9,200
4p Sport Trac gr. Adrénalin	2	A	4	10,500
4p Sport Trac gr. commodité	4	A	4	10,000
4p Sport Trac gr. confort	4	A	4	11,800
4p Sport Trac gr. Adrénalin	4	A	4	13,300
4p XLS	A	A	4	13,500
4p XLT	A	A	4	13,800
4p XLT V8	A	A	4.6	13,900
4p Eddie Bauer (cuir)	A	A	4	15,000
4p Eddie Bauer V8 (cuir)	A	A	4.6	15,200
4p Limited (cuir)	A	A	4.6	16,000

2009 F-150 — 20 000 km

Description	R.m.	Tr.	L	Prix
sup cab. XL Styleside benne 6.5	2	A	4.6	21,300
sup cab. XL Styleside benne 8	2	A	5.4	22,700
sup cab. STX Styleside benne 5.5	2	A	4.6	22,000
sup cab. XLT Styleside benne 5.5	2	A	4.6	22,600
super cab. XLT Styleside benne 8	2	A	5.4	24,000
sup cab. Lariat Styleside ben 5.5	2	A	5.4	29,100
sup cab. STX Flareside ben 6.5	2	A	4.6	22,700
sup cab. XLT Flareside ben 6.5	2	A	4.6	23,200
Sup crew cab XLT Style. ben 5.5	2	A	4.6	23,900
S crew cab Lariat Style. ben 5.5	2	A	5.4	30,100
S crew cab King Ranch ben 5.5	2	A	5.4	32,600
Sup crew cab Platinum b. 5.5	2	A	5.4	36,000
Sup crew cab XLT Flareside 6.5	2	A	4.6	24,500
cab. rég. XL Styleside	4	A	4.6	21,600
cab. rég. XLT Styleside	4	A	4.6	23,100
sup cab. XL Styleside benne 6.5	4	A	4.6	24,300
sup cab. XL Styleside benne 8	4	A	5.4	25,700
sup cab. STX Styleside ben 6.5	4	A	4.6	25,000
sup cab. XLT Styleside benne 6.5	4	A	4.6	25,500
super cab. XLT Styleside ben 8	4	A	5.4	26,900
sup cab. FX4 Styleside benne 6.5	4	A	5.4	29,000
sup cab. Lariat Styleside ben 6.5	4	A	5.4	32,100
sup cab. STX Flareside benne 6.5	4	A	4.6	25,600
sup cab. XLT Flareside benne 6.5	4	A	4.6	26,200
sup cab. FX4 Flareside ben 6.5	4	A	5.4	29,800
S crew cab XLT Styleside b. 6.5	4	A	4.6	26,900
S crew cab FX4 Styleside b. 6.5	4	A	5.4	29,800
S Crew C Lariat Styleside b. 6.5	4	A	5.4	33,000
S crew cab King Ranch ben 6.5	4	A	5.4	35,600
S crew cab Platinum b. 5.5	4	A	5.4	39,000
S crew cab XLT Flareside b. 6.5	4	A	4.6	24,500
S crew cab FX4 Flareside b. 6.5	4	A	5.4	30,700

2008 F-150 — 40 000 km

Description	R.m.	Tr.	L	Prix
cab. rég. XL Styleside	2	M	4.2	12,200
cab. rég. STX Styleside	2	M	4.2	13,000
cab. rég. XLT Styleside	2	M	4.2	13,800
cab. rég. STX Flareside	2	A	4.2	14,800
cab. rég. XLT Flareside	2	A	4.2	15,500
sup cab. XL Styleside benne 6.5	2	A	4.6	16,100
sup cab. XL Styleside benne 8	2	A	5.4	17,100
sup cab. STX Styleside benne 5.5	2	A	4.6	16,700
sup cab. XLT Styleside benne 5.5	2	A	4.6	17,900
super cab. XLT Styleside benne 8	2	A	5.4	18,900
sup cab. Lariat Styleside ben 5.5	2	A	5.4	22,200
sup cab. STX Flareside ben 6.5	2	A	4.6	17,300
sup cab. XLT Flareside ben 6.5	2	A	4.6	18,300
Sup crew cab XLT Style. ben 5.5	2	A	4.6	18,600
S crew cab Lariat Style. ben 5.5	2	A	5.4	22,700
S crew cab King Ranch ben 5.5	2	A	5.4	25,200
Sup crew cab Harley-Dav b. 5.5	2	A	5.4	25,700
Sup crew cab XLT Flareside 6.5	2	A	4.6	19,100
cab. rég. XL Styleside	4	A	4.6	16,100
cab. rég. STX Styleside	4	A	4.6	16,700
cab. rég. XLT Styleside	4	A	4.6	17,500
cab. rég. FX4 Styleside	4	A	5.4	19,800
cab. rég. STX Flareside	4	A	4.6	17,200
cab. rég. XLT Flareside	4	A	4.6	18,000
cab. rég. FX4 Flareside	4	A	5.4	20,500
sup cab. XL Styleside benne 6.5	4	A	4.6	18,400
sup cab. XL Styleside benne 8	4	A	5.4	19,700
sup cab. STX Styleside ben 6.5	4	A	4.6	19,200
sup cab. XLT Styleside benne 6.5	4	A	4.6	20,200
super cab. XLT Styleside ben 8	4	A	5.4	21,300
sup cab. FX4 Styleside benne 6.5	4	A	5.4	22,500
sup cab. Lariat Styleside ben 6.5	4	A	5.4	24,500
sup cab. STX Flareside benne 6.5	4	A	4.6	19,700
sup cab. XLT Flareside benne 6.5	4	A	4.6	20,700
sup cab. FX4 Flareside ben 6.5	4	A	5.4	23,300
S crew cab XLT Styleside b. 6.5	4	A	4.6	21,100
S crew cab FX4 Styleside b. 6.5	4	A	5.4	23,300
S Crew C Lariat Styleside b. 6.5	4	A	5.4	25,300
S crew cab King Ranch ben 6.5	4	A	5.4	27,500
S crew cab Harley-Dav b. 5.5	4	A	5.4	28,100
S crew cab XLT Flareside b. 6.5	4	A	4.6	21,600
S crew cab FX4 Flareside b. 6.5	4	A	5.4	24,000

2007 F-150 — 60 000 km

Description	R.m.	Tr.	L	Prix
cab. rég. XL Styleside	2	M	4.2	11,500
cab. rég. STX Styleside	2	M	4.2	12,100
cab. rég. XLT Styleside	2	M	4.2	12,800
cab. rég. STX Flareside	2	A	4.2	13,900
cab. rég. XLT Flareside	2	A	4.2	14,500
super cab. XL Styleside ben 6.5	2	A	4.6	15,100
super cab. XL Styleside ben 8	2	A	5.4	16,200
super cab. STX Styleside ben 5.5	2	A	4.6	15,800
super cab. STX Styleside ben 6.5	2	A	4.6	15,800
super cab. XLT Styleside ben 5.5	2	A	4.6	16,700
super cab. XLT Styleside ben 6.5	2	A	4.6	16,700
super cab. XLT Styleside ben 8	2	A	5.4	17,900
sup cab. Lariat Styleside ben 5.5	2	A	5.4	20,700
sup cab. Lariat Styleside ben 6.5	2	A	5.4	20,700
sup cab. STX Flareside ben 6.5	2	A	4.6	16,200
sup cab. XLT Flareside ben 6.5	2	A	4.6	17,200
S crew cab XLT Styleside b. 5.5	2	A	4.6	17,500
S crew cab Lariat Stylesi b. 5.5	2	A	5.4	21,400
S crew cab King Ranch ben 5.5	2	A	5.4	23,700
S crew cab Harley-David b. 5.5	2	A	5.4	24,100
S crew cab XLT Styleside b. 6.5	2	A	4.6	17,500
S crew cab Lariat Styles b. 6.5	2	A	5.4	21,400
S crew cab King Ranch ben 6.5	2	A	5.4	23,700
cab. rég. XL Styleside	4	A	4.6	15,000
cab. rég. STX Styleside	4	A	4.6	15,700
cab. rég. XLT Styleside	4	A	4.6	16,400
cab. rég. FX4 Styleside	4	A	5.4	18,500
cab. rég. STX Flareside	4	A	4.6	16,100
cab. rég. XLT Flareside	4	A	4.6	16,900
cab. rég. FX4 Flareside	4	A	5.4	19,100
super cab. XL Styleside benne 6.5	4	A	4.6	17,500
super cab. XL Styleside benne 8	4	A	5.4	18,500s
cab. STX Styleside benne 5.5	4	A	4.6	18,000s
cab. STX Styleside benne 6.5	4	A	4.6	18,000s
cab. XLT Styleside benne 5.5	4	A	4.6	19,100s
cab. XLT Styleside benne 6.5	4	A	4.6	19,100s
cab. XLT Styleside benne 8	4	A	5.4	20,100s
cab. FX4 Styleside benne 5.5	4	A	5.4	21,300s
cab. FX4 Styleside benne 6.5	4	A	5.4	21,300s
cab. Lariat Styleside benne 5.5	4	A	5.4	23,100s
cab. Lariat Styleside benne 6.5	4	A	5.4	23,100s
cab. STX Flareside benne 6.5	4	A	4.6	18,500s
cab. FX4 Flareside benne 6.5	4	A	5.4	21,800
S crew cab XLT Styleside b. 5.5	4	A	4.6	19,800
S crew cab FX4 Styleside b. 5.5	4	A	5.4	21,800
S crew cab Lariat Stylesid b. 5.5	4	A	5.4	23,700
S crew cab King Ranch b. 5.5	4	A	5.4	26 00
S crew cab Harley-David b. 5.5	4	A	5.4	26,500
S crew cab XLT Styleside b. 6.5	4	A	4.6	19,800
S crew cab FX4 Styleside b. 6.5	4	A	5.4	21,800
S crew cab Lariat Stylesi b. 6.5	4	A	5.4	23,700
S crew cab King Ranch b. 6.5	4	A	5.4	25,900

2006 F-150 — 80 000 km

Description	R.m.	Tr.	L	Prix
cab. rég. XL Styleside	2	M	4.2	10,200
cab. rég. STX Styleside	2	M	4.2	10,600
cab. rég. XLT Styleside	2	M	4.2	11,700
cab. rég. STX Flareside	2	A	4.2	11,700
cab. rég. XLT Flareside	2	A	4.2	13,100
sup cab. XL Styleside benne 6.5	2	A	4.6	14,200
sup cab. XL Styleside benne 8	2	A	5.4	15,100
sup cab. STX Styleside ben 5.5	2	A	4.6	14,700
sup cab. STX Styleside ben 6.5	2	A	4.6	14,700
sup cab. XLT Styleside ben 5.5	2	A	4.6	16,000
sup cab. XLT Styleside ben 6.5	2	A	4.6	16,000
sup cab. XLT Styleside benne 8	2	A	5.4	17,100
sup cab. Lariat Styleside ben 5.5	2	A	5.4	19,500
sup cab. Lariat Styleside ben 6.5	2	A	5.4	19,500
sup cab. Lariat Harley-David 6.5	2	A	5.4	21,100
sup cab. STX Flareside ben 6.5	2	A	4.6	15,100
sup cab. XLT Flareside ben 6.5	2	A	4.6	16,400
S crew cab XLT Styleside b 5.5	2	A	4.6	16,900
S crew cab Lariat Styleside b. 5.5	2	A	5.4	20,600
S crew cab King Ranch. b. 5.5	2	A	5.4	21,900
S crew cab XLT Styleside b 6.5	2	A	4.6	16,900
S crew cab Lariat Styles b. 6.5	2	A	5.4	20,600
S crew cab King Ranch. b. 6.5	2	A	5.4	21,700
cab. rég. XL Styleside	4	A	4.6	14,000
cab. rég. STX Styleside	4	A	4.6	14,500
cab. rég. FX4 Styleside	4	A	5.4	17,300
cab. rég. STX Flareside	4	A	4.6	14,900
cab. rég. XLT Flareside	4	A	4.6	16,000
cab. rég. FX4 Flareside	4	A	5.4	18,000s
cab. XL Styleside benne 6.5	4	A	4.6	16,400
super cab. XL Styleside benne 8	4	A	5.4	17,600s
cab. STX Styleside benne 5.5	4	A	4.6	17,100s
cab. STX Styleside benne 6.5	4	A	4.6	17,100s
cab. XLT Styleside benne 5.5	4	A	4.6	18,400s
cab. XLT Styleside benne 5.5	4	A	5.4	19,100s
cab. XLT Styleside benne 6.5	4	A	4.6	18,200s
cab. XLT Styleside benne 8	4	A	5.4	19,500s
cab. FX4 Styleside benne 5.5	4	A	5.4	20,100s
cab. FX4 Styleside benne 6.5	4	A	5.4	20,100s
cab. Lariat Styleside benne 5.5	4	A	5.4	21,800s
cab. Lariat Styleside benne 6.5	4	A	5.4	21,800s
cab. Lariat Harley-David. 6.5	4	A	5.4	23,500s
cab. STX Flareside benne 6.5	4	A	4.6	17,600s
cab. XLT Flareside benne 6.5	4	A	4.6	18,700s
cab. FX4 Flareside benne 6.5	4	A	5.4	20,900
S crew cab XLT Styleside b 5.5	4	A	4.6	19,300
S crew cab FX4 Styleside b. 5.5	4	A	5.4	21,200
S crew cab Lariat Styles b. 5.5	4	A	5.4	23,100
S crew cab Lariat King R. b. 5.5	4	A	5.4	24,200
S crew cab XLT Styleside b. 6.5	4	A	4.6	19,300
S crew cab FX4 Styleside b. 6.5	4	A	5.4	21,200
S crew cab Lariat Styles b. 6.5	4	A	5.4	23,100
S crew cab Lariat King R. b. 6.5	4	A	5.4	24,200

2005 F-150 — 100 000 km

Description	R.m.	Tr.	L	Prix
cab. rég. XL Styleside	2	M	4.2	7,500
cab. rég. STX Styleside	2	M	4.2	8,100
cab. rég. XLT Styleside	2	M	4.2	9,000
cab. rég. STX Flareside	2	A	4.2	9,600
cab. rég. XLT Flareside	2	A	4.2	10,600
super cab. XL Styleside ben 6.5	2	A	4.6	11,600
super cab. XL Styleside ben 8	2	A	5.4	12,600
super cab. STX Styleside ben 5.5	2	A	4.6	12,200
super cab. STX Styleside ben 6.5	2	A	4.6	12,200
super cab. XLT Styleside ben 5.5	2	A	4.6	13,300
super cab. XLT Styleside ben 6.5	2	A	4.6	13,300
super cab. XLT Styleside ben 8	2	A	5.4	14,600s
cab. Lariat Styleside ben 5.5	2	A	5.4	17,100s
cab. Lariat Styleside ben 6.5	2	A	5.4	17,100s
cab. STX Flareside ben 6.5	2	A	4.6	12,600s
cab. XLT Flareside benne 6.5	2	A	4.6	14,000
Super crew cab XLT Styleside	2	A	4.6	14,500
Super crew cab Lariat Styleside	2	A	5.4	18,500
S crew cab King R. Styleside	2	A	5.4	20,100
cab. rég. XL Styleside	4	A	4.6	11,600
cab. rég. STX Styleside	4	A	4.6	12,200
cab. rég. XLT Styleside	4	A	4.6	13,000
cab. rég. FX4 Styleside	4	A	5.4	15,200
cab. rég. STX Flareside	4	A	4.6	12,600
cab. rég. XLT Flareside	4	A	4.6	13,700
cab. rég. FX4 Flareside	4	A	5.4	15,900s
cab. XL Styleside benne 6.5	4	A	4.6	14,200s
cab. XL Styleside benne 8	4	A	5.4	15,300s
cab. STX Styleside benne 5.5	4	A	4.6	14,800s
cab. STX Styleside benne 6.5	4	A	4.6	14,800s
cab. XLT Styleside benne 5.5	4	A	4.6	16,100s
cab. XLT Styleside benne 6.5	4	A	4.6	15,900s
cab. XLT Styleside benne 8	4	A	5.4	17,200s
cab. FX4 Styleside benne 5.5	4	A	5.4	18,000s
cab. FX4 Styleside benne 6.5	4	A	5.4	18,000s
cab. Lariat Styleside benne 5.5	4	A	5.4	19,900s
cab. Lariat Styleside benne 6.5	4	A	5.4	19,900s
cab. STX Flareside benne 6.5	4	A	4.6	15,300s
cab. XLT Flareside benne 6.5	4	A	4.6	18,800s
cab. FX4 Flareside benne 6.5	4	A	5.4	17,000
Super crew cab XLT Styleside	4	A	4.6	17,700
Super crew cab FX4 Styleside	4	A	5.4	19,100
Super crew cab Lariat Styleside	4	A	5.4	20,700
S crew cab King R. Styleside	4	A	5.4	20,900

2009 F-250 — 20 000 km

Description	R.m.	Tr.	L	Prix
cab. rég. XL HD	2	M	5.4	20,800
cab. rég. XLT HD	2	M	5.4	23,600
super cab. XL HD	2	M	5.4	23,000
super cab. XLT HD	2	M	5.4	26,000
super cab. Lariat HD (cuir)	2	M	5.4	32,600
crew cab. XL HD	2	M	5.4	24,000
crew cab. XLT HD	2	M	5.4	27,300
crew cab. Lariat HD (cuir)	2	M	5.4	34,200
crew cab. King Ranch HD (cuir)	2	A	5.4	38,100
cab. rég. XL HD	4	M	5.4	23,200
cab. rég. XLT HD	4	M	5.4	26,000
super cab. XL HD	4	M	5.4	25,300
super cab. XLT HD	4	M	5.4	28,600
super cab. FX4 HD	4	M	5.4	31,400
super cab. Lariat HD (cuir)	4	M	5.4	35,100
crew cab. XL HD	4	M	5.4	26,300
crew cab. XLT HD	4	M	5.4	29,700
crew cab. FX4 HD	4	M	5.4	32,500
crew cab. Lariat HD (cuir)	4	M	5.4	36,500
crew cab. King Ranch HD (cuir)	4	A	5.4	40,500c
cab. Harley-Davidson HD (cuir)	4	A	6.8	41,800

2008 F-250				40 000 km
cab. rég. XL HD	2	M	5.4	16,100
cab. rég. XLT HD	2	M	5.4	18,100
super cab. XL HD	2	M	5.4	18,000
super cab. XLT HD	2	M	5.4	20,200
super cab. Lariat HD (cuir)	2	M	5.4	23,700
crew cab. XL HD	2	M	5.4	18,900
crew cab. XLT HD	2	M	5.4	21,200
crew cab. Lariat HD (cuir)	2	M	5.4	24,800
crew cab. King Ranch HD (cuir)	2	A	5.4	28,700
cab. rég. XL HD	4	M	5.4	18,100
cab. rég. XLT HD	4	M	5.4	20,200
super cab. XL HD	4	M	5.4	19,900
super cab. XLT HD	4	M	5.4	22,300
super cab. FX4 HD	4	M	5.4	23,800
super cab. Lariat HD (cuir)	4	M	5.4	25,600
crew cab. XL HD	4	M	5.4	20,700
crew cab. XLT HD	4	M	5.4	23,300
crew cab. FX4 HD	4	M	5.4	24,700
crew cab. Lariat HD (cuir)	4	M	5.4	26,900
crew cab. King Ranch HD (cuir)	4	A	5.4	30,800c
cab. Harley-Davidson HD (cuir)	4	A	6.8	37,000

2007 F-250				60 000 km
cab. rég. XL HD	2	M	5.4	14,000
cab. rég. XLT HD	2	M	5.4	16,400
super cab. XL HD	2	M	5.4	15,700
super cab. XLT HD	2	M	5.4	18,100
super cab. Lariat HD (cuir)	2	M	5.4	20,300
crew cab. XL HD	2	M	5.4	16,400
crew cab. XLT HD	2	M	5.4	19,100
crew cab. Lariat HD (cuir)	2	M	5.4	21,400
cab. rég. XL HD	4	M	5.4	15,900
cab. rég. XLT HD	4	M	5.4	18,100
super cab. XL HD	4	M	5.4	17,400
super cab. XLT HD	4	M	5.4	20,000
super cab. Lariat HD (cuir)	4	M	5.4	22,200
crew cab. XL HD	4	M	5.4	18,100
crew cab. XLT HD	4	M	5.4	20,900
crew cab. Lariat HD (cuir)	4	M	5.4	23,300

2006 F-250				80 000 km
cab. rég. XL HD	2	M	5.4	11,100
cab. rég. XLT HD	2	M	5.4	13,700
super cab. XL HD	2	M	5.4	12,800
super cab. XLT HD	2	M	5.4	15,800
super cab. Lariat HD (cuir)	2	M	5.4	18,000
crew cab. XL HD	2	M	5.4	13,600
crew cab. XLT HD	2	M	5.4	16,500
crew cab. Lariat HD (cuir)	2	M	5.4	19,200
crew cab. XL HD benne all.	2	M	5.4	14,000
crew cab. XLT HD benne all.	2	M	5.4	16,900
crew cab. Lariat HD b. all. (cuir)	2	M	5.4	19,600
cab. rég. XL HD	4	M	5.4	13,000
cab. rég. XLT HD	4	M	5.4	15,800
super cab. XL HD	4	M	5.4	14,800
super cab. XLT HD	4	M	5.4	17,900
super cab. Lariat HD (cuir)	4	M	5.4	20,000
crew cab. XL HD	4	M	5.4	15,500
crew cab. XLT HD	4	M	5.4	18,700
crew cab. Lariat HD (cuir)	4	M	5.4	21,300

2005 F-250				100 000 km
cab. rég. XL HD	2	M	5.4	9,500
cab. rég. XLT HD	2	M	5.4	12,600
super cab. XL HD	2	M	5.4	11,400
super cab. XLT HD	2	M	5.4	14,400
super cab. Lariat HD (cuir)	2	M	5.4	17,200
crew cab. XL HD	2	M	5.4	12,500
crew cab. XLT HD	2	M	5.4	15,700
crew cab. Lariat HD (cuir)	2	M	5.4	18,500
cab. rég. XL HD	4	M	5.4	11,700
cab. rég. XLT HD	4	M	5.4	14,700

Description	R.m.	Tr.	L	Prix
super cab. XL HD	4	M	5.4	13,700
super cab. XLT HD	4	M	5.4	16,700
super cab. Lariat HD (cuir)	4	M	5.4	19,400
crew cab. XL HD	4	M	5.4	14,500
crew cab. XLT HD	4	M	5.4	17,900
crew cab. Lariat HD (cuir)	4	M	5.4	20,700

2009 F-350				20 000 km
cab. rég. XL HD	2	M	5.4	21,800
cab. rég. XL RD HD	2	M	5.4	23,200
cab. rég. XLT HD	2	M	5.4	24,700
cab. rég. XLT RD HD	2	M	5.4	25,600
super cab. XL HD	2	M	5.4	23,700
super cab. XL RD HD benne all.	2	M	5.4	25,500
super cab. XLT HD	2	M	5.4	26,700
super cab. XLT RD HD benne all.	2	M	5.4	28,100
super cab. Lariat HD (cuir)	2	M	5.4	33,600s
cab. Lariat RD HD b. all. (cuir)	2	M	5.4	24,800
crew cab. XL HD	2	M	5.4	25,600
crew cab. XL RD HD D	2	M	6.4	32,100
crew cab. XLT HD	2	M	5.4	28,000
crew cab. XLT RD HD D	2	M	6.4	35,100
crew cab. Lariat HD (cuir)	2	M	5.4	35,000
crew cab. Lariat RD HD (cuir) D	2	M	6.4	41,600
crew cab. King Ranch HD (cuir)	2	A	5.4	38,900
cab. rég. XL HD	4	M	5.4	24,400
cab. rég. XL RD HD	4	M	5.4	25,800
cab. rég. XLT HD	4	M	5.4	27,500
cab. rég. XLT RD HD	4	M	5.4	28,300
super cab. XL HD	4	M	5.4	26,200
super cab. XL RD HD benne all.	4	M	5.4	28,300
super cab. XLT HD	4	M	5.4	29,700
super cab. XLT RD HD benne all.	4	M	5.4	31,200
super cab. FX4 HD	4	M	5.4	32,500
sup cab. FX4 RD HD ben. all. D	4	M	6.4	39,900
super cab. Lariat HD (cuir)	4	M	5.4	36,600s
cab. Lariat RD HD b. all. (cuir)	4	M	5.4	37,800
crew cab. XL HD	4	M	5.4	27,800
crew cab. XL RD HD D	4	M	6.4	35,000
crew cab. XLT HD	4	M	5.4	31,100
crew cab. XLT RD HD D	4	M	6.4	38,300
crew cab. FX4 HD	4	M	5.4	33,900
crew cab. FX4 RD HD D	4	M	6.4	40,700
crew cab. Lariat HD (cuir)	4	M	5.4	38,000
crew cab. Lariat RD HD (cuir) D	4	M	6.4	44,600
crew cab. King Ranch HD (cuir)	4	A	5.4	41,600
crew cab. King R. RD HD (cuir)	4	A	6.4	48,200
crew cab. Harley-Dav. HD D (cuir)	4	A	6.4	42,900

2008 F-350				40 000 km
cab. rég. XL HD	2	M	5.4	17,100
cab. rég. XL RD HD	2	M	5.4	18,100
cab. rég. XLT HD	2	M	5.4	19,100
cab. rég. XLT RD HD	2	M	5.4	19,900
super cab. XL HD	2	M	5.4	18,600
super cab. XL RD HD benne all.	2	M	5.4	20,000
super cab. XLT HD	2	M	5.4	20,800
super cab. XLT RD HD benne all.	2	M	5.4	21,800
super cab. Lariat HD (cuir)	2	M	5.4	24,300s
cab. Lariat RD HD b. all. (cuir)	2	M	5.4	25,400
crew cab. XL HD	2	M	5.4	19,600
crew cab. XL RD HD D	2	M	6.4	25,300
crew cab. XLT HD	2	M	5.4	21,800
crew cab. XLT RD HD D	2	M	6.4	27,400
crew cab. Lariat HD (cuir)	2	M	5.4	25,600
crew cab. Lariat RD HD (cuir) D	2	M	6.4	31,000
crew cab. King Ranch HD (cuir)	2	A	5.4	29,500
cab. rég. XL HD	4	M	5.4	19,100
cab. rég. XL RD HD	4	M	5.4	20,300
cab. rég. XLT HD	4	M	5.4	21,400
cab. rég. XLT RD HD	4	M	5.4	22,200
super cab. XL HD	4	M	5.4	20,700
super cab. XL RD HD benne all.	4	M	5.4	22,200
super cab. XLT HD	4	M	5.4	22,900
super cab. XLT RD HD benne all.	4	M	5.4	24,300
super cab. FX4 HD	4	M	5.4	24,400
sup cab. FX4 RD HD ben. all. D	4	M	6.4	31,000
super cab. Lariat HD (cuir)	4	M	5.4	26,700s
cab. Lariat RD HD b. all. (cuir)	4	M	5.4	27,600
crew cab. XL HD	4	M	5.4	21,700
crew cab. XL RD HD D	4	M	6.4	27,400
crew cab. XLT HD	4	M	5.4	24,100
crew cab. XLT RD HD D	4	M	6.4	29,700
crew cab. FX4 HD	4	M	5.4	25,600
crew cab. FX4 RD HD D	4	M	6.4	31,200
crew cab. Lariat HD (cuir)	4	M	5.4	27,800
crew cab. Lariat RD HD (cuir) D	4	M	6.4	33,200
crew cab. King Ranch HD (cuir)	4	A	5.4	31,500
crew cab. King R. RD HD (cuir)	4	A	6.4	37,400
crew cab. Harley-Dav. HD D (cuir)	4	A	6.4	38,000

2007 F-350				60 000 km
cab. rég. XL HD	2	M	5.4	13,100
cab. rég. XL RD HD	2	M	5.4	16,000
cab. rég. XLT HD	2	M	5.4	17,700

Description	R.m.	Tr.	L	Prix
cab. rég. XLT RD HD	2	M	5.4	18,100
super cab. XL HD	2	M	5.4	16,600
super cab. XL RD HD benne all.	2	M	5.4	17,800
super cab. XLT HD	2	M	5.4	19,300
super cab. XLT RD HD benne all.	2	M	5.4	20,100
super cab. Lariat HD (cuir)	2	M	5.4	21,800s
cab. Lariat RD HD ben all. (cuir)	2	M	5.4	22,500
crew cab. XL HD	2	M	5.4	17,500
crew cab. XL RD HD D	2	M	6	22,000
crew cab. XL RD HD benne all. D	2	M	6	23,000
crew cab. XLT HD	2	M	5.4	20,100
crew cab. XLT RD HD D	2	M	6	24,500
crew cab. Lariat HD (cuir)	2	M	5.4	22,900
crew cab. King Ranch HD (cuir)	2	A	5.4	26,800
crew cab. Lariat RD HD (cuir) D	2	M	6	27,100
cab. rég. XL HD	4	M	5.4	17,300
cab. rég. XL RD HD	4	M	5.4	18,100
cab. rég. XLT HD	4	M	5.4	19,900
cab. rég. XLT RD HD	4	M	5.4	20,400
super cab. XL HD	4	M	5.4	18,600
super cab. XL RD HD benne all.	4	M	5.4	19,900
super cab. XLT HD	4	M	5.4	21,400
super cab. XLT RD HD benne all.	4	M	5.4	22,400
super cab. Lariat HD (cuir)	4	M	5.4	23,900s
cab. Lariat HD ben all. (cuir) D	4	M	6	24,200s
cab. Lariat RD HD ben all. (cuir)	4	M	5.4	24,700
crew cab. XL HD	4	M	5.4	19,700
crew cab. XL RD HD D	4	M	6	19,900
crew cab. XLT HD	4	M	5.4	22,500
crew cab. XLT RD HD D	4	M	6	26,800
crew cab. Lariat HD (cuir)	4	M	5.4	25,200
crew cab. King Ranch HD (cuir)	4	A	5.4	28,800
crew cab. Harley-Dav. HD D (cuir)	4	A	6	34,100
crew cab. Lariat RD HD (cuir) D	4	M	6	29,300

2006 F-350				80 000 km
cab. rég. XL HD	2	M	5.4	13,700
cab. rég. XL RD HD	2	M	5.4	14,600
cab. rég. XLT HD	2	M	5.4	16,400
cab. rég. XLT RD HD	2	M	5.4	16,900
super cab. XL HD	2	M	5.4	15,200
super cab. XL RD HD benne all.	2	M	5.4	16,400
super cab. XLT HD	2	M	5.4	18,000
super cab. XLT RD HD ben all.	2	M	5.4	19,000
super cab. Lariat HD (cuir)	2	M	5.4	20,800
cab. Lariat RD HD ben all. (cuir)	2	M	5.4	21,600
crew cab. XL HD	2	M	5.4	16,100
crew cab. XL RD HD D	2	M	6	20,900
crew cab. XLT HD	2	M	5.4	19,100
crew cab. XLT RD HD D	2	M	6	23,700
crew cab. Lariat HD (cuir)	2	M	5.4	21,900
crew cab. King Ranch HD (cuir)	2	A	5.4	24,800
crew cab. Lariat RD HD (cuir) D	2	M	6	22,000
cab. rég. XL HD	4	M	5.4	15,900
cab. rég. XL RD HD	4	M	5.4	16,800
cab. rég. XLT HD	4	M	5.4	18,500
cab. rég. XLT RD HD	4	M	5.4	19,100
super cab. XL HD	4	M	5.4	17,300
super cab. XL RD HD benne all.	4	M	5.4	18,500
super cab. XLT HD	4	M	5.4	20,100
super cab. XLT RD HD benne all.	4	M	5.4	21,300
super cab. Lariat HD (cuir)	4	M	5.4	22,900
cab. Lariat HD ben all. (cuir) D	4	A	6	23,400
cab. Lariat RD HD ben all. (cuir)	4	M	5.4	23,700
crew cab. XL HD	4	M	5.4	18,400
crew cab. XL RD HD D	4	M	6	23,200
crew cab. XLT HD	4	M	5.4	21,300
crew cab. XLT RD HD D	4	M	6	25,800
crew cab. Lariat HD (cuir)	4	M	5.4	24,000
crew cab. King Ranch HD (cuir)	4	A	5.4	25,400
crew cab. Harley-Dav. HD D (cuir)	4	A	6	30,000
crew cab. Lariat RD HD (cuir) D	4	M	6	26,500

2005 F-350				100 000 km
cab. rég. XL HD	2	M	5.4	10,500
cab. rég. XL RD HD	2	M	5.4	11,600
cab. rég. XLT HD	2	M	5.4	13,500
cab. rég. XLT RD HD	2	M	5.4	14,200
super cab. XL HD	2	M	5.4	12,400
super cab. XL RD HD benne all.	2	M	5.4	13,800
super cab. XLT HD	2	M	5.4	15,400
super cab. XLT RD HD benne all.	2	M	5.4	16,400
super cab. Lariat HD (cuir)	2	M	5.4	18,400s
cab. Lariat RD HD ben all. (cuir)	2	M	5.4	23,700
crew cab. XL HD	2	M	5.4	13,000
crew cab. XL RD HD D	2	M	6	18,500
crew cab. XLT HD	2	M	5.4	16,400
crew cab. XLT RD HD D	2	M	6	21,600
crew cab. Lariat HD (cuir)	2	M	5.4	19,700
crew cab. Lariat RD HD (cuir) D	2	M	6	24,500
cab. rég. XL HD	4	M	5.4	12,900
cab. rég. XL RD HD	4	M	5.4	14,000
cab. rég. XLT HD	4	M	5.4	16,000
cab. rég. XLT RD HD	4	M	5.4	16,500
super cab. XL HD	4	M	5.4	14,700

Description	R.m.	Tr.	L	Prix
super cab. XL RD HD benne all.	4	M	5.4	16,100
super cab. XLT HD	4	M	5.4	17,900
super cab. XLT RD HD benne all.	4	M	5.4	18,900
super cab. Lariat HD (cuir)	4	M	5.4	20,700s
cab. Lariat RD HD ben. all. (cuir)	4	M	5.4	21,700
crew cab. XL HD	4	M	5.4	15,400
crew cab. XL RD HD D	4	M	6	20,900
crew cab. XLT HD	4	M	5.4	18,800
crew cab. XLT RD HD D	4	M	6	23,900
crew cab. Lariat HD (cuir)	4	M	5.4	21,900
crew cab. Lariat RD HD (cuir) D	4	M	6	26,800

2007 FIVE HUNDRED				60 000 km
4p berline SEL	2	A	3	12,400
4p berline Limited (cuir)	2	A	3	13,500
4p berline SEL AWD	A	A	3	13,400
4p berline Limited (cuir) AWD	A	A	3	13,700

2006 FIVE HUNDRED				80 000 km
4p berline SE	2	A	3	9,300
4p berline SEL	2	A	3	10,600
4p berline Limited (cuir)	2	A	3	10,900
4p berline SE AWD	A	A	3	10,600
4p berline SEL AWD	A	A	3	10,600
4p berline Limited (cuir) AWD	A	A	3	11,300

2005 FIVE HUNDRED				100 000 km
4p berline SE	2	A	3	6,800
4p berline SEL	2	A	3	8,100
4p berline Limited (cuir)	2	A	3	8,500
4p berline SE AWD	A	A	3	8,200
4p berline SEL AWD	A	A	3	8,400
4p berline Limited (cuir) AWD	A	A	3	9,300

2009 FLEX				20 000 km
4p SEL	2	A	3.5	29,700
4p Limited (cuir)	2	A	3.5	34,600
4p SEL 4RM	A	A	3.5	31,300
4p Limited (cuir) 4RM	A	A	3.5	36,200

2009 FOCUS				20 000 km
2p coupe S	2	M	2	
2p coupe SE	2	M	2	13,300
2p coupe SES	2	M	2	15,100
4p berline S	2	M	2	11,900
4p berline SE	2	M	2	13,000
4p berline SEL	2	M	2	14,700
4p berline SES	2	M	2	15,200

2008 FOCUS				40 000 km
2p coupe S	2	M	2	9,300
2p coupe SE	2	M	2	10,100
2p coupe SES	2	M	2	11,200
2p coupe Sport	2	M	2	12,300
4p berline S	2	M	2	9,300
4p berline SE	2	M	2	10,100
4p berline SES	2	M	2	11,200
4p berline Sport	2	M	2	12,300

2007 FOCUS				60 000 km
2p hayon ZX3 S	2	M	2	7,600
2p hayon ZX3 SE	2	M	2	8,200
2p hayon ZX3 SE GFX	2	M	2	8,900
2p hayon ZX5 SES	2	M	2	9,400
4p berline ZX4 S	2	M	2	7,600
4p berline ZX4 SE	2	M	2	8,200
4p berline ZX4 SE GFX	2	M	2	8,900
4p berline ZX4 SES	2	M	2	9,400
4p berline ZX4 ST	2	M	2.3	9,900
4p familiale ZXW SE	2	M	2	8,700
4p familiale ZXW SES	2	M	2	9,600

2006 FOCUS				80 000 km
2p hayon ZX3 S	2	M	2	6,500
2p hayon ZX3 SE	2	M	2	7,400
2p hayon ZX3 SE GFX	2	M	2	8,100
2p hayon ZX5 SES	2	M	2	8,200
4p berline ZX4 S	2	M	2	6,100
4p berline ZX4 SE	2	M	2	7,100
4p berline ZX4 SE GFX	2	M	2	7,700
4p berline ZX4 SES	2	M	2	8,200
4p berline ZX4 ST	2	M	2.3	8,800
4p familiale ZXW SE	2	M	2	7,600
4p familiale ZXW SES	2	M	2	8,600

2005 FOCUS				100 000 km
2p hayon ZX3 S	2	M	2	6,300
2p hayon ZX3 SE	2	M	2	7,100
2p hayon ZX3 SE Sport	2	M	2	7,700
4p hayon ZX5 SES	2	M	2	8,500
4p berline ZX4 S	2	M	2	5,800
4p berline ZX4 SE	2	M	2	6,600
4p berline ZX4 SE Sport	2	M	2	7,300
4p berline ZX4 SES	2	M	2	8,500
4p berline ZX4 ST	2	M	2.3	8,700
4p familiale ZXW SE	2	M	2	7,400

Description	R.m.	Tr.	L	Prix
4p familiale ZXW SES	2	M	2	8,500
2007 FREESTAR				**60 000 km**
4p S	2	A	4.2	8,800
4p SE	2	A	4.2	10,000
4p Sport	2	A	4.2	10,600
4p SEL	2	A	4.2	11,000
4p Limited (cuir)	2	A	4.2	11,200
2006 FREESTAR				**80 000 km**
4p S	2	A	4.2	8,200
4p SE	2	A	4.2	8,500
4p Sport	2	A	4.2	9,200
4p SEL	2	A	4.2	9,400
4p Limited (cuir)	2	A	4.2	10,000
2005 FREESTAR				**100 000 km**
4p S	2	A	4.2	6,300
4p SE	2	A	4.2	6,800
4p Sport	2	A	4.2	7,300
4p SEL	2	A	4.2	7,300
4p Limited (cuir)	2	A	4.2	7,600
2007 FREESTYLE				**60 000 km**
4p familiale SEL	2	A	3	12,900
4p familiale Limited (cuir)	2	A	3	14,700
4p familiale SEL	A	A	3	14,300
4p familiale Limited (cuir)	A	A	3	15,100
2006 FREESTYLE				**80 000 km**
4p familiale SE	2	A	3	10,800
4p familiale SEL	2	A	3	12,100
4p familiale SE	A	A	3	12,400
4p familiale SEL	A	A	3	12,900
4p familiale Limited (cuir)	A	A	3	13,000
2005 FREESTYLE				**100 000 km**
4p familiale SE	2	A	3	8,500
4p familiale SEL	2	A	3	9,000
4p familiale Limited (cuir)	2	A	3	9,500
4p familiale SE	A	A	3	9,300
4p familiale SEL	A	A	3	9,700
4p familiale Limited (cuir)	A	A	3	9,900
2009 FUSION				**20 000 km**
4p berline SE	2	M	2.3	16,400
4p berline SEL	2	M	2.3	18,400
4p berline SEL V6	2	A	3	20,400
4p berline SEL AWD	A	A	3	22,100
2008 FUSION				**40 000 km**
4p berline SE	2	M	2.3	12,200
4p berline SEL	2	M	2.3	13,700
4p berline SEL V6	2	A	3	14,800
4p berline SEL AWD	A	A	3	15,300
2007 FUSION				**60 000 km**
4p berline SE	2	M	2.3	9,400
4p berline SE V6	2	A	3	10,800
4p berline SEL	2	M	2.3	10,600
4p berline SEL V6	2	A	3	10,800
4p berline SE AWD	A	A	3	11,000
4p berline SEL AWD	A	A	3	11,500
2006 FUSION				**80 000 km**
4p berline SE	2	M	2.3	8,500
4p berline SE V6	2	A	3	9,000
4p berline SEL	2	M	2.3	8,900
4p berline SEL V6	2	A	3	9,500
2009 MUSTANG				**20 000 km**
2p coupé V6	2	M	4	21,600
2p coupé GT	2	M	4.6	29,600
2p coupé GT California Special	2	M	4.6	31,900
2p coupé Shelby GT500	2	M	5.4	44,500
2p décapotable V6	2	M	4	23,700
2p décapotable GT	2	M	4.6	32,200
2p déc GT California Special	2	M	4.6	34,500
2p décapotable Shelby GT500	2	M	5.4	47,900
2008 MUSTANG				**40 000 km**
2p coupé V6	2	M	4	16,200
2p coupé GT	2	M	4.6	22,100
2p coupé GT California Special	2	M	4.6	23,500
2p coupé GT Bullitt	2	M	4.6	27,500
2p coupé Shelby GT500	2	M	5.4	39,700
2p décapotable V6	2	M	4	18,800
2p décapotable GT	2	M	4.6	24,700
2p déc GT California Special	2	M	4.6	26,100
2p décapotable Shelby GT500	2	M	5.4	41,800
2007 MUSTANG				**60 000 km**
2p coupé V6	2	M	4	14,200
2p coupé GT	2	M	4.6	20,300
2p coupé GT California Special	2	M	4.6	22,000
2p coupé Shelby GT500	2	M	5.4	34,500
2p décapotable V6	2	M	4	17,000

Description	R.m.	Tr.	L	Prix
2p décapotable GT	2	M	4.6	22,900
2p déc GT California Special	2	M	4.6	25,000
2p décapotable Shelby GT500	2	M	5.4	36,500
2006 MUSTANG				**80 000 km**
2p coupé V6	2	M	4	13,200
2p coupé GT	2	M	4.6	19,100
2p décapotable V6	2	M	4	15,800
2p décapotable GT	2	M	4.6	19,000
2005 MUSTANG				**100 000 km**
2p coupé V6	2	M	4	11,000
2p coupé GT	2	M	4.6	16,200
2p décapotable V6	2	M	4	14,800
2p décapotable GT	2	M	4.6	18,300
2009 RANGER				**20 000 km**
cab. rég. XL	2	M	2.3	12,300
cab. rég. XL	2	M	4	13,200
cab. rég. XL benne allongée	2	A	4	13,000
super cab. XL	2	A	4	13,200
super cab. Sport	2	M	4	13,900
super cab. XLT	2	M	4	17,000
super cab. XL	4	M	4	15,600
super cab. Sport	4	M	4	17,400
super cab. XLT	4	M	4	19,300
super cab. FX4/Off-Road	4	M	4	19,900
2008 RANGER				**40 000 km**
cab. rég. XL	2	M	2.3	8,900
cab. rég. XL	2	M	3	9,600
cab. rég. XL benne allongée	2	M	3	10,000
cab. rég. XL benne allongée	2	A	4	11,400
super cab. XL	2	M	3	10,300
super cab. XL	2	A	4	11,600
super cab. Sport	2	M	3	10,700
super cab. Sport	2	M	4	11,300
super cab. XLT	2	M	3	13,400
super cab. XLT	2	M	4	13,900
super cab. XL	4	M	4	12,300
super cab. Sport	4	M	4	13,700
super cab. XLT	4	M	4	15,300
super cab. FX4/Off-Road	4	M	4	15,800
2007 RANGER				**60 000 km**
cab. rég. XL	2	M	2.3	8,300
cab. rég. XL	2	M	3	8,900
cab. rég. XL benne allongée	2	M	3	9,400
cab. rég. XL benne allongée	2	A	4	10,500
super cab. XL	2	M	3	10,100
super cab. XL	2	A	4	11,300
super cab. Sport	2	M	3	10,500
super cab. Sport	2	M	4	10,900
super cab. STX	2	M	3	10,800
super cab. STX	2	M	4	11,300
super cab. XLT	2	M	3	11,400
super cab. XLT	2	M	4	11,900
super cab. XL	4	M	4	12,600
super cab. Sport	4	M	4	13,900
super cab. XLT	4	M	4	13,900
super cab. FX4/Off-Road	4	M	4	14,400
super cab. FX4 Level II	4	M	4	15,500
2006 RANGER				**80 000 km**
cab. rég. XL	2	M	2.3	6,600
cab. rég. XL	2	M	3	7,100
cab. rég. SXT	2	M	3	8,500
cab. rég. XL benne allongée	2	M	3	7,700
cab. rég. XL benne allongée	2	A	4	9,100
cab. rég. Sport	2	M	3	8,300
cab. rég. XLT	2	M	3	9,000
cab. rég. XLT benne allongée	2	M	3	9,300
cab. rég. XLT benne allongée	2	A	4	10,600
super cab. XL	2	M	3	8,600
super cab. XL	2	A	4	10,000
super cab. Sport	2	M	3	9,200
super cab. Sport	2	M	4	9,700
super cab. SXT	2	M	3	9,400
super cab. SXT	2	M	4	10,000
super cab. XLT	2	M	3	10,100
super cab. XLT	2	M	4	10,400
cab. rég. XLT	4	M	4	11,800
cab. rég. XLT benne allongée	4	M	4	12,000
super cab. XL	4	M	4	11,500
super cab. Sport	4	M	4	12,900
super cab. XLT	4	M	4	13,000
super cab. FX4/Off-Road	4	M	4	13,400
super cab. FX4 Level II	4	M	4	14,500
2005 RANGER				**100 000 km**
cab. rég. XL	2	M	2.3	4,900
cab. rég. XL	2	M	3	5,600
cab. rég. SXT	2	M	3	6,600
cab. rég. XL benne allongée	2	M	3	6,200
cab. rég. XL benne allongée	2	A	4	7,300
cab. rég. Edge	2	M	3	6,400

Description	R.m.	Tr.	L	Prix
cab. rég. XLT	2	M	3	7,100
cab. rég. XLT benne allongée	2	M	3	7,500
cab. rég. XLT benne allongée	2	A	4	8,700
super cab. XL	2	M	3	6,600
super cab. XL	2	A	4	8,100
super cab. Edge	2	M	3	7,500
super cab. Edge	2	M	4	8,100
super cab. SXT	2	M	3	7,900
super cab. SXT	2	M	4	8,300
super cab. XLT	2	M	3	8,200
super cab. XLT	2	M	4	8,600
cab. rég. XLT	4	M	4	9,800
cab. rég. XLT benne allongée	4	M	4	10,000
super cab. XL	4	M	4	9,600
super cab. Edge	4	M	4	10,900
super cab. XLT	4	M	4	10,900
super cab. FX4/Off-Road	4	M	4	11,300
super cab. FX4 Level II	4	M	4	12,300
2009 TAURUS				**20 000 km**
4p berline SEL	2	A	3.5	23,700
4p berline SEL AWD	A	A	3.5	25,700
4p berline Limited AWD (cuir)	A	A	3.5	30,000
2008 TAURUS				**40 000 km**
4p berline SEL	2	A	3.5	13,500
4p berline Limited (cuir)	2	A	3.5	15,600
4p berline SEL AWD	A	A	3.5	14,400
4p berline Limited AWD (cuir)	A	A	3.5	16,400
2007 TAURUS				**60 000 km**
4p berline SE	2	A	3	10,100
4p berline SEL (toit ouvrant)	2	A	3	10,800
2006 TAURUS				**80 000 km**
4p berline SE	2	A	3	7,600
4p berline SE Premium	2	A	3	8,300
4p berline SEL	2	A	3	9,000
4p berline SEL Premium (cuir)	2	A	3	9,300
2005 TAURUS				**100 000 km**
4p berline SE	2	A	3	5,900
4p berline SE Premium	2	A	3	6,700
4p berline SEL	2	A	3	7,500
4p berline SEL Premium (cuir)	2	A	3	8,200
4p berline SEL DOHC	2	A	3	7,900
4p berline SEL DOHC Prem (cuir)	2	A	3	8,600
4p familiale SE	2	A	3	6,500
4p familiale SE Premium	2	A	3	7,400
4p familiale SEL	2	A	3	8,100
4p familiale SEL Premium (cuir)	2	A	3	8,600
4p familiale SEL DOHC	2	A	3	8,400
4p fam SEL DOHC Premium (cuir)	2	A	3	9,000
2009 TAURUS X				**20 000 km**
4p familiale SEL	2	A	3.5	27,900
4p familiale Limited (cuir)	2	A	3.5	31,200
4p familiale SEL AWD	A	A	3.5	28,500
4p familiale Limited AWD (cuir)	A	A	3.5	32,500
2008 TAURUS X				**40 000 km**
4p familiale SEL	2	A	3.5	19,800
4p familiale Limited (cuir)	2	A	3.5	21,700
4p familiale SEL AWD	A	A	3.5	20,900
4p familiale Limited AWD (cuir)	A	A	3.5	22,700
2005 THUNDERBIRD				**100 000 km**
2p décapotable base (toit dur)	2	A	3.9	26,000

GMC

Description	R.m.	Tr.	L	Prix
2009 1500 SIERRA				**20 000 km**
cab. rég. WT	2	A	4.3	18,800
cab. rég. WT	2	A	4.8	20,000
cab. rég. SLE	2	A	4.8	23,400
cab. all. WT	2	A	4.3	22,400
cab. all. WT	2	A	4.8	23,600
cab. all. SLE	2	A	4.8	26,200
cab. all. SLE Vortec Max	2	A	6	28,600
cab. all. SLT (cuir)	2	A	5.3	32,600
cab. all. SLT Vortec Max (cuir)	2	A	6	33,900
crew cab WT	2	A	4.8	24,700
crew cab SLE	2	A	4.8	27,600
crew cab SLE Vortec Max	2	A	6	29,900
crew cab SLT (cuir)	2	A	5.3	34,100
crew cab SLT Vortec Max (cuir)	2	A	6	35,200
cab. rég. WT	4	A	4.3	21,700
cab. rég. WT	4	A	4.8	22,900
cab. rég. SLE	4	A	4.8	26,700
cab. all. WT	4	A	4.8	26,300
cab. all. SLE	4	A	4.8	29,600
cab. all. SLE Vortec Max	4	A	6	31,900
cab. all. SLT (cuir)	4	A	5.3	35,900
cab. all. SLT Vortec Max (cuir)	4	A	6	37,200
crew cab WT	4	A	4.8	27,600
crew cab SLE	4	A	4.8	30,900

Description	R.m.	Tr.	L	Prix
crew cab SLE Vortec Max	4	A	6	33,300
crew cab SLT (cuir)	4	A	5.3	37,600
crew cab SLT Vortec Max (cuir)	4	A	6	38,500
crew cab Denali (cuir)	A	A	6.2	43,000
2008 1500 SIERRA				**40 000 km**
cab. rég. WT	2	A	4.3	12,500
cab. rég. WT	2	A	4.8	13,600
cab. rég. SLE	2	A	4.8	15,700
cab. all. WT	2	A	4.3	15,100
cab. all. WT	2	A	4.8	15,600
cab. all. SLE	2	A	4.8	17,800
cab. all. SLE Vortec Max	2	A	6	20,100
cab. all. SLT (cuir)	2	A	5.3	22,000
cab. all. SLT Vortec Max (cuir)	2	A	6	23,200
crew cab WT	2	A	4.8	18,700
crew cab SLE	2	A	4.8	19,800
crew cab SLE Vortec Max	2	A	6	20,700
crew cab SLT (cuir)	2	A	5.3	22,900
crew cab SLT Vortec Max (cuir)	2	A	6	24,000
cab. rég. WT	4	A	4.3	14,400
cab. rég. WT	4	A	4.8	15,100
cab. rég. SLE	4	A	4.8	18,000
cab. all. WT	4	A	4.8	17,600
cab. all. SLE	4	A	4.8	20,000
cab. all. SLE Vortec Max	4	A	6	22,500
cab. all. SLT (cuir)	4	A	5.3	24,300
cab. all. SLT Vortec Max (cuir)	4	A	6	25,700
crew cab WT	4	A	4.8	18,400
crew cab SLE	4	A	4.8	21,000
crew cab SLE Vortec Max	4	A	6	23,600
crew cab SLT (cuir)	4	A	5.3	25,500
crew cab SLT Vortec Max (cuir)	4	A	6	26,100
crew cab Denali (cuir)	A	A	6.2	29,000
2007 1500 SIERRA				**60 000 km**
cab. rég. WT	2	A	4.3	10,300
cab. rég. WT	2	A	4.8	10,900
cab. rég. SLE	2	A	4.8	13,200
cab. all. WT	2	A	4.3	12,600
cab. all. WT	2	A	4.8	13,000
cab. all. SLE	2	A	4.8	14,900
cab. all. SLE Vortec Max	2	A	6	16,300
cab. all. SLT (cuir)	2	A	5.3	18,600
cab. all. SLT Vortec Max (cuir)	2	A	6	19,400
crew cab WT	2	A	4.8	14,000
crew cab SLE	2	A	4.8	15,700
crew cab SLE Vortec Max	2	A	6	17,100
crew cab SLT (cuir)	2	A	5.3	19,600
crew cab SLT Vortec Max (cuir)	2	A	6	20,400
cab. rég. WT	4	A	4.3	12,100
cab. rég. WT	4	A	4.8	12,700
cab. rég. SLE	4	A	4.8	15,400
cab. all. WT	4	A	4.8	14,800
cab. all. SLE	4	A	4.8	16,900
cab. all. SLE Vortec Max	4	A	6	18,200
cab. all. SLT (cuir)	4	A	5.3	20,600
cab. all. SLT Vortec Max (cuir)	4	A	6	21,400
crew cab WT	4	A	4.8	15,600
crew cab SLE	4	A	4.8	18,000
crew cab SLE Vortec Max	4	A	6	19,300
crew cab SLT (cuir)	4	A	5.3	21,600
crew cab SLT Vortec Max (cuir)	4	A	6	22,500
crew cab Denali (cuir)	A	A	6.2	24,800
2007 1500 SIERRA				**60 000 km**
cab. rég. Ens. Valeur	2	M	4.3	8,700
cab. rég. SL	2	M	4.3	11,500
cab. rég. SL	2	A	4.8	12,700
cab. rég. SLE	2	A	4.8	13,500
cab. all. SL	2	A	4.3	13,300
cab. all. SL	2	A	4.8	14,300
cab. all. SLE	2	A	4.8	15,400
cab. all. SLE Hybride	2	A	5.3	17,000
cab. all. SLT (cuir)	2	A	5.3	18,500
crew cab base	2	A	4.8	15,700
crew cab SLE	2	A	5.3	16,500
crew cab SLT (cuir)	2	A	5.3	19,300
crew cab SLT (cuir) HD	2	A	6	20,100
cab. rég. Ens. Valeur	4	M	4.3	10,400
cab. rég. SL	4	M	4.3	13,300
cab. rég. SL	4	A	4.8	14,500
cab. rég. SLE	4	A	4.8	15,500
cab. all. SL	4	A	4.8	15,400
cab. all. SLE	4	A	4.8	17,100
cab. all. SLE Hybride	4	A	5.3	19,100
cab. all. SLT (cuir)	4	A	5.3	20,700
crew cab Classique	4	A	4.8	17,300
crew cab SLE HD	4	A	6	19,100
crew cab SLT (cuir)	4	A	5.3	21,300
crew cab SLT (cuir) HD	4	A	6	21,900
crew cab Denali (cuir)	A	A	6	25,800
2006 1500 SIERRA				**80 000 km**
cab. rég. Ens. Valeur	2	M	4.3	6,900

Description	R.m.	Tr.	L	Prix
cab. rég. SL	2	M	4.3	8,200
cab. rég. SLE	2	A	4.8	11,400
cab. all. SL	2	A	4.3	11,100
cab. all. SLE	2	A	4.8	13,100
cab. all. SLE Hybride	2	A	5.3	13,800
cab. all. SLT (cuir)	2	A	5.3	16,400
crew cab Wrangler	2	A	4.8	12,300
crew cab SLT (cuir)	2	A	5.3	17,300
crew cab SLT (cuir) HD	2	A	6	18,100
cab. rég. Ens. Valeur	2	M	4.3	7,500
cab. rég. SL	4	M	4.3	10,000
cab. rég. SLE	4	A	4.8	13,300
cab. all. SL	4	A	4.8	13,200
cab. all. SLE	4	A	4.8	15,000
cab. all. SLE Hybride	4	A	5.3	19,300
cab. all. SLT (cuir)	4	A	5.3	18,400
crew cab Wrangler	4	A	4.8	13,900
crew cab SLE	4	A	5.3	16,700
crew cab SLE HD	4	A	6	17,100
crew cab SLT (cuir)	4	A	5.3	19,600
crew cab SLT (cuir) HD	4	A	6	20,000
crew cab Denali (cuir)	A	A	6	23,100

2005 1500 SIERRA — 100 000 km

Description	R.m.	Tr.	L	Prix
cab. rég. SL	2	M	4.3	8,100
cab. rég. SLE	2	A	4.8	11,400
cab. all. SL	2	A	4.3	10,900
cab. all. SLE	2	A	4.8	13,100
cab. all. SLE Hybride	2	A	5.3	13,100
cab. all. SLT (cuir)	2	A	5.3	14,600
crew cab SLE	2	A	5.3	13,500
crew cab SLT (cuir)	2	A	5.3	15,600
crew cab SLE HD	2	A	6	14,100
crew cab SLT (cuir) HD	2	A	6	16,600
cab. rég. SL	4	M	4.3	9,800
cab. rég. SLE	4	A	4.8	12,000
cab. all. SL	4	A	4.8	11,800
cab. all. SLE	4	A	4.8	13,700
cab. all. SLE Hybride	4	A	5.3	13,700
cab. all. SLT (cuir)	A	A	5.3	16,900
crew cab SLE	A	A	5.3	15,100
crew cab SLT (cuir)	A	A	5.3	17,800
crew cab SLE HD	A	A	6	15,500
crew cab SLT (cuir) HD	A	A	6	17,900
crew cab Denali (cuir)	A	A	6	21,000

2009 2500 SIERRA — 20 000 km

Description	R.m.	Tr.	L	Prix
cab. rég. WT HD	2	A	6	26,600
cab. rég. SLE HD	2	A	6	30,500
cab. all. WT HD	2	A	6	30,300
cab. all. SLE HD	2	A	6	32,900
cab. all. SLT HD (cuir)	2	A	6	38,200
crew cab. WT HD	2	A	6	31,800
crew cab. SLE HD	2	A	6	34,300
crew cab. SLT HD (cuir)	2	A	6	40,000
cab. rég. WT HD	4	A	6	29,500
cab. rég. SLE HD	4	A	6	33,300
cab. all. WT HD	4	A	6	33,200
cab. all. SLE HD	4	A	6	35,600
cab. all. SLT HD (cuir)	4	A	6	41,100
crew cab. WT HD	4	A	6	34,900
crew cab. SLE HD	4	A	6	37,100
crew cab. SLT HD (cuir)	4	A	6	42,700

2008 2500 SIERRA — 40 000 km

Description	R.m.	Tr.	L	Prix
cab. rég. WT HD	2	A	6	14,700
cab. rég. SLE HD	2	A	6	17,000
cab. all. WT HD	2	A	6	16,700
cab. all. SLE HD	2	A	6	18,300
cab. all. SLT HD (cuir)	2	A	6	21,500
crew cab. WT HD	2	A	6	17,400
crew cab. SLE HD	2	A	6	19,200
crew cab. SLT HD (cuir)	2	A	6	22,400
cab. rég. WT HD	4	A	6	16,400
cab. rég. SLE HD	4	A	6	18,600
cab. all. WT HD	4	A	6	18,300
cab. all. SLE HD	4	A	6	19,800
cab. all. SLT HD (cuir)	4	A	6	23,000
crew cab. WT HD	4	A	6	19,200
crew cab. SLE HD	4	A	6	20,800
crew cab. SLT HD (cuir)	4	A	6	24,200

2007 2500 SIERRA — 60 000 km

Description	R.m.	Tr.	L	Prix
cab. rég. WT HD	2	A	6	14,400
cab. rég. SLE HD	2	A	6	16,800
cab. all. WT HD	2	A	6	16,400
cab. all. SLE HD	2	A	6	18,100
cab. all. SLT HD (cuir)	2	A	6	21,200
crew cab. WT HD	2	A	6	17,100
crew cab. SLE HD	2	A	6	18,700
crew cab. SLT HD (cuir)	2	A	6	22,100
cab. rég. WT HD	4	A	6	16,000
cab. rég. SLE HD	4	A	6	18,300
cab. all. WT HD	4	A	6	18,000
cab. all. SLE HD	4	A	6	19,600
cab. all. SLT HD (cuir)	4	A	6	22,800
crew cab. WT HD	4	A	6	18,700
crew cab. SLE HD	4	A	6	20,400
crew cab. SLT HD (cuir)	4	A	6	24,000

2007 2500 SIERRA — 60 000 km

Description	R.m.	Tr.	L	Prix
cab. rég. SL HD	2	M	6	12,700
cab. rég. SLE HD	2	M	6	14,800
cab. all. SL HD	2	M	6	14,900
cab. all. SLE HD	2	M	6	16,200
cab. all. SLT HD (cuir)	2	A	6	19,400
crew cab. SL HD	2	M	6	14,900
crew cab. SLE HD	2	M	6	16,900
crew cab. SLT HD (cuir)	2	A	6	20,300
cab. rég. SL HD	4	M	6	14,200
cab. rég. SLE HD	4	M	6	16,400
cab. all. SL HD	4	M	6	16,200
cab. all. SLE HD	4	M	6	18,000
cab. all. SLT HD (cuir)	4	A	6	21,100
crew cab. SL HD	4	M	6	16,400
crew cab. SLE HD	4	M	6	18,600
crew cab. SLT HD (cuir)	4	A	6	21,800

2006 2500 SIERRA — 80 000 km

Description	R.m.	Tr.	L	Prix
cab. rég. SL HD	2	M	6	10,000
cab. rég. SLE HD	2	M	6	12,100
cab. all. SL HD	2	M	6	12,100
cab. all. SLE HD	2	M	6	13,600
cab. all. SLT HD (cuir)	2	A	6	17,000
crew cab. SL HD	2	M	6	12,200
crew cab. SLE HD	2	M	6	14,500
crew cab. SLT HD (cuir)	2	A	6	17,800
cab. rég. SL HD	4	M	6	11,600
cab. rég. SLE HD	4	M	6	13,900
cab. all. SL HD	4	M	6	13,600
cab. all. SLE HD	4	M	6	15,200
cab. all. SLT HD (cuir)	4	A	6	18,700
crew cab. SL HD	4	M	6	13,900
crew cab. SLE HD	4	M	6	16,100
crew cab. SLT HD (cuir)	4	A	6	19,600

2005 2500 SIERRA — 100 000 km

Description	R.m.	Tr.	L	Prix
cab. rég. SL HD	2	M	6	8,100
cab. rég. SLE HD	2	M	6	10,100
cab. all. SL HD	2	M	6	10,100
cab. all. SLE HD	2	M	6	11,100
cab. all. SLT HD (cuir)	2	A	6	14,000
crew cab. SL HD	2	M	6	10,200
crew cab. SLE HD	2	M	6	11,800
crew cab. SLT HD (cuir)	2	A	6	15,000
cab. rég. SL HD	4	M	6	9,600
cab. rég. SLE HD	4	M	6	11,300
cab. all. SL HD	4	M	6	11,200
cab. all. SLE HD	4	M	6	12,800
cab. all. SLT HD (cuir)	4	A	6	15,800
crew cab. SL HD	4	M	6	11,400
crew cab. SLE HD	4	M	6	13,200
crew cab. SLT HD (cuir)	4	A	6	16,200

2009 3500 SIERRA — 20 000 km

Description	R.m.	Tr.	L	Prix
cab. all. WT	2	A	6	31,800
cab. all. SLE	2	A	6	34,300
cab. all. SLT (cuir)	2	A	6	39,000
crew cab. WT	2	A	6	33,300
crew cab. SLE	2	A	6	35,800
crew cab. SLT (cuir)	2	A	6	40,800
cab. rég. WT	4	A	6	30,800
cab. rég. SLE	4	A	6	34,600
cab. all. WT	4	A	6	34,600
cab. all. SLE	4	A	6	37,100
cab. all. SLT (cuir)	4	A	6	41,800
crew cab. WT	4	A	6	36,200
crew cab. SLE	4	A	6	38,500
crew cab. SLT (cuir)	4	A	6	43,700

2008 3500 SIERRA — 40 000 km

Description	R.m.	Tr.	L	Prix
cab. all. WT	2	A	6	20,500
cab. all. SLE	2	A	6	22,400
cab. all. SLT (cuir)	2	A	6	25,700
crew cab. WT	2	A	6	21,200
crew cab. SLE	2	A	6	23,200
crew cab. SLT (cuir)	2	A	6	26,600
cab. rég. WT	4	A	6	19,700
cab. rég. SLE	4	A	6	22,600
cab. all. WT	4	A	6	22,400
cab. all. SLE	4	A	6	24,200
cab. all. SLT (cuir)	4	A	6	27,400
crew cab. WT	4	A	6	23,200
crew cab. SLE	4	A	6	25,000
crew cab. SLT (cuir)	4	A	6	28,500

2007 3500 SIERRA — 60 000 km

Description	R.m.	Tr.	L	Prix
cab. all. WT	2	A	6	17,200
cab. all. SLE	2	A	6	18,900
cab. all. SLT (cuir)	2	A	6	21,600
crew cab. WT	2	A	6	18,000
crew cab. SLE	2	A	6	19,500
crew cab. SLT (cuir)	2	A	6	22,700
cab. rég. WT	4	A	6	16,600
cab. rég. SLE	4	A	6	19,000
cab. all. WT	4	A	6	19,000
cab. all. SLE	4	A	6	20,500
cab. all. SLT (cuir)	4	A	6	23,200
crew cab. WT	4	A	6	19,600
crew cab. SLE	4	A	6	21,100
crew cab. SLT (cuir)	4	A	6	24,200
cab. all. SL	2	M	6	15,600
cab. all. SLE	2	M	6	16,900
cab. all. SLT (cuir)	2	A	6	19,800
crew cab. SL	2	M	6	15,700
crew cab. SLE	2	M	6	17,700
crew cab. SLT (cuir)	2	A	6	20,700
cab. rég. SL	4	M	6	14,900
cab. rég. SLE	4	M	6	16,900
cab. all. SL	4	M	6	17,100
cab. all. SLE	4	M	6	18,500
cab. all. SLT (cuir)	4	A	6	21,600
crew cab. SL	4	M	6	17,200
crew cab. SLE	4	M	6	19,300
crew cab. SLT (cuir)	4	A	6	22,600

2006 3500 SIERRA — 80 000 km

Description	R.m.	Tr.	L	Prix
cab. all. SL	2	M	6	12,900
cab. all. SLE	2	M	6	14,400
cab. all. SLT (cuir)	2	A	6	17,400
crew cab. SL	2	M	6	13,100
crew cab. SLE	2	M	6	15,100
crew cab. SLT (cuir)	2	A	6	18,300
cab. rég. SL	4	M	6	12,400
cab. rég. SLE	4	M	6	14,500
cab. all. SL	4	M	6	14,500
cab. all. SLE	4	M	6	16,100
cab. all. SLT (cuir)	4	A	6	19,200
crew cab. SL	4	M	6	14,700
crew cab. SLE	4	M	6	17,000
crew cab. SLT (cuir)	4	A	6	20,300

2005 3500 SIERRA — 100 000 km

Description	R.m.	Tr.	L	Prix
cab. all. SL	2	M	6	10,500
cab. all. SLE	2	M	6	11,700
cab. all. SLT (cuir)	2	A	6	13,800
crew cab. SL	2	M	6	10,700
crew cab. SLE	2	M	6	12,600
crew cab. SLT (cuir)	2	A	6	16,000
cab. rég. SL	4	M	6	9,800
cab. rég. SLE	4	M	6	11,700
cab. all. SL	4	M	6	12,000
cab. all. SLE	4	M	6	12,600
cab. all. SLT (cuir)	4	A	6	16,400
crew cab. SL	4	M	6	12,300
crew cab. SLE	4	M	6	13,400
crew cab. SLT (cuir)	4	A	6	16,300

2009 ACADIA — 20 000 km

Description	R.m.	Tr.	L	Prix
4p SLE	2	A	3.6	31,500
4p SLT (cuir)	2	A	3.6	36,900
4p SLT (cuir) 1SC (roues 19)	2	A	3.6	40,600
4p SLE AWD	A	A	3.6	34,100
4p SLT AWD (cuir)	A	A	3.6	39,500
4p SLT AWD (cuir) 1SC (19)	A	A	3.6	40,700

2008 ACADIA — 40 000 km

Description	R.m.	Tr.	L	Prix
4p SLE	2	A	3.6	27,500
4p SLT (cuir)	2	A	3.6	31,500
4p SLT (cuir) 1SC (roues 19)	2	A	3.6	33,900
4p SLE AWD	A	A	3.6	29,700
4p SLT AWD (cuir)	A	A	3.6	32,600
4p SLT AWD (cuir) 1SC (19)	A	A	3.6	33,900

2007 ACADIA — 60 000 km

Description	R.m.	Tr.	L	Prix
4p SLE	2	A	3.6	23,500
4p SLT (cuir)	2	A	3.6	26,200
4p SLT (cuir) 1SC (roues 19)	2	A	3.6	27,600
4p SLE AWD	A	A	3.6	24,500
4p SLT AWD (cuir)	A	A	3.6	26,900
4p SLT AWD (cuir) 1SC (19)	A	A	3.6	27,800

2009 CANYON — 20 000 km

Description	R.m.	Tr.	L	Prix
cab. rég. SLE	2	M	2.9	19,400
cab. rég. SLE	2	A	3.7	22,400
cab. all. SLE	2	M	2.9	20,200
cab. all. SLE	2	A	3.7	24,300
crew cab. SLE	2	A	2.9	24,400
crew cab. SLE	2	A	3.7	26,700
cab. rég. SLE	4	M	2.9	22,700
cab. rég. SLE	4	A	3.7	25,100
cab. all. SLE	4	M	2.9	24,400
cab. all. SLE	4	A	3.7	26,600
crew cab. SLE	4	A	3.7	29,900

2008 CANYON — 40 000 km

Description	R.m.	Tr.	L	Prix
cab. rég. SL	2	M	2.9	11,500
cab. rég. SL	2	A	3.7	12,800
cab. rég. SLE	2	M	2.9	12,600
cab. rég. SLE	2	A	3.7	14,000
cab. all. SL	2	M	2.9	12,600
cab. all. SL	2	A	3.7	14,100
cab. all. SLE	2	M	2.9	13,700
cab. all. SLE	2	A	3.7	15,100
crew cab. SLE	2	A	2.9	15,800
crew cab. SLE	2	A	3.7	16,500
cab. rég. SL	4	M	2.9	13,600
cab. rég. SL	4	A	3.7	14,900
cab. rég. SLE	4	M	2.9	14,700
cab. rég. SLE	4	A	3.7	16,000
cab. all. SL	4	M	2.9	14,700
cab. all. SL	4	A	3.7	16,100
cab. all. SLE	4	M	2.9	15,700
cab. all. SLE	4	A	3.7	17,100
crew cab. SLE	4	A	3.7	18,600

2007 CANYON — 60 000 km

Description	R.m.	Tr.	L	Prix
cab. rég. SL	2	M	2.9	10,200
cab. rég. SL	2	A	3.7	11,500
cab. rég. SLE	2	M	2.9	11,000
cab. rég. SLE	2	A	3.7	11,800
cab. all. SL	2	M	2.9	11,300
cab. all. SL	2	A	3.7	12,100
cab. all. SLE	2	M	2.9	12,200
cab. all. SLE	2	A	3.7	12,800
crew cab. SLE	2	M	2.9	12,800
crew cab. SLE	2	A	3.7	14,200
cab. rég. SL	4	M	2.9	12,200
cab. rég. SL	4	A	3.7	12,900
cab. rég. SLE	4	M	2.9	12,300
cab. rég. SLE	4	A	3.7	13,800
cab. all. SL	4	M	2.9	12,600
cab. all. SL	4	A	3.7	14,100
cab. all. SLE	4	M	2.9	13,500
cab. all. SLE	4	A	3.7	14,900
crew cab. SLE	4	A	3.7	16,300

2006 CANYON — 80 000 km

Description	R.m.	Tr.	L	Prix
cab. rég. SL	2	M	2.8	6,700
cab. rég. SL	2	M	3.5	7,400
cab. rég. SLE	2	M	2.8	8,200
cab. rég. SLE	2	M	3.5	8,800
cab. all. SL	2	M	2.8	8,000
cab. all. SL	2	M	3.5	8,500
cab. all. SLE	2	M	2.8	9,200
cab. all. SLE	2	M	3.5	9,400
crew cab. SLE	2	M	2.8	10,000
crew cab. SLE	2	A	3.5	11,300
cab. rég. SL	4	M	2.8	8,800
cab. rég. SL	4	M	3.5	9,400
cab. rég. SLE	4	M	2.8	9,600
cab. rég. SLE	4	M	3.5	10,200
cab. all. SL	4	M	2.8	9,800
cab. all. SL	4	M	3.5	10,000
cab. all. SLE	4	M	2.8	10,500
cab. all. SLE	4	M	3.5	11,100
crew cab. SLE	4	M	2.8	12,000
crew cab. SLE	4	A	3.5	13,300

2005 CANYON — 100 000 km

Description	R.m.	Tr.	L	Prix
cab. rég. SL	2	M	2.8	5,900
cab. rég. SL	2	M	3.5	6,500
cab. rég. SLE	2	M	2.8	7,400
cab. rég. SLE	2	M	3.5	8,100
cab. all. SL	2	M	2.8	7,200
cab. all. SL	2	M	3.5	7,800
cab. all. SLE	2	M	2.8	8,600
cab. all. SLE	2	M	3.5	8,800
crew cab. SLE	2	M	2.8	9,500
crew cab. SLE	2	A	3.5	11,000
cab. rég. SL	4	M	2.8	8,100
cab. rég. SL	4	M	3.5	8,800
cab. rég. SLE	4	M	2.8	8,900
cab. rég. SLE	4	M	3.5	9,700
cab. all. SL	4	M	2.8	8,500
cab. all. SL	4	M	3.5	9,400
cab. all. SLE	4	M	2.8	10,200
cab. all. SLE	4	M	3.5	10,800
crew cab. SLE	4	M	2.8	11,700
crew cab. SLE	4	A	3.5	13,300

2009 ENVOY — 20 000 km

Description	R.m.	Tr.	L	Prix
4p SLE	4	A	4.2	33,400
4p SLT (cuir)	4	A	4.2	35,100
4p Denali (cuir)	4	A	5.3	38,600

2008 ENVOY — 40 000 km

Description	R.m.	Tr.	L	Prix
4p SLE	4	A	4.2	22,900
4p SLT (cuir)	4	A	4.2	24,300
4p Denali (cuir)	4	A	5.3	24,800

2007 ENVOY — 60 000 km

Description	R.m.	Tr.	L	Prix
4p SLE	2	A	4.2	15,000

Description	R.m.	Tr.	L	Prix
4p SLT (cuir)	2	A	4.2	17,200
4p Denali (cuir)	2	A	5.3	19,500
4p SLE	4	A	4.2	17,900
4p SLT (cuir)	4	A	4.2	20,100
4p Denali (cuir)	4	A	5.3	21,700

2006 ENVOY — 80 000 km

Description	R.m.	Tr.	L	Prix
4p SLE	2	A	4.2	11,800
4p SLT (cuir)	2	A	4.2	13,900
4p Denali (cuir)	2	A	5.3	17,400
4p SLE	4	A	4.2	16,600
4p SLT (cuir)	4	A	4.2	17,900
4p Denali (cuir)	4	A	5.3	19,200

2005 ENVOY — 100 000 km

Description	R.m.	Tr.	L	Prix
4p VL	2	A	4.2	8,100
4p SLE	2	A	4.2	14,100
4p SLT (cuir)	2	A	4.2	14,800
4p Denali (cuir)	2	A	5.3	16,100
4p SLE	4	A	4.2	13,200
4p SLT (cuir)	4	A	4.2	15,800
4p Denali (cuir)	4	A	5.3	16,100

2006 ENVOY XL — 80 000 km

Description	R.m.	Tr.	L	Prix
4p SLE	2	A	4.2	12,200
4p SLT (cuir)	2	A	4.2	15,300
4p Denali	2	A	5.3	19,500
4p SLE	4	A	4.2	18,700
4p SLT (cuir)	4	A	4.2	19,600
4p Denali	4	A	5.3	20,200

2005 ENVOY XL — 100 000 km

Description	R.m.	Tr.	L	Prix
4p SLE	2	A	4.2	13,200
4p SLT (cuir)	2	A	4.2	15,400
4p Denali	2	A	5.3	16,800
4p SLE	4	A	4.2	14,800
4p SLT (cuir)	4	A	4.2	18,300
4p Denali	A	A	5.3	18,700

2005 ENVOY XUV — 100 000 km

Description	R.m.	Tr.	L	Prix
4p SLE	2	A	4.2	13,400
4p SLT (cuir)	2	A	4.2	15,500
4p SLE	4	A	4.2	14,500
4p SLT (cuir)	4	A	4.2	16,400

2009 G1500 SAVANA — 20 000 km

Description	R.m.	Tr.	L	Prix
3p SL	2	A	5.3	25,500
3p SLE	2	A	5.3	32,800
3p SL	A	A	5.3	31,900
3p SLE	A	A	5.3	37,400

2008 G1500 SAVANA — 40 000 km

Description	R.m.	Tr.	L	Prix
3p SL	2	A	5.3	22,000
3p SLE	2	A	5.3	24,100
3p SL	A	A	5.3	23,800
3p SLE	A	A	5.3	25,900

2007 G1500 SAVANA — 60 000 km

Description	R.m.	Tr.	L	Prix
3p SL	2	A	5.3	15,800
3p SLE	2	A	5.3	17,300
3p SL	A	A	5.3	17,200
3p SLE	A	A	5.3	18,700

2006 G1500 SAVANA — 80 000 km

Description	R.m.	Tr.	L	Prix
3p SL	2	A	4.3	12,300
3p SLE	2	A	4.3	13,400
3p SL	A	A	5.3	14,100
3p SLE	A	A	5.3	15,000

2005 G1500 SAVANA — 100 000 km

Description	R.m.	Tr.	L	Prix
3p SL	2	A	4.3	10,800
3p SLE	2	A	4.3	11,300
3p SL	A	A	5.3	12,200
3p SLE	A	A	5.3	13,400

2009 G2500 SAVANA — 20 000 km

Description	R.m.	Tr.	L	Prix
3p SL	2	A	6	31,900
3p SLE	2	A	6	34,700

2008 G2500 SAVANA — 40 000 km

Description	R.m.	Tr.	L	Prix
3p SL	2	A	6	19,900
3p SLE	2	A	6	21,700

2007 G2500 SAVANA — 60 000 km

Description	R.m.	Tr.	L	Prix
3p SL	2	A	4.8	17,100
3p SL	2	A	6	17,700
3p SLE	2	A	4.8	18,600
3p SLE	2	A	6	19,400

2006 G2500 SAVANA — 80 000 km

Description	R.m.	Tr.	L	Prix
3p SL	2	A	4.8	13,900
3p SL	2	A	6	14,400
3p SLE	2	A	4.8	14,900
3p SLE	2	A	6	15,500

2005 G2500 SAVANA — 100 000 km

Description	R.m.	Tr.	L	Prix
3p SL	2	A	6	12,900
3p SLE	2	A	6	14,100

2009 G3500 SAVANA — 20 000 km

Description	R.m.	Tr.	L	Prix
3p SL	2	A	6	32,300
3p allongé SL	2	A	6	34,600
3p SLE	2	A	6	34,700
3p allongé SLE	2	A	6	36,100

2008 G3500 SAVANA — 40 000 km

Description	R.m.	Tr.	L	Prix
3p SL	2	A	6	22,500
3p allongé SL	2	A	6	24,200
3p SLE	2	A	6	24,100
3p allongé SLE	2	A	6	25,100

2007 G3500 SAVANA — 60 000 km

Description	R.m.	Tr.	L	Prix
3p SL	2	A	6	18,200
3p allongé SL	2	A	6	19,600
3p SLE	2	A	6	19,600
3p allongé SLE	2	A	6	20,400

2006 G3500 SAVANA — 80 000 km

Description	R.m.	Tr.	L	Prix
3p SL	2	A	6	14,400
3p allongé SL	2	A	6	15,800
3p SLE	2	A	6	15,300
3p allongé SLE	2	A	6	16,700

2005 G3500 SAVANA — 100 000 km

Description	R.m.	Tr.	L	Prix
3p SL	2	A	6	13,200
3p allongé SL	2	A	6	14,600
3p SLE	2	A	6	14,100
3p allongé SLE	2	A	6	15,500

2005 JIMMY — 100 000 km

Description	R.m.	Tr.	L	Prix
2p SLS base	4	M	4.3	6,400
2p SLS	4	M	4.3	7,000

2005 SAFARI — 100 000 km

Description	R.m.	Tr.	L	Prix
3p allongé SL	2	A	4.3	6,500
3p allongé SLE	2	A	4.3	6,700
3p allongé SLT	2	A	4.3	9,000
3p allongé SL	A	A	4.3	7,400
3p allongé SLE	A	A	4.3	8,900
3p allongé SLT	A	A	4.3	9,900

2009 YUKON — 20 000 km

Description	R.m.	Tr.	L	Prix
4p SLE	2	A	5.3	39,000
4p SLT (cuir)	2	A	5.3	43,700
4p Hybride	2	A	6	53,400
4p SLE AWD	4	A	5.3	42,600
4p SLT AWD (cuir)	4	A	5.3	47,500
4p Denali AWD (cuir)	A	A	6.2	55,600
4p Hybride	4	A	6	55,800

2008 YUKON — 40 000 km

Description	R.m.	Tr.	L	Prix
4p SLE	2	A	5.3	23,600
4p SLT (cuir)	2	A	5.3	26,600
4p SLE AWD	4	A	5.3	25,600
4p SLT AWD (cuir)	4	A	5.3	27,400
4p Denali AWD (cuir)	A	A	6.2	30,500

2007 YUKON — 60 000 km

Description	R.m.	Tr.	L	Prix
4p SLE	2	A	5.3	18,300
4p SLT (cuir)	2	A	5.3	20,800
4p SLE	4	A	5.3	19,700
4p SLT (cuir)	4	A	5.3	21,300
4p Denali (cuir)	A	A	6.2	23,100

2006 YUKON — 80 000 km

Description	R.m.	Tr.	L	Prix
4p SLE	2	A	4.8	15,800
4p SLE	2	A	5.3	16,300
4p SLT (cuir)	2	A	5.3	19,500
4p SLE	4	A	5.3	17,800
4p SLT (cuir)	4	A	5.3	19,900
4p Denali (cuir)	A	A	6	21,700

2005 YUKON — 100 000 km

Description	R.m.	Tr.	L	Prix
4p SLE	2	A	4.8	13,200
4p SLE	2	A	5.3	13,800
4p SLT (cuir)	2	A	5.3	15,200
4p SLE	4	A	4.8	14,800
4p SLE	4	A	5.3	15,400
4p SLT (cuir)	4	A	5.3	16,500
4p Denali (cuir)	A	A	6	18,000

2009 YUKON XL — 20 000 km

Description	R.m.	Tr.	L	Prix
4p SLE 1500	2	A	5.3	41,400
4p SLT 1500 (cuir)	2	A	5.3	46,200
4p SLT 1500 (cuir)	2	A	6	49,400
4p SLE 2500	2	A	6	43,200
4p SLT 2500 (cuir)	2	A	6	47,900
4p SLE 1500	4	A	5.3	44,900
4p SLT 1500 (cuir)	4	A	5.3	49,900
4p SLT 1500 (cuir)	4	A	6	52,200
4p Denali 1500 (cuir)	A	A	6.2	58,400
4p SLE 2500	4	A	6	45,800
4p SLT 2500 (cuir)	4	A	6	50,800

2008 YUKON XL — 40 000 km

Description	R.m.	Tr.	L	Prix
4p SLE 1500	2	A	5.3	25,100
4p SLT 1500 (cuir)	2	A	5.3	28,100
4p SLT 1500 (cuir)	2	A	6	29,400
4p SLE 2500	2	A	6	26,100
4p SLT 2500 (cuir)	2	A	6	29,000
4p SLE 1500	4	A	5.3	27,200
4p SLT 1500 (cuir)	4	A	5.3	28,700
4p SLT 1500 (cuir)	4	A	6	29,400
4p Denali 1500 (cuir)	A	A	6.2	31,700
4p SLE 2500	4	A	6	27,700
4p SLT 2500 (cuir)	4	A	6	30,900

2007 YUKON XL — 60 000 km

Description	R.m.	Tr.	L	Prix
4p SLE 1500	2	A	5.3	21,100
4p SLT 1500 (cuir)	2	A	5.3	24,100
4p SLT 1500 (cuir)	2	A	6	24,700
4p SLE 2500	2	A	6	21,500
4p SLT 2500 (cuir)	2	A	6	24,100
4p SLE 1500	4	A	5.3	22,200
4p SLT 1500 (cuir)	4	A	5.3	25,300
4p SLT 1500 (cuir)	4	A	6	23,700
4p Denali 1500 (cuir)	A	A	6.2	27,000
4p SLE 2500	4	A	6	22,300
4p SLT 2500 (cuir)	4	A	6	25,400

2006 YUKON XL — 80 000 km

Description	R.m.	Tr.	L	Prix
4p SLE 1500	2	A	5.3	17,300
4p SLT 1500 (cuir)	2	A	5.3	19,600
4p SLE 2500	2	A	6	18,000
4p SLE 2500	2	A	8.1	19,100
4p SLT 2500 (cuir)	2	A	6	19,900
4p SLT 2500 (cuir)	2	A	8.1	20,500
4p SLE 1500	4	A	5.3	19,600
4p SLT 1500 (cuir)	4	A	5.3	20,900
4p Denali (cuir)	A	A	6	21,800
4p SLE 2500	4	A	6	19,300
4p SLE 2500	4	A	8.1	19,900
4p SLT 2500 (cuir)	4	A	6	21,300
4p SLT 2500 (cuir)	4	A	8.1	22,000

2005 YUKON XL — 100 000 km

Description	R.m.	Tr.	L	Prix
4p SLE 1500	2	A	5.3	15,900
4p SLT 1500 (cuir)	2	A	5.3	17,300
4p SLE 2500	2	A	6	17,000
4p SLE 2500	2	A	8.1	17,200
4p SLT 2500 (cuir)	2	A	6	18,700
4p SLT 2500 (cuir)	2	A	8.1	19,900
4p SLE 1500	4	A	5.3	17,000
4p SLT 1500 (cuir)	4	A	5.3	19,900
4p Denali (cuir)	A	A	6	21,000
4p SLE 2500	4	A	6	17,800
4p SLE 2500	4	A	8.1	18,500
4p SLT 2500 (cuir)	4	A	6	20,600
4p SLT 2500 (cuir)	4	A	8.1	21,100

HONDA

2009 ACCORD — 20 000 km

Description	R.m.	Tr.	L	Prix
2p coupé EX	2	M	2.4	24,400
2p coupé EX	2	A	2.4	25,400
2p coupé EX-L (cuir)	2	M	2.4	26,400
2p coupé EX-L (cuir)	2	A	2.4	27,500
2p coupé EX-L NAVI (cuir)	2	A	2.4	28,200
2p coupé EX-L NAVI (cuir)	2	M	2.4	29,200
2p coupé EX-L V6 (cuir)	2	M	3.5	30,900
2p coupé EX-L V6 (cuir)	2	A	3.5	30,900
2p coupé EX-L V6 NAVI (cuir)	2	M	3.5	32,600
2p coupé EX-L V6 NAVI (cuir)	2	A	3.5	32,600
4p berline LX	2	M	2.4	21,800
4p berline LX	2	A	2.4	22,900
4p berline EX	2	M	2.4	23,900
4p berline EX	2	A	2.4	25,000
4p berline EX-L (cuir)	2	M	2.4	26,000
4p berline EX-L (cuir)	2	A	2.4	27,000
4p berline EX-L NAVI (cuir)	2	M	2.4	27,700
4p berline EX-L NAVI (cuir)	2	A	2.4	28,800
4p berline EX V6	2	A	3.5	27,600
4p berline EX-L V6 (cuir)	2	A	3.5	30,400
4p berline EX-L V6 NAVI (cuir)	2	A	3.5	32,200

2008 ACCORD — 40 000 km

Description	R.m.	Tr.	L	Prix
2p coupé EX	2	M	2.4	19,900
2p coupé EX	2	A	2.4	20,800
2p coupé EX-L (cuir)	2	M	2.4	20,800
2p coupé EX-L (cuir)	2	A	2.4	21,700
2p coupé EX-L NAVI (cuir)	2	A	2.4	22,800
2p coupé EX-L NAVI (cuir)	2	M	2.4	23,500
2p coupé EX-L V6 (cuir)	2	M	3.5	23,500
2p coupé EX-L V6 (cuir)	2	A	3.5	23,500
2p coupé EX-L V6 NAVI (cuir)	2	M	3.5	24,300
2p coupé EX-L V6 NAVI (cuir)	2	A	3.5	24,300
4p berline LX	2	M	2.4	17,800
4p berline LX	2	A	2.4	18,700
4p berline EX	2	M	2.4	19,600
4p berline EX	2	A	2.4	20,500
4p berline EX-L (cuir)	2	M	2.4	21,300
4p berline EX-L (cuir)	2	A	2.4	21,300
4p berline EX-L NAVI (cuir)	2	M	2.4	22,500
4p berline EX-L NAVI (cuir)	2	A	2.4	23,200
4p berline EX V6	2	A	3.5	21,700
4p berline EX-L V6 (cuir)	2	A	3.5	23,000
4p berline EX-L V6 NAVI (cuir)	2	A	3.5	24,100

2007 ACCORD — 60 000 km

Description	R.m.	Tr.	L	Prix
2p coupé SE	2	M	2.4	16,600
2p coupé SE	2	A	2.4	17,500
2p coupé EX-L NAVI (cuir)	2	M	2.4	18,800
2p coupé EX-L NAVI (cuir)	2	A	2.4	19,100
2p coupé EX V6 (cuir)	2	A	3	19,700
2p coupé EX V6 (cuir)	2	M	3	20,100
4p berline DX-G	2	M	2.4	15,500
4p berline DX-G	2	A	2.4	16,300
4p berline SE	2	M	2.4	16,600
4p berline SE	2	A	2.4	17,500
4p berline SE V6	2	A	3	18,900
4p berline EX-L (cuir)	2	M	2.4	18,900
4p berline EX-L (cuir)	2	A	2.4	19,900
4p berline EX V6 (cuir)	2	M	3	20,100
4p berline EX V6 (cuir)	2	A	3	19,700
4p berline EX V6 NAVI (cuir)	2	A	3	20,500
4p berline Hybride (cuir)	2	A	3	20,800
4p berline Hybride NAVI (cuir)	2	A	3	21,500

2006 ACCORD — 80 000 km

Description	R.m.	Tr.	L	Prix
2p coupé LX-G	2	M	2.4	15,400
2p coupé LX-G	2	A	2.4	16,100
2p coupé EX-L (cuir)	2	M	2.4	17,500
2p coupé EX-L (cuir)	2	A	2.4	17,800
2p coupé EX V6 (cuir)	2	A	3	18,000
2p coupé EX V6 (cuir)	2	M	3	18,500
4p berline DX-G	2	M	2.4	14,400
4p berline DX-G	2	A	2.4	15,200
4p berline SE	2	M	2.4	15,400
4p berline SE	2	A	2.4	16,100
4p berline SE V6	2	A	3	18,000
4p berline EX-L (cuir)	2	M	2.4	17,500
4p berline EX-L (cuir)	2	A	2.4	17,800
4p berline EX V6 (cuir)	2	A	3	18,400
4p berline EX V6 NAVI (cuir)	2	A	3	18,800
4p berline Hybride (cuir)	2	A	3	19,000
4p berline Hybride NAVI (cuir)	2	A	3	19,300

2005 ACCORD — 100 000 km

Description	R.m.	Tr.	L	Prix
2p coupé LX-G	2	M	2.4	12 800
2p coupé LX-G	2	A	2.4	13 300
2p coupé EX-L (cuir)	2	M	2.4	14 300
2p coupé EX-L (cuir)	2	A	2.4	14 600
2p coupé EX V6 (cuir)	2	A	3	15 300
2p coupé EX V6 (cuir)	2	M	3	15 600
4p berline DX	2	M	2.4	11 900
4p berline DX	2	A	2.4	12 600
4p berline LX-G	2	M	2.4	12 700
4p berline LX-G	2	A	2.4	13 100
4p berline LX V6	2	A	3	14 400
4p berline EX-L (cuir)	2	M	2.4	14 200
4p berline EX-L (cuir)	2	A	2.4	14 400
4p berline EX V6 (cuir)	2	A	3	15 100
4p berline Hybride (cuir)	2	A	3	15 700

2009 CIVIC — 20 000 km

Description	R.m.	Tr.	L	Prix
2p coupé DX	2	M	1.8	15,000
2p coupé DX	2	A	1.8	16,000
2p coupé DX (climatiseur)	2	M	1.8	16,100
2p coupé DX (climatiseur)	2	A	1.8	17,100
2p coupé DX-G	2	M	1.8	17,200
2p coupé DX-G	2	A	1.8	18,300
2p coupé LX	2	M	1.8	18,800
2p coupé LX	2	A	1.8	19,800
2p coupé LX (toit ouvrant)	2	M	1.8	17,800
2p coupé LX (toit ouvrant)	2	A	1.8	18,000
2p coupé EX-L (cuir)	2	M	1.8	20,700
2p coupé EX-L (cuir)	2	A	1.8	21,700
2p coupé Si	2	M	2	23,200
4p berline DX	2	M	1.8	14,800
4p berline DX	2	A	1.8	15,800
4p berline DX (climatiseur)	2	M	1.8	15,900
4p berline DX (climatiseur)	2	A	1.8	17,000
4p berline DX-G	2	M	1.8	16,900
4p berline DX-G	2	A	1.8	18,000
4p berline Sport (toit)	2	M	1.8	18,800
4p berline Sport (toit)	2	A	1.8	19,800
4p berline EX-L (cuir)	2	M	1.8	20,400
4p berline EX-L (cuir)	2	A	1.8	21,500
4p berline Si	2	M	2	23,200
4p berline Hybride	2	A	1.3	22,900

2008 CIVIC — 40 000 km

Description	R.m.	Tr.	L	Prix
2p coupé DX	2	M	1.8	13 000
2p coupé DX	2	A	1.8	14 000

Description	R.m.	Tr.	L	Prix
2p coupé DX (climatiseur)	2	M	1.8	14 300
2p coupé DX (climatiseur)	2	A	1.8	15 000
2p coupé DX-G	2	M	1.8	15 100
2p coupé DX-G	2	A	1.8	15 900
2p coupé LX	2	M	1.8	16 200
2p coupé LX	2	A	1.8	17 200
2p coupé LX (toit ouvrant)	2	M	1.8	16 900
2p coupé LX (toit ouvrant)	2	A	1.8	17 800
2p coupé EX-L (cuir)	2	M	1.8	18 100
2p coupé EX-L (cuir)	2	A	1.8	18 600
2p coupé Si	2	M	2	19 200
4p berline DX	2	M	1.8	12 900
4p berline DX	2	A	1.8	13 900
4p berline DX (climatiseur)	2	M	1.8	13 900
4p berline DX (climatiseur)	2	A	1.8	14 800
4p berline DX-G	2	M	1.8	14 900
4p berline DX-G	2	A	1.8	15 800
4p berline LX	2	M	1.8	15 900
4p berline LX	2	A	1.8	16 900
4p berline LX (toit ouvrant)	2	M	1.8	16 700
4p berline LX (toit ouvrant)	2	A	1.8	17 600
4p berline EX-L (cuir)	2	M	1.8	17 900
4p berline EX-L (cuir)	2	A	1.8	18 400
4p berline Si	2	M	2	19 200
4p berline Hybride	2	A	1.3	18 900

2007 CIVIC — 60 000 km

Description	R.m.	Tr.	L	Prix
2p coupé DX	2	M	1.8	12 200
2p coupé DX	2	A	1.8	12 900
2p coupé DX-G (climatiseur)	2	M	1.8	13 600
2p coupé DX-G (climatiseur)	2	A	1.8	14 400
2p coupé LX	2	M	1.8	14 800
2p coupé LX	2	A	1.8	15 500
2p coupé EX (toit ouv.)	2	M	1.8	16 000
2p coupé EX (toit ouv.)	2	A	1.8	16 100
2p coupé Si	2	M	2	17 600
4p berline DX	2	M	1.8	12 100
4p berline DX	2	A	1.8	12 700
4p berline DX-G (climatiseur)	2	M	1.8	13 500
4p berline DX-G (climatiseur)	2	A	1.8	14 300
4p berline LX	2	M	1.8	14 400
4p berline LX	2	A	1.8	15 300
4p berline EX (toit ouv.)	2	M	1.8	15 700
4p berline EX (toit ouv.)	2	A	1.8	16 500
4p berline Hybride	2	A	1.3	17 500

2006 CIVIC — 80 000 km

Description	R.m.	Tr.	L	Prix
2p coupé DX	2	M	1.8	10 600
2p coupé DX	2	A	1.8	11 400
2p coupé DX-G	2	M	1.8	11 600
2p coupé DX-G	2	A	1.8	12 300
2p coupé LX	2	M	1.8	12 800
2p coupé LX	2	A	1.8	13 300
2p coupé EX	2	M	1.8	13 500
2p coupé EX	2	A	1.8	14 200
2p coupé Si	2	M	2	15 100
4p berline DX	2	M	1.8	10 400
4p berline DX	2	A	1.8	11 300
4p berline DX-G	2	M	1.8	11 500
4p berline DX-G	2	A	1.8	12 300
4p berline LX	2	M	1.8	12 600
4p berline LX	2	A	1.8	13 200
4p berline EX	2	M	1.8	13 600
4p berline EX	2	A	1.8	14 000
4p berline Hybride	2	A	1.3	14 800

2005 CIVIC — 100 000 km

Description	R.m.	Tr.	L	Prix
2p coupé DX	2	M	1.7	9 200
2p coupé DX	2	A	1.7	9 900
2p coupé SE	2	M	1.7	9 900
2p coupé SE	2	A	1.7	10 400
2p coupé LX	2	M	1.7	10 900
2p coupé LX	2	A	1.7	11 700
2p coupé Reverb	2	M	1.7	11 100
2p coupé Reverb	2	A	1.7	11 900
2p coupé Si-G	2	M	1.7	11 900
2p coupé Si-G	2	A	1.7	12 600
4p berline DX	2	M	1.7	9 200
4p berline DX	2	A	1.7	9 900
4p berline SE	2	M	1.7	10 100
4p berline SE	2	A	1.7	10 600
4p berline LX-G	2	M	1.7	11 100
4p berline LX-G	2	A	1.7	11 700
4p berline Si	2	M	1.7	12 000
4p berline Si	2	A	1.7	12 300
4p berline Hybride	2	A	1.3	13 500

2009 CR-V — 20 000 km

Description	R.m.	Tr.	L	Prix
4p LX	2	A	2.4	24,200
4p LX	A	A	2.4	25,900
4p EX (toit)	A	A	2.4	26,700
4p EX-L (cuir)	A	A	2.4	29,400
4p EX-L NAVI (cuir)	A	A	2.4	31,000

2008 CR-V — 40 000 km

Description	R.m.	Tr.	L	Prix
4p LX	2	A	2.4	21 800
4p LX	A	A	2.4	23 300
4p EX (toit)	A	A	2.4	23 600
4p EX-L (cuir)	A	A	2.4	24 600
4p EX-L NAVI (cuir)	A	A	2.4	25 000

2007 CR-V — 60 000 km

Description	R.m.	Tr.	L	Prix
4p LX	2	A	2.4	20 900
4p LX	A	A	2.4	21 500
4p EX (toit)	A	A	2.4	21 800
4p EX-L (cuir)	A	A	2.4	22 900
4p EX-L NAVI (cuir)	A	A	2.4	23 400

2006 CR-V — 80 000 km

Description	R.m.	Tr.	L	Prix
4p SE	A	M	2.4	19 400
4p SE	A	A	2.4	20 200
4p EX	A	M	2.4	20 400
4p EX	A	A	2.4	20 900
4p EX-L (cuir)	A	A	2.4	21 600

2005 CR-V — 100 000 km

Description	R.m.	Tr.	L	Prix
4p LX	A	M	2.4	16 900
4p LX	A	A	2.4	17 600
4p EX	A	M	2.4	18 300
4p EX	A	A	2.4	18 900
4p EX-L (cuir)	A	A	2.4	19 500

2009 ELEMENT — 20 000 km

Description	R.m.	Tr.	L	Prix
4p LX	2	A	2.4	21,200
4p SC	2	A	2.4	25,000
4p EX AWD	A	A	2.4	25,300

2008 ELEMENT — 40 000 km

Description	R.m.	Tr.	L	Prix
4p LX	2	M	2.4	15 900
4p LX	2	A	2.4	16 700
4p EX	2	M	2.4	17 700
4p EX	2	A	2.4	18 500
4p SC	2	M	2.4	19 000
4p SC	2	A	2.4	19 500
4p EX AWD	A	M	2.4	19 900
4p EX AWD	A	A	2.4	20 000

2007 ELEMENT — 60 000 km

Description	R.m.	Tr.	L	Prix
4p LX	2	M	2.4	14 700
4p LX	2	A	2.4	15 500
4p EX	2	M	2.4	16 400
4p EX	2	A	2.4	16 700
4p SC	2	M	2.4	17 200
4p SC	2	A	2.4	18 000
4p EX AWD	A	M	2.4	17 400
4p EX AWD	A	A	2.4	18 100

2006 ELEMENT — 80 000 km

Description	R.m.	Tr.	L	Prix
4p base	2	M	2.4	13 300
4p base	2	A	2.4	13 900
4p Y-Package	2	M	2.4	14 900
4p Y-Package	2	A	2.4	15 200
4p Y-Package AWD	A	M	2.4	15 300
4p Y-Package AWD	A	A	2.4	15 500

2005 ELEMENT — 100 000 km

Description	R.m.	Tr.	L	Prix
4p base	2	M	2.4	11 500
4p base	2	A	2.4	12 100
4p Y-Package	2	M	2.4	12 700
4p Y-Package	2	A	2.4	13 100
4p Y-Package AWD	A	M	2.4	13 300
4p Y-Package AWD	A	A	2.4	13 900

2009 FIT — 20 000 km

Description	R.m.	Tr.	L	Prix
4p hayon DX	2	M	1.5	13,000
4p hayon DX	2	A	1.5	14,100
4p hayon LX (a/c)	2	M	1.5	15,100
4p hayon LX (a/c)	2	A	1.5	16,200
4p hayon Sport	2	M	1.5	16,800
4p hayon Sport	2	A	1.5	17,800

2008 FIT — 40 000 km

Description	R.m.	Tr.	L	Prix
4p hayon DX	2	M	1.5	12 200
4p hayon DX	2	A	1.5	13 300
4p hayon LX (a/c)	2	M	1.5	14 200
4p hayon LX (a/c)	2	A	1.5	15 300
4p hayon Sport	2	M	1.5	15 600
4p hayon Sport	2	A	1.5	16 100

2007 FIT — 60 000 km

Description	R.m.	Tr.	L	Prix
4p hayon DX	2	M	1.5	10 900
4p hayon DX	2	A	1.5	11 800
4p hayon LX (a/c)	2	M	1.5	12 600
4p hayon LX (a/c)	2	A	1.5	13 000
4p hayon Sport	2	M	1.5	13 300
4p hayon Sport	2	A	1.5	13 800

2006 INSIGHT — 80 000 km

Description	R.m.	Tr.	L	Prix
2p hayon base	2	M	1	11 600

2005 INSIGHT — 100 000 km

Description	R.m.	Tr.	L	Prix
2p hayon base	2	M	1	9 900

2009 ODYSSEY — 20 000 km

Description	R.m.	Tr.	L	Prix
4p DX	2	A	3.5	25,800
4p LX	2	A	3.5	27,500
4p EX	2	A	3.5	30,300
4p EX-L (cuir)	2	A	3.5	32,400
4p EX-L RES (cuir+DVD)	2	A	3.5	34,100
4p Touring (cuir)	2	A	3.5	37,300

2008 ODYSSEY — 40 000 km

Description	R.m.	Tr.	L	Prix
4p DX	2	A	3.5	22 400
4p LX	2	A	3.5	23 800
4p EX	2	A	3.5	26 200
4p EX-L (cuir)	2	A	3.5	26 500
4p EX-L RES (cuir+DVD)	2	A	3.5	27 200
4p Touring (cuir)	2	A	3.5	28 500

2007 ODYSSEY — 60 000 km

Description	R.m.	Tr.	L	Prix
4p LX	2	A	3.5	21 300
4p EX	2	A	3.5	23 500
4p EX-L (cuir)	2	A	3.5	24 300
4p EX-L RES (cuir+DVD)	2	A	3.5	25 200
4p EX Touring (cuir)	2	A	3.5	26 200

2006 ODYSSEY — 80 000 km

Description	R.m.	Tr.	L	Prix
4p LX	2	A	3.5	21 600
4p EX	2	A	3.5	22 700
4p EX-L (cuir)	2	A	3.5	23 600
4p EX-L RES (cuir+DVD)	2	A	3.5	24 600
4p EX Touring (cuir)	2	A	3.5	25 700

2005 ODYSSEY — 100 000 km

Description	R.m.	Tr.	L	Prix
4p LX	2	A	3.5	18 000
4p EX	2	A	3.5	20 400
4p EX-L (cuir)	2	A	3.5	20 500
4p EX-L RES (cuir+DVD)	2	A	3.5	20 600
4p EX Touring (cuir)	2	A	3.5	22 700

2009 PILOT — 20 000 km

Description	R.m.	Tr.	L	Prix
4p LX	2	A	3.5	30,700
4p LX	A	A	3.5	33,200
4p SE (toit)	A	A	3.5	33,900
4p SE-L (cuir / toit)	A	A	3.5	35,100
4p EX-L NAVI	A	A	3.5	36,500

2008 PILOT — 40 000 km

Description	R.m.	Tr.	L	Prix
4p LX	2	A	3.5	23 700
4p LX	A	A	3.5	25 700
4p SE (toit)	A	A	3.5	26 300
4p SE-L (cuir / toit)	A	A	3.5	27 200
4p EX-L NAVI	A	A	3.5	27 600

2007 PILOT — 60 000 km

Description	R.m.	Tr.	L	Prix
4p LX	2	A	3.5	21 300
4p LX	A	A	3.5	23 400
4p EX	A	A	3.5	23 800
4p EX-L (cuir / toit)	A	A	3.5	24 500
4p EX-L RES (DVD)	A	A	3.5	25 100
4p EX-L NAVI	A	A	3.5	25 400

2006 PILOT — 80 000 km

Description	R.m.	Tr.	L	Prix
4p LX	A	A	3.5	21 900
4p EX	A	A	3.5	23 600
4p EX-L (cuir / toit)	A	A	3.5	24 400
4 EX-L RES (DVD)	A	A	3.5	24 600
4p EX-L NAVI	A	A	3.5	25 000

2005 PILOT — 100 000 km

Description	R.m.	Tr.	L	Prix
4p LX	A	A	3.5	16 700
4p EX	A	A	3.5	18 000
4p EX-L (cuir)	A	A	3.5	18 500
4p EX-L RES (cuir+DVD)	A	A	3.5	18 800

2009 RIDGELINE — 20 000 km

Description	R.m.	Tr.	L	Prix
4p DX	4	A	3.5	30,000
4p VP	4	A	3.5	31,100
4p EX-L (toit /cuir)	4	A	3.5	34,100
4p EX-L NAVI	4	A	3.5	35,900

2008 RIDGELINE — 40 000 km

Description	R.m.	Tr.	L	Prix
4p LX	4	A	3.5	24 200
4p EX-L (cuir)	4	A	3.5	25 200
4p EX-L SR (toit /cuir)	4	A	3.5	26 100
4p EX-L NAVI	4	A	3.5	27 300

2007 RIDGELINE — 60 000 km

Description	R.m.	Tr.	L	Prix
4p LX	4	A	3.5	19 600
4p EX-L (cuir)	4	A	3.5	21 200
4p EX-L (toit /cuir)	4	A	3.5	21 900
4p EX-L NAVI	4	A	3.5	22 800

2006 RIDGELINE — 80 000 km

Description	R.m.	Tr.	L	Prix
4p LX	4	A	3.5	16 400
4p EX-L (cuir)	4	A	3.5	17 700
4p EX-L (toit /cuir)	4	A	3.5	18 200
4p EX-L NAVI	4	A	3.5	18 900

2009 S-2000 — 20 000 km

Description	R.m.	Tr.	L	Prix
2p décapotable base	2	M	2.2	44,000

2008 S-2000 — 40 000 km

Description	R.m.	Tr.	L	Prix
2p décapotable base	2	M	2.2	38 500

2007 S-2000 — 60 000 km

Description	R.m.	Tr.	L	Prix
2p décapotable base	2	M	2.2	34 000

2006 S-2000 — 80 000 km

Description	R.m.	Tr.	L	Prix
2p décapotable base	2	M	2.2	29 900

2005 S-2000 — 100 000 km

Description	R.m.	Tr.	L	Prix
2p décapotable base	2	M	2.2	25 400

HUMMER

2009 HUMMER — 10 000 km

Description	R.m.	Tr.	L	Prix
4p H2 SUV	A	A	6.2	47,800
4p H2 SUV Adventure	A	A	6.2	50,100
4p H2 SUV Luxury	A	A	6.2	55,200
4p H2 SUT	A	A	6.2	46,800
4p H2 SUT Adventure	A	A	6.2	49,100
4p H2 SUT Luxury	A	A	6.2	53,400
4p H3 SUV	A	M	3.7	26,000
4p H3 SUV	A	A	3.7	27,100
4p H3 SUV Alpha V8 (cuir)	A	A	5.3	32,600
4p H3T	A	A	3.7	24,700
4p H3T Alpha V8 (cuir)	A	A	5.3	29,300

2008 HUMMER — 20 000 km

Description	R.m.	Tr.	L	Prix
4p H2 SUV	A	A	6.2	42 300
4p H2 SUV Adventure	A	A	6.2	44 100
4p H2 SUV LUX	A	A	6.2	47 700
4p H2 SUV Special Edition	A	A	6.2	49 600
4p H2 SUT	A	A	6.2	41 400
4p H2 SUT Adventure	A	A	6.2	43 200
4p H2 SUT Special Edition	A	A	6.2	48 200
4p H3 SUV	A	M	3.7	23 500
4p H3 SUV	A	A	3.7	24 400
4p H3 SUV Alpha V8 (cuir)	A	A	5.3	29 700
4p H3X SUV (cuir)	A	A	3.7	32 000
4p H3X SUV Alpha V8 (cuir)	A	A	5.3	33 300

2007 HUMMER — 30 000 km

Description	R.m.	Tr.	L	Prix
4p H2 SUV	A	A	6	31 900
4p H2 SUV Adventure	A	A	6	33 900
4p H2 SUV LUX	A	A	6	35 200
4p H2 SUV Édition Spéciale	A	A	6	37 100
4p H2 SUT	A	A	6	31 900
4p H2 SUT Adventure	A	A	6	33 800
4p H2 SUT LUX	A	A	6	35 000
4p H3 SUV	A	M	3.7	18 700
4p H3 SUV Adventure	A	M	3.7	19 500
4p H3X SUV	A	A	3.7	27 100

2006 HUMMER — 40 000 km

Description	R.m.	Tr.	L	Prix
4p H2 SUV	A	A	6	26 500
4p H2 SUV Adventure	A	A	6	28 500
4p H2 SUV LUX	A	A	6	29 300
4p H2 SUV Édition Spéciale	A	A	6	30 800
4p H2 SUT	A	A	6	26 500
4p H2 SUT Adventure	A	A	6	28 400
4p H2 SUT LUX	A	A	6	29 300
4p H3 SUV	A	M	3.5	15 100
4p H3 SUV Adventure	A	M	3.5	15 900
4p H3 SUV LUX	A	M	3.5	17 400

2005 HUMMER — 50 000 km

Description	R.m.	Tr.	L	Prix
4p H2 SUV	A	A	6	20 500
4p H2 SUV Adventure	A	A	6	22 600
4p H2 SUV LUX	A	A	6	23 400
4p H2 SUT	A	A	6	21 500
4p H2 SUT Adventure	A	A	6	23 300
4p H2 SUT LUX	A	A	6	24 100

HYUNDAI

2009 ACCENT — 20 000 km

Description	R.m.	Tr.	L	Prix
2p hayon L	2	M	1.6	10,500
2p hayon GL	2	M	1.6	11,700
2p hayon GL Sport	2	M	1.6	13,100
4p berline L	2	M	1.6	10,900
4p berline GL	2	M	1.6	12,100
4p berline GLS	2	A	1.6	14,300

2008 ACCENT — 40 000 km

Description	R.m.	Tr.	L	Prix
2p hayon L	2	M	1.6	7 600
2p hayon GL	2	M	1.6	8 700
2p hayon GL Sport	2	M	1.6	9 200
4p berline L	2	M	1.6	8 000
4p berline GL	2	M	1.6	9 100
4p berline GLS	2	A	1.6	10 200

2007 ACCENT — 60 000 km

Description	R.m.	Tr.	L	Prix
2p hayon GS	2	M	1.6	6 400
2p hayon GS Groupe confort	2	M	1.6	7 600

Description	R.m.	Tr.	L	Prix
2p hayon GS Sport	2	M	1.6	8 400
2p hayon GS Premium	2	M	1.6	8 300
2p hayon SR	2	M	1.6	8 500
4p berline GL	2	M	1.6	6 900
4p berline GL Groupe confort	2	M	1.6	7 700
4p berline GLS	2	M	1.6	8 700

2006 ACCENT 80 000 km

Description	R.m.	Tr.	L	Prix
2p hayon GS	2	M	1.6	5 400
2p hayon GS gr. confort	2	M	1.6	6 500
2p hayon GSi	2	M	1.6	6 700
4p hayon Accent5	2	M	1.6	6 300
4p hayon Accent5 gr. confort	2	M	1.6	7 300
4p berline GL	2	M	1.6	6 100
4p berline GL gr. confort	2	M	1.6	7 100
4p berline GLS	2	M	1.6	7 500

2005 ACCENT 100 000 km

Description	R.m.	Tr.	L	Prix
2p hayon GS	2	M	1.6	4 800
2p hayon GS gr. confort	2	M	1.6	5 500
2p hayon GSi	2	M	1.6	5 700
4p hayon Accent5	2	M	1.6	5 900
4p hayon Accent5 gr. confort	2	M	1.6	6 200
4p berline GL	2	M	1.6	5 600
4p berline GL gr. confort	2	M	1.6	6 100

2009 AZERA 20 000 km

Description	R.m.	Tr.	L	Prix
4p berline	2	A	3.8	29,400

2008 AZERA 40 000 km

Description	R.m.	Tr.	L	Prix
4p berline GLS	2	A	3.8	24 400
4p berline Premium	2	A	3.8	25 600

2007 AZERA 60 000 km

Description	R.m.	Tr.	L	Prix
4p berline GLS	2	A	3.8	21 000
4p berline Premium	2	A	3.8	22 100

2006 AZERA 80 000 km

Description	R.m.	Tr.	L	Prix
4p berline base	2	A	3.8	18 300
4p berline Premium	2	A	3.8	19 600

2009 ELANTRA 20 000 km

Description	R.m.	Tr.	L	Prix
4p berline L	2	M	2	12,700
4p berline GL	2	M	2	14,400
4p berline GLS	2	A	2	16,500
4p berline GL Sport	2	M	2	17,100
4p berline Limited (cuir)	2	A	2	19,000
4p hayon Touring L	2	M	2	12,000
4p hayon Touring GL	2	M	2	15,200
4p hayon Touring GL Sport	2	M	2	16,700

2008 ELANTRA 40 000 km

Description	R.m.	Tr.	L	Prix
4p berline L	2	M	2	9 000
4p berline GL	2	M	2	10 400
4p berline GLS	2	A	2	12 000
4p berline GLS Sport	2	M	2	12 300
4p berline Limited (cuir)	2	A	2	13 300

2007 ELANTRA 60 000 km

Description	R.m.	Tr.	L	Prix
4p berline GL	2	M	2	7 300
4p berline GL Confort Plus	2	M	2	10 200
4p berline GL Sport (toit ouvrant)	2	M	2	10 900
4p berline GLS (cuir)	2	A	2	12 000

2006 ELANTRA 80 000 km

Description	R.m.	Tr.	L	Prix
4p berline GL	2	M	2	6 900
4p berline VE	2	M	2	8 200
4p berline SE	2	A	2	9 800
4p hayon GL	2	M	2	6 900
4p hayon VE	2	M	2	8 500
4p hayon GT	2	M	2	9 500

2005 ELANTRA 100 000 km

Description	R.m.	Tr.	L	Prix
4p berline GL	2	M	2	5 200
4p berline VE	2	M	2	6 500
4p berline SE	2	A	2	8 000
4p hayon GL	2	M	2	5 500
4p hayon VE	2	M	2	7 000
4p hayon GT	2	M	2	7 800

2008 ENTOURAGE 40 000 km

Description	R.m.	Tr.	L	Prix
4p L	2	A	3.8	16 700
4p GL	2	A	3.8	17 400
4p GLS	2	A	3.8	17 800
4p Limited (cuir)	2	A	3.8	18 500

2007 ENTOURAGE 60 000 km

Description	R.m.	Tr.	L	Prix
4p GL	2	A	3.8	15 600
4p GL Confort	2	A	3.8	16 100
4p GLS	2	A	3.8	16 400
4p GLS (cuir)	2	A	3.8	16 700

2009 GENESIS 20 000 km

Description	R.m.	Tr.	L	Prix
4p 3.8L	2	A	3.8	33 100
4p 4.6L	2	A	4.6	38 300

2009 SANTA FE 20 000 km

Description	R.m.	Tr.	L	Prix
4p 5 pass. GL 2.7L	2	M	2.7	20,800
4p 5 pass. GL	2	A	3.3	23,000
4p 5 pass. GLS	2	A	3.3	24,800
4p 5 pass. GL	A	A	3.3	24,600
4p 5 pass. GLS (cuir)	A	A	3.3	25,600
4p 5 pass. Limited (cuir)	A	A	3.3	26,400

2008 SANTA FE 40 000 km

Description	R.m.	Tr.	L	Prix
4p 5 pass. GL 2.7L	2	M	2.7	15 200
4p 5 pass. GL 2.7L	2	A	2.7	16 400
4p 5 pass. GLS 2.7L	2	A	2.7	17 900
4p 5 pass. GL	2	A	3.3	16 900
4p 5 pass. GLS	2	A	3.3	18 000
4p 5 pass. GL	A	A	3.3	17 500
4p 5 pass. GLS (cuir)	A	A	3.3	17 900
4p 5 pass. Limited (cuir)	A	A	3.3	18 000
4p 7 pass. Limited (cuir)	A	A	3.3	18 300

2007 SANTA FE 60 000 km

Description	R.m.	Tr.	L	Prix
4p 5 pass. GL 2.7L	2	M	2.7	14 000
4p 5 pass. GL 2.7L	2	A	2.7	14 900
4p 5 pass. GL	2	A	3.3	15 500
4p 7 pass. GL Premium	2	A	3.3	16 500
4p 5 pass. GL	A	A	3.3	15 700
4p 7 pass. GL Premium	A	A	3.3	16 400
4p 5 pass. GLS (cuir)	A	A	3.3	17 000
4p 7 pass. GLS (cuir)	A	A	3.3	17 300

2006 SANTA FE 80 000 km

Description	R.m.	Tr.	L	Prix
4p GL	2	M	2.4	13 700
4p GL (a/c)	2	M	2.4	14 900
4p GL V6	2	A	2.7	15 700
4p GL	A	A	2.7	15 600
4p GLS (cuir)	A	A	2.7	16 100
4p GLS 3.5L (cuir)	A	A	3.5	16 400

2005 SANTA FE 100 000 km

Description	R.m.	Tr.	L	Prix
4p GL	2	M	2.4	8 600
4p GL (a/c)	2	M	2.4	9 400
4p GL V6	2	A	2.7	9 900
4p GL	A	A	2.7	10 900
4p GLS (cuir)	A	A	2.7	11 300
4p GLS 3.5L (cuir)	A	A	3.5	11 500

2009 SONATA 20 000 km

Description	R.m.	Tr.	L	Prix
4p berline GL	2	M	2.4	18,300
4p berline GL	2	A	2.4	19,600
4p berline GL Sport	2	A	2.4	21,500
4p berline Limited (cuir)	2	A	2.4	23,400
4p berline GL V6	2	A	3.3	23,200
4p berline GL Sport V6	2	A	3.3	23,900
4p berline GLS V6 Limited (cuir)	2	A	3.3	25,500

2008 SONATA 40 000 km

Description	R.m.	Tr.	L	Prix
4p berline GL	2	M	2.4	13 800
4p berline GL	2	A	2.4	15 100
4p berline GL Premium	2	A	2.4	16 100
4p berline GLS (cuir)	2	A	2.4	17 000
4p berline GL V6	2	A	3.3	16 500
4p berline GLS V6 (cuir)	2	A	3.3	17 000
4p berline GLS V6 Limited (cuir)	2	A	3.3	17 600

2007 SONATA 60 000 km

Description	R.m.	Tr.	L	Prix
4p berline GL	2	M	2.4	12 000
4p berline GL	2	A	2.4	12 800
4p berline GL (ABS - toit)	2	A	2.4	13 500
4p berline GLS (cuir)	2	A	2.4	13 700
4p berline GL V6	2	A	3.3	13 300
4p berline GL V6 (toit)	2	A	3.3	13 700
4p berline GLS V6 (cuir)	2	A	3.3	14 000
4p berline GLS V6 Premium	2	A	3.3	14 300

2006 SONATA 80 000 km

Description	R.m.	Tr.	L	Prix
4p berline GL	2	M	2.4	10 000
4p berline GL	2	A	2.4	10 500
4p berline GL (ABS - toit)	2	A	2.4	11 100
4p berline GL V6	2	A	3.3	11 200
4p berline GL V6 (toit)	2	A	3.3	11 300
4p berline GLS V6 (cuir)	2	A	3.3	11 700
4p berline GLS V6 Premium	2	A	3.3	11 900

2005 SONATA 100 000 km

Description	R.m.	Tr.	L	Prix
4p berline GL	2	A	2.4	8 000
4p berline VE	2	A	2.4	9 000
4p berline VE V6	2	A	2.7	8 900
4p berline GL V6	2	A	2.7	9 000
4p berline GLX (cuir)	2	A	2.7	9 200

2008 TIBURON 40 000 km

Description	R.m.	Tr.	L	Prix
2p hayon GS	2	M	2	12 000
2p hayon GS Sport (toit)	2	M	2	13 600
2p hayon GS Sport (toit)	2	A	2	14 500
2p hayon GT	2	M	2.7	16 100
2p hayon GT	2	A	2.7	16 900
2p hayon GTP (cuir) 6 vitesses	2	M	2.7	17 400
2p hayon GTP (cuir)	2	A	2.7	17 100

2007 TIBURON 60 000 km

Description	R.m.	Tr.	L	Prix
2p hayon GS	2	M	2	11 700
2p hayon GS Sport (toit)	2	M	2	13 300
2p hayon GS Sport (toit)	2	A	2	14 000
2p hayon GT	2	M	2.7	15 200
2p hayon GT Limited (cuir) 6 vit	2	M	2.7	15 700
2p hayon GT	2	A	2.7	15 400
2p hayon GT Limited (cuir)	2	A	2.7	15 700

2006 TIBURON 80 000 km

Description	R.m.	Tr.	L	Prix
2p hayon base	2	M	2	11 300
2p hayon SE (cuir)	2	M	2	13 100
2p hayon SE (cuir)	2	A	2	13 400
2p hayon Tuscani (cuir)	2	M	2.7	14 300
2p hayon Tuscani (cuir)	2	A	2.7	14 500

2005 TIBURON 100 000 km

Description	R.m.	Tr.	L	Prix
2p hayon base	2	M	2	9 500
2p hayon SE	2	M	2	10 000
2p hayon Tuscani (cuir)	2	M	2.7	11 900
2p hayon Tuscani (cuir)	2	A	2.7	12 200

2009 TUCSON 20 000 km

Description	R.m.	Tr.	L	Prix
4p L	2	M	2	18,700
4p GL (a/c)	2	M	2	20,000
4p GL (a/c)	2	A	2	21,100
4p Édition 25e Ann.	2	A	2	22,000
4p GL V6	2	A	2.7	23,000
4p Limited V6 (cuir)	2	A	2.7	23,100
4p GL V6 AWD	A	A	2.7	23,100
4p Limited V6 AWD (cuir)	A	A	2.7	23,600

2008 TUCSON 40 000 km

Description	R.m.	Tr.	L	Prix
4p L	2	M	2	14 700
4p GL (a/c)	2	M	2	16 100
4p GL (a/c)	2	A	2	16 900
4p GLS (cuir)	2	A	2	18 300
4p GL V6	2	A	2.7	18 100
4p Limited V6 (cuir)	2	A	2.7	18 300
4p GL V6 AWD	A	A	2.7	18 300
4p Limited V6 AWD (cuir)	A	A	2.7	18 700

2007 TUCSON 60 000 km

Description	R.m.	Tr.	L	Prix
4p GL	2	M	2	13 400
4p GL (a/c)	2	M	2	14 500
4p GL (a/c)	2	A	2	14 800
4p GL V6	2	A	2.7	15 100
4p GL V6 (cuir)	2	A	2.7	15 300
4p GL V6 AWD	A	A	2.7	15 600
4p GLS V6 AWD (cuir)	A	A	2.7	16 100

2006 TUCSON 80 000 km

Description	R.m.	Tr.	L	Prix
4p GL	2	M	2	11 900
4p GL (a/c)	2	M	2	12 900
4p GL (a/c)	2	A	2	13 700
4p GL V6	2	A	2.7	13 900
4p GL V6 (cuir)	2	A	2.7	14 000
4p GL AWD	A	M	2	14 200
4p GL V6 AWD	A	A	2.7	14 400
4p GLS V6 (cuir) AWD	A	A	2.7	14 600

2005 TUCSON 100 000 km

Description	R.m.	Tr.	L	Prix
4p GL	2	M	2	8 700
4p GL (a/c)	2	M	2	9 800
4p GL (a/c)	2	A	2	10 600
4p GL V6	2	A	2.7	10 900
4p GL AWD	A	A	2.7	11 000
4p GLS (cuir) AWD	A	A	2.7	11 400

2009 VERACRUZ 20 000 km

Description	R.m.	Tr.	L	Prix
4p GL	2	A	3.8	30,100
4p GLS	A	A	3.8	33,200
4p Limited	A	A	3.8	36,400

2008 VERACRUZ 40 000 km

Description	R.m.	Tr.	L	Prix
4p GL	2	A	3.8	22 200
4p GLS	A	A	3.8	22 700
4p Limited	A	A	3.8	23 900

2007 VERACRUZ 60 000 km

Description	R.m.	Tr.	L	Prix
4p GLS	A	A	3.8	20 200
4p Limited	A	A	3.8	21 100

2005 XG350 100 000 km

Description	R.m.	Tr.	L	Prix
4p berline base	2	A	3.5	13 200

INFINITI

2009 EX 20 000 km

Description	R.m.	Tr.	L	Prix
4p EX35	A	A	3.5	35,600
4p EX35 Premium	A	A	3.5	37,800

2008 EX 40 000 km

Description	R.m.	Tr.	L	Prix
4p EX35	A	A	3.5	29 400
4p EX35 Premium	A	A	3.5	31 800

2009 FX 20 000 km

Description	R.m.	Tr.	L	Prix
4p FX35	A	A	3.5	44,100
4p FX35 Tech. Pkg	A	A	3.5	47,200
4p FX50	A	A	5	51,200
4p FX50 Tech. Pkg	A	A	5	54,300

2008 FX 40 000 km

Description	R.m.	Tr.	L	Prix
4p FX35	A	A	3.5	35 300
4p FX35 Tech. Pkg	A	A	3.5	38 300
4p FX45	A	A	4.5	39 100
4p FX45 Tech. Pkg	A	A	4.5	39 700

2007 FX 60 000 km

Description	R.m.	Tr.	L	Prix
4p FX35	A	A	3.5	29 800
4p FX35 Tech. Pkg	A	A	3.5	30 900
4p FX45	A	A	4.5	33 000
4p FX45 Tech. Pkg	A	A	4.5	34 100

2006 FX 80 000 km

Description	R.m.	Tr.	L	Prix
4p FX35	A	A	3.5	25 800
4p FX35 Tech. Pkg	A	A	3.5	27 600
4p FX45	A	A	4.5	27 800
4p FX45 Tech. Pkg	A	A	4.5	29 400

2005 FX 100 000 km

Description	R.m.	Tr.	L	Prix
4p FX35	A	A	3.5	22 100
4p FX35 Tech. Pkg	A	A	3.5	24 700
4p FX45	A	A	4.5	25 000
4p FX45 Tech. Pkg	A	A	4.5	25 600

2009 G37 20 000 km

Description	R.m.	Tr.	L	Prix
2p coupé G37 base	2	A	3.7	40,000
2p coupé G37 Sport	2	A	3.7	40,700
2p coupé G37 Sport M6	2	M	3.7	40,700
4p berline G37 base	2	A	3.7	32,300
4p berline G37 Sport M6	2	M	3.7	35,800
4p berline G37x AWD	A	A	3.7	35,400
4p berline G37x Sport AWD	A	A	3.7	39,700
2p décapot. G37 Sport	2	A	3.7	49,700
2p décapot. G37 Premier	2	A	3.7	51,700

2008 G35 / G37 40 000 km

Description	R.m.	Tr.	L	Prix
2p coupé G37 base	2	A	3.7	33 400
2p coupé G37 Sport	2	A	3.7	35 200
2p coupé G37 Sport M6	2	M	3.7	35 200
4p berline G35 base	2	A	3.5	30 800
4p berline G35 Sport M6	2	M	3.5	32 600
4p berline G35x AWD	A	A	3.5	29 800
4p berline G35x Sport AWD	A	A	3.5	34 400

2007 G35 60 000 km

Description	R.m.	Tr.	L	Prix
2p coupé base	2	A	3.5	28 300
2p coupé Sport	2	A	3.5	29 500
2p coupé Sport M6	2	M	3.5	29 500
4p berline base	2	A	3.5	23 200
4p berline Sport	2	A	3.5	27 900
4p berline Sport 6M	2	M	3.5	27 900
4p berline G35x AWD	A	A	3.5	25 400

2006 G35 80 000 km

Description	R.m.	Tr.	L	Prix
2p coupé base	2	A	3.5	25 500
2p coupé Performance	2	A	3.5	26 100
2p coupé Sport M6	2	M	3.5	27 000
2p coupé Sport	2	A	3.5	27 000
4p berline Luxury	2	A	3.5	19 700
4p berline Premium	2	A	3.5	21 900
4p berline Premium Aero	2	A	3.5	23 200
4p berline Premium Aero M6	2	M	3.5	23 200
4p berline G35x Luxury	A	A	3.5	21 600
4p berline G35x Premium	A	A	3.5	23 800

2005 G35 100 000 km

Description	R.m.	Tr.	L	Prix
2p coupé base	2	A	3.5	21 900
2p coupé Sport M6	2	M	3.5	23 700
4p berline Luxury	2	A	3.5	16 500
4p berline Premium	2	A	3.5	18 600
4p berline Premium Aero	2	A	3.5	19 500
4p berline Premium Aero M6	2	M	3.5	19 500
4p berline G35x Luxury	A	A	3.5	18 600
4p berline G35x Premium	A	A	3.5	20 700

2009 M 20 000 km

Description	R.m.	Tr.	L	Prix
4p berline M35x AWD	A	A	3.5	46,700
4p berline M35x Techn	A	A	3.5	53,300
4p ber M35x Prem (Navi) AWD	A	A	3.5	53,900
4p berline M45x AWD	A	A	4.5	58,900
4p berline M45 Sport	2	A	4.5	59,100

2008 M 40 000 km

Description	R.m.	Tr.	L	Prix
4p berline M35	2	A	3.5	35 800
4p berline M35 Technology	2	A	3.5	39 800
4p berline M35x AWD	A	A	3.5	38 600
4p ber M35x Prem (Navi) AWD	A	A	3.5	40 100
4p berline M45x AWD	A	A	4.5	44 200
4p berline M45 Sport	2	A	4.5	44 400

2007 M 60 000 km

Description	R.m.	Tr.	L	Prix
4p berline M35 Luxury	2	A	3.5	34 200
4p berline M35 Technology	2	A	3.5	37 600
4p berline M35x AWD	A	A	3.5	36 900
4p berline M35x Premium AWD	A	A	3.5	39 700
4p berline M45	2	A	4.5	38 700
4p berline M45 Ultra Premium	2	A	4.5	41 000
4p berline M45 Sport	2	A	4.5	41 900
2006 M				**80 000 km**
4p berline M35	2	A	3.5	30 700
4p berline M35 Technology	2	A	3.5	35 500
4p berline M35x AWD	A	A	3.5	33 300
4p berline M35x Premium AWD	A	A	3.5	36 600
4p berline M45	2	A	4.5	36 600
4p berline M45 Ultra Premium	2	A	4.5	37 300
4p berline M45 Sport	2	A	4.5	38 100
2005 Q45				**100 000 km**
4p berline Premium	2	A	4.5	28 400
2009 QX56				**20 000 km**
4p 7 pass. base	A	A	5.6	53,200
4p 8 pass. base	A	A	5.6	53,200
2008 QX56				**40 000 km**
4p 7 pass. base	A	A	5.6	38 800
4p 8 pass. base	A	A	5.6	38 800
2007 QX56				**60 000 km**
4p 7 pass. base	A	A	5.6	32 700
4p 8 pass. base	A	A	5.6	32 700
2006 QX56				**80 000 km**
4p 7 pass. base	A	A	5.6	27 100
4p 8 pass. base	A	A	5.6	27 100
2005 QX56				**100 000 km**
4p 7 pass. base	A	A	5.6	25 200
4p 8 pass. base	A	A	5.6	25 200

JAGUAR

Description	R.m.	Tr.	L	Prix
2008 S-TYPE				**40 000 km**
4p berline S-Type	2	A	3	32 700
4p berline S-Type	2	A	4.2	39 900
4p berline S-Type R	2	A	4.2	43 500
4p berline S-Type R Luxury	2	A	4.2	45 300
2007 S-TYPE				**60 000 km**
4p berline S-Type	2	A	3	25 400
4p berline S-Type	2	A	4.2	30 600
4p berline S-Type R (navi)	2	A	4.2	34 900
2006 S-TYPE				**80 000 km**
4p berline S-Type	2	A	3	20 800
4p berline S-Type	2	A	4.2	25 700
4p berline S-Type VDP Edition	2	A	4.2	26 700
4p berline S-Type R (navi)	2	A	4.2	27 100
2005 S-TYPE				**100 000 km**
4p berline S-Type	2	A	3	15 800
4p berline S-Type Sport	2	A	3	16 800
4p berline S-Type	2	A	4.2	18 900
4p berline S-Type Sport	2	A	4.2	19 400
4p berline S-Type VDP Edition	2	A	4.2	19 600
4p berline S-Type R	2	A	4.2	20 000
2008 X-TYPE				**40 000 km**
4p berline X-Type 3.0L	A	A	3	29 800
4p berline X-Type 3.0L Luxury	A	A	3	31 100
4p fam X-Type 3.0L Sportwagon	A	A	3	31 700
2007 X-TYPE				**60 000 km**
4p berline X-Type 3.0L	A	A	3	24 300
4p berline X-Type 3.0L Luxury	A	A	3	25 400
4p fam X-Type 3.0L Sportwagon L.	A	A	3	25 900
2006 X-TYPE				**80 000 km**
4p berline X-Type 3.0L	A	M	3	17 700
4p berline X-Type 3.0L	A	A	3	17 700
4p berline X-Type 3.0L Luxury	A	A	3	19 600
4p berline X-Type 3.0L Sport	A	A	3	21 100
4p familiale X-Type 3.0L Luxury	A	A	3	21 000
2005 X-TYPE				**100 000 km**
4p berline X-Type 3.0L	A	M	3	15 900
4p berline X-Type 3.0L	A	A	3	15 900
4p berline X-Type 3.0L Sport	A	M	3	16 400
4p berline X-Type 3.0L Sport	A	A	3	16 400
4p berline X-Type VDP Edition	A	A	3	16 800
4p familiale X-Type 3.0L	A	A	3	17 100
4p familiale X-Type 3.0L Sport	A	M	3	17 200
4p familiale X-Type 3.0L Sport	A	A	3	17 200
2009 XF				**20 000 km**
4p berline Luxury	2	A	4.2	52 000
4p berline Supercharged	2	A	4.2	67 700
2009 XJ				**20 000 km**
4p berline XJ8	2	A	4.2	66,200
4p berline XJ8 Vanden Plas	2	A	4.2	73,500
4p berline XJR	2	A	4.2	80,800
4p berline XJR Super V8	2	A	4.2	90,200
2008 XJ				**40 000 km**
4p berline XJ8	2	A	4.2	57 600
4p berline XJ8 Vanden Plas	2	A	4.2	62 900
4p berline XJR	2	A	4.2	66 100
4p berline XJR Super V8	2	A	4.2	76 600
2007 XJ				**60 000 km**
4p berline XJ8	2	A	4.2	48 600
4p berline XJ8 Vanden Plas	2	A	4.2	53 100
4p berline XJR	2	A	4.2	54 400
4p berline XJR Portfolio	2	A	4.2	58 400
4p berline XJR Super V8	2	A	4.2	63 000
2006 XJ				**80 000 km**
4p berline XJ8	2	A	4.2	35 400
4p berline XJ8 L	2	A	4.2	37 200
4p berline XJ8 Vanden Plas	2	A	4.2	38 800
4p berline XJR	2	A	4.2	40 000
4p berline XJR Super V8	2	A	4.2	45 000
4p berline XJR Super V8 Portfolio	2	A	4.2	55 800
2005 XJ				**100 000 km**
4p berline XJ8	2	A	4.2	27 100
4p berline XJ8 Vanden Plas	2	A	4.2	28 700
4p berline XJR	2	A	4.2	29 600
4p berline XJR Super V8	2	A	4.2	30 700
2009 XK				**20 000 km**
2p coupé XK	2	A	4.2	80,300
2p coupé XKR	2	A	4.2	85,600
2p décapotable XK	2	A	4.2	81,200
2p décapotable XKR	2	A	4.2	91,000
2008 XK				**40 000 km**
2p coupé XK	2	A	4.2	63 600
2p coupé XKR	2	A	4.2	72 700
2p coupé XKR Portfolio	2	A	4.2	75 900
2p décapotable XK	2	A	4.2	70 100
2p décapotable XKR	2	A	4.2	73 700
2p décapotable XKR Portfolio	2	A	4.2	79 300
2007 XK				**60 000 km**
2p coupé XK	2	A	4.2	52 300
2p coupé XKR	2	A	4.2	56 200
2p décapotable XK	2	A	4.2	55 600
2p décapotable XKR	2	A	4.2	60 700
2006 XK				**80 000 km**
2p coupé XK8	2	A	4.2	38 500
2p coupé XKR	2	A	4.2	44 000
2p décapotable XK8	2	A	4.2	42 500
2p décapotable XKR	2	A	4.2	46 300
2005 XK				**100 000 km**
2p coupé XK8	2	A	4.2	31 600
2p coupé XKR	2	A	4.2	34 500
2p décapotable XK8	2	A	4.2	34 900
2p décapotable XKR	2	A	4.2	34 800

JEEP

Description	R.m.	Tr.	L	Prix
2009 GRAND CHEROKEE				**20 000 km**
4p Laredo	4	A	3.7	29,100
4p Laredo	4	A	4.7	30,800
4p Laredo Diesel (cuir)	4	A	3	31,000
4p Limited (cuir)	4	A	4.7	38,100
4p Limited (cuir)	4	A	5.7	38,800
4p Limited Diesel (cuir)	4	A	3	40,100
4p Overland (cuir)	4	A	5.7	41,300
4p Overland Diesel (cuir)	4	A	3	42,000
4p SRT8 (cuir)	4	A	6.1	43,600
2008 GRAND CHEROKEE				**40 000 km**
4p Laredo	4	A	3.7	20 500
4p Laredo	4	A	4.7	21 300
4p Laredo Diesel (cuir)	4	A	3	24 500
4p Limited (cuir)	4	A	4.7	27 200
4p Limited (cuir)	4	A	5.7	27 500
4p Limited Diesel (cuir)	4	A	3	28 500
4p Overland (cuir)	4	A	5.7	29 700
4p Overland Diesel (cuir)	4	A	3	30 600
4p SRT8 (cuir)	4	A	6.1	39 900
2007 GRAND CHEROKEE				**60 000 km**
4p Laredo	4	A	3.7	17 100
4p Laredo	4	A	4.7	17 800
4p Laredo Diesel (cuir)	4	A	3	20 200
4p Limited (cuir)	4	A	4.7	21 900
4p Limited (cuir)	4	A	5.7	22 500
4p Limited Diesel (cuir)	4	A	3	23 600
4p Overland (cuir)	4	A	5.7	23 900
4p Overland Diesel (cuir)	4	A	3	25 400
4p SRT8 (cuir)	4	A	6.1	35 300
2006 GRAND CHEROKEE				**80 000 km**
4p Laredo	4	A	3.7	13 900
4p Laredo	4	A	4.7	14 300
4p Limited (cuir)	4	A	4.7	17 500
4p Limited (cuir)	4	A	5.7	18 100
4p Overland (cuir)	4	A	5.7	19 100
4p SRT8 (cuir)	4	A	6.1	29 000
2005 GRAND CHEROKEE				**100 000 km**
4p Laredo	4	A	3.7	11 700
4p Laredo	4	A	4.7	12 300
4p Limited (cuir)	A	A	4.7	13 700
4p Limited (cuir)	A	A	5.7	14 100
2009 COMMANDER				**20 000 km**
4p Sport	4	A	3.7	30,700
4p Sport	4	A	4.7	31,700
4p Limited (cuir - toit)	4	A	4.7	37,800
4p Limited (cuir - toit)	4	A	5.7	38,600
2008 COMMANDER				**40 000 km**
4p Sport	4	A	3.7	23 500
4p Sport	4	A	4.7	24 600
4p Limited (cuir - toit)	4	A	4.7	25 600
4p Limited (cuir - toit)	4	A	5.7	26 200
2007 COMMANDER				**60 000 km**
4p Sport	4	A	3.7	19 500
4p Sport	4	A	4.7	20 100
4p Limited (cuir - toit)	4	A	4.7	21 500
4p Limited (cuir - toit)	4	A	5.7	22 000
2006 COMMANDER				**80 000 km**
4p base	4	A	3.7	17 300
4p base	4	A	4.7	18 000
4p Limited (cuir - toit)	4	A	4.7	19 500
4p Limited (cuir - toit)	4	A	5.7	20 500
2009 COMPASS				**20 000 km**
4p Sport	2	M	2.4	15,700
4p North (groupe électrique)	2	M	2.4	17,100
4p Limited (cuir)	2	M	2.4	19,000
4p Sport AWD	A	M	2.4	17,600
4p North AWD (gr.électrique)	A	M	2.4	20,000
4p Limited AWD (cuir)	A	M	2.4	21,200
2008 COMPASS				**40 000 km**
4p Sport	2	M	2.4	13 200
4p North (groupe électrique)	2	M	2.4	15 100
4p Limited (cuir)	2	M	2.4	16 600
4p Sport AWD	A	M	2.4	14 700
4p North AWD (gr.électrique)	A	M	2.4	16 700
4p Limited AWD (cuir)	A	M	2.4	18 000
2007 COMPASS				**60 000 km**
4p Sport	2	M	2.4	11 600
4p North (groupe électrique)	2	M	2.4	13 000
4p Limited (cuir)	2	M	2.4	14 500
4p Sport AWD	A	M	2.4	13 000
4p North AWD (gr.électrique)	A	M	2.4	15 100
4p Limited AWD (cuir)	A	M	2.4	16 500
2009 LIBERTY				**20 000 km**
4p Sport	4	M	3.7	22,500
4p North	4	M	3.7	23,400
4p Limited (cuir)	4	A	3.7	25,800
2008 LIBERTY				**40 000 km**
4p Sport	4	M	3.7	17 500
4p North	4	M	3.7	18 200
4p Limited (cuir)	4	A	3.7	19 900
2007 LIBERTY				**60 000 km**
4p Sport	4	M	3.7	15 500
4p Sport	4	A	3.7	16 000
4p Limited	4	A	3.7	17 700
2006 LIBERTY				**80 000 km**
4p Sport	4	M	3.7	12 900
4p Sport	4	A	3.7	13 400
4p Sport turbo diesel	4	A	2.8	15 300
4p Renegade	4	M	3.7	13 900
4p Renegade	4	A	3.7	14 100
4p Limited (ensemble 28F)	4	A	3.7	14 200
4p Limited (ens.28G cuir)	4	A	3.7	14 700
4p Limited turbo diesel	4	A	2.8	16 000
2005 LIBERTY				**100 000 km**
4p Sport	4	M	2.4	10 500
4p Sport	4	A	2.4	10 900
4p Sport	4	M	3.7	10 800
4p Sport	4	A	3.7	11 400
4p Sport turbo diesel	4	A	2.8	13 200
4p Renegade	4	M	3.7	12 100
4p Renegade	4	A	3.7	12 700
4p Limited (ensemble 28F)	4	A	3.7	12 900
4p Limited (ens.28G cuir)	4	A	3.7	13 200
4p Limited turbo diesel	4	A	2.8	13 700
2009 PATRIOT				**20 000 km**
4p Sport	2	M	2.4	14,900
4p North (groupe électrique)	2	M	2.4	18,900
4p Limited (cuir)	2	M	2.4	19,900
4p Sport AWD	A	M	2.4	17,500
4p North AWD (groupe élec)	A	M	2.4	20,100
4p Limited AWD (cuir)	A	M	2.4	22,400
2008 PATRIOT				**40 000 km**
4p Sport	2	M	2.4	12 000
4p North (groupe électrique)	2	M	2.4	13 900
4p Limited (cuir)	2	M	2.4	16 100
4p Sport AWD	A	M	2.4	13 900
4p North AWD (groupe élec)	A	M	2.4	15 600
4p Limited AWD (cuir)	A	M	2.4	17 000
2007 PATRIOT				**60 000 km**
4p Sport	2	M	2.4	11 000
4p North (groupe électrique)	2	M	2.4	12 600
4p Limited (cuir)	2	M	2.4	14 100
4p Sport AWD	A	M	2.4	12 000
4p North AWD (groupe élec)	A	M	2.4	14 000
4p Limited AWD (cuir)	A	M	2.4	15 900
2009 WRANGLER				**20 000 km**
2p X	4	M	3.8	16,100
2p Sahara	4	M	3.8	21,800
2p Rubicon	4	M	3.8	24,200
4p Unlimited X	4	M	3.8	20,600
4p Unlimited Sahara	4	M	3.8	23,400
4p Unlimited Rubicon	4	M	3.8	25,800
2008 WRANGLER				**40 000 km**
2p X	4	M	3.8	14 500
2p Sahara	4	M	3.8	19 800
2p Rubicon	4	M	3.8	21 000
4p Unlimited X	4	M	3.8	18 400
4p Unlimited Sahara	4	M	3.8	21 300
4p Unlimited Rubicon	4	M	3.8	22 500
2007 WRANGLER				**60 000 km**
2p X	4	M	3.8	12 200
2p Sahara	4	M	3.8	16 500
2p Rubicon	4	M	3.8	17 700
4p Unlimited X	4	M	3.8	15 100
4p Unlimited Sahara	4	M	3.8	17 800
4p Unlimited Rubicon	4	M	3.8	18 800
2006 TJ				**80 000 km**
2p SE	4	M	2.4	12 900
2p Sport	4	M	4	14 900
2p Rubicon	4	M	4	16 300
2p allongé Unlimited	4	M	4	15 900
2p allongé Unlimited Rubicon	4	M	4	16 900
2005 TJ				**100 000 km**
2p SE	2	M	2.4	12 900
2p Sport	4	M	4	15 300
2p Rubicon	4	M	4	16 300
2p allongé Unlimited	4	M	4	16 200
2p allongé Unlimited Rubicon	4	M	4	17 000

KIA

Description	R.m.	Tr.	L	Prix
2009 AMANTI				**20 000 km**
4p berline base	2	A	3.8	24,500
4p berline Luxury	2	A	3.8	27,100
2008 AMANTI				**40 000 km**
4p berline base	2	A	3.8	21,900
2007 AMANTI				**60 000 km**
4p berline base	2	A	3.8	18,900
2006 AMANTI				**80 000 km**
4p berline base	2	A	3.5	15 300
4p berline Groupe Cuir	2	A	3.5	16 100
4p berline Groupe Luxe	2	A	3.5	16 500
2005 AMANTI				**100 000 km**
4p berline base	2	A	3.5	12 400
2009 BORREGO				**20 000 km**
4p LX	4	A	3.8	30,300
4p EX (cuir)	A	A	3.8	33,600
4p LX	4	A	4.6	32,400
4p EX (cuir)	A	A	4.6	35,700
2009 MAGENTIS				**20 000 km**
4p berline LX	2	M	2.4	17,500
4p berline LX	2	A	2.4	18,400

Description	R.m.	Tr.	L	Prix
4p berline LX Premium (toit)	2	A	2.4	20,100
4p berline LX (cuir)	2	A	2.4	20,200
4p berline LX V6	2	A	2.7	19,200
4p berline LX V6 Luxury (cuir)	2	A	2.7	21,400
2008 MAGENTIS				**40 000 km**
4p berline LX	2	M	2.4	14 600
4p berline LX	2	A	2.4	15 400
4p berline LX Premium (toit)	2	A	2.4	16 400
4p berline LX (cuir)	2	A	2.4	17 400
4p berline LX V6	2	A	2.7	15 800
4p berline LX V6 Luxury (cuir)	2	A	2.7	17 800
2007 MAGENTIS				**60 000 km**
4p berline LX	2	M	2.4	13 000
4p berline LX	2	A	2.4	13 500
4p berline LX Premium (toit)	2	A	2.4	14 400
4p berline SX (toit)	2	A	2.4	14 500
4p berline LX V6	2	A	2.7	13 800
4p berline LX Premium (cuir)	2	A	2.4	15 200
4p berline LX V6 Luxury (cuir)	2	A	2.7	15 600
2006 MAGENTIS				**80 000 km**
4p berline LX	2	M	2.4	10 600
4p berline LX	2	A	2.4	11 100
4p berline LX V6	2	A	2.7	11 400
4p berline EX V6 (cuir)	2	A	2.7	12 300
2005 MAGENTIS				**100 000 km**
4p berline LX édition Anniv.	2	M	2.4	7 900
4p berline LX édition Anniv.	2	A	2.4	8 500
4p berline LX V6	2	A	2.7	8 700
4p berline EX V6 (cuir)	2	A	2.7	9 400
2009 RIO				**20 000 km**
4p berline EX	2	M	1.6	11,100
4p berline EX Commodité (a/c)	2	M	1.6	12,600
4p hayon Rio5 EX	2	M	1.6	11,500
4p hayon Rio5 EX Com(a/c)	2	M	1.6	13,100
4p hayon Rio5 EX Sport	2	M	1.6	14,500
2008 RIO				**40 000 km**
4p berline EX	2	M	1.6	8 400
4p berline EX Commodité (a/c)	2	M	1.6	9 800
4p hayon Rio5 EX	2	M	1.6	8 800
4p hayon Rio5 EX Com(a/c)	2	M	1.6	10 300
4p hayon Rio5 EX Sport	2	M	1.6	11 600
2007 RIO				**60 000 km**
4p berline EX	2	M	1.6	7 400
4p berline EX Commodité (a/c)	2	M	1.6	8 900
4p berline EX Premium (abs)	2	A	1.6	10 000
4p hayon Rio5 EX	2	M	1.6	7 800
4p hayon Rio5 EX Com (a/c)	2	M	1.6	9 400
4p hayon Rio5 EX Sport	2	M	1.6	10 200
2006 RIO				**80 000 km**
4p berline EX	2	M	1.6	5 200
4p berline EX Commodité (a/c)	2	M	1.6	6 500
4p hayon Rio5 EX	2	M	1.6	5 400
4p hayon Rio5 EX Com (a/c)	2	M	1.6	6 400
4p hayon Rio5 EX Sport	2	M	1.6	6 800
2005 RIO				**100 000 km**
4p berline S	2	M	1.6	3 300
4p berline RS	2	M	1.6	4 300
4p berline édition Anniversaire	2	M	1.6	5 100
4p berline LS	2	A	1.6	5 600
4p hayon RXV	2	M	1.6	5 400
2009 RONDO				**20 000 km**
4p 5 pass. LX	2	A	2.4	17,400
4p 5 pass. EX	2	A	2.4	19,500
4p 7 pass. EX	2	A	2.4	20,300
4p 7 pass. EX Premium (cuir)	2	A	2.4	21,400
4p 5 pass. EX V6	2	A	2.7	20,400
4p 7 pass. EX V6	2	A	2.7	21,200
4p 7 pass. EX V6 Luxury (cuir)	2	A	2.7	23,100
2008 RONDO				**40 000 km**
4p 5 pass. LX	2	A	2.4	14 900
4p 5 pass. EX	2	A	2.4	16 600
4p 7 pass. EX	2	A	2.4	17 200
4p 7 pass. EX Premium (cuir)	2	A	2.4	18 000
4p 5 pass. EX V6	2	A	2.7	17 400
4p 7 pass. EX V6	2	A	2.7	17 800
4p 7 pass. EX V6 Luxury (cuir)	2	A	2.7	17 800
2007 RONDO				**60 000 km**
4p 5 pass. LX	2	A	2.4	13 600
4p 5 pass. EX	2	A	2.4	14 900
4p 7 pass. EX Premium (cuir)	2	A	2.4	15 400
4p 5 pass. EX V6	2	A	2.7	15 100
4p 7 pass. EX V6 Luxury (cuir)	2	A	2.7	15 400
2009 SEDONA				**20 000 km**
4p LX	2	A	3.8	22,600
4p EX	2	A	3.8	27,800
4p EX Gr. électrique	2	A	3.8	28,600
4p EX Gr. Luxe (cuir)	2	A	3.8	30,200
2008 SEDONA				**40 000 km**
4p LX	2	A	3.8	17 600
4p EX	2	A	3.8	19 400
4p EX Gr. électrique	2	A	3.8	20 100
4p EX Gr. Luxe (cuir)	2	A	3.8	21 200
2007 SEDONA				**60 000 km**
4p LX	2	A	3.8	14 500
4p EX	2	A	3.8	16 600
4p EX Gr. électrique	2	A	3.8	17 100
4p EX Gr. Luxe (cuir)	2	A	3.8	17 500
2006 SEDONA				**80 000 km**
4p LX	2	A	3.8	12 300
4p EX	2	A	3.8	13 300
4p EX Gr. électrique	2	A	3.8	13 700
4p EX Gr. Luxe (cuir)	2	A	3.8	14 300
2005 SEDONA				**100 000 km**
4p LX	2	A	3.5	11 000
4p EX	2	A	3.5	11 600
4p EX (cuir)	2	A	3.5	11 900
2009 SORENTO				**20 000 km**
4p L	4	A	3.3	26,100
4p LX	4	A	3.3	28,500
4p LX Luxe 3.3L (cuir)	4	A	3.3	30,000
4p LX Luxe 3.8L (cuir)	A	A	3.8	32,800
2008 SORENTO				**40 000 km**
4p LX	4	A	3.3	21 400
4p LX Luxe 3.3L (cuir)	4	A	3.3	23 200
4p LX Luxe 3.8L (cuir)	A	A	3.8	24 400
2007 SORENTO				**60 000 km**
4p SX	4	A	3.8	21 000
4p LX Luxe (cuir)	A	A	3.8	23 300
2006 SORENTO				**80 000 km**
4p LX	2	M	3.5	14 800
4p LX gr. Sécurité (abs)	2	A	3.5	16 200
4p LX	4	M	3.5	16 200
4p LX	4	A	3.5	16 500
4p LX Premium (cuir)	A	A	3.5	17 500
4p EX	4	A	3.5	17 000
4p EX Luxe (cuir)	A	A	3.5	19 300
2005 SORENTO				**100 000 km**
4p LX	4	M	3.5	12 900
4p LX	4	A	3.5	13 700
4p EX	A	A	3.5	14 000
4p EX Luxe (cuir)	A	A	3.5	16 600
2009 SPECTRA				**20 000 km**
4p berline LX	2	M	2	13,900
4p berline LX Commodité (a/c)	2	M	2	15,800
4p berline LX Premium (abs)	2	A	2	17,900
5p hayon Spectra5 LX	2	M	2	14,300
5p hayon Spectra5 LX Com	2	M	2	16,300
5p hayon Spectra5 SX	2	M	2	18,400
2008 SPECTRA				**40 000 km**
4p berline LX	2	M	2	11 000
4p berline LX Commodité (a/c)	2	M	2	12 600
4p berline LX Premium (abs)	2	A	2	14 400
5p hayon Spectra5 LX	2	M	2	11 400
5p hayon Spectra5 LX Com	2	M	2	13 100
5p hayon Spectra5 SX	2	M	2	14 900
2007 SPECTRA				**60 000 km**
4p berline LX	2	M	2	8 900
4p berline LX Commodité (a/c)	2	M	2	10 000
4p berline LX Premium (abs)	2	A	2	11 700
5p hayon Spectra5 LX	2	M	2	8 900
5p hayon Spectra5 LX Com	2	M	2	10 400
5p hayon Spectra5 SX	2	M	2	12 100
2006 SPECTRA				**80 000 km**
4p berline LX	2	M	2	7 000
4p berline LX Commodité (a/c)	2	M	2	8 300
4p berline EX (abs)	2	A	2	9 800
5p hayon Spectra5	2	M	2	7 500
5p hayon Spectra5 EX Com	2	M	2	8 800
5p hayon Spectra5 EX Sport	2	M	2	10 100
2005 SPECTRA				**100 000 km**
4p berline LX	2	M	2	5 600
4p berline LX Commodité (a/c)	2	M	2	7 200
4p berline EX (ABS)	2	M	2	7 600
5p hayon Spectra5	2	M	2	6 600
5p hayon Spectra5 SX (a/c)	2	M	2	7 600
5p hayon Spectra5 SX (ABS/toit)	2	M	2	8 400
2009 SPORTAGE				**20 000 km**
4p LX	2	M	2	18,900
4p LX Commodité	2	M	2	20,800
4p LX Commodité	2	A	2	21,800
4p LX-V6	2	A	2.7	22,800
4p LX commodité	4	M	2	22,500
4p LX-V6	4	A	2.7	24,400
4p LX-V6 Luxe (cuir)	4	A	2.7	25,800
2008 SPORTAGE				**40 000 km**
4p LX	2	M	2	15 400
4p LX Commodité	2	M	2	17 200
4p LX Commodité	2	A	2	18 100
4p LX-V6	2	A	2.7	18 200
4p LX commodité	4	M	2	18 000
4p LX-V6	4	A	2.7	18 400
4p LX-V6 Luxe (cuir)	4	A	2.7	18 800
2007 SPORTAGE				**60 000 km**
4p LX	2	M	2	13 400
4p LX Commodité	2	M	2	14 800
4p LX Commodité	2	A	2	15 500
4p LX-V6	2	A	2.7	15 600
4p LX commodité	4	M	2	15 400
4p LX-V6	4	A	2.7	15 900
4p SX V6 (cuir)	4	A	2.7	16 000
4p LX-V6 Luxe (cuir)	4	A	2.7	16 500
2006 SPORTAGE				**80 000 km**
4p LX	2	M	2	10 600
4p LX Commodité	2	M	2	11 800
4p LX Commodité	2	A	2	12 500
4p LX-V6	2	A	2.7	12 700
4p LX commodité	4	M	2	12 500
4p LX-V6	4	A	2.7	12 800
4p LX-V6 Luxe (cuir)	4	A	2.7	13 100
2005 SPORTAGE				**100 000 km**
4p LX	2	M	2	6 900
4p LX Commodité	2	M	2	7 900
4p LX Commodité	2	A	2	8 500
4p LX-V6	2	A	2.7	8 900
4p LX Commodité	4	M	2	8 600
4p LX-V6	4	A	2.7	9 100
4p EX-V6 (cuir)	4	A	2.7	9 200

LAND ROVER

Description	R.m.	Tr.	L	Prix
2005 FREELANDER				**100 000 km**
2p SE3 (cuir)	A	A	2.5	14 000
4p SE	A	A	2.5	12 700
2009 LR2				**20 000 km**
4p HSE	A	A	3.2	37,500
4p HSE Navigation	A	A	3.2	39,200
2008 LR2				**40 000 km**
4p HSE	A	A	3.2	33 100
4p HSE (Navigation)	A	A	3.2	35 100
2009 LR3				**20 000 km**
4p SE	4	A	4	45,500
4p SE V8	4	A	4.4	48,900
4p HSE V8 (navigation)	4	A	4.4	50,200
4p HSE V8 Luxury (navigation)	4	A	4.4	51,200
2008 LR3				**40 000 km**
4p SE	4	A	4	39 200
4p SE V8	4	A	4.4	43 400
4p HSE V8 (navigation)	4	A	4.4	45 000
4p HSE V8 Luxury (navigation)	4	A	4.4	45 800
2007 LR3				**60 000 km**
4p SE	4	A	4	32 200
4P SE V8	4	A	4.4	34 900
4p HSE V8	4	A	4.4	36 600
2006 LR3				**80 000 km**
4p SE	4	A	4	26 100
4p SE Luxury (cuir)	4	A	4	26 800
4P SE V8	4	A	4.4	28 000
4p HSE V8	4	A	4.4	29 100
2005 LR3				**100 000 km**
4p SE	4	A	4.4	22 600
4p HSE	4	A	4.4	24 400
2009 RANGE ROVER				**20 000 km**
4p Sport HSE	4	A	4.4	59,400
4p Sport Supercharged	4	A	4.2	72,500
4p Sport Superch.HST	4	A	4.2	73,600
4p HSE	4	A	4.4	76,200
4p Supercharged	4	A	4.2	80,100
2008 RANGE ROVER				**40 000 km**
4p Sport HSE	4	A	4.4	51 400
4p Sport Supercharged	4	A	4.2	64 100
4p Sport Superch. Limited Ed.	4	A	4.2	65 700
4p HSE	4	A	4.4	67 400
4p Supercharged	4	A	4.2	82 900
2007 RANGE ROVER				**60 000 km**
4p Sport HSE	4	A	4.4	44 200
4p Sport Supercharged	4	A	4.2	51 500
4p HSE	4	A	4.4	53 100
4p Supercharged	4	A	4.2	56 900
2006 RANGE ROVER				**80 000 km**
4p Sport HSE	4	A	4.4	37 700
4p Sport Supercharged	4	A	4.2	41 300
4p HSE	4	A	4.4	42 200
4p Supercharged	4	A	4.2	43 300
2005 RANGE ROVER				**100 000 km**
4p HSE	4	A	4.4	31 600
4p Westminster Edition	4	A	4.4	32 400

LEXUS

Description	R.m.	Tr.	L	Prix
2009 ES				**20 000 km**
4p berline ES 350	2	A	3.5	34,700
4p berline ES 350 Premium	2	A	3.5	41,600
4p berline ES 350 Ultra Premium	2	A	3.5	44,500
2008 ES				**40 000 km**
4p berline ES 350	2	A	3.5	31 200
4p berline ES 350 Premium	2	A	3.5	31 800
4p berline ES 350 Ultra Premium	2	A	3.5	33 800
2007 ES				**60 000 km**
4p berline ES 350	2	A	3.5	28 100
4p berline ES 350 Ultra Premium	2	A	3.5	29 800
2006 ES				**80 000 km**
4p berline ES 330	2	A	3.3	27 200
4p berline ES 330 Premium	2	A	3.3	27 600
2005 ES				**100 000 km**
4p berline ES 330	2	A	3.3	19 800
4p berline ES 330 Prem Luxury	2	A	3.3	22 500
2009 GS				**20 000 km**
4p berline GS 350	2	A	3.5	44,500
4p berline GS 350 AWD	A	A	3.5	46,300
4p berline GS 450h Hybride	2	A	3.5	52,200
4p berline GS 460	2	A	4.6	52,900
2008 GS				**40 000 km**
4p berline GS 350	2	A	3.5	41 500
4p berline GS 350 AWD	A	A	3.5	42 400
4p berline GS 450h Hybride	2	A	3.5	46 000
4p berline GS 460	2	A	4.6	47 000
2007 GS				**60 000 km**
4p berline GS 350	2	A	3.5	37 300
4p berline GS 350 AWD	A	A	3.5	39 300
4p berline GS 430	2	A	4.3	39 600
4p berline GS 450h Hybride	2	A	3.5	41 000
2006 GS				**80 000 km**
4p berline GS 300	2	A	3	29 900
4p berline GS 300 AWD	A	A	3	31 300
4p berline GS 430	2	A	4.3	31 600
2005 GS				**100 000 km**
4p berline GS 300	2	A	3	25 900
4p berline GS 430	2	A	4.3	26 900
2009 GX				**20 000 km**
4p GX 470	A	A	4.7	50,300
4p GX 470 Ultra Premium	A	A	4.7	52,000
2008 GX				**40 000 km**
4p GX 470	A	A	4.7	44 500
2007 GX				**60 000 km**
4p GX 470	A	A	4.7	43 500
4p GX 470 Ultra Premium	A	A	4.7	44 000
2006 GX				**80 000 km**
4p GX 470	A	A	4.7	38 800
4p GX 470 Ultra Premium	A	A	4.7	39 400
2005 GX				**100 000 km**
4p GX 470	A	A	4.7	34 700
2009 IS				**20 000 km**
4p berline IS 250	2	M	2.5	29,300
4p berline IS 250	2	A	2.5	30,200
4p berline IS 250 AWD	A	A	2.5	34,900
4p berline IS 350 (cuir)	2	A	3.5	38,600
4p berline IS F (cuir)	2	A	5	58,200
2008 IS				**40 000 km**
4p berline IS 250	2	M	2.5	27,900

Description	R.m.	Tr.	L	Prix
4p berline IS 250	2	A	2.5	28,900
4p berline IS 250 AWD	A	A	2.5	29 600
4p berline IS 350 (cuir)	2	A	3.5	32 300
4p berline IS F (cuir)	2	A	5	47 700
2007 IS				**60 000 km**
4p berline IS 250	2	M	2.5	26 900
4p berline IS 250	2	A	2.5	27 500
4p berline IS 250 AWD	A	A	2.5	30 500
4p berline IS 350 (cuir)	2	A	3.5	30 400
2006 IS				**80 000 km**
4p berline IS 250	2	M	2.5	26 000
4p berline IS 250	2	A	2.5	26 900
4p berline IS 250 AWD	A	A	2.5	27 800
4p berline IS 350	2	A	3.5	27 600
2005 IS				**100 000 km**
4p berline IS 300	2	M	3	23 900
4p berline IS 300	2	A	3	25 200
4p fam IS 300 Sport Cross (cuir)	2	A	3	25 600
2009 LS				**20 000 km**
4p berline LS 460	2	A	4.6	65,200
4p berline LS 460 Technology	2	A	4.6	79,700
4p berline LS 460L	2	A	4.6	83,600
4p ber LS 460 4RM	2	A	4.6	69,900
4p berline LS 460L Executive	2	A	4.6	82,300
4p berline LS 600h L Hybride	A	A	5	102,200
4p ber LS 600h L Hybride PremEx	A	A	5	115,600
2008 LS				**40 000 km**
4p berline LS 460	2	A	4.6	61,300
4p berline LS 460 Technology	2	A	4.6	76 700
4p berline LS 460L	2	A	4.6	75 200
4p ber LS 460L Prem Gr.Touring	2	A	4.6	78 500
4p berline LS 460L Technology	2	A	4.6	81 000
4p berline LS 460L Executive	2	A	4.6	81 300
4p berline LS 600h L Hybride	A	A	5	87 000
4p ber LS 600h L Hybride PremEx	A	A	5	105 200
2007 LS				**60 000 km**
4p berline LS 460	2	A	4.6	55 400
4p berline LS 460 Premium	2	A	4.6	58 800
4p berline LS 460 Technology	2	A	4.6	64 600
4p berline LS 460L	2	A	4.6	64 100
4p ber LS 460L Prem.Gr. Touring	2	A	4.6	67 000
4p berline LS 460L Technology	2	A	4.6	69 600
4p berline LS 460L Executive	2	A	4.6	73 700
2006 LS				**80 000 km**
4p berline LS 430	2	A	4.3	50 000
2005 LS				**100 000 km**
4p berline LS 430	2	A	4.3	40 400
2009 LX				**20 000 km**
4p LX 570	A	A	5.7	69,400
4p LX 570 Ultra Premium	A	A	5.7	80,200
2008 LX				**40 000 km**
4p LX 570	A	A	5.7	60 500
4p LX 570 Ultra Premium	A	A	5.7	66 000
2007 LX				**60 000 km**
4p LX 470	A	A	4.7	56 000
2006 LX				**80 000 km**
4p LX 470	A	A	4.7	50 000
2005 LX				**100 000 km**
4p LX 470	A	A	4.7	46 000
2009 RX				**20 000 km**
4p RX 350	A	A	3.5	38,700
4p RX 350 Premium	A	A	3.5	43,200
4p RX 350 Touring (navi.)	A	A	3.5	47,200
4p RX 350 Ultra (navi.)	A	A	3.5	50,500
2008 RX				**40 000 km**
4p RX 350	A	A	3.5	35 000
4p RX 350 Luxury	A	A	3.5	37 100
4p RX 350 Premium	A	A	3.5	38 400
4p RX 350 Touring (navi.)	A	A	3.5	39 200
4p RX 350 Ultra (navi.)	A	A	3.5	40 400
4p RX 400h Hybride	A	A	3.3	35 900
4p RX 400h Hybride Ultra (navi.)	A	A	3.3	38 800
2007 RX				**60 000 km**
4p RX 350	A	A	3.5	30 800
4p RX 350 Premium	A	A	3.5	34 100
4p RX 350 Ultra (navigation)	A	A	3.5	35 500
4p RX 400h Hybride	A	A	3.3	33 700
4p RX 400h Hybride Ultra (navi.)	A	A	3.3	36 600
2006 RX				**80 000 km**
4p RX 330	A	A	3.3	29 400

Description	R.m.	Tr.	L	Prix
4p RX 330 Premium	A	A	3.3	32 900
4p RX 330 Ultra (navigation)	A	A	3.3	33 100
4p RX 400h Hybride	A	A	3.3	32 400
4p RX 400h Hybride Ultra (navi.)	A	A	3.3	34 200
2005 RX				**100 000 km**
4p RX 330	A	A	3.3	28 400
2009 SC				**20 000 km**
2p décapotable SC 430	2	A	4.3	66,700
2p déc SC 430 Peeble Beach Ed.	2	A	4.3	69,800
2008 SC				**40 000 km**
2p décapotable SC 430	2	A	4.3	59 400
2p déc SC 430 Peeble Beach Ed.	2	A	4.3	60 800
2007 SC				**60 000 km**
2p décapotable SC 430	2	A	4.3	49 000
2p déc SC 430 Peeble Beach Ed.	2	A	4.3	50 600
2006 SC				**80 000 km**
2p décapotable SC 430	2	A	4.3	47 200
2p déc SC 430 Pebble Beach Ed.	2	A	4.3	47 900
2005 SC				**100 000 km**
2p décapotable SC 430	2	A	4.3	45 800

LINCOLN

Description	R.m.	Tr.	L	Prix
2005 AVIATOR				**100 000 km**
4p Luxury	A	A	4.6	17 600
4p Ultimate	A	A	4.6	19 000
2006 LS				**80 000 km**
4p berline V8 Sport	2	A	3.9	17 300
4p berline V8 Ultimate	2	A	3.9	18 600
2005 LS				**100 000 km**
4p berline V6 Luxury	2	A	3	13 200
4p berline V6 Sport	2	A	3	14 700
4p berline V8 Sport	2	A	3.9	15 700
4p berline V8 Ultimate	2	A	3.9	15 700
2008 MARK LT				**40 000 km**
4p base	4	A	5.4	33 800
4p base benne allongée	4	A	5.4	33 800
2007 MARK LT				**60 000 km**
4p base	4	A	5.4	26 700
4p base benne allongée	4	A	5.4	26 700
2006 MARK LT				**80 000 km**
4p base	2	A	5.4	20 800
4p base	4	A	5.4	21 700
2009 MKS				**20 000 km**
4p berline base	2	A	3.7	37 300
4p berline 4RM	A	A	3.7	39 100
2009 MKX				**20 000 km**
4p base AWD	A	A	3.5	34,500
4p Limited Edition AWD	A	A	3.5	35,500
2008 MKX				**40 000 km**
4p base	2	A	3.5	27 800
4p Limited Edition	2	A	3.5	28 700
4p base AWD	A	A	3.5	29 200
4p Limited Edition AWD	A	A	3.5	30 000
2007 MKX				**60 000 km**
4p base	2	A	3.5	25 600
4p base AWD	A	A	3.5	26 900
2009 MKZ				**20 000 km**
4p berline base	2	A	3.5	29,900
4p berline AWD	A	A	3.5	33,000
2008 MKZ				**40 000 km**
4p berline base	2	A	3.5	24 100
4p berline AWD	A	A	3.5	26 800
2007 MKZ				**60 000 km**
4p berline base	2	A	3.5	21 700
4p berline AWD	A	A	3.5	23 000
2009 NAVIGATOR				**20 000 km**
4p Ultimate	4	A	5.4	49,500
4p Ultimate L	4	A	5.4	51,900
2008 NAVIGATOR				**40 000 km**
4p Ultimate	4	A	5.4	39 900
4p Ultimate L	4	A	5.4	42 000
2007 NAVIGATOR				**60 000 km**
4p Ultimate	4	A	5.4	36 100
2006 NAVIGATOR				**80 000 km**
4p Ultimate	4	A	5.4	28 200

Description	R.m.	Tr.	L	Prix
2005 NAVIGATOR				**100 000 km**
4p Ultimate	4	A	5.4	21 400
2008 TOWN CAR				**40 000 km**
4p berline Signature Limited	2	A	4.6	29 100
4p berline Signature L	2	A	4.6	30 500
2007 TOWN CAR				**60 000 km**
4p berline Signature Limited	2	A	4.6	23 400
4p berline Designer Series	2	A	4.6	24 600
4p berline Signature L	2	A	4.6	25 600
2006 TOWN CAR				**80 000 km**
4p berline Executive	2	A	4.6	20 200
4p berline Executive L	2	A	4.6	21 800
4p berline Signature Limited	2	A	4.6	21 100
4p berline Designer Series	2	A	4.6	21 500
4p berline Signature L	2	A	4.6	21 800
2005 TOWN CAR				**100 000 km**
4p berline Executive	2	A	4.6	16 700
4p berline Executive L	2	A	4.6	18 100
4p berline Signature Limited	2	A	4.6	17 700
4p berline Signature L	2	A	4.6	18 200
2006 ZEPHYR				**80 000 km**
4p berline base	2	A	3	18 400

MAZDA

Description	R.m.	Tr.	L	Prix
2009 B2300				**20 000 km**
cab. rég. SX	2	M	2.3	15,200
2008 B2300				**40 000 km**
cab. rég. SX	2	M	2.3	12 200
2007 B2300				**60 000 km**
cab. rég. SX	2	M	2.3	11 900
2006 B2300				**80 000 km**
cab. rég. SX	2	M	2.3	10 400
2005 B2300				**100 000 km**
cab. rég. SX	2	M	2.3	8 300
2008 B3000				**40 000 km**
cab. Plus Dual Sport	2	M	3	14 800
2007 B3000				**60 000 km**
cab. Plus Dual Sport	2	M	3	14 200
2006 B3000				**80 000 km**
cab. Plus Dual Sport	2	M	3	12 200
2005 B3000				**100 000 km**
cab. rég. SX	2	M	3	8 100
cab. Plus Dual Sport	2	M	3	10 300
2009 B4000				**20 000 km**
cab. Plus DS Dual Sport	2	A	4	18,900
cab. Plus SE	4	M	4	20,200
2008 B4000				**40 000 km**
cab. Plus DS Dual Sport	2	A	4	17,600
cab. Plus SE	4	M	4	17,800
2007 B4000				**60 000 km**
cab. Plus DS Dual Sport	2	A	4	16 600
cab. Plus SE	4	M	4	16 800
2006 B4000				**80 000 km**
cab. Plus DS Dual Sport	2	A	4	15 100
cab. Plus SE	4	M	4	15 500
2005 B4000				**100 000 km**
cab. Plus SX Dual Sport	2	M	4	12 100
cab. Plus SE	4	M	4	13 700
2009 CX				**20 000 km**
4p CX-7 GS	2	A	2.3	26,100
4p CX-7 GT (cuir)	2	A	2.3	
4p CX-7 GS AWD	A	A	2.3	27,800
4p CX-7 GT AWD (cuir)	A	A	2.3	31,100
4p 7 pass. CX-9 GS	2	A	3.7	32,000
4p 7 pass. CX-9 GS AWD	A	A	3.7	33,800
4p 7 pass. CX-9 GT AWD (cuir)	A	A	3.7	38,600
2008 CX				**40 000 km**
4p CX-7 GS	2	A	2.3	22 000
4p CX-7 GT (cuir)	2	A	2.3	24 300
4p CX-7 GS AWD	A	A	2.3	23 500
4p CX-7 GT AWD (cuir)	A	A	2.3	25 700
4p 7 pass. CX-9 GS	2	A	3.7	26 800
4p 7 pass. CX-9 GS AWD	A	A	3.7	27 100
4p 7 pass. CX-9 GT AWD (cuir)	A	A	3.7	28 900
2007 CX				**60 000 km**
4p CX-7 GS	2	A	2.3	20 800

Description	R.m.	Tr.	L	Prix
4p CX-7 GT (cuir)	2	A	2.3	22 300
4p CX-7 GS AWD	A	A	2.3	21 900
4p CX-7 GT AWD (cuir)	A	A	2.3	23 600
4p 7 pass. CX-9 GS	2	A	3.5	23 600
4p 7 pass. CX-9 GT (cuir)	2	A	3.5	24 500
4p 7 pass. CX-9 GS AWD	A	A	3.5	24 500
4p 7 pass. CX-9 GT AWD (cuir)	A	A	3.5	25 700
2009 MAZDA3				**20 000 km**
4p berline GX	2	M	2	11,800
4p berline GS	2	M	2	14,300
4p berline GT	2	M	2.3	16,600
4p hayon GX Sport	2	M	2	12,600
4p hayon GS Sport	2	M	2.3	16,000
4p hayon GT Sport	2	M	2.3	17,000
4p hayon MazdaSpeed 3	2	M	2.3	23,200
2008 MAZDA3				**40 000 km**
4p berline GX	2	M	2	9 800
4p berline GS	2	M	2	11 800
4p berline GT	2	M	2.3	13 500
4p hayon GX Sport	2	M	2	10 400
4p hayon GS Sport	2	M	2.3	13 100
4p hayon GT Sport	2	M	2.3	13 700
4p hayon MazdaSpeed 3	2	M	2.3	16 800
2007 MAZDA3				**60 000 km**
4p berline GX	2	M	2	9 800
4p berline GS	2	M	2	11 900
4p berline GT	2	M	2.3	13 600
4p hayon GS Sport	2	M	2.3	12 400
4p hayon GT Sport	2	M	2.3	14 000
4p hayon MazdaSpeed 3	2	M	2.3	15 800
2006 MAZDA3				**80 000 km**
4p berline GX	2	M	2	10 200
4p berline GS	2	M	2	11 100
4p berline GT	2	M	2.3	12 900
4p hayon GS Sport	2	M	2.3	12 500
4p hayon GT Sport	2	M	2.3	12 900
2005 MAZDA3				**100 000 km**
4p berline GX	2	M	2	9 000
4p berline GS	2	M	2	9 900
4p berline GT	2	M	2.3	11 200
4p hayon GS Sport	2	M	2.3	10 900
4p hayon GT Sport	2	M	2.3	11 100
2009 MAZDA5				**20 000 km**
4p GS	2	M	2.3	17,400
4p GT	2	M	2.3	20,300
2008 MAZDA5				**40 000 km**
4p GS	2	M	2.3	14 400
4p GT	2	M	2.3	16 200
2007 MAZDA5				**60 000 km**
4p GS	2	M	2.3	12 300
4p GT	2	M	2.3	13 500
2006 MAZDA5				**80 000 km**
4p GS	2	M	2.3	10 400
4p GT	2	M	2.3	11 300
2009 MAZDA6				**20 000 km**
4p berline GS-I4	2	M	2.5	18,600
4p berline GT-I4 (cuir)	2	M	2.5	21,800
4p berline GS-V6	2	M	3.7	21,900
4p berline GT-V6 (cuir)	2	M	3.7	26,800
2008 MAZDA6				**40 000 km**
4p berline GS-I4	2	M	2.3	13 300
4p berline GT-I4 (cuir)	2	M	2.3	15 800
4p berline GS-V6	2	M	3	14 700
4p berline GT-V6 (cuir)	2	M	3	16 400
4p hayon GS-I4 Sport	2	M	2.3	14 300
4p hayon GT-I4 Sport (cuir)	2	M	2.3	16 200
4p hayon GS-V6 Sport	2	M	3	15 700
4p hayon GT-V6 Sport (cuir)	2	M	3	16 800
2007 MAZDA6				**60 000 km**
4p berline GS-I4	2	M	2.3	10 900
4p berline GT-I4 (cuir)	2	M	2.3	12 700
4p berline GS-V6	2	M	3	12 200
4p berline GT-V6 (cuir)	2	M	3	14 000
4p berline MazdaSpeed 6	A	M	2.3	15 500
4p hayon GS-I4 Sport	2	M	2.3	11 800
4p hayon GT-I4 Sport (cuir)	2	M	2.3	13 900
4p hayon GS-V6 Sport	2	M	3	13 000
4p hayon GT-V6 Sport (cuir)	2	M	3	14 400
4p familiale GS-V6	2	M	3	12 600
4p familiale GT-V6 (cuir)	2	M	3	14 400
2006 MAZDA6				**80 000 km**
4p berline GS-I4	2	M	2.3	8 900
4p berline GS-I4 gr. Sport	2	M	2.3	9 700
4p berline GT-I4 (cuir)	2	M	2.3	11 200

Description	R.m.	Tr.	L	Prix
4p berline GS-V6	2	M	3	9 900
4p berline GS-V6 gr. Sport	2	M	3	10 600
4p berline GT-V6 (cuir)	2	M	3	11 800
4p berline MazdaSpeed 6	A	M	2.3	13 100
4p hayon GS-I4 Sport	2	M	2.3	9 700
4p hayon GS-I4 Sport gr.GFX	2	M	2.3	10 300
4p hayon GT-I4 Sport (cuir)	2	M	2.3	11 400
4p hayon GS-V6 Sport	2	M	3	11 100
4p hayon GS-V6 Sport gr.GFX	2	M	3	11 400
4p hayon GT-V6 Sport (cuir)	2	M	3	11 900
4p familiale GS-V6	2	M	3	10 400
4p familiale GS-V6 gr.Sport	2	M	3	10 800
4p familiale GS-V6 gr.GFX	2	M	3	11 400
4p familiale GT-V6 (cuir)	2	M	3	11 200
4p familiale GT-V6 gr.GFX	2	M	3	12 200
2005 MAZDA6				**100 000 km**
4p berline GS-I4	2	M	2.3	7 100
4p berline GS-I4 gr. Sport	2	M	2.3	7 800
4p berline GT-I4 (cuir)	2	M	2.3	9 700
4p berline GS-V6	2	M	3	8 100
4p berline GS-V6 gr. Sport	2	M	3	8 800
4p berline GT-V6 (cuir)	2	M	3	10 800
4p hayon GS-I4 Sport	2	M	2.3	7 800
4p hayon GS-I4 Sport gr.GFX	2	M	2.3	8 500
4p hayon GT-I4 Sport (cuir)	2	M	2.3	9 800
4p hayon GS-V6 Sport	2	M	3	9 400
4p hayon GS-V6 Sport gr.GFX	2	M	3	9 600
4p hayon GT-V6 Sport (cuir)	2	M	3	10 100
4p familiale GS-V6	2	M	3	8 600
4p familiale GS-V6 gr.Sport	2	M	3	9 100
4p familiale GS-V6 gr.GFX	2	M	3	10 000
4p familiale GT-V6 (cuir)	2	M	3	9 500
4p familiale GT-V6 gr.GFX	2	M	3	10 300
2006 MPV				**80 000 km**
4p GX	2	A	3	10 400
4p GS	2	A	3	11 200
4p GS groupe Sport	2	A	3	11 700
4p GT (cuir)	2	A	3	12 100
2005 MPV				**100 000 km**
4p GX	2	A	3	8 000
4p GS	2	A	3	9 100
4p GS groupe Sport	2	A	3	9 500
4p GT (cuir)	2	A	3	9 900
2009 MX-5				**20 000 km**
2p décapotable GX	2	M	2	25,800
2p décapotable GS	2	M	2	28,200
2p déc GS Toit rétractable (a/c)	2	M	2	30,500
2p déc GT Toit rétractable (cuir)	2	M	2	33,400
2008 MX-5				**40 000 km**
2p décapotable GX	2	M	2	20 800
2p déc GX Toit rétrac (a/c)	2	M	2	23 300
2p décapotable GS	2	M	2	23 200
2p déc GS Toit rétractable (a/c)	2	M	2	25 600
2p décapotable GT (cuir - a/c)	2	M	2	25 600
2p déc GT Toit rétractable (cuir)	2	M	2	27 200
2007 MX-5				**60 000 km**
2p décapotable GX	2	M	2	18 800
2p décapotable GX	2	A	2	19 700
2p décapotable GS	2	M	2	20 800
2p décapotable GT (cuir - a/c)	2	M	2	22 900
2p décapotable GT (cuir - a/c)	2	A	2	23 700
2006 MX-5				**80 000 km**
2p décapotable GX	2	M	2	16 600
2p décapotable GX	2	A	2	17 300
2p décapotable GS	2	M	2	17 900
2p décapotable GT (cuir - a/c)	2	M	2	20 100
2p décapotable GT (cuir - a/c)	2	A	2	20 800
2p déc. 3e Génération édition	2	M	2	20 200
2005 MX-5 MIATA				**100 000 km**
2p décapotable GX	2	M	1.8	14 400
2p décapotable GX	2	A	1.8	15 200
2p décapotable GS	2	M	1.8	15 700
2p décapotable GT (cuir)	2	M	1.8	17 500
2p décapotable GT (cuir)	2	A	1.8	17 500
2p déc MazdaSpeed MX-5 Miata	2	M	1.8	17 700
2009 RX-8				**20 000 km**
4p coupé GS	2	M	1.3	28,800
4p coupé R3	2	A	1.3	31,400
4p coupé GT (cuir)	2	M	1.3	32,700
4p coupé GT (cuir)	2	A	1.3	32,700
2008 RX-8				**40 000 km**
4p coupé GS	2	M	1.3	21 400
4p coupé GS	2	A	1.3	21 400
4p coupé GT (cuir)	2	M	1.3	23 400
4p coupé GT (cuir)	2	A	1.3	23 400

Description	R.m.	Tr.	L	Prix
2007 RX-8				**60 000 km**
4p coupé GS	2	M	1.3	19 700
4p coupé GS	2	A	1.3	19 700
4p coupé GT (cuir)	2	M	1.3	21 100
4p coupé GT (cuir)	2	A	1.3	21 100
2006 RX-8				**80 000 km**
4p coupé GS	2	M	1.3	17 100
4p coupé GS	2	A	1.3	17 100
4p coupé GT (cuir)	2	M	1.3	18 500
4p coupé GT (cuir)	2	A	1.3	18 500
4p coupé édition Spéciale (toit)	2	M	1.3	18 800
2005 RX-8				**100 000 km**
4p coupé GS	2	M	1.3	15 200
4p coupé GS	2	A	1.3	15 200
4p coupé GT (cuir)	2	M	1.3	16 400
4p coupé GT (cuir)	2	A	1.3	16 400
2009 TRIBUTE				**20 000 km**
4p GX	2	M	2.5	19,600
4p GX	2	A	2.5	20,700
4p GX V6	2	A	3	22,100
4p GS V6	2	A	3	23,500
4p GX	A	A	2.5	22,800
4p GX V6	A	A	3	24,200
4p GS V6	A	A	3	25,600
4p GT V6 (cuir)	A	A	3	28,000
2008 TRIBUTE				**40 000 km**
4p GX	2	M	2.3	15 500
4p GX	2	A	2.3	16 000
4p GX V6	2	A	3	17 000
4p GS V6	2	A	3	17 900
4p GX	A	A	2.3	17 900
4p GX V6	A	A	3	18 500
4p GS V6	A	A	3	19 200
4p GT V6 (cuir)	A	A	3	20 900
2006 TRIBUTE				**80 000 km**
4p GX	2	M	2.3	12 000
4p GX V6	2	A	3	12 900
4p GS V6	2	A	3	13 500
4p GX	A	M	2.3	13 500
4p GX V6	A	A	3	13 900
4p GS V6	A	A	3	14 200
4p GT V6 (cuir)	A	A	3	15 400
2005 TRIBUTE				**100 000 km**
4p GX	2	M	2.3	9 600
4p GX V6	2	A	3	11 000
4p GS V6	2	A	3	11 600
4p GX	A	M	2.3	11 500
4p GX V6	A	A	3	11 500
4p GS V6	A	A	3	11 600
4p GT V6 (cuir)	A	A	3	12 300

MERCEDES-BENZ

Description	R.m.	Tr.	L	Prix
2009 CLASSE B				**20 000 km**
4p hayon B200	2	M	2	26,900
4p hayon B200 Turbo	2	M	2	28,000
2008 CLASSE B				**40 000 km**
4p hayon B200	2	M	2	24 700
4p hayon B200 Turbo	2	M	2	25 300
2007 CLASSE B				**60 000 km**
4p hayon B200	2	M	2	20 700
4p hayon B200 Turbo	2	M	2	22 000
2006 CLASSE B				**80 000 km**
4p hayon B200	2	M	2	17 700
4p hayon B200 Turbo	2	M	2	18 600
2009 CLASSE C				**20 000 km**
4p berline C230	2	M	2.5	31,600
4p berline C300	2	M	3	36,400
4p berline C300	2	A	3	37,600
4p berline C350	2	A	3.5	42,000
4p berline C63 AMG	2	A	6.3	59,700
4p berline C230 4MATIC	A	A	2.5	34,800
4p berline C300 4MATIC	A	A	3	39,300
4p berline C350 4MATIC	A	A	3.5	43,400
2008 CLASSE C				**40 000 km**
4p berline C230	2	M	2.5	27 600
4p berline C300	2	M	3	32 400
4p berline C300	2	A	3	33 600
4p berline C350	2	A	3.5	38 000
4p berline C63 AMG	2	A	6.3	48 700
4p berline C230 4MATIC	A	A	2.5	30 700
4p berline C300 4MATIC	A	A	3	35 400
4p berline C350 4MATIC	A	A	3.5	39 800
2007 CLASSE C				**60 000 km**

Description	R.m.	Tr.	L	Prix
4p berline C230	2	M	2.5	23 500
4p berline C230	2	A	2.5	24 600
4p berline C280	2	A	3	26 900
4p berline C280 Avant Garde ƒd	2	A	3	27 200
4p berline C350	2	M	3.5	32 100
4p berline C350	2	A	3.5	33 200
4p berline C280 4MATIC	A	A	3	28 600
4p berline C280 4MATIC Avant G	A	A	3	28 900
4p berline C350 4MATIC	A	A	3.5	34 000
2006 CLASSE C				**80 000 km**
2p coupé C230 Sport	2	M	2.5	19 400
4p berline C230	2	M	2.5	20 500
4p berline C230 Sport	2	M	2.5	24 100
4p berline C280	2	A	3	23 100
4p berline C280 Elegance	2	A	3	26 000
4p berline C350 Sport	2	M	3.5	29 900
4p berline C55 AMG	2	A	5.5	39 100
4p berline C280 4MATIC	A	A	3	25 000
4p berline C280 4MATIC Ele.	A	A	3	27 200
4p berline C350 4MATIC	A	A	3.5	31 200
2005 CLASSE C				**100 000 km**
2p coupé C230 Kompressor Sp.	2	M	1.8	16 600
2p coupé C320 Sport	2	M	3.2	19 100
4p berline C230 Classic	2	M	1.8	17 600
4p berline C230 Sport	2	M	1.8	21 800
4p berline C240 Classic	2	A	2.6	20 700
4p berline C240 Elegance	2	A	2.6	23 900
4p berline C320 Sport	2	M	3.2	28 100
4p berline C55 AMG	2	A	5.5	37 300
4p berline C240 4MATIC Classic	A	A	2.6	22 800
4p ber C240 4MATIC Elegance	A	A	2.6	24 500
4p berline C320 4MATIC base	A	A	3.2	27 400
4p familiale C240 Classic	2	A	2.6	22 300
4p familiale C240 Elegance	2	A	2.6	23 900
4p fam. C240 4MATIC Classic	A	A	2.6	24 400
4p fam. C240 4MATIC Elegance	A	A	2.6	24 700
2009 CLASSE CLK				**20 000 km**
2p coupé CLK 350	2	A	3.5	59,100
2p coupé CLK 550	2	A	5.5	70,000
2p décapotable CLK 350	2	A	3.5	66,600
2p décapotable CLK 550	2	A	5.5	77,700
2p décapotable CLK 63 AMG	2	A	6.2	94,200
2008 CLASSE CLK				**40 000 km**
2p coupé CLK 350	2	A	3.5	47 000
2p coupé CLK 550	2	A	5.5	56 800
2p décapotable CLK 350	2	A	3.5	53 100
2p décapotable CLK 550	2	A	5.5	63 000
2p décapotable CLK 63 AMG	2	A	6.2	76 400
2007 CLASSE CLK				**60 000 km**
2p coupé CLK 350	2	A	3.5	39 800
2p coupé CLK 550	2	A	5.5	48 500
2p décapotable CLK 350	2	A	3.5	44 000
2p décapotable CLK 550	2	A	5.5	52 700
2p décapotable CLK 63 AMG	2	A	6.2	63 500
2006 CLASSE CLK				**80 000 km**
2p coupé CLK 350	2	A	3.5	35 300
2p coupé CLK 500	2	A	5	43 100
2p décapotable CLK 350	2	A	3.5	40 600
2p décapotable CLK 500	2	A	5	44 200
2p décapotable CLK 55 AMG	2	A	5.5	50 600
2005 CLASSE CLK				**100 000 km**
2p coupé CLK 320	2	A	3.2	29 300
2p coupé CLK 500	2	A	5	34 400
2p coupé CLK 55 AMG	2	A	5.5	40 100
2p décapotable CLK 320	2	A	3.2	33 300
2p décapotable CLK 500	2	A	5	35 200
2p décapotable CLK 55 AMG	2	A	5.5	43 800
2009 CLASSE CLS				**20 000 km**
4p berline CLS 550	2	A	5.5	79,500
4p berline CLS 63 AMG	2	A	6.2	102,600
2008 CLASSE CLS				**40 000 km**
4p berline CLS 550	2	A	5.5	59 100
4p berline CLS 63 AMG	2	A	6.2	76 200
2007 CLASSE CLS				**60 000 km**
4p berline CLS 550	2	A	5.5	54 500
4p berline CLS 63 AMG	2	A	6.2	66 900
2006 CLASSE CLS				**80 000 km**
4p berline CLS 500	2	A	5	41 500
4p berline CLS 55 AMG	2	A	5.5	46 800
2009 CLASSE E				**20 000 km**
4p berline E320 BLUETEC	2	A	3	58,200
4p berline E63 AMG	2	A	6.2	97,300
4p berline E300 4MATIC	A	A	3	56,200
4p berline E350 4MATIC	A	A	3.5	63,600

Description	R.m.	Tr.	L	Prix
4p berline E550 4MATIC	A	A	5.5	73,000
4p familiale E350 4MATIC	A	A	3.5	66,100
2008 CLASSE E				**40 000 km**
4p berline E320 BLUETEC	2	A	3	51 300
4p berline E63 AMG	2	A	6.2	80 900
4p berline E300 4MATIC	A	A	3	49 500
4p berline E350 4MATIC	A	A	3.5	56 100
4p berline E550 4MATIC	A	A	5.5	64 300
4p familiale E350 4MATIC	A	A	3.5	58 200
2007 CLASSE E				**60 000 km**
4p berline E320 BLUETEC	2	A	3	39 700
4p berline E63 AMG	2	A	6.2	62 900
4p berline E280 4MATIC	A	A	3	38 300
4p berline E350 4MATIC	A	A	3.5	43 700
4p berline E550 4MATIC	A	A	5.5	50 100
4p familiale E350 4MATIC	A	A	3.5	45 400
2006 CLASSE E				**80 000 km**
4p berline E350	2	A	3.5	32 800
4p berline E320 CDI	2	A	3.2	33 300
4p berline E500	2	A	5	36 500
4p berline E55 AMG	2	A	5.5	42 100
4p berline E350 4MATIC	A	A	3.5	34 900
4p berline E500 4MATIC	A	A	5	38 500
4p familiale E350 4MATIC	A	A	3.5	35 000
4p familiale E500 4MATIC	A	A	5	40 400
4p familiale E55 AMG	2	A	5.5	43 900
2005 CLASSE E				**100 000 km**
4p berline E320	2	A	3.2	26 600
4p berline E320 CDI	2	A	3.2	27 400
4p berline E500	2	A	5	30 900
4p berline E55 AMG	2	A	5.5	36 900
4p berline E320 4Matic	A	A	3.2	29 100
4p berline E500 4Matic	A	A	5	33 000
4p familiale E320 4Matic	A	A	3.2	29 800
4p familiale E500 4Matic	A	A	5	34 200
2008 CLASSE G				**40 000 km**
4p G500	A	A	5	81 200
4p G55 AMG	A	A	5.5	103 200
2007 CLASSE G				**60 000 km**
4p G500	A	A	5	75 200
4p G55 AMG	A	A	5.5	95 800
2006 CLASSE G				**80 000 km**
4p G500	A	A	5	68 800
4p G55 AMG	A	A	5.5	84 500
2005 CLASSE G				**100 000 km**
4p G500	A	A	5	53 400
4p G55 AMG	A	A	5.5	63 700
2009 CLASSE GL				**20 000 km**
4p GL320 BlueTec	A	A	3	64,300
4p GL450 (cuir)	A	A	4.7	74,200
4p GL550 (cuir)	A	A	5.5	81,900
2008 CLASSE GL				**40 000 km**
4p GL320 CDI	A	A	3	53 300
4p GL450 (cuir)	A	A	4.6	60 500
4p GL550 (cuir)	A	A	5.5	67 000
2007 CLASSE GL				**60 000 km**
4p GL320 CDI	A	A	3	44 000
4p GL450	A	A	4.6	47 000
2009 CLASSE M				**20 000 km**
4p ML350	A	A	3.5	53,900
4p ML320 BlueTec	A	A	3	55,300
4p ML550 (cuir)	A	A	5.5	67,800
4p ML63 AMG (cuir)	A	A	6.2	87,700
2008 CLASSE M				**40 000 km**
4p ML350	A	A	3.5	45 800
4p ML320 CDI	A	A	3	46 900
4p ML550 (cuir)	A	A	5.5	54 300
4p ML63 AMG (cuir)	A	A	6.2	61 200
2007 CLASSE M				**60 000 km**
4p ML350	A	A	3.5	41 300
4p ML320 CDI	A	A	3	42 300
4p ML500 (cuir)	A	A	5	49 400
4p ML63 AMG (cuir)	A	A	6.2	57 000
2006 CLASSE M				**80 000 km**
4p ML350	A	A	3.5	35 100
4p ML350 Premium (cuir+toit)	A	A	3.5	37 300
4p ML500 (cuir)	A	A	5	40 700
4p ML500 Premium (cuir+toit)	A	A	5	42 900
2005 CLASSE M				**100 000 km**
4p ML350 Classic	A	A	3.7	22 000
4p ML350 Elegance (cuir)	A	A	3.7	23 900

Description	R.m.	Tr.	L	Prix
4p ML350 SE (cuir)	A	A	3.7	24 300
4p ML500 (cuir)	A	A	5	25 300
4p ML500 SE (cuir)	A	A	5	25 700
2009 CLASSE R				**20 000 km**
4p R350	A	A	3.5	51,200
4p R320 BlueTec	A	A	3	53,700
2008 CLASSE R				**40 000 km**
4p R350	A	A	3.5	41 600
4p R320 CDI	A	A	3	42 500
4p R550 (cuir)	A	A	5.5	44 000
2007 CLASSE R				**60 000 km**
4p R350	A	A	3.5	34 300
4p R320 CDI	A	A	3	35 200
4p R500 (cuir)	A	A	5	38 100
4p R63 AMG (cuir)	A	A	6.2	43 500
2006 CLASSE R				**80 000 km**
4p R350	A	A	3.5	29 200
4p R500	A	A	5	30 100
2009 CLASSE S				**20 000 km**
2p coupé CL550	2	A	5.5	110,900
2p coupé CL600	2	A	5.5	161,100
2p coupé CL63 AMG	2	A	6.2	135,100
2p coupé CL65 AMG	2	A	6	204,800
4p berline S600	2	A	5.5	158,900
4p berline S63 AMG	2	A	6.2	127,500
4p berline S65 AMG	2	A	6	198,900
4p berline S450 4MATIC	2	A	4.6	91,800
4p berline S550 4MATIC	A	A	5.5	104,500
2008 CLASSE S				**40 000 km**
2p coupé CL550	2	A	5.5	95 500
2p coupé CL600	2	A	5.5	134 200
2p coupé CL63 AMG	2	A	6.2	114 600
2p coupé CL65 AMG	2	A	6	171 600
4p berline S600	2	A	5.5	132 700
4p berline S63 AMG	2	A	6.2	108 500
4p berline S65 AMG	2	A	6	166 500
4p berline S450 4MATIC	2	A	4.6	78 400
4p berline S550 4MATIC	A	A	5.5	89 300
2007 CLASSE S				**60 000 km**
2p coupé CL550	2	A	5.5	86 300
2p coupé CL600	2	A	5.5	102 000
4p berline S550	2	A	5.5	76 000
4p berline S600	2	A	5.5	100 600
4p berline S65 AMG	2	A	6	128 200
4p berline S550 4MATIC	A	A	5.5	74 400
2006 CLASSE S				**80 000 km**
2p coupé CL500	2	A	5	63 500
2p coupé CL600	2	A	5.5	79 900
2p coupé CL55 AMG	2	A	5.5	77 000
2p coupé CL65 AMG	2	A	6	97 200
4p berline S500	2	A	5	52 800
4p berline S55 AMG	2	A	5.5	76 000
4p berline S600	2	A	5.5	78 000
4p berline S65 AMG	2	A	6	84 900
4p berline S430 4MATIC	A	A	4.3	37 500
4p berline S430 4MATIC all	A	A	4.3	42 500
4p berline S500 4MATIC	A	A	5	55 000
2005 CLASSE S				**100 000 km**
2p coupé CL500	2	A	5	55 600
2p coupé CL600	2	A	5.8	75 800
2p coupé CL55 AMG	2	A	5.5	68 500
2p coupé CL65 AMG	2	A	6	103 300
4p berline S500	2	A	5	45 800
4p berline S600	2	A	5.5	73 100
4p berline S55 AMG	2	A	5.4	66 100
4p berline S430	A	A	4.3	31 200
4p berline S430 allongée	A	A	4.3	35 000
4p berline S500	A	A	5	48 400
2009 CLASSE SL				**20 000 km**
2p décapotable SL550	2	A	5.5	106,200
2p décapotable SL600	2	A	5.5	148,700
2p décapotable SL55 AMG	2	A	5.5	128,800
2p décapotable SL65 AMG	2	A	6	191,500
2008 CLASSE SL				**40 000 km**
2p décapotable SL550	2	A	5.5	97 900
2p décapotable SL600	2	A	5.5	131 700
2p décapotable SL55 AMG	2	A	5.5	128 400
2p décapotable SL65 AMG	2	A	6	151 000
2007 CLASSE SL				**60 000 km**
2p décapotable SL550	2	A	5.5	78 300
2p décapotable SL600	2	A	5.5	107 900
2p décapotable SL55 AMG	2	A	5.5	105 500
2p décapotable SL65 AMG	2	A	6	123 600
2006 CLASSE SL				**80 000 km**

Description	R.m.	Tr.	L	Prix
2p décapotable SL500	2	A	5	62 300
2p décapotable SL600	2	A	5.5	86 100
2p décapotable SL55 AMG	2	A	5.5	81 200
2p décapotable SL65 AMG	2	A	6	104 200
2005 CLASSE SL				**100 000 km**
2p décapotable SL500	2	A	5	54 500
2p décapotable SL600	2	A	5.5	75 600
2p décapotable SL55 AMG	2	A	5.5	70 000
2p décapotable SL65 AMG	2	A	6	85 200
2009 CLASSE SLK				**20 000 km**
2p décapotable SLK300	2	M	3	51,700
2p décapotable SLK350	2	M	3.5	57,100
2p décapotable SLK55 AMG	2	A	5.5	76,300
2008 CLASSE SLK				**40 000 km**
2p décapotable SLK280	2	M	3	46 100
2p décapotable SLK350	2	M	3.5	48 500
2p décapotable SLK55 AMG	2	A	5.5	59 100
2007 CLASSE SLK				**60 000 km**
2p décapotable SLK280	2	M	3	43 400
2p décapotable SLK350	2	M	3.5	44 800
2p décapotable SLK55 AMG	2	A	5.5	48 700
2006 CLASSE SLK				**80 000 km**
2p décapotable SLK280	2	M	3	39 700
2p décapotable SLK350	2	M	3.5	41 400
2p décapotable SLK55 AMG	2	A	5.5	45 600
2005 CLASSE SLK				**100 000 km**
2p décapotable SLK350	2	M	3.5	38 500
2p décapotable SLK55 AMG	2	A	5.5	42 600

MERCURY

Description	R.m.	Tr.	L	Prix
2009 GRAND MARQUIS				**20 000 km**
4p berline LS Ultimate	2	A	4.6	34,100
2008 GRAND MARQUIS				**40 000 km**
4p berline LS Ultimate	2	A	4.6	18 800
2007 GRAND MARQUIS				**60 000 km**
4p berline LS Ultimate	2	A	4.6	16 500
2006 GRAND MARQUIS				**80 000 km**
4p berline GS	2	A	4.6	12 500
4p berline LS Premium	2	A	4.6	12 900
4p berline LS Premium (Ed. Lim)	2	A	4.6	13 300
4p berline LSE (cuir)	2	A	4.6	13 500
4p berline LS Ultimate	2	A	4.6	13 800
2005 GRAND MARQUIS				**100 000 km**
4p berline GS	2	A	4.6	10 600
4p berline LS Premium	2	A	4.6	10 700
4p berline LS Ultimate	2	A	4.6	10 900
4p berline LSE (cuir)	2	A	4.6	11 300

MINI

Description	R.m.	Tr.	L	Prix
2009 COOPER				**20 000 km**
2p hayon Classic	2	M	1.6	20,500
2p hayon Cooper	2	M	1.6	22,300
2p hayon S	2	M	1.6	26,900
2p hayon John Cooper Works	2	M	1.6	34,600
3p Clubman	2	M	1.6	23,800
3p Clubman S	2	M	1.6	28,300
3p Clubman J Cooper Works	2	M	1.6	36,000
2p décapotable Cooper	2	M	1.6	27,900
2p décapotable S	2	M	1.6	31,900
2p déc S Sidewalk (cuir)	2	M	1.6	34,900
2p déc S John Cooper Works	2	M	1.6	37,500
2008 COOPER				**40 000 km**
2p hayon Classic	2	M	1.6	18 000
2p hayon Cooper	2	M	1.6	19 600
2p hayon S	2	M	1.6	23 600
3p Clubman	2	M	1.6	20 700
3p Clubman S	2	M	1.6	24 900
2p décapotable Cooper	2	M	1.6	24 900
2p décapotable S	2	M	1.6	28 900
2p déc S Sidewalk (cuir)	2	M	1.6	31 900
2p déc S John Cooper Works	2	M	1.6	33 500
2007 COOPER				**60 000 km**
2p hayon Classic	2	M	1.6	16 900
2p hayon Cooper	2	M	1.6	18 800
2p hayon S	2	M	1.6	22 000
2p décapotable Cooper	2	M	1.6	23 100
2p décapotable S	2	M	1.6	26 400
2p déc S Sidewalk (cuir)	2	M	1.6	29 400
2p déc S John Cooper Works	2	M	1.6	30 900
2006 COOPER				**80 000 km**
2p hayon Classic	2	M	1.6	14 300
2p hayon Cooper	2	M	1.6	16 000

Description	R.m.	Tr.	L	Prix
2p hayon S	2	M	1.6	17 400
2p décapotable Cooper	2	M	1.6	18 600
2p décapotable S	2	M	1.6	20 500
2005 COOPER				**100 000 km**
2p hayon Classic	2	M	1.6	12 400
2p hayon Cooper	2	M	1.6	14 100
2p hayon S	2	M	1.6	15 700
2p décapotable Cooper	2	M	1.6	16 700
2p décapotable S	2	M	1.6	17 100

MITSUBISHI

Description	R.m.	Tr.	L	Prix
2009 ECLIPSE				**20 000 km**
2p hayon GS	2	M	2.4	21,400
2p hayon GT-P (cuir)	2	M	3.8	28,500
2p décapotable GS Spyder	2	M	2.4	26,500
2p déc GT-P Spyder (cuir)	2	M	3.8	31,000
2008 ECLIPSE				**40 000 km**
2p hayon GS	2	M	2.4	16 200
2p hayon GT-P (cuir)	2	M	3.8	21 600
2p décapotable GS Spyder	2	M	2.4	20 600
2p déc GT-P Spyder (cuir)	2	M	3.8	23 700
2007 ECLIPSE				**60 000 km**
2p hayon GS	2	M	2.4	14 600
2p hayon GT-P (cuir)	2	M	3.8	19 300
2p décapotable GS Spyder	2	M	2.4	18 400
2p déc GT-P Spyder (cuir)	2	M	3.8	20 900
2006 ECLIPSE				**80 000 km**
2p hayon GS	2	M	2.4	12 400
2p hayon GT	2	M	3.8	15 800
2p hayon GT Premium (cuir)	2	M	3.8	17 500
2005 ECLIPSE				**100 000 km**
2p hayon RS	2	M	2.4	10 100
2p hayon GS	2	M	2.4	12 800
2p hayon GT	2	M	3	14 100
2p hayon GT Premuim	2	M	3	15 200
2p décapotable GS Spyder	2	M	2.4	14 800
2p déc GT Premium Spyder	2	M	3	16 200
2008 ENDEAVOR				**40 000 km**
4p SE	2	A	3.8	21 800
4p SE	A	A	3.8	24 000
4p Limited (cuir)	A	A	3.8	24 800
2007 ENDEAVOR				**60 000 km**
4p SE	2	A	3.8	17 800
4p SE	A	A	3.8	19 400
4p Limited (cuir)	A	A	3.8	20 800
2006 ENDEAVOR				**80 000 km**
4p LS	2	A	3.8	17 200
4p LS	A	A	3.8	17 800
4p Limited (toit)	A	A	3.8	18 300
2005 ENDEAVOR				**100 000 km**
4p LS	2	A	3.8	12 300
4p LS	A	A	3.8	14 500
4p XLS	A	A	3.8	14 500
4p Limited (cuir)	A	A	3.8	15 000
2009 GALANT				**20 000 km**
4p berline ES	2	A	2.4	20,600
4p berline GT V6	2	A	3.8	24,100
4p berline Ralliart V6 (cuir)	2	A	3.8	28,400
2007 GALANT				**60 000 km**
4p berline ES	2	A	2.4	15 200
4p berline ES Diamond	2	A	2.4	17 500
4p berline LS V6	2	A	3.8	17 800
4p berline Ralliart V6 (cuir)	2	A	3.8	19 700
2006 GALANT				**80 000 km**
4p berline DE	2	A	2.4	12 400
4p berline ES	2	A	2.4	13 600
4p berline LS V6	2	A	3.8	13 900
4p berline GTS V6 (cuir)	2	A	3.8	14 500
2005 GALANT				**100 000 km**
4p berline DE	2	A	2.4	9 500
4p berline ES	2	A	2.4	10 500
4p berline LS	2	A	3.8	10 600
4p berline GTS (cuir)	2	A	3.8	11 300
2009 LANCER				**20 000 km**
4p berline DE	2	M	2	14,300
4p berline SE	2	M	2	17,200
4p berline GT	2	M	2	18,900
4p berline GTS	2	M	2.4	19,800
4p berline Ralliart	A	M	2	25,900
4p berline Evolution RS	A	M	2	32,100
4p berline Evolution GSR	A	A	2	33,400
4p berline Evolution MR	A	A	2	37,800

Description	R.m.	Tr.	L	Prix
4p famil. Sportback GTS	2	A	2.4	20,000
4p famil. Sportback Ralliart	A	A	2	26,000
2008 LANCER				**40 000 km**
4p berline DE	2	M	2	11 000
4p berline ES	2	M	2	13 000
4p berline SE	2	M	2	13 800
4p berline GTS	2	M	2	14 500
4p berline Evolution GSR	A	M	2	29 100
4p berline Evolution MR	A	A	2	33 300
4p berline Evolution MR Premium	A	A	2	36 200
2006 LANCER				**80 000 km**
4p berline ES	2	M	2	7 900
4p berline O-Z rally	2	M	2	10 900
4p berline Ralliart	2	M	2.4	12 000
4p familiale Sportback LS	2	A	2.4	11 100
4p familiale Sportback Ralliart	2	A	2.4	12 300
2005 LANCER				**100 000 km**
4p berline ES	2	M	2	7 500
4p berline O-Z rally	2	M	2	9 300
4p berline Ralliart	2	M	2.4	9 600
2006 MONTERO				**80 000 km**
4p Limited (cuir)	A	A	3.8	22 500
2005 MONTERO				**100 000 km**
4p Limited (cuir)	A	A	3.8	18 600
2009 OUTLANDER				**20 000 km**
4p ES	2	A	2.4	20,600
4p ES	A	A	2.4	22,300
4p LS	A	A	3	23,100
4p XLS (cuir / toit)	A	A	3	26,600
2008 OUTLANDER				**40 000 km**
4p ES	2	A	2.4	17 200
4p ES	A	A	2.4	18 600
4p LS	A	A	3	19 900
4p LS (7 passagers)	A	A	3	20 000
4p XLS (cuir / toit)	A	A	3	20 900
2007 OUTLANDER				**60 000 km**
4p LS	2	A	3	16 700
4p LS	A	A	3	17 600
4p XLS (cuir)	A	A	3	18 900
2006 OUTLANDER				**80 000 km**
4p LS	2	M	2.4	15 200
4p LS	A	M	2.4	17 100
4p SE	A	A	2.4	17 700
4p Limited (cuir)	A	A	2.4	17 900
2005 OUTLANDER				**100 000 km**
4p LS	2	M	2.4	14 000
4p LS	A	M	2.4	15 400
4p XLS	A	A	2.4	15 900
4p Limited (cuir)	A	A	2.4	16 100

NISSAN

Description	R.m.	Tr.	L	Prix
2009 370Z / 350Z				**20 000 km**
2p hayon 370Z Touring M6	2	M	3.7	35,200
2p hayon 370Z Touring A7	2	A	3.7	36,500
2p déc Roadster Gr. Touring M6	2	M	3.5	43,300
2p déc Roadster Gr. Touring A5	2	A	3.5	44,300
2008 350Z				**40 000 km**
2p hayon Grand Touring M6	2	M	3.5	33,500
2p hayon Grand Touring A5	2	A	3.5	33,500
2p déc Roadster Gr. Touring M6	2	M	3.5	39 100
2p déc Roadster Gr. Touring A5	2	A	3.5	39 100
2007 350Z				**60 000 km**
2p hayon Grand Touring M6	2	M	3.5	31 500
2p hayon Grand Touring A5	2	A	3.5	31 500
2p décapotable Roadster M6	2	M	3.5	32 600
2p décapotable Roadster A5	2	A	3.5	32 600
2p déc Roadster Gr. Touring M6	2	M	3.5	32 700
2p déc Roadster Gr. Touring A5	2	A	3.5	32 700
2006 350Z				**80 000 km**
2p hayon Performance M6	2	M	3.5	26 300
2p hayon Performance A5	2	A	3.5	26 300
2p décapotable Roadster M6	2	M	3.5	27 900
2p décapotable Roadster A5	2	A	3.5	27 900
2005 350Z				**100 000 km**
2p hayon Performance	2	M	3.5	20 500
2p hayon Touring	2	A	3.5	20 500
2p hayon 35e Ann Edition	2	M	3.5	21 200
2p hayon 35e Ann Edition	2	A	3.5	21 200
2p décapotable Roadster	2	M	3.5	22 200
2p décapotable Roadster	2	A	3.5	22 200
2p déc Roadster Grand Touring	2	M	3.5	22 900

Description	R.m.	Tr.	L	Prix
2009 ALTIMA				**20 000 km**
2p coupé 2.5 S	2	M	2.5	22,400
2p coupé 3.5 SE	2	M	3.5	25,600
4p berline 2.5 S	2	M	2.5	19,500
4p berline 3.5 S	2	A	3.5	25,300
4p berline 3.5 SE	2	M	3.5	25,400
4p berline Hybride	2	A	2.5	27,800
2008 ALTIMA				**40 000 km**
2p coupé 2.5 S	2	M	2.5	18 700
2p coupé 3.5 SE	2	M	3.5	21 400
4p berline 2.5 S	2	M	2.5	16 100
4p berline 3.5 S	2	A	3.5	19 500
4p berline 3.5 SE	2	M	3.5	20 600
4p berline Hybride	2	A	2.5	23 300
2007 ALTIMA				**60 000 km**
4p berline S	2	M	2.5	14 300
4p berline SL (toit+cuir)	2	A	2.5	17 800
4p berline S V6	2	A	3.5	17 200
4p berline SE	2	M	3.5	17 500
4p berline Hybride	2	A	2.5	18 900
2006 ALTIMA				**80 000 km**
4p berline S	2	M	2.5	12 400
4p berline S Édition Spéciale	2	A	2.5	13 600
4p berline SL (toit+cuir)	2	A	2.5	14 700
4p berline S	2	A	3.5	14 100
4p berline SE	2	M	3.5	15 200
4p berline SE-R (cuir)	2	M	3.5	17 200
2005 ALTIMA				**100 000 km**
4p berline S	2	M	2.5	10 900
4p berline S Extra	2	M	2.5	11 200
4p berline SL (cuir)	2	A	2.5	13 100
4p berline S	2	A	3.5	12 800
4p berline SE	2	M	3.5	13 200
4p berline SE-R (cuir)	2	M	3.5	14 000
2009 ARMADA				**20 000 km**
4p 7 pass. LE	4	A	5.6	45,800
2008 ARMADA				**40 000 km**
4p 7 pass. LE	4	A	5.6	38 200
2007 ARMADA				**60 000 km**
4p 7 pass. LE	4	A	5.6	30 500
2006 ARMADA				**80 000 km**
4p SE	4	A	5.6	26 400
4p 7 pass. LE (cuir)	4	A	5.6	27 400
4p 8 pass. LE (cuir)	4	A	5.6	28 700
2005 ARMADA				**100 000 km**
4p SE	4	A	5.6	21 800
4p 7 pass. LE (cuir)	4	A	5.6	22 500
4p 8 pass. LE (cuir)	4	A	5.6	23 400
2009 CUBE				**20 000 km**
4p 1.8S	2	M	1.8	14,300
4p 1.8SL	2	M	1.8	17,400
2009 FRONTIER				**20 000 km**
King cab. XE	2	M	2.5	17,500
King cab. XE	2	A	2.5	18,500
King cab. SE-V6	2	A	4	20,400
crew cab. SE-V6	2	A	4	23,300
King cab. SE-V6	4	M	4	21,800
King cab. SE-V6	4	A	4	22,800
King cab. PRO-4X	4	M	4	24,600
King cab. PRO-4X	4	A	4	26,300
crew cab. SE-V6	4	M	4	24,900
crew cab. SE-V6	4	A	4	25,900
crew cab. LE-V6	4	A	4	30,400
crew cab. PRO-4X	4	A	4	29,900
2008 FRONTIER				**40 000 km**
King cab. XE	2	M	2.5	13 400
King cab. XE	2	A	2.5	14 200
King cab. SE-V6	2	A	4	15 300
crew cab. SE-V6	2	A	4	17 400
King cab. SE-V6	4	M	4	16 400
King cab. SE-V6	4	A	4	17 200
King cab. NISMO	4	M	4	18 500
King cab. NISMO	4	A	4	19 700
crew cab. SE-V6	4	M	4	18 700
crew cab. SE-V6	4	A	4	19 400
crew cab. LE-V6	4	A	4	22 600
crew cab. NISMO	4	A	4	22 100
2007 FRONTIER				**60 000 km**
King cab. XE	2	M	2.5	13 900
King cab. XE	2	A	2.5	14 700
King cab. SE-V6	2	A	4	16 000
crew cab. SE-V6	2	A	4	18 300
King cab. SE-V6	4	M	4	17 200
King cab. SE-V6	4	A	4	17 900
King cab. NISMO	4	M	4	19 200
King cab. NISMO	4	A	4	20 400
crew cab. SE-V6	4	M	4	19 500
crew cab. SE-V6	4	A	4	20 300
crew cab. LE-V6	4	A	4	23 200
crew cab. NISMO	4	A	4	22 800
2006 FRONTIER				**80 000 km**
King cab. XE	2	M	2.5	15 000
King cab. SE-V6	2	M	4	15 700
crew cab. SE-V6	2	A	4	17 600
King cab. SE-V6	4	M	4	17 800
King cab. LE-V6	4	A	4	20 300
King cab. NISMO	4	M	4	19 000
crew cab. SE-V6	4	M	4	18 800
crew cab. LE-V6	4	A	4	22 300
crew cab. NISMO	4	A	4	22 600
2005 FRONTIER				**100 000 km**
King cab. XE	2	M	2.5	12 800
King cab. SE-V6	2	M	4	14 500
King cab. LE-V6	2	A	4	16 300
crew cab. SE-V6	2	A	4	15 800
crew cab. LE-V6	2	A	4	18 500
King cab. SE-V6	4	M	4	15 800
King cab. LE-V6	4	A	4	18 500
King cab. NISMO	4	M	4	16 500
crew cab. SE-V6	4	M	4	16 900
crew cab. LE-V6	4	A	4	18 800
crew cab. NISMO	4	A	4	19 500
2009 GT-R				**20 000 km**
2p coupé	A	A	3.8	77 300
2009 MAXIMA				**20 000 km**
4p berline SV	2	A	3.5	32,600
4p berline SV Premium	2	A	3.5	35,300
2008 MAXIMA				**40 000 km**
4p berline SE	2	A	3.5	23 000
4p berline SE (Ens. Cuir / Toit)	2	A	3.5	26 000
4p berline SL (cuir)	2	A	3.5	25 600
2007 MAXIMA				**60 000 km**
4p berline SE 5 places	2	A	3.5	20 900
4p berline SE 5 places (cuir)	2	A	3.5	22 400
4p berline SE 4 places (cuir)	2	A	3.5	23 100
4p berline SL (cuir)	2	A	3.5	22 600
2006 MAXIMA				**80 000 km**
4p berline SE 5 places	2	M	3.5	19 900
4p berline SE 5 places (cuir)	2	M	3.5	22 300
4p berline SE 4 places (cuir)	2	M	3.5	22 300
4p berline SL (cuir)	2	A	3.5	22 400
2005 MAXIMA				**100 000 km**
4p berline SE 5 places	2	M	3.5	15 900
4p berline SE 5 places	2	A	3.5	16 800
4p berline SE 5 places (cuir)	2	M	3.5	17 700
4p berline SE 5 places (cuir)	2	A	3.5	18 500
4p berline SE 4 places (cuir)	2	M	3.5	18 400
4p berline SE 4 places (cuir)	2	A	3.5	19 200
4p berline SL (cuir)	2	A	3.5	18 400
2009 MURANO				**20 000 km**
4p S	2	A	3.5	30,800
4p SL	A	A	3.5	32,100
4p LE (cuir - toit)	A	A	3.5	38,800
2007 MURANO				**60 000 km**
4p SL	2	A	3.5	21 800
4p SL	A	A	3.5	22 900
4p SE (cuir - toit)	A	A	3.5	23 300
2006 MURANO				**80 000 km**
4p SL	2	A	3.5	19 700
4p SL	A	A	3.5	20 300
4p SE (cuir - toit)	A	A	3.5	21 100
2005 MURANO				**100 000 km**
4p SL	2	A	3.5	18 200
4p SL	A	A	3.5	18 900
4p SE (cuir)	A	A	3.5	19 100
2009 PATHFINDER				**20 000 km**
4p S	4	A	4	31,200
4p SE	4	A	4	35,000
4p LE (cuir)	A	A	4	39,600
2008 PATHFINDER				**40 000 km**
4p S	4	A	4	24 100
4p SE	4	A	4	25 800
4p LE V8 (cuir)	A	A	5.6	28 700
2007 PATHFINDER				**60 000 km**
4p S	4	A	4	20 100
4p SE	4	A	4	21 500
4p SE Premium	4	A	4	22 400
4p LE (cuir)	A	A	4	23 600
2006 PATHFINDER				**80 000 km**
4p S	4	A	4	16 400
4p SE	4	A	4	18 200
4p SE Premium	4	A	4	18 700
4p SE Off-Road	4	A	4	18 100
4p SE Off-Road (cuir)	4	A	4	18 700
4p LE (cuir)	A	A	4	19 200
2005 PATHFINDER				**100 000 km**
4p S	4	A	4	14 800
4p SE	4	A	4	16 800
4p SE Premium	4	A	4	17 300
4p SE Off-Road	4	A	4	16 900
4p SE Off-Road (cuir)	4	A	4	17 300
4p LE (cuir)	A	A	4	17 700
2009 QUEST				**20 000 km**
4p S	2	A	3.5	26,200
4p SL	2	A	3.5	27,700
4p SE (cuir)	2	A	3.5	29,700
2008 QUEST				**40 000 km**
4p S	2	A	3.5	21 200
4p SL	2	A	3.5	22 700
4p SE (cuir)	2	A	3.5	24 800
2007 QUEST				**60 000 km**
4p S	2	A	3.5	16 500
4p SL	2	A	3.5	18 600
4p SE (cuir)	2	A	3.5	19 200
2006 QUEST				**80 000 km**
4p S	2	A	3.5	15 000
4p S Édition Spéciale	2	A	3.5	16 200
4p SL	2	A	3.5	16 800
4p SL Édition Spéciale	2	A	3.5	17 000
4p SE (cuir)	2	A	3.5	18 000
2005 QUEST				**100 000 km**
4p S	2	A	3.5	12 000
4p S Power pkg.	2	A	3.5	12 900
4p SL	2	A	3.5	13 200
4p SL Skyview	2	A	3.5	13 400
4p SL (cuir) + NAVI	2	A	3.5	13 800
4p SE (cuir)	2	A	3.5	14 100
2009 ROGUE				**20 000 km**
4p S	2	A	2.5	20,500
4p SL	2	A	2.5	22,700
4p SL Premium	2	A	2.5	24,700
4p S AWD	A	A	2.5	22,900
4p SL AWD	A	A	2.5	24,400
4p SL AWD Premium	A	A	2.5	26,400
2008 ROGUE				**40 000 km**
4p S	2	A	2.5	17 800
4p SL	2	A	2.5	19 900
4p SL Premium	2	A	2.5	21 800
4p S AWD	A	A	2.5	20 100
4p SL AWD	A	A	2.5	21 600
4p SL AWD Premium	A	A	2.5	23 600
2009 SENTRA				**20 000 km**
4p berline 2.0	2	M	2	13,300
4p berline 2.0 S	2	M	2	15,600
4p berline 2.0 SL (cuir)	2	M	2	19,100
4p berline 2.5 SE-R	2	A	2.5	18,100
4p berline 2.5 SE-R Spec V	2	M	2.5	19,400
2008 SENTRA				**40 000 km**
4p berline 2.0	2	M	2	11 100
4p berline 2.0 S	2	M	2	13 200
4p berline 2.0 SL (cuir)	2	M	2	15 600
4p berline 2.5 SE-R	2	A	2.5	14 700
4p berline 2.5 SE-R Spec V	2	M	2.5	15 900
2007 SENTRA				**60 000 km**
4p berline 2.0	2	M	2	9 600
4p berline 2.0 S	2	M	2	10 900
4p berline 2.0 SL (cuir)	2	M	2	13 500
4p berline 2.5 SE-R	2	A	2.5	13 000
4p berline 2.5 SE-R Spec V	2	M	2.5	13 900
2006 SENTRA				**80 000 km**
4p berline 1.8	2	M	1.8	7 900
4p berline 1.8 Édition Spéciale	2	M	1.8	8 000
4p berline 1.8S	2	M	1.8	8 800
4p berline 1.8S ens. Sécurité	2	M	1.8	9 700
4p berline SE-R	2	A	2.5	10 200
4p berline SE-R ens. Sécurité	2	A	2.5	11 000
4p berline SE-R Sport	2	A	2.5	11 500
4p berline SE-R Spec V	2	M	2.5	10 600
4p berline SE-R Spec V Brembo	2	M	2.5	11 700
4p berline SE-R Spec V Sport	2	M	2.5	12 000
2005 SENTRA				**100 000 km**
4p berline 1.8	2	M	1.8	6 300
4p berline 1.8 Édition Spéciale	2	M	1.8	7 300
4p berline 1.8S	2	M	1.8	8 400
4p berline 1.8S ens. Sécurité	2	M	1.8	9 000
4p berline SE-R	2	A	2.5	9 900
4p berline SE-R ens. Sécurité	2	A	2.5	10 000
4p berline SE-R Sport	2	A	2.5	10 200
4p berline SE-R Spec V	2	M	2.5	9 900
4p berline SE-R Spec V Brembo	2	M	2.5	10 100
4p berline SE-R Spec V Sport	2	M	2.5	10 100
2009 TITAN				**20 000 km**
King cab. XE	2	A	5.6	27,100
King cab. SE	2	A	5.6	30,200
King cab. SE	4	A	5.6	33,100
King cab. PRO-4X	4	A	5.6	34,800
King cab. LE (cuir)	4	A	5.6	39,000
crew cab XE	4	A	5.6	32,200
crew cab SE	4	A	5.6	35,400
crew cab PRO-4X	4	A	5.6	37,100
crew cab LE (cuir)	4	A	5.6	42,100
2008 TITAN				**40 000 km**
King cab. XE	2	A	5.6	18 000
King cab. SE	2	A	5.6	19 900
King cab. SE	4	A	5.6	21 700
King cab. PRO-4X	4	A	5.6	22 900
King cab. LE (cuir)	4	A	5.6	24 500
crew cab XE	4	A	5.6	21 600
crew cab SE	4	A	5.6	23 400
crew cab PRO-4X	4	A	5.6	24 400
crew cab LE (cuir)	4	A	5.6	26 000
2007 TITAN				**60 000 km**
King cab. XE	2	A	5.6	15 900
King cab. SE	2	A	5.6	17 600
King cab. SE	4	A	5.6	19 900
King cab. SE Off-Road	4	A	5.6	21 900
King cab. LE (cuir)	4	A	5.6	21 900
crew cab XE	4	A	5.6	19 400
crew cab XE Off-Road	4	A	5.6	20 900
crew cab SE	4	A	5.6	22 300
crew cab SE Off-Road	4	A	5.6	22 400
crew cab LE (cuir)	4	A	5.6	24 000
2006 TITAN				**80 000 km**
King cab. XE	2	A	5.6	14 200
King cab. SE	2	A	5.6	15 900
King cab. SE Ens.Remorquage	2	A	5.6	16 800
King cab. SE	4	A	5.6	17 800
King cab. SE Ens.Remorquage	4	A	5.6	17 600
King cab. SE Off-Road / Ens.Rem.	4	A	5.6	18 300
King cab. LE (cuir)	4	A	5.6	19 500
crew cab XE	4	A	5.6	17 600
crew cab XE Off-Road	4	A	5.6	17 900
crew cab SE	4	A	5.6	18 500
crew cab SE Off-Road	4	A	5.6	19 400
crew cab LE (cuir)	4	A	5.6	20 100
2005 TITAN				**100 000 km**
King cab. XE	2	A	5.6	11 500
King cab. SE	2	A	5.6	13 700
King cab. SE Polyvalence	2	A	5.6	15 200
King cab. SE	4	A	5.6	16 100
King cab. SE Polyvalence	4	A	5.6	16 100
King cab. SE Off-Road/Poly	4	A	5.6	16 700
King cab. LE (cuir)	4	A	5.6	17 100
crew cab XE	4	A	5.6	15 100
crew cab SE	4	A	5.6	16 400
crew cab SE Off-Road	4	A	5.6	17 100
crew cab LE (cuir)	4	A	5.6	18 000
2009 VERSA				**20 000 km**
4p hayon 1.8S	2	M	1.8	10,300
4p hayon 1.8SL (a/c)	2	M	1.8	12,400
4p berline 1.6S	2	M	1.6	9,300
2008 VERSA				**40 000 km**
4p hayon 1.8S	2	M	1.8	8 700
4p hayon 1.8SL (a/c)	2	M	1.8	10 100
4p berline 1.8S	2	M	1.8	8 900
4p berline 1.8SL (a/c)	2	M	1.8	10 300
2007 VERSA				**60 000 km**
4p hayon 1.8S	2	M	1.8	7 700
4p hayon 1.8SL (a/c)	2	M	1.8	9 200
4p berline 1.8S	2	M	1.8	8 100
4p berline 1.8SL (a/c)	2	M	1.8	9 300
2006 X-TRAIL				**80 000 km**
4p XE	2	A	2.5	14 000
4p SE	2	A	2.5	15 400
4p XE	A	M	2.5	14 700

Description	R.m.	Tr.	L	Prix
4p XE	A	A	2.5	15 400
4p SE	A	M	2.5	15 700
4p SE	A	A	2.5	15 700
4p LE (cuir)	A	A	2.5	16 000
2005 X-TRAIL				**100 000 km**
4p XE	2	A	2.5	11 100
4p SE	2	A	2.5	12 500
4p XE	A	M	2.5	11 900
4p XE	A	A	2.5	12 400
4p SE	A	M	2.5	12 400
4p SE	A	A	2.5	12 500
4p LE (cuir)	A	A	2.5	13 600
2009 XTERRA				**20 000 km**
4p S	4	M	4	25,600
4p Tout-Terrain	4	M	4	26,500
4p SE	4	A	4	27,500
2008 XTERRA				**40 000 km**
4p S	4	M	4	19 700
4p Tout-Terrain	4	M	4	21 100
4p SE	4	A	4	21 100
2007 XTERRA				**60 000 km**
4p S	4	M	4	17 100
4p Tout-Terrain	4	M	4	18 300
4p SE	4	A	4	19 400
2006 XTERRA				**80 000 km**
4p S	4	M	4	17 200
4p Tout-Terrain	4	M	4	18 000
4p SE	4	A	4	18 600
2005 XTERRA				**100 000 km**
4p S	4	M	4	13 900
4p Tout-Terrain	4	M	4	14 900
4p SE	4	A	4	15 800

PONTIAC

Description	R.m.	Tr.	L	Prix
2005 AZTEK				**100 000 km**
4p base	2	A	3.4	7 200
4p GT	2	A	3.4	8 500
4p base Versatrak	A	A	3.4	8 100
4p GT Versatrak	A	A	3.4	8 500
2005 BONNEVILLE				**100 000 km**
4p berline SE	2	A	3.8	11 600
4p berline SLE	2	A	3.8	12 300
4p berline GXP (cuir)	2	A	4.6	13 300
2009 G5				**20 000 km**
2p coupé base	2	M	2.2	13,500
2p coupé SE	2	M	2.2	15,700
2p coupé GT Sport	2	M	2.2	18,700
4p berline base	2	M	2.2	13,500
4p berline SE	2	M	2.2	15,700
2008 G5				**40 000 km**
2p coupé base	2	M	2.2	8 200
2p coupé SE	2	M	2.2	9 900
2p coupé GT	2	M	2.4	11 900
4p berline base	2	M	2.2	8 200
4p berline SE	2	M	2.2	9 900
4p berline GT	2	M	2.4	11 900
2007 G5				**60 000 km**
2p coupé base	2	M	2.2	6 200
2p coupé SE	2	M	2.2	7 700
2p coupé GT	2	M	2.4	9 900
4p berline base	2	M	2.2	6 200
4p berline SE	2	M	2.2	7 700
4p berline GT	2	M	2.4	9 900
2006 G5 PURSUIT				**80 000 km**
2p coupé base	2	M	2.2	4 600
2p coupé SE	2	M	2.2	7 200
2p coupé GT	2	M	2.4	8 200
4p berline base	2	M	2.2	4 700
4p berline SE	2	M	2.2	7 200
4p berline GT	2	M	2.4	8 200
2005 G5 PURSUIT				**100 000 km**
4p berline base	2	M	2.2	4 100
4p berline SE	2	M	2.2	6 400
2009 G6				**20 000 km**
2p coupe GT	2	A	3.5	20,600
2p coupe GXP (cuir)	2	A	3.6	26,900
4p berline base	2	A	2.4	16,800
4p berline SE	2	A	2.4	18,500
4p berline GT	2	A	3.5	20,600
4p berline GXP	2	A	3.6	26,900
2p décapotable GT	2	A	3.5	26,900
2p décapotable GT Performance	2	A	3.9	28,800

Description	R.m.	Tr.	L	Prix
2008 G6				**40 000 km**
2p coupe GT	2	A	3.5	15 800
2p coupe GT Sport	2	A	3.5	17 900
2p coupe GXP (cuir)	2	A	3.6	21 100
4p berline base	2	A	2.4	12 300
4p berline SE	2	A	2.4	12 700
4p berline SE Performance	2	A	3.5	13 600
4p berline GT	2	A	3.5	15 800
4p berline GT Sport	2	A	3.5	17 900
4p berline GXP	2	A	3.6	21 100
2p décapotable GT	2	A	3.5	23 300
2p décapotable GT Performance	2	A	3.9	25 200
2007 G6				**60 000 km**
2p coupe GT	2	A	3.5	12 500
2p coupe GT Performance	2	A	3.9	13 100
2p coupe GTP	2	A	3.6	15 000
4p berline base	2	A	2.4	9 100
4p berline SE	2	A	2.4	9 500
4p berline SE Performance	2	A	3.5	10 300
4p berline GT	2	A	3.5	12 500
4p berline GT Performance	2	A	3.9	13 100
4p berline GTP	2	A	3.6	15 000
2p décapotable GT	2	A	3.5	18 600
2p déc GT Performance (cuir)	2	A	3.9	20 500
2006 G6				**80 000 km**
2p coupe GT	2	A	3.5	9 100
2p coupe GTP	2	M	3.9	9 700
2p coupe GTP	2	A	3.9	9 800
4p berline base	2	A	2.4	7 300
4p berline base V6	2	A	3.5	8 000
4p berline GT	2	A	3.5	9 100
4p berline GTP	2	M	3.9	9 700
4p berline GTP	2	A	3.9	9 800
2p décapotable GT	2	A	3.5	15 500
2p décapotable GTP	2	A	3.9	16 200
2005 G6				**100 000 km**
4p berline base	2	A	3.5	7 000
4p berline GT	2	A	3.5	7 400
2009 G8				**20 000 km**
4p berline base	2	A	3.6	26,100
4p berline GT	2	A	6	30,400
2005 GRAND AM				**100 000 km**
2p coupé GT	2	A	3.4	7 300
4p berline SE1	2	A	3.4	5 900
2008 GRAND PRIX				**40 000 km**
4p berline base	2	A	3.8	15 200
4p berline GXP V8	2	A	5.3	19 400
2007 GRAND PRIX				**60 000 km**
4p berline base	2	A	3.8	12 200
4p berline GT	2	A	3.8	13 500
4p berline GXP V8	2	A	5.3	15 500
2006 GRAND PRIX				**80 000 km**
4p berline base	2	A	3.8	9 700
4p berline GT	2	A	3.8	10 800
4p berline GXP V8	2	A	5.3	11 500
2005 GRAND PRIX				**100 000 km**
4p berline base	2	A	3.8	8 700
4p berline GT	2	A	3.8	9 800
4p berline GTP (cuir)	2	A	3.8	10 300
4p berline GXP V8	2	A	5.3	10 600
2005 MONTANA				**100 000 km**
4p allongé base	2	A	3.4	6 900
4p allongé SE	2	A	3.4	7 500
4p allongé GT	2	A	3.4	8 000
2009 MONTANA SV6				**20 000 km**
4p groupe 1SA	2	A	3.9	18,000
4p groupe 1SB	2	A	3.9	19,000
4p groupe 1SC	2	A	3.9	21,200
4p allongé groupe 1SA	2	A	3.9	20,100
4p allongé groupe 1SB	2	A	3.9	20,600
4p allongé groupe 1SC	2	A	3.9	23,300
2008 MONTANA SV6				**40 000 km**
4p groupe 1SA	2	A	3.9	10 400
4p groupe 1SB	2	A	3.9	11 300
4p groupe 1SC	2	A	3.9	12 700
4p allongé groupe 1SA	2	A	3.9	12 000
4p allongé groupe 1SB	2	A	3.9	12 500
4p allongé groupe 1SC	2	A	3.9	13 300
2007 MONTANA SV6				**60 000 km**
4p groupe 1SA	2	A	3.9	9 000
4p groupe 1SB	2	A	3.9	9 400
4p groupe 1SC	2	A	3.9	9 800
4p allongé groupe 1SA	2	A	3.9	9 400

Description	R.m.	Tr.	L	Prix
4p allongé groupe 1SB	2	A	3.9	10 000
4p allongé groupe 1SC	2	A	3.9	11 000
2006 MONTANA SV6				**80 000 km**
4p groupe 1SA	2	A	3.5	7 500
4p groupe 1SB	2	A	3.5	8 100
4p groupe 1SC	2	A	3.5	8 500
4p allongé groupe 1SA	2	A	3.5	8 300
4p allongé groupe 1SB	2	A	3.5	8 500
4p allongé groupe 1SC	2	A	3.5	8 700
4p allongé Trac. intégrale	A	A	3.5	9 000
2005 MONTANA SV6				**100 000 km**
4p groupe 1SA	2	A	3.5	6 000
4p groupe 1SB	2	A	3.5	6 400
4p groupe 1SC	2	A	3.5	7 000
4p allongé groupe 1SA	2	A	3.5	6 600
4p allongé groupe 1SB	2	A	3.5	7 000
4p allongé groupe 1SC	2	A	3.5	7 500
4p allongé Trac. intégrale	A	A	3.5	8 900
2009 SOLSTICE				**20 000 km**
2p décapotable base	2	M	2.4	23,200
2p décapotable GXP	2	M	2	26,500
2p coupé GXP	2	M	2	30,700
2008 SOLSTICE				**40 000 km**
2p décapotable base	2	M	2.4	20 500
2p décapotable GXP	2	M	2	23 300
2007 SOLSTICE				**60 000 km**
2p décapotable base	2	M	2.4	17 900
2p décapotable GXP	2	M	2	20 500
2006 SOLSTICE				**80 000 km**
2p décapotable base	2	M	2.4	16 300
2005 SUNFIRE				**100 000 km**
2p coupé SL	2	M	2.2	4 400
2p coupé Sporttec	2	M	2.2	5 400
2p coupé GT	2	M	2.2	5 900
4p berline SL	2	M	2.2	4 400
4p berline SLX	2	M	2.2	5 600
2009 TORRENT				**20 000 km**
4p base	2	A	3.4	20,600
4p GT	2	A	3.4	22,700
4p GXP	2	A	3.6	25,200
4p base AWD	A	A	3.4	22,700
4p GT AWD	A	A	3.4	24,600
4p GXP AWD	A	A	3.6	27,200
2008 TORRENT				**40 000 km**
4p base	2	A	3.4	14 600
4p Podium Edition	2	A	3.4	16 000
4p GT	2	A	3.4	16 100
4p GXP	2	A	3.6	17 100
4p base AWD	A	A	3.4	16 200
4p Podium Edition AWD	A	A	3.4	17 000
4p GT AWD	A	A	3.4	17 200
4p GXP AWD	A	A	3.6	17 600
2007 TORRENT				**60 000 km**
4p base	2	A	3.4	14 100
4p Sport	2	A	3.4	15 000
4p base	A	A	3.4	15 000
4p Sport	A	A	3.4	16 200
2006 TORRENT				**80 000 km**
4p base	2	A	3.4	10 900
4p Sport	2	A	3.4	12 600
4p base	A	A	3.4	12 800
4p Sport	A	A	3.4	13 300
2009 VIBE				**20 000 km**
4p hayon base	2	M	1.8	13,800
4p hayon SE	2	M	2.4	18,100
4p hayon GT	2	M	2.4	21,500
4p hayon base (tr.intégrale)	A	M	2.4	18,300
2008 VIBE				**40 000 km**
4p hayon base	2	M	1.8	14 500
2007 VIBE				**60 000 km**
4p hayon base	2	M	1.8	13 300
2006 VIBE				**80 000 km**
4p hayon base	2	M	1.8	11 900
4p hayon GT	2	M	1.8	14 600
4p hayon base (tr.intégrale)	A	A	1.8	14 000
2005 VIBE				**100 000 km**
4p hayon base	2	M	1.8	9 700
4p hayon GT	2	M	1.8	12 200
4p hayon base (tr.intégrale)	A	A	1.8	12 600
2009 G3 WAVE				**20 000 km**

Description	R.m.	Tr.	L	Prix
4p berline base	2	M	1.6	11,600
4p berline SE	2	M	1.6	13,800
4p hayon Wave 5 base	2	M	1.6	11,400
4p hayon Wave 5 SE	2	M	1.6	13,600
2008 WAVE				**40 000 km**
4p berline base	2	M	1.6	8 700
4p berline SE	2	M	1.6	10 800
4p hayon Wave 5 base	2	M	1.6	8 700
4p hayon Wave 5 SE	2	M	1.6	10 800
2007 WAVE				**60 000 km**
4p berline base	2	M	1.6	7 900
4p berline SE	2	M	1.6	8 900
4p hayon Wave 5 base	2	M	1.6	7 500
4p hayon Wave 5 SE	2	M	1.6	8 900
2006 WAVE				**80 000 km**
4p berline base	2	M	1.6	6 300
4p berline Uplevel	2	M	1.6	7 500
4p hayon Wave 5 base	2	M	1.6	6 600
4p hayon Wave 5 Uplevel	2	M	1.6	7 900
2005 WAVE				**100 000 km**
4p berline base	2	M	1.6	5 000
4p berline Uplevel	2	M	1.6	5 700
4p hayon Wave 5 base	2	M	1.6	5 300
4p hayon Wave 5 Uplevel	2	M	1.6	6 000

PORSCHE

Description	R.m.	Tr.	L	Prix
2009 911				**20 000 km**
2p coupé Carrera	2	M	3.6	81,500
2p coupé Carrera	2	A	3.6	86,300
2p coupé Carrera S	2	M	3.8	92,500
2p coupé Carrera S	2	A	3.8	97,300
2p coupé GT2 Turbo	2	M	3.6	203,500
2p coupé GT3	2	M	3.6	116,000
2p coupé GT3 RS	2	M	3.6	129,200
2p coupé Carrera 4	A	M	3.6	87,800
2p coupé Carrera 4	A	A	3.6	92,600
2p coupé Carrera 4S	A	M	3.8	98,900
2p coupé Carrera 4S	A	A	3.8	103,700
2p coupé Targa 4	A	M	3.6	95,600
2p coupé Targa 4	A	A	3.6	99,300
2p coupé Targa 4S	A	M	3.8	105,500
2p coupé Targa 4S	A	A	3.8	109,200
2p coupé Turbo	A	M	3.6	139,100
2p coupé Turbo	A	A	3.6	143,100
2p décapotable Carrera	2	M	3.6	92,500
2p décapotable Carrera	2	A	3.6	97,300
2p décapotable Carrera S	2	M	3.8	103,500
2p décapotable Carrera S	2	A	3.8	108,300
2p décapotable Carrera 4	A	M	3.6	98,900
2p décapotable Carrera 4	A	A	3.6	103,700
2p décapotable Carrera 4S	A	M	3.8	109,900
2p décapotable Carrera 4S	A	A	3.8	114,700
2p décapotable Turbo	A	M	3.6	150,200
2p décapotable Turbo	A	A	3.6	154,200
2008 911				**40 000 km**
2p coupé Carrera	2	M	3.6	72 800
2p coupé Carrera	2	A	3.6	76 500
2p coupé Carrera S	2	M	3.8	82 600
2p coupé Carrera S	2	A	3.8	86 300
2p coupé GT2 Turbo	2	M	3.6	183 600
2p coupé GT3	2	M	3.6	104 400
2p coupé GT3 RS	2	M	3.6	120 900
2p coupé Carrera 4	A	M	3.6	78 400
2p coupé Carrera 4	A	A	3.6	82 100
2p coupé Carrera 4S	A	M	3.8	88 300
2p coupé Carrera 4S	A	A	3.8	92 000
2p coupé Targa 4	A	M	3.6	85 600
2p coupé Targa 4	A	A	3.6	89 300
2p coupé Targa 4S	A	M	3.8	95 500
2p coupé Targa 4S	A	A	3.8	99 200
2p coupé Turbo	A	M	3.6	133 100
2p coupé Turbo	A	A	3.6	136 900
2p décapotable Carrera	2	M	3.6	82 600
2p décapotable Carrera	2	A	3.6	86 300
2p décapotable Carrera S	2	M	3.8	92 300
2p décapotable Carrera S	2	A	3.8	96 100
2p décapotable Carrera 4	A	M	3.6	88 300
2p décapotable Carrera 4	A	A	3.6	92 000
2p décapotable Carrera 4S	A	M	3.8	98 100
2p décapotable Carrera 4S	A	A	3.8	101 800
2p décapotable Turbo	A	M	3.6	133 400
2p décapotable Turbo	A	A	3.6	137 200
2007 911				**60 000 km**
2p coupé Carrera	2	M	3.6	62 800
2p coupé Carrera	2	A	3.6	65 900
2p coupé Carrera S	2	M	3.8	72 100
2p coupé Carrera S	2	A	3.8	75 200
2p coupé GT3	2	M	3.6	93 600
2p coupé GT3 RS	2	M	3.6	109 500

Description	R.m.	Tr.	L	Prix
2p coupé Carrera 4	A	M	3.6	68 100
2p coupé Carrera 4	A	A	3.6	71 600
2p coupé Carrera 4S	A	M	3.8	77 500
2p coupé Carrera 4S	A	A	3.8	80 700
2p coupé Targa 4	A	M	3.6	75 000
2p coupé Targa 4	A	A	3.6	78 600
2p coupé Targa 4S	A	M	3.8	84 300
2p coupé Targa 4S	A	A	3.8	94 700
2p coupé Turbo	A	M	3.6	109 100
2p coupé Turbo	A	A	3.6	112 300
2p décapotable Carrera	2	M	3.6	72 100
2p décapotable Carrera	2	A	3.6	75 200
2p décapotable Carrera S	2	M	3.8	81 500
2p décapotable Carrera S	2	A	3.8	84 600
2p décapotable Carrera 4	A	M	3.6	77 500
2p décapotable Carrera 4	A	A	3.6	80 700
2p décapotable Carrera 4S	A	M	3.8	86 700
2p décapotable Carrera 4S	A	A	3.8	90 000

2006 911 — 80 000 km

Description	R.m.	Tr.	L	Prix
2p coupé Carrera	2	M	3.6	59 400
2p coupé Carrera	2	A	3.6	62 400
2p coupé Carrera S	2	M	3.8	69 000
2p coupé Carrera S	2	A	3.8	72 000
2p coupé Carrera 4	A	M	3.6	64 200
2p coupé Carrera 4	A	A	3.6	67 300
2p coupé Carrera 4S	A	M	3.8	74 300
2p coupé Carrera 4S	A	A	3.8	77 500
2p décapotable Carrera	2	M	3.6	69 000
2p décapotable Carrera	2	A	3.6	72 000
2p décapotable Carrera S	2	M	3.8	78 500
2p décapotable Carrera S	2	A	3.8	81 500
2p décapotable Carrera 4	A	M	3.6	75 000
2p décapotable Carrera 4	A	A	3.6	76 500
2p décapotable Carrera 4S	A	M	3.8	84 100
2p décapotable Carrera 4S	A	A	3.8	87 200

2005 911 — 100 000 km

Description	R.m.	Tr.	L	Prix
2p coupé Carrera	2	M	3.6	50 500
2p coupé Carrera	2	A	3.6	53 500
2p coupé Carrera S	2	M	3.8	56 300
2p coupé Carrera S	2	A	3.8	59 400
2p coupé Targa	2	M	3.6	56 300
2p coupé Targa	2	A	3.6	59 400
2p coupé GT2 Turbo	2	M	3.6	119 500
2p coupé GT3	2	M	3.6	68 100
2p coupé Carrera 4S	A	M	3.6	57 000
2p coupé Carrera 4S	A	A	3.6	60 300
2p coupé Turbo	A	M	3.6	98 300
2p coupé Turbo	A	A	3.6	90 600
2p coupé Turbo S	A	M	3.6	100 000
2p coupé Turbo S	A	A	3.6	103 200
2p décapotable Carrera	2	M	3.6	59 900
2p décapotable Carrera	2	A	3.6	52 100
2p décapotable Carrera S	2	M	3.8	58 500
2p décapotable Carrera S	2	A	3.8	61 600
2p décapotable Carrera 4S	A	M	3.6	62 900
2p décapotable Carrera 4S	A	A	3.6	77 100
2p décapotable Turbo	A	M	3.6	93 200
2p décapotable Turbo	A	A	3.6	96 500
2p décapotable Turbo S	A	M	3.6	102 200
2p décapotable Turbo S	A	A	3.6	105 400

2009 BOXSTER — 20 000 km

Description	R.m.	Tr.	L	Prix
2p décapotable base	2	M	2.7	51,400
2p décapotable base	2	A	2.7	55,500
2p décapotable S	2	A	3.4	62,100
2p décapotable S	2	M	3.4	66,200

2008 BOXSTER — 40 000 km

Description	R.m.	Tr.	L	Prix
2p décapotable base	2	M	2.7	43 700
2p décapotable base	2	A	2.7	46 900
2p décapotable Limited Edition	2	M	2.7	46 300
2p décapotable Limited Edition	2	A	2.7	49 600
2p décapotable S	2	A	3.4	52 600
2p décapotable S	2	M	3.4	55 900
2p décapotable S Limited Edition	2	M	3.4	55 200
2p décapotable S Limited Edition	2	A	3.4	58 500
2p décapotable RS 60 Spyder	2	M	3.4	60 200
2p décapotable RS 60 Spyder	2	A	3.4	62 700

2007 BOXSTER — 60 000 km

Description	R.m.	Tr.	L	Prix
2p décapotable base	2	M	2.7	39 500
2p décapotable base	2	A	2.7	42 700
2p décapotable S	2	M	3.4	49 500
2p décapotable S	2	A	3.4	52 900

2006 BOXSTER — 80 000 km

Description	R.m.	Tr.	L	Prix
2p décapotable base	2	M	2.7	34 300
2p décapotable base	2	A	2.7	37 200
2p décapotable S	2	M	3.2	42 800
2p décapotable S	2	A	3.2	45 800

2005 BOXSTER — 100 000 km

Description	R.m.	Tr.	L	Prix
2p décapotable base	2	M	2.7	29 700
2p décapotable base	2	A	2.7	32 100

Description	R.m.	Tr.	L	Prix
2p décapotable S	2	M	3.2	35 900
2p décapotable S	2	A	3.2	38 300

2009 CAYENNE — 20 000 km

Description	R.m.	Tr.	L	Prix
4p V6	A	M	3.6	42,600
4p V6	A	A	3.6	45,800
4p S	A	A	4.8	56,200
4p GTS	A	M	4.8	66,200
4p GTS	A	A	4.8	68,500
4p Turbo	A	A	4.8	82,400
4p Turbo S	A	A	4.8	115,200

2008 CAYENNE — 40 000 km

Description	R.m.	Tr.	L	Prix
4p V6	A	M	3.6	37 500
4p V6	A	A	3.6	40 800
4p S	A	A	4.8	50 400
4p GTS	A	M	4.8	60 900
4p GTS	A	A	4.8	61,200
4p Turbo	A	A	4.8	76 400

2006 CAYENNE — 80 000 km

Description	R.m.	Tr.	L	Prix
4p V6	A	M	3.2	34 700
4p V6	A	A	3.2	37 800
4p S	A	A	4.5	39 800
4p S Titanium Edition	A	A	4.5	45 900
4p Turbo	A	A	4.5	49 400
4p Turbo S	A	A	4.5	64 000

2005 CAYENNE — 100 000 km

Description	R.m.	Tr.	L	Prix
4p V6	A	A	3.2	27 100
4p S	A	A	4.5	30 200
4p Turbo	A	A	4.5	37 900

2009 CAYMAN — 20 000 km

Description	R.m.	Tr.	L	Prix
2p coupé Base	2	M	2.7	54,200
2p coupé Base	2	A	2.7	57,800
2p coupé S	2	M	3.4	66,500
2p coupé S	2	A	3.4	68,200

2008 CAYMAN — 40 000 km

Description	R.m.	Tr.	L	Prix
2p coupé Base	2	M	2.7	52 200
2p coupé Base	2	A	2.7	55 900
2p coupé S	2	M	3.4	61 800
2p coupé S	2	A	3.4	65 500
2p coupé S Porsche Design Ed.1	2	M	3.4	73 100
2p coupé S Porsche Design Ed.1	2	A	3.4	76 900

2007 CAYMAN — 60 000 km

Description	R.m.	Tr.	L	Prix
2p coupé Base	2	M	2.7	41 200
2p coupé Base	2	A	2.7	44 800
2p coupé S	2	M	3.4	52 100
2p coupé S	2	A	3.4	55 600

2006 CAYMAN — 80 000 km

Description	R.m.	Tr.	L	Prix
2p coupé S	2	M	3.4	44 900
2p coupé S	2	A	3.4	48 300

SAAB

2006 SERIE 9-2X — 80 000 km

Description	R.m.	Tr.	L	Prix
4p familiale Linear	A	M	2.5	14 400
4p familiale Linear Premium (cuir)	A	M	2.5	15 200

2005 SERIE 9-2X — 100 000 km

Description	R.m.	Tr.	L	Prix
4p familiale Linear	A	M	2.5	10 300
4p familiale Linear Premium	A	M	2.5	11 300
4p familiale Aero	A	M	2	11 900

2009 SERIE 9-3 — 20 000 km

Description	R.m.	Tr.	L	Prix
4p berline Sport	2	M	2	27,000
4p berline Sport AWD	A	A	2	28,800
4p berline Sport Aero (toit ouv)	2	M	2.8	32,900
4p berline Sport AeroAWD	A	A	2.8	35,300
4p familiale Combi Sport	2	M	2	28,200
4p famil. Combi Sport AWD	A	A	2	30,000
4p fam Combi Sport Aero (toit)	2	M	2.8	34,300
4p fam Combi Sport Aero AWD	A	A	2.8	37,500
2p décapotable base	2	M	2	20,800
2p décapotable base	2	A	2	41,900
2p décapotable Aero	2	M	2.8	44,300
2p décapotable Aero	2	A	2.8	45,400

2008 SERIE 9-3 — 40 000 km

Description	R.m.	Tr.	L	Prix
4p berline Sport	2	M	2	18 400
4p berline Sport	2	A	2	19 300
4p berline Sport Aero (toit ouv)	2	M	2.8	22 700
4p berline Turbo X	2	M	2.8	28 200
4p familiale Combi Sport	2	M	2	19 300
4p familiale Combi Sport	2	A	2	20 100
4p fam Combi Sport Aero (toit)	2	M	2.8	23 700
4p fam Combi Sport Aero (toit)	2	A	2.8	24 300
2p décapotable base	2	M	2	28 200
2p décapotable base	2	A	2	29 000
2p décapotable Aero	2	M	2.8	30 500
2p décapotable Aero	2	A	2.8	31 300

2007 SERIE 9-3 — 60 000 km

Description	R.m.	Tr.	L	Prix
4p berline Sport	2	M	2	16 000
4p berline Sport	2	A	2	16 600
4p berline Sport Aero (toit ouv)	2	M	2.8	19 600
4p berline Sport Aero (toit ouv)	2	A	2.8	20 400
4p familiale Combi Sport	2	M	2	16 600
4p familiale Combi Sport	2	A	2	17 500
4p fam Combi Sport Aero (toit)	2	M	2.8	20 300
4p fam Combi Sport Aero (toit)	2	A	2.8	21 200
2p décapotable base	2	M	2	23 800
2p décapotable base	2	A	2	24 700
2p décapotable Aero	2	M	2.8	26 900
2p décapotable Aero	2	A	2.8	26 900

2006 SERIE 9-3 — 80 000 km

Description	R.m.	Tr.	L	Prix
4p berline Sport	2	M	2	14 300
4p berline Sport	2	A	2	14 500
4p berline Sport Aero	2	M	2.8	15 300
4p berline Sport Aero	2	A	2.8	15 900
4p familiale Combi Sport	2	M	2	14 400
4p familiale Combi Sport	2	A	2	15 000
4p familiale Combi Sport Aero	2	M	2.8	15 900
4p familiale Combi Sport Aero	2	A	2.8	16 700
2p décapotable base	2	M	2	20 600
2p décapotable base	2	A	2	21 500
2p décapotable Aero	2	M	2.8	21 900
2p décapotable Aero	2	A	2.8	22 500

2005 SERIE 9-3 — 100 000 km

Description	R.m.	Tr.	L	Prix
4p berline Linear	2	M	2	13 500
4p berline Linear	2	A	2	14 200
4p berline Arc (5 vitesses)	2	M	2	12 900
4p berline Arc	2	A	2	13 600
4p berline Aero (5 vitesses)	2	A	2	13 900
4p berline Aero (6 vitesses)	2	A	2	14 500
4p berline Aero	2	A	2	14 500
2p décapotable Arc (5 vitesses)	2	M	2	17 800
2p décapotable Arc	2	A	2	18 500
2p décapotable Aero (5 vitesses)	2	M	2	18 600
2p décapotable Aero (6 vitesses)	2	M	2	19 200
2p décapotable Aero	2	A	2	19 200

2009 SERIE 9-5 — 20 000 km

Description	R.m.	Tr.	L	Prix
4p berline turbo	2	M	2.3	33,000
4p berline Aero turbo	2	A	2.3	33,600
4p familiale Combi Sport turbo	2	M	2.3	34,200
4p familiale Combi Aero turbo	2	A	2.3	34,900

2008 SERIE 9-5 — 40 000 km

Description	R.m.	Tr.	L	Prix
4p berline turbo	2	M	2.3	22 600
4p berline turbo	2	A	2.3	23 400
4p familiale Combi Sport turbo	2	M	2.3	23 400
4p familiale Combi Sport turbo	2	A	2.3	24 300

2007 SERIE 9-5 — 60 000 km

Description	R.m.	Tr.	L	Prix
4p berline turbo	2	M	2.3	17 400
4p berline turbo	2	A	2.3	18 100
4p familiale Combi Sport turbo	2	M	2.3	18 100
4p familiale Combi Sport turbo	2	A	2.3	18 800

2006 SERIE 9-5 — 80 000 km

Description	R.m.	Tr.	L	Prix
4p berline turbo	2	M	2.3	13 800
4p berline turbo	2	A	2.3	14 500
4p familiale Combi Sport turbo	2	M	2.3	14 500
4p familiale Combi Sport turbo	2	A	2.3	15 200

2005 SERIE 9-5 — 100 000 km

Description	R.m.	Tr.	L	Prix
4p berline Arc turbo	2	M	2.3	11 000
4p berline Arc turbo	2	A	2.3	11 600
4p berline Aero turbo	2	M	2.3	12 100
4p berline Aero turbo	2	A	2.3	12 600
4p familiale Linear turbo	2	M	2.3	10 200
4p familiale Linear turbo	2	A	2.3	10 900
4p familiale Arc turbo	2	M	2.3	11 400
4p familiale Arc turbo	2	A	2.3	12 100
4p familiale Aero turbo	2	M	2.3	12 500
4p familiale Aero turbo	2	A	2.3	13 000

2009 SERIE 9-7 X — 20 000 km

Description	R.m.	Tr.	L	Prix
4p base	4	A	4.2	35,400
4p V8	4	A	5.3	37,200
4p V8 Aero	4	A	6	38,500

2008 SERIE 9-7 X — 40 000 km

Description	R.m.	Tr.	L	Prix
4p base	4	A	4.2	25 400
4p V8	4	A	5.3	27 100
4p V8 Aero	4	A	6	28 300

2007 SERIE 9-7 X — 60 000 km

Description	R.m.	Tr.	L	Prix
4p base	4	A	4.2	22 400
4p V8	4	A	5.3	23 600

2006 SERIE 9-7 X — 80 000 km

Description	R.m.	Tr.	L	Prix
4p base	4	A	4.2	20 700
4p V8	4	A	5.3	20 900

2005 SERIE 9-7 X — 100 000 km

Description	R.m.	Tr.	L	Prix
4p Linear	4	A	4.2	15 900
4p Arc	4	A	5.3	15 900

SATURN

2009 ASTRA — 20 000 km

Description	R.m.	Tr.	L	Prix
2p hayon XR	2	M	1.8	17,800
4p hayon XE	2	M	1.8	15,100
4p hayon XR	2	M	1.8	17,200

2008 ASTRA — 40 000 km

Description	R.m.	Tr.	L	Prix
2p hayon XR	2	M	1.8	14 300
4p hayon XE	2	M	1.8	12 100
4p hayon XR	2	M	1.8	13 800

2009 AURA — 20 000 km

Description	R.m.	Tr.	L	Prix
4p berline XE	2	A	2.4	20,600
4p berline XR-4	2	A	2.4	22,900
4p berline XR-6	2	A	3.6	26,500
4p berline (Hybride)	2	A	2.4	23,100

2008 AURA — 40 000 km

Description	R.m.	Tr.	L	Prix
4p berline XE	2	A	2.4	14 600
4p berline XE	2	A	3.5	15 400
4p berline XR	2	A	3.6	16 200
4p berline Green Line (Hybride)	2	A	2.4	16 000

2007 AURA — 60 000 km

Description	R.m.	Tr.	L	Prix
4p berline XE	2	A	3.5	12 900
4p berline XR	2	A	3.6	13 600
4p berline Green Line (Hybride)	2	A	2.4	13 300

2007 ION — 60 000 km

Description	R.m.	Tr.	L	Prix
4p coupé Quad 2 base	2	M	2.2	7 200
4p coupé Quad 2 base	2	A	2.2	7 700
4p coupé Quad 2 midlevel	2	M	2.2	7 800
4p coupé Quad 2 midlevel	2	A	2.2	8 200
4p coupé Quad 3 uplevel	2	M	2.4	8 200
4p coupé Quad 3 uplevel	2	A	2.4	9 000
4p coupé Quad Red Line	2	M	2	10 200
4p berline 2 base	2	M	2.2	7 200
4p berline 2 base	2	A	2.2	7 700
4p berline 2 midlevel	2	M	2.2	7 800
4p berline 2 midlevel	2	A	2.2	8 200
4p berline 3 uplevel	2	M	2.4	8 200
4p berline 3 uplevel	2	A	2.4	9 000

2006 ION — 80 000 km

Description	R.m.	Tr.	L	Prix
4p coupé Quad niveau 1	2	M	2.2	6 900
4p coupé Quad niveau 1	2	A	2.2	7 200
4p coupé Quad niveau 2	2	M	2.2	7 100
4p coupé Quad niveau 2	2	A	2.2	7 100
4p coupé Quad niveau 3	2	M	2.4	6 900
4p coupé Quad niveau 3	2	A	2.4	7 300
4p coupé Quad Red Line	2	M	2	8 200
4p berline niveau 1	2	M	2.2	6 900
4p berline niveau 1	2	A	2.2	7 200
4p berline niveau 2	2	M	2.2	7 000
4p berline niveau 2	2	A	2.2	7 200
4p berline niveau 3	2	M	2.4	7 200
4p berline niveau 3	2	A	2.4	7 400

2005 ION — 100 000 km

Description	R.m.	Tr.	L	Prix
4p coupé Quad niveau 2	2	M	2.2	5 800
4p coupé Quad niveau 2	2	A	2.2	6 700
4p coupé Quad niveau 3	2	M	2.2	7 300
4p coupé Quad niveau 3	2	A	2.2	7 500
4p coupé Quad Red Line	2	M	2	8 100
4p berline niveau 1	2	M	2.2	5 100
4p berline niveau 1	2	A	2.2	5 700
4p berline niveau 2	2	M	2.2	6 400
4p berline niveau 2	2	A	2.2	6 700
4p berline niveau 3	2	M	2.2	6 800
4p berline niveau 3	2	A	2.2	7 000

2009 OUTLOOK — 20 000 km

Description	R.m.	Tr.	L	Prix
4p XE	2	A	3.6	32,500
4p XR	2	A	3.6	34,400
4p XE AWD	A	A	3.6	32,500
4p XR AWD	A	A	3.6	35,400

2008 OUTLOOK — 40 000 km

Description	R.m.	Tr.	L	Prix
4p XE	2	A	3.6	27 900
4p XR	2	A	3.6	32 600
4p XE AWD	A	A	3.6	30 000
4p XR AWD	A	A	3.6	30 400

2007 OUTLOOK — 60 000 km

Description	R.m.	Tr.	L	Prix
4p XE	2	A	3.6	22 500
4p XR	2	A	3.6	25 000
4p XE AWD	A	A	3.6	24 200
4p XR AWD	A	A	3.6	26 800

2007 RELAY — 60 000 km

Description	R.m.	Tr.	L	Prix
4p 1	2	A	3.9	10 700
4p 2	2	A	3.9	11 500

Description	R.m.	Tr.	L	Prix
4p Valeur Plus	2	A	3.9	11 600
4p 3	2	A	3.9	12 000
2006 RELAY				**80 000 km**
4p base niveau 2	2	A	3.5	8 300
4p Valeur Plus	2	A	3.5	8 600
4p De Luxe niv. 3	2	A	3.5	8 800
4p De Luxe niv. 3 3.9L	2	A	3.9	8 800
4p De Luxe niv. 3 tr.intégrale	A	A	3.9	9 200
2005 RELAY				**100 000 km**
4p base niveau 2	2	A	3.5	7 500
4p De Luxe niveau 3	2	A	3.5	7 600
4p De Luxe niveau 3 tr.intégrale	A	A	3.5	8 300
2005 SERIE L				**100 000 km**
4p berline L300 niveau 2	2	A	3	7 600
2009 SKY				**20 000 km**
2p décapotable base	2	M	2.4	29,000
2p décapotable Red Line	2	M	2	33,500
2008 SKY				**40 000 km**
2p décapotable base	2	M	2.4	23 300
2p décapotable Red Line	2	M	2	26 100
2007 SKY				**60 000 km**
2p décapotable base	2	M	2.4	20 900
2p décapotable Red Line	2	M	2	23 500
2009 VUE				**20 000 km**
4p XE	2	A	2.4	21,000
4p XR	2	A	2.4	23,000
4p XR V6	2	A	3.6	24,400
4p Hybride	2	A	2.4	24,200
4p Red Line (cuir)	2	A	3.6	28,100
4p XE AWD	A	A	3.5	24,300
4p XR AWD	A	A	3.6	26,500
4p Red Line AWD (cuir)	A	A	3.6	30,100
2008 VUE				**40 000 km**
4p XE	2	A	2.4	14 000
4p XR	2	A	3.6	16 500
4p Green Line (Hybride)	2	A	2.4	16 100
4p Red Line (cuir)	2	A	3.6	18 000
4p XE AWD	A	A	3.5	16 500
4p XR AWD	A	A	3.6	18 000
4p Red Line AWD (cuir)	A	A	3.6	19 400
2007 VUE				**60 000 km**
4p base	2	M	2.2	10 800
4p base	2	A	2.2	11 800
4p base V6	2	A	3.5	13 500
4p Green Line (Hybride)	2	A	2.4	13 700
4p Red Line	2	A	3.5	15 200
4p base V6	A	A	3.5	14 800
4p Red Line	A	A	3.5	15 900
2006 VUE				**80 000 km**
4p base	2	M	2.2	9 200
4p base	2	A	2.2	10 000
4p base V6	2	A	3.5	11 800
4p Red Line	2	A	3.5	12 900
4p base V6	A	A	3.5	12 800
4p Red Line	A	A	3.5	13 800
2005 VUE				**100 000 km**
4p base	2	M	2.2	7 900
4p base	2	A	2.2	8 800
4p base V6	2	A	3.5	10 500
4p Red Line	2	A	3.5	10 900
4p base	A	A	2.2	10 200
4p base V6	A	A	3.5	10 700
4p Red Line	A	A	3.5	11 600

SMART

Description	R.m.	Tr.	L	Prix
2009 FORTWO				**20 000 km**
2p coupé Pure	2	A	1	12,800
2p coupé Passion	2	A	1	15,600
2p coupé Brabus	2	A	1	18,500
2p cabriolet Passion	2	A	1	18,100
2p cabriolet Brabus	2	A	1	20,400
2008 FORTWO				**40 000 km**
2p coupé Pure	2	A	1	10 900
2p coupé Passion	2	A	1	13 600
2p cabriolet Passion	2	A	1	14 900
2006 FORTWO				**80 000 km**
2p coupé Pure	2	A	0.8	8 600
2p coupé Pulse	2	A	0.8	10 000
2p coupé Passion	2	A	0.8	10 500
2p cabriolet Pure	2	A	0.8	10 600
2p cabriolet Pulse	2	A	0.8	11 000
2p cabriolet Passion	2	A	0.8	11 600
2005 FORTWO				**100 000 km**
2p coupé Pure	2	A	0.8	7 600
2p coupé Pulse	2	A	0.8	8 000
2p coupé Passion	2	A	0.8	8 400
2p cabriolet Pure	2	A	0.8	8 600
2p cabriolet Pulse	2	A	0.8	8 800
2p cabriolet Passion	2	A	0.8	9 200

SUBARU

Description	R.m.	Tr.	L	Prix
2009 TRIBECA				**20 000 km**
4p 5 pass. base	4	A	3.6	29,600
4p 5 pass. Limited	4	A	3.6	33,400
4p 7 pass. Premier (Navigation)	4	A	3.6	35,600
2008 TRIBECA				**40 000 km**
4p 5 pass. base	4	A	3.6	23 500
4p 5 pass. Limited	4	A	3.6	25 300
4p 7 pass. Premier (Navigation)	4	A	3.6	25 800
2007 B9 TRIBECA				**60 000 km**
4p 5 pass. base	4	A	3	19 200
4p 5 pass. Limited	4	A	3	20 900
4p 5 pass. Limited Navigation	4	A	3	21 100
4p 7 pass. DVD + Navigation	4	A	3	21 700
2006 B9 TRIBECA				**80 000 km**
4p 5 pass. base	4	A	3	16 100
4p 5 pass. Limited	4	A	3	17 500
4p 7 pass. base	4	A	3	17 100
4p 7 pass. Limited	4	A	3	17 600
4p 7 pass. DVD + Navigation	4	A	3	18 200
2009 FORESTER				**20 000 km**
4p 2.5X	A	M	2.5	22,220
4p Touring	A	M	2.5	24,100
4p Limited	A	M	2.5	27,500
4p 2.5XT Limited	A	M	2.5	29,800
2008 FORESTER				**40 000 km**
4p 2.5X	A	M	2.5	18 700
4p Édition Anniversaire	A	M	2.5	20 100
4p XS	A	M	2.5	21 700
4p XS Premium (cuir+toit)	A	M	2.5	23 200
4p XT turbo	A	M	2.5	25 200
2007 FORESTER				**60 000 km**
4p 2.5X	A	M	2.5	17 000
4p Columbia Édition	A	M	2.5	18 300
4p XS	A	M	2.5	18 900
4p XS Premium (cuir+toit)	A	M	2.5	19 900
4p XT turbo	A	M	2.5	21 700
2006 FORESTER				**80 000 km**
4p 2.5X	A	M	2.5	14 900
4p XS	A	M	2.5	17 200
4p XS Premium (cuir+toit)	A	M	2.5	18 500
4p XT turbo	A	M	2.5	18 800
4p XT turbo Premium (cuir)	A	M	2.5	19 200
2005 FORESTER				**100 000 km**
4p 2.5X	A	M	2.5	13 600
4p X SE	A	M	2.5	14 200
4p XS	A	M	2.5	15 800
4p XS turbo L.L. Bean (cuir)	A	A	2.5	17 400
4p XT turbo	A	M	2.5	17 300
2009 IMPREZA				**20 000 km**
4p berline 2.5 i	A	M	2.5	18,100
4p berline 2.5 i Sport	A	M	2.5	21,200
4p berline WRX turbo	A	M	2.5	26,700
4p berline WRX265 turbo	A	M	2.5	29,200
4p hayon 2.5 i	A	M	2.5	18,800
4p hayon 2.5 i Sport	A	M	2.5	22,000
4p hayon WRX turbo	A	M	2.5	27,400
4p hayon WRX265 turbo	A	M	2.5	30,000
4p hayon WRX STi turbo	A	M	2.5	39,400
2008 IMPREZA				**40 000 km**
4p berline 2.5 i	A	M	2.5	16 200
4p berline 2.5 i Sport	A	M	2.5	18 200
4p berline WRX turbo	A	M	2.5	23,900
4p hayon 2.5 i	A	M	2.5	16 900
4p hayon 2.5 i Sport	A	M	2.5	19 600
4p hayon WRX turbo	A	M	2.5	26 900
4p hayon WRX STi turbo	A	M	2.5	35 300
2007 IMPREZA				**60 000 km**
4p berline 2.5 i	A	M	2.5	15 300
4p berline 2.5 i SE	A	M	2.5	16 600
4p berline WRX turbo	A	M	2.5	24 700
4p berline WRX STi turbo	A	M	2.5	31 200
4p familiale 2.5 i	A	M	2.5	16 000
4p familiale 2.5 i SE	A	M	2.5	17 100
4p familiale WRX turbo	A	M	2.5	24 700
2006 IMPREZA				**80 000 km**
4p berline 2.5 i	A	M	2.5	13 700
4p berline WRX turbo	A	M	2.5	19 100
4p berline WRX turbo (toit ouv)	A	M	2.5	19 600
4p berline WRX STi turbo	A	M	2.5	26 800
4p familiale 2.5 i Sport	A	M	2.5	13 700
4p familiale WRX turbo	A	M	2.5	19 100
4p familiale WRX turbo (t-ouvrant)	A	M	2.5	19 600
4p familiale Outback Sport	A	M	2.5	16 400
2005 IMPREZA				**100 000 km**
4p berline 2.5 RS	A	M	2.5	11 100
4p berline 2.5 RS Sport Package	A	M	2.5	14 700
4p berline WRX turbo	A	M	2	17 100
4p berline WRX turbo (t-ouvrant)	A	M	2	17 700
4p berline WRX STi turbo	A	M	2.5	22 300
4p familiale 2.5 RS	A	M	2.5	11 100
4p familiale WRX turbo	A	M	2	17 500
4p familiale WRX turbo (t-ouvrant)	A	M	2	17 700
4p familiale Outback Sport	A	M	2.5	14 400
2009 LEGACY				**20 000 km**
4p berline PZEV	A	M	2.5	23,200
4p berline 2.5 i Touring	A	M	2.5	25,400
4p berline 3.0 R Limited (cuir)	A	A	3	31,800
4p berline 2.5 GT Spec.B (cuir)	A	M	2.5	36,100
4p familiale PZEV	A	M	2.5	24,100
4p familiale 2.5 i Touring	A	M	2.5	26,200
4p familiale Outback 2.5 i	A	M	2.5	26,700
4p familiale Outback PZEV	A	M	2.5	29,400
4p familiale Outback Limited (cuir)	A	A	2.5	33,700
4p fam Outback 3.0 R Prem (cuir)	A	A	3	37,500
2008 LEGACY				**40 000 km**
4p berline 2.5 i	A	M	2.5	19 200
4p berline 2.5 i Touring	A	M	2.5	21 900
4p berline 2.5 i Limited (cuir)	A	A	2.5	24 600
4p berline 2.5 GT (cuir)	A	M	2.5	28 900
4p berline 2.5 GT Spec.B (cuir)	A	M	2.5	31 200
4p familiale 2.5 i	A	M	2.5	21 000
4p familiale 2.5 i Touring	A	M	2.5	22 700
4p familiale 2.5 GT (cuir)	A	M	2.5	29 100
4p familiale Outback 2.5 i	A	M	2.5	23 200
4p familiale Outback 2.5i Touring	A	M	2.5	25 300
4p familiale Outback Limited (cuir)	A	A	2.5	28 500
4p familiale Outback 2.5 XT (cuir)	A	M	2.5	29 900
4p familiale Outback 3.0 R	A	A	3	28 500
4p fam Outback 3.0 R Prem (cuir)	A	A	3	32 100
2007 LEGACY				**60 000 km**
4p berline 2.5 i	A	M	2.5	17 200
4p berline 2.5 i Touring	A	M	2.5	18 600
4p berline 2.5 i Limited (cuir)	A	A	2.5	22 200
4p berline 2.5 GT (cuir)	A	M	2.5	24 200
4p berline 2.5 GT Spec.B (cuir)	A	M	2.5	27 400
4p familiale 2.5 i	A	M	2.5	17 900
4p familiale 2.5 i Touring	A	M	2.5	19 300
4p familiale 2.5 i Limited (cuir)	A	M	2.5	23 300
4p familiale 2.5 GT (cuir)	A	M	2.5	25 100
4p familiale Outback 2.5 i	A	M	2.5	20 000
4p familiale Outback 2.5i Touring	A	M	2.5	21 900
4p familiale Outback Limited (cuir)	A	A	2.5	24 800
4p familiale Outback 2.5 XT (cuir)	A	M	2.5	26 000
4p familiale Outback 3.0 R	A	A	3	24 800
4p fam Outback 3.0 R Prem (cuir)	A	A	3	28 000
2006 LEGACY				**80 000 km**
4p berline 2.5 i	A	M	2.5	16 500
4p berline 2.5 i Special Ed (toit)	A	M	2.5	16 800
4p berline 2.5 i Limited (cuir)	A	A	2.5	19 400
4p berline 2.5 GT	A	M	2.5	20 400
4p berline 2.5 GT Limited (cuir)	A	M	2.5	21 800
4p familiale 2.5 i	A	M	2.5	17 100
4p familiale 2.5 i Special Ed (toit)	A	M	2.5	17 700
4p familiale 2.5 i Limited (cuir)	A	M	2.5	20 500
4p familiale 2.5 GT Limited (cuir)	A	M	2.5	23 300
4p familiale Outback 2.5 i	A	M	2.5	19 500
4p fam Outback 2.5i Spec Ed.(toit)	A	M	2.5	20 000
4p familiale Outback Limited (cuir)	A	A	2.5	21 000
4p familiale Outback 2.5 XT	A	M	2.5	23 100
4p familiale Outback 3.0 R	A	A	3	21 300
4p fam Outback 3.0 R VDC (cuir)	A	A	3	24 400
4p Baja Sport	A	M	2.5	16 000
2005 LEGACY				**100 000 km**
4p berline 2.5 i	A	M	2.5	11 300
4p berline 2.5 i Limited (cuir)	A	A	2.5	15 900
4p berline 2.5 GT	A	M	2.5	16 500
4p berline 2.5 GT Limited (cuir)	A	M	2.5	17 700
4p familiale 2.5 i	A	M	2.5	12 000
4p familiale 2.5 i Limited (cuir)	A	M	2.5	17 100
4p familiale 2.5 GT	A	M	2.5	17 600
4p familiale 2.5 GT Limited (cuir)	A	M	2.5	19 200
4p familiale Outback 2.5 i	A	M	2.5	14 800
4p familiale Outback Limited (cuir)	A	A	2.5	18 200
4p familiale Outback 2.5 XT	A	M	2.5	17 700
4p familiale Outback 3.0 R	A	A	3	18 200
4p fam Outback 3.0 R VDC (cuir)	A	A	3	18 800
4p Baja Sport	A	M	2.5	11 500

SUZUKI

Description	R.m.	Tr.	L	Prix
2007 AERIO				**60 000 km**
4p berline base	2	M	2.3	8 600
4p berline base	2	A	2.3	9 300
2006 AERIO				**80 000 km**
4p berline base	2	M	2.3	7 300
5p hayon SE Fastback	2	M	2.3	5 300
5p hayon SX Fastback	2	M	2.3	7 900
5p hayon SX Fastback (tr.int)	A	A	2.3	8 300
2005 AERIO				**100 000 km**
4p berline base	2	M	2.3	6 500
5p hayon SE Fastback	2	A	2.3	6 800
5p hayon SX Fastback	2	M	2.3	7 300
5p hayon SX Fastback	A	A	2.3	8 000
2009 EQUATOR				**20 000 km**
crew cab JX	4	A		26,500
2009 SWIFT PLUS				**20 000 km**
4p hayon base	2	M	1.6	11,600
2008 SWIFT PLUS				**40 000 km**
4p hayon base	2	M	1.6	8 400
4p hayon S	2	M	1.6	9 600
2007 SWIFT PLUS				**60 000 km**
4p hayon base	2	M	1.6	7 300
4p hayon S	2	M	1.6	8 000
2006 SWIFT PLUS				**80 000 km**
4p hayon base	2	M	1.6	6 500
4p hayon S	2	M	1.6	6 900
2005 SWIFT PLUS				**100 000 km**
4p hayon base	2	M	1.6	5 000
4p hayon S	2	M	1.6	6 200
4p hayon SX	2	M	1.6	6 300
2009 SX4				**20 000 km**
4p hayon base	2	M	2	15,200
4p hayon JX	2	M	2	17,200
4p hayon JX AWD	A	M	2	18,200
4p hayon JLX AWD	A	M	2	19,900
4p berline base	2	M	2	15,000
4p berline Sport	2	M	2	16,600
2008 SX4				**40 000 km**
4p hayon base	2	M	2	13 000
4p hayon JX	2	M	2	14 100
4p hayon JX AWD	A	M	2	14 800
4p hayon JLX AWD	A	M	2	16 200
4p berline base	2	M	2	13 000
4p berline Sport	2	M	2	13 600
2007 SX4				**60 000 km**
4p hayon base	2	M	2	10 600
4p hayon JX	2	M	2	11 800
4p hayon JX AWD	A	M	2	12 300
4p hayon JLX AWD	A	M	2	13 000
2006 VERONA				**80 000 km**
4p berline GL	2	A	2.5	8 400
4p berline GLX (cuir)	2	A	2.5	8 600
2005 VERONA				**100 000 km**
4p berline GL	2	A	2.5	7 400
4p berline GLX (cuir)	2	A	2.5	7 700
2009 GRAND VITARA				**20 000 km**
4p Grand Vitara JA	4	M	2.4	21,300
4p Grand Vitara JX	4	A	2.4	22,900
4p Grand Vitara JLX	4	A	2.4	23,700
4p Grand Vitara JLX-L	4	A	2.4	24,500
4p Grand Vitara JLX V6	4	A	3.2	25,900
4p Grand Vitara JLX-L V6	4	A	3.2	26,700
2008 GRAND VITARA				**40 000 km**
4p Grand Vitara JA	4	M	2.7	17 700
4p Grand Vitara JA	4	A	2.7	18 600
4p Grand Vitara JX	4	M	2.7	18 800
4p Grand Vitara JX	4	A	2.7	19 200
4p Grand Vitara JLX	4	A	2.7	20 000
4p Grand Vitara JLX (cuir)	4	A	2.7	20 800
2007 GRAND VITARA				**60 000 km**
4p Grand Vitara JA	4	M	2.7	16 000
4p Grand Vitara JA	4	A	2.7	16 700
4p Grand Vitara JX	4	M	2.7	16 800
4p Grand Vitara JX	4	A	2.7	17 200
4p Grand Vitara JLX	4	A	2.7	17 300
4p Grand Vitara JLX (cuir)	4	A	2.7	18 000

Description	R.m.	Tr.	L	Prix
2006 GRAND VITARA				**80 000 km**
4p Grand Vitara JA	4	M	2.7	14 000
4p Grand Vitara JA	4	A	2.7	14 900
4p Grand Vitara JX	4	M	2.7	14 700
4p Grand Vitara JX	4	A	2.7	15 300
4p Grand Vitara JLX	4	A	2.7	15 900
4p Grand Vitara JLX (cuir)	4	A	2.7	16 300
2005 GRAND VITARA				**100 000 km**
4p Grand Vitara JX	4	M	2.5	12 800
4p Grand Vitara JX	4	A	2.5	13 400
4p Grand Vitara JLX	4	A	2.5	13 800
2007 XL-7				**60 000 km**
4p 7 pass. JX	2	A	3.6	16 200
4p 7 pass. JLX (cuir)	2	A	3.6	18 000
4p 7 pass. JX AWD	A	A	3.6	17 400
4p 7 pass. JLX AWD (cuir)	A	A	3.6	17 800
4p 7 pass. JLX AWD DVD (cuir)	A	A	3.6	17 900
4p 7 pass. JLX AWD NAVI (cuir)	A	A	3.6	18 400
2006 XL-7				**80 000 km**
4p 5 pass. JX	4	A	2.7	16 000
4p 5 pass. JLX	4	A	2.7	17 900
4p 7 pass. JX PLUS	4	A	2.7	16 200
4p 7 pass. JLX PLUS	4	A	2.7	18 100
4p 7 pass. JLX PLUS (cuir)	4	A	2.7	18 800
2005 XL-7				**100 000 km**
4p 5 pass. JX	4	A	2.7	13 800
4p 5 pass. JLX	4	A	2.7	14 500
4p 7 pass. JLX PLUS	4	A	2.7	15 400

TOYOTA

Description	R.m.	Tr.	L	Prix
2009 4RUNNER				**20 000 km**
4p SR-5 V6	4	A	4	31,400
4p SR-5 V6 Sport	4	A	4	34,700
4p Limited V6 (cuir)	4	A	4	35,700
4p Limited V8 (cuir)	A	A	4.7	37,700
2008 4RUNNER				**40 000 km**
4p SR-5 V6	4	A	4	26 100
4p SR-5 V6 Sport	4	A	4	29 600
4p Limited V6 (cuir)	4	A	4	30 600
4p Limited V8 (cuir)	A	A	4.7	32 000
2007 4RUNNER				**60 000 km**
4p SR-5 V6	4	A	4	23 600
4p SR-5 V6 Sport	4	A	4	26 200
4p SR-5 V8	A	A	4.7	27 000
4p Limited V6 (cuir)	4	A	4	27 300
4p Limited V8 (cuir)	A	A	4.7	28 500
2006 4RUNNER				**80 000 km**
4p SR-5 V6	4	A	4	22 400
4p SR-5 V6 Sport	4	A	4	24 300
4p SR-5 V8	4	A	4.7	24 000
4p SR-5 V8 Sport	4	A	4.7	25 000
4p Limited V6 (cuir)	A	A	4	25 700
4p Limited V8 (cuir)	A	A	4.7	26 500
2005 4RUNNER				**100 000 km**
4p SR-5 V6	4	A	4	19 500
4p SR-5 V6 Sport	4	A	4	20 800
4p SR-5 V8	4	A	4.7	20 700
4p SR-5 V8 Sport	4	A	4.7	21 000
4p Limited V6 (cuir)	A	A	4	22 300
4p Limited V8 (cuir)	A	A	4.7	21 800
2009 AVALON				**20 000 km**
4p berline XLS	2	A	3.5	30,900
4p berline XLS Premium	2	A	3.5	33,500
4p berline XLS Premium (navig)	2	A	3.5	36,100
2008 AVALON				**40 000 km**
4p berline XLS	2	A	3.5	27 100
4p berline XLS Premium	2	A	3.5	28 800
4p berline XLS Premium (navig)	2	A	3.5	29 300
2007 AVALON				**60 000 km**
4p berline XLS	2	A	3.5	25 600
4p berline XLS Premium	2	A	3.5	26 500
4p berline XLS Premium (navig)	2	A	3.5	26 700
2006 AVALON				**80 000 km**
4p berline XLS	2	A	3.5	22 300
4p berline XLS gr.C (Navi)	2	A	3.5	22 700
4p berline Touring	2	A	3.5	22 800
2005 AVALON				**100 000 km**
4p berline XLS	2	A	3.5	20 100
4p berline Touring	2	A	3.5	20 900
2009 CAMRY				**20 000 km**
4p berline LE	2	A	2.4	21,100
4p berline LE V6	2	A	3.5	25,400

Description	R.m.	Tr.	L	Prix
4p berline SE	2	M	2.4	22,900
4p berline SE	2	A	2.4	24,100
4p berline SE V6 (cuir)	2	A	3.5	28,200
4p berline XLE V6	2	A	3.5	31,500
4p berline Hybride	2	A	2.4	27,600
2008 CAMRY				**40 000 km**
4p berline LE	2	A	2.4	18 400
4p berline LE V6	2	A	3.5	20 000
4p berline SE	2	M	2.4	18 000
4p berline SE	2	A	2.4	18 900
4p berline SE V6 (cuir)	2	A	3.5	21 500
4p berline XLE V6	2	A	3.5	23 700
4p berline Hybride	2	A	2.4	21 100
2007 CAMRY				**60 000 km**
4p berline LE	2	A	2.4	17 600
4p berline LE V6	2	A	3.5	18 900
4p berline SE	2	M	2.4	17 800
4p berline SE	2	A	2.4	18 400
4p berline SE V6 (cuir)	2	A	3.5	21 000
4p berline XLE V6	2	A	3.5	22 600
4p berline Hybride	2	A	2.4	20 700
2006 CAMRY				**80 000 km**
4p berline LE	2	A	2.4	15 600
4p berline LE V6	2	A	3	17 300
4p berline SE	2	M	2.4	15 900
4p berline SE	2	A	2.4	16 800
4p berline SE V6 (cuir)	2	A	3.3	18 000
4p berline XLE V6	2	A	3	18 300
2005 CAMRY				**100 000 km**
4p berline LE	2	A	2.4	12 800
4p berline LE V6	2	A	3	14 200
4p berline SE	2	M	2.4	13 200
4p berline SE	2	A	2.4	14 300
4p berline SE V6 (cuir)	2	A	3.3	14 800
4p berline XLE V6	2	A	3	15 100
2005 CELICA				**100 000 km**
2p hayon GT	2	M	1.8	12 000
2p hayon GT	2	A	1.8	12 700
2p hayon GT Groupe B (cuir)	2	M	1.8	14 100
2p hayon GT Groupe B (cuir)	2	A	1.8	14 600
2p hayon GT Groupe Sport	2	M	1.8	15 100
2p hayon GT Groupe Sport	2	A	1.8	15 200
2p hayon GT-S (cuir)	2	M	1.8	16 100
2p hayon GT-S (cuir)	2	A	1.8	16 300
2p hayon GT-S Gr Sport (cuir)	2	M	1.8	16 400
2p hayon GT-S Gr Sport (cuir)	2	A	1.8	16 600
2009 COROLLA				**20 000 km**
4p berline CE	2	M	1.8	13,400
4p berline S	2	M	1.8	16,500
4p berline LE	2	M	1.8	17,300
4p berline XRS	2	A	1.8	17,800
2008 COROLLA				**40 000 km**
4p berline CE	2	M	1.8	11 200
4p berline CE Éd 20e (toit ouv)	2	M	1.8	13 500
4p berline Sport	2	M	1.8	14 600
4p berline LE	2	A	1.8	14 800
2007 COROLLA				**60 000 km**
4p berline CE	2	M	1.8	10 700
4p berline CE éd spéciale (toit)	2	M	1.8	12 700
4p berline Sport	2	M	1.8	13 700
4p berline LE	2	A	1.8	13 900
2006 COROLLA				**80 000 km**
4p berline CE	2	M	1.8	9 800
4p berline CE édition spéciale	2	M	1.8	11 800
4p berline Sport	2	M	1.8	12 700
4p berline Sport groupe sport	2	M	1.8	13 400
4p berline LE	2	A	1.8	13 100
4p berline XRS	2	M	1.8	13 700
2005 COROLLA				**100 000 km**
4p berline CE	2	M	1.8	8 200
4p berline CE groupe B (a/c)	2	M	1.8	9 900
4p berline CE groupe C (rég. vit)	2	M	1.8	10 700
4p berline CE édition spéciale	2	M	1.8	10 800
4p berline Sport	2	M	1.8	11 100
4p berline Sport groupe B	2	M	1.8	11 600
4p berline LE	2	A	1.8	11 100
4p berline XRS	2	M	1.8	11 400
2005 ECHO				**100 000 km**
2p hayon CE	2	M	1.5	6 800
2p hayon LE	2	M	1.5	7 600
4p hayon LE	2	M	1.5	7 900
4p hayon RS	2	M	1.5	8 500
4p berline base	2	M	1.5	7 600
4p berline Groupe B	2	M	1.5	7 900
4p berline Groupe C	2	M	1.5	8 200

Description	R.m.	Tr.	L	Prix
2009 FJ CRUISER				**20 000 km**
4p base	A	M	4	25,600
4p Groupe Off Road	A	M	4	29,800
4p Groupe Aventure	A	M	4	30,600
2008 FJ CRUISER				**40 000 km**
4p base	A	M	4	21 300
4p Groupe Off Road	A	M	4	25 000
4p Groupe C (changeur cd)	A	M	4	25 400
4p édition Trail Teams	A	M	4	27 000
2007 FJ CRUISER				**60 000 km**
4p base	A	M	4	18 100
4p Groupe B (rég.vitesse)	A	M	4	20 000
4p Groupe C (couss.latéraux)	A	M	4	21 500
2009 HIGHLANDER				**20 000 km**
4p V6	A	A	3.5	30,900
4p V6 Sport	A	A	3.5	35,100
4p Limited (cuir)	A	A	3.5	37,700
4p Hybride	A	A	3.3	34,100
4p Hybride Confort	A	A	3.3	38,100
4p Hybride Limited (cuir)	A	A	3.3	43,900
2008 HIGHLANDER				**40 000 km**
4p V6	A	A	3.5	22 000
4p V6 SR5	A	A	3.5	23 400
4p V6 Sport	A	A	3.5	26 000
4p Limited (cuir)	A	A	3.5	27 500
4p Limited Navigation (cuir)	A	A	3.5	27 600
4p Hybrid	A	A	3.3	24 600
4p Hybrid Confort	A	A	3.3	26 700
4p Hybrid Limited (cuir)	A	A	3.3	29 600
2007 HIGHLANDER				**60 000 km**
4p V6	A	A	3.3	20 900
4p V6 7 passagers	A	A	3.3	21 500
4p Limited (cuir)	A	A	3.3	22 900
4p Hybrid	A	A	3.3	23 100
4p Hybrid Limited (cuir)	A	A	3.3	23 700
2006 HIGHLANDER				**80 000 km**
4p V6	A	A	3.3	19 900
4p V6 7 passagers	A	A	3.3	20 700
4p Limited (cuir)	A	A	3.3	21 800
4p Hybrid	A	A	3.3	21 500
4p Hybrid Limited (cuir)	A	A	3.3	22 000
2005 HIGHLANDER				**100 000 km**
4p base	2	A	2.4	16 800
4p V6	A	A	3.3	18 100
4p V6 7 passagers	A	A	3.3	18 600
4p Limited (cuir)	A	A	3.3	19 700
2009 MATRIX				**20 000 km**
4p hayon base	2	M	1.8	14,400
4p hayon base Gr.B (a/c)	2	M	1.8	16,600
4p hayon Touring	2	M	1.8	17,900
4p hayon XR	2	M	2.4	17,500
4p hayon XRS	2	M	2.4	21,900
4p hayon base AWD	A	A	2.4	19,400
4p hayon XR AWD	A	A	2.4	23,200
2008 MATRIX				**40 000 km**
4p hayon base	2	M	1.8	12 200
4p hayon base Gr.B (a/c)	2	M	1.8	14 900
4p hayon édition TRD	2	M	1.8	15 300
4p hayon XR	2	M	1.8	15 400
4p hayon XR Gr.B (abs/toit)	2	M	1.8	16 800
2007 MATRIX				**60 000 km**
4p hayon base	2	M	1.8	11 100
4p hayon base Gr.B (a/c)	2	M	1.8	12 900
4p hayon édition TRD	2	M	1.8	13 600
4p hayon XR	2	M	1.8	13 000
4p hayon XR Gr.B (abs/toit)	2	M	1.8	14 600
2006 MATRIX				**80 000 km**
4p hayon base	2	M	1.8	10 100
4p hayon base Gr.B (a/c)	2	M	1.8	11 800
4p hayon édition TRD	2	M	1.8	12 000
4p hayon XR	2	M	1.8	12 200
4p hayon XR Gr.B (abs/toit)	2	M	1.8	13 300
4p hayon XRS	2	M	1.8	15 900
4p hayon base	A	A	1.8	13 900
4p hayon XR	A	A	1.8	15 200
4p hayon XR Groupe B (toit)	A	A	1.8	16 100
2005 MATRIX				**100 000 km**
4p hayon base	2	M	1.8	8 600
4p hayon base Groupe B	2	M	1.8	9 500
4p hayon édition TRD	2	M	1.8	10 300
4p hayon XR	2	M	1.8	10 800
4p hayon XR Groupe B	2	M	1.8	11 900
4p hayon XRS	2	M	1.8	11 900
4p hayon base	A	A	1.8	10 500

Description	R.m.	Tr.	L	Prix
4p hayon XR	A	A	1.8	11 300
4p hayon XR Groupe B	A	A	1.8	11 900
2009 PRIUS				**20 000 km**
4p hayon base	2	A	1.5	24,700
4p hayon Premium	2	A	1.5	26,400
4p hayon Premium (Navigation)	2	A	1.5	28,500
2008 PRIUS				**40 000 km**
4p hayon base	2	A	1.5	22 100
4p hayon Premium Edition	2	A	1.5	23 300
4p hayon Premium (Navigation)	2	A	1.5	23 900
2007 PRIUS				**60 000 km**
4p hayon base	2	A	1.5	19 800
4p hayon Groupe B	2	A	1.5	21 400
4p hayon Groupe C (navigation)	2	A	1.5	22 300
2006 PRIUS				**80 000 km**
4p hayon base	2	A	1.5	19 800
4p hayon Groupe B	2	A	1.5	20 300
4p hayon Groupe C (navigation)	2	A	1.5	20 600
2005 PRIUS				**100 000 km**
4p hayon base	2	A	1.5	19 100
4p hayon Groupe B	2	A	1.5	19 600
4p hayon Groupe C (navigation)	2	A	1.5	20 200
2009 RAV4				**20 000 km**
4p base 2.5L	A	A	2.5	22,800
4p Sport 2.5L	A	A	2.5	25,900
4p Limited 2.5L	A	A	2.5	27,200
4p base V6	A	A	3.5	25,000
4p Sport V6	A	A	3.5	27,500
4p Limited V6	A	A	3.5	29,100
2008 RAV4				**40 000 km**
4p base 2.4L	A	A	2.4	18 800
4p Sport 2.4L	A	A	2.4	21 300
4p Limited 2.4L	A	A	2.4	21 700
4p base V6	A	A	3.5	20 600
4p Sport V6	A	A	3.5	22 000
4p Limited V6	A	A	3.5	23 600
2007 RAV4				**60 000 km**
4p base 2.4L	A	A	2.4	17 400
4p Limited 2.4L	A	A	2.4	18 900
4p base V6	A	A	3.5	18 000
4p Sport V6	A	A	3.5	19 200
4p Limited V6	A	A	3.5	19 400
2006 RAV4				**80 000 km**
4p base 2.4L	A	A	2.4	17 000
4p Limited 2.4L	A	A	2.4	18 800
4p base V6	A	A	3.5	18 700
4p Sport V6	A	A	3.5	18 700
4p Limited V6	A	A	3.5	19 600
4p Limited Groupe B (cuir)	A	A	3.5	19 600
2005 RAV4				**100 000 km**
4p base	A	M	2.4	15 600
4p édition Chili	A	M	2.4	17 600
4p Limited (cuir)	A	M	2.4	18 800
2009 SEQUOIA				**20 000 km**
4p SR5 4.7L	4	A	4.7	34,900
4p SR5 5.7L	4	A	5.7	37,800
4p Limited	4	A	5.7	38,900
4p Platinum	4	A	5.7	42,500
2008 SEQUOIA				**40 000 km**
4p SR5 4.7L	4	A	4.7	29 800
4p Limited	4	A	5.7	32 800
4p Limited Technology (DVD)	4	A	5.7	33 700
4p Platinum	4	A	5.7	34 900
2007 SEQUOIA				**60 000 km**
4p Limited (cuir)	4	A	4.7	31 400
2006 SEQUOIA				**80 000 km**
4p SR-5	4	A	4.7	29 000
4p Limited (cuir)	4	A	4.7	26 600
2005 SEQUOIA				**100 000 km**
4p SR-5	4	A	4.7	25 400
4p Limited (cuir)	4	A	4.7	26 600
2009 SIENNA				**20 000 km**
4p 7 pass. CE	2	A	3.5	27,000
4p 8 pass. CE	2	A	3.5	27,700
4p 7 pass. LE	2	A	3.5	31,000
4p 7 pass. LE (cuir)	2	A	3.5	33,000
4p 8 pass. LE	2	A	3.5	31,400
4p 7 pass. CE AWD	A	A	3.5	31,500
4p 7 pass. LE AWD	A	A	3.5	34,800
4p 7 pass. Limited AWD	A	A	3.5	41,200

Description	R.m.	Tr.	L	Prix
2008 SIENNA				**40 000 km**
4p 7 pass. CE	2	A	3.5	20 500
4p 8 pass. CE	2	A	3.5	21 400
4p 7 pass. LE	2	A	3.5	24 400
4p 7 pass. LE (cuir)	2	A	3.5	24 600
4p 8 pass. LE	2	A	3.5	23 500
4p 7 pass. CE AWD	A	A	3.5	23 100
4p 7 pass. LE AWD	A	A	3.5	24 800
4p 7 pass. XLE AWD (cuir)	A	A	3.5	27 000
2007 SIENNA				**60 000 km**
4p 7 pass. CE	2	A	3.5	16 100
4p 8 pass. CE	2	A	3.5	17 100
4p 7 pass. LE	2	A	3.5	19 600
4p 7 pass. LE (cuir)	2	A	3.5	20 600
4p 8 pass. LE	2	A	3.5	19 900
4p 7 pass. CE AWD	A	A	3.5	19 800
4p 7 pass. LE AWD	A	A	3.5	21 400
4p 7 pass. XLE AWD (cuir)	A	A	3.5	22 200
2006 SIENNA				**80 000 km**
4p 7 pass. CE	2	A	3.3	15 800
4p 8 pass. CE	2	A	3.3	14 900
4p 7 pass. LE	2	A	3.3	19 000
4p 7 pass. LE (cuir)	2	A	3.3	18 700
4p 8 pass. LE	2	A	3.3	19 000
4p 7 pass. XLE (cuir)	2	A	3.3	20 300
4p 7 pass. XLE Limited (cuir)	2	A	3.3	20 300
4p 7 pass. CE	A	A	3.3	19 500
4p 7 pass. LE	A	A	3.3	20 100
4p 7 pass. XLE (cuir)	A	A	3.3	21 300
2005 SIENNA				**100 000 km**
4p 7 pass. CE	2	A	3.3	15 000
4p 8 pass. CE	2	A	3.3	13 500
4p 7 pass. LE	2	A	3.3	18 800
4p 7 pass. LE (cuir)	2	A	3.3	17 900
4p 8 pass. LE	2	A	3.3	18 000
4p 7 pass. XLE (cuir)	2	A	3.3	19 500
4p 7 pass. XLE Limited (cuir)	2	A	3.3	19 500
4p 7 pass. CE	A	A	3.3	19 000
4p 7 pass. LE	A	A	3.3	19 600
4p 7 pass. XLE (cuir)	A	A	3.3	20 000
2009 SOLARA				**20 000 km**
2p coupé SLE V6	2	A	3.3	31,200
2p décapotable SLE V6	2	A	3.3	33,400
2008 SOLARA				**40 000 km**
2p coupé SLE V6	2	A	3.3	26 500
2p décapotable SLE V6	2	A	3.3	28 700
2007 SOLARA				**60 000 km**
2p coupé SE	2	A	2.4	22 800
2p coupé Sport V6	2	A	3.3	25 700
2p coupé SLE V6 (cuir)	2	A	3.3	26 400
2p décapotable Sport V6	2	A	3.3	26 600
2p décapotable SLE V6 (cuir)	2	A	3.3	27 300
2006 SOLARA				**80 000 km**
2p coupé SE	2	A	2.4	19 600
2p coupé SE V6	2	A	3.3	21 800
2p coupé SLE V6 (cuir)	2	A	3.3	22 100
2p décapotable SE V6	2	A	3.3	23 200
2p décapotable SLE V6 (cuir)	2	A	3.3	23 800
2005 SOLARA				**100 000 km**
2p coupé SE	2	A	2.4	16 100
2p coupé SE Sport	2	A	2.4	16 700
2p coupé SE V6	2	A	3.3	17 200
2p coupé SE V6 Sport	2	A	3.3	17 600
2p coupé SLE V6 (cuir)	2	A	3.3	18 000
2p décapotable SLE V6 (cuir)	2	A	3.3	19 600
2009 TACOMA				**20 000 km**
Access Cab base	2	M	2.7	18,800
Access Cab SR5	2	M	2.7	21,300
Access Cab X-Runner V6	2	M	4	27,700
Access Cab V6	4	M	4	25,300
Access Cab V6 SR5	4	M	4	27,200
Access Cab V6 Off Road TRD	4	M	4	31,000
Double Cab V6	4	M	4	29,300
Double Cab V6 benne allongŽe	4	A	4	28,600
Double Cab V6 SR5 benne all	4	A	4	30,800
Double Cab V6 Sport TRD	4	M	4	31,800
Double Cab V6 Sport TRD b all.	4	A	4	33,300
2008 TACOMA				**40 000 km**
Access Cab base	2	M	2.7	14 400
Access Cab SR5	2	M	2.7	16 700
Access Cab X-Runner V6	2	M	4	20 800
Access Cab V6	4	M	4	19 300
Access Cab V6 SR5	4	M	4	21 200
Access Cab V6 Off Road TRD	4	M	4	23 300
Double Cab V6	4	M	4	22 500
Double Cab V6 benne allongŽe	4	A	4	22 400

Description	R.m.	Tr.	L	Prix
Double Cab V6 SR5 benne all	4	A	4	25 400
Double Cab V6 Sport TRD	4	M	4	24 800
Double Cab V6 Sport TRD b all.	4	A	4	25 900
2007 TACOMA				**60 000 km**
Access Cab base	2	M	2.7	12 800
Access Cab SR5	2	M	2.7	14 600
Access Cab X-Runner V6	2	M	4	17 800
Access Cab V6	4	M	4	16 700
Access Cab V6 SR5	4	M	4	18 200
Access Cab V6 Off Road TRD	4	M	4	19 900
Double Cab V6	4	M	4	18 200
Double Cab V6 benne allongée	4	A	4	19 200
Double Cab V6 SR5	4	M	4	19 300
Double Cab V6 SR5 benne all	4	A	4	20 200
Double Cab V6 Sport TRD	4	M	4	21 000
Double Cab V6 Sport TRD b all.	4	A	4	22 000
2006 TACOMA				**80 000 km**
Access Cab base	2	M	2.7	11 500
Access Cab SR5 (a/c)	2	M	2.7	13 300
Access Cab X-Runner V6	2	M	4	16 500
Double Cab PreRunner V6	2	A	4	16 400
Double Cab PreRunner V6 Sport	2	A	4	18 500
Access Cab V6	4	M	4	15 200
Access Cab V6 SR5	4	M	4	16 600
Access Cab V6 Off Road TRD	4	M	4	18 300
Double Cab V6	4	M	4	16 600
Double Cab V6 benne allongŽe	4	A	4	17 600
Double Cab V6 SR5	4	M	4	17 800
Double Cab V6 SR5 benne all	4	A	4	18 700
Double Cab V6 Sport TRD	4	M	4	19 300
Double Cab V6 Sport TRD b all.	4	A	4	20 200
2005 TACOMA				**100 000 km**
Access Cab base	2	M	2.7	11 000
Access Cab SR5 (a/c)	2	M	2.7	12 900
Double Cab PreRunner V6	2	A	4	15 800
Double Cab PreRunner V6 Sport	2	A	4	17 400
Access Cab V6	4	M	4	14 700
Access Cab V6 SR5	4	M	4	15 800
Access Cab V6 Off Road	4	M	4	17 400
Double Cab V6	4	M	4	15 900
Double Cab V6 benne allongŽe	4	A	4	16 000
Double Cab V6 SR5	4	M	4	16 800
Double Cab V6 SR5 benne all	4	A	4	16 900
Double Cab V6 Sport	4	M	4	17 800
Double Cab V6 Sport benne all	4	A	4	18 100
2009 TUNDRA				**20 000 km**
cab. rég. base	2	A	4.7	21,500
cab. rég. base	2	A	5.7	25,400
Double Cab SR5	2	A	4.7	27,500
Double Cab SR5 (benne all.)	2	A	5.7	31,200
Crew Max SR5	2	A	5.7	32,600
Crew Max Limited (cuir)	2	A	5.7	41,700
cab. rég. base (benne all.)	4	A	4.7	24,700
cab. rég. base (benne all.)	4	A	5.7	26,000
Double Cab SR5	4	A	4.7	31,200
Double Cab SR5	4	A	5.7	32,600
Double Cab SR5 (benne all.)	4	A	5.7	34,900
Double Cab Limited (cuir)	4	A	4.7	39,800
Double Cab Limited (cuir)	4	A	5.7	41,400
Crew Max SR5	4	A	5.7	34,800
Crew Max Limited (cuir)	4	A	5.7	45,100
2008 TUNDRA				**40 000 km**
cab. rég. base	2	A	4.7	17 100
cab. rég. base	2	A	5.7	20 500
Double Cab base	2	A	4.7	22 300
Double Cab base (benne all.)	2	A	5.7	25 200
Crew Max base	2	A	5.7	26 300
Crew Max Limited (cuir)	2	A	5.7	33 600
cab. rég. base (benne all.)	4	A	4.7	20 000
cab. rég. base (benne all.)	4	A	5.7	23 300
Double Cab base	4	A	4.7	25 200
Double Cab base	4	A	5.7	26 300
Double Cab base (benne all.)	4	A	5.7	26 700
Double Cab Limited (cuir)	4	A	4.7	32 300
Double Cab Limited (cuir)	4	A	5.7	33 500
Crew Max base	4	A	5.7	29 400
Crew Max Limited (cuir)	4	A	5.7	36 500
2007 TUNDRA				**60 000 km**
cab. rég. base	2	A	4.7	16 200
cab. rég. base	2	A	5.7	16 800
Double Cab base	2	A	4.7	18 300
Double Cab base (benne all.)	2	A	5.7	20 900
Crew Max base	2	A	5.7	21 400
Crew Max Limited (cuir)	2	A	5.7	27 600
cab. rég. base (benne all.)	4	A	4.7	16 500
cab. rég. base (benne all.)	4	A	5.7	19 300
Double Cab base	4	A	4.7	20 900
Double Cab base	4	A	5.7	23 400
Double Cab base (benne all.)	4	A	4.7	21 100
Double Cab base (benne all.)	4	A	5.7	23 400

Description	R.m.	Tr.	L	Prix
Double Cab Limited (cuir)	4	A	4.7	26 800
Double Cab Limited (cuir)	4	A	5.7	27 500
Crew Max base	4	A	5.7	24 000
Crew Max Limited (cuir)	4	A	5.7	30 400
2006 TUNDRA				**80 000 km**
cab. rég. base	2	A	4	15 000
Double Cab base	2	A	4.7	16 000
cab. rég. base	4	A	4.7	18 100
Access cab. base	4	A	4.7	21 800
Access cab. Off Road	4	A	4.7	22 500
Access cab. édition TRD Yamaha	4	A	4.7	23 600
Access cab. Limited (cuir)	4	A	4.7	24 200
Double Cab base	4	A	4.7	22 500
Double Cab Off Road	4	A	4.7	24 500
Double Cab édition TRD Yamaha	4	A	4.7	24 800
Double Cab Limited (cuir)	4	A	4.7	26 700
2005 TUNDRA				**100 000 km**
cab. rég. base	2	A	4	14 200
Access cab. base	2	A	4.7	19 300
Double Cab base	2	A	4.7	21 000
cab. rég. base	4	A	4.7	17 800
Access cab. base	4	A	4.7	20 100
Access cab. Off Road	4	A	4.7	21 200
Access cab. Limited (cuir)	4	A	4.7	23 300
Double Cab base	4	A	4.7	21 000
Double Cab Limited (cuir)	4	A	4.7	24 300
2009 VENZA				**20 000 km**
4p base	2	A	2.7	24,200
4p V6	2	A	3.5	25,500
4p base 4RM	A	A	2.7	25,300
4p V6 4RM	A	A	3.5	26,700
2009 YARIS				**20 000 km**
2p hayon CE	2	M	1.5	12,000
2p hayon RS	2	M	1.5	16,600
4p hayon LE	2	M	1.5	13,100
4p hayon RS	2	M	1.5	17,000
4p berline base	2	M	1.5	12,700
2008 YARIS				**40 000 km**
2p hayon CE	2	M	1.5	9 200
2p hayon RS	2	M	1.5	12 600
4p hayon LE	2	M	1.5	10 100
4p hayon RS	2	M	1.5	12 900
4p berline base	2	M	1.5	9 800
2007 YARIS				**60 000 km**
2p hayon CE	2	M	1.5	8 400
2p hayon RS	2	M	1.5	10 600
4p hayon LE	2	M	1.5	9 400
4p hayon RS	2	M	1.5	11 000
4p berline base	2	M	1.5	9 200
2006 YARIS				**80 000 km**
2p hayon CE	2	M	1.5	7 800
2p hayon RS	2	M	1.5	9 300
4p hayon LE	2	M	1.5	8 600
4p hayon RS	2	M	1.5	9 700

VOLKSWAGEN

Description	R.m.	Tr.	L	Prix
2009 EOS				**20 000 km**
2p décapotable Trendline	2	M	2	33,800
2p décapotable Confortline (Cuir)	2	M	2	39,300
2008 EOS				**40 000 km**
2p décapotable base	2	M	2	29 200
2p décapotable Confortline (Cuir)	2	M	2	32 500
2007 EOS				**60 000 km**
2p décapotable base	2	M	2	25 000
2p décapotable Cuir Sport	2	M	2	27 700
2009 GOLF CITY				**20 000 km**
4p hayon City	2	M	2	13,700
2008 GOLF CITY				**40 000 km**
4p hayon City	2	M	2	10 800
2007 GOLF CITY				**60 000 km**
4p hayon City	2	M	2	9 800
2006 GOLF				**80 000 km**
4p hayon CL	2	M	2	9 500
4p hayon GL	2	M	2	10 700
4p hayon GL TDI	2	M	1.9	13 400
4p hayon GLS	2	M	2	12 300
4p hayon GLS TDI	2	M	1.9	14 100
2p hayon GTI 1.8T turbo	2	M	1.8	13 500
2005 GOLF				**100 000 km**
4p hayon CL	2	M	2	8 900
4p hayon GL	2	M	2	10 000
4p hayon GL TDI	2	M	1.9	12 900

Description	R.m.	Tr.	L	Prix
4p hayon GLS	2	M	2	11 600
4p hayon GLS TDI	2	M	1.9	13 400
2p hayon GTI 1.8T turbo	2	M	1.8	12 700
2p hayon GTI VR6	2	M	2.8	13 100
2009 GTI				**20 000 km**
2p hayon 2.0T	2	M	2	24,900
4p hayon 2.0T	2	M	2	25,800
2008 GTI				**40 000 km**
2p hayon 2.0T	2	M	2	21 600
4p hayon 2.0T	2	M	2	22 400
2007 GTI				**60 000 km**
2p hayon 2.0T	2	M	2	17 500
2p hayon 2.0T Fahrenheit (cuir)	2	A	2	19 800
4p hayon 2.0T	2	M	2	18 000
2009 JETTA CITY				**20 000 km**
4p berline City	2	M	2	14,500
2008 JETTA CITY				**40 000 km**
4p berline City	2	M	2	12 000
2007 JETTA CITY				**60 000 km**
4p berline City	2	M	2	10 800
2009 JETTA				**20 000 km**
4p berline 2.5 Trendline	2	M	2.5	17,200
4p berline TDI	2	M	2	19,200
4p berline 2.0T	2	M	2	22,900
4p berline GLI	2	M	2	25,000
4p familiale 2.5	2	M	2.5	19,500
4p familiale TDI	2	M	2	21,500
2008 JETTA				**40 000 km**
4p berline 2.5	2	M	2.5	14 200
4p berline 2.5 Confortline	2	M	2.5	15 600
4p berline 2.5 Highline (cuir / toit)	2	M	2.5	17 700
4p berline 2.0T	2	M	2	18 400
4p berline 2.0T Confortline (toit)	2	M	2	20 200
4p berline 2.0T Highline (cuir / toit)	2	M	2	21 200
4p berline GLI	2	M	2	19 200
4p berline GLI Cuir Deluxe	2	M	2	20 300
2007 JETTA				**60 000 km**
4p berline 2.5	2	M	2.5	13 600
4p berline 2.5 Deluxe (toit)	2	M	2.5	14 500
4p berline 2.5 Cuir Deluxe	2	M	2.5	15 300
4p berline 2.5 Premium (cuir)	2	M	2.5	16 400
4p berline 2.0T	2	M	2	16 000
4p berline 2.0T Deluxe (toit)	2	M	2	16 200
4p berline 2.0T Cuir Deluxe	2	M	2	16 900
4p berline 2.0T Premium (cuir)	2	M	2	18 000
4p berline GLI	2	M	2	17 100
4p berline GLI (toit ouvrant)	2	M	2	18 000
4p berline GLI Cuir Deluxe	2	M	2	18 600
2006 JETTA				**80 000 km**
4p berline 2.5	2	M	2.5	12 900
4p berline 2.5 Deluxe (toit)	2	M	2.5	14 000
4p berline 2.5 Cuir Deluxe	2	M	2.5	14 900
4p berline 2.5 Premium (cuir)	2	M	2.5	16 000
4p berline TDI	2	M	1.9	16 000
4p berline TDI Deluxe (toit)	2	M	1.9	16 700
4p berline TDI Cuir Deluxe	2	M	1.9	17 100
4p berline TDI Premium (cuir)	2	M	1.9	20 500
4p berline 2.0T	2	M	2	15 800
4p berline 2.0T Deluxe (toit)	2	M	2	16 000
4p berline 2.0T Cuir Deluxe	2	M	2	16 500
4p berline 2.0T Premium (cuir)	2	M	2	17 100
4p familiale GLS TDI	2	M	1.9	16 000
2005 JETTA				**100 000 km**
4p berline GLS	2	M	2	12 300
4p berline GLS TDI	2	M	1.9	15 300
4p berline GLS 1.8T turbo	2	M	1.8	14 300
4p berline GLI 1.8T turbo	2	M	1.8	15 900
4p familiale GLS	2	M	2	13 800
4p familiale GLS TDI	2	M	1.9	15 600
4p familiale GLS 1.8T turbo	2	M	1.8	15 300
2009 NEW BEETLE				**20 000 km**
2p hayon 2.5	2	M	2.5	19,500
2p hayon 2.5 Confortline (toit)	2	M	2.5	21,500
2p hayon 2.5 Highline (Cuir / toit)	2	M	2.5	22,300
2p décapotable 2.5	2	M	2.5	24,500
2p décapotable 2.5 Confortline	2	M	2.5	25,700
2p décapotable 2.5 Highline (Cuir)	2	M	2.5	26,900
2008 NEW BEETLE				**40 000 km**
2p hayon 2.5	2	M	2.5	16 600
2p hayon 2.5 Confortline (toit)	2	M	2.5	17 900
2p hayon 2.5 Highline (Cuir / toit)	2	M	2.5	18 900
2p décapotable 2.5	2	M	2.5	20 500
2p décapotable 2.5 Confortline	2	M	2.5	21 600
2p décapotable 2.5 Highline (Cuir)	2	M	2.5	22 700

Description	R.m.	Tr.	L	Prix
2007 NEW BEETLE				**60 000 km**
2p hayon 2.5	2	M	2.5	14 100
2p hayon 2.5 Deluxe (toit)	2	M	2.5	15 400
2p hayon 2.5 Cuir Deluxe	2	M	2.5	16 200
2p décapotable 2.5	2	M	2.5	17 900
2p décapotable 2.5 Deluxe	2	M	2.5	18 600
2p décapotable 2.5 Cuir Deluxe	2	M	2.5	19 600
2p déc 2.5 Triple White édition	2	A	2.5	20 500
2006 NEW BEETLE				**80 000 km**
2p hayon 2.5	2	M	2.5	13 000
2p hayon 2.5 Deluxe (toit)	2	M	2.5	14 200
2p hayon 2.5 Cuir Deluxe	2	M	2.5	15 000
2p hayon TDI	2	M	1.9	14 100
2p hayon TDI Deluxe (toit)	2	M	1.9	15 100
2p hayon TDI Cuir Deluxe	2	M	1.9	15 700
2p décapotable 2.5	2	M	2.5	17 000
2p décapotable 2.5 Deluxe	2	M	2.5	17 900
2p décapotable 2.5 Cuir Deluxe	2	M	2.5	18 900
2005 NEW BEETLE				**100 000 km**
2p hayon GLS	2	M	2	11 300
2p hayon GLS TDI	2	M	1.9	12 700
2p décapotable GLS	2	M	2	16 300
2p décapotable GLX turbo (cuir)	2	M	1.8	17 200
2009 PASSAT / CC				**20 000 km**
4p berline 2.0T	2	M	2	25,600
4p berline 2.0T Confortline	2	M	2	27,500
4p berline 2.0T Highline (Cuir/toit)	2	M	2	31,800
4p berline CC 2.0T	2	M	2	29,400
4p berline CC 3.64Motion	A	M	3.6	40,200
4p familiale 2.0T	2	M	2	25,800
4p familiale 2.0T Confortline	2	M	2	28,200
4p familiale 2.0T Highline (Cuir)	2	M	2	31,400
4p familiale 3.6 4Motion	A	A	3.6	40,500
4p fam 3.6 4Mot Highline (Cuir)	A	A	3.6	43,200
2008 PASSAT				**40 000 km**
4p berline 2.0T	2	M	2	18 800
4p berline 2.0T Confortline	2	M	2	20 000
4p berline 2.0T Highline (Cuir/toit)	2	M	2	24 000
4p berline 3.6 4Motion	A	A	3.6	29 400
4p berline 3.6 4Mot Highline (Cuir)	A	A	3.6	31 600
4p familiale 2.0T	2	M	2	19 800
4p familiale 2.0T Confortline	2	M	2	21 200
4p familiale 2.0T Highline (Cuir)	2	M	2	24 900
4p familiale 3.6 4Motion	A	A	3.6	30 400
4p fam 3.6 4Mot Highline (Cuir)	A	A	3.6	32 800
2007 PASSAT				**60 000 km**
4p berline 2.0T	2	M	2	16 200
4p berline 2.0T Deluxe (toit)	2	M	2	18 300
4p berline 2.0T Cuir Deluxe	2	M	2	19 900
4p berline 3.6	2	A	3.6	23 300
4p berline 3.6 Sport Cuir	2	A	3.6	25 000
4p berline 3.6 4Motion	A	A	3.6	24 800
4p berline 3.6 4Motion Sport Cuir	A	A	3.6	26 800
4p familiale 2.0T	2	M	2	17 000
4p familiale 2.0T Deluxe (toit)	2	M	2	19 200
4p familiale 2.0T Cuir Deluxe	2	M	2	20 600
4p familiale 3.6	2	A	3.6	24 100
4p familiale 3.6 Sport Cuir	2	A	3.6	26 100
4p familiale 3.6 4Motion	A	A	3.6	25 800
4p familiale 3.6 4Motion Sport Cuir	A	A	3.6	27 800
2006 PASSAT				**80 000 km**
4p berline 2.0T	2	M	2	14 300
4p berline 2.0T Deluxe (toit)	2	M	2	15 000
4p berline 2.0T Cuir Deluxe	2	M	2	15 600
4p berline 3.6	2	A	3.6	17 300
4p berline 3.6 Sport Cuir	2	A	3.6	18 000
4p berline 3.6 4Motion	A	A	3.6	17 500
4p berline 3.6 4Motion Sport Cuir	A	A	3.6	18 000
2005 PASSAT				**100 000 km**
4p berline GLS	2	M	1.8	13 200
4p berline GLS TDI	2	A	2	15 100
4p berline GLS 4Motion	A	M	1.8	13 600
4p berline GLS V6	2	A	2.8	14 800
4p berline GLX (cuir)	2	A	2.8	16 100
4p berline GLX 4Motion (cuir)	A	A	2.8	16 200
4p familiale GLS	2	M	1.8	13 700
4p familiale GLS TDI	2	A	2	16 100
4p familiale GLS 4Motion	A	M	1.8	13 600
4p familiale GLS V6	2	A	2.8	14 200
4p familiale GLX (cuir)	2	A	2.8	15 800
4p familiale GLX 4Motion (cuir)	A	A	2.8	16 200
2006 PHAETON				**80 000 km**
4p berline 5 pass. V8	A	A	4.2	29 100
4p berline 4 pass. V8	A	A	4.2	32 500
4p berline 5 pass. W12	A	A	6	34 800
4p berline 4 pass. W12	A	A	6	37 400
2005 PHAETON				**100 000 km**
4p berline 5 pass. V8	A	A	4.2	22 700
4p berline 4 pass. V8	A	A	4.2	25 300
4p berline 5 pass. W12	A	A	6	28 700
4p berline 4 pass. W12	A	A	6	31 500
2009 RABBIT				**20 000 km**
2p hayon 2.5	2	M	2.5	18,600
2p hayon 2.5	2	A	2.5	19,500
4p hayon 2.5	2	M	2.5	19,600
4p hayon 2.5	2	A	2.5	20,400
2008 RABBIT				**40 000 km**
2p hayon 2.5	2	M	2.5	15 800
2p hayon 2.5	2	A	2.5	16 900
4p hayon 2.5	2	M	2.5	16 500
4p hayon 2.5	2	A	2.5	17 700
2007 RABBIT				**60 000 km**
2p hayon 2.5	2	M	2.5	14 900
2p hayon 2.5	2	A	2.5	16 000
4p hayon 2.5	2	M	2.5	15 700
4p hayon 2.5	2	A	2.5	16 700
2009 ROUTAN				**20 000 km**
4p Trendline	2	A	4	25,500
4p Execline (cuir)	2	A	4	35,400
2009 TIGUAN				**20 000 km**
4p 2.0T Trendline	2	A	2	24,300
4p 2.0T Trendline 4Motion	A	A	2	28,200
4p 2.0T Highline 4Motion	A	A	2	34,400
2009 TOUAREG 2				**20 000 km**
4p V6	A	A	3.6	39,600
4P V6 Highline (cuir)	A	A	3.6	47,600
4p V6 Execline (air-susp.)	A	A	3.6	49,000
4p TDI	A	A	3	41,600
4p TDI Highline	A	A	3	48,600
4p V8 (cuir)	A	A	4.2	49,500
4p V8 Execline (air-susp.)	A	A	4.2	56,200
2008 TOUAREG 2				**40 000 km**
4p V6	A	A	3.6	30 900
4P V6 Highline (cuir)	A	A	3.6	36 600
4p V6 Execline (air-susp.)	A	A	3.6	38 000
4p V8 (cuir)	A	A	4.2	38 600
4p V8 Execline (air-susp.)	A	A	4.2	39 100
2007 TOUAREG				**60 000 km**
4p V6	A	A	3.6	28 100
4P V6 Luxury (cuir)	A	A	3.6	31 800
4p V6 Luxury Plus (air-susp.)	A	A	3.6	33 200
4p V6 Premium (air-susp+NAVI)	A	A	3.6	34 800
4p V8 (cuir)	A	A	4.2	33 900
4p V8 Luxury (NAVI)	A	A	4.2	34 300
4p V8 Lux Plus (air-susp+NAVI)	A	A	4.2	36 300
2006 TOUAREG				**80 000 km**
4p V6	A	A	3.2	23 500
4P V6 Luxury (cuir)	A	A	3.2	25 400
4p V6 Luxury Plus (air-susp.)	A	A	3.2	26 300
4p V6 Premium (air-susp+NAVI)	A	A	3.2	27 400
4p V8 (cuir)	A	A	4.2	26 700
4p V8 Luxury (NAVI)	A	A	4.2	27 200
4p V8 Lux Plus (air-susp+NAVI)	A	A	4.2	28 000
2005 TOUAREG				**100 000 km**
4p V6	A	A	3.2	18 000
4p V8	A	A	4.2	19 000
4p V10 TDI	A	A	5	22 200

VOLVO

Description	R.m.	Tr.	L	Prix
2009 30				**20 000 km**
2p hayon C 2.4i	2	M	2.4	28,800
2p hayon C T5	2	M	2.5	29,700
2008 30				**40 000 km**
2p hayon C 2.4i	2	M	2.4	23 400
2p hayon C 2.4i Sport	2	M	2.4	24 600
2p hayon C T5	2	M	2.5	25 300
2p hayon C T5 Sport	2	M	2.5	26 600
2007 30				**60 000 km**
2p hayon C 2.4i	2	M	2.4	20 200
2p hayon C 2.4i Sport	2	M	2.4	21 500
2p hayon C T5	2	M	2.5	22 100
2p hayon C T5 Sport	2	M	2.5	24 300
2009 40				**20 000 km**
4p berline S base	2	M	2.4	27,700
4p berline S T5	2	M	2.5	32,500
4p berline S T5 AWD	A	M	2.5	35,900
2008 40				**40 000 km**
4p berline S base	2	M	2.4	20 100
4p berline S T5	2	M	2.5	22 600
4p berline S T5 AWD	A	M	2.5	24 200
2007 40				**60 000 km**
4p berline S base	2	M	2.4	17 500
4p berline S T5	2	M	2.5	19 200
4p berline S T5 AWD	A	M	2.5	20 700
2006 40				**80 000 km**
4p berline S base	2	M	2.4	16 700
4p berline S T5	2	M	2.5	17 900
4p berline S T5 AWD	A	M	2.5	18 700
2005 40				**100 000 km**
4p berline S base	2	M	2.4	13 500
4p berline S T5	2	M	2.5	15 700
4p berline S T5 AWD	A	M	2.5	15 800
2009 50				**20 000 km**
4p familiale V base	2	M	2.4	29,900
4p familiale V T5	2	M	2.5	34,300
4p familiale V T5 AWD	A	M	2.5	38,300
2008 50				**40 000 km**
4p familiale V base	2	M	2.4	21 000
4p familiale V T5	2	M	2.5	23 400
4p familiale V T5 AWD	A	M	2.5	24 800
2007 50				**60 000 km**
4p familiale V base	2	M	2.4	17 900
4p familiale V T5	2	M	2.5	19 900
4p familiale V T5 AWD	A	M	2.5	21 400
2006 50				**80 000 km**
4p familiale V base	2	M	2.4	15 900
4p familiale V T5	2	M	2.5	17 900
4p familiale V T5 AWD	A	M	2.5	18 500
2005 50				**100 000 km**
4p familiale V base	2	M	2.4	11 800
4p familiale V T5	2	M	2.5	14 300
4p familiale V T5 AWD	A	M	2.5	15 100
2009 60				**20 000 km**
4p berline S turbo	2	A	2.5	32,800
4p berline S turbo Luxury	2	A	2.5	37,900
4p berline S T5 turbo AWD	A	A	2.5	37,300
4p berline S turbo AWD Lux	A	A	2.5	39,200
2008 60				**40 000 km**
4p berline S turbo base	2	A	2.5	22 400
4p berline S T5 turbo	2	M	2.4	24 900
4p berline S T5 turbo	2	A	2.4	25 700
4p berline S turbo AWD	A	A	2.5	24 000
2007 60				**60 000 km**
4p berline S turbo base	2	A	2.5	20 200
4p berline S T5 turbo	2	A	2.4	23 800
4p berline S turbo AWD	A	A	2.5	22 900
4p berline S R turbo (cuir)	A	M	2.5	26 000
2006 60				**80 000 km**
4p berline S turbo base	2	A	2.5	15 300
4p berline S T5 turbo	2	M	2.4	18 600
4p berline S turbo AWD	A	A	2.5	17 600
4p berline S turbo Spe Edn (cuir)	A	A	2.5	19 800
4p berline S R turbo (cuir)	A	M	2.5	22 200
2005 60				**100 000 km**
4p berline S base	2	M	2.4	13 500
4p berline S turbo	2	A	2.5	15 200
4p berline S turbo sport Ed (cuir)	2	A	2.5	17 400
4p berline S T5 turbo (cuir)	2	M	2.4	17 300
4p berline S turbo AWD	A	A	2.5	16 800
4p berline S R turbo (cuir)	A	M	2.5	19 500
2009 70				**20 000 km**
2p décapotable C T5	2	M	2.5	44,800
2p décapotable C T5	2	A	2.5	46,100
4p familiale V base	2	A	3.2	36,500
4p familiale XC AWD	A	A	3.2	37,800
4p familiale XC T6 AWD	A	A	3.2	39,900
2008 70				**40 000 km**
2p décapotable C T5	2	M	2.5	35 600
2p décapotable C T5	2	A	2.5	36 400
4p familiale V base	2	A	3.2	27 700
4p familiale XC AWD	A	A	3.2	29 200
2007 70				**60 000 km**
2p décapotable C T5	2	M	2.5	30 000
4p familiale V base	2	M	2.4	21 400
4p familiale V turbo	2	A	2.5	23 100
4p familiale V turbo AWD	A	A	2.5	25 700
4p familiale R turbo (cuir)	A	M	2.5	31 100
4p fam V XC C-Country turbo	A	A	2.5	24 200
2006 70				**80 000 km**
2p décapotable C T5	2	M	2.5	20 200
4p familiale V base	2	M	2.4	15 400
4p familiale V turbo	2	A	2.5	17 000
4p familiale V T5 turbo (cuir)	2	M	2.4	20 900
4p familiale V turbo	A	A	2.5	19 700
4p fam V turbo Special Ed (cuir)	A	A	2.5	21 900
4p familiale R turbo (cuir)	A	M	2.5	22 800
4p familiale V XC C-Country turbo	A	A	2.5	18 200
2005 70				**100 000 km**
4p familiale V base	2	M	2.4	13 500
4p familiale V turbo	2	A	2.5	16 400
4p familiale V T5 turbo (cuir)	2	M	2.4	17 600
4p familiale V turbo sport Ed (cuir)	2	A	2.5	18 400
4p familiale V turbo	A	A	2.5	16 700
4p familiale R turbo (cuir)	A	M	2.5	20 200
4p fam V XC C-Country turbo	A	A	2.5	17 600
2009 80				**20 000 km**
4p berline S 3.2 AWD	A	A	3.2	43,000
4p berline S 3.2 AWD Security	A	A	3.2	46,000
4p berline S 3.2 AWD Luxury	A	A	3.2	49,100
4p berline S T6 AWD	A	A	3	48,600
4p berline S V8 AWD	A	A	4.4	52,800
4p berline S V8 AWD Luxury	A	A	4.4	55,200
4p berline S V8 AWD Security	A	A	4.4	56,400
2008 80				**40 000 km**
4p berline S 3.2 AWD	A	A	3.2	35 100
4p berline S 3.2 AWD Security	A	A	3.2	37 000
4p berline S 3.2 AWD Luxury	A	A	3.2	37 200
4p berline S V8 AWD	A	A	4.4	38 900
4p berline S V8 AWD Luxury	A	A	4.4	40 300
4p berline S V8 AWD Security	A	A	4.4	40 900
2007 80				**60 000 km**
4p berline S 3.2 AWD	A	A	3.2	30 000
4p berline S 3.2 AWD Security	A	A	3.2	32 000
4p berline S 3.2 AWD Luxury	A	A	3.2	32 900
4p berline S V8 AWD	A	A	4.4	34 300
4p berline S V8 AWD Security	A	A	4.4	36 200
4p berline S V8 AWD Luxury	A	A	4.4	36 300
2006 80				**80 000 km**
4p berline S AWD	A	A	2.5	21 400
4p berline S AWD Luxury	A	A	2.5	22 700
2005 80				**100 000 km**
4p berline S T6 turbo	2	A	2.9	17 800
4p berline AWD	A	A	2.5	17 000
2009 XC 90				**20 000 km**
4p XC 3.2	A	A	3.2	39,700
4p XC 3.2 7sièges (cuir)	A	A	3.2	44,600
4p XC 3.2 R (cuir)	A	A	3.2	46,200
4p XC 3.2 R 7sièges (cuir)	A	A	3.2	48,300
4p XC V8 (cuir)	A	A	4.4	49,000
4p XC V8 7 sièges (cuir)	A	A	4.4	50,000
4p XC V8 Sport (cuir)	A	A	4.4	52,300
4p XC V8 Sport 7 sièges (cuir)	A	A	4.4	53,700
2008 XC 90				**40 000 km**
4p XC 3.2	A	A	3.2	32 200
4p XC 3.2 7sièges (cuir)	A	A	3.2	35 700
4p XC 3.2 Sport (cuir)	A	A	3.2	36 400
4p XC 3.2 Sport 7sièges (cuir)	A	A	3.2	37 800
4p XC V8 (cuir)	A	A	4.4	38 000
4p XC V8 7 sièges (cuir)	A	A	4.4	38 200
4p XC V8 Sport (cuir)	A	A	4.4	38 700
4p XC V8 Sport 7 sièges (cuir)	A	A	4.4	39 900
2007 XC 90				**60 000 km**
4p XC 3.2	A	A	3.2	28 700
4p XC 3.2 7sièges (cuir)	A	A	3.2	30 700
4p XC V8 (cuir)	A	A	4.4	31 700
4p XC V8 7 sièges (cuir)	A	A	4.4	32 900
4p XC V8 Sport (cuir)	A	A	4.4	33 600
4p XC V8 Sport 7 sièges (cuir)	A	A	4.4	34 700
2006 XC 90				**80 000 km**
4p XC 2.5 turbo	A	A	2.5	25 100
4p XC 2.5 turbo (cuir)	A	A	2.5	26 600
4p XC 2.5 turbo 7sièges (cuir)	A	A	2.5	27 100
4p XC V8 5 sièges (cuir)	A	A	4.4	27 600
4p XC V8 7 sièges (cuir)	A	A	4.4	28 900
2005 XC 90				**100 000 km**
4p XC 2.5 turbo	A	A	2.5	20 300
4p XC 2.5 turbo (cuir)	A	A	2.5	21 000
4p XC 2.5 turbo 7sièges (cuir)	A	A	2.5	21 900
4p XC T6 (cuir)	A	A	2.9	23 900